DICTIONNAIRE DE LA MUSIQUE

SCIENCE

de la

MUSIQUE

DICTIONNAIRE DE LA MUSIQUE

SCIENCE

de la

MUSIQUE

sous la direction de

MARC HONEGGER

Directeur de l'Institut de Musicologie
de l'Université de Strasbourg

Formes, Technique, Instruments

A-K

Bordas

© BORDAS, Paris, 1976 - 01 637 607 11

ISBN 2 - 04 - 005140 - 6

LISTE DES COLLABORATEURS

au Dictionnaire de la Musique — Science de la Musique, volumes I et II,
publié sous la direction de Marc HONEGGER

M. Olivier ALAIN (Paris)
M. Riccardo ALLORTO (Milan)
M. Peter ANDRASCHKE (Fribourg-en-Brisgau)
M. Theophil ANTONICEK (Vienne)
M. Simha AROM (Paris)
Mme Jocelyne AUBÉ (Nantes)
M. Pierre AUCLERT (Paris) †
M. Hanoch AVENARY (Tel-Aviv)
M. Terence W. BAILEY (London, Ontario, Canada)
M. Anthony BAINES (Oxford)
M. Mehdi BARKECHLI (Téhéran)
M. Maurice BARTHÉLEMY (Liège)
Mlle Dorothea BAUMANN (Feldmeilen, Zurich, Suisse)
M. Éric BELTRANDO (Paris)
Mme Marie-Claire BELTRANDO-PATIER (Strasbourg et Paris)
Mlle Marcelle BENOIT (Paris)
Mme Rita BENTON (Iowa City, Iowa, USA)
M. Walter BLANKENBURG (Schlüchtern, Hesse, RFA)
Mlle Marie-Françoise BLOCH (Strasbourg et Paris)
M. Wolfgang BOETTICHER (Göttingen, RFA)
M. E. Kerr BORTHWICK (Édimbourg)
Mme Marie-Thérèse BOUQUET (Sciolze, Italie)
M. Guy BOURLIGUEUX (Nantes)
Mme Josiane BRAN-RICCI (Paris)
Mme Gisèle BRELET (Paris) †
Mme Nanie BRIDGMAN (Paris)
Mme Yolande de BROSSARD (Paris)
M. Jean BRUNET (Paris)
Mlle Eva BUBERT (Strasbourg)
M. Michel BURGARD (Bar-le-Duc)
M. John CALDWELL (Oxford)
Mlle Mariangela CAPPELLI (Milan)
Mlle Isabelle CAZEAUX (New York)
M. David CHADD (Norwich)
M. Claude CHAPPUIS (Rouen)
Mme Hélène CHARNASSÉ (Paris)
M. Régis CHENUT (Strasbourg)
Dom Maur COCHERIL (Entrammes, Mayenne)
Dom Pierre COMBE (Solesmes, Sarthe)
M. Guy CORNUT (Lyon)
M. Luis Heitor CORRÊA DE AZEVEDO (Paris)
M. Viorel COSMA (Bucarest)
M. Roger COTTE (Paris)
M. Carl DAHLHAUS (Berlin)
M. Marc DALTROFF (Metz)
M. Alain DANIÉLOU (Venise)
M. Daniel DEVOTO (Paris)
M. Renato DI BENEDETTO (Naples)
M. Eugène DILLENSCHNEIDER (Strasbourg)
M. Georges DOTTIN (Lille)
M. Ulrich DRUNER (Stuttgart)
Mme Marcelle DUCHESNE-GUILLEMIN (Liège)
M. Jean DURING (Strasbourg et Téhéran)
M. Hans Heinz EGGEBRECHT (Fribourg-en-Brisgau)

M. Zygmunt ESTREICHER (Genève)
M. Max FAVRE (Muri, Berne, Suisse)
M. Vladimir FÉDOROV (Paris)
M. Guy FERCHAULT (Paris)
Mme Elena FERRARI BARASSI (Milan)
M. Horace FITZPATRICK (Oxford)
M. Constantin FLOROS (Hambourg)
M. Rudolf FLOTZINGER (Graz)
M. Félicien FORÊT (Tournon-sur-Rhône)
M. Pierre FORTASSIER (Paris)
M. Bernard GAGNEPAIN (Paris)
M. Jacques GARDIEN (Paris)
Mlle Madeleine GARROS (Paris)
M. Jean GERGELY (Paris)
Mme Édith GERSON-KIWI (Jérusalem)
M. Henri GOUGELOT (Paris)
M. Georges GOURDET (Paris)
M. Jean GRIBENSKI (Paris)
M. Jean-Michel GUILCHER (Paris)
M. Serge GUT (Paris)
M. André HAJDU (Jérusalem)
Mme Christiane HAMEL (Strasbourg)
M. Pierre HARDOUIN (Paris)
M. Ulrich HEIN (Munich)
M. Axel HELMER (Stockholm)
M. Siegfried HERMELINK (Heidelberg) †
M. Alan C. HEYMAN (Séoul, Corée)
M. Arthur HOÉRÉE (Paris)
Mme Dagmar HOFFMANN-AXTHELM (Bâle)
M. Lothar HOFFMANN-ERBRECHT (Langen, Oberlinden, RFA)
M. Michel Rostislav HOFMANN (Paris) †
Mme Geneviève HONEGGER (Strasbourg)
M. Marc HONEGGER (Strasbourg)
M. Michel HUGLO (Fontenay-le-Fleury, Yvelines)
M. Jürgen HUNKEMÖLLER (Heidelberg)
M. Michel IMBERTY (Épinay, Seine-Saint-Denis)
M. Jens Peter JACOBSEN (Lystrup, Danemark)
M. Pavle JANKOVIC (Belgrade)
M. Simon JARGY (Genève)
M. Georg KARSTÄDT (Lübeck)
M. Manfred KELKEL (Paris)
M. Shigeo KISHIBE (Tokyo)
M. Erik KJELLBERG (Lidingö, Suède)
M. René KOPFF (Strasbourg)
M. Jan KOUBA (Prague)
M. Hannu Ilari LAMPILA (Helsinki)
M. Karl LAUX (Dresde, RDA)
M. Émile LEIPP (Paris)
M. François LESURE (Paris)
M. Hans Martin LINDE (Bâle)
Mme Zofia LISSA (Varsovie)
M. Bernard LORTAT-JACOB (Paris)
M. Raymond LYON (Paris)
M. Hiao Tsiun MA (New York)
M. Chris MAAS (Bussum, Pays-Bas)

PRÉFACE

Il convient de comparer les quelque 1 200 pages de ces deux volumes consacrés à la Science de la musique au Dictionnaire pratique et historique de la musique *de Michel Brenet, paru en 1926, pour apprécier à sa juste valeur l'importance du développement récent des connaissances qui forment le bagage de tout musicien averti. En cinquante ans exactement, celui-ci s'est définitivement approprié des domaines aussi variés que les musiques baroque, renaissante, puis médiévale, désormais indissolublement associées au répertoire classique et romantique qui a établi la vocation universelle de la musique occidentale, sans parler de la musique de notre temps, avec laquelle nous sommes censés vivre et qui nous offre quotidiennement la surprise de la découverte. Il s'est également familiarisé avec les musiques non européennes, se passionne pour les sources, les instruments et leur évolution, le langage musical, l'acoustique, les problèmes de la conservation et de la reproduction des sons, enfin pour l'esthétique musicale. Dans tous ces domaines, le présent ouvrage fait le point des connaissances les plus récentes, avec le constant souci de rester au service de la vie. « Faire fructifier la musique vivante par la science et la connaissance » est resté la préoccupation essentielle des promoteurs de cet ouvrage, dont la réalisation est le résultat d'une étroite collaboration des plus éminents spécialistes de la musicologie en France et à l'étranger.*

Complétant les deux volumes du Dictionnaire de la musique *parus en 1970 sous le titre* Les Hommes et leurs œuvres, *cet ouvrage nouveau en adopte les principes — « réaliser un équilibre entre l'érudition pure et les exigences très particulières d'une culture musicale en continuelle évolution » — et s'adresse aux mêmes utilisateurs — « l'étudiant, le mélomane, l'interprète, le musicologue, le chercheur, voire le libraire ». Par son caractère plus technique et plus scientifique, il apporte un complément indispensable et longtemps attendu à un ouvrage dont on avait apprécié la documentation, la tenue, l'accessibilité et la lisibilité.*

Pour une bonne utilisation de cet ouvrage, l'attention du lecteur doit être attirée sur quelques points précis.

Fond

La lecture d'un seul article n'épuise pas la matière traitée. Pour en rassembler tous les éléments, il est nécessaire de consulter tous les articles auxquels il est fait explicitement référence ou auxquels renvoie une flèche placée devant un mot du texte.

De même, la recherche des éléments bibliographiques d'un sujet donné ne peut être considérée comme achevée — dans le cadre de cet ouvrage — tant que tous les paragraphes bibliographiques de tous les articles désignés par un renvoi explicite ou implicite n'ont pas été consultés.

Dans le dessein d'économiser la place, on a renoncé à désigner par une flèche tous les auteurs traités dans Les Hommes et leurs œuvres *lorsqu'il est nécessaire de s'y reporter. En règle générale, un nom patronymique précédé d'un prénom abrégé, ou éventuellement sans prénom, doit s'y trouver. Les auteurs qui en sont absents sont désignés dans la plupart des cas par leur nom patronymique précédé de leur(s) prénom(s) en toutes lettres.*

Bibliographie

Les ouvrages cités en bibliographie sont classés par ordre chronologique, les plus anciens en tête. Toutefois, les études d'un même auteur ont souvent été groupées.

Les titres des ouvrages en anglais, néerlandais, allemand, italien, espagnol et portugais sont cités dans la langue originale. Dans la plupart des autres cas, les titres des études ont été traduits en français, la référence bibliographique étant suivie de l'indication de la langue originale placée entre parenthèses.

Les crochets [ ] sont employés, comme il est de tradition, pour désigner les restitutions et adjonctions ne figurant pas dans l'original.

L'indication de l'éditeur n'a été communiquée que si les ouvrages sont encore susceptibles d'être trouvés en librairie, c'est-à-dire pour ceux dont l'édition ne remonte pas à plus de vingt-cinq ans.

Illustration

Le signe ● placé en marge au début d'un article indique que celui-ci est illustré hors-texte.

Les illustrations en couleurs forment un ensemble cohérent, présenté de façon chronologique, dont le thème est le concert à travers les âges.

Au moment de mettre le point final à un travail long et minutieux, le signataire de ces lignes tient à exprimer sa gratitude à ses collègues et collaborateurs pour la générosité avec laquelle ils n'ont cessé de lui apporter l'aide de leur érudition et de leurs qualités pédagogiques afin de doter les musiciens de langue française d'un ouvrage de référence et d'un outil de travail de haute qualité.

Ses remerciements s'adressent également à M. Robert Brécy, qui a fait bénéficier lu préparation de cet ouvrage de tous les soins qui avaient assuré la qualité des deux volumes précédents ; à Mlle May Veber, qui a été maître d'œuvre dans la réalisation matérielle de ces deux volumes et qui s'est révélée une collaboratrice au plein sens du terme, attentive aux grandes options de l'ouvrage comme aux innombrables détails qui font la valeur d'un dictionnaire ; à Mmes Dominique Arnulf-Duhot et Marguerite de Mlodzianowski, auxquelles revient le mérite d'une iconographie enrichissant considérablement le caractère documentaire de ces deux volumes sans jamais sacrifier la qualité artistique des œuvres représentées ; à M. Jean Rivallan, qui a défendu avec savoir et ténacité les droits imprescriptibles de la langue française lors des nombreuses lectures d'épreuves auxquelles il s'est livré.

Il doit une reconnaissance particulière à son père, M. Max Honegger, pour l'intérêt qu'il a pris à l'illustration des instruments de musique et à la minutie de ses dessins, ainsi qu'à sa femme, pour sa collaboration de tous les instants et à tous les niveaux d'élaboration ; sans son dévouement et ses compétences, le Dictionnaire de la musique n'aurait eu aucune chance de voir le jour.

Enfin, il lui apparaît évident que le mérite essentiel dans la naissance de cette encyclopédie, désormais achevée, revient à M. Pierre Bordas, musicien dans l'âme et connaisseur averti, grâce à qui la musique, en France et dans les pays de langue française, a pu être dotée d'un moyen de connaissance et de promotion que les musiciens n'osaient pas espérer.

Marc Honegger,
Université des Sciences humaines de Strasbourg.

LISTE DES ABRÉVIATIONS

Abh.	Abhandlung
acad.	académie
a cap.	a cappella
accad.	accademia
accomp.	accompagnement
adj.	adjectif
ad lib.	ad libitum
AfMf.	Archiv für Musikforschung
AfMw	Archiv für Musikwissenschaft
Afnor.	Association Française de Normalisation
Akad.	Akademie
all.	allemand
AM	Année Musicale
amér.	américain
Amer. Inst. of Musicology .	American Institute of Musicology
AMG	Allgemeine Musikgesellschaft
AMI.	Associazione dei musicologi italiani. Catalogo generale delle opere musicali... esistenti nelle bibl. e negli archivi d'Italia, 14 séries, Parme 1911-38, rééd. en facs. Bologne, Forni, 1969 et suivantes
AMl	Acta Musicologica
AMP (ou Assoc. Music Publ.)	Associated Music Publishers, New York
AMS	Association des Musiciens Suisses (Schweizer Tonkünstler Verein)
AmZ	Allgemeine musikalische Zeitung
AMz.	Allgemeine Musikzeitung
Anal. Hymn. .	Analecta Hymnica Medii Aevi
angl.	anglais
Anh.	Anhang (= annexe)
Ann. Mus. . . .	Annales Musicologiques
anon.	anonyme
ant.	antérieur
anth.	anthologie
Anuario Mus .	Anuario Musical
ap.	après
Arch. mus. lat.	Archivio musicale lateranense
arrang.	arrangement
art.	article
assoc.	association/associé/associated
Assoc. Music Publ. (ou AMP)	Associated Music Publishers, New York
attr.	attribué, attribution
augm.	augmenté
autr.	autrichien
av.	avant
avr.	avril
bar.	baryton
batt.	batterie
BBC.	British Broadcasting Corporation
b. c.	basse continue
b. ch.	basse chiffrée
bibl.	bibliothèque

Bibl. Nat. (ou BN)	Bibliothèque Nationale, Paris
bibliogr.	bibliographie
BIMG	Publikationen der Internationalen Musikgesellschaft, Beihefte
BN (ou Bibl. Nat.)	Bibliothèque Nationale, Paris
bol.	boletín
boll.	bolletino
Boll. Bibl. Mus.	Bolletino Bibliografico Musicale
Br. & H.	Breitkopf & Härtel, Wiesbaden
BrM	British Museum, Londres
bull.	bulletin
BV	Bärenreiter-Verlag
BVK	Bärenreiter-Verlag, Kassel
ca	circa
cor angl.	cor anglais
c.-à-d.	c'est-à-dire
cant.	cantique
catal.	catalogue
cath.	catholique
cb.	contrebasse
Cebedem	Centre Belge de Documentation Musicale, Bruxelles
cf.	confer (= se reporter à)
ch.	chambre (musique de)
chans.	chanson
chap.	chapitre
CHF	Cesky hudebni fond, Prague
chorégr.	chorégraphie/chorégraphique
chronol.	chronologique
cht	chant
Chw	Das Chorwerk, Wolfenbüttel, Möseler-Verlag, 1929 et suiv.
clar.	clarinette
class.	classique
clav.	clavier
clv.	clavecin
CMM	Corpus Mensurabilis Musicae
CNRS.	Centre National de la Recherche Scientifique, Paris
cod.	codex
col.	colonne
coll.	collectif/collection
Coll. Mus.	Collegium Musicum, Leipzig, Br. & H.
collab.	collaborateur/collaboration
com.	comique
comp.	compositeur/composition
complt.	complément
Cons.	Conservatoire
contemp.	contemporain
contrept.	contrepoint
COUSSEMAKER Scr.	Scriptorum de musica medii aevi, novam seriem..., éd. par E. DE COUSSEMAKER, 4 vol., Paris 1864-76
créat.	création
crit.	critique

CSM......... Corpus Scriptorum de Musica
DAVISON-APEL
  Anth....... A. T. DAVISON et W. APEL, Historical Anth. of Music, 2 vol., Cambridge (Mass.), Harvard Univ. Press, 1946-50, 7/1964
dB........... décibel
DDT......... Denkmäler deutscher Tonkunst, Leipzig, puis Augsbourg (à partir de 1924) 1892-1931
déc. .... décembre
déd. .... dédié
dépt .... département
dern. .... dernier
d.h. .... das heisst (= cela signifie)
d.i. .... das ist (= c'est-à-dire)
dict. .... dictionnaire
difft .... différent
dir. .... directeur/direction
diss. .... dissertation
div. .... divers
dram. .... dramatique
DTB .... Denkmäler der Tonkunst in Bayern (= DDT 2e série), Leipzig, puis Augsbourg (à partir de 1924) 1900-1931
DTÖ .... Denkmäler der Tonkunst in Österreich, Vienne, 1894 et suiv.
ecclés. .... ecclésiastique
éd. .... édité/éditeur
Éd. Fr. de Mus. Éditions Françaises de Musique, Paris
EDM .... Das Erbe deutscher Musik, Hanovre 1935 et suiv., 1re série = Reichsdenkmale (RD), 2e série = Landschaftsdenkmale
EISE .... Éditions et Imprimerie du Sud-Est
élém. .... élémentaire
encycl........ encyclopédie
en prép. ..... en préparation
enseignt ..... enseignement
env. .... environ
esp. .... espagnol
etc. .... et caetera
ev. .... evangelisch (= évangélique)
ex. .... exemple
EXPERT
  Florilège ... H. EXPERT, Florilège du Concert vocal de la Renaissance, 8 fascicules, Paris 1928-29
EXPERT
  Maîtres .... H. EXPERT, Les Maîtres Musiciens de la Renaissance française, 23 vol., Paris 1894-1908
EXPERT
  Monuments H. EXPERT, Les Monuments de la Musique française au temps de la Renaissance (Fondation Négib Sursock), 10 vol., Paris 1924-29
expos. .... exposition
extr. .... extrait
f. .... femmes (chœur de)/féminin
fo .... folio
facs. .... fac-similé
fév. .... février
fl. .... flûte

fl. trav. ..... flûte traversière
flam. .... flamand
folkl. .... folklorique
fond. .... fondation
fr............ français
Fs. .... Festschrift
Gazette Mus.. Gazette Musicale
gd .... grand
GERBERT Scr.. Scriptores ecclesiastici de musica..., éd. par M. GERBERT, 3 vol., St. Blasien, 1784
Gesch. ...... Geschichte/Geschiedenis (= histoire)
gl .... général
grég. .... grégorien
Grove .... Grove's Dictionary of Music and Musicians, Londres 5/1954
GUILMANT-
  PIRRO ..... A. GUILMANT, Archives des maîtres de l'orgue des XVIe, XVIIe et XVIIIe s..., 10 vol. (avec préfaces d'A. Pirro), Paris 1898-1914
h. .... hommes (chœur d')
harm. .... harmonie
Hdb. .... Handbuch (= manuel)
hist. .... histoire/historique
hl. .... heilig (= saint)
HMUB ...... Hudební Matice Umelecké Besedy, Prague
hongr. .... hongrois
Hortus Mus.. Hortus Musicus, Kassel, BV
Hs. .... Handschrift (= manuscrit)
htb. .... hautbois
Hz .... hertz
ibid. .... ibidem (= au même endroit)
id. .... idem (= le même)
impr. .... imprimé
improv. ...... improvisation
intern. .... international
introd. ...... introduction
Inst. .... Institut/Institute
instr. .... instrument/instrumental
ital. .... italien
JAES .... Journal of the Audio-Engineering Society
JAMS .... Journal of the American Musicological Society
janv. .... janvier
JAZU .... Jugoslovenska akademije znaosti i umetnosti, Zagreb
Jb. .... Jahrbuch (= annuaire)
Jb. Peters ... Jahrbuch der Musikbibliothek Peters
Jh. .... Jahrhundert (= siècle)
juil. .... juillet
Kgr.-Ber. .... Kongress-Bericht (= Actes du congrès)
KmJb .... Kirchenmusikalisches Jahrbuch
KV .... Köchel-Verzeichnis
Kwart. Muz. . Kwartalnik Muzyczny
lat. .... latin
LAVIGNAC
  Hist., et
LAVIGNAC
  Techn. .... Encyclopédie de la Musique et Dictionnaire du Conservatoire, éd. par A. LAVIGNAC, puis par L. DE LA LAURENCIE, Histoire de la

musique (1ʳᵉ partie), Paris 1913-22, Technique de la musique (2ᵉ partie), Paris 1925-31

libr. .... librairie/Library
litt. .... littéraire
liturg. .... liturgique
livr. .... livraison
loc. .... locution
lyr. .... lyrique
m. .... mort/masculin
M.A. .... Moyen Age
MAB. .... Musica Antiqua Bohemica
maj. .... majeur
MD .... Musica Disciplina
M. de Fr. ... Mercure de France
Mg. .... Musikgeschichte
M. galant ... Mercure galant
Mercure Mus. . Mercure Musical
mezzo sop. ... mezzo soprano
Mf. .... Die Musikforschung
MfM. .... Monatshefte für Musikgeschichte
MGG .... Die Musik in Geschichte und Gegenwart, éd. par Fr. Blume, 14 vol., Kassel, BV, 1949-68
MGkK ...... Monatsschrift für Gottesdienst und kirchliche Kunst
Migne
  Patr. gr. ... Patrologiae cursus completus, series graeca, éd. par J.P. Migne, 161 vol., Paris 1857-66
Migne
  Patr. lat. .. Patrologiae cursus completus, series latina, éd. par le même, 217 vol., Paris 1844-55
mie .... musicologie
min. .... mineur
Mk .... Die Musik
ML. .... Music and Letters
MM .... mouvement métronomique
MMB ...... Monumenta Musicae Byzantinae
MMBelg .... Monumenta Musica Belgicae, 7 vol., Berchem-Anvers 1932-51
MMEsp .... Monumentos de la Música Española, Madrid et Barcelone 1941 et suiv.
mod. .... moderne
mouvt ...... mouvement
MQ .... The Musical Quarterly
MR .... The Music Review
ms. (mss.) .... manuscrit(s)
MSD .... Musicological Studies and Documents
MuG .... Musik und Gottesdienst
MuK .... Musik und Kirche
mus. .... musique/musical/musikalisch
Musikwiss.
  (ou Mw.) ... Musikwissenschaft (= musicologie)
musikwiss.
  (ou mw.) ... musikwissenschaftlich (= musicologique)
Mus. Brit. ... Musica Britannica, Londres, Stainer & Bell, 1951 et suiv.
muz. .... muzyczny
muzykol. .... muzykologiczny
Mw. .... Musikwissenschaft (= musicologie)
mw. .... musikwissenschaftlich
n. .... nom

Nagels MA .. Nagels Musikarchiv, Kassel
nat. .... national
nbr. .... nombreux
néerl. .... néerlandais
n. f. .... nom féminin
n.m. .... nom masculin
NZH .... Nakladni Zavod Hrvatske, Zagreb
NMZ .... Neue Musik Zeitung
nouv. .... nouveau/nouvelle
nov. .... novembre
NRF .... Nouvelle Revue Française
n.st. .... nouveau style
OCORA ..... Office de Coopération radiophonique
oct. .... octobre
ÖMZ .... Österreichische Musik-Zeitschrift
op. .... opus
op.-com./
  Opéra-Com.. opéra-comique/Opéra-Comique
organ. .... organologie
ORTF ...... Office de Radiodiffusion-Télévision Française
Österr. .... Österreich (= Autriche)
ouvr. .... ouvrage
p. .... piano
p./pp. .... page/pages
PäM. .... Publikationen älterer Musik, 11 vol., Leipzig 1926-41
Paléogr. Mus.. Paléographie Musicale
part. .... partition
péd. .... pédale, pédalier
p. ex. .... par exemple
PGfM .... Publikationen der Gesellschaft für Musikforschung, 29 vol., Berlin et Leipzig 1873-1905
phil. .... philosophie
philharm. .... philharmonique
PIW .... Pánstowowy Instytut Wydawniczny
pl. .... planche
plur. .... pluriel
plus. .... plusieurs
pol. .... polonais
Pol. Rocznik
  Musykol. .. Polski Rocznik Musykologiczny
polyph. ...... polyphonique
pop. .... populaire
portug. ...... portugais
post. .... postérieur
posth. .... posthume
prép. .... préparation (en)
prés. .... président
Proc. Mus.
  Assoc. ...... Proceeding of the Music Association
Proc. R. Mus.
  Assoc. ...... Proceeding of the Royal Music Association
prof. .... professeur
prot./protest. . protestant
prov. .... province
ps./Ps. .... psaume/Psalm
pseud. .... pseudonyme
psychol. ..... psychologie/psychologique
pt .... petit
publ. .... publié/publication
PWM. .... Polskie Wydawnictwo Muzyczne, Cracovie

PWN	Polskie Wydawnictwo Naukowe, Varsovie	Soc. Fr. de Mie	Société Française de Musicologie
qq.	quelques	Soc. Nat. de Mus.	Société Nationale de Musique
r⁰	recto	sop.	soprano
radioph.	radiophonique	SPAM	Society for the Publication of American Music
Rass. Mus.	Rassegna Musicale		
RBMie	Revue Belge de Musicologie	spir.	spirituel
réalis.	réalisateur/réalisation	sq.	sequens (= et page suivante)
réd.	réduction/réduit	sqq.	sequentes (= et pages suivantes)
rééd.	réédité/réédition	St	Saint
relig.	religieux	St.	Sankt
rép.	république	St.	Stimmen (= voix, parties)
représ.	représentation/représenté	stimm.	stimmig (= à... voix)
rev.	revue/revista	STIM	Svenska Tonsättares Intern. Musik-byra, Stockholm
Rev. Mus. Chilena	Revista Musical Chilena	STMf	Svensk Tidskrift for Musikforskning
Rev. Bras. de Música	Revista Brasileira de Música	StMw	Studien zur Musikwissenschaft
révolut.	révolutionnaire	suiv.	suivant
RISM	Répertoire International des Sources Musicales	supplt	supplément
		SVKL	Slovenské Vydavatelstvo Krásny Literatúry, Bratislava
RM	Revue Musicale 1827-35 : Fétis; 1903-12 : Combarieu; 1920 et suiv. : Prunières	symph.	symphonie/symphonique
		syn.	synonyme
		syst.	système
RMI	Rivista Musicale Italiana	tabl.	tableau
RMie	Revue de Musicologie	th.	thème
RMS	Revue Musicale Suisse (Schweizer-ische Musikzeitung)	Th.	Théâtre
		théâtr.	théâtral
s.	siècle	thémat.	thématique
S.	San	théor.	théorique
SA	Société Anonyme	timb.	timbales
SACEM	Société des Auteurs, Compositeurs et Éditeurs de Musique	TORCHI Arte Mus.	L'Arte Musicale in Italia, éd. par L. TORCHI, 7 vol., Milan 1897 et suiv.
SAN	Srjska Akademijà Nauka, Belgrade		
saxoph.	saxophone	trad.	traduction/traduit
SAZU	Slovenska Akademijà Znaorosti in Umetnosti, Ljubljana	transcr.	transcription/transcrit
		trb.	trombone
scient.	scientifique	trp.	trompette
s.d.	sans date	TVer	Tidjschrift der Vereniging voor nederlandse Muziekgeschiedenis
sec.	secolo		
SEFI	Société des Éditeurs français et internationaux, Paris	TWMP	Towarzystudo Wydawnicze Muziki Polskiej, Varsovie
sept.	septembre	u.	und (= et)
SHF	Slovensky hudobny fond, Bratislava	UE	Universal Edition, Vienne
SHV	Statní Hudebni Vydavatelstvi, Prague	ukr.	ukrainien
		UME	Unión Musical Española, Madrid
SIM	Société Internationale de Musique	Univ.	Université
SIMC	Société Internationale pour la Mu-sique Contemporaine	v.	vers (avant une date)
		v.	voix
SIMG	Sammelbände der internationalen Musikgesellschaft	v⁰	verso
		var.	variation
sing.	singulier	vers.	version
SJbMw	Schweizer Jahrbuch für Musik-wissenschaft	VfMw	Vierteljahresschrift für Musikwissenschaft
SKJ	Savez Kompozitora Jugoslavije, Belgrade	vl.	violon
		vlc.	violoncelle
SKZ	Srjska Knjizevna Zadruga, Belgrade	vol.	volume
		WDMP	Wydawnictwo Dawnej Muzyki Polskiej, Varsovie
s.l.	sans lieu		
s.l.n.d.	sans lieu ni date	ZfIb	Zeitschrift für Instrumentenbau
Slg	Sammlung (= recueil, collection)	ZfM	Zeitschrift für Musik
SMZ	Schweizerische Musik-Zeitung (= RMS)	ZfMw	Zeitschrift für Musikwissenschaft
		ZIMG	Zeitschrift der Internationalen Musikgesellschaft
SNKLHU	Statní Nakladatelstvi Krásné Lite-ratury, Hudby a Umení, Prague		
soc.	société	Zs.	Zeitschrift (= revue)

A

A. 1. (Angl. et all., = *la*), première lettre de l'alphabet qui, dans la notation alphabétique latine, servait à désigner le *la* dans l'échelle générale ou gamme.

fr., ital., esp.	angl.	all.
la ♭	*A* flat	*As*
la ♭♭	*A* double flat	*Asas*
la ♯	*A* sharp	*Ais*
la ♯♯	*A* double sharp	*Aisis*

2. Abréviation pour → « altus », → alto et → antienne.

AACHEN, voir Aix-la-Chapelle.

ABAISSEMENT, ABAISSER, voir Baisser.

ABAT-SON (angl., luffer-window, luffer-boards; all., Schallfenster, Schallplatten; ital., abbattisuono), pans de bois ou de métal inclinés de l'arrière vers l'avant. Placés transversalement dans les ouvertures d'un clocher, ils sont destinés à rabattre vers le sol le son des cloches. Syn. : abat-vent.

A BATTUTA (ital.), locution indiquant le retour à l'observance stricte de la mesure après un passage libre « ad libitum », « a piacere ». Syn. : « misurato ».

ABAT-VOIX (angl., sounding-board; all., Schalldeckel; ital., cielo, paracielo), petit auvent ou dais placé au-dessus d'une chaire, qui sert à rabattre vers l'auditoire la voix du prédicateur.

ABENDMUSIK (all., = mus. du soir), désigne aux XVIIe et XVIIIe s. des exécutions cycliques dans le genre de l'oratorio qui avaient lieu depuis 1673 à la Marienkirche de Lübeck, les deux derniers dimanches après la Trinité et les 2e, 3e et 4e dimanches de l'Avent, après la prédication vespérale. Leur origine remonte aux « Abendspiele » de Fr. Tunder qui jouait de l'orgue aux marchands rassemblés à l'église avant l'ouverture de la bourse, puis qui élargit ces concerts en engageant des chanteurs et des instrumentistes. Son successeur et gendre, D. Buxtehude, en fit un cycle, tout d'abord avec des programmes mêlés : deux soirées pour *Die Hochzeit des Lammes* (« Les noces de l'Agneau »), les autres probablement consa-

crées à des cantates nécessitant des effectifs importants; par la suite il présenta des thèmes d'ensemble tels que *Die himmlische Seelenlust* (« La joie céleste de l'âme »), *Der verlorene Sohn* (« Le fils prodigue »), *Das allerschröcklichste und allererfreulichste* (« L'épouvante et la joie portées à leur comble »). Cette dernière « Abendmusik » doit être identique à *Das jüngste Gericht* (« Le Jugement dernier ») publié par W. Maxton (voir ZfMw X, 1927-28) mais l'attribution à Buxtehude, dont aucune « Abendmusik » n'a été conservée, reste très douteuse. Les deux pièces « extraordinaires », *Castrum Doloris* et *Templum Honoris*, écrites à l'occasion de la mort de Léopold Ier et du couronnement du nouvel empereur Joseph Ier à Vienne (1705), sont des compositions de circonstance; le jeune J.S. Bach assista à leur exécution. Le genre de l'« Abendmusik » fut cultivé régulièrement par les successeurs de Buxtehude, J.P. Kunzen, A.C. Kunzen et Johann Wilhelm Cornelius von Königslöw, selon la forme qu'il avait fixée. De 1752 à 1789, des répétitions générales publiques eurent lieu le vendredi à l'église, précédant les « Abendmusiken » qui furent maintenues jusqu'en 1810 sous forme de concerts privés indépendants. Leurs thèmes se trouvent principalement dans l'Ancien Testament; les auteurs des textes étaient soit des ecclésiastiques, soit des médecins, soit encore les recteurs de l'école de latin de Lübeck dont la chorale pouvait prendre part aux exécutions. Les « Abendmusiken » constituent un aspect précoce de la pratique de l'→ oratorio, dû exclusivement à l'initiative et à la responsabilité personnelles de l'organiste. Avant l'introduction d'un droit d'entrée sous A.C. Kunzen, les organisateurs en étaient réduits aux dons des marchands en échange de l'envoi des livrets.

Bibliographie — O. Söhngen, Die Lübecker A. als kirchengeschichtliches u. theologisches Problem, *in* MuK XXVII, 1957; M. Geck, Die Authentizität des Vokalwerks D. Buxtehude in quellenkritischer Sicht, *in* Mf XIV, 1961; G. Karstädt, Die « extraordinairen » A. D. Buxtehudes, Lübeck, Schmidt-Römhild, 1962; du même, Die Lübecker A. (en prép.).

ABGESANG (all.), voir Bar.

ABRÉGÉ, voir Orgue, § B 3. L'abrégé (mécanique suspendue).

ABRÉVIATION, signe(s) conventionnel(s) permettant d'exprimer en peu d'espace certains éléments de la notation musicale. On emploie des a. 1° pour éviter la répétition d'un motif d'accompagnement, arpège, batterie, etc. :

2° pour indiquer le redoublement d'une partie à l'octave (8va), 3° pour élever ou abaisser d'une octave un dessin musical (8·····⌐), 4° pour indiquer un trémolo :

Notation

Effet

L'→ armature peut également être considérée comme une abréviation.

ABSORPTION.

Quand une onde acoustique frappe un obstacle, une cloison p.ex., une partie est réfléchie par la surface, une autre traverse le matériau. La fraction de l'onde qui traverse la cloison est partiellement détruite, absorbée et transformée en chaleur par frottement : c'est le phénomène d'a. par transmission. La fraction qui est réfléchie est également plus ou moins absorbée selon l'état de surface du matériau (pores, cavités, etc.) : c'est l'a. par réflexion. Chaque matériau possède ainsi un facteur ou coefficient d'a. par réflexion et un facteur d'a. par transparence, traduisant le pourcentage d'énergie transmise ou réfléchie. Ce coefficient est important en musique. Le coefficient par transmission conditionne la transparence des murs à la musique et concerne les spécialistes de l'insonorisation ; le coefficient par réflexion détermine partiellement la qualité d'une → salle de musique dans la mesure où les murs « filtrent » par a. les sons musicaux perçus par les auditeurs, en changent l'intensité et le timbre.

ABSOUTE.

Ce vieux mot français, syn. d'absolution, n'a plus qu'un usage liturgique. Or celui-ci est déconseillé par le nouveau rituel des funérailles promulgué en 1969 à la suite du 2e Concile du Vatican ; l'a. prend le nom de « dernière recommandation » et de « dernier adieu ». Elle est strictement réservée à la messe des funérailles. Auparavant, toute messe pour un défunt pouvait être suivie d'une a. consistant en chants et prières accompagnés d'une aspersion et de l'encensement. Dans la pratique d'avant 1969, la liturgie romaine connaissait le rite des 5 a. pour les évêques et les abbés, ou celui de l'a. unique pour les prêtres et les fidèles ; certaines liturgies monastiques (Cîteaux p. ex.) avaient conservé les 3 a. primitives. Les chants de l'a. sont des répons empruntés à l'office des défunts : chaque église a eu longtemps sur ce point ses usages particuliers. Depuis le XVIe s. on usait nécessairement pour l'a. du grand et dramatique répons *Libera me, Domine, de morte aeterna* ; il comportait plusieurs versets dans sa recension primitive (Ms. d'Hartker, Xe s., Saint-Gall, Ms. 390, cf. Paléographie musicale I, pp. XXIV-XXX). La liturgie post-conciliaire lui a substitué d'autres répons où la note de confiance est plus marquée.

Bibliographie — F. CABROL, art. A. *in* Dict. d'archéologie chrétienne et de liturgie I, col. 199-206 ; G. MARSOT, *in* Catholicisme I, col. 62-64 ; H.R. PHILIPPEAU, Introd. à l'étude des rites funéraires et de la liturgie des morts, *in* La Maison-Dieu n° 1, 1945 ; du même, Origine et évolution des rites funéraires. Description de l'ancien rituel des funérailles, *in* Le mystère de la mort et sa célébration, coll. « Lex orandi » n° 12, Paris, Éd. du Cerf, 1951 ; M. RIGHETTI, Storia liturgica II, Milan 1946, p. 382.

ACADÉMIE

(angl., academy; all., Akademie; ital., accademia; esp., academia), promenade plantée de platanes et d'oliviers, située aux environs d'Athènes, qui devait son nom à un héros local, Akadêmos. Vers 387 av. J. C., Platon y réunit ses disciples pour leur expliquer sa doctrine et fonda ainsi l'« Akadêmia » qui subsista jusqu'en 529 de notre ère. Ce fut la première école philosophique organisée sous la direction d'un maître, dans le but de favoriser la réflexion collective et l'échange des idées entre personnes dont la manière de penser était identique.

A cette définition se rattachent les a. platoniciennes qui, à partir de 1450, se créent à Florence sous l'impulsion de Marsile Ficin, à Naples et à Rome. Ce sont des compagnies régulièrement constituées réunissant des humanistes attachés à l'étude des langues et de la civilisation antiques. Elles essaiment rapidement dans toute l'Italie du XVIe s., soutenues par le mécénat princier ou entretenues par les contributions de leurs membres, et jouent un rôle important dans le développement de l'humanisme. Elles favorisent la culture classique, scientifique et artistique de leurs membres mais l'infléchissent rapidement vers un aspect plus italien qu'antiquisant, où la musique tient une place enviable, soit dans des entretiens savants, soit dans des séances mêlées de concerts. Les a. « degli Infocati », « degli Immobili » (la première), « dei Sargenti » et « della Crusca », nées à Florence au XVIe s., comptent parmi les plus célèbres. Mais c'est la → « Camerata fiorentina » du comte Bardi qui exercera l'influence la plus profonde sur l'évolution de la musique par ses recherches sur le théâtre classique, la musique antique et la monodie. On lui doit la naissance du « stilo recitativo » et du théâtre musical. Son héritage culturel sera recueilli par l'a. « degli Elevati » fondée à Florence en 1607 par M. da Gagliano. La même année naît à Mantoue l'a. « degli Invaghiti » devant laquelle est créé l'*Orfeo* de Monteverdi. Il faut encore mentionner la seconde a. « degli Immobili » créée à Florence en 1651 et dont les membres participeront à la fondation du Théâtre de la Pergola en 1657. Bologne joue également un rôle important dans ce mouvement culturel avec les a. « degli Accesi », « dei Floridi » fondée en 1614 par A. Banchieri et qui se transformera en a. « dei Filomusi » (1622), « dei Filaschi », « dei Filarmonici » (1666) à laquelle appartiendront G. B. Bassani, A. Corelli, G. Torelli, le père Martini, Mozart, Rossini et F. Busoni. Avec quatre a. exclusivement musicales, Bologne reste au XVIIe et au XVIIIe s. attachée au maintien de l'art polyphonique, au contraire de Florence et de Rome où les a. sont également florissantes et s'intéressent plus spécialement au développement du « stile moderno ».

En France, les efforts de J. A. de Baïf et de J. Thibault de Courville pour donner une solution satisfaisante au problème de l'union de la poésie et de la musique aboutissent en 1570 à la fondation de l'Acad. de Poésie et de Musique placée sous la protection de

● **Voir hors-texte entre pages 48 - 49.**

Charles IX. Ses membres étaient des musiciens professionnels rétribués et des auditeurs agréés payant cotisation, tous tenus au secret. De ses recherches allait naître, en France, la › musique mesurée à l'antique, dont Cl. Le Jeune est le représentant le plus célèbre, suivi de J. Mauduit et d'E. Du Caurroy. Après la mort de Charles IX en 1573, cette institution se transforma en une Acad. du Palais qui siégea au Louvre et fut dirigée par Guy du Faur de Pibrac. C'est toujours dans un esprit de collaboration et d'échanges intellectuels que furent créées au XVIIᵉ s. deux institutions majeures qui n'ont cessé d'étendre leur rayonnement, l'Acad. française (1635) et l'Acad. des Sciences (1666). Réunie dans l'Institut de France avec l'Acad. des Inscriptions et Belles-Lettres, l'Acad. des Sciences morales et les deux précédentes, l'Acad. des Beaux-Arts a reçu son organisation définitive en 1819. Elle comprend 40 membres titulaires répartis en 5 sections (peinture, sculpture, architecture, gravure, composition musicale avec 6 sièges), 10 membres libres, un secrétaire perpétuel, 10 associés étrangers et 50 membres correspondants. Elle décernait chaque année un grand prix de composition, le → Prix de Rome, dont le bénéficiaire était tenu de séjourner pendant trois ans comme pensionnaire à l'Acad. de France à Rome.

Au XVIIᵉ s. la notion d'a. évolue et donne naissance à deux types d'institutions : d'une part le théâtre d'opéra et le concert, d'autre part l'enseignement à un niveau supérieur. L'importance prise par les a. dans la naissance du théâtre musical en Italie fait qu'après le privilège royal accordé à P. Perrin en 1669 pour la création d'a. d'opéras, l'Opéra de Paris prendra tout naturellement le titre d'Acad. Royale de Musique et de Danse, qui, au gré des changements de régimes, se transformera en Acad. Impériale ou Nationale. La fermeture du théâtre le 1ᵉʳ avril 1672 et le rachat du privilège par Lully sont la raison de l'exil en Angleterre (sept. 1673) du collaborateur de P. Perrin, R. Cambert, qui fonde à Londres la « Royal Acad. of Music », d'éphémère durée. Le titre sera repris de 1719 à 1728 pour financer les spectacles d'opéra italien dirigés par Haendel au Théâtre de Haymarket. — Parmi les buts des a. qui se créent un peu partout en Europe sur le modèle italien figure également l'organisation de concerts. En France, de nombreuses a. de musique voient le jour en province dès le milieu du XVIIᵉ s. et subsisteront jusqu'à la Révolution. Elles entretiennent un maître de musique qui est souvent l'organiste de la plus grande église de la ville ou le directeur musical de la troupe théâtrale de la région. Dans ces sociétés de concert, les classes de la société se côtoient et le professionnel se mêle à l'amateur dans une même passion pour la musique. Leurs bibliothèques forment souvent la base des collections de musique de la fin du XVIIᵉ et du XVIIIᵉ s. dans un certain nombre de bibliothèques municipales d'aujourd'hui, dont Avignon, Bordeaux, Lille et Lyon (H. Burton). A Londres, l' « Acad. of Ancient Music » donne des concerts payants de 1710 environ à 1792. A Berlin, la « Singakademie » fondée par Chr. Fr. Fasch en 1791 sert de modèle aux meilleures sociétés chorales allemandes. Le terme d'a., lié à l'origine à des concerts privés, en vient ainsi à désigner couramment toute forme de → concert public, qu'il s'agisse des concerts d'abonnement de l'orchestre du théâtre de Mannheim (à partir de

1779) et du théâtre de Munich (à partir de 1811) p. ex., ou d'un concert organisé par Beethoven pour présenter une œuvre nouvelle au public viennois, comme celui du 7 mai 1824 où fut créée la 9ᵉ *Symphonie*.

Dès le XVIᵉ s., certaines a. italiennes, telle l'a. « degli Incatenati » de Vérone, payaient un maître de musique pour l'enseignement de leurs membres. Plusieurs a. de musique françaises du XVIIIᵉ s. entretenaient des écoles de musique gratuites pour les enfants de la ville. Cet aspect de l'activité des sociétés musicales se développe tout particulièrement au XIXᵉ s. En 1832 l' « Akad. der Künste » de Berlin organise un enseignement de la composition auquel participeront J. Meyerbeer, M. Bruch, E. Humperdinck, H. Pfitzner, R. Strauss, F. Busoni et A. Schönberg entre autres. En 1876 l'une des rares a. italiennes survivantes, l' « Accad. di S. Cecilia » de Rome, fonde le « Liceo musicale » devenu en 1919 le « Conservatorio di S. Cecilia ». En Suède, le Cons. de Stockholm dépend de l'Acad. royale de musique, qui date de 1771. Depuis la création à Londres en 1822 de la « Royal Acad. of Music », de très nombreux établissements d'enseignement supérieur de la musique portent le titre d'a., non seulement en Grande-Bretagne mais en Allemagne (« Nordwestdeutsche Musik-Akademie » à Detmold), en Suisse (« Musik-Akademie » à Zurich et à Bâle), en Autriche (« Akad. für Musik u. darstellende Kunst » à Vienne), etc. Le titre d'a. est également employé par diverses institutions telles l'Acad. du Disque Français ou l'Acad. Charles Cros.

Bibliographie — M. MAYLENDER, Storia delle a. d'Italia, 5 vol., Bologne 1926-30 ; D.P. WALKER, Musical Humanism in the 16th and Early 17th Cent., *in* MR II-III, 1941-42, trad. all. Kassel 1949 ; FR.A. YATES, The French A. in the 16th Cent., Londres 1947 ; E. PREUSSNER, art. Akademie *in* MGG I, 1949-51 ; H. BURTON, Les a. de mus. en France au XVIIIᵉ s., *in* RMie XXXVII, 1955.

M. HONEGGER

A CAPPELLA ou A CAPELLA (ou encore « alla cappella », ital., = à la manière de la chapelle), locution caractérisant le style de composition religieuse à plusieurs voix qui était cultivé dans les anciennes chapelles ou maîtrises et, de nos jours, toute exécution vocale non accompagnée par les instruments.

1. Tout comme la → « prima pratica » s'oppose à la → « secunda pratica », le « stile antico » au « stile moderno », le terme a.c. indique une opposition à d'autres formes de l'écriture musicale telles que le style polychoral des → « cori spezzati », la monodie accompagnée et le style récitatif, le style concertant. Parallèlement à ces nouveautés, le style a.c. a continué à être pratiqué jusqu'au XVIIIᵉ s., principalement dans les → chapelles princières et ecclésiastiques ainsi que dans les → maîtrises, et est resté l'un des styles caractéristiques de la mus. religieuse (voir les art. MESSE et MOTET). Comme les maîtrises étaient les principaux lieux de formation des musiciens, le style a.c. est demeuré longtemps la base du savoir artisanal du compositeur et, de nos jours encore, marque l'enseignement du → contrepoint. Destiné principalement à un chœur mixte à 4 voix (soprano, alto, ténor et basse), ses caractéristiques essentielles sont une écriture contrapuntique rigoureuse, basée sur l'accord parfait et évitant les dissonances, l'emploi de l'imitation, un mouvement modéré et une attention toute spéciale portée au caractère lié et chantant des différentes voix. Cependant ce n'est qu'au XIXᵉ s. que le terme est devenu synonyme d'une exécution vocale dépourvue de tout soutien instrumental. Le style a.c. prend ses modèles dans la période classique de l' → École franco-flamande, de Josquin des Prés à la fin du XVIᵉ s., plus spécialement dans le style palestrinien considéré par l'église catholique comme l'idéal même de la mus. religieuse polyphonique. Les instruments n'en sont pas bannis, même si leur importance y est secondaire et se limite au soutien des voix → « colla parte », c.-à-d. en les doublant (voir p. ex. les motets de J. S. Bach). A partir de la fin du XVIᵉ s. le terme a.c. ou « capella » désigne l'intervention du chœur qui suit les passages de solistes, chez G. Gabrieli en particulier.

2. De nos jours le sens du terme s'est rétréci et ne désigne plus que l'exécution vocale de la musique, sans aucun soutien instrumental, soit par des solistes, soit par des chœurs, quel que soit le style d'écriture (lié, détaché, pittoresque, etc.) ou le genre (religieux ou profane). Déjà connu au XVIᵉ s. où il était pratiqué par la Chapelle pontificale à Rome, peu caractéristique toutefois de l'idéal de l'interprétation de la musique à la Renaissance, ce style a pris une grande importance au XXᵉ s. avec le développement du chant choral, que ce soit en Allemagne (H. Distler, P. Hindemith, H. Pepping, J.N. David...), en France (D. Milhaud, Fr. Poulenc et surtout G. Migot, auteur entre autres œuvres de l'oratorio *Saint Germain d'Auxerre* pour 4 solistes et 3 chœurs A.c., d'une heure et demie de durée) ou en Hongrie (B. Bartók, Z. Kodály).

Bibliographie — A. SCHERING, Die niederländische Orgelmesse im Zeitalter des Josquin, Leipzig 1912 ; du même, Aufführungspraxis alter Musik, Leipzig 1931 ; TH. KROYER, A c. oder Conserto, in Fs. H. Kretzschmar, Leipzig 1918 ; du même, Zur a.c.-Frage, in AfMw II, 1919-20 ; du même, Das a.c.-Ideal, in AMl, 1934 ; K.G. FELLERER, Der Palestrina-Stil..., Augsbourg 1929 ; J. HANDSCHIN, Die Grundlagen des a.c.-Stils, in H. Häusermann u. der Häusermannsche Privatchor, Zurich 1929 ; R. HAAS, Aufführungspraxis der Musik, Potsdam 1931 ; H. ZENCK, art. A.c. in MGG I, 1949-51.

M. HONEGGER

ACCELERANDO (ital., = en accélérant ; abrév. accel.), terme d'exécution musicale indiquant que le mouvement doit devenir progressivement plus rapide. Syn. : stringendo, affretando.

ACCENT (angl., accent; all., Akzent; ital., accento; esp., acento). **1.** Le propre de l'a. musical est de mettre en relief les points forts d'une ligne mélodique par rapport à l'ordre des valeurs rythmiques ou à celui des hauteurs sonores. Sauf exceptions, dans le premier cas l'a. affecte les posés (« thesis ») du rythme, dans le second les sommets de courbe. Cette mise en relief peut s'effectuer soit par un renforcement d'intensité, soit par un allongement de durée : d'où les deux types d'a. correspondants que l'on peut appeler « intensif » et « quantitatif », un allongement quantitatif tendant naturellement à s'accompagner d'un renforcement intensif, et vice versa (c'est la raison pour laquelle les posés rythmiques, s'ils supportent l'a., se placent généralement sur une valeur longue).

L'origine de l'a. est verbale. En grec ancien et en latin, comme dans toutes les langues, l'unité phonétique d'un polysyllabe résulte de son profil accentuel; les syllabes atones s'articulent autour de la syllabe tonique, « l'âme du mot » selon le grammairien Quintilien. L'a. verbal peut en soi revêtir l'un ou l'autre des aspects propres à l'a. musical (ou les deux) mais, dans l'Antiquité gréco-romaine, sa nature apparaît purement mélodique, à l'exclusion de tout → « ictus » intensif ou de toute dépendance par rapport à la quantité des syllabes (conformément à l'étymologie du terme « ad cantus », équivalent du grec « prosôdia »). De là une mélodie embryonnaire, un « cantus obscurior » (Cicéron) que le chant précise et diversifie. Les documents de mus. grecque qui nous sont parvenus témoignent de cette allégeance de la ligne mélodique chantée à l'égard de l'a. verbal. A la fin de l'Antiquité l'a. tonique latin perd peu à peu sa valeur mélodique pour adopter une valeur intensive, laquelle entraînera par la suite un allongement quantitatif : il en résultera le passage de la versification métrique, fondée sur la quantité des syllabes, à la versification rythmique, fondée sur la répartition des accents. Cette dernière en viendra à se systématiser en une alternance régulière de longues accentuées et de brèves atones, source de la tyrannie du rythme ternaire qui s'exercera en musique jusqu'à l'Ars Nova.

Dans le chant grégorien, l'a. verbal détermine fréquemment un allongement, monnayé d'ordinaire par un neume ornemental ou un mélisme c'est l'a. mélismatique que mentionne W. Apel (Gregorian Chant, p. 279), conforme d'ailleurs aux vues de Robert Lach (Studien zur Entwickelungsgesch. der ornementalen Melopöie, Leipzig 1913, pp. 22-23) selon lesquelles les notes rythmiquement fortes suscitent l'ornement ou le mélisme comme un moyen par excellence d'accentuation. Ce principe deviendra, dès la Renaissance, l'une des règles essentielles de la prosodie : les vocalises devront orner de préférence les syllabes toniques.

La mus. instrumentale étend le rôle de l'accent. De même que les syllabes atones du mot se rattachent étroitement à la syllabe tonique, on peut considérer la note accentuée d'une unité mélodico-rythmique quelconque comme son centre vital, propre à lui conférer un élan dynamique en même temps qu'une signification expressive. On mesure ainsi l'importance que revêt l'a. pour l'interprétation : c'est lui qui fait réellement vivre les phrases mélodiques et met auditivement en évidence le mouvement interne qui les propulse. La plupart des théoriciens modernes du rythme ont étudié le rôle de l'angle rythmique mais c'est à M. Lussy (1828-1910) que revient le mérite d'avoir été le premier et l'un des seuls à aborder la question avant tout au point de vue de l'interprétation. Certains théoriciens (Edgar Willems, O. Messiaen) assignent à l'a. une fonction spécifiquement rythmique et analysent les phrases mélodiques selon une structure ternaire : l'a. lui-même et les parties qui le précèdent et le suivent. Mais on ne saurait, semble-t-il, associer uniformément rythme et a. puisque ce dernier, entité purement sonore, peut aussi bien souligner un sommet de courbe dépourvu de valeur rythmique par lui-même. Il paraît indispensable, au contraire, de délimiter nettement à l'exécution les deux types accentuels : celui qui procède de la structure rythmique et celui qui procède de la courbe mélodique, chacun d'eux pouvant se traduire quantitativement ou (et) qualitativement (intensivement). Au point de vue rythmique, l'a. coïncide toujours avec le posé, situé souvent sur le premier temps d'une mesure :

Allegro con brio

Beethoven, *Quatuor* op. 18, n° 6.

mais on doit se garder d'en déduire la réciproque : le temps initial d'une mesure n'est accentué, donc temps fort, que s'il renferme un posé rythmique, ce qui ne se produit pas de façon constante, tant s'en faut. Il paraît erroné, par conséquent, de faire état d'un a. métrique distinct de l'a. rythmique. Quant à la différenciation établie par certains (V. d'Indy entre autres) entre rythmes masculins et féminins — l'a. tombant sur le levé dans le premier cas et sur le posé dans le second — elle ne semble guère convaincante : l'a. au levé revêt un caractère mélodique plutôt que rythmique.

Au point de vue mélodique, l'a. coïncide avec la note aiguë d'une courbe.

H. Berlioz, *Symphonie fantastique.*

Il présente alors un sens avant tout expressif, lié aux tensions et détentes que provoquent, dans ce type mélodique, les montées et descentes de la courbe. C'est cette accentuation que préconise la méthode de Solesmes pour l'interprétation des mélodies grégoriennes. Cette catégorie jouit également d'une grande faveur à l'époque romantique. L'élargissement des sommets mélodiques se révèle d'ailleurs l'un des traits saillants de toute interprétation « expressive » : M. Lussy, à la fin du siècle dernier, s'est fait le témoin de cette habitude, décelable également dans nombre d'enregistrements du début du siècle.

A côté des a. rythmiques et mélodiques réguliers existe une troisième catégorie, celle des a. exceptionnels auxquels M. Lussy donne le nom de pathétiques : ceux « que prennent les notes qui portent atteinte aux entités, aux principes sur lesquels est basée notre musique, qui sont : la mesure, le rythme, la tonalité ». L'a. peut donc naître d'une irrégularité dans la mélodie, la plus courante consiste dans la → syncope, c.-à-d. dans l'allongement anormal d'une note rythmiquement faible par elle-même.

Les interférences entre l'a. intensif et l'a. quantitatif sont observables à toutes les époques. Aux premiers siècles du Moyen Age la transformation de l'a. verbal mélodique en a. intensif entraîne un allongement de la syllabe tonique dont on perçoit la trace dans le chant grégorien puis, plus tard, dans le répertoire des hymnes, proses et séquences. A la période baroque, les → notes inégales ne sont rien d'autre qu'une traduction quantitative du schéma

métrique : on peut les considérer en fait, le plus souvent, comme l'une des variétés du → « rubato ». Il en va de même de l'a. mélodique dont, à l'ère romantique, la notation reflète la tendance à l'allongement au même titre que les traditions d'interprétation. — Dans une mélodie de forme complexe, l'accentuation, quelle qu'en soit la nature, ne se développe pas sur un seul plan : chaque niveau rythmique possède son accentuation propre. Ces diverses accentuations se combinent mutuellement en fonction de leur importance respective, les a. secondaires se rattachant à des a. principaux qui font office de pôles mélodiques ou rythmiques.

Les a. normaux ne donnent pas lieu, en général, à une notation spéciale. Les a. particulièrement importants ou exceptionnels sont indiqués par des signes conventionnels se plaçant en principe du côté opposé à la hampe : ◗ (a. faible demandant de soutenir la note), ◗ (attaque accentuée suivie d'une diminution d'intensité), ◗ (attaque accentuée et intensité prolongée). On utilise également des abréviations telles que *sf* (« sforzando », = en renforçant), *sfp* (« sforzando piano » : une note « piano » dans un contexte « pianissimo »), *fp* (attaque « forte » suivie immédiatement d'un « piano », etc.). — Voir également l'art. RYTHME.

2. En Allemagne et en Italie, l'a. désigne, au XVIIᵉ s., un ornement mélodique d'une à sept notes reliant deux degrés situés à un intervalle de seconde, tierce, quarte ou quinte l'un de l'autre (ex. a). La mus. française baroque donne le même nom à un agrément expressif, propre surtout au chant, consistant à faire entendre très légèrement le degré supérieur à la fin d'une note tenue, sorte d' « aspiration ou élévation douloureuse de la voix » (Montéclair, ex. b).

a)   b)

Doux re - pos

Bibliographie (voir également l'art. RYTHME) — M. LUSSY, Traité de l'expression musicale, Paris 1874 ; du même, Le rythme musical, Paris 1883 ; du même, L'anacrouse dans la mus. moderne, Paris 1903 ; A. MOCQUEREAU OSB, Le nombre musical grégorien II, Rome et Tournai 1927 ; P. FERRETTI OSB, Esthétique grégorienne, Tournai 1938.

J. VIRET

ACCENTUS (lat., = accent). **1.** Dans la liturgie romaine, l'a. ponctue la récitation, la module au moyen d'une élévation de la voix. Celle-ci correspond à l'accentuation du mot latin et est indiquée dans les livres imprimés par un accent aigu placé au-dessus de la voyelle accentuée. Les théoriciens ont opposé l'a. au → « concentus ». Le premier désigne un intervalle, le second l'unisson. Même dans l'unisson, p.ex. dans la psalmodie, l'accent conserve toute son importance dans les cadences, à la médiante et à la finale. Les formules de cadences, en effet, se caractérisent par le nombre d'accents sur lesquels s'appuie le mouvement mélodique : formules à un, deux ou trois accents, avec adjonction, au besoin, de syllabes de préparation. — **2.** Depuis le XVIᵉ s., l'a. désigne les chants liturgiques qui, comme les récitatifs du célébrant et les lectures (épître, évangile, prophéties, oraisons), sont soumis aux lois de l'accentuation latine.

ACCIACATURA (ital.; de acciacare, = écraser, aplatir), → ornement propre aux instr. à clavier, sorte d' → appoggiature brève qui consiste à abaisser une touche en même temps que celle qui la précède, celle-ci, généralement le demi-ton inférieur, étant immédiatement relâchée. L'a. est mentionnée pour la première fois dans *L'armonica pratica al cimbalo* (1708) de Fr. Gasparini. C.Ph.E. Bach et Fr.W. Marpurg l'appellent mordant.

L'a. peut également concerner plusieurs notes d'un accord :

Le terme français qui désigne cet ornement est → pincé, étouffé. L'a. consiste également à intercaler des sons étrangers — diatoniques ou chromatiques — dans un accord arpégé :

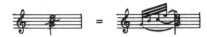

Couramment employé au XVIIIe s., cet ornement porte en France le nom d' → arpègement figuré et peut être rapproché de la tierce coulée.

ACCIDENTS (angl., accidentals; all., Akzidentien ou Versetzungszeichen; ital., accidenti; esp., accidentes), signes de la notation musicale servant à marquer l' → altération, c.-à-d. l'élévation ou l'abaissement de certains sons de l'échelle naturelle. Le dièse (♯) et le double dièse (♯♯ ou ✗) marquent l'élévation respectivement d'un et de deux demi-tons chromatiques, le bémol (♭) et le double bémol (♭♭) l'abaissement respectivement d'un et de deux demi-tons chromatiques, tandis que le bécarre (♮) indique le retour à la note naturelle après altération. Ces signes proviennent de la lettre b qui, dans la théorie médiévale, servait à désigner les deux positions possibles, selon le contexte musical, de la note *si*, le b « rotundum » ou b « molle » (♭) et le b « quadratum » ou b « durum » (♮). De ce ♮ découlent le dièse et le bécarre dont les fonctions propres ne furent guère distinguées avant le XVIe s.

La possibilité offerte par le → tempérament de transposer les modes, principalement le mode majeur et son dérivé mineur, à partir de tous les degrés de l'échelle naturelle et même à partir des degrés chromatiques, les → feintes, a entraîné à partir du XVIIe s. l'introduction de plus en plus fréquente des a. comme notes constitutives des gammes et des tonalités (à l'exception d'*ut* maj. et de son relatif *la* min.). Ces a. sont placés une fois pour toutes en tête du morceau, après la clef et avant l'indication de la mesure, et constituent ce que l'on nomme l' → armature du morceau. Ils indiquent le ton et restent valables tant qu'ils ne sont pas annulés, passagèrement par

un bécarre ou définitivement par un changement d'armature. Les a. étrangers au ton de l'armature sont placés en cours de morceau devant la note affectée et restent valables pour toute la mesure dans la limite de l'octave où elles apparaissent. Elles sont répétées de mesure en mesure aussi longtemps qu'il est nécessaire. Dans la musique antérieure à 1700, un a. n'était pas valable pour toute la mesure mais pour la note devant laquelle il était placé et pour sa répétition si elle intervenait immédiatement. Ceci est une survivance de la période antérieure à l'usage de la barre de mesure. Une exception est constituée par le bémol qui indique une → muance dans l'hexacorde par bémol et qui reste valable aussi longtemps que la mélodie se déroule dans les limites de cet hexacorde (voir l'art. SOLMISATION), p. ex. dans la partie de basse du dernier *Kyrie* de la messe « *Ercules dux Ferrariae* » de Josquin des Prés (mes. 46 de l'éd. Smijers).

Dans la musique antérieure à 1550 les a. étaient rarement notés. En de nombreux endroits ils étaient cependant rajoutés par les interprètes, soit par instinct, soit par raisonnement (voir l'art. MUSICA FICTA). De nos jours, la restitution de ces a. pose de délicats problèmes aux musicologues chargés d'établir des textes indiscutables. On a coutume de placer ces a. restitués — donc sujets à la critique — au-dessus des notes et non devant elles, pour les distinguer des a. notés qui sont eux indiscutables.

Devant l'abondance de l'emploi des a. dans la mus. contemporaine, il est fait un emploi courant des a. dits de précaution. Ils sont placés soit devant les notes, éventuellement entre parenthèses ou entre crochets, soit au-dessus ou au-dessous des notes. Leur intérêt est d'éviter une hésitation et une recherche quant à la hauteur exacte de la note affectée.

Bibliographie — J. CHAILLEY et H. CHALLAN, Théorie de la mus., Paris, Leduc, 1947.

M. HONEGGER

ACCLAMATION. C'est originairement le cri, la clameur d'une foule qui manifeste son approbation ou sa joie; spontanément l'a. tend à se transformer en slogan répété et scandé sur une modulation de type élémentaire. Chez les Israélites l'a. se transformait généralement en bénédiction. Dans le monde romain, on acclamait au prétoire, au sénat, au théâtre, au cirque; la *Passion de saint Sabinus* en fournit un bon exemple, où les cris de mort alternent avec les a. à l'adresse de l'empereur (Passio S. Sabini, éd. par LANZONI, *in* Römische Quartalschrift, 1903, p. 19). Les assemblées chrétiennes conservèrent ces coutumes. Aux élections épiscopales, aux ordinations, le consentement du peuple était demandé; il se manifestait sous la forme d'a. stéréotypées. Les « actions » des Conciles se concluent d'une manière analogue, l'a. étant généralement accompagnée d'un geste d'approbation. Beaucoup d'inscriptions funéraires se rattachent au genre de l'acclamation. — **1. Acclamations liturgiques.** Les plus universelles ont été empruntées par les chrétiens aux juifs; certaines ont été conservées dans leur langue originelle, avec seulement quelques déformations phonétiques : *Amen, Alleluia, Hosanna.* D'autres ont été traduites, comme le *Sanctus* et le *Benedictus*; de même certaines formules de salutation comme *Dominus vobiscum*, ou de bénédiction, *Sit nomen Domini benedictum*. Les a. liturgiques peuvent exprimer un souhait, une affirmation de foi, une invocation, une prière instante ; on peut distinguer les formules brèves et les formules prolixes. Les premières sont utilisées habituellement pour les dialogues ou les réponses de l'assemblée à une prière formulée par le célébrant ou un ministre. Les plus courantes sont *Amen, Deo gratias, Kyrie eleison, Miserere nobis*, ainsi que les éléments du dialogue qui ouvre la prière eucharistique et qui se retrouve à quelques variantes près dans toutes les liturgies chrétiennes (C.A. BOUMAN, Variants in the Introd. to the Eucharistic Prayer, *in* Vigiliae christianae IV, 1950, pp. 94-115). Les formules longues ont souvent une origine biblique (versets de psaumes p. ex.). C'est dans cette catégorie qu'il convient de classer les → doxologies. La manière dont ces formules ont été traitées musicalement est très variable. D'une manière générale, lorsque les a. font partie d'un dialogue, elles utilisent des récitatifs très simples sur la tierce majeure ou mineure ; mais même les simples réponses comme *Amen, Kyrie eleison, Deo gratias* peuvent recevoir une ornementation musicale très riche qui n'est pas nécessairement signe de moindre antiquité. Lorsque l'a. utilise une formule longue, il arrive assez souvent qu'elle se chante sur une mélodie ample ; un exemple typique est celui du *Te decet laus*, a. doxologique conservé en Occident par la liturgie monastique. — **2. « Laudes regiae ».** On a fait allusion plus haut aux a. utilisées au cours des élections ; St Augustin en a laissé une description dans son récit de l'élection d'Héraclius, son successeur à Hippone (Ep. 212, *in* MIGNE Patr. lat. XXXIII, col. 966). De telles a. pouvaient se produire au cours d'une célébration ; elles prirent place sous forme institutionnelle dans la liturgie de la messe, après l'Évangile, au moment de la prière universelle, en certaines circonstances particulières. Telle semble être l'origine des « laudes » de la messe papale, de celles du couronnement des empereurs, des rois, des ducs, du sacre des évêques. Elles se développèrent surtout dans le contexte de la civilisation carolingienne, utilisant des éléments francs, romains pré-chrétiens et romains chrétiens antiques. Le texte des différentes versions connues ne présente pas de variantes essentielles. La structure de base est celle d'une succession de strophes comprenant chacune une prière au Christ, des souhaits pour le bénéficiaire des « laudes » et une courte litanie de saints. A intervalles réguliers revient le refrain initial suivi d'acclamations. La mélodie des « laudes » est probablement d'origine gallicane ; elle a influencé un certain nombre d'autres formes musicales.

Bibliographie — **1. Acclamations liturgiques :** F. CABROL, art. A. *in* Dict. d'archéologie chrétienne et de liturgie I/1, col. 240-265 ; M. RIGHETTI, Storia liturgica I, 2/Milan 1950, pp. 170-177 ; J. GÉLINEAU, Chant et mus. dans le culte chrétien, Paris, Fleurus, 1962 ; L. DEISS, Concile et chant nouveau, Paris, Éd. du Levain, 1969. — **2. « Laudes regiae » :** J. DELASILVE, Une a. liturgique notée, chantée au XVᵉ s. à la cathédrale de Troyes, *in* Revue du chant grég. XII, 1903 ; L. DAVID, A. carolingiennes, *ibid.* XXVI, 1922 ; B. OPFERMANN, Die liturgische Herrscherakklamation im Sacrum Imperium des Mittelalters, Weimar, Böhlau, 1953 ; E.H. KANTOROWICZ, Laudes Regiae, Berkeley et Los Angeles, Univ. of California Press, 1958 ; J. CLAIRE, L'évolution modale dans les récitatifs liturgiques, *in* Revue Grég. XLI, 1963.

G. OURY

ACCOLADE (angl., brace ; all., Klammer ; ital., sgraffa), signe vertical en forme d'arc brisé en son milieu, utilisé dans l'écriture musicale pour réunir les portées qui contiennent les parties simultanées d'un morceau. Le terme désigne également l'ensemble de ces portées. Syn. : système.

ACCOMPAGNATO (ital., = accompagné), terme qui qualifiait au XVIIᵉ s., par opposition au « recitativo secco », un récit soutenu non plus par la basse continue mais par un orchestre dont toutes les parties étaient notées. Cette tendance à souligner les passages ou scènes les plus pathétiques, au moyen d'un accompagnement instrumental très élaboré, remonte aux premiers temps de l'opéra vénitien. Monteverdi le premier usa dans *Il Combattimento di Tancredi e Clorinda* (1624, éd. 1638) d'un orchestre qui créait une atmosphère autour du drame, peignait ce que suggéraient les paroles, tandis que le récitatif suivait toutes les nuances de la déclamation. Après lui, Cavalli et Cesti introduisirent dans leurs récits des fragments accompagnés. Lorsque vers 1675 s'établit une nette distinction entre le récit et l'air, où l'accompagnement d'orchestre devint aussi de règle, le récit « accompagnato » constitua, notamment dans le monologue dramatique, un élément indispensable de l'opéra (Lully, Rameau, Gluck, Mozart...) et plus tard du drame lyrique (Wagner, Debussy, Berg...). — Voir également ACCOMPAGNEMENT et RÉCITATIF.

ACCOMPAGNEMENT. 1. Ensemble de sons subordonné à une ou plusieurs parties prédominantes, vocales ou instrumentales (la partie d'orchestre d'un opéra ou d'un concerto de soliste, ou la partie de piano d'une mélodie p. ex.), qui joue le rôle de soutien harmonique et rythmique. — Le mélange des voix et des instruments tel qu'il se présente dans la poésie chantée de l'Antiquité ou du Moyen Age (troubadours et trouvères) ne permet pas de discerner un véritable a. mais plutôt une simple distribution des parties due parfois à l'improvisation et fonction des possibilités d'exécution. On peut faire la même remarque à propos du déchant, de l'organum et du fauxbourdon. La notion d'a., quand le contrepoint se développe au XIIIᵉ s., ne se précise pas pour autant. En effet, les différentes parties du motet, bien qu'elles constituent un tout homogène, sont indépendantes les unes des autres et peuvent être confiées indifféremment à une voix ou à un instrument. Au XIVᵉ s., par contre, la chanson est conçue dans un autre esprit. Dans les ballades, virelais et rondeaux de G. de Machault, le chant est soutenu par un contrepoint accompagnant, joué par des instruments tels que la harpe, le luth, la flûte à son appui. De telles pièces préfigurent déjà l' → air de cour d'A. Le Roy et P. Guédron. Au XVIᵉ s., lorsque s'instaura l'écriture en accords, on prit l'habitude de chanter non seulement les airs à 4 ou 5 parties, mais aussi à voix seule : le dessus était alors confié au soliste, tandis que les autres parties, devenues accompagnantes, étaient réduites sur un luth. On distingua alors les interprètes de la monodie accompagnée, les « chanteurs au luth », de ceux de la chanson polyphonique, « chanteurs au livre ». Au XVIIᵉ s. on publia en France des airs de cour et en Angleterre des « ayres » dans les deux versions. En Italie, lorsque le récitatif s'imposa en même temps que le style monodique, on adopta pour l'a. non plus la tablature mais une nouvelle figuration, notée sur une seule portée de basse, chiffrée ou non, la → basse continue ou « continuo ». Cette basse était jouée par un instrument soliste (viole de gambe, violoncelle ou basson) et réalisée par un instrument harmonique (luth, théorbe, guitare, orgue, épinette ou clavecin) selon des formules convenues. Jusque vers 1750 et même au-delà, on publia en Europe des méthodes spéciales destinées à ces divers instruments, qui enseignaient l'art d'enchaîner les accords et de faire les cadences. Citons notamment celles de G. Sabbatini (Venise 1628), N. Fleury (Paris 1660), Étienne Denis Delair (Paris 1690), J. de Torres y Martínez Bravo (Madrid 1702), Godfrey Keller (Londres 1707), M. de Saint-Lambert (Paris 1707), J.Fr. d'Andrieu (Paris 1718), D. Kellner (Hambourg 1732), Johann Friedrich Lampe (Londres 1737). En dépit des méthodes publiées postérieurement, l'avènement de l'époque classique provoqua l'abandon progressif de la basse continue. Les compositeurs écrivirent bientôt toutes les parties de l'accompagnement. Celui-ci devint plus libre, plus développé et plus personnel. Au théâtre, il commenta l'action et s'unit étroitement au texte — notamment dans le récitatif accompagné et l'« arioso » — au moyen d'une écriture plus travaillée et d'une orchestration riche en effets de timbres. A l'église, au concert, il exalta par sa force expressive les sentiments interprétés par le soliste ou le chœur. Dans le concerto, le dialogue entre le soliste et l'orchestre devint chez Mozart de plus en plus serré. A l'époque romantique, il constitua un ensemble indivisible (R. Schumann, *Concerto pour piano*). Dans les « Lieder » de Fr. Schubert s'établit d'abord un juste équilibre entre le chant et le piano ; dans ceux de R. Schumann, de F. Liszt et plus tard de J. Brahms, H. Wolf et G. Mahler, l'a. en vint à jouer un rôle psychologique ; il compléta, prolongea le sens des paroles et traduisit l'inexprimable (R. Schumann, *Dichterliebe* ; G. Mahler, *Kindertotenlieder*). L'a. orchestral prit souvent une ampleur excessive dans la 2ᵈᵉ moitié du XIXᵉ s., au point, chez R. Wagner, de submerger parfois le soliste. A l'extrême fin du XIXᵉ s., Cl. Debussy (*Pelléas et Mélisande*) revient à plus de mesure. Dans le « Lied » et la mélodie, l'a., qui ne se bornait plus à soutenir un chant, est devenu le collaborateur constant du soliste, soit en imposant un rythme (Debussy, *Mandoline*), soit en enveloppant le texte d'une harmonie subtile (M. Ravel, *Histoires naturelles*), soit en se bornant à créer l'atmosphère et à suivre le récit (Debussy, *La flûte de Pan* ; Fauré, *Clair de lune*). Il exige le plus souvent autant de virtuosité que la partie de soliste. Dans la mus. contemporaine, si l'on excepte la chanson, accompagnée encore selon la tradition mais le plus souvent par un orchestre pléthorique dont le volume sonore est sans commune mesure avec la simplicité, voire même l'indigence des textes, les sonorités se fondent en une harmonie complexe basée sur de nouvelles techniques, plus toujours inspirées de celles de l'Occident. — **2.** Action d'accompagner. — **3.** Classe d'accompagnement. Au Cons. de Paris, cette classe inclut dans sa discipline la lecture à vue de partitions et leur réduction au piano, l'analyse musicale et la réalisation d'une basse chiffrée. — **4.** Au XVIIᵉ s.

on soutenait le plain-chant par un a. en accords, incompatible avec l'ancien style monodique. L'usage de l'harmonium au XIXᵉ s. rendit cette habitude tyrannique. La restauration du plain-chant par les moines de Solesmes, à la fin du siècle, entraîna l'adoption d'un autre style d'a. plus respectueux de la modalité et de la souplesse rythmique des mélodies.

Bibliographie — E. BORREL, *La réalisation de la basse chiffrée dans les œuvres de l'école fr. au XVIIIᵉ s.*, Paris 1920 ; F.T. ARNOLD, *The Art of Accompaniment from a Thorough-Bass*, Londres 1931, 2/Londres, The Holland Press, 1961.

A. VERCHALY

ACCORD. 1. (Angl., chord; all., Akkord; ital., accordo; esp., acorde), terme se référant à l' → harmonie, désignant de nos jours une superposition quelconque de plus de deux sons disposés selon des règles déterminées. Il est donc préférable d'employer ce mot dans son sens traditionnel et d'utiliser celui d' → agrégat pour des formations verticales ne pouvant se réduire à des modèles classés. Une émission de deux sons seulement forme un → intervalle et non un accord. Celui-ci est à la fois autre chose et davantage que la simple addition des intervalles qui le constituent. C'est ainsi que *do-mi-sol* crée une impression musicale et psychologique différente de l'audition successive de *do-sol*, puis *do-mi*, puis *mi-sol*. Les raisons de cette différence d'impression sont généralement admises bien qu'elles n'aient pu être démontrées théoriquement de façon entièrement satisfaisante. Le modèle de base pour la constitution des a. est le phénomène des → sons harmoniques. Que ceux-ci n'aient été découverts qu'au XVIIIᵉ s. alors que les a. existaient déjà ne constitue pas une objection valable. Car auparavant on procédait par progressions de rapports simples qui donnaient une succession soit identique à celle des harmoniques, soit strictement inversée par rapport à eux. Si l'on « verticalise » par tranches successives la série des harmoniques en retranchant les redoublements d'octaves, on obtient :

a. qui servent de modèles pour des constructions analogiques :

Malgré l'apparition en premier lieu de l'intervalle de quinte, les structures suivantes se présentent comme des accumulations successives de tierces, ce qui explique que dans la pratique — à titre de commodité — on définisse un a. comme étant composé de tierces superposées. Selon le nombre de notes, on a des accords de 3, 4, 5, 6 sons et davantage. Le plus simple d'entre eux a 3 sons et s'appelle → accord parfait. En se limitant aux 4 modes classiques usuels (majeur et les 3 aspects du mineur), on obtient : 4 accords de 3 sons ou triades, 7 de 4 sons ou septièmes, 11 de 5 sons ou neuvièmes, 17 de 6 sons ou onzièmes et 21 de 7 sons ou treizièmes. Les a. s'analysent du grave à l'aigu. Leur note inférieure s'appelle

→ basse. S'ils se présentent conformément au tableau des harmoniques — ou, pour simplifier, en successions de tierces — ils sont dits à l'état fondamental. Dans ce cas, la basse est en même temps la → fondamentale. Si une autre note que celle-ci se trouve à la basse, l'a. est à l'état de → renversement. En outre, l'a. peut se présenter en position serrée (do-mi-sol) ou large (do-sol-mi).

Les a. peuvent être altérés. Si l'on fait abstraction des diverses altérations mélodiques, seules les altérations ascendantes ou descendantes de la quinte — dans les a. avec ou sans fondamentale — donnent des a. caractérisés. Les a. peuvent être également amplifiés, c'est-à-dire s'enrichir de sons provenant du mode utilisé. Le cas le plus fréquent consiste en l'adjonction de la sixte ou de la neuvième. Dans ce cas, on parle également de sixte ou de neuvième ajoutée. Les a. usuels ont été répertoriés : on les appelle alors accords classés (voir l'art. HARMONIE) et ils sont pourvus d'un → chiffrage (voir à cet article le tableau des a. classés usuels avec leur dénomination et leur chiffrage, en position fondamentale et à l'état de renversement). Ils peuvent se mesurer quantitativement (voir l'art. INTERVALLE) ou bien s'apprécier qualitativement selon leur degré de → consonance ou de dissonance et selon leur → stabilité ou instabilité. Enfin il ne faut pas oublier que l'impression musicale et psychologique de tout a. peut varier considérablement selon le contexte : la notion verticale statique est parfois fortement infléchie par le dynamisme horizontal.

Historiquement, la notion d'a. n'apparaît qu'après la notion d'intervalle. Celle-ci existe dès les premiers déchants à 2 voix du XIe s. Quand on écrivait à 3 voix et plus, le théoricien ou le musicien du Moyen Age n'avait conscience que d'intervalles distincts superposés et c'est une erreur de vouloir y découvrir des accords : do-mi-sol était perçu comme do-sol + do-mi + mi-sol, c'est-à-dire comme une addition de sons deux à deux mais non comme une entité globale de 3 sons. Ce n'est que peu à peu, à force d'être repérées dans le déroulement horizontal des mélodies superposées (voir l'art. CONTREPOINT), que certaines dispositions verticales ont fini par s'imposer et par prendre une valeur en soi. Le passage de la mentalité d'intervalle à celle d'a. s'est fait progressivement entre les XIVe et les XVIe s. L'examen attentif des compositions et des écrits théoriques permet de fixer entre 1530 et 1550 la victoire de la notion d'a. sur la notion d'intervalle.

2. (Angl., tuning; all., Stimmung; ital., accordatura; esp. afinación, afinadura), action qui consiste à mettre les cordes ou les tuyaux d'un instrument à sons fixes en rapport avec le diapason. Depuis la fin du XVIIIe s., seul l'a. tempéré à demi-tons théoriquement égaux est utilisé. Il s'applique principalement au piano et à l'orgue. L'accordeur met d'abord le la³ à la hauteur du diapason, puis procède à l'aide de reports alternés successifs de quintes et d'octaves à une division en 12 demi-tons de l'octave la²-la³. Il réalise ainsi la partition de l'octave. Du fait que les quintes sont trop grandes pour se résorber dans l'octave, il faut les diminuer très légèrement (2 cents), ce qui s'obtient en s'aidant des battements et surtout grâce à une longue pratique. De nos jours on peut se servir de l'accordeur électronique, que les accordeurs professionnels refusent toutefois d'employer. De fait l'a., rigoureusement exact au point de vue physique, est moins satisfaisant à l'oreille que celui obtenu par les accordeurs habiles, en raison d'un mécanisme complexe de la perception des sons par l'oreille.

Bibliographie — 1. Voir les bibliogr. des art. ACCORD PARFAIT, CHIFFRAGE, HARMONIE, INTERVALLE. — 2. O. FUNKE, Theorie u. Praxis des Klavierstimmens, Francfort/M., Verlag Das Musikinstrument, 1958; A.H. HOWE, Scientific Piano Tuning and Servicing, in Journal of Music Theory IV, 1960; E. LEIPP, Acoustique et mus., Paris, Masson, 1971.

S. GUT

ACCORD DE DOUZE SONS, audition simultanée des 12 sons de la gamme tempérée. Après avoir atteint le total diatonique vertical dès 1737 (J. F. Rebel, *Les Éléments*, accord parfait mineur + accord de septième diminuée), le total chromatique apparaît au début du XXe s. : J. Huré, *La Cathédrale* (1910; superposition de 12 quartes justes); A. Berg, n° 3 des *Fünf Lieder* (1912); A. Scriabine, *L'Acte préalable* (1913-14 ; apparaît 9 fois sous 8 aspects différents). Depuis, les superpositions les plus variées sont pratiquées. Il est préférable de dire → agrégat de 12 sons.

ACCORD DE TRISTAN. On désigne ainsi le tout premier accord de *Tristan et Isolde* (1859) de Wagner et son enchaînement à l'accord qui le suit :

Ce groupe harmonique est devenu célèbre entre tous tant à cause de l'extrême tension obtenue par l'accumulation des appoggiatures que de l'ambiguïté de sa présentation, permettant des interprétations différentes. Les atonalistes et dodécaphonistes contemporains invoquent cet accord comme étant la charte de naissance de leur mouvement, ce que ne justifie aucune analyse plausible.

Bibliographie — E. KURTH, Romantische Harmonik u. ihre Krise in Wagners « Tristan », Berne et Leipzig 1920, rééd. Hildesheim, Olms, 1968; M. VOGEL, Der Tristan-Akkord u. die Krise der modernen Harmonielehre, Düsseldorf, Gesellschaft zur Förderung der systematischen Musikwissenschaft, 1962.

ACCORDÉON (angl., accordion ; all., Ziehharmonika, ● Handharmonika ; ital., fisarmonica ; esp., acordeón), instr. à vent à anches libres métalliques. La ventilation alternée est fournie par un soufflet à main qui permet le contrôle constant de la pression d'air. Né à l'époque romantique, l'a. est la synthèse, imprévue, de diverses idées alors en suspens : recherche de l'expression — application du système de l'anche libre métallique —, recherche d'un instrument portatif à sons fixes. L'évolution de l'a. de ses origines à nos jours peut se subdiviser en trois périodes distinctes, représentées par trois modèles bien définis, issus de plus d'une centaine d'autres : 1° l'a. « jouet », de 1829 à 1880, avec son unique clavier « chant » ; 2° l'a. « populaire » ou « traditionnel », de 1880 à 1950, avec ses deux claviers différents « accompagnement » et « chant » ; 3º l'a. de concert ou → harmonéon, depuis 1950, avec ses deux claviers « chant » identiques. De nos jours l'a. traditionnel est le plus pratiqué. — Deux procédés ont été utilisés pour le montage des anches libres métalliques ou « voix » sur leurs châssis en métal. L'un est dit diatonique : deux sons différents par plaque, obtenus selon que l'on tire ou pousse le soufflet (bi-sonore : *do - ré*). L'autre est dit chromatique : deux sons identiques par plaque donnant le même son, que l'on tire ou pousse le soufflet (uni-sonore : *do - do*). Il faut remonter à 1880 environ pour retrouver l'explication de ces appellations. Avant cette date, il existait des modèles faisant entendre une gamme diatonique et d'autres avec demi-tons (gamme chromatique) fonctionnant avec le « tirez - poussez ». Après cette date, quand un nouveau système permit d'obtenir le même son par touche, que l'on poussât ou que l'on tirât, on jugea bon d'appeler l'instrument « chromatique ». De ce fait, tous les autres modèles furent dénommés « diatoniques ». L'ancêtre le plus lointain de l'a. est le « cheng » chinois (v. 2700 av. J.C.). Il apparut en Occident dans la Ire moitié du XIXe s. sous le nom d'orgue à bouche et vint encourager les travaux de G.J. Grenié qui, en 1810, avait recréé son système sonore dans l' « orgue expressif ». Ce fut le point de départ d'une foule d'instruments, utilisant le principe de l'anche libre métallique, qui aboutirent à l'accordéon. Parmi eux l'organo-violine (1814) d'Eschenbach, l'aéoline (1816) de Schlimbach, le terpodion (1817) de J.D. Buschmann, l'aéolo-mélodion (1818) de Brunner et Ofman, le physharmonica (1818) de Hackel, l'éoline (1820) d'Eschenbach, l'aura (1821) et l'handaoline (1822) de F. Buschmann, la mundéoline (1823) de C. Messner, l'aélo-pantalon (1824) de Dlugosz, essayé par Chopin, le symphonium (1825) du physicien Wheatstone, l'harmonica métallique (1827) de C. Buffet, l'harmonica à bouche (1828) de F. Buschmann, le concertina (1829) de Wheatstone. C'est l'Autrichien Cyrill Demian — facteur d'orgues et de pianos à Vienne — qui, avec ses fils Carl et Guido, prit le 6 mai 1829 un brevet pour un nouvel instr. de musique : l' « accordion ». Le premier « accordion » se présentait sous la forme d'une petite boîte en bois de 21 cm de longueur sur 9 cm de largeur et 6 cm de hauteur (y compris un soufflet de deux plis). Cette boîte était surmontée d'un clavier de 5 touches actionnant 5 soupapes, rectangulaires, contrôlant l'arrivée d'air. Chaque touche faisait entendre deux accords différents (tonique-dominante) à 5 sons, selon qu'on tirait ou poussait le soufflet. Très rapidement cet « accordion » se répandit dans les pays voisins en subissant des modifications. Dès 1830 il était à Paris où il donna naissance à une importante industrie. En France, les premiers fabricants furent Isoart, Pichenot, Fourneaux, Douce, Busson ; en Italie, Soprani, Savoïa, Pancotti, Socin, Dallapé ; en Russie, Sizov, Vorontzov, Chkounaïev ; en Autriche, Demian, Bichler, Klein, Simon ; en Pologne, Stamirowski, Leonhardt, Burucki. Avec le développement de son second clavier doté de 2 à 8 « basses » d'accompagnement, l'a. s'intègre vers 1880 au folklore des pays qui l'accueillent. Cependant le système « tirez - poussez » entrave son évolution. Trois inventions anonymes apparaissent alors qui vont bouleverser sa fabrication : 1º l'application

du procédé uni-sonore ; 2º la possibilité d'obtenir 60 accords avec 12 sons chromatiques ; 3º l'utilisation d'un nouveau clavier à trois rangées. Après 1900 se dégage un modèle standard équipé de ces perfectionnements dit à 80 basses (accompagnement) et trois rangées (chant). L'a. traditionnel est dès lors constitué. Il va s'imposer dans tous les lieux où l'on danse et faire éclore un genre très parisien, le « musette », auquel sont maintenant associés les noms de Vacher, Peguri, Gardoni, Marceau, Duleu, Prud'homme, Horner, Azzola, Verchuren. Depuis 1940, de nombreux perfectionnements techniques (instruments à « basses chromatiques ») lui ont permis de retenir l'attention des compositeurs français : G. Auric, J. Françaix, Jean Lutèce, J. Wiener, A. Hoérée, avec pour interprètes les solistes Balta, Di Maccio et Roussel. D'importantes transcriptions d'œuvres classiques ont été effectuées pour ensembles d'a. par É. Lorin, R. Dewaele, apportant les preuves des réelles qualités expressives de cet instrument.

Bibliographie — A. Fett, art. Harmonika *in* MGG V, 1956 ; P. Monichon, Petite hist. de l'a., Paris, E.G.E.P., 1958 ; du même, L'a., *in* Coll. Que sais-je ?, Paris, PUF, 1971 ; H. Gerberth, W. Sämann, G. Richter et A. Wolf, Das Akkordeon, Klingenthal 1964 ; A. Abbott, Méthode complète d'a. classique, Paris, A. Leduc, 1969 ; cf. également le nº 59 du Bull. du G.A.M., Paris, Faculté des Sciences, 1972, le catal. de l'exposition de La Courneuve 1973 et le bull. du Congrès A.P.E.C., 1973.

P. Monichon

ACCORDÉON DE CONCERT, voir Harmonéon.

ACCORDER, voir Accord, § 2.

ACCORD MYSTIQUE, nom donné à l'accord *do-fa* ♯ - *si* ♭ *-mi-la-ré* servant de base au *Prométhée* d'A. Scriabine (1909-10). Ce terme, aujourd'hui usuel, ne provient pas de Scriabine mais a sans doute été employé pour la première fois par L. Sabanéiev. Selon lui, les notes de cet accord seraient tirées des harmoniques 8, 9, 10, 11, 13 et 14, interprétation contestée.

ACCORDOIR, outil servant à accorder les tuyaux d'orgue : soit cône plein ou creux pour dilater ou refermer les extrémités des tuyaux à bouche ouverts, soit lame lourde pour baisser ou relever les rasettes des anches.

ACCORD PARFAIT ou TRIADE (lat., trias harmonica ; angl., triad ou common chord ; all., Dreiklang ; ital., accordo perfetto), assemblage de 3 sons formant avec la basse une quinte juste et une tierce. Si cette dernière est majeure, l'a. est dit majeur (*do-mi-sol*), si elle est mineure, l'a. est dit mineur (*la-do-mi*). Comme la quinte est divisée en deux tierces de nature différente, on définit généralement l'a.p. comme une superposition de deux tierces, expliquant son aspect majeur ou mineur d'après la disposition de celles-ci, ce qui est mathématiquement et physiquement inexact mais pratiquement vrai. L'a.p. connaît 3 positions : état fondamental (*do-mi-sol*) ou a. de quinte ; 1er renversement (*mi-sol-do*) ou a. de sixte ; 2e renversement (*sol-do-mi*) ou a. de quarte-et-sixte. — G. Zarlino (1558) est le premier à concevoir l'a.p.

comme une entité globale dont l'aspect majeur correspond à la → division harmonique (1/4, 1/5, 1/6) et l'aspect mineur à la division arithmétique (multiplication par 4, 5, 6) d'une longueur de corde. J. Ph. Rameau (1737) déduit l'a.p. majeur des harmoniques 4, 5 et 6, et le considère comme une donnée de la nature. Une telle justification physique manque pour l'a.p. mineur, qui a fait l'objet de nombreuses explications dont aucune n'a été unanimement acceptée : assombrissement (« Trübung ») de l'a. majeur (H. von Helmoltz), dualisme (A. von Oettingen, H. Riemann), polarisme (S. Karg-Elert), double fondamentale des monistes (O. Hostinsky, G. Capellen : *la* pour expliquer *la-mi* et *do* pour expliquer *do-mi* dans *la-do-mi*), analogie (J. Chailley).

Bibliographie — G. Zarlino, Istitutioni harmoniche, Venise 1558 ; J.Ph. Rameau, Génération harmonique ou Traité de mus. théorique et pratique, Paris 1737 ; H. Riemann, Das Problem des harmonischen Dualismus, Leipzig 1905 ; C. Stumpf, Konsonanz u. Konkordanz, in Beitr. zur Akustik u. Mw. VI, Leipzig 1911 ; A. von Oettingen, Das duale Harmoniesystem, Leipzig 1913 ; J. Handschin, Der Toncharakter, Zurich 1948 ; C. Dahlhaus, War Zarlino Dualist ?, in Mf X, 1957 ; J.A. Morton, Numerical Orders in Triadic Harmony, in Journal of Music Theory IV, 1960 ; J. Chailley, Expliquer l'harmonie ? Lausanne, Éd. Rencontre, 1967 ; S. Gut, La tierce harmonique dans la mus. occidentale, Paris, Heugel, 1970 ; du même, La notion de consonance chez les théoriciens du M.A., in Studia Musicologica XVI, 1974.

ACCOUPLEMENT, voir Orgue, § B 3. Les accouplements.

ACOUSTIQUE MUSICALE, branche de l'acoustique, science de la génération, de la propagation et de l'audition des sons. Considérée dès l'Antiquité comme la « science des sciences », susceptible d'expliquer le monde (harmonie universelle), l'a.m. a perdu beaucoup de son importance au cours des siècles et cela pour plusieurs raisons. 1º Elle était surtout une science de spéculations numérologiques abstraites, n'ayant avec la musique que des rapports assez lointains, ce qui explique le désintérêt des musiciens pour l'a.m. depuis l'origine. 2º On n'a disposé pendant longtemps que de moyens d'investigation rudimentaires, le → sonomètre à cordes en particulier ; par ailleurs, les propriétés du système auditif humain restèrent longtemps très mal connues. L'a.m. n'avait donc pas suivi les développements extraordinaires qu'ont connus les autres sciences. 3º Le son est un phénomène évanescent, insaisissable, que l'on ne peut juger qu'à travers le système auditif et la mémoire humaine : il a fallu attendre les moyens de visualiser, de matérialiser les sons. Depuis quelques décennies on sait saisir le son, le fixer sur bande magnétique, ce qui permet de le répéter et de l'observer à loisir. En outre, l'électronique a mis à notre disposition les moyens les plus variés et les plus efficaces pour « photographier » le son, le visualiser sur documents objectifs (→ oscillographe et surtout → sonagraphe) : on sait actuellement analyser avec toute la précision requise n'importe quelle séquence sonore ou musicale, si compliquée soit-elle, et mesurer les sons dans toutes leurs dimensions (→ fréquence, temps et → intensité). On dispose aussi de moyens variés pour faire la synthèse des sons, ordinateur compris ; on en a donc saisi la structure intime.

Le spécialiste d'a.m. a maintenant à sa disposition des moyens d'investigation puissants, et on assiste dans tous les pays du monde à un renouveau spectaculaire de cette science. C'est le seul domaine acoustique où l'on dispose d'une expérience pratique séculaire de la chose sonore. Ce que font les facteurs d'instr. de musique et les musiciens, compositeurs ou exécutants, contient en effet des indications sans prix sur la génération et la propagation des sons réels ainsi que sur le fonctionnement et les particularités du système auditif humain statistique. Le spécialiste d'a.m. est donc conduit à s'intéresser nécessairement à un éventail très varié de domaines connexes où il est susceptible d'apporter bien souvent de la lumière. Il devra étudier entre autres choses : 1º le fonctionnement des « machines à faire les sons » que représentent les instr. de musique, appareil phonatoire compris ; 2º le rayonnement acoustique, c.-à-d. la structure physique des sons émis par tous ces instruments ; 3º la propagation des sons dans les divers → canaux usuels, les → distorsions et → filtrages occasionnés par les salles, par les chaînes électro-acoustiques, etc. ; 4º les problèmes de la perception et de l'intégration des sons musicaux par l'homme, c.-à-d. en dernière analyse, ceux du fonctionnement de l'oreille et du cerveau humains. Le domaine à explorer est donc vaste. Finalement l'a.m. n'est autre que l'acoustique tout court, avec la différence qu'elle tire ses informations et sa doctrine non d'expériences de laboratoire correspondant généralement à des « artefacts », mais de la pratique empirique, éprouvée, des facteurs d'instruments et des musiciens. L'a.m. moderne est une science qui s'élabore ; elle n'a plus beaucoup de rapports avec la science qui portait ce nom il y a peu d'années encore. C'est une science difficile, pluridisciplinaire par essence ; de nombreux indices permettent de penser qu'elle est en passe de retrouver le lustre dont elle a joui dans l'Antiquité.

Bibliographie — H. Fletcher, Speech and Hearing, New York 1929 ; C. Seashore, Psychology of Music, New York 1938 ; S.S. Stevens et H. Davis, Hearing, Londres 1938 ; G. van Esbroeck et F. Montfort, Qu'est-ce que jouer juste ?, Bruxelles 1946 ; Fr. Winckel, Klangwelt unter der Lupe, Berlin, M. Hesse, 1952, trad. fr. Le monde des sons sous la loupe, Paris, Dunod, 1960 ; A. Moles, Théorie de l'information et perception esthétique, Paris, Flammarion, 1958 ; A. musicale, Paris, CNRS, 1959 ; G. von Bekesy, Experiments of Hearing, New York, Mc Graw Hill, 1960 ; E. Leipp, A. musicale, Paris, Masson, 1971 ; cf. également les Bull. du Groupe d'Acoustique Musicale (GAM), Paris, Dépt de mécanique de la Fac. des Sciences, 1963 et suiv., 58 nos parus (acoustique d'instr. de musique, acoustique des salles, parole, chant, problèmes de l'audition de la musique, etc.) ; cf. l'art. Électro-acoustique.

E. Leipp

ACTE, subdivision d'une œuvre dramatique, spécialement d'un opéra, comprenant d'habitude plusieurs → scènes et souvent plusieurs tableaux. Le nombre des a. est en principe impair : un, trois ou cinq. Pourtant *Don Juan* de Mozart en comporte deux, *Carmen* de Bizet quatre. Les a. successifs peuvent être séparés par un → entracte orchestral, pendant lequel on procède au changement de décor derrière le rideau baissé.

ACT MUSIC ou ACT TUNE, ou encore « curtain tune » (angl.), en Angleterre, musique destinée à être jouée comme ouverture et entre les actes d'une pièce de théâtre, au temps d'Élisabeth, de Jacques Ier et de la Restauration. A l'Univ. d'Oxford, l'« act music » était liée à la cérémonie de l'« Act », qui correspondait à un examen à une époque où les étudiants ne passaient pas de tests écrits. Il s'agissait d'une œuvre courte, écrite généralement sur un texte latin pour solistes, chœur et orchestre.

ACUITÉ AUDITIVE, capacité, très variable d'un individu à l'autre, de percevoir les finesses des formes acoustiques. Celles-ci ont toujours trois dimensions physiques : le temps, la → fréquence et le niveau. Du point de vue perceptif, ces dimensions se traduisent respectivement par la durée, la → hauteur et le → timbre, enfin l' → intensité. Les musiciens très entraînés à observer les sons ont généralement une a.a. remarquable. Un phénomène d'une milliseconde ne leur échappe pas ; en hauteur, ils distinguent aisément le 1/300 d'octave (savart) ; pour le timbre, ils réagissent à d'infimes modifications spectrales ; en intensité, ils réalisent des nuances voisines de quelque 2 ou 3 décibels. L'information esthétique contenue dans la musique échappe bien entendu à ceux dont l'a.a. est déficiente. — Voir également AIRE AUDIBLE et ULTRA-SON.

ADAGIETTO (ital., diminutif d'adagio). Ce terme peut servir de titre à un morceau assez court, moins lent et de caractère moins sévère que l'adagio. Ex., *Adagietto* de la 5e *Symphonie* de G. Mahler ; n° 4 des *Pièces brèves* pour p., op. 84, de G. Fauré.

ADAGIO (ital., = à l'aise), l'une des plus anciennes indications de mouvement utilisée en musique. Elle apparaît dès le début du XVIIe s. et désigne soit un ralentissement modéré du tempo de base survenant en cours d'exécution ou dans les mesures finales, soit le passage à une mesure où l'unité de temps est une valeur plus longue (p. ex. Adagio ♩♩ au lieu d'Allegro ♩♩). Au XVIIIe s. la plupart des auteurs admettent qu'a. est un temps intermédiaire entre → « largo » et → « andante »; cependant G. Fr. Haendel, J. S. Bach et jusqu'à M. Clementi utilisent ce terme pour un mouvement plus lent que « largo ». Le superlatif « adagissimo » est également employé par J. S. Bach. A. peut encore servir de titre à un morceau (W. A. Mozart, *Adagio et fugue* in do min. pour quatuor à cordes KV 546; S. Barber, *Adagio pour cordes*; A. Jolivet, *Adagio pour cordes*). Mais c'est en général le second mouvement d'une sonate ou d'une symphonie. Beethoven a confié à l'a. quelques-unes de ses expressions musicales les plus sublimes : *Adagio cantabile* de la *Sonate* « *pathétique* » pour piano op. 13 ; *Adagio sostenuto* de la *Sonate* dite « au clair de lune », op. 27, n° 1; *Adagio grazioso* de la *Sonate* op. 31, n° 1; *Adagio* de la *Sonate* op. 101; *Adagio sostenuto* de la *Sonate* op. 106; *Adagio molto e cantabile* de la 9e *Symphonie*.

ADAPTATION, ensemble des transformations appliquées à une œuvre pour l'utiliser à d'autres fins que celles prévues initialement. Cette pratique a été courante dès le XVIe s. dans le domaine de la mus. religieuse avec l'a. de textes spirituels à des chansons profanes. Par la suite, on n'hésita pas à transformer de même des airs d'opéra en y adaptant des paroles latines. Le procédé de l'a. s'est étendu à tous les genres, trop souvent sans le moindre souci du respect des œuvres originales. Il est devenu abusif à notre époque. — Voir également les art. ARRANGEMENT, CONTRAFACTURE, PARODIE, TRANSCRIPTION.

AD LIBITUM (lat., = à volonté; abrév., ad lib.), peut marquer : 1° la liberté laissée à l'exécutant quant au mouvement d'un passage, d'une cadence ou d'un point d'orgue (syn., recitativo, senza misura, senza tempo, a suo arbitrio, a piacere, a capriccio, a piacimento, a bene placito), la reprise du mouvement initial étant indiquée par la locution « a tempo » ; 2° le caractère facultatif d'une partie vocale ou instrumentale. Obligato ou obligé s'opposent à ce terme.

AÈDE (du grec aoïdos, = chanteur). Dans la Grèce primitive, nom des poètes-musiciens qui chantaient des hymnes et des poèmes épiques au cours des solennités en s'accompagnant de la lyre. Homère demeure l'exemple le plus illustre; dans le domaine de la légende, Amphion, Linos et Orphée.

AÉROPHONE, tout instr. de musique dans lequel le son produit est dû principalement à la mise en vibration d'une colonne d'air contenue dans un tube. Sont parfois classés dans cette catégorie les instr. qui fonctionnent à l'air libre, telles les sirènes. Les principaux procédés de mise en vibration sont soit un courant d'air insufflé par un orifice étroit, soit une anche vibrante, soit enfin les lèvres d'un exécutant dans une embouchure faisant office d'anches. — Voir également l'art. ORGANOLOGIE.

AEUIA, abr. du mot → « alleluia », obtenue par la suppression des consonnes, qui se rencontre dès le IXe s. dans les manuscrits de chant grégorien. — Voir également EUOUAE.

AFFEKTENLEHRE (all.), voir THÉORIE DES PASSIONS.

AFFETTUOSO (ital., = affectueusement), terme d'exécution musicale que l'on rencontre vers la fin du XVIe s., en particulier dans les *Balletti a 3 v.* (1594) de G. Gastoldi. Il a été surtout utilisé à l'époque baroque (J.G. Walther, *Musicalisches Lexicon*, Leipzig 1732) et servait à désigner le caractère expressif d'un morceau. D'après H.Chr. Koch (*Musikalisches Lexikon*, Francfort/M. 1802), ce terme peut être également une indication de mouvement intermédiaire entre l'adagio et l'andante (mouvt central du 5e *Concerto brandebourgeois* de J.S. Bach).

AFFINITÉ. 1. Parenté entre des sons qui ont en commun un certain nombre d'harmoniques. — **2.** Se dit du rapport entre des tons voisins : ton majeur et son relatif mineur; ton ayant comme tonique la dominante ou la sous-dominante de l'autre (p. ex. *do* et *sol* maj., ou *do* et *fa* maj.).

AFFRETANDO (ital., = en accélérant), voir ACCELERANDO.

AFRIQUE NOIRE. Deux musiques coexistent aujourd'hui en Afrique noire. La première, urbaine, est de création récente. C'est le « high-life » des pays anglophones et la musique dite congolaise de certains pays francophones. Cette musique est diffusée quotidiennement par les radiodiffusions nationales et atteint, en brousse, les villages les plus reculés. L'autre — celle dont il sera question ici — est une mus. traditionnelle. Elle n'est guère diffusée en dehors de la société qui l'a créée.

Lorsqu'on sait qu'en Afrique noire il y a autant de musiques que de sociétés et de langues, on comprendra qu'il n'est guère aisé de traiter de la mus. négro-africaine comme d'une entité. Qu'ont en commun, en effet, les polyphonies bushmen, les chants solo chuchotés du Burundi, les monodies « a cappella » chantées dans les couvents du culte vaudou, hormis le fait d'être issus d'un même continent ? On pourrait tenter de faire une répartition sommaire des différentes mus. africaines en délimitant de vastes aires géographiques : pays islamisés d'une part (Nord et Nord-Ouest), pays de la ceinture de savane au sud du Sahara, forêts tropicales, pays bantous du Centre, du Sud et de l'Est, d'autre part. Mais une telle classification n'est que fort approximative.

Le cadre social. Ce qui pourtant unit des musiques provenant de régions et de populations aussi diversifiées, c'est avant tout leurs fonctions et leur mode de transmission. Elles sont presque toujours des créations anonymes, populaires, collectives et leur conservation comme leur transmission sont le fait de toute la communauté. Associées le plus souvent à la parole et à la danse, ce sont des musiques de participation. Elles ne se réfèrent à aucune théorie et, dans la plupart des cas, ne peuvent être datées. Du fait qu'elles se passent de toute notation, leur transmission est exclusivement fondée sur la mémorisation. En conséquence, d'une exécution à une autre, elles subissent des altérations. En se transformant de la sorte, elles se renouvellent constamment.

Autre facteur d'unité, ces musiques sont organiquement intégrées dans tous les événements importants de la vie sociale et religieuse. « Pas de funérailles, pas de guérison, pas un sacrifice offert aux ancêtres, pas une chasse ouverte, pas un arbre abattu pour des raisons rituelles, pas un puits foré, pas une naissance, pas une guerre déclenchée, pas un combat, pas une récolte, pas de semailles, pas un travail collectif, pas un rite de passage, pas une consécration de chef ou de prêtre qui ne requièrent le concours indispensable d'une action musicale » (G. ROUGET, L'ethnomusicologie, in Ethnologie générale, Paris, Gallimard, 1968, p. 1340). Pour chacune de ces occasions, la musique et l'emploi des instruments, sinon les instruments eux-mêmes, sont bien souvent réglementés; ainsi, telle cérémonie nécessitera telle formation instrumentale et non une autre.

La place du musicien dans la société africaine diffère considérablement de celle que nous lui connaissons en Europe. Dans certaines régions, il existe des musiciens professionnels. Il y a même des castes de musiciens comme celle des « griots » d'Afrique de l'Ouest qui, attachés à des cours, dans des sociétés anciennes et fortement hiérarchisées, ont pour tâche principale de conserver et transmettre les faits d'histoire d'un royaume, notamment les généalogies des souverains. Dans d'autres régions, la notion de musicien professionnel est absente. Certains hommes font occasionnellement de la musique, parfois contre rétribution, mais le plus souvent sans contrepartie, pour leur propre plaisir et celui des autres. Dans aucune société africaine cependant n'existe un rapport musicien - auditeur qui soit comparable au modèle occidental : la dichotomie entre musicien actif et public passif n'a ici aucune réalité.

En tant qu'activité sociale, la musique est partout minutieusement et strictement organisée. Mais des musiques proches l'une de l'autre par leur forme et par les instruments auxquels elles ont recours seront rattachées, selon les sociétés, à des fonctions sociales différentes. Ainsi, les grands tambours cylindriques à une membrane, très répandus en Afrique, sont utilisés par certaines populations du Zaïre pour de simples danses de réjouissance, par d'autres, en Côte-d'Ivoire, pour des funérailles ou pour la sortie d'un masque; au Burundi, des instruments semblables sont utilisés à la Cour du roi, où, selon la tradition, ils symbolisent le pouvoir.

Les instruments de musique. Bien qu'en milieu traditionnel les moyens matériels et techniques dont on dispose soient souvent rudimentaires, les instr. de musique sont de facture généralement très élaborée. Il suffit de regarder attentivement une « kora », harpe-luth d'Afrique de l'Ouest, pour en être convaincu, ou encore d'observer un xylophone, dont les modes d'assemblage — fixation des lames de bois, place et dimension des résonateurs, insertion d'ajouts sonores, etc. — font preuve d'une grande ingéniosité technologique. La diversité des instr. de musique d'Afrique noire est considérable.

Parmi les i d i o p h o n e s, il convient de citer tout d'abord le seul instrument proprement africain, la « sanza » : jeu de languettes de bambou ou de fer, pincées avec les pouces, fixées sur une planchette ou une petite boîte servant de table d'harmonie, puis les xylophones, des types les plus rudimentaires — lames posées sur les jambes du musicien — aux plus complexes, les tambours de bois, ainsi qu'une multitude de hochets, sonnailles, cloches, sistres, poutrelles qu'on entrechoque et racleurs, enfin les tambours d'eau, récipients remplis d'eau sur laquelle flotte une demi-calebasse retournée frappée avec des baguettes. — Les m e m b r a n o p h o n e s ont une place prépondérante dans toute la mus. africaine. On relève une très grande variété de tambours, se différenciant par leur matière, leur forme et les modes de fixation de leurs membranes. — Parmi les a é r o p h o n e s, il faut mentionner rhombes (planchettes tournoyantes tenues par un fil ou une cordelette), flûtes droites (avec ou sans encoche), flûtes globulaires (de type ocarina), flûtes de Pan, flûtes traversières, trompettes et trompes (droites et traversières) en bois, ivoire ou corne; enfin les instr. à anche, double (de type hautbois) et simple (de type clarinette), notamment la clarinette en tige de mil attestée un peu partout dans les régions de savane septentrionales. — Parmi les c o r d o p h o n e s, on relève, outre l'arc musical, des pluriarcs, des harpes (fourchues ou arquées), des harpes-cithares ainsi que des luths et des harpes-luths, différents types de cithare (sur tuyau, en chéneau, cithare-radeau) et enfin des vièles, souvent monocordes.

Pour ce qui est de l'utilisation d'éléments simples à des fins musicales complexes, l'arc musical fournit un exemple remarquable : une lanière végétale est tendue entre les extrémités d'une branche flexible.

Cette lanière sert de corde; sa longueur vibrante peut être modifiée par pression, avec une tige de bois ou de métal. Elle est mise en vibration par le frappement d'une baguette dont l'extrémité est articulée. De cette manière sont produits les deux sons fondamentaux de l'instrument. La bouche de l'instrumentiste sert de résonateur à volume variable. En modifiant la position de ses lèvres, de sa langue et de son palais, le musicien peut sélectionner, pour les amplifier, certains sons harmoniques et partiels avec lesquels il peut exécuter toute une série de mélodies traditionnelles. Les deux sons fondamentaux, joués en « ostinato », ne sont ici que les générateurs du matériau mélodique.

On peut distinguer deux sortes de pratique instrumentale : d'une part celle nécessitant la maîtrise d'une technique souvent fort complexe, p. ex. le jeu des « sanza », harpes et xylophones qui requièrent une indépendance totale des deux mains ; d'autre part celle, à la portée de tous, qui s'applique à certains instr. à percussion. Tout un chacun sait frapper une cloche, secouer en mesure un hochet ou effectuer à l'aide de sonnailles attachées à son corps les formules rythmiques inhérentes aux mouvements de la danse.

La conception du son, en Afrique, diffère radicalement de celle répandue en Occident. A un son simple, sans mélange, on préfère un son complexe, « brouillé ». Celui-ci s'obtient par ajout : graines sèches introduites dans les caisses de résonance, tiges de métal ornées d'anneaux vibrants prolongeant le manche des luths, mirlitons — membranes très fines appliquées sur les parois de certains instruments pour en modifier le son initial. Ce souci du timbre se manifeste également dans l'utilisation fort variée des ressources de cet autre instrument essentiel qu'est la voix humaine. Celle-ci est différemment exploitée selon les milieux culturels mais aussi selon les types de répertoire : voix gutturale, criée, nasalisée, chuchotée, yodlée, hurlée, voix de tête, voix travestie (masquée), etc.

Le langage musical. Pour ce qui est de la musique proprement dite, son étude peut être entreprise à partir de distinctions telles que : mus. collective ou individuelle, polyphonique ou monodique, avec ou sans mètre, etc. Mus. vocale et mus. instrumentale ne s'opposent pas radicalement. Elles sont en général étroitement associées. La mus. vocale est cependant prédominante. Il y a relativement peu de musique purement instrumentale; aussi, lorsqu'une telle musique est exécutée par des instr. mélodiques, elle n'est dans la plupart des cas qu'une transposition ou une adaptation d'une musique à l'origine chantée.

L'échelle musicale de loin la plus répandue est l'échelle pentatonique, avec ou sans demi-tons, avec ou sans notes de passage. Mais de nombreuses autres échelles sont attestées : diatoniques, chromatiques, équiheptatoniques, échelles à degrés mobiles en fonction de divers pôles d'attraction. La place de la polyphonie, de même que les procédés qui y sont mis en œuvre (tuilage, imitation, parallélisme, « ostinato », hoquet par imbrication des différentes voix et aussi contrepoint élaboré), varie considérablement d'une population à l'autre.

La rythmique africaine s'appuie essentiellement sur des formules fondées sur le découpage du temps en unités cycliques de durée identique. Dans la plupart des cas, des valeurs rythmiques inégales se réfèrent à une pulsation isochrone, matérialisée ou virtuelle, mais néanmoins toujours présente. L'exécution simultanée par plusieurs tambours de formules différentes, exprimées par rapport à un mètre identique, donne lieu à des élaborations rythmiques d'une grande complexité qu'il est convenu d'appeler polyrythmie.

En ce qui concerne les formes, il y a lieu de faire, pour toute la mus. africaine, une distinction fondamentale entre les formes qu'on qualifiera d'ouvertes et les formes fixes. Les deux font une grande place à la répétition mais les premières, qui sont caractéristiques notamment de l'Afrique centrale, se fondent sur un agencement relativement libre d'énoncés mélodico-rythmiques. La forme n'est ici que l'actualisation de la structure. Celle-ci, un peu à la manière de la chaconne dans la mus. occidentale, en faisant une grande place aux variations improvisées, permet un renouvellement formel constant : elle s'appuie sur des phrases-périodes de durée égale, chacune d'entre elles possédant à son tour, dans le cadre du morceau, une organisation interne qui lui est propre. — Les formes fixes sont en général beaucoup plus élaborées. Elles prévalent dans les mus. rituelles ou cérémonielles et dans les mus. de cour. Ici, tout est rigoureusement ordonné, tant la succession des différentes phases de la cérémonie que les modalités d'intervention de chaque instrument ou groupe d'instruments. Dans ce type de répertoire, la forme musicale est étroitement associée à une pratique sociale déterminante : l'improvisation n'y tient que peu de place et la part de l'aléatoire y est très réduite.

L'ethnomusicologie africaine. L'étude de la mus. traditionnelle africaine, tout comme celle d'autres musiques de tradition orale, a pris son essor avec le développement des techniques d'enregistrement. Les premiers documents sonores ont été recueillis sur cylindre à la fin du XIXᵉ s. et, dès le début du XXᵉ s., se constituaient les premiers instituts d'archives, tel le célèbre Phonogrammarchiv de Berlin fondé en 1902. Après les cylindres apparurent les disques puis le fil, enfin la bande magnétique. Le magnétophone portatif permet aujourd'hui de faire, dans des conditions techniques satisfaisantes, des enregistrements sonores qui fournissent à l'ethnomusicologue une base de travail essentielle. Ses préoccupations, nombreuses, concernent aussi bien la place de la musique dans la société que les systèmes musicaux et l'analyse d'un répertoire. Parmi les questions qui se posent à lui, celle concernant le concept même de « musique » — qu'est-ce qui, pour les membres d'une société, est de la musique et qu'est-ce qui n'en est pas ? — tient une place essentielle. Les cris de chasse des Pygmées, que l'oreille européenne considérera comme étant de la musique, ne sont pas classés dans cette catégorie par ceux qui les exécutent.

Les travaux menés jusqu'ici ont donné lieu à la publication d'un nombre considérable d'articles, de disques, de quelques films descriptifs, mais de très peu d'ouvrages généraux. Ces publications sont, pour la plupart, le résultat d'études ponctuelles consacrées à la musique d'une ethnie particulière, à un répertoire spécifique ou encore à un instr. de musique. C'est incontestablement le disque qui constitue aujourd'hui le meilleur moyen pour se familiariser avec la mus. africaine en donnant directement accès à la musique elle-même; les notices qui l'accompagnent livrent bien souvent quantité d'informations ethnologiques ou musicologiques précieuses, permettant de situer la musique dans son contexte socio-culturel. A l'heure actuelle, les connaissances très fragmentaires sur la mus. africaine ne permettent pas encore d'entreprendre de vastes travaux d'ensemble ou « monuments ». En effet, l'ampleur du continent, la multiplicité des ethnies et la richesse de leurs musiques, le caractère relativement jeune de la discipline et enfin le nombre restreint de chercheurs qui s'y consacrent font que l'étude de la mus. africaine n'en est encore qu'à ses débuts.

Discographie (choix) — Plusieurs centaines de disques de mus. traditionnelle africaine ont été publiés dans de nbr. collections. Parmi les plus importantes et les mieux documentées, il convient de signaler les suivantes : Collection du Musée de l'Homme, dirigée par G. Rouget ; Ethnic Folkways, dirigée par M. Asch ; African Music Society, dirigée par H. Tracey ; OCORA, dirigée par Ch. Duvelle ; Coll. UNESCO, dirigée par A. Daniélou.

Bibliographie — A. Schaeffner, Origine des instr. de musique, Paris 1936, rééd. Paris et La Haye, Mouton, 1968 ; du même, Les Kissi, une société noire et ses instr. de mus., Paris, Hermann, 1951 ; H. Hickmann, art. Afrikanische Musik in MGG I, 1949-51 ; Kl.P. Wachsmann, Tribal Crafts of Uganda, II The Sound Instr., Londres, Oxford Univ. Press, 1953 ; B. Söderberg, Les instr. de mus. au Bas-Congo et dans les régions avoisinantes. Étude ethnographique, Stockholm, The Ethnographical Museum of Sweden, 1956 ; A. Jones, Studies in African Music, 2 vol., Londres, Oxford Univ. Press, 1959 ; G. Rouget, La mus. d'Afrique noire, in Encycl. de la Pléiade, Hist. de la mus. I, Paris, Gallimard, 1960 ; L.J.P. Gaskin, A Select Bibliogr. of Music in Africa, Londres, Internat. African Inst., 1965 ; H. Zemp, Les Dan. La mus. dans la pensée et la vie sociale d'une société africaine, Paris et La Haye, Mouton, 1971.

S. Arom et B. Lortat-Jacob

AGITATO (ital., = agité), terme employé pour définir le caractère d'un morceau. Il a été utilisé en particulier par Beethoven (presto final de la *Sonate* pour p. op. 27/1 ; allegretto final du 11e *Quatuor à cordes* op. 95), Mendelssohn (*Romances sans paroles* nos 5, 10, 17, 21, 38, 46) et Chopin (*Étude* op. 25/4 ; *Préludes* op. 28/1, 8, 22).

AGNUS DEI. C'est le dernier chant de l'ordinaire de la → messe. Il est exécuté aussitôt après la fraction de l'hostie par le célébrant, avant le chant de l'antienne de communion. Suivant le *Liber Pontificalis* (I, 371), c'est le pape Sergius 1er (697-701), d'origine syrienne, qui aurait prescrit le verset « Agnus Dei, qui tollis peccata mundi (Jean I, 29), miserere nobis » serait chanté « a clero et populo » au moment de la fraction de l'hostie. Il est très possible que l'A.D. ait pris la place d'un chant de fraction analogue à celui des liturgies gallicanes. Son introduction à Rome par un pape syrien pourrait passer pour un apport oriental s'il était possible de relever trace d'un chant analogue en Orient. Or, les livres de chant byzantin ou d'autres rites ne comportent pas, pour la fraction, de pièces correspondantes. L'A.D. a très bien pu être tiré du *Gloria* ou même de la fin de la litanie des saints. La supplication « miserere nobis » se répétait jadis trois fois : la troisième fut remplacée par « dona nobis pacem » dès le Xe s., en raison, semble-t-il, du rite du baiser de paix qui se donnait avant la communion. A cette notion de paix entre les fidèles s'ajouta plus tard la notion de paix des armes : à partir du XIIIe s., on prescrit des prières surérogatoires en faveur de la cessation des guerres. Dans les messes polyphoniques, le compositeur a souvent exploité l'effet de contraste entre le tumulte extérieur de la trompette guerrière

et du cliquetis des armes et la paix sereine apportée aux hommes par le sacrement. De même que pour le *Kyrie*, invocation initiale de la litanie des saints, l'A.D. qui la conclut emprunte sa mélodie (A.D. XVIII de l'Éd. Vaticane) au style syllabique de l'invocation litanique. Cette simple cantillation universellement répandue dès le Xe s. est très probablement la mélodie primitive de l'A.D. : en tout cas, c'est bien ce genre de mélodie qui convenait à un chant exécuté « a clero et populo ». Les autres mélodies de l'ordinaire de la Vaticane sont plus ornées : leur exécution revenait plutôt aux chantres de la schola, surtout lorsqu'elles étaient farcies de → tropes.

Au même titre que les autres pièces de l'ordinaire, l'A.D. a été abondamment tropé. Les mélodies de ces tropes sont pour la plupart inédites. Un certain nombre d'entre elles figurent dans un tropaire de St-Martial édité par P. Evans (voir Bibliogr.). Le lieu et la date de composition de ces tropes peuvent être déterminés grâce à leur répartition dans les manuscrits (M. Schildbach). L'A.D. a été traité isolément en organum dès le XIIe s. (M. Schildbach, M. Lütolf), mais il trouvera sa place définitive dans les premières messes de l'Ars Nova, au même titre que les autres parties de l'ordinaire de la messe.

Éditions — Analecta hymnica medii aevi XLVII, éd. par Cl. Blume et H.M. Bannister, Leipzig 1905, rééd. Francfort/M., Minerva Verlag, 1961 (tropes de l'A.D.) ; P. Evans, The Early Trope Repertory of St-Martial de Limoges, Princeton, Univ. Press, 1970.

Bibliographie — P. Wagner, Einführung in die gregorianischen Melodien..., I Ursprung u. Entwicklung..., Fribourg 1895, 3/ Leipzig 1911 et 1921, III Gregorianische Formenlehre..., Leipzig 1921, I-III réimpr. Hildesheim, Olms, 1962 ; Br. Stäblein, art. A.D. in MGG I, 1948-51 ; J.A. Jungmann, Missarum sollemnia III, Paris, Aubier, 1952 ; W. Apel, Gregorian Chant, Bloomington, Indiana Univ., 1958 ; M. Schildbach, Das einstimmige A.D. u. seine handschriftliche Überlieferung, Erlangen 1967 ; M. Lütolf, Ordinarium Missae II, Berne, Haupt, 1970.

AGOGIQUE (all., Agogik), néologisme créé par H. Riemann en 1884, en corrélation avec celui de → dynamique, pour désigner de légères modifications du tempo qui n'apparaissent pas dans la notation musicale et qui proviennent d'une interprétation vivante. Le → « rubato » relève de l'agogique. Par extension le terme s'applique à la théorie du mouvement dans l'exécution musicale.

Bibliographie — H. Riemann, Musikalische Dynamik u. A., Hambourg et St-Pétersbourg 1884 ; du même, Über A., in Präludien u. Studien II, Leipzig 1900.

AGRÉGAT, superposition de sons dont la disposition ne peut pas se ramener à un → accord provenant du tableau des harmoniques ou de ses dérivés analogiques. Ex. : *ré-fa-do-mi-la* est un accord, mais *do-fa # -sol-do # -sol #* est un agrégat.

AGRÉMENTS, terme utilisé dans la mus. française pour désigner à partir du XVIe s., chez les chanteurs et les instrumentistes (luthistes, clavecinistes, organistes...), des notes ou groupes de notes, indiqués par des signes abréviatifs, qui servent à orner ou à varier une mélodie. Ces signes ont souvent un sens différent d'un compositeur à l'autre et peuvent être, par conséquent, exécutés de différentes manières. Aussi exigent-ils de l'interprète une connaissance approfondie de l'ancienne technique, l'observation des règles prescrites par le « goût » et un sens inné de l'improvisation. Les luthistes, qui possédaient chacun leur propre code, sont les premiers à indiquer avec profusion leurs agréments. Par la suite, de nombreux théoriciens et compositeurs ont, aux XVIIᵉ et XVIIIᵉ s., traité de la réalisation des agréments. Si aucun d'eux n'a pu en établir une table universelle, tous stipulent que, loin d'être de purs ornements, ils sont liés à l'expression. — Voir l'art. ORNEMENTS.

Bibliographie — J. BASSET, L'art de toucher le luth, *in* M. Mersenne, Thesaurus Harmonicus, Cologne 1603 ; L'AFFILARD, Principes... pour bien apprendre la musique, Paris 1694 ; B. DE BACILLY. Remarques curieuses sur l'art de bien chanter, Paris 1679, rééd. facs. Genève, Minkoff, 1971 ; FR. COUPERIN, L'art de toucher le clavecin, Paris 1716, 2/1717 ; J.PH. RAMEAU, Pièces de clavecin... avec une table des a., Paris 1724, rééd. par E. Jacobi, Kassel, BV, 1958 ; J. ARGER, Les a. et le rythme, Paris 1917 ; P. BRUNOLD, Traité des signes et a. employés par les clavecinistes fr. des XVIIᵉ et XVIIIᵉ s., Lyon 1925, 2/Nice, Delrieu, 1965 ; E. BORREL, L'interprétation de la mus. fr. de Lully à la Révolution, Paris 1934.

AIGU, adj. désignant les sons élevés à → fréquence rapide. Contraire : grave.

AIR. 1. Fluide gazeux, élastique et compressible, qui forme l'atmosphère terrestre. Il alimente la respiration et transmet le son, d'où son rôle en musique : sous la pression du souffle il fait vibrer les cordes vocales et sonner les instr. à vent, sous celle des soufflets — où il a été emmagasiné mécaniquement — les tuyaux de l'orgue. — **2.** Mélodie facile à mémoriser (air populaire, air de danse) ou → timbre auquel on adapte des paroles nouvelles. — **3.** Mélodie vocale ou instrumentale, profane ou religieuse, accompagnée ou non par des instruments, qui peut être soit autonome, soit incluse dans une composition comportant plusieurs mouvements. Elle a pour origine la → chanson au luth du XVIᵉ s., qui prit en 1571 le nom d' → air de cour et connut en France sous diverses formes (air à danser, → air à boire, air de ballet, air spirituel), grâce aux publications de G. Bataille, un énorme succès. Vers 1650 M. Lambert et P. de La Barre lui substituèrent l'« air en rondeau » et surtout l'« air sérieux », plus développé et agrémenté d'un → « double » ou second couplet en diminution. Un répertoire analogue apparut vers la même époque en Angleterre avec J. Dowland (*Ayres*, 1597) et R. Dowland (*A musicall Banquet*, 1610) et en Allemagne avec H. Albert (*Arien*, 1638-1650). Bien que chant en solo, l'air, de forme strophique, n'a rien de commun avec la monodie italienne. Il comporte deux brèves sections, dont la seconde est plus expressive et plus ornée. Par la suite, tout en conservant une forte unité, il devint plus complexe. Dans la mus. dramatique, où il était généralement précédé d'un récitatif, il prit à partir de Lully des formes très variées qui relevaient des anciennes ou étaient tout à fait nouvelles, comme l'air à « da capo » emprunté à l'Italie (voir ARIA), l'air continu en un seul mouvement, proche de l' → arioso, et l'air en deux mouvements sans reprise, fréquent dans le grand opéra du XIXᵉ s. Selon sa nature, son expression, son degré de virtuosité, on distingua aussi l'air de caractère, l'air tendre (voir BRUNETTE), l'air de bravoure, etc. L'air pénétra également le concert, l'oratorio, la cantate et la mus. instrumentale (air varié), notamment la suite de danses où il s'opposa, par son style essentiellement mélo-

dique, aux pièces d'origine chorégraphique. Depuis la fin du XIXᵉ s. l'air, dans la mus. dramatique, tend à fusionner avec le récitatif et à répudier toute forme fixe (Wagner, Debussy, Berg).

Rééditions — H. ALBERT, *Arien*, éd. par E. BERNOULLI, *in* DDT XII et XIII, 1903 et 1904 ; H. FELLOWES, The English School of Lutenist Song Writers, 32 vol., Londres, Stainer & B., 1920-32 ; P. WARLOCK et P. WILSON, English Ayres, 6 vol., Londres, Enoch, 1922 ; H. PRUNIÈRES, Airs français, 6 cahiers, Paris, Heugel, 1924-27 ; FR. NOSKE, The Solo Song outside German Speaking Countries, Cologne, A. Volk, 1958.

Bibliographie — H. KRETZSCHMAR, Gesch. des neuen deutschen Liedes, I (Von Albert bis Zelter), Leipzig 1911 ; A. EINSTEIN, Ein unbekannter Druck aus der Frühzeit der deutschen Monodie, *in* SIMG XIII, 1912 ; TH. GÉROLD, L'art du chant en France au XVIIᵉ s., Strasbourg 1921 ; P. WARLOCK, The English Ayre, Londres 1926 ; P. COIRAULT, Notre chanson folklorique, Paris 1941 (un chapitre sur l'air).

A. VERCHALY

AIR À BOIRE, petite composition lyrique d'inspiration bachique pour une ou plusieurs voix, accompagnée ou non. Son origine est très ancienne. Dans la Grèce antique, le « scolie », qui célébrait l'amour et le vin, se chantait à la fin des banquets. Cette tradition se maintint dans la Rome impériale, puis dans le monde chrétien. Au Moyen Age, la chanson à boire fait partie du répertoire des troubadours, puis des trouvères et des goliards. A l'époque de la Renaissance, tandis que l'art populaire pénètre l'art savant et que se mêlent dans les premiers recueils imprimés les « chansons rustiques et musicales », elle prend une nouvelle extension. A la chanson à boire rurale, dont on trouve des exemples dans le *Ms. de Bayeux*, colligé en 1514 par Charles de Bourbon, la chanson polyphonique emprunte ses thèmes et son esprit. Mais c'est avec le développement de la → chanson au luth, puis de l' → air de cour strophique que le genre connaît au début du XVIIᵉ s. une vogue croissante. En 1615 J. Mangeant publie à Caen ses *Chansons des Comédiens françois* où les airs à boire sont réunis sous le titre de *Bacchanales*. Par la suite, si l'on except P. Guédron et A. Boesset, la plupart des compositeurs, J. Boyer, E. Moulinié, Fr. de Chancy, A. de Rosiers, D. Macé, G. Michel et De La Marre en composent soit avec accompagnement de luth, soit à plusieurs voix, soit à voix seule. Ballard publie de 1627 à 1662 vingt et un recueils de *Chansons pour dancer et pour boire* à une et 2 voix. A partir de 1663, cette collection est continuée par B. de Bacilly, lui-même auteur d'*Airs bachiques* (1671), tandis que voient le jour le recueil de R. Cambert (1665) et les dix-sept livres d'*Airs sérieux et à boire* (1666-83) de J. Sicard. A partir de 1694, J. B. Chr. Ballard reprit la publication d'une nouvelle collection qui devait se continuer pendant une trentaine d'années. Jusque vers 1660 l'air à boire resta proche, par son style, de l'art populaire. Il prit ensuite, sur le plan musical, un caractère beaucoup plus artistique, à tel point que des compositeurs comme Lully, M. A. Charpentier, Fr. Couperin, A. Campra, J. J. Mouret et J. Ph. Rameau ne dédaignèrent pas d'en écrire. Mais le genre restait malgré tout proche de ses origines et redevint assez rapidement un sujet d'inspiration pour les chansonniers des « Caveaux » qui se succédèrent à Paris de 1729 au début du siècle suivant. Aux XIXᵉ et XXᵉ s., les musiciens lui redonnèrent, à l'occasion, un nouvel éclat. Citons H. Berlioz (*La Damnation de Faust*), C. Saint-Saëns, Fr. Poulenc,

1. ÉGYPTE. XIe ou Xe s. av. J.C. *Le musicien Djed Khonsou Ioufank célébrant sur sa harpe le dieu Soleil Râ Horakhti, auquel il a dédié cette stèle de bois peint. H = 29,1 cm. Nouvel Empire, XXIe ou XXIIe dynastie. Paris, Musée du Louvre.*

Ph. Jeanbor © Photeb

2. *ASSYRIE. VIIe s. av. J.C. Musiciens militaires de l'armée d'Assurbanipal.*
Tambour sur cadre, harpe-lyre et cymbales. Bas-relief du palais d'Assurbanipal à
Ninive. Paris, Musée du Louvre.

3. GRÈCE. Vᵉ s. av. J.C. Musiciennes : harpe, dite sambykè, cithare et lyre. Détail d'un vase attique à figures rouges. Munich, Antikensammlungen.

4. GRÈCE. Vᵉ s. av. J.C. Scène de banquet : joueur d'aulos. Détail d'une coupe attique à figures rouges. Paris, Musée du Louvre.

Ph. © Scala - Photeb

5. ROME. *Fin du Ier s. av. J.C. Détail de la fresque des mystères dionysiaques de la Villa des Mystères à Pompéi : lyre et flûte de Pan.*

Ph. © Scala - Photeb

6. ROME. *Ier s. av. J.C. Musiciens ambulants, scène comique entre acteurs masqués : tibia, petites cymbales et tambourin. Détail d'une mosaïque de la Villa de Cicéron, à Pompéi, œuvre de Dioskorides de Samos. Naples, Musée National.*

M. Ravel (*Don Quichotte à Dulcinée*, 1932) et G. Migot (cantate *Vini vinoque Amor*, 1937).

Rééditions — *Le Ms. de Bayeux*, éd. par Th. Gérold, Paris 1921 ; H. Prunières, Airs français, Paris, Heugel, 1925 ; *Airs sérieux et à boire*, éd. par Fr. Robert, Paris, Heugel, 1968.

Bibliographie — A. Arnheim, Ein Beitrag zur Gesch. des einstimmigen weltlichen Kunstliedes in Frankreich im 17. Jh., *in* SIMG X, 1908-09 ; Th. Gérold, L'art du chant en France au XVIIe s., Strasbourg 1921 ; du même, La mus. des origines au XIVe s., Paris 1936 ; P. Chaillon, La chanson fr. en Europe occidentale à l'époque de Josquin des Prés, et Fr. Lesure, La chanson fr. au XVIe s., *in* Encycl. de la Pléiade, Hist. de la mus. I, Paris, Gallimard, 1960.

A. Verchaly

AIR DE COUR, terme utilisé pour la première fois par A. Le Roy dans son *Livre d'a. de c. mis sur le luth* (1571) pour désigner la transcription pour voix seule et luth d'une chanson polyphonique, se rattachant par sa forme strophique et sa structure homophone simple à la tradition populaire. Vers la fin du XVIe s. (1596), on l'appliqua à tous les airs, que ceux-ci aient été exécutés à plusieurs parties ou à voix seule accompagnée ou non par un instrument, car ils conservaient un même caractère essentiel, le → dessus devenant la partie la plus importante et donnant la primauté aux paroles. En ce sens l'a. de c. répondait aux vœux des poètes humanistes qui souhaitaient entendre clairement chanter leurs vers au point de préférer un → timbre à la mode plutôt qu'une musique savamment élaborée. A ses débuts l'a. de c. joua souvent ce rôle de timbre à cause de sa simplicité même et fut une composition remarquable par sa « malléabilité » (P. Coirault). D'où la diversité des versions d'un même a. de c., dans lesquelles chaque musicien pouvait à son gré changer les paroles, modifier la mélodie empruntée et aussi son harmonie. L'a. de c. adopte soit la forme binaire (ABB ou AABB), soit celle de la chanson à refrain. Tandis que la monodie italienne se développe rapidement, il évolue lentement. Dans le dernier tiers du XVIe s., il subit en même temps que l'influence du vaudeville celle de la mus. mesurée à l'antique, d'où deux types d'air : l'un, en « musique légère », qui reste proche de la danse ; l'autre, en « musique d'air », d'une rythmique incertaine et que l'on ne peut diviser en mesures régulières. L'a. de c. ne prend son véritable essor qu'à partir de 1600, au moment où paraissent successivement les livres de P. Guédron, G. Bataille, J. Boyer, A. Boesset, Fr. Richard, E. Moulinié, Fr. de Chancy et J. de Cambefort. Généralement publié d'abord sous sa forme polyphonique, il connaît sa plus grande vogue grâce à la collection d'*Airs*, qu'à l'exemple d'A. Le Roy, G. Bataille publie avec la tablature de luth à partir de 1608, et qui sera continuée par A. Boesset jusqu'en 1643 (*16e Livre*). Ces recueils, qui consacraient l'avènement du chant en solo en France, comprennent des chansons à danser et à boire, des airs précieux et galants, des airs de ballet et aussi des psaumes. Vers 1630, l'a. de c. retrouve peu à peu une rythmique régulière. A partir de 1632, la basse continue, pratiquée déjà sporadiquement quelques années plus tôt, commence à se généraliser et rend bientôt inutile la tablature, qui sera définitivement abandonnée vers 1645. Par la suite l'a. de c. tombera en désuétude. On lui préférera l'air sérieux qui, à côté de l'air en rondeau, donne plus d'ampleur aux formes anciennes; celles-ci constitueront un répertoire varié dont Lully s'inspirera lors de la création de l'opéra français. — Voir également AIR, AIR À BOIRE et AYRE.

Rééditions — Chants de France et d'Italie, 2e série (nos 90 à 130), éd. par H. Expert, Paris, Senart, s.d. ; Airs fr. I, éd. par H. Prunières, Paris, Heugel, 1924 ; P. Warlock, French Ayres from G. Bataille's « Airs de différents autheurs » (1608-1618), Oxford, Univ. Press, 1926 ; Chansons au luth et a. de c. fr. du XVIe s., éd. par A. Mairy et G. Thibault, Paris, Soc. Fr. de Mie, 1934 ; Chansons et a. de c. (1587-1617), éd. par A. Verchaly, Paris, Presses d'I.-de-Fr., 1954 ; A. de c. pour voix et luth, éd., par le même, Paris, Heugel (Soc. Fr. de Mie), 1961 ; J. Planson, Airs mis en mus. à 4 parties (1587), éd. par A. Verchaly, Paris, Heugel, 1966.

Bibliographie — M. Mersenne, Harmonie universelle, Paris 1636, rééd. en facs. Paris, CNRS, 1963 ; Th. Gérold, L'art du chant en France au XVIIe s., Strasbourg 1921 ; D.P. Walker, The Influence of Mus. mesurée à l'antique particularly on the A. de c. of the Early 17th Cent., *in* MD II, 1948 ; K.J. Levy, Vaudeville, vers mesurés et a. de c., *in* Musique et poésie au XVIe s., Paris, CNRS, 1954 ; A. Verchaly, Poésie et a. de c. en France jusqu'à 1620, *ibid.* ; du même, La tablature dans les recueils fr. pour chant et luth (1603-1643), *in* Le luth et sa mus., Paris, CNRS, 1958 ; du même, La métrique et le rythme musical au temps de l'humanisme, *in* Congress Report New York 1961, New York et Kassel, BV, 1961-62.

A. Verchaly

AIRE AUDIBLE. L'oreille humaine n'est sensible qu'à certaines fréquences, à condition encore qu'elles aient une intensité suffisante. Les sons trop graves en dessous de 30 Hz (infra-sons) et les sons trop aigus au-dessus de 15 000 Hz (ultra-sons) lui échappent. L'a.a., représentée par le diagramme de Fletcher, est définie par l'ensemble des sons que l'on peut percevoir entre les « seuils » de fréquence et d'intensité. — Voir également ACUITÉ AUDITIVE, AUDITION et ULTRA-SON.

AIS, nom allemand du *la* dièse.

AISIS, nom allemand du *la* double dièse.

AIX-EN-PROVENCE.

Bibliographie — E. Marbot, La sainte église d'A. Notre maîtrise métropolitaine. Son histoire, Aix 1883 ; du même, Maîtrise métropolitaine d'A. Son histoire. Ses illustrations. Son enseignement artistique, s.l.n.d. ; E. Gouirand, La mus. en Provence, Paris 1908 ; F. Raugel, La maîtrise de la cathédrale d'A.-en-Pr., *in* Bull. de la Soc. d'études du XVIIe s. XXXI, 1954.

AIX-LA-CHAPELLE (Aachen).

Bibliographie — A. von Reumont, Aachener Liederchronik, Aix-la-Chapelle 1873 ; A. Fritz, Theater u. Musik in A., *in* Zs. des Aachener Geschichtsvereins XXIII, XXIV et XXVI, 1901-04 ; du même, Fs. zur Hundertjahrfeier des Aachener Stadttheaters, Aix-la-Chapelle 1925 ; W. Lüders, Die Hofkapelle der Karolinger, *in* Archiv für Urkundenforschung II, 1909 ; H. Schiffers, Kulturgesch. der Aachener Heiligtumsfahrt, Cologne 1930 ; E. Bernoulli et H.J. Moser, Das Liederbuch des Arnt von Aich, Kassel 1930 ; Beitr. zur Musikgesch. Aachens, Cologne, A. Volk, 1954 ; B. Poll, 150 Jahre Aachener Musikleben, Aix la-Chapelle, Brimberger, 1954 ; R. Sietz, Die niederrheinischen Musikfeste in Aachen, *in* Zs. des Aachener Geschichtsvereins LXIX, LXX et LXXII, 1957-60.

ALBA, voir AUBE.

ALBORADA (esp., — → aubade), forme de mus. instrumentale populaire courante en Espagne, dans la Galice. Elle s'exécute sur la → « gaïta », accompagnée d'un → « tamboril » (tambourin). La mélodie se caractérise par une grande liberté rythmique alors que l'accompagnement maintient un rythme d'une uniformité rigoureuse. N. Rimski-Korsakov a placé une a. dans son *Capriccio espagnol* tandis que la 4e pièce des *Miroirs* pour piano de M. Ravel s'intitule *Alborada del gracioso*, « Aubade du bouffon ».

ALBUMBLATT (all.), voir Feuillet d'album.

ALÉATOIRE (Musique). Une composition est dite « aléatoire » (l'expression apparaît v. 1951) lorsqu'elle comporte une part de hasard ou d'imprévisibilité. Le principal initiateur de la m.a. est J. Cage qui, s'inspirant de *I Ching*, livre de divination chinois, eut l'idée d'utiliser le hasard incontrôlé comme procédé de composition. Parmi ses très nombreuses réalisations obéissant au principe aléatoire, il faut citer *Imaginary Landscape n° 4* (1951) pour 12 postes de radio et *Imaginary Landscape n° 5* (1952) pour 42 enregistrements phonographiques, ses multiples pièces pour piano et en particulier *Music for prepared piano* qu'il exécuta à Darmstadt en 1954. Cette idée d'une m.a. fut adoptée par les post-weberniens en réaction contre les procédés mathématiques du sérialisme intégral et son mécanisme trop rigide. Mais l'importance du principe aléatoire est d'avoir conduit à une conception nouvelle de la musique, qui substitue à la forme fixe et fermée la forme ouverte et mobile. La conférence de P. Boulez, *Alea*, au Cours international de Darmstadt (1957), demeure pour les post-weberniens la charte fondamentale de l'aléatoire. S'inspirant de l'esthétique mallarméenne, Boulez, s'opposant à Cage, n'admet qu'un hasard dirigé, strictement contrôlé par le compositeur. Pratiquement, la m.a. se traduit par un texte dont le degré d'indétermination sollicite plus ou moins l'improvisation de l'interprète : le compositeur propose à celui-ci des éléments ou séquences entièrement rédigés et le laisse libre de choisir parmi un certain nombre de combinaisons ou d'itinéraires. Ainsi toutes les possibilités de choix doivent s'inclure d'avance dans l'œuvre. Cette conception se trouve réalisée pour la première fois (1957) dans le *Klavierstück XI* de K. Stockhausen, de tendance libérale, et dans la 3e *Sonate* de P. Boulez, de tendance plus restrictive. L'intérêt de la m.a., c'est d'appeler la collaboration de l'interprète et de lui redonner une liberté qu'il avait progressivement perdue au cours de l'évolution historique.

Bibliographie — J. Cage, Unbestimmtheit, *in* Die Reihe V, Vienne, UE, 1959 ; U. Eco, L'œuvre ouverte, Paris, Éd. du Seuil, 1965 ; P. Boulez, Alea, *in* Relevés d'apprenti, Paris, Éd. du Seuil, 1966 ; C. Deliège, Indétermination et improvisation, *in* Intern. Review of the Aesthetics and Sociology of Music II/2, 1971.

ALGORITHMIQUE (Musique). La mus. a. — dont le principal promoteur est Pierre Barbaud — résulte d'un mode de composition qui fait appel à l'ordinateur. Un algorithme est un ensemble de symboles, de procédés de calcul. Étant donné certaines valeurs, qui varient d'une « exploitation » à l'autre, l'algorithme, grâce à une liste séquentielle d'opérations à effectuer sur ces valeurs, fournit une partition. L'importance et la complexité des calculs nécessitent un ordinateur : celui-ci permet d'obtenir une partition conforme à l'algorithme voulu par le rédacteur du programme (le compositeur). Vers 1950 on assiste à diverses tentatives (celles de I. Xenakis, de M. Philippot et de Barbaud) pour introduire les mathématiques dans la composition musicale afin de « soumettre l'apparition des événements sonores simples ou compliqués à un calcul, de battre en brèche ce qu'il est convenu d'appeler l' « inspiration », de canaliser le hasard dans des organigrammes, bref de remplacer par une activité lucide la passivité mystique du compositeur devant la « muse » (Barbaud). — Voir également l'art. Composition automatique.

Bibliographie — P. Barbaud, La mus. a., *in* Esprit, janv. 1960.

ALIQUOTES ou SONS ALIQUOTES, → harmoniques d'un son principal, produits par une corde ou un corps qui vibre. Les cordes a. sont des cordes qui résonnent par sympathie. — Voir l'art. Cordes sympathiques.

ALLA BREVE (loc. ital., = à la brève), se disait dans la pratique musicale des xve et xvie s. d'une mesure marquée des signes ¢, ¢Ɔ, C2 ou 2 et désignée par la locution savante « tempus imperfectum diminutum ». Par le moyen d'un procédé de diminution, la brève y remplaçait la semi-brève comme unité de → tactus. Vers la fin du xvie s., cette mesure fut supplantée par les mesures à 2/2 et à 4/2, qui continuèrent à être désignées par le C barré ou le chiffre 2. L'unité de temps y est la blanche ; l'on y bat la blanche et non la noire. Les musiciens du xviiie s. utilisèrent fréquemment ces types de mesure pour noter soit une musique contrapuntique écrite dans le style ancien (p. ex. J.S. Bach, *Messe en si min.* : 2d *Kyrie* et *Gratias* à 4/2, *Confiteor* à 2/2 ; motet *Der Geist hilft unser Schwachheit auf*, BWV 226, « *Der aber die Herzen...* »), soit une musique de danse rapide. Le terme a servi également à désigner une pièce écrite en C barré (J.S. Bach, *Allabreve* pour orgue, BWV 589, p. ex.).

Bibliographie — W. Apel, The Notation of Polyphonic Music 900-1600, Cambridge, Mediaeval Acad. of America, 1942, 5/1961 ; trad. all., Leipzig, Br. & H., 1962.

ALLA DIRITTA (ital.), locution indiquant un mouvement mélodique sans aucun saut.

ALLA MENTE (ital.), voir Chant sur le livre.

ALLA OTTAVA, ALL'OTTAVA (ital., = à l'octave), locution indiquant le transfert d'un passage musical à l'octave supérieure ou inférieure pour éviter l'emploi de lignes supplémentaires dans la notation. On utilise plus souvent l'abréviation 8va suivie d'une ligne de tirets qui en prolonge l'effet jusqu'au point marqué d'un petit trait vertical avec ou sans la mention « loco » (= en son lieu »).

ALLARGANDO (ital., = en élargissant), terme d'exécution musicale indiquant qu'il faut élargir, ralentir le mouvement.

ALLA TURCA (ital., = à la manière turque), locution qui se réfère à la musique des janissaires, caractérisée par l'emploi d'instr. à percussion (tambours, timbales, triangles, cymbales) et introduite en Europe occidentale dans la 2de moitié du XVIIIe s. à la suite des guerres menées par les Turcs en Europe centrale. Son style se définit généralement par une mélodie simpliste de saveur exotique, soutenue par un accompagnement bruyant qui oscille entre un petit nombre d'accords. J. Haydn l'emploie dans sa *Symphonie militaire* et Mozart dans l'ouverture et les deux chœurs des janissaires de l'*Enlèvement au sérail* ainsi que dans le dernier mouvement de la *Sonate* en *la* maj. pour piano, KV 331, la célèbre *Marche turque* dans laquelle la « turquerie » consiste en l'alternance des modes majeur et mineur et de l'imitation de certains effets de batterie. — Voir également l'art. TURQUIE.

Bibliographie — H.G. FARMER, art. Janitscharenmusik *in* MGG VI, 1957 ; D. BARTHA, Mozart et le folklore musical de l'Europe centrale, *in* Influences étrangères dans l'œuvre de Mozart, éd. par A. Verchaly, Paris, CNRS, 1958.

ALLEGRETTO, diminutif d'allegro (abrév., all^{tto}), sert à désigner un « mouvement gracieux et léger » (Castil-Blaze, 1821), se situant entre l'allegro moderato et l'andante con moto. C'est souvent l'indication de tempo des menuets chez Mozart : *Symphonie n° 40* en *sol* min. KV 550 ; *Symphonie n° 41* en *ut* maj., « *Jupiter* », KV 551 ; *Petite Musique de nuit* KV 525. Beethoven emploie ce terme, accompagné de qualificatifs variés, dans de nombreuses œuvres : *6e, 7e et 8e Symphonie*, *11e Quatuor à cordes*, *Trio* op. 70/2, *Fantaisie* op. 80, *Sonates* pour p. op. 14/1, op. 27/1, op. 53, op. 101, etc.

ALLEGRO (ital., = gaiement, allègrement), indication de mouvement rapide, utilisée depuis le début du XVIIe s. mais à l'origine avec le sens d'une précision expressive plutôt qu'avec celui d'un tempo défini. Ce n'est qu'au XVIIIe s. qu'on le caractérise comme moins rapide que le → « presto ». Son sens exact est fréquemment précisé par un qualificatif, « commodo », « con moto », « giusto », « moderato », etc. Le superlatif « allegrissimo », quoique rarement employé, se retrouve de V. Jelich (1622) à M. Clementi. A. est également le titre d'un morceau (Fr. Chopin, *Allegro de concert* ; G. Fauré, *Allegro symphonique*) mais en général le terme sert à désigner le premier mouvement d'une → sonate ou d'une symphonie, précédé ou non d'une introduction plus lente.

ALLELUIA, terme d'origine hébraïque que l'on rencontre dans le livre de Tobie (XIII, 22) et dans la suscription d'une vingtaine de psaumes. C'est une invitation à louer Dieu. Le mot est passé tel quel dans les traductions grecques du Psautier par les Septante et de là en latin. Il est probable que c'est en raison de son attache au Psautier que l'a. est devenu tout naturellement une « responsa » dans la psalmodie responsoriale primitive (voir l'art. CHANT RESPONSORIAL). A la messe, l'a. aurait été d'abord réservé au seul jour de Pâques, si on en croit l'historien byzantin Sozomène (v. 440-450). Son extension à la semaine de Pâques, puis au Temps pascal et même à tous les dimanches de l'année a été faite très tôt. La *Regula monasteriorum*, dite Règle de St Benoît (chap. XI-XII), prescrit en effet qu'à l'office de nuit, chaque dimanche sauf en Carême, on chantera les cantiques du IIIe nocturne, le premier psaume de laudes et ceux des petites heures avec l'antienne alleluia. Pas d'a. en Carême (chap. XV), tout comme au rite ambrosien. Plus tard, cette proscription sera étendue au Temps de la Septuagésime, qui commence trois dimanches avant le Carême proprement dit. Il est curieux que le jour où on disait « adieu à l'alleluia » un office entièrement composé d'a. ait été mis en service pour le rite mozarabe et pour l'ancien rite gallican, d'où il passa ensuite à l'antiphonaire grégorien. Suivant le liturgiste Bernold de Constance, cet office alléluiatique aurait été supprimé par un décret d'Alexandre II (1061-1073). Comme les antiennes alléluiatiques du Temps pascal, il avait été composé par substitution du mot a. au texte scripturaire de chaque antienne ; le mot a. était adapté sous la mélodie usuelle autant de fois que le modèle comportait de syllabes :

ANT. Mi- se- re- re me- i, De- us
ANT. Al- le- lu- ja, al- le- lu- ja

Dans les antiphonaires, le modèle qui a servi pour l'adaptation est souvent indiqué par son incipit afin de ne pas dérouter les chantres au milieu de cette masse d'alleluia.

Forme de l'alleluia. Lorsque les liturgistes et musicologues traitent de l'a. « sine addito », c'est de la pièce ornée chantée à la messe, juste avant l'Évangile, qu'il est question. L'a. s'insère habituellement entre la lecture du Nouveau Testament (Épître) et l'Évangile, tandis qu'à l'origine le → graduel faisait suite à une lecture de l'Ancien Testament. Cependant l'a. constitue une catégorie de chant à part : ce n'est pas un répons comme le graduel, ni une antienne comme l'introït. Bien que par ses origines il se rattache à la psalmodie responsoriale, il a évolué pour devenir une forme liturgico-musicale particulière. Il s'exécute de la façon suivante : un chantre entonne seul l'a. ; il s'arrête à la première cadence musicale qui suit la finale du mot (en latin, les deux voyelles finales forment diphtongue alors que dans les livres de chant byzantin on sépare les deux voyelles finales : -lou-ï-a) ; un autre chantre — ou un petit chœur — se joint au préchantre, soit pour continuer, soit pour répéter l'a., prolongé cette fois par une longue vocalise ou « jubilus ». Le « jubilus » est une vocalise attestée au Ve s. : St Augustin a plusieurs fois commenté le terme. Plus tard, le terme de « jubilus » a été remplacé par celui de « neuma » : le « neuma » de l'a. est mentionné dans le récit de la conquête de la Bretagne attribué à Gildas le Sage (en réalité fin du VIIIe s.). Après le « jubilus » ou « neuma », un soliste exécute le verset selon un chant très orné : lorsque le texte est emprunté aux Psaumes, ce verset est habituellement tiré du premier verset du psaume, vestige de l'ancienne psalmodie responsoriale qui utilisait un psaume intégralement, « ab initio », avec répétition du chant de l'a. en guise de « responsa » entre chaque verset. La forme complète de l'a. est donc la suivante : intonation de l'a., a. suivi du « jubilus », verset de psaume, reprise de l'a. suivi du « jubilus ».

Mélodies types. Dans l'ancien chant bénéventain, il n'existe qu'une seule mélodie type pour tous les a. et leurs versets du temporal et du sanctoral. A Milan, on compte seulement une huitaine de mélodies types, qui, par récurrence, servent toute l'année. L'archétype du Graduel grégorien du VIIIe s. était un peu plus riche : il comptait à peine une centaine de textes de versets pour une quarantaine de mélodies, car une même mélodie s'adapte habituellement à plusieurs textes de longueur et de coupe identiques. Dans ce cas, il est question de mélodies types. Le nombre des textes de versets a sans cesse augmenté : c'est en Italie (110 compositions dénombrées dont une quarantaine exclusivement bénéventaines) et dans le sud-ouest de la France (120 compositions dénombrées) qu'on en a composé le plus. Les répertoires et éditions de K.H. Schlager (voir Bibliogr.) ont fait connaître un certain nombre de versets propres à ces deux branches de la tradition grégorienne : comme exemple, on peut citer dans le Graduel romain les a. de la Toussaint et du 8 décembre. Cependant, accroissement de versets en nombre ne signifie pas accroissement en mélodies : beaucoup de nouveaux textes de versets ont été adaptés sous des mélodies préexistantes, composées pour d'autres textes de longueur identique. D'après les travaux de Schlager, qui portent sur les manuscrits antérieurs au XIIᵉ s., le verset *Letabitur* a servi de modèle à 18 autres versets (nᵒ 274) ; l'a. *Justus ut palma* à 35 versets (nᵒ 38) et enfin *Dies sanctificatus* à 43 versets (nᵒ 27).

Les « melodiae secundae » et les proses. Après le verset, à Milan, on reprend l'a. mais non pas exactement suivant la mélodie qui précède le chant du verset : ce deuxième a. débute sur la même mélodie que le premier, mais il se poursuit sur des vocalises très longues dépassant parfois 200 notes. Ce long « jubilus », aux motifs répétés comme un écho, s'intitule « melodiae secundae » : elles évoquent les « melodiae longissimae » — suivant l'expression de Notker — qui ont été conservées par les tropaires-prosaires jusqu'au XIᵉ s. et qui seraient en partie un héritage de l'ancienne liturgie gallicane. Ces « melodiae » sont intitulées « sequentiae » par les copistes des manuscrits ; elles sont à l'origine de la → prose (« prosa ») ou texte adapté dès le IXᵉ s. sous ces longues vocalises à raison d'une syllabe par note. Le terme « prosa », en usage dans les pays de langue romane, équivaut à « sequentia » dans les pays de langue germanique : en Suisse et en Allemagne, « sequentia » désigne la suite musicale de l'a. — que les modernes appellent parfois « sequela » — mais aussi le texte adapté sous ces vocalises.

Versets à plusieurs mélodies. Certains versets d'a. se chantaient, suivant les régions, sous des mélodies différentes. Pour l'a. *Crastina die* de la Vigile de Noël, on a relevé 7 mélodies différentes, et on en a découvert 9 pour le verset *Gloria et honore* (K.H. Schlager, Thematischer Katalog, p. 32). Il s'agit là de cas particuliers et exceptionnels concernant des versets qui n'appartiennent pas au fonds primitif et qui ont été composés après la première diffusion du Graduel grégorien, soit au IXᵉ, au Xᵉ ou même au XIᵉ s. Ces versets dits de seconde époque se trouvent donc décelés au cours de l'analyse comparative des graduels manuscrits par la multiplicité des mélodies qui les ont revêtus. Connus aujourd'hui par les répertoires de Schlager, ils deviennent un critère d'investigation pour identifier les manuscrits qui les contiennent. Mais à ce point de vue critique on dispose encore d'un autre outil d'identification qui consiste dans l'observation de l'ordre de succession des versets

au cours des dimanches ordinaires, notamment au Temps pascal et au Temps après la Pentecôte.

Variété des textes de versets. Pour les grandes fêtes de l'année liturgique, le verset d'a. avait été choisi une fois pour toutes. Par contre, pour les dimanches ordinaires de l'année, à l'exception des dimanches de Carême où l'a. est remplacé par un → trait, le choix est longtemps resté facultatif : la rubrique « Quale volueris » des anciens graduels indiquait qu'on chantait un verset choisi dans une liste qui se trouvait à la fin des manuscrits. Dans cette liste figuraient une trentaine de versets d'a. tirés du Psautier et rangés suivant l'ordre numérique des psaumes. Cependant, à l'usage, le choix s'est fixé et on en est venu à reprendre chaque année pour les différents dimanches le même verset que l'année précédente : mais comme cette fixation s'est effectuée indépendamment dans chaque église et que la liste primitive des versets avait été augmentée çà et là de quelques unités nouvelles à diffusion parfois très restreinte (voir ci-dessus : Versets à plusieurs mélodies), il ressort de la confrontation des listes alléluiatiques de toutes provenances que chaque église eut jusqu'au XVIᵉ s. son individualité. Cette fixité est telle qu'elle permet parfois de retrouver l'origine d'un graduel inconnu par confrontation de sa liste à celles qui sont déjà identifiées. Ces listes, d'après la tête de file du 1ᵉʳ dimanche après la Pentecôte, forment plusieurs groupes individualisés suivant chaque région : listes commençant 1ᵒ par *In te Domine speravi* (Metz, Reims, Corbie, Saint-Denis, Winchester), 2ᵒ par *Dominus regnavit* (Lyon, Tours, la Bretagne), 3ᵒ par *Deus judex* (nord de la France, Paris, etc.), 4ᵒ par *Domine Deus meus* (Allemagne, Autriche, pays de l'est de l'Europe, qq. mss. d'Italie du Nord), 5ᵒ par *Verba mea* (Aquitaine, Espagne, Italie). La plupart des versets sont écrits en prose, parce que tirés de l'Écriture : certains cependant sont en vers métriques, tel p. ex. le verset *Solve jubente Deo* (hexamètres), et d'autres en vers rythmiques. Au XIIᵉ s., mais surtout aux XIIIᵉ et XIVᵉ s., ces a. rythmiques ont connu une grande vogue. Certains ont été composés pour des fêtes nouvelles telles que, p. ex., la translation de la sainte Couronne à Paris, sous le règne de St Louis (a. *Dyadema spineum*) ou pour la fête de la Visitation. D'autres a. rythmiques ont remplacé les anciens versets en prose, notamment aux fêtes de saints ou de la Vierge ; ainsi l'a. *Felix corpus* attribué au cardinal Latino Frangipane (reproduit *in* RMie LIV, 1968, pp. 96-97). Dans les missels imprimés figurent bon nombre d'a. rythmiques mais leur mélodie n'a pas toujours été conservée. Leur édition avait été annoncée pour les *Analecta hymnica* et dans la collection Henry Bradshaw de Londres : les documents préparés pour ces éditions ne sont pas perdus.

L'a. considéré surtout en liaison avec son extension (la séquence) mériterait d'être analysé au point de vue musical. Ses longues vocalises constituent un cas de musique pure et c'est sans doute dans cette direction que l'invention musicale a tenté de s'exercer, créant ou utilisant des procédés inemployés ou inexploités : répétitions de motifs à la quinte, reprise d'un thème, effet d'écho, marche d'harmonie, etc. A ce titre, l'a. et sa suite (séquence) constituent l'élément proprement lyrique du répertoire musical de la liturgie.

Bibliographie — P. WAGNER, D.F. CABROL et A. GASTOUÉ, art. A. *in* Dict. d'archéologie chrétienne et de liturgie I, Paris 1913 ; J. HURÉ, St Augustin musicien, Paris 1924 ; FR. GENNRICH, Grundriss einer Formenlehre des mittelalterlichen Liedes, Halle 1932 ; D.P. FERRETTI, Estetica gregoriana I, Rome 1934, trad. fr. Tournai 1938 ; A. HUGHES, Anglo-French Sequelae Edited from the Papers of the Late Dr. H.M. Bannister, Londres 1934 ; J. GLIBOTIĆ, De cantu A. in patribus sec. VII antiquioribus, *in* Ephemerides liturgicae L, 1936, trad. fr. *in* Revue du Cht grég. XLI-XLII, 1937-38 ; D.J. FROGER, L'a. dans l'usage romain et la réforme de St Grégoire, *in* Ephemerides liturgicae LXII, 1948 ; BR. STÄBLEIN, art. A. *in* MGG I, 1949-51 ; J.A. JUNGMANN, Missarum sollemnia. Explication génétique de la Messe romaine II, Paris, Aubier, 1952 ; E. WELLESZ, Gregory the Great's Letter on the A., *in* Ann. Mus. II, 1954 ; M.B. COCHRANE, The A. in Gregorian Chant, *in* JAMS VII, 1954 ; K.H. SCHLAGER, Thematischer Katal. der ältesten A.-Melodien, Munich, W. Ricke, 1965 ; du même, A.-Melodien, I Bis 1100, Kassel, BV, 1968 ; K.W. GÜMPEL, art. A. in Riemann Musiklexikon, III Sachteil, Mayence, Schott, 1967 ; M. HUGLO, Les listes alléluiatiques dans les témoins du Graduel grégorien, *in* Speculum Musicae Artis, Fs. H. Husmann, Munich, Fink, 1970.

M. HUGLO

ALLEMAGNE (Deutschland). Le peuple allemand est issu principalement des tribus germaniques de l'Ouest. D'un point de vue culturel, celles-ci n'étaient guère plus indépendantes que d'autres peuples et ne firent que modifier des formes héritées de civilisations plus étendues, les civilisations eurasiennes par exemple. L'Antiquité finissante et le christianisme marquèrent de nouveaux accents. Si la préhistoire n'a livré aucun document écrit, les → lurs de l'époque du bronze, que des sépultures souvent restitués par paires, permettent de déceler très tôt une certaine prédilection pour les instr. à vent. Au IVe s. de notre ère, l'historien Ammien Marcellin rapporte que des prisonniers germaniques étaient astreints à souffler pour les Romains dans des instruments de cuivre. Jusqu'à nos jours les joueurs d'instr. à vent ont toujours été fort appréciés dans la mus. allemande.

A ses débuts et jusqu'à la fin des grandes invasions, la mus. populaire allemande était fortement déterminée par des coutumes et des formes germaniques qui n'évoluèrent que lentement avec la christianisation du peuple. Dans tous les domaines de la vie, la musique était un facteur magique de salut ; elle commentait en outre les événements du moment, glorifiait les héros du passé, ornait les cérémonies religieuses et accompagnait la danse. Comparé aux grandes sagas héroïques des peuples voisins de l'Ouest, du Nord et de l'Est, le *Hildebrandslied* présente déjà certaines qualités essentielles de la mus. allemande : vaste portée, caractère expressif de la voix, rythmes tendus vers un aboutissement. L'ancien vers long germanique avec ses quatre temps forts exerça longtemps son influence, même après l'introduction de la rime finale. Le caractère distinctif de la langue allemande, la domination d'une syllabe radicale qui porte toujours l'accent verbal, a, dans la pratique, altéré le rythme quantitatif au bénéfice d'un rythme d'accentuation. — Après l'adoption du christianisme, la diversité archaïque fut progressivement effacée par le → « Lied » strophique régulier, tandis que la récitation en venait à utiliser soit des répétitions de formules mélodiques rigides et abstraites, soit des enchaînements de vers issus du « Lied ». Les plus anciennes mélodies religieuses allemandes (*Christ ist erstanden*, *Nun bitten wir den heiligen Geist* et les « Lieder » des flagellants ou « Geisslerlieder ») remontent en partie à des mélodies traditionnelles de type semblable. L'époque des grandes invasions

correspond à une diversification accrue des formules rythmiques ou tonales ainsi que des instruments qui, dès les XIe et XIIe s., comprennent de nombreux instr. à vent, à cordes frottées et pincées introduits de l'étranger par les ménestrels et les musiciens ambulants à côté des idiophones primitifs ancrés dans les anciennes coutumes. Ces instruments sont alors attribués à des classes sociales bien déterminées.

Le Moyen Age. Sous les règnes de Pépin le Bref († 768) et de Charlemagne († 814), le chant grégorien fut introduit dans les pays germaniques selon l'usage romain. Il y revêtit une forme particulière (« deutscher Choraldialekt ») qui donne fréquemment la préférence à la tierce mineure au lieu de la seconde lorsque la mélodie s'approche du demi-ton instable (*mi-fa*, *si-do*), d'où le mouvement mélodique *ré-fa* au lieu de *ré-mi*. La prééminence de la tierce pourrait s'expliquer par le pentatonisme germanique qui, dans le domaine populaire comme dans les hymnes, a orienté la construction mélodique vers les superpositions de tierces. Peu après 900 une force créatrice originale se fait sentir dans le domaine du chant ecclésiastique monodique. Elle s'exprime principalement dans les tropes, les séquences et les hymnes. Walafrid Strabo, Heriman der Lahme et l'abbé Bernon du couvent de Reichenau, Hildegard von Bingen et Udascalc von Maisenach, abbé d'Augsbourg, n'ont pas seulement enrichi les anciens chants : ils ont donné des témoignages probants de leurs facultés créatrices en écrivant et composant des séquences (p. ex. celle de Pâques, *Victimae paschali laudes*, de Wipo). Alors que dans ce domaine la création originale se trouve toujours liée à la langue latine, la percée définitive des langues populaires se produit vers la même époque dans l'art courtois du → « Minnesang ». Poésie et musique y réalisent une union indissoluble dont les modèles sont empruntés aux troubadours plutôt qu'aux trouvères. Après 1200 domine le → « Bar » avec sa strophe caractéristique. Parmi les formes employées, on distingue « Lied », « Spruch » et « Leich ». La première période de floraison (v. 1150-1318) est dominée par Walther von der Vogelweide († 1225), tant du point de vue littéraire que musical, malgré le petit nombre des mélodies conservées. Wizlav von Rügen donne la préférence à des chants rythmés avec rigueur et vitalité, tandis que Neidhart von Reuental s'inspire de thèmes paysans plus rudes et de sensuels tableaux de la nature que des imitateurs populariseront en les alourdissant. L'ultime floraison du « Minnesang » (v. 1380-1445) correspond au déclin de la chevalerie. Chez le Moine de Salzbourg et chez Oswald von Wolkenstein, le lien entre texte et musique se relâche. Le « Spruch » domine, mêlé de préoccupations religieuses et scolastiques. L'influence des ménestrels conduit alors le « Minnesang » vers la polyphonie primitive. Dès le XIVe s. il avait donné naissance à une variante bourgeoise, le → « Meistersang » des artisans, qui s'en tint à la monodie et se figea rapidement en un art formel dont la substance poétique seule pouvait prétendre à une certaine importance (H. Sachs, † 1576).

La polyphonie française des « organa » de l'École de Notre-Dame et du motet ne rencontra en Allemagne qu'un écho très affaibli malgré l'intervention décisive de Francon de Cologne dans l'histoire de la mus. mesurée vers 1260. On pratiqua longtemps le type de l'organum primitif basé sur les sonorités de la quinte ou de la quarte ; de nombreux manuscrits prouvent combien la tradition en fut durable. Seules les régions situées en lisière de l'Allemagne se montrèrent plus ouvertes à l'art polyphonique nouveau. Les fragments de Wimpfen d'un manuscrit plus important, originaire de l'ouest du pays, ont fait connaître un motet à 3 voix d'origine allemande, *Homo luge | Homo miserabilis | Brumas e mors*, tandis qu'au XIVe s. la Silésie participa un temps à l'activité de G. de Machault à Prague. L'Allemagne centrale, que la suite de l'évolution allait placer en tête de l'activité musicale, ne se manifeste pas encore à cette époque.

La Renaissance. Entre 1450 et 1530, la mus. allemande prit un essor — comme les arts plastiques avec Albrecht Dürer — qui, peu après 1500, allait la mener à un premier épanouissement de la polyphonie. Les supports de cette évolution sont moins les cours allemandes que la bourgeoisie active ou patricienne des villes, l'Allemagne ne possédant ni de brillantes cours comme l'Italie ni une grande chapelle musicale comme l'empereur d'Autriche. C'est pourquoi d'importants musiciens allemands exercèrent leur activité comme maîtres de chapelle dans des cours d'Europe occidentale. La mus. allemande de cette époque est caractérisée par l'assimilation progressive du style franco-flamand, qu'accomplissent dans leurs œuvres H. Finck († 1527) et son élève Th. Stoltzer († 1526). La fusion de cet art nouveau, issu du mot, avec des techniques de composition traditionnelles et l'attachement de la mus. spirituelle allemande au « cantus firmus » donnent un caractère original à cette époque. La préférence des musiciens va aux motets liturgiques ainsi qu'à la composition polyphonique des hymnes. Dans l'œuvre tardive de Th. Stoltzer, le psaume latin imité de Josquin des Prés revêt une importance particulière ; il s'épanouit dans quatre vastes motets sur texte allemand (1524-26) d'après la traduction des Psaumes de Luther qui sont les premières grandes œuvres spirituelles en langue vulgaire. Avec le « Lied » allemand de 3 à 5 voix écrit sur des ténors librement inventés ou empruntés au répertoire populaire, l'Allemagne se créa à partir de 1450 une forme originale, essentiellement destinée à la pratique musicale domestique. Ses débuts apparaissent nettement dans le *Lochamer* (v. 1450), le *Schedelsche* (v. 1460), le *Glogauer Liederbuch* (v. 1480) pour s'épanouir en une brillante floraison qui dure jusque vers 1550 avec des maîtres tels que H. Finck, P. Hofhaimer, Th. Stoltzer et surtout L. Senfl (plus de 300 pièces). Des musiciens flamands servant en pays germaniques comme H. Isaac puis M. Le Maistre écrivent eux aussi des « Tenorlieder » allemands. — A côté de la mus. vocale prédominante, la mus. instrumentale gagne du terrain. Les joueurs d'instruments des villes s'organisent en corporations. Dans les chapelles princières, le nombre des instrumentistes chargés d'accompagner le chant « colla parte » est relativement élevé. Avec ses *Octo tonorum melodiae*, Th. Stoltzer écrit vers 1520 le premier cycle instrumental à 5 voix en style de motet. La musique d'orgue est représentée par C. Paumann († 1473), A. Schlick († v. 1525) et l'Autrichien P. Hofhaimer († 1537), tous compositeurs autant qu'interprètes.

La Réforme de Luther a durablement influencé l'évolution de la mus. allemande. Grâce à son sens musical et à sa perspicacité, le réformateur a solidement ancré dans le culte la polyphonie vocale, la mus. d'orgue ainsi que le nouveau chant d'assemblée en langue vulgaire, contrairement à Zwingli et, en partie, à Calvin ; il a par ailleurs réservé une place éminente à la musique dans le cadre de l'éducation. Si la part du chant grégorien fut réduite au profit du → choral, la mus. religieuse latine continua d'être cultivée durant tout le XVIe s., de telle sorte que pour les protestants et les catholiques allemands, la musique resta tout d'abord un important bien commun. Après comme avant la Réforme, le modèle inaccessible de la création resta le style vocal des grands maîtres franco-flamands Josquin des Prés, N. Gombert, A. Willaert... Les talents musicaux exceptionnels firent défaut aux deux confessions, si bien que fréquemment des musiciens franco-flamands ou italiens durent être engagés comme maîtres de chapelle : M. Le Maistre et A. Scandello à Dresde, R. de Lassus à la cour catholique de Munich. En J. Walter († 1570) Luther trouva cependant un compositeur habile et un excellent conseiller pour son œuvre réformatrice. La fonction de → cantor de J. Walter resta jusqu'à l'époque de J.S. Bach un modèle dans le cadre de la mus. d'église protestante. Il faut encore mentionner le caractère original conféré à la mus. allemande de cette époque par de nombreuses œuvres de circonstance, de caractère privé ou religieux, écrites pour la bourgeoisie (symboles, motets funéraires, motets de mariage, psaumes en allemand) et dont les textes sont fréquemment teintés de culture humaniste. En règle générale, le compositeur allemand de la Renaissance était reconnu comme « Musicus poeticus », alors que son personnage était inséré dans une conception du monde théocentrique, héritée du Moyen Age.

La période baroque. Entre 1580 et 1740, l'état de dépendance de la mus. allemande ne se transforma que dans la mesure où l'Italie devint son initiatrice, suivie de la France à partir de 1680 et pour deux générations. A partir du XVIIe s., des musiciens italiens toujours plus nombreux exercèrent leur art en Allemagne, à tel point que cet envahissement suscita de nombreux commentaires mordants et ironiques (J. Kuhnau, *Der musikalische Quacksalber*, Dresde 1700). Mais nombreux furent les Allemands qui firent le pèlerinage à la terre promise de la musique pour se perfectionner ; Mozart lui-même tenait le voyage en Italie pour inévitable. L'interpénétration des différents courants de la mus. européenne libéra progressivement l'Allemagne de son isolement. Une fructueuse confrontation avec la création étrangère entraîna son assimilation en profondeur jusqu'à ce que, vers la fin de l'époque baroque, naisse enfin un style original. Dans sa compétition avec la production des autres peuples, la mus. allemande ne fut jamais aussi consciente de sa propre force qu'à cette époque. D'abord limité au cœur de l'Allemagne, ce mouvement s'était emparé de toutes les couches du peuple et de la société, gagnant toutes les régions, toutes les villes et jusqu'aux villages. La moyenne élevée du niveau atteint partout conféra aux musiciens allemands un sentiment de supériorité tel qu'ils s'imaginèrent constamment fréquenter les plus hautes régions de leur art. Les œuvres de J.S. Bach et de G.Fr. Haendel prouvent enfin que cette profonde ouverture artistique aboutit non seulement à un style baroque typiquement allemand mais encore à l'un des sommets de la mus. européenne.

Dans la hiérarchie du monde baroque, les musiciens allemands permettent de saisir une organisation sociale particulièrement stricte. Au bas de l'échelle se tiennent les musiciens indépendants (« Rollbrüder »), organisés en associations. Par contre les joueurs d'instruments des villes (« Ratsmusiker ») ou fifres, organisés en corporations selon les modèles du Moyen Age, étaient des privilégiés et recevaient une solde fixe. Dans de grandes villes comme Nuremberg, Augsbourg, Leipzig et Lübeck, ils jouissaient d'une large considération grâce à la qualité de leur artisanat. Mi-civile, mi-religieuse, la profession de → cantor, qui plonge ses racines dans le luthéranisme, est une particularité de la vie musicale allemande. Un filet serré de postes d'organistes et de cantors, souvent engagés à vie, recouvrait de vastes parties de l'Allemagne. La longue série des excellents cantors de St-Thomas à Leipzig, St-Égide et St-Sebald à Nuremberg ainsi que des organistes de la Marienkirche de Lübeck indique le niveau élevé de ces fonctions auxquelles s'ajoutaient d'innombrables postes de moindre importance. Une conscience de classe traditionnelle, disparue depuis longtemps dans les pays voisins, se faisait jour dans l'exercice de la charge et s'exprimait dans des pratiques archaïques et des compositions d'aspect souvent traditionnel. Les postes les plus convoités étaient cependant ceux du service princier (musicien et maître de chapelle de la cour). La guerre de Trente Ans avait fait éclater l'Allemagne en un grand nombre de minuscules principautés dont les souverains s'efforçaient de mettre en valeur leur modeste puissance avec un éclat calqué sur celui du grand modèle français. Aussi déplorable que fut le morcellement politique de l'Allemagne, aussi fructueuse pour le développement de la musique fut la création de nombreuses chapelles princières d'importance diverse. Leurs musiciens se vouaient au service du prince régnant pour le meilleur ou pour le pire, mais ils en tiraient en échange une situation économique et sociale élevée et, grâce à l'appui de la cour, pouvaient être assurés de la portée de leurs œuvres et de leurs interprétations. L'exemple de J.S. Bach qui, à Leipzig, briguait le titre de maître de chapelle de la cour de Dresde (« Kapellmeister von Haus aus ») prouve combien l'attrait des catégories princières pouvait être puissant même pour un musicien éminent.

Le premier baroque (« Frühbarock », 1580-1630) est caractérisé par de profonds changements. Le goût du faste de la Contre-Réforme italienne avait fait naître à St-Marc de Venise, sous A. et G. Gabrieli, une musique polychorale concertante qui renonçait en grande partie au contrepoint fluide de l'école franco-flamande. Contrairement à la France, à l'Espagne et à l'Angleterre, cet art trouva un vif écho dans l'Allemagne protestante et catholique, même lorsque les conditions architecturales faisaient défaut (tribunes de St-Marc). J. Gallus († 1591), H.L. Hassler († 1612), M. Praetorius († 1621) parmi d'autres s'en firent les imitateurs. Cependant les musiques religieuses des deux confessions commencèrent à se séparer vers cette époque. Tandis que la mus. catholique de l'Allemagne du Sud conservait le latin, le motet allemand expressif sur texte de choral ou sur texte biblique, partiellement avec basse continue, ainsi

que la simple harmonisation de choral à 4 voix (« Kantionalsatz ») s'imposaient de plus en plus dans l'Allemagne protestante du Centre et du Nord. Des musiciens à l'originalité accusée tels que J.H. Schein († 1630), L. Lechner († 1606) et M. Praetorius contribuèrent largement à cette évolution. Stimulée par l'Italien G. Frescobaldi et surtout par le Hollandais J.P. Sweelinck, dénommé le père des organistes allemands en raison de ses nombreux élèves, la mus. d'orgue protestante trouva rapidement ses caractéristiques propres. A côté de pièces traditionnelles traitant une mélodie de choral en « cantus firmus », la *Tabulatura nova* (1624) de S. Scheidt renferme des pièces à variations qui font désormais leur entrée à l'église. C'est à cette époque que furent jetées les bases du brillant développement de la mus. d'orgue protestante allemande, restée sans rivale. — Avec les chansons dansées italiennes (« villanella » et « balletto ») imitées en Allemagne par H.L. Hassler et L. Lechner en 1596, le temps fort faisait son entrée dans la musique par l'intermédiaire d'une forme brève. L'avenir devait appartenir à ce principe nouveau, diamétralement opposé à la polyphonie franco-flamande uniquement mesurée à l'aide de durées longues ou brèves. Il favorisa en Allemagne la création d'un genre instrumental original, la suite d'orchestre, faite d'une série de danses exécutées par des instruments solistes librement choisis. Après avoir écrit de nombreuses paires de danses, P. Peuerl réunit pour la première fois en 1611 deux paires pour en faire un cycle basé sur l'idée de variation. En 1617 J.H. Schein l'étendit à 5 danses ou pièces de caractère. Par la suite les danses furent de plus en plus stylisées (J. Rosenmüller).

La période d'épanouissement du baroque (« Hochbarock », 1630-1680) est dominée par la personnalité de H. Schütz († 1672). Après s'être formé auprès de G. Gabrieli puis de Cl. Monteverdi, le maître de chapelle de la cour de Dresde transplanta les modèles italiens en Allemagne. Pour la plupart de ses œuvres, non seulement il utilisa la langue allemande mais il adapta le type de la composition vocale à ses nouvelles bases littéraires en l'accentuant rythmiquement. Le rythme impétueux de beaucoup de ses compositions repose sur la distinction verbale de l'anacrouse et du temps fort. Il germanisa même les récitatifs de ses passions et de ses oratorios. Son œuvre a acclimaté la monodie en Allemagne et préparé la naissance de la cantate, même si les troubles de la guerre de Trente Ans l'obligèrent passagèrement à réduire ses moyens sonores. Dans sa vieillesse, après 1648, il revint plus fréquemment vers le style polyphonique palestrinien sans abandonner pour autant les acquisitions de sa rythmique d'accentuation. — Vers le milieu du siècle, H. Albert († 1651) et A. Krieger († 1666) créèrent le « Lied » de soliste avec basse continue. Des organistes comme J. Pachelbel († 1706), M. Weckmann († 1674) et D. Buxtehude († 1703) écrivirent sous diverses formes de nombreux arrangements de choral — l'un des aspects caractéristiques de la littérature d'orgue allemande — sur les mélodies que le piétisme avait suscitées en grand nombre depuis 1660 environ. D. Buxtehude, le compositeur et l'organiste le plus important avant J.S. Bach, mit beaucoup d'invention dans ses fantaisies et ses fugues, composées dans un esprit rhapsodique. Organisées à Lübeck à partir de 1668, ses →

« Abendmusiken », données hors du culte, obtinrent une vaste renommée qui attira encore le jeune J.S. Bach. Partout en Allemagne le concert public se répandit. Dans de nombreuses grandes villes, le « Collegium musicum » formé d'amateurs devint une institution caractéristique jusqu'à la fin de l'époque baroque. A côté de la suite stylisée, la mus. instrumentale à plusieurs pratiquait surtout la sonate, que J. Rosenmüller († 1684) fut le premier à acclimater en Allemagne d'après des modèles italiens. J.J. Froberger († 1667) mêla en ses suites des influences italiennes et françaises et unifia cette forme par la technique de la variation.

Pendant la période du baroque tardif (« Spätbarock », 1680-1740), la mus. allemande fut influencée à part à peu près égale par l'Italie et la France. J. Mattheson introduisit en 1713 la notion de goût (« Geschmack ») pour désigner les caractéristiques du style de ces pays, sans prendre parti quant au modèle que le musicien allemand devait suivre. En 1752 J.J. Quantz estimait encore que le goût allemand résultait d'un mélange des deux. — Le rayonnement de la culture française entraîna rapidement la connaissance de sa musique en Allemagne. J.S. Kusser († 1727) fut le premier à imiter (1682) les formes de l'ouverture et des danses à la française. Mais, dépassant de loin ses modèles, la suite trouva sa forme la plus accomplie en 1695 avec J.C. F. Fischer († 1746) puis avec J.S. Bach. La musique de clavier de Fischer, que Bach a plusieurs fois citée, témoigne pour la première fois de la forte influence des clavecinistes français qui, pendant plusieurs dizaines d'années, précéda celle des maîtres italiens. Par contre la scène allemande fut dominée presque sans restriction par l'Italie, en particulier dans les villes princières de Munich et de Dresde, situées à la tête du mouvement. A l'exception de Hambourg où R. Keiser († 1739) travailla vers 1700, suivi plus tard par G.Ph. Telemann († 1767), des essais plus modestes d'opéra allemand — à partir de la *Daphne* de H. Schütz — n'eurent qu'une durée éphémère. L'opéra italien exerça également une forte influence sur la cantate d'église protestante, qui, après 1700, lui emprunta le récitatif et l'air, principalement en fonction de textes nouveaux dus à E. Neumeister.

La mus. baroque allemande atteint son point culminant avec l'œuvre de J.S. Bach († 1750) qui attribue la même importance artistique à la mus. vocale qu'à la mus. instrumentale. Pour la dernière fois dans l'histoire de la mus. allemande, J.S. Bach personnifie l'unité réclamée par Luther entre les domaines spirituel et profane, ainsi qu'en témoigne le procédé de la parodie qu'il employa si souvent. Bach réussit à unir des éléments stylistiques anciens et récents en une synthèse absolument originale et inimitable. Sur la base de la théorie des passions, d'un langage symbolique spiritualisé et de l'emploi de motifs expressifs, il parvint, dans ses cantates, ses passions, sa *Messe en si min.*, ses motets, à un style chantant, marqué d'un sceau éminemment personnel dont la conduite mélodique ne renie jamais totalement sa dépendance vis-à-vis du domaine instrumental. A l'orgue, il agrandit à des dimensions monumentales ses œuvres libres ou sur thème de choral. Dans ses nombreuses œuvres pour clavier, écrites à Köthen principalement, il anima la polyphonie par des éléments empruntés au « Lied » ou à la danse et mena

la fugue à son point d'accomplissement. Conçues à l'origine dans un but pédagogique, des compositions comme les *Inventions*, les *Suites* et le *Clavier bien tempéré* demeurent des modèles inégalés de concentration et de force d'expression artistiques. L'intérêt profond que J.S. Bach porta pendant une quarantaine d'années au concerto italien n'influa pas seulement sur la forme de sa production instrumentale mais également donna naissance à des œuvres telles que les *Concertos brandebourgeois*, de nombreux concertos pour divers instr. solistes ainsi qu'au premier concerto pour clavier avec accompagnement d'orchestre (pour 2 claviers en *ut* maj.). Des œuvres tardives comme les variations de choral pour orgue et l'*Art de la fugue* constituent des témoignages du génie d'un musicien que son entourage sut à peine reconnaître. Des compositeurs tels que G.Ph. Telemann et J.Chr. Graupner († 1760) furent beaucoup plus appréciés par leurs contemporains. G.Fr. Haendel († 1759) eut également plus de chance dans sa vie que le cantor de St-Thomas. Ayant reçu une formation approfondie en Allemagne et en Italie, il échoua en Angleterre avec ses opéras italiens mais obtint une popularité sans égale dans sa patrie élective avec ses oratorios où le chœur est l'élément essentiel. Un tel effort créateur n'était possible que dans une Angleterre entrée dans les débuts du capitalisme, déjà socialement avancée. Ce n'est qu'en 1771 à Leipzig, en 1791 à Berlin et à partir de 1800 un peu partout en Allemagne que se créèrent des chœurs indépendants à la suite des oratorios de J. Haydn inspirés par ceux de Haendel.

Le classicisme. Au cours du XVIIIe s., la mus. allemande se libéra toujours plus de sa dépendance à l'égard de l'étranger et, pour 150 ans exactement, devint elle-même le modèle de l'Europe à la base des formes et des styles hérités du monde latin. Cette hégémonie s'établit non seulement grâce à l'aptitude que l'on peut déjà discerner chez Bach de fondre les goûts européens en une synthèse créatrice, mais aussi grâce à l'évolution générale des idées. La musique devient le miroir de l'idéalisme allemand : elle est l'incarnation de l'humanité la plus pure, veut servir à l'élévation de l'homme et prétend à la même validité pour tous les peuples. Mais elle doit également sa force universelle au développement de la mus. instrumentale qui s'enrichit de nouveaux thèmes et, selon l'esthétique classique de Schiller et de Christian Gottfried Körner († 1795), sert à dépeindre l'élément humain caractéristique. Si dans l'œuvre de Mozart la mus. vocale a encore le pas sur la mus. instrumentale, l'équilibre se déplace déjà chez Beethoven au profit de cette dernière, considérée par les contemporains comme le modèle achevé d'une signification éthique. La domination séculaire de la mus. vocale était ainsi brisée. La notion d'allemand (« deutsch ») fut enfin étendue. Aux alentours de 1800 il n'était plus guère possible de distinguer entre mus. allemande et autrichienne. Pour un demi-siècle, Vienne devint le point de cristallisation et le centre de l'Europe musicale. — L'époque du classicisme fut en même temps celle de la bourgeoisie allemande. La musique devint un moyen de culture librement accessible, dont on pouvait jouir activement ou passivement en tant qu'amateur ou connaisseur cultivé. Avec le concert public, la bourgeoisie créa à la fin du XVIIIe s. une nouvelle forme d'exécution musicale qui modifia de fond en comble la position du musicien allemand. Encore appointé à l'époque baroque par la cour, l'église ou la municipalité, partie intégrante de la structure du monde d'alors, le musicien tendit désormais de plus en plus vers l'indépendance sociale et la responsabilité morale personnelle. Grâce à son activité de maître de chapelle et de compositeur, Gluck fut l'un des rares à réaliser très tôt l'idéal de l'artiste indépendant. Mozart fit naufrage du point de vue bourgeois, et, si la noblesse appointait Haydn devenu célèbre puis Beethoven, elle n'exigea plus d'eux de service direct et se comporta en mécène à leur égard.

Les compositions pianistiques de C.Ph.E. Bach († 1788) permettent tout particulièrement de saisir l'individualisation croissante de l'œuvre musicale au cours du préclassicisme (1740-81). Partie de la sentimentalité, l'expression musicale sensible s'éleva toujours plus vers le « Sturm und Drang » de la période géniale. Les fantaisies pour pianoforte, imprimées après 1780 dans les *Sechs Sammlungen für Kenner und Liebhaber*, constituent le point culminant de son œuvre qui a fortement influencé J. Haydn. Son frère Jean-Chrétien († 1782), par contre, composa à Londres dans un style plus élégant, plus attaché aux modèles italiens ; sa personnalité et son œuvre impressionnèrent le jeune Mozart et, comme tous les fils de J.S. Bach, il exerça une influence directe sur le style classique parvenu à maturité. — Pour la mus. instrumentale des environs de 1750, Berlin et Mannheim constituèrent deux centres importants. Tandis que les musiciens berlinois — en tête J.J. Quantz († 1773), professeur de flûte de Frédéric II et auteur d'un exemplaire traité de flûte, le maître de chapelle C.H. Graun († 1759) et le violoniste J.G. Graun († 1771) — étaient obligés de s'adapter dans leur mus. de chambre et leurs symphonies au goût très conservateur de leur souverain, J. Stamitz († 1757), avec d'autres musiciens de sa chapelle, germanisa la « sinfonia » italienne par l'emploi de crescendos expressifs, d'un style mélodique populaire et d'une nouvelle instrumentation. Après l'accueil enthousiaste que reçurent les concerts qu'il donna à Paris en 1751, il participa à la publication d'un recueil de symphonies sous le titre *La Melodia germanica*. A côté de la symphonie en 4 mouvements de l' → École de Mannheim, la symphonie en 3 mouvements subsista cependant jusqu'à l'époque de Mozart. Quelques pianistes allemands, parmi lesquels J. Schobert et J.G. Eckard, se présentèrent également avec des allures géniales à Paris après 1760. L'individualisation dans les arts assurée, I. Kant donna dans sa *Critique de la faculté de juger* (Berlin 1790) la définition suivante : « Le génie est le talent (don de la nature) qui donne ses règles à l'art. »

La mus. vocale se développa par contre dans une autre direction. C'est l' « opera seria » italien qui déterminait le répertoire à Vienne comme à la cour de Berlin et à celle de Dresde jusqu'en 1841 (!). Chr.W. Gluck († 1787) fut le premier à rejeter le livret à intrigues de Métastase qui s'était sclérosé en un certain nombre de formules. S'inspirant du réalisme de l'opéra-comique français, il réalisa sa réforme de l'opéra à partir de 1762, en collaboration avec le librettiste R. de Calzabigi, s'attachant à des sujets antiques où dominaient sentiments sincères et vérité dramatique. Seuls ses opéras français représentés à Paris entre 1774 et 1779 lui valurent des succès décisifs. Entre-temps, le → « Singspiel » allemand s'était imposé sur les scènes bourgeoises de Vienne, Leipzig, Berlin entre autres, selon le modèle de l'opéra-comique des pays voisins. J.A. Hiller († 1804) écrivit 12 « opérettes » de ce genre à partir de 1766, avec dialogues parlés et ariettes populaires. A Gotha, J.A. Benda († 1795) s'attachait avec succès au mélodrame. Le « Lied » sentimental cultivé par C.Ph.E. Bach et l' → École de Berlin reçut de nouvelles impulsions à partir de 1778 grâce aux publications de chansons populaires de J.G. Herder (d'abord les textes seuls puis également les mélodies) dont l'influence apparaît non seulement dans les *Lieder im Volkston* (1782) de J.A.P. Schulz mais aussi dans l'inspiration mélodique des œuvres instrumentales classiques.

Avec ses *Quatuors à cordes* op. 33, J. Haydn ouvre en 1781 la grande période du classicisme allemand (« Hochklassik »). La densité de leur construction thématique, qui n'a pas échappé à l'influence de J.S. Bach et de ses fils, introduit, selon ses propres paroles, « une nouvelle manière » qui s'imposera pour toutes les formes de la mus. instrumentale jusqu'à Beethoven. Désormais la raison et le sentiment s'équilibrent, après les surenchères du « Sturm und Drang ». Si la mus. de chambre, les symphonies et les concertos restent encore essentiellement des œuvres de commande, ils sont composés le plus souvent sans but précis et selon des règles propres. L'œuvre instrumentale a enfin obtenu son autonomie. Les 12 symphonies londoniennes de J. Haydn sont les modèles de cette liberté nouvelle. En 1781 Mozart († 1791) se fixa également à Vienne comme artiste indépendant. Son œuvre instrumentale culmine dans les trois dernières symphonies (1788), les derniers quatuors à cordes, dans de nombreuses sonates mais surtout dans les concertos pour piano, qui représentent la part la plus originale de sa création. Le virtuose les écrivit principalement pour son propre usage. Pour la dernière fois dans l'histoire de la mus. allemande, ses opéras sont le résultat d'une profonde transformation des modèles italiens ; l'aboutissement en sera *L'Enlèvement au sérail*, « Singspiel » allemand, et *La Flûte enchantée* (1791). Mozart reste sans égal dans l'art de caractériser les personnages. Son talent de la transformation créatrice, qui ne peut être comparé qu'à celui de J.S. Bach, apparaît également dans son adoption sans réserve de l'ancienne polyphonie (*Requiem*, p.ex.). C'est à L. van Beethoven († 1827) que revient le mérite d'avoir mené le classicisme allemand vers ses sommets. Malgré de lourdes épreuves personnelles, il resta fidèle à une pensée idéaliste tout en se tenant proche de la réalité dans sa création (*Symphonie pastorale*, *La Victoire de Wellington*, etc.). La mus. instrumentale du XIXᵉ s. tout entier reste débitrice de ses 9 symphonies, 32 sonates et 5 concertos pour piano, ainsi que de ses nombreuses œuvres de mus. de chambre, pour la puissance de l'expression d'un caractère individuel ; leur importance dépasse de très loin celle de sa mus. vocale. Conçu sur le modèle des opéras révolutionnaires français, son *Fidelio* n'obtint guère de succès au départ.

Le romantisme. Tout au long du XIXᵉ s., la mus. instrumentale allemande parvint à consolider sa position privilégiée en Europe. Même dans le domaine de l'opéra, l'Allemagne acquit un rôle dirigeant pour une cinquantaine d'années grâce à l' « œuvre d'art total » de R. Wagner. Durant la période du romantisme, les rapports de l'artiste et de la musique se trouvèrent bouleversés de fond en comble. Dès les environs de 1800, des poètes et des écrivains, berlinois pour la plupart, Heinrich Wackenroder, Ludwig Tieck, Wilhelm von Schlegel, E.T.A. Hoffmann..., élaborèrent une conception idéale de la musique présentée comme un miroir de l'infini, un langage originel donné par la nature, un art pur et absolu. S'opposant à l'audition active et synthétique des classiques, ils demandaient que l'on jouisse passivement de la musique et que l'on se laisse pénétrer par son contenu émotif. Cette conception exigeait une modification fondamentale des structures de la musique que préfigurent l'instrumentation et la représentation de la nature dans le *Freischütz* (1821) de C.M. von Weber († 1826) ainsi que l'accompagnement pianistique des mélodies de Fr. Schubert († 1828). A la place de l'expression des sentiments humains collectifs qu'appelait le classicisme, le monde des sensations individuelles envahit toujours plus la mus. instrumentale après 1830, jusqu'au subjectivisme total. En même temps que la musique à programme — dont une des conséquences fut l'accroissement toujours plus net de l'influence littéraire — apparut le problème de la forme et du contenu que le siècle tout entier prit pour thème de vives discussions. Le XIXe s. resta toutefois marqué par la croyance indéfectible au progrès artistique. L'élan révolutionnaire fut constamment renouvelé par Schumann, Liszt et Wagner, dans des écrits, des manifestes, des compositions nouvelles souvent déconcertantes, expressions de la conviction romantique que la musique occupait une position dominante dans le domaine spirituel. En accord avec cet idéalisme, la société romantique faisait du musicien cultivé un représentant de l'élite.

Avant la période d'épanouissement du romantisme allemand (« Hochromantik », 1830-1860), les guerres qui libérèrent l'Europe de la domination napoléonienne avaient favorisé le développement du nationalisme dans de nombreux pays. En Allemagne également on se tourna vers le chant populaire et vers la musique du passé. Les efforts de C.Fr. Zelter († 1832) à la Berliner Singakademie et ceux de F. Mendelssohn-Bartholdy († 1847) permirent la redécouverte progressive des œuvres de J.S. Bach, qui donna naissance à l'historicisme des générations suivantes. Dans la mus. d'église et la mus. de chambre de Mendelssohn cette tendance est déjà sensible, alors que sa mus. symphonique est tributaire des principes romantiques. A la même époque la mus. allemande se divise en deux courants esthétiques : l'un tendu vers un idéal élevé, sévère, qui s'exprime au théâtre, au concert et dans l'intimité, l'autre tourné vers une expression populaire par le moyen de la danse. D'abord représenté par les « rois de la valse », J. Strauss et J. Lanner entre autres, celui-ci perdit bientôt son caractère pour déchoir de plus en plus au rang de mus. de divertissement. R. Schumann († 1856) fut le dernier compositeur du romantisme allemand à cultiver tous les genres. Il contribua d'une manière décisive à former le visage de la musique de son temps par ses œuvres vocales — l'opéra *Genoveva* (1848), des oratorios et surtout par ses cycles de mélodies — comme par ses nombreuses compositions pianistiques encore très appréciées, ses

3 concertos et ses 4 symphonies dans chacune desquelles il s'efforça de réaliser une « idée poétique ». Peu avant 1830, F. Liszt († 1886) commençait sa brillante carrière de pianiste virtuose. A partir de sa transcription pianistique de la *Symphonie fantastique* de Berlioz en 1833, son action s'exerça en faveur du nouveau subjectivisme musical. S'il sacrifia aux modes de son temps dans de nombreuses compositions pianistiques, il laissa des œuvres durables, notamment sa *Sonate* et ses deux concertos pour piano. La plupart de ses poèmes symphoniques créés entre 1848 et 1857 sont inspirés par la littérature du passé. Ils passaient aux yeux de la nouvelle école allemande pour les modèles de la mus. à programme romantique. Liszt fut un grand initiateur et l'un des harmonistes les plus hardis du siècle.

Après la mort prématurée de Weber, l'opéra romantique allemand n'avait fait que de lents progrès. *Hans Heiling* de H. Marschner († 1861), ainsi que les opéras-comiques de A. Lortzing († 1851), *Zar und Zimmermann, Der Wildschütz* et *Der Waffenschmied*, en sont des jalons marquants. R. Wagner († 1883) lui-même se rattacha à des modèles allemands éprouvés et les mena à l'accomplissement avec *Tannhäuser* (1845) et *Lohengrin* (1850). Une réflexion artistique liée à une nouvelle orientation vers 1850 — son ouvrage *Oper und Drama* en est un témoignage — le conduisit à la conception du → drame musical. Basés sur l'allitération, ses propres poèmes forment avec la musique une union parfaite où la division en numéros est définitivement abandonnée et où les → « Leitmotive » créent au cœur de l'œuvre d'art un tissu serré de relations internes ou externes. Le sommet de son œuvre est constitué par la tétralogie *L'Anneau du Nibelung* (1852-1874), par *Les Maîtres chanteurs de Nuremberg* (1868) et avant tout par *Tristan et Isolde* (1865) dont le chromatisme a longtemps constitué un puissant aimant. Le langage musical de Wagner et le mythe de son art ont influencé l'Europe musicale d'une manière encore difficile à évaluer et l'ont partagée en deux camps.

Au cours de la période du romantisme tardif (« Spätromantik », vers 1860-1920), J. Brahms († 1897) devint le porte-parole de la tendance conservatrice. Il renonça à tout programme subjectif étranger à la musique et, avec sa mus. de chambre, sa mus. symphonique, ses « Lieder » et son *Requiem allemand*, réalisa des œuvres de grande importance. Son goût pour le chant populaire, le classicisme allemand et plus particulièrement pour J.S. Bach accéléra l'évolution de l'historicisme qui devait aboutir à l'œuvre variée de M. Reger († 1916). Parmi les conservateurs, il faut également citer P. Cornelius († 1874) dont l'opéra *Le Barbier de Bagdad* connut le succès. Les Autrichiens A. Bruckner († 1896), H. Wolf († 1903) et G. Mahler († 1911) travaillèrent sous l'influence directe de Wagner. Bruckner a refondu le langage wagnérien et l'a transporté dans le domaine symphonique avec un sens très personnel des sonorités, tout en créant une mus. religieuse catholique de grande valeur. Sur la base du « Lied », Mahler écrivit ses symphonies comme des confessions dans le but de purifier et d'affranchir les hommes. Enfin Wolf donna un caractère dramatique au « Lied ». L'œuvre de H. Pfitzner († 1949), dont l'opéra *Palestrina* (1917) est le chef-d'œuvre mais qui comporte également des compositions instrumentales de valeur, se réfère à la notion d'inspiration, credo qu'il a défendu avec vigueur jusqu'à sa fin. Progressiste dans l'esprit de Liszt, R. Strauss († 1949) se fit connaître dès 1889 par ses poèmes symphoniques inspirés par des thèmes littéraires et écrits dans un style très personnel. Après plusieurs échecs sur scène, il obtint de francs succès avec ses opéras *Salomé* (1905) et *Elektra* (1909), au langage harmonique hardi et dissonant. Il recula cependant devant une dernière conséquence, l'atonalité. Dans sa comédie musicale *Le Chevalier à la rose* (1911), il fit la synthèse des formes, des techniques du passé et de son temps et réduisit l'appareil orchestral. Par la suite également, l'opéra resta son domaine de prédilection. Sa longue et fructueuse collaboration avec l'écrivain H. von Hofmannsthal influença fortement la dramaturgie du théâtre lyrique moderne. Pour la dernière fois dans l'histoire, les œuvres de R. Strauss ont confirmé l'importance internationale de la mus. allemande.

La musique contemporaine. Le changement de style qui se préparait dès le début du XXe s. et qui a été la cause d'un éloignement délibéré des principes formels et de l'expression romantiques, s'est également emparé de la mus. allemande après 1920 et l'a profondément modifiée. En raison de l'influence réciproque des pays européens, auxquels il faut ajouter désormais les USA, aucune nation n'exerce actuellement de rôle dirigeant. Dans les pays de langue allemande cependant, l'Autrichien A. Schönberg († 1951) stimula presque tous les compositeurs entre 1920 et 1960 avec son → dodécaphonisme atonal qui, sur des bases strictement contrapuntiques et en maintenant la tension expressive, entraîna la musique hors des limites du romantisme. Son élève A. Berg († 1935) modifia d'une manière originale la technique sérielle et, grâce à son *Concerto pour violon* ainsi qu'à son opéra *Wozzeck*, qui connut un succès exceptionnel, passe pour le représentant le plus marquant de l'expressionnisme allemand. A. Webern († 1945) ne reçut la consécration qu'après sa mort. Il pose le point final de cette évolution par une intensité expressive jamais atteinte jusqu'alors et par la brièveté aphoristique de ses compositions. — Avec son œuvre qui embrasse tous les genres, P. Hindemith († 1963) a influencé la mus. allemande d'une manière décisive entre 1920 et 1950. Brahms et Reger sont ses précurseurs directs. L'un des principaux représentants du néo-classicisme, il se rattache aux principes formels du style baroque, qu'il a amalgamés avec les acquisitions modernes en une tonalité élargie. En 1924 il réussit la percée du style nouveau avec son cycle de mélodies *Das Marienleben* sur des poèmes de R.M. Rilke. Après l'exécution de son opéra *Mathis le peintre*, il fut contraint à émigrer par les nazis. Dans les années 20 il avait plusieurs trouvé le contact avec la jeunesse (« Jugendbewegung ») et avec Fr. Jöde qui cherchait à développer la pratique en commun du chant et de la musique. Après s'être longtemps suffi à elle-même, la musique se trouvait à nouveau plus étroitement liée à des circonstances déterminées et à des commandes. La mus. religieuse des deux confessions en reçut un nouvel élan. H. Kaminski († 1946) et H. Distler († 1942) ont écrit des œuvres chorales dans un style très personnel que E. Pepping et J.N. David ont développé en s'appuyant encore plus sur les modèles baroques, tout en réalisant des œuvres importantes dans la plupart des domaines

de la mus. instrumentale. Parmi la masse des compositeurs de cette tendance, on se contentera de citer G. Bialas, S. Borris, W. Fortner et K. Hessenberg, même si leur œuvre a pris par la suite une autre direction. — Sur scène, W. Egk et C. Orff se sont imposés à partir des années 30. Egk obtint des succès durables avec ses opéras et ses ballets tandis qu'Orff s'est efforcé de réaliser une forme nouvelle, sculpturale, du théâtre lyrique à l'aide de la musique, du langage et du mouvement (*Antigone*, 1949 ; *Œdipe*, 1959). Il recherche la variété des langues telle que la pratiquait le théâtre médiéval et a écrit des œuvres en dialecte bavarois (*Die Bernauerin*, 1947) ainsi que des pièces populaires très appréciées (*Die Kluge*, 1943). Son œuvre intitulée *Schulwerk* a donné une impulsion nouvelle à l'éducation rythmique des jeunes longtemps délaissée. — Depuis 1950, l'avant-garde allemande née après 1925 s'est tournée de plus en plus vers une mus. expérimentale qui renonce toujours davantage à l'intermédiaire humain et se sert des moyens électroniques que H. Eimert a développés au studio de mus. électronique du Nordwestdeutscher Rundfunk (Cologne). Dans sa recherche de voies nouvelles, cette génération abandonne de nombreux éléments d'un style communautaire, reconquis avec peine après 1920, pour se consacrer à nouveau au subjectivisme extrême. Le chemin suivi par K. Stockhausen peut servir d'exemple : après avoir commencé sa carrière musicale vers 1952 avec des œuvres pour piano et de la mus. de chambre, après avoir réalisé des combinaisons sonores de groupes variés, entrepris des expériences synesthésiques de volume sonore et de rythme, de phonétique et de communication visuelle, il entremêle désormais (1972) sa musique d'idées transcendantes issues de la sagesse hindoue. Parmi les compositeurs les plus doués de l'après-guerre, il faut citer H.W. Henze dont l'œuvre s'étend à tous les genres, notamment à l'opéra et au ballet qui lui ont valu de nombreux succès. Ses compositions utilisent le dodécaphonisme et la mus. électronique avec autant d'indépendance que l'orchestre post-romantique et se caractérisent par la subtilité de leur coloris. Sa mus. instrumentale s'inspire volontiers de sujets extra-musicaux. Dans le domaine du théâtre expérimental, B.A. Zimmermann († 1970) s'est fait remarquer avec son opéra *Les Soldats*.

Les institutions et la vie musicale actuelles. L'écroulement du Reich en 1945 a causé des dommages immenses à la vie musicale allemande. L'unité culturelle, née d'une évolution séculaire, a été détruite par la création de deux pays, la République fédérale (RFA) et la République démocratique (RDA) allemandes, tandis que Berlin, l'ancienne capitale partagée elle aussi, a perdu son importance de centre culturel national. — Toutes les grandes villes allemandes possèdent un opéra, subventionné soit par l'État, soit par la municipalité. Les principaux sont les opéras de Berlin, Hambourg et Munich en RFA, la Deutsche Staatsoper à Berlin et l'opéra de Dresde en RDA. Parmi les grands chanteurs solistes des cent dernières années, il faut citer les sopranos Erna Berger, L. Lehmann, Christa Ludwig, les ténors Hermann Frey, Heinrich Schlusnus, Fritz Wunderlich et Wolfgang Windgassen. Karl Erb (ténor), J. Stockhausen et D. Fischer-Dieskau (barytons) ont obtenu une réputation internationale principalement comme interprètes de « Lieder ». Le concert, également florissant, s'étend à tous les domaines de la musique, soutenu par des organisations officielles, ecclésiastiques ou privées. Les quatuors à cordes les plus importants des trois dernières générations ont porté le nom de leur premier violon : J. Joachim, Adolf Busch et Rudolf Koeckert. Parmi la masse des festivals annuels d'intérêt général, on se contentera de citer ceux de Berlin et de Munich, qui réunissent concerts et représentations théâtrales. Le Festival de Bayreuth se consacre exclusivement à des mises en scène renouvelées des opéras de Wagner. Des festivals Haendel ont lieu à intervalles plus éloignés à Halle (RDA) et à Göttingen (RFA), tandis que des festivals Bach se déroulent chaque année dans l'une ou l'autre partie de l'Allemagne, alternativement. Parmi les nombreux orchestres de premier ordre, la Berliner Philharmonie (dir. H. von Karajan) se situe traditionnellement en tête, suivie par l'Orchestre du Gewandhaus de Leipzig et la Dresdner Staatskapelle (RDA). Parmi les chefs d'orchestre de réputation internationale, il faut citer, dans un passé récent, O. Klemperer, W. Furtwängler et Br. Walter, et, à l'époque actuelle, Joseph Keilberth, Rudolf Kempe, Hans Knappertsbusch, Franz Konwitschny et Karl Richter. Le chant choral est profondément enraciné dans la vie musicale allemande depuis près de 200 ans. Le chœur de St-Thomas de Leipzig et le Kreuzchor de Dresde (RDA) se placent au premier rang des chœurs d'enfants. A côté des « Singakademien » et des chœurs philharmoniques, les chœurs d'église et les → « Kantoreien » sont particulièrement actifs dans de nombreuses grandes villes ; on se contentera de mentionner parmi eux la Westfälische Kantorei (W. Ehmann) et la Gächinger Kantorei (H. Rilling). Des milliers de chorales d'amateurs sont rassemblées en trois associations, Deutscher Sängerbund, Deutscher allgemeiner Sängerbund et Verband gemischter Chöre Deutschlands.

Dans le domaine de l'éducation musicale, les « Musikhochschulen » de Berlin, Detmold, Essen, Francfort/M., Fribourg-en-Br., Hanovre, Heidelberg, Cologne, Munich, Sarrebruck et Stuttgart en RFA, de Berlin, Dresde, Leipzig et Weimar en RDA s'attachent à la formation des jeunes musiciens ainsi qu'à celle des professeurs de musique de l'enseignement secondaire. Il s'y ajoute un grand nombre de conservatoires principalement destinés à la formation des musiciens d'orchestre et un réseau serré d'écoles de musique vouées à l'éducation musicale de la jeunesse dans toutes les grandes villes. En RFA la musicologie est représentée par des instituts dans toutes les universités — en RDA à Berlin, Halle, Leipzig et Rostock — et dans plusieurs grandes écoles techniques. Leurs tâches principales relèvent de l'enseignement et de la recherche. Parmi les musicologues allemands les plus importants, on se contentera de citer H. Abert (mus. grecque, Mozart), H. Besseler (Moyen Age et Renaissance, J.S. Bach), Fr. Blume (mus. protestante, édition de l'encyclopédie « Die Musik in Geschichte und Gegenwart »), C. Sachs (ethnomusicologie, organologie), A. Sandberger (R. de Lassus, préclassicisme et classicisme), A. Schering (esthétique et herméneutique musicales, J.S. Bach), L. Schiedermair (hist. de l'opéra, Beethoven) et H. Riemann (préclassicisme et classicisme ; théorie, pédagogie et esthétique musicales). D'autres instituts de recherche sont établis à Berlin (Staatliches

Institut für Musikforschung) et à Kassel (Deutsches Musikgeschichtliches Archiv). En outre, des instituts ont été fondés dans le but de réaliser les éditions complètes de musiciens allemands importants (Instituts Bach à Göttingen et Leipzig, Haydn à Cologne, Mozart à Salzbourg, etc.). Parmi les grandes tâches collectives de la musicologie allemande, il faut citer la série monumentale « Das Erbe deutscher Musik ». Les musicologues de la RFA et d'autres pays se sont rassemblés en une société — « Gesellschaft für Musikforschung » — dont le siège est à Kassel. Elle édite la revue « Die Musikforschung » et organise régulièrement des congrès. Le plus important musée instrumental allemand est rattaché au Musée national germanique à Nuremberg. Le Musée des instruments de Berlin-Ouest et le Musée Grassi de Leipzig (RDA) possèdent également de remarquables collections. Les bibliothèques musicales les plus importantes se trouvent à la Bayerische Staatsbibliothek de Munich, à la Deutsche Staatsbibliothek (Stiftung Preussischer Kulturbesitz) de Berlin et à la Württembergische Landesbibliothek de Stuttgart en RFA, à la Deutsche Staatsbibliothek (ancienne Preussische Staatsbibliothek) de Berlin et à la Sächsische Landesbibliothek de Dresde. Des collections de manuscrits plus modestes sont conservées dans d'autres bibliothèques publiques (Darmstadt, Münster, Francfort/M. en RFA ; Iéna, Schwerin en RDA), dans des fonds ecclésiastiques (Regensburg) ou privés (Thurn & Taxis, Regensburg, Schönborn, Schloss Wiesentheid). A côté des quatre grands éditeurs de RFA — Bärenreiter à Kassel, Breitkopf & Härtel à Wiesbaden, Peters à Francfort/M. et Schott & Söhne à Mayence — il faut placer le Deutscher Verlag für Musik à Leipzig (RDA).

Bibliographie (cf. également les art. ÉCOLE DE BERLIN, ÉCOLE DE MANNHEIM, AIX-LA-CHAPELLE, AUGSBOURG, BAYREUTH, BERLIN, BONN, BRESLAU, COLOGNE, DARMSTADT, DONAUESCHINGEN, DRESDE, DÜSSELDORF, EISENACH, ERFURT, FRANCFORT-SUR-LE-MAIN, FRIBOURG-EN-BRISGAU, HALLE, HAMBOURG, HANOVRE, HEIDELBERG, KASSEL, KÖNIGSBERG, KÖTHEN, LEIPZIG, LÜBECK, LÜNEBURG, MANNHEIM, MAYENCE, MUNICH, NUREMBERG, REGENSBURG, STUTTGART, WITTENBERG). — 1. Ouvrages bibliographiques : C.F. BECKER, Systematisch-chronologische Darstellung der musikalischen Literatur, Leipzig 1836-39 ; Hofmeisters Hdb. der musikalischen Literatur, 19 vol., Leipzig 1852-1940 ; A. ABER, Hdb. der Musikliteratur in systematisch chronologischer Anordnung, Leipzig 1922 ; Bibliogr. des Musikschrifttums, éd. par K. TAUT et G. KARSTÄDT (1936-39), Leipzig 1939-41, éd. par W. SCHMIEDER (1950-51 et suiv.), Francfort/M., Hofmeister, 1954 et suiv. ; R. SCHAAL, Verzeichnis deutschsprachiger musikwissenschaftlicher Dissertationen 1861-1960, Kassel, BV, 1963. — 2. Éditions monumentales : Publikationen älterer praktischer u. theoretischer Musikwerke, éd. par la Gesellschaft für Musikforschung (PGfM) I-XXIX (33 années), Berlin et Leipzig 1873-1905, 2/Wiesbaden 1965 ; Denkmäler deutscher Tonkunst (DDT) I-LXV, Leipzig puis Augsbourg 1892-1931, 2/Wiesbaden 1958 ; Denkmäler der Tonkunst in Bayern (DTB) I-XXXV (30 années), Leipzig puis Augsbourg 1900-31, 2/Wiesbaden 1962 et suiv., nouv. série I, Wiesbaden 1962 ; Das Erbe deutscher Musik (EDM), 1re série Reichsdenkmale I-XXV, 1935-43, 2e série Landschaftsdenkmale I-XI et 4 cahiers, 1935-42, depuis 1954 sous le titre Erbe deutscher Musik, 26 autres vol., 1954-72. — 3. Études. a) Ouvrages généraux : A. SCHERING, Deutsche Musikgesch. im Umriss, Leipzig 1917 ; H.J. MOSER, Gesch. der deutschen Musik, 3 vol., Stuttgart et Berlin 1920-24, rééd. I-II 5/1930, III 2/1928 ; le même, Kleine deutsche Musikgesch., Stuttgart 1938, 3/1949 ; R. MALSCH, Gesch. der deutschen Musik, Berlin 1949 ; L. SCHIEDERMAIR, Deutsche Musik im europäischen Raum, Münster et Cologne, Böhlau, 1954 ; CL. ROSTAND, La mus. all., Paris, PUF, 1969 ; H. MERSMANN, Musikgesch. der abendländischen Kultur, Kassel, BV, 1972. — b) Conception et rôle de la musique : P. MOOS, Die Philosophie der Musik. Von Kant bis E. von Hartmann, Stuttgart 2/1922 ; G. SCHÜNEMANN, Gesch. der deutschen Schulmusik, Leipzig 1928, 2/1931 ; W. DILTHEY, Von musischer Dichtung u. Musik, Leipzig 1933, 2/Stuttgart, Teubner, et Göttingen, Vandenhoeck & R., 1957 ; A. WELLEK, Typologie der Musikbegabung im deutschen Volk, Munich 1939 ; THR. GEORGIADES, Musik u. Sprache,

Berlin, Göttingen et Heidelberg, Springer, 1954 ; H. RIEDEL, Musik u. Musikerlebnis in der erzählenden deutschen Dichtung, Bonn, Bouvier, 1959. — c) Moyen Age et Renaissance : H. BESSELER, Die Musik des Mittelalters u. der Renaissance, Potsdam 1931-34 ; G. PIETZSCH, Zur Pflege der Musik an deutschen Universitäten bis zur Mitte des 16. Jh., in AfMw I, III, V-VI, 1936-41 ; A. GEERING, Die Organa u. mehrstimmigen Conductus in den Hss. des deutschen Sprachgebietes, Berne, Haupt, 1952 ; F. BEHN, Musikleben im Altertum u. frühen Mittelalter, Stuttgart, Hiersemann, 1954 ; W. SALMEN, Die Schichtung der mittelalterlichen Musikkultur in der ostdeutschen Grenzlage, Kassel, BV, 1954 ; du même, Der fahrende Musiker im europäischen Mittelalter, Kassel, BV, 1960 ; TH. GÖLLNER, Formen früher Mehrstimmigkeit in deutschen Hss. des späten Mittelalters, Tutzing, Schneider, 1961. — d) Depuis le XVIIᵉ s. : W. VETTER, Das frühdeutsche Lied, 2 vol., Münster 1928 ; L. SCHIEDERMAIR, Die deutsche Oper. Grundzüge ihres Werdens u. Wesens, Leipzig 1930 ; E. PREUSSNER, Die bürgerliche Musikkultur. Ein Beitr. zur deutschen Musikgesch. des 18. Jh., Hambourg 1935, 3/Kassel, BV, 1954 ; E. REBLING, Die soziologischen Grundlagen der Stilwandlung der Musik in Deutschland um die Mitte des 18. Jh., Berlin 1935 ; H.J. MOSER, Das deutsche Lied seit Mozart, 2 vol., Berlin et Zurich 1937 ; E. BÜCKEN, Das deutsche Lied, Hambourg 1939 ; W. WIORA, Gesch. des deutschen Volksliedes im Aufriss, Mayence, Schott, 1953 ; L. HOFFMANN-ERBRECHT, Deutsche u. ital. Klaviermusik zur Bachzeit, Leipzig, VEB Br. & H., 1954 ; du même, Sturm u. Drang in der deutschen Klaviermusik von 1753-1763, in Mf X, 1957 ; H.H. EGGEBRECHT, Das Ausdrucksprinzip im musikalischen Sturm u. Drang, in Deutsche Vierteljahrsschrift für Literaturwiss. u. Geistesgesch. XXIX, 1955 ; H. BESSELER, Das musikalische Hören der Neuzeit, in Berichte... der Sächsischen Akad. der Wissenschaften zu Leipzig, Philolog.-hist. Klasse CIV/6, Berlin 1959 ; P. BENARY, Die deutsche Kompositionslehre des 18. Jh., Leipzig, VEB Br. & H., 1961 ; R. BROCKPÄHLER, Hdb. zur Gesch. der Barockoper in Deutschland, in Die Schaubühne LXII, Emsdetten 1964 ; W. SALMEN (éd.), Beitr. zur Gesch. der Musikanschauung im 19. Jh., Regensburg, Bosse, 1965 ; R. DAMMANN, Der Musikbegriff im deutschen Barock, Cologne, A. Volk, 1967. — e) Le XXᵉ s. : K.H. WÖRNER, Musik der Gegenwart, Mayence 1949 ; du même, Neue Musik in der Entscheidung, Mayence, Schott, 1954 ; H. MERSMANN, Deutsche Musik des 20. Jh., in Kontrapunkte I, Rodenkirchen, Tonger, 1958 ; H. VOGT, Neue Musik seit 1945, Stuttgart, Reclam, 1972. — 4. Encyclopédies et dictionnaires : H. RIEMANN, Musiklexikon, Leipzig 1882, 12ᵉ éd. par W. Gurlitt et H.H. ENGEL, 2 vol., Mayence, Schott, 1959-67, 2 vol. de supplt 1972-75 ; H.J. MOSER, Musiklexikon, Berlin 1935, 4ᵉ éd. en 2 vol. Hambourg, Sikorski, 1955, supplt 1963 ; Die Musik in Geschichte u. Gegenwart, éd. par FR. BLUME, 14 vol., Kassel, BV, 1949-68, supplts 1969 et suiv.

L. HOFFMANN-ERBRECHT

ALLEMANDE, danse modérée, de rythme binaire, venue d'Allemagne. Selon Th. Arbeau (*Orchésographie*, 1589), c'est « une danse pleine de médiocre gravité, familière aux Allemands ». J.G. Walther (*Musicalisches Lexicon*, 1732) précise son origine souabe : « Die Allemande ist ein teutsches Klingestück oder vielmehr schwäbisches Lied ». Elle apparaît v. 1550 dans les tablatures de P. Phalèse et P. Attaingnant, ainsi que chez les luthistes anglais, et se développe simultanément en Italie, Angleterre, France, Allemagne et Pays-Bas. Les altérations les plus courantes du terme sont : alman, allemana, alamain, almand (Angleterre) ; allemanda (Italie) ; allemaigne (France). L'Allemagne conserve l'expression de « Tantz » ou « Deutscher Tantz » jusqu'à l'introduction du terme « Allemande » par le jeu des influences étrangères. Au XVIᵉ s. l'a. revêt des formes assez variables. La plus usitée est un schéma régulier de 4 mesures avec répétitions agrémentées ou non de diminutions :

Extrait de T. Susato, *Het derde Musyck boexken*, Anvers 1551.

Une recoupe à 3 temps, « Nachtanz », peut suivre :

P. Phalèse, *Carmina pro testudine*, Louvain 1546-47.

Une particularité pittoresque est signalée par Th. Arbeau (ouvr. cité) : « en dansant l'A., les jeunes hommes quelquefois dérobent les damoiselles, les ostant de la main de ceulx qui les meynent, et celui qui est spolié se travaille d'en r'avoir une aultre ». Au XVIIᵉ s. l'a. prend une place importante dans la suite, où elle remplace, en première position, la pavane. Elle est alors suivie de la courante, danse plus rapide à 3 temps. Dans l'école anglaise de la première moitié du siècle, l'a. est souvent accompagnée d'un nom de personnage, n'indiquant pas encore une intention descriptive mais plutôt une dédicace (J. Bull, *The duke of Brunswicks Alman* ; W. Byrd, *The Queens Alman*). De même que sa position dans la suite s'affirme, dès 1630 son aspect se normalise : la forme est généralement en deux parties avec reprise, évoluant du ton de la tonique à celui de la dominante avec retour à la tonique sans réexposition du thème :

‖: Tonique → dominante :‖: dominante → tonique :‖

La mesure est à 4/4 (plus rarement) et le rythme, assez égal, peut se précipiter dans un effet de strette à la fin de la pièce. La phrase initiale débute à la levée sur une anacrouse d'une note. Dans l'école allemande, cette anacrouse est parfois remplacée par un groupe de notes ayant le même rôle :

Froberger (*IVᵉ livre*).

G. Böhm, *Suite en fa mineur*.

L'école française adopte un style grave et très contrapuntique. Le → « tombeau », pièce à la mémoire d'un grand personnage, emprunte souvent l'allure de l'allemande. En Italie et en Angleterre, l'écriture est plus harmonique et la construction en variations subsiste encore très avant dans le siècle. Au XVIIIᵉ s. l'a. perd son caractère original et se rapproche du style du prélude. Elle est généralement écrite à 3 ou

4 voix et le jeu des rythmes complémentaires permet un écoulement régulier de valeurs égales :

der Orchestersuite des 15. u. 16. Jh., Leipzig 1925 ; O. BIE, Der Tanz, Berlin 2/1925 ; G. OBERST, J.S. Bachs Französische u. Englische Suiten, in Fs. H. Abert, Halle 1928 ; E. MOHR, Die A.

J.S. Bach, *Suite française n° 2.*

A ce type dit « français » s'oppose le type italien, beaucoup plus fluide et homophone (J.S. Bach, *Suites anglaises* ; A. Vivaldi, *Sonates en trio* ; J.Ph. Rameau, *Nouvelles Suites de Pièces de clv.*) :

Zurich 1932 ; C. SACHS, Eine Weltgesch. des Tanzes, Berlin 1933, trad. fr. Paris 1938 ; A. ANDERS, Untersuchungen über die A. als Volksliedtypus des 16. Jh. (diss. Francfort/M. 1940) ; P. NETTL, The Story of Dance Music, New York 1947 ; du même, The Dance in Classical Music, Londres, P. Owen, 1964 ; N. SCHIØRRING, A. og

J.S. Bach, Ire *Partita.*

La forme reste liée aux modèles du XVIIe s. Le schéma en deux parties avec reprise prédomine mais avec extension de la seconde partie par développement ou ajout d'un épisode de divertissement composé le plus souvent de marches harmoniques. Perdant peu à peu tout caractère spécifique, l'a. disparaît progressivement à partir de 1750. On désigne alors par ce terme une danse rapide à 3 temps de caractère populaire :

fransk Ouverture, in Fs. Univ. Kopenhagen, Copenhague 1957 ; J. BARIL, Dict. de danse, Paris, Éd. du Seuil, 1964 ; K.H. TAUBERT, Höfische Tänze, ihre Gesch. u. Choregraphie, Mayence, Schott, 1968.

M. CL. BELTRANDO-PATIER

J.N. Hummel, *Deutscher Tanz.*

Ce genre, cultivé principalement par Mozart, Beethoven et Schubert, évolue vers le style du → « Ländler », beaucoup plus mélodique et modéré d'allure, mais conserve cependant les détails d'écriture propres aux danses populaires : mélodie disjointe, accompagnement de tierces ou de sixtes, carrure affirmée de la phrase :

Schubert, *17 Deutsche Tänze* (n° 16).

Schubert, *17 Deutsche Tänze* (n° 17).

ALLITÉRATION, répétition intentionnelle de deux ou plusieurs consonnes. Ce procédé de style, qui ne doit pas être confondu avec l'harmonie imitative ni avec l' → assonance, est très fréquent en poésie dans certaines langues (latin, allemand, anglais). L'a. a été employée systématiquement par certains poètes modernes, notamment par Paul Valéry : « Assise la fileuse au bleu de la croisée » (répétition du son z).

ALMÉRIE (anagramme de Lemaire), variété de luth construite au XVIIe s. par le mathématicien J. Lemaire (voir ce nom au vol. II, Les hommes et leurs œuvres).

ALOI, alliage composé d'étain (99 %) et de cuivre, utilisé pour la fabrication des tuyaux d'orgue.

ALPHABET MUSICAL, voir NOTATION et TABLATURE.

ALPHORN (all.), voir COR DES ALPES.

ALPSEGEN (all.), sorte d'invocation ou de prière (en langue populaire, « Betruf » et non « Alpsegen ») en usage dans les régions alpestres germanophones et catholiques de la Suisse centrale et orientale. A la tombée de la nuit, le pâtre lance le plus loin possible un chant à caractère récitatif qui implore la protection pour les pâturages et les troupeaux durant la nuit. Pour amplifier sa voix, il utilise souvent un grand entonnoir destiné au filtrage du lait. L'étude des textes indique une origine ancienne : des éléments de comparaison peuvent être datés avec certitude du XVIe s., mais l'analyse linguistique permet de remonter à l'époque

Bibliographie — TH. ARBEAU, Orchésographie, Langres 1589, rééd. par L. Fonta, Paris 1888 ; F.M. BÖHME, Gesch. des Tanzes in Deutschland, 2 vol., Leipzig 1886 ; E. DACIER, Les caractères de la danse, in RM V, 1905 ; FR. BLUME, Studien zur Vorgesch.

préchrétienne et même préceltique. Une première mention de l'A. est faite en 1565 par le Lucernois R. Cysat ; le premier texte connu date de 1767 (Cappeler) et présente des rapports avec l'*Ave Maria*, le *Credo*, le *Pater* et l'Évangile selon St Jean, donc avec des éléments dont une partie est encore nettement perceptible dans les versions chantées de nos jours. Comme l'A. appartient à la mus. populaire de tradition orale, il est susceptible de modifications variées, ce qui explique le grand nombre de versions qui diffèrent par le détail. Toutefois les éléments constants sont les invocations de Dieu, de la Vierge ainsi que l'énumération d'une série de saints (généralement les patrons des pâtres) ; presque toujours on pourra relever une structure ternaire du texte. Seule la Suisse orientale inclut une prière destinée à éloigner les bêtes malfaisantes. Il est douteux que l'on puisse rattacher l'A. à des compositions analogues à énumérations, telles que les → ranz des vaches et les appels de troupeaux. Le problème le plus controversé est celui de savoir s'il existe une relation entre l'A. et certains récitatifs grégoriens. L'A. relève du récitatif mélodique avec enchaînements libres de vers, dont le type est répandu par ailleurs dans la mus. populaire. Comme les autres formes anciennes de chant, l'A. est en déclin ; des tentatives récentes pour le remettre en honneur et même pour l'introduire en pays réformé (A. Breu) sont en général restées sans effet. Il faut se garder de confondre l'A. avec l'« Alpsegnung », la bénédiction des pâturages, donnée par un prêtre au début de l'été dans la montagne.

Bibliographie — W. SICHARDT, Der alpenländische Jodler, Berlin 1939 ; B. MAERKER, Gregorianischer Gesang u. deutsches Volkslied, *in* Jb. für Volksliedforschung VII, 1941 ; R. WEISS, Volkskunde der Schweiz, Erlenbach-Zurich 1946 ; W. WIORA, Zur Frühgesch. der Musik in den Alpenländern, Bâle 1949.

AL SEGNO (ital., = au signe ; abrév., al s.), locution indiquant qu'il faut reprendre un morceau ou un passage à partir de l'endroit marqué du signe 𝄋.

ALTA (ital. et esp.) ou « alta musica », terme qui, selon J. Tinctoris, désignait au XVᵉ s. un ensemble instrumental formé d'une chalemie, d'une bombarde et d'une saqueboute, trois « hauts » instruments servant à l'accompagnement des danses et des cortèges. Une pièce à 3 voix, intitulée *Alta*, figure sous le nom de Fr. de la Torre dans le Cancionero de Palacio. Elle présente au ténor la mélodie d'une → basse danse connue sous le titre *Il Re di Spagna* (*La Spagna*) et, tout comme le *Spaniol Kochersperg* de H. Kotter, est le reflet fidèle de la technique employée par les joueurs d'instruments lors de l'exécution de cette sorte de danse. — Selon le théoricien italien de la danse Antonio Cornazzano, l'« alta danza » serait l'équivalent espagnol du « saltarello » italien et du « pas de Brabant » français, danses rapides exécutées à la suite des basses danses plus lentes, aux pas glissés.

Bibliographie — H. BESSELER, Katalanische Cobla u. A.-Tanzkapelle, *in* Kgr.-Ber. Basel 1949 ; du même, Die Entstehung der Posaune, *in* AMl XXI, 1949 ; du même, art. A. *in* MGG I, 1949 51.

ALTÉRATION. 1. Changement de la hauteur d'un son par rapport à la note écrite; effet produit par les → accidents qui se trouvent soit au début de chaque portée après la clef (→ armature), soit immédiatement devant les notes qu'ils concernent.

Altérations constitutives. Elles forment l'armature et servent à la transposition d'un mode donné. Elles fixent sa hauteur par rapport au *la* normal mais ne changent rien à sa structure. La mus. monodique vocale du Moyen Age ne faisait pas usage de l'armature puisqu'une mélodie notée sans accidents peut être transposée par l'exécutant sans difficulté de lecture à toutes les hauteurs correspondant à la tessiture de sa voix. Toutefois, dans le système de notation de cette époque, on trouve déjà deux accidents : le « b quadratum » (se transformant plus tard en bécarre) et le « b rotundum » (devenant bémol). Ils caractérisent la transposition de l' → hexacorde naturel *do-ré-mi-fa-sol-la* sur *fa*, « hexachordum molle » avec « b rotundum », et sur *sol*, « hexachordum durum » avec « b quadratum » (voir l'art. SOLMISATION). Les a. constitutives devinrent beaucoup plus fréquentes dès le début de l'ère de la basse continue (fin du XVIᵉ s.), quand il s'agissait de fixer la hauteur absolue d'un accompagnement instrumental par rapport à la tessiture des voix chantées ou de prescrire certaines tonalités correspondant particulièrement bien à la sonorité et aux possibilités techniques d'instruments déterminés ou à l'expression voulue par le compositeur. Ce n'est toutefois qu'à partir du XVIIIᵉ s. que le → tempérament égal permit d'utiliser toutes les possibilités d'a. constitutives, c.-à-d. en pratique jusqu'à 7 accidents (J. S. Bach, *Le Clavier bien tempéré*).

Altérations passagères ou accidentelles. Elles ne sont pas notées à la clef et n'apparaissent qu'à certains passages d'un morceau. Dans la mus. classique et romantique elles peuvent indiquer soit une nouvelle transposition, de durée plus ou moins courte, du même ou d'un autre mode, soit l'introduction de notes étrangères à la tonalité en guise de → broderie, soit enfin un changement chromatique de sons constitutifs de la tonalité. Tandis que, dans l'exemple suivant, les *si* ♮ annoncent le passage de *fa* maj. à *do* maj., les notes diésées représentent des broderies chromatiques ne changeant rien à la structure des accords :

W. A. Mozart, *Rondo* en *fa* maj., KV 494, pour piano.

Si la broderie chromatique est un ornement des sons constitutifs d'une tonalité, l'a. chromatique les hausse ou les abaisse d'un demi-ton, atteint donc la substance même de la tonalité. Les sons altérés de cette façon prennent le caractère de → sensibles, sont en général traités par l'harmonie classique comme telles et demandent donc une résolution par demi-ton dans la direction de leur altération. Les trois sons de l'accord fondamental d'une tonalité restent ordinairement inchangés; c'est donc vers eux que tendent le plus souvent les nouvelles sensibles. Certaines de ces a. doivent leur origine à l'analogie : ainsi l'introduction de la sensible en mineur est-elle une transformation du mineur naturel par analogie au majeur, tandis que le 6e degré abaissé en majeur correspond à la sixte mineure du mineur naturel et harmonique. Aussi ces a. perdent-elles assez tôt le caractère de sons chromatiques étrangers à la tonalité. Celles qui, en revanche, ne trouvent pas d'analogie dans l'un ou l'autre des modes gardent, dans la mus. tonale, toute leur tension chromatique. Voici les a. chromatiques les plus fréquentes :

en *do* maj.

en *la* min.

L'emploi du terme d'a. chromatique ne convient qu'en rapport à un mode diatonique. Il n'est donc plus approprié ni à l'atonalité libre ni à des systèmes tels que le dodécaphonisme ou la tonalité élargie de P. Hindemith. — Voir également l'art. MUSICA FICTA.

Intervalles altérés, diminués ou augmentés. Le même intervalle altéré (p. ex. la 5te diminuée *si-fa*) peut faire partie intégrante d'une tonalité (p. ex. *do* maj.) ou être produit par une a. chromatique, p. ex. en *fa* maj. par le haussement du 4e degré). D'autres intervalles altérés ne se rencontrent ni en majeur ni en mineur diatoniques, ne se produisant que par a. chromatique, telle la 3ee diminuée, p. ex. *si-ré* ♭ ou *ré* ♯ *-fa* en *do* maj.

Accords altérés. Ce sont soit des accords contenant au moins un intervalle altéré (l'accord de 5te diminuée p. ex.), dissonants par leur structure, indépendamment de leur origine diatonique ou chromatique, soit des accords contenant au moins un son chromatique, donc étranger à la tonalité. De tels accords peuvent être, par leur structure, aussi bien dissonants que consonants, mais demandent, d'après les règles classiques, une résolution de leurs sons altérés :

J. Haydn, *Sonate* pour piano en *ré* maj., Hob. XVI, 37, 2e mouvt. Accord altéré consonant.

Certains de ces accords altérés n'ajoutent pas seulement à la tension du langage harmonique mais se prêtent particulièrement bien, par des échanges enharmoniques partiels, aux modulations à des tons lointains. Par la transformation enharmonique, un accord altéré peut devenir non altéré dans la nouvelle tonalité, ou vice versa :

Fr. Schubert, *Sonate* pour piano op. 42 en *la* min., 1er mouvt (schéma). Transformation enharmonique d'un accord non altéré en accord altéré avec modulation.

2. Terme de la → notation proportionnelle en usage aux XIIIe, XIVe et au début du XVe s. Selon la règle alors en cours, la seconde de deux semi-brèves placées entre 2 brèves demandait une a., c.-à-d. un redoublement de sa valeur : ○ ▢ ◇ ◇ ▢ ▢ devient en notation moderne $\frac{3}{4}$ ♩. | ♩ ♩ | ♩.

M. FAVRE

ALTERNANCE. L'a. entre un soliste et un groupe de chanteurs ou encore le chant alterné de deux groupes de chanteurs sont des procédés d'exécution que l'on retrouve dans toutes les monodies primitives tant religieuses que profanes. Dans la psalmodie responsoriale des premiers siècles (voir l'art. CHANT RESPONSORIAL), le psalmiste récitant alternait avec le groupe des fidèles qui donnaient la « responsa »; dans le système plus récent de psalmodie instauré en Occident à la fin du IVe s., l'a. entre deux chœurs constitue la définition même de l'une des deux acceptions d'antiphonie, « chant à deux chœurs alternés ». — La plupart des formes liturgico-musicales du Moyen Age sont basées sur le principe de l'a., soit un soliste et un groupe de plusieurs chantres (formes responsoriales : répons prolixe, répons bref, répons-graduel), soit entre deux chœurs (psalmodie et hymnodie de l'office; trait du Carême, séquence), dont la construction se renouvelle toutes les deux strophes comme un écho répondant aux improvisations de chanteurs différents. A propos du trait, il faut relever la rubrique « alternatim » (= alternativement) marquée au-dessus de l'incipit d'un trait dans le graduel cistercien du XIIe s.; elle implique l'a. pour un genre de pièces qui, primitivement, étaient exécutées d'une seule traite par un soliste (« tractim »).

Le terme « alternatim » va acquérir un sens nouveau, en particulier dans les Ordinaires avec l'usage de l'organum et surtout de la polyphonie : il révèle alors une a. — notamment dans les hymnes, séquences et cantiques — entre chantres et exécutants de l'organum. Dès le XVe s., sinon plus tôt, « alternatim » peut impliquer l'a. entre les chanteurs et l'orgue jouant en soliste à la place des voix, tous les deux versets, mode d'exécution qui est clairement explicité dans le Cérémonial romain de 1600 et dans l'antiphonaire néo-gallican de Paris (1684) et qui subsistera en France jusqu'au XVIIIe s. dans les messes pour orgue. Les compositeurs de versets du *Magnificat* pour l'orgue n'ont prévu que 6 versets sur les 12 du cantique, intonation non comprise. Dans l'église luthérienne, l'usage de l'a. s'est maintenu et le terme latin lui-même a subsisté longtemps au milieu des prescriptions en allemand, comme p. ex. dans la « Chorordnung » de St-Laurent à Halle-Neumarkt vers 1600. Le livre d'orgue de l'église St-Jacques de Hambourg (1544) et l'œuvre didactique de M. Praetorius en constituent l'illustration la plus remarquable.

Bibliographie — Y. ROKSETH, Deux livres d'orgue parus chez P. Attaingnant en 1531, Paris 1925, 2/Paris, Heugel (Soc. Fr. de Mie), 1965 ; de la même, La mus. d'orgue au XVe s., Paris 1930 ; A. SCHERING, Zur Alternatim-Orgelmesse, in ZfMw XVII, 1935 ; L. SCHRADE, Die Messe in der Orgelmusik des 15. Jh., in AfMf I, 1936 ; CHR. MAHRENHOLZ, art. Alternatim in MGG I, 1948-51 ; N. DUFOURCQ, Au temps de N. Lebègue. Une messe avec orgue à St-Merry (notice accompagnant l'enregistrement de la messe

« Cunctipotens »), Paris, Lumen, 1958 ; W. APEL, Gesch. der Orgel-u. Klaviermusik bis 1700, Kassel, BV, 1967 ; Sister Thomas MORE, The Performance of Plainsong in the Later Middle Ages and the 16th Cent., in Proc. R. Mus. Assoc. 1965-66 ; de la même, The Practice of A. : Organ Playing and Polyphony in the 15th and 16th Cent., in Journal of Eccles. Hist. XVIII, 1967.

M. HUGLO

ALTERNATIM (lat.), voir ALTERNANCE.

ALTISTE, instrumentiste jouant de l' → alto.

ALTO (ital.), **ALTUS** (lat.; abr. de → contratenor altus), terme désignant la voix placée entre le « superius » et le « tenor » — généralement une voix d'homme élevée — dans la disposition courante du quatuor vocal aux XVe et XVIe s. « Contratenor altus » a donné naissance au terme italien de → « contralto », abrégé lui-même en « alto », qui désigne la voix de femme grave. Le type de voix d'homme qui exécutait les parties situées au-dessus du ténor a longtemps subsisté en Angleterre sous le nom de → « counter-tenor ».

ALTO (abrév. de l'ital. alto viola ; également viola da braccio au XVIIe et au début du XVIIIe s., d'où en all., Bratsche ; en France au XVIIe et au XVIIIe s., quinte [de violon] ; angl., ital. et esp., viola), instr. à cordes de la famille du violon. Ses quatre cordes sont

Avec des dimensions légèrement supérieures, sa facture correspond à celle du violon ; mais en général sa largeur est proportionnellement plus grande. Le corps de l'instrument mesure entre 39 et 43 cm. La technique de jeu correspond à celle du violon ; toutefois il est plus difficile de faire sonner l'a. et d'y exécuter les passages de virtuosité. Il existait au XVIIe s. de nombreux a. de dimensions plus importantes (jusqu'à 48 cm de longueur), qui répondaient au besoin d'un vigoureux instrument ténor dans l'écriture pour 5 instr. à cordes de cette époque. Ces instruments, dont les parties ne descendaient jamais plus bas que le do et qui se jouaient toujours sur le bras, portaient le nom de « viola tenore » (en France, taille [de violon]) par opposition à la « viola alto » (en France, haute-contre [de violon]). Ils étaient notés en clé d'ut 4e, parfois en clé d'ut 3e. Le plus connu est la « Viola Medicea » (1690 ; Florence, Istituto Cherubini) construite par Stradivarius pour le duc de Toscane. Avec la réduction à 4 parties de l'écriture des cordes au XVIIIe s., ces instruments disparurent, à l'exception de l'« alto viola » dont les dimensions sont en principe trop réduites, selon les lois physiques, pour descendre jusqu'au do. C'est pourquoi de nombreuses tentatives ont été faites au XIXe s. pour réformer la facture de l'a. : le « violon-ténor » de B. Dubois (1833), le « contralto » de J. B. Vuillaume (1855),

la « viola alta » de H. Ritter (1876) et la « violotta » d'Alfred Stelzner (1891). Trop difficiles à jouer, ces instruments ne se sont pas imposés ; aussi les luthiers du XXe s. se sont-ils efforcés d'améliorer l'a. en conservant ses mesures traditionnelles. Ils ont abouti à des résultats tellement remarquables que la sonorité des instruments modernes est supérieure à celle de la plupart des a. anciens.

Parmi les altistes célèbres, il faut citer Bach et Beethoven qui avaient une préférence marquée pour le jeu de cet instrument. Le premier altiste de renommée européenne fut C. Stamitz. Chr. Urhan fut le créateur de Harold en Italie que Berlioz destinait à Paganini. Citons encore A. Rolla (le maître de Paganini), H. Ritter, Clemens Meyer, Théophile Laforge, H. Casadesus (qui écrivit sous les noms de J.Chr. Bach et de Haendel deux concertos pour a.), P. Hindemith, Vadim Borissovski, Walter Primrose, Ernst Wallfisch, Ulrich Koch. Il faut également mentionner l'intérêt épisodique porté par Paganini à un alto de Stradivarius pour lequel il écrivit un concerto qu'il joua à Londres et à Paris.

Bibliographie — C. SACHS, Hdb. der Musikinstrumentenkunde, Leipzig 1930 ; du même, The Hist. of Musical Instr., New York 1940, 2/Londres 1942 ; B. TOURS et B. SHORE, The Viola, Londres 1946 ; H. BESSELER, Zum Problem der Tenorgeige, Heidelberg 1949.

U. DRÜNER

ALTO (Musique pour alto). Jusqu'à la fin du XVIIe s., l'écriture des parties d'a. ne se différencie pas de celle des autres instruments de l'orchestre. Aux alentours de 1700, elle suit, dans l'orchestre d'opéra, l'évolution générale qui fait ressortir les parties du → « concertino », ainsi les soli d'a. dans Il Candaule (P.A. Ziani, 1679), Onorio in Roma (C.Fr. Pollarolo, 1692), Diana (1698), Octavia (1705) et Masianello furioso (1706) de R. Keiser, Almira (G.Fr. Haendel, 1704), Antiochus und Stratonica (Chr. Graupner, 1708). Il faudrait encore citer à ce propos certaines cantates de J.S. Bach (BWV 5, 6, 16, 18, 199, 213) et G.Ph. Telemann. Le passage de l'écriture à 5 voix à l'écriture à 4 voix ainsi que les remarquables progrès de la technique violonistique entraînent cependant un oubli presque total de l'a. dans les deux premiers tiers du XVIIIe s. Font exception J.S. Bach (6e Concerto brandebourgeois), G.Ph. Telemann (2 concertos pour a. ; un concerto pour 2 violes ; plus. sonates, certaines en trio), G. Fr. Haendel (une sonate), Chr. Graupner (5 doubles concertos pour viole d'amour et a.) et J.G. Graun (double concerto pour vl. et a.). L'a. ne retrouve une certaine faveur des musiciens qu'à la fin du XVIIIe s., tout d'abord sous la forme de sonates avec b.c. (William Flackton, 4 sonates, 1770 ; A.B. Bruni, 3 sonates ; L. Boccherini, P. Nardini, Fr.W. Rust, Fr. Benda, J.Fr. Fasch, T. Giordani, J.J. Quantz, A. Rolla) ou avec clavecin concertant (W.Fr. Bach, C.Ph.E. Bach, C. Stamitz, J. Vanhal). Plus tard apparaissent de nombreux concertos : Fr. Benda (3), Fr.X. Brixi, G.M. Cambini, C. Ditters von Dittersdorf (3), Fr.A. Hoffmeister (3), I. Pleyel, A. et J. Reicha, J.Fr. Reichardt, A. Rolla (12), A. Stamitz (4), J. Stamitz (2), C. Stamitz (3), J. Vanhal ; C.Fr. Zelter ; des doubles concertos et des symphonies concertantes : J.Chr. Bach (pianoforte et a.), J.B. Bréval (a. et vlc., 2 vl. et a.), I. Holzbauer (a. et vlc.), W.A. Mozart (vl. et a. KV 364, fragment d'une symphonie concertante pour vl., a. et vlc.), G.M. Cambini, J.Chr. Cannabich, J.B. Davaux, C. Ditters von Dittersdorf (a. et cb.), M. Haydn (orgue ou clv. et a.) Fr.J. Gossec, I. Pleyel (vl. et a.; htb., vl., a. et vlc. ; p. et a.), F.J. Prot (2 a.), J.B. de Saint-Georges, C. Stamitz (vl. et a. ; 2 vl. et a. ; vl., a. et vlc.), A. Vranický (2 a.). A la même époque, l'a. se trouve encore plus richement doté dans le répertoire de mus. de chambre : innombrables duos pour vl. et a. (J.B. Bréval, A.B. Bruni, Fr. Danzi, Fr. J. Gossec, J. et M. Haydn, Fr.A. Hoffmeister, W.A. Mozart, KV 423 et 424, I. Pleyel, A. Rolla, A., J. et C. Stamitz), pour 2 a. (W.Fr. Bach, A.B. Bruni, G.M. Cambini, F. Giardini, P. Nardini, A. Rolla, C. Stamitz) et pour a. et violoncelle (J.G. Albrechtsberger, L. van Beethoven, *Duo mit 2 obligaten Augengläsern*, J.B. Bréval, Fr. Danzi, I. Pleyel, A. Rolla, les Stamitz, J. Vanhal). Alors que le quatuor à cordes, à l'exception des œuvres tardives de Haydn et de Mozart, ne devient véritablement intéressant pour l'altiste qu'au XIXᵉ s., de nombreux trios, quintettes et sextuors à cordes l'étaient déjà ; citons le *Kegelstadttrio* KV 498 pour clarinette, a. et piano de Mozart, les trios pour violon, a. et piano de C.Ph.E. Bach et de J.Chr. Bach ainsi que les combinaisons avec instr. à vent (Beethoven, *Sérénade* pour fl., vl. et a. op. 25). Le XIXᵉ s. ne voit apparaître que peu de concertos (J.N. Hummel, *Fantaisie* ; N. Paganini, *Sonata per la gran viola e orchestra* ; C.M. von Weber, *Andante et Rondo ungarese*), mais la littérature d'orchestre se montre de plus en plus exigeante pour l'instrument, même sous forme de soli (H. Berlioz, *Harold en Italie*, *La Damnation de Faust* ; A.Ch. Adam, *Giselle* ; C.M. von Weber, *Freischütz* ; R. Strauss, *Don Quichotte* ; H. Wolf, *Sérénade italienne*). Il occupe également une place de choix dans la mus. de chambre. Parmi les œuvres pour a. et piano citons : Beethoven, *Nocturne* op. 42 ; J. Brahms, 2 *Sonates* op. 120 ; E. Chausson, *Pièce* op. 39 ; A.K. Glazounov, *Élégie* ; M. Glinka, *Sonate* en ré min. ; J.N. Hummel, *Sonate* op. 5 ; F. Liszt, *Romance oubliée* ; F. Mendelssohn, *Sonate* en do min. ; R. Schumann, *Märchenbilder* op. 113 ; H. Vieuxtemps, *Sonate* op. 36 ; H. Wieniawski, *Rêverie*. Dans l'orchestre du XXᵉ s., l'a. retrouve un rang égal à celui des autres instruments. Strauss, Stravinski, Bartók et Hindemith n'épargnent pas les plus grandes difficultés aux tutti d'altos. Le concerto pour a. refleurit : B. Bartók (œuvre posthume, 1945), C. Beck (1949), B. Blacher (1954), E. Bloch (*Suite hébraïque*), M. Bruch (*Concerto pour clar. et a.*, 1913), J.N. David (*Melancholia*), G. Enesco (*Concertstück*), W. Fortner (*Concertino*, 1934), J. Françaix (*Rhapsodie*, 1944), P. Hindemith (3 concertos), K.A. Hartmann, G.Fr. Malipiero (*Fantasia concertante* ; *Dialoghi nᵒ 5*), B. Martinů (*Rhapsodie Concerto*, 1954), D. Milhaud (3 concertos), W. Piston, J. Rivier (*Concertino*, 1935), W. Walton. Ont écrit des sonates pour a. seul : M. Reger (3 *Suites* op. 131 d, 1915), E. Bloch (*Suite*), W. Burckhard, J.N. David, H. Genzmer, P. Hindemith, E. Křenek, G. Migot, G. Raphaël et I. Stravinski (*Élégie*) ; des œuvres avec piano : E. Bloch (*Suite*), B. Britten (*Lachrymae*), A. Katchaturian, P. Hindemith, H. Genzmer, A. Honegger, E. Křenek, G.Fr. Malipiero (*Canto nel' infinito*), B. Martinů, D. Milhaud (2 *Sonates*, 4 *Visages*), W. Piston, Fl. Schmitt, W. Walton. L'a. entre également dans des formations de mus. de chambre,

telles que la *Sonate* de Debussy pour flûte, a. et harpe, le *Trio* de G. Migot pour violon, a. et piano ou le *Trio* de Hindemith pour heckelphone, a. et piano.

Bibliographie — W. ALTMANN et W. BORISSOWSKY, Literaturverzeichnis für Bratsche, Wolfenbüttel 1937 ; FR. ZEYRINGER, Literatur für Viola, Hartberg 1963, vol. de supplt 1965 ; U. DRÜNER, Bibliographisches Verzeichnis der Viola-Literatur (en prép.).

U. DRÜNER

ALTUS, voir ALTO (ital.), ALTUS (lat.).

AMABILE (ital., = aimable), terme d'exécution musicale indiquant le caractère plaisant et enjoué d'un morceau.

AMATEUR (du lat. amator, = qui aime), celui qui fait preuve d'une prédilection particulière et d'un goût marqué pour la musique, qui la cultive pour son plaisir et avec une certaine compétence; celui qui pratique cet art sans en faire sa profession. Il y a lieu de distinguer l'a. - auditeur, sachant goûter et apprécier, et l'a. - exécutant, auquel un certain niveau de connaissances et d'habileté permet de recréer ou même de créer, sans le plus souvent égaler techniquement la perfection des professionnels. Le terme d'a. implique indépendance, attachement, enthousiasme et désintéressement matériel, que n'éprouve pas forcément toujours le professionnel d'aujourd'hui. Goût et libre choix sont de règle chez le véritable amateur. Curieux, employé au XVIIᵉ s. pour a., désigne aujourd'hui surtout l'a. de nouveauté, d'originalité ou de rareté. Connaisseur implique, en plus des connaissances techniques nécessaires pour pouvoir juger, un don de discernement que n'exprime pas obligatoirement le terme d'amateur. Dilettante, venant d'un mot italien du XVIᵉ s., a été adopté en France pour désigner les a. passionnés de musique d'abord, puis, par extension, les a. d'art en général. Définissant finalement le contraire du musicien professionnel, les termes d'a. ou de dilettante prennent souvent aujourd'hui un sens péjoratif pour désigner celui qui prétend au rôle d'artiste sans posséder ni le talent ni les connaissances nécessaires, qui s'adonne à une pratique superficielle et maniérée, qui n'a rien appris de très sérieux et qui manque à la fois de zèle et de compétence. Que ce soit parmi les seigneurs-troubadours du Moyen Age, les bourgeois de la Renaissance, les courtisans et les princes de l'époque classique (Frédéric II, le roi flûtiste), les théoriciens et savants (R. Descartes, M. Mersenne, A. Kircher), les Encyclopédistes (J. d'Alembert, J. J. Rousseau, D. Diderot), les mécènes ou protecteurs (A. de La Pouplinière, Fr. M. Grimm, G. B. van Swieten), le plus vaste public du XIXᵉ s., partout et toujours les a. ont rendu de grands services à l'art musical. De leur côté, les musiciens ont souvent comblé les a. en tenant compte de leurs possibilités techniques (quatuors pour les vrais dilettantes et connaisseurs de L. Boccherini, sonates pour le clavecin à l'usage des Dames de C. Ph. E. Bach, certains concertos pour piano de W. A. Mozart) ou en jouant spécialement pour eux (Concerts des Amateurs fondés à Paris par Fr. J. Gossec, concerts pour a. dirigés à Vienne par Beethoven). La vogue de certains instruments a suscité de nombreux a. (luth, guitare, clavecin, piano). C'est surtout la mus. de chambre et la mus. chorale qui ont connu à partir du XIXᵉ s. beaucoup d'adeptes amateurs. Plus que jamais, à l'époque actuelle, foisonnent les formations d'a. en tous genres (orchestres symphoniques, chorales, jeunes groupes instrumentaux) qui rivalisent de zèle et de talent avec les formations professionnelles. L'aspect le plus récent de l'a. de musique est celui de l'auditeur et collectionneur d'enregistrements sur disques ou bandes magnétiques. Signalons enfin qu'il existe aussi une importante littérature de vulgarisation qui se propose de guider et d'éclairer les a. de musique. Le nombre de ces derniers va croissant grâce aux moyens modernes de diffusion (disques, radio, télévision, éditions) et à un réel effort d'éducation musicale entrepris aux divers stades de l'enseignement.

Bibliographie — M. BRIGUET, Faire de la musique. L'a. et ses problèmes, Paris, Éd. Ouvrières, 1960 ; du même, Cinquante millions de Français devant la musique, Paris, Éd. Ouvrières, 1965.

R. KOPFF

AMBITUS (lat., = circuit, pourtour), désigne l'étendue d'une mélodie, d'une voix ou d'un instrument, de la note la plus grave à la note la plus aiguë. Dans la théorie des → modes ecclésiastiques, c'est essentiellement l'a. qui permet de différencier un mode authente d'un mode plagal.

AMBON (grec, = lieu élevé), petite chaire découverte que l'on trouvait dans les basiliques chrétiennes, généralement par deux, l'une à droite, l'autre à gauche de la limite du chœur et de la nef. On y lisait l'Épître et l'Évangile ; pendant la Semaine sainte, on y chantait la Passion. Les a. furent remplacés au XIIIᵉ s. par le jubé.

AMBROSIEN, voir CHANT AMBROSIEN.

ÂME (angl., sound post ; all., Stimmstock ; ital., anima ; esp., alma), petite tige cylindrique en bois de pin placée à l'intérieur des instruments à cordes et à archet, un peu en arrière sous le pied droit du chevalet. Son rôle est, d'une part, de soutenir la table en recevant une partie de la pression exercée par les cordes par l'intermédiaire du chevalet, d'autre part, de transmettre au fond de la caisse les vibrations des cordes et d'améliorer ainsi considérablement la sonorité de l'instrument. La position de l'âme est d'une grande importance pour la qualité du son.

AMEN. La racine de ce mot de langue hébraïque, passé sans être traduit dans les liturgies chrétiennes, exprime les idées d'appui ferme et sûr, de solidité. Le mot est surtout employé adverbialement dans la Bible (« vraiment, qu'il en soit ainsi ») ; il marque l'adhésion à une formule prononcée par un autre (bénédiction, malédiction, prière, discours, serment). Il connut une utilisation liturgique très large dans le service divin des synagogues (Deut. 27, 15-26 ; I Chron. 16, 36 ; Néh. 8, 6 ; Ps. 40, 14 ; 71, 19 ; 88, 53 ; 105, 48). Dans l'Évangile, A. introduit souvent des citations expresses de Jésus. Le Nouveau Testament témoigne d'un usage liturgique dans les premières communautés chrétiennes ; on trouve l'A. utilisé comme → acclamation (I Cor. 14, 16 ; II Cor. 1, 20) ou comme conclusion d'une → doxologie (Rom. 1, 25 ; Gal. 1, 5 ; voir aussi Apoc. 3, 14 ; 5, 14 ; 7, 12 ; 19, 4). On ne traduit pas l'A., sauf dans le psautier latin où il est rendu par « Fiat ». L'équivalent français du mot est « ainsi soit-il ». Les générations apostoliques ont attaché une importance très spéciale à l'A. qui conclut la prière eucharistique ; on y voyait une affirmation de foi et un mode éminent de manifester sa participation. Les nuances que prend la signification de l'A. sont multiples : celle d'une adhésion ou d'une assertion (à la fin du *Credo*), assentiment à la prière prononcée (oraisons, prière eucharistique), souhait de voir s'accomplir ce que l'on demande (doxologies).

Les mélodies grégoriennes sur lesquelles se chante l'A. se caractérisent le plus souvent par leur extrême simplicité : modulation qui touche la sous-tonique et remonte ensuite jusqu'à la tonique. Il arrive cependant que la mélodie de l'A. revête une certaine ampleur, surtout lorsqu'il conclut une pièce ornée (*Te decet laus, Gloria in excelsis Deo*). Les modernes n'ont généralement pas respecté la sobriété habituelle des anciens.

Bibliographie — F. CABROL, art. A. in Dict. d'Archéologie chrétienne et de liturgie I, col. 1554-1573 ; I. CECCHETTI, L'A. nella Scrittura e nella liturgia, Cité du Vatican 1942 ; CHR. MAHRENHOLZ, art. A. in MGG I, 1949-51 ; J. JEREMIAS, Kennzeichen der ipsissima vox Jesu, in Synoptische Studien A. Wikenhause... dargebracht, Munich, Zink, 1953.

AMÉRIQUE. Bien que, sur le plan de la culture, l'Amérique se rattache, depuis sa conquête, au monde occidental, le Continent possédait à l'origine une musique qui lui était propre : celle des aborigènes. Il est difficile de savoir en quoi elle consistait, faute de notation. Au Mexique, c'est l'examen des instruments employés par les anciennes civilisations qui a guidé les recherches. Flûtes et xylophones peuvent donner la clef de la structure mélodique, dominée mais non limitée par les intervalles de la gamme pentatonique. La musique des Incas, dont on trouve toujours des traces vivantes parmi les populations des hauts plateaux des Andes, reste elle aussi très attachée au système pentatonique. Quelques groupes indigènes, souvent nomades, vivant à l'écart un peu partout, dans un état de culture proche de celui de leurs ancêtres, peuvent d'autre part garder certains vestiges de cette tradition. L'intégration d'éléments traditionnels à la musique des différents peuples du Continent s'est produite d'une façon inégale. Quelques instruments employés par les aborigènes, tels le « teponaztli » (sorte de xylophone à 2 languettes ou plus) ou le → « maraca » (hochet composé d'une calebasse remplie de grains), ont été adoptés par la société métisse ou simplement non indienne. D'une façon plus subtile et quelquefois imprécise, le style de la mus. primitive, tel qu'on le trouve chez les Indiens d'aujourd'hui, persiste dans certains types de mus. populaire, mais il faut aller au Pérou, en Équateur ou en Bolivie pour retrouver ce qui a pu vraiment en subsister.

L'influence africaine. Cependant, la véritable mus. traditionnelle de l'Amérique, celle qui correspond à la réalité contemporaine et qui a été forgée au cours des siècles, plonge ses racines dans d'autres parties du monde : l'Europe bien sûr mais aussi l'Afrique. Elle reflète la variété des éléments ethniques et culturels qui lui ont donné naissance, d'où ses nombreux visages. La richesse rythmique de la mus. africaine a exercé une profonde influence sur la mus. populaire de certaines régions du Continent. Importés comme esclaves, les Noirs ont en effet été la main-d'œuvre de choix des colonisateurs anglo-saxons, espagnols et portugais en Amérique du Nord, aux Antilles comme en Amérique du Sud. Aux États-Unis, attirés par le christianisme et trouvant dans la Bible des raisons d'espoir, les Noirs ont créé le → « negro spiritual », dont l'origine est liée à une exaltation mystique collective : les « shouts », chants rythmés par les battements des mains, accompagnés de balancements du corps et dégénérant en danses, qui étaient déclenchés à l'intérieur du temple par les paroles du prédicateur. La substance mélodique des « negro spirituals » était en grande partie dérivée du style populaire des hymnes religieuses établi par les colons de la Nouvelle-Angleterre. Toutefois, l'absence de note sensible (omission ou abaissement du 7ᵉ degré) et le caractère pentatonique de nombre de ces chants montrent la part que les Africains ou leurs descendants ont pu avoir dans leur adaptation; sans parler du rythme, où l'on découvre l'élément « hot » qui sera plus tard à l'origine du → « jazz ». Les chansons mélancoliques connues sous le nom de → « blues » se caractérisent par l'imprécision du 3ᵉ et du 7ᵉ degré qui, par rapport à la tonique, restent entre le majeur et le mineur. Elles sont l'expression purement lyrique du sentiment poétique et musical des Noirs des États-Unis. La mélodie des « blues » a très fortement contaminé la mus. de jazz, où ses procédés sont devenus courants.

On relève encore des traces assez sensibles d'une influence africaine dans certains rituels pratiqués par les Noirs d'Haïti, de Cuba et du Brésil à l'occasion de cérémonies dérivées des pratiques religieuses des Éhoués et des Yoroubas de l'Afrique occidentale. Mais à Cuba comme au Brésil, ce sont les développements nouveaux de cette musique qui font valoir son originalité. Danses et chants (→ « conga », → « rumba », « son » cubains; → « samba », « jongo », « caxambu » brésiliens) utilisent des formules rythmiques subtiles et variées, d'un caractère toujours syncopé, soit par l'anticipation de l'attaque, soit par la dislocation des accents. D'une façon très mitigée en raison de la fusion avec la mus. espagnole, l'influence des Africains se fait sentir aussi sur le littoral du Pérou dans certaines danses telles que les « marineras », les « tonderos » et les « resbalosas ». Le même phénomène se produit en Colombie dans les régions côtières du Pacifique (« cumbias ») et de l'Atlantique (« porros »).

L'influence européenne. En dépit de tous ces apports, la musique du Nouveau Monde reste foncièrement européenne dans sa structure. Des traces de plain-chant ont été relevées dans la musique du Brésil et du Venezuela. Et l'on ne compte pas le nombre de chants de tout genre — berceuses, rondes enfantines, ballades narratives, etc. — qui se sont conservés dans la tradition populaire, un peu partout, quelquefois très purs, même après leur disparition dans leur pays d'origine. C'est le cas, notamment, de certaines chansons françaises du Canada ou de ballades anglaises des États-Unis.

Les danses importées d'Europe ont connu une large faveur : la gavotte, le menuet, la contredanse, la valse, la polka, la scottish se sont acclimatés et ont donné naissance à des formes nouvelles. La contredanse, p. ex., transformée rythmiquement sous l'influence de la mus. noire, a été à l'origine de quelques-unes des danses les plus typiques de l'Amérique latine pour aboutir au → tango argentin, en passant par une grande variété de genres nationaux tels que la → « habanera », le → « danzón » et la → « conga » de Cuba.

Les instruments. La plupart des instr. de musique en usage parmi le peuple ont été importés d'Europe ou ont eu comme modèles des instruments d'origine européenne; ceci même dans des régions où la mus. autochtone se maintient toujours, comme dans la cordillère des Andes. Harpes, guitares et violons sont couramment utilisés et leur facture rustique est l'œuvre de l'artisanat local. Les dimensions et le nombre des cordes des guitares varient à l'extrême. L'accordéon jouit d'une vogue toujours plus grande; sous la forme du → bandonéon hexagonal, il est obligatoire dans les ensembles qui exécutent le tango argentin. Certains instruments d'origine indienne continuent toutefois à bénéficier de la faveur populaire, notamment au Mexique et en Amérique centrale. Ce sont les « teponaztli », les flûtes de tout genre, les trompes (conques, tubes de bois ou d'argile), les os à racler, les hochets et toute une variété de tambours. Les instr. à cordes étaient inconnus des anciennes civilisations. — Le seul instrument mélodique originaire d'Afrique acclimaté en Amérique est le « bala » (voir l'art. BALAFON). Il est très connu en Amérique centrale sous le nom de → « marimba ». De nombreux tambours de toutes dimensions, des hochets comportant des éléments percuteurs à l'intérieur aussi bien qu'à l'extérieur, des cloches métalliques que l'on frappe avec une baguette constituent, en outre, la contribution africaine à la mus. traditionnelle du Continent.

Discographie. Les enregistrements de mus. traditionnelle sont aujourd'hui nombreux et en partie présentés sous la responsabilité d'institutions officielles de caractère savant ou culturel, tels le Musée de l'Homme et l'Office de Radiodiffusion Télévision Française (disques OCORA) en France, le Musée national du Canada, la Bibl. du Congrès des États-Unis, l'Institut d'Extension musicale de l'Univ. du Chili, l'Institut national de musicologie en Argentine, le Musée de l'image et du son au Brésil, entre autres. Il faut citer aussi, dans le secteur de l'industrie privée, les disques publiés par « Folkways Records », la « Columbia World Library of Folk and Primitive Music » (États-Unis), les disques Xauã (Brésil). Des missions religieuses ont procédé à l'enregistrement de la musique des Indiens, comme c'est le cas pour les Salésiens en Amazonie (Discoteca Etnolinguístico-musical do Uaupés).

Bibliographie (voir également les art. consacrés aux différents pays d'Amérique). — **1. Ouvr. bibliographiques :** G. CHASE, Bibliogr. of Latin American Folk Music, Washington, Pan American Union, 1942; I. ARETZ, Colecciónes de cilindros y trabajos de musicología comparada realizados en Latinoamérica durante los primeros treinta años del s. XX, in Revista Venezolana de Folklore, 1972/4; R. STEVENSON, Written Sources for Indian Music until 1882, in Ethnomusicology XVII, 1973. — **2. Coll. de textes musicaux :** B. MENDES, Canções populares do Brasil, Rio de Janeiro 1911; CL. McKAY, Songs from Jamaica, Londres 1912; E. HOUSTON PÉRET, Chants pop. du Brésil, Paris 1930; M. BARBEAU, Romancero du Canada, Montréal 1937; du même, Alouette!, Montréal 1946; du même, Le Rossignol y chante (répertoire de la chanson folklorique fr. au Canada), Ottawa, Musée National du Canada, 1962; G. PULLEN JACKSON, Spiritual Folk-Songs of Early America, Locust Valley 1937; J.W. WORK, Amer. Negro Songs, New York 1940. — **3. Études :** A.C. FLETCHER, Indian Story and Song from North America, Boston 1900; H.E. KREHBIEL, Afro-American Folk-Songs, New York 1914; R. et M. D'HARCOURT, La mus. des Incas et ses survivances, 2 vol., Paris 1925; des mêmes, La mus. des Aymara sur les hts plateaux boliviens, Paris, Soc. des Américanistes, 1959; D. SCARBOROUGH, On the Trail of Negro Folk-Songs, Cambridge (Mass.) 1925; FR. DENSMORE, The Amer. Indians and their Music, New York 1926; M.A. GRISSOM, The Negro Sings a New Heaven, Chapel Hill 1930; N. GARAY, Tradiciónes y Cantares de Panamá, Panamá 1930; C.J. SHARP, English Folk-Songs from the Southern Appalachians, 2 vol., Londres 1932; K.G. IZIKOWITZ, Musical and Other Sound Instr. of the South Amer. Indians, Göteborg 1935; G. PULLEN JACKSON, Spiritual Folk-Songs of Early America, Locust Valley 1937; I.TH. WHITFIELD, Louisiana French Folk-Song, Baton Rouge 1937; H. COURLANDER, Haïti Singing, Chapel Hill 1939; du même, The Drum and the Hoe-Life and Lore of the Haitian People, Berkeley et Los Angeles, Univ. of California Press, 1960; J. CASTILLO, La mús. maya-quiché, Quezaltenango 1941; CH.S. ESPINET et H. PITTS, Land of the Calypso : Origin and Development of Trinidad's Folk-Song, Port of Spain 1944; G. HOLDER, That Flat from Trinidad Folk-Song, Port of Spain 1944; S.L. MORENO, Mús. y danzas autoctones del Ecuador, Quito 1949; H. BLESH et H. JANIS, They All Played Ragtimes : The True Story of an Amer. Music, New York 1950; M.M. FISCHER, Negro Slave Songs in the U.S., Ithaca, Cornell Univ. Press, 1953; A. MAYNARD ARAÚJO, Instr. Musicais e Implementos, São Paulo, Dpt° de Cultura, 1954; A. LEON, Ensayo sobre la influencia esp. en la mús. cubana, La Havane 1958; du même, Ensayo sobre la influencia africana en la mús. de Cuba, La Havane 1959; A.M. AGUILLERO, El Cancionero infantil de Hispanoamérica, La Havane, Bibl. Nacional José Marti, 1960; V.T. MENDOZA, La canción mexicana, Mexico, Univ. autónoma de México, 1961.

L.H. CORRÊA DE AZEVEDO

AMIENS.

Bibliographie — E. NIQUET, Les anciennes soc. mus. d'A., Cayeux-sur-Mer s.d.; du même, La corporation des ménétriers et le lieutenant du Roi des violons à A., Cayeux-sur-Mer 1913; G. DURAND, La mus. de la cathédrale d'A., Amiens 1922; du même, Musiciens amiénois du temps passé, Abbeville 1925; du même, Les orgues des anciennes paroisses d'A., in Bull. de la Soc. des antiquaires de Picardie XXXV, 1933-34, tiré à part Amiens 1933; P. LEROY, La Soc. des concerts d'A., ibid. XLII, 1947-48; La renaissance musicale à A. au XIXᵉ s., Amiens 1954; cf. également L'Orgue n° 110, 1964.

AMPLIFICATEUR.

Beaucoup de phénomènes acoustiques sont trop faibles pour être perçus. Pour augmenter leur amplitude, on a imaginé divers systèmes électro-acoustiques (lampe amplificatrice triode, transistor). Ces systèmes amplifient les vibrations électriques fournies par les transducteurs (microphones) grâce à une source d'énergie électrique extérieure. Le principe de l'amplification est simple : la lampe amplificatrice ou le transistor agissent comme un robinet que peut ouvrir et fermer à volonté la très faible tension délivrée par le microphone. Si p.ex. la membrane du microphone vibre 440 fois par seconde, le robinet est ouvert et fermé 440 fois, laissant passer 440 fois le courant électrique intense venant d'une pile ou du secteur ; celui-ci peut alors faire vibrer une membrane de haut-parleur que le courant délivré par le microphone n'aurait pu exciter.

AMPLITUDE.

Lorsqu'une corde vibre, on appelle a. de l'un de ses points la distance qui sépare sa position de repos de celle de son écart maximal. Tout phénomène vibratoire peut être décrit par les variations de son a. dans le temps.

AMSTERDAM.

Bibliographie — Catal. van de Bibl. der Maatschappij tot Bevordering der Toonkunst, Amsterdam 1884, supplt 1895; D.F. SCHEURLEER, Het muziekleven van A. in de 17ᵉ eeuw, 's-Gravenhage 1904, 2/1911; S.A.M. BOTTENHEIM, Catal. van de Bibl. der Vereeniging voor Nederlandsche Muziekgeschiedenis, Amsterdam 1919; du même, Muziek te A. gedurende de 18ᵉ eeuw, Amsterdam 1947; du même, Geschiedenis van het Concertgebouw, Amsterdam 1948; J. van den Vondel, 1948-50; du même, art. A. in MGG I, 1949-51; D.C. VAN DOKKUM, Honderd jaar muziekleven in Nederland, Amsterdam 1929; P. CRONHEIM, Gedenkboek der Wagnervereeniging, Haar geschiedenis in beeld 1884-1934, Amsterdam 1934; W. MENGELBERG, Vijftig jaar Concertgebouw, Amsterdam 1938; J.A. BANK, Middeleeuwsche kerkmuziek in A., Amsterdam 1944; G.K. KROP, Het Concertgebouworkest in diamant, Amsterdam 1948; I.H. VAN EEGHEN, De boekhandel in A. 1650-1725, Amsterdam, Gem. Archiefdienst der gemeente Amsterdam, 1960; P. VAN REIJEN, De familie Ruloffs en de Moses- en Aäronkerk, in Mens en Melodie XXII, 1967; du même, D.L. van Dijk : een 18de eeuws muziekmeester en uitgever te Amsterdam, ibid. XXIV, 1969; FR. LESURE, Bibliogr. des éditions musicales publiées par E. Roger et M.-Ch. Le Cène (Amsterdam 1696-1743), Paris, Heugel (Soc. Fr. de Mie), 1969; M. FALK, De muziekbeoefening in het A. van de 17ᵉ eeuw, in Vlaams Muziektijdschrift XXIII, 1971.

AMUSIE, privation de la faculté auditive musicale, de même nature que l'aphasie.

ANACROUSE (anciennement aussi anacruse; angl., anacrusis, upbeat; all., Auftakt; ital., anacrusi; esp., anacrusis), « note ou notes qui précèdent le premier temps fort du rythme auquel elles appartiennent » (M. Lussy). Contrairement à une opinion répandue, il ne s'agit pas d'une notion empruntée à la rythmique grecque antique. Si le terme existe en grec ancien, il n'a jamais le sens que lui prêtent les rythmiciens et certains métriciens modernes. Ce sens ne remonte pas au-delà du traité de G. Hermann, *Elementa doctrinae metricae* (Leipzig 1816). Hermann, puis d'autres à sa suite, donnent le nom d'« Auftakt » à la première brève (qui peut également être longue) d'un vers ïambique : ⏑ ̶|̶ ⏑ ̶, ce qui leur permet de ramener ainsi la scansion de l'iambe à celle du trochée. Or cette opération ne correspond nullement à la conception des Anciens, qui distinguent nettement les rythmes ascendants commençant par une brève et les rythmes descendants commençant par une longue. La séparation de la brève initiale d'un rythme n'existe qu'en référence à la mesure — par le truchement de la → barre de mesure — mais non au rythme véritable. De l'« Auftakt » allemand on a tiré son équivalent étymologique exact a., rapidement adopté par la théorie courante. Une analyse rythmique rationnelle en montre le caractère spécieux : l'a. n'est autre, en fait, que le levé normal d'un posé qui, lui-même, joue le rôle de levé à un niveau rythmique supérieur. Preuve en soit un exemple classique d'a. (Beethoven, *Sonate* pour piano op. 2, n° 1) :

La noire initiale ne doit pas être séparée de la seconde davantage que la troisième de la quatrième ou que la cinquième de la sixième. — Les partisans de la structure rythmique ternaire, fondée sur l'→ accent, donnent le nom d'a. aux notes qui précèdent celui-ci. Sur le modèle du terme a., Edgar Willems introduit les néologismes crouse et métacrouse, tandis qu'O. Messiaen préfère parler d'accent et de désinence. —

Lorsqu'une pièce commence par une a. précédant la mesure initiale, la dernière mesure est d'ordinaire écourtée en proportion, de manière à former avec l'a. une mesure entière.

Bibliographie — M. Lussy, L'a. dans la mus. moderne, Paris 1903 ; A. Mocquereau OSB, Le nombre musical grégorien II, Rome et Tournai 1927.

ANALYSE (du grec analysis, = action de résoudre), décomposition d'un tout en ses parties ; exercice essentiel de toute éducation musicale qui consiste à étudier une œuvre pour en distinguer les divers composants (ou → paramètres ·musicaux) que l'on examine séparément : → forme, → structure, → tonalité, → thème, → mélodie, → rythme, → harmonie, → orchestration, → dynamique, → agogique, etc. Le but de l'a. n'est pas de décomposer une œuvre musicale en une série de statistiques portant sur les intervalles, les accords, les durées, etc., mais d'aboutir à l'explication de la fonction du détail dans l'ensemble et, au-delà, à une meilleure compréhension de l'œuvre, de son but esthétique et de son sens profond (→ herméneutique). Aussi l'a. est-elle inséparable de la synthèse sous la forme de la → critique et de l'→ interprétation, qu'elle soit pratique ou conceptuelle. Dans l'enseignement traditionnel de la musique, principalement basé sur les périodes classique et romantique, l'a. musicale a été longtemps réduite à l'étude de la forme et de l'harmonie tonale, dont les règles étaient fréquemment prises pour des lois impératives. Au XXᵉ s. l'ouverture de la connaissance à toute l'histoire de la mus. occidentale, à des musiques contemporaines détachées d'une tradition étroitement conçue, aux musiques des civilisations non européennes et, grâce à la survie de peuplades primitives, à celles des cultures préhistoriques, a considérablement étendu le champ et les méthodes de l'a. musicale. Les notions d'historicité des styles et de relativité des règles de la composition font partie de la conception moderne des œuvres du passé. C'est ainsi que l'a. musicale doit désormais tenir étroitement compte 1º du stade de développement auquel appartient le phénomène musical considéré, 2º du système auquel il appartient, 3º du style et des règles qui lui sont propres, enfin 4º de son projet esthétique. A ce prix l'a. musicale permet « de repenser l'œuvre écrite, donc de la comprendre en ses moindres détails, en retrouvant la mentalité même de l'auteur qui l'a écrite, inséparable de son époque, de ses tendances... » (J. Chailley). — L'étendue de la pratique musicale et de la curiosité au XXᵉ s. a entraîné récemment le développement rapide de la littérature musicale consacrée à l'a. des œuvres marquantes du passé et du présent (voir Bibliographie). Dans un sens dépourvu de rigueur, on donne le nom d'a. aux textes de présentation insérés dans les programmes imprimés de certains concerts ou placés sur les pochettes des disques.

Bibliographie — H. Kretzschmar, Führer durch den Konzertsaal, 3 vol., Leipzig 1888-90, plus. rééd. ; H. Riemann, Katechismus der Fugenkomposition, 3 vol., Leipzig 1890-94 ; du même, L. van Beethovens sämtliche Klaviersonaten, 3 vol., Berlin 1918-19, 4/1920 ; E. Kurth, Romantische Harmonik u. ihre Krise in Wagners « Tristan », Berne 1920, 3/1927 ; H. Grabner, Lehrbuch der musikalischen Analyse, Leipzig 1925 ; W.R. Spalding, Manuel d'a. musicale, Paris 1927 ; D.Fr. Tovey, A Companion to Beethoven's Pianoforte Sonatas, Londres 1931 ; du même, Essays in Musical Analysis 6 vol., Londres 1935-39 ; J. Chailley, Traité historique d'a. musicale, Paris, Leduc, 1947 ; du même, Les Passions de J.S. Bach, Paris, PUF, 1963 ; du même, Tristan et Isolde de R. Wagner, Paris, CDU, 1963, 2/Paris, Leduc, 1972 ; du même, Mus. et ésotérisme. La Flûte enchantée, opéra maçonnique, Paris, Laffont, 1968, trad. angl. New York, Knopf, 1971, et Londres, Gollancz, 1972 ; du même, L'Art de la fugue de J.S. Bach, Paris, Leduc, 1971 ; du même, Le Carnaval de Schumann, Paris, Leduc, 1971 ; du même, Les chorals d'orgue de Bach, Paris, Leduc, 1974 ; R. Rosenberg, Die Klaviersonaten L. van Beethovens, 2 vol., Olten et Lausanne, Urs Graf-Verlag, 1957 ; A. Dommel-Diény, De l'a. harmonique à l'interprétation, Neuchâtel, Delachaux et Niestlé, 1958 ; de la même, L'harmonie vivante, V L'a. harmonique et exemples de J.S. Bach à Debussy, Neuchâtel, Delachaux et Niestlé, Paris, Éd. Transatl., et Paris, l'Auteur, 1967 et suiv.; H. Keller, Le Clavier bien tempéré de J.S. Bach, trad. fr. par P. Auclert, Paris, Bordas, 1973.

ANALYSE FRÉQUENTIELLE. Un son réel comporte toujours des composantes spectrales plus ou moins nombreuses, harmoniques (multiples entiers de la fréquence composante la plus grave) ou inharmoniques. L'oreille humaine, par nature, est incapable d'analyser le contenu spectral d'un son complexe, sinon de façon grossière, mais on a cherché des moyens technologiques pour y remédier. Ce furent d'abord les résonateurs de H. von Helmholtz, sphères de diamètres et d'ouvertures variables, préalablement accordées, que l'on plaçait sur l'oreille et qui permettaient une analyse qualitative un peu plus complexe. Entre-temps, l'électro-acoustique nous a fourni les moyens de fabriquer des résonateurs électroniques beaucoup plus élaborés et précis ; des enregistreurs permettent actuellement de relever les spectres de façon très précise, c.-à-d. de mesurer la fréquence et l'amplitude de chaque composante d'un son complexe. L'analyseur de fréquence le mieux adapté à l'acoustique musicale est le → sonagraphe, qui permet d'obtenir une image acoustique exhaustive et significative de tout phénomène acoustique ou musical, si compliqué soit-il.

ANAPESTE, voir Mètre.

ANCHE (angl., reed ; all., Zunge ou Rohrblatt ; ital., ancia ; esp., lengüeta), languette fine et élastique, en roseau, en laiton, en argent (Chine, Japon, Corée : orgue à bouche) ou en paille (Soudan, Égypte), dont la vibration constitue l'un des deux systèmes d'excitation d'une colonne d'air dans un tuyau sonore. Fixée à l'une de ses extrémités, elle est large ou étroite selon le résonateur auquel elle est adaptée. En général, elle est en contact avec les lèvres de l'exécutant mais elle peut également être logée au fond d'un tuyau d'orgue, d'une petite capsule (cromorne) ou d'une calebasse. Sous l'action du courant d'air dû au souffle humain ou à une soufflerie, l'a. entre en mouvement grâce à son élasticité et produit un mouvement vibratoire périodique appelé fréquence propre de l'anche. Le son qu'elle émet est d'autant plus élevé que la pression de l'air est forte ou que l'a. est courte. Longueur, élasticité et masse permettent de calibrer la languette pour obtenir une fréquence définie. On distingue trois types d'anches. 1º L'a. battante simple, fixée sur une gouttière creuse (p. ex. le → bec de la clarinette) qu'elle ferme complètement en battant. Ce type d'a. est fait en roseau (clarinette, saxophone), en paille (chalumeaux d'Afrique noire et d'Asie) ou en laiton (jeux d'a. de l'orgue). 2º L'a. battante double, caractéristique de la famille des hautbois. Deux roseaux liés et affinés sont pincés entre les lèvres et s'entrechoquent en vibrant, l'un servant de « rigole » à l'autre. Ce type d'a. est tiré de roseaux des bords de torrents méditerranéens, du département du Var tout spécialement. Les a. membraneuses constituent un cas particulier de l'a. battante : les lèvres, dans les instruments à embouchure de cor, et les cordes vocales. 3º L'a. libre. Elle pénètre dans la gouttière en vibrant et s'applique au diapason à bouche, à l'harmonica, à l' → accordéon, à l' → harmonium ainsi qu'à certains jeux d'orgue abandonnés (→ euphone, → cor anglais). Par extension, le terme désigne, à l'orgue, tout jeu dont les tuyaux comportent une anche. — Voir également les art. BATTERIE D'ANCHES et ORGUE.

ANDAMENTO (ital., = allure, démarche). **1.** Syn. de séquence, au XVIIIᵉ s., c.-à-d. reproduction d'un bref motif musical sur différents degrés de l'échelle, à l'intérieur d'une même voix. — **2.** Sujet de fugue de longue dimension divisé en deux membres de phrase mis en contraste à l'aide de valeurs rythmiques différentes, p. ex. dans la *Fugue en la* min., BWV 543 de J. S. Bach. — **3.** Chez certains théoriciens actuels, allemands en particulier, ce terme désigne les → divertissements de la fugue.

ANDANTE (ital., = allant), indication de mouvement utilisée depuis la fin du XVIIᵉ s. pour désigner un tempo modéré, à égale distance de l' → « adagio » et de l' → « allegro », d'où les précisions apparemment contradictoires d'« andante ma adagio » (W. A. Mozart, *Lucio Silla*, KV 135) ou « andante vivace » (L. van Beethoven, *4 Arietten und 1 Duett* avec piano, op. 82). On lui associe fréquemment les qualificatifs de « sostenuto » ou « cantabile » mais ce n'est qu'au XIXᵉ s. que son allure a été sérieusement ralentie jusqu'à en faire le mouvement lent de la sonate ou de la symphonie. A. peut également servir de titre à un morceau (Fr. Chopin, *Andante spianato* pour piano et orch.; A. Jolivet, *Andante* pour orch. à cordes).

ANDANTINO (ital.), diminutif d' → « andante ». Dans une lettre adressée en 1813 à George Thomson, Beethoven reconnaît l'imprécision du terme : « tantôt il se rapproche de l'allegro, tantôt il est presque identique à l'adagio ». De nos jours, on considère couramment qu'il indique un mouvement un peu plus animé que l'« andante ».

ANGÉLIQUE. 1. Apparue vers 1620, l'a. est un instr. à cordes pincées qui constitue un → « chitarrone » simplifié. Sa caisse de résonance est celle d'un petit → luth ténor ; son manche, par contre, est semblable à celui du « chitarrone » : un premier chevillier permet d'accrocher les cordes qui passent sur la touche ; quelque 40 cm au-dessus, un second chevillier en forme de crosse recourbée vers l'avant porte les chevilles auxquelles s'attachent les cordes hors manche. L'a. porte ainsi de 16 à 20 cordes simples, dont 8 hors manche. Elles s'accordent diatoniquement de *do²* à *mi⁴* environ. — **2.** Jeu d'orgue à anches battantes et résonateur court du type → voix humaine (XVIIIᵉ s., nord de la France).

ANGERS.

Bibliographie — L. DE FARCY, Notices archéologiques sur les orgues de la cathédrale d'A., Angers 1873 ; G. COUTON, Abbatiale St-Serge, XIᵉ-XVᵉ s. Restaurations des grandes orgues, s.l. 1944 ; J. VEZIN, Les « Scriptoria » d'A. au XIᵉ s. (thèse Paris, École des Chartes, 1958).

ANGLAISE, nom attribué sur le Continent à une série de danses paysannes rapides, originaires des îles Britanniques, telles que les « country dances » (voir l'art. CONTREDANSE), les « ballads » ou → « balletts » et les → « hornpipes ». Elles se dansaient fréquemment en chaîne. Introduites en France au XVIIᵉ s., elles se firent une place parmi les pièces chorégraphiques de la suite instrumentale et passèrent en Allemagne, où on les désigne parfois du titre de française. J. S. Bach a introduit une a. dans sa *3ᵉ Suite française* en *si* min., BWV 814. Musicalement, l'a. est identique à l' → écossaise.

ANGLETERRE, voir GRANDE-BRETAGNE.

ANGOULÊME.

Bibliographie — P. DE FLEURY, Les anciennes orgues de la cathédrale d'A., in Bull. de la Soc. archéologique et historique de la Charente, 1889, tiré à part Angoulême 1890 ; du même, Les anciennes orgues de la cathédrale d'A. Pièces justificatives, Angoulême 1895.

ANHÉMITONIQUE, terme caractérisant les échelles qui n'utilisent pas le demi-ton comme l'échelle pentatonique.

ANIMATO (ital., = animé), adjectif employé comme indication complémentaire du mouvement d'un morceau. Ex. : allegro animato.

ANNEAUX (anneaux mobiles ; angl., ring keys ; all. Ringklappen ; ital., anella ; esp., anillos), dispositif adapté à certains instr. à vent (flûtes, puis hautbois et clarinettes) pour faciliter la fermeture des trous. L'invention, généralement attribuée à Th. Boehm, est due en fait à Fred. Nolan (1808).

ANNECY.

Bibliographie — M.J.C. DE VIGNE, La mus. à A., in Revue Savoisienne, fév. 1872 ; CH.M. REBORD, La maîtrise d'A., in Mémoires et documents de l'Acad. Salésienne XXXVI, Annecy 1913 ; N. DUFOURCQ, Un inventaire de la mus. relig. de la collégiale N.-D. d'A., in RMie XLI, 1958 ; M.TH. BOUQUET, De quelques relations musicales franco-piémontaises... 1648-1775 (Paris, mémoire Cons. National Sup. de Mus., 1967) ; de la même, Mus. et musiciens à A., Ambilly-Annemasse, Éd. Franco-Suisses, 1969.

ANTARA, → flûte de Pan des Indiens de la cordillère des Andes (Amérique du Sud), également connue sous le nom de « sicu » dans certaines régions. Le nombre des tuyaux, qui peuvent être en roseau ou en céramique, est variable.

ANTÉCÉDENT ou DUX, → sujet d'une → fugue sous sa forme normale, en rapport avec le → conséquent ou → comes désignant la → réponse. On nomme également a., dans un canon à deux parties, celle qui entre la première.

ANTHEM (angl.; du lat. antiphona), pièce de mus. d'église semblable au → motet catholique en ce sens qu'elle est chantée au cours d'un office sans que son texte fasse partie de la liturgie. Avant la Réforme, le terme servait à désigner soit une antienne (« antiphona »), soit une pièce ajoutée à l'office comme le motet. Dans le *Book of Common Prayer* de 1662, les Matines et les Vêpres s'achèvent toutes les deux sur ces mots : « les chœurs et les interventions chorales sont suivis de l'anthem ». L'injonction d'Élisabeth de chanter « une hymne ou autre chant de ce genre à l'église » acquit ainsi une autorité liturgique. — L'a. s'adapta au goût de chaque époque successive. A la fin du XVIe s. on en connaissait deux sortes. Le « full anthem » était entièrement choral ; quand il n'était pas chanté « a cappella », il était accompagné à l'orgue. Le « verse anthem » entrecoupait la musique du chœur, accompagné à l'orgue de passages pour voix seule soutenue par un ensemble de violes. Pendant la Restauration (v. 1660-1710), le « verse anthem », tel qu'en composèrent H. Purcell et ses contemporains, prit la forme d'une brève cantate avec accompagnement orchestral. Au XVIIIe s. les compositeurs revinrent à un style plus simple, sans accompagnement orchestral mais permettant des passages pour voix seule ; de structure déterminée, le « verse anthem » perdit toutefois de sa popularité. La forme propre à l'a. continue à inspirer les compositeurs anglais.

Bibliographie — M.B. Foster, A. and A. Composers, Londres 1901 ; The Chapel Royal A. Book of 1635, *in* Musical Antiquary II, 1910-11 ; E.H. Fellowes, English Cathedral Music, Londres 1925, 2/1943 ; M. Bukofzer, Music in the Baroque Era, New York 1947 ; P. Le Huray, The English A. 1580-1640, *in* Proc. R. Mus. Assoc. LXXXVI, 1959-60 ; W.J. King, The English A. from the Early Tudor Period through the Restoration Era (diss. Boston 1962).

ANTICIPATION (angl., anticipation ; all., Antizipation ou Vorausnahme ; ital., anticipazione ; esp., anticipación), son qui annonce un son de l'accord suivant, tout en étant étranger à l'accord pendant lequel il est entendu. L'a. de la tonique durant l'accord de dominante, fréquente au XVIIIe s., produit une dissonance très dure quand elle résonne en même temps que la sensible (ex. 1), moins dure si elle la remplace. Le romantisme préfère souvent une forme plus souple en anticipant non la fondamentale mais la tierce de l'accord de tonique ; un style moins strict dans la mus. classique et romantique permet aussi le déplacement d'une octave de l'a. par rapport au son anticipé (ex. 2). Se situant à l'origine sur le temps faible après l'entrée de l'accord auquel elle est étrangère, l'a., dans un style harmonique plus avancé, peut s'ajouter à cet accord dès son début et voiler ainsi quelque peu sa sonorité et sa signification tonale (ex. 3).

J.S. Bach, choral du motet *Jesu, meine Freude*.

Chopin, *Prélude* op. 28, no 10.

Fauré, *Prélude* op. 103, no 6.

ANTIENNE (angl., antiphon, antiphony ; all., Antiphon ; ital. et esp., antifona). Le terme latin « antiphona », décalque du grec, apparaît en Occident pour la 1re fois dans le récit de voyage de la pèlerine Egeria, au IVe s. Mais aussi bien ici que dans les textes des deux siècles suivants (Cassien, le diacre Paulin, règle de St Benoît), il est difficile d'en faire l'exégèse précise et d'en tirer des conclusions d'ordre musical. Il est néanmoins certain que l'antiphonie représente en Occident une pratique de la → psalmodie absolument neuve, qui remplace l'ancienne psalmodie responsoriale des premiers siècles (voir CHANT RESPONSORIAL). Jadis, à l'office, c'était un lecteur qui cantillait le psaume et, à chaque verset (ou tous les deux versets), le peuple « répondait » en chantant un refrain très simple. L'antiphonie, telle qu'elle fut inaugurée à Milan par St Ambroise, à la fin du IVe s., correspond vraisemblablement à une exécution plus complexe du Psaume : sans doute s'agit-il alors, suivant l'explication d'Isidore de Séville, reprise au IXe s. par Aurélien de Réomé (chap. XX), d'une psalmodie alternée entre deux chœurs chantant à tour de rôle, et non plus d'un psaume lu par un seul (« antiphona, vox reciproca duobus scilicet choris alternatim psallentibus », *Etymologiae* VI 19, 7). Peut-être l'a. était-elle alors reprise par tout le chœur, tous les deux versets du Psaume, suivant l'usage médiéval pour les vêpres solennelles, ou seulement pour le *Magnificat*, usage curieusement dénommé « triompher l'antienne ». Plus tard, on ne reprit l'a. qu'avant et après le Psaume et parfois, une 3e fois, avant la doxologie *Gloria Patri*, en particulier pour le *Magnificat* des vêpres.

Quoi qu'il en soit de l'usage liturgique, l'a. est musicalement ordonnée en fonction de la → psalmodie : l'intonation est en relation harmonique avec la finale, qui reste le critère essentiel du classement modal. La finale détermine le choix du → ton psalmodique ; l'intonation oriente le choix de la → différence finale du verset du psaume. En effet, quelle que soit la fréquence de répétition de l'a., il faut que l'enchaînement a. - psalmodie - a. se fasse naturellement et sans heurt pour l'oreille. Les différentes sortes d'a. peuvent se classer d'après l'état du texte qui entraîne diverses formes musicales :

1. Antiennes du Psautier. Une a. du psautier ne forme pas toujours une proposition grammaticale complète. Elle se réduit très souvent à une simple invocation ou acclamation d'un genre tout voisin de la « responsa » de l'antique psalmodie responsoriale. Les a. du Psautier sont notées dans les Psautiers manuscrits en tête et à la fin de chaque psaume, mais aussi dans les → antiphonaires (dans l'office férial transcrit après le temps après l'Épiphanie), parfois aussi, plus rarement, au début ou à la fin. Les mélodies des a. du Psautier sont presque toujours syllabiques : leur brièveté ne permet pas un développement très étendu vers un « apex » et une retombée sur la tonique. Leur contexture se rapproche parfois de celle du ton psalmodique qui les accompagne. Mais la tradition manuscrite de ces pièces est instable en raison même de l'extrême simplicité de ces mélodies : outre les variantes, on rencontre pour certaines a. des versions nettement différentes. Il n'est pas sûr que la réforme grégorienne du Graduel et de l'Antiphonaire, à la fin du VIIIᵉ s., ait également touché aux a. du Psautier.

2. Antiennes des offices nocturnes et vespéraux. Ces pièces sont les plus représentatives du genre et forment le fonds essentiel de l'Antiphonaire réformé au début de l'ère carolingienne. Les a. de l'office nocturne (9 pour chaque fête, ou 12, suivant le rite monastique), celles qui servent aux offices de laudes et de vêpres (5 par fête, mais parfois 10 aux grandes fêtes, lorsque les vêpres comportent une série distincte des laudes, ainsi à Noël) sont habituellement tirées de l'Écriture et parfois des sermons patristiques ; enfin, au sanctoral, elles sont empruntées aux *Acta martyrum*. Une centaine de pièces sont composées en vers métriques ou rythmiques et un bon nombre de pièces anciennes sont assonancées. La comparaison des a. aux textes scripturaires ou patristiques, d'où elles sont tirées, montre l'indépendance du compositeur à l'égard de ses sources. Celui-ci cherchait surtout à équilibrer les incises soit par additions (p.ex. « Dominus » avant « Jesus » ou, à la fin, « alleluia »), soit par suppressions (p.ex. l'enclitique « autem » fréquent dans l'Évangile) de manière à obtenir deux membres, eux-mêmes subdivisés en deux incises. On rencontre aussi des textes à division impaire, en particulier tripartite, ou des textes plus longs encore : au Xᵉ et au XIᵉ s. on a composé des offices de saints qui comportent des a. plus longues que celles de l'ancien fonds. Ainsi, pour le 11 novembre, Odon († 942), abbé de Cluny, composa 12 grandes a. célébrant St Martin, qui ont été transmises par les antiphonaires clunisiens. A l'occasion de la 1ʳᵉ Croisade, on composa la grande a. *Salve Regina* ; les autres a. mariales (*Alma*, etc.) sont du même genre.

Les mélodies des a. normales à 4 membres consistent habituellement en « timbres » qui, moyennant synérèse (contraction) ou diérèse (dilatation) des formules neumatiques, s'adaptent sans difficultés à la plupart des textes de même coupe. Il existe plusieurs « timbres » ou modèles pour chaque mode : ainsi pour le 1ᵉʳ mode *Antequam convenirent* (nᵒ 1 de D. FERRETTI, Estetica greg., p. 118 et suiv.) ; pour le 4ᵉ mode (*Benedicta tu*, *Post partum*, reproduit plus de cent fois dans l'antiphonaire) ; pour le 6ᵉ (*Cognoverunt Dominum*, fréquent au Temps pascal) ; pour le 7ᵉ (*Non est inventus*) et enfin pour le 8ᵉ (*Ecce ancilla Domini*).

Grâce à l'adaptation des timbres à des textes nouveaux et grâce à la centonisation de formules diverses (voir l'art. CENTON), le répertoire a pu prendre une rapide extension en nombre, sans création musicale proprement dite.

3. Antiennes « ad Canticum ». Le cantique de laudes *Benedictus* et celui de vêpres *Magnificat*, tous deux tirés de l'Évangile (Luc I, 68 et suiv. ; I, 46 et suiv.), sont accompagnés d'une grande a. qui, en principe, est tirée de l'Évangile du jour. Parfois, aux grandes fêtes, c'est l'objet même de la fête qui est résumé à Magnificat dans une a. commençant par *Hodie...*, genre inspiré par les stichères byzantins commençant par « semeron ». Quant à la mélodie des a. « ad Canticum », elle est souvent un peu plus ornée, plus riche en mélismes que les a. nocturnes.

4. Antiennes d'introït et de communion. Les processions d'entrée et de communion sont accompagnées d'a. chantées avec un psaume sur un ton psalmodique plus orné que le ton simple de l'office. La contexture de ces a. est plus riche que celle des a. de l'office : elle utilise en particulier quelques formules cadentielles propres aux répons prolixes de l'office. — Voir les art. INTROÏT et COMMUNION.

5. Antiennes de procession. Jadis, ces a. (sans psalmodie) étaient groupées à la fin des graduels. Bon nombre d'entre elles sont en effet des pièces de l'ancienne liturgie gallicane désaffectées (anciens répons ou anciens offertoires), ce qui explique leur longueur démesurée, l'importance des mélismes de la fin et leur genre musical différent de celui du chant grégorien authentique.

Bibliographie — W.H. FRERE, Antiphonale Sarisburiense (introd.), Londres 1901 ; A. GASTOUÉ, Les origines du cht romain. L'antiphonaire grégorien, Paris 1907 ; L. KUNZ, Aus der Formenwelt des gregorianischen Chorals, I. Antiphonen u. Responsorien der heiligen Messe, Münster 1946 ; BR. STÄBLEIN, art. Antiphon *in* MGG I, 1949-51 ; B. BOTTE, Antiphona, *in* Sacris erudiri IV, 1952 ; H. HUCKE, Untersuchungen zum Begriff « Antiphon » u. zur Melodik der Offiziumsantiphonen (diss. Fribourg-en-Br. 1952), extr. *in* Römische Quartalschrift XLVIII, 1953, et *in* KmJb XXXVII, 1953 ; R.J. HESBERT, Corpus antiphonalium officii, III Invitatoria et antiphonae, Rome, Herder, 1968.

M. HUGLO

ANTIPHONAIRE. A l'origine, ce mot désignait le livre liturgique renfermant les → antiennes de l'office, « liber antiphonarius ». Il désignait aussi celui qui contenait les antiennes de la messe. On distinguait l'a. de la messe et l'a. de l'office. Plus tard, le mot caractérisa uniquement l'a. de l'office. Les chanoines et les religieux du chœur n'avaient pas besoin de livres. Ils savaient par cœur les psaumes et, pour le reste, il leur suffisait de répondre aux chantres par des versets peu nombreux et connus. Mais les chantres avaient besoin d'un livre pour entonner les antiennes. Cet a. était souvent de très grand format, afin de pouvoir servir à la schola groupée devant le lutrin. L'a. de la messe contenait les antiennes exécutées au cours de celle-ci : → introït, → offertoire, → communion. Les autres pièces en forme de → répons étaient groupées dans le → cantatorium. L'a. de la messe, appelé aussi « antiphonale », disparut quand tous les chants furent regroupés dans le → graduel. Dans l'usage courant, on réserve le nom d'a. à celui de l'office. Il comprenait toutes les antiennes des → heures canoniales. Les

→ répons étaient groupés dans le → responsorial. Comme pour la messe, il y eut une évolution. Les répons furent insérés dans l'antiphonaire. Certains ordres monastiques ont conservé les différents livres liturgiques en usage au haut Moyen Age. Dans ce cas, l'a. complète le → psautier qui groupe les → psaumes et les → hymnes. L'étude des plus anciens a. de la messe est d'une importance capitale car ils témoignent de la manière dont l'Église a utilisé l'Écriture sainte. Ils permettent aussi de faire l'histoire du → propre de la messe et du calendrier. C'est ainsi que les premiers a., remontant à l'époque carolingienne, donnent le texte intégral du psaume de l'introït au lieu d'un simple verset en usage aujourd'hui.

Bibliographie — L. DELISLE, Mémoire sur d'anciens sacramentaires, Paris 1886; D. CAGIN, Un mot sur l'Antiphonale missarum, Solesmes 1890; A. GASTOUÉ, Le graduel et l'a. romains, Lyon 1913; V. LEROQUAIS, Les sacramentaires et les missels des bibl. publiques de France, 4 vol., Mâcon 1924; art. A. in Dict. d'Archéologie chrétienne et de Liturgie, de D. Cabrol; R.J. HESBERT, Antiphonale missarum sextuplex, Bruxelles 1935.

ANTISTROPHE, voir STROPHE, ANTISTROPHE.

ANVERS (Antwerpen).

Bibliographie — G. et B. DE OPITIIS, Lofzang ter eere van Keizer Maximiliaan en zijn zoon Karel den Vijfde, 1515, rééd. en facs. La Haye 1925; L. DE BURBURE, Recherches sur les facteurs de clavecins et les luthiers d'A. depuis le XVIᵉ s. jusqu'au XIXᵉ s., Bruxelles 1863; du même, La mus. à A. aux XIVᵉ, XVᵉ et XVIᵉ s., in Annales de l'Acad. royale d'archéologie de Belgique, 1906; E.G.J. GRÉGOIRE, Notice historique sur les sociétés et les écoles de mus. d'A., Bruxelles 1869; A. DE GERS, L'historique complet du Théâtre royal d'A. (1834-1913), Anvers 1913; A. CORBET, Het Koninklijk Vlaamsch Conservatorium te A., Anvers 1941; du même, P. Benoit. Leven, Werk en Beteekenis, Anvers 1942; J.A. STELLFELD, Bronnen tot de geschiedenis der antwerpse claviermeubel- en orgelbouwers, Anvers 1942; du même, A. Pevernage, Louvain 1943; du même, Bibliogr. des éditions musicales plantiniennes, Bruxelles 1949; I. BOGAERT, De Waelrant's te A., in Hommage à Ch. van den Borren, Bruxelles 1945; J. DU SAAR, Het leven en de composities van J. Barbireau, Utrecht 1946; E. LOWINSKY, Secret Chromatic Art in the Netherlands Motet, New York 1946; W. DEHENNIN, Bronnen voor de geschiedenis van het muziekleven te A., in RBMie VIII, 1954; S. CLERCX, Les éditions musicales anversoises du XVIᵉ s. et leur rôle dans la vie musicale des Pays-Bas, in De Gulden Passer, 1956.

A PIACERE (loc. ital., = à volonté, à plaisir). Cette indication donne à l'exécutant toute liberté dans le choix du mouvement et de l'expression d'un passage ou d'un morceau. Syn. : ad libitum, a piacimento.

APOSTROPHA, voir NEUME, § Neumes d'ornement.

APOTOME, voir INTERVALLE.

APPASSIONATO (ital., = passionné). Ce terme caractérise l'expression d'un morceau. Il doit sa célébrité à la « Sonata appassionata » pour piano, op. 57, de Beethoven, ainsi dénommée par l'éditeur Cranz de Hambourg et non par l'auteur lui-même. Par contre, Beethoven a utilisé cet adjectif dans la Sonate pour p. op. 106 (3ᵉ mouvt Adagio sostenuto, appassionato e con molto sentimento) et la Sonate pour p. op. 111 (1ᵉʳ mouvt Allegro con brio ed appassionato). Les musiciens romantiques l'ont fréquemment employé dans leurs œuvres (Allegro appassionato du Concertstück pour p. et orch., op. 92, de R. Schumann).

APPEAU, engin avec lequel les oiseleurs et les braconniers imitent le chant des oiseaux pour les attirer. Il en existe différentes sortes : à sifflet, servant à appeler les alouettes, les perdrix, les cailles, etc.; à languette (parfois simple feuille tenue entre les lèvres légèrement ouvertes), pour contrefaire le cri de la chouette détestée des autres oiseaux; un autre type, « à frouer » (feuille enroulée percée d'un trou), sert à imiter le bruissement du vol des oiseaux agités par la crainte d'une espèce ennemie.

APPOGGIATURE (de l'ital. appoggiare, = appuyer; angl., appoggiatura; all., Vorschlag; esp., apoyatura), son non préparé, dissonant et étranger à l'accord avec lequel il résonne. Il précède d'une seconde majeure ou mineure, ou d'un demi-ton chromatique — supérieurs ou inférieurs — le son de l'accord qui lui sert de → résolution. L'a. est un accent mélodique et expressif, constatation confirmée par les anciennes dénominations allemande, « Accent », et italienne, « accento ». Faisant partie des « agréments » de la musique des XVIIᵉ et XVIIIᵉ s., l'a. est souvent indiquée par une petite note dont la durée dépend de la valeur de la note de résolution, du contexte rythmique et harmonique, du style de la musique en question ainsi que de l'intention expressive de l'interprète. Aussi est-il impossible d'énumérer brièvement les règles de la réalisation rythmique des a., les auteurs des traités contemporains insistant eux-mêmes sur une certaine liberté laissée au bon goût de l'interprète. Un cas particulier de l'a. descendante, le coulé, par exemple, est interprété différemment par Fr. Couperin (L'art de toucher le clavecin, 1716-17) et par J.Ph. Rameau (table pour les agréments des Pièces de clavecin, 1724) :

Notation	Exécution		Notation	Exécution

Couperin   Rameau

Vers le milieu du XVIIIᵉ s., les auteurs des traités semblent toutefois être d'accord sur trois règles générales qui n'excluent cependant pas des exceptions assez fréquentes : 1º précédant une note binaire, l'a. prend la moitié de la valeur de la note principale (ex. 1) ; 2º précédant une note ternaire, elle prend deux tiers de la valeur de la note principale (ex. 2) ; 3º précédant une note liée à une note de même hauteur, elle prend toute la valeur de la première (ex. 3) :

J.S. Bach, *Le Clavier bien tempéré* II, prélude nᵒ 4.

L'art vocal du XVIIIᵉ et même du début du XIXᵉ s. connaît en outre des a. non notées dont la réalisation ne saurait être supprimée dans une interprétation stylistiquement correcte. Elles se trouvent souvent dans les récitatifs mais également dans les airs, et servent à rendre plus mélodieuses les fins de phrases, p.ex. en rétablissant les deux syllabes de certains mots traités de monosyllabiques en poésie (ex. 4) ou en évitant la chute de tierce avant une note répétée dans les cadences (ex. 5) :

Mozart, *Les Noces de Figaro*, acte IV, récitatif de Suzanne nᵒ 27.

Une variante particulière de la 3ᵉ des règles générales mentionnées est également une spécialité de l'art vocal et doit encore être respectée chez Schubert, où l'application en est fréquente : l'a. précédant une note répétée ne prend pas la moitié de la valeur de la première mais la remplace entièrement (ex. 6) :

Schubert, *Winterreise*, « *Erstarrung* » (nᵒ 4).

Au cours du XIXᵉ s., le graphisme spécial de l'a. disparaît de plus en plus, les compositeurs indiquant les valeurs exactes en notes normales, d'abord dans la mus. instrumentale et chorale, ensuite également dans les œuvres pour chant solo. Vers la fin du XIXᵉ s. on voit apparaître l'a. non résolue, introduite d'une façon assez prudente (ex. 7). La généralisation de cette pratique au XXᵉ s. ne laissera plus guère subsister l'impression d'un son étranger à l'accord mais intégrera l'a. non résolue dans des structures d'accords qui ne se baseront plus uniquement sur les tierces superposées (ex. 8) :

Debussy, *Mazurka* pour piano (1891).
+ a. avec résolution ; ++ a. analogue sans résolution

J. Alain, *Nocturne* pour piano.

Bibliographie — A. Geoffroy-Dechaume, Du problème actuel de l'a. ancienne, *in* L'interprétation de la mus. fr. aux XVIIe et XVIIIe s., éd. par É. Weber, Paris, CNRS, 1974.

M. Favre

APPUYER, renforcer l'intensité d'une ou plusieurs notes dans l'exécution d'une phrase musicale. Les notes appuyées sont désignées par le terme italien de → « sforzando » (abr. sf.) ou par l'un des signes suivants : ∧, > ou -. Voir également l'art. RINFORZANDO.

ARABE (Musique), terme conventionnel désignant ce qui demeure le produit de la civilisation musulmane étendue à trois principaux domaines : arabe, turc, iranien. Seuls les origines de cette musique née en Arabie et l'usage fait de l'arabe par les théoriciens et les codificateurs musulmans du Moyen Age justifient cette appellation. N'est strictement arabe que la musique de l'Arabie préislamique avec ses survivances actuelles en milieux bédouins de la Péninsule arabique et d'ailleurs. Son expression

Au-delà de sa spécificité, la mus. arabo-musulmane comporte des caractères communs aux expressions musicales de l'Asie occidentale et centrale : transmission orale et absence de notation musicale codifiée, homophonie, système modal à schémas traditionnels, approfondissement de la mélodie et des rythmes.

La construction modale et tonale propre à cette mus. arabo-musulmane se traduit par la théorie et la pratique des → « maqâmat » : formules mélodiques se déroulant suivant des règles fondamentales sur les degrés d'un tétracorde donné ou d'une suite de tétracordes. Du point de vue tonal, cette musique se caractérise par l'emploi, à côté des gammes naturelle et chromatique, d'une gamme fondamentale qui comporte, outre des tons et demi-tons, l'utilisation d'intervalles de 3/4 de tons. Les théoriciens du Moyen Age distinguaient, en tenant compte des différentes combinaisons, plus de 300 « maqâms » dont, à l'époque contemporaine, une trentaine sont encore connus et plus ou moins pratiqués, 12 restant parfaitement courants. Notons à titre d'exemples certains « maqâmat » de la gamme fondamentale arabe :

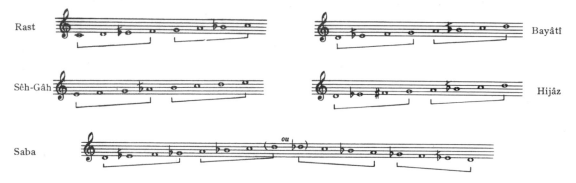

Rast — Sêh-Gâh — Saba — Bayâtî — Hijâz

post-islamique, fleurie dans les grandes cités de l'Islam, depuis l'Indus jusqu'à Cordoue, est une synthèse marquée principalement par des apports iraniens, hellénistiques, byzantins et, dans une moindre mesure, turcs. Seules des variations dans l'interprétation et l'adaptation ont fini par compartimenter, à l'époque moderne, la mus. classique des Arabes, Turcs et Iraniens (voir les art. TURQUIE et IRAN).

Partie de la simple mélopée du chamelier et des premiers rudiments de la poésie chantée du Bédouin, la mus. arabe, mise en contact avec les arts musicaux plus élaborés des civilisations citadines gagnées à la conquête arabe et à la foi musulmane, va se transformer. Des influences subies, l'iranienne est la plus profonde : elle marquera tout le système modal. L'Antiquité grecque, en revanche, fournira aux théoriciens et musicographes musulmans du Moyen Age les bases scientifiques relatives aux sons, aux intervalles et aux échelles musicales. Ainsi se formera à la cour des califes abbassides (VIIIe-XIIIe s.) un art musical savant dont la fortune sera liée à l'évolution de la civilisation arabo-musulmane en Orient, dans le Maghreb et jusqu'en Espagne andalouse. Les peuples et ethnies de cette grande aire islamique mettront en commun ce patrimoine par les mus. populaires d'essence folklorique.

Un certain nombre de « maqâmat » se retrouvent identiques au Maghreb avec parfois une terminologie différente, mais la tendance générale y est plus diatonique.

Plus encore que les « maqâmat », les rythmes appelés « îqâ` » sont des structures essentielles de la mus. arabe. A la différence des « maqâmat » portant des noms persans, ceux-ci suivent une terminologie spécifiquement arabe. Le rôle propre de l'« îqâ` » est de servir de support métrique à la mélodie en lui fournissant des périodes d'égale durée marquées par des frappes ou battements alternatifs symétriques ou asymétriques (« aksak »), sourds ou clairs (« dum » et « tak »). Notons que l'asymétrie est un des caractères de la mus. musulmane en général, tel le rythme « a`araj » (boiteux) ou « aksak » en turc, dans lequel le dernier son se précipite pour reprendre sur le premier temps :

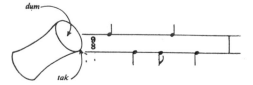

Les instruments dits arabes appartiennent en fait pour la plupart à l'aire géographique et culturelle de l'Islam. Sous des noms différents, on les retrouve dans l'ensemble des pays musulmans. Parmi eux, trois principaux dont deux à cordes, le → « ʿûd » et le → « qânûn », et un à vent, le → « nây », sont étroitement liés à la mus. traditionnelle. Pour la percussion, la → « darbukka » et le → « daff » tiennent le même rôle.

Si, au IXᵉ s., musiciens et chanteurs d'Orient avaient apporté à l'Occident musulman (Espagne et Maghreb) les règles et la pratique d'une musique identique à celle née dans la capitale des Abbassides, une expression particulière connue sous le nom de mus. arabo-andalouse allait voir le jour à l'autre extrémité du monde arabe. Elle est principalement marquée par l'élaboration d'un genre poético-musical appelé « muwashshah », où alternent mètres et rythmes diversifiés. Sous les formes variées, le « muwashshah » demeure encore aujourd'hui le principal genre musical du Maghreb. — Après les siècles d'or, la mus. arabe se repliera sur elle-même ou se confondra, à l'époque ottomane, avec la musique dite « turque ». La renaissance moderne tentera de remettre en honneur les règles et la pratique des traditions classiques aussi bien vocales qu'instrumentales : ce sera le rôle d'artisans du « ghinâʾ » ou de virtuoses qui, à travers le « taqsîm » (improvisation instrumentale), feront revivre le vieux patrimoine du siècle des Abbassides. L'Égypte sera le principal centre de cette renaissance, tandis que l'Irak cultivera un système de « maqâmat » propre. Mais, parallèlement à cette renaissance classique, l'époque moderne et contemporaine verra naître, sous l'impact de la mus. européenne, un courant d'occidentalisation aux résultats décevants sinon d'assez mauvais goût.

Plus authentiques dans leur continuité paraissent les expressions diversifiées de la mus. populaire en terre arabe. Utilisant les parlers locaux, la mus. populaire s'appuie sur un personnage clé du folklore arabe : le « shâʿir », poète-compositeur-chanteur. Son rôle est d'être le dépositaire d'une tradition orale à la fois anonyme et immémoriale. En ce qui concerne les structures, la mus. populaire du domaine arabe partage avec la mus. classique certains traits fondamentaux : elle est mélodique autant qu'homophonique. Cette homophonie est cependant à comprendre dans ce sens spécial qu'elle s'oppose à la polyphonie classique. Elle connaît de même le système modal et l'usage d'une gamme naturelle; mais elle échappe en revanche à toutes les lois tonales et modales telles qu'elles ont été codifiées par les théoriciens et les musiciens de l'art classique. Les expressions d'essence folklorique utilisent enfin des instruments que l'on ne trouve pas dans l'orchestre traditionnel de la mus. savante (voir l'art. TAKHT).

Bibliographie — J. ROUANET, La mus. arabe, in Lavignac Hist. V, 1922; R. D'ERLANGER, La mus. arabe, 5 vol., Paris 1930-49; H.G. FARMER, A Hist. of Arabian Music to the 13th Cent., Londres 1929; A. CHOTTIN, La mus. arabe, in Encycl. de la Pléiade, Hist. de la mus. I, éd. par Roland-Manuel, Paris, Gallimard, 1960; S. JARGY, La mus. populaire du Proche-Orient arabe, ibid.; du même. La poésie pop. chantée du Proche-Orient, I Les textes, Paris et La Haye, Mouton, 1970; du même, La mus. arabe, in Coll. « Que sais-je? », Paris, PUF, 1971; SALAH EL MAHDI, La mus. arabe, Paris, A. Leduc, 1972; H. TOUMA, La mus. arabe, Paris, Buchet-Chastel, 1975.

S. JARGY

ARABESQUE, → pièce de caractère généralement écrite pour le piano selon une forme composée de plusieurs fragments. L'op. 18 en forme de rondo, « Leicht und bewegt », de Schumann, ainsi que l'op. 19, *Blumenstück*, mieux structuré, mais qui ne répond guère davantage au concept d'ornement formé de feuillages et de fruits, de draperies et de rubans enlacés, n'ont de commun avec ce titre assez rare que leur caractère gracieux et aimable. Citons encore l'op. 49 de S. Heller et le 4ᵉ cahier de l'op. 82, *Aus meinem Tagebuch*, de M. Reger. A. peut aussi signifier tout simplement ornement. Debussy, dont les 2 *Arabesques* sont des œuvres de jeunesse finement ciselées, voyait dans cette forme une manifestation essentielle du mélodisme, un principe créateur. C. M. von Weber nommait son fragment *Tonkünstlers Leben* un « roman en arabesques ».

Bibliographie — FR. GERVAIS, La notion d'a. chez Debussy, Paris, Richard-Masse, 1958.

ARCHET (angl., bow ; all., Streichbogen, Bogen ; ● ital. et esp., arco). Comme le doigt, le plectre ou le marteau, il permet de mettre en vibration les cordes d'un instrument, mais lui seul donne la possibilité de soutenir et d'enchaîner les sons. De nos jours il se compose d'une mèche en → crins de cheval et d'une baguette au profil concave en bois flexible — souvent en bois de Pernambouc — terminée par une pointe légèrement relevée, appelée tête. La mèche est attachée d'une part à la tête, de l'autre à la hausse d'ébène qui sert à tenir l'a. et à régler sa tension. La fixation en ces deux points est dissimulée sous une plaque de recouvrement. La tension de la mèche s'effectue grâce à une vis à écrou placée au bout de la hausse qui fait avancer ou reculer celle-ci. — Le modèle actuel a été établi par Fr. Tourte vers 1775. La France a excellé dans cet art qui relève à l'occasion de la décoration, car les hausses peuvent être d'ivoire ou d'écaille et s'orner de garnitures en or ou en argent. Cet achèvement marque le terme d'une évolution commencée depuis le Moyen Age. A cette époque la baguette possédait un profil convexe à la manière d'un arc, d'où le mot archet. A partir du XIVᵉ s. environ, la mobilité de la hausse s'obtint grâce à une boucle de métal que l'on fixait à volonté dans une des petites rainures taillées à cet effet au dos de la baguette. Au XVIIᵉ s., ce système se perfectionna par l'adjonction d'une petite barre de métal dentelée qui remplaçait les entailles creusées dans le bois. C'est le « système à crémaillère ». Au XVIIIᵉ s., pour satisfaire plus efficacement le désir d'expression et de souplesse, on modifia peu à peu la courbure de la baguette, qui devint rectiligne puis concave. L'équilibre des poids de la tête et de la hausse fut alors soigneusement dosé. — La tenue de l'a. varie profondément selon qu'il s'agit d'un instrument de la famille des violes ou des violons. Dans le premier cas, il est pris par en dessous, soutenu par la paume de la main droite. Dans le second, il est appuyé sur les cordes par la main qui se place au-dessus. Ces deux positions correspondent à l'esthétique musicale demandée et permettent aux violes d'exécuter de petits détachés précis et des doubles cordes, aux violons des articulations vives, bondissantes, ou de longues phrases expressives. — Voir également l'art. COUP D'ARCHET.

Bibliographie — L.A. VIDAL, Les instr. à archet, Paris 1876-78 ; H. SAINT-GEORGE, The Bow, its Hist., Manufacture and Use,

Londres 1896 ; H. BALFOUR, The Natural Hist. of the Musical Bow, Oxford 1899 ; L. GRILLET, Les ancêtres du vl. et du vlc., Paris 1901 ; C. SACHS, Die Streichbogenfrage, in AfMw I, 1918-19 ; L. GREIL-SAMER, La facture des instr. à archet, in Lavignac Techn. III, 1927 ; F. WUNDERLICH, Der Geigenbogen, Leipzig 1936, 2/Wiesbaden 1952 ; H.H. DRÄGER, Die Entwicklung des Streichbogens, Kassel 1937 ; R. SCHROEDER, Über das Problem des mehrstimmigen Spiels in J.S. Bachs Soloviolinsonaten, in Bach-Probleme, Leipzig 1950 ; A. SCHWEITZER, Der für Bachs Werke für Violin-Solo erforderliche Geigenbogen, in Bach-Gedenkschrift, Leipzig 1950 ; J. RODA, Bows for Musical Instr. of the Violin Family, Chicago, W. Lewis & Son, 1959 ; W.C. RETFORD, Bows and Bow Makers, Londres, Novello, 1964 ; D.D. BOYDEN, The Hist. of Violin Playing, Londres, Oxford Univ. Press, 1965.

S. MILLIOT

ARCHICEMBALO (ital.), clavecin de démonstration construit par N. Vicentino vers le milieu du XVIᵉ s. Il permettait l'exécution des œuvres où son inventeur, influencé par l'humanisme, mettait en pratique ses théories concernant les échelles et les genres de la mus. grecque antique. Le 5ᵉ livre de son traité *L'antica musica ridotta alla moderna prattica* (1555) donne une description de cet instrument qui comportait 6 claviers et possédait un nombre considérable de touches à l'octave (31). M. Praetorius décrit un instrument semblable nommé « clavicymbel », comportant 18 sons à l'octave et 77 touches, admiré à Vienne chez l'organiste K. Luython. D'autres instruments de ce type ont été construits jusqu'au milieu du XVIIᵉ s., en particulier par G. B. Doni.

Bibliographie — N. VICENTINO, L'antica musica ridotta alla moderna prattica, Rome 1555, rééd. en facs. par E.E. Lowinsky, Kassel, BV, 1959 ; du même, Descrizione dell' arciorgano, Venise 1561 ; M. PRAETORIUS, Syntagma musicum, II De organographia, Wolfenbüttel 1618, 2/1619, rééd. par R. Eitner, in PGfM XII, 1884 ; rééd. en facs. par W. Gurlitt, Kassel, BV, 1958-59.

ARCHICISTRE. Comme l'indique son nom, il s'agit d'un → cistre aux possibilités amplifiées. Dès la fin du XVIᵉ s., une « ceterissima » est employée en Italie, mais il faut attendre le milieu du XVIIIᵉ s. pour que l'usage de l'instrument se généralise. L'a. conserve la caisse plate et le montage traditionnel du cistre. La transformation affecte le manche. Il existe deux types d'a. ; le plus simple est construit sur le modèle du → théorbe avec des cordes graves hors manche. Un second type est muni de deux manches différents : l'un supporte les cordes aiguës, l'autre les graves. Ce dernier porte souvent le nom de cistre-lyre. Très employés au XVIIIᵉ s., l'un et l'autre tomberont en désuétude au début du XIXᵉ s.

ARCHILUTH (angl., archlute ; all., Erzlaute ; ital., arciliuto). Ce terme générique désigne toute une classe d'instruments qui constituent des → luths amplifiés. Ceux-ci apparaissent en Italie dans le dernier tiers du XVIᵉ s., lorsque la diffusion de la monodie accompagnée impose la création d'instruments capables d'émettre des sons plus graves que les luths traditionnels. Pour y parvenir, les facteurs allongent le manche du luth de telle sorte qu'il puisse présenter deux, voire trois chevilliers successifs. Il devient alors possible d'avoir des cordes beaucoup plus longues pour les basses. Celles-ci se trouvent toutefois déportées sur la gauche par rapport à l'axe de l'instrument, aussi ne passent-elles pas sur la touche. Elles sont dites « hors manche » et ne sonnent qu'à vide. Leur accord doit être déterminé en fonction de la pièce à interpréter. A cette famille

appartiennent essentiellement le luth théorbé, le → théorbe et le → « chitarrone ».

ARCHIVIOLA DA LIRA (ital.), autre nom de la « lira da gamba ». — Voir l'art. LIRA.

ARC MUSICAL. Utilisé dans les rites magiques, il représente le plus ancien type de cordophone, encore répandu en Afrique et en Amérique du Sud, aux Indes et en Océanie. Il aurait précédé l'arc à tir, bien que les ethnologues ne s'accordent pas tous sur ce point. Une peinture murale de l'époque magdalénienne dans la grotte des Trois-Frères, près de Montesquieu-Avantès (Ariège), atteste son ancienneté. L'a.m. est formé d'une corde (parfois deux) tendue sur un bâton flexible dont les dimensions varient généralement de 80 à 120 cm. La corde est excitée par le doigt ou par un bâtonnet qui fait office de plectre. Le son est amplifié par un résonateur, constitué soit par la bouche du joueur — une des extrémités de l'arc étant serrée entre les dents ou tenue entre les lèvres ouvertes — soit par une calebasse fixée à la corde ou au manche et que l'exécutant appuie sur le buste pour renforcer encore la sonorité. Dans certains types, la corde est raclée avec un morceau de bambou (arc bochiman ou zoulou observé par Percival R. Kirby ; arc bongo dont une extrémité est fixée en terre). Citons enfin les arcs à grelots (« dhanus » hindous et arcs nègres à hochet), agités par la vibration de la corde. — Voir également l'art. AFRIQUE NOIRE, § Les instr. de musique.

Bibliographie — H. BALFOUR, The Natural Hist. of the Musical Bow, Oxford 1899 ; C. SACHS, Geist u. Werden der Musikinstr., Berlin 1929 ; P.R. KIRBY, The Musical Instr. of the Native Races of South Africa, Londres 1934, 2/Johannesburg, Witwatersrand Univ. Press, 1953 ; A. SCHAEFFNER, Origine des instr. de mus., Paris 1936, 2/ Paris et La Haye, Mouton, 1968.

ARCO (ital., = archet). Dans le jeu des instruments à cordes, ce mot indique à l'exécutant qu'il doit à nouveau faire usage de l'archet après un passage joué en pizzicato.

ARGENTINE. La période coloniale. L'Argentine est l'un des pays les plus imprégnés de culture européenne de tout le continent américain. Sa vie musicale et sa mus. populaire sont les reflets de cette situation. Une grande partie de la musique traditionnelle argentine est composée de danses d'importation européenne, tombées dans l'oubli dans la société citadine et conservées dans les campagnes. Le menuet, la gavotte, la contredanse, la mazurka, la polka ont été dansés par les paysans et sont à l'origine de genres musicaux populaires spécifiquement argentins. La mus. européenne a été pratiquée de bonne heure par les Indiens dans les fameuses Réductions de la Compagnie de Jésus au Paraguay, placées en principe sous l'autorité du gouvernement de Buenos Aires. Il y eut toujours des églises, possédant éventuellement des orgues, où la musique était cultivée avec ferveur, et l'on a la preuve que des opéras furent chantés sur le territoire des Missions. Parmi les missionnaires musiciens, on relèvera les noms de Jean Vaseo († 1623), Luis Berger (1588-1641), Antoine Sepp (1655-1733), Florian Paucke (dont l'activité s'étend de 1749 à 1767), ainsi que celui de D. Zipoli, le célèbre compositeur et organiste italien qui avait revêtu la soutane de la Compagnie en 1716. La tonadilla fut introduite à Buenos Aires avec l'ouverture de la « Casa de Comedia » en 1757 et du Théâtre de la Rancheria qui fonctionna de 1783 à 1792.

L'Indépendance. Au lendemain de l'Indépendance, c'est-à-dire au cours de la deuxième décennie du XIXe s., le tableau des activités musicales à Buenos Aires était cependant assez médiocre. Beaucoup de musiciens ratés y arrivaient d'Europe et, dès ces années lointaines, on y rencontrait ce curieux mélange d'Italiens, d'Espagnols et d'éléments créoles qui est resté une des particularités de la vie musicale locale. Tout ce monde s'appliquait à former des écoles de musique et à organiser des concerts. Le mouvement le plus remarquable a été celui de l'abbé espagnol José Antonio Picazzarri, qui joua un rôle important dans la formation des premières générations de musiciens argentins. Juan Pedro Esnaola, neveu du fondateur de l'école à laquelle il a été associé dès son jeune âge, fut, pendant plus d'un demi-siècle, la figure centrale de la mus. argentine. Amancio Alcorta et Juan Bautista Alberdi, bien qu'amateurs, forment avec lui la triade des patriarches de la musique du pays qui venait de naître.

Le premier opéra italien chanté par des professionnels à Buenos Aires fut le *Barbier de Séville* de Rossini (Teatro Coliseo, 3 oct. 1825) ; en 1827 on affichait le *Don Giovanni* de Mozart. L'avènement au pouvoir du dictateur Rosas, avec les années d'obscurantisme qui s'ensuivirent, détermina l'arrêt de ces activités. Les spectacles d'opéra ne devaient reprendre qu'en 1848. Ils ne cessèrent de se développer et la capitale argentine doit à ses scènes lyriques d'être devenue une des grandes villes musicales du monde. L'ancien Teatro Colón (2 500 places) a été inauguré en 1857. En 1872, c'était l'ouverture du Teatro de Opera, calle de Corrientes, et en 1879 celle du Politeama Argentino, salles qui devaient prendre la place du premier Colón après sa fermeture en 1888.

Les compositeurs. L'Argentine a produit un grand nombre de compositeurs, possédant tous une excellente formation technique. A. Williams, petit-fils du patriarche Amancio Alcorta, a pu exercer, au cours d'une longue vie de travail, une influence considérable sur le développement de la mus. argentine par son enseignement et sa présence dans presque tous les domaines de l'activité artistique. Julián Aguirre, López Buchardo, Felipe Boero, Floro Ugarte et Gilardo Gilardi, dans la génération née entre 1880 et 1890, J.J. Castro et Luis Gianneo, nés après 1890, comptent parmi ceux qui, à la suite de A. Williams, ont contribué à développer le mouvement de caractère national de la mus. argentine. Opposé à cette école, J.C. Paz apparaît comme le pionnier des techniques nouvelles. Chef de file des compositeurs non conformistes de sa génération — José Maria et Washington Castro (frères de Juan José déjà cité), J. Ficher, Juan Francisco Giacobbe — il a également transmis son esprit de recherche à des musiciens plus jeunes comme Daniel Devoto (connu par ses travaux de musicologie), Esteban Eitler, Miguel Gielen, Sergio de Castro et M. Kagel, tous fixés à l'étranger. Mais c'est A. Williams, J.C. Paz et A. Ginastera qui ont exercé, chacun en son temps, la plus large influence sur les jeunes. Il faut citer aussi les noms de Roberto García Morillo, Hector Iglesias Villoud, R. Caamaño, A. Tauriello,

Rodolfo Arizaga, Mario Davidovsky, Tirso de Olazábal et Armando Krieger.

Les institutions musicales. L'enseignement de la musique en Argentine a toujours été caractérisé par l'activité de nombreux conservatoires privés. L'établissement qui pourvoit aux besoins de la très importante vie musicale de la capitale est le Conservatoire municipal M. de Falla. Ce n'est qu'à une date relativement récente qu'un Conservatoire national a été créé, avec Carlos Lope Buchardo comme premier directeur. Dans d'autres villes comme La Plata, Santa Fe, Tucumán ou Mendoza, les universités possèdent des instituts spécialisés pour l'enseignement de la musique.

Le Teatro Colón de Buenos Aires, ouvert au public le 25 mai 1908, est l'un des sanctuaires de l'art lyrique dans le monde d'aujourd'hui. Tous les grands chanteurs, tous les chefs d'orchestre de renom et les œuvres les plus représentatives du siècle ont figuré sur ses affiches. La ville de La Plata possède aussi un important théâtre d'opéra. Plusieurs orchestres symphoniques déploient une activité régulière à Buenos Aires. Les principales sociétés de concerts sont l'Assoc. Wagneriana, l'Assoc. de Conciertos de Camara et l'Assoc. Amigos de la Música. Enfin la capitale est le siège de Ricordi Americana, une des principales entreprises d'édition musicale du continent.

Bibliographie (éd. à Buenos Aires, sauf mention spéciale) — **1. Éditions monumentales :** Antologfa de compositores argentinos, obras para piano y para canto escogidas, éd. par A. WILLIAMS, I Los Precursores, B.A., Acad. Nacional de Bellas Artes, 1941 ; Antologfa de compositores argentinos, éd. par C.L. BUCHARDO, A. PALMA et P. SOFÍA, 13 vol., B.A., Comisión Nacional de Cultura, 1941-47; I. ARETZ-THIELE, Canciones y Danzas tradicionales argentinas, B.A., Ricordi Americana, 1943 ; de la même, Selección de melodías populares de Tucumán, B.A., Ricordi Americana, 1946. — **2. Études :** M.G. BOSCH, Hist. de la ópera en Buenos Aires, B.A. 1905 ; P. GRENÓN, Nuestra primera mús. instrumental, B.A. 1929 ; A.C. SCHIANCA, Hist. de la mús. argentina — Origen y características, B.A. 1933 ; A. FIORDA KELLY, Cronología de las óperas, dramas líricos, oratorios, himnos, etc. cantados en Buenos Aires, B.A. 1934 ; C. VEGA, Danzas y canciones argentinas, B.A. 1936; du même, La mús. popular argentina, canciones y danzas criollas, B.A., Instituto de Literatura argentina, 1941 ; du même, Panorama de la mús. popular argentina, Losada, 1944 ; du même, Los instrumentos musicales aborígenes y criollos de la Argentina, B.A., Centurión, 1946 ; du même, Las danzas populares argentinas, B.A., Instituto de musicología, 1952 ; I. ARETZ-THIELE, Mús. tradicional argentina. Tucumán. Hist. y folklore, Tucumán, Univ. Nacional, 1946 ; de la même, El folklore musical argentino, B.A., Ricordi Americana, 1952 ; M. GARCÍA ACEVEDO, Estética musical y comunidad argentina, Mendoza 1949 ; du même, La mús. argentina durante el periodo de la organización nacional, B.A., Ediciones culturales argentinas, 1961 ; du même, La mús. argentina contemporanea, B.A., Ediciones culturales argentinas, 1963 ; FR.C. LANGE, La mús. eclesiástica en Cordoba durante la dominación hispánica, Cordoba, Imprenta de la Universidad, 1956 ; V. GESUALDO, Hist. de la mús. en la Argentina 1836-1851, B.A., Beta, 1961.

L.H. CORRÊA DE AZEVEDO

ARGHÛL, instr. populaire répandu dans le Proche-Orient. C'est un chalumeau double en roseau, percé de 6 trous, dont les tuyaux sont de longueur inégale : leur différence peut atteindre près de 2 mètres comme dans certains instruments de la région de Port-Saïd en Égypte. Pour en jouer, le musicien doit enfoncer entièrement dans la bouche les deux languettes taillées sur les bords du roseau. Lorsque les deux tuyaux sont de même longueur, l'instrument est appelé « mejwez » (Syrie, Liban, Jordanie), « qourma » et « zoummar » (Égypte), « juzale » ou « duzele » (Kurdistan). Dans ces nombreuses variétés, dont l'origine est liée aux civilisations du Bassin méditerranéen, l'ambitus ne dépasse guère la quarte.

ARIA (ital., = air; angl., ayre; all., Arie). L'a. désigne en Italie soit un timbre, soit une mélodie vocale ou instrumentale, accompagnée ou non, qui peut être indépendante ou s'intégrer dans une composition plus vaste. Née de la technique de l'improvisation qui consiste vers la fin du XVᵉ s. à appliquer à une poésie un timbre connu (« poesia per musica »), ce qu'exprimera la locution « cantare ad aria... », son sens se précise au début du XVIᵉ s. Après la publication de l'*Orlando furioso* (1516) de l'Arioste, le terme devient d'usage courant : on chante les « ottave rime » du poète sur des formules mélodiques issues de localités ou régions diverses, comme l'« aria di Genova », l'« aria di Firenze », l'« aria della Romanesca »..., souvent placées à la basse, quelquefois au « superius ». En même temps l'a. qualifie une petite composition polyphonique, homophone et strophique, telles la → « frottola », la → « villanella » ou la → « canzonetta », formes qui s'apparentent à la → « canzone francese », au → « villancico » espagnol et au → « Lied » allemand. Dans son 1ᵉʳ livre de *Canzonette a tre voci* (1593), G. M. Nanino intitule deux pièces « Aria di cantar sonetti » et « Aria di cantar ottava rima ». Au début du XVIIᵉ s., l'a. tend à se confondre avec la monodie accompagnée par la basse continue. Bien que déjà considérée comme une forme close, elle oscille, dans les premiers mélodrames de J. Peri et G. Caccini, entre le récit et l'air, entre l'expression du sentiment et la virtuosité. Avec le madrigal à voix seule, la confusion est la même. Dans ses *Nuove Musiche* (1601), Caccini distingue l'a. du madrigal et lui donne des formes caractéristiques, sans toujours abandonner le style du récitatif : tantôt les couplets se chantent sur le même air (*Occh' immortali*), tantôt mélodie et basse changent pour chaque strophe (*Io parto, amati lumi*), tantôt, à la manière des premières cantates, le dessus varie tandis que la basse reste la même (*Ard' il mio petto misero*). L. Luzzaschi, par contre, donne la preuve de son hostilité au « stile recitativo » dans ses *Madrigali* (1601) orientés vers la recherche expressive mais plus mélodiques. Par la suite cette tendance apparaît chez D. Brunetti (*L'Euterpe*, 1606), Fr. Rasi (*Vaghezze di Musica*, 1608), S. d'India, puis chez Cl. Monteverdi où, à côté du récitatif et de l'arioso, se forge — moins dans ses mélodrames (*Lamento d'Arianna*) que dans ses derniers livres de madrigaux — le nouveau style lyrique monodique qui sera celui de l'a. de la cantate. En même temps, à Venise et à Rome, les compositeurs de « canzone », « villanelle » et « scherzi » comme J. H. Kapsberger (*Arie passeggiati*, 1612), B. Barbarino (*Canzonette*, 1616) et A. Falconieri (*Villanelle*, 1616) réagissent vigoureusement contre l'idéal florentin. La conjugaison de leurs efforts aboutit vers 1635 à la naissance d'un nouveau type de cantate où alternent récitatifs et « arie » mesurés. La nouvelle forme lyrique, pratiquée à Rome vers le milieu du XVIIᵉ s. par G. Carissimi et L. Rossi, ne devait pas tarder à envahir l'opéra. En devenant peu à peu l'élément essentiel de toute œuvre vocale, l'a. allait précipiter l'avènement du → « bel canto ». On distingue alors trois types principaux d'« arie » : l'a. variée sur basse obstinée, l'a. strophique avec ritournelle instrumentale et l'a. « con da capo », de plan A B A. Ce dernier type, qui, grâce à sa partie médiane différente, présente à la fois variété et unité, connaît au début du XVIIIᵉ s. une vogue sans précédent et est adopté dans

la cantate et l'opéra par A. Scarlatti et ses successeurs. Malheureusement, N. Porpora, L. Leo et L. Vinci en font un usage abusif qui n'est pas sans danger. Ils obéissent aux exigences des chanteurs qui se plaisent à embellir la reprise, au gré de leur fantaisie et de leurs possibilités vocales. L'a., devenue l'unique forme en usage, symbolise désormais le triomphe du virtuose. Dans l'opéra italien et bientôt dans la mus. religieuse (messes, psaumes, motets, cantates), les « arie » se succèdent, séparées par de brefs et rapides récitatifs. Sans toucher à la forme tripartite, on se borne à en modifier les caractères selon les situations et la psychologie des personnages : « a. cantabile », mélodique, expressive et munie d'un accompagnement simple; « a. di portamento », dans laquelle le virtuose use de longues tenues et des artifices du port de voix; « a. di mezzo carattere », passionnée et soutenue par un commentaire orchestral assez élaboré; « a. di bravura », animée, brillante et riche en prouesses vocales (trilles, roulades, ornements, passages); « a. parlante », réservée aux émotions violentes; « a. concertata », avec un ou plusieurs instruments obligés; « a. di guerra » (avec trompette); « a. di caccia » (avec cor, flûte, hautbois), introduite dans une scène de chasse; « a. d'agilita »; « a. del sonno », chantée devant un personnage qui sommeille; « a. di sorbetto », chantée par une utilité et durant laquelle les spectateurs dégustent des sorbets dans leur loge; « a. di baule » (= air de valise), morceau favori qu'un virtuose peut intercaler sans dommage dans n'importe quel opéra, etc. Bien que l'a. avec « da capo » ait été alors fort critiquée, elle fut adoptée par les plus grands musiciens d'Allemagne. J. S. Bach la traite dans le style concertant en se servant de grande quantité d'instruments obligés (flûte, hautbois d'amour, cor, basson, violon, violoncelle). G. Fr. Haendel, plus cosmopolite, use tantôt de la basse obstinée, tantôt du style concertant ou contrapuntique. Il préfère parfois la → cavatine (A B), plus simple puisque sans reprise. Lors de sa réforme, Chr. W. Gluck écarte l'a. tripartite quand il interrompt le déroulement du drame. Mais c'est dans l'« opera buffa », plus spontané, plus vivant grâce à ses ensembles qui terminent les actes, que l'a. avec « da capo » est, peu à peu, négligée au profit de formes moins tyranniques et directement reliées au récitatif : l'a. strophique, l'a. en rondo, l'a. continue (brève et en un seul mouvement) et la cavatine. L'a. tend alors à s'amplifier. Elle se divise parfois en plusieurs sections coupées de récitatifs et d'« ariosi » et peut finir par constituer une véritable scène. Cette « a. di scena » est à la fois plus souple et plus libre. Une telle transformation est sensible chez T. Traetta et chez les grands compositeurs d'opéras bouffes comme N. Piccinni, D. Cimarosa et surtout W. A. Mozart. On en trouve aussi des exemples chez L. Cherubini, G. Spontini et Beethoven. Au XIXᵉ s., les musiciens préfèrent la cavatine, dans laquelle, outre les reprises, les longues répétitions de paroles et les abondantes fioritures vocales sont évitées, et qui, loin de « tuer le drame » comme l'a. avec « da capo », se prête à toutes les situations et permet d'exprimer des états d'âme contrastés. Citons notamment l'air de Rosine, *Una voce poco fa*, dans *Le Barbier de Séville* (1816) de Rossini, l'air d'Agathe dans *Der Freischütz*, acte 3 (1820) de C. M. von Weber, la cavatine de Léonore dans *Le Trouvère*, acte 1 (1853) de G. Verdi et celle de Faust, *Salut, demeure chaste*

ACADÉMIE au XVIIe s. Frontispice du traité *Regios y advertencias* de Pablo Minguet. Paris, Bibliothèque du Conservatoire national de Musique.

ACCORDÉON dans un bal musette en Bretagne.

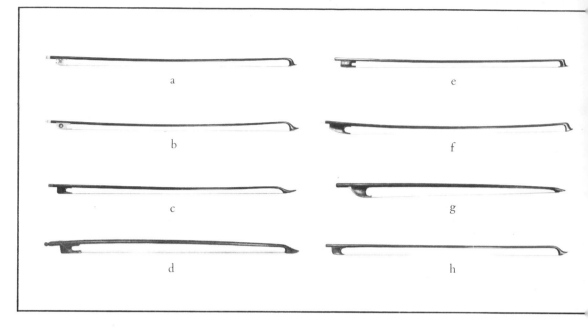

a

b

c

d

e

f

g

h

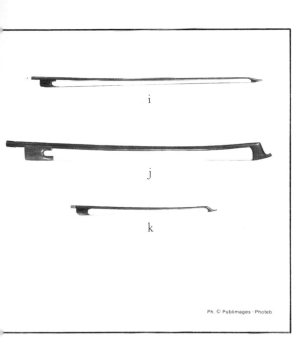

Archets français du XVIIIᵉ s.

a. Archet de quinton. Bouton et hausse en ivoire. La tête n'est plus allongée comme dans la forme à "tête de brochet" mais commence à suggérer la forme à "tête de marteau".
b. Archet de violon. Bouton et hausse en ivoire.
c. Archet d'alto. Baguette concave avec "tête de marteau" légèrement relevée vers la pointe.
d. Archet de violon. Système à crémaillère permettant de tendre la mèche.
e. Archet de violoncelle. Très fine baguette à peine concave, "tête de marteau", bouton d'ivoire et hausse d'ébène à pastille de nacre.
f. Archet d'alto. "Tête de marteau".
g. Archet de basse de viole.
h. Archet de dessous de viole.
i. Archet de pardessus de viole. Bouton d'ivoire, "tête de brochet".
j. Archet de contrebasse. Style grand Adam, "tête de marteau".
k. Archet de pochette. "Tête de brochet".

Paris, Musée instrumental du Conservatoire National de Musique.

ARC MUSICAL africain.

BALAFON. Joueurs de balafon au Zaïre.

BASSON. Bassons et contrebasson.

Le Festspielhaus de Bayreuth en 1876, année de son ouverture.
L'Anneau du Nibelung y fut présenté en version intégrale.

Parsifal de Richard Wagner, acte I, scène 2 : mise en scène
de Wieland Wagner (1917-1966), au Festspielhaus.

et pure (1859), de Ch. Gounod. Le succès de la « cavatinetta » ou « cabaletta », petite a. dont l'effet repose sur le retour uniforme d'un même dessin rythmique, fut assuré par Rossini et Verdi. Dans la 2de moitié du XIXe s., Verdi finit par abolir la forme close dans ses opéras. Quant à Wagner, après le *Vaisseau fantôme* (1841), il abandonne la division en numéros au profit de la division en scènes et tend à fondre l'a. et le récitatif dans un « arioso » déclamé. Si une forme d'a. est parfois insérée dans la trame infinie de la mélodie, elle a rarement une conclusion. Au XXe s., l'a. de forme close est absente chez Cl. Debussy (*Pelléas et Mélisande*, 1902) et P. Dukas (*Ariane et Barbe-Bleue*, 1907). Dans la mesure où les compositeurs font retour au néo-classicisme, elle réapparaît avec une facture moderne chez R. Strauss (*Ariadne auf Naxos*, 1915) et surtout chez I. Stravinski (*Oedipus-Rex*, 1927; *The Rake's Progress*, 1951). P. Hindemith, dans *Cardillac* (1926, 2e version, 1952), prend aussi pour modèle l'opéra classique et adapte l'a. avec « da capo », *Mein Geliebter kommt*, à la sensibilité contemporaine. Dans l'école dodécaphonique, A. Berg, dans *Wozzeck* (1921), use fragmentairement de toutes les possibilités de la voix humaine jusqu'au « bel canto », mais intègre l'ensemble dans des formes instrumentales dont le tissu symphonique est très serré, tandis que dans son a. de concert, *Der Wein* (1929), et dans *Lulu* (1935), il remonte aux sources mêmes de l'opéra et use des schémas traditionnels.

Dès la 2de moitié du XVIe s., l'a. est aussi utilisée dans la mus. instrumentale pour mettre l'accent sur le caractère « cantabile » ou « arioso » ou simplement vif et alerte d'une mélodie (« aria francese per sonar »; « a. della battaglia per sonar »). On en trouve de nombreux exemples dans les œuvres de M. A. Ingenieri, L. da Viadana, A. Padovano et G. Gabrieli. Aux XVIIe et XVIIIe s., l'a. devient matériel thématique du « ricercare », de la « partita » et de la variation (G. Frescobaldi, *Partita 14 sobre l'a. della Romanesca*; A. Poglietti, *Aria Allemagna*; G. B. Martini, *Aria con variazioni*; J. S. Bach, *Variations Goldberg*). L'a. instrumentale est généralement de forme bipartite et emprunte souvent son plan à la suite. On la rencontre fréquemment dans la suite (J. S. Bach, *Suites françaises* en *do* min. et *mi* ♭ maj.; *Suite* en *ré* maj. pour orchestre). Au XIXe s., l'a. prend des formes plus libres. Citons notamment le 5e mouvt (*Adagio molto espressivo*) intitulé « *Cavatina* » du *13e Quatuor à cordes*, op. 130, de Beethoven et le 3e mouvt de la *Sonate* en *fa* ♯ min., op. 11 de R. Schumann. Après 1850, l'a. devient de plus en plus rare (C. Franck, *Prélude, Aria et Finale* pour piano, 1886-87). Au XXe s., elle conserve son sens spécifique de mélodie chantante et expressive dans des œuvres de style classique comme le *Concerto pour violon* en *ré* (1931) de Stravinski et les *Nachstück und Arien* (1957) pour trois orchestres et deux chefs de H. W. Henze qui n'a pas abandonné les jeux de la construction formelle.

Bibliographie — L. TORCHI, Canzoni ed arie italiane ad una voce nel s. XVII, *in* RMI I, 1894; H. GOLDSCHMIDT, Studien zur Gesch. der italienischen Oper im 17. Jh., 2 vol., Leipzig 1901-04; D. ALALEONA, Studi su la storia dell'oratorio musicale in Italia, Turin 1908; A. DELLA CORTE, L'opera comica ital. nel '700, Bari 1923; H. PRUNIÈRES, La cantate ital. à voix seule au XVIIe s., *in* Lavignac Techn. V, 1930; I. SCHREIBER, Dichtung u. Musik der deutschen Opern-Arien, 1680-1700 (diss. Berlin 1934); J.V. GODEFROY, Some Aspects of the Aria, *in* ML XVII, 1936; F. GHISI, Alle fonti della monodia, Milan 1940; L. WALTHER, Die konstruktive u. thematische Ostinatotechnik in den Chaconne- u. Arienformen des 17. u. 18. Jh., Wurtzbourg 1940; A. MACHABEY, G. Frescobaldi (1583-1643), Paris, La Colombe, 1952.

A. VERCHALY

ARIETTE (diminutif d' → « aria »), → air de dimension variable et de style léger, utilisé surtout au XVIIIe s. Dans son *Dictionnaire de musique* (1703), S. de Brossard dit qu'elle est « divisée en deux reprises ou se reprend comme un rondeau ». Plus tard J. J. Rousseau (*Dictionnaire*, 1767) la définit « comme un grand morceau de musique d'un mouvement pour l'ordinaire assez gai et marqué, qui se chante avec un accompagnement de symphonie et qui est communément en rondeau ». Elle désigne en fait une imitation d'« aria con da capo » italienne, tandis que l'air tendre est appelé « air ». Il apparaît que ces dénominations sont illogiques, à moins d'y voir une distinction volontaire entre l'air et l'« aria ». Le genre se développe surtout dans la comédie à ariettes, dans laquelle, à côté des dialogues parlés, on remplace progressivement les chansons de style populaire (→ vaudevilles) par des airs originaux. Ainsi naissent des œuvres qui ressemblent aux opéras bouffes italiens : les opéras-comiques, dans lesquels s'illustrent, avec la collaboration de J. J. Vadé, Ch. Favart et M. Sedaine, des musiciens comme A. Dauvergne, E. Duni, Fr. A. Danican-Philidor, P. A. Monsigny et A. Grétry. Dans l'opéra et l'opéra-ballet de J. Ph. Rameau, l'a. est, par contre, un solo indépendant de l'action, que l'on place de préférence dans un divertissement pour faire valoir la virtuosité d'un chanteur. Dans *Les Indes galantes* (a. de Pygmalion *Règne, Amour*), la voix est traitée ainsi qu'un instrument. On peut en conclure que sous le nom d'a., considérée généralement comme une petite forme, se dissimulent, de même que dans l'« aria », divers types susceptibles de traduire toute la gamme des sentiments. Vers la fin du siècle, des musiciens étrangers composent aussi des a. sur paroles françaises. Dans ses deux recueils (1782 et 1784), l'Allemand J. G. Naumann se rapproche plutôt de la romance, qui ne tardera pas à supplanter l'ariette. W. A. Mozart, outre celles en langue allemande, a écrit deux à. françaises : *Oiseaux, si tous les ans*, KV 307 (1777), et *Dans un bois solitaire*, KV 308 (1778). La seconde est une véritable scène en raccourci avec quatre changements de « tempo ». La courte a. propice à la variation est passée sous cette forme dans la mus. instrumentale (J. Haydn, 2 *Ariettes variées* pour le piano, 1768 et 1774; W. A. Mozart, *Variations sur Lison dormait*).

Bibliographie — F. PARFAICT, Mémoires pour servir à l'hist. des spectacles de la Foire, Paris 1743; C. CUCUEL, Les créateurs de l'opéra-com. fr., Paris 1914; P.M. MASSON, L'opéra de Rameau, Paris 1930; L. DE LA LAURENCIE, La mus. fr. de Lully à Gluck, 2e partie, L'opéra-com., *in* Lavignac Hist. III, 1914.

ARIGOT, ancien → flageolet à 6 trous dont le jeu nécessitait de souffler avec force. Il était en usage dans l'armée française au XVIe s., où on le « sonnait » associé au tambour. — Voir également LARIGOT.

ARIOSO (de l'ital. aria), terme qui s'applique depuis le XVIIe s. à une forme vocale assez peu définie, de caractère dramatique et qui, par son style, tient le milieu entre le récitatif narratif et l'aria lyrique ou purement ornementale. C'est tantôt une courte phrase mélodique qui s'insère dans un récitatif, tantôt un morceau plus ou moins développé qui précède l'air proprement dit et qui est complètement autonome. Toujours mesuré mais traité avec plus d'ampleur que le récitatif accompagné, il n'a pas, comme l'« aria », de structure thématique nette et intervient seulement dans les moments pathétiques qui exigent une déclamation plus chantante et plus expressive. L'a. apparut d'abord dans l'opéra vénitien (Monteverdi, Cavalli) pour rompre la monotonie du récitatif tout en évitant de tomber dans les artifices de l'« aria ». Les opéras de Haendel, les cantates et les Passions de J.S. Bach contiennent de magnifiques exemples d'a. (J.S. Bach, *Passion selon saint Jean*, « arioso » n° 31, *Betrachte meine Seel'*, chanté par la basse). Par la suite l'a. est demeuré une des ressources de la mus. dramatique. Dans le drame moderne (Verdi, Wagner) et contemporain (Debussy, Berg), où les compositeurs ont renoncé à user de formes fixes, le style de la déclamation, en faisant fusionner récitatif et air, s'est constamment rapproché de celui de l'« arioso ».

ARLES.

Bibliographie — F. RAUGEL, La maîtrise et les orgues de la primatiale St-Trophime d'A., *in* Recherches II, Paris, Picard, 1961-62.

ARMATURE ou ARMURE. 1.

(Angl., key signature; all., Vorzeichnung ; ital., armatura di chiave ; esp. armadura), ensemble des → accidents placés au début d'une pièce musicale, en tête de chaque portée, entre la clef et l'indication de la mesure. Ils sont dits « à la clef », désignent une fois pour toutes les notes altérées constitutives du ton, quelle que soit leur octave, et sont valables pour toute la durée du morceau s'ils ne sont pas annulés passagèrement par des → altérations accidentelles ou définitivement par une nouvelle armature. L'a. n'est qu'une commodité qui permet d'éviter la répétition des altérations constitutives du ton à chaque mesure. Elle correspond au ton principal d'un morceau mais son sens doit être précisé par une analyse musicale car les tons mineurs ont la même a. que leur relatif majeur :

(p. ex. J.S. Bach, *Toccata « dorienne » et fugue*, BWV 538), sol min. un bémol, do min. deux bémols. Il arrive également que l'a. des tons majeurs ne comporte pas le dièse de la sensible (p. ex. G.Fr. Haendel, *L'harmonieux forgeron* en *mi* maj. avec 3 dièses à la clef). Au XXᵉ s., les incessantes modulations et l'utilisation abondante du chromatisme ont entraîné de nombreux musiciens à abandonner l'armature. — La notation des → instruments transpositeurs est basée sur l'emploi d'a. conventionnelles qui diffèrent par rapport au ton du morceau joué. Cette caractéristique compliquant la lecture des partitions d'orchestre, les compositeurs modernes ont pris l'habitude de noter les instruments transpositeurs en *do* dans leur partition. — **2.** Terme de lutherie désignant la disposition de l' → âme, de la → barre, des tasseaux, etc., qui assurent la solidité du corps des instr. à cordes. — **3.** Suites de notes essentielles formant le ténor d'un certain nombre de danses polyphoniques et durant chacune un temps chorégraphique. — Voir l'art. BASSE DANSE.

Bibliographie — J. CHAILLEY et H. CHALLAN, Théorie de la mus., Paris, Leduc, 1947 ; W. APEL, The Partial Signatures in the Sources prior to 1450, *in* AMl X, 1938 ; E.E. LOWINSKY, The Function of Conflicting Signatures in Early Polyphonic Music, *in* MQ XXXI, 1945 ; du même, Conflicting Views on Conflicting Signatures, *in* JAMS VII, 1954 ; R.H. HOPPIN, Partial Signatures and Musica ficta in Some Early 15th Cent. Sources, *ibid.* VI, 1953 ; du même, Conflicting Signatures Reviewed. *ibid.* IX, 1956.

ARMURE, voir ARMATURE.

ARPÈGE (ital., angl. et all., arpeggio ; esp., arpegio), terme issu du jeu de la harpe — d'où l'ancienne orthographe « harpège », « harpeggio » — servant à désigner l'exécution successive bien que très rapprochée des notes d'un accord sur un instr. à clavier, à cordes pincées ou à cordes frottées.

Sauf indication particulière représentée par la pointe

L'emploi de l'a. remonte presque aux origines de la polyphonie. Dans les œuvres de l'École de Notre-Dame, un bémol peut être placé au début de la portée pour abaisser les *si*. Longtemps l'a. restera limitée à cet unique accident et ce n'est qu'au cours du XVᵉ s. qu'apparaîtra parfois un second bémol. Dans un certain nombre de pièces médiévales, la voix supérieure ne comporte pas d'altération tandis que la ou les voix inférieures ont un bémol à la clef. Cet usage est le reflet soit d'une sorte de bitonalité mélodique, soit des formules cadentielles exigeant la sensible (*si* ♮ = sensible de *do*) et s'est maintenu jusqu'au XVIᵉ s. Ce n'est guère avant le milieu du XVIIᵉ s. que l'on rencontre des dièses à l'armature. Aux XVIIᵉ et XVIIIᵉ s., l'a. des tons mineurs bémolisés comporte un bémol en moins. Ainsi *ré* min. n'a-t-il rien à la clef

d'une flèche dirigée vers le bas, l'a. s'exécute en commençant par la note la plus grave et en s'élevant plus ou moins rapidement vers les notes aiguës. Caractéristique de l'exécution des accords au luth, à la guitare et aux instruments similaires, fréquent au clavecin et au clavicorde, l'a. joue un rôle important dans la réalisation improvisée de la basse continue aux XVIIᵉ et XVIIIᵉ s. Dans leurs compositions, les clavecinistes l'emploient comme un → ornement et en prescrivent l'exécution par un signe conventionnel pour l'« arpègement simple » :

pour l'« arpègement figuré » ou → « acciacatura », qui introduit dans l'a. une ou plusieurs notes étrangères à l'accord :

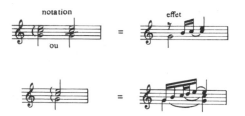

Souvent les interprètes prenaient eux-mêmes l'initiative d'arpéger certains accords, le bon goût étant leur guide. Au XVIIIᵉ s. l'arpègement caractérise également la → basse d'Alberti qui répète sous forme de batteries les notes successives d'un accord. L'a. est employé sous toutes ses formes par les clavecinistes, puis par les pianistes compositeurs, du début du XVIIIᵉ s. (J.S. Bach, *Prélude* nᵒ 1 du *Clavier bien tempéré* I) au XIXᵉ s. (Fr. Chopin, *Études* nᵒ 1 et 12 de l'op. 25) et jusqu'au début du XXᵉ s., parfois dans l'intention d'imiter le jeu de la guitare (M. Ravel, *Alborada del gracioso*). Dans *Prélude, Choral et Fugue*, C. Franck a tiré de ce procédé un saisissant effet de sonorité :

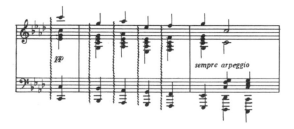

Dans cet exemple, la main droite succède à la main gauche pour l'exécution des notes de chaque accord ; il est également possible d'arpéger des deux mains simultanément. La correction harmonique voudrait que le départ de l'a. se fasse sur le temps et que la note du chant s'établisse avec un certain retard sur la basse. Mais il arrive que l'arpègement de la main gauche doive anticiper sur le temps pour permettre à la note du chant d'intervenir à sa place exacte dans une succession mélodique (Fr. Chopin, *Mazurka*, op. 7, nᵒ 3 ; op. 30, nᵒ 4). Dans une acception plus large, le terme d'a. s'applique également à l'ordre mélodique lorsque les notes d'un accord s'étalent horizontalement sur une ou plusieurs octaves. Apparue dans la musique du XVᵉ s., cette intrusion de l'harmonie dans le domaine mélodique s'est faite de plus en plus envahissante jusqu'au XIXᵉ s. Avec la gamme, l'a. forme la base de la virtuosité instrumentale dans la mus. classique. L'un des exercices pianistiques les plus communs consiste en l'exécution d'a. dans tous les tons qui parcourent le clavier du grave à l'aigu, et vice versa.

ARPÈGEMENT, voir ARPÈGE.

ARPEGGIO (ital., = → arpège), terme d'exécution musicale employé pour désigner l'arpègement d'un accord.

ARPEGGIONE (ital.), instr. à cordes de la taille d'un violoncelle, mais dont le corps a la forme d'une guitare. Il est également désigné quelquefois sous les noms de « guitare d'amour » ou de « guitare-violoncelle ». L'a. est monté de 6 cordes accordées comme celles d'une guitare :

Son manche est également entouché, mais son jeu, propre aux arpèges, s'exécute au moyen d'un archet. Son invention (1823) est attribuée à Johann Georg Stauffer, luthier à Vienne. Fr. Schubert a écrit une *Sonate en la min.* pour a. et piano (1824, éd. 1828), tandis que Vincenz Schuster est l'auteur d'une méthode intitulée *Anleitung zur Erlernung des Staufferschen Guitarre-Violoncells* (Vienne 1825).

ARRANGEMENT, terme collectif s'appliquant à toutes les sortes de conventions qui apparaissent dans le → jazz. Elles concernent en premier lieu la combinaison et l'entrée des instruments, puis la fixation à la manière d'une partition de certains passages, le cadre ou toute la pièce, exception faite des solos improvisés. De simples indications orales s'intitulent « head arrangement ». L'a. est né avec le « big band » (Fletcher Henderson) ; il a cependant été préparé dans les années 20 par le travail de certains ensembles traditionnels (Jelly Roll Morton, L. Armstrong), ce qui s'explique entre autres par l'apparition du disque. Avec la rationalisation croissante du matériau sonore, des a. variés font leur apparition dans le « modern jazz », dans le « combo » en particulier (voir l'art. BAND), p.ex. dans le « Modern Jazz Quartet ».

ARRAS.

Bibliographie — P. FANIEN, Hist. du chapitre d'A., Arras 1868 ; A. DE CARDEVACQUE, La mus. à A., *in* Mémoires de l'Acad. d'A. Arras 1885 ; A. JEANROY et H. GUY, Chansons et dits artésiens, Bordeaux 1898 ; A. JEANROY, L. BRANDIN et P. AUBRY, Lais et descorts fr., Paris 1901 ; A. GUESNON, Nouv. recherches biogr. sur les trouvères artésiens, *in* Moyen Age 1902 ; du même, La confrérie des jongleurs d'A. et le tombeau de l'évêque Lambert, *in* Mémoires de la commission départementale des monuments hist. du P.-de-C., Arras 1913 ; Le chansonnier d'A., éd. en facs. par A. JEANROY, Paris 1925 ; FR. GENNRICH, Rondeaux, Virelais u. Balladen, 2 vol., I Dresde 1920, II Göttingen 1927 ; Y. ROKSETH, Polyphonies du XIIIᵉ s., 4 vol., IV Études et commentaires, Paris 1939 ; L. PETITOT, La mus. à A. au XIXᵉ s., Arras 1942 ; FR. LESURE, art. A. *in* MGG I, 1949-51 ; M. VANMACKELBERG, Les orgues de la cathédrale d'A., *in* L'Orgue nᵒˢ 104-105, 1962-63 ; du même, Les orgues d'A., *in* Mémoires de l'Acad. des Sciences, Lettres et Arts d'A., 5ᵉ série III, 1964, tiré à part Arras 1964.

ARS ANTIQUA. C'est, dans la définition des différentes périodes de l'histoire de la musique (surtout depuis J. Wolf et H. Riemann ; Fr. Ludwig n'emploie pas ce terme), l'un des rares concepts qui s'appuient sur des réalités musicales d'époque. Il s'oppose à celui d' → « Ars Nova » et, sans exclure un sens péjoratif, englobe pratiquement toute la production d'avant 1320 environ, en particulier l'art de l' → organum et les débuts du → motet aux XIIe et XIIIe s. Ces dernières formes étaient encore récemment interprétées dans un style caractéristique des débuts de la musique mesurée qui ne tenait aucun compte des circonstances historiques, en particulier de ce passage du rythme modal (voir l'art. MODE, § 2. Modes rythmiques) aux débuts du rythme mesuré (au plus tard vers le milieu du XIIIe s.), dont la recherche musicologique moderne a confirmé l'importance fondamentale. On divise actuellement cette période — en se limitant évidemment au développement de l'école parisienne — en une période modale ou époque Notre-Dame (v. 1160-1240 env., voir l'art. ÉCOLE DE NOTRE-DAME) et en une véritable période « Ars Antiqua » (v. 1230 à 1320 env.). Pour ce qui est des formes — à côté de la chanson monodique profane et de la danse, qui continuent à être cultivées — cette période se caractérise par l'essor extraordinaire du motet, qui prend la relève de l'organum comme forme principale de l'évolution, par l'apparition du → rondeau, par le déclin assez rapide du → conduit et par une pratique demeurée traditionnelle de l'organum. Celle-ci s'alimente encore aux sources anciennes ; les manuscrits conservés, qui transmettent ce que l'on appelle le répertoire Notre-Dame, datent tous de l'époque de l'« Ars Antiqua ». C'est pourquoi leur système de notation se retrouve encore chez Jean de Grouchy et chez Jacques de Liège, alors que les transcriptions en notation mesurée ne sont qu'occasionnelles. S'opposant à ce conservatisme, la notation mensuraliste dite « noire », dont le développement est étroitement lié à celui de la rythmique nouvelle (théoriciens les plus importants : Francon de Cologne, Lambertus/pseudo-Aristote, Petrus de Cruce, Walter Odington), est l'innovation la plus marquante des sources plus récentes (Mo, Ba, Hu, Tu, Fauv, Da entre autres). D'autres signes distinctifs sont le format in-4° des manuscrits, les dimensions plus réduites des sources et la disposition en livre de chœur (les voix supérieures sont disposées en colonnes, l'une à gauche, l'autre à droite, tandis que le ténor occupe toute la largeur du bas de la page). La musique étant pratiquée par de nouvelles couches de la société (motets en langue vulgaire, « refrains » à la manière des jongleurs), presque toutes les formes sont adaptées, du moins partiellement, aux instruments (en particulier la partie de → ténor), d'où vient que de nos jours une telle pratique est souvent appliquée à tort à des documents plus anciens. En liaison avec la rythmique nouvelle, libérée de tout schématisme, s'accomplissent également le dépassement de la cellule modale, le fractionnement de la brève et surtout de la semi-brève, et le ralentissement du tempo de base qui en découle nécessairement. Le principe de symétrie autrefois prédominant et l'aspect « Lied » des mélodies des → clausules et des premiers motets cèdent progressivement la place à un idéal de voix séparées en contrepoint irrégulier (en particulier le « motetus » et le « triplum » sont exécutés comme autrefois en solistes, par des voix d'hommes élevées ; introduction progressive de textes en prose). Les règles qui régissent la concordance des voix imposent désormais la consonance parfaite sur le début de chaque temps. Elles sont appliquées d'une manière particulière et visent davantage que par le passé à une harmonie d'ensemble : la nécessité de consonance ne s'applique plus seulement à deux voix mais à l'ensemble des voix ; pas de quarte sans que s'y ajoutent d'autres intervalles ; introduction de plus en plus fréquente de tierces et de sixtes. Cette évolution témoigne en définitive d'un comportement nouveau de l'homme en face de l'œuvre d'art, dont la forme originale est considérée comme étant la propriété spirituelle et inaliénable de son auteur, attitude qui nous a valu de conserver des noms de compositeurs en plus grand nombre (Francon de Cologne, Petrus de Cruce, Adam de la Halle).

Bibliographie — Cf. GERBERT Scr. et COUSSEMAKER Scr. ; E. DE COUSSEMAKER, L'art harmonique aux XIIe et XIIIe s., Paris 1865 ; J. WOLF, Gesch. der Mensural-Notation von 1250-1460, 3 vol., Leipzig 1904, réimpr. Hildesheim, Olms, 1965 ; P. AUBRY, Cent motets du XIIIe s. (= Ms. de Bamberg Ed. IV 6), 3 vol.. Paris 1908 ; FR. LUDWIG, Repertorium organorum recentioris et motetorum vetustissimi stili I/1, Halle 1910 ; du même, Die Quellen der Motetten ältesten Stils, in AfMw V, 1923 ; du même, Die geistliche nichtliturgische, weltliche einstimmige u. die mehrstimmige Musik des Mittelalters, in G. ADLER, Hdb. der Musikgesch., Francfort/M. 1924, 2/1930 ; A.M. MICHALITSCHKE, Theorie des Modus, Regensburg 1923 ; du même, Studien zur Entstehung u. Frühentwicklung der Mensuralnotation, in ZfMw XII, 1929 ; H. BESSELER, Die Motette von Franko von Köln bis Philipp de Vitry, in AfMw VIII, 1926 ; du même, Die Musik des Mittelalters u. der Renaissance, Potsdam 1931 ; H. ANGLÉS, El Códex musical de Las Huelgas, Barcelone 1931 ; H. SOWA, Zur Weiterentwicklung der modalen Rhythmik, in ZfMw XV, 1932-33 ; Y. ROKSETH, Le contrepoint double v. 1248, in Mélanges La Laurencie, Paris 1933 ; de la même, Polyphonie du XIIIe s. (= Ms. Montpellier H 196), 4 vol., Paris 1935-48 ; TH. GÉROLD, Hist. de la mus. des origines à la fin du XIVe s., Paris 1936 ; H. HUSMANN, Die Motetten der Madrider Hs. u. deren geschichtliche Stellung, in AfMf II, 1937 ; G. KUHLMANN, Die 2 stimmigen französischen Motetten des Kodex Montpellier H 196, Wurtzbourg 1938 ; G.D. SASSE, Die Mehrstimmigkeit der Ars antiqua in Theorie u. Praxis, Borna et Leipzig 1940 ; W. APEL, The Notation of Polyphonic Music 900-1600, Cambridge (Mass.), The Medieval Acad. of America, 1942, 5/1961, trad. all. Leipzig, VEB Br. & H., 1962 ; R. von FICKER, Probleme der modalen Notation, in AMl XVIII-XIX, 1946-47 ; J. HANDSCHIN, The Summer Canon and its Background, in MD III, 1949 ; J. CHAILLEY, Hist. musicale du M.A., Paris, PUF, 1950, 2/1969.

R. FLOTZINGER

ARSIS (grec), terme désignant, à l'origine, le lever du pied dans la danse, tandis que « thesis » s'appliquait à son abaissement, au poser ou frapper du pied. Par extension, « arsis » en vint à désigner le temps faible et « thesis » le temps fort. Ces deux notions furent transposées par les métriciens, qui les appliquèrent à l'élévation ou l'abaissement de la voix.

ARS NOVA (lat., = enseignement nouveau, science nouvelle). Le traité *Ars nova* de Ph. de Vitry, écrit après 1320, se présente comme un développement de la notation mensuraliste du XIIIe s. et reconnaît en particulier la légitimité de la brève binaire à côté de la brève ternaire et leur division en valeurs courtes (semi-brève) et ultra-courtes (minime, semi-minime). Ce nouvel enseignement, considéré comme une méthode pour mesurer la musique, donc pour la noter, fut répandu simultanément à Paris par Johannes de Muris (*Ars novae musicae*). A côté de son application à un certain type de notation, le terme d'A.N. a servi, des environs de 1316 à la mort de G. de Machault (1377), à désigner une nouvelle sorte de musique, presque exclusivement polyphonique, dont les caractéristiques (finesse et subtilité rythmiques, douceur de la mélodie vocale et de l'harmonie) sont imposées jusqu'à l'apparition de l' → Ars Subtilior, dans une recherche artistique toujours plus poussée. Le fait important est que les compositeurs et les théoriciens de l'art nouveau, comme ses détracteurs, le conservateur Jacques de Liège p. ex., aient tous reconnu la nouveauté de cette musique et l'aient jugée différente de celle qui avait précédé (→ Ars Antiqua). C'est pourquoi le terme d'A.N. se trouve encore lié à des concepts tels que musique moderne, musique nouvelle, « musica nova », « neue Musik », etc.

Les genres principaux de l'A.N., qui resta essentiellement limitée à la France, même si elle revêtit une certaine importance en Italie (musique du → « Trecento »), en Angleterre et en Allemagne, sont le motet et les formes à refrain de la chanson. 1º Le → motet, genre représentatif écrit à 3 ou 4 voix, de construction souvent isorythmique, est constitué par la mise en musique de plusieurs textes français ou latins, chantés simultanément par les deux voix supérieures. Tout comme le conduit au XIIIᵉ s., il se distingue par son caractère officiel malgré l'extrême raffinement et le côté artificiel de sa facture ; il peut s'agir soit d'un chant de louange adressé au roi (Louis X, Robert de Naples) ou au pape (Jean XXII, Clément VI), soit d'une pièce de circonstance née à l'occasion d'une solennité ecclésiastique ou politique. Ph. de Vitry et G. de Machault en sont les maîtres les plus importants. 2º Les formes à refrain de la chanson sont le → rondeau, le → virelai (ou chanson balladée) et la → ballade (ou ballade notée). Elles sont toutes écrites à 2 ou 3 voix — parfois à une seule voix — sur des textes profanes français et sont le fruit d'une vie de cour aristocratique extrêmement cultivée et raffinée. Elles sont caractérisées par une voix supérieure (« cantus », « discantus ») largement ornée de mélismes et par des voix de soutien (ténor et contraténor), le plus souvent instrumentales (voir l'art. CANTILÈNE). A côté du motet et des formes à refrain de la musique de société, les compositions polyphoniques de l'ordinaire de la → messe — la Messe Notre-Dame de G. de Machault p. ex. — n'ont qu'une importance secondaire. Elles dépendent du motet, des formes ou du conduit ou de l'ancien conduit.

Éditions modernes — G. DE MACHAULT, Œuvres complètes, éd. par Fr. Ludwig, 4 vol., Leipzig, Br & H., 1926-43, 2/1954 ; éd. par L. Schrade, voir ci-après ; Polyphonic Music of the 14th Cent., éd. par L. SCHRADE et FR.LL.HARRISON, I Roman de Fauvel ; œuvres de Ph. de Vitry ; cycles français de l'ordinaire de la messe ; II-III Œuvres complètes de G. de Machault ; V Motets de provenance française, Monaco, L'Oiseau-Lyre, 1956 et suiv.

Bibliographie — H. BESSELER, art. A.n. in MGG I, 1949-51 ; S. CLERCX, Propos sur l'A.n., in RBMie IX, 1955 ; de la même, Der Begriff des « Neuen » in der Musik von der A.n. bis zur Gegenwart, in Kgr.-Ber. New York 1961, Kassel, BV, 1961 ; L. SCHRADE, The Chronology of the A.n., in Les Colloques de Wégimont II-1955, Paris, Les Belles-Lettres, 1959 ; G. REANEY, A.n. in France, in New Oxford Hist. of Music III, Londres, Oxford Univ. Press, 1960 ; du même, A.n. in Pelican Hist. of Music I, Harmondsworth 1960 ; U. GÜNTHER, Das Ende der A.n., in Mf XVI, 1963 ; H. KUEHN, Die Harmonik der Ars Nova, Munich, Katzbiechler, 1973 ; S. THIELE, Zeitstrukturen in den Motetten des Ph. de Vitry u. ihre Bedeutung für zeitgenössisches Komponieren, in NZfM CXXXV, 1974.

J. STENZL

ARS SUBTILIOR, terme introduit en 1963 par Ursula Günther pour désigner la musique écrite entre la mort de G. de Machault (1377) et l'apparition de G. Dufay, époque qui correspond au Grand Schisme (1378-1417) et pour laquelle W. Apel employait les termes de période maniérée, H. Besseler ceux de période française tardive. Les caractères principaux de la musique essentiellement profane de cette époque sont l'enrichissement et le raffinement extraordinaires du rythme par l'emploi de valeurs ultra-courtes (semi-minimes, dragmes) et des rythmes conflictuels les plus complexes, tout particulièrement dans les premières années du XVᵉ s. et dans les œuvres du Ms. Modène α.M.5, 24, p. ex. dans le Sumite carissimi de Zacharias (in J. WOLF, Gesch. der Mensural-Notation, Leipzig 1904, nº LXX), qui passa longtemps pour l'œuvre la plus compliquée de l'histoire de la musique. L'A.S. prend son origine dans l' → Ars Nova française mais se rencontre également hors de France et de la cour pontificale d'Avignon, en Italie (Milan, Bologne, Gênes) et en Angleterre où elle a été partiellement imitée. Le genre principal en est la chanson polyphonique profane (ballade, rondeau, virelai), où la subtilité rythmique est poussée à son comble. Les nombreux compositeurs qui s'y sont consacrés sont cités dans les sources principales : Ms. de Chantilly, Musée Condé 568 ; Ms. Modène, Bibl. Estense α.M.5, 24. Parmi eux il faut nommer également J. Ciconia avec son virelai Sus un fontayne. Souvent écrits pour des circonstances particulières, les motets et les fragments de messes présentent un caractère plus conservateur. La Missa Sancti Jacobi (1426-28), une œuvre de jeunesse de G. Dufay, renferme encore des passages écrits dans le style de l'Ars Subtilior. La fin de cette période est déterminée par les progrès d'un nouveau style simple, attesté dès la période de l'Ars Subtilior chez G. Dufay et ses contemporains tout comme chez R. de Loqueville, le maître de Dufay, cette simplicité présente un mélange caractéristique de différents éléments stylistiques nationaux déjà présents dans l'Ars Subtilior.

Éditions modernes — W. APEL (éd.), French Secular Music of the Late 14th Cent., Cambridge (Mass.), Mediaeval Acad. of America, 1950 ; du même (éd.), French Secular Music of the 14th Cent., in CMM 53, 3 vol., Amer. Inst. of Musicology, 1970 et suiv. ; U. GÜNTHER (éd.), Zehn datierbare Kompositionen der Ars nova, Hambourg, Musikwiss. Inst. der Univ., 1959 ; de la même (éd.), The Motets of the Mss. Chantilly, Musée Condé 1047 (olim 1047) and Modena, Bibl. Estense, α.M.5, 24 (olim lat. 568) in CMM 39, Amer. Inst. of Musicology, 1965 ; FR.LL.HARRISON, Motets of French Provenance, in Polyphonic Music of the 14th Cent. V, Monaco, L'Oiseau-Lyre, 1968.

Bibliographie — G. REANEY, The Ms. Chantilly, Musée Condé 1047, in MD VIII, 1954 ; N. PIRROTTA, Cronologia e denominazione dell'ars nova italiana, in Colloques de Wégimont II-1955, Paris, Les Belles-Lettres, 1959 ; U. GÜNTHER, The 14th Cent. Motet and its Development, in MD XII, 1958 ; de la même, Datierbare Balladen des späten 14. Jh., ibid. XV, 1961 et XVI, 1962 ; de la même, Das Ende der Ars nova, in Mf XVI, 1963 ; de la même, Das Ms. Modena, Bibl. Estense α.M.5, 24, in MD XXIV, 1970 ; W. ARLT, Praxis u. Lehre der A.s. (thèse Bâle 1970) ; du même, Der Tractatus figurarum — ein Beitr. zur Musiklehre der A.s., in Schweizerische Beitr. zur Musikwiss. I, 1972.

J. STENZL

ARTICULATION, formation et séparation plus ou moins nette des différents sons qui constituent le langage dans la parole ou dans le chant. Elle est réalisée par l'interaction des lèvres, de la langue, des mâchoires et du voile du palais. L'a. est plus ou moins énergique selon les individus ou selon la volonté du sujet. Le chant requiert une a. particulièrement claire et précise. — Dans le jeu des instr., on appelle a. la manière de lier ou de séparer les sons au moyen du souffle et des lèvres pour les instr. à vent, des différents coups d'archet pour les instr. à cordes frottées, de la position et de l'attaque des doigts pour les instr. à cordes pincées ou à clavier. Issues de l'évolution de la mus. instrumentale, les différentes possibilités d'a. vont du « legato » au « staccato ». Depuis le début du XVIIᵉ s., on les note au moyen de signes tels que liaisons, traits ou points placés sur les notes et dus parfois au compositeur lui-même (p.ex. Beethoven). L'a. se confond souvent avec le phrasé. — Voir les art. PHRASÉ et COUP D'ARCHET.

ARTIFICE (lat., artificium, = art, métier, habileté), terme servant à désigner divers procédés de composition soit de l'ornementation mélodique tels que l' → anticipation, l' → appoggiature, la → broderie, l' → échappée, le → « gruppetto », le → mordant, la → note de passage, le → pincé, le → port de voix, la → syncope, etc. (voir l'art. ORNEMENTS), soit du contrepoint tels que l' → augmentation et la → diminution, le → canon, le → hoquet, le → miroir, la → récurrence, etc. (voir l'art. CONTREPOINT). On peut rapprocher de ce terme celui de → « color », utilisé du XIIᵉ au XIVᵉ s. pour décrire tout procédé susceptible de rendre la musique plus attrayante, ou encore de celui d' → agrément.

AS, nom allemand du *la* bémol.

ASAS, nom allemand du *la* double bémol.

ASPIRATION, signe utilisé par Fr. Couperin sous forme d'un accent aigu qui a pour effet de détacher, donc de raccourcir légèrement la note (voir *Pièces de clavecin* I, Iᵉʳ ordre, *La Nanette*), souvent dans le but de souligner l'appoggiature qui suit (*Pièces de clavecin* I, 2ᵉ ordre, *Passe-pied*).

ASSAI (ital., = très, beaucoup), adverbe accroissant l'effet d'une indication de mouvement ou de nuance : « allegro assai », = très gai ; « forte assai », = très fort.

ASSISE (Assisi).

Bibliographie — S. MATTEI, Serie dei maestri di cappella minori conventuali di S. Francesco, *in* Miscellanea Francescana, Assise, XXI-XXII, 1920-21; Catal. delle opere musicali. Città di A. Bibl. Comunale, Parme 1921 ; D. SPARACIO, Musicisti minori conventuali, *in* Miscellanea Francescana, Assise, XXVI, 1925; S. CLEVEN, Musik u. Musiker im Franziskaner-Orden, *in* Franziskanische Studie XIX, 1932; A. FORTINI, La tradizione musicale della basilica d'A., *in* Perugia IX, sept.-oct. 1937; CL. SARTORI, La cappella della basilica di S. Francesco. Catal. del fondo musicale nella Bibl. Comunale di A., Milan, Istituto Editoriale Italiano, 1962.

ASSONANCE. 1. Procédé poétique employé en français dans la poésie du Moyen Age, qui consiste à faire assoner des → vers : « Roland ferit en une perre bise. / Plus en abat que jo ne vos sai dire. » (*Chanson de Roland*) ; la dernière voyelle accentuée est la même (*bise*, *dire*), alors que les consonnes qui pré-

cèdent et suivent cette voyelle sont différentes. L'a. se distingue donc de la → rime, qui est l'homophonie de la dernière voyelle accentuée (*bise | grise* ; *dire | lire*). — **2.** Le son ainsi répété (*i*, dans l'exemple ci-dessus). — **3.** Par extension, procédé de style qui consiste en une répétition de plusieurs voyelles semblables à peu de distance, dans un texte. — Voir l'art. ALLITÉRATION.

ASSOURDIR. 1. Produire par un bruit intense une impression violente sur l'organe de l'ouïe et parfois une surdité passagère. — **2.** Étouffer la sonorité d'un instrument par un moyen artificiel, voile, sourdine, etc.

ASSYRIE, voir MÉSOPOTAMIE.

A TEMPO (ital., = au mouvement), locution indiquant qu'il faut revenir au mouvement normal d'un morceau après un passage exécuté plus rapidement (accelerando), ou plus lentement (rallentando), ou encore plus librement (ad libitum).

ATHÉMATISME (du grec a, privatif, et thema, = sujet posé), conception désignant la manière dont le matériau musical est employé pour la composition d'une œuvre. Elle repose sur le refus conscient de la notion de → thème ainsi que sur la prise en charge de la fonction thématique par des moyens autres que ceux du thème ou du → motif par lesquels l'unité de l'œuvre est atteinte dans les musiques tonale et modale. Dans la mus. modale (dans le chant grégorien, p. ex.), le thème n'est qu'une inflexion assez générale de la voix, orientant le mouvement mélodique dans le cadre du mode, la mélodie étant structurée selon une certaine hiérarchie de degrés et d'intervalles, tandis que le rythme dépend essentiellement des accents du texte. Pour ces musiques, l'emploi du terme de thème semble donc également impropre. Du reste, il n'apparaît pour la première fois qu'au XVIᵉ s., d'abord chez Glarean (*Dodecachordon*, 1547), puis chez G. Zarlino où il désigne le membre d'une partie secondaire, opposée au « cantus firmus ». A. en tant que négation voulue du thème est employé surtout à propos des œuvres d'A. Webern (à partir de l'op. 17) et de la mus. post-webernienne (mus. → sérielle). Le refus de la notion de thème semble reposer sur un malentendu. Certains auteurs considèrent d'une manière assez superficielle le thème tonal en tant que formule mélodique caractérisée par une succession d'intervalles rythmiquement structurés que les compositeurs traditionnels manipuleraient selon des formules éprouvées (répétitions, développements). En réalité, non seulement le thème tonal représente le germe initial d'une œuvre mais il est imprégné aussi de l'univers sonore dont il fait partie et qui l'a engendré. Dans la mus. athématique, au contraire, la fonction thématique est prise comme « à rebours ». Au lieu de partir d'un univers sonore intégré, le musicien veut assembler des éléments disparates obéissant à des lois acoustiques différentes et perçues de manière diverse (il y a inégalité de degré dans la perception des intervalles et des intensités p. ex.). Les séries de → paramètres (intervalles, registres, durées, timbres, intensités) se situent à des plans divers et leur mise en relation est librement déterminée selon des critères qui changent d'un auteur à l'autre. La fonction du thème est assumée dans la mus. athématique par une formule structurelle (séries de paramètres) : l'éclatement des éléments structurels est donc une condition préalable quasiment indispensable à la mus. athématique et sérielle, fondée sur l'hypothèse d'un « univers en perpétuelle expansion » (P. Boulez).

Bibliographie — M. Scriabine, A. et fonction thématique dans la mus. contemp., in Inventaire des techniques rédactionnelles, Polyphonie IX et X, Paris, Richard-Masse, 1954 ; R. Vlad, A. von Webern e la composizione atematica, in Rass. Mus., avril/juin 1955 ; cf. également l'art. Sérielle (Musique).

ATONALITÉ, système musical du XXe s. caractérisé par la négation des principes fondamentaux du système tonal qui sont : l'attraction et la suprématie de la tonique, centre constant de référence de tous les mouvements mélodiques et harmoniques, origine et fin du discours musical ; la différenciation et la hiérarchie des degrés ; le dualisme consonance - dissonance et la suprématie de la consonance où toute dissonance doit se résoudre ; les lois cadentielles et les rapports fonctionnels entre les accords. A l'opposé, les principes de l'a. peuvent se définir ainsi : abolition de la polarité tonale (mais non de toute polarité, comme l'a souligné A. Webern) ; équivalence des 12 demi-tons de l'échelle chromatique ; rejet du dualisme consonance-dissonance et des résolutions ; abolition de la cadence ; défonctionnalisation et autonomie des accords. — Historiquement, l'a. est née d'un progressif élargissement du système tonal qui entraîna finalement une dissolution de sa structure. On observe au cours du XIXe s., dans l'évolution de la pensée musicale, une liberté toujours plus grande de la modulation, abolissant le règne d'une tonique, effaçant les contours particuliers des diverses tonalités et tendant à les confondre dans un même chromatisme. Peu employé dans les œuvres tonales, le chromatisme gagne en importance, car s'il n'appartient pas à chacune des tonalités, il appartient à l'ensemble des tonalités, dont les différentes toniques suffisent déjà à constituer ses 12 demi-tons. L'harmonie tonale, d'autre part, en s'enrichissant, intègre peu à peu toutes les dissonances. A l'harmonie « naturelle », fondée sur la résonance, se substitue peu à peu une harmonie « artificielle » que ne légitiment plus que des artifices formels (notes étrangères, altérations, etc.). Les degrés de la gamme tonale, jusqu'alors nettement différenciés par des accords caractéristiques aux fonctions précises, doivent admettre tous les accords et devenir ainsi tous semblables. Il n'y a plus, selon l'expression de Schönberg, que des accords « vagues », ne relevant plus d'une tonalité bien définie. C'est surtout le chromatisme wagnérien et franckiste ainsi que les audaces de l'impressionnisme français qui ébranlèrent la tonalité classique au point que l'a. apparut moins comme une création « ex nihilo » que comme la consécration logique de faits musicaux déjà existants. Schönberg dénonce cette tonalité élargie qui, par l'artifice des notes étrangères, prétend s'annexer ce qui lui est par définition étranger. L'a. confère valeur positive à toutes les harmonies, à toutes celles qui sont possibles à partir de l'échelle chromatique (en abolissant définitivement la frontière entre consonance et dissonance, et en admettant l'équivalence des 12 sons de l'échelle chromatique).

Toutefois, si l'a. est considérée comme un des aboutissements possibles de l'évolution de la pensée musicale, la raison essentielle du passage, effectué par Schönberg, de la tonalité élargie à l'a. réside dans son expressionnisme, qui avait besoin de la souplesse d'une langue libérée de toute structure préexistante. C'est en 1908, dans Das Buch der hängenden Gärten, « Le livre des jardins suspendus », que Schönberg atteint pour la première fois l'atonalité. Cette libre a. sera le mode d'écriture caractéristique de l' → École de Vienne jusqu'en 1921, date à laquelle Schönberg découvre la méthode sérielle qui organise le « total chromatique ». Mais si l'atonalisme a évolué vers le → dodécaphonisme sériel, puis, avec les disciples de Webern, vers le → sérialisme intégral, beaucoup de compositeurs actuels préfèrent aux contraintes de la technique sérielle un libre atonalisme. De sorte qu'a. s'oppose maintenant autant à série qu'à tonalité. — Dans une mus. atonale se pose le problème de la forme, car elle ne peut s'accommoder des formes traditionnelles. De même que l'a. niait la tonalité classique, le discours atonal s'est constitué par la négation des caractéristiques du discours tonal : thématisme, continuité et fermeture de la forme. De l'a. sont ainsi nées des structures neuves : l'athématisme, inauguré par Schönberg, qui est une technique de la variation perpétuelle ; la discontinuité, inaugurée par Webern, qui s'accentuera dans le pointillisme post-webernien ; enfin la forme ouverte, inaugurée par les disciples de Webern, « work in progress », qui remet en question la notion d'œuvre.

Bibliographie — A. Schönberg, Harmonielehre, Vienne, UE, 1911, 5/1960 ; D. Milhaud, Polytonalité et a., in RM IV, 1923 ; H. Eimert, Atonale Musiklehre, Leipzig 1924 ; L. Deutsch, Das Problem der A. und des Zwölftonprinzips, in Melos VI, 1927 ; A. Berg, Was ist atonal ?, Radio-Vienne 1930, reproduit in J. Rufer, Musiker über Musik, Darmstadt 1956 ; D. Paque, L'a. ou mode chromatique unique, in RM XI, 1930 ; A. Machabey, Dissonance, polytonalité, a., ibid. XII, 1931 ; A. Webern, Wege zur Neuen Musik, conférences tenues à Vienne 1932-33, éd. par W. Reich, Vienne, UE, 1960 ; R. Leibowitz, Schönberg et son école, Paris 1947 ; H.H. Stuckenschmidt, A. Schönberg, trad. par A. von Spitzmüller et Cl. Rostand, Monaco, Éd. du Rocher, 1956 ; J.C. Paz, A. Schönberg ou la fin de l'ère tonale, Buenos Aires, Éd. Nueva Visión, 1958 ; G. Perle, Serial Composition and Atonality, Berkeley et Los Angeles, Univ. of California Press, et Londres, Faber, 1962.

G. BRELET

ATTACA (ital., impératif sing. du verbe attaccare; signifie ici : continuer sans interruption), s'utilise à la fin d'un mouvement ou d'un fragment musical qui doit être immédiatement enchaîné à celui qui suit. Cette indication figure par exemple dans la 5e Symphonie de Beethoven à la fin du 3e mouvement et dans sa Sonate pour piano op. 57 à la fin de l'andante. On note aussi quelquefois « attaca subito » (= enchaîner tout de suite) ou « attaca subito il seguente » (= enchaîner tout de suite le suivant).

ATTAQUE. L'a. d'un son est le passage transitoire du début d'excitation du corps vibrant au régime établi. Elle constitue la tête du son, véhicule une grande information et définit presque à elle seule l'instrument dont elle émane. Si l'on coupe cette tête, certains instruments deviennent quasi méconnaissables. Elle offre généralement un spectre continu (de bruit). D'un point de vue musical, l'a. est la manière d'émettre les sons de la voix, de mettre en vibration les cordes ou la colonne d'air et d'actionner les touches d'un instrument (→ toucher).

ATTRACTION (angl., attraction; all., Anziehungskraft; ital., attrazione; esp., atracción), phénomène fondamental de la musique de tous les temps et de tous les styles. Il s'agit de la loi universelle de l'attirance des densités faibles vers les densités fortes. Cette notion appliquée au domaine musical se traduit par l'attirance des degrés faibles vers les degrés forts, selon la loi du « plus court chemin » (É. Costère, qui parle de potentiel attractif). Celui-ci est, dans notre système usuel, le demi-ton tempéré. Mais les musiciens ayant un instrument autre qu'à sons fixes réduisent souvent cette distance d'une façon variable, augmentant ainsi la force de l'a. en lui conférant une qualité expressive personnelle. L'a. varie selon les → systèmes utilisés. Mais les degrés forts essentiels restent toujours les mêmes : ce sont ceux donnés par les premiers → harmoniques, l'octave et la quinte, puis, par déduction, son renversement la quarte. C'est autour de ces trois rapports que s'organise la grande majorité des modes en usage, avec une préférence pour la structure de quarte, l'intervalle vocal le plus naturel, d'où la notion primordiale de → tétracorde en Grèce antique et au Moyen Age. Ainsi, en *do* majeur, les sons *do-fa-sol* servent de pôles de ralliement. Si l'a. s'exerce de façon divergente, on obtient des mélodies à secondes augmentées :

o = degré fort, donc fixe
• = degré faible, donc mobile

Il peut arriver que l'a. de la quinte soit prépondérante et s'exerce au détriment d'un des tétracordes :

La structure, dans ce cas, devient pentacorde + tétracorde soudé (ou conjoint : *sol* note commune). Il peut également arriver que l'a. se stabilise et fasse partie de l'échelle fixe normalement employée. J. Chailley parle alors d'a. « solidifiée ».

Quand la polyphonie introduit la consonance de tierce avec rapport 4/5 (voir l'art. INTERVALLE), on passe du → système pythagoricien au → système zarlinien, beaucoup plus statique et peu propre au phénomène d'attraction. Même la → sensible — éloignée de la tonique par un demi-ton large — n'est plus obligatoirement attirée par celle-ci. C'est avec la 7e de dominante — qui fera aboutir le → système tempéré — que le dynamisme attractif réapparaît. Il est cette fois-ci plus fort qu'en monodie car il est basé sur le → triton, qui cumule simultanément deux attractions divergentes :

provoquant un état d' → instabilité caractéristique. L' → altération chromatique résulte de la loi de l'attraction. Son paroxysme est atteint dans le *Tristan* de Wagner (1859).

Il faut soigneusement distinguer, dans un accord altéré, si l'altération — résultat d'une a. mélodique — entraîne verticalement un phénomène de tension provoqué par la présence de triton ou d'accord de 5te augmentée (voir l'art. HARMONIE, § 3). Dans ce dernier cas, le phénomène d'a. est décuplé par l'adjonction d'un phénomène de tension, lui-même créateur d'instabilité. L'a. de la sensible vers la tonique n'est qu'un cas particulier d'un phénomène général.

L'a. est un principe dynamique s'opposant au principe statique de la → consonance, dont il est complémentaire. C'est donc essentiellement un phénomène en devenir et à sens unique non réversible, exclusivement orienté vers sa résolution. Celle-ci représente le repos et la détente qui succèdent au mouvement et à l'effort. Toute musique évolue entre ces deux principes, à part la mus. sérielle qui abolit la loi d'a. et, par suite, introduit des normes fondamentalement différentes.

Bibliographie — É. COSTÈRE, Lois et styles des harmonies musicales, Paris, PUF, 1954 ; du même, art. Polarisation et potentiel, *in* Encycl. de la mus. III, éd. par Fr. Michel, Paris, Fasquelle, 1961 ; J. CHAILLEY, Formation et transformation du langage musical, Paris, C.D.U., 1961 ; cf. également les art. SENSIBLE et STABILITÉ, INSTABILITÉ.

S. GUT

AUBADE (du provençal aubada, dérivé de auba, = aube ; voir également AUBE ; all., Morgenständchen ; ital., mattinata ; esp., alborada), petit concert donné en plein air, au début du jour, sous les fenêtres d'une personne que l'on veut honorer. Aux XVIIe et XVIIIe s., les aubades étaient fréquentes et souvent officielles ; c'est ainsi que, depuis le règne de Louis XIV, les tambours des régiments en garnison à Versailles ou à Paris donnaient une aubade au souverain le matin du 1er janvier. Cette pratique était imitée en province par les tambours et trompettes des villes, qui donnaient des aubades aux officiers municipaux à l'occasion de leur élection. Depuis le XIXe s., ce terme a servi de titre à des → pièces de caractère : p. ex. *Aubade* pour cht. et p. de Bizet, *Aubade* pour 10 instr. d'É. Lalo, l'*Alborada* du *Capriccio espagnol* pour orch. de Rimski-Korsakov, l'*Alborada del Gracioso* des *Miroirs* pour p. de Ravel, et *Aubade* pour 10 instr. de Fr. Poulenc. A l'aubade s'oppose la sérénade.

AUBE (provençal, alba ; moyen haut all., Tageliet ou Morgensanc), genre particulier de la chanson pratiqué par les trouveurs provençaux, français et germaniques. Le thème est celui du regret de la séparation des amants, informés par un veilleur du retour ennemi du jour. « Le guetteur, placé au sommet d'une tour, chantait pour combattre le sommeil et, au matin, annonçait le retour du jour par un cri ou une sonnerie de cor » (P. Bec). Les amants seront alors en butte aux médisances des jaloux (les « lausengiers » des Provençaux, « losengiers » en langue d'oïl, « merkaere » en moyen haut all.).

Les éléments constitutifs de l'a. sont tripartites (matin, dangers, adieux), de même que les personnages sont trois (les amants, le veilleur ou « gaite »). L'a. est un genre à la fois lyrique, épique et dramatique qui a inspiré plus d'un poète jusqu'à nos jours, notamment Shakespeare dans *Roméo et Juliette*, et R. Wagner, qui a conçu le 2ᵉ acte de *Tristan* comme une a. de vaste dimension.

Quatre a. anonymes, 8 attribuées dont 5 religieuses (dues à Folquet de Marseille, Bernard de Venzac, Guilhem d'Autpoul, Peire Espanhol, Guiraut Riquier) et 3 profanes (dues à Guiraut Riquier, Giraut de Borneilh et Uc de la Bacalaria) nous sont parvenues pour le répertoire d'oc : on y remarque le retour régulier du mot « alba » dans chaque strophe. La plus célèbre est *Reis glorios, verai lums e clartaz* de Giraut de Borneilh, dont la musique a été préservée. Nous ne connaissons que 4 a. françaises, parmi lesquelles la belle *Gaite de la tor* anonyme avec notation musicale. Dans l'a. religieuse, la lumière du jour est le symbole du Christ opposé aux ténèbres du péché.

En Allemagne, « Tageliet » ou « Tagewise » désignent les chants de veilleur, alors que « Morgensanc » est plus général. Ici le guetteur, nommé « Nachtwächter », n'est guère ami ou confident, soit qu'il sollicite récompense, soit qu'il reste anonyme et ne représente pour les amants que l'image de la fatalité. Nous possédons des a. de Dietmar von Aist, Wizlav von Rügen, du Margrave de Hohenburg, Jacob von Warte, Wizzenlô, Heinrich von Frauenberg, Wolfram von Eschenbach, Wenceslas von Böhm, Ulrich von Lichtenstein, Ulrich von Winterstetten, Johannes Hadlaub... Oswald von Wolkenstein situe la scène dans une grange, la fermière jouant le rôle du guetteur ; le Burgrave de Linz rapproche l'a. de la chanson de croisade alors que chez Steinmar elle est carrément villageoise. Hugo von Montfort y mêle l'élément des cloches sonnant le retour du jour.

Bibliographie — K. Bartsch, Die romanischen u. deutschen Tagelieder, *in* Gesammelte Vorträge, Fribourg-en-Br. 1883 ; M. de Gruyter, Das deutsche Tagelied (diss. Leipzig 1887), *in* Literaturzeitung 28.4.1888 ; A. Jeanroy, Les origines de la poésie lyrique en France au M. A., Paris, Champion, 1889, 4/1965 ; Th. Kochs, Das deutsche geistliche Tagelied, Münster 1928 ; Fr. Niklas, Untersuchung über Stil u. Gesch. des deutschen Tageliedes, *in* Germanische Studien LXXII, Berlin 1929 ; H. Ohling, Das deutsche Tagelied vom Mittelalter bis zum Ausgang der Renaissance (diss. Cologne 1938) ; Fr. Gennrich, Der musikalische Nachlass der Troubadours, 2 vol., Darmstadt, l'Auteur, 1958-60 ; J. Maillard, Anth. de chants de troubadours (avec l' « alba » de Giraut de Borneilh) Nice, Delrieu, 1967 ; du même, Anth. de chants de trouvères (avec « Gaite de la tor »), Paris, Zurfluh, 1967.

J. Maillard

AUDIBILITÉ, voir Acuité auditive, Aire audible, Audition et Ultra-son.

AUDIOGRAMME, voir Audition.

AUDITEUR (du lat. auditor ; angl., hearer, listener ; all., Zuhörer ; ital., uditóre, ascoltatóre), celui ou celle qui écoute un concert, une audition, une conférence, etc.

AUDITION. Les problèmes de l'a. sont nombreux et complexes, très mal connus encore malgré les recherches faites un peu partout dans le monde. Le système auditif comporte un capteur de l'information sonore, l'→ oreille (externe, moyenne et interne), dont on connaît bien l'anatomie mais dont la physiologie est encore l'objet de nombreuses discussions et hypothèses (voir l'art. Ouïe). Cette information est ensuite convoyée sous forme d'impulsions électriques vers le cerveau, véritable centre informatique, où elle est stockée dans divers types de mémoires et exploitée selon les besoins, de façon probablement très similaire dans le principe à ce que nous savons des ordinateurs actuels. La réaction d'un sujet à un phénomène acoustique dépend des performances de l'oreille-organe et de celles du « centre de traitement », de la capacité et du contenu des mémoires. Dans le domaine de l'a., on en reste réduit, malheureusement dans une large mesure, aux hypothèses. Les choses se compliquent du fait que l'oreille est un système adaptatif, dont les propriétés se modifient en fonction des caractéristiques des signaux perçus, de leur prévisibilité en particulier. Pour tester l'a., on relève l'audiogramme du sujet en lui faisant écouter successivement, à des intensités différentes, des sons simples (sinusoïdaux) de fréquence (hauteur) variable. L'audiogramme est cependant très insuffisant : il ne permet pas de tester l'acuité temporelle (pouvoir séparateur temporel) et ne tient pas compte du contexte des signaux normaux de la musique (prévisibilité en particulier). On complète généralement l'audiogramme par d'autres tests. Chaque musicien devrait posséder son audiogramme, malgré les imperfections du procédé. — Voir l'art. Ouïe.

AUDITOIRE (du lat. auditorium ; angl., audience ; all., Publikum ; ital., uditorio, astanti), l'ensemble des personnes qui écoutent un concert, une conférence, etc.

AUFFÜHRUNGSPRAXIS (all.), voir Interprétation.

AUFGESANG (all.), voir Bar.

AUFTAKT (all.), voir Anacrouse.

AUGMENTATION. 1. Prolongation de la durée d'une note par l'adjonction de la moitié de sa valeur au moyen d'un point (« punctum augmentationis »). — **2.** Dans la notation mensuraliste des xvᵉ et xviᵉ s., agrandissement d'un chant par la prolongation de toutes ses durées constitutives au moyen de proportions dites augmentantes : « proportio subdupla » indiquée par le rapport 1/2, « proportio subtripla » par 1/3 ou par les signes de prolation majeure Ⓒ et ⊙ lorsqu'ils ne figurent qu'à l'une des voix d'une composition polyphonique. Ce procédé est employé fréquemment dans les ténors des messes du xvᵉ s., les messes « L'homme armé » par exemple. Le procédé inverse est la → diminution. L'a. sert également à rétablir les valeurs altérées par la diminution. — **3.** Procédé de composition, employé plus particulièrement dans un style contrapuntique, consistant à faire réentendre un thème ou un motif en valeurs plus longues, soit dans un souci de variation, soit dans le but de réaliser une progression expressive. L'a. est utilisée fréquemment dans la fugue, p. ex. par J.S. Bach dans sa *Fugue nº 8 en mi ♭ min.* du *Clavier bien tempéré* I (mes. 47 et ss. ; mes. 62 et ss. ; mes. 67 et ss. ; mes. 77 et ss.) et par L. van Beethoven dans le final de la *Sonate nº 31, op. 110* (18ᵉ mes. de la reprise de la fugue inversée). Mais l'a. d'un thème a également été pratiquée dans un certain nombre d'œuvres symphoniques du XIXᵉ s., par Fr. Schubert dans sa 7ᵉ *Symphonie* en *ut* maj. (1ᵉʳ mouvt, mes. 641 et ss.), par J. Brahms dans sa 4ᵉ *Symphonie* en *mi* min. (1ᵉʳ mouvt, mes. 246 et ss.).

AUGMENTÉ, se dit d'un → intervalle qui comporte un demi-ton chromatique de plus que l'intervalle juste ou majeur correspondant.

Voir également les art. ATTRACTION, INTERVALLE, STABILITÉ, INSTABILITÉ et TRITON.

AUGSBOURG (Augsburg).

Bibliographie — **1. Vie musicale et ouvr. généraux :** J. VON AHORNER, A.er Musikzustände seit dem Ende des vorigen Jh., *in* Zs. des historischen Vereins für Schwaben u. Neuburg I, 1874 ; A. BUFF, Mozarts A.er Vorfahren, *ibid.* XVIII, 1891 ; H.M. SCHLETTERER, Aktenmaterial aus dem städtischen Archiv zu A., *in* MfM XXV, 1893, et XXX, 1898 ; W. NAGEL, Kleine Mitteilungen zur Musikgesch. aus A.er Akten, *in* SIMG IX, 1907-08 ; O. MAYR, A. Gumpelzhaimer, ein Beitr. zur Musikgesch. der Stadt A. (diss. Munich 1908) ; K. KÖBERLIN, Beitr. zur Gesch. der Kantorei bei St. Anna in A., *in* Zs. des... Vereins für Schwaben... XXXIX, 1913 ; K. PITROFF, Aus 4 Jh evangelischer Kirchenmusik in A., *in* Zs. für ev. Kirchenmusik IX, 1931 ; H. SCHWEIGER, Archivalische Notizen zur Hofkantorei Maximilians I., *in* ZfMw XIV, 1931-32 ; K.A. FISCHER, J.A. Stein, der A.er Orgel- u. Klavierbauer, *in* Zs. des... Vereins für Schwaben... I., 1932-33 ; L. GERHEUSER, J. Scheiffelhut u. seine Instrumentalmusik, *in* Zs. des ... Vereins für Schwaben... II., 1933 ; P. MOSER, A.er Liedertafel 1843-1933, Augsbourg 1933 ; H.J. MOSER, A. in der deutschen Musikgesch., *in* Die Musikpflege VII, 1936-37 ; H. MEYER, Orgeln u. Orgelbauer in Oberschwaben, *in* Zs. des... Vereins für Schwaben... LIV, 1941 ; J. SCHILCHER, Die Marianer, die Domspatzen von A., *ibid.* ; R. SCHAAL, Zur Musikpflege im Kollegialstift St. Moritz zu A., *in* Mf VII, 1954 ; 90 Jahre Oratorienverein A., Augsbourg 1956 ; F. SCHNELL, Zur Gesch. der A.er Meistersingerschule, Augsbourg, Die Brigg, 1958 ; B. PAUMGARTNER, Zur Musikkultur A.s in der Fuggerzeit, *in* J. Fugger, Kaiser Maximilian u. A., Augsbourg 1959 ; A. LAYER, Musik u. Musiker der Fuggerzeit, Augsbourg 1959 ; du même, Die A.er Künstlerfamilie Mozart, Augsbourg, Die Brigg, 1971 ; Neues A.er Mozartbuch, = Zs. des... Vereins für Schwaben... LXII-LXIII, 1962 ; Musik in der Reichsstadt A., éd. par L. WEGELE, Augsbourg, Die Brigg, 1965 ; 100 Jahre Oratorien-Verein A., 1866-1966, Augsbourg, Walch ; 1966. — **2. Les théâtres lyriques :** F.A. WITZ, Versuch einer Gesch. der theatralischen Vorstellungen in A., Augsbourg 1876. — **3. L'enseignement :** A. GREINER, Die A.er Singschule in ihrem inneren u. äusseren Aufbau, Augsbourg 1924 ; K. KÖBERLIN, Gesch. des Humanistischen Gymnasiums bei St. Anna in A. 1531-1931, Augsbourg 1931 ; H.J. MOSER, Eine A.er Liederschule im Mittelbarock, in Kroyer-Fs., Regensburg 1933 ; A. GREINER, Die Volksschule in A., Augsbourg et Kassel 1934. — **4. Les bibliothèques :** H.M. SCHLETTERER, Katal. der in der Kreis- u. Stadtbibl., dem Städtischen Archive u. der Bibl. des historischen Vereins zu A. befindlichen Musikwerke, *in* MfM X, 1878 Beilage.

AULÈTE, joueur d' → aulos.

● **AULOS** (grec, = tuyau ; pluriel auloï), instr. à vent de la Grèce antique. L'a. simple est constitué par un tube de perce cylindrique ou conique, muni d'un embout où se fixe l'anche, et de deux ou trois éléments mobiles en forme d'olives, toujours visibles sur les instruments des virtuoses, qui sont vissés et servent probablement à modifier la hauteur de l'échelle sonore. Le jeu se pratiquait généralement à l'aide de deux tuyaux sonnés simultanément, chaque main agissant sur l'un d'eux. Les a. étaient construits en roseau, en buis, en lotus, en os, en corne ou en ivoire, parfois même en métal. A la fin du VIIᵉ s. av. J.C. l'instrument était percé de 4 trous, alors qu'à l'époque hellénistique il en comportait quinze. Aristote indique qu'il peut quintoyer (comme la clarinette). Les trous devinrent ovales lors de la diffusion des genres chromatique et enharmonique. Diodore de Thèbes imagina des ouvertures latérales, fermées par des bagues métalliques immobilisées pendant l'exécution. Plus tard, des viroles perpendiculaires à l'orifice permirent d'abaisser certains sons d'un demi-ton. — L'anche était à l'origine un fétu de paille. D'abord double, elle devint simple vers le IVᵉ s. et, plus facile à utiliser, permit alors des effets descriptifs très goûtés au théâtre. Profondément enfoncée dans la bouche, elle provoquait une sonorité gutturale. Pour éviter le gonflement des joues, les aulètes des concours portaient une → « phorbéïa ». — C'est par la trajectoire des tubes que les Grecs obtenaient les ressources que procure notre système de clefs. Sur les représentations, les tuyaux forment parfois un angle considérable, dans le sens vertical ou horizontal. Mais ils pouvaient être placés en parallèle pour que les doigts obturent les deux colonnes vibrantes à la fois. L'un des tuyaux devait servir de bourdon mais aucune notation instrumentale n'est venue justifier cette hypothèse. On sait seulement que la mélodie se jouait au grave, l'accompagnement à l'aigu.

Athénée distingue cinq sortes d'a. : « parthénoï », le plus petit (funérailles, sérénades) ; « païdikon » (fêtes et banquets) ; « kitharistéroï » (tragédie) ; « téléioï » (péan) ; « hypertéléioï », le plus grave (libations aux dieux), tandis qu'Aristote en connaît 33 espèces. On classait aussi les a. d'après leur nature (plagiaule ou a. oblique), leur origine (a. phrygien avec corne « ronflante » sur le tuyau gauche), leur usage (a. dactylique pour l'hyporchème), ou d'après des types dérivés (ascaule ou a. à réservoir). L'a. accompagne plusieurs sortes de chants : l' « épikédéïos » (déploration funèbre), le « komarchios » (chant de table), l' « elogos » (chant plaintif), le « gamélion » (chant de noces). Sa stridence convient aussi bien aux vendanges, aux soins à donner aux possédés, aux cris des pleureuses qu'à animer la palestre ou à former l'orchestre de théâtre. Aristophane lui confie les intermèdes de ses comédies. Un aulète participe à tous les « symposia » et l'instrument résonne à l'occasion des sacrifices, des mascarades, des danses, de la marche ou des combats. Les Grecs lui reconnaissent un emploi universel. Mais il est le « pathos » tandis que la cithare représente l' « éthos ». Admis dans les concours depuis le VIᵉ s., il n'y fit cependant que de brèves incursions sous la forme de l'aulétique et de l'aulodie. Les dieux le réprouvaient bien qu'il appartînt à Dionysos et à ses compagnons, les silènes et les ménades. Les philosophes le couvraient d'opprobre, l'accusant de dérégler les mœurs. Il conserva pourtant la faveur des foules et des princes — le dernier des Ptolémées reçut le surnom d' « Aulète ». Du VIIIᵉ au IVᵉ s. il figure constamment dans la céramique grecque.

D'origine asiatique — on le découvre dès le IIIᵉ millénaire chez les Sumériens — l'a. semble être arrivé en Grèce par l'intermédiaire de l'Égypte et de la Crète. Les écrivains hésitent dans leur attribution d'une filiation mythique. Dans le domaine de l'histoire, il faut citer l'invention du → nome aulodique par Clonas

● Voir hors-texte entre pages 16 - 17, Grèce, ph. 4.

de Tégée (VIIᵉ s.), l'introduction de l'aulétique aux jeux Pythiques de 586 pour lesquels Sacadas d'Argos écrivit une pièce décrivant le combat d'Apollon et du python. Au Vᵉ s., l'a. bénéficiait d'une large audience et son enseignement, qui remontait à Polymneste de Colophon, devint obligatoire. Mais Alcibiade et Aristote le rejetèrent au IVᵉ s., à une époque qui correspond à la lutte contre les cultes orgiaques dont l'a. était l'accompagnateur obligé. L'instrument resta en faveur à Thèbes, où naquit Pronomos (v. 475) qui le transforma ; ailleurs l'a. était réservé aux virtuoses et aux hétaïres. Enseigné dans les collèges d'éphèbes, il devint instrument d'expérimentation pour déterminer les échelles et les genres. Platon le nomme panharmonique. Vers 230, Athénée décrit l'a. avec une certaine précision (*Deïpnosophistes* XIV, 36). Si la découverte d'auloï à Pompéi prouve leur vogue dans le monde romain, l'absence de vestiges d'anches oblige à la circonspection quant à l'évaluation de leurs ressources sonores. Les premiers chrétiens chassèrent l'a. de leur musique mais certains manuscrits (St-Martial de Limoges, XIᵉ s.) tendraient à prouver une certaine descendance à travers le Moyen Age pour aboutir aux cromornes et aux bombardes. Le → launedda de Sardaigne reste son héritier le plus direct.

Bibliographie — A. HOWARD, The A. or Tibia, *in* Harvard Studies in Classical Philology IV, 1893 ; H. HUCHZERMEYER, A. u. Kithara in der griechischen Musik..., Emsdetten 1931 ; K. SCHLE-SINGER, The Greek A., Londres 1939 (compte rendu par J. HAND-SCHIN, *in* AMl XX, 1948) ; N.B. BODLEY, The A. of Meroë, *in* Amer. Journal of Archeology L, 1946 ; M. WEGNER, Das Musikleben der Griechen, Berlin 1949 ; A. BAINES, art. A. *in* Grove 5/1954 ; R. FLA-CELIÈRE, La vie quotidienne en Grèce au siècle de Périclès, Paris, Hachette, 1962 ; H. METZGER, Recherches sur l'imagerie athénienne, Paris, De Boccard, 1965 ; H. BECKER, Zur Entwicklungsgesch. der antiken u. mittelalterlichen Rohrblattinstr., Hambourg, Sikorski, 1967 ; du même, Zur Spielpraxis der Griechischen A., *in* Kgr.-Ber. Kassel 1962, Kassel, BV, 1962 ; D. PAQUETTE, L'instr. de mus. à travers la céramique de la Grèce antique (diss. Dijon 1968).

D. PAQUETTE

AURRESKU, danse cérémonielle très ancienne, pratiquée en pays basque. Les danseurs font la chaîne en se donnant la main (le premier s'appelle a. et le dernier « atzesku ») et sont conduits au son du → « txistu » et du → « tamboril » (petit tambour). La danse se compose de plusieurs sections variées, de nos jours : « entra », « atzesku », → « zortziko », « pasa-mano », « desafío », → « fandango », « ariñ-ariñ » et galop final.

Bibliographie — FR. GASCUÉ, L'a. basque, *in* Bull. de la SIM VIII, 1912; du même, El a. en Guipuzcoa a fines del s. XVIII, Saint-Sébastien 1916; V. ALFORD, Ceremonial Dances of the Spanish Basques, *in* MQ XVIII, 1932.

AUTHENTE (du grec authentikos, = maître, chef, principal), forme principale d'un mode ecclésiastique. — Voir l'art. MODES ECCLÉSIASTIQUES, § I.

AUTOMATE (du grec automatos, = spontané), machine pouvant imiter grâce à un mécanisme les mouvements d'un être animé. On peut considérer certaines horloges du Moyen Age (Lyon; cathédrale de Strasbourg, où le coq chante à midi en agitant les ailes) comme les premiers exemples. Mais les véritables a. ne datent que du XVIIIᵉ s. ; les sujets musicaux connurent une faveur toute particulière. Les a. du

mécanicien français J. de Vaucanson sont demeurés célèbres : son « joueur de flûte » (1737) pouvait exécuter une douzaine d'airs, non par le truchement d'une → boite à musique mais par insufflation d'air dans l'instrument et par le jeu des doigts ; de même son « joueur de tambourin » (1738) rythmait d'une main les contredanses qu'il jouait de l'autre sur le flageolet. La vogue des a. se répandit à l'étranger à la fin du siècle. Citons ceux des frères Droz à La Chaux-de-Fonds et le fameux « Panharmonikon » de J.M. Maelzel (voir à ce nom, vol. II) pour lequel Beethoven écrivit primitivement son op. 91 *Auf Wellingtons Sieg bei Vittoria*. — Voir également l'art. Musique MÉCANIQUE.

Bibliographie — J. DE VAUCANSON, Mécanisme du flûteur automate..., Paris 1738 ; F. MAINGOT, Les a., Paris 1959.

AUTOMÈLE, voir IDIOMÈLE.

AUTRICHE (Österreich). **Préhistoire, Antiquité et folklore.** Les plus anciens spécimens d'instr. de musique conservés en Autriche sont des flûtes en os datant du paléolithique supérieur ; de la période néolithique et de l'âge du bronze ont été conservés essentiellement des idiophones auxquels s'ajoutent pour les périodes de Hallstatt et de La Tène quelques témoignages iconographiques (lyres, flûtes de Pan). De même, le fonds romain connu jusqu'à ce jour est relativement pauvre (instruments, représentations iconographiques, inscriptions) et ne donne pas le moindre témoignage d'une pratique musicale qui se serait écartée de la pratique courante. Les coutumes, la musique et la danse populaires conservent fréquemment des traditions très anciennes qui remontent même au-delà de l'époque des grandes invasions. En dehors de quelques sources isolées, seuls les travaux de recherche et de collecte entrepris au XIXᵉ s. ont permis de se faire une idée assez précise de la mus. populaire. La chanson alpine utilise de préférence les larges intervalles provenant d'accords brisés, en faisant une place importante au triton. L'élément caractéristique en est le → « Jodler », exécuté en voix de tête sur des syllabes dépourvues de sens. La polyphonie, qui peut aller jusqu'à cinq parties, est réalisée par l'adjonction improvisée de voix au-dessus et au-dessous de la partie principale et s'étend des ensembles simples aux constructions les plus élaborées. On possède pour certaines chansons une version à deux voix et une version isolée de chaque voix. La mesure la plus fréquemment employée est la mesure à 3/4 ; on peut aussi rencontrer des changements de mesure et des renversements improvisés de rythmes. — Voir également l'art. LÄNDLER.

Le Moyen Age. Parmi les centres de la seconde christianisation de l'Autriche (à partir du VIIᵉ s.), période qui marque le début d'une évolution continue dans l'histoire de la mus. autrichienne, Salzbourg occupa rapidement une situation de premier plan, ce qui est également attesté par les sources du chant liturgique. S'opposant à une pratique très variée, et conformément aux ordonnances rendues par Charlemagne, la tradition romaine s'imposa pour l'essentiel vers 830. C'est au IXᵉ s. que remontent les premières notations du chant grégorien, peu nombreuses et dans l'ensemble encore mal connues (Lamentations à St-Florian ; *Codex Millenarius Minor* à Kremsmünster). Le plus ancien chant d'église en langue vernaculaire est l'hymne de St Pierre, dit de Freisingen, également du IXᵉ s. et sans doute élaboré à Salzbourg. L'intonation avec neumes (Salzbourg) ou sans neumes (St. Lambrecht, Seckau) de *Christ ist erstanden*, le chant d'église en langue allemande le plus répandu jusqu'à nos jours, est attestée dans les sources à partir du XIIᵉ s. ; la première version entièrement notée en neumes apparaît en 1325 à Klosterneuburg. Dans ses premières sources, particulièrement nombreuses en Autriche, cette mélodie est presque toujours associée au jeu liturgique de Pâques. Du XIIIᵉ au XVIᵉ s., un nombre assez important de jeux liturgiques, provenant de presque toutes les régions de l'Autriche, témoignent d'une forte participation musicale.

Avec Kürnberger et Dietmar von Aist, à l'époque du → « Minnesang » débute en Haute-Autriche avant le milieu du XIIᵉ s. Elle connut son apogée à Vienne, à la cour des quatre derniers ducs de Babenberg (1177-1246), où séjournèrent Reinmar de Haguenau et Walther von der Vogelweide. S'inscrivant en réaction contre le haut degré de stylisation atteint par leurs œuvres, la poésie lyrique de Neidhart von Reuenthal est fortement imprégnée d'éléments populaires (essentiellement sous forme de parodie). Le « Minnesang » vécut en Autriche jusqu'au XVᵉ s. Parmi ses représentants les plus remarquables, citons Ulrich von Liechtenstein, Hugo von Montfort, Engelbert von Admont — le seul théoricien important du Moyen Age autrichien —, Heinrich von Meissen (Frauenlob), enfin le moine Hermann de Salzbourg et Oswald von Wolkenstein, qui sont les premiers auteurs de compositions polyphoniques connus en Autriche ; celles d'Hermann révèlent une affinité avec la mus. populaire alpine, tandis que celles d'Oswald dénotent une connaissance approfondie de l'Ars Nova française et italienne. De l'époque précédente, on ne possède que des organa et déchants écrits dans le style de l'École de Notre-Dame de Paris, dont la pratique persista en Autriche du XIIIᵉ au XVᵉ s.

C'est en 1288 que se constitua à Vienne la première association corporative de musiciens, la « Nicolaibruderschaft ». Elle s'unit, au XIVᵉ s., au « Spielgrafenamt », à peu près aussi ancien qu'elle, et fut dissoute en 1782 par Joseph II. Il existait également des « Spielgrafenämter » à Graz, à Salzbourg et au Tyrol.

La Renaissance. Au XVᵉ s. la vie musicale se concentra dans les chapelles princières. Les deux premiers représentants de la lignée ininterrompue d'empereurs et de rois Habsbourg, Albert II et Frédéric III, prirent en charge les chantres attachés à la cour de leur prédécesseur Sigismond et dirigés par J. Brassart. Mais c'est sous Maximilien Iᵉʳ que la vie musicale connut un essor extraordinaire. Il entretint en effet deux chapelles, l'une bourguignonne, qu'il céda en 1494 à son fils Philippe, l'autre allemande, qu'il fit réorganiser à Vienne en 1498. La seconde compta parmi ses membres H. Isaac, P. Hofhaimer — tous deux issus de la chapelle de l'archiduc Sigismond à Innsbruck — et L. Senfl. A côté des grandes formes religieuses, ils cultivèrent le « Lied » allemand. P. Hofhaimer et son élève W. Grefinger illustrèrent la musique d'orgue et, comme L. Senfl et P. Tritonius, écrivirent également des odes à l'antique dont l'usage didactique remonte à l'influence du grand humaniste C. Celtes, qui enseigna à l'Univ. de Vienne à partir de 1497. A la demande de Maximilien, Celtes introduisit

à la cour impériale le drame humaniste en latin (Linz 1501, Vienne 1504). C'est à la même époque que commença à fleurir, avec H. Judenkünig et les frères H. et M. Neusidler, un art du luth dont la tradition se perpétua en Autriche jusqu'au XVIIIᵉ s.

La Chapelle de Ferdinand Iᵉʳ fut dirigée successivement par H. Finck et les Néerlandais Arnold von Bruck et P. Maessins. C'est sous ce dernier que l'influence néerlandaise prit une importance prédominante vers 1550. A la mort de Ferdinand, la Chapelle, à laquelle appartenaient également J. de Clèves, Chr.J. Hollander, J. Guyot et J. Buus, fut répartie entre les cours de Prague (où résidèrent les empereurs Maximilien II et Rodolphe II), de Graz et d'Innsbruck. J. Vaet et Ph. de Monte, A. du Gaucquier, J. Regnart, J. de Kerle, Jacobus van Brouck, Fr. Sales furent attachés à la cour de Prague ; Guillaume Bruneau, A. Utendal, Regnart, Sales, Hollander à celle d'Innsbruck ; J. de Clèves, R. Michael, Van Brouck, L. de Sayve à celle de Graz. Ce dernier, après avoir été, comme successeur de Gaucquier, maître de chapelle à la cour de l'archiduc Mathias, devint, lorsque celui-ci accéda au trône en 1612, le dernier maître de chapelle impérial d'origine néerlandaise. Au même niveau que l'œuvre des Néerlandais se situe celle de J. Gallus, dont l'existence se déroula dans les principaux centres religieux d'Autriche, de Bohême, de Moravie, de Silésie, pour se terminer dans les cercles musiciens de la cour de Prague.

La Réforme, dont on trouve en Autriche les premiers témoins musicaux vers 1520 dans les chants des mineurs tyroliens, suscita dans les milieux bourgeois de différentes villes une vie musicale florissante. Les musiciens protestants de valeur étaient nombreux à Klagenfurt (où se tenait depuis 1563 une Académie protestante), à Graz (E. Widmann, Annibale Perini), à Linz, Eisenerz, Steyr (P. Peuerl, auparavant à Horn) et dans d'autres localités de Basse-Autriche. A Klagenfurt, Linz et Steyr se développa également le genre du drame scolaire, auquel W. Schmeltzl donna une réplique catholique à Vienne. Avec le protestantisme commença l'ascension de l'art des → « Meistersinger », qui ne s'était jusqu'alors manifesté que d'une manière sporadique (M. Behaim à Vienne) et pour lequel furent créées des écoles. Il y eut au Tyrol (Schwaz, 1532), en Carinthie, en Styrie, dans les provinces de Bohême, et en particulier en Haute-Autriche où séjournèrent H. Sachs (Wels, aussi à Schwaz) et Adam Puschmann (Steyr).

La période baroque. L'art nouveau venu d'Italie gagna l'Autriche essentiellement par Salzbourg et Graz. A Salzbourg ce fut surtout l'œuvre de l'archevêque Marx Sittich von Hohenems (1612-1619), qui fit représenter, entre autres, le premier opéra donné hors d'Italie (*Orfeo*, 10.2.1614). En 1628, la consécration de la cathédrale de Salzbourg fut célébrée dans le plus pur style baroque par la messe solennelle à 53 voix d'O. Benevoli. A la Chapelle de la cour de Graz, créée en 1564 par l'archiduc Charles II, l'élément néerlandais, d'abord prédominant, fut rapidement évincé par les Italiens ; parmi ceux-ci tels que A. Padovano, Francesco Rovigo, L. Zacconi, G. Valentini, Giovanni Priuli furent attachés à la cour de Graz. Devenu empereur, l'archiduc styrien Ferdinand II fit suivre la Chapelle à Vienne. Ferdinand et ses successeurs, Ferdinand III, Léopold Iᵉʳ, Joseph Iᵉʳ et

Charles VI, ne furent pas seulement des mélomanes et des mécènes passionnés, mais également des musiciens très cultivés et, exception faite de Ferdinand II et Charles VI, des compositeurs de talent.

D'abord freiné dans son expansion par la guerre de Trente Ans, l'opéra ne devint une institution officielle que sous Léopold Ier (1657-1705) ; mais on peut penser que sa pratique se développa déjà bien avant cette période. Le premier opéra donné à la cour impériale de Prague fut *Arcas* (27.11.1627), et à Vienne sans doute *Sidonio* de Ludovico Bartolaia (9.7.1633). Auparavant déjà, la musique avait joué un rôle de premier plan dans les différentes représentations théâtrales. En 1641 et 1653, la Chapelle impériale exécuta des opéras à Regensburg ; en 1642 fut représenté à Vienne *Egisto* de Cavalli. Les seize années d'activité d'A. Cesti à Innsbruck et à Vienne constituent l'apogée de cette période. Les représentations d'*Argia* (1655) et de la *Magnanimità d'Alessandro* (1662) à Innsbruck, de *Il Pomo d'oro* (1668) à Vienne marquèrent le début des représentations à grand spectacle qui se perpétuèrent jusqu'à l'opéra de J.J. Fux, *Costanza e fortezza* (Prague 1723). A côté de Cesti et après lui, un grand nombre de remarquables compositeurs italiens furent attachés au service de la Cour impériale : A. Draghi, P.A. et M.A. Ziani, G. Bononcini, G. Porsile, A. Caldara, Fr.B. Conti... Ils écrivirent tous, pour la période du Carême, des oratorios dont une forme particulière, le « Sepolcro », connut à Vienne une grande faveur.

La musique purement instrumentale fut introduite en Autriche par des maîtres tels que Francesco Rovigo à Graz, S. Bernardi à Salzbourg et G. Valentini à Vienne, où sa tradition fut perpétuée jusque dans le 2e tiers du XVIIe s. par Pietro Francesco Verdina, A. Bertali, Giovanni Felice Sances et P.A. Ziani. Parallèlement se développa une tradition musicale autochtone : en 1611 P. Peuerl, organiste à Steyr, publiait son premier recueil de suites en variations, genre qui fut illustré après lui par l'organiste de la cathédrale de Klagenfurt, I. Posch. Aux courants d'influence italiens et allemands vint s'ajouter dans les années 1660 l'influence française. La synthèse de ces trois éléments donna naissance à la première école autrichienne de mus. instrumentale, représentée par J.H. Schmelzer à Vienne, H. Biber et G. Muffat — d'origine française — à Salzbourg, dont l'importance redevint ainsi égale à celle de Vienne (Biber écrivit en effet des opéras pour Salzbourg, tout comme A. Caldara par la suite) ; au XVIIIe s. s'y ajouta J.J. Fux. L'entrée de Wolfgang Ebner et de J.J. Froberger à la Chapelle impériale en 1637 marqua également les débuts d'une tradition de musique pour clavier qui, à travers J.K. Kerll, A. Poglietti, Franz Matthias Techelmann, les deux Muffat, F.T. Richter, G. Reutter sen., J.J. Fux et G.Chr. Wagenseil, ainsi que J.E. Eberlin et A.C. Adlgasser à Salzbourg, s'étend jusqu'à Mozart et au XIXe s.

Vienne et Salzbourg furent également les capitales du théâtre religieux, dont la musique fut l'œuvre entre autres de J.K. Kerll et de F.T. Richter pour les Jésuites de Vienne, de H.J.Fr. Biber, G. Muffat, Andreas Hofer, Sigismund Biechteler, J.E. Eberlin, A.C. Adlgasser, M. Haydn, L. et W.A. Mozart pour les Bénédictins de Salzbourg.

Le classicisme. La mort de l'empereur Charles VI en 1740 et celle de son maître de chapelle Fux en 1741 marquèrent la fin de la période baroque. La Chapelle de la Cour perdit de son importance ; par contre, d'innombrables chapelles princières de compositions très diverses — parmi les plus célèbres furent celles du prince de Saxe-Hildburghausen et des Esterházy — suscitèrent un afflux considérable de musiciens, d'œuvres et de manifestations musicales, établissant ainsi sur une base très large les prémices du classicisme viennois. Parmi ces musiciens il faut citer, outre les compositeurs viennois préclassiques tels que G. Chr. Wagenseil, M.G. Monn, J. Starzer, F. Aspelmayr, C. Ditters von Dittersdorf, Leopold Hoffmann et Fl.L. Gassmann, les compositeurs de l'École de Mannheim (à nouveau solidement implantée en Autriche), les Allemands du Nord contemporains de C.Ph.E. Bach et les compositeurs d'Italie du Nord, dont de vastes territoires appartenaient aux Habsbourg (G.B. Sammartini). Les meilleurs éléments de la musique internationale s'unirent à la tradition nationale et à la mus. populaire pour donner naissance, dans le classicisme viennois, à une synthèse originale marquée du génie. Dans l'élaboration d'un quatuor à cordes de Haydn, le rôle du divertimento issu de la suite baroque fut aussi déterminant que celui de la sonate d'église, de la symphonie et de l'ouverture d'opéra, aussi déterminant que l'art de N. Porpora et C.Ph.E. Bach. Mozart, venant de Salzbourg où contrairement à Vienne, les traditions de cour s'étaient conservées jusqu'à la fin de l'archiépiscopat, apprit à connaître la musique européenne, de la plus traditionaliste à la plus progressiste, par l'étude et les voyages. A côté des folklores — alpin, slave, magyar — l'intérêt porté à la musique des siècles passés, dont la pratique ne connut jamais d'interruption en Autriche, devint de plus en plus grand ; on peut même affirmer qu'il joua un rôle de premier plan dans les dernières œuvres des trois grands compositeurs classiques. La musique des compositeurs français de la Révolution donna également au style de Beethoven une impulsion décisive. Jusqu'à l'« idée poétique » de Beethoven, l'esprit du classicisme s'inspire de l'humanisme éclairé.

Contrairement à la Chapelle de la Cour, le Théâtre impérial de Vienne sut préserver dans l'ensemble ses prérogatives. C'est là que Chr.W. Gluck, après des années de voyage avec la troupe Mingotti (qui se produisit aussi en Autriche et amena sans doute A. Vivaldi vers 1740 à Graz), commença son œuvre réformatrice, qu'il poursuivit à Paris, avant de terminer sa vie à Vienne comme compositeur de la Cour. L'opéra italien fut illustré par les maîtres de chapelle de la Cour L.A. Predieri, G. Bonno, Fl.L. Gassmann, ainsi que par N. Porpora et T. Traetta, et tout particulièrement par les œuvres divergentes de Calzabigi-Gluck et Métastase-J.A. Hasse. Les diverses tendances du grand opéra se rejoignirent dans les œuvres de Mozart, qui dépassaient largement les limites de chaque genre. Dans son inspiration, une place importante revient aussi au théâtre musical populaire qui, à partir de la comédie à intermèdes musicaux — dite « comédie allemande » (J. Haydn, *Der krumme Teufel*, 1752) —, évolua jusqu'au → « Singspiel ». Ce dernier genre connut une faveur particulière au « Nationaltheater » créé en 1776 par Joseph II. Parmi ses meilleurs représentants, il faut citer C. Ditters von Dittersdorf, I. Umlauff, A. Wranitzky, F. Kauer, J.B. Schenk, Jakob Haibl, Fr.X. Süssmayer, W. Müller et J. Weigl.

Les chefs-d'œuvre du genre furent *L'Enlèvement au sérail* et *La Flûte enchantée* de Mozart, ainsi que le *Fidelio* de Beethoven.

L'activité des compositeurs classiques s'insère parmi celle d'une foule de contemporains doués, avec lesquels, d'ailleurs, ils entretinrent souvent des relations d'enseignement, d'échanges fructueux ou de concurrence. Parmi ces musiciens, un grand nombre est originaire de Bohême, où J.B. Czernohorsky avait suscité dans la 1re moitié du siècle une importante école : L. Kozeluch, Joseph Anton Steffan, P. et A. Wranitzky, A. Gyrowetz, J.B. Wanhal, F. Krommer, J.N. Wittassek, J.H. Worzischek. Citons encore I. Pleyel (plus tard à Paris), Fr.A. Hoffmeister, E.A. Förster, J. Eybler, S. Neukomm (pianiste de Talleyrand), M. Stadler, I. von Seyfried, A. Salieri (dernier maître de chapelle italien à la Cour). J.G. Albrechtsberger reprit les grandes lignes de la théorie musicale de J.J. Fux (*Gradus ad Parnassum*, 1725), qu'il transmit à S. Sechter.

Le XIXe siècle. Dans les années 1800, le mécénat princier fut remplacé par des organisations musicales d'inspiration bourgeoise qui, à Vienne (1812), à Graz (1815), à Innsbruck (1818) et dans d'autres villes, donnèrent finalement naissance à des institutions permanentes. Elles ne se contentèrent pas d'organiser des concerts mais suscitèrent également la création d'écoles de musique (conservatoires à Vienne et à Graz, aujourd'hui « Hochschulen ») et de collections musicales. C'est en vue de concerts publics que furent créés à Vienne les Concerts spirituels (1820-48) et les Concerts philharmoniques (à partir de 1842) ; l'intérêt porté au chant choral se traduisit par la fondation de nombreuses sociétés (le « Männergesangverein » de Vienne, 1843 ; la Liedertafel « Frohsinn » à Linz, 1845). L'historicisme musical, dont l'un des précurseurs au XVIIIe s. fut G. van Swieten à Vienne, développa une intense activité de compilation et de recherche dans laquelle se distingua tout particulièrement R.G. Kiesewetter. Jusqu'à E. Hanslick, ces centres d'intérêt restèrent étroitement liés au journalisme musical, qui connut au XIXe s. un remarquable essor. Se développèrent également les activités d'édition musicale (à Vienne dès 1769) avec les maisons d'édition Artaria, Diabelli, Haslinger, de même que la facture d'instr. de musique, représentée entre autres par les manufactures de pianos Streicher, Schweighofer, Bösendorfer, Ehrbar.

Dans le domaine de la mus. d'église, A. Salieri, J. Eybler, J. Weigl, S. Sechter, Gottfried Preyer pratiquèrent un style vigoureux, imprégné de classicisme. L'opéra vit les succès de C.M. von Weber (*Der Freischütz*, 1821 ; *Euryanthe*, 1823), C. Creutzer, G.A. Lortzing, Fr. von Flotow, succès que les maîtres italiens Rossini (à partir de 1816), Bellini et Donizetti rendirent bien vite éphémères. La virtuosité, dont la faveur grandissait, fut illustrée par l'école viennoise de violon : Joseph Böhm, Joseph Mayseder, les Hellmesberger, Heinrich Ernst, Jakob Dont et J. Joachim ; par les quatuors Schuppanzigh, Jansa, Grün, Rosé ; par les pianistes J.N. Hummel, A. Eberl, C. Czerny, I. Moscheles, S. Thalberg, F. Liszt.

Fr. Schubert passa toute sa vie en Autriche. Si le « Lied » occupe dans son œuvre une place de choix, il a laissé cependant, dans le domaine de la symphonie, de la musique de chambre, de piano et d'église, des productions tout aussi remarquables. Après sa mort

précoce, les compositeurs autrichiens ne s'imposèrent plus que dans la mus. de danse, où J. Lanner et J. Strauss père élevèrent la valse à un niveau artistique ; J. Strauss fils acheva leur œuvre et introduisit la valse dans l'opérette. Les deux formes ont été représentées jusqu'à nos jours par Fr. von Suppé, K. Millöcker, Carl Michael Ziehrer, Carl Zeller, R. Heuberger, Karl Komzák, Fr. Lehar, L. Fall, E. Kalman, E. Eysler, O. Straus et Robert Stolz. Les frères Johann et Josef Schrammel se consacrèrent avec bonheur à la musique d'inspiration populaire pratiquée par de petits ensembles.

On put assister à une nouvelle concentration des forces musicales lorsqu'en 1868 A. Bruckner, dont le génie avait lentement mûri à St. Florian et à Linz, et en 1869 J. Brahms vinrent s'installer à Vienne, où H. Wolf le rejoignit en 1877. Si en Brahms et Bruckner s'opposent deux grands créateurs de mus. symphonique et chorale — Brahms, plus éclectique, se distingua également dans la mus. de chambre, la mus. de piano et le « Lied » — le domaine spécifique de H. Wolf fut le « Lied », où il se montra l'héritier de Schubert. Parmi les trois compositeurs, il fut le seul à s'essayer au théâtre, mais sans plus de succès que Schubert. D'ailleurs, si l'opéra connut alors une période brillante pour les interprètes, les créations d'œuvres par contre se firent rares. Parmi les compositeurs de talent, contemporains des trois précédents, il faut citer K. Goldmark, I. Brüll, Joseph Forster, Julius Zellner, Stefan Stocker, R. Fuchs, H. Grädener, Joseph Labor et H. von Herzogenberg.

La période contemporaine. Au passage du siècle s'élève la forte personnalité du chef d'orchestre G. Mahler, dont les œuvres pourtant ne s'imposèrent qu'après la 2de Guerre mondiale. C'est l'école de Vienne qui constitue le centre des courants progressistes. Son fondateur, A. Schönberg, après une période de romantisme tardif, abandonna en 1908-09 l'usage de la tonalité pour aboutir finalement à la conception du dodécaphonisme, à peu près à la même époque que J.M. Hauer, mais sur des données entièrement différentes. Il trouva en A. Berg et A. von Webern des disciples de génie ; si dans l'œuvre de Berg le caractère expressif, mélodique et sonore l'emporte sur l'élément constructif, le style épigrammatique de Webern a exercé par contre une influence déterminante sur de nombreux compositeurs à partir des années 1950. A la seconde génération de l'École de Vienne appartiennent E. Wellesz, H.E. Apostel, H. Jelinek, Josef Polnauer, E. Křenek. A côté de ces compositeurs, un certain nombre de musiciens de valeur sont restés fidèles aux cadres de la tonalité, ainsi Fr. Schmidt, J. Marx et J. Lechthaler. Dans le domaine de l'opéra, il faut mentionner Fr. Schmidt, Fr. Schrecker, W. Kienzl, E.W. Korngold, J. Bittner, H. Gál, A. von Zemlinsky, Fr. Salmhofer, et de nos jours A. Uhl, G. von Einem, Rudolf Weisshappel et Gerhard Wimberger.

La création musicale de la période contemporaine et moderne révèle l'existence d'une masse presque insaisissable de personnalités et de groupes, parfois sans aucune attache traditionnelle. Se sont consacrés à la mus. d'église, et particulièrement à l'orgue, J.N. David, A. Heiller, Hans Haselböck, Hans Bauernfeind, Augustin Kropfreiter et Augustin Kubizek. Parmi les compositeurs les plus représentatifs, citons encore Th. Berger, C. Bresgen, Fr. Cerha,

Josef Friedrich Doppelbauer, Helmut Eder, Karl-Heinz Füssl, Armin Kaufmann, Paul Kont, Heinz Kratochwill, Györgi Ligeti, M. Rubin, K. Schiske, R. Schollum, O. Siegl et Friedrich Wildgans ; dans les plus récentes générations, Martin Bjelik, Günther Kahowez, Dieter Kaufmann, Otto Zykan.

Recherche et théorie tiennent également une place importante dans la vie musicale. Après E. Hanslick (Vienne) et Fr. von Hausegger (Graz), la musicologie fut représentée par G. Adler, Herbert Birtner, Gerhard Croll, Werner Danckert, O.E. Deutsch, Helmut Federhofer, R. von Ficker, Wilhelm Fischer, R. Haas, Leopold Nowak, Hans Ferdinand Redlich, W. Reich, E. Schenk, Ernst Fritz Schmidt, E. Wellesz, O. Wessely et Franz Zagiba pour les études historiques ; par Richard Wallaschek, Robert Lach, Walter Graf et Walther Wünsch pour les études comparées. Il faut en outre citer les compositeurs H. Schenker et R. Stöhr, dont les activités de professeur et de théoricien furent importantes.

Institutions et vie musicale actuelles. Par ses artistes comme par ses grandes villes, l'Autriche participe très activement à la vie musicale internationale, qui compte parmi ses manifestations essentielles les festivals de Salzbourg, de Vienne, de Bregenz et de Graz. En dehors de la « Staatsoper », de la « Volksoper » et du Théâtre « an der Wien » (utilisé aussi comme scène dramatique) à Vienne, les villes d'Innsbruck, de Graz, de Klagenfurt, de Linz et de Salzbourg possèdent chacune leur scène lyrique. L'organisation des concerts est, dans l'ensemble, assurée par les grandes associations telles que la « Gesellschaft der Musikfreunde » et la « Konzerthausgesellschaft » de Vienne, le « Mozarteum » de Salzbourg et les soc. de musique des capitales régionales (Graz, Linz, Klagenfurt). Vienne est le siège de la SIMC. Les intérêts des compositeurs sont défendus par la AKM (Soc. des auteurs, compositeurs et éditeurs de musique), l'Assoc. autrichienne des compositeurs et l'Assoc. autrichienne pour la mus. contemporaine. Parmi les nombreux ensembles, qui vont du duo à l'orchestre et au chœur, les plus connus sont l'Orch. philharmonique et l'Orch. symphonique de Vienne, l'Orch. du Mozarteum et la Camerata academica de Salzbourg, le « Niederösterreichisches Tonkünstlerorchester ». Un nombre imposant de chefs d'orchestres (Karl Böhm, H. von Karajan), de chanteurs et de virtuoses autrichiens ont rang de vedettes internationales. L'Autriche compte trois conservatoires supérieurs (Innsbruck, Salzbourg et Vienne), des conservatoires publics et privés (Innsbruck, Klagenfurt, Linz, Vienne, etc.) et des écoles de musique. Les collections les plus riches se trouvent à la Bibl. nationale, à la Bibl. de la « Gesellschaft der Musikfreunde » et à la Bibl. municipale de Vienne, à la Bibl. de l'Univ. de Graz et dans la plupart des grandes fondations religieuses autrichiennes. Innsbruck, Salzbourg et Vienne possèdent de précieuses collections d'instr. de musique. Les quatre Univ. de Graz, Innsbruck, Salzbourg et Vienne comportent un Institut de musicologie, discipline qui est également représentée par une commission à l'Acad. autrichienne des Sciences. Il existe en outre des associations destinées à remplir certains buts pratiques ou théoriques : édition des « Denkmäler der Tonkunst in Österreich » ; « Österreichische Gesellschaft für Musik » ; Soc. des amis de Bruckner, Chopin, Fux, Haydn, Lehar, Mahler, Mozart, Schmidt,

J. Strauss, Wagner, H. Wolf. Les plus importantes maisons d'édition musicale sont Universal-Edition et Doblinger.

Bibliographie (cf. également les art. GRAZ, INNSBRUCK, LINZ, SALZBOURG et VIENNE) — **1. Ouvrages bibliographiques :** Il n'existe pas de bibliographie de la mus. autrichienne. Depuis 1946 les publications musicales sont signalées dans l' « Österreichische Bibliographie ». Le « Jb. des österreichischen Volksliedwerkes » donne chaque année une bibliographie pour le folklore musical. Pour les revues, cf. D. LINDNER, Musikzss. in Österreich. Versuch einer Bibliogr., in ÖMZ X, 1955. — **2. Éditions monumentales :** Denkmäler der Tonkunst in Österreich, éd. par G. ADLER et E. SCHENK, 120 vol. parus, Vienne 1894 et suiv. ; Österreichische Kirchenmusik, éd. par K. PFANNHAUSER, Vienne 1946 et suiv. — **3. Études :** E. HANSLICK, Gesch. des Concertwesens in Wien, Vienne 1869 ; L. VON KÖCHEL, Die kaiserliche Hof-Musikkapelle in Wien von 1543 bis 1867, Vienne 1869 ; J. MANTUANI, Gesch. der Musik in Wien, Vienne 1904 (seul le vol. I a paru) ; R. HAAS, Die Musik des Barock, Potsdam 1928 ; C. SCHNEIDER, Gesch. der Musik in Salzburg…, Salzbourg 1935 ; E. SCHENK, Musik in Kärnten, Vienne 1942 ; du même, 950 Jahre Musik in Österreich, Vienne 1945 ; du même, Kleine Wiener Musikgesch., Vienne 1947 ; A. WEINMANN, Beitr. zur Gesch. des Alt-Wiener Musikverlags I/1-3, et II/1-13, Vienne 1948 et suiv. ; R. ZODER, Volkslied, Volkstanz u. Volksbrauchtum in Österreich, Vienne, Doblinger, 1950 ; O. WESSELY, Linz u. die Musik…, in Jb. der Stadt Linz, Linz 1951 ; du même, Musik in Oberösterreich, Linz, Oberösterreichischer Landesverlag, 1951 ; A. OREL, Musikstadt Wien, Vienne et Stuttgart, Wancura, 1953 ; H.J. MOSER, Die Musik im frühevangelischen Österreich, Kassel, BV, 1954 ; W. SENN, Musik u. Theater am Hof zu Innsbruck, Innsbruck, Österreichische Verlagsanstalt, 1954 ; F. HADAMOWSKY, Barocktheater am Wiener Kaiserhof. Mit einem Spielplan (1625-1740), in Jb. der Gesellschaft für Wiener Theaterforschung 1951-1952, Vienne 1955 ; H. FEDERHOFER, Musikleben in der Steiermark, in Die Steiermark, Land, Leute, Leistung, Graz, Steiermärkische Landesregierung, 1956 ; du même, Musikpflege u. Musiker am Grazer Habsburgerhof der Erzherzöge Karl u. Ferdinand von Innenösterreich (1565-1619), Mayence, Schott, 1968 ; A. KELLNER, Musikgesch. des Stiftes Kremsmünster, Kassel, BV, 1956 ; H.G. MAREK, Gesch. u. Wesen des Spielgrafenamtes in Österreich, Vienne, Notring der wissenschaftlichen Verbände, 1957 ; O. SEEWALD, Hallstattzeitliche Flöteninstrumente in Österreich, in Oberösterreichische Heimatblätter XIV, 1960 (avec une liste des instr. préhistoriques retrouvés) ; E. TITTEL, Österreichische Kirchenmusik, Werden, Wachsen, Wirken, Vienne, Herder, 1961 ; Tabulae Musicae Austriacae I-V, Vienne, H. Böhlau, 1964 et suiv. ; ÖMZ XXV, 1970 ; Musik in Österreich, in Notring-Jb. 1971, Vienne 1971. — Cf. également Studien zur Musikwiss. I-XXVII, 1913 et suiv. ; Veröffentlichungen der Kommission für Musikforschung I-XIII, 1947 et suiv. ; Mitteilungen der Kommission für Musikforschung I-XX, 1955 et suiv. ; Jb. des österreichischen Volksliedwerkes, Vienne 1952 et suiv. — **4. Dictionnaires :** W. SUPPAN, Steirisches Musiklexikon, Graz, Akad. Druck - u. Verlagsanstalt, 1962-66.

TH. ANTONICEK

AVALER (ancien fr., de val, contraire de mont, = faire descendre), terme employé dans le jeu du luth pour désigner l'abaissement de l'accord par une tension plus lâche des cordes. L'accord « à cordes avalées » se situait un demi-ton au-dessous du ton normal.

À VIDE, voir CORDE À VIDE.

AVIGNON.

Bibliographie — P. ACHARD, Notes hist. sur l'origine et les progrès de la mus. à A., in Annuaire du Vaucluse 1864 ; P. AUBRY, Les fêtes musicales d'A., Paris 1899 ; A. GASTOUÉ, F.J. Seguin, musicien avignonnais, in Tribune de St-Gervais 1901 ; du même, Les anciens chants liturgiques des églises d'Apt et d'A., in Revue de Cht grég. 1902 ; du même, La mus. à A. et dans le Comtat du XIVe au XVIIIe s., in RMI 1905 ; J.G. PROD'HOMME, La Soc. Ste-Cécile d'A. au XVIIIe s., in SIMG VI, 1904-05 ; J.B. RIPERT, Mus. et musiciens d'A., Avignon 1916 (concerne le XIXe s.) ; L. BONELLI, Les joueurs de flûte avignonnais… au XVe s., in Actes du Congrès d'hist. de l'art III, 1921 ; R. BRUN, A. au temps des papes, Paris 1928 ; FR. LESURE, art. A. in MGG 1, 1949-51 ; S. CLERCX, J. Ciconia. Un musicien liégeois et son temps I, Bruxelles, Acad.

des Beaux-Arts, 1960 ; H. Anglés, La mus. sagrada de la capilla pontificia de A. en la capilla real aragonesa durante el s. xiv, *in* Anuario Mus. XII, 1957 ; J. Robert, Contrats d'apprentissage et d'association de musiciens en A. sous Louis XIV, *in* Bull. du Comité des travaux hist. et scientifiques, Paris 1962 ; du même, Une famille de « joueurs de violon » avignonnaise au xviiiᵉ s. : les De La Pierre, *in* Recherches IV, Paris Picard, 1964 ; du même, Maîtres de chapelle à A. (1610-1715), *in* RMie LI, 1965 ; du même, Les Ranc d'A., propagateurs de l'opéra à la fin du xviiᵉ s., *in* Recherches VI, Paris, Picard, 1966 ; U. Günther, Zur Biogr. einiger Komponisten der Ars subtilior, *in* AfMw XXI, 1964 ; H.A. Durand, Les instr. dans la mus. sacrée au chapitre collégial St-Agricol d'A. (1600-1660), *in* RMie LII, 1966 ; J. Rodriguez, La mus. et les musiciens à la cathédrale d'A. au xviiiᵉ s., *in* Recherches XIII, Paris, Picard, 1973; Ms. (et qq. imprimés concernant la mus.) à la Bibl. d'A., ms. fr. de la 1ʳᵉ moitié du xxᵉ s.

AYRE ou AIR (angl.), nom donné à la chanson anglaise, généralement pour voix seule, dans les dernières années du xviᵉ s. et au début du xviiᵉ s. S'il existe des « ayres » où la voix soliste est accompagnée par une seconde voix ou par des violes, la forme la plus courante unit la voix et le luth. De très nombreux a. de cette sorte furent composés entre 1597 et 1622 par W. Byrd, Th. Campion, Th. Morley, J. Dowland, Ph. Rosseter entre autres. La plupart de ces compositions respectent la forme strophique mais d'autres (surtout celles de J. Dowland et de J. Daniel) présentent des lignes mélodiques de style déclamatoire qui se déroulent le long d'un accompagnement au luth d'une remarquable complexité polyphonique. — Voir également l'art. Air DE COUR.

Rééditions — The English School of Lutenist Song Writers, éd. par E.H. Fellowes, 32 vol., Londres 1920 et suiv. ; English A. 1598-1612, éd. par P. Warlock et Ph. Wilson, 6 vol., Londres 1927-31.

Bibliographie — E.H. Fellowes, The English Madrigal Composers, Oxford 1921 ; P. Warlock, The English A., Londres 1926 ; Br. Pattison, Music and Poetry in the English Renaissance, Londres 1948 ; U. Olshausen, Das lautenbegleitete Sololied in England um 1600 (diss. Francfort/M. 1963).

B

B. 1. (Angl., = *si*, B flat = *si* ♭ ; all., = *si* ♭), deuxième lettre de l'alphabet qui, dans la notation alphabétique latine, servait à désigner les deux formes possibles du *si* dans l'échelle générale ou → gamme, le b « molle » s'appliquant au *si* et le b « durum » au *si* naturel. — **2.** Abréviation pour → « bassus » et → basse.

BABYLONE, voir MÉSOPOTAMIE.

BACCHANALE (lat., bacchanalia, = fêtes de Bacchus, d'où au sing. bacchanale, 1762 ; angl., bacchanal ; all., Bacchantentanz ; ital., baccanale), danse rituelle bruyante et tumultueuse, exécutée sous forme de ronde durant les Bacchanales. Dans la terminologie musicale moderne, ce mot sert de titre à des pièces de forme très libre et de caractère descriptif, aux rythmes animés et aux riches couleurs sonores. Jusqu'au XIXe s., on ne le rencontre qu'exceptionnellement, appliqué à des chansons bachiques ou à quelques pièces instrumentales de Fr. Couperin (*Pièces de clv.*, Ier livre, 1713). Vers 1800 D.G. Steibelt publie à Paris 12 *Bacchanales* pour p. avec accomp. de tambourin. Des b. furent aussi introduites dans les ballets et les opéras, par ex. celle du ballet *Achille à Scyros* de Cherubini (1804), ou celle que Spontini ajouta aux *Danaïdes* de Salieri (1817). Citons encore la célèbre b. que Wagner écrivit pour la représentation parisienne de *Tannhäuser* en 1861, les b. des ballets *Daphnis et Chloé* de M. Ravel (1912), et *Bacchus et Ariane* (1930) d'A. Roussel.

BACCHIUS, voir MÈTRE.

BADINERIE (dérivé de badin, signifiant sot, niais), a désigné au XVIIIe s. l'un des mouvements de la suite instrumentale, généralement écrit à 2/4, de caractère gai et léger, et de tempo rapide. Ex. la b. de la *2e Suite* pour orch. en *si* min. de J.S. Bach.

BAFFLE, voir ENCEINTE ACOUSTIQUE.

BAGATELLE (de l'ital. bagatella, = objet de peu de prix), composition brève, de caractère léger, principalement destinée au clavier. Fr. Couperin utilise déjà ce titre dans ses *Pièces de clavecin* (*Les Bagatelles*, livre II, 10e ordre, 1717). Dans la 2de moitié du XVIIIe s., le mot s'applique à des recueils de pièces courtes et variées, de caractère aimable, ainsi les menuets, pastorales, ariettes, duos, etc., intitulés

Mille et une Bagatelles (Paris, J. Boivin, v. 1753), les *Musikalische Bagatellen* de C.W. Maizier (1797 et suiv. ; danses et « Lieder ») et les *Musikalische Kleinigkeiten* pour piano de G.S. Löhlein (v. 1780). Avec les trois recueils de *Bagatelles pour le pianoforte* op. 33, 119 et 126, Beethoven porta ce genre à un haut niveau artistique qui ne fut plus atteint jusqu'à la fin du XIXe s., en dépit d'une abondante production. Le XXe s. offre plusieurs exemples de b., les 14 *Bagatelles* pour piano, op. 6, de B. Bartók, et les 6 *Bagatelles* pour quatuor à cordes, op. 9, d'A. Webern, notamment.

BAGPIPE (angl.), voir CORNEMUSE.

BAGUE, anneau de plomb soudé au tuyau d'orgue pour en relier la base à l'extrémité supérieure du pied.

BAGUETTE. 1. Bâton servant à frapper certains instr. à percussion comme les tambours, les timbales ou le xylophone. Les b. de tambour sont en bois ; leur extrémité est renflée en forme d'olive. Les b. de timbales sont en bois, en métal ou, mieux, en baleine. Elles sont terminées par une tête de bois recouverte de peau, de feutre ou d'éponge qui permet une frappe nuancée. — **2.** Vergette de bois clair, mince et légère, mesurant de 15 à 30 cm, que le chef d'orchestre utilise pour diriger l'exécution. Son usage remonte au siècle dernier, lorsque apparut la nécessité de rendre le geste du chef plus visible et plus précis. — Voir l'art. BÂTON. — **3.** Partie de l' → archet qui porte la mèche.

BAISSER. 1. Diminuer la hauteur du son. — **2.** Descendre l'accord d'un instrument. — **3.** Transposer un texte musical au-dessous de la tonalité originale. Cet usage est fréquent dans la mus. vocale. — **4.** Détoner vers le bas au cours d'une exécution musicale. — **5.** Diminuer l'intensité de la voix ou de l'instrument.

BAL, nom donné en Aunis, en Saintonge et en Angoumois à des chansons à danser de caractère vif et en mesure binaire.

BALAFON ou BALAFO, nom donné aux joueurs de ● « bala » puis appliqué à l'instr. de musique lui-même. Le « bala » est un instr. à percussion mélodique originaire d'Afrique centrale ou occidentale, importé en Amérique centrale par des esclaves noirs. Sous le nom de → « marimba », il y est devenu — avec les mêmes caractéristiques — l'instrument national du Guatemala. La forme primitive du « bala » africain (Soudan, Congo) remonte très loin dans le temps et comporte de nombreuses variantes : chez les Mandigos du Cameroun il s'appelle « balak »; chez les Zoulous, « izambilo »; en Afrique du Sud, « silimba ». Il a donné naissance au → xylophone européen, qui apparaît dès le XVe s. Le « bala » le plus courant est posé à terre et comporte 15 lames de bois dur, quelquefois d'ébène, matière moins périssable. Ces lames sont alors placées horizontalement, côte à côte, sur un support de bambou, par longueur décroissante du grave à l'aigu. Elles ont de 37 à 27 cm de long environ. Taillées grossièrement — le résultat sonore dépend du bois et de la forme utilisés — elles reposent sur deux cordes en écorce d'arbre ou sur deux lianes, tendues perpendiculairement aux lames et enroulées plusieurs fois autour de chacune d'elles. Cela a pour but d'assurer l'espacement nécessaire et surtout de créer au voisinage des extrémités deux points de contact, rarement fixes, déterminés empiriquement mais qui se situent à peu près aux 2/9 de la longueur de chaque lame en partant de ses extrémités. Il en résulte un rendement sonore optimal. Les lames sont accordées selon une échelle approximativement diatonique et sont frappées à l'aide de deux battes en bois garnies de cuir ou d'étoffe, actuellement de caoutchouc. Chaque lame possède son résonateur, fait d'une calebasse sphérique ou d'une courge allongée, ce qui est préférable pour leur disposition et leur sonorité. On se sert aussi de troncs de bananiers ou bien on creuse les résonateurs dans du bois de cèdre. Les calebasses sont suspendues très près de chaque lame, de préférence en leur milieu. Leur diamètre est de l'ordre de 10 cm, décroissant vers l'aigu, d'où une disposition en ligne brisée (lorsqu'elles sont rondes), situant leur ouverture plus près du bord des lames que de leur centre. Quelquefois, cette ouverture (il y en a une autre plus petite, à quatre doigts au-dessous) est fermée par de la toile d'araignée, dont les vibrations seraient, d'un point de vue acoustique, intéressantes à étudier. On peut considérer comme ancêtre primitif du « bala » ou du « marimba » mexicain un instrument à deux notes qui est une sorte de tambour de bois. Dans certains cas, le corps humain ou bien deux troncs de bananiers servent de support aux lames. Le résonateur peut être une fosse creusée dans la terre (Guinée). Il existe aussi une forme portative du « bala » où le « balafo », c.-à-d. l'instrumentiste, suspend ses lames avec résonateurs à son cou à l'aide d'une perche souple (Afrique équatoriale et australe).

Bibliographie — A. SCHAEFFNER, Origine des instr. de mus., Paris 1936, rééd. Paris et La Haye, Mouton, 1968.

BALAIS, baguettes terminées par un éventail de tiges métalliques très souples, servant à frapper la caisse claire de l'orchestre de jazz.

BALALAÏKA (russe), instr. populaire national de la Russie, qui supplanta au XVIIIe s. l'ancienne → « domra » des Kirghizes. C'est une sorte de guitare triangulaire, dont la caisse de sapin à dos plat et corps bombé est percée d'une rosette. Le long manche,

au chevillier recourbé, porte 3 cordes (à l'origine 2 seulement), pincées le plus souvent avec un plectre : deux sonnent à l'unisson, la 3e étant accordée à la 4te supérieure. La famille des b. comporte six tailles, qui forment un orchestre à la sonorité mordante, utilisé pour l'accompagnement des danses et des chants populaires.

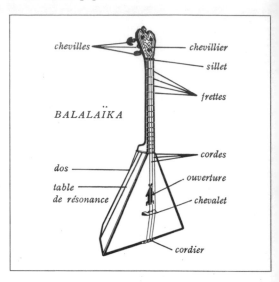

chevilles — chevillier — sillet — frettes

BALALAÏKA

dos — cordes — ouverture
table de résonance — chevalet

cordier

Bibliographie — A. ROSE, The B., in Proc. Mus. Assoc. XXVII, 1900 ; A. NOWOSELSKI, Esquisse d'une hist. des instr. de mus. populaires russes, Moscou 1931 (en russe); A.S. ILYOUCHINE, Méthode de b., Moscou et Leningrad 1947 (en russe).

BALANCEMENT (all., Bebung), agrément du XVIIIe s. propre au jeu expressif du → clavicorde. On l'exécutait en maintenant la tangente pressée contre la corde et en imprimant à la touche abaissée plusieurs pressions du doigt qui modifiaient la tension de la corde et provoquaient de légères variations de la hauteur. Il s'indiquait comme suit : $\widehat{\cdot\cdot\cdot}$ et se trouve décrit dans la plupart des méthodes pour instr. à clavier allemandes du XVIIIe s. (J. Mattheson, 1735; Fr. W. Marpurg, 1750; C.Ph.E. Bach, 1753; D.G. Türk, 1789).

BÂLE (Basel).

Bibliographie (éd. à Bâle, sauf mention spéciale) — **1. Vie musicale et ouvr. généraux :** P MEYER, B.s Concertwesen im 18. u. zu Anfang des 19. Jh , in B.er Jb 1884 ; K. NEF, Die Collegia musica in der deutschen reformierten Schweiz, Leipzig 1897; du même, Die Musik in B., in SIMG X, 1908; du même, Die Musik an der Univ. B., in Fs. zur Feier des 450jährigen Bestehens der Univ. B., B. 1910; W. MERIAN, B.s Musikleben im 19. Jh., B. 1920; du même, H. Suter, 2 vol., B. 1936; E. REFARDT, Biographische Beitr. zur B.er Musikgesch., in B.er Jb. 1920-22; du même, H. Huber, Zurich 1944; du même, de nbr. art. énumérés in Mitteilungsblatt der Schweizerischen Musikforschenden Gesellschaft nos 33-34, 1962-63; R. THOMMEN, Fs. zur Feier des 100jährigen Bestehens des B.er Gesangvereins 1824-1924, B. 1924; Die Konzerte der Allgemeinen Musikgesellschaft in B., 2 vol., B. 1926-51; H. BAUR, Das Orgelbauergeschlecht Silbermann in B., in B.er Jb. 1927; R. HALLAUER, Denkschrift zur Feier des 75jährigen Bestandes der B.er Liedertafel 1852-1927, B. 1927; A.E. CHERBULIEZ, Die Schweiz in der deutschen Musikgesch., Frauenfeld et Leipzig 1932; J. HANDSCHIN, Die Schweiz welche sang, in Fs. K. Nef, Zurich et Leipzig 1933; FR. ERNST, Die Spielleute im Dienste der Stadt B. im ausgehenden M.A., in B.er Zs. für Gesch. u. Altertumskunde XLIV, 1945; H. EHINGER, art. B. in MGG I, 1949-51; Alte u. neue Musik. Das

B.er Kammerorch. 1921-51, Zurich, Atlantis, 1952 ; H.P. SCHANZLIN, B.s private Musikpflege im 19. Jh., B., Helbing & Lichtenhahn, 1961. — **2. Théâtres et spectacles :** E. JENNY, B.s Komödienwesen im 18. Jh., *in* B.er Jb. 1919 ; E. REFARDT, Die Musik der B.er Volksschauspiele des 16. Jh., *in* AfMw III, 1921 ; F. WEISS, Das B.er Stadttheater 1834-1934, B. 1934. — **3. Enseignement :** W. MERIAN, Gedenkschrift zum 50jährigen Bestehen der Allgemeinen Musikschule in B., B. 1917 ; du même, K. Nef u. die Entstehung der Mw. in B., *in* B.er Jb. 1939. — **4. Bibliothèques et musées :** J. RICHTER, Katal. der Musik-Sammlung auf der Univ.-Bibl. in B., *in* MfM XXIV, 1892, Beilage ; K. NEF, Musikinstrumente. Catal. des Historischen Museums B. n° 4, B. 1906 ; E. REFARDT, Die B.er Choral-Inkunabeln, *in* SJbMw I, 1924 ; [du même], Katal. der Musikabteilung der Oeffentlichen Bibl. der Univ. B., B. 1925 ; du même, Thematischer Katal. der Instrumentalmusik des 18. Jh. in den Hss. der Univ.-Bibl. B., Berne, Haupt, 1957 ; H.J. MARX, Der Tabulatur-Codex des B.er Humanisten B. Amerbach, *in* Musik u. Gesch. Fs. L. Schrade, Cologne, A. Volk, 1963.

BALI, voir INDONÉSIE.

BALLABILE (ital., = dansant), titre donné à un morceau de forme libre et de caractère chorégra-. phique. Il peut s'appliquer à toute composition musicale ressemblant à une danse. Meyerbeer l'a employé pour 3 airs de ballet de *Robert le Diable* et pour celui qui ouvre le 5ᵉ acte des *Huguenots* (M. Brenet).

BALLADE. 1. Genre poétique et musical cultivé en France dès le XIIIᵉ s. par Adam de la Halle († v. 1288) et J. de Lescurel († 1303), qui a connu sa plus grande vogue au XIVᵉ s. avec G. de Machault, Eustache Deschamps et, au début du XVᵉ, avec Christine de Pisan et Charles d'Orléans. Son nom indique son origine — comme la → « ballata », c'est une chanson à danser — mais si ballette et balerie en France conservent longtemps les liens qui unissent danse et musique, il semble que la b. s'en soit assez rapidement dégagée pour devenir une forme littéraire fixe souvent adoptée par les compositeurs, d'abord monodiquement puis polyphoniquement. Il faut attendre 1392 pour trouver dans *L'Art de dictier et de fere chansons, balades, virelais et rondeaux* d'Eustache Deschamps la « façon des Balades »; celle-ci est, en général, de 8 vers, dont le refrain est « pareil en ryme » aux vers précédant. A une strophe correspondent deux phrases musicales : la première est répétée, la seconde, comprenant souvent à la fin le refrain, n'est dite qu'une fois, ce qui nous donne le schéma AAB ou AABR pour chaque strophe. Quelques variantes de structure peuvent se présenter : chez Machault, p.ex., sur 42 b. la plupart des strophes comprennent « deux couples de vers » suivis de trois vers, mais aussi parfois de 4 ou de 5. La b. est, en général, de 3 strophes, plus rarement de 5; chacune comprend 7, 8, 9 ou 10 vers. L' → envoi manque, surtout dans les plus anciennes; il était facultatif au temps d'Eustache Deschamps; Christine de Pisan l'utilise presque toujours tandis que Jehan le Sénéchal suit le modèle archaïque. Les compositeurs ne mettent en musique qu'une strophe, laissant au chanteur le soin de placer les paroles des autres et négligeant l'envoi (G. Binchois, *Deuil angoisseux, rage desmesurée*, sur des paroles de Christine de Pisan). Chez G. de Machault, à la fois poète et musicien, l'union entre le texte et la musique est particulièrement étroite, tandis qu'Eustache Deschamps fait appel à François Andrieu pour pleurer la mort de « Machaut le noble rétorique »

et Christine de Pisan à G. Binchois pour illustrer une de ses ballades.

On a souvent insisté sur la parenté entre la b., le → virelai et le → rondeau, mais l'évolution de la forme de ces trois types de « poésie en musique » est très différente. L'on peut dire qu'après la mort de Christine de Pisan, l'ère de la b. en musique est close tandis que rondeaux, → bergerettes et virelais seront les grands favoris de la 2ᵈᵉ moitié du XVᵉ s. La b. littéraire, après une courte éclipse (les manuscrits sans musique comme celui édité par G. RAYNAUD, Rondeaux et autres poésies du XVᵉ s., Paris 1889, et le Chansonnier du Cardinal de Rohan, éd. par M. LÖPELMANN, Göttingen 1923, ne comprennent qu'un petit nombre de b.), est de nouveau remise en honneur par les grands rhétoriqueurs : J. Molinet dans ses *Faictz et ditz* en donne plusieurs exemples dont certains fort recherchés : b. figurée, b. fatrasie ou jumelle, etc. Remarquons cependant que lorsqu'il s'agit de mettre des œuvres en musique, ce sont les rondeaux de ce poète qui seront choisis (*Ame qui vouldra, Tant ara mon cueur sa plaisance*). La b. sera encore cultivée par les poètes de cette école et par leurs disciples : Cl. Marot, Octovien de Saint-Gelays, mais c'est la Pléiade qui lui portera un coup fatal. Joachim Du Bellay, Jacques Peletier et enfin Jean Vauquelin de la Fresnaye la relèguent définitivement au rang des « épisseries qui corrumpent le goust de nostre langue ». Malgré l'importance des b. de G. de Machault, il ne faut pas oublier tous les musiciens dont les b. ont été recueillies dans le Ms. de Chantilly (anc. 1047, maintenant 564) : Solage, J. Cuvelier, J. Galiot, J. de Senleches et tant d'autres. Plus tard (v. 1424), dans le Ms. d'Oxford (Can. misc. 213), sont conservées quelques rares b. de G. Binchois et de G. Dufay. Les œuvres du XIVᵉ s. sont, dans leur ensemble, de caractère courtois. Elles chantent presque toutes l'amour, le « grand désir » qu'a l'amant de voir sa dame, la langueur qu'il éprouve à être éloigné d'elle, les « griefs tourments » qu'il endure. Parfois, une lueur d'espérance apparaît mais rarement sont exprimés des sentiments de liesse; il est question plutôt de « mérencolie » que de joie. Ceci n'est pas particulier à la b.; ce qui lui est propre, c'est ce raffinement du poème et de la musique, cette retenue qui ne permet jamais de donner libre cours à une émotion mais seulement de la suggérer.

G. THIBAULT

2. (Angl., ballad). A l'origine, forme de récit chanté composé d'une succession de strophes de 4 vers sur une musique invariable, pratiqué par les musiciens, ménestrels et jongleurs anglais. La b. existait au XIVᵉ s. mais elle fut dédaignée par les compositeurs de l'Angleterre élisabéthaine. Plus tard le terme s'appliqua à diverses formes de poésie et de chanson narratives et, vers la fin de l'ère victorienne, à des chansons de caractère populaire et sentimental.

3. Genre poétique de caractère narratif et légendaire qui s'est développé principalement en Allemagne à la fin du XVIIIᵉ s. sous l'influence de la b. anglaise. Parmi les auteurs de b., il faut citer les principaux poètes du « Sturm und Drang », Herder, Goethe, Schiller, Gottfried August Bürger et Johann Ludwig Uhland. Leurs œuvres sont librement inventées ou basées sur d'anciens récits populaires de tradition orale que Goethe fut l'un des premiers à recueillir avec leurs chants. Elles ont été mises en musique sous la forme de « Lieder » fréquemment strophiques (voir l'art. LIED) avec accompagnement de piano. L'influence de l'opéra et du mélodrame y est sensible et l'accompagnement instrumental tend à illustrer le texte de façon suggestive. Les principaux compositeurs de b. sont K.Fr. Zelter (*Johanna Sebus, König in Thule*), Chr.G.Neefe, J. André (*Lenore*), J.R. Zumsteeg (*Lenore*), Fr. Schubert (*Der Erlkönig, Ritter Toggenburg, Der Schatzgräber, Edward, Der Tod und das Mädchen*), C. Loewe (*Der Erlkönig, Edward, Archibald Douglas*), qui s'est fait une spécialité du genre, R. Schumann (*Blondels Lied, Die rote Hanne*), J. Brahms (*Das Lied vom Herrn von Falkenstein*), H. Wolf (*Der Feuerreiter*)... La b. a également été mise en musique pour chœur « a cappella » ou avec accompagnement de piano par R. Schumann, F. Mendelssohn, N.W. Gade, E. Humperdinck et plus près de nous par H. Distler (*Der Feuerreiter*). On la trouve également dans l'opéra, chez R. Wagner (*Le Hollandais volant*, b. de Senta), Ch. Gounod (*Faust*, b. du roi de Thulé), M. Moussorgski (*Boris Godounov*, b. de Barlaam)...

M.H.

4. Destinée avant tout au piano, la b. instrumentale apparaît après la b. vocale dans les premières années du XIXe s. On peut en trouver les premières manifestations dans les rhapsodies de V.J. Tomášek et de J.V. Voříšek, qui voyaient dans ce genre « la force et l'énergie alliées à la gravité ». Mais là comme dans les œuvres ultérieures (J. Brahms, *Rhapsodies* op. 79, p.ex.), les limites du genre restent floues; il n'a jamais eu de forme clairement définie. Par leur force expressive, leur structure simple, leur richesse pianistique, l'art des contrastes et des transitions qui les rapprochent de la sonate et du rondo, les 4 *Ballades* de Chopin restent uniques en leur genre et font figure de modèles. D'abord destinées à la voix, les premières b. des op. 10 et 118 de Brahms sont influencées par R. Schumann et, comme les b. de Chopin, sans doute d'inspiration littéraire. Dans les deux œuvres de Liszt, les éléments tour à tour dramatiques et récitatifs de deux thèmes contrastés se déroulent librement sans être motivés par un programme. Parmi les autres représentants du genre, dans lequel s'introduisent parfois des éléments de folklore, relevons les noms de S. Heller (op.115), A. Liadov (op. 21), Cl. Debussy et M. Reger (op. 25). Avec la *Ballade* pour piano et orchestre, op. 19, G. Fauré a laissé une œuvre en trois mouvements enchaînés qui évolue de l'élégiaque à la virtuosité. Il a été imité par D. Milhaud (1920) dans un style polytonal, riche en contrastes. Ont écrit des b. pour orchestre : S. Taneïev, J. Ibert, O. Respighi et A. Glazounov; de véritables b. à programme, A. Rubinstein (op. 91), C. Saint-Saëns (op. 59) et V. Novák (op. 2).

R. SIETZ

Éditions modernes — **1.** CHR. DE PISAN, Œuvres poétiques, éd. par M. Roy, Paris 1896; J.FR et C. STAINER, Dufay and his Contemporaries, Londres 1898, réed. in facs. Amsterdam, Fr. Knuf, 1963; Sechs Trienter Codices, *in* DTÖ VII et XI, 1900-04; J. LEGRAND, Des rimes, et J. MOLINET, L'Art de rhétorique, éd. par M.E. Langlois, *in* Recueil d'Arts de la 2de rhétorique, Paris 1902; J. WOLF, Gesch. der Mensural-Notation 1250-1460, 3 vol., Leipzig 1904; J. LE SENESCHAL, Les 100 b., éd. par G. Raynaud, Paris 1905; G. DE MACHAULT, Poésies lyriques, éd.

par V. Chichmaref, Paris 1909; Le Jardin de plaisance, éd. par E. DROZ et A. PIAGET, Paris 1910-25; FR. GENNRICH, Rondeaux, Virelais u. Balladen, *in* Gesellschaft für romanische Literatur XLIII, 1921, et XLVII, 1927; Die Liederhs. als Cardinal de Rohan, éd. par M. LÖPELMANN, Göttingen 1923; E. DROZ et G. THIBAULT, Poètes et musiciens du XVe s., Paris 1924; J. WOLF, Sing- u. Spielmusik aus älterer Zeit, Leipzig 1926; G. DE MACHAULT, Musikalische Werke, éd. par Fr. Ludwig, 4 vol., Leipzig 1926-43, 2/1954; G. DUFAY, 12 geistliche u. weltliche Werke, éd. par H. Besseler, *in* Chw 19, 1932; G. BINCHOIS, 16 weltliche Lieder, éd. par W. Gurlitt, *ibid.* 22, 1933; J. MOLINET, Les Faictz et dictz, éd. par H. Besseler, Paris 1929; G. DUFAY, Opera omnia, 6 vol., éd. par H. Besseler, *in* CMM I, 1947-64; W. APEL, French Secular Music of the Late 14th Cent., Cambridge (Mass.) 1950; G. DE MACHAULT, Œuvres complètes, *in* Polyphonic Music of the 14th Cent., III, éd. par L. Schrade, Monaco, L'Oiseau-Lyre, 1957; J. DE LESCUREL, The Works, éd. par N. Wilkins, *in* CMM 30, 1966; ADAM DE LA HALLE, The Lyric Works, éd. par le même, *ibid.* 44, 1967; French Secular Compositions of the 14th Cent., 3 vol., éd. par W. APEL et S.N. ROSENBERG, *in* CMM 53, 1970-72. — **2.** English and Scottish Popular Ballads, éd. par FR.J. CHILD, 6 vol., Boston 1883-98 (textes seuls); J. Goss, Ballads of Britain, Londres 1937. — **3.** Deutsche Volkslieder mit ihren Melodien, éd. par J. MEIER, Berlin 1934 et suiv.; H.J. MOSER, Das deutsche Sololied u. die B., Cologne, A. Volk, 1957.

Bibliographie — **1.** FR. LUDWIG, Die mehrstimmige Musik des 14. Jh., *in* SIMG IV, 1902-03; du même, Die geistliche nichtliturgische, weltliche einstimmige u. die mehrstimmige Musik des M.A. ..., *in* Hdb. der Musikgesch., éd. par G. Adler, Francfort/M. 1924, 2/Berlin 1930; O. RITTER, Die Gesch. der französischen Balladenform, Halle 1914; W. GURLITT, Burgundische Chanson- u. deutsche Liedkunst des 15. Jh. *in* Kgr.-Ber. Basel 1924; H. BESSELER, Die Musik des M.A. u. der Renaissance, Potsdam 1931; du même, Bourdon u. Fauxbourdon, Leipzig 1950; E. DANNEMANN, Die spätgotische Musiktradition in Frankreich u. Burgund vor dem Auftreten Dufays, Strasbourg 1936; G. REESE, Music in the Middle Ages, New York 1940; CH. VAN DEN BORREN, Études sur le XVe s. musical, Anvers 1941; W. APEL, The French Secular Music of the Late 14th Cent., *in* AMl XVIII-XIX, 1946-47; A. MACHABEY, G. de Machault, 2 vol., Paris, Richard Masse, 1955. — **2.** R. GRAVES, The English B., Oxford 1927; S. NORTHCOTE, The B. in Music, Oxford 1942. — **3.** W. KAYSER, Gesch. der deutschen B., Berlin 1936; O.H. MIES, art. B. § 3., *in* MGG I 1949-51. — **4.** M. AXEL, Die Klavierb. (diss. Vienne 1934).

G. THIBAULT et R. SIETZ

BALLAD OPERA (angl.), forme anglaise de l'opéra-comique, populaire dans la 1re moitié du XVIIIe s. Dans les numéros chantés, les paroles, d'ordinaire comiques mais parfois d'inspiration sentimentale, étaient adaptées à des mélodies préexistantes, généralement populaires. Comme à Londres les habitués du théâtre refusaient de prendre le récitatif au sérieux, les dialogues étaient parlés. La vogue du b.o. commença en 1728 avec *The Beggar's Opera* de J. Gay, dont J. Pepusch écrivit la musique. C'est une satire à double cible : elle raille l'enthousiasme aristocratique pour l'opéra de Haendel ou l'opéra italien mais elle attaque aussi la corruption du gouvernement en trouvant des traits de ressemblance frappants entre les faits et gestes de criminels londoniens et ceux du Premier ministre, Robert Walpole. Le texte de Gay est plein d'élégance, d'esprit et de vitalité ; la musique choisie par Pepusch pour les airs et les chœurs comprend quelques chansons populaires anglaises ainsi que des mélodies de Purcell, de Haendel et de compositeurs italiens contemporains. Un bon nombre d'entre elles se trouvent dans *Pills to Purge Melancholy* de Thomas Durfey, anthologie d'airs connus publiée quelques années auparavant. Quoiqu'on décrive souvent les mélodies du *Beggar's Opera* comme des chansons populaires, on peut en attribuer plus de la moitié à des compositeurs du siècle précédent. L'œuvre de Gay est un des plus grands succès de l'histoire du théâtre anglais. Il encouragea la production d'un grand nombre d'œuvres similaires : Gay écrivit notamment *Polly*, qui fait suite au *Beggar's Opera*. La satire y est plus acerbe et la musique exploite, outre les sources déjà utilisées auparavant, la musique française. Plus de 50 b.o. furent composés et représentés avec un certain succès entre 1728 et 1740. *The Devil to Pay* de Charles Coffey, créé à Londres en 1731, fut traduit en allemand et monté en Allemagne en 1743, sous le titre de *Der Teufel ist los*. Il contribua à susciter l'intérêt pour l' → opéra-comique qui prépara le développement du « Singspiel » en Allemagne et en Autriche.

Bibliographie — F. KIDSON, The Beggar's Opera. Its Predecessors and Successors, Cambridge 1922 ; A. NICOL, A Hist. of English 18th Cent. Drama, 1700-1750, Cambridge 1929 ; E.M.A. GAGEY, B. O., New York 1937.

BALLATA (ital.), genre poético-musical répandu en Italie de la 2ᵈᵉ moitié du XIIIᵉ jusqu'au XVᵉ s. Ayant la même signification que « danza », plus répandu au XIIIᵉ s., le terme de b. indique que son origine est la chanson dansée (« ballare » = danser). La b. du → « Trecento » est constituée de vers de 7 ou 11 pieds ; son schéma structurel correspond à celui du → virelai français :

A	B¹	B²	*A*	*A*
ripresa	2 piedi	volta	ripresa	
	stanza			

Dans les manuscrits, seule la musique de la → « ripresa » (*A*) et du premier « piede » (B¹) est notée ; la suite du texte doit être partagée entre les deux sections musicales. Dans la b. populaire dansée du XIIIᵉ s., qui s'est maintenue jusqu'à l'époque de Boccace, les premiers vers invitant à danser la ronde et chantés par le premier danseur étaient immédiatement répétés par tous les danseurs, d'où leur nom de « ripresa ». Cette répétition collective a disparu de la forme plus élaborée du « Trecento ». On ne sait si la « ripresa » était répétée après chaque « stanza » ou strophe ; toutes les sources n'en font pas obligation. Dans la b. dansée, la « stanza » chantée par le premier danseur comportait plusieurs phrases courtes dont la dernière devait concorder avec la « ripresa » lors de la rime finale. Dans la forme élaborée, la « stanza » se compose de 2 « piedi » (B¹ B²) chantés sur la même musique et de la → « volta » (A) qui reprend la musique de la « ripresa ». Cet élargissement de la concordance de la rime finale à toute la « ripresa » doit être vraisemblablement attribué à l'influence du virelai français.

Les plus anciens textes de b. (sans musique) se trouvent dans les *Memoriali* bolonais à partir de 1282. Dante fait mention de la b. dans son *De vulgari eloquentia* (1304). Dès le XIIIᵉ s. se tissent des liens étroits avec la → « lauda » qui jouera un rôle décisif dans l'élaboration de la forme raffinée du « Trecento » : la pièce spirituelle n'étant pas tributaire de l'idée chorégraphique, le rôle de la musique pourra désormais s'y développer. Au XIVᵉ et au XVᵉ s. on trouve encore de nombreuses contrafactures de « lauda ». Rares sont les b. monodiques qui nous ont été transmises par les manuscrits. Avec les premiers témoins polyphoniques qui apparaissent à Florence vers 1360, la b. devient dans cette ville le genre le plus apprécié et va progressivement détrôner le madrigal. Avec ses 141 b. à 2 et 3 voix (sur 154 pièces connues),

écrites entre 1365 et 1397, Fr. Landini est le plus important compositeur de « ballate ». Tandis que ses premières pièces s'approprient des techniques du madrigal (p. ex. texte à toutes les voix), des influences provenant de la chanson française de l'Ars Nova se font jour par la suite (texte placé uniquement sous la voix supérieure ; ouvert et clos à la fin des « piedi »). Les b. courtes, écrites sur des textes de sentences par Niccolò da Perugia et Andrea dei Servi († 1415), sont caractéristiques de la culture bourgeoise florentine. En Italie du Nord, la b. a été cultivée par Bartolino da Padua, J. Ciconia, A. Zachara da Teramo. Parmi les b. les plus récentes, il faut citer celles qui ont été écrites par G. Dufay et A. de Lantins. La b. a été cultivée comme un genre littéraire durant tout le XVᵉ s. et même au-delà. Sa position musicale dominante s'efface devant la nouvelle floraison de la « lauda » et devant la « frottola » populaire, deux formes qui lui sont apparentées.

Éditions — J. WOLF, Gesch. der Mensuralnotation II-III, Leipzig 1904 ; Der Squarcialupi-Codex Pal. 87..., éd. par le même, Lippstadt, Kistner & Siegel, 1955 (cf. K. VON FISCHER, in Mf IX, 1956) ; FR. LANDINI, The Works, éd. par L. Ellinwood, Cambridge (Mass.) 1939 ; éd. par L. Schrade, in Polyphonic Music of the 14th Cent. IV, Monaco, L'Oiseau Lyre, 1958 ; N. PIRROTTA, The Music of 14th Cent. Italy, in CMM 8, Amer. Inst. of Musicology, 1954.

Bibliographie — 1. **Ouvr. généraux** (catal. des éditions et listes bibliogr.) : K. VON FISCHER, Studien zur ital. Musik des Trecento u. frühen Quattrocento, Berne, Haupt, 1956 ; du même en collab. avec M. LÜTOLF, Hss. mit mehrstimmiger Musik des 14. u. 15. Jh., in RISM série B, IV/4, vol. I-II, Munich, Henle, 1972 ; V.L. HAGOPIAN, Ital. Ars Nova Music. A Bibliogr. Guide to Modern Editions and Related Literature, Berkeley et Los Angeles, Univ. of California Press, 1964, 2/1973 (appr.). — 2. **Études** : K. DA TEMPO, Delle rime volgari, éd. par G. Grion, Bologne 1869 ; G. DA SOMMACAMPAGNA, Trattato di ritmi volgari, éd. par G.B.C. Giulari, Bologne 1869, réimpr. en facs. Bologne, Forni, 1968 ; S. DEBENEDETTI, Un trattatello del s. XIV sopra la poesia musicale, in Studi Medievali II, 1906-07 ; E. LEVI, Cantilene e b. dei s. XIII e XIV dai « memoriali » di Bologna, ibid. IV, 1912-13 ; N. PIRROTTA et E. LI GOTTI, Il Sacchetti e la tecnica musicale, Florence 1935 ; N. PIRROTTA, Lirica monodica trecentesca, in Rass. Mus. IX, 1936 ; E. LI GOTTI, Strambotti e laude nel travestimento spirituale della poesia musicale del Quattrocento, in Collectanea Historiae Musicae I, Florence, Olschki, 1953 ; W. T. MARROCCO, The B. A Metaphoric Form, in AMI XXXI, 1959 ; G. CORSI, Madrigali e b. inedite del Trecento, in Belfagor XIV, 1959 ; du même, Poesie musicali del Trecento, Bologne, Carducci, 1970 ; K. VON FISCHER, Zum Wort-Ton-Problem in der Musik des italienischen Trecento, in Fs. A. Geering, Berne, Haupt, 1970.

D. BAUMANN

BALLET, voir DANSE CLASSIQUE.

BALLET (Musique de b.). Dès la plus haute antiquité, la → danse est étroitement liée à la musique; tantôt elle s'associe spontanément à des rites sacrés ou profanes, tantôt elle se met au service d'un spectacle et annonce le futur ballet. Dans l'ancienne Grèce, le « choros » (chœur) réunit, lors des cérémonies du culte de Dionysos ou des représentations théâtrales, acteurs, chanteurs, danseurs et musiciens. Au Moyen Age, en Occident, on danse devant le public au son des instruments dans les → mystères, les → moralités, les momeries, les → entremets et les → mascarades. A la Fête des Fous, l'une des plus anciennes mascarades qui, entre Noël et l'Épiphanie, se déroule à l'église, on danse dans le chœur durant l'office. Au XVᵉ s. la danse la plus scénique est la morisque ou moresque. Au cours d'un banquet (1457), le comte de Foix présente à ses invités des « entremets de moresques ». Lors des fêtes de mai, la → « Morris dance » s'exécute en Angleterre sur des airs de fifre ou de flûte avec tambourin; les danseurs ont des grelots aux chevilles ou font bruire des crécelles. En Italie, la morisque termine une fête ou une comédie; plus tard elle désignera un b. mimé dans un opéra. L'*Orfeo* (1607) de Cl. Monteverdi s'achève par une « moresca ». A l'époque de la Renaissance, à Ferrare, Florence et Mantoue, la musique rythme les pas des danseurs dans les défilés de chars (« trionfi »), les → intermèdes, les → pastorales, les tragédies et comédies inspirés de l'antique. Ces danses mimées et figurées s'acclimatent en France dans le 1er quart du XVIe s. avec d'autant plus de facilité que la danse-pantomime, pratiquée surtout par la classe paysanne, est en train de conquérir les milieux aristocratiques. L'invention de l'imprimerie favorise par ailleurs la diffusion de nombreux recueils de danses pour le luth, la guitare et le clavier, qui constituent pour les chorégraphes, soucieux de codifier les pas des danseurs ou de créer des « balli » (danses-pantomimes), un abondant répertoire d'origine souvent populaire mais élaboré de manière plus artistique. Tandis que se développe la → suite de danses, l'influence italienne s'exerce intensément. Le b., d'abord simple épisode d'un → entremets ou d'une → mascarade, s'organise selon un plan poétique en → entrées qui s'intercalent entre les parties chantées et les pièces instrumentales. Dans les mascarades à grand spectacle qui se multiplient sous le règne de Charles IX, des artistes d'outre-monts, attirés par la reine Catherine de Médicis, dansent « brando » et « balletto » sur lesquels, à l'encontre des formes fixes (courante, gaillarde), on peut sans cesse inventer de nouveaux pas. Des violons piémontais sonnent les danses « théâtrales » où rythmes binaires et ternaires se succèdent dans les → divertissements. En 1573, la reine-mère offre aux ambassadeurs polonais un b. dansé « par seize dames et demoiselles » et accompagné par 30 violons. Le b. vient à peine de conquérir une place d'honneur à la Cour que, soucieux de compléter sa réforme, A. de Baïf envisage, avec les membres de l'Acad. de Poésie et de Musique, de recréer le drame antique en associant à la poésie et à la musique la danse, qui devra traduire plastiquement les rythmes de la métrique grecque. En 1572, à l'occasion du mariage du futur Henri IV avec Marguerite de Valois, il avait déjà improvisé un b. « de douze nymphes » sur une musique de Cl. Le Jeune et J. Thibault de Courville. Mais les guerres religieuses sont peu favorables aux divertissements et la danse figurée ne triomphe finalement qu'avec le *Ballet comique de la Reine* (1581), imaginé par l'Italien Baltazarini de Belgiojoso, danseur et violoniste. Sur les « inventions » (airs de danse) de celui-ci, Jacques Salmon compose la musique. Les figures de danse et le *Grand Ballet* qui termine l'œuvre sont joués par les violons.

Ainsi naît le → ballet de cour, qui va se développer de deux manières, soit qu'il obéisse à une action suivie (b. mélodramatique), soit qu'il se rattache par une série d'épisodes à une idée centrale (mascarade ou b. à entrées). Les compositeurs spécialistes de la mus. instrumentale, moins connus que ceux des airs de cour, sont presque toujours danseurs et violonistes, souvent baladins de métier comme J. de Belleville, Jacques Cordier dit « Bocan »,

maître à danser de la reine, et Louis Constantin, « roy des ménestriers ». Un air de danse a souvent deux auteurs, l'un qui compose la mélodie et règle les pas, l'autre qui écrit les parties. Dans le *Ballet de Tancrède* (1620), les airs sont de Belleville et l'arrangement de M. de La Barre. Il y a deux sortes d'airs de b. : les uns, qui se distinguent par leur caractère imitatif, descriptif ou burlesque, accompagnent des scènes de → pantomimes, les autres des danses figurées aux dessins géométriques. Le b. comporte souvent plusieurs morceaux distincts; chacun d'eux correspond à une phase de l'exécution chorégraphique. Dans son *Harmonie universelle* (1636, livre II, *Des Chants*), le père Mersenne donne un exemple de b. qui comprend 16 mouvements. Le b. peut aussi se présenter sous la forme d'un thème varié, chaque figure correspondant à une variation. Dans le *Ballo delle ingrate* (1608) de Cl. Monteverdi, les diverses figures de la pantomime sont exécutées sur un même motif mélodique dont le rythme est chaque fois modifié comme dans le b. à la française. Outre les danses théâtrales, les chorégraphes utilisent aussi les danses de société. Le b. de cour met parfois en scène des cavaliers. En France, on danse en 1613, sur une musique de Charbonnière, le *Ballet à cheval de Mgr le duc de Vendosme*. En 1628, on danse à Parme *Mercurio e Marta*, b. de chevaux de Monteverdi. Le → masque, apprécié en Grande-Bretagne depuis le règne de Henri VIII, se rapproche d'abord du b. de cour français à l'époque élisabéthaine. Chanté et dansé au son des luths et des violes, il se développe sous les deux premiers Stuarts avec la collaboration de musiciens italiens (A. Ferrabosco, G. Coperario), anglais (H. et W. Lawes, Simon Ives) et français (N. Lanier et L. Richard), et atteint son apogée vers 1625. Puis il tend à devenir un divertissement musical inclus dans une pièce de théâtre avant de se transformer, à la veille de la Restauration, en un petit opéra (Chr. Gibbons et M. Locke, *Cupid and Death*, 1659). En Italie, le b. de cour connaît une grande vogue à Turin à partir de 1627. Le comte Philippe d'Aglié, qui devient en 1630 le protégé de la duchesse Marie-Christine de France, fille de Louis XIII et épouse de Victor-Amédée de Savoie, invente de nombreux b. dont il serait aussi le compositeur. Son *Ballet des Montagnards* est représenté à la cour de Louis XIII en 1631. Après la mort du roi de France (1643), le b. de cour, improvisé le plus souvent par des personnages qui se transformaient en acteurs, tend à devenir, selon le vœu des chorégraphes italiens, un vrai spectacle.

Après les premières représentations d'opéras italiens à Paris, J.B. Lully, qui a déjà participé activement au b. traditionnel avec d'autres musiciens, devient l'auteur presque exclusif de ses propres b. et introduit la danse dans la → comédie-b., la → tragédie lyrique et l' → opéra-b. dont il donne le premier modèle avec *Le Triomphe de l'Amour* (1681). A côté des danses à la mode (courante, sarabande, menuet, canarie, bourrée, gavotte, passepied, gigue, etc.), des danses de caractère aux motifs typiques (thèmes agités pour les démons, impalpables pour les zéphirs) appellent la → pantomime. Après Lully, la danse prend nettement le pas sur le chant dans la tragédie lyrique, la tragédie-b., la comédie-b., le b. héroïque ou le b. comique. La conception ancienne qui faisait du b. un divertissement gracieux, une « poésie muette », apte à représenter par le mouvement les actions et les sentiments des humains, se dilue peu à peu et l'on ne conserve du b. de cour que le goût du merveilleux, les prologues et les apothéoses galantes. Les danseurs s'attachent à développer leurs qualités techniques, à se mettre en valeur plutôt qu'à respecter le caractère de leurs entrées. De nombreux musiciens contribuent alors à donner à la danse grâce, élégance et afféterie : A. Campra (*Les Fêtes vénitiennes*, 1710), A.C. Destouches (*La Vénitienne*, comédie-b., 1705; *Le Carnaval et la Folie*, 1704; *Les Éléments*, 1725, en collab. avec M.R. Delalande), H. Desmarest (*Les Amours de Momus*, 1695), J.J. Mouret (*Les Fêtes de Thalie*, 1714; *Les Amours des dieux*, 1727), M. Pignolet de Montéclair (*Les Fêtes de l'été*, 1716), Fr. Colin de Blamont (*Les Fêtes grecques et romaines*, 1727), Fr. Rebel et Fr. Francœur (*Le Ballet de la Paix*, 1738; *Les Augustales*, 1744), P.A. Monsigny (*Aline, reine de Golconde*, 1766) et d'autres de moindre importance comme Th. J.L. Bourgeois, J.B. Quinault, Jean Baptiste Niel, Fr. J. Giraud, H.M. Berton, B. de Bury, Charles Louis Mion et A. d'Auvergne. Un genre nouveau, la symphonie de danse, due au musicien J. Ferry Rebel, qui constitue une pièce autonome destinée à la danse, apparaît timidement (*Les Caractères de la danse*, 1715). Dans ces œuvres la musique gagne en variété et en vivacité; elle symbolise une époque de plaisirs faciles où la raison n'est plus le juge suprême. C'est cependant avec J.Ph. Rameau (*Les Indes galantes*, 1735; *Les Fêtes d'Hébé*, 1739; *Les Fêtes de Polymnie*, 1745; *Zaïs*, 1748; *Les Paladins*, 1760) que la danse devient partout présente, même dans la tragédie lyrique. Les Français sont alors les grands fournisseurs de la musique de b. en Europe. Dans l'opéra italien, la danse, indépendante de l'action, se place toujours entre les actes. « Les entr'actes, écrit Grosley en 1758, sont remplis par des b. fort communs, sans liaison ni rapport à la pièce, et d'autant plus disparates qu'ils s'exécutent sur des airs français, dont le mouvement, plus marqué que celui des airs italiens, les rend plus propres à cet objet » (*Observations sur l'Italie*, éd. 1770, III, 255). La plupart de ces airs sont de Rameau, pour qui la danse — ce qui surprend les étrangers — doit faire corps avec l'action. La part de la danse est fixée par le librettiste : elle peut se réduire à une simple entrée ou bien être une action, une pantomime continuant plus ou moins le drame. L'emploi de la danse d'action se généralise avec L. de Cahuzac, qui revendique l'idée d'avoir fait de la danse, avant J.G. Noverre, « une partie nécessaire du sujet principal ». Avant 1750 le terme de → pantomime apparaît fréquemment chez Rameau (dernière scène de *Pygmalion*, 1748; enlèvement d'Orithie à la fin du 2ᵉ acte des *Boréades*, 1764). Le musicien, qui, à l'encontre de Lully, n'est pas danseur, contribue largement à l'accroissement des possibilités d'expression de la danse. Qu'il adopte la construction binaire, la forme du rondeau ou celle de la chaconne, son plan n'est plus jamais strict. Il renonce parfois à la carrure lorsque l'air exige une chorégraphie spéciale. « C'est là notre vraie symphonie française », écrit à juste raison le président de Brosses (*Lettres familières écrites d'Italie*, 1740) à propos de ses airs à danser.

L'apparition du b.-pantomime soulignait l'importance croissante dans la danse du ressort dramatique et l'unité de conception du b., bientôt transformé en b. d'action par Noverre. Celui-ci fait ses débuts à la Foire Saint-Laurent dans des vaudevilles de Ch.S. Favart et en contact avec les musiciens de l'opéra-comique. Il conçoit par la suite une centaine de b. au hasard de ses déplacements. En France, le compositeur François Garnier est l'un des premiers (*L'Amour corsaire*, 1750) et presque le seul à travailler pour lui. A Stuttgart, il rencontre Fl.J. Deller (*Les Caprices de Galathée*, 1761; *Ballo polonois* et *La Schiava liberata*, 1768) et J.J. Rudolph (*Renaud et Armide*, 1761; *La Mort d'Hercule*, 1762). D'autres b. non signés sont attribués à l'un ou l'autre de ces musiciens. A Vienne, où il séjourne de 1767 à 1774, il succède à D.M.G. Angiolini, chorégraphe et auteur d'un des premiers b. dramatiques, *Don Juan ou le Festin de Pierre*, 1761, dont la musique est de Chr.W. Gluck. Noverre y travaille avec Fr. Aspelmayer (*Agamemnon vengé; Alexandre et Campaspe* et *Acis et Galathée*), J. Starzer (*Diane et Endymion*, 1772; *Gli Horazi e Curiazi*, 1774) et Gluck (*Paride ed Helena*, 1770) dont il réglera plus tard à Paris les danses de ses opéras français (*Iphigénie en Aulide*, 1774; *Orphée et Euridyce*, 1774; *Alceste*, 1776, et *Iphigénie en Tauride*, 1779). Il est probable que, durant son passage à Vienne, il participe aux b. d'œuvres de Mozart (*Ascanio in Alba*, 1771; *Lucio Silla*, 1772). Les b. des opéras n'ont toujours aucun rapport avec le drame lui-même. A Stuttgart, Noverre en insère un bon nombre dans les opéras de N. Jommelli (dans *Didone abbandonata*, 3ᵉ version, 1763, figure le b. de Deller, *Der Sieg des Neptun*). D'autres ornent les opéras de P.A. Guglielmi, G. Paisiello, D. Cimarosa, A. Tarchi, J. Starzer, G. Gazzaniga, G. Sarti, N. Piccinni et L. Cherubini. A Paris, Noverre, maître de b. à l'Opéra de 1776 à 1781, fait représenter *Les Caprices de Galathée* (1776), premier b. sans chant et dont la musique — une habitude qui ne se perdra pas — n'est qu'un pot-pourri de divers auteurs arrangé par François Garnier. Les noms des musiciens sont parfois inconnus; c'est le cas de deux autres b., *Les Ruses de l'Amour* (1777) et *Le Ballet chinois*, conçus par le chorégraphe dans le même esprit que le précédent. D'autres b. sont mis en musique plusieurs fois. En 1778 Noverre fait danser son b. *Les Petits Riens*, de conception ancienne, sur une musique de Mozart. Mais il existe d'autres partitions du même b. dues à Fr. Aspelmayer (Vienne 1768) et au violoniste Fr.H. Barthélemon (Londres, King's Theatre, 1781). Alors que Noverre quitte l'Opéra se rendre en Angleterre, Fr.J. Gossec et A.M. Grétry écrivent en collaboration *Les Fêtes de Mirza* (1781). A Vienne, le chorégraphe S. Vigano met en scène le b. de l'Autrichien Jakob Haibel *Le Nozze disturbate* (1795), d'où Beethoven devait tirer le thème de ses *12 Variations sur le menuet à la Vigano*, dansées lors de la représentation.

Dès le début du XIXᵉ s. Beethoven apporte au genre une création plus originale, *Les Créatures de Prométhée* (1801), réalisée avec le concours de Vigano. La partition contient de nombreuses beautés mais elle est si vite oubliée que de nos jours on n'en connaît plus que l'ouverture. Méprisé par les musiciens romantiques, le b. va traverser une période de décadence. Le pastiche règne d'abord en maître. Des auteurs connus, comme E.N. Méhul et H.M. Berton, « composent et arrangent » leurs propres œuvres ou celles de leurs confrères. Le violoniste Louis Luc Loiseau de Persuis remporte un énorme succès (191 représentations) avec *Nina ou la Folle par amour* (1813) d'après le petit chef-d'œuvre de N.M. d'Alayrac. Fr.A. Habeneck présente *Le Page inconstant* (1823) d'après *Les Noces de Figaro* de Mozart. D'autres composent leurs propres b. : l'altiste François Charlemagne Lefebvre (*Les Noces de Gamache*, 1801; *Les Sauvages de la mer du Sud*, 1816), Henry Darondeau (*Acis et Galathée*, 1805; *Les deux Créoles*, 1806), R. Kreutzer (*Paul et Virginie*, 1806; *Les Amours d'Antoine et Cléopâtre*), D.G. Steibelt (*La Fête de Mars*, 1806), Gustave Gourgaud dit Dugazon (*Les Fiancés de Caserte*, 1817), le Tchèque A. Gyrowetz (*Les Pages du duc de Vendôme*, 1820; *La Fête hongroise*, 1821), le Napolitain M.H.Fr. Carafa (*L'Orgie*, 1831), le harpiste Th. Labarre (*La Révolte au sérail*, 1832), L.J.F. Hérold (*La Somnambule*, 1827; *Lydie*, 1828) et Jean Madeleine Schneitzhœffer (*Proserpine*, 1818; *Mars et Vénus*, 1826). Le b. se transforme; il délaisse la grandeur tragique pour un monde enchanté. *Zéphire et Flore*, avec une musique de Frédéric Venua, présenté d'abord à Londres en 1796 puis à Paris en 1815, accuse ces nouvelles tendances. Peu après, *La Sylphide* (1832) de Schneitzhœffer permet aussi l'épanouissement d'une danse aérienne et irréelle. Après lui A. Adam, déjà connu par *La Fille du Danube* (1836) et *Les Mohicans* (1837), compose le plus classique des b. romantiques, *Giselle ou les Willis* (1841), qui permet à C. Grisi de montrer son génie poétique. Désormais, sur le modèle de *Giselle* qui ne quittera plus le répertoire, les chorégraphes s'efforcent de mettre en valeur le talent des ballerines. De nombreux compositeurs demeureraient inconnus sans leur participation musicale au nouveau b. que l'Opéra de Paris vient de consacrer : W.R. de Gallenberg (*Brezilia*, 1835), Casimir Gide (*Le Diable boiteux*, 1836; *La Tarentule*, 1839), Johann Friedrich Burgmüller (*La Peri*, 1843), E. Deldevez, Fr. Benoist, Henri Potier et Nicola Gabrielli. D'autres se sont illustrés dans des genres différents : Fr. von Flotow (*L'Ame en peine*, 1846), E. Auber (*Marco Spada ou la Fille du bandit*, 1857), E. Reyer (*Sacountala*, 1858) et J. Offenbach (*Le Papillon*, 1860). Malgré sa musique, le b. romantique traverse une période faste mais porte en lui les germes de sa décadence. Quelques partitions plus brillantes retiennent cependant l'attention : *La Source* (1866), *Coppélia ou la Fille aux yeux d'émail* (1876), enfin *Sylvia* (1876) de L. Delibes, s'imposent par leur inspiration mélodique et la qualité de leur écriture, si rares alors dans le domaine de la danse, et suscitent un renouveau du b. avec E. Guiraud (*Gretna-Green*, 1873), Ch.M. Widor (*La Korrigane*, 1880), É. Lalo (*Namouna*, 1882, la plus belle partition de b. depuis Beethoven), A. Messager (*Les deux Pigeons*, 1886) et André Wormser (*L'Enfant prodigue*, 1890; *L'Étoile*, 1897). A Milan, Romualdo Marenco, auteur d'une trentaine de b. à grand spectacle (*Excelsior*, 1881), témoigne de cette renaissance. A Vienne, où l'on puisait dans les répertoires français et italien, Fr. Doppler (*Der Stock in Eisen*, 1880; *In Versailles*, 1882) et Josef Bayer (*Die Puppenfee*, 1888; *Die*

Braut von Korea, 1897) assurent la relève. Il en est de même à Prague avec Oscar Nedbal (*Der faule Hans*, 1902) et à Budapest avec Raoul Mader (*Die roten Schuhe*, 1897). Le b. continue à rehausser l'opéra. G. Spontini en place un dans *Ferdinand Cortez* (1809). A partir de 1828 (E. Auber, *La Muette de Portici*), il s'impose dans toute œuvre dramatique. Il constitue le « clou » du *Robert le Diable* (1831) de Meyerbeer. A Paris, en 1861, le jeune R. Wagner est contraint d'en écrire un pour la représentation de *Tannhäuser*.

Tandis que le genre décline en Occident, il connaît en Russie une faveur exceptionnelle. Dès la 1re moitié du XVIIIe s., sous l'influence de chorégraphes français, une école s'était fondée à Saint-Pétersbourg (1738). En 1842, M. Taglioni crée *Giselle* d'A. Adam. Des compositeurs médiocres comme Cesare Pugni et Ludwig Minkus composent les partitions jusqu'au moment où M. Petipa se décide à faire appel à P.I. Tchaïkovski (*La Belle au bois dormant*, 1890; *Casse-noisette*, 1892; *Le Lac des cygnes*, 1895). Le b. devra bientôt son salut à la Russie. Les Ballets russes, qui, durant 20 années (1909-29), vont se produire en France ont un chef remarquable, S. de Diaghilev; en faisant appel aux plus grands musiciens, celui-ci va provoquer un éclat incomparable au genre dans la 1re moitié du XXe s. Grâce à lui, les compositeurs auxquels il commande ou suggère des partitions sont bientôt célèbres. Il fait connaître les premières grandes œuvres d'I. Stravinski, *L'Oiseau de feu* (1910), qui marque une date mémorable dans l'histoire du b., *Pétrouchka* (1911), coloré, pittoresque, d'esprit antiromantique, et *Le Sacre du printemps* (1913), œuvre révolutionnaire dont les harmonies et la rythmique écrasante déroutent aussi bien les danseurs que les spectateurs, et qui provoque une véritable bataille. Diaghilev s'adresse aussi à M. Ravel (*Daphnis et Chloé*, 1912), Cl. Debussy (*Jeux*, 1913), E. Satie (*Parade*, 1917), M. de Falla (*Le Tricorne*, 1919), D. Milhaud (*Le Train bleu*, 1924), de nouveau à Stravinski (*Pulcinella*, 1920; *Le Chant du rossignol*, 1920) puis à Fr. Poulenc (*Les Biches*, 1923), G. Auric (*Les Fâcheux*, 1920; *Les Matelots*, 1925), V. Rieti (*Barabau*, 1925), H. Sauguet (*La Chatte*, 1927), S. Prokofiev (*Pas d'acier*, 1927; *Le Fils prodigue*, 1929). Pour alimenter ses spectacles, Diaghilev utilise aussi des fragments d'opéras (A. Borodine, *Danses polovtsiennes* du *Prince Igor*, 1909), des opéras condensés, de la musique des compositeurs des XVIIIe et XIXe s., des poèmes symphoniques (N. Rimski-Korsakov, *Shéhérazade*, 1910; M.A. Balakirev, *Thamar*, et Cl. Debussy, *Prélude à l'après-midi d'un faune*, 1912), et, plus rarement, des œuvres déjà dansées dont la chorégraphie est renouvelée, comme *La Tragédie de Salomé* de Fl. Schmitt, créée à Rouen en 1907 par la danseuse Loïe Fuller. Parallèlement aux Ballets russes et après 1929 se montent d'autres compagnies comme celle d'Isadora Duncan qui, en dehors de toute discipline traditionnelle, fait danser sur de la musique de Schubert, Chopin, Wagner, Grieg..., et celle d'I. Rubinstein qui, à l'Opéra de Paris, monte entre 1921 et 1935 des b. de P. Paray (*Artémis troublée*, 1922), M. Ravel (*Boléro*, 1928; *La Valse*, 1929), I. Stravinski (*Le Baiser de la fée*, 1928; *Perséphone*, 1934), A. Honegger (b.-cantate *Amphion*, 1931) et J. Ibert (*Diane de Poitiers*, 1936). De 1920 à 1925, les Ballets suédois de Jean Borlin et Rolf de Maré mettent en scène des œuvres inédites de D.E. Inghelbrecht (*El Greco*, 1920), A. Honegger (*Skating-Rink*, 1922), D. Milhaud (*L'Homme et son désir*, 1921; *Lu Création du monde*, 1923), E. Satie (*Relâche*, 1924), du groupe des Six (*Les Mariés de la Tour Eiffel*, 1921), d'A. Casella (*La Giara*, 1924) et Cl. Debussy (*La Boîte à joujoux*, orchestrée par A. Caplet). Durant cette période, le b. de l'Opéra de Paris fait appel à des compositeurs connus comme C. Saint-Saëns (*Javotte*, 1909), R. Hahn (*La Fête chez Thérèse*, 1910), A. Bruneau (*Les Bacchantes*, 1912), V. d'Indy (*Istar*, 1912), I. Stravinski (*Les Abeilles*, 1917, sur le *Scherzo fantastique*), M. Ravel (*Adélaïde ou le Langage des fleurs*, 1917, sur les *Valses nobles et sentimentales*); P. Dukas (*La Péri*, 1921), G. Pierné (*Cydalise et le chèvre-pied*, 1923) et A. Roussel (*Padmâvati*, 1923). *Le Festin de l'araignée*, autre b. de Roussel, avait été dansé au Théâtre des Arts de Rouen en 1913. La voie ouverte par Diaghilev est maintenant suivie par les compositeurs de tous les pays et le b. n'est plus considéré comme un genre inférieur. Il suscite de nombreuses partitions, dont quelques-unes — outre le *Sacre du printemps* — compteront parmi les plus belles réalisations de la mus. contemporaine. Citons notamment celles de B. Bartók (*Le Prince de bois*, Budapest 1917; *Le Mandarin merveilleux*, Milan 1942), des Allemands P. Hindemith (*Der Dämon*, 1922; *Nobilissima visione*, 1938; *Herodiade*, 1944), Fritz Cohen (*La Table verte*, chorégraphie de Kurt Jooss, Paris 1932), K. Weil (*Les sept Péchés capitaux*, 1933) et H.W. Henze (*Ballet Variationen*, 1949; *Undine*, 1957; *Tancredi e Cantilena*, 1964), des Espagnols M. de Falla (*L'Amour sorcier*, Madrid 1915) et Joaquin Serra (*Doña Inès de Castro*, 1952), de l'Italien L. Dallapiccola (*Marsia*, 1943), des Anglais A. Bliss (*Checkmate*, 1937; *The Lady of Shalott*, 1958) et B. Britten (*The Prince of Pagodes*, 1957; *The Prodigal Son* et *The Golden Vanity*, 1968), des Russes S. Prokofiev (*Roméo et Juliette*, Leningrad 1940; *Cendrillon*, Moscou 1945), A. Tcherepnine (*La Femme et son ombre*, Paris 1948), D. Chostakovitch (*L'Age d'or*, 1930; *L'Écrou*, 1931; *Le Ruisseau clair*, 1935) et A. Khatchatourian (*Gayaneh*, 1942; *Spartacus*, 1954) et des Américains A. Copland (*Billy the Kid*, 1938), Paul Bowles (*Colloque sentimental*, 1944), Morton Gould (*Fall River Legend*, 1948), L. Bernstein (*Age of Anxiety*, 1948), Ulysses Kay (*Western Symphony*, 1954) et I. Stravinski (*Scènes de ballet*, 1944; *Orpheus*, 1948), enfin des Français A. Roussel (*Bacchus et Ariane*, 1931; *Aeneas*, 1938), Fl. Schmitt (*Oriane et le Prince d'amour*, 1938), D. Milhaud ('*Adame Miroir*, 1948), Fr. Poulenc (*Les Animaux modèles*, 1942), H. Sauguet (*Les Forains*, 1945; *Les Mirages*, 1947), G. Auric (*Chemin de lumière*, 1952; *Le Bal des voleurs*, 1960), J. Ibert (*Les Amours de Jupiter*, 1946), A. Jolivet (*Guignol et Pandore*, 1943; *Ariadne*, 1964), J. Françaix (*Les Demoiselles de la nuit*, 1945), J.M. Damase (*La Croqueuse de diamants*, 1950) et H. Dutilleux (*Le Loup*, 1953). Le b. semble avoir moins d'attrait pour les nouvelles générations, soucieuses d'élargir les limites de la matière sonore. Parmi les compositeurs qui n'ont pas totalement délaissé le genre, citons R. Vlad (*La Dama delle camelie*, 1945), L. Nono (*Der rote Mantel*, 1954), M. Constant (*Haut voltage*, 1956; *Contrepoints*, 1958; *Cyrano de Bergerac*, 1959; *Éloge de la Folie*, 1966), Jef Maes (*Tu auras nom...*

Tristan, 1963) et I. Xenakis (*Kraanerg* pour orch. et bande magnétique, 1969). Le b. demeure cependant un genre prospère car les chorégraphes continuent à utiliser des musiques du passé et d'aujourd'hui, non spécialement destinées à la danse, tels le *Concerto* pour 2 violons et orchestre de J.S. Bach (*Concerto barocco*, Monte-Carlo 1932), la *Symphonie écossaise* de Mendelssohn (New York 1952), le poème symphonique *Psyché* de C. Franck (*Amour et son amour*, New York 1948), la *Nuit transfigurée* d'A. Schönberg (*Pillar of Fire*, New York 1942), les petites pièces pour orchestre d'A. Webern (*Épisodes*, New York 1959), la *Symphonie pour un homme seul* (Paris 1955) dont la mus. concrète de Pierre Henry et P. Schaeffer est mise en scène par Maurice Béjart, fondateur du Ballet du XXe siècle.

Bibliographie — C.F. MÉNESTRIER, Des b. anciens et modernes selon les règles du théâtre, Paris 1681, 2/1682, rééd. en facs. Genève, Minkoff, 1972; H. PRUNIÈRES, Le b. de cour en France avant Benserade et Lully, Paris 1914; P.M. MASSON, L'opéra de Rameau Paris 1930; I. STRAVINSKI, Poétique musicale, Paris 1945; P. NETTL, The Story of Dance Music, New York 1947, trad. fr. sous le titre Hist. de la danse et de la mus., Paris, Payot, 1966; J. GREGOR, Kulturgesch. des Balletts, Vienne 1946; S. BON, Les grands courants de la danse. Leur hist. aux XVIIe et XVIIIe s., Paris, Richard-Masse, 1954; G. TANI, Le comte d'Aglié et le b. de cour en Italie, *in* Les Fêtes de la Renaissance I, Paris, CNRS, 1956; M. McGOWAN, L'art du b. de cour en France (1581-1643), Paris, CNRS, 1963; A. MACHABEY, La mus. de danse, *in* Coll. « Que sais-je », Paris, PUF, 1966; F. REYNA, Dict. des b., Paris, Larousse, 1967; A. GOLÉA, Hist. du b., Lausanne, Éd. Rencontre, 1967; D. MILHAUD, Ma vie heureuse, Paris, Belfond, 1974.

A. VERCHALY

BALLET DE COUR, divertissement mêlant poésie, musique et danse, qui se développa sous les derniers Valois et connut sa plus grande vogue, dans sa forme stricte, sous Henri IV et Louis XIII. Essentiellement aristocratique — seigneurs, princes et souverains y participaient à côté des professionnels — il utilisait, comme les → entremets du XVe s., les → entrées et les machines. Il comprenait de la mus. vocale (airs de cour et récits), de la mus. instrumentale, des danses et se terminait par le grand ballet. Comme dans le « balletto » italien, les pas de danse étaient librement inventés, d'où le nom de ballet. Des livrets distribués avant la représentation permettaient aux spectateurs de connaître l'argument et les vers du ballet. De nombreux poètes du temps y collaborèrent (Laugier de Porchères, François de Rosset, Jean de Lingendes, Fr. de Malherbe, Pierre Motin, François Mainard, Étienne Durand, René Bordier, François de Boisrobert, Tristan L'Hermite, Jean Desmarets de Saint-Sorlin, et plus tard I. de Benserade). La composition de la musique était confiée à des spécialistes de la mus. vocale (Lambert de Beaulieu, P. Guédron, G. Bataille, P. Auget, H. de Bailly, J. Boyer, A. Boesset, E. Moulinié, Fr. de Chancy, J. de Cambefort) et de la mus. instrumentale (Jacques Salmon, Louis Constantin, Jacques Cordier dit Bocan, Ch. Chevalier, J. de Belleville). Dans le dernier tiers du XVIe s., parallèlement au b.-mascarade peu élaboré, souvent burlesque et dansé sans décors, se développa sous l'influence de l'humanisme et de la pastorale italienne le b.-mélodramatique, qui avait une action suivie et se déroulait dans une mise en scène somptueuse. Le *Paradis d'amour* (1572) et surtout le *Ballet comique de la Royne* (1581), qui avait pour principal auteur l'Italien B. de Beaujoyeulx, comptent parmi les premiers essais de ce nouveau genre où alternaient la comédie et la musique, les chants et les danses. Ils annonçaient une nouvelle esthétique qui répondait au goût français en satisfaisant à la fois « l'œil, l'oreille et l'entendement ». Arrêté dans son essor par les guerres religieuses, le b.-mélodramatique, alors supplanté par le b.-mascarade moins dispendieux, ne s'épanouit véritablement qu'à la fin du règne de Henri IV (*Ballet d'Alcine*, 1610) et sous Louis XIII (*Ballet du Triomphe de Minerve*, 1615 ; *Ballet de la Délivrance de Renaud*, 1617 ; *Ballet de l'Adventure de Tancrède en la forest enchantée*, 1619), grâce à P. Guédron, qui y donna les premiers exemples de véritables récits dramatiques. Après la mort de celui-ci (1620), A. Boesset revint à un genre plus conforme à son tempérament mélodique, le b. à entrées, assez proche du b.-mascarade, puisque les entrées étaient seulement liées entre elles par une idée commune. Les sujets pastoraux furent abandonnés au profit de la bouffonnerie (*Ballet de la douairière de Billebahaut*, 1627), de la moralité (*Ballet du Sérieux et du Grotesque*, 1627), de sujets à caractère politique (*Ballet de la Marine*, 1635 ; *Ballet des quatre monarchies chrétiennes*, 1635). Le *Ballet de la prospérité des armes de France* (1641), donné par Richelieu au Palais-Cardinal, n'apporta qu'une seule innovation : le spectacle se déroulait non pas dans une salle, mais sur une scène. Par la suite, le b. de c., influencé par les représentations d'opéras italiens organisées par Mazarin, renoua avec la tradition du b.-mélodramatique sous l'impulsion de J. de Cambefort et Lully (*Ballet de la Nuit*, 1653 ; *Ballet du Temps*, 1654). Mais avec Lully, le b. de c. cessa bientôt d'être une œuvre collective. Le musicien écrivit seul ses partitions en y insérant des scènes entières de musique récitative (dialogues, trios, etc.) et donna plus d'importance à la symphonie qu'à la pantomime. *Alcidiane* (1658) préfigurait l'opéra, *Le Triomphe de l'Amour* (1681) l' → opéra-ballet.

Rééditions (musique et livrets) — P. LACROIX, B. et mascarades de cour de Henri III à Louis XIV, 6 vol., Genève et Turin 1868-70 (livrets seuls) ; *Ballet de la Délivrance de Renaud*, éd. par H. PRUNIÈRES, in Le b. de c. en France av. Benserade et Lully, Paris 1914 ; A. BOESSET, air du *Ballet de la Reine* (1620) et récit du *Ballet des Dandins* (1626), éd. par D. Launay, Paris, Salabert, 1949 ; B. DE BEAUJOYEULX, *Ballet comique de la Royne*, rééd. en facs. de l'éd. de 1582, Turin, Bottega d'Erasmo, 1962 ; R. BALLARD, Œuvres pour luth, 2 vol., Paris, CNRS, 1963-64 ; CHANCY, BOUVIER, BELLEVILLE, DUBUISSON et CHEVALIER, Œuvres pour luth, éd. par A. Souris et M. Rollin, Paris, CNRS, 1967 ; cf. également l'art. AIR DE COUR, BALLETTO.

Bibliographie — H. PRUNIÈRES, Le b. de c. en France av. Benserade et Lully, Paris 1914 ; TH. GÉROLD, L'art du chant en France au XVIIᵉ s., Strasbourg 1921 ; M. PAQUOT, Les étrangers dans les divertissements de la cour de Beaujoyeulx à Molière (1581-1673), Bruxelles 1932 ; FR. YATES, French Acad. of the 16th Cent., Londres 1947 ; A. VERCHALY, Les b. de c. d'après les recueils de mus. vocale (1600-1643), in Cahiers de l'Assoc. Intern. des Études fr. n° 9, juin 1957 ; FR. LESURE, Le recueil de b. de M. Henry, in Les Fêtes de la Renaissance I, Paris, CNRS, 1956 ; M. McGOWAN, L'art du b. de c. en France (1581-1643), Paris, CNRS, 1963 ; M.F. CHRISTOUT, Le b. de c. de Louis XIV : 1643-1752, Paris, Picard, 1967.

A. VERCHALY

BALLETT ou BALLET (angl., de l'ital. → balletto), pour les compositeurs du temps d'Élisabeth et de Jacques 1ᵉʳ, chanson polyphonique de caractère plus léger qu'un madrigal, dont le refrain, généralement chanté sur les syllabes *fa-la-la*, pouvait être dansé. — Voir également l'art. BALLETTO.

BALLETTO (ital.), désigne un genre musical très précis, défini à la fin du XVIᵉ s. par G. Gastoldi, qui se répandit très rapidement en Italie et en Europe (H.L. Hassler, Th. Morley). Il consiste en une chanson à danser, généralement écrite en mesure binaire, et dont les deux parties répétées se terminent presque toujours par un refrain sur les syllabes *fa-la-la*. On pouvait l'exécuter soit avec des voix sous forme strophique, soit avec des instruments ; cette seconde possibilité fut la seule à se maintenir. La ligne mélodique se meut principalement par degrés conjoints ; certaines formules rythmiques reviennent régulièrement à la fin des vers :

La conception du b. selon les principes de la musique de danse instrumentale se remarque dans le caractère mélodique de la voix supérieure ou du duo des voix supérieures écrites dans le style de la future composition « a tre » : formation de périodes, homophonie pure et usage de la tonalité au sens moderne. Le b. de Gastoldi n'est pas seulement un symptôme de l'affermissement d'une nouvelle sensibilité métrique et harmonique ; il a également contribué d'une manière essentielle à l'établir. Contrairement aux autres danses, le b. n'a pas connu de stylisation et a conservé tout au long du XVIIᵉ s. ses traits caractéristiques.

Rééditions — G. GASTOLDI, *Balletti a 5 voci* (1591), éd. par M. Sanvoisin, Paris, Heugel, 1968 ; H.L. HASSLER, Lustgarten, éd. par F. Zelle, in PGfM XV, 1887 ; TH. MORLEY, Iˢᵗ Book of Balletts to 5 Voices, éd. par E.H. Fellowes, in The English Madrigal School IV, Londres 1913.

Bibliographie — H. GOLDSCHMIDT, Studien zur Gesch. der italienischen Oper im 17. Jh., Leipzig 1901 ; H. BESSELER, Die Musik des Mittelalters u. der Renaissance, Potsdam 1931 ; D. ARNOLD, Gastoldi and the English Ballett, in Monthly Musical Record LXXXVI, 1956 ; J. KERMAN, The Elisabethan Madrigal, New York, Amer. Musicological Soc., 1962 ; O. TOMEK, Das Strukturphänomen des verkappten Satzes a tre in der Musik des 16. u. 17. Jh., in StMw XXVII, 1966.

BAMBUCO (esp.), voir COLOMBIE.

BAN. 1. Roulement de tambour ou sonnerie militaire précédant ou suivant la proclamation d'un ordre ou la remise d'une décoration. — **2.** Applaudissements en l'honneur de quelqu'un, exécutés d'une manière cadencée au commandement de la personne qui le demande.

BAND (angl.), terme synonyme de petit ensemble instrumental depuis la période la plus ancienne du → jazz. Des groupes plus importants, nés dans les années 20 et appelés « orchestras » à l'origine, seront nommés « big bands » au cours de l'évolution. Depuis les années 30, de petits ensembles leur sont opposés, formés en réaction contre le « big band jazz » et appelés « combos » (abrév. de l'angl. « combination »). Jusqu'à la période du « free jazz », le b. se compose de deux groupes distincts : la section rythmique, aux fonctions essentiellement rythmiques et harmoniques, et la section mélodique. La section rythmique complète se compose dans les années 60 de la batterie, de la contrebasse (ou du tuba), de la guitare (ou du banjo) et du piano. La section mélodique du « two-beat jazz » comprend la trompette (ou le cornet), le trombone et la clarinette. De l'affectation de ces trois instruments à trois groupes — la tradition de la clarinette est recueillie par le saxophone — naît le « big band » (Fletcher Henderson). Après la période du « two-beat jazz », il ne se crée plus de formation type pour la section mélodique. Depuis le « free jazz », les ensembles ne sont plus liés à une norme quelconque. Le relâchement du rôle stéréotypé de chaque instrument a préparé cette situation.

BANDE. 1. Synonyme de troupe employé pour désigner la réunion d'un certain nombre d'instrumentistes formant un orchestre de type particulier, comme la b. de l'Écurie, la b. des « vingt-quatre violons du roi » ou grande bande (XVIIe s.). — **2.** Ce terme s'emploie en Italie (« banda ») et en Angleterre (« band ») pour désigner un corps de mus. militaire. — **3.** Toujours en anglais, ce terme caractérise le petit ensemble instrumental de « jazz ». — Voir l'art. BAND. — **4.** On a également dénommé b. la portée de 4 lignes du chant grégorien (XVIIIe s.). — Voir encore les art. BANDE DE FRÉQUENCE ou BANDE PASSANTE et BANDE MAGNÉTIQUE.

BANDE DE FRÉQUENCE ou BANDE PASSANTE. Les sons audibles couvrent une large bande allant de 30 à 15 000 Hz environ. Un filtre électrique permet de ne laisser passer qu'une bande étroite de fréquence, généralement réglable à volonté. Un microphone, un amplificateur, etc., sont en quelque sorte des filtres : ils ne transmettent pas l'intégralité des fréquences qu'ils captent. Ainsi, on dit de tel microphone qu'il a une bande passante de 50 à 10 000 Hz. Si un amplificateur, un haut-parleur ne laissent passer qu'une bande allant de 100 à 6 000 Hz, on dit qu'ils ont une courbe de réponse correcte entre 100 et 6 000 Hz : ils ne sont efficaces que dans cette bande de fréquence. — Voir également l'art. HERTZ.

BANDE MAGNÉTIQUE (angl., magnetic tape ; all., Tonband), ruban en matière plastique (cellulosique ou vinylique) servant de support aux oxydes magnétiques utilisés pour l'enregistrement des sons au → magnétophone. Les premières b.m. sont apparues en 1929-30 et leur emploi s'est répandu après 1945. Cette invention technique est à l'origine de la « musique pour bande », la mus. → concrète et la mus. → électronique. La b.m. se prête en effet à des opérations telles que le ralentissement ou l'accélération de son déroulement, l'inversion de son parcours originel, la fragmentation (au moyen de simples coups de ciseaux), le collage (ou montage), les permutations et la surimpression. Or toutes ces opérations offrent de nombreuses ressources à la composition sur magnétophone. J. Peignot voit dans la b.m. « le premier et le seul instrument de la musique concrète », « aussi indispensable que la pellicule au cinéma ». La b.m. confère au compositeur un pouvoir direct sur le matériau sonore concret. Elle supprime les intermédiaires de l'écriture et de l'exécution, de sorte que sont éliminées les défaillances toujours à craindre de l'interprète. C'est ainsi p. ex. que, toute durée rythmique correspondant à une longueur de b.m. déterminée et se mesurant en centimètres et millimètres, il devient possible de réaliser les rythmes les plus complexes que l'exécutant risquait de déformer. Tel le peintre ou le sculpteur, le composi-

teur achève lui-même son œuvre, qui se trouve inscrite sur la bande.

La « music for tape » ou « tape music » (= m. pour bande) eut pour inventeurs les professeurs américains O. Luening (* 1900) et Vladimir Ussachevsky (* 1911). En 1952, ils fondent le Studio de l'Univ. de Columbia (New York), où ils effectuent sur la b.m. des expériences de découpage et de montage qui leur montrent la précision et la docilité de ce nouveau support du matériau musical. Leurs premières réalisations sont présentées à l'auditorium de l'Univ. de Columbia, puis au Musée d'Art moderne, en deux concerts qui consacrent la naissance de la « music for tape » (1952). Paris en prend connaissance l'année suivante au Congrès du C.D.M.I. (juil. 1953). Dans *Sonic Contours* (1952) d'Ussachevsky et dans *Fantasy in Space* (1952) de Luening, des séquences instrumentales subissent des manipulations qui ont pour résultat d'ajouter une certaine « couleur » électro-acoustique sans pour autant abolir le caractère tonal-instrumental de l'ensemble. Composées en collaboration, les *Rapsodic Variations for Tape Recorder and Orchestra* (= pour magnétophone et orch.) (1953-54) associent pour la première fois les domaines instrumental et électro-acoustique. Cette association s'est beaucoup affinée dans les œuvres ultérieures, *Gargoyles* (1960) et *Synthesis* (1963) de Luening, *Concert Piece* (1960) de Luening-Ussachevsky. Dans cette première phase de la mus. pour bande, il faut mentionner *King Lear* (1956) de Luening-Ussachevsky pour un spectacle d'Orson Welles et *Electronic Sequence* d'Ussachevsky pour le film de Hitchcock *To catch a Thief* (1954). La mus. pour bande, en particulier chez Ussachevsky — comme en témoigne *Of Wood and Brass* (1965) — a ensuite évolué vers un style proche de celui des écoles européennes. Les trois conceptions de la mus. sur bande : « tape music », mus. concrète, mus. électronique, se sont rapprochées et synthétisées sous le nom de mus. électro-acoustique.

Bibliographie — V. USSACHEVSKY, La « Tape Music » aux États-Unis, in RM no spécial Vers une mus. expérimentale, Paris, Richard Masse, 1957.

G. BRELET

BANDE PASSANTE, voir BANDE DE FRÉQUENCE.

BANDONÉON, espèce d' → accordéon chromatique de forme hexagonale, créé par l'Allemand Heinrich Band en 1850 et devenu très populaire en Argentine, où il faisait partie obligatoirement des ensembles classiques de tango. Le compositeur argentin R. Caamaño a écrit à l'intention de son compatriote Alejandro Barlette, virtuose de cet instrument, un *Concerto* pour b. et orchestre (1954).

BANDOURA ou KOBZA, instrument à cordes pincées de la famille du → cistre, très répandu en Ukraine depuis le XVIe s. La « kobza » originale avait de 12 à 16 cordes, dont 4 cordes mélodiques tendues le long du manche et aboutissant à un chevillier; les autres, qui ne pouvaient être touchées qu'à vide, recouvraient la table, percée d'une rosace, du cordier aux éclisses. La « kobza » a été progressivement remplacée par la b., dont le nombre de cordes variait entre 12 et 25 et qui présentait un accord diatonique :

Actuellement, la b. peut avoir jusqu'à 50 cordes, accordées chromatiquement, parmi lesquelles de 6 à 8 cordes mélodiques. Elle se joue avec un plectre et sert surtout à l'accompagnement du chant, en solo ou en chœur. — Les chants lyriques et épiques des « kobzar », musiciens ambulants jouant de la « kobza » ou de la b., ont tenu un grand rôle dans le réveil de la conscience nationale ukrainienne. Leur art se transmettait de façon individuelle et ce n'est qu'en 1737 qu'une école spécialisée fut fondée à Hluchov. De nos jours la b. est enseignée dans toutes les écoles de musique d'Ukraine soviétique. Certains bandouristes tels que Ostap Veressai, Taras Parchomenko, Ivan Kutcherenko, Vassyl Yemets et Hryhory Kytasty se sont acquis une grande popularité. Il existe également des ensembles de bandouristes.

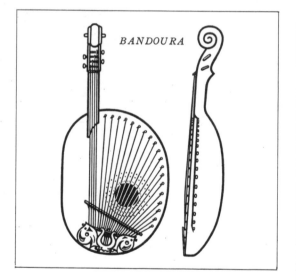

BANDOURA

Bibliographie — A.S. FAMINTZINE, La domra et les instr. de mus. apparentés du peuple russe, Saint-Pétersbourg 1891 (en russe) ; H. CHOTKEVITCH, Méthode pour la b., Lvov 1909 (en ukrainien), rééd. Detroit 1965 ; M. JEMETS, Kobza a kobzari, Berlin 1923 (en ukrainien) ; H. KYTASTY, Some Aspects of Ukrainian Music under the Soviets, New York 1954 ; K. VERTKOV G. BLAGODATOV et E. IAZOVYTKAIA, Atlas des instr. des peuples de l'URSS, Moscou, Muzgiz, 1963 (en russe).

BANDURRIA (esp.), variété de → cistre répandue au XVIIIe s. et utilisée jusqu'à nos jours dans les mus. populaires espagnole et portugaise. Son corps est piriforme, à fond plat, et sa taille n'excède pas 60 cm. Le manche est garni de 6, 7, 10, 12 ou 14 frettes. Ses 6 doubles cordes, fixées sur le bord inférieur de l'éclisse et accordées au moyen de petites chevilles en métal, sont en boyau — filées sur les b. anciennes — en métal sur les b. modernes. Elles sont accordées

en *sol* #², *do* #³, *fa* #³, *si*³, *mi*⁴, *la*⁴ et pincées à l'aide d'un plectre.

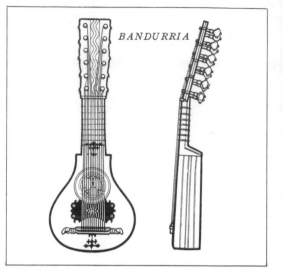

BANDURRIA

Bibliographie — J. BERMUDO, Declaración de instrumentos musicales, Osuna 1555, rééd. en facs. par S. Kastner, Kassel, BV, 1957 ; P. MINGUET Y YROL, Reglas y advertencias generales que enseñan el modo de tañer todos los instrumentos..., Madrid s.d. [2de moitié du XVIIIe s.] ; du même, Reglas y advertencias generales para tañer la b., Madrid s.d. [2de moitié du XVIIIe s.].

BANJO, instr. à cordes pincées originaire d'Afrique occidentale (« bania »). Par sa facture et son rôle, il se rattache à la vaste famille des luths et des guitares et n'est pas sans rappeler les luths en forme de lune chinois et japonais. Il comporte une caisse de résonance circulaire, à table et à fond plats, construite à la manière d'un tambour. Sur un cadre on tend soit une seule et solide membrane de parchemin — dans ce cas le fond est ouvert — soit, plus fréquemment, deux membranes. L'idée de cette peau tendue vient sans doute du fait que le b. a un rôle plus rythmique que mélodique — dans la mus. de jazz, il se rattache avec la contrebasse à la section rythmique. Le manche de l'instrument est très allongé et ne comporte pas de frettes ; il se termine par un petit chevillier à peine incliné vers l'arrière. Le b. est généralement muni de 5 cordes en boyau, exceptionnellement de 3, 6, 7 ou même 9 cordes. La corde la plus aiguë, bien plus courte que les autres et sur laquelle on joue la ligne mélodique avec le pouce ou avec un plectre, est attachée à une cheville solitaire fixée directement sur le manche. Comme dans le cas de certains cistres anciens, elle passe à gauche de la corde la plus grave dont elle est la voisine. Un chevalet, court et plat comme celui de la guitare, repose sur la table de résonance mais sans être collé contre la membrane tendue. Il tient grâce à la pression des cordes accrochées à un petit cordier. Au XIXe s., le b. passa d'Afrique occidentale en Amérique du Nord, où les musiciens noirs, vite imités par les blancs dans le style « Dixieland » (vers 1890), lui confiaient surtout un rôle d'accompagnement mais parfois aussi un rôle mélodique de soliste. Il existe des b. de différentes tailles allant du « piccolo » à la contrebasse. Le b. ténor à 4 cordes, sonnant à l'octave grave de sa notation, est le plus employé. Dans ses imitations européennes, son manche comporte une vingtaine de frettes et les cordes en boyau sont remplacées par des cordes métalliques. L'accord du b. est variable (succession de quintes, quartes ou tierces mêlées différemment selon l'instrument). Sa vogue s'est prolongée jusque vers 1930, à laquelle il a été à peu près définitivement remplacé par la guitare. La manière de « frapper » le b. chez les Noirs et les Blancs du sud des États-Unis a été transposée au piano dans le → « ragtime ».

BAR (all.), terme d'origine obscure appartenant au vocabulaire des maîtres chanteurs (voir l'art. MEISTER-SINGER), où il est synonyme de « Lied ». Le b. des maîtres chanteurs comporte un nombre impair de strophes isométriques, le plus souvent trois, cinq ou sept, dans lesquelles les structures poétique et musicale correspondent. Chaque strophe se compose de deux membres : un « Aufgesang » (terminologie moderne), formé de deux « Stollen » et un « Abgesang », qui diffère par la forme et le contenu. La forme strophique peut être schématisée par AAB ; elle porte le nom de « Gesätz ». Il faut mentionner également le « Bar » à reprise (« Reprisenbar », terminologie moderne), un « Lied » dont les strophes répètent après l' « Abgesang » l'un des deux « Stollen » en le variant parfois (AABA ou AABA'). C'est la forme la plus courante du « Meistersang » tardif. Le nombre des syllabes de chaque vers ainsi que le nombre des vers de la strophe varient considérablement. A l'origine de cette forme strophique se trouve un principe élémentaire que la terminologie moderne désigne également — au risque de créer une confusion — par « Bar » ou « Barform ». On le rencontre tout au long de l'histoire musicale européenne dans des cercles culturels très variés : dans la poésie chorale des Grecs anciens, dans la poésie lyrique des troubadours, dans le chant d'église protestant, dans le « blues » afro-américain, etc. R. Wagner a contribué à obscurcir le sens du terme (*Les Maîtres chanteurs de Nuremberg* I/3 et III/2) — imité en cela par la littérature musicologique — en ne distinguant pas strictement entre le « Bar », formé d'un ensemble de strophes, et le « Gesätz », qui représente la strophe spécifique isolée.

Bibliographie — A. LORENZ, Das Geheimnis der Form bei R. Wagner, 4 vol., Berlin 1924-33 ; du même, Das Relativitätsprinzip der musikalischen Form, *in* Fs. G. Adler, Vienne et Leipzig 1930 ; A. HEUSLER, Deutsche Versgesch., 3 vol., Berlin et Leipzig 1925-29 ; FR. GENNRICH, Grundriss einer Formenlehre des mittelalterlichen Liedes, Halle 1932, réédé. en facs. Darmstadt, Wissenschaftliche Buchgesellschaft, 1970 ; K. GUDEWILL, art. Barform, Bar, *in* MGG I, 1949-51 ; B. NAGEL, Der deutsche Meistersang, Heidelberg, Kerle, 1952 ; CHR. PETZSCH, Parat-(Barant-) Weise, Bar u. Barform. Eine terminologische Studie, *in* AfMw XXVII, 1971.

BARBE, lamelle métallique que l'on plaçait devant l'ouverture de certains tuyaux d'orgue comme les jeux de gambe, pour obtenir une sonorité plus mordante (jeux barbus ou « vox barbata »). Ce mécanisme est remplacé à l'heure actuelle par le → frein harmonique.

BARBITOS (grec), sorte de → lyre à 7 cordes, de caisse effilée. Ses bras flexibles et longs lui conféraient une tessiture grave, propre à l'accompagnement du chant. Le terme reste cependant imprécis. On admet généralement que le b. représente la grande lyre tandis que le « barbiton » est un instrument d'origine orientale, à cordes nombreuses, utilisé pendant la période hellénistique. Malgré ses dimensions importantes, le b. semble avoir été l'instrument universel des Grecs. Sa facilité d'emploi est remarquable : la caisse repose sur la hanche gauche, libérant les mains et la poitrine du chanteur. Il s'adapte à toutes les positions du corps : on en joue couché, assis, en marchant. Il accompagne toutes les circonstances de la vie et figure souvent sur les tombeaux. Seul parmi les dieux, Dionysos en use, comme les Silènes et les Ménades. Instrument des banquets, le b. est lié à la joie de vivre : il apparaît d'ailleurs à l'époque de Sappho et d'Anacréon, qui en jouent eux-mêmes ; Horace parle du b. lesbien. Sa sonorité est suffisante pour couvrir les clameurs des fêtes bachiques. En usage dans toutes les couches de la société grecque pendant l'époque classique, il disparaît presque totalement des représentations céramiques au IVe s.

Bibliographie — M. WEGNER, Das Musikleben der Griechen, Berlin 1949 ; D. PAQUETTE, L'instr. de mus. à travers la céramique de la Grèce antique (diss. Dijon 1968).

BARCAROLLE. Originaire de Venise où, sous le nom de « gondoliera », elle accompagne le travail des gondoliers, la b. a joué depuis A. Campra (*Les Fêtes vénitiennes*, représ. 1710), à travers les œuvres de C.M. von Weber (*Obéron*), E. Auber (*Fra Diavolo*), G. Verdi (*Othello*), J. Offenbach (*Les Contes d'Hoffmann*) et J. Strauss (*Une Nuit à Venise*), un rôle important dans l'opéra. Pratiquée également dans la mélodie, elle se présente dans la mus. pour piano comme une → pièce de caractère généralement écrite à 6/8, dans un mouvement légèrement animé, sur un accompagnement au rythme marqué, proche de l'« ostinato » ; il en est ainsi dans les *Lieder ohne Worte* de Mendelssohn, op. 19, 30 et 62, celui-ci animé d'accents et d'appels passionnés. Dans ce genre, rapidement dégradé en musique de salon, seuls sont encore dignes de figurer au répertoire des concerts l'op. 60 de Chopin, œuvre complexe et brillante, antithèse de sa *Berceuse*, ainsi que *Gondoliera* des *Années de Pèlerinage* et la 2de version très réduite de *Trauergondel* de Liszt. S'y ajoutent comme un couronnement les 13 *Barcarolles* pour piano de G. Fauré, uniques par la diversité des couleurs, la clarté et la spiritualité qui s'en dégagent.

BARCELONE (Barcelona).

Bibliographie (éd. à Barcelone) — F. VIRELLA CASSAÑES, La ópera en B., B. 1888 ; F. PEDRELL, La cansó popular catalana ... y l'obra del Orfeó Català, B. 1906 ; du même, Cátálech de la Bibl. Musical de la Diputació, 2 vol., B. 1908 ; L. MILLET, Pel nostre ideal, B. 1917 ; L. LAMAÑA, Barcelona Filarmónica, B. 1928 ; FR. P. DE BALDELLÓ, La mús. en l'antic concell barceloní, B. 1929 ; du même, La mús. en B., B. 1943 ; du même, Los órganos de la basílica parroquial de Nuestra Señora de los Reyes (Pino) de B., *in* Anuario Mus. IV, 1949 ; M.J. BERTRÁN, El gran Teatre de Liceu de B. 1837-1930, B. 1931 ; H. ANGLÈS, La mús. a Catalunya fins al s. XIII, B. 1935 ; J. LAMOTE DE GRIGNON, Mus. et musiciens à B., mus. et musiciens catalans à Paris, B. 1935 ; J. SUBIRÁ, La ópera en los teatros de B., 2 vol., B. 1946 ; du même, art. B. *in* MGG I, 1949-51 ; M.J. MADURELL, Documentos para la hist. de maestros de capilla..., *in* Anuario Mus. III, 1948, et VI, 1951 ; M. VALLS, La mús. catalana contemporánea, B., Bibl. Selecta, 1960 ; du même, Hist. de la mús. catalana, B., Editorial Taber, 1969 ; J.M. LAMAÑA, Los instrumentos musicales en los últimos tiempos de la dinastía de la Casa de B., *in* Miscellanea Barcinonesia nᵒˢ 21-22, 1969 ; Una decada de mús. catalana, B., Joventuts musicals, 1970 (catal. d'exposition) ; cf. également Revista Musical Catalana, 1904-36.

BARDE (du celtique bardas). **1.** Poète celte qui chantait les exploits des héros en s'accompagnant de la rotte. Personnages sacrés — ils constituaient chez les Gaulois le 3ᵉ ordre de la hiérarchie druidique — les b. transmettaient oralement la tradition épique nationale comme en Grèce les → aèdes. Ils se perpétuèrent le plus longtemps chez les peuples habitant la Grande-Bretagne : les noms des b. écossais Fingal et son fils Ossian (IIIᵉ s.) sont demeurés célèbres. — **2.** Par extension, poète épique ou lyrique qui écrit dans le dialecte de sa région : ex. « b. charentais ».

Bibliographie — E. Jones, Musical and Poetical Relicks of the Welsh Bards, Londres 1784, 2/1794 ; J.C. Walker, Historical Memoirs of the Irish Bards, Londres 1786 ; Abbé de La Rue, Essais historiques sur les b., les jongleurs et trouvères normands et anglo-normands, 3 vol., Caen 1834 ; G. Borrow, Celtic Bards, Chiefs and Kings, Londres 1928 ; W. Evans, The Bards of the Isle of Britain..., Londres 1930 ; I. Williams, Lectures on Early Welsh Poetry, Dublin 1944.

BARDIT. Issu d'une mauvaise lecture de Tacite (*Germanie* 3,2), ce terme serait une altération de « barritus » (d'où « barditus »), qui s'applique au cri de l'éléphant mais aussi au cri de guerre des soldats romains. Il a longtemps fait supposer que les Germains et les Gaulois possédaient de véritables chants de guerre. Par extension le terme en est venu à désigner un chant national. C'est sur un texte de Chateaubriand qu'A. Roussel a écrit son *Bardit des Francs* (1926) pour chœur d'hommes, cuivres et batterie.

BARIL, l'un des 5 segments qui constituent le tuyau de la → clarinette. Il s'intercale entre le bec et le corps supérieur.

BARIOLAGE, effet sonore propre au jeu du violon, obtenu en passant rapidement d'une corde à une autre, la corde grave servant à produire le son le plus élevé. Cette technique s'emploie surtout dans les passages en accords brisés mais également pour animer la sonorité d'un trémolo par l'alternance d'une note à vide et de la même touchée sur le manche.

BAROQUE (angl., baroque ; all., Barock ; ital., barocco ; esp., barroco), terme issu du portugais « barroco », pierre de forme irrégulière, mais le *Dictionnaire de musique* (1767) de J. J. Rousseau et l'*Encyclopédie* (supplt de 1776) apparentent le mot au « baroco » des logiciens, terme mnémotechnique désignant une figure de syllogisme.

Historique du terme. Le *Dictionnaire* de Furetière (1690), premier dictionnaire français à accueillir l'adjectif, le rattache au vocabulaire de la joaillerie : « se dit de pierres qui ne sont pas parfaitement rondes ». La même explication figure dans la 1ʳᵉ édition du *Dictionnaire* de l'Académie française (1694) et il faut attendre celle de 1740 pour voir apparaître le sens figuré de bizarre. C'est avec cette dernière signification que le XVIIIᵉ s. applique le terme à l'architecture. Ainsi, le président de Brosses, qui a

voyagé en Italie dans les années 1739-40, qualifie-t-il de b. des ornements « dans le goût gothique » (*Lettres familières sur l'Italie* II, Paris 1931), et un article de l'*Encyclopédie méthodique* de Nicolas Étienne Framery et Pierre Louis Ginguené définit-il le b. comme une « nuance du bizarre », citant en exemple des œuvres de Francesco Borromini (1599-1667) et de Guarino Guarini (1624-1683). Dans le *Dictionnaire de la langue française* (1865) d'Émile Littré, ni la nature grammaticale ni le sens du mot n'ont évolué. La notion d'école naîtra avec les premiers théoriciens allemands du b. : Jakob Burckhardt (*Le Cicerone*, 1860) — de qui date le succès du terme —, Cornelius Gurlitt (*Geschichte des Barockstils*, 3 vol., 1887-89) et Heinrich Wölflin (*Renaissance und Barock*, 1888). Pour ce dernier, le b. est une sorte de renaissance corrompue que caractérise la désagrégation des formes de l'école précédente. Expression de la Contre-Réforme dont il est contemporain, le b. lui apparaît en outre comme une recherche permanente de la grandeur.

Le baroque musical. Le terme b. devait être bientôt étendu à la musique et c'est C. Sachs qui fut le premier à l'utiliser pour caractériser une période de son histoire (*Kunstgeschichtliche Wege*, 1918, et *Barockmusik*, 1919). Il reprit alors pour la musique les caractéristiques du b. décelées dans les beaux-arts par Wölflin et définit la musique b. par sa propension à l'ornement, sa recherche de la courbe, son mouvement vers la variation, opposant ses effets de masse et son goût pour la profondeur à la multiplicité de lignes et à l'aspect lumineux, tout en surface, de la Renaissance. Le mot b. fut alors rapidement accepté par les musicologues allemands, ainsi G. Adler, dans son *Handbuch der Musikgeschichte* (1924) intitule-t-il un chapitre « Die Hochmeister des musikalischen Barockstils ». D'Allemagne le terme passa avec succès aux U.S.A., où A. Carapetyan et L. Schrade créèrent en 1946 un *Journal of Renaissance and Baroque Music*. Mais il n'en alla pas de même en Angleterre, où J.A. Westrup ne l'emploie pas dans son *Purcell* (1937), ni en France, où N. Dufourcq l'évite consciencieusement dans *La Musique des origines à nos jours* (1946) et dans son *J.S. Bach, le maître de l'orgue* (1948). En Italie, les musicologues se sont éveillés très tôt au concept d'une musique b. mais ont été influencés par le théoricien de l'art B. Croce qui, dans sa *Storia dell'età barocca in Italia* (1929), insiste sur le fait que l'emploi du terme est abusif car trop péjoratif et accepte mal l'idée d'un âge ou d'un style baroque. Ainsi A. Della Corte (*Il Barocco e la musica*, 1933) limite-t-il considérablement dans le temps le b. musical, n'hésitant pas à parler de « dépression musicale » et attribuant l'irruption du b. à l'absence de tout génie musical. Par la suite, Guido Pannain ignorera même ce mot dans sa *Storia della musica* (I, 1942).

Le refus de l'expression musique b. s'explique donc surtout par la nuance péjorative attachée à cet adjectif qui signifie encore aujourd'hui « d'un inattendu qui choque » (Littré) et a d'abord été appliqué en ce sens-là à l'art des sons. En effet, un article de l'*Encyclopédie* (supplt de 1776) dû à J. J. Rousseau affirmait : « une musique b. est celle dont l'harmonie est confuse, chargée de modulations et de dissonances, le chant dur et peu naturel, l'intonation difficile, le mouvement contraint ». Qui plus est, n'est-ce pas fausser les débats que d'introduire un terme que les contemporains n'auraient pas compris ainsi ? Que proposer alors comme vocable de remplacement ? Celui d' « époque de la basse continue », adopté autrefois par H. Riemann qui désignait l'âge du b. par l'expression « Generalbass-Zeitalter » (*Handbuch der Musikgeschichte* II/2, 1911) et repris p. ex. par le *Précis de musicologie*, ouvrage collectif publié sous la direction de J. Chailley (1958) ? A moins que l'on ne reste fidèle au traditionnel découpage de l'histoire de la musique par règnes ou par siècles et que l'on ne se borne à parler d'une époque allant de la fin du XVIᵉ s. à la Iʳᵉ moitié du XVIIIᵉ s. Car c'est bien ainsi que la musique b. se trouve généralement limitée dans le temps : de 1580 à 1750 environ. Une période de temps aussi vaste entraîne en son sein une inéluctable évolution. Ainsi, pour certains, l'histoire de la musique appartiendrait-elle davantage au maniérisme qu'au b. jusqu'en 1650. D'autres voient se dessiner un style « rococo » au moment où J.S. Bach et G.Fr. Haendel portent à leur sommet l'art baroque (1730-1750). D'autres encore, comme Th. Kroyer (1927) et E. Schenk (1935), isolent un « Frühbarock » (de 1550 à 1650) d'un « Mittelbarock » (1650-1700) et d'un « Spätbarock » (ap. 1700) ; ces distinctions seront d'ailleurs reprises par S. Clercx dans *Le Baroque et la musique* (1948).

Origine et importance. Si l'on situe à la fin du XVIᵉ s. l'apparition du b. musical, c'est parce que l'on note alors un net changement de style — c'est d'ailleurs la seule conclusion à laquelle soient parvenus dans leur unanimité les participants au colloque de Wégimont organisé par S. Clercx en 1963. Ce sont les *Nuove musiche* de G. Caccini (1601), la → « seconda prattica » de Cl. Monteverdi (comme l'indique Giulio Cesare dans la préface aux *Scherzi musicali* de son frère, 1607) ou le « stile nuovo » de M. da Gagliano (Préface de *Dafne*, 1608). Mais déjà vers 1550, en Espagne, la mus. de J. Bermudo, A. de Cabezón, D. Ortiz, T. de Santa María, tout comme celle d'ailleurs du Portugais Antonio Carreira, contient en elle de nombreux germes baroquisants. Or, si l'on comprend avec Victor-Lucien Tapié (*Baroque et classicisme*, 1957) que le b. ne saurait être que monarchique, aristocratique, religieux et terrien, on ne sera plus étonné de voir naître au XVIᵉ s. une musique de ce genre dans les États de Charles Quint et de Philippe II (voir S. CLERCX, L'Espagne du XVIᵉ s., source d'inspiration du genre héroïque de Monteverdi, *in* Musique et Poésie au XVIᵉ s., éd. par A. Verchaly, Paris, CNRS, 1954). De là, le b. gagna ensuite Naples et la Sicile, alors possessions espagnoles, et se répandit dans toute la péninsule italienne avant d'atteindre l'Allemagne, où il se développa autour de deux pôles : les centres du Nord, où la mus. d'orgue fut prépondérante, et les centres du Sud, particulièrement influencés par l'Italie. En Angleterre, la génération de H. Purcell (1659-1695) subit l'influence du « stile nuovo » et au XVIIIᵉ s. la présence de Haendel dans ce pays y explique le règne de l'opéra italien et de l'oratorio allemand. Quant à la France, la plus puissante des monarchies absolues de l'Europe d'alors, elle voit s'épanouir, en musique comme dans les autres arts, un classicisme qui ne peut s'expliquer que par la présence dans ce pays d'un élément bourgeois important, de formation juridique et parfaitement apte au raisonnement abstrait. Mais on ne peut pas dire que les éléments baroques y soient cependant totalement absents et il faut plutôt admettre que l'art y offre alors un double visage.

Caractéristiques. Tous les musicologues du b., à l'exception de R. Haas (*Die Musik des Barock*, Potsdam 1928), ont tenté de calquer les traits distinctifs de la musique de cette époque sur ceux des autres arts contemporains. On peut donc remarquer que le b. musical a provoqué la désagrégation des techniques préexistantes. La mélodie, projetée hors de l'architecture polyphonique, s'est développée en multiples courbes et contre-courbes (voir p. ex. le *Concerto* pour violon et cordes en *mi* maj. de J.S. Bach, BWV 1042) avant de se fractionner en maints petits détails chez J. Ph. Rameau, D. Scarlatti et surtout C.Ph.E. Bach. Les claires successions d'accords parfaits de Josquin des Prés et de Palestrina sont décomposées par les madrigalistes, qui multiplient les crissements de secondes et les frottements de septièmes, les enchaînements inattendus, pour aboutir au XVIIIᵉ s. à une grande vivacité de modulations que pouvait seule permettre l'adoption du tempérament égal dont on aura un bel exemple dans la première pièce du *Clavier bien tempéré* II (1744) de J.S. Bach. Ivres d'espace, les thèmes s'ornent et se varient à plaisir. La → variation est en effet la technique de base de l'âge b. ; sur elle reposent l'→ « intonazione », la → « toccata », la → « canzone » et le → choral varié. La recherche de la grandeur se manifeste dans l'alliance des genres, qui fait naître l'→ opéra et l'→ oratorio, dans la noblesse de leurs sujets, où l'amour même n'est plus aux dimensions humaines, dans le rythme aussi, ce rythme pointé caractéristique qui met si bien en relief les temps forts. Art de l'illusion, art théâtral par excellence, le b. renforce aussi les contrastes : c'est alors que naissent les nuances, que s'opposent les effets de masses de la technique du double-chœur (A. Willaert), que triomphe le style concertant, que l'emportent les instruments peu à peu libérés de la tyrannie des vieilles polyphonies et particulièrement le plus imposant et le plus contrasté d'entre eux, l'orgue. N'est-il pas significatif que la → suite, où s'exacerbe le jeu des contrastes rythmiques et des formes, ait atteint d'incontestables sommets à cette époque (*Concerts royaux* de Fr. Couperin, *Ouvertures* de J.S. Bach, *Suites* de G. Fr. Haendel) et ait disparu dès l'avènement du classicisme viennois ? Mais il faut noter aussi que le b. musical vit naître des formes nouvelles : c'est ainsi que l'on vit apparaître, au moment où s'effaçaient le motet médiéval et la chanson de l'âge précédent, l'opéra, l'oratorio, la cantate, la sonate mono- puis bi-thématique, le concerto, qui évoluèrent jusqu'à offrir aux classiques un moule parfaitement unifié.

Contrairement à ce qu'affirmait Henri Focillon (*La Vie des formes*) qui tenait pour le passage unilatéral du classicisme au b., ce dernier ne saurait être que la transition entre deux classicismes à travers un renouvellement complet des formes et du style. Cette notion commode qui permet, pour la période étudiée, d'unifier la terminologie esthétique peut très bien ne pas être limitée à une aire géographique ou à un espace de temps : ainsi a-t-on pu écrire, tenant compte des caractéristiques propres à la période étudiée, qu'il y avait dans la *Missa prolationum* de J. Ockeghem une forme de b. gothique et dans le *Tristan* de R. Wagner un certain b. romantique.

Bibliographie — **1. Ouvr. généraux :** B. CROCE, Storia dell' età barocca in Italia, Bari 1929 ; E. D'ORS, Du b., Paris 1935 ; H. FOCILLON, La vie des formes, Paris 1936 ; V.L. TAPIÉ, B. et classicisme, Paris, Plon, 1957 ; du même, Le b., in Coll. « Que sais-je ? », Paris, PUF, 1961 ; J. ROUSSET (éd.), Anthol. de la poésie b. française, 2 vol., Paris, A. Colin, 1961. — **2. Le b. musical :** C. SACHS, Barockmusik, in Jb. Peters XXVI, 1919-20 ; H.J. MOSER, Die Zeitgrenzen des musikalischen Barock, in ZfMw IV, 1921-22 ; TH. KROYER, Zwischen Renaissance u. Barock, in Jb. Peters XXXIV, 1927 ; R. HAAS, Musik des Barock, Potsdam 1928 ; A. DELLA CORTE, Il barocco e la mus., in Mélanges La Laurencie, Paris 1933 ; du même, Nuovi contrasti e accordi sul barocco, in Rass. Mus. XXIII, 1953 ; E. SCHENK, Über Begriff u. Wesen des musikalischen Barock, in ZfMw XVII, 1935 ; E. BORELLI, Intuizione barocca e civiltà musicale, in Rass. Mus. IX, 1937-38 ; du même, Rinascimento barocco e romanticismo in una storia del linguaggio musicale, ibid. XI, 1939 ; S. CLERCX, Du b. au classicisme, essai de morphologie et de terminologie musicales, in Revue Intern. de Mie I, 1938 ; de la même, Le b. et la mus., Bruxelles 1948 ; E.H. MEYER, Die Vorherrschaft der Instrumentalmusik im niederländischen Barock, in TVer XV, 1939 ; W. GURLITT, Der Bedeutungsanspruch deutscher Barockmusik, in Neues Musikblatt LXIX, 1941 ; A. LIESS, Wiener Barockmusik, Vienne 1946 ; M. BUKOFZER, Music in the B. Era, New York 1947 ; M. GRAF, The Spiritual Background of B. Music, in Musicology I, 1947 ; FR. BLUME, art. Barock in MGG I, 1949-51 ; du même, Begriff u. Grenzen des Barock in der Musik, in Fs. C.A. Moberg, Stockholm 1961 ; du même, Renaissance and B. Music, trad. par M.D. Herter des 2 art. de la MGG, Londres, Faber, 1967 ; A.T. DAVISON, Bach and Haendel, the Consummation of the B. in Music, Cambridge (Mass.) 1951 ; W. GERSTENBERG, Die Krise der Barockmusik, in AfMw X, 1953 ; R. DONINGTON, B. Interpretation, in Grove 5/1954 ; L. SCHRADE, Sulla natura del ritmo barocco, in RMI LVI, 1954 ; G. BARBLAN, Il termine barocco e la mus., in Miscelànea H. Anglés I, Barcelone, Consejo Superior de Investigaciones Científicas, 1958 ; L. RONGA, Un problema culturale di moda : il barocco e la mus., in L'Esperienza storica della mus., Bibl. di cultura moderna nº 545, Bari 1960 ; A.J.B. HUTCHINGS, The B. Concerto, Londres, Faber, 1961 ; W.S. NEWMAN, The Sonata in the B. Era, Londres, Faber, 1963 ; R.H. THOMAS, Poetry and Song in the German B., Oxford, Clarendon Press, 1963 ; Le b. musical, in Les Colloques de Wégimont, Paris, Les Belles-Lettres, 1963 ; M.S. KASTNER, Qq. aspects du b. musical esp. et port., in Actes des Journées intern. d'études du b., Toulouse, Fac. des Lettres et Sciences humaines, 1965 ; R. DAMMANN, Der Musikbegriff im deutschen Barock, Cologne, A. Volk, 1967 ; Le b. au théâtre et la théâtralité du b., in Montauban, Centre intern. de recherches du B., 1967 ; R. GOLDRON, Splendeur de la mus. b., Lausanne, Éd. Rencontre, 1968 ; A. SALOP, On Stylistic Unity in Renaissance-B. Distinctions, in Mélanges W. Apel, Bloomington, Indiana Univ., 1968 ; R. STRICKER, Mus. du b., Paris, Gallimard, 1968 ; CL. PALISCA, B. Music, Eaglewood Cliffs, Prentice Hall, 1968 ; L'interprétation de la mus. fr. aux XVIIe et XVIIIe s., éd. par É. WEBER, Paris, CNRS, 1974.

D. PISTONE

BARRAGE, invention, attribuée à S. Érard, qui consiste en un ensemble de pièces ou barres métalliques placées dans la caisse du piano dans le but de la renforcer. Le b. permet d'augmenter le nombre des cordes, leur calibre et leur tension.

BARRE. 1. B. d'harmonie (angl., bass-bar ; all., Stimmbalken ; ital., catena ; esp., barra de armonía), pièce de bois fixée sur la face intérieure de la table des instr. à cordes pincées ou frottées. Placée sous le chevalet, sous le pied gauche dans les instr. à cordes frottées, elle influence profondément la sonorité. Une b. trop faible soutient mal la table, qui s'affaisse, si bien que le timbre perd en clarté ; une b. trop forte rend le son plus dur. — **2.** Pièce de bois posée en travers sur les sautereaux du clavecin et qui les empêche de se déplacer.

BARRÉ, technique de jeu propre aux instruments de la famille des luths et guitares. Il consiste à appuyer sur la touche plusieurs cordes simultanément au moyen de l'index de la main gauche. En dehors de la technique classique, on utilise également le pouce ou d'autres doigts. Le grand b. couvre toutes les cordes et, sur la guitare, ne peut s'effectuer au-delà de la 10e case. — Voir également l'art. CAPOTASTO.

BARRE DE MESURE (angl., bar line ; all., Taktstrich ; ital., stanghetta ; esp., barra), trait vertical tracé au travers de la portée ou de plusieurs portées superposées, servant à délimiter une → mesure. Dans la conception classique et scolaire de l'écriture musicale, la note qui suit la b. de m. est accentuée : c'est le « temps fort », par opposition aux temps faibles qui se partagent le reste de la mesure. L'emploi de la b. de m. n'est devenu systématique qu'à partir du XVIIe s., exception faite des préludes non mesurés des luthistes et des clavecinistes, ainsi que des cadences d'exécution libre. Les b. de m. que l'on peut rencontrer dans les tablatures d'orgue des XVe et XVIe s. (Codex Faënza, Buxheimer Orgelbuch...) n'ont que la valeur de points de repère dans le temps, placés à des distances plus ou moins régulières et destinés à faciliter l'étude des œuvres. La note qui les suit n'est nullement accentuée. Les barres que l'on rencontre dans les tablatures de luth sont des barres de → « tactus » qui encadrent chaque temps et qui ne peuvent donc désigner des temps forts ou faibles. L'absence de b. de m. jusqu'au début du XVIIe s. pose des problèmes de restitution pour les œuvres polyphoniques des XVe et XVIe s., dont la fluidité rythmique ne s'accommode pas d'accents périodiques. C'est pourquoi beaucoup d'éditions modernes la remplacent par une virgule, un trait en pointillé ou le plus souvent par une barre tracée entre les portées (all., Mensurstrich). — Chez certains musiciens modernes (Stravinski, Bartók entre autres), la b. de m. placée à des intervalles variables continue à désigner des temps forts irrégulièrement distribués. Chez d'autres (G. Migot et les musiciens sériels, en particulier), elle n'est utilisée que pour faciliter le jeu à plusieurs et ne marque aucun accent. Certaines œuvres récentes se passent de toute b. de m. : œuvres vocales dont la rythmique interne dépend d'un texte littéraire plus que d'une conception métrique préétablie (les monodies et *Quand tout ceci ne sera plus* extrait des *Poèmes du Brugnon* de G. Migot) ; œuvres écrites pour instrument soliste où les problèmes de jeu à plusieurs n'interviennent pas (E. Satie, 3 *Gnossiennes*, *Véritables préludes flasques pour un chien* pour piano ; Ch. Kœchlin, *Sonatines* pour piano ; J. Alain, 2e *Prélude* et *Ballade en mode phrygien* pour orgue, *Togo* et *Mythologies japonaises* pour piano ; G. Migot, 2e *Livre d'orgue*, *Le Mariage des oiseaux* pour flûte ; F. Mompou, *Chansons et danses*, *Préludes* pour piano).

BARRE D'HARMONIE (angl., bass-bar ; all., Bassbalken, Stimmbalken ; ital., catena ; esp., barra de armonía), terme de lutherie qui désigne une verge de bois de sapin aux extrémités affinées, collée sous la table des instr. à cordes dans toute leur longueur — pour les instr. de la famille du violon, sous le pied gauche du chevalet — et destinée à recevoir une

7, 8, 9. CHINE. Époque Souei (581-618). Figurines d'un orchestre féminin, qui comprend au total huit musiciennes, assises, provenant de la tombe de Tchang Tch'eng, général des Souei, à Ngan-yang (Honan) - tombe découverte en 1959. Harpe, flûte traversière et luth à 4 cordes (p'i-p'a). Terre cuite peinte, Haut. = 17 à 19 cm. Pékin.

10. FRANCE. *Début du IXe s. Bible de Charles le Chauve* (Biblia Caroli Calvi Imperatoris), *manuscrit copié et illustré à Saint-Martin de Tours par les soins d'Alcuin. Le roi David jouant de la harpe et ses compagnons d'armes. Paris, Bibliothèque Nationale, Dépt. des Mss., Lat. 1, fol. 215 v°.*

11. FRANCE. *Milieu du XIe s. Tropaire de Saint-Martial de Limoges : figures coloriées représentant des jongleurs. Ce précieux manuscrit est un recueil de pièces sacrées - proses, séquences vocalisées, tonaire - et profanes, avec musique.*
Paris, Bibliothèque Nationale, Dépt. des Mss., Lat. 1118, fol. 107 v°.

12. BAGDAD. XIIIe s. Caravane de pèlerins avec musiciens. Miniature des Séances d'Al-Harîrî, d'Al-Wâsitî, 1237 (634 de l'hégire) : 31e Séance. Trompes et naqqarât. Paris, Bibliothèque Nationale, Dépt. des Mss., Arabe 5847, fol. 94 v°.

partie de la pression exercée par les cordes. — Voir l'art. BARRER.

BARRELHOUSE PIANO (amér.), voir BOOGIE-WOOGIE.

BARRER, travail de lutherie qui consiste à placer une → barre d'harmonie sur un instr. à cordes. Cette opération délicate est de la plus haute importance pour la qualité sonore de l'instrument : trop mince, la barre n'oppose pas une résistance suffisante à la tension des cordes et donne une sonorité sans « corps » ; trop épaisse, elle freine l'élasticité de la table et durcit le son.

BARYTON (du grec barytonos, = dont la voix a un ton grave ; angl., baritone ; all., Baryton ; ital., baritono ; esp., barítono). — **1.** Voix d'homme située entre le ténor et la basse, dont l'étendue est approxi-

mativement la suivante :

Elle est notée en clef de *fa*. Souvent confondue, à tort, avec la → basse chantante, c'est la voix masculine qui dispose de la plus grande variété de moyens expressifs. Elle unit la noblesse et la force de la basse avec l'éclat du ténor. Mozart lui a confié les rôles de Figaro et de Don Juan, Rossini ceux de Figaro et de Guillaume Tell, Verdi ceux de Nabucco, Macbeth, Rigoletto, Falstaff, mais aussi de Renato (*Le Bal masqué*), Don Carlo (*La Force du Destin*), Rodrigo (*Don Carlos*), Iago (*Othello*), Wagner ceux de Wolfram (*Tannhäuser*) et de Klingsor (*Tristan et Isolde*), Debussy celui de Pelléas et A. Berg celui de Wozzeck.

2. Instr. à cordes appelé « viola di bordone » ou « viola di fagotto » en Italie. Il semble être apparu en premier lieu en Angleterre, à l'époque du roi Jacques Ier. Il était également en usage au XVIIe s. en Allemagne et en Autriche. De forme semblable à celle d'une basse de → viole, il est monté de 6 ou 7 cordes de boyau et de 9 à 27 cordes de métal, dites sympathiques. Au-dessous du chevalet très haut qui supporte les cordes de boyau est placé le chevalet plus petit des cordes de métal. La touche n'occupe que le côté gauche du manche. Les cordes de métal sont fixées sur une barre de bois en travers de la table, en biais, et passent à découvert derrière le manche. Elles sont protégées du côté de la touche par une plaque le plus souvent incrustée d'ébène ou d'ivoire. Enfin le b. est souvent orné d'une rosace près de la touche. L'accord des cordes de boyau était semblable soit à celui d'une basse de viole (J. Majer, *Museum musicum*, 2/1741), soit à celui d'une guitare (Mahillon). Les cordes sympathiques étaient accordées pour former une gamme diatonique, selon les pièces à jouer. Le jeu du b. se caractérise par les « pizzicati » exécutés du pouce gauche sur les cordes métalliques. Parmi les œuvres écrites pour cet instrument, citons les 24 *Divertimenti* pour b., alto et vlc. de Joseph Burgksteiner, ceux pour la même formation de Neumann, les 24 *Divertimenti* pour b., vl. et vlc. de Luigi Tomasini et surtout les 175 œuvres que J. Haydn écrivit entre 1766 et 1775 pour le prince Esterházy.

3. Instr. à vent de la famille des cuivres (angl.,

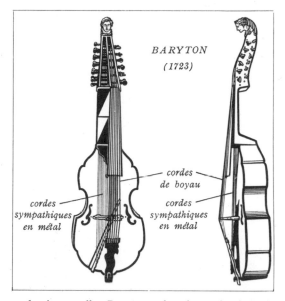

BARYTON

(1723)

cordes de boyau

cordes sympathiques en métal

cordes sympathiques en métal

euphonium ; all., Baryton ; fr., basse à pistons), intermédiaire entre la basse et l'alto. Il est en *do* ou en *si* ♭ et comporte trois ou quatre pistons. Sa perce large lui donne une sonorité ample et moelleuse. Il est parfois employé au lieu du tuba. — Le terme de b. sert parfois à préciser l'étendue de certains instr. à vent tels que hautbois, bugle, saxophone, etc.

Bibliographie — **2.** L. GREILSAMER, Le b. du prince Esterházy, *in* Bull. de la SIM I, 1910 ; E. FRUCHTMANN, The B. : its Hist. and its Music Re-examined, *in* AMl XXXIV, 1962.

BARZELLETA (ital.), voir FROTTOLA.

BAS, adj. employé pour désigner la partie grave de l'échelle sonore ou de l'étendue d'un instrument (le bas du clavier) ou le fait de jouer ou de chanter légèrement au-dessous du diapason normal. Au Moyen Age on appelait bas instruments ceux qu'une sonorité douce confinait à l'intérieur des demeures.

BAS-DESSUS, ancien nom de la voix de femme grave qui correspond aujourd'hui au mezzo-soprano ou au contralto.

BASSANELLO (ital.), instr. en bois, à anche double, mentionné pour la première fois en 1577 dans l'inventaire de l'archiduc Charles à Graz (« 6 Pasaneli »). Aucun exemplaire n'en subsiste. Selon M. Praetorius (*Syntagma musicum* II), l'instrument possédait une perce conique étroite, un bocal, une clef, et sa sonorité était plus douce que celle des bassons et des bombardes. Il existait en trois tailles, soprano (81 cm, sans bocal ; note la plus grave *ré²*), ténor-alto (106 cm ; *sol¹*) et basse (161 cm ; *do¹*), l'étendue de chaque instrument étant d'une onzième. Des inventaires de cours allemandes relèvent cependant l'existence de quatre tailles, le ténor et l'alto étant distingués et un « Diskant » ou soprano leur faisant suite vers l'aigu. Praetorius explique l'étymologie du nom par l'invention de G. Bassano de Venise ; cependant il semble que ce musicien ait été trop jeune pour avoir inventé des instruments en usage en 1577.

BASSE, BASSUS (lat. ; angl., bass ; all., Bass ; ital., basso ; esp., bajo). **1.** Terme technique d'écriture musicale désignant la partie la plus grave d'un ensemble polyphonique. Vers 1450, le « contratenor bassus » fait son apparition dans l'écriture à 4 voix en se distinguant du « contratenor altus ». Fixé dans le registre grave, il donne naissance à la partie de basse. — Voir entre autres les art. BASSE CONTINUE et BASSE FONDAMENTALE. — **2.** Registre grave des voix masculines. La b. profonde, autrefois dénommée basse-contre, est la plus grave des voix d'hommes. L'ancien opéra français la cantonnait dans l'expression de la gravité et de la majesté tandis que l'art du chant italien exigeait d'elle une plus grande agilité. Ce n'est qu'au début du XIXᵉ s., avec Pietro de *La Muette de Portici* (Auber), Walter de *Guillaume Tell* (Rossini) et Bertram de *Robert le Diable* (Meyerbeer), que la b. profonde devait prendre toute son ampleur sur scène. Son étendue est approxima-

tivement la suivante :

C'est une voix très rare. Moins puissante mais plus souple, la b. chantante, autrefois appelée basse-taille, est souvent confondue à tort avec le → baryton. C'était la voix de prédilection de l'école italienne du chant. La plupart des grands rôles tragiques du répertoire lyrique lui sont dévolus. Voici son étendue

approximative :

La b. profonde et la b. chantante appartiennent l'une et l'autre au type de la b. sérieuse. La b. bouffe convient à un genre plus léger qui touche parfois à la caricature et nécessite des qualités de composition reléguant au second plan l'ampleur vocale et la qualité du timbre. Cette voix est représentée par Bartolo du *Barbier de Séville* (Rossini). — **3.** Instrument le plus grave d'une famille instrumentale, b. de cromorne, b. de flûte à bec, b. de violon, etc. De nos jours le terme est utilisé comme abréviation de la contrebasse. — **4.** A l'orgue, partie grave du clavier, la coupure avec les → dessus se faisant en général à l'*ut³* ; jeu qui ne comporte pas de desssus ; jeu à bouche de pédale, 8′ doux ; pièce d'orgue en forme d'air où le chant est à la basse.

BASSE CHIFFRÉE, partie de basse pourvue de chiffres indiquant à l'exécutant les accords qu'il doit jouer. — Voir l'art. BASSE CONTINUE.

allant de la fin du XVIᵉ s. au milieu du XVIIIᵉ s. Cette b.c. sert de guide pour un accompagnement improvisé des autres parties vocales ou instrumentales. Appelée également « continuo », elle est en général chiffrée. Le chiffrage — véritable sténographie musicale — varie d'un pays et d'une époque à l'autre. Il se trouve au-dessus ou au-dessous de la basse continue. La numérotation se fait en partant de la basse (chiffre 1) et indique les notes à jouer. Les Italiens du début du XVIIᵉ s. donnaient la disposition des accords en chiffrant jusqu'à 18. A partir de 1620 environ, le chiffrage n'excède pas 9, c.-à-d. que les redoublements sont laissés au choix de l'accompagnateur. En général, l'accord parfait à l'état fondamental n'est pas chiffré ; l'accord de sixte est chiffré seulement par un 6 au lieu de $\frac{6}{3}$; mais celui de quarte-et-sixte, pour être distingué du précédent, conserve le double chiffrage $\frac{6}{4}$. L'accord de septième est uniquement signalé par un 7, alors que ses renversements sont souvent marqués avec précision par 3 chiffres superposés. Les notes formant dissonance par retard ou appoggiature sont également indiquées, ainsi que leur résolution. S'il y a des altérations, elles sont signalées devant ou derrière le chiffre correspondant. Quand il s'agit de la tierce, le chiffre 3 est d'ordinaire supprimé et remplacé par l'accident approprié. Des lignes horizontales en prolongation des chiffres indiquent que la même harmonie est maintenue. Si la basse ne doit pas être harmonisée, les Italiens précisent « tasto solo » (t.s., = la touche seule). En outre, il ne faut pas harmoniser les silences. En résumé, l'accord parfait (majeur ou mineur) avec ses deux tierces superposées est considéré comme la norme habituelle de l'écriture musicale ; seuls les assemblages verticaux ne correspondant pas à cet échafaudage de deux tierces font l'objet d'un chiffrage. Les instruments utilisés pour l'exécution de la b.c. varient selon le genre, le style, l'endroit et surtout selon les ensembles dont dispose le compositeur. Ceux qui sont le plus employés sont le luth, le théorbe, la guitare, le clavecin et l'orgue. Souvent, pour renforcer la basse, on y adjoint un instr. à cordes ou à vent tel que la viole de gambe, le violoncelle, le basson, etc.

Les origines de la b.c. remontent au « basso pro organo », qui consiste en l'assemblage des voix les plus graves d'une pièce polyphonique (« basso seguente », non chiffré), permettant ainsi son accompagnement par un orgue ou un clavecin. Le premier exemple connu est de A. Striggio et date de 1587. A partir de 1590, ces basses d'orgue deviennent de plus en plus fréquentes. Après 1600, elles sont chiffrées. Parallèlement, les compositeurs de la « Camerata

BASSE CONTINUE (angl., thorough-bass ; all., Generalbass ; ital., basso continuo ; esp., bajo continuo), partie de basse instrumentale usuelle confiée à un instrument polyphonique dans les œuvres

fiorentina » favorisent l'emploi d'une b.c. par leur volonté de créer une monodie accompagnée instrumentalement. Le chiffrage apparaît d'une manière sporadique dans les toutes dernières années du

XVIe s., sans qu'il soit possible de nommer un inventeur. Toujours est-il que *La Rappresentazione di anima e di corpo* de E. de' Cavalieri (1600), l'*Euridice* de J. Peri (1600) et les *Nuove musiche* de G. Caccini (1601) sont pourvues de chiffrage. Mais c'est L. Viadana qui, voulant créer une littérature de motets pour solistes, impose la b.c. chiffrée avec ses *Cento Concerti ecclesiastici* (1602) et se vante, à tort, d'en être l'inventeur (« qui esta mia invenzione »). Très vite, ce nouvel usage se généralise en Italie. C'est ainsi que dès 1610 on pourvoit les œuvres de Palestrina et des autres maîtres du XVIe s d'une basse continue.

celles de Viadana qui énonce 12 règles reprises dans l'édition allemande de 1613. Des informations plus complètes se trouvent dans *Del sonare sopra il basso* (1607) de A. Agazzari et dans *Conclusioni nel suono dell'organo* (1609) de A. Banchieri. En Allemagne, M. Praetorius consacre une étude détaillée à la b.c. dans son *Syntagma musicum* III (1619) en s'appuyant sur Viadana et surtout sur Agazzari. Vers la fin du XVIIe s., la pratique de la b.c. est déjà suffisamment avancée pour que les théoriciens en dégagent certaines habitudes, comme la règle de l'octave répandue grâce à Fr. Campion (1716) mais que celui-ci tenait de Maltot et que les Italiens connaissaient déjà au

E. de' Cavalieri, extrait de *La Rappresentazione di anima e di corpo* (1600).

Règle de l'octave avec le chiffrage proposé par Fr. Campion (1716).

L'Allemagne est le premier pays étranger où la b.c. fit son apparition et rencontra un grand succès, surtout dans les régions catholiques du Sud, alors que le Centre et le Nord protestants conservèrent jusqu'au début du XVIIIe s. l'usage des tablatures allemandes. Gr. Aichinger est le premier à introduire la b.c. dans ses *Cantiones ecclesiasticae* de 1607 et M. Praetorius l'utilise dans ses œuvres à partir de 1610. Mais c'est surtout la réimpression des œuvres de L. Viadana par Nikolaus Stein à Francfort/Main entre 1609 et 1626 qui contribua à la diffusion de cette nouvelle pratique dénommée → « seconda prattica ». — En Angleterre, la b.c. apparaît plus tardivement. Si l'on excepte les œuvres de R. Dering, composées probablement en Italie et publiées à Anvers en 1617, de même que celles de Th. Simpson, influencé par l'Allemagne où il vivait depuis 1608 (*Tafelconsort* avec b. c. de 1621), il faut attendre H. Lawes (1637) et W. Child (1639) pour la rencontrer. — En France, la b.c. mit encore plus longtemps à s'imposer, bien qu'elle fût en partie préparée dès la fin du XVIe s. grâce à l'air de cour dans lequel se détachaient le dessus, réservé à la mélodie, et le bassus, support des accords. Toutefois, la véritable b.c. n'apparaît pas avant les *Cantica sacra* de H. Du Mont, publiés chez Ballard en 1652.

Les premières explications de l'emploi de la b.c. se trouvent dans les préfaces des premières œuvres citées plus haut en faisant emploi (Peri, Cavalieri, Caccini, Viadana). Elles sont très succinctes, à part

XVIIe s. Elle donne un modèle fixe d'harmonisation des gammes majeure et mineure, en montant et en descendant.

D'une manière générale, il est défendu de dépasser la voix la plus aiguë et, dans les pièces concertantes, on évite de redoubler le déchant mélodique. Les règles générales de conduite des voix sont appliquées ; ainsi les octaves et les quintes consécutives sont prohibées mais restent tolérées dans la pratique si elles ne sont pas entre parties extrêmes. La réalisation doit être plus soignée quand on accompagne une voix seule et quand le nombre de parties est réduit. En Italie on réalisait de préférence à trois voix, en France à quatre. L'Allemagne pratiquait indifféremment les deux manières. Mais il était possible d'avoir jusqu'à 10 voix et de changer le nombre de celles-ci au cours du même morceau. En général, la main gauche assurait le « continuo » et la droite l'accompagnement ; mais quand la basse était de mouvement modéré, il pouvait y avoir partage entre les deux mains. Pour accompagner les récitatifs, les accords étaient joués arpégés. Dans les grands ensembles, la b.c. pouvait servir de conducteur. L'habileté et le don d'invention de l'accompagnateur pouvaient se manifester par l'adjonction d'ornements, d'arpèges, de traits et d'imitations.

A partir du milieu du XVIIIe s., les compositeurs écrivent de plus en plus les parties intermédiaires de leurs accompagnements et la b.c. perd peu à peu de son importance. Elle disparaît vers les années 1770.

Ainsi, à Paris, l'orgue d'accompagnement disparaît au Concert Spirituel en 1774 et le clavecin est officiellement supprimé à l'Opéra en 1777. Toutefois la pratique de la b.c. se prolonge en Italie sous la forme du → « partimento » et la mus. d'église en maintient

répété pendant toute la durée d'un morceau ou presque. Issu du → « pes » médiéval, il a été utilisé par les musiciens anglais du XVIIᵉ s. sous le nom de → « ground bass » ou « ground ». Il était de règle dans diverses danses anciennes, la → « folía », le

G. Ph. Telemann, *Tafelmusik*, solo pour hautbois et b.c. (1733).

l'usage jusqu'au milieu du XIXᵉ s. Dans les nouvelles éditions de mus. ancienne, afin de faciliter l'instrumentiste, le « continuo » est en général réalisé et marqué en petites notes pour bien distinguer ce qui est l'œuvre du compositeur et ce qui est proposé par l'arrangeur. Un tel travail, qui doit tenir compte de l'époque et du lieu, demande de l'expérience, des connaissances et du goût. — Le fait d'avoir toujours eu à réaliser l'harmonie à partir de la basse a développé l'analyse verticale par accord et préparé la voie aux idées de → basse fondamentale et de renversement des accords.

Bibliographie — L. VIADANA, Concerti ecclesiastici, Venise 1602 ; A. AGAZZARI, Del sonare sopra il basso con tutti li stromenti e dell'uso loro nel concerto, Sienne 1607 ; A. BANCHIERI, Conclusioni nel suono dell'organo, Bologne 1609 ; M. PRAETORIUS, Syntagma musicum III, Wolfenbüttel 1619, rééd. en facs. par R. Eitner, in PGfM XII, 1884, et par W. Gurlitt, Kassel, BV, 1958-59 ; L. PENNA, Li primi albori musicali III, Bologne 1672 ; M. LOCKE, Melothesia, Londres 1673 ; J.H. D'ANGLEBERT, Principes de l'accomp., in Pièces de clv., Paris 1689, rééd. par M. Roesgen-Champion, Paris 1934 ; E.D. DELAIR, Traité d'accomp. pour le théorbe et pour le clv., Paris 1690 ; A. WERCKMEISTER, Die notwendigsten Anmerkungen u. Regeln wie der Generalbass wohl könne tractieret werden, Aschersleben 1698 ; F.E. NIEDT, Musikalische Handleitung, Hambourg 1700 ; G. KELLER, A Compleat Method for Attaining to Play a Thorough Bass, Londres 1707 ; M. DE SAINT-LAMBERT, Traité de l'accomp. du clv., de l'orgue et des autres instr., Paris 1707 ; F. GASPARINI, L'armonico pratico al cimbalo, Venise 1708 ; FR. CAMPION, Traité d'accomp. et de composition selon la règle des octaves de mus., Paris et Amsterdam 1716 ; J.D. HEINICHEN, Der General-Bass in der Composition, Dresde 1728 ; L. GERVAIS, Méthode pour l'accomp. du clv., Paris 1732 ; J.PH. RAMEAU, Dissertation sur les différentes méthodes d'accomp. pour le clv. ou pour l'orgue, Paris 1732 ; J. MATTHESON, Kleine Generalbass-Schule, Hambourg 1735 ; C.PH.E. BACH, Versuch über die wahre Art das Clavier zu spielen, Berlin 1762 ; J.PH. KIRNBERGER, Grundsätze des General-Basses als erste Linien zur Composition, Berlin 1781 ; H. RIEMANN, Hdb. des Generalbass-Spielen, Berlin 1889 ; O. KINKELDEY, Orgel u. Klavier in der Musik des 16. Jh., Leipzig 1910 ; M. SCHNEIDER, Die Anfänge des Basso Continuo u. seiner Bezifferung, Leipzig 1918 ; A. TONI, Sul basso continuo e l'interpretazione della mus. antica, in RMI XXVI, 1919 ; FR. TH. ARNOLD, The Art of Accomp. from a Thorough-Bass as Practised in the 17th and 18th Cent., Londres 1931, rééd. Londres, The Holland Press, 1961 ; H. KELLER, Schule des Generalbass-Spiels, Kassel 1931 ; H.H. EGGEBRECHT, Arten des Generalbasses im frühen u. mittleren 17. Jh., in AfMw XIV, 1957 ; G. KIRCHNER, Der Generalbass bei H. Schütz, Kassel, BV, 1960 ; G.J. BUELOW, Thorough-Bass Accomp. According to J.D. Heinichen, Berkeley, Univ. of California Press, 1966.

S. GUT

BASSE CONTRAINTE ou OBSTINÉE (ital., *basso ostinato*), procédé d'écriture musicale qui place à la partie de basse un motif ou un chant constamment

→ « passamezzo », la → passacaille et la → chaconne mais se retrouve également dans des pièces sans rapport avec la danse (Cl. Monteverdi, 8ᵉ livre de madrigaux, 1638, *Lamento della Ninfa* ; 9ᵉ livre de madrigaux, 1651, *Zefiro torna*), dans la mus. religieuse (M.A. Charpentier, *Magnificat* à 3 voix avec symphonie sur une basse obligée) et dans la mus. dramatique (Lully, *Roland*, 1685, récitatif *Je suis trahi ! Ciel !* ; Purcell, *Dido and Aeneas*, 1689, air de Didon *When I am laid in earth* ; Gluck, *Armide*, 1777, invocation d'Armide *Esprits de haine et de rage*). On trouve encore des exemples de b.c. au XIXᵉ s. (J. Brahms, final des *Variations sur un thème de Haydn* pour piano et de la 4ᵉ *Symphonie* ; R. Wagner, *Parsifal*, 1ᵉʳ et 3ᵉ acte, thème des cloches) et de plus en plus fréquemment au XXᵉ s. (D. Milhaud, *Printemps* pour piano, nᵒˢ 2, 3 ; G. Migot, *Le Petit fablier* pour piano, nᵒˢ 3, 8 ; *Le Calendrier du petit berger* pour piano, nᵒˢ 4, 12 ; B. Bartók, *Mikrokosmos* pour piano ; I. Stravinski, *Symphonie de psaumes*). — Voir également l'art. OSTINATO.

Bibliographie (voir également les art. GROUND BASS et OSTINATO) — H. RIEMANN, Basso ostinato u. basso quasi ostinato, in Fs. R. von Liliencron, Leipzig 1910 ; du même, Der « Basso ostinato » u. die Anfänge der Kantate, in SIMG XIII, 1911-12 ; R. LITTERSCHEID, Zur Gesch. des basso ostinato (diss. Marburg 1928) ; L. NOWAK, Grundzüge einer Gesch. des basso ostinato, Vienne 1932 ; O. GOMBOSI, Italia : Patria del basso ostinato, in Rass. Mus. VII, 1934 ; L. WALTHER, Die Ostinato-Technik in den Chaconne- u. Arienformen des 17. u. 18. Jh., Wurtzbourg 1940.

BASSE-CONTRE, ancien nom de la voix d'homme la plus grave.

BASSE D'ALBERTI, formule d'accompagnement en accords brisés, dont les notes sont jouées par la main gauche au clavecin ou au piano, non pas simultanément (accords « plaqués ») mais l'une après l'autre :

On en attribue l'invention à D. Alberti, qui l'emploie vers 1730 dans ses sonates pour clavecin. Certains compositeurs ont abusé de ce procédé, qu'on trouve aussi dans les sonates de Haydn et de Mozart.

BASSE DANSE, forme chorégraphique et musicale de la fin du Moyen Age et de la Renaissance. Le terme apparaît d'abord en langue d'oc (Raimon de Cornet, v. 1325), parmi les choses que les mauvais jongleurs croient pouvoir apprendre rapidement. Au XVe s., c'est une danse de cour très en faveur en Italie et en Bourgogne, mais connue aussi en Allemagne, en Espagne et en Angleterre. Elle est vulgarisée au XVIe s. tout en restant une danse distinguée que les moralistes tolèrent. Sa vogue passe vers 1550. On la dit « basse » car ses figures sont lentes et glissées : une révérence, un branle, deux pas simples ; un pas double ou un demi-tour valent un temps ; un tour ou trois contre-pas en valent deux. Ces éléments s'unissent en mesures — grandes, moyennes ou petites, parfaites ou imparfaites — que les couples de danseurs ou des groupes plus importants disposent sur le terrain en comptant les temps réguliers de la musique. Près de 300 compositions chorégraphiques nous sont parvenues, notées de 1416 (Domenichino da Piacenza) à 1588 (Th. Arbeau). La musique des b.d. revêt deux formes : 1º la b.d. à armature, connue dès le XVe s. dans son principe et illustrée tardivement dans ses dérivés ; 2º la b.d. à quaternions, dont les parties polyphoniques ont une égale importance, au XVIe s.

Dans sa forme principale, à armature, la polyphonie de la b.d. était bâtie sur un ténor calme (joué par une saqueboute d'après l'iconographie) passant par une suite de notes essentielles (ou armature), bien connues des danseurs. Les parties mouvementées étaient jouées par des instruments à anche double (voir l'art. ALTA). Il nous reste une soixantaine de ces « mélodies » qui représentent très abstraitement les basses danses. Chaque note de ces armatures durait un temps chorégraphique, soit une longue d'environ 4 secondes. La musique s'organisait en mode mineur imparfait et temps parfait, les semi-brèves (6 par note d'armature) passant à un tempo voisin du mouvement métronomique 90 (*La Spagna* des *Canti C*, fº 147ᵛ). Cette mesure impériale était celle de la b.d. proprement dite. Les armatures étaient encore utilisées pour d'autres danses, dont les tempi relatifs sont connus : a) la « quadernaria » ou « saltarello tedesco », à raison de 4 semi-brèves par note d'armature (MM 72 ; *Collinit quatuor notarum*, nº 57 du *Buxheimer Orgelbuch*) ; b) le « pas de Brabant », « alta » ou « saltarello », avec 3 semi-brèves par note d'armature (MM 67,5 ; *La hault d'alemaigne*, de Mathurin, *Canti C*, fº 151ᵛ). Le terme de « haute danse » apparaît déjà en 1402 ; c) la « piva », également à 3 semi-brèves par note, mais dans le tempo de la b.d. (MM 90 ; ex. présumé : *Du pist mein hort* du Codex de Trente 87, fº 109, d'après la b.d. *Je sui povere de leese*) ; d) la « cacciata » à 2 semi-brèves par note, dans le tempo de la « quadernaria » (MM 72 ; ex. présumé : le début de *La fille guillemin*, Paris, B.N., Ms. fr. 15123, fᵒˢ 65ᵛ et 66). C'est le plus souvent par ces emplois dérivés des « mélodies » de b.d. qu'on peut se faire une idée de cette technique polyphonique de tradition orale (*Collinetto*, *Je languis*, *La doulce amour*, *La Spagna*, *Le petit rouen*, *Une fois avant que morir*, *Venise*). Les armatures se sont constituées par centonisation de mélismes élémentaires et par transformations successives, ce qui a donné lieu à des familles de b.d. reconnaissables dans le répertoire du Ms. de Bruxelles (*La franchoise-Venise*). On trouve des pièces analogues dans le Codex Faënza (v. 1420) : *Bel fiore dança*

(fº 89), *J'aime la biauté* (fº 50) et les pièces sans titre des fᵒˢ 83 et 95, mais les notes du ténor sont moins étalées que dans la forme la plus rapide de la basse danse. Les titres souvent poétiques des b.d. attestent aussi des échanges avec la chanson, mais leur sens n'est pas toujours clair (*Sans faire de vous départie*). Certaines pièces polyphoniques sont bâties sur des ténors de chansons dans une métrique de basse danse. Ainsi *Je loue amours* de J. Ghiselin (*Canti C*, nº 115), sur la ballade de G. Binchois, pourrait être une b.d. en mesure de « piva ». Des b.d. ont servi de « cantus firmus » à des messes parodie (G. Faugues, Fr. Gaffurio, H. Isaac), à des « recercadas » (D. Ortiz) et à des exercices de contrepoint jusqu'au XVIIe siècle. Au XVIe s., on continue d'utiliser le procédé des armatures de ténor, spécialement en Allemagne pour la danse nommée « Hoftanz », mais l'unité de temps de 6 semi-brèves groupe deux notes d'armature, posées le plus souvent sur les semi-brèves 1 et 5 du mode mineur parfait. Les armatures courantes des « Hoftänze » s'appellent *Benzenhauer*, *Beyrisch Bot* et *Schwarzknab*, mais parfois ce sont des ténors de chansons (*Es taget vor dem Walde*) ou de b.d. (*Le petit rouen*, *La Spagna*), de sorte qu'on peut voir dans cette danse une dérivation de la basse danse.

Les b.d. à quaternions, publiées par Attaingnant, Bianchini, Moderne, Susato, Hessen, D'Estrées et Arbeau, sont en grande partie des adaptations de chansons françaises. Elles se jouent au luth, au clavier, avec des ensembles à 4, à 5 ou 6, ou d'une manière simplifiée, avec une flûte jouant le ténor et un tambour. On en connaît 63 dont 14 présumées. Le quaternion est l'unité de temps des danseurs, seul point commun avec l'autre forme de basse danse. C'est une période de 12 minimes, notée en ¢ ; écriture trompeuse, car les minimes se groupent par 3333 ou 32223 avec des points d'appui sur les minimes 4 et 10. Cette structure complexe se retrouve dans les tourdions et les gaillardes. On connaît encore 6 exemples de b.d. binaires qui paraissent dériver de la « cacciata ».

Éditions musicales — Le Ms. dit des B.d. de la Bibl. de Bourgogne, éd. en facs. par E. CLOSSON, Bruxelles 1912.

Bibliographie — M. BUKOFZER, A Polyphonic B.D. of the Renaissance, *in* Studies in Medieval and Renaissance Music, New York 1950 ; O. GOMBOSI, Compositione di meser V. Capirola, Neuilly/S., Soc. de Mus. d'Autrefois, 1955 ; O. KINKELDEY, Dance Tunes of the 15th Cent., *in* Instrumental Music, éd. par D.G. Hughes, Cambridge (Mass.), Harvard Univ. Press, 1959 ; D. HEARTZ, Preludes, Chansons and Dances for Lute, Neuilly/S., Soc. de Mus. d'Autrefois, 1964 ; F. CRANE, Materials for the Study of the 15th Cent. B.D., Brooklyn, Inst. of Mediaeval Music, 1968 ; R. MEYLAN, L'énigme de la mus. des b.d. du XVe s., Berne, Haupt, 1968.

R. MEYLAN

BASSE DE FLANDRE. Le nom de cet instrument se justifie du fait de sa présence particulièrement fréquente en Flandre dès le XVIe s., ainsi qu'en témoigne l'iconographie des fêtes populaires, des mascarades, des scènes de carnaval. On l'appelle souvent en France « basse à boyau » et en Angleterre « bladder and string » (= vessie et corde), terme qui constitue par lui-même une définition. En Flandre, il est nommé « Bumbasz », mot qui, semble-t-il, n'a pas d'équivalent allemand, à moins de le rapprocher de « Bumbast », balle de coton. C. Sachs dit avoir trouvé en vieux français « bombace » mais il n'en donne ni le sens ni l'origine. — La b. de Fl. est composée, d'une manière simpliste, d'un long bâton qui fait office de manche, de support de caisse et de pique, sur lequel est attachée une vessie de porc gonflée d'air, servant à la fois de corps de résonance et de chevalet. Elle est montée d'une seule corde, attachée et accordée au moyen d'une cheville. La corde est mise en vibration par un archet qui est plutôt un racleur, car il est constitué d'une planche de bois découpée en dents de scie assez larges. Parfois, une paire de petites cymbales était attachée à la vessie pour produire des sonorités supplémentaires. Au XVIII⁰ s., la b. de Fl. apparaît encore, mais surtout dans des concerts parodiques. Une représentation particulièrement vivante en est donnée par Hogarth dans une illustration de l'*Opéra des gueux* où elle se joint à d'autres instruments inattendus, dont une guimbarde, en un ensemble bouffon.

BASSE DOUBLE, ancien nom de la → contrebasse.

BASSE FONDAMENTALE. Ce n'est pas une basse réelle. Elle est obtenue en ramenant tous les → accords d'un morceau à leur position fondamentale et en faisant se succéder les basses qui en résultent. Il ne faut pas la confondre avec la → basse continue.

Basse fondamentale

L'exemple ci-dessus est extrait du *Traité de l'harmonie* (1722) de J.Ph. Rameau qui est l'inventeur de cette nouvelle notion. Grâce à elle, la science de l'harmonie était née.

Bibliographie — J.Ph. RAMEAU, Traité de l'harmonie réduite à ses principes naturels, Paris 1722 ; du même, Démonstration du principe de l'harmonie, Paris 1750 ; J.L. D'ALEMBERT, Éléments de mus. théorique et pratique, 2/Lyon 1762 ; J. FERRIS, The Evolution of Rameau's Harmonic Theories, *in* Journal of Music Theory III, 1959.

BASSE OBSTINÉE, voir BASSE CONTRAINTE ou OBSTINÉE.

BASSE-TAILLE, ancien nom de la → basse chantante.

BASSETT (all. ; ital., bassetto). **1.** Désigne la basse de la famille des violes de gambe. — **2.** Au XVIII⁰ s., nom all. du violoncelle. — **3.** Instr. intermédiaire entre le violoncelle et la contrebasse ; il avait la forme d'une viole de gambe. Son usage disparut vers le milieu du XIX⁰ s. — **4.** Le terme, associé à un nom d'instrument, indique que celui-ci est accordé dans la tessiture médiane, ténor ou alto (ex. cor de basset, = clarinette alto). — **5.** Au XVII⁰ s. (Praetorius, Viadana), désigne la partie de basse, chantée par une voix de ténor, d'un chœur composé de voix élevées. — **6.** Ancien jeu d'orgue italien (anches).

BASSIN, voir EMBOUCHURE.

BASSISTE, musicien qui joue de la basse.

BASSON (angl., bassoon ; all., Fagott ; ital., fagotto ; esp., fagot, fagote). **1.** Instr. à vent à anche double et perce conique, formé de 4 éléments en bois (petite branche, culasse, grande branche, pavillon) et d'un → bocal en métal. Son étendue est la suivante :

Il dérive du «fagotto» ou → «dulcian» du XIV⁰ s., qui se trouve mentionné pour la première fois à Vérone en 1546. Il était alors fait d'une seule pièce et existait en plusieurs tailles.. Le plus important («fagotto corista») descendait jusqu'au *do*[1] et était très employé dans des formations instrumentales diverses. Le père Mersenne en parle sous les noms de «fagot» ou de b. à 3 clefs ; il parle également d'un b. à 4 clefs, descendant un ton plus bas et alors ignoré dans les autres pays. Quand, à l'époque de Lully, les Hotteterre et les Philidor créèrent le nouveau hautbois, ils fabriquèrent également (probablement après 1670) le nouveau b., destiné à servir de basse au hautbois dans la musique de la Grande Écurie et des Mousquetaires. Les plus anciens exemplaires subsistants proviennent en fait de facteurs allemands et néerlandais qui avaient commencé à imiter les modèles français peu après 1680. Ces exemplaires, faits de 4 pièces comme aujourd'hui, sont ornés dans le même style que les hautbois et ont 3 ou 4 clefs. Au cours du XVIII⁰ s., la ligne générale s'est simplifiée et le nombre de clefs s'est accru jusqu'à cinq ou six. C'est sur un b. de cette facture qu'aurait été joué le *Concerto* de Mozart ; le témoignage d'époque le plus complet en est donné par le musicien Pierre Cugnier dans l'*Essai sur la musique* de J.B. de Laborde (1780, vol. I). E. Ozi, premier professeur de basson au Conservatoire de Paris, utilisait 7 clefs, dont l'une, placée sur la petite branche et destinée au pouce, avait pour but de faciliter l'émission des notes aiguës jusqu'au *ré*[3]. Puis on ajouta d'autres clefs afin d'améliorer la production du *do* ♯ et *si* graves, de remplacer les anciens doigtés fourchus pour les notes de la portée et d'assurer la justesse d'un plus grand nombre de trilles. Lors de la création du *Concerto* de C.M. von Weber en 1811, le bassoniste munichois Georg Friedrich Brandt joua probablement sur un instrument à 11 clefs. À l'époque de l'*Octuor* de Schubert, on se servait de 15 clefs, nombre adopté par le facteur Jean Nicolas Savary, dit Savary fils, à partir de 1823 ; ses beaux instruments furent souvent dotés par la suite d'un mécanisme servant à contrôler l'étroit passage d'air dans le bocal par des facteurs comme Frédéric Triébert, qui élargit également la perce pour obtenir plus de sonorité dans le grave (v. 1845). Le b. de Buffet-Crampon, fait en rosier, respecte les principes fondamentaux de Savary et Triébert. Les tentatives d'application des principes de Th. Boehm au b. faites au milieu du siècle furent vaines. — En Allemagne, entre les années 1817 et 1825, C. Almenraeder de Mayence opéra des transformations considérables au niveau des trous et des

● **Voir hors-texte entre pages 48 - 49.**

clefs, créant ainsi le prototype du b. allemand actuel. Cet instrument, fait en érable, fut perfectionné par W. Heckel et se répandit sous cette forme jusqu'en Autriche, en Russie et, par l'intermédiaire d'émigrés d'Europe centrale, en Amérique. W. Heckel améliora certains sons qui manquaient fréquemment de stabilité sur les anciens modèles et supprima les doigtés fourchus pour les notes de la portée sauf pour le *mi* ♭ ². On ne peut confondre le timbre du b. allemand avec celui du b. français, qui est resté plus proche que le premier du timbre du XVIIIᵉ s. On peut dire que le b. de Heckel présente des avantages au niveau de l'exécution et de la sonorité, quoiqu'il ait ses propres problèmes de doigtés et d'équilibrage sonore, aucun système n'étant parfait à ce point de vue. On remarque cependant que les solos les plus difficiles du répertoire d'orchestre appartiennent à des œuvres de Ravel et Stravinski, qui les ont écrits pour le b. français. Toujours est-il que depuis la guerre, le b. allemand, fabriqué en grand nombre, s'est imposé, avec ses qualités et ses défauts, à la place du b. français dans des pays comme l'Italie, la Belgique, l'Angleterre, et qu'il a commencé à s'implanter, sous la pression de la préférence internationale, dans les orchestres français. Un fait nouveau est le regain de succès du b. du XVIIIᵉ s. à un niveau professionnel, notamment auprès d'artistes suisses et allemands qui jouent la musique de cette époque sur des instruments d'origine ou des copies, comme en témoignent de nombreux enregistrements. — Au XVIIIᵉ s. on a fabriqué un nombre considérable de petits b., plus hauts d'une quarte, d'une quinte ou d'une octave que le b. ordinaire, mais il existe très peu de musique où ils aient leur place et on ne comprend pas très bien à quelle fin ils furent construits. — Voir également l'art. CONTREBASSON.

2. Jeu d'orgue à anches battantes. Muni d'un résonateur conique étroit et ainsi dénommé en Angleterre dès la fin du XVIIᵉ s., il s'est répandu en France avec l'orgue symphonique (XIXᵉ s.). Muni d'un résonateur très étroit à pavillon biconique presque fermé, il s'est introduit d'Allemagne en France à la fin du XVIIIᵉ s. pour les basses seulement. Sous cette forme, il a été abandonné au XIXᵉ s.

Bibliographie — 1. L. ZACCONI, Prattica di musica, Venise 1592, 2/1596; M. PRAETORIUS, Syntagma musicum, II De organographia, Wolfenbüttel 1618, 2/1619, réédé. par R. Eitner, in PGfM XII, 1884, et en facs, par W. Gurlitt, Kassel, BV, 1958-59; M. MERSENNE, L'harmonie universelle, Paris 1648, réédé. en facs. par Fr. Lesure, 3 vol., Paris, CNRS, 1963; J.FR.B.C. MAJER, Museum musicum, Schwäbisch Hall 1732, réédé. en facs. par H. Becker, Kassel, BV, 1954; ABRAHAM, Principe de b., Paris v. 1780; W. HECKEL, Der Fagott, Biebrich 1899, 2/Leipzig 1931 (rév.); L. LETELLIER et E. FLAMENT, Le b., in Lavignac Techn. III, 1925; A. OREFICE, Storia del fagotto, Turin 1926; L.G. LANGWILL, The Bassoon, in Proc. Mus. Assoc. LXVI, 1939; du même, The « Boehm » Bassoon : A Retrospect, in The Galpin Soc. Journal XII, 1959; du même, The Bassoon and Contrabassoon, Londres, Benn, et New York, Norton, 1965; H. KUNITZ, Die Instrumentation, V Fagott, Leipzig, VEB Br. & H., 1957; W. SPENCER, The Art of Bassoon Playing, Evanston (Ill.) 1958.

A. BAINES et P. HARDOUIN

BASSON (Musique pour b.). Si le terme de b. n'apparaît pour la première fois qu'en 1636, dans l'*Harmonie universelle* du père Mersenne, son usage semble être sensiblement antérieur. Longtemps affecté à la basse continue, l'instrument participe à ce titre, jusqu'à la fin de la 1ʳᵉ moitié du XVIIIᵉ s., à la plupart des exécutions musicales, qu'il soit ou non mentionné sur la partition. Mais on lui confie aussi d'importants solos exploitant ses qualités techniques et attestant, malgré sa précarité mécanique, l'existence de bassonistes d'élite. On le trouve notamment dans les œuvres de Lully, Delalande, Couperin, Bach, Haendel, Rameau, Vivaldi, Telemann. L'orchestre symphonique naissant lui fera une place et il en deviendra membre permanent. Parallèlement, les maîtres lui constituent dès le XVIIᵉ s. un répertoire propre qui atteint aujourd'hui à une insoupçonnable abondance. Ses premiers emplois connus dans la mus. de chambre remontent aux *Affetti musicali* op. 1 (1617) et à l'op.8 (1626) de B. Marini, aux *Composizioni armoniche* (1619) de Fr. Usper et aux *Canzoni* (1620) de Giovanni Battista Riccio. Les premiers duos et trios avec b. apparaissent dans le *Olor Solymnaeus nascenti Jesu* de Matthias Spiegler (1631). La première œuvre pour b. solo et continuo semble être la *Fantasia basso solo* (1638) de Fray Bartolomé de Selmay y Salaverde. Elle est suivie en 1645 des 9 *Sonates* de Giovanni Antonio Bertoli, premiers modèles du genre, exigeant déjà une réelle virtuosité. Cette virtuosité va s'accroître grâce à l'adjonction de nouvelles clefs au début du XVIIIᵉ s. Les compositeurs consacrent alors au b. une floraison d'œuvres de mus. de chambre, de concertos et de symphonies concertantes. Citons parmi les premières la *Sonate en trio* en *fa* pour hautbois, b. et basse continue de Haendel, les 23 *Sonates* pour 2 b. de J. Bodin de Boismortier, la *Sonate en duo* de M. Corrette, les 6 *Duos* de Fr. Devienne, les 6 *Sonates* à deux de J.P. Guignon, le *Duett* de G. Ph. Telemann ainsi que les sonates pour b. et clavier de A. Besozzi, M. Corrette, J. Bodin de Boismortier, A. Vivaldi. Quant au domaine du concerto et de la symphonie concertante, il comporte un grand nombre d'œuvres parmi lesquelles les 37 *Concertos* pour b. et les 15 *Concertos* pour plusieurs instruments (dont un b.) de Vivaldi, les 5 *Concertos* pour plusieurs instruments de Telemann, les 4 *Concertos* pour b., le *Double Concerto* pour clarinette et b., la *Symphonie concertante* et le *Concerto* pour hautbois, b., cor et violon de C. Stamitz, la *Symphonie concertante* de J.M. Molter, les *Concertos* op. 26, 30 et 37 de J. Bodin de Boismortier (les premiers concertos français pour instr. à vent), le *Concerto « Le Phénix »* de M. Corrette, les 6 *Concertos* et les 6 *Symphonies concertantes* de Fr. Devienne, la *Symphonie concertante* de L. Boccherini, celle de J. Haydn et, par-dessus tout, les 2 *Concertos* de Mozart, sa *Symphonie concertante* pour hautbois, clarinette, cor et b., son *Quintette* pour hautbois, clarinette, cor, b. et piano, sa *Sonate* pour b. et violoncelle ainsi que les divertissements et cassations où figure l'instrument. Beethoven apporte lui aussi sa contribution avec son *Septuor* op. 20, son *Sextuor* op. 71, son *Octuor* op. 103, ses 3 *Duos* pour clarinette et b. op. 147 et son *Quintette* avec piano. Les œuvres marquantes du XIXᵉ s. consacré au b. sont le *Concerto* en *fa* et l'*Andante e rondo all'ungarese* de C. M. von Weber, le *Concerto* op. 53 de N. Rimski-Korsakov, le *Quintette* pour b. et cordes et les 3 *Quintettes à vent* d'A. Reicha, et les 6 *Quatuors* de G. Rossini pour flûte, clarinette, cor et basson. Les perfectionnements apportés à l'instrument durant la fin du XIXᵉ s. entraînent une extension de ses possibilités techniques et expressives qu'exploitent pleinement les compositeurs du XXᵉ s. ainsi qu'en témoignent les concertos ou les œuvres pour b. et orchestre de M. Bitsch, E. Bozza, A. Jolivet,

M. Landowski, H. Tomasi, A. Tisné, A. Marescotti, H. Villa-Lobos, les concertos à plusieurs et les symphonies concertantes de C. Beck, B. Blacher, P. Hindemith, H. Martelli, B. Martinů, R. Strauss. Nombreuses sont également les œuvres de mus. de chambre avec b. ainsi que les sonates ou autres pièces pour b. et piano dont celles de C. Saint-Saëns, G. Pierné, P. Hindemith, H. Dutilleux ou pour b. seul telles que la *Sonate* de G. Migot (1953).

G. GOURDET

BASSUS, voir BASSE, BASSUS.

BATAILLE (angl., battle piece ; all., Battaglia ; ital., battaglia ; esp., batalla), pièce vocale ou instrumentale de type descriptif qui évoque une action guerrière. Connu dès la fin du XIVe s. (Grimace, *Alarme, alarme*) et au XVe s. (*Alla bataglia* du Chansonnier Pixérécourt ; H. Isaac, *A la bataglia*, transcr. instrumentale d'une œuvre vocale), le genre fut particulièrement en vogue du XVIe au XVIIIe s. *La Guerre* de Cl. Janequin, qui relate la bataille de Marignan, est restée la plus célèbre de ces pièces. De nombreux luthistes, parmi lesquels Fr. da Milano et H. Neusidler, en donnèrent des transcriptions pour leur instrument ; A. Gabrieli et A. Padovano en réalisèrent des arrangements à 8 voix tandis que Janequin lui-même (?) la prit comme sujet d'une messe-parodie, la *Messe « La bataille »*. H.M. Werrecoren est l'auteur d'une *Schlacht von Pavia* (1544, 2/1549 sous le titre *La Bataglia taliana*). On doit encore à Janequin une *Bataille de Metz* et une *Guerre de Renty*, à G. Costeley une *Prise de Calais* et une *Prise du Havre*, etc. C'est la guerre amoureuse qui est le sujet de *Arm', arm'*, longue composition en « vers mesurés à l'Antique » de Cl. Le Jeune (éd. en 1608 dans le 1er livre des *Airs*), de la *Guerra d'Amore* de J. Peri (représ. Florence 1615) et du *Combattimento di Tancredi et Clorinda* (1624) de Cl. Monteverdi à qui l'on doit également les « canti guerrieri » des *Madrigali guerrieri e amorosi* (1638). A partir du XVIIe s., l'opéra offre de nombreuses occasions de décrire musicalement batailles et combats (Lully, *Cadmus et Hermione*, acte 4, sc. 2 ; A. Scarlatti, *Mitridate Eupatore*, acte 5, sc. 2 ; G.Fr. Haendel, *Giulio Cesare*, acte 3, sc. 2 ; J.Ph. Rameau, bruits de guerre de *Dardanus*, 2e version, 4e acte, 4e sc. ; de *Castor et Pollux*, 2e version, 1er acte). Parmi les virginalistes, les clavecinistes et les organistes auteurs de b. instrumentales, il faut citer W. Byrd, A. Banchieri, J.P. Sweelinck, J.K. Kerll, J. Cabanilles, G. Frescobaldi, Fr. Couperin, J. Kuhnau, J. Fr. Dandrieu, C.H. Graun... Beethoven contribue à l'histoire du genre avec une œuvre symphonique intitulée *Wellingtons Sieg oder die Schlacht bei Vittoria*. Au XIXe s. il faut encore citer *La Bataille des Huns*, poème symphonique de F. Liszt, l'*Ouverture solennelle « 1812 »* de P. Tchaïkovski, et au XXe s. la *7e Symphonie* de D. Chostakovitch, écrite pendant le siège de Leningrad.

Bibliographie — E. BIENENFELD, Über ein bestimmtes Problem der Programmusik..., in ZIMG VIII, 1906-07 ; O. KLAUWELL, Gesch. der Programm-Musik, Leipzig 1910 ; R. GLÄSEL, Zur Gesch. der Battaglia (diss. Leipzig 1931).

BÂTI, assemblage des pièces de menuiserie constituant le → buffet d'orgue.

BÂTON (angl., baton ; all., Taktstock ; ital., bacchetta ; esp., batuta). **1.** Morceau de bois ou d'ivoire, long et cylindrique, tenu à la main par le chef d'orchestre pour indiquer la mesure et conduire une exécution musicale. Aux XVIIe et XVIIIe s., on se servait d'une canne à l'aide de laquelle on frappait bruyamment le sol. Lully mourut des suites du coup qu'il s'était ainsi porté au pied en battant la mesure. Pour remédier à la grossièreté du procédé, on utilisa à partir de la 2de moitié du XVIIIe s. une feuille de papier roulée, ne retenant plus que le côté visuel du signal. Au XIXe s., un archet de violon ou un b. tenu à plein poing en son milieu servaient à indiquer la mesure. L. Spohr fut le premier à diriger à l'aide d'un b., à l'opéra de Francfort entre 1815 et 1817. A notre époque, une mince baguette tenue à l'une de ses extrémités permet au chef d'orchestre de donner des indications plus précises, plus diversifiées et plus nuancées aux musiciens placés sous sa direction. — **2.** Le b. cantoral était le symbole de l'autorité du premier chantre d'une cathédrale ou d'une grande église. — **3.** Nom donné à la barre de silence lorsqu'elle occupe plus d'un interligne de la portée. — **4.** Ancien nom de la baguette de tambour.

BATTANT, sorte de marteau suspendu librement à l'intérieur d'une cloche, contre la paroi de laquelle il frappe lorsque la cloche est mise en branle.

BATTEMENTS. Lorsque deux ondes acoustiques de fréquence voisine se rencontrent, elles réagissent l'une sur l'autre, produisant des augmentations et des diminutions d'intensité systématiques appelées b., qui correspondent auditivement aux pulsations d'intensité. On calcule facilement le nombre de b. à partir des deux fréquences composantes. Ainsi, lorsqu'on produit simultanément deux sons de 440 et 445 Hz, on entend 445 — 440 = 5 b. par seconde. Lorsque le nombre de b. dépasse 30 par seconde, on entend un nouveau son, un différentiel. P. ex. 440 et 540 Hz donnent un différentiel de 100 Hz ; ce différentiel est un troisième son nettement perceptible. L'expérience des b. et des différentiels peut aisément être faite avec deux flûtes à bec qu'on joue simultanément, en recouvrant de façon variable et graduellement le trou homologue de l'une des flûtes.

BATTERIE. 1. (Angl., drum roll ; all., Trommelwirbel, Trommelsignal ; ital., batteria), signal militaire exécuté par un tambour. Selon sa signification, il se fait sur des rythmes différents. L'existence de 4 b. en usage dans les troupes françaises et suisses au service du roi de France est attestée dès 1588 par Th. Arbeau dans son *Orchésographie*. On en connaissait huit au temps de M. Mersenne (1636). Parmi les b. réglementaires dans l'infanterie française, il faut citer Au drapeau, la Générale, Aux champs, le Ban, l'Assemblée, le Réveil, la Diane, l'Extinction des feux, la Retraite, la Charge et plusieurs rythmes de marche. — **2.** Nom donné au XVIIIe s. à l'arpègement d'un accord ou à la → basse d'Alberti répétés pendant plusieurs temps ou plusieurs mesures. — **3.** Manière de jouer la guitare en battant les cordes au lieu de les pincer. — **4.** (Angl., percussion ; all., Schlagzeug ; ital., batteria, percussione), nom donné à l'ensemble des instr. à percussion utilisés à l'orchestre ou dans les formations de → jazz. — Voir l'art. PERCUSSION.

BATTERIE D'ANCHES, ensemble des jeux d'orgue du type trompette (bombardes, clairons) avec, à l'époque classique, les jeux d'entraînement (prestants) ou compensateurs (grand cornet). Ils sont harmonisés surtout pour former la partie essentielle des sonorités les plus éclatantes (grand-jeu, tutti). Cet ensemble s'est constitué aux Pays-Bas au XVIe s. puis est devenu une caractéristique de l'orgue français en général. — Voir les art. ANCHE et ORGUE.

BATTEUR. 1. Musicien qui tient la → batterie dans un orchestre de jazz. — **2.** B. de mesure, nom désignant autrefois le chef d'orchestre — en particulier à l'Opéra de Paris au XVIIIe s. — dont le rôle consistait surtout à marquer vigoureusement les temps.

BATTRE. 1. B. la mesure : indiquer par le geste de la main ou à l'aide d'une baguette la mesure et chaque temps, à la manière du chef d'orchestre. Le 1er temps est dit « frappé », les autres « levés ».

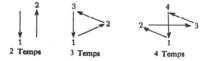

Battues traditionnelles.

2. B. le tambour : frapper le tambour avec les baguettes ; b. la charge, le réveil, etc. : exécuter sur le tambour la → batterie militaire de ce nom. — **3.** B. un trille : exécuter un → trille, battement rapide de deux sons voisins.

BATTUTA, voir A BATTUTA.

BATUQUE, danse sud-américaine, apparentée à la → « samba » mais un peu plus lente. Elle est pratiquée par les Noirs du Brésil, se note à 2/4 et utilise le rythme de base suivant : ♫♩ ♫♩.

BAYLÈRO (de bayle, en langue d'oc = valet), chant de plein vent de haute Auvergne : dialogue de bergers à demi improvisé sur le ton du récitatif et chanté à des distances parfois très grandes, d'un sommet à un autre.

BAYREUTH.

Bibliographie — H. SCHMIDT, Gesch. des Musikvereins B. 1860-1903, Bayreuth 1903 ; W. GOLTHER, B., Berlin et Leipzig 1904 ; L. SCHIEDERMAIR, B.er Festspiele im Zeitalter des Absolutismus, Leipzig 1908 ; E. SCHENK, Zur Musikgesch. B.s, in Archiv für Gesch. ... von Oberfranken XXX/1, 1927 ; A. VON PUTTKAMER, 50 Jahre B., Berlin 1927 ; E. SCHENK, G.A. Paganelli, Salzbourg 1928 ; H. CONRAD, B., Lebensweg einer Stadt, Bayreuth 1936 ; K. HARTMANN, Musikpflege in Alt-B., in Archiv für Gesch. ... von Oberfranken XXXIII/1, 1936 ; P. BÜLOW, B., die Stadt der Wagner-Festspiele 1875-1936, Leipzig 1936 ; G. RUDLOFF-HILLE, Die B.er Hofbühne im 17. u. 18. Jh., in Archiv für Gesch. ... von Oberfranken, XXXIII/1, 1936 ; Offizieller B.er Festspielführer, Jubiläums-Ausgabe 1897-1937, Bayreuth 1937 ; L.H. SCHNEIDER, B.er Wochen, Neue Musik, Bayreuth 1949 ; H. BARTH, Internationale Wagner-Bibliogr. 1945-1966, 3 vol., Bayreuth, Éd. Musica,

1956-68 ; E. HOHMANN, Die Markgräfliche Oper zu B., in Unbekanntes Bayern VII, 1962 ; I. SANDER, J. Pfeiffer, Leben u. Werk des letzten Kapellmeisters am Markgräflichen Hof zu B., in Archiv für Gesch. ... von Oberfranken XLVI, 1966 ; G. SCHMIDT, J.B. Kehl u. J.W. Stadler, ibid. ; Z. VON KRAFT, Das Festspielhaus in B., Bayreuth, Festspielleitung, 3/1969.

BEAT (angl.), voir JAZZ.

BEAUNE.

Bibliographie — CH. BIGARNE, La mus. à N.-D. de B., Beaune 1878 ; M. EMMANUEL, XXX Chansons bourguignonnes du Pays de B., précédées d'une étude hist., Paris, Durand, 1917.

BEAUVAIS.

Bibliographie — G. DESJARDINS, Hist. de la cathédrale de B., Beauvais 1865 ; A. BORNET, Les enfants de chœur de la cathédrale de B. aux XIVe, XVe et XVIe s., in Mémoires de la Soc. acad. de l'Oise XXVI/2, 1930 ; L. MEISTER, Les grandes orgues de la cathédrale de B., in Écho paroissial de St-Pierre de B., avr. 1930.

BÉBISATION, voir SOLMISATION.

BE-BOP, voir JAZZ.

BEC. 1. (Angl., beak ; all., Schnabel ; ital., becco ; esp., boquilla), embouchure en forme de b. de certains instr. à vent. Dans la flûte droite (voir l'art. FLÛTE À BEC), il est incurvé en dessous ; dans la clarinette et le saxophone, il supporte l'anche, fixée au moyen d'une ligature, que la bouche de l'exécutant recouvre aux 3/4 pour la faire vibrer. — **2.** (Angl., plectrum ; all., Kiel ; ital., plettro ; esp., plectro), plume de corbeau ou petit morceau de cuir taillé en pointe, fixé sur les → sautereaux du clavecin et de l'épinette pour en pincer les cordes.

BÉCARRE (angl., natural ; all., B Quadrat ou Auflösungszeichen ; ital., bequadro ; esp., becuadro), signe d' → altération ou d' → accident (♮) qui annule l'effet d'un dièse ou d'un bémol et ramène la note à son état naturel. On utilise parfois le double b. pour annuler le double dièse ou le double bémol.

BEDON. 1. Sorte de grosse caisse en usage jusqu'au XVIIe s. — **2.** B. de Biscaye, tambour de basque.

BEFFROI. 1. (Angl., bell frame ; all., Glockenstuhl), charpente qui contient les cloches dans la tour de l'église ; elle doit être indépendante de la maçonnerie pour que celle-ci ne soit pas ébranlée par les vibrations. — **2.** (Angl., belfrey, bell tower ; all., Bergfried), par extension, tour de l'hôtel de ville abritant les cloches communales, d'où l'on sonnait l'alarme, le couvre-feu, etc.

BEL CANTO (ital., = beau chant), terme qui s'applique à un chant caractérisé par la beauté du son, la souplesse du phrasé et la virtuosité dans l'exécution des vocalises et des ornements. Utilisé surtout au XIXe s., il traduisait à l'origine une réaction des musiciens contre les poètes humanistes du XVIe s. En effet, bien qu'un tel chant ait été pratiqué dans l'Orient antique, puis en Occident dès le début de l'ère chrétienne et au Moyen Age, « bel canto » désigne plus particulièrement l'art des chanteurs, → castrats et → prime donne du XVIIᵉ au XIXᵉ s. Le compositeur et chanteur italien G. Caccini indiqua le premier, dans la préface de ses *Nuove Musiche* (1601), les règles de ce qu'il appelait alors « buon canto », relatives à l'exécution des traits, broderies, sons filés, trilles, etc. Il préconisait aussi une grande liberté d'interprétation, subordonnée au sens des phrases, afin d'obtenir un chant « plein d'abandon » que l'on pouvait orner à sa guise, ce qui ne manqua pas, par la suite, de provoquer des abus — l'expression étant souvent sacrifiée à la prouesse vocale — et de justifier le sens péjoratif qu'on lui attribue quelquefois. Pratiqué surtout à partir de 1630, le « bel canto » se développa à Venise, à Rome, puis à Naples, dans les œuvres de Cl. Monteverdi, P.Fr. Cavalli, L. Rossi, A. Stradella, A. Cesti, G.B. Bononcini et A. Scarlatti. Castrats et cantatrices italiens envahirent bientôt toute l'Europe et étonnèrent leurs auditeurs par la beauté de leur voix et leur habileté technique. Seule la France accueillit sans enthousiasme ces artistes dont les roulades et les effets apparemment outrés choquaient le sentiment national. L'Allemagne avec H. Schütz, l'Angleterre avec H. Purcell surent par contre en tirer profit sans se renier. Au début du XVIIIᵉ s., le « bel canto » connut à Naples son plein épanouissement. A. Scarlatti lui donna son cadre idéal : l'air à da capo. Après lui cette forme, reprise par B. Marcello, maître de la célèbre cantatrice Fausta Bordoni, par L. Leo, L. Vinci, A. Steffani, A. Porpora, A. Caldara et G.B. Pergolèse, envahit la cantate, l'opéra et l'oratorio. Soucieux de connaître le succès, ces compositeurs écrivirent des rôles pour leurs chanteurs préférés et s'arrangèrent pour mettre en valeur les spécialités de chacun. Ce n'était pour l'interprète qu'un encouragement à prendre encore plus de libertés avec l'œuvre. Des cantatrices comme la Bordoni, la Tesi, des castrats comme Farinelli, Caffarelli, ne se contentèrent plus de chanter les textes ; ils n'éprouvèrent aucune gêne à les modifier, à ajouter des passages, des broderies, des cadences, et, non satisfaits de leur rôle, à ajouter des « arie di baule » (airs de valise) où ils faisaient étalage de leur technique acrobatique pour assurer leur triomphe personnel. En Allemagne, l'influence du « bel canto » s'exerça alors sur J.S. Bach, qui en usa avec la modération que lui imposait son tempérament, et surtout sur G.Fr. Haendel, qui assura le succès de l'opéra italien à Londres. En France, partisans de la mus. italienne et partisans de la mus. française s'affrontèrent lors de la → Querelle des Bouffons (1752-54). Gluck fut le premier qui réagit vigoureusement contre le « bel canto », auquel il avait sacrifié dans sa jeunesse en faisant représenter à Paris *Alceste* (1776), œuvre simple, émouvante et sobre. Mais il ne fut pas entendu, pas plus en Allemagne — Mozart lui-même usa du « bel canto » et utilisa des castrats — qu'en Italie. Après la Révolution, un public français renouvelé reçut favorablement les opéras de N. Piccinni, A.G. Sacchini, G. Paisiello, D. Cimarosa, puis de L. Cherubini et G. Spontini. Paris devint alors le foyer du « bel canto ». Mais bientôt G. Rossini, qui au début de sa carrière avait mesuré les dangers du genre, lui imposa un style différent. Afin de demeurer plus fidèle à la vérité dramatique, il écrivit avec précision traits et ornements et en exigea l'exécution fidèle. Sans toujours suivre rigoureusement ces nouveaux principes, sans renoncer à la virtuosité, l'Allemand G. Meyerbeer, les Français D. Auber, Fr. Hérold, J. Halévy atténuèrent les effets du « bel canto », tandis que seul Berlioz y restait résolument hostile. Jamais cependant l'Opéra n'avait compté plus de remarquables cantatrices (la Pasta, Damoreau-Cinti, la Malibran, Pauline Viardot, Falcon, Sontag, Schroeder-Devrient) et chanteurs (Duprez, Levasseur, Tamburini, Nourrit, Rubini). Dans la 2ᵈᵉ moitié du XIXᵉ s., le « bel canto » déclina rapidement. À part quelques traces chez Gounod, il ne se maintint guère que chez Verdi et plus tard chez R. Leoncavallo et G. Puccini. R. Wagner reprit les théories de Gluck et, sans renier le beau chant, répudia le jeu souvent purement gratuit des artifices italiens. Au début du XXᵉ s., Cl. Debussy fit un retour au récitatif avec *Pelléas et Mélisande* (créat. 1902). Après lui les musiciens renoncèrent pour la plupart au « bel canto », et n'en firent usage que lorsque l'action l'exigeait. De nos jours le beau chant s'est débarrassé de ses roulades et fioritures. Il demeure cependant un moyen d'expression qui peut avoir momentanément sa raison d'être, lorsqu'il s'agit de traduire musicalement de grands élans lyriques, de caractériser un personnage poétique ou grotesque, d'exprimer l'ironie ou la fantaisie.

Bibliographie — G. CACCINI, Le Nuove Musiche, Florence 1601, trad. de la préface en fr. par Fr. A. Gevaert, *in* Le Ménestrel 1873-74 ; J.A. HERBST, Musica moderna prattica, ovvero maniere del buon canto, Francfort/M. 1653 ; B. MARCELLO, Il teatro alla moda, Venise v. 1720, 2/1733, trad. fr. par E. David, Paris 1893 ; P.FR. TOSI, Opinioni de cantori antichi e moderni, Bologne 1723, trad. fr. par Th. Lemaire, Paris 1874 ; G. MANCINI, Pensieri e riflessioni pratiche sul canto figurato, Vienne 1774, 2 trad. fr. : L'art du chant, Paris 1776, et Réflexions pratiques sur le chant figuré, Paris 1796 ; H. GOLDSCHMIDT, Die ital. Gesangsmethode im 17. Jh., Breslau 1890, 2/1892 ; H. PRUNIÈRES, L'opéra ital. en France av. Lully, Paris 1913 ; du même, Cavalli et l'opéra vénitien, Paris 1931 ; H. KLEIN, The Bel Canto, Londres 1923 ; A. DELLA CORTE, Canto e bel canto, Turin 1933 ; B. ULRICH, Die altitalienische Gesangsmethode. Die Schule des Bel canto auf Grund der Original-Schriften zum ersten Male dargestellt, Leipzig 1933 ; G. MIGOT, art. Bel canto, *in* Lexique, Paris 1946 ; A. MACHABEY, Le bel canto, Paris 1948 ; J. LAURENS, Bel canto et émission ital., Paris 1950.

A. VERCHALY

BELGIQUE (België). La Belgique est née en 1830 seulement, à la suite d'une révolution qui l'a séparée de la Hollande. Au début du XVᵉ s. encore, cette région était constituée de principautés indépendantes, que Philippe le Bon, duc de Bourgogne, réussit à rassembler par le hasard des successions et grâce à son habileté politique. Les comtés de Flandre et d'Artois, les duchés de Brabant, Limbourg et Luxembourg, les comtés de Hainaut, Hollande et Zélande, la seigneurie de Frise ont formé pour les ducs de Bourgogne des pays « de par-deçà » qui ont toujours conservé une grande autonomie régionale mais qui ont dû se soumettre progressivement à un certain nombre d'institutions centralisatrices. Après la mort de Charles le Téméraire, ces principautés sont revenues à sa fille Marie de Bourgogne puis, à la suite de la tutelle exercée par Maximilien d'Autriche, à Philippe le Beau. C'est par le mariage de ce dernier avec la fille des Rois Catholiques que leur destin a été lié pour deux siècles à celui de l'Espagne. Même si ces principautés ont partagé des aspirations, si elles ont pu manifester une certaine solidarité et bénéficier d'une civilisation commune, elles n'ont pas joui d'une cohésion parfaite ; leurs limites territoriales ont varié selon les époques et n'ont jamais correspondu à celles de la Belgique actuelle. En particulier Liège, principauté épiscopale, est demeurée autonome jusqu'à la Révolution française. — Au XVIe s., les territoires rattachés à l'Espagne ont été désignés d'abord de manière imprécise comme les Pays d'embas ou les Pays de par-deçà ; on a dit aussi les Pays-Bas (Nederlanden) en songeant sans doute à ces grandes étendues proches de la mer, pour parler ensuite des Dix-sept provinces. Mais dès 1579 les 7 principautés du Nord, calvinistes, faisaient sécession et formaient les Provinces-Unies. Aux XVIIe et XVIIIe s., on a appelé Pays-Bas les principautés du Sud, restées catholiques après les révoltes et placées sous l'autorité de gouverneurs espagnols puis autrichiens. Cette dénomination a retrouvé son extension la plus large de 1815 à 1830 dans l'éphémère royaume des Pays-Bas, où se trouvait incluse la principauté de Liège. Après 1830 au contraire, le nom de Pays-Bas a désigné les anciennes Provinces-Unies — communément la Hollande — tandis que le Sud était désormais appelé Belgique.

Le Moyen Age. C'est dans les abbayes de la principauté de Liège, à Liège même, Saint-Trond, Gembloux, etc. que sont attestées les manifestations les plus anciennes d'une vie musicale. On doit à l'évêque Étienne de Liège, dans la 2de moitié du Xe s., un office de l'Invention de St Étienne, un office de la Ste-Trinité et un office de St Lambert. On connaît aussi un office de Ste Marie l'Égyptienne, conçu au XIIe s. à l'abbaye de St-Laurent à Liège, et un office de St Trudon, créé à la même époque par Rodulphe, abbé de Saint-Trond. Le R.P. Smits van Waesberghe estime que c'est dans la principauté de Liège qu'ont été rédigés l'*Opusculum de musica* (XIe s.) et le *De musica* de Johannes Affligemensis (XIIe s.) qui a longtemps formé la base de l'enseignement de la musique dans les universités médiévales. A l'abbaye liégeoise de St-Jacques a été écrit vers 1330-40 par Jacques de Liège le monumental *Speculum musicae*, qui s'est voulu une encyclopédie, fort réactionnaire dans l'esprit, de tous les aspects de la vie musicale contemporaine. — Les principautés de la future Belgique ont eu aussi leurs trouvères, parmi lesquels il faut citer Adenet le Roi, auteur de romans de chevalerie, Conon de Béthune et le duc de Brabant Henri III.

Pourtant le développement de la polyphonie est relativement tardif dans les principautés du Nord. Un recueil de motets conservé à Turin, qui a été copié en 1325 à l'abbaye St-Jacques de Liège, n'est pas en fait une œuvre liégeoise ; la musique a dû en être composée au XIIIe s. dans les milieux proches de Notre-Dame de Paris. De même, la *Messe de Tournai*, qui est un des premiers exemples d'ordinaires mis en polyphonie, porte ce nom uniquement parce que le manuscrit est conservé à la cathédrale de Tournai. Si elle a pu y être chantée dès le XIVe s., elle n'y a certainement pas été composée. Il s'agit d'une compilation de fragments anonymes, originaires sans doute de l'école avignonnaise, dont la composition a pu s'étendre sur plus d'un demi-siècle. On trouve les traces les plus anciennes d'une pratique suivie de la polyphonie dans le Nord, à la fin du XIIIe s., à la cathédrale St-Lambert de Liège et à Cambrai, alors

ville indépendante et siège d'un important évêché. En Flandre et en Brabant, la polyphonie s'est développée au cours du XIVe s. dans les églises des grandes villes : à Bruges, Courtrai, Gand, Malines, Anvers, Bruxelles. Le premier compositeur important des principautés du Nord est le chanoine liégeois J. Ciconia (v. 1335-40-1411), qui a vécu la plus grande partie de sa carrière à Avignon et dans le nord de l'Italie. Dans ses motets et ses fragments de messe, il témoigne d'un esprit nouveau en réaction contre les complications excessives de l'Ars Subtilior. Il semble avoir été un des premiers à faire alterner un petit groupe de solistes avec un ensemble choral ; un des premiers aussi à adopter une écriture en style imitatif.

Au XVe s., G. Dufay (v. 1400-1474) a joué un rôle de chef de file. Plus que tout autre, il a contribué à fixer dans le Nord les modèles d'écriture et de composition dans le domaine de la mus. religieuse (messes unitaires et motets) comme dans celui de la mus. profane (rondeaux, ballades, virelais...). Originaire de Cambrai, il a longtemps vécu en Italie. Son style est caractérisé par une volonté de simplicité et de douceur dans le traitement des dissonances. Issu de la mus. française, cet art, qui a su assimiler des procédés d'écriture empruntés à l'Italie et peut-être aussi à l'Angleterre, a été apprécié comme une musique idéale aussi bien à la chapelle pontificale et dans les cours princières du « Quattrocento » qu'à la cour de Bourgogne.

L'âge d'or de la polyphonie. Les successeurs de G. Dufay ont prolongé les tendances fondamentales de son œuvre en les renouvelant : J. Ockeghem vers 1480, Josquin des Prés vers 1500-1520, N. Gombert et A. Willaert vers 1550, Roland de Lassus dans la 2de moitié du XVIe s. Le style qui a représenté l'« ars perfecta » aux yeux des contemporains est en fait très international. Principalement illustré par des musiciens des Pays-Bas, il doit beaucoup à la France et il a assimilé intimement les influences italiennes. Sans doute les maîtrises des Pays-Bas ont-elles été très actives aux XVe et XVIe s. mais les plus célèbres des compositeurs ont vécu et œuvré à l'étranger.

La chapelle du duc de Bourgogne Philippe le Bon était surtout formée de musiciens français, toutefois c'est G. Binchois (v. 1400-1460), originaire du Hainaut, qui l'a le mieux illustrée. Après lui A. Busnois a été le musicien favori de Charles le Téméraire puis de Marie de Bourgogne. P. de La Rue a été successivement au service de Maximilien, de Philippe le Beau, de la régente Marguerite d'Autriche et de Charles Quint. Ses œuvres sont abondamment représentées dans des manuscrits allemands et italiens ; elles ont été éditées dès les débuts de l'imprimerie à Venise, à Rome et en Allemagne. J. Obrecht a toujours vécu aux Pays-Bas, excepté de brefs voyages en Italie ; cela n'a pas empêché ses œuvres d'être largement connues et appréciées en Europe. D'autres musiciens, aux mérites moins éclatants, ont bénéficié d'une réputation internationale sans avoir quitté les Pays-Bas : J. Barbireau, maître de chant de l'église Notre-Dame à Anvers dans la 2de moitié du XVe s. ; J. Regis, disciple de Dufay, qui a vécu à Cambrai, Anvers et Soignies ; Hayne van Ghizeghem, chanteur et valet de chambre de Charles le Téméraire ; J. Richafort, maître de chapelle à Bruges. Il faut citer encore, au XVIe s., N. Gombert, attaché à la chapelle de Charles Quint de 1526 à 1539 (qui, à ce titre, a cependant suivi l'empereur dans ses déplacements). Dans ses messes, Magnificat, motets et chansons, il a élaboré un style d'une grande vigueur contrapuntique, assez austère. Son influence est très sensible chez J. Clemens non Papa, qui a travaillé à Bruges et à Bois-le-Duc vers 1550 et qui a écrit notamment des « Souterliedekens », chansons spirituelles sur des textes néerlandais.

L'édition musicale s'est développée dans les Pays-Bas au XVIᵉ s. grâce à T. Susato, qui a publié à Anvers divers recueils de motets, des livres de chansons françaises et néerlandaises et des danseries ; grâce à Chr. Plantin, à Anvers, à qui l'on doit des livres liturgiques, des graduels, des antiphonaires et quelques luxueux recueils de messes polyphoniques ; grâce surtout à P. Phalèse, libraire à Louvain puis à Anvers, qui a publié de nombreuses anthologies avec un répertoire très international.

Mais c'est hors des Pays-Bas qu'ont vécu les musiciens les plus illustres. En Italie surtout, où l'on trouve Josquin des Prés, originaire du Hainaut (?), dont la carrière s'est déroulée à Milan, Rome et Ferrare et qui a été longtemps considéré comme un modèle pour toute l'Europe. H. Isaac, qui se disait « de Flandria », a été à Florence le musicien favori de Laurent le Magnifique avant d'être le compositeur de l'empereur Maximilien. G. van Weerbeke, d'Audenarde, a organisé la chapelle musicale des Sforza à Milan ; L. Compère, originaire de Saint-Omer, a travaillé à Florence puis à Paris. Dès le début du XVIᵉ s., un grand nombre d'œuvres flamandes figurent dans les premières éditions italiennes ; elles sont même plus nombreuses que les italiennes, surtout pour la mus. religieuse. Au XVIᵉ s., le contact prolongé avec l'Italie a donné une couleur nouvelle à l'art des musiciens du Nord. Non seulement ils ont composé des « frottole » et des madrigaux sur des textes italiens, mais ils ont assoupli leur technique. Le Brugeois A. Willaert a été, de 1527 à sa mort en 1552, maître de chapelle de l'église St-Marc à Venise. Il a composé abondamment dans tous les genres et a formé un grand nombre d'élèves de qualité, flamands et italiens, qui ont longtemps célébré ses mérites. Ce fut un madrigaliste éminent, tout comme C. de Rore qui lui a succédé à Venise et qui était originaire de Malines, ainsi que J. de Wert, Ph. de Monte et R. de Lassus. — Les musiciens du Nord ont également joué un rôle important en Espagne dont l'histoire est liée à celle des Pays-Bas dès le début du XVIᵉ s. Lorsque Charles Quint constitua une chapelle composée uniquement de musiciens des Pays-Bas, il ne faisait que perpétuer la chapelle de Bourgogne mais obéissait en même temps à des impératifs d'ordre esthétique : la supériorité artistique des Flamands était reconnue en mus. sacrée. Plus tard Philippe II conserva à côté de la « capilla española » héritée de sa mère une « capilla flamenca » qui ne comptait que des chanteurs flamands sous la direction d'un maître originaire des Pays-Bas : d'abord P. de Manchicourt (de 1559 à 1564), originaire de Béthune, puis Jean Bonmarché (1564 à 1571), de Cambrai, G. van Turnhout (1571 à 1580), qui avait été maître de chant à la cathédrale d'Anvers, enfin le Tournaisien G. de La Hèle (1582 à 1586) et le Namurois Ph. Rogier (1586 à 1592). Alors qu'en Italie la pénétration des musiciens flamands se réduisait progressivement dès la 2ᵈᵉ

moitié du XVIᵉ s., elle fut intense en Espagne jusqu'au XVIIᵉ s. — En Allemagne aussi les musiciens venus des Pays-Bas ont été nombreux : le Liégeois J. Brassart a été maître à la Chapelle impériale vers 1440 ; H. Isaac a été « Hofcomponist » de l'empereur Maximilien de 1496 à 1517. Plus tard on trouvera à la tête de la Chapelle une lignée de musiciens flamands : le Gantois Peter Maessens (de 1546 à 1560), Jean Guyot, originaire de Châtelet, J.Vaet, de Courtrai, Ph. de Monte, de Malines (de 1568 à 1608) et le Liégeois L. de Sayve (de 1603 à 1614). R. de Lassus, quant à lui, originaire de Mons, après avoir travaillé en Italie et à Anvers, a fait partie de la chapelle du duc de Bavière de 1556 à sa mort en 1593 : il a abordé avec une égale maîtrise tous les genres profanes et sacrés. — On ne peut donc parler de la musique dans les provinces de la future Belgique sans évoquer son rayonnement international. Mais si le contrepoint franco-flamand a offert à l'Europe ses modèles d'écritures au XVᵉ et au XVIᵉ s., c'est sans doute parce que, dès l'origine, les musiciens des Pays-Bas ont été ouverts aux influences extérieures, qu'ils ont su assimiler. De G. Dufay à R. de Lassus, cette disponibilité a entraîné un renouvellement permanent qui n'a cependant jamais mis en cause un certain nombre de principes. — Voir également l'art. ÉCOLE FRANCO-FLAMANDE.

Les XVIIᵉ et XVIIIᵉ siècles. Ces principes ont été battus en brèche à la fin du XVIᵉ s. Dans la mesure où un style nouveau s'élaborait en Italie, c'est contre l'art ancien, symbolisé par les Néerlandais, qu'il s'affirmait. Désormais ceux-ci apparaissent comme les imitateurs des Italiens ou des Français et ne songent que rarement à maintenir une tradition originale. Ce n'est plus qu'exceptionnellement qu'un musicien des Pays-Bas ou du pays de Liège fait une carrière européenne : H. Du Mont, A.M. Grétry. Les autres doivent se satisfaire d'une gloire locale appropriée à leurs mérites. Sans doute les troubles politiques, les guerres, les crises économiques des XVIIᵉ et XVIIIᵉ s. ont-ils créé un milieu défavorable à cet art fonctionnel qu'était alors la musique. Les grandes églises continuaient à entretenir des maîtrises mais elles étaient moins riches ; l'ancienne Chapelle royale était liée à la personnalité de gouverneurs sans cesse renouvelés qui faisaient souvent appel à des musiciens étrangers pour les postes les plus importants. Pourtant, toute provinciale qu'elle fût, la vie musicale ne cessa pas d'être intense. Dans les églises tout d'abord. A la Chapelle royale, dans les cathédrales et collégiales, on maintint l'ancienne organisation avec une école de choraux, des chanteurs et des instrumentistes. Mais on a conservé fort peu de chose de la mus. religieuse écrite dans les Pays-Bas espagnols au XVIIᵉ s. On peut citer les œuvres de P. Philips, catholique anglais qui avait cherché refuge à la cour des archiducs Albert et Isabelle. On connaît aussi celles de Balthazar Richard, Gaspard Verlit, Leonardus Nervius et Henricus Beauvarlet, et surtout celles des Liégeois Pierre Bonhomme, Gilles Hayne, L. de Hodémont et L. Pietkin.

Le style nouveau ne s'est imposé que lentement face à la tradition contrapuntique. C'est seulement dans le dernier tiers du XVIIᵉ s. que semble s'être réalisée l'adhésion au style concertant dans le domaine religieux. A cette époque, deux Italiens établis à

Bruxelles, P. Torri et P.A. Fiocco, ont contribué à imposer les procédés du style baroque que l'on retrouve chez Pierre Hercule Bréhy, maître de chant à la collégiale Ste-Gudule à Bruxelles, auteur de motets et d'œuvres pour solistes et instruments avec chœurs, parfois doubles chœurs. Ses successeurs, J. H. Fiocco et C. J. van Helmont, ont subi plus nettement encore l'influence italienne, dominante dans la principauté de Liège chez H. Fr. Delange, A. Fr. Gresnich et J. N. Hamal. — La mus. de clavier s'est maintenue à un niveau supérieur à celui de la mus. religieuse, grâce aux Anglais J. Bull et P. Philips, qui ont vécu à la cour des archiducs, mais aussi grâce à l'organiste bruxellois P. Cornet, auteur de remarquables fantaisies, grâce au Brugeois Ch. Guillet et au Bruxellois A. van den Kerckhoven, auteur de préludes, de fugues et de versets pour orgue ; grâce enfin aux Liégeois Gérard Scronx, Lambert Chaumont et Babou. Au XVIIIe s. ce sont les clavecinistes qui l'emportent avec le Gantois J. B. Lœillet, qui a vécu à Londres, les Bruxellois J. M. Fiocco, Ch. J. van Helmont et Jacques Boutmy. L'influence de J. Ph. Rameau est très sensible dans leurs œuvres ; celle de Haendel apparaît chez D. Raick, l'influence italienne chez J.J. Robson et celle du préclassicisme allemand chez Ferdinand Staes. Dans la mus. d'ensemble, l'influence italienne peut être perçue à travers une série de sonates, de concertos et de symphonies. Le Bruxellois Nicolas a Kempis a publié à Anvers, de 1644 à 1693, trois recueils de *Symphoniae* qui sont plutôt des sonates pour un à 5 instruments avec basse continue. A la même époque, Ph. van Wichel, C. Hacquart et Balthazar Richard écrivent des sonates du même type mais plus développées, Pierre Hercule Bréhy, au début du siècle suivant, des sonates d'église à 4 ou 5. Vers 1740, le Bruxellois J. J. de Croes est l'auteur de sonates, de divertissements et de concertos marqués des grâces de la mus. galante, tandis que les violonistes virtuoses G. G. Kennis et P. van Maldere écrivent des sonates et des symphonies d'inspiration préclassique. Les Liégeois J. N. Hamal et A. M. Grétry composent leurs symphonies ou leurs quatuors dans le même esprit.

C'est en 1650, comme une fête princière, que l'on a pour la première fois représenté un opéra à Bruxelles. On avait fait appel à des Italiens pour toutes les tâches, celles du librettiste, du machiniste, du décorateur, du chanteur et du compositeur (Giuseppe Zamponi). En 1681 a été ouverte au public la première salle d'opéra, d'abord Théâtre du Quai au Foin, devenu en 1700 le Théâtre de la Monnaie, qui a subsisté jusqu'à nos jours. Si l'on excepte quelques œuvres italiennes, ce sont les tragédies lyriques de J. B. Lully qui triomphent alors sur la scène bruxelloise. Après Lully, N. Destouches, A. Campra, J. J. Mouret, P. Colasse, puis les opéras-comiques de Ch. S. Favart l'emportent, le répertoire français alternant avec des vagues éphémères d'italianisme. Les musiciens des Pays-Bas n'apparaissent presque jamais comme compositeurs sur la scène. A Liège cependant, J. N. Hamal a fait applaudir sur le modèle napolitain des « opéras burless » en dialecte liégeois. Si A. M. Grétry a été joué partout, c'est en France qu'il s'imposa d'abord.

Le XIXe siècle. La vie musicale au XIXe s. a été dominée par deux hommes dont les préoccupations premières ne relevaient pas du domaine de la composi-

tion : tout d'abord Fr. J. Fétis, critique et historien de la musique, qui devint en 1833 le premier directeur du Conservatoire de Bruxelles et qui le resta jusqu'à sa mort en 1871. Il organisa l'enseignement, dirigea des concerts en s'efforçant de faire revivre la musique du passé, continua à écrire des ouvrages d'histoire, de théorie et d'analyse. Il apparut toujours comme une personnalité marquante aux yeux de ses contemporains, même quand ceux-ci dénonçaient ses idées réactionnaires. Son successeur au Conservatoire de 1871 à 1908, Fr. A. Gevaert, était lui aussi un organisateur, un pédagogue et un grand historien de la mus. de l'Antiquité mais un compositeur médiocre. Fétis reste par contre, avec ses symphonies et sa mus. de chambre — moins sévère et moins académique qu'on ne pourrait l'imaginer — un des meilleurs compositeurs belges de son temps. Il est vrai que si les bons musiciens ne manquent pas alors, peu se signalent comme des créateurs de premier plan. Ainsi le Théâtre de la Monnaie ne doit-il pas sa réputation aux compositeurs belges pourtant assez nombreux dont il a monté les œuvres, mais au fait qu'il a créé quelques opéras étrangers intéressants et qu'il a fait connaître à la scène française les drames lyriques de R. Wagner. — Certains virtuoses ont été aussi de bons compositeurs, tels les violonistes Ch. de Bériot (qui avait épousé la Malibran), auteur de fantaisies diverses et de concertos pour son instrument, H. Vieuxtemps et plus tard E. Ysaye. Un des compositeurs les plus significatifs est P. Benoit, qui apparaît comme un chantre du nationalisme flamand dans de vastes oratorios ou des cantates sur des textes néerlandais, écrits dans un style épique assez simple pour être populaire, où il fait appel à de grandes masses chorales (*Lucifer, L'Escaut, La Guerre, Rubens-Cantate*). P. Benoit a créé à Anvers un enseignement de la musique en langue flamande grâce à une école devenue ensuite conservatoire. Le même idéal nationaliste a incité divers compositeurs à écrire des « Lieder », des chœurs ou des opéras qui valorisent le flamand comme langue de culture et qui se veulent proches du peuple : Willem De Mol, Hendrick Waelput, J. Blockx, L. Mortelmans.

Parmi les musiciens wallons, le plus illustre est certainement C. Franck, mais, comme il passa presque toute sa vie à Paris, il relève plutôt de l'histoire de la mus. française. Son seul élève belge direct est G. Lekeu, verviétois, mort à 24 ans en 1894 mais qui a laissé quelques œuvres de mus. de chambre d'une rare qualité. C. Franck a par ailleurs influencé de nombreux musiciens belges : certains sont restés longtemps fidèles à son langage et à ses procédés d'écriture, d'autres, comme J. Jongen, ont interprété cette tradition de manière plus personnelle en la mêlant à l'impressionnisme.

Le XXe siècle. Après la Ire Guerre mondiale, à une époque où l'enseignement académique de la composition commençait à être suspecté, c'est un indépendant, P. Gilson, qui a formé le plus grand nombre d'élèves. Il ne se préoccupait pas de problèmes esthétiques (il fut lui-même un compositeur éclectique et sans audace) mais il était sans préjugés, ouvert à toutes les nouveautés et il sut transmettre un métier solide à ses disciples parmi lesquels on trouve surtout les membres des Synthétistes (M. Poot, G. Brenta, R. Bernier...) et J. Absil. L'homme qui a fait connaître en Belgique les nouveaux courants du siècle (Stravinski, les Six, A. Schönberg, B. Bartók et P. Hindemith) n'était pas à l'origine un musicien professionnel : P. Collaer était professeur de chimie mais bon pianiste, chef d'orchestre, musicologue et animateur incomparable. Les Concerts « Pro Arte » qu'il organisa à Bruxelles de 1921 à 1933 ont eu un rôle vraiment international. Par la suite, Collaer a été le Directeur musical de la Radio flamande. Il s'est consacré à la résurrection de musiques du passé peu jouées et a été un éminent spécialiste de l'ethnologie musicale. — A. Souris a été, lui aussi, un animateur exceptionnel. Il avait adhéré dans sa jeunesse au mouvement surréaliste. Il a peu composé mais ses œuvres — d'inspiration successivement debussyste, stravinskienne ou sérielle — sont d'une qualité rare. Il a été un bon chef d'orchestre, un professeur très écouté et l'artisan de découvertes toujours renouvelées dans les mus. contemporaines et dans l'art du passé. Parmi les compositeurs de sa génération, deux noms émergent, ceux de R. Chevreuille, qui a conçu dans la solitude une musique très personnelle, et de J. Absil, qui a formé de nombreux élèves, au talent plein de probité, parmi lesquels on peut citer surtout V. Légley et M. Quinet. Ce dernier, à son tour, est devenu un professeur dont on apprécie la rigueur et la méthode Mais, appartenant à la même génération, c'est sans doute P. Froidebise qui, dans sa ville de Liège, a eu le plus grand rayonnement. Organiste très informé des pratiques de la mus. ancienne, il a établi des contacts avec des compositeurs comme P. Boulez qui ont marqué les renouvellements les plus radicaux dans les années 50. Son disciple H. Pousseur s'est affirmé dans les groupes d'avant-garde internationaux à côté de K. Stockhausen ou de L. Berio. Il a contribué à faire connaître les tendances les plus audacieuses de la musique et a formé à son tour de bons compositeurs comme P. Bartholomée et Philippe Boesmans. En Flandre comme en Wallonie et à Bruxelles, la création musicale est très active : on y trouve un écho de toutes les tendances, du post-franckisme jusqu'à l'improvisation collective prônée par J. Cage. Certains chefs d'orchestre ont joué ou jouent encore un rôle important dans la vie musicale : Franz André, René Defossez, André Vandernoot :

Les institutions. Il faut placer au premier plan la radio-télévision. L'Institut National de Radiodiffusion (INR), créé en 1930, est devenu en 1960 la Radiodiffusion Télévision Belge (RTB). Il s'agit en fait d'un double organisme de service public — en langue française et en langue néerlandaise — qui dispose de 3 orchestres permanents et de chœurs et joue un rôle considérable dans l'animation musicale de tout le pays, en particulier sur les ondes du 3e programme. Il apparaît du reste que c'est grâce au soutien des pouvoirs publics que se manifeste la vie musicale la plus active. Depuis 1949 les ministères français et néerlandais de la Culture subventionnent largement, jusque dans les plus petites agglomérations, des manifestations dites de décentralisation. Ils gèrent ou subventionnent les orchestres permanents (l'Orchestre National, l'Orchestre de Liège, l'Orchestre d'Anvers, l'Orchestre de chambre de Wallonie). Ils ont pris en charge le Théâtre de la Monnaie, des ensembles lyriques et des troupes de ballet en Flandre et en Wallonie. Ils soutiennent la Discothèque Nationale, entreprise originale de prêt de disques qui s'est développée dans tout le pays. Comme il n'existe aucune maison d'édition qui s'intéresse aux œuvres belges, les autorités publiques ont créé, sous la forme du CEBEDEM — Centre Belge de Documentation Musicale — un centre d'édition pour la mus. contemporaine. Elles prennent aussi en charge les frais de publication de disques et soutiennent l'activité des sociétés de concerts.

Parmi celles-ci, la plus importante à Bruxelles est la Société philharmonique, issue de la Société des Concerts populaires créée en 1865. Installée au Palais des Beaux-Arts, elle organise des concerts presque chaque jour. La vie musicale est moins animée à Gand, Anvers ou Liège mais elle y est parfois plus novatrice, à Liège notamment grâce aux concerts Froidebise. L'ensemble instrumental Musiques nouvelles dirigé par P. Bartholomée s'est voué à l'exécution de toutes les musiques modernes. A Liège, le Centre de Recherches musicales de Wallonie est, depuis 1970, un organe d'animation, de création et d'enseignement. A Gand, l' « Institut voor Psychoakoestick en elektronische Muziek » poursuit en liaison avec l'Université une activité de création et de recherche. La musique du passé, longtemps servie par le groupe « Pro musica antiqua », dirigé par Safford Cape et inspiré par l'éminent musicologue Ch. van den Borren, est aujourd'hui illustrée par le Groupe Alarius, qui s'est spécialisé dans la mus. baroque. — Les festivals se sont multipliés dans tout le pays. Certains, dont le Festival des Flandres, se déroulent à travers plusieurs villes à la fin de l'été et déploient des activités prestigieuses. D'autres, comme le Festival du Hainaut ou le Festival de Stavelot, se donnent pour but d'animer des régions peu favorisées. D'autres encore, telles les « Nuits de septembre » à Liège, s'efforcent de présenter, sur des thèmes qui se renouvellent d'année en année, des programmes d'un incontestable intérêt musicologique. Certains enfin font le point dans le domaine de la création : Reconnaissance des mus. modernes et la Biennale de mus. belge à Bruxelles. Le Concours musical Reine Élisabeth, qui s'adresse aux violonistes et aux pianistes, est aussi une sorte de festival et a révélé de grands interprètes internationaux.

Le principal mérite du Théâtre Royal de la Monnaie, dirigé depuis 1959 par M. Huisman, est d'avoir créé le Ballet du XXe s. animé par Maurice Béjart, qui s'est fait apprécier du monde entier avec des chorégraphies pour le Sacre du printemps, la 9e Symphonie, Roméo et Juliette, ou avec des formes de spectacle total qui atteignent un large public, notamment de jeunes (Messe pour le temps présent, Baudelaire, Bhakti). L'Opéra de Wallonie à Liège et l'Opéra flamand à Anvers ont eux aussi amélioré la qualité des spectacles lyriques en Belgique.

La place de la musique dans l'enseignement général est assez médiocre mais il existe un réseau très dense d'écoles de musique qui forment de bons amateurs et qui préparent les jeunes professionnels avant qu'ils n'entrent au conservatoire. On reproche souvent à celui-ci de donner un enseignement sclérosé, que l'on s'efforce de rénover depuis quelques années avec des succès variables. C'est surtout l'enseignement de la composition qui paraît inadéquat ; sinon les conservatoires (Bruxelles, Liège, Mons, Anvers et Gand) forment de bons exécutants, en grand nombre, et parfois de grands virtuoses comme le violoniste

Arthur Grumiaux. Mais on peut regretter qu'il n'existe aucune coordination entre les conservatoires et l'enseignement de la musicologie, dispensé désormais de manière systématique dans les Universités de Bruxelles, Gand, Liège et Louvain.

Bibliographie — 1. **Éditions monumentales** : R.J. VAN MALDEGHEM (éd.), Trésor musical, 29 vol., Bruxelles 1865-93 ; X.V.F. VAN ELEWIJCK (éd.), Les clavecinistes flamands, 2 vol., Bruxelles 1877 ; du même, Monumenta musicae Belgicae, 8 vol., Anvers 1932-50 ; R. LENAERTS, Die Kunst der Niederländer, Cologne, A. Volk, 1962. — 2. **Études** : E. VAN DER STRAETEN, La mus. aux Pays-Bas avant le XIXᵉ s., 8 vol., Bruxelles 1867-88 ; A. AUDA, La mus. et les musiciens de l'ancien Pays de Liège, Bruxelles et Liège 1930 ; FL. VAN DER MUEREN, Vlaamsche muziek en componisten in de 19. en 20. eeuw, La Haye 1931 ; R. BRAGARD, Hist. de la mus. belge, 2 vol., Bruxelles 1946-49 ; CH. VAN DEN BORREN, Geschiedenis van de muziek in de Nederlanden, 2 vol., Anvers 1948-51 ; La mus. en Belgique du Moyen Age à nos jours, publ. sous la dir. de CH. VAN DEN BORREN et E. CLOSSON, Bruxelles 1950 ; S. CLERCX, Introd. à l'hist. de la mus. en Belgique, in RBMie V, 1951 ; A. CORBET, De muziek in Vlaanderen door de eeuwen heen, 2 vol., Bruxelles 1951-52 ; H.CHR. WOLFF, Die Musik der alten Niederländer, Leipzig, VEB Br. & H., 1956 ; R. WANGERMÉE, La mus. belge contemp., Bruxelles, La Renaissance du livre, 1959 ; du même, La mus. flamande dans la société des XVᵉ et XVIᵉ s., Bruxelles, Éd. Arcade, 1965 ; C. MERTENS, Hedendaagse muziek in België, Bruxelles, J. Hoste, 1967. — 3. **Dictionnaires** : EG.G.J. GREGOIR, Les artistes musiciens belges au XVIIIᵉ et au XIXᵉ s., 3 vol., Bruxelles 1885-90 ; R. VANNES et A. SOURIS, Dict. des musiciens, Bruxelles 1947.

R. WANGERMÉE

BÉMOL (angl., flat ; all., B ou Erniedrigungszeichen ; ital., bemolle ; esp., bemol), signe d' → altération ou d' → accident (♭) qui abaisse d'un demi-ton chromatique la note naturelle devant laquelle il se trouve placé. Le double b. abaisse la note de deux demi-tons chromatiques. Dans la musique antérieure au milieu du XVIᵉ s., essentiellement diatonique et naturelle, le b. ou « b molle » a été longtemps le seul signe d'accident utilisé. Il n'était employé que pour abaisser le si et éventuellement le mi susceptible de devoir concorder avec lui dans un accord. En mode transposé avec si ♭ à la clef, cet accident pouvait alors figurer devant le mi et le la. A partir de la fin du XVIᵉ s. et jusqu'au début du XVIIIᵉ s., le b. servait encore à annuler l'effet d'un dièse. — Voir également l'art. MUSICA FICTA.

BENDIR, voir TÂR.

BENEDICAMUS DOMINO (lat., = Bénissons le Seigneur). Les heures de l'office dans l'Église chrétienne sont encadrées par deux petits versets : l'un au début, Deus in adjutorium, l'autre à la fin, Benedicamus Domino, auquel le chœur répond Deo gratias. Tandis que le premier est attesté par la Regula monasteriorum dite de St Benoît (VIᵉ s.), le second n'est explicitement documenté que par les premiers manuscrits de chant qui les ont recueillis avec notation musicale. Alors que le verset initial est récité sur un ton analogue aux tons psalmodiques, le B.D. final se chante sur diverses mélodies, généralement ornées, qui sont regroupées en séries dans les antiphonaires. Parfois, la mélodie en question est une composition originale de style mélismatique, parfois elle est empruntée à un « neuma » plus ou moins prolixe, p.ex. le répons Honor virtus de la Trinité, ou encore au répons Stirps Jesse attribué à Fulbert de Chartres : ce dernier B.D. fut adopté à Cluny, sur ordre de Pierre le Vénérable († 1157), pour les

quatre principales fêtes de l'année (voir G. VILLIER, art. cité). De fait, on retrouve plus d'une fois cette mélodie parmi les séries de B.D. des antiphonaires notés jusqu'en Italie, où elle a pénétré au XIIᵉ s. — Dès le XIᵉ s., le trope s'est introduit aussi dans le domaine de ce simple verset ; certains tropaires-prosaires du XIᵉ ou du XIIᵉ s., des graduels ou encore des processionnaux ont conservé des collections de B.D. tropés en vers ou en prose et des B.D. non tropés, d'une grande variété de formes. Ils concernent principalement la fête de Noël ou celle de Pâques et présentent parfois les caractéristiques de la chanson (« cantio »). Les affinités du B.D. avec le conduit monodique, la « cantio » et ultérieurement avec le → « carol » anglais seraient à définir d'une manière précise. — Le B.D. est l'une des pièces qui a été le plus souvent traitée par les compositeurs d'organa dès le XIᵉ s. : le B.D. de Fulbert est choisi comme exemple d'organum par le traité de Milan, Ad organum faciendum : on le retrouve ensuite à St-Martial et à Notre-Dame, à côté de bien d'autres, et encore dans l'Ars Nova.

Bibliographie — CL. BLUME, Un' antica epistola farcita oppure un B.D. farcito ?, in Rass. Greg. VI, 1907 ; P. VILLETARD, Office de Pierre de Corbeil, Paris 1907 ; G. VILLIER, Geschichtsstudie über den Ursprung eines B.D., in St. Chrodegang VII, 1925 ; FR.LL. HARRISON, Benedicamus, Conductus, Carol..., in AMl XXXVII, 1965 ; K.W. GÜMPEL, art. B.D. in Riemann-Musik-Lexikon, III Sachteil, Mayence, Schott, 1967 ; W. ARLT, Ein Festoffizium des Mittelalters aus Beauvais, Cologne, A. Volk, 1970 ; A.V. HALLMARK, Polyphonic Tropes of the B.D. of St-Martial through Notre-Dame (diss. Princeton Univ. 1974).

BÉNÉDICITÉ, bénédiction de la table qui, dans les communautés monastiques et canoniales, prend l'allure d'un petit office. La tradition peut d'ailleurs se réclamer des repas rituels juifs et des antiques agapes chrétiennes. Pour la liturgie romaine, le schéma actuel de la bénédiction de la table apparaît conjointement dans l'Ordo franciscain de Haymon de Faversham et dans le Pontifical de Guillaume Durand de Mende (XIIIᵉ s.). Auparavant les documents ne fournissent pas de rituel complet mais des séries d'oraisons de bénédiction, variant parfois avec les fêtes de l'année liturgique et dont on trouve déjà un choix important dans le Gélasien ancien (VIIᵉ s.). La tradition mozarabe fournit de son côté un rituel utilisant partiellement les textes d'antiennes que l'on retrouvera plus tard dans le rituel romain, et le psaume Ecce quam bonum. Du point de vue musical, l'office de bénédiction use des récitatifs dont on se sert pour les offices de même type.

Au XVIᵉ s., l'habitude de chanter le B. et les Grâces se développe dans la vie familiale bourgeoise des principaux pays d'Europe et donne naissance à de nombreuses pièces polyphoniques, soit en latin (L. Senfl, Th. Crecquillon, N. Gombert, R. de Lassus, W. Byrd...) — on possède des couteaux de cette époque qui portent, gravés sur la lame, le texte et la musique d'une « Benedictio Mensae » à 4 voix — soit en langue vulgaire. En France et dans les Pays-Bas, de nombreux musiciens, qui ne sont pas uniquement protestants, ont mis en musique les prières avant le repas (O souverain pasteur et maître) et après le repas (Père éternel qui nous ordonne) de Cl. Marot : P. Certon, L. Bourgeois, Cl. non Papa, Cl. Goudimel, Ph. Jambe de Fer, R. Crassot, Cl. Le Jeune, A. Pevernage, P. de L'Estocart, J.P. Sweelinck... Plusieurs éditions du → Psautier huguenot renferment ces textes pourvus d'une mélodie originale (voir P. Pidoux, Le psautier hug., 2 vol., Bâle, Baerenreiter, 1962). D'autres textes identiques ont été mis en musique par J. Buus, B. Le Bel, L. des Masures (?), J. Servin, parmi lesquels il faut relever les vers mesurés à l'antique d'A. d'Aubigné, Bon Dieu, bénis-nous et Rendons grâces à Dieu, musique de Cl. Le Jeune. Chez les luthériens d'Allemagne, les « Tischgebete » furent également populaires ; l'on en connaît de nombreuses versions monodiques et polyphoniques dues à M. Le Maistre, S. Dietrich, Joachim a Burgk, S. Calvisius, J. Staden, A. Gumpelzhaimer, S. Scheidt, J.H. Schein, H. Schütz... En Angleterre, la coutume se perpétua jusqu'au XIXe s. et, comme en Allemagne, suscita l'édition de recueils entièrement ou partiellement consacrés aux prières de table.

Bibliographie — A. Franz, Die kirchlichen Benediktionen im Mittelalter, Fribourg-en-Br. 1909, réimpr. Graz, Akad. Druck- u. Verlagsanstalt, 1960 ; C. Sprague Smith, Table Blessings set to Music, in The Commonwealth of Music, éd. par G. Reese et R. Brandel, New York, The Free Press, Londres, Collier-Macmillan, 1965 ; A.M. Triacca, A proposito della « Benedizione della mensa », in Rivista Liturgica LV, 1968.

G. Oury et M. Honegger

BENEDICTUS. Cette addition au chant du → Sanctus apparaît en Gaule au VIe s. Elle est attestée comme un élément normal de la messe gallicane. St Césaire d'Arles cite explicitement le B. dans son sermon 73,3 (Migne Patr. lat. XXXIX, col. 2277). Son existence est supposée par les prières eucharistiques gallicanes, qui débutent souvent après le Sanctus par un « Vere sanctus, vere benedictus Dominus noster Jesus Christus » (voir Missale Gallicanum vetus, éd. Mohlberg, Rome, Herder, 1958, pp. 5, 13). Ses sources scripturaires sont Mat. 21, 9 citant luimême Ps. 117, 25. La plupart des manuscrits du Canon romain le comportent, preuve qu'il fut en usage à Rome dès le VIIe s. En Orient, il faut attendre le VIIIe s. pour le voir apparaître (E. Peterson, Das Buch von den Engeln, Leipzig 1935, pp. 115-117).

Le répertoire grégorien le traite comme un complément nécessaire du Sanctus dont il reprend les motifs musicaux ; comme ce dernier d'ailleurs, il se termine par un Hosanna in excelsis. Lorsque le Canon romain commença à être dit habituellement à voix basse (IXe-Xe s.), le célébrant prit l'habitude de continuer la prière eucharistique sans attendre la fin du chant du Sanctus par le chœur ; par suite des développements mélodiques, de plus en plus importants à mesure que le Sanctus apparaissait davantage comme un chant de professionnels, il advint que le Sanctus-Benedictus se poursuivit jusqu'au moment de la consécration et au-delà.

Dans la messe catholique que Luther pratiqua, le B. se chantait pendant l'élévation ; le réformateur maintint cet usage dans la messe évangélique latine (M. Luther, Formula Missae et communionis, in Kleine Texte, éd. Lietzmann, t. XXXVII, Berlin 1929). Le Caeremoniale episcoporum de 1600 rend officiel chez les catholiques le rejet du B. après la double consécration : outre les raisons pratiques (développements de la mélodie dus principalement à la polyphonie), on pensa que le B. convenait comme chant après la consécration : « Béni soit celui qui

vient... » Mais cet usage ne fut rendu obligatoire que par le décret du 14 janv. 1921 (S. Congr. Rituum, Decreta authentica no 4364). La législation contemporaine est revenue à la pratique antique ; la prière eucharistique est chantée ou dite à haute voix ; elle ne se poursuit qu'après l'achèvement du Sanctus-Benedictus (Institutio generalis Missalis Romani, art. 55 d ; Ordo Missa, no 27).

Bibliographie (cf. l'art. Sanctus).

BERCEUSE. Dans la chanson populaire comme dans la mélodie et dans l'opéra, la b. est une → pièce de caractère, généralement écrite sur un accompagnement obstiné au rythme caractéristique. Sous des titres divers, elle a surtout été pratiquée dans la mus. pour piano, entre autres par R. Schumann dans les Kinderszenen et les Albumblätter, par J. Brahms dans les Intermezzi op. 112, par E. Grieg dans les Lyrische Stücke op. 38, par A. Jensen (op. 12), par G. Fauré dans Dolly (op. 56), par Cl. Debussy dans Children's Corner et dans une Berceuse héroïque qui utilise le thème de la Brabançonne. Plus exigeant est le chef-d'œuvre de Chopin, la Berceuse op. 57, qui développe une mélodie simple en des figures de plus en plus raffinées ; elle a été imitée par M. Reger (op. 82, 2e cahier, et op. 142/12), et par Liszt dans une Berceuse dont la seconde version, dépassant l'exemple de Chopin, met l'accent sur la virtuosité. On doit à M. Ravel une Berceuse sur le nom de G. Fauré, à F. Busoni une Berceuse élégiaque pour orchestre ; I. Stravinski a introduit une b. dans L'Oiseau de Feu ; de même G. Migot (qui a également écrit 3 Berceuses chantées) dans le Concert pour flûte, violoncelle et harpe.

Bibliographie — Z. Lissa, M. Regers Metamorphosen der B. op. 57 von Fr. Chopin, in Wiener Akad. Fs., Vienne, Lafite, 1967.

BERGAMASQUE (en ital., bergamasca, bergamasco), danse italienne populaire, originaire de Bergame. Arlequin, personnage de la comédie italienne, caractérisé par son esprit fin et rusé en dépit de sa rusticité, est également « bergamasque » par sa naissance. La danse se nomme nom témoigne des mêmes qualités. Elle se dansait en sautant, hommes et femmes formant un cercle. Shakespeare y fait allusion au 5e acte du Songe d'une nuit d'été, en rappelant qu'il s'agit d'une danse de paysans. Le terme apparaît pour la première fois chez G. Gorzanis (Il 3o libro de intabolatura di liuto, 1564) : « saltarello dito il Bergamasco ». Dans le 3e livre de Villotte del Fiore de F. Azzaiolo (1569), il désigne une danse originale chantée à 4 voix. A la fin du XVIe s., la b. devient instrumentale et se développe en Italie (S. Rossi, 4o Libro de varie sonate... 1622 ; G. Frescobaldi, Fiori Musicali, 1635), en France (J.B. Bésard, Thesaurus Harmonicus, 1603), en Angleterre (A. Holborne, Cittharn School, 1597 ; Thomas Robinson, New Citharen Lessons, 1609) et en Allemagne. C'est une danse simple à 2/4 ou 4/4, souvent traitée en variations, ce qui lui vaut d'être classée par certains musicologues parmi les danses sur basse obstinée :

M. Uccelini, Aria quinta sopra la Bergamasca. (Sonate, sinfonie, arie e correnti..., Venise 1642).

J.S. Bach s'inspire de cette danse dans la dernière pièce des *Variations Goldberg* BWV 988, avec l'introduction du quodlibet *Kraut und Rüben haben mich vertrieben.* Au XIXᵉ s. le terme désigne une danse rapide en style de tarentelle, avec accent sur le 2ᵉ temps dans une mesure à 6/8.

A.C. Piatti, *Bergamasca*, op. 14, pour vlc. et p.

Mais le souvenir de l'ancienne danse n'est pas oublié puisque O. Respighi reprend dans sa 2ᵉ suite, *Antiche danze e arie per liuto*, une b. de B. Gianoncelli (*Il liuto*, Venise 1650). Cl. Debussy écrivit pour le piano entre 1890 et 1905 une *Suite bergamasque* (Prélude, Menuet, Clair de lune, Passepied) probablement inspirée par les mots de Verlaine « masques et bergamasques... » (*Clair de lune*) qui servirent également de titre à une suite d'orchestre de G. Fauré.

Bibliographie — G. UNGARELLI, Le vecchie danze italiane ancora in uso nelle provincia bolognese, Rome 1894 ; P. NETTL, Die Bergamaska, in ZfMw V, 1922-23 ; du même, The Story of Dance Music, New York 1947 ; C. SACHS, Eine Weltgesch. des Tanzes, Berlin 1933, trad. fr. Paris 1938.

BERGAME (Bergamo).

Bibliographie (éd. à Bergame) — A. ALESSANDRI, Biogr. di scrittori e artisti musicali bergamaschi, 1875 ; G. LOCATELLI, I Serassi celebri costruttori d'organi, in Boll. della Civica Bibl., 1910 ; G. DONATI-PETTENI, L'Istituto Musicale G. Donizetti, la Cappella musicale di S. Maria Maggiore, il Museo Donizettiano, 1928 ; du même, Teatro Donizetti, 1930 ; du même, L'arte della mus. in B., 1930 ; G. ZAVADINI, Museo Donizettiano di B. Catal. generale, 1936 ; G.B. PINETTI, Teatro Donizetti ieri, oggi e domani... La stagione d'opera alla fiera d'agosto. Cronistoria illustrata dal 1784 al 1936, 1937 ; A. MELI, l'Istituto Musicale G. Donizetti ieri, oggi e domani, 1956 ; C. TRAINI, Organari bergamaschi, 1958 ; A. GEDDO, B. e la musica, Stamperia Conti, 1958 ; A. GAZZANIGA, Il fondo musicale Mayr della Bibl. Civica di B., Monumenta Bergomensia, 1963 ; Il Museo Donizettiano di B., Bolis Poligrafiche, 1970 ; V. RAVIZZA, Frühe Doppelchörigkeit in B., in Mf XXV, 1972.

BERGERETTE. 1. Genre poétique et musical qui a connu, en France, un grand succès dans la 2ᵈᵉ moitié du XVᵉ s. C'est vers 1470, sous une forme écourtée, une remise en honneur de l'ancien → virelai, tombé en désuétude depuis une trentaine d'années. Dérivée du → rondeau, la b. n'en diffère que par la strophe du milieu, qui n'a pas de refrain. Celle-ci est d'une longueur variable qui ne dépend pas, comme dans le rondeau, de celle de la première. Les vers de cette 2ᵈᵉ strophe peuvent être plus longs ou plus courts que ceux du reste de la pièce et les rimes elles-mêmes sont parfois différentes. Pierre Fabri (Lefèvre) qui définit la b. en cite une d'A. Busnoys, *Cent mille fois* [perdue]. La b. n'aurait-elle pas été inventée par un musicien désireux de réagir contre la monotonie du rondeau ? En effet, tandis que dans le rondeau la 2ᵈᵉ strophe se chante sur un fragment musical de la première, elle a ici une mélodie indépendante. Toujours formée d'un nombre de vers pair, elle répète deux fois la 2ᵈᵉ phrase musicale. Le schéma musical de la b. est *ABBAA*. Des b. se trouvent dans de nombreux manuscrits musicaux : Dijon, Bibl. de la Ville 517 ; Copenhague, Bibl. royale, Ms. Thott 291⁸ ; Chansonnier cordiforme de la Bibl. J. de Rothschild nᵒ 2973, aujourd'hui à la B.N. de Paris. Parmi leurs auteurs on relève non seulement

A. Busnoys mais également Philippe Basiron et J. Ockeghem entre autres musiciens. — **2.** Un certain nombre de basses danses du milieu du XVIᵉ s. sont appelées b. (*Het derde musyk boexken*, Anvers, T. Susato, 1551), tandis qu'au XVIIIᵉ s. le terme (ou encore celui de bergerie) s'applique à des chansons populaires de caractère pastoral.

Éditions modernes — 1. Die Liederhs. des Cardinal de Rohan, éd. par M. LÖPELMANN, Göttingen 1923 ; Trois chansonniers français, publ. par E. DROZ, Y. ROKSETH et G. THIBAULT, Paris 1927 ; Chansonnier de Copenhague, éd. par KN. JEPPESEN, Copenhague et Leipzig 1927. — 2. J.B. WECKERLIN, B., romances et chansons du XVIIIᵉ s., Paris 1894.

Bibliographie — 1. G. RAYNAUD, Rondeaux et autres poésies du XVᵉ s., Paris 1889 ; P. FABRI (Lefèvre), Le grant et vray art de pleine rhétorique, dont il fut imprimé six éditions entre 1521 et 1544 ; rééd. en 2 vol. par A. Héron, Rouen 1890 ; E. DROZ, Les formes littéraires de la chanson fr. au XVᵉ s., in Gedenkboek... Scheurleer, s'Gravenhage 1925 ; Y. ROKSETH et G. THIBAULT, Trois chansonniers fr. du XVᵉ s., Paris 1927 ; R.W. LINKER et G.S. McPEEK, The B. Form in the Laborde Chansonnier, in JAMS VII, 1954.

BERGERIE, voir PASTOURELLE.

BERGREIHEN (all.), à l'origine chants à danser de mineurs allemands, originaires principalement de la région des mines de fer de Saxe (Erzgebirge). Leur période de floraison s'étend du XVIᵉ au XVIIIᵉ s. et concerne des chants profanes ou religieux qui ont rarement un rapport étroit avec la vie des mineurs. Erasmus Rotenbucher (1551) et M. Franck (1602 ; voir Chw 38, 1936) ont publié des B. polyphoniques sur le modèle de l'ancien « Tenorlied » allemand, c.-à-d. en style vertical et syllabique, tandis que K. Othmayr (*Bicinia sacra*, 1547) et J. Walter (*Geistliches Gesangbüchlein*, 5/1555) ont écrit quelques pièces « auf Bergkraische Art » ou « auf Bergkreyen Weis » (= à la manière des B.).

Bibliographie — K. GUDEWILL, art. B. in MGG I, 1949-51.

BERLIN, voir également l'art. ÉCOLE DE BERLIN.

Bibliographie (ouvr. éd. à Berlin, sauf mention spéciale) — **1. Ouvrages bibliographiques :** H. ZOPF et G. HEINRICH, B.-Bibliogr. (jusqu'en 1960), B., De Gruyter, 1965. — **2. Vie musicale et ouvr. généraux :** C. VON LEDEBUR, Tonkünstlerlexicon B.s von den ältesten Zeiten bis auf die Gegenwart, B. 1861, réimpr. Tutzing et B., Schneider, 1965 ; G. THOURET, Musik am preussischen Hof im 18. Jh., in Hohenzollern-Jb I, 1897 ; C. SACHS, Musikgesch. der Stadt B. bis zum Jahre 1800, B. 1908 ; du même, Musik u. Oper am kurbrandenburgischen Hof, B. 1910 ; A. WEISSMANN, B. als Musikstadt, B. 1911 ; O. SCHRENK, B. u. die Musik, B. 1940 ; Musikstadt zwischen Krieg u. Frieden, B., Wiesbaden, Bote & B., 1956 ; E.E. HELM, Music at the Court of Frederick the Great, Norman, Univ. of Oklahoma Press, 1960 ; A. MEYER-HANNO, G.A. Schneider u. seine Stellung im Musikleben B.s, B., Merseburger, 1965 ; R. OBOUSSIER, B.er Musikchronik 1930-38, Zurich et Fribourg-en-Br., Atlantis, 1969. — **3. Mus. religieuse :** P. OPITZ, Kurze Gesch. des Königlichen Domchors in B. zum 50jährigen Jubiläum 1893, B. 1893 ; W. DAVID, Die Orgel von St. Marien zu B. u. andere berühmte B.er Orgeln, Mayence, Rheingold-Verlag, 1949. — **4. Les théâtres lyriques :** L. SCHNEIDER, Gesch. der Oper u. des Königlichen Opernhauses in B., B. 1852 ; A.E. BRACHVOGEL, Gesch. des Königlichen Theaters zu B., 2 vol., B. 1877-78 ; O. WEDDIGEN, Gesch. der B.er Theater, B. 1899 ; J. JACOBSOHN, H. Gregors Komische Oper 1905-11, B. 1911 ; 185 Jahre Staatsoper. par J. KAPP, B. 1928 ; H. GRAF, Das Repertoire der öffentlichen Opern- u. Singspielbühnen in B. seit dem Jahre 1771, B. 1934 ; Staatsoper B., Aufbau u. Entwicklung, B. 1938 ; J. KAPP, 200 Jahre Staatsoper B. im Bild, B. 1942 ; E. MEFFERT, Das Haus der Staatsoper u. seine Baumeister, Leipzig 1942 ; Die Komische Oper, 1947-54, B. 1954 ; H. FETTING, Die Gesch. der Deutschen Staatsoper, B., Henschel, 1955 ; Deutsche Staatsoper B. ...1954, B., Deutsche Staatsoper, 1955 ; 10 Jahre Komische Oper, 1947-57, B., Komische

Oper, 1958 ; Deutsche Oper B. ... Sept. 1961, B., Deutsche Oper, 1961 ; W. BOLLERT, 50 Jahre Deutsche Oper B., B., Hessling, 1962 ; H. GOERGES, Deutsche Oper B., B., Stapp, 1964 ; W. OTTO, Gesch. der Deutschen Staatsoper B., B. 3/1969. — **5. Chœurs et orchestres :** W. BORNEMANN, Die Zeltersche Liedertafel in B., B. 1851 ; W. ALTMANN, Chronik des B.er Philharmonischen Orchesters 1882-1901, *in* Die Musik I, 1901-02 ; du même, Zur Gesch. der Königlich Preussischen Hofkapelle, *ibid.* III, 1903-04 ; R. STERNFELD, Chronik des Philharmonischen Chores, B. 1907 ; H. KUHLO, Gesch. der Zelterschen Liedertafel 1809-1909, B. 1909 ; G. SCHÜNEMANN, Der B.er Tonkünstlerverein, B. 1919 ; 90 Jahre Erk'scher Männergesangverein, B. 1935 ; B.er Philharmonisches Orchester 1882-1942, éd. par F. HERZFELD, B. 1942. — **6. L'enseignement :** W. LANGHAUS, Die Königliche Hochschule für Musik zu B., Leipzig 1883 ; M. BLUMNER, Gesch. der Singakad. zu B., B. 1891 ; E.E. TAUBERT, Fs. zum 60jährigen Bestehen des Stern'schen Cons. der Musik in B., B. 1910 ; M. SCHIPKE, Gesangsunterricht in den Schulen von B. 1800-75, *in* Musikpädagogische Blätter XXXVI, 1913 ; W. KLATTE et L. MISCH, Das Stern'sche Kons. der Musik zu B. 1850-1925, B. 1925 ; H. LEICHTENTRITT, Das Kons. der Musik Klindworth-Scharwenka, B. 1881-1931, B. 1931 ; 10 Jahre Deutsche Hochschule für Musik, B., B., Henschel, 1960 ; S. BORRIS, Hochschule für Musik B., B., Stapp, 1964 ; Sing-Akad. zu B., B., Rembrandt-Verlag, 1966. — **7. Les bibliothèques et les musées :** R. EITNER, Katal. der Musikalien-Sammlung des Joachimsthalschen Gymnasiums zu B., *in* MfM XVI, 1884, Beilage ; G. THOURET, Katal. der Musiksammlung auf der Königlichen Hausbibl. im Schlosse zu B., Leipzig 1895 ; M. SCHIPKE, Die Bibl. des akad. Instituts für Kirchenmusik, *in* Fs. zur Feier des 100jährigen Bestehens..., B. 1922 ; C. SACHS, Sammlung alter Musikinstr. bei der Staatlichen Hochschule für Musik, B. 1922 ; A. BERNER, Die B.er Musikinstr.-Sammlung B., Inst. für Musikforschung, 1952 ; Die Musikabteilung der Öffentlichen Wissenschaftlichen Bibl. B., B. 1954 ; K.H. KÖHLER, Die Musikabteilung, *in* Deutsche Staatsbibl. 1661-1961, vol. I, Leipzig, Verlag für Buch- u. Bibliothekswesen, 1961 ; E.R. BLECHSCHMIDT, Die Amalien-Bibl., B., Merseburger, 1965. — **8. Les imprimeurs et les éditeurs :** H.U. LENZ, Der B.er Musikdruck von seinen Anfängen bis zur Mitte des 18. Jh., Kassel 1932 ; R. ELVERS, A.M. Schlesinger, R. Lienau 1810-1960, 150 Jahre Musikverlag, B., Lienau, 1960 ; du même, Altberliner Musikverleger, B., Merseburger, 1961 ; du même, Musikdrucker, Musikalienhändler u. Musikverleger in B. 1750-1850, *in* Fs. W.Gerstenberg, Wolfenbüttel et Zurich, Möseler, 1964 ; W. SIEBARTH, Fünfviertel Jh. Musikalienhandlung A. Glas, B. 1963. — **9. Les facteurs d'instruments :** Bechstein-Chronik 1925, B. 1926 ; H. RENSMANN, Die Entwicklung u. Bedeutung des B.er Musikinstrumentenbaugewerbes im Handwerks- u. Industriebetrieb (diss. Berlin 1942).

BERLOQUE, voir BRELOQUE.

BERNE (Bern).

Bibliographie — **1. Vie musicale et ouvr. généraux :** K. NEF, Die Collegia musica in der deutschen reformierten Schweiz, Leipzig 1897 ; A. FLURI, Verzeichnis der Kantoren am Berner Münster im 17. Jh., *in* Archiv des hist. Vereins des Kantons B. XVII, 1903 ; du même, Orgel u. Organisten in B. vor der Reformation, Berne 1905 ; H. BLOESCH, Die Bernische Musikgesellschaft 1815-1915, Berne 1915 ; F. BRÖNNIMANN, Der Zinkenist u. Musikdirektor J.U. Sultzberger u. die Pflege der Musik in B. in der 2. Hälfte des 17. Jh. (diss. Berne 1920) ; A.E. CHERBULIEZ, Die Schweiz in der deutschen Musikgesch., Frauenfeld et Leipzig 1932 ; A. GEERING, Die Vokalmusik in der Schweiz zur Zeit der Reformation, Aarau 1933 ; K. JOSS, Vom bernischen Musikleben, *in* RMS LXXXVIII, 1948 ; E. REFARDT, Rückblick auf die früheren B.er Tonkünstlerfeste, *ibid.* ; K. VON FISCHER, art. B. in MGG I, 1949-51 ; C.A. BEERLI, Qq. aspects des jeux, fêtes et danses à B. pendant la 1re moitié du XVIe s., *in* Les fêtes de la Renaissance I, Paris, CNRS, 1956 ; 100 Jahre Cäcilienverein der Stadt B. 1862-1962, Berne 1962 ; Fs. zum 150jährigen Bestehen der Bernischen Musikgesellschaft 1815-1965, Berne, Wyss, 1965. — **2. Théâtres et spectacles :** A. STREIT, Gesch. des bernischen Bühnenwesens vom 15. Jh. bis auf unsere Zeit, 2 vol., Berne 1873-74 ; Almanach des Bernischen Stadttheaters, Berne 1900 et suiv. ; W. BIBER, Das Hôtel de Musique, ein Theater ohne Theater, *in* RMS LXXXVIII, 1948 ; A. NEF, 50 Jahre B.er Theater ..., Berne, Lang, 1956. — **3. Enseignement :** M. ZULAUF, Die Musica Figuralis des Kantors N. Zerleder, *in* SJbMw IV, 1929 ; du même, Der Musikunterricht in der Gesch. des bernischen Schulwesens von 1528-1798, Berne et Leipzig, 1934 ; W. JUKER, Musikschule u. Konservatorium für Musik in B. 1858-1958, Berne, Stämpfli, 1958. — **4. Bibliothèques et musées :** A. FLURI, Versuch einer Bibliogr. der bernischen Kirchengesangbücher, *in* Gutenbergmuseum VI-VIII, 1920-22, et X, 1924 ; M. UNGER, J. Liebenskinds Musikbibl., *in* RMS LXXVI, 1936 ; W. NEF, Der sogenannte B.er Orgeltraktat, *in* AMl XX-XXI, 1948-49 ; Ein tütsche Musica 1491, éd. par A. GEERING, 2 vol., Berne, Lang, 1964 ;

B. GEISER, Die Musikinstrumente des Historischen Museums B., *in* Glareana XIX/3-4, 1970 ; cf. également RISM.

BESANÇON.

Bibliographie — CH. BEAUQUIER, Les musiciens francs-comtois, Dole 1887 ; J. GARDIEN, L'orgue et les organistes en Bourgogne et en Franche-Comté au XVIIIe s., Paris 1943 ; H. LECLERC, Au théâtre de B., 1775-1784, Cl.N. Ledoux réformateur des mœurs et précurseur de R. Wagner..., *in* Revue d'Hist. du th. II, 1958 ; S. LEPIN, Un siècle de vie théâtrale à B., *in* Mémoires de la Soc. d'émulation du Doubs, nouv. série n° 5, 1963.

BIBLIOGRAPHIE, 1° discipline ayant pour objet l'établissement d'ouvrages de références « destinés à faciliter la recherche intellectuelle » (L.N. Malclès) ; 2° certains de ces ouvrages : les listes de livres ou d'œuvres musicales imprimées, indépendantes de toute indication de lieu de conservation des œuvres citées. Les b. se distinguent donc en cela des catalogues, inventaires d'un fonds donné (voir l'art. BIBLIOTHÈQUE MUSICALE). L'usage du mot b. pour ces répertoires est récent : le terme n'apparaît qu'au XVIIe s. Auparavant, les listes d'œuvres — qui remontent à l'Antiquité — sont désignées par index, dictionnaire, lexique, bibliothèque, catalogue, inventaire.

Des éléments épars de b. musicale apparaissent dès le XVIe s. dans les grandes b. humanistes. Ainsi, en 1548, C. Gesner consacre un important chapitre de ses *Pandectae* à la musique (rééd. commentée par L.F. Bernstein, *in* AMl XLV, 1973). En Angleterre, le *Catalogue of English Printed Books* de A. Maunsell (1595) signale des œuvres musicales, et en Allemagne, en 1616, la *Bibliotheca philosophica* de P. Bolduanus recense 1 299 titres d'œuvres musicales ou de traités (rééd. par D.W. Krummel, Detroit 1972). Le développement des foires du livre à Francfort (de 1564 à 1749) et à Leipzig (de 1594 à 1860) donne naissance à des catalogues commerciaux annuels signalant les nouvelles œuvres musicales ou les livres sur la musique de tous pays, mais surtout allemands. Des refontes en ont été faites, dont les plus connues, pour la musique, sont celles de G. Draudius en 1610 *(Bibliotheca exotica)*, en 1611 *(Bibliotheca classica*, rééd. 1625, et *Bibliotheca librorum germanicorum classica*, rééd. 1625, éd. en facs. par K. Ameln, Bonn 1957), et celle de A. Göhler, *Verzeichnis der in den Frankfurter u. Leipziger Messkatalogen der Jahre 1564 bis 1759 angezeigten Musikalien* (Leipzig 1902, rééd. en facs. Hilversum 1965).

Le XVIIIe s. voit apparaître les premières b. musicales proprement dites, b. raisonnées et généralement accompagnées de nombreux textes et analyses : J. Adlung, *Anleitung zu der musikalischen Gelahrtheit* (Erfurt 1758), J.N. Forkel, *Allgemeine Litteratur der Musik* (Leipzig 1792, trad. ital. complétée jusqu'à 1826 par N. Lichtenthal sous le titre *Dizionario bibliografico di musica*, Milan 1836), la première b. universelle véritable de la musique. En France, rien n'existe en dehors des catalogues de libraires de Boivin (1729), Boivin et Ballard (1731), etc. La musique est presque exclusivement signalée dans les publications périodiques telles que *Mercure de France* (surtout depuis le milieu du XVIIIe s.), *Annonces, affiches et avis divers* (depuis 1751). En Allemagne, elle l'est dans la *Critica musica* de J. Mattheson

(1722, 1725), la *Neu eröffnete Musikalien-Bibliothek* de L. Chr. Mizler (1736-1754) ou le *Musikalischer Starstecher* du même (1736-1740).

Au XIXe s., une première tentative de C. Gardeton, *Bibliographie musicale de la France et de l'étranger* (Paris 1822), recense livres et musique, surtout français mais aussi étrangers. Le travail bibliographique devient alors plus rigoureux et donne naissance à trois grandes b. rétrospectives véritablement internationales : celles de K.F. Becker pour les écrits sur la musique, *Systematisch-chronologische Darstellung der musikalischen Literatur* (Leipzig 1836-39; continuée pour 1839-46 par le *Bücherverzeichnis der Musikliteratur* de R. Eitner, Leipzig 1885), et, pour les œuvres musicales, *Die Tonwerke des 16. u. 17. Jh.* (Leipzig 1842, 2/1855); celle de Fr. J. Fétis qui associe b. et biographie dans sa *Biographie universelle des musiciens et bibliographie générale de la musique* (Paris 1835-44, 2/1860-65 et complément par A. Pougin 1878-80), fournissant ainsi à l'historiographie musicale un ouvrage de références indispensable bien qu'encore imparfait. Le début du XXe s. sera marqué par une dernière tentative de b. universelle des œuvres musicales (en réalité celles qui étaient alors dans le commerce), le *Manuel universel de la littérature musicale* de Fr. Pázdirek (Paris et Vienne 1904-11), qui, par sa conception, appartient encore au XIXe s. Mais déjà apparaissent les premières b. musicales nationales puis internationales courantes, ainsi que les dépouillements de périodiques. Les progrès de la musicologie entraînent une évolution dans le travail bibliographique, et, aux b. générales rétrospectives, listes idéales d'ouvrages non localisés dans une bibliothèque, donc difficiles à trouver, parfois sans existence réelle, R. Eitner va substituer le répertoire de sources, instrument de travail par excellence du chercheur que déjà S. de Brossard avait entrevu en 1703 et qu'un Ch. de Courcelles envisageait en 1846 dans un *Rapport* au Gouvernement français. Pour les œuvres musicales et théoriques imprimées et manuscrites parues isolément, il conserva dans son *Biographisch-bibliographisches Quellen-Lexikon der Musiker und Musikgelehrten* (Leipzig 1898-1904) la présentation de Fétis, mais fit suivre chaque œuvre citée du sigle des bibliothèques qui la conservaient. Le premier répertoire général de sources musicales scientifiques était né. Si les répertoires de b. actuels sont, en musicologie, suffisamment diversifiés pour pouvoir répondre aux différents types de recherche, de graves lacunes n'en subsistent pas moins encore. La liste de répertoires suivante ne représente qu'un choix.

1. Les bibliographies nationales. Tous les pays n'ont pas encore recensé leur production. Citons : **a)** B. rétrospectives de musique. A f r i q u e d u S u d : F.Z. van der Merwe, *Suid-Afrikaanse muziekbibliografie, 1787-1952* (Pretoria 1958). A n g l e t e r r e : Ch. Humphries et W.C. Smith, *Music Publishing in the British Isles from the Beginning until the Middle of the 19th Cent.* (Oxford 1954, 2/1970). É t a t s - U n i s : O.G. Sonneck, *Bibliography of Early Secular American Music* (Washington 1905, 2/1945); R.J. Wolfe, *Secular Music in America, 1801-1825, a Bibliography*, 3 vol. (New York 1964). F r a n c e : en l'absence d'une b. rétrospective, on peut, pour le XVIe s., recourir aux b.

des principaux éditeurs français, P. Attaingnant par D. Heartz (Berkeley 1969), N. Du Chemin par Fr. Lesure (Paris 1953, *in* Ann. Mus. I, 1953, supplt *in* IV et VI, 1956-63), R. Ballard par Fr. Lesure et G. Thibault (Paris 1955), J. Moderne par S.F. Pogue (Genève 1969); pour le XVIIIe s., au *French Music Publishers' Catalogue of the 2^d Half of the 18th Cent.* de C. Johansson (Stockholm 1955). I t a l i e : Cl. Sartori, *Bibliografia della musica strumentale italiana stampata in Italia fino al 1700* (Florence 1952-68; également répertoire de sources). P o l o g n e : K. Michałowski, *Bibliografia polskiego piśmiennictwa muzycznego* (Cracovie 1955). S u è d e : S. Broman, *Den svenska musikforskningen, 1750-1900* (Lund 1927). URSS : B.L. Vol'man, *Russkie notnye izdanija XIX-načala XX veka* (Leningrad 1970). — **b)** B. courantes. Elles signalent régulièrement soit la musique seule, soit la musique et les livres sur la musique; certains pays y ajoutent la musique enregistrée. Citons parmi les principaux :

Musique	Musique et livres	Musique, livres et disques
Danemark	Allemagne	États-Unis
France	Angleterre	Tchécoslovaquie
Suède	Roumanie	
URSS		

A l l e m a g n e : commencée en 1815 avec le *Handbuch der musikalischen Literatur* de A. Meysel (Leipzig 1817), complété à partir de 1829 par Hofmeister, cette b. devient mensuelle *(Musikalisch-literarischer Monatsbericht)* avec refontes annuelles *(Jahresverzeichnis der deutschen Musikalien und Musikschriften)* et, jusqu'à 1940, quinquennales *(Hofmeisters Handbuch der Musikliteratur)*; depuis 1942, éd. par la Deutsche Bücherei *(Deutsche Musikbibliographie)*, mensuelle avec refontes annuelles. La Deutsche Bibliothek de Francfort projette pour 1974 une b. nationale pour l'Allemagne fédérale. A n g l e t e r r e : *British Catalogue of Music* (depuis 1957; trimestriel, refonte annuelle). A u t r i c h e : *Oesterreichische Musikbibliographie* puis *Oesterr. Bibliographie... praktische Musik. Auswahl* (depuis 1949). D a n e m a r k : *Dansk musikfortengnelse* (depuis 1931). É t a t s - U n i s : *Catal. of Copyright Entries* (depuis 1906) et le catal. des ouvrages musicaux entrés à la Library of Congress *(Library of Congress Catalogs, Books on Music and Sound Recordings*; depuis 1953). France : depuis 1751, la musique est signalée dans les *Annonces, affiches et avis divers*, hebdomadaires (jusqu'en 1814), puis aussi dans le *Catalogue* (hebdomadaire) *des livres nouveaux* (puis *Journal de la librairie* 1763-1789), dans le *Journal typographique et bibliographique* de P. Roux (1797/98-1810), suivi du *Journal général de l'imprimerie et de la librairie* (1810-1811), enfin dans la *Bibliographie de l'Empire français* (1811-1814) devenue notre actuelle *Bibliographie de la France*. Depuis 1946, les œuvres musicales y paraissent en un supplément C distinct. R o u m a n i e : *Bibliografia republicii românia* (depuis 1968). S u è d e : *Svensk musifötveckning* (depuis 1956). T c h é c o s l o v a q u i e : *Bibliograficky katalog Ceskoslovenské republiky. Cast C : Hudebniny* (depuis 1933; depuis 1955 divisée en b.

tchèque et b. slovène) et, pour les livres : *Novinky hudebni literatury* (depuis 1969 ?). URSS : *Letopis Muzikal'noi literatury* (puis *Notnaja letopis*, depuis 1946).

2. Les bibliographies de périodiques. a) Répertoires de sources : I. Fellinger, *Verzeichnis der Musikzeitschriften des 19. Jh.* (Regensburg 1968) ; J.A. Thoumin, *Bibliographie rétrospective des périodiques français de littérature musicale, 1870-1954* (Paris 1957). Il n'existe pas encore de répertoire des œuvres musicales périodiques. **b)** Bibliographies : W. Freystätter, *Die musikalischen Zeitschriften* (Munich 1884 ; rééd. en facs. Hilversum 1965) ; I. Fellinger, art. *Zeitschriften* in MGG XIV, 1968 ; A. Riedel, *Répertoire des périodiques musicaux belges* (Bruxelles 1954) ; E. Rohlfs, *Die deutschsprachigen Musikperiodica, 1945-1957* (Regensburg 1961). **c)** Dépouillements internationaux : 1885-94 in VfMw (partiels), 1899-1914 in ZIMG, 1918-33 in ZfMw, 1936-39, 1950-67 in *Bibliogr. des Musikschrifttums*, depuis 1967 in RILM ; depuis 1949 également par le *Music Index*. **d)** Dépouillement de congrès : M. Briquet, *La musique dans les congrès internationaux, 1855-1939* (Paris 1961). **e)** Dépouillements de mélanges : W. Gerboth, *An Index to Musical Festschriften* (New York 1969). **f)** Dépouillements de collections : H. Heyer, *Historical Sets, Collected Editions and Monuments of Music* (Chicago 2/1969) ; S.R. Charles, *A Handbook of Music and Music Literature in Sets and Series* (New York 1972).

3. Les bibliographies générales courantes internationales. a) Pour les livres et les articles de périodiques, elles se confondent la plupart du temps avec les dépouillements de périodiques ci-dessus (*Bibliogr. des Musikschrifttums* et, depuis 1967, RILM). Pour les livres, on dispose aussi des listes publiées par AMl entre 1930 et 1950 et, depuis 1954, de celles que publie la revue *Fontes artis musicae*, listes nationales établies dans chaque pays. **b)** Pour la musique, il n'existe que les listes d'œuvres musicales publiées par *Fontes* depuis 1954.

4. Les bibliographies spécialisées. Très nombreuses, elles sont en partie signalées par les b. de bibliographies. Certaines sont des instruments de travail de premier ordre comme les b. de dictionnaires par J.B. Coover, *Music Lexicography* (Carlisle, Pa., 2/1971), de catalogues thématiques par B.B. Brook, *Thematic Catalogues in Music* (Hillsdale, N.Y. 1972), de catalogues de bibliothèques par R. Benton, *Directory of Music Research Libraries* (Iowa City 1967 et suiv.), de thèses par R. Schaal, *Verzeichnis deutschsprachiger musikwissenschaftlicher Dissertationen, 1861-1960* (Kassel 1963), C. Adkins, *Doctoral Dissertations in Musicology* (Philadelphie 5/1971), *University Microfilms. Doctoral Dissertations : Music* (Ann Arbor 1964), des b. concernant l'édition : O.E. Deutsch, *Music Publishers' Numbers... 1700-1900* (Londres 1946 ; éd. all. *Musikverlags-Nummern...*, Berlin 1961) ; A. Devriès, *Les éditions musicales Sieber* (1771-1847), *in* RMie LV, 1969 ; C. Hopkinson, *A Dictionary of Parisian Music Publishers, 1700-1950* (Londres 1954) ; O.W. Neighbour et A. Tyson, *English Music Publishers' Plate Numbers in the 1. Half of the 19th Cent.* (Londres 1965) Cl. Sartori, *Dizionario degli editori musicali italiani, tipografi, incisori* (Florence 1958) ; W.C. Smith et Ch. Humphries, *A Bibliogr. of*

the Musical Works Published by J. Walsh. 1695-1766 (2 vol., Londres 1948, 1968) ; A. Weinmann, *Beiträge sur Geschichte des Alt-Wiener Musikverlags* (Vienne 1948 et suiv.) ; une b. de la mus. instrumentale : H.M. Brown, *Instrumental Music Printed before 1600* (Cambridge, Mass. 1965).

5. Les répertoires de sources. Venus relayer les b. universelles du XIXᵉ s., ils sont à la fois des b. et des catalogues collectifs. L'entreprise actuelle du *Répertoire International des Sources Musicales* (RISM) a pour but de recenser la totalité de la production musicale (livres et musique) jusqu'à 1800. Deux séries en cours : A 1 (alphabétique), *Einzeldrucke vor 1800* (4 vol. parus de A à J) ; B (systématique) : *Recueils imprimés, XVIᵉ-XVIIᵉ s.* (Fr. Lesure), *Recueils imprimés, XVIIIᵉ s.* (Fr. Lesure), *The Theory of Music from the Carolingian Era up to 1400* (J. Smits van Waesberghe et P. Fischer, 2 vol.), *Manuscripts of Polyphonic Music 11th-Early 14th Cent.* (G. Reaney), *Manuscripts of Polyphonic Music ca 1320-1400* (G. Reaney), *Handschriften mit mehrstimmiger Musik des 14., 15. u. 16. Jh.* (K. von Fischer), *Tropen u. Sequenzen* (H. Husmann), *Kirchengesangbücher seit den Anfängen in deutscher u. holländischer Sprache* (K. Ameln, M. Jenny, W. Lipphardt). Une 3ᵉ série A 11 sera consacrée à l'inventaire des sources manuscrites.

6. Les bibliographies de bibliographies. W. Kahl et W.M. Luther, *Repertorium der Musikwissenschaft* (Kassel 1953 ; aussi catal. collectif all.) ; H. Gleason, *Music Literature Outlines* (Rochester 1954-55) ; *Précis de musicologie* publ. par J. Chailley (Paris 1958) ; L.B. Spiess, *Historical Musicology* (New York 1963) ; V. Duckles, *Music Reference and Research Materials* (New York 3/1974) ; J.H. Davies, *Musicalia, Sources of Information in Music* (Oxford 2/1969).

Bibliographie — A. GÖHLER, Die Messkataloge im Dienste der musikalischen Geschichtsforschung, *in* SIMG III, 1901-02 ; W.M. LUTHER, art. B. *in* MGG I, 1949-51 ; L.N. MALCLÈS, Les sources du travail bibliographique, 3 vol., Genève, Droz, 1950-52 ; de la même, La b., *in* Coll. « Que sais-je ? », Paris, PUF, 3/1967 ; B.S. BROOK, Utilization of Data Processing Techniques in Music Documentation, *in* Fontes XII, 1965 ; R.T. WATANABE, Introd. to Music Research, Eaglewood Cliffs (N.J.), Prentice-Hall, 1967 ; FR. BLUME, 20 Jahre RISM, *in* AMl XLIV, 1972 ; B.S. BROOK, E.O.D. DOWNES et S. VAN SOLKEMA, Perspectives in Musicology, New York, Norton, 1972.

S. WALLON

BIBLIOTHÈQUE MUSICALE, vaste ensemble de matériaux et de services, dépassant de loin les collections d'ouvrages musicaux et littéraires — imprimés ou manuscrits — qui, autrefois, répondaient de façon suffisante aux problèmes de références et de répertoire. Deux facteurs sont à l'origine du changement décisif intervenu depuis la fin de la 2ᵈᵉ Guerre mondiale dans le caractère des b. musicales. Le premier est l'influence stimulante exercée par le développement de la musicologie, qui dépend plus que toute autre activité musicale des bibliothèques et de leurs ressources. On doit à cette évolution la création de sections et d'instituts de musicologie nantis pour une bonne part de leur propre bibliothèque, contenant des ouvrages de références, des éditions savantes de monuments et des recueils de textes originaux ou photocopiés en nombre croissant. Le second facteur à l'origine du développement quantitatif et qualitatif des b. m. est l'évolution du disque microsillon et de la technique d'enregistrement sur bande magnétique. Ces documents sonores ont acquis une importance primordiale dans l'enseignement musical et ont trouvé une place privilégiée dans le domaine des loisirs et de la culture du profane. De nombreuses b. m. considèrent les enregistrements comme un élément de base et leur réservent la plus grande place dans leurs collections. A ce groupe appartiennent les bibliothèques des stations de radio et de télévision qui, en plus des ouvrages de références et des éditions courantes d'œuvres musicales, rassemblent des enregistrements commerciaux ainsi que ceux de programmes radiodiffusés par leurs soins.

Indépendamment de ces nouveautés, les b. m. restent soit des entités individuelles, soit des éléments d'organismes plus généraux et plus importants sous la responsabilité : de l'État (bibl. municipales, nationales...); d'institutions gouvernementales (centres de renseignements, ministère des Arts, conseils des musées) ; d'établissements scolaires (lycées, grandes écoles, universités) ; d'institutions religieuses (églises, cathédrales, abbayes, couvents, séminaires) ; de firmes commerciales (éditeurs, libraires, producteurs de disques ou facteurs d'instruments) ; de personnes privées (compositeurs, interprètes, amateurs, bibliophiles, savants) ; de groupes privés (sociétés philanthropiques, savantes ou historiques).

Association Internationale des Bibliothèques Musicales (AIBM). Après la 2de Guerre mondiale, l'accroissement en nombre, en genres et en activités des b. m. a fait naître le besoin d'une confrontation pour discuter de questions comme les procédés de catalogage, l'échange des documents, la formation du personnel, le traitement des matériaux non catalogués, le perfectionnement des instruments bibliographiques. Les jalons furent posés à Florence en 1949, mais c'est à Lüneburg l'année suivante que la charpente de l'AIBM fut établie. Depuis lors, des réunions de travail et des congrès ont lieu régulièrement. L'association publie la revue *Fontes artis musicae*, fondée en 1954 (rédacteur, Vl. Fédorov), et a créé diverses commissions de travail : bibliothèques publiques, scientifiques, de stations de radio, phonothèques, bibliothèques des conservatoires, des centres d'information musicale. D'autres commissions sont spécialisées dans l'étude de problèmes particuliers comme le catalogage ou la datation de la musique. Ces commissions peuvent se charger de publications : *Code international de catalogage de la musique* (3 vol., New York 1957-68), *Directory of Music Research Libraries*, éd. par R. Benton (3 vol., Iowa City 1967-72).

Avec la collaboration de la Soc. Internationale de Musicologie, l'AIBM soutient deux publications bibliographiques bien connues, RISM (depuis 1960) et RILM (depuis 1967). Les deux sociétés patronnent également une série de réimpressions en fac-similé des sources musicales (imprimés et manuscrits), *Documenta musicologica* (depuis 1951) ; une série de catalogues des collections musicales, *Catalogus musicus* (depuis 1963) ; un dictionnaire polyglotte des termes musicaux paraîtra prochainement.

En 1971, l'AIBM comptait 1 482 membres répartis dans 37 pays. Il existe une quinzaine de sections nationales, dont quelques-unes sont très actives. A la

RDA on doit un répertoire des *Musikbibliotheken und Musikaliensammlungen in der DDR* (Berlin 1969) et la publication régulière des *Informationen* depuis 1960 ; en Allemagne de l'Ouest a paru un inventaire pour le classement des matériaux musicaux des bibliothèques publiques, le *Systematik der Musikliteratur und der Musikalien* (Reutlingen 1963) ; en Grande-Bretagne, le journal *Brio* paraît deux fois par an depuis 1964.

Bibliographie — **Ouvr. généraux pour tous les pays :** Répertoire International des Sources Musicales (RISM) : Série A, liste alphabétique des compositeurs et de leurs œuvres avec lieux de conservation, par K.H. SCHLAGER, I Einzeldrucke vor 1800, Kassel, BV, 1971 et suiv., II (relèvera les manuscrits) ; Série B, groupement systématique et chronologique selon diverses catégories, avec lieux de conservation, I Recueils imprimés XVIᵉ-XVIIᵉ s., éd. par FR. LESURE, 1960, II Recueils imprimés XVIIIᵉ s., éd. par le même, 1960, III/1-2 The Theory of Music from the Carolingian Era up to 1400. Descriptive Catal. of Mss., éd. par J. SMITS VAN WAESBERGHE, P. FISCHER et C. MAAS, 1961-68, IV/1-2 Mss. of Polyphonic Music 11th-Early 14th Cent. c. 1320-1400, éd. par G. REANEY, 1966-69, IV/4 Hss. mit mehrstimmiger Musik des 14. u. 15. Jh., éd. par K. VON FISCHER et M. LÜTOLF, 2 vol., 1972, V Tropen u. Sequenzen Hss., éd. par H. HUSMANN, 1964, VI/1-2 Écrits imprimés concernant la mus., éd. par FR. LESURE, 1971, Munich, Henle, 1960 et suiv. ; D. PLAMENAC, Music Libr. in Eastern Europe, *in* Notes XIX, 1962 (concerne RDA, Tchécoslovaquie et Pologne) ; R. BENTON, Directory of Music Research Libr., 3 vol., Iowa City, Univ. of Iowa, 1967-72 (caractérise chaque bibl. et relève catalogues et études) ; A. VEINSTEIN, Bibl. et musées des arts du spectacle dans le monde, Paris, CNRS, 1967.

Liste des principales bibliothèques musicales (avec brève énumération des fonds) classées par pays et par villes. Pays inclus : Allemagne (RDA, RFA), Autriche, Belgique, Canada, Danemark, Espagne, États-Unis, France, Grande-Bretagne, Hollande, Hongrie, Irlande, Italie, Luxembourg, Norvège, Pologne, Portugal, Suède, Suisse, Tchécoslovaquie, URSS, Yougoslavie.

ALLEMAGNE (RDA).

Ouvr. généraux : H.M. PLESSKE, Musikergedenkstätten in der DDR, *in* Fontes XIII, 1966 ; Musikbibl. u. Musiksammlungen in der DDR, publ. par le Deutscher Bibliotheksverband et la Ländergruppe DDR de l'AIBM, Berlin 1969. — **Berlin. a)** Berliner Stadtbibl. : Mus. ancienne et ouvr. théoriques ; vestiges de la bibl. du Gymnasium zum grauen Kloster. *Cf.* M. DINSE, Katal. der Bibl. des Grauen Klosters, Berlin 1877 ; H. WERNER, *in* Musikrat der DDR. Bull. III, 1966. — **b)** Deutsche Staatsbibl. (anciennement Kgl. Bibl. et Preussische Staatsbibl.) : Catal. central du RISM pour la DDR ; anciennes bibl. de la Michaeliskirche d'Erfurt, du Joachimsthalisches Gymnasium, Königliche Hausbibl. ; legs Bach, Beethoven, Cherubini, E.T.A. Hoffmann, Meyerbeer, Schumann, Weber, Zelter. Ce qui subsiste après la 2de Guerre mondiale se trouve rassemblé moitié à Berlin-Est, à la Deutsche Staatsbibl., et moitié à Berlin-Ouest, à la Staatsbibl. der Stiftung Preussischer Kulturbesitz. *Cf.* G. THOURET, Katal. der Musikslg der Kgl. Hausbibl., Leipzig 1895, supplt *in* MfM Beilage 1903 ; R. JACOBS, Katal. der von Thulemeir'schen Musikalien-Slg in der Bibl. des Joachimsthal'schen Gymnasiums, *in* MfM Beilage 1899 ; E. NOACK, Die Bibl. der Michaeliskirche, *in* AfMw VII, 1925 ; W. VIRNEISEL, *in* Fontes II, 1955 ; R. BLECHSCHMIDT, Die Amalien-Bibl., Berlin, Merseburger, 1965 ; H. KÜMMERLING, Katal. der Slg Bokemeyer, Kassel, BV, 1970. — **Dresde.** Sächsische Landesbibl. : Bibl. de l'Oberschule (ou Landesschule) Grimma, de la musique royale ; bibl. municipales de Kamenz et de Löbau ; bibl. de la Stadtkirche Pirna, du château d'Oels ; legs R. Volkmann, J.L. Nicodé, O. Reinhold ; opéras italiens ; mus. d'église catholique. *Cf.* N.M. PETERSON, Verzeichnis der in der Bibl. der Kgl. Landesschule zu Grimma vorhandenen Musikalien zu dem 16. u. 17. Jh., Grimma 1861 ; M. FÜRSTENAU, Die Kgl. Musiksammlung in Dr., *in* MfM X, 1878 ; L.O. KADE, Die musikalischen Schätze der Landesschule zu Grimma, *in* Serapeum XVI, 1885 ; R. EITNER et O. KADE, Katal. der Musik-Slg der Kgl. Oeffentlichen Bibl. zu Dr., *in* MfM Beilage 1890 ; L. HOFFMANN-ERBRECHT, Die Chorbücher der Stadtkirche zu Pirna, *in* AMl XXVII, 1955 ; H.R. JUNG, Die Dr.er Vivaldi-Hss., *in* AfMw XII, 1955. — **Erfurt.** Wissenschaftliche Allgemeinbibl. : ouvr. théoriques et liturgiques de bibl. conventuelles ; coll. Amplonienne de mss. *Cf.* W. SCHUM, Beschreibendes Verzeichnis der Amplonianischen

Hss.-Slg, Berlin 1887 ; R. Hernried, *in* NMZ XLVI, 1925 ; J. Handschin, *in* AMl VI, 1934 ; B. Wirtgen, Die Hss. des Klosters St. Peter u. Paul zu E., Leipzig 1937. — **Halle**. Händel-Haus : hist. musicale de H. ; Haendel ; instr. de mus. ; mss. de Franz, Löwe, Reichardt et Scheidt. *Cf.* K. Sasse, Katal. zu den Slgen des Händel-Hauses, 5 vol., Halle 1961-66. — **Iéna**. Fr. Schiller Univ. : imprimés anciens ; livres de chœur du XVIᵉ s. ; mss. liturgiques du XVIIIᵉ s. *Cf.* G. Holz et auteurs divers, Die J.er Lieder Hss., 2 vol., Leipzig 1901, rééd. en facs. Hildesheim, Olms, 1966 ; K.E. Roediger, Die geistlichen Musik-Hss. der Univ. Bibl. J., 2 vol., Iéna 1935 (avec inventaire) ; U. Aarburg, art. Jenaer Lieder-Hss. *in* MGG VI, 1957 ; L. Hoffmann-Erbrecht, art. Jenaer Musik-Hss., *ibid.* ; K.H. Köhler, Ein Musikalienfund in der Univ. Bibl. J., *in* Wiss. Zs. der Fr. Schiller Univ. IV, 1954-55. — **Leipzig. a)** Bach-Archiv : documents Bach et mss. de ses cantates. *Cf.* E. Creuzberg, *in* Musica IX, 1955, et XV, 1961. — **b)** Br. & H.-Archiv : mss. cédés au Leipziger Staatsarchiv en 1962 ; des lettres autographes et de la mus. maintenant à Darmstadt. *Cf.* W. Hitzig, Katal. des Archivs von Br. & H., 2 vol., Leipzig 1925-26 (partitions autographes et lettres) ; R. Elvers, Br. & H., 1719-1969, Wiesbaden, Br. & H., 1968. — **c)** Deutsche Bücherei : rassemble les ouvr. publiés en all. dans le monde entier et ceux publiés en langue étrangère en DDR ; le centre national de bibliogr. musicale reçoit le dépôt de tous les ouvr. édités en DDR. *Cf.* H.M. Plesske, *in* Fontes II, 1955 ; Die Musikaliensammlung der Deutschen Bücherei, éd. rév. Leipzig 1961. — **d)** Musikbibl. der Stadt L. : coll. de la Musikbibl. Peters ; Städtische Musikbücherei ; éléments de la Stadtbibl. ; legs K.F. Becker, Taut, Besseler, Singakademie ; 4ʳᵉˢ éditions et éd. anciennes ; mss., livrets et iconographie. *Cf.* E. Vogel, Katal. der Musikbibl. Peters, Leipzig 1894, supplt 1910 ; Verzeichnis der Autographen der Musikbibl. Peters, Leipzig 1917 ; Peters Jb. 1919-1940 ; F. Hirsch, 50 Jahre Musikbibl., *in* Der Bibliothekar XVIII, 1964. La bibl. publie les Bibliographische Veröffentlichungen (1960-70) avec liste des fonds de Schumann, Haydn, des mss. de Bach et de Haendel, des premières éd. de Bach. — **e)** Staatsarchiv : *Cf.* H.M. Plesske, Der Bestand Musikverlag C.F. Peters im Staatsarchiv L., *in* Jb. der Deutschen Bücherei VI, 1970. — **Mügeln**. Pfarrarchiv u. Kantoreibibl. : mss. et cantates imprimées du XVIIᵉ s. *Cf.* M. Weber, *in* Der Kirchenchor XLIV, 1938 ; E.A. Fischer, Eine Sammel-Hs. aus dem Anfang des 17. Jh., *in* AfMw XIII, 1926. — **Rostock**. Bibl. de l'Univ. : bibl. de la Marienkirche depuis 1842 ; tablatures de luth et d'orgue du XVIᵉ s. ; premiers imprimés mecklembourgeois ; autographes et copies manuscrites des XVIIᵉ et XVIIIᵉ s. ; compositeurs all. *Cf.* W.T. Gaehtgens, Rostock 1949 ; L. Hoffmann-Erbrecht, Das « Opus musicum » des J. Praetorius von 1566, *in* AMl XXVIII, 1966. — **Schwerin**. Mecklenburgische Landesbibl. : œuvres du XVIIIᵉ s. de la chapelle de la cour de Schwerin et Ludwigslust ; bibl. de la Domschule Güstrow ; archives du Staatstheater ; éléments de la Landesbibl. de Neustrelitz. *Cf.* O. Kade, Die Musikalien-Slg des... Mecklenburg-Schweriner Fürstenhauses, 2 vol., Schwerin 1893 ; du même, Der musikalische Nachlass der... Erbgrossherzogin Augusta, Schwerin 1899 ; C. Meyer, Die Musikalien-Slg der Mecklenburgischen Landesbibl. im Blickfeld der Mw., *in* Zentralblatt für Bibliothekswesen LXVI, 1952. — **Weimar**. Zentralbibl. der deutschen Klassik (unie à la Thüringische Landesbibl. depuis 1969) : mss. de Meistersinger du XIVᵉ s. ; coll. Liszt de 3 000 premières éd. ; ouvrages sur Liszt ; bibl. de Goethe, Schiller, de la duchesse Anna Amalia et de la grande-duchesse Maria Pavlova. *Cf.* R. Münnich, *in* Aus der Gesch. der Landesbibl. zu W., éd. par H. Blumenthal, Iéna 1941. — **Zittau**. Stadtbibl. u. Kreisbibl. : bibl. Christian Weise ; mss. de mus. relig. du XVIIᵉ s. ; legs Exner. *Cf.* P. Fischer, Z.er Konzertleben vor 100 Jahren, *in* VfMw V, 1889 (description de la coll. Exner). — **Zwickau**. Ratsschulbibl. : env. 1 000 œuvres du XVᵉ au XVIIIᵉ s. ; lettres autographes ; opéras de la 1ʳᵉ moitié du XIXᵉ s. *Cf.* O. Kade, *in* MfM VIII, 1876 ; R. Vollhardt, *in* MfM Beilage 1893-96.

ALLEMAGNE (RFA).

Ouvr. généraux : Jb. der deutschen Bibl. XLIV, 1971 ; R. Münster et R. Machold, Thematischer Katal. der Musik-Hss. der ehemaligen Klosterkirchen Weyarn, Tegernsee u. Benediktbeuren, Munich, Duisberg, 1971 (catal. des coll. musicales bavaroises) ; R. Schaal, Führer durch deutsche Musikbibl., Wilhelmshaven, Heinrichshofen, 1971. — **Aix-la-Chapelle**. Cathédrale : mss. liturgiques du XIIᵉ au XVIIIᵉ s. *Cf.* Die liturgischen Hss. des Aachener Münsterstiftes, Munich 1926. — **Ansbach**. Regierungsbibl. : livres de chœur du XVᵉ-XVIIIᵉ s. ; mus. instrumentale, opéras, livrets de la chapelle, de l'opéra et du théâtre de la Cour. *Cf.* Katal. der Kgl. Regierungsbibl., Ansbach 1913 ; R. Schaal, Die Musik-Hss. des A.er Inventars von 1686, Wilhelmshaven, Heinrichshofen, 1966. — **Augsbourg**. Staats- u. Stadtbibl. : ouvr. des XVIᵉ et XVIIᵉ s. principalement, provenant de R. Fugger ainsi que de monastères. *Cf.* H.M. Schletterer, Katal. ..., *in* MfM Beilage 1879. — **Berlin. a)** Staatsbibl. der Stiftung Preussischer Kulturbesitz : mus. du XIIIᵉ au XXᵉ s. mais surtout dès XVIIIᵉ et XIXᵉ s. ; lettres, autographes, livrets, mss. et imprimés ; archives Mendelssohn ; legs Busoni ; qq. fonds de l'ancienne Preussische Staatsbibl. ; les acqui-

sitions sont énumérées dans le Jb. der Stiftung Preussischer Kulturbesitz. — **b)** Das Deutsche Musikarchiv (branche de la Deutsche Bibl. de Francfort) : voir plus loin. — **Beuron**. Abbaye bénédictine : œuvres des XVIᵉ-XVIIIᵉ s., de nbr. pour orgue. *Cf.* F.W. Riedel, Katal. der Mss. mit älterer Orgelmusik, Beuron 1960. — **Bonn**. Beethoven Archiv : legs Frimmel, Schindler, Unger ; coll. Bodmer. *Cf.* J. Schmidt-Görg, Katal. der Hss. des Beethoven Hauses, Bonn 1935 ; du même, A. Schindler's musikalischer Nachlass, *in* Fs. J. Racek, Brno 1965. — **Cologne. a)** Erzbischöfliche Diözesan- u. Dombibl. : mus. chorale relig. des XVIᵉ-XIXᵉ s. *Cf.* G. Göller, Die Leibliche Slg. Katal. der Musikalien der Kölner Domkapelle, Cologne, A. Volk, 1964, supplt *in* Mitteilungen der Arbeitsgemeinschaft für rheinische Musikgesch. IV, 1968. — **b)** Univ.- u. Stadtbibl. : lettres autographes ; mus. des XVIᵉ-XIXᵉ s. ; tablatures de luth ; unicum de Lassus ; legs E. Bücken. *Cf.* W. Kahl, *in* Jb. des Kölnischen Geschichtsvereins XXVIII, 1953 ; du même, Katal. der in der Univ.- u. Stadtbibl. Köln vorhandenen Musikdrucke des 16.-18. Jh., Cologne, A. Volk, 1958 ; du même, Musikhss. aus dem Nachlass E. Bückens, *in* Fs. R. Juchoff, Cologne, Greven, 1961. — **Darmstadt. a)** Hessische Landes- u. Hochschulbibl. : mss. liturgiques ; œuvres des XVIᵉ-XIXᵉ s., notamment de compositeurs de D. (Rinck, Mangold, Vogler) ; bibl. de Kiesewetter, Louis Iᵉʳ, F. Hauser, des couvents de Wimpfen, Seligenstadt, St. Kunibert ; lettres autographes du fonds Br. & H. *Cf.* P.A.F. Walther, Die Musikalien der Grossherzoglichen Hofbibl., Darmstadt 1874 ; F.W.E. Roth, Musik-Hss. der D.er Hofbibl., *in* MfM XX, 1888 ; H. Kretzschmar, Katal. der Bibl. Hauser Karlsruhe, Leipzig 1905 ; Fr. Noack, Die Tabulaturen der Hessischen Landesbibl., *in* Kgr.-Ber. Basel, Leipzig 1925 ; L. Eizenhöfer et H. Knaus, Die liturgischen Hss. der Hessischen Landes- u. Hochschulbibl., Wiesbaden 1968. — **b)** Internationales Musikinst. D. : mus. du XXᵉ s. *Cf.* Katal. der Abteilung Noten, Darmstadt 1966-68. — **Donaueschingen**. Fürstlich Fürstenbergische Hofbibl. : imprimés et mss. des XVIᵉ-XIXᵉ s., principalement mus. de dm., symphonies, opéras ; mss. de lieder du XVᵉ s. *Cf.* C.A. Barack, Die Hss. der... Fürstenbergischen Hofbibl., Tübingen 1865 ; E. Johne, *in* NMZ XLII, 1921 ; F. Schnapp, Neue Mozart-Funde in D., *in* Neues Mozart-Jb. II, 1942 ; H.C. Robbins Landon, The Symphonies of J. Haydn, Londres, Barrie & Rockliff, 1961. — **Düsseldorf**. Landes- u. Stadtbibl. : mss. liturgiques ; autographes de Mendelssohn ; archives Heine ; bibl. du Städtischer Musikverein. *Cf.* E. Jammers, Die Essener Neumen-Hss. der Landes- u. Stadtbibl., Düsseldorf, Henn, 1952 ; Musik in D., Düsseldorf 1960 (catal. d'exposition). — **Ebrach**. Presbytère cath. : mss. et œuvres de mus. relig. (fin XVIIIᵉ s.) d'origine conventuelle. *Cf.* H. Dennerlein, *in* Die Feierstunde XVII, 1951 ; du même, Musik des 18. Jh. in Franken. Die Inventare der Funde von E., *in* Bericht des hist. Vereins Bamberg XCII, 1953. — **Francfort/Main. a)** Stadt- u. Univ.-Bibl. : mus. baroque et classique principalement ; œuvres de Telemann ; lettres autographes de J. Stockhausen, Humperdinck... ; anciennes bibl. de C. von Rothschild, de la Mozartstiftung, des Peters- et Barfüsserkirche ; Stadtbibl., Gymnasial-Bibl. et div. bibl. d'églises et de couvents. *Cf.* K. Israel, Die musikalischen Schätze des Gymnasialbibl. u. der Peterskirche, Francfort 1872 ; K. Süss et P. Epstein, Kirchliche Musik-Hss. des 17. u. 18. Jh. der Stadtbibl. Fr., Berlin 1926 ; G. Powitz, Die Hss. des Dominikanerklosters u. des Leonhardstiftes in Fr., Francfort 1968. — **b)** Deutsche Bibl. : rassemble depuis 1945 tous les ouvrages en all. (dépôt du copyright depuis 1969) ; une branche berlinoise (Das Deutsche Musikarchiv) rassemble la musique imprimée et les enregistrements sonores (continuation de la Deutsche Musik-Phonothek). — **Fulda**. Hessische Landesbibl. : mss. XIIᵉ s. depuis J. Hansel, Entwicklung u. Aufgaben der Landesbibl. F., Fulda 1953 ; H. Hettenhausen, Die Choral-Hss. der F.er Landesbibl. (diss. Marburg 1961). — **Göttingen**. Niedersächsische Staats- u. Univ.-Bibl. : imprimés du XVIᵉ s. ; legs Fr. Ludwig. *Cf.* A. Quantz, *in* MfM Beilage 1883 ; W.M. Luther, Die Bach-Ausstellung der... Staats-u. Univ.-Bibl. G., *in* Libri II, Göttingen 1951 ; du même, Die nichtliturgischen Handschinkunabeln der G.er Bibl., *in* Fs. H. Tiemann, Hambourg, Maximilian Gesellschaft, 1959 ; A.Dürr, Eine Hss.-Slg des 18. Jh. in G., *in* AfMw XXV, 1968. — **Hambourg**. Staats- u. Univ.-Bibl. : ouvr. théoriques du XVIᵉ s. ; mus. angl. des XVIIᵉ et XVIIIᵉ s. ; livrets hambourgeois ; coll. Haendel de Chrysander ; archives Brahms ; lettres de Frédéric le Grand, d'A. Schweitzer. *Cf.* H.C. Wolff, Die Barockoper in H. (1678-1738), 2 vol., Wolfenbüttel, Möseler, 1957 ; G. Fock et K. Richter, J. Brahms Ausstellung, Hambourg 1958. — **Hanovre**. Stadtbibl. : œuvres des XVIᵉ-XVIIIᵉ s. ; legs H. Kestner. *Cf.* O. Jürgens, Katal. der Stadtbibl. H., Hanovre 1901, supplts 1903-16 ; J. Hennies, *in* Die Musikbücherei IV, 1957. — **Harburg**. Fürstlich Oettingen-Wallerstein'sche Bibl. u. Kunstsammlung : mus. instrumentale de la fin du XVIIIᵉ s. principalement ; mss. médiévaux. *Cf.* K. von Aretin, *in* Der Zwiebelturm XI, 1956 ; A. Layer, art. Wallerstein in MGG XIV, 1968. — **Heilbronn**. Stadtarchiv (Lehrerbibl. des Gymnasiums) : psaumes, messes, hymnes, motets, fugues, ouvr. théoriques des XVIᵉ-XVIIᵉ s. *Cf.* U. Siegele, Die Musiksammlung der Stadt H., Heilbronn 1965. — **Karlsruhe**. Badische Landesbibl. : de nbr. bibl. conventuelles ; mss. médiévaux et du XVIIIᵉ s. (École de Mannheim en particulier) ; bibl. du Hoftheater et du Bachverein. *Cf.* Katal. der Badischen Hof- u. Landesbibl., Karlsruhe

1876 ; E. EHRENSBURGER, Bibl. liturgica manuscripta, Karlsruhe 1889 ; Die Hss., 9 vol., Karlsruhe 1891-1932, rééd. Wiesbaden 1969 et suiv. ; R. FUHRMANN, Mannheimer Klavier-Kammermusik, 2 vol. (diss. Marburg 1963). — **Kassel. a)** Deutsches Musikgeschichtliches Archiv : microfilms des sources de la mus. all. *Cf.* H. HECKMANN, Katal. der Filmsammlung, Kassel, BV, 1955 et suiv. ; du même, *in* Notes XVI, 1958. — **b)** Murhard'sche Bibl. u. Landesbibl. : livres de chœur ; coll. ital. ; fonds de la chapelle de la Cour. *Cf.* K. ISRAEL, Uebersichtlicher Katal. der Musikalien..., *in* Zs. des Vereins für Hessiche Gesch. u. Landeskunde, nouv. série 1881, supplt 7 ; C. ENGELBRECHT, Die K.er Hofkapelle im 17. Jh. u. ihre anon. Musik-Hss. aus der K.er Landesbibl., Kassel, BV, 1958 ; H. HECK-MANN, Musikalische Kostbarkeiten aus der Murhard- u. Landesbibl., 11.-19. Jh., Kassel 1962 (catal. d'exposition). — **Kiel.** Univ.-Bibl. : éd. des Hss. du XVIIe-XVIIIe s. *Cf.* KL. HORTSCHANSKY, Katal. der K.er Musiksammlungen ; die Notendrucke, Hss., Libretti u. Bücher über Musik... bis 1830, Kassel, BV, 1963. — **Laufen.** Stiftsarchiv : mss. liturgiques du XVIIe s. ; autres mss. des XVIIe-XIXe s. *Cf.* K. MÜNSTER, *in* Mf XX, 1967. — **Lübeck.** Bibl. der Hansestadt L. : mus. des XVIe-XXe s. dans tous les genres ; bibl. de la cathédrale, de la St. Petri-, Marien-, Aegidien-, Jakobskirche et du Katharineum *Cf.* C. STIEHL, *in* MfM XVI, 1884 ; du même, Katal. der Musik-Slg auf der Stadtbibl. zu L., Lübeck 1893 ; W. STAHL, Musik-Bücher der L.er Stadtbibl., Lübeck 1927 ; du même, Die Musik-Abteilung der L.er Stadtbibl. in ihren älteren Beständen, Lübeck 1931. — **Lüneburg.** Ratsbücherei : tablatures pour instr. à clavier. *Cf.* F. WELTER, Katal. der Musikalien der Ratsbücherei L., Leipzig, Kistner & S., 1950 ; M. REIMANN, art. L.er Orgel- u. Klavier-Tabulaturen, *in* MGG VIII, 1960. — **Mayence.** Stadtbibl. : legs P. Cornelius ; dons des éd. Schott ; fonds de l'ancienne bibl. de l'Univ. *Cf.* F.W.E. ROTH, Zur Bibliogr. der Musikdrucke des 15.-18. Jh. der Mainzer Stadtbibl., *in* MfM XXI, 1889 ; G. STEPHENSON, Zeugnisse... des P. Cornelius-Nachlass der Stadtbibl. M., *in* Mainzer Zs. LIX, 1964. — **Munich. a)** Bayerische Staatsbibl. : du M.A. au XXe s. ; riche en mss. médiévaux, en œuvres polyphoniques du XVIe s., en livres de chants relig. du XVIIIe s., en opéras et mus. de ch. ; bibl. conventuelles ; bibl. privées d'Augsbourg ; Bayerische Hofmusikin-tendanz. Centre du RISM pour la RFA. *Cf.* J.J. MAIER, Die musikal-ischen Hss. der Kgl. Hof- u. Staatsbibl., I Hss. zum Fnde des 17. Jh., Munich 1879 ; K. SCHLÖTTERER, art. Münchener Hss. *in* MGG IX, 1961 ; R. MÜNSTER, Die Erfassung von Musikalien aus nichtstaatlichem Besitz in Bayern, *in* Mitteilungen für die Archiv-Pflege in Bayern XII, 1966 ; M.L. MARTINEZ-GÖLLNER, Die Augs-burger Bibl. Herwart u. ihre Lautentabulaturen..., *in* Fontes XVI, 1969. — **b)** Städtische Musikbibl. : œuvres rares et mss. des XIXe-XXe s. ; legs H. Knappertsbusch, H. Mörike, H.L. Denecke, L. Thuille, W. Courvoisier. *Cf.* W. KRIENITZ, Katal. der Städtischen Musikbücherei, I Klavier, Munich 1931, supplt 1940 ; A. OTT, Wesen u. Aufgabe einer musikalischen Volksbibl., *in* 2. Weltkongress der Musikbibl., 1951 ; du même, Die Städtische Musikbibl., Munich 1954. — **c)** Theatermuseum Clara-Ziegler-Stiftung : mus. imprimée et livres des XVIIe-XVIIIe s. ; livrets, programmes, iconographie, documentation. *Cf.* R. SCHAAL, Die vor 1801 gedruckten Libretti des Theatermuseums M., *in* Mf X-XIV, 1957-61, tiré à part Kassel, BV, 1962 (concerne 983 livrets). — **d)** Univ.-Bibl. : mss. des XVIe-XVIIIe s. ; livres de chœur de couvents all. *Cf.* CL. GOTTWALD, Die Musikhss. der Univ.-Bibl., Wiesbaden, Harrassowitz, 1968. — **Münster. a)** Bischöfliches Priesterseminar : coll. F. Santini ; mus. relig. ital. des XVIe-XVIIIe s. ; mus. instr. et opéras. *Cf.* K.G. FELLERER, Verzeichnis der kirchenmusikalischen Werke der Santinischen Slg, *in* KmJb XXVI-XXXIII, 1931-38 ; R. EWERHART, Die Bischöfliche Santini-Bibl., Münster 1962. — **b)** Univ.-Bibl. : fonds conventuels ; œuvres liturgiques et mus. profane du XVIIIe s. (école de Mannheim) dans la coll. Bentheim (de Burgsteinfürst) ; bibl. musicale du prince de Bentheim-Tecklenburg (de Rheda). *Cf.* J. DOMP, Studien zur Gesch. der Musik an westfälischen Adelshöfen im 18. Jh., Regens-burg 1934. — **Nuremberg.** Stadtbibl. : ouvr. théoriques des XVIe-XVIIIe s. ; mus. imprimée de compositeurs locaux ; mss. du XIXe s. *Cf.* H. ZIRNBAUER, Der Notenbestand der... Nürnbergischen Ratsmusik, Nuremberg 1959 ; du même, Geistliche Musik des M.A. u. der Renaissance. Hss. u. frühe Drucke in N.er Bibl., Nuremberg 1963. — **Regensburg. a)** Fürstlich Thurn u. Taxische Hofbibl. : mus. de ch. et d'orchestre de l'École de Mannheim provenant du théâtre et de la bibl. de la Cour ; mss. de mus. liturgique des cou-vents de Neresheim et Obermarchal. *Cf.* R. FREYTAG, *in* Zentralblatt für Bibliothekswesen XL, 1923 ; S. FÄRBER, Verzeichnis der vollständige Opern, Melodramen u. Ballette wie auch der Opern-textbüchern der... Thurn u. Taxisschen Hofbibl. R., *in* Verhand-lungen des hist. Vereins von Oberpfalz u. R. LXXXVI, 1936 ; G. HUBER, *in* ZfM CXIII, 1952. — **b)** Proskesche Musikbibl. : mss. des XIIIe-XIXe s. ; mus. relig. des XVIe-XVIIIe s. avec bcp d'œuvres ital. ; legs K. Weinmann, Haberl, Mettenleiter. *Cf.* K. WEINMANN, *in* KmJb XXIV, 1911 ; BR. STÄBLEIN, Choral-Hss. der R.er Bibl., *in* Musica Sacra LXXXII, 1952 ; A. SCHARNAGL, Die Orgeltabulatur C 119 der Proske-Musikbibl., *in* Fs. Br. Stäblein, Kassel, BV, 1967. — **Stuttgart.** Württembergische Landesbibl. : mus. liturgique des XIIe-XVIe s. et livres de chœur de couvents sécularisés ; mss. d'opéras, de cantates, de mus. de danse des XVIIIe-XIXe s. provenant de la chapelle et du théâtre de la Cour. *Cf.* A. HALM, Katal. über die

Musik-Codices des 16. u. 17. Jh. auf der Kgl. Landesbibl., *in* MfM Beilage 1902-03 ; A. KREISMANN, Die Choral Hss. der Württemberg-ischen Landesbibl., *in* KmJb XXIX, 1934 ; H. MARQUARDT, Die St.er Chorbücher, Stuttgart 1936 ; CL. GOTTWALD, Codices musici 1re série I, et 2e série VI/1, Wiesbaden, Harrassowitz, 1964-65 ; du même et W. IRTENKAUF, art. St.er Hss. *in* MGG XII, 1965. — **Tübingen. a)** Musikwiss. Institut (et Schwäbisches Landesmusik-archiv) : mss. et éd. du XVIIIe s. provenant de couvents souabes, d'églises et de séminaires ; ouvr. théoriques anciens ; Bach et ses contemporains. *Cf.* A. BOPP, Das Musikleben in... Biberach. Katal. der Kickschen Notensammlung, Kassel 1930 ; W. VIRNEISEL, Musik-Hss. u. Musikdrucke aus 5 Jh., Tübingen 1957. — **Wiesbaden.** Hessische Landesbibl. : ouvr. du XVIe s. *Cf.* F.W.E. ROTH, *in* MfM XX, 1888, et XXIV, 1892 ; G. ZEDLER, Die Hss. der Nassauischen Landesbibl., Leipzig 1931. — **Wiesentheid,** Graf von Schönborn-W. : ouvr. d'env. 1670-1825, mus. de ch. et œuvres relig. en particulier. *Cf.* F. ZOBELEY, Die Musikalien der Grafen von Schönborn-W. Thematischer-bibliographischer Katal., 5 vol., Tutzing, Schneider, 1967 et suiv. — **Wolfenbüttel.** Herzog-August Bibl. (avec le fonds de la Kantorei de St. Stephani à Helmstedt). *Cf.* E. VOGEL, Die Hss. nebst den älteren Druck-werken der Musikabteilung der Herzoglichen Bibl., Wolfenbüttel 1890 ; W. SCHMIEDER et G. HARTWIG, Musik. Alte Drucke bis etwa 1750, 2 vol., Francfort/M., Klostermann, 1967 ; E. THIEL et G. ROHR, Libretti. Verzeichnis der bis 1800 erschienenen Textbücher, Franc-fort/M., Klostermann, 1970. — **Wurtzbourg.** Univ.-Bibl. : parties vocales séparées du début du XIXe s. provenant de la Hofkirche. *Cf.* H. BECK, *in* Mf XVII, 1964.

AUTRICHE.

Göttweig. Benediktinerstift : mss. de Meistersinger ; tablatures de luth ; ouvr. du XVIIIe s. ; parties de la bibl. de A. Fuchs ; corres-pondance de R. Kiesewetter. *Cf.* H. WONDRATSCH, Katal. der Musikalien des Stiftes G., 2 vol., 1830 ; F.W. RIEDEL, Die Bibl. des A. Fuchs im Stift G., *in* H. Albrecht in memoriam, Kassel, BV, 1962, et *in* Mf XVI, 1963 ; du même, Die Libretto-Slg im Benediktiner-Stift G., *in* Fontes XIII, 1966. — **Graz. a)** Akad. für Musik u. darstellende Kunst : bibl. de F. Bischoff et H.E.J. Lannoy. *Cf.* W. SUPPAN, Die Musikslg der Freiherrn von Lannoy, *in* Fontes XII, 1965 (catal.) ; H. FEDERHOFER, Mozartiana im Musikaliennachlass von F. Bischoff, *in* Mozart-Jb. 1967. — **b)** Univ.-Bibl. : mss. des XIIIe s. suiv. ; ouvr. provenant du Chorherrenstift Seckau. *Cf.* A. KERN, Die Hss. der Univ.-Bibl., 3 vol., Leipzig et Vienne 1942-67 ; H. FEDERHOFER, Alte Liederdrucke in der Univ.-Bibl., *in* Fs. R. ZODER, Vienne 1957. — **Klosterneuburg.** Augustiner Chorherren-stift : mss. des XIIe-XVIe s. ; mus. relig. du XVIIIe s. ; tablatures de luth anon. du XVIe s. ; mus. relig. du XVIIIe s. ; qq. autographes. *Cf.* Musica Divina I, 1913 ; H. PFEIFFER et B. CERNIK, Catalogus codicum mss., 2 vol. Vienne 1922-31 ; E. BADURA-SKODA, art. Kl. *in* MGG VII, 1958. — **Kremsmünster.** Benediktinerstift : ouvr. théoriques ; mss. et impr. anciens du XIVe-XVIIIe s. *Cf.* A. KELLNER, Musikgesch. des Stiftes Kr., Kassel, BV, 1956 ; du même, art. Kr. *in* MGG VII, 1958 ; R. FLOTZINGER, Die Lautentabulaturen des Stifts Kr., Vienne 1965 (avec catal. thématique). — **Melk.** Benediktinerstift : mss. liturgiques des XIIIe-XIVe s. ; impr. du XVIe s. avec mus. de Lassus et contemporains ; œuvres de Haydn. *Cf.* Catalogus codicum mss. I, 1889 ; A. TRITTINGER, art. M. *in* MGG IX, 1961. — **Salzbourg. a)** Mozarteum : 1 000 autographes de Mozart et de nbr. ouvrages le concernant. *Cf.* E. VALENTIN, Das Hss.-Archiv der Intern. Stiftung Mozarteum, *in* ÖMZ XIII, 1958 ; G. RECH, Aus dem Briefarchiv der Intern. Stiftung Mozarteum, *in* Fs. O.E. Deutsch, Kassel, BV, 1963. — **b)** Museum Carolino Augus-teum : compositeurs locaux, principalement du début du XIXe s. *Cf.* J. GASSNER, *in* Jahresbericht du musée VII, 1961. — **c)** St. Peter Erzstift : riche fonds de mss. dont qq. autographes. *Cf.* Die Musikalien-Slg der Erzabtei St. Peter in S., I L. et W.A. Mozart, J. et M. Haydn, Kassel, BV, 1971. — **Vienne.** Ouvr. généraux : L. NOWAK, Kirchenmusikschätze aus W.er Bibl., *in* Singende Kirche I, 1954 ; A.E. DE LA MAÈSTRE, Catal. mss. et documents Berlioziens... dans les bibl. et archives publiques et privées de V., Vienne 1967. — **a)** Gesellschaft der Musikfreunde : legs Brahms, Gerber, Köchel ; autographes de Beethoven, Mozart, Schubert et autres ; ouvr. théoriques ; programmes ; iconographie. *Cf.* E. MAN-DYCZEWSKI, vol. de supplt à Die Slgen u. Statuten, 1912 ; le même, *in* Musikblätter des Anbruch III, 1921 ; H. KRAUS *in* Notes III, 1946. — **b)** Minoritenkonvent : messes, motets ; œuvres pour clavier du XVIIe s. ; autographes de Togliatti. *Cf.* F.W. RIEDEL, Das Musik-archiv im Minoritenkonvent zu W. (Katal. des älteren Bestandes vor 1784), Kassel, BV, 1963. — **c)** Oesterreichische Nationalbibl. : ouvr. théoriques du M.A. ; mss. neumés ; mss. de Minnesänger ; livres de chœur ; autographes de compositeurs célèbres ; éd. du XVIe s. ; livrets ; bibl. du Hofmusikarchiv, de la Hofkapelle, du Theater an der Wien et de la famille Este... La bibl. reçoit le dépôt de tout ouvr. imprimé ou publié en Autriche. *Cf.* R.G. KIESEWETTER,

Catal. der Slg alter Musik, Vienne 1847 ; R. HAAS, *in* Musikblätter des Anbruch III, 1921 ; du même, Die Estensischen Musikalien, Regensburg 1927 ; du même, *in* Jb. Peters XXXVII, 1930 ; F. GRASBERGER, Musik-Hss. in der Österr. Nat. Bibl., *in* ÖMZ X, 1955 ; A. ZIFFER, Katal. des Archivs für Photogramme musikalischer Meister-Hss., Vienne, Prachner, 1967. — **d)** Pfarramt St. Karl : mus. relig., principalement du XIXe s. *Cf.* T. ANTONICEK, Das Musikarchiv der Pfarrkirche St. Karl Borromäus. Die Drucke, Vienne, Böhlau, 1968. — **e)** Stadtbibl. : mss. autographes et ouvr. imprimés de compositeurs autrichiens du pré-classicisme jusqu'à nos jours ; coll. Dumba (Schubert), Artaria, Wiener Tonkünstler, J. Strauss, etc. ; lettres autographes de Beethoven, Brahms, Haydn, Mozart..., mus. pop. viennoise. *Cf.* A. OREL, *in* Musikblätter des Anbruch III, 1921 ; F. RACEK, *in* ÖMZ X, 1955.

BELGIQUE.

Ouvr. généraux : CH. VAN DEN BORREN, Inventaire des mss. de mus. polyphonique... en Belgique, *in* AMl V-VI, 1933-34 ; B. HUYS, Belgische en buitenlandse muziekbibl., *in* Archives et bibl. de Belgique XXXVII, 1966 ; J.G. PROD'HOMME, Les institutions musicales (bibl. et archives) en Belgique, *in* SIMG XV, 1914. — **Bruxelles.** **a)** Archives de la ville : partitions d'opéras des XVIIIe-XIXe s. ; qq. autographes et livrets provenant des théâtres de la ville, principalement du Th. de la Monnaie. — **b)** Bibl. Royale Albert Ier : coll. de Marguerite d'Autriche, Fr.J. Fétis, Coussemaker (en partie), C. van Hulthem ; polyphonie franco-flamande ; tablatures de luth ; mss. liturgiques des Xe s. et suiv. Depuis 1966 la bibl. reçoit le dépôt du copyright pour les livres et la mus. mais non pour les enregistrements sonores. *Cf.* Catal. de la bibl. Fr.J. Fétis, Bruxelles 1877, rééd. en facs. Bologne, Forni, 1969 ; Catal. de la bibl. et des instr. de mus. ... de Ch. E. de Coussemaker, Bruxelles 1877 ; B. HUYS, Catal. des imprimés musicaux des XVe-XVIIe s. Fonds général, Bruxelles 1965, supplt 1973 ; du même, De Grégoire le Grand à Stockhausen... Bruxelles 1966 (catal. d'exposition) ; du même, Catal. des imprimés musicaux du XVIIIe s. Fonds général (en prép.) ; P. HOOREMAN, Catal. des lettres autographes de musiciens (en prép.). — **c)** Cons. Royal de Mus. : riches coll. du XVIIIe s. en particulier de C.Ph.E. Bach. *Cf.* A. WOTQUENNE, Catal. de la Bibl. du Cons., 4 vol., Bruxelles 1898-1912, supplt sous le titre Libretti d'opéras et d'oratorios ital. du XVIIe s., Bruxelles 1901 ; Annuaire du Conservatoire 1928-47 ; C. MERTENS, Proeve eener documentatie over onze Belgische toonkunstenaars, musicologen in instr. bowers, *in* Hommage à Ch. van den Borren, Anvers 1945 ; R.B. LENAERTS, The « Fonds Ste Gudule » in Br. : an Important Coll. of 18th Cent. Church Music, *in* AMl XXIX, 1957. — **Gand.** Univ. : mss. liturgiques des Xe-XVIe s. ; traités théoriques anciens ; mus. impr. par Phalèse et Giardano ; partitions d'opéras et de ballets provenant du Grand Théâtre ; livrets ital. *Cf.* C.A. VOISIN, Bibl. Gandavensis, Gand 1839 ; J. DE SAINT-GENOIS, Catal. méthodique et raisonné des mss. de la bibl. de la ville et de l'Univ., Gand 1849-52 ; P. BERGMANS, Une coll. de livrets d'opéras ital., *in* SIMG XII, 1910-11. — **Liège.** Ouvr. général : A. VAN DER LINDEN, Les bibl. musicales du Pays de Liège au M.A. d'après les catal., *in* Annales de la fédération archéologique et hist. de Belgique 1947. — Cons. Royal de Mus. : ouvr. théoriques et didactiques ; coll. L. Terry, Grétry, Debroux. *Cf.* R.E. WOLF, Liège's Buried Treasure, *in* MQ XLI, 1955 ; E. MONSEUR, Catal. de la Bibl. du Cons., Liège 1960 et suiv. (8 vol. prévus). — **Zoutleeuw.** Église St-Léonard : mus. impr. et mss. de mus. sacrée et profane du XVIIIe s. *Cf.* A. VAN DER HALLEN, *in* Fontes III, 1956 (avec liste des œuvres et incipit pour les œuvres anon.).

CANADA.

Ouvr. généraux : O. MCNEILL et L.D. FRASER, Music Coll. in Canadian Libr., *in* Canadian Libr. Assoc. Bull. XII, 1956 ; *cf.* également la bibliogr. des États-Unis. — **London** (Ontario). Univ. of Western Ontario : mss. d'opéras et éd. de la 2de moitié du XVIIIe s. (catal. Macnutt n° 103), *cf.* Notes XXVIII, 1971. — **Ottawa** (Ontario). National Libr. of Canada : dépôt du copyright depuis sa fondation en 1953, enregistrements sonores déposés depuis 1969 ; possède également de nbr. dépôts de copyrights de la fin du XIXe s. et du début du XXe s. ; coll. Percy Scholes acquise en 1957 ; coll. de chansons françaises (1825-1914) acquise en 1969 ; ouvr. et notes du Healey Willan acquis en 1970 ; s'efforce d'établir un service de documentation ainsi qu'une coll. complète de mus. canadienne, mss. et imprimés. *Cf.* J.H. DAVIES, H. Kallmann, First National Music Librarian of Canada, *in* Fontes XVII, 1970. — **Toronto.** Univ. de T. : traités théoriques anciens ; partitions d'opéras.

DANEMARK.

Aarhus. Statsbibl. : env. 50 000 œuvres musicales dont bcp du XVIIIe s. Reçoit le dépôt des ouvrages depuis 1912. *Cf.* E. WINKEL et autres auteurs, Fagkatal. : Musikalier, 4 vol., 2/1946-57. —

Copenhague. a) Det kongelige Bibl. : livres de chants liturgiques scandinaves des XIe-XIXe s. ; tablatures d'orgue, de luth et de guitare ; autographes de compositeurs scandinaves et de qq. autres ; fragments du journal de Mozart. La bibl. reçoit le dépôt du copyright depuis 1697. *Cf.* H. NEEMAN, Laute- u. Gitarre-Hss. in Kopenhagen, *in* AMl IV, 1932 ; S. LUNN, Det Kgl. Bibl. danske musikautografer, *in* Bogens verden XXIII, 1941 ; C.S. PETERSEN, Det Kgl. Hss.-samling, Copenhague 1943 ; Music in Denmark. Summer Exhibition 1972 (catal.). — **b)** Musik-historisk Museum : mss. liturgiques, imprimés anciens ; coll. C. Claudius. *Cf.* A. HAMMERICH, Das musikhistorische Museum beschreibender Katal., Copenhague 1911 ; C. Claudius' Samling af gamle musikinstr., Copenhague 1931 (catal. donnant également la liste d'anciens mss.).

ESPAGNE.

Ouvr. généraux : P. AUBRY, Iter hispanicum, notices et extraits de mss. de mus. ancienne conservés dans les bibl. d'Espagne, *in* SIMG VIII-IX, 1906-08 ; M. SABLAYROLLES, A la recherche des grégoriens espagnols. Iter hispanicum, *ibid.* XIII, 1911-12 ; Anuario Mus., 1946 et suiv. (inventaires de nbr. coll., particulièrement des cathédrales) ; R. STEVENSON, Music Research in Spanish Libr., *in* Notes X, 1952 ; M. QUEROL GAVALDA, Music publicados en España, *in* Fontes XIII, 1966. — **Dépôt légal.** Le Cons. de Madrid reçoit un ex. et la Bibl. nat. de Madrid 2 de chaque ouvrage musical publié dans le pays. Des 3 ex. des livres déposés, 2 vont à la Bibl. nat. et le 3e à la bibl. publique gouvernementale de la province d'édition. Pour les enregistrements sonores, un ex. va à la Bibl. nat. et un à la Fonoteca provincial à Barcelone. — **Barcelone. a)** Bibl. Central : mss. grégoriens ; traités théoriques mus. du XIVe s. ; bibl. de F. Pedrell et J. Carreras Dagas ; coll. wagnérienne de J. Pena. *Cf.* F. PEDRELL, Catál. de la Bibl. mus. de la Diputació de B., 2 vol., Barcelone 1908-09 ; H. ANGLÉS, Catal. dels mss. mus. de la Coll. Pedrell, Barcelone 1921. — **b)** Orfeó Catalá : organa du XIIIe s. ; ms. de tropes et séquences ; traités théoriques impr. du XVIe s. ; œuvres de M. López (XVIIIe s.) et de compositeurs catalans. — **Burgos.** Monasterio de Las Huelgas : Codex Las Huelgas (Hu) du XIVe s. avec des motets et des hymnes monodiques (nbr. œuvres de l'École de Notre-Dame et de ses successeurs fr.). — **Cuenca.** Cathédrale : Ms. du XIIe s. ; impr. des XVIe-XIXe s. (messes, motets, hymnes, villancicos). *Cf.* R.N. GONZALO, Catál. mus. del archivo de la S. Iglesia Catedral Basilica de C., rév. par J.L. Cobos, Cuenca, Inst. de mús. religiosa, 1965. — **El Escorial.** Real Monasterio de S. Lorenzo : mss. des XIVe-XVIe s. dont les Cantigas de Santa Maria du roi Alphonse X et 2 chansonniers du XVe s. ; 200 livres de chœur du XVIe s. *Cf.* R.B. LENAERTS, Nederlandse polyphonische Liederen in die Bibl. van El Escorial, *in* RBMie III, 1949 ; M. BORDONAU MAS, La libr. y los libros de coro del Real Monasterio de S. Lorenzo, *in* Revista de Archivos, 5e série LXXI, 1963. — **Grenade.** Capilla Real : 40 vol. de cht grég. ; missel impr. à Anvers en 1582. *Cf.* J.L. CALO, *in* Anuario Mus. XIII, 1958, et XXV, 1970 (catal.). — **Guadalupe.** Real Monasterio de Santa Maria : livres de chœur du XVIe s. ; nbr. œuvres du XVIIIe s. *Cf.* A.B. MANZANO, Catál. del Archivo musical del Monasterio de G., 1946. — **Madrid. a)** Archivo histórico nacional : psalterium canticorum du XIe s. ; fonds musical de la cathédrale d'Avila. *Cf.* N.A. SOLAR-QUINTES, La musicología en el Archivo histórico nacional, *in* Revista de archivos LXV, 1958. — **b)** Bibl. Medinaceli : motets et madrigaux esp. des XVIe-XVIIIe s. *Cf.* J.B. TREND, Catal. of Music in the Bibl. Medinaceli, *in* Revue hispanique LXXI, 1927. — **c)** Bibl. Municipal : mss. de tonadillas et sainctes ainsi que de mus. d'église du XVIIIe s. *Cf.* C. CAMBRONERO, Catál. de la Bibl. Municipal de Madrid, 3 vol., Madrid 1902-06 ; J. SUBIRÁ, Catál. de la Sección de mús. I, Madrid 1965. — **d)** Bibl. musical circulante : tonadillas, mus. de scène et mus. d'église du XVIIIe s. *Cf.* J.E. ORLANDO, Catál. general ilustrado de la Bibl. musical, 3 vol., Madrid 1946-72. — **e)** Bibl. Nacional : mss. mozarabes, mss. d'œuvres vocales, instrumentales et théâtrales des IXe-XVIIIe s. ; œuvres pour orgue, vihuela, guitare des XVIe-XVIIIe s. ; bibl. de F.A. Barbieri avec livres sur la danse. *Cf.* J. SUBIRÁ et H. ANGLÉS, Catál. musical de la Bibl. Nacional de M., 3 vol., Barcelone 1946-51 ; H. ANGLÉS, La mús. esp. para órgana de los s. XVI-XVIII conservada en la Bibl. Nacional de M., *in* Anuario mus. XXI, 1966 ; J. JANINI et J. SERRANO, Mss. litúrgicos de la Bibl. Nacional, Madrid 1969. — **f)** Palacio Real : cancioneros des XVe-XVIe s. ; mss. de Boccherini et D. Scarlatti. *Cf.* J.G. MARCELLÁN, Catál. del Archivo de mús. de la Real Capilla de Palacio, Madrid 1938. — **g)** Real Acad. de Bellas Artes de S. Fernando : mus. du XVIe s. à nos jours. *Cf.* J. SUBIRÁ, *in* Anuario Mus. XI, 1956. — **Montserrat.** Monasterio de Santa María : livres de chœur des XIe-XVe s. ; mss. des XIVe-XVIIIe s. parmi lesquels plusieurs polyphoniques de compositeurs franco-flamands du XVIe s. ; Llibre Vermell du XIVe s. ; important ms. de mus. pour clavier du XVIIIe s. ; traités théoriques ; ouvr. de références. *Cf.* D. PUJOL, in Congrès de la SIM Liège 1930 ; R.B. LENAERTS, Niederländische polyphone Musik in der Bibl. von M., *in* Fs. Schmidt-Görg, Bonn 1957 ; M. QUEROL GAVALDA, art. M. *in* MGG IX, 1961. — **Plasencia.** Cathédrale : mss. des XVIe-XVIIIe s. et qq. livres de mus. impr. en parties séparées. *Cf.* S. RUBIO, *in* Anuario Mus. V, 1950. — **Saint-Jacques de Compostelle.** Cathédrale : Codex Calixtinus du XIIᵉ s. *Cf.* J.L. CALO, El archivo musical de la catedral de S., Cuenca, Inst. de mús. religiosa, 1972. — **Salamanque.** Univ. pontificia : motets, messes, arias mss. du XVIIIᵉ s. *Cf.* C. GÓMEZ, Fondo musical de la capilla de la Univ. de S., *in* Musica II, 1953. — **Séville.** Cathédrale : cancionero du XVᵉ s. (le plus ancien de la Péninsule). *Cf.* H. ANGLÉS, *in* Anuario Mus. II, 1947; C.W. CHAPMAN, Printed Coll. of Polyphonic Music Owned by F. Colombus, *in* JAMS XXI, 1968. — **Tarazona.** Cathédrale : 3 codices grégoriens; mss. de mus. polyphonique du XVIᵉ s. *Cf.* J. SEVILLANO, *in* Anuario mus. XVI, 1961. — **Tolède.** Cathédrale : mss. mozarabes; mss. du XVIᵉ s.; livres de chœur de Morales enluminés. *Cf.* R.B. LENAERTS, Les mss. polyphoniques de la Bibl. capitulaire de Tolède, *in* Kgr.-Ber. Utrecht 1952. — **Valence. a)** Cathédrale : mss. du monastère de S. Miguel de los Reyes; livres de chœur. *Cf.* J.B. GUZMÁN et O. BADAS, Inventario de las obras musicales de la catedral de V., 1881 (manuscrit; copie à Madrid, Bibl. Nacional, dépt des mss.). — **b)** Colegio y Seminario del Corpus Christi del Patriarca : 15 livres de chœur manuscrits d'env. 1580-1650. *Cf.* V. RIPOLLÉS, *in* Boletín de la Soc. castellonense de cultura VI-VII, 1925-26. — **Valladolid.** Cathédrale : mss. et impr., principalement du XVIᵉ s.; traités théoriques impr. *Cf.* H. ANGLÉS, *in* Anuario Mus. III, 1948 (supplt à la cathédrale dressé par le maître de chapelle J.G. Blanco).

ÉTATS-UNIS.

Ouvr. généraux : O.E. ALBRECHT, A Census of Autograph Music Mss. of European Composers in Amer. Libr., Philadelphia, Univ. of Pennsylvania Press, 1953; R. BENTON, An Introd. to Amer. Music Libr., *in* Fontes IX, 1962; A Preliminary Directory of Sound Recording Coll. in the US and Canada, New York, New York Public Libr., 1967; Amer. Libr. Directory, 27ᵉ éd. New York, Bowker, 1970 — **Ann Arbor.** Univ. of Michigan : coll. Stellfeld (d'Anvers) acquise en 1953. *Cf.* L.E. CUYLER et autres auteurs, *in* Notes XII, 1954. — **Berkeley.** Univ. of California : 4 000 livrets ital. de 1600 à 1950; chants angl. anciens; mss. de traités théoriques, de la méthode instrumentale de Tartini; bibl. A. Cortot (opéras), A. Einstein, M. Bukofzer, E. Bloch, A. Elkus. *Cf.* A. ALMER, Autograph Mss. of E. Bloch at the Univ. of California, 1962; du même et V. DUCKLES, Thematic Catal. of a Ms. Coll. of 18th Cent. Ital. Instrumental Music, Berkeley 1963; A. CURTIS, Mus. classique fr. à Berkeley, *in* RMie LVI, 1970 (15 vol. manuscrits des XVIIᵉ-XVIIIᵉ s.). — **Bloomington.** Univ. of Indiana : mus. de compositeurs noirs et latino-amér.; mus. contemp.; archives de mus. pour clavier; bibl. Lilly (Haendeliana, partitions d'opéras et livrets du XIXᵉ s.; coll. S. Starr; bibl. Fr. Busch. *Cf.* G. LIST, Indiana Univ. Archives of Folk and Printed Music, *in* British Inst. of Recorded Sound Bull. 15/16, printemps 1960; The Apel Coll. of Early Keyboard Sources in Photographic Reprod. in the Indiana Univ. Music Libr., 1961; Music from Latin Amer. Available at Indiana Univ. : Scores, Tapes and Records, 2ᵉ éd., Bloomington 1971; J.O. FALCONER, Music in the Lilly Libr., *in* Notes XXIX, 1972. — **Boston.** B. Public Libr. : env. 80 000 vol. dont la coll. Allen A. Brown. B. Dict. Catal. of the Music Coll., B. Public Libr., 20 vol., Boston 1972. — **Cambridge** (Mass.). Harvard Univ. : bibl. Edna Kuhn Loeb (incluant la bibl. privée de R. Aldrich); bibl. Houghton (livres rares, mss. et coll. théâtrale); Isham Memorial Libr. (copies de mss. et de mus. impr. des IXᵉ-XVIIᵉ s.). *Cf.* Catal. of Books Relating to Music in the Libr. of R. Aldrich, New York 1931; W. APEL, Coll. of Photographic Reproductions at Isham Memorial Libr., *in* AMI I, 1946; N. NATHAN, Autograph Letters of Musicians at Harvard, *in* Notes V, 1948; M. VELIMIROVIC, Russian Autographs at Harvard, *ibid.* XVII, 1960. — **Chicago.** Newberry Libr. : époques classiques, Renaissance en particulier; 400 ouvr. théoriques de la bibl. A. Cortot. *Cf.* G. MARCO, Beginnings of the Newberry Libr. Music Coll., *in* Approaches to Libr. Hist., Tallahassee 1966 (avec bibliogr.); D.W. KRUMMEL, *in* Fontes XVI, 1969; le Bull. de la bibl. dresse périodiquement la liste des acquisitions. — **Denton.** North Texas State Univ. : mss. et lettres de Schönberg; bibl. privée de Lloyd Hibberd; coll. Rhodes Baker concernant Duke Ellington. *Cf.* A.H. HEYER, A Bibliogr. of Contemporary Music in the Music Libr. of North Texas State College, 1955; D. NEWLIN, The Schönberg Nachod Coll., *in* MQ LIX, 1969. — **Evanston.** Northwestern Univ. : archives Moldenhauer; bibl. Fr. Reiner. *Cf.* H. MOLDENHAUER, A Newly Found Mozart Autograph : Two Cadenzas to K. 107, *in* JAMS VIII, 1955; du même, A Webern Archive in America, *in* A. von Webern. Perspectives, Seattle, Univ. of Washington, 1966. — **Iowa City.** Univ. of Iowa : riche fonds de microfilms (C. Ph. Bach et mus. pour instr. à vent); legs Hesser d'enregistrements historiques (mus. vocale en 78 t.). *Cf.* F. GABLE, An Annotated Catal. of Rare Musical Items in the Libr. of the Univ. of Iowa, Iowa City 1963; R. BENTON, *in* Fontes XVI, 1969; G. ROWLEY, An Annotated Catal. of Rare Musical Items in the Libr. of the Univ. of Iowa; Acquisitions 1962-72, Iowa City 1973. — **New Haven.** Yale Univ. : autographes de A. Scarlatti, Britten, Ives, Hindemith; tablature de luth de Braye (v. 1560); correspondance de Ch. Burney; bibl. de mus. relig. de Lowell Mason. *Cf.* B. SHEPARD, A Repertory of 17th Cent. English

House Music, *in* JAMS IX, 1956; D. BOITO, Ms. Music in the Osborn Coll., *in* Notes XXVII, 1970; E.J. O'MEARA, The Lowell Mason Libr., *ibid.* XXVIII, 1971. — **New York. a)** N.Y. Public Libr. at Lincoln Center (Libr. and Museum of the Performing Arts) : autographes, mss., éd. de toutes sortes; Americana; Toscanini Memorial Archives; Rodgers & Hammerstein Archives (enregistrements sonores). *Cf.* Dict. Catal. of the Music Coll., 33 vol., Boston 1964, supplt 1966; P. MILLER, The Record Archive in the N.Y. Public Libr., *in* Notes Inst. of Recorded Sound Bull. V, été 1957; F.C. CAMPBELL, *in* Fontes XVI, 1969; S. SOMMER, Toscanini Memorial Archives, *ibid.* — **b)** Pierpont Morgan Libr. : autographes, éd. anciennes provenant des coll. Heineman, Lehman, Cary, Schloz, Allen. *Cf.* E.N. WATERS, The Music Coll. of the Heineman Foundation, *in* Notes VII, 1950; J.B. HOLLAND, Notes on a Lute Ms., *in* AMI XXXIV, 1962; The Mary Flagler Cary Music Coll., New York 1970; O.E. ALBRECHT, *in* Notes XXVIII, 1972. — **Rochester.** Sibley Music Libr., Eastman School of Music, Univ. de R. : traités théoriques des XIᵉ-XIIᵉ s.; éd. mus. des XVIᵉ-XVIIIᵉ s.; livres de chœur, opéras, mus. de ch., Americana. *Cf.* R. WATANABE, *in* Fontes XVI, 1969; acquisitions signalées dans le Bull. de la bibl. de l'Univ. — **San Marino** (Calif.). Henry E. Huntington Libr. & Art Gallery : ouvr. des XVIIᵉ-XVIIIᵉ s. *Cf.* E.N. BACKUS, Catal. of Music in the Huntington Libr. Printed Before 1801, 1949. — **Stanford** (Calif.). Univ. : mss., éd. anciennes, lettres, interprétation musicale. *Cf.* N. VAN PATTEN, Catal. of the Memorial Libr. of Music, 1950. — **Urbana.** Univ. of Illinois : musicologie, interprétation, pédagogie. *Cf.* C. HAMM et H. KELLMAN, The Musicological Archives for Renaissance Ms. Studies, *in* Fontes XVI, 1969. — **Washington.** Libr. of Congress : reçoit le dépôt du copyright; nbr. autographes; éd. anciennes; coll. spéciales (flûte, livrets d'opéras, archives du cht pop., Gershwin, Farrar, Heifetz, Rachmaninov). *Cf.* O. SONNECK, Catal. of Opera Scores, 1912; du même, Catal. of Opera Librettos Printed Before 1800, 2 vol., Washington 1912, rééd. en 3 vol., New York 1967; du même, Catal. of 19th Cent. Librettos, 1912; J. GREGORY, Catal. of Early Books on Music (Before 1800), 1913, supplt par H. BARTLETT, 1944, rééd. New York 1969; A Catal. of Books Represented by Libr. of Congress Printed Cards, 1942 et suiv.; C.D. WADE, *in* Fontes XVI, 1969; U.S. Libr. of Congress, The Music Division. A Guide to its Coll. and Services, Washington 1972.

FRANCE.

Ouvr. généraux : Catal. général des mss. des bibl. publiques de France, Paris 1849 et suiv.; FR. LESURE, Richesses musicologiques des bibl. provinciales, *in* RMie XXXII, 1950; P. CHAILLON, Les fonds musicaux de qq. bibl. de France, *in* Fontes II, 1955; E. LEBEAU, La recherche musicologique dans les bibl. et les archives, *in* Précis de musicologie, éd. par J. Chailley, Paris, PUF, 1958; M.TH. DOUGNAC et M. GUILBAUD, Le dépôt légal : son sens et son évolution, *in* Bull. des Bibl. de France V, 1960; Répertoire des bibl. et organismes de documentation, Paris, BN, 1971; FR. LESURE, Archival Research : Necessity and Opportunity, *in* Perspectives in Musicology, New York, Norton, 1972. — **Dépôt légal.** L'éditeur de la mus. doit déposer 4 ex. de chaque ouvrage à la B.N. Pour les livres et les périodiques, 2 ex. sont déposés en plus par l'imprimeur. L'imprimeur doit déposer en outre 3 ex. aux dépôts régionaux : Amiens, Angers, Besançon, Bordeaux, Châlons-sur-Marne, Clermont-Ferrand, Dijon, Lille, Limoges, Lyon, Marseille, Montpellier, Nancy, Orléans, Paris, Poitiers, Rennes, Rouen, Strasbourg, Toulouse. — **Agen.** Archives départementales : 352 pièces de mus. des XVIIᵉ-XVIIIᵉ s., principalement fr. et ital. *Cf.* G. THOLIN, Bibl. d'ouvr. de mus. provenant du château des ducs d'Aiguillon, in Inventaire sommaire des Archives communales antérieures à 1790, série 2, supplt, Paris 1884. — **Aix-en-Provence. a)** Bibl. Méjanes : mss. liturgiques des XIIIᵉ-XIXᵉ s.; ms. du Jeu de Robin et Marion d'Adam de la Halle; chants au luth des XVIᵉ-XVIIᵉ s.; opéras du XVIIIᵉ s.; coll. théâtrale de Boissy; mss. de F. David et D. Milhaud. *Cf.* A. VERCHALY, Le « Livre des vers du luth », Ms. d'Aix, Aix 1958. — **b)** Maîtrise de la cathédrale : mss. d'anciens maîtres de chapelle et autres auteurs (messes, motets). *Cf.* F. RAUGEL, in 2. Weltkongress der Musikbibl., Kassel, BV, 1951. — **Amiens.** Bibl. municipale : mss. liturgiques et ouvr. théoriques du XVIIᵉ s., certains provenant de l'abbaye de Corbie (1791); opéras de 1688 à 1787 (Campra, Grétry, Monsigny, Quinault, Rameau) et œuvres diverses; opéras et mus. relig. de Lesueur; œuvres de compositeurs locaux. *Cf.* Section « Sciences et arts », *in* J. GARNIER, Catal. méthodique de la Bibl. ... d'Amiens IV, 1859; H. HOFMANN-BRANDT, Eine neue Quelle zur mittelalterlichen Mehrstimmigkeit, *in* Fs. Br. Stäblein, Kassel, BV, 1967. — **Angers.** Bibl. municipale : codex enluminé du IXᵉ s.; 2 pro-saires du XVᵉ s.; mus. des XVIIᵉ-XVIIIᵉ s.; anciens ouvr. théoriques; compositeurs locaux (réd. pᵒ et cht d'opéras). *Cf.* RISM B III/1, 1961, et B V/1, 1964. — **Apt.** Cathédrale Ste-Anne : tropaire du XIᵉ s.; mss. liturgiques des XIVᵉ et XVᵉ s.; mus. relig. polyphonique du XIVᵉ s. dans le Ms. 16 bis. *Cf.* A. GASTOUÉ, La mus. à Avignon et dans le Comtat du XIVᵉ au XVIIIᵉ s. ... Le Ms. d'Apt, *in* RMI XI, 1904; RISM B IV/2, 1969. — **Arles.** Bibl. municipale : mss. des XVIIᵉ et XVIIIᵉ s. dont un ms. autographe et des papiers de Destouches ; ariettes et airs ; cantiques spirituels ; unicum de Vivaldi. — **Arras.** Bibl. municipale : prosaire du XIe s. ; 2 mss. du XIIIe s. ; ordinal du XIVe s. ; ouvr. sur les trouvères locaux ; mus. des XVIIe-XIXe s. *Cf.* RISM B IV/2, 1969. — **Asnières-s.-Oise** (Abbaye de Royaumont). Bibl. mus. Fr. Lang : autographes de Chopin, Mozart ; œuvres de clv. du XVIIIe s. ; bibl. personnelle de Debussy. — **Autun.** Bibl. municipale : mss. liturgiques des VIIe-Xe s. ; parchemin des XIIe-XIIIe s. avec monodie et polyphonie ; ouvr. du Collège d'A. et d'autres institutions religieuses. *Cf.* P. LATIEULE, Catal. méthodique de la bibl. d'A., 1894-1905 ; RISM B IV/2, 1969. — **Auxerre.** Bibl. municipale : chansons du XVIIIe s. (mss.) ; partitions du début du XIXe s. ; mus. de ch. dans les coll. Le Blanc-Duvernoy et Claude ; coll. théâtrale de Brochet ; ouvr. musicologiques du legs Corte. *Cf.* Coll. Le Blanc-Duvernoy. Mus. instrumentale et vocale. Livres de biogr. et d'esthétique musicale. Catal., Auxerre 1907. — **Avignon.** Bibl. municipale, Musée Calvet : mss. liturgiques des IXe-XIIIe s. ; ouvr. des XVIIe-XVIIIe s. provenant de l'Acad. de musique ; opéras de la fin du XVIIe au début du XIXe s. de la coll. Castil-Blaze ; relevé des activités musicales de la ville tiré des archives notariales. *Cf.* Mss. et qq. impr. concernant la mus. à la bibl. d'A., ms., Paris, B.N. (Vm^d.ms.1). — **Bernay.** Bibl. municipale : opéras du XVIIe et du début du XVIIIe s. (Lully, Collasse) ; cantates de Clérambault. *Cf.* Catal. de la bibl. de B., Bernay 1877. — **Besançon.** Bibl. municipale : traités anciens ; mus. relig. du XVIe s. ; ms. de luth et de théorbe du XVIIe s. ; cantates fr., motets, opéras et ballets des XVIIe-XVIIIe s. *Cf.* Section « Sciences et arts », *in* Catal. des livres impr. de la bibl. de B. I, 1842 ; A. TESSIER, Qq. sources de l'école fr. du luth du XVIIe s., *in* Congrès de la SIM Liège 1930 ; CH. BECKER, art. B. *in* MGG XV, 1973. — **Bordeaux.** Bibl. municipale : ouvr. des XVIe-XIXe s. provenant des legs Spontini, Clapisson et Ferroud ; 1 000 ouvr. sur la mus. relevés *in* I. DELAS, Catal. des livres composant la bibl. de B. IX, 1956 ; mus. et liturgie relevées *in* J. DELPIT, Catal. des mss. I, 1880. — **Bourg.** Bibl. municipale, Musée de l'Ain : Chansons (1570) de N. de la Grotte ; ouvr. du XVIIIe s. — **Cadouin.** Abbaye : 24 mss. (antiphonaires, sacramentaires, graduels, épistolaires). *Cf.* S. CORBIN, *in* Bull. de la Soc. hist. et archéologique du Périgord LXXXI, supplt janv.-mars 1954. — **Cambrai.** Bibl. municipale : mss. liturgiques des XIIe s. et suiv. ; mus. relig. des Écoles franco-flamande et bourguignonne ; mss. du XVIe s. avec des airs profanes et sacrés. *Cf.* E. DE COUSSEMAKER, *in* Mémoires de la Soc. d'émulation de C. XVIII, 1843 ; Y. DELPORTE, Un recueil de messes du XVIIIe s. à la bibl. de C., *in* Mus. et liturgie XXII, 1938 ; G. REESE, Maldeghem and his Buried Treasury, *in* Notes VI, 1948 ; RISM B III/1, 1961, B V/4, 1964, B IV/2, 1969. — **Carpentras.** Bibl. Inguimbertine : mus. relig. des XIIe-XIIIe s. ; œuvres des XVIIe-XIXe s. dans la bibl. des frères Laurent ; autographes de Bach, Schumann ; lettres et portraits de musiciens. *Cf.* R. CAILLET, Catal. de la coll. mus. J.B. Laurens, Carpentras 1901 ; du même, Les portraits des musiciens par B. Laurens à ... C., *in* Trésors des bibl. de France III, 1930 ; du même et E. GÖPEL, Ein Brahmsfund in Südfrankreich, *in* ZfMw XV, 1932. — **Chantilly.** Musée Condé : Ms. de mus. profane de l'Ars Nova ; chansons et noëls ; œuvres des XVIe-XVIIIe s. *Cf.* Section « Belles-Lettres », *in* Ch. Le cabinet des livres. Mss., Paris 1901-11 ; G. REANEY, The Ms. Ch., Musée Condé 1047, *in* MD VIII, 1954 ; RISM B IV/2, 1969. — **Chartres.** Bibl. municipale : av. la 2de Guerre mondiale, riche fonds de traités anciens, d'ouvr. liturgiques, de mss. d'opéras, de ballets et de cantates du XVIIIe s. Certains fragments subsistent ; d'autres existent sous forme de copies. *Cf.* liste des ouvr. subsistant *in* Y. DELAPORTE, Les mss. de cht liturgique de la Bibl. ... de Ch., *in* Paléogr. Mus. XVII, 1958 ; VL. FÉDOROV, art. Ch. *in* MGG II, 1952 ; RISM B III/1, 1961. — **Colmar.** Bibl. municipale : missels et autres mss. liturgiques des XIIIe-XVe s. ; don C. Sandherr concernant l'hist. de la mus. et la théorie ; fonds de la bibl. du Consistoire de l'Église prot. de C. (psautiers du XVIe s.). *Cf.* P. BOLCHERT, Catal. de la bibl. du Consistoire..., Strasbourg et Colmar 1955-60 ; F.A. GÖHLINGER, *in* Caecilia LXV, 1957 ; P. SCHMITT, Les mss. de la bibl. ... de C., *in* Bull. des bibl. de France XII, 1967. — **Dieppe.** Bibl. municipale : bibl. de Saint-Saëns avec lettres, documents, partitions, etc. *Cf.* J.M. NECTOUX, Correspondance Saint-Saëns-Fauré, *in* RMie LVIII, 1972 et suiv. — **Dijon.** Bibl. municipale : mss. de l'abbaye de Cîteaux ; chansonnier du XVe s. ; autographes de Poisot, Rameau, Rossini ; mss. du XIXe s. *Cf.* Y. ROKSETH et autres, Trois chansonniers fr. du XVe s., Paris 1927 ; D. PLAMENAC, Dijon. Bibl. publique Ms. 517, Brooklyn, Inst. of Medieval Music, 1971. — **Grenoble.** Bibl. municipale : mss. liturgiques du XIIIe s. ; autographes et éditions de Berlioz ; coll. Salette (œuvres du XVIIIe s.) ; 150 œuvres de compositeurs dauphinois. *Cf.* P. VAILLANT, L'œuvre du chanoine Chevalier à travers ses coll. cédées à la bibl. de Gr., *in* Pte revue des bibliophiles dauphinois 2e série IV, 1943. — **Le Mans.** Bibl. municipale : évangéliaire du IXe s. ; sonnets de Ronsard mis en mus. par G. Boni (1576) ; mus. relig. fr. du XVIe s. ; œuvres des XVIIe-XVIIIe s. (Lully, Lebègue, Marais...). *Cf.* Section « Sciences et arts », *in* F. GUÉRIN, Catal. de la bibl. du Mans, 1879. — **Lille.** Bibl. municipale : opéras des XVIIe-XIXe s. ; opéras-comiques des XVIIIe-XIXe s. ; nbr. livrets ; mus. symphonique et de chambre ; autographes (Dictionnaire de Rousseau, chansons de Béranger) ; coll. de l'Acad. de mus. de la Soc. des concerts et du Théâtre municipal. *Cf.* Catal. des ouvr. sur la mus. et des compositions mus. de la bibl. de L., Lille 1879. — **Lyon.** Bibl. municipale : éd. de J. Moderne (1557) ; autographe du Devin du village de Rousseau ; coll. Becker (hist. de la mus.), Vautier (Berlioz et partitions du XIXe s.), Acad. d'opéra (opéras et cantates du XVIIIe s.), Acad. du concert (ouvr. du XVIIIe s.), J.B. Vuillermoz (maçonnerie). *Cf.* RISM B V/1, 1964. — **Montpellier. a)** Bibl. de la ville, Musée Fabre : mss. liturgiques des Xe-XIIIe s. ; don Vallat de chants pop. catalans, fr., ital. et espagnols. *Cf.* Catal. des ouvr. légués par M.Ch. Vallat, 2 vol., Montpellier 1891-92 ; RISM B V/1, 1964. — **b)** Fac. de médecine : adaptations musicales des odes d'Horace du Xe s. ; antiphonaire du XIe s. ; organa du XIIe s. ; motets médiévaux. *Cf.* O. KOLLER, Der Liederkodex von M., *in* VfMw IV, 1888 ; F. BLUM, Another Look at the M. Organum Treatise, *in* MD X, 1961 ; M. HUGLO, Le tonaire de St-Bénigne de Dijon (Montpellier H 159), *in* Ann. Mus. IV, 1956 ; RISM B III/1, 1961. — **Mulhouse.** Bib. municipale : antiphonaire du XVe s. ; mss. de Boccherini ; env. 15 000 œuvres musicales, la plupart des XIXe-XXe s. ; musicologie et mus. pratique. *Cf.* N. RICHTER, *in* Fontes I, 1954. — **Nîmes.** Bibl. Séguier : 24 traités anciens ; livres de chœur sur parchemin du XVIe s. ; cantates, opéras et autres œuvres des XVIIe-XVIIIe s. ; coll. Sabatier d'opéras ; riche fonds théâtral. *Cf.* LAVERNÈDE, Catal. des livres de la bibl. de N., Nîmes 1836. — **Orléans.** Bibl. municipale : drames liturgiques du XIIe s. ; sermons et tragédies du XIIIe s. ; poèmes de Ronsard mis en mus. par Regnard ; coll. théâtrale Pataud. *Cf.* S. CORBIN, Le Ms. 201 d'O., *in* Romania LXXIV, 1953 ; W. ELDERS, Die Gregorianischen liturgischen Dramen der Hs. Orléans 201, *in* AMl XXXVI, 1964. — **Paris.** Ouvr. généraux : FR. LESURE, Mus. et musicologie dans les bibl. parisiennes, *in* Bull. des bibl. de France III, 1958. — **a)** Bibl. de l'Arsenal : tropaire d'Autun des Xe-XIe s. ; chansonnier du XIIIe s. ; traités théoriques en lat. ; bréviaire du XVe s. ; coll. théâtrales Rondel, Douay et Craig. *Cf.* A. RONDEL, Catal. analytique... de la coll. ... Rondel, Paris 1932 ; L. DE LA LAURENCIE et A. GASTOUÉ, Catal. des livres de mus. (mss et impr.) de la Bibl. de l'Arsenal, Paris 1936 ; J. VON GARDNER, Alt-russische Musik-Hss. der Bibl. de l'Arsenal, *in* AMl XXXVIII, 1966, et XLII, 1970. — **b)** Bibl. Nationale, Dépt de la mus. : env. 500 000 œuvres des XVIe-XXe s., mss. et impr. ; nbr. autographes ; coll. Brossard (XVIe-XVIIe s.), J.B. Weckerlin et P. Coirault (folklore fr.) ; Bibl. royale ; coll. Philidor (XVIIe s.), Menus-Plaisirs (XVIIe-XIXe s.). Blancheton (mus. instr. antérieure à 1750), Schœlcher (Haendeliana), Malherbe (autographes), Bottée de Toulmon. Siège du RISM pour la France. *Cf.* J. ÉCORCHEVILLE, Catal. du fonds de mus. ancienne de la BN, 8 vol., Paris 1910-24 (incomplet) ; L. DE LA LAURENCIE, Inventaire critique du fonds Blancheton, 2 vol., Paris 1930-31 ; G. DE SAINT-FOIX, Les mss. et les copies d'œuvres de J. Haydn à la bibl. du Cons., Fonds Malherbe, *in* RMie XIII, 1932 ; M. UNGER, Die Beethoven-Hss. der Pariser Konservatoriumsbibl., *in* Neues Beethoven-Jb. VI, 1935 ; R. GIRARDON, Le don Chabrier à la BN, *in* RMie XXIV-XXV, 1945-46 ; E. LEBEAU, L'entrée de la coll. mus. de S. de Brossard à la bibl. du roi, *ibid.* XXIX-XXX, 1950-51 ; de la même, Un fonds provenant du Concert Spirituel à la BN, *ibid.* XXXVII-XXXVIII, 1955-56 ; catal. d'expositions consacrées à Bizet, Chopin, Boulanger, Debussy, Fauré, Mozart, Couperin, Rameau, Satie, Ravel... — **c)** Cons. National Sup. de Mus. : 100 000 pièces de mus. de toutes époques servant essentiellement à l'enseignement ; en 1964 transfert des ouvr. rares au Dépt de la mus. de la BN. — **d)** Bibl. et Musée de l'Opéra : œuvres représ. depuis 1671 avec autographes de Chabrier, Gluck, Fauré, Massenet, Rossini, Wagner... ; coll. Silvestri (livrets) ; archives de la danse ; iconographie. *Cf.* T. LAJARTE, Bibl. mus. du théâtre de l'Opéra. Catal. ..., 2 vol., Paris 1878 ; C. MALHERBE, Archives et bibl. de l'Opéra, *in* RM III, 1903 ; J.G. PROD'HOMME, État alphabétique sommaire des Archives de l'Opéra, *in* RMie XIV, 1933. — **e)** Bibl. Ste-Geneviève : mss. des XIe-XVe s. ; ouvr. des XVIe-XVIIIe s. (mss et impr.). *Cf.* M. WINTZWEILLER, *in* Bull. d'information de l'AIBM II, 1953 ; M. BERNARD, Répertoire des mss. médiévaux contenant des notations mus. Bibl. Ste-Geneviève, Paris, CNRS, 1965 ; M. GARROS et S. WALLON, Catal. du fonds mus. de la Bibl. Ste-Geneviève, Kassel, BV, 1967. — **f)** Inst. de musicologie : coll. Aubry (M.A. et folklore), Guilmant (orgue), Masson (XVIIIe-XIXe s., critique), Haraszti (biogr. de Liszt), Soc. des auteurs et compositeurs (mus. des XVIIe-XVIIIe s.). *Cf.* RISM B IV/2, 1969. — **Rouen.** Bibl. municipale : ouvr. de la Soc. philharmonique, des bibl. T. Bachelet, Mme Sanson-Boieldieu, du couvent de Jumièges, des abbayes de St-Ouen et de Fécamp, de l'Acad. de R., du chapitre de la cathédrale. *Cf.* T. LICQUET et A. POTTIER, Catal. de la bibl. de la ville de R. II, 1833 ; R. J. HESBERT, Les mss. mus. de Jumièges, Mâcon 1954 (catal. annoté de 125 pièces). — **Sélestat.** Bibl. municipale, Bibl. humaniste : legs Vogeleis ; nbr. alsatiques. *Cf.* FR. LUDWIG, Mehrstimmige Musik des 12. oder 13. Jh. im Schlettstädter St. Fides Codex, *in* Fs. H. Kretzschmar, Leipzig 1918 ; J. WALTER, Ville de S. Catal. ... de la Bibl. municipale, *in* L'humanisme à S., Sélestat 1962. — **Solesmes.** Abbaye St-Pierre : livres, revues, photocopies concernant le cht grég. *Cf.* P. COMBE, La réforme du cht et des livres de cht grég. à... S., *in* Études Grég. VI, 1963. — **Strasbourg.** Ouvr. généraux : M. LANG, Bibliogr. de l'hist. de la mus. en Alsace, *in* La mus. en Alsace, Strasbourg, Istra, 1970. — **a)** Bibl. Nationale et Universitaire : mss. et œuvres impr. de F.X. Mathias ; nbr. alsatiques. *Cf.* E. MARCKWALD et autres, Catal. de la section alsacienne et lorraine, 3 vol., Strasbourg 1908-29 (mus. dans chaque vol. ; M. VOGELEIS, Die Musikschätze der früheren Str.er Univ.- u. Stadt-bibl., *in* Jb. der Elsass-lothringischen wiss. Gesellschaft II, 1929. — **b)** Grand Séminaire : Union Ste-Cécile ; mus. liturg. des XVe-XVIIe s. ; mss. de Fr.X. Richter et F.K.J. Wackenthaler. *Cf.* J. VICTORI, *in* MfM Beilage 1902 ; FR. X. MATHIAS, Thematischer Katal. der in Str. ... aufbewahrten... Werke Richters, *in* Fs. H. Riemann, Leipzig 1909 ; F. RITTER, Catal. des incunables et livres du XVIe s. ... du Grand Séminaire, Strasbourg 1954. — **c)** Inst. de musicology ; bibl. O. Jahn et G. Jacobsthal ; traités théoriques du XVIe s. ; mus. impr. des XVIIe-XVIIIe s. *Cf.* J. VAHLEN, Aus O. Jahns musikalischen Bibl., Leipzig 1870 ; FR. LUDWIG, Die... Musikwerke der von G. Jacobsthal begründeten Bibl., Strasbourg 1913 ; M. HONEGGER, La mus. à l'Univ. de Str., *in* La mus. en Alsace, Strasbourg, Istra, 1970. — **Toulouse.** Bibl. municipale : messe polyph. du XIVe s. ; psaumes de Marot (1563) ; motets du XVIe s. *Cf.* H. HERDER, Die Messe von T., *in* MD VII, 1953 ; L. SCHRADE, The Mass of T., *in* RBMie VIII, 1954 ; RISM B IV/2, 1969. — **Tours.** Bibl. municipale : œuvres liturg. des IXe-XVIIIe s. ; opéras de Lully ; paraphrases des psaumes de Marcello ; motets du XVIIe s. ; œuvres d'orgue du XVIIIe s. *Cf.* A.J. DORANGE, Catal. ... des mss. de la bibl. de T., 1875 ; Catal. méthodique de la bibl. de T., 4 vol., 1891-96 ; H. QUITTARD, Un musicien oublié du XVIIe s. fr. : G. Bouzignac, *in* SIMG VI, 1904-05. — **Troyes.** Bibl. municipale : œuvres théoriques et liturg. anciennes ; œuvres relig. et instrumentales du XVIIe s. ; œuvres d'orgue de Lebègue, d'Anglebert, Nivers, Siret. *Cf.* Section « Sciences et arts », *in* E. SOCCARD, Catal. de la bibl. de... Tr. III, 1887. — **Valenciennes.** Bibl. municipale : codices des IXe-Xe s. ; tablature de luth (v. 1600) ; mss. de chansons du XVIIIe s. et éd. de Lully, Grétry, Mondonville, Philidor (bibl. du duc de Croy). *Cf.* J. MANGEART, Catal. ... de la bibl. de V., Paris 1860-92 ; J. HANDSCHIN, Eine alte Neumenschrift, *in* AMl XXII, 1950 ; RISM B III/1, 1961 ; G. BIRKNER, La tablature de luth de Charles, duc de Croy, *in* RMie XLIX, 1963. — **Versailles.** Bibl. municipale : qq. œuvres du XVIe s. dont certaines éd. d'Attaingnant ; Bibl. royale avec les copies de Philidor (ms.) ; mus. vocale des institutions St-Cyr et St-Louis ; bibl. d'A. Holmès ; coll. Gouget (XVIe s.) ; mus. fr. du XIXe s. *Cf.* Catal. des livres de mus. en double de la bibl. de V., Versailles 1868 ; Mss. mus. de la bibl. de V., 1884 ; E.H. FELLOWES, The Philidor Mss., *in* ML XII, 1931 ; A. TESSIER, Un catal. de la bibl. de mus. du roi au château de V., *in* RMie XV, 1931 ; du même, Un fonds de mus. ... la coll. Philidor, *in* RM XII, 1931.

GRANDE-BRETAGNE.

Ouvr. généraux : Principal Music Coll., Formerly in Private Hands and now... in Institutions and Libr. of Great Britain, *in* J.H. DAVIES, Musicalia, Oxford, Pergamon, 1969 ; W.H. FRERE, Bibl. musico-liturgica. A Descriptive Handlist of the... Mss. of the M. A... in the Libr. of Great Britain and Ireland, 2 vol., Londres 1901-32, rééd. en facs. Hildesheim, Olms, 1967 ; E.B. SCHNAPPER, The British Union Catal. of Early Music Printed Before 1801, 2 vol., Londres 1957 ; A.H. KING, Some British Collectors of Music, ca 1600-1960, Cambridge, Univ. Press, 1963 ; M. LINTON, Music in Scottish Libr., *in* Music, Libr. and Instr., Londres, Hinrichsen, 1961 ; M. LONG, Music in British Libr. : a Directory..., Londres, Libr. Assoc., 1971 ; de la même, Musicians and Libr. in the United Kingdom, Londres, Libr. Assoc., 1972. — **Cambridge.** Ouvr. généraux : V. DUCKLES, Some Observations of Music Libr. at C., *in* Notes IX, 1951. — **a)** Fitzwilliam Museum : Fitzwilliam Virginal Book (XVIIe s.) ; motets et opéras fr. ; mss. et lettres autographes de Bach, Beethoven, Blow, Chopin, Haydn, Mozart... *Cf.* J.A. FULLER-MAITLAND et A.H. MANN, Catal. of the Music in the F. Museum, Londres 1893 (œuvres jusque v. 1800). **b)** King's College, Rowe Music Libr. : écrits de E. Dent ; bibl. de L. T. Rowe, A.H. Mann, B. Ord. *Cf.* J. VLASTO, The Rowe Music Libr., *in* MR XII, 1951. — **c)** Pendlebury Libr. : éd. originales de Bach ; autographes ; éd. et livrets du XVIIIe s. — **d)** Univ. Libr. : bibl. du copyright ; legs F.T. Arnold ; tablatures de luth angl. ; legs M. Scott ; mss. autographes et ouvr. impr. de James Hook ; parties séparées et livres d'orgue provenant de Peterhouse. *Cf.* A. HUGHES, Catal. of the Musical Mss. at Peterhouse, Cambridge 1913. — **Durham.** Cathédrale : *Cf.* R.A. HARMAN, A Catal. of the Printed Music and Books on Music in D. Cathedral Libr., Londres 1968 (liste de 628 pièces antérieures à 1825). — **Édimbourg.** Reid Music Libr., Edinburgh Univ. : legs Tovey ; Beethoveniana ; éd. du XVIe s. de Lassus. *Cf.* H. GAL, Catal. of the Mss., Printed Music and Books on Music up to 1850 in the... Reid Libr., Édimbourg 1941 ; J.M. ALLAN, *in* Libr. World LI, 1948. — **Glasgow. a)** Mitchell Libr. : coll. Kidson (mus. vocale et de danse angl. des XVIIe et XVIIIe s.), Moody-Manners (opéras), Gardiner (folklore), Turnbull. *Cf.* H.G. FARMER, The Kidson Coll., *in* Consort VII, juil. 1950 ; The Mitchell Libr. Catal. of Additions 1915-49, Glasgow 1955 ; G.H. ROLLAND in Music, Libr. and Instr., Londres, Hinrichsen, 1961 ; F. PURSLOW, The G. Gardiner Folk Song Coll., *in* Folk Music Journal I, 1967. — **b)** Univ. (avec Euing Music Libr.) : tablature de luth du XVIIe s. ; coll. militaire et orientale de H.G. Farmer ; coll. Zavertal (Mozartiana). *Cf.* Catal. of the Musical Libr. of the Late W. Euing, Glasgow 1878 ; A. HUBENS, La bibl. Euing à Gl., *in* RMI XXIII, 1916 ;

H.G. FARMER, The Euing Musical Coll., *in* MR VIII, 1947. — **Londres. a)** BBC, Central Music Libr. : *Cf.* Catal., Piano and Organ, 2 vol., 1965 ; Chamber Music, 1965 ; Songs, 4 vol., 1966 ; Choral and Opera, 2 vol., 1967. — **b)** British Museum : Royal Music Libr. ; coll. P. Hirsch, Madrigal Soc. et autres ; bibl. centrale du copyright. *Cf.* A. HUGHES-HUGHES, Catal. of Ms. Music, 3 vol., Londres 1906-09 ; W.B. SQUIRE, Catal. of Printed Music Published Between 1487 and 1800... in the BrM, 2 vol., Londres 1912, supplts 1912 et 1940, rééd. en facs. New York, Kraus, 1968 ; du même et H. ANDREWS, Catal. of the King's Music Libr., 3 vol., Londres 1927-29 ; Music in the Hirsch Libr., Londres 1951 ; Books in the Hirsch Libr. with Suppl. List of Music, Londres 1959 ; P.J. WILLETS, Handlist of Music Mss. Acquired 1908-67, Londres 1970 ; de la même, Beethoven and England... Sources in the BrM, Londres 1970. — **c)** Guildhall Libr. (avec bibl. du Gresham College) : *Cf.* A Catal. of Printed Books and Mss. ... in Guildhall Libr., Londres 1965. — **d)** Royal College of Music : coll. Grove, Dannreuther, Heron-Allen, Parry, Stanford. *Cf.* W.B. SQUIRE, Catal. of the Printed Music in the Libr. of the R. College of Music, Londres 1909 ; du même, Catal. of the Mss., Londres 1931 (disponible su microfilm). — **Manchester.** Henry Watson Music Libr. (Central Public Libr.) : mss. et impr. anciens ; Haendeliana. *Cf.* L.W. DUCK, The H. Watson Libr. ..., Manchester 2/1964 ; J.A. CARLEDGE, List of Glees, Madrigals, Part-Songs, etc., in the H. Watson Libr., 1913. — **Oxford.** Bodleian Libr. : bibl. de dépôt depuis 1759 ; mss. depuis le Xe s. ; ouvr. impr. *Cf.* F. MADAN, Summary Catal. of Western Mss., 7 vol., Oxford 1895-1953 ; catal. d'expositions : A. HUGHES, Medieval Polyphony, 1951 ; Latin Liturg. Mss. and Printed Books, 1952 ; J.A. WESTRUP, English Music, 1955 ; W.G. WILSON et D.I. STEFANOVIC, Mss. of Byzantine Chant, 1963. — **Tenbury Wells.** St. Michael's College : coll. Toulouse-Philidor d'opéras fr. du XVIIe s. *Cf.* E.H. FELLOWES, The Catal. of. Mss. in the Libr. of St. Michael's College, Paris 1934 ; du même, A Summary Catal. of the Printed Books and Music in the Libr. (m.s.)

HOLLANDE.

Ouvr. généraux : J.G. PROD'HOMME, Les institutions mus. (bibl. et archives) en Belgique et en Hollande, *in* SIMG XV, 1914 ; Studiecentrum voor Muziekbibl. en Fonotheken, Gids van Muziekbibl. en Fonotheken in Nederland, 's-Gravenhage 1972. — **Amsterdam. a)** Stichting Donemus : mus. hollandaise des XIXe-XXe s. en partitions, disques et bandes. *Cf.* A. JURRES et J. WOUTERS, 15 Years Donemus 1947-62, Amsterdam 1962 ; A. JURRES, Donemus Foundation, *in* Sonorum Speculum 25, 1965 ; catal. pour la mus. d'orch., de ch., la mus. vocale, les carillons et la mus. pour les jeunes. — **b)** Toonkunst-Bibl. : fonds de la Vereniging voor Nederlandse Muziekgeschiedenis (mss. et impr. anciens) ; éd. anciennes de madrigaux et motets d'Arcadelt, Lassus, Palestrina, de psaumes de Sweelinck ; autographes de Bruckner, Mendelssohn, Schumann, Spohr, J. Verhulst ; parties séparées du XVIIIe-XIXe s. provenant de la Mozes en Aaronkerk. *Cf.* Catal. van de Bibl. der Maatschappij tot Bevordering der Toonkunst, Amsterdam 1894, supplt 1895 ; S. BOTTENHEIM, Catal. van de Bibl. der Vereniging voor Nederlands Muziekgeschiedenis Amsterdam 1919 ; P. VAN REIJEN, *in* Mens en Melodie XXIV, 1969. — **La Haye.** Gemeentemuseum : bibl. D.F. Scheurleer ; mss. et impr. mus. des XVIe-XXe s. ; livres, instr., iconographie. *Cf.* Muziekhist. Museum. *Cf.* D.F. Scheurleer, Catal. ... 3 vol., 's Gravenhage 1923-25 ; C.C.J. VON GLEICH, Catal. van de muziekbibl. en de coll. muziekinstr., Amsterdam, Knuf, 1969 et suiv. — **Leyde.** Univ. Libr. : mss. médiévaux ; mus. de ch. du XVIIIe s. ; Souterliedekens. *Cf.* J.P.N. LAND, *in* Bouwsteenen III, 1874-81. — **Utrecht.** Inst. de musicologie de l'Univ. : bibl. du Collegium musicum ultrajectinum et de la St. Gregorius Soc. ; mus. liturg. cath. ; livres de chant ; mus. impr. des XVIIe-XVIIIe s.

HONGRIE.

Ouvr. généraux : P. RADO, Répertoire hymnologique des mss. liturg. dans les bibl. publiques de Hongrie, Budapest 1945 ; I. PETHES, Musikbibl. in Ungarn, *in* Fontes XV, 1968. — **Budapest.** Bibl. nationale Széchényi : autographes d'Albrechtsberger, Dittersdorf, Erkel, Fux, Haydn, Liszt, Süssmayr ; la plus importante coll. de documents hongr. ; coll. Esterházy. *Cf.* K. ISOZ et R. LAVOTTA, Zenei Kéziratok jegyzéke, 2 vol., Budapest 1921-40 (I catal. des lettres autographes des musiciens, II catal. des mss. mus.) ; D. BARTHA et L. SZOMFAI, Haydn als Opernkapellmeister, Budapest, Acad. des Sciences, 1960 (Catal. raisonné de la coll. d'opéras Esterházy) ; J. VÉCSEY, Haydn Compositions in the... National Széchényi Libr., Budapest, Acad. des Sciences, 1960 ; L. SZOMFAI, Albrechtsberger-Eigenschriften in der Nat. Bibl. Széchényi, *in* Studia musicologica I, 1961, IV, 1963, et IX, 1967 ; I. KECSKEMÉTI, Süssmayr-Hss. in der Nat. Bibl. Széchényi, *ibid.* II, 1962, et VIII, 1966.

IRLANDE.

Dublin. a) National Libr. of Ireland : reçoit depuis 1927 le dépôt de toutes les œuvres publiées en Irlande (mais non en Grande-

Bretagne) ; fonds riche en ballades, opéras, chansons en feuilles, country dances ; chants irlandais et écossais ; œuvres se rapportant à l'Irlande ; conserve une partie de la Royal Dublin Soc. Libr. *Cf.* List of Publications Deposited 1927... (annuel, avec section musicale) ; W. READY, *in* Wilson Libr. Bull. XLIII, 1969. — **b)** Trinity College Libr. : mss. et impr. anciens ; bibl. E. Prout : reçoit depuis 1801 le dépôt de tous les ouvr. concernant l'Irlande et la Grande-Bretagne (non entièrement catalogués) *Cf.* J. WARD, The Lute Books of Trinity College, Dublin, *in* The Lute Soc. Journal IX, 1967.

ITALIE.

Ouvr. généraux : Inventari dei mss. delle bibl. d'Italia, éd. par G. MAZZATINI et A. SORBELLI, Florence 1890 et suiv. ; Associazione dei musicologi ital., Catal. generale delle opere musicali, teoriche o pratiche, mss. o stampate, di autori vissuti sino ai primi decenni del XIXᵉ s., esistenti nelle bibl. e negli archivi d'Italia, 14 séries, Parme 1911-38 (partiellement rééd. Bologne, Forni, 1969 et suiv. ; abr. AMI dans la suite de cet art.) ; W. RUBSAMEN, Music Research in Ital. Libr., *in* Notes VI, 1949, et VIII, 1950-51 ; Bibl. musicae ; collana di catal. e bibliogr., éd. par CL. SARTORI, Milan, Istituto editoriale ital., 1962 et suiv. ; Guida delle bibl. ital., Rome 1969 ; Annuario delle bibl. ital., Rome, Palombi, 3/1970 et suiv. ; CL. SARTORI, Le bibl. musicali ital., *in* Fontes XVIII, 1971. — **Dépôt légal.** Les bibl. nat. de Florence et Rome reçoivent des ex. de chaque œuvre publ. en Italie. A Milan la mus. est transmise de la Bibl. naz. Braidense à la bibl. du Cons. di mus. G. Verdi, et à Rome de la Bibl. naz. centrale Vittorio Emanuele II à la bibl. du Cons. di mus. S. Cecilia. La bibl. publique la plus importante du chef-lieu de chaque province reçoit un ex. de chaque publication issue de la province. — **Aoste.** Seminario maggiore : mss. liturg. du XIᵉ s. ; ms. du XVᵉ s. (Ao) comprenant de nbr. messes polyphoniques. *Cf.* G. DE VAN, A Recently Discovered Source of Early 15th Cent. Polyphonic Music, *in* MD II, 1948. — **Assise.** Bibl. comunale : mss. liturg. des XVᵉ-XVIᵉ s., esistenti della bibl. ; impr. de Petrucci ; œuvres ital. impr. et traités théoriques des XVIᵉ-XVIIᵉ s. ; mss. de mus. ital. des XVIIᵉ-XVIIIᵉ s. *Cf.* F. PENACCHI, *in* AMI XI, 1921 ; CL. SARTORI, Bibl. musicae I, 1962. — **Bergame. a)** Bibl. civica Angelo Mai : codex du XVᵉ s. ; 9 impr. de Petrucci ; éd. de madrigaux des XVIᵉ-XVIIᵉ s. ; livres de chœur de S. Maria Maggiore ; œuvres de J.S. Mayr. *Cf.* A. GAZZANIGA, Il fondo mus. Mayr della Bibl. civica di B., Bergame 1958. — **b)** Civico istituto mus. G. Donizetti : bibl. du violoncelliste G. Piatti ; mss. (nbr. autographes) des archives de S. Maria Maggiore ; musée Donizetti avec ses œuvres, sa correspondance. *Cf.* G. DONATI-PETTENI, L'istituto mus. G. Donizetti, La cappella mus. di S. Maria Maggiore, Il museo Donizettiano, Bergame 1928 ; V. SACCHIERO, Il museo Donizettiano, Bergame 1970 (catal. principalement). — **Bologne.** Ouvr. généraux : A. BONORA et E. GIANI, *in* AMI II, 1914-39. — **a)** Accad. filarmonica : lettres autographes ; impr. de Petrucci ; livrets d'opéras. *Cf.* E. COLOMBANI, Catal. della coll. d'autografi lasciata alla R. Accad. filarmonica di... Messeangeli, Bologne 1896, rééd. en facs. 1969 ; F.A. GALLO, L'accad. filarmonica e la teoria mus. ..., *in* Quadrivium VIII, 1967. — **b)** Bibl. Univ. : codices liturg. des XIᵉ s. et suiv., certains provenant de l'abbaye de Nonantola ; 2 mss. d'opéras d'A. Scarlatti ; livrets d'opéras et d'oratorios. *Cf.* L. FRATI, Codici mus. della Bibl. Univ. di B., *in* RMI XXIII, 1916. — **c)** Civico museo bibliogr. mus. (antérieurement bibl. du Cons. G.B. Martini) : codices médiévaux ; mss. enluminés ; autographes de compositeurs importants ; madrigaux des XVIᵉ-XVIIᵉ s. ; éd. rares du XVIIIᵉ s. ; bibl. du Padre Martini, de G. Gaspari et L. Torchi. *Cf.* G. GASPARI, Catal. della bibl. del Liceo mus. di B., 5 vol., Bologne 1890-1943, I-IV rééd. en facs. Bologne, Forni, 1961. — **d)** S. Francesco (Convento dei Minori francescani) : mss. du Padre Martini ; 200 autographes de S. Mattei ; mss. de la bibl. de l'abbé Santini, 30 livres de chœur, certains sur parchemin. *Cf.* G. ZANOTTI, Bibl. del Convento di S. Francesco di B. Catal. ..., 2 vol., Bologne, Forni, 1970. — **e)** Basilica S. Petronio : œuvres vocales et instrumentales des XVᵉ-XIXᵉ s. *Cf.* L. FRATI, I libri corali della basilica di S. Petronio, Bologne 1896 ; C. HAMM, Musiche del quattrocento in S. Petronio, *in* Rivista Ital. di Musicologia III, 1968. — **Cesena.** Bibl. comunale Malatestiana : livres de chœur enluminés du XVᵉ s. ; traités théoriques des XVIᵉ-XVIIᵉ s. ; mus. relig. vocale et mus. instr. du XVIIIᵉ s. *Cf.* S. PAGANELLI, Catal. delle opere mus. a stampa dal '500 al '700 conservate presso la Bibl. comunale di C., *in* Collectanea hist. musicae II, Florence, Olschki, 1957. — **Crémone.** Bibl. governativa et Bibl. civica : salle de musicologie G. Cesari. *Cf.* R. MONTEROSSO, Guida alla bibl. di G. Cesari, in Annali della Bibl. governativa I, 1948. — **Faënza.** Bibl. comunale : codex copié en 1473-74 par J. Bonadies ; traités théoriques impr. *Cf.* CH. VAN DEN BORREN, Le codex de J. Bonadies..., *in* Revue belge d'archéologie et d'hist. de l'art X, 1940 ; D. PLAMENAC, art. Faenza, Codex 117 *in* MGG III, 1954 ; RISM B III/2, 1968. — **Florence.** Ouvr. généraux : B. BECHERINI et autres, art. Florence *in* MGG IV, 1955 ; M. PICKER, descriptions des dommages causés aux coll. mus. par l'inondation de 1966, *in* Notes XXIII, 1967, et *in* JAMS XX, 1967. — **a)** Bibl. Medicea Laurenziana : Perotin, Magnus liber organi ; codex Squarcialupi ; mss. Ashburnham ; codex Medici. *Cf.* E.E. LOWINSKY, The Medici

Codex, *in* Ann. Mus. V, 1957 ; RISM B III/2, 1968 ; K. VON FISCHER, Paolo di Firenze u. der Squarcialupi-Kodex, *in* Quadrivium IX, 1969. — **b)** Bibl. Nazionale Centrale (avec les bibl. Magliabechiana et Palatina) : laudi du XIVᵉ s. ; traités théoriques des XIIᵉ-XVIᵉ s. ; ouvr. provenant de couvents fermés. *Cf.* B. BECHERINI, Catal. dei mss. mus. della Bibl. naz. di F., Kassel, BV, 1959. — **c)** Cons. di mus. L. Cherubini : chansonnier Strozzi (v. 1527) ; codices des XVᵉ-XVIᵉ s. ; ouvr. théoriques et pratiques des XVᵉ-XVIIᵉ s. ; autographes de Cherubini, Donizetti, Monteverdi, Rossini, A. Scarlatti, Verdi, Wagner ; coll. de la cour ducale de Toscane ; coll. Corsini, Basevi, Picchi, Boghen, Casamorata. *Cf.* R. GANDOLFI, *in* AMI IV/1, 1929 ; B. BECHERINI, *in* La bibliofilia LXVI, 1964. — **Forlì.** Bibl. comunale A. Saffi : mus. relig. du XVᵉ s. ; don de C. Piancastelli (1937) avec œuvres des compositeurs de Romagne, particulièrement de Corelli. *Cf.* A. SERVOLINI, I corali e gli offizi miniati della Bibl. comunale di F., *in* Gutenberg-Jb. 1949 ; F. WALKER, Rossiniana in the Piancastelli Coll., *in* Monthly Musical Record LXXX, 1960 ; Catal. ... delle ed. mus. Corelliani nelle raccolte Piancastelli, Fusignano 1967. — **Gênes.** Ouvr. généraux : G. PIERSANTELLI, Storia delle bibl. civiche genovesi, Florence, Olschki, 1964. — **a)** Bibl. Univ. : chants de troubadours ; tablatures de luth ; éd. du XVIIIᵉ s. ; chants pop. *Cf.* R. BESCIANO, *in* AMI VII, 1929. — **b)** Cons. di mus. N. Paganini ‹: 14 mss. de mus. vocale des XVIIᵉ-XVIIIᵉ s. (anthologies) ; autographes de Galuppi, Paganini ; impr. fr. du XVIIIᵉ s. *Cf.* S. PINTACUDA, Bibl. musicae IV, 1966. — **Grotta-ferrata.** Badia Greca : mss. byzantins des XIᵉ-XIVᵉ s. ; archives de copies de mss. byzantins conservés par ailleurs. *Cf.* L. TARDO, La mus. byzantine è i codici melurgici della bibl. di Gr., in Accad. e bibl. d'Italia IV, 1930-31. — **Ivrée.** Duomo : env. 130 codices des VIIᵉ-XIVᵉ s. ; codex de la 2ᵈᵉ moitié du XIVᵉ s. (Iv.). *Cf.* H. BESSELER, *in* AfMw VII, 1925 ; G. REANEY, art. (Codex) Ivrea *in* MGG VI 1957 ; RISM B IV/2, 1969. — **Lorette.** Santuario di S. Casa : œuvres d'anciens maîtres de chapelle, Cifra, Porto, Rossi... *Cf.* G. TEBAL-DINI, L'archivio mus. della Cappella lauretana, catal. storico-critico, Lorette 1921. — **Lucques.** Ouvr. généraux : A. BONACCORSI, Catal. delle musiche dei maestri lucchesi esistenti nelle bibl. di L., *in* Collectanea hist. musicae II, Florence, Olschki, 1957 ; du même, Catal. delle mus. esistenti nelle bibl. di L., *in* Maestri di L. du même auteur, Florence, Olschki, 1967. — **a)** Bibl. statale : mss. et imprimés des XIᵉ-XVIIIᵉ s. ; cantates, oratorios et livrets des XVIIᵉ-XVIIIᵉ s. — **b)** Seminario arcivescovile : mus. relig. du XVIIᵉ s. ; compositeurs lucquois des XVIIᵉ-XIXᵉ s. *Cf.* CL. SARTORI, *in* Fontes II, 1955 ; E. MAGGINI, Bibl. musicae III, 1965. — **Mantoue.** Accad. Virgiliana : opéras et cantates de Traetta. G.G. BERNARDI, La mus. nella R. Accad. Virgiliana, Mantoue 1923. — **Messine.** Bibl. Univ. : mss. byzantins et mss. liturgiques anciens. *Cf.* La coll. La Corte-Callier della Bibl. Univ. di M., *in* Accad. e bibl. d'Italia I/3, 1927 ; O. TIBY, I codici mus. italo-greci di M., *ibid.* XI, 1937 ; L. TARDO, I mss. greci di mus. bizantina nella Bibl. Univ. di M., *in* Archivio storico per la Calabria e la Lucania XXIII, 1954. — **Milan.** Ouvr. généraux : G. TINTORI, art. (Mailand) Mailänder Hss. *in* MGG VIII, 1960 ; M. DONA, La mus. nelle bibl. milanesi, Milan, Bibl. naz. Braidense, 1963. — **a)** Duomo : mss. autographes des anciens maîtres de chapelle ; mss. et impr. des œuvres exécutées par la chapelle ; ouvr. soumis par les candidats à un poste dans la chapelle. *Cf.* CL. SARTORI, La cappella mus. del duomo di M. Catal. ... Milan, Ven. Fabbrica, 1957 ; A. CICERI, *in* Studi storici in memoria di... A. Mercati, Milan, Giuffré, 1956. — **b)** Bibl. Ambrosiana : mss. liturgiques des XIᵉ-XIIIᵉ s. ; ms. de troubadour ; chants au luth pop. italiens du XVIIIᵉ s. ; autographes de Gaffurio, de Rore, Zarlino. *Cf.* G. CESARI, *in* AMI III/1, 1910-11 ; M.L. GENGARO, Codici decorati e miniati dell'Ambrosiana, Milan 1959 ; RISM B III/2, 1964. — **c)** Bibl. naz. Braidense : œuvres liturg. des XIIᵉ-XVIIIᵉ s. provenant du duché de Parme ; tablatures de luth ; coll. Corniani-Algarotti (drames) ; 63 lettres autographes de Verdi. *Cf.* F. CARTA, Codici corali e libri a stampa miniati della Bibl. naz. di M. Catal. descrittivo, Rome 1891 ; La bibl. liturg. dei duchi di Parma, Milan 1934 (catal.) ; M. DONA, *in* Fontes VII, 1960. — **d)** Bibl. teatrale Livia Simoni, Museo teatrale alla Scala : autographes de nbr. compositeurs ital. importants (et de qq. étrangers) ; livrets des XVIᵉ-XVIIᵉ s. ; Verdiana ; bibl. R. Simoni. *Cf.* S. VITTADINI, Catal. del Museo teatrale alla Scala, Milan 1940 ; T. ROGLEDI MANNI, *in* Il museo teatrale alla Scala 1931-63, Milan 1964. — **e)** Cons. di mus. G. Verdi : œuvres des XVIᵉ-XVIIᵉ s. de la chapelle de S. Barbara (Mantoue) ; dépôt des archives Noseda ; 5 000 vol. de l'Univ. de Pavie ; coll. mus. de la Bibl. naz. Braidense ; bibl. Benvenuti et Polo. *Cf.* E. DE' GUARINONI, Indice generale dell'Archivio musicale Noseda, Milan 1897 ; Catal. della bibl. del Cons. ... G. Verdi, Milan 1969 et suiv. — **Modène. a)** Bibl. Estense et Univ. : coll. Obizzi de livres de chœur ; coll. Campori de mss. des XVᵉ-XIXᵉ s. ; œuvres des Asioli et de Stradella. *Cf.* P. LODI, *in* AMI VIII, 1916-24 ; V. AUBRUN, Chansonniers musicaux esp. du XVIIIᵉ s., II Les recueils de M., *in* Bull. hispanique LI-LII, 1949-50. — **b)** Duomo : mus. relig. des XIVᵉ-XVIIᵉ s. *Cf.* G. RONCAGLIA, La cappella mus. del duomo de M., Florence, Olschki, 1957. — **Mont-Cassin.** Abbaye : 11 mss. de cht grég. ; 67 livres de chœur. *Cf.* Casinensia, Miscellanea... I, 1929 ; RISM B III/2, 1968. — **Naples.** Ouvr. généraux : A. MON-DOLFI et H. HUCKE, art. Neapel *in* MGG IX, 1961. — **a)** Bibl. naz. Vittorio Emanuele III (auparavant R. Bibl. Borbonica) : mss.

byzantins et mss. liturg. des XIIᵉ-XVIIIᵉ s. ; livrets d'opéras, d'orato-rios et de cantates des XIIᵉ-XIXᵉ s. ; bibl. Lucchesi-Palli (section théâtrale et musicale séparée de 60 000 vol.). *Cf.* G. PANNAIN, ... Paleogr. neumatica e ritmo greg. Alcuni codici incd. della Bibl. naz. di N., *in* RMI XXVI, 1919 ; E. NOBILE, Ined. Verdiani nella Bibl. Lucchesi Palli, *in* Accad. e bibl. d'Italia XIX, 1951 ; R. ARNESE, Codici di origine francese della Bibl. naz. di N., *in* Études Grég. III, 1959 ; du même, I codici notati della Bibl. Naz. di N., Florence, Olschki, 1967. — **b)** Bibl. Oratoriana dei Gerolamini (ou dei Filip-pini) : œuvres relig. et profanes, principalement napolitaines ; 2 unica de Gesualdo. *Cf.* S. DI GIACOMO, *in* AMI X/2, 1918 ; A. BEL-LUCCI, La Bibl. Oratoriana, Naples 1927. — **c)** Cons. di mus. S. Pietro a Majella : madrigaux impr. à Naples entre 1550 et 1728 ; livrets d'opéras ; coll. de lettres ; mss. autographes d'opéras· de Cimarosa, Jommelli, Leo, Paisiello, Pergolesi, Piccini, Vinci ; traités de toutes les époques. *Cf.* G. GASPARINI et F. GALLO, *in* AMI X/2, 1934 ; F. BOSSARELLI, Mozart alla Bibl. del Cons. di N., *in* Studien zur italienisch-deutschen Musikgesch. V-VII, 1968-70.— **Orvieto.** Duomo : mss. et éd. du XVIᵉ s. *Cf.* L. TAMMARO-CONTI, I codici corali dell' Archivio dell'Opera del duomo di O., *in* Boll. dell'Istituto storico Orvietano VIII, 1952. — **Padoue.** Ouvr. géné-raux : A. GARBELOTTO et autres, art. (Padua) Paduaner Hss. *in* MGG X, 1962. — **a)** Bibl. Antoniana, Basilica del Santo : 40 livres de chœur ; autographes de Tartini. *Cf.* G. TEBALDINI, L'archivio musicale della Capella Antoniana, Padoue 1895 ; A. GARBELOTTO, La cappella mus. di S. Antonio in P., Padoue, Bas. del Santo, 1966. — **b)** Bibl. capitolare : mus. relig. des XIᵉ-XVIᵉ s. *Cf.* A. GARBELOTTO, Codici musicali della Bibl. capitolare di P., *in* RMI LIII-LIV, 1951-52. — **Palerme.** Cons. di mus. V. Bellini : *Cf.* A. GARBELOTTO, *in* Annuario 1960-61 (du Cons.), 1962 (relève les autographes). — **Parme.** Ouvr. généraux : G. GASPARINI et N. PELICELLI, *in* AMI I/1, 1911. — Cons. di mus. A. Boito : œuvres des XIVᵉ s. et suiv., bcp provenant de la reine Marie-Louise et de la cour des Bourbons à Parme (fonds Borboni) ; ms. de sonates de D. Scarlatti. *Cf.* R. ALLORTO, *in* Fontes II, 1955 ; M. MEDICI, *in* Aurea Parma XLVIII, 1964. — **Pesaro.** Ouvr. généraux : E. PAOLONE, Codici mus. della Bibl. Oliveriana e della Bibl. del Cons., *in* RMI XLVI, 1942. — **a)** Bibl. Oliveriana : mss. théoriques des XVIᵉ-XVIIᵉ s. ; tablature de luth. *Cf.* W.H. RUBSAMEN, The Earliest French Lute Tablature, *in* JAMS XXI, 1968. — **b)** Cons. di mus. G. Rossini : tablatures de luth des XVIᵉ-XVIIᵉ s. ; éd. anciennes de Haydn et Mozart, des quatuors de Beethoven ; Troupenas des œuvres de Rossini. *Cf.* F. SCHLITZER, Il fondo francese dell'Archivio rossiniano di P., *in* Rass. Mus. XXIV, 1954 ; A. MELICA, Catal. ragionato della raccolta Rossini del Cons. di P., *in* Boll. del Centro Rossiniano di studi 1959-60. — **Pise.** Ouvr. généraux : P. PECCHIAI, *in* AMI XIII, 1932-35. — **a)** Bibl. Univ. : env. 200 livres anciens sur la mus. (av. 1800). *Cf.* RISM B III/2, 1968. — **b)** Opera della Primaziale : nbr. autographes de G.G. Brunetti et G.C.M. Clari. *Cf.* P. PECCHIAI, Alcune notizie sull' Archivio mus. del duomo di P., Pise 1930 ; E.C. SAVILLE, Liturgical Music of F. Clari, *in* Fontes XV, 1968. — **Pistoie.** Duomo : codex du XIIᵉ s. avec des œuvres de Guido d'Arezzo ; nbr. oratorios des XVIᵉ-XIXᵉ s. *Cf.* U. DE LAUGIER, *in* AMI IV/2, 1937 ; RISM B III/2, 1964 ; et B III/2, 1968. — **Plaisance.** Duomo : 80 codices des XIᵉ-XVIᵉ s. ; éd. des XVIᵉ et XVIIᵉ s. impr. à Milan et Venise. *Cf.* CL. SARTORI, *in* Fontes IV, 1957 ; F. BUSSI, Bibl. musicae V, 1967 ; RISM B V/1, 1968. — **Reggio Emilia.** Ouvr. généraux : G. GASPARINI et N. PELICELLI, *in* AMI I/1, 1911. — **a)** Archivio di stato : éd. du XVIᵉ s. de canzonettes, madrigaux, motets ; mus. du XVIIIᵉ s. — **b)** Bibl. municipale : livres de chœur enluminés ; coll. théâtrale. *Cf.* V. FERRARI, Le miniature dei corali della Ghiari e di altre chiese di R.E., Reggio Emilia 1923. — **Rome.** Ouvr. généraux : F. DANJOU, Rapport... sur les œuvres mus. du M. A. conservées dans les bibl. de R., *in* Archives des missions scientifiques et litté-raires I, 1850 ; A. DE ANGELIS, art. Rom, et A. HOLSCHNEIDER, art. Römische Hss., *in* MGG XI, 1963. — **a)** Bibl. Doria Pamphili : madrigaux des XVIᵉ-XVIIᵉ s. ; œuvres profanes de la fin du XVIIᵉ s. *Cf.* A. HOLSCHNEIDER, *in* AfMw XVIII, 1961 ; F. LIPPMANN, Die Sinfonien Mss. der Bibl. Doria-Pamphilij, *in* Studien zur ital.-deutschen Musikgesch. V, 1968 ; du même et L. FINSCHER, Die Streichquartette-Mss. der Bibl. Doria-Pamphilij, *ibid.* VII, 1970. — **b)** Bibl. apostolica Vaticana : composée de coll. variées dont seules les 3 premières sont entièrement musicales, Cappella Giulia, Cappella liberiano di S. Maria Maggiore, Cappella Sistina (ou Pontificia), Archivio di S. Pietro, Barberiniani Latini, Borgia Latini, codices Borghese, coll. Chigi, Ottoboniani Latini, Palatini Latini, Oratorio di S. Marcello, codices Rossiani, Urbinati Latini, Reginenses Latini, Vaticani Greci, Vaticani latini, Vaticani musicali. *Cf.* H.M. BAN-NISTER, Monumenti vaticani di paleografia mus. latina, Leipzig 1913 ; L. FEININGER, The Music Mss. in the Vatican, *in* Notes III, 1946 ; A. MAIER, Codices Burghesiani Bibl. Vaticanae, 1952 ; H. BESSELER, art. Chigi-Kodex *in* MGG II, 1954 ; A. LIESS, Die Slg der Oratorienlibretti (1679-1725) ... des Fondo S. Marcello, *in* AMI XXXI, 1959 ; H. ANGLÈS, *in* Collectanea Vaticana, 1962 ; J.M. LLORENS, Le opere mus. della Cappella Giulia, 1971. — **c)** Bibl. Casanatense · nbr. mss. baroques (arias, duos, cantates de chambre, opéras, etc.) ; legs Baini (mss. et impr. des XVIᵉ-XVIIIᵉ s.). *Cf.* A. DE LA FAGE, Essais de diphthérographie mus. (cf. Notes sur la vie et les ouvr. de J. Baini), Paris 1864, rééd. en facs. Amsterdam, Knuf, 1964.

— **d)** Bibl. Corsiniana, Accad. naz. dei Lincei e Corsiniana : Pales-trina et ses successeurs. *Cf.* A. BERTINI, Bibl. musicae II, 1964. — **e)** Cons. di mus. S. Cecilia : coll. Orsini, Pasqualini, reine Margherita, Borghese, Mario (di Candia), Silvestri, Carvalhaes, Chiesa nuova, S. Maria di Trastevere, S. Spirito in Saxia. *Cf.* Bibl. Borghesiana. Catal. des livres composant la bibl., Rome 1892 ; O. ANDOLFI, *in* AMI V, 1913. — **f)** St-Louis-des-Français : mss. d'œuvres vocales des XVIIᵉ-XXᵉ s. avec des autographes de Cametti, Gianoli, Somma. *Cf.* L.L. PERKINS, *in* Fontes XVI, 1969 ; M. STAEHELIN, *ibid.* XVII, 1970. — **Sienne.** Accad. mus. Chigiana : 1 000 lettres·et partitions autographes ; éd. des XVIᵉ-XVIIIᵉ s. d'opéras ital. et de mus. de ch. *Cf.* Bull. de l'acad. — **Turin. a)** Duomo : antiphonaires milanais des VIIᵉ-XVᵉ s. ; œuvres des maîtres de chapelle de l'église. *Cf.* M.TH. BOUQUET, Mus. et musiciens à T. de 1648 à 1775 (Répertoire des œuvres composées par les maîtres de chapelles du dôme... qui se trouvent... aux Archives capitulaires), Turin 1968. — **b)** Bibl. naz. Univ. : mss. médiévaux du monastère de Bobbio ; riches fonds baroques. *Cf.* A. GENTILI et A. CIMBRO, *in* AMI XII, 1928 ; G.G. VERONA, Le coll. Foà e Giordano, *in* Vivaldiana I, 1969. — **Venise.** Ouvr. généraux : G. CONCINI et autres, *in* AMI VI/1, 1914-42 ; F. FANO et autres, art. Venedig et Venezianische Hss. *in* MGG XIII, 1966. — **a)** Bibl. naz. Marciana : traités théoriques médiévaux ; madrigaux dans les éd. vénitiennes ; autographes des deux Scarlatti, de Marcello, Cavalli, Galuppi, opéras vénitiens. *Cf.* T. WIEL, I codici musicali contariniani del s. XVII, 1888, rééd. en facs. Bologne, Forni, 1969 ; RISM B III/2, 1968. — **b)** Cons. di mus. B. Marcello : env. 2 000 mss. vénitiens du XVIIIᵉ s. *Cf.* M. MESSINIS, Bibl. del Cons. di mus. B. Marcello di V. Catal. del fondo mus. Giustiniani, Venise 1960. — **c)** Fondazione Ugo Levi : madrigaux ital. des XVIᵉ-XVIIᵉ s. ; éd. d'opéras fr. du XVIIIᵉ s. *Cf.* S. CISILINO, Stampe e mss. preziosi e rare della bibl. del palazzo Giustinian Lolin a S. Vidal, Venise, Ateneo veneto, 1966. — **d)** Istituto di lettere, musica e teatro ; Fondazione G. Cini ; Centro di cultura e civiltà ; Scuola di S. Giorgio per lo studio della civiltà veneziana : bibl. de livrets Rolandi ; coll. Malipiero d'éd. des XVIᵉ-XVIIIᵉ s. ; archives de copies de mus. ital. *Cf.* M.U., *in* NZfM CXVIII, 1957. — **e)** S. Maria della Conzolazione alla Fava : 800 œuvres des pères Filippini ; livrets. *Cf.* P. PANCINO, Bibl. musicae VI, 1969. — **Ver-celli.** Duomo : codices des Xᵉ-XIIᵉ s. ; 150 éd. des XVIIᵉ s. *Cf.* CL. SARTORI, *in* Fontes V, 1958. — **Vérone.** Soc. Accad. filarmonica : madrigaux et motets du XVIᵉ s., certains dans des éd. d'Attaingnant. *Cf.* G. TURRINI, *in* AMI XIV, 1935-36.

LUXEMBOURG.

Luxembourg. a) Bibl. nat. : rassemble la mus. d'origine luxem-bourgeoise. *Cf.* Bibliogr. luxembourgeoise, 1945 et suiv. ; A. STRUNCK, Les origines de la Bibl. nat. de L., Luxembourg 1953. — **b)** Cons. de musique.

NORVÈGE.

Oslo. Universitetsbibl., Norsk Musikksamling : mss. et éd. de mus. ancienne ; folklore norvégien. *Cf.* H. KRAGEMO, *in* Norsk Musikk-granskning Årbok 1951-53 ; Ø. GAUKSTAD, The Schubert Coll. of the Norsk Musikksamling, *in* Bibl. og forskning XII, 1963.

POLOGNE.

Ouvr. généraux : Katal. mikrofilmów muzycznych, 3 vol., Var-sovic 1956-62 (liste des œuvres des XIIᵉ-XIXᵉ s. conservées dans le nbr. bibl. pol. et qui peuvent être acquises en microfilm) ; M. PROKO-POWICZ, Les bibl. de mus. en Pologne, *in* Fontes VII, 1960 ; de la même, Guide to an Exhibition, Polish Music Mss. and Prints from the 11th to the 20th Cent., Varsovie 1966 ; H. FEICHT, Neue Quellen zur Gesch. der alten polnischen Musik, *in* Fontes XIV, 1967 ; K. MUSIOŁ, Die Musikslgen der öffentlichen Bibl. in Polen, *ibid.* ; Z.M. SZWEYKOWSKI, ... Catal. thématique des mss. mus. anciens en Pologne I, Cracovie, PWM, 1969 et suiv. — **Cracovie.** Ouvr. géné-raux : A. CHYBIŃSKI, Die Musikbestände der Krakauer Bibl. von 1500-1650, *in* SIMG XIII, 1911-12 (avec catal.) ; J. PIENIAZEK, Informator o bibł. krakowskich, 1961. — Bibl. Jagiellońska (de l'Univ.) : traités médiévaux ; mus. pol. des XIXᵉ-XXᵉ s. ; reçoit le dépôt de tous les ouvr. impr. en Pologne. *Cf.* J. REISS, Ksiazki o muzyce, 3 vol., 1924-38 (catal. des livres de mus. anciens) ; J. BAUMGART, *in* Libri XIV, 1964 (avec liste de catal.) ; S. K. ZIMMER, *in* The Polish Review VIII, 1963. **Gdańsk.** Polskiej Akademii Nauk : ms. de chansons fr. du XVIᵉ s. ; éd. des XVIᵉ-XVIIᵉ s. de motets et madrigaux ital. ; mss. XVIᵉ-XIXᵉ s., dont des cantates d'église du XVIIIᵉ s. *Cf.* O. GÜNTHER, Die musikalischen Hss. der Stadtbibl. u. der... Kirchenbibl. von St. Katharinen u. St. Johann, Danzig 1911. — **Lancut.** Musée du château : 2 367 pièces de mus., mss. et impr., 1700-1900. *Cf.* K. BIEGAŃSKI, Bibl. muzyczna Zamku w Łańcucie. Katal., Cracovie, PWM, 1968. — **Toruń.** Bibl. Univ. :

500 ouvr. mus. impr. entre 1510 et 1800 ; hymnes, psautiers, cantiques et autres chants d'église de la bibl. de St. Marien à Elbing (Elblag). *Cf.* T. CARSTENN, Katal. der S. Marienbibl. in Elbing, *in* KmJb XI, 1885. — **Varsovie. a)** Bibl. Narodowa (nat.) : qq. mss. liturg. des XIᵉ-XIIIᵉ s. ; œuvres polyphoniques et traités théoriques des XVᵉ-XVIᵉ s. ; autographes d'opéras pol. ; reçoit le dépôt de toute la mus. publiée en Pologne depuis 1928, des enregistrements sonores depuis 1961. — **b)** Bibl. Univ. : mss. rares et impr. des XVᵉ-XXᵉ s. ; archives des compositeurs pol. du XXᵉ s. ; ancienne bibl. de l'Institut de musicologie de Breslau (codex Mf. 2016 du XVᵉ s. ; plus. tablatures ; mus. du XVIIIᵉ s.). *Cf.* E. KIRSCH, Die Bibl. des musikalischen Inst. bei der Univ. Breslau, Berlin 1922 ; Catal. des impr. mus. des XVIᵉ-XVIIIᵉ s. de la Bibl. de l'Univ. de V., I Le XVIᵉ s., éd. par J. MENDYSOWA, Varsovie 1970. — **Wrocław.** Ouvr. généraux : E. BOHN, Bibliogr. der Musik-Druckwerke bis 1700 welche in... Breslau aufbewahrt werden, Berlin 1883. — Bibl. Univ. : ouvr. mus. qui subsistent de la Stadtbibl. et mus. provenant du Gymnasium de Brieg (Brzeg). *Cf.* E. BOHN, Die mus. Hss. des 16. u. 17. Jh. in der Stadtbibl. zu Breslau, Breslau 1890, rééd. en facs. Hildesheim, Olms, 1970 ; F. KUHN, Beschreibendes Verzeichnis der alten Musikalien (Hss. u. Druckwerke) des Kgl. Gymnasiums zu Brieg, *in* MfM Beilage XXVIII, 1897.

PORTUGAL.

Ouvr. généraux : A.T. LUPER, Portuguese Polyphony in the 16th and Early 17th Cent., *in* JAMS III, 1950 ; S. CORBIN, Essai sur la mus. relig. portugaise du M.A., Paris 1952 (chap. V) ; S. SKORGE, Das portugiesische Bibliothekswesen der Gegenwart, Cologne, Greven, 1967. — **Dépôt légal.** Trois ex. de la mus. et des disques sont déposés à la Bibl. nat. et au Cons. de mus. à Lisbonne et au Cons. de Porto. Pour les livres et les périodiques, la loi exige 13 ex., qui sont déposés aux bibl. municipales de Lisbonne, Coimbre, Braga, Evora et Porto ; à la Bibl. nat. de Lisbonne, Macao et Moçambique ; à l'Acad. des sciences, l'Institut sup. des sciences à la Bibl. pop. de Lisbonne ; à la Bibl. geral de l'Univ. de Coimbre et au Real Gabinete portugués de leitura de Rio de Janeiro. — **Aveiro.** Musée : *Cf.* S. CORBIN, Les livres liturg. d'A., *in* Arquivo do Distrito d'A. VIII, 1942. — **Coimbre.** Bibl. geral, Univ. : ouvr. des XIIIᵉ-XVIIᵉ s. de la cathédrale et des monastères de Santa Cruz et Celas. *Cf.* Inventario dos inéditos e impressos musicais ; subsídios para um catál., par S. KASTNER, Coimbre 1937 ; U. BERTI, Ensaio com notas biográf. de um catál. dos mss. musicais da la Bibl. da Univ. de Coimbra, 1940 ; E.G. PINHO, Santa Cruz de C., Centro de actividade mus. dos s. XVI e XVII, Lisbonne, Fondation Gulbenkian, 1972. — **Lisbonne. a)** Bibl. da Ajuda : opéras des XVIIᵉ-XVIIIᵉ s. (Jommelli, Portugal) ; œuvres de G. Giorgi. *Cf.* M.A. MACHADO SANTOS, Catál. de mús. mss., 9 vol., Lisbonne 1958-68. — **b)** Bibl. Nacional : mss. et ouvr. impr. anciens dont le nbr. non encore catalogués ; bibl. d'Ivo Cruz, de S. Maria d'Alcobaça et d'autres institutions relig. ; traités théoriques. *Cf.* E. VIEIRA, A música na Bibl. Nacional da L., *in* A arte musical III, 1901. — **c)** Fondation Gulbenkian : bibl. J. Vianna da Motta ; centre du RISM pour le Portugal. — **Porto.** Bibl. pública municipal : ouvr. liturg. anciens ; polyphonie port. des env. de 1450 dans le Ms. 714 ; mus. d'orgue du XVIIᵉ s. dans les Mss. 1577 et 1607. *Cf.* S. KASTNER, Tres libros desconocidos con música orgánica, *in* Anuario Mus. I, 1946. — **Vila Viçosa.** Casa de Bragança : 20 livres de chœur polyphoniques (mss. et impr.) avec de la mus. relig. des XVIᵉ-XVIIIᵉ s. *Cf.* M. JOAQUIM, *in* Anuario Mus. II, 1947 ; du même, Vinte livros de mús. polifónica do Paço Ducal de V.V., catalogados, descritos e anotados, Lisbonne 1953.

SUÈDE.

Ouvr. généraux : A. DAVIDSSON, Catal. critique et descriptif des impr. de mus. des XVIᵉ et XVIIᵉ s. conservés dans les bibl. suédoises (excepté la Bibl. royale d'Upsala), Upsal 1952 ; du même, Catal. ... des ouvr. théoriques... imprimés au XVIᵉ et XVIIᵉ s. et conservés dans les bibl. suédoises, Upsal 1953 ; du même, Musikbibliogr. Beiträge, Upsal 1954 ; du même, Cultural Background to Coll. of Old Music in Swedish Libr., *in* Fontes XI, 1964. — **Jönköping.** Per Brahegymnasiet : mus. d'orch. et de cle. de 1770-1840 env. *Cf.* G. RUUTH, Katal. över äldre musikalier, Stockholm, Svenskt musikhistoriskt archiv, 1971. — **Norrköping.** Stadsbibl. : bibl. du château de Tinspong avec des liturgies suéd. des XVIᵉ-XVIIIᵉ s. ; madrigaux ital. ; chansons fr. du XVIIᵉ s. *Cf.* B. LUNDSTEDT, Catal. de la bibl. de Finspong, Stockholm 1883. — **Stockholm.** Kgl. Musikaliska akademiens bibl. : nbr. coll., église all. de Ste-Gertrude, Baron P. Alströmer, Duc Fouché d'Otrante, Comte G.G.G. Oxenstierna, soc. Utile dulci (œuvres de Roman), J. Mazer, E. Fogman, C.O. Boije ; œuvres rares de la bibl. du Théâtre royal ; bibl. mus. la plus riche du pays. *Cf.* B. BOHEMAN et C.F. HENNERBERG, Katal. öfver Kgl. Musikaliska akademiens bibl., 2 vol., Stockholm 1905-10 ; C.F. HENNERBERG, Brevsamlingen i Kgl. Musikaliska akademiens bibl., Stockholm 1927 ; C. JOHANSSON, Något om Mazers musiksamling, *in* StMf XXXIII, 1951 ; de la même, Studier kring P. Alströmers musiksamling, *ibid.* XLIII, 1961. — **Upsal.** Bibl. de l'Univ. : bibl.

de dépôt depuis 1692 ; coll. Anders von Düben de mss. de l'orch. royal suéd. ; tablatures d'orgue du XVIIᵉ s. ; autographes de Buxtehude ; opéras et ballets fr., principalement de Lully ; mss. H. Alven. *Cf.* C. STIEHL, Die Familie Düben u. die Buxtehude'schen Hss., *in* MfM XXI, 1889 ; R. MITJANA et A. DAVIDSSON, Catal. ... des impr. de mus. des XVIᵉ et XVIIᵉ s. conservés à la Bibl. de l'Univ. Royale d'U., 3 vol. 1911-51 ; C.A. MOBERG, Lully-skolan i Uppsala Univ. Bibl. hss.-samlingar, *in* StMf VII, 1925 ; A. DAVIDSSON, Catal. of the Gimo Coll. of Italian Ms. Music, Upsal 1963.

SUISSE.

Ouvr. généraux : E. REFARDT, Musik in schweizerischen Bibl., *in* AMl V, 1933 ; H.P. SCHANZLIN, Musik-Sammeldrucke des 16. u. 17. Jh. in schweizerischen Bibl., *in* Fontes IV, 1957 ; du même, Musik-Sammeldrucke des 18. Jh. in schweizerischen Bibl., *ibid.* VI, 1959, et VIII, 1961 ; R. WYLER, Archive, Bibl. u. Dokumentationsstellen der Schweiz, Berne 3/1958. — **Bâle.** Oeffentliche Bibl. der Univ. B. : coll. Schweizerische Musikforschende Gesellschaft, L. Sarasin, Collegium musicum, B. Amerbach, K. Geigy. *Cf.* J. RICHTER, Katal. der Musikabteilung der... Bibl. der Univ. B., I Musikalische Kompositionen, Bâle 1925 ; du même, Thematischer Katal. der Instrumentalmusik des 18. Jh. in den Hss. der Univ. Bibl. B., Berne, Haupt, 1957 ; M. WALTER, Miszellen zur Musikgesch., Berne, Haupt, 1967. — **Berne.** Bibl. nat. suisse : dépôt volontaire de la plupart des éd. suisses ; Helvetica ; coll. J. Leibkind. *Cf.* K. Joss, *in* RMS LXV, 1925 ; du même, Katal. der schweizerischen Landesbibl. Musik, Werke des Schweizerischen Tonkünstlervereins veröffentlicht von 1848-1925, Berne 1927. — **Genève.** Bibl. publique et univ. : musicologie russe et œuvres des XVIᵉ-XXᵉ s. de la bibl. de R.A. Mooser. *Cf.* Section « Beaux-arts » *in* Catal. de la Bibl. publique de G., 9 vol. et supplts, Genève 1875-99. — **Rheinfelden.** Ancien Chorherrenstift St. Martin. *Cf.* H.P. SCHANZLIN, *in* KmJb XLIII, 1959. — **Saint-Gall.** Stiftsbibl. : mss. liturg. et traités des VIIIᵉ-XVIIIᵉ s. ; livres de chant du XVIᵉ s. *Cf.* G. SCHERRER, Verzeichnis der Hss. der Stiftsbibl. St. G., Halle 1875 ; J. DUFT, ... Hss. aus dem 8. bis 18. Jh. in der Stiftsbibl. St. G., *in* Kath. Kirchenmusik XCVI, 1971. — **Zürich.** Zentralbibl. : fonds de l'Allgemeine Musikgesellschaft Z. riche en mus. des XVIIᵉ-XVIIIᵉ s., en mus. instr. all. (surtout Haydn) et ital. avec des autographes. *Cf.* E. SCHENK, Die österr. Musik-Überlieferung der Z. Zentralbibl., *in* Die österr. National-Bibl., Vienne 1948 ; P. SIEBER, *in* 2. Weltkongress der Musikbibl., Kassel 1951 ; G. WALTER, Katal. ... der Allgemeinen Musikgesellschaft Z., Zurich, Hug, 1960.

TCHÉCOSLOVAQUIE.

Ouvr. généraux : D. PLAMENAC, Music Libr. in Eastern Europe..., *in* Notes XIX, 1962 ; Z.E. FISCHMANN, Report on Czechoslovakia : Some Musicological Sources, *in* Current Musicology X, 1970. — **Brno. a)** Moravské Museum, Oddeleni hudebne historicke : tablatures de luth, de mandore et de guitare manuscrites ; ouvr. provenant des églises, couvents et châteaux de Moravie ; leg. L. Janáček ; riche fonds mus. des XVIIIᵉ-XIXᵉ s. *Cf.* Pruvodc po fondech Ustavu dejin hudby Moravského muzea, Brno 1971. — **b)** Bibl. de l'Univ. : toutes les périodes de la mus. européenne ; impr. anciens ; mss. (mus. pratique et théorique ; livrets d'opéras et d'oratorios) ; éd. originales des Beethoven, Chopin, Haydn, Mozart... *Cf.* V. TELEC, ... Répertoire des périodiques mus. dans la Bibl. de l'Univ. de B., Brno 1964 ; du même, Erste Drucke... in der Univ. Bibl. in B., Brno 1966 ; du même, Alte Drucke der Werke von tschechischen Komponisten des 18. Jh. in der Univ. Bibl. in B., Prague 1969 ; du même et V. DOKOUPIL, Catal. des œuvres impr. anciennes de la Bibl. de l'Univ. de B. (en prép.). — **Kromeriz.** Zámecky hudebniarchiv : œuvres du XVIIᵉ s., principalement de compositeurs viennois, provenant de la bibl. de l'évêque Liechtenstein-Castelcorn ; œuvres de la fin du XVIIIᵉ s. et du XIXᵉ avec des autographes de Beethoven provenant de l'archiduc Rudolf ; bibl. Colloredo, des Piaristes, de l'église Ste-Marie. *Cf.* J. NETTL, Zur Gesch. der Musikkapelle des Fürstbischofs Karl Liechtenstein-Kastelkorn von Olmütz, *in* ZfMw IV, 1920-21 ; K. VETTERL, Das musikalische Nachlass des Erzherzogs Rudolf, *ibid.* IX, 1926-27 ; J. SEHNAL, Die Musikkapelle des Olmützer Bischofs Karl Liechtenstein-Castelcorn in Kremsier, *in* KmJb LI, 1967 ; G. CROLL, Die Musikslg des Erzherzogs Rudolf, *in* Beethoven-Studien, Vienne, Böhlau, 1970. — **Česky Krumlov.** Státni archiv : coll. Schwarzenberg, chapelle de la cour (Vienne), Oettingen ; ouvr. provenant des églises de la Bohême méridionale. *Cf.* J. ZÁLOHA, Česky Krumlov, Prague 1961 ; du même, Drei unbekannte Autographe von K. Stamitz in ... Česky Krumlov, *in* Mf XIX, 1966 ; du même, Œuvres des comp. tchèques acquises par les archives musicales, *in* Hudebni veda V, 1968 (en tchèque). — **Prague. a)** Národni Museum, dépt de la mus. : coll. de nbr. couvents et de bibl. aristocratiques (bibl. Lobkowitz de Raudnitz) ; env. 150 000 oeuvres mus. (période baroque et classique particulièrement riches). *Cf.* F.M. BARTOS, Soupis rukopisu Národniho Musea, 2 vol., 1926-27 (catal. des mss. mus. anciens); P. NETTL, Musicalia der.. Lobkowitzschen Bibl. in Raudnitz, *in* Beitr. zur böhmischen u.

mährischen Musikgesch., Brno 1927 (liste des ouvr. théoriques, des tablatures de luth, mandoline et guitare, etc.) ; O. PULKERT, *in* Fontes II, 1955. — **b)** Státní a Universitní knihovna : mus. impr. antérieure à 1800 ; Bohemica ; Mozartiana ; xxᵉ s. ; secrétariat du catal. central des monuments mus. en Bohême et Moravie (à paraître sous forme d'une série de catal. thématiques intitulés Artis musicae antiquoris catalogorum). *Cf.* R. EITNER, *in* MfM IX, 1877 ; J. WOLF, Ein Ms. der Prager Univ. Bibl., *in* KmJb XIV, 1899 ; M. SVOBODOVÁ, *in* Fontes IV, 1957 ; de la même, Das Denkmal W.A. Mozarts in der Prager Univ. Bibl., *in* Mozart-Jb 1967. — **c)** Státní Konservator Hudby : env. 100 000 œuvres dont bcp du xviiiᵉ s. *Cf.* R. PROCHÁZKA, Aus fünf Jh. Musikschätze des Prager Konservatoriums, Prague 1911.

URSS.

Ouvr. généraux : Muzykal'nye biblioteki i muzykal'nye fondy v bibliotekakh, Moscou 1972. — **Leningrad.** Gossudarstvennaja publičnaja bibl. im. M.E. Saltykova-Ščedrina : env. 200 000 œuvres mus. dont 3/5 publiées en URSS, bibl. fondée en 1795, recevant depuis 1810 le dépôt de toute mus. publiée en Russie ; section mus. créée en 1917 ; œuvres fr. et ital. des xvɪᵉ-xvɪɪᵉ s. ; œuvres fr. révolutionnaires de Gossec, Méhul... ; impr. russes du xviiiᵉ s. *Cf.* A.N. RIMSKI-KORSAKOV, Trésors du dépt des mss., Leningrad 1938 (en russe) ; L.M.PAVLOVA-SIL'VANSKAJA et A.A. RACKOVA, *in* Fontes VII, 1960 (en fr.) ; N.I. MORACHEVSKI, Guide to the M.E. Saltykov-Schedrin State Public Libr., Los Angeles 1963. — **b)** Gossudarstvenni Akademicheski Teatr Operi Baleta Imeni S.M. Kirova : mss. de mus. russe ; mus. théâtrale ; mus. d'opéras du xviiiᵉ s. et qq. œuvres relig. *Cf.* R.A. MOOSER, Catal. d'œuvres ital. du xviiiᵉ s., *in* RMie XXV, 1946. — **Moscou.** Gossudarstvennaja bibl. SSSR im. V.I. Lenina : env. 270 000 œuvres ; mus. russe depuis le xviiiᵉ s., étrangère depuis le xviiᵉ s. ; mss. du xiiᵉ s. ; folklore ; éd. originales de Bach, Beethoven, Boccherini, Schumann ; autographes de la plupart des comp. russes ; reçoit le dépôt de 3 ex. de la mus. et des livres impr. en URSS. *Cf.* Bull. des bibl. de France VII, 1962. — **b)** Gossudarstvennaja konservatorika im. P.J. Tchaïkovskego, Naucnaïa muzykal'naïa bibl. im. S.I. Taneïeva : basée sur les bibl. personnelles d'A. et N. Rubinstein ; env. 400 000 vol. ; bibl. Taneïev de théorie mus. ; reçoit régulièrement les impr. étrangers ; archives de folklore ; autographes de comp. russes et étrangers ; nbr. éd. originales. *Cf.* Y. KELDYCH, 1866-1966. 100 let Moskovskoï Konservatorii, 1966 ; B. KRADER, Folk Music Archive of the M. Conservatory, *in* Folklore and Folk Music Archivist X, 1967-68.

YOUGOSLAVIE.

Ouvr. généraux : V. BONIFACIĆ, Music Libr. and Coll. in Croatia. *in* Artis musices 1970 ; J. HÖFLER et I. KLEMENCIC, ... Music Mss. and Printed Music in Slovenia before 1600. Catal., Ljubljana 1967, — **Ljubljana.** Naroda in Univerzitetna knjiznica : œuvres vocales et autres provenant d'anciennes institutions relig., de coll. privées et de l'ancienne Philharmonische Gesellschaft ; mus. théâtrale provenant de compagnies d'opéras all. et ital. ; œuvres de compositeurs slovènes ; œuvres complètes de J. Gallus (certaines en photocopies) ; mus. de la Renaissance rassemblée par l'évêque de L. au début du xviiᵉ s. — **Zagreb. a)** Hrvatski glasbeni zavod : coll. Algarotti (compositeurs viennois) ; archives de la mus. croate. *Cf.* V. BONIFACIĆ, Tematski katal. musikalija N.U. Algarottija, *in* Vjesnik bibliotekara hrvatska XIV, 1968 ; I.SUPICIC, Report from Z. : the Inst. of Musicology, *in* Current Musicology X, 1970 ; K. KOVACEVIĆ, The Music Acad. in Z., *in* Arti musices 1970. **b)** Nacionalna i Sveucilisna Bibl. : reçoit le dépôt des enregistrements sonores ; bibl. de la Metropolitana avec des mss. médiévaux ; legs I. Zajc (compositeurs croates). *Cf.* A. MARKOV, Metropolitanska knjiznica, Zagreb 1941.

BICINIUM (lat., = chant double ; pluriel, bicinia). Au xviᵉ s. on donnait ce nom, en Allemagne surtout, à des pièces vocales ou parfois instrumentales écrites à 2 parties. De nombreux recueils renfermant des b. d'auteurs divers, y compris les plus illustres (Josquin des Prés, R. de Lassus, Janequin), ont paru jusqu'au début du xviiᵉ s. Les principaux sont ceux de G. Rhaw (*Bicinia gallica, latina, germanica*, 2 vol., 1545) et de P. Phalèse (*Bicinia... ex praeclaris hujus aetatis auctoribus collectae*, 1590). On rencontre également le terme de « diphonon » (Erasmus Rotenbucher, *Diphona amoena et florida*, Nuremberg, Montanus et Neuber, 1549). Le b. a trouvé un prolongement dans l'art des organistes allemands des xviiᵉ et xviiiᵉ s., p. ex. dans les variations sur des chorals de S. Scheidt.

BICORDE, voir MONOCORDE.

BIG BAND (angl.), voir BAND.

BIGOPHONE, sorte de → mirliton en zinc, qui porte le nom de son inventeur Bigot (1883) et dans lequel on chante sans paroles, le son de la voix se répercutant sur la membrane de papier tendue sur une ouverture latérale. Dans le 1ᵉʳ quart du siècle, les sociétés de bigophonistes étaient nombreuses en France.

BINAIRE, terme qualifiant un ensemble formé de deux unités. Toute mesure dont les temps sont divisibles par deux est dite simple ou b. (même si elle est à 3 temps) ainsi que toute valeur de durée divisible par deux. La forme b. d'une composition implique sa division en deux parties, éventuellement avec reprises. Elle est très fréquente dans la musique des xviiᵉ et xviiiᵉ s., en particulier dans les pièces qui constituent la suite. Elle se compose d'une première partie qui part du ton principal pour aller à celui de la dominante et d'une seconde partie qui retourne au ton principal en passant par des épisodes modulants. — Voir l'art. SUITE.

BINIOU (breton), → cornemuse très populaire en Bretagne. Il en existe deux types. Le petit b. comporte un tuyau mélodique (chalumeau) à 7 trous et anche double, et un bourdon. Comme en Écosse, ces instr. font partie de la mus. militaire et sont souvent associés aux bombardes, qu'ils accompagnent à l'octave supérieure. Le grand b. à 3 bourdons est construit sur le modèle de la cornemuse écossaise et résonne à la même octave que la bombarde.

Bibliographie — CL. MARCEL-DUBOIS, Bombardes et b., Paris 1951.

BIRMINGHAM.

Bibliographie — W.C. STOCKLEY, My Fifty Years of Music, Londres 1890 ; Sir E. ELGAR, A Hope for English Music, Londres 1910 ; R. BOUGHTON, The Musical Festivals and their Resurrection, Londres 1913 ; J. SUTCLIFFE SMITH, The Story of Music in B., Birmingham 1945 ; P.A. SCHOLES, The Mirror of Music, Londres 1947.

BIS (lat., = deux fois). **1.** Cette mention, placée à la fin d'un vers, d'un refrain, etc., indique que le texte doit être répété. — **2.** Exclamation par laquelle le public demande la seconde exécution d'une œuvre au cours d'un concert.

BISBIGLIANDO (ital., = murmurant), effet sonore, propre au jeu de la harpe, qui consiste à répéter un accord ou un son isolé à la manière d'un trémolo très doux, quasi murmuré.

BISEAU (angl., block ; all., Kern ; ital., anima ; esp., bisel), pièce de bois ou de métal taillée obliquement sur laquelle vient frapper et se diviser l'air insufflé par l'exécutant, dans les flûtes, le flageolet, le sifflet, provoquant la vibration de la colonne d'air. Le même système se retrouve dans les jeux de flûtes de l'orgue.

BISTROPHA, voir Neume, § Neumes d'ornement.

BITONALITÉ, voir Polytonalité.

BITONIQUE, voir Ditonique.

BIVIRGA, voir Neume, § Neumes d'ornement.

BIWA (japonais, du chinois ancien « bij'i-b'a » ou « p'i-p'a »), instr. à cordes pincées et à manche court de la famille du luth. Il offre trois variantes principales : 1º Le b. à 4 cordes, utilisé dans le → « gagaku » et devenu le type le plus caractéristique. Son corps est plat et les cordes sont grattées par un gros plectre de bois en forme de feuille de gingko. Au moment où celui-ci attaque la corde, la table produit un bruit sec. — 2º Le b. à 5 cordes, appelé « gogen-biwa », qui ne fut utilisé que dans l'Antiquité. — 3º Le « genkan », dont l'usage fut limité à la même période, n'est pas un luth court comme les précédents. Muni de 4 cordes, il se composait d'un corps rond et plat et d'un long manche. Le b. à 4 cordes, le b. à 5 cordes et le « genkan » sont originaires respectivement de l'Iran, de l'Inde et de la Chine. Quant au « barbat » persan, qui est l'ancêtre du b., il devint « el 'ud » arabe qui se répandit au Moyen Age jusqu'en Europe, où son nom se modifia en luth. On peut donc tenir pour certaine la parenté du b. japonais et du luth européen.

BLACK-BOTTOM (angl.), danse de société américaine lancée en 1924 et dont la vogue succéda à celle du « charleston ». C'est un → « fox-trot » lent (♩ = 72) à 4/4 avec une syncope régulièrement placée sur le 3ᵉ temps : 𝄽 ♩ 𝄾 ♩♩ ♪ 𝄾 | ♩.

BLANCHE. 1. (Angl., minim ; amér., half note ; all., halbe Note ; ital., minima ; esp., blanca), nom d'une figure de note (♩), issue de la → minime (♭), qui vaut la moitié d'une ronde et dont le silence correspondant est la demi-pause. — **2.** Adjectif qui qualifie une période de la → notation mensuraliste — la notation blanche — où les formes des notes principales (de la maxime à la minime) sont évidées et non noircies (à partir de 1430 env.). — **3.** Se dit également d'une voix sans timbre.

BLOUSER, blouser les timbales signifie battre les timbales.

BLUE NOTES (angl.), voir Blues.

BLUES (angl.), forme issue de la pratique musicale afro-américaine et née aux États-Unis. En raison de son ancienneté, de sa diffusion, de son universalisme thématique et de son aspect, qui ne peut prêter à confusion, le bl. est probablement le témoignage le plus important de la culture musicale afro-américaine. Il a pris une part prépondérante dans la cristallisation du → jazz, dont il n'a cessé d'accompagner l'évolu-

tion. Le rapport étymologique (« blue » = mélancolique) et le fait que ce sont les Blancs qui ont choisi cette étiquette prouvent que la terminologie est le reflet d'une interprétation par les Blancs de la musique « noire ». — Le bl. est une poésie improvisée, de forme strophique, chantée à une voix et réalisée au moyen de schémas fixes qui se réfèrent au continent africain et à sa musique. Tous les événements de la vie quotidienne trouvent leur place dans cette poésie chantée, non sentimentale, directe et suggestive (comparer avec l'interprétation « blanche »). La substance mélodique s'appuie étroitement sur le langage : phrases mélodiques correspondant aux vers et influencées par la déclamation ; production des sons véhémente ; défauts de justesse (« dirty tones ») ; rythme fondé sur l' « off-beat » (voir l'art. Jazz) ; éléments empruntés aux structures africaines et afro-américaines. Le caractère schématique des structures apparaît dans la correspondance du texte et de la mélodie, qui répondent chacun à sa manière à la structure d'appel et réponse (→ « call-and-response pattern »). 1º Un fait est exposé (« statement » ou « call » : vers 1 et 2, rimes a et b, 4 mesures, musique A) ; lui fait suite une répétition peu ou prou modifiée ; s'y ajoute une confirmation, une preuve, qui complète la strophe (« response » : vers 3 et 4, rimes c et b, 4 mesures, musique B). 2º Lorsqu'il y a accompagnement instrumental, l'instrument — la guitare pendant une longue période de l'évolution — participe au même moule en dialoguant avec les différentes phrases (vers ou phrases mélodiques) qu'il reprend ou achève.

Dans le bl. apparaissent les caractéristiques d'une tonalité empreinte de traditions africaines dont les particularités les plus marquantes (critères essentiels de l'interprétation « blanche ») sont les « blue notes » : intonations « neutres » des IIIᵉ et VIIᵉ degrés. Elles font penser à une musique de caractère bimodal. Ce phénomène s'explique par la confrontation de l'échelle diatonique heptatonique et de l'échelle africaine qui divise l'octave en sept intervalles égaux. En deux points, sur les degrés III et VII, ces gammes ne peuvent être amenées à se recouvrir. — En raison de l'imprégnation grandissante de la mus. afro-américaine par les éléments de la tonalité européenne, le bl., linéaire à l'origine, s'est transformé grâce à l'harmonie fonctionnelle. Le résultat est ce que l'on appelle la forme « blues », un substrat harmonique qui s'identifie désormais au « blues ». Dans sa version la plus simple, la forme bl. répartit entre les différentes mesures les degrés suivants : I I I I / IV IV I I / V V I I.

La cristallisation du bl. — probablement vers le milieu du XIXᵉ s. — s'explique par le fait que divers éléments structurels de la pratique musicale afro-américaine se sont unis en une forme spécifique aux contours accusés et à la signification caractéristique. La forme régulière à 12 mesures (à l'origine 8 mesures : « statement » + « response ») s'est élaborée au début du XXᵉ s. A l'image de la mus. afro-américaine qui s'est « urbanisée » (voir l'art. Jazz), le « country blues » s'est finalement transformé en un « city blues » sophistiqué, à l'accompagnement nuancé, enregistré sur disques dès 1920. Ses dérivés ont influencé à leur tour de larges domaines de la musique de variétés contemporaine. — Parmi les plus célèbres

Espagne, Saragosse, église Nuestra Señora del Pilar : buffet daté de 1413.
Les tuyaux en chamade sont un élément original de l'orgue ibérique.

BUFFET D'ORGUE

▲

France, Perpignan, cathédrale Saint-Jean : buffet Renaissance, 1504. Restauré en 1854 par Cavaillé-Coll.

France, Tournus, abbatiale Saint-Philibert : buffet XVIIᵉ s. en nid d'hirondelle, 1629.

France, Uzès, cathédrale Saint-Théodorit : buffet Louis XV avec volets peints.

Pays-Bas, Haarlem, église Saint-Bavon : buffet de Christian Müller, 1735-38. Mozart et Haendel ont joué sur cet orgue.

▼

Allemagne du Sud, église de la Wies : buffet de style rococo bavarois, construit par Jaeger en 1756.

France, Paris, cathédrale Notre-Dame : orgues Clicquot de 1730, restaurées en 1868.

BUFFET D'ORGUE
États-Unis, Albuquerque, University of New Mexico : orgue contemporain
sans buffet. Facteur, The Holtkam Organ Company, Cleveland (Ohio).

chanteurs de bl., qui pour la plupart s'accompagnent eux-mêmes, il faut citer (ordre chronologique), pour les hommes, Blind Lemon Jefferson, Leadbelly (Huddie Ledbetter), Big Bill Broonzy, Jimmy Rushing, Josh White, Lightnin' Hopkins, Sonny Terry et Brownie McGhee, Muddy Waters ; pour les femmes, Ma Rainey, Ida Cox, Bessie Smith, Billie Holiday, Bertha Chippie Hill, Dina Washington.

Bibliographie — W.F. ALLEN et autres (éd.), Slave Songs of the US, New York 1867, plus. rééd. ; H.E. KREHBIEL (éd.), Afro-Amer. Folksongs, New York 1914, plus. rééd. ; W.CH. HANDY (éd.), Bl. : An Anth., New York 1926 ; du même, Father of the Bl. : An Auto-biogr., New York et Toronto 1941, plus. rééd. ; du même et A. NILES (éd.), A Treasury of the Bl. : Complete Words and Music of 67 Great Songs from Memphis Bl. to the Present Day, New York 1949 ; J.A. et A. LOMAX (éd.), Folk Songs : USA, New York 1947 ; M.W. STEARNS, The Story of Jazz, New York, Oxford Univ. Press, 1956, plus. rééd. et trad. ; A.M. DAUER, Der Jazz. Seine Ursprünge u. seine Entwicklung, Kassel, Röth, 1958 ; du même, Jazz — die magische Musik. Ein Leitfaden durch den Jazz, Bremen, Schünemann, 1961 ; du même, Betrachtungen zur afroamerikanischen Folklore, dargestellt an einem Bl. von Lightnin' Hopkins, in Archiv für Völkerkunde XIX, 1965 ; J. JAHN et A.M. DAUER, Bl. u. Work Songs, Francfort/M. et Hambourg, Fischer Bücherei, 1964 ; S.B. CHARTERS, The Country Bl., New York et Toronto, Rinehart, 1959, plus. rééd. ; P. OLIVER, Bl. Fell This Morning. The Meaning of the Bl., Londres, Cassell, 1960, et New York, Collier, 2/1963, trad. fr. Paris, Arthaud, 1962 ; H. COURLANDER, Negro Folk Music, USA, New York et Londres, Columbia Univ. Press, 1963 ; C.G. HERZOG ZU MECKLENBURG et W. SCHECK, Die Theorie des Bl. im modernen Jazz, Strasbourg et Baden-Baden, Heitz, 1963 ; H. OSTER, Living Country Bl., Detroit, Folklore Associates Inc., 1969.

J. HUNKEMÖLLER

BLUETTE, petit ouvrage littéraire, d'un style soigné mais sur des sujets sans importance ; par extension, la musique qui y est associée. Le mot a toujours un caractère un peu péjoratif.

BOBISATION, voir SOLMISATION.

BOCAL, tube de métal recourbé qui sert d'embouchure au cor anglais et au basson, et à l'extrémité duquel est fixée l'anche.

BOCÉDISATION, voir SOLMISATION.

BOIS (angl., woodwind instruments ou woodwinds ; all., Holzbläser ou Holz ; ital., legni ; esp., instrumentos de madera), terme désignant l'ensemble des instr. à embouchure de flûte (flûte « piccolo » ou flûte traversière), à anche simple (clarinette, saxophone) ou à anche double (hautbois, cor anglais, basson, contrebasson) dans l'orchestre moderne. La plupart de ces instruments sont effectivement en b. (ébène, palissandre). D'autres ont troqué le b. contre l'argent (flûte) ou un autre métal (saxophone) mais on continue à les rattacher à la famille des b. pour des raisons de sonorité ou d'embouchure (biseau ou anche en roseau). Les saxophones sont fréquemment rangés parmi les cuivres, alors qu'ils n'ont rien de commun avec le principe des anches lippales.

Bibliographie — A. BAINES, Woodwind Instr. and their Hist., Londres, Faber, 1957.

BOISSEAU, partie fixe du tube des instr. à vent en cuivre naturels (cor, trompette...) sur laquelle s'adaptent les corps ou tons de rechange.

BOÎTE À MUSIQUE (angl., music-box ; all., Spieldose), instr. de musique mécanique dans lequel les sons sont produits par une série de petites lames d'acier de différentes longueurs, qui vibrent au contact de pointes piquées sur un → cylindre tournant sous l'action d'une manivelle ou d'un ressort. La première b. à m. fut probablement créée à Genève en 1796 par l'horloger Antoine Favre qui utilisa le procédé du cylindre à goupilles, dont l'origine provient du carillon mécanique déjà signalé au XIVe s. Ce mécanisme fut d'abord placé dans des articles de luxe : montres, bijoux, tabatières, pommeaux de canne. Puis le cylindre s'élargit, le nombre de lames augmenta, la b. à m. devint autonome, véritable coffret et meuble en bois précieux où l'on pouvait, par déplacement latéral du cylindre, obtenir jusqu'à douze airs différents. Cette industrie trouva sa terre d'élection dans le Jura vaudois, à Sainte-Croix, au cours de la 1re moitié du XIXe s. Par la suite, les perfectionnements se multiplièrent ; on créa le cylindre interchangeable, apportant un choix de mélodies plus important ; on construisit un système permettant d'obtenir des nuances par la présence de deux ou trois claviers à lames de différentes forces ; on ajouta un accompagnement de castagnettes, de tambours, des jeux de flûtes, des lames d'accordéon (voix céleste). Le même procédé fut utilisé avec, à la place du cylindre, un disque en métal garni de crochets, p. ex. dans le « Symphonium ». Cette industrie ne cessa de prospérer jusqu'à la fin du XIXe s., où l'apparition du phonographe entraîna son déclin. Seul instr. mécanique dont les sons ne sont comparables à ceux d'aucun autre, la b. à m. est encore fabriquée de nos jours, en modèle réduit et montée sur des habillages divers (porte-clés, jouets d'enfant, boîtes à cigarettes, oiseaux chanteurs). Il existe en Suisse, à L'Auberson, près de Sainte-Croix, un musée consacré aux instr. de musique mécanique qui conserve de nombreuses b. à musique. — Voir également l'art. Musique MÉCANIQUE.

Bibliographie — M.D.J. ENGRAMELLE, La tonotechnie ou l'art de noter les cylindres... dans les instr. de concerts mécaniques, Paris 1775 ; A. PROTZ, Mechanische Musikinstr., Kassel 1943 ; J.E.T. CLARK, Musical Boxes, Birmingham 1948, 3/Londres, Allen & Unwin, 1961 (augm.) ; H.P. SCHMITZ, Die Tontechnik des Père Engramelle : früherer Zeiten u. ihre Musik, Kassel, BV, 1953 ; A. CHAPUIS, Hist. de la b. à m. et de la mus. mécanique, Lausanne, Scriptar S.A., 1955 ; E. SIMON, Mechanische Musikinstr. früherer Zeiten u. ihre Musik, Wiesbaden, Br. & H., 1960 ; GR. WEBB, The Cylinder Musical Box Handbook, Londres, Faber, 1970 ; D. TALLIS, Musical Boxes, Londres, Fr. Muller, 1971 ; Au temps des b. à m., Lausanne, Éd. Mondo S.A., 1972.

BOÎTE EXPRESSIVE, caisse acoustiquement étanche qui assourdit le son de la tuyauterie d'un clavier d'orgue (récit en principe). L'effet de crescendo est obtenu par l'ouverture de jalousies verticales pivotant à l'appel d'une pédale (d'abord cuiller latérale, puis bascule centrale). Quand la transmission n'est pas mécanique, l'ouverture se fait par paliers plus ou moins nombreux au lieu d'être progressive. Inventée sans doute séparément en Bourgogne (Devaux, 1738) et en Angleterre (Jordan, 1712), la b.e. s'est répandue partout sous la forme anglaise au cours du XIXe s. jusqu'à l'orgue néo-baroque qui, le plus souvent, la rejette.

BOLÉRO, danse espagnole typiquement andalouse. Le terme pourrait être issu du surnom « el volero » ou

« el bolero » du danseur Sebastián Cerezo, inventeur présumé de cette danse, ou d'un détail vestimentaire : le b. est le nom d'un chapeau rond et d'un gilet brodé portés encore de nos jours en Andalousie. L'existence de la danse est attestée depuis la fin du XVIIIe s. ; elle a joui de la faveur populaire autant que de celle de la Cour. Son rythme ternaire, assez modéré, se fonde sur la répétition d'un schéma constant : un peu différent du rythme que les compositeurs étrangers ont adopté par la suite (Méhul, Auber, Berlioz, Chopin, Verdi, Ravel). Le b., qui exige une grande virtuosité, se compose de trois couplets, terminés chacun sur un arrêt appelé « el bien parao », qui permet le repos du danseur pendant la ritournelle. La preuve de sa complexité chorégraphique nous est fournie par Estébanez Calderón (*Escenas andaluzas*, Madrid 1847), qui nous a transmis plus d'une vingtaine de termes désignant les pas particuliers : la plupart d'entre eux demeurent cependant obscurs, même pour les folkloristes.

BOLOGNE (Bologna), voir également l'art. ÉCOLE DE BOLOGNE.

Bibliographie (éd. à Bologne, sauf mention spéciale) — **1. Vie musicale et ouvr. généraux :** FR. TOGNETTI, Discorso su i progressi della mus. in B., 1818-1819 ; G. GASPARI, de nbr. art. et documents, *in* Atti e Memorie della Deputazione di Storia Patria per le provincie di Romagna 1868-76, et *in* Atti e memorie... dell' Emilia, 1877-80 ; L. FRATI, Musicisti e cantanti bolognesi del' 700, *in* RMI XXI, 1914 ; du même, Per la storia della mus. in B. dal sec. XV al XVI, *ibid*. XXIV, 1917 ; du même, Liutisti e liutai a B., *ibid*. XXVI, 1919 ; du même, Per la storia della mus. in B. nel sec. XVII, *ibid*. XXXII, 1925 ; C. RICCI, Liutisti e liutai a B., *ibid*. XXIII, 1916 ; du même, Per la storia della mus. in B., *ibid*. XXIV, 1917 ; P. WAGNER, Die konzertierende Messe in B., *in* Fs. Kretzschmar, Leipzig 1918 ; FR. VATIELLI, Cinquant'anni di vita musicale a B., 1921 ; du même, Arte et vita musicale a B., 2 vol., 1922, 1927 ; du même, La scuola musicale bolognese a B., *in* Strenna Storica bolognese I, 1928 ; du même, Il primo melodramma a B., *ibid*. III, 1930 ; du même, L'oratorio a B. negli ultimi decenni del' 600, *in* Note d'Archivio XV, 1938 ; du même, Il Concerto palatino della Signoria di B., *in* Atti e memorie della Deputazione di Storia Patria per l'Emilia e Romagna V, 1939-40 ; H.G. MISHKIN, The Solo Violin Sonata of the B. School, *in* MQ XXIX, 1943 ; J. BERGER, Notes on some 17th Cent. Compositions for Trumpets and Strings in B., *in* MQ XXXVII, 1951 ; O. MISCHIATI, Per la storia dell'oratorio a B., *in* Collectanea Historiae Musicae III, Florence, Olschki, 1963 ; du même, Studenti ultramonti di mus. a B. nella 2ª metà del s. XVI, *in* Analecta Musicologica III, Cologne et Vienne, H. Böhlau, 1966. — **2. Théâtres et spectacles :** G. GIORDANI, Intorno al Gran Teatro del Comune e ad altri minori di B., 1855 ; L. BIGNAMI, Cronologia di tutti gli spettacoli rappresentati nel Gran Teatro Comunale di B., 1880 ; C. RICCI, Il Teatro Malvezzi di B. (1651-1745), *in* Atti e memorie della Deputazione di Storia Patria per le provincie di Romagna 3e série V, 1887 ; O. COSENTINO, Un teatro bolognese del s. XVIII, il Teatro Marsigni-Rossi, 1900 ; L. TREZZINI, Due secoli di vita musicale. Storia del Teatro Comunale di B., 2 vol., Alfa, 1966. — **3. Les Académies, l'enseignement :** G.B. MARTINI, Serie cronol. de' principi dell' Accad. dei Filarmonici di B., 1776 ; N. MORINI, La Real Accad. Filarmonica di B., 1930 ; U. SESINI, Lo studio bolognese nella storia musicale, *in* Il Comune di B. VIII, 1934, réimpr. *in* Convivium I, 1965 ; CL. SARTORI, Il Real Cons. di mus. « G.B. Martini » di B., Florence 1942 ; G. VECCHI, 3° Centenario dell' Accad. Filarmonica di B. (1666-1966), Tamari, 1966. — **4. Les bibliothèques :** G. GASPARI et collab., Catal. della Bibl. del Liceo Musicale di B., 5 vol., 1890-93 et 1943 ; Catal. delle opere musicali. Città di B. Bibl. della R. Accad. Filarmonica, Bibl. privata Ambrosini, Archivio e Museo della basilica di S. Petronio, Parme 1914-39 ; L. FRATI, Codici musicali della R. Bibl. universitaria di B., *in* RMI XXIII, 1916 ; FR. VATIELLI, La Bibl. del Liceo Musicale di B., 1917 ; G. DE VAN, An Inventory of the Ms. Bologna Q 15 (olim 37), *in* MD II, 1948 ; G. ZANOTTI, Bibl. del Convento di S. Francesco di B. Catal. del fondo musicale, 2 vol., Forni, 1970.

BOMBARDE (angl., bombarde ; all., Bomhart, d'où Pommer ; ital. et esp., bombarda). **1.** Instr. à vent

des XVe-XVIIe s., en bois, à perce conique et anche double, de la famille des → chalumeaux. On le construisait en plusieurs tailles, du dessus appelé → chalemie à la basse. Sa sonorité le classe parmi les « hauts » instruments (voir l'art. ALTA). Le modèle aigu, percé de 7 trous, survit comme instrument populaire en Bretagne, où il est fréquemment associé au → biniou. — **2.** Jeu d'orgue de 16' ou 32' à anche battante et résonateur conique croissant, d'étain ou de bois, créé aux Pays-Bas au XVIe s. et passé en France au XVIIe s. Son nom lui vient de l'instr. à vent. Il est souvent seul sur le 3e clavier, auquel il donne son nom, ou parmi les anches de pédale. La b. s'emploie essentiellement dans la batterie d'anches, pour les registrations les plus puissantes (→ grand jeu ou → tutti). Sa variété germanique, dite → « Posaune » (= trombone), se trouve surtout à la pédale, renforçant la basse des → pleins-jeux.

Bibliographie — 1. M. PRAETORIUS, Syntagma musicum, II De Organographia, Wolfenbüttel 1618, 2/1619, rééd. en facs. par W. Gurlitt, Kassel, BV, 1958-59 ; CL. MARCEL-DUBOIS, B. et biniou, Paris 1951 ; W. FREI, Schalmei u. Pommer, *in* Mf XIV, 1961.

BOMBARDON. Au XVIIe s., le terme désignait en Italie et en Allemagne la basse de → bombarde ou « Pommer ». Puis, au cours du XVIIIe s., en Allemagne et aux Pays-Bas, « bombardo » s'appliqua à l'ancien basson à 2 clefs (→ « dulcian »). Au XIXe s., « bombardone » réapparut en Allemagne pour désigner des instruments basse à vent, munis d'une embouchure et de 8 à 12 clefs. Parmi eux se trouvaient les versions allemande et autrichienne de l' → ophicléide français. Puis le nom s'appliqua à des modèles à pistons (d'origine allemande d'après J. G. Kastner et Berlioz) semblables à l'ophicléide à pistons français mais différents du tuba basse de Wieprecht et Moritz (Berlin 1835). Le terme de b. resta désormais en usage, dans certains pays comme l'Angleterre, pour désigner de façon générale les contrebasses à pistons employées dans la mus. militaire, mais il est aujourd'hui inusité.

BONN.

Bibliographie — L. UEBERFELDT, F. Ries' Jugendentwicklung (diss. Bonn 1915) ; K. STEVEN, H.C. Breidenstein, Cologne 1924 ; E. THALHEIMER, J. Kinkel als Musikerin (diss. Bonn 1924) ; I. LEUX, Chr.G. Neefe, Leipzig 1925 ; L. SCHIEDERMAIR, Der junge Beethoven, Leipzig 1925, 3/ Bonn, Dümmler, 1951 ; F.A. SCHMIDT et F. KNICKENBERG, Das Beethovenhaus in B., Bonn 1927 ; J. HEER, Zur Kirchenmusik... während der Beethovenzeit, *in* KmJb XXIX, 1934 ; H.E. PFEIFFER, Theater in B... 1600-1814, Emsdetten 1934 ; A. HENSELER, A. Lucchesi, *in* Bonner Geschichtsblätter I, 1937 ; B. BARTELS, Beethoven u. B., Stuttgart, Kronosverlag, 1954 ; G. BORK, Die Melodien des Bonner Gesangbuchs... 1550-1630, Cologne, Staufen Verlag, 1955 ; A. HENSELER, M. Reger u. B., Cologne, A. Volk, 1957 ; du même, Das musikalische B. im 19.Jh., Bonn 1959 ; K. PEMPELFORT, Isis ein Theater, Bonn, Stollfuss, 1965 ; A. BECKER, Chr.G. Neefe u. die Bonner Illuminaten, Bonn, Bouvier, 1969 ; H. SCHMIDT, Das Bonner Beethovenarchiv, Bonn, Inter Nationes, 1970 ; M. BRAUBACH, Beethovens Abschied von B., Cologne, Westdeuscher Verlag, 1970.

BOOGIE-WOOGIE (amér., étymologie incertaine), mus. de piano afro-américaine qui s'est développée dans les régions rurales du sud et du sud-ouest des États-Unis. Elle représente apparemment le phénomène le plus original d'un ensemble de mus. pianistique qui peut s'interpréter comme un effort de mise en tablature (arrière-plan « blues »). Sous le nom de

« barrelhouse piano », on la rencontre depuis la fin du XIXᵉ s. Le terme indique ses liens fonctionnels (« barrelhouse » = taverne primitive avec service au tonneau). Le b.-w. prend son aspect idiomatique vers 1920-30, principalement grâce aux réunions de société dans les maisons particulières (« house-rent parties ») des grandes villes du nord des États-Unis (Chicago). Dans un mouvement le plus souvent rapide, des éléments structurels sont additionnés par improvisation au moyen de la forme → « blues » sans qu'un modèle soit réellement imposé. La distance accusée qui sépare la basse du chant est symptomatique du partage fonctionnel des mains. La main gauche réalise une figure continue (« walking bass ») jouant le rôle de fondement harmonique. Au-dessus de cette basse, la main droite exécute des « clusters » (qui s'efforcent de rendre au piano les « blue notes »), des trémolos et des trilles (moyens de prolongation du son à côté de la pédale), des fragments de gamme, des accords, en phrasant selon l' « off-beat ». Selon les traditions africaines, le piano est traité comme un instr. à percussion. Parmi les pianistes de b.-w. les plus connus et les plus importants, il faut citer, dans une première génération, Cow Cow Davenport, Cripple Clarence Lofton, Jimmy Yancey ; dans une seconde génération, Albert Ammons, Pete Johnson, Meade Lux Lewis, Pine Top Smith.

BORDEAUX.

Bibliographie — A. DETCHEVERRY, Hist. des th. de B., Bordeaux 1860 ; E.E. GRIMARD, La mus. et ses interprètes à B. Critiques et portraits, Bordeaux 1860 ; R. CÉLESTE, Les soc. de B. Les anciennes soc. musicales. Musée (Soc. Philomathique), 1783-1793, in Revue philomathique de B. et du Sud-Ouest, oct. 1900 ; du même, Les soc. de B. Les soc. musicales pendant la Révolution, 1792-1800, ibid. déc. 1900 ; J. JACQUEMIN, Les orgues de St-Seurin à B., in L'Orgue nᵒ 83, 1957 ; P. ROUDIÉ et FR. LESURE, La jeunesse bordelaise de Cl. Janequin, in RMie XLIX, 1963 ; D. URVAY, La psaltise de l'église métropolitaine St-André de B., in Revue hist. de Bordeaux 1963 ; du même, La psaltise de St-Seurin de B., ibid. 1966 ; CHR. TAILLARD, Les orgues du XVIIIᵉ s. à B., in L'Orgue nᵒˢ 122 et 123, 1967 ; J. ROUX, L'église N.-D. de B. Rénovation des grandes orgues, Bordeaux, Impr. Castéra, 1967 ; cf. également Hist. de B. publ. sous la dir. de CH. HIGOUNET, V B. au XVIIIᵉ s., livre I, chap. 2, La vie intellectuelle et musicale ; VI B. au XIXᵉ s. livre IV, chap. 1, Le mouvt intellectuel et musical.

BORNÉO, voir INDONÉSIE.

BOSTON (Massachusetts, USA).

Bibliographie — D. SPILLANE, Hist. of the Amer. Pianoforte, New York 1890 ; W.S. PRATT, The Music of the Pilgrims, Boston 1921 ; W.A. FISHER, 150 Years of Music Publishing in the US, Boston 1933 ; P.A. SCHOLES, The Puritans and Music in England and New England, New York 1934 ; CHR.M. AYARS, Contributions to the Arts of Music in America by the Music Industries of B. 1640-1936, New York 1937 ; H.W. FOOTE, Three Cent. of Amer. Hymnody, Cambridge (Mass.) 1940 ; H.E. JOHNSON, Musical Interludes in B. (1795-1830), New York 1942, 2/New York, AMS Press, 1967 ; du même, Symphony Hall B., Boston 1950 ; du même, The Germania Musical Soc., in MQ XXXIX, 1953 ; du même, art. B. in MGG XV, 1973 ; H. LEICHTENTRITT, S. Koussevitzky, the B. Symphony and the New Amer. Music, Cambridge (Mass.) 1946.

BOSTON (de Boston, capitale du Massachusetts, USA), sorte de → valse lente américaine (♩ = 132 env.). L'expression valse b., peu répandue en Amérique, apparut vers 1880 en Europe, où le b. fut très en vogue (surtout en Allemagne) à l'époque de la Iʳᵉ Guerre mondiale. Ses harmonies sont plus recherchées que celles de la valse ordinaire et il a été contaminé par des éléments du → « jazz ». On le danse en trois pas : deux marchés et un assemblé. Aujourd'hui, en Amérique, « to play boston » c'est faire alterner régulièrement les basses sur les temps impairs et les accords qu'elles supportent sur les temps pairs. L'origine de ce mode de soutien efficace du piano est à chercher dans la façon dont les anciens chanteurs de « jazz » s'accompagnaient à la guitare. L'expression équivalente dans l'argot des musiciens français est « faire une pompe ». Des compositeurs connus n'ont pas dédaigné d'introduire des b. dans leurs œuvres : P. Hindemith dans son 1ᵉʳ Quatuor en fa min. (1919) et dans sa Suite für Klavier (1922), ainsi que C. Beck dans ses Zwei Tanzstücke (1929).

BOUCHE. 1. (Angl., mouth ; all., Mund ; ital., bocca ; esp., boca), cavité située au bas de la face et qui joue le rôle de résonateur dans la parole et le chant. — Voir l'art. PHONATION. — **2.** Ouverture des instruments de la famille des → flûtes comprenant l'arête sur laquelle vient se briser le souffle destiné à exciter la colonne d'air. Les → flûtes à bec possèdent une b. biseautée située au sommet du tuyau, en dessous du bec qui sert à diriger et à régulariser le souffle ; les → flûtes traversières ont une b. latérale percée sur le côté du tube. A l'orgue, dans les jeux flûtés, la b. désigne l'ouverture située sur le devant du tuyau qui délimite la hauteur de la colonne d'air et qui est constituée par la lèvre inférieure et la lèvre supérieure ou → biseau. — Voir l'art. ORGUE, § B 4.

BOUCHÉ. 1. Jeux b. : jeux à bouche dont la partie supérieure est fermée pour abaisser le son d'une octave (voir l'art. ORGUE, § B 4. La tuyauterie). — **2.** Son b. : son obtenu dans le jeu de certains cuivres (cor, trompette, trombone, etc.) en introduisant la main ou une → sourdine dans le pavillon de l'instrument. Cette technique permet des effets de douceur et d'écho.

BOUCHE FERMÉE (ital., bocca chiusa), effet, propre à la mus. vocale, qui consiste à chanter la bouche fermée certains passages sans paroles. Il est pratiqué le plus souvent dans la mus. chorale et sert plus particulièrement à l'accompagnement (G. Verdi, Rigoletto, dernier acte ; G. Puccini, Madame Butterfly, 2ᵉ acte).

BOUFFE, adjectif qualifiant un genre comique très marqué. En italien, → « opera buffa » (= opéra-bouffe) désigna par opposition à « opera seria » une œuvre dramatique de caractère léger. Par extension, le terme de Bouffes fut utilisé en France au XIXᵉ s. pour désigner le théâtre où l'on exécutait ce répertoire et la troupe qui l'interprétait. J. Offenbach ouvrit en 1855 le célèbre théâtre des « Bouffes-Parisiens », où furent données ses opérettes.

BOUFFONS, voir QUERELLE DES BOUFFONS.

BOURDON (lat., burdo, bordunus ; ital., bordone ; angl., burdon, burden ; all., Bordun). **1.** Le terme apparaît en Europe médiévale tout d'abord avec le sens de grondement d'un son grave. De là il s'adjoint divers sens musicaux qui expriment tous, bien qu'avec des nuances diverses, le phénomène acoustique produit par un son grave. Dante emploie le mot de « bordone » pour évoquer l'accompagnement par un son soutenu lorsque, à l'entrée du poète au paradis terrestre, il parle d'un chant accompagné par le b. régulier du frémissement des feuilles : « ma con piena letizia l'ore prime / cantando, riceveamo intra le foglie, / che tenevan bordone alle sue rime... » (Purg. XXVIII, 16-18). « Burdo » ou « bordunus » apparaissent en outre pour désigner la note qui est tenue dans l'organum à deux voix de l'École de Notre-Dame (Anon. St. Emmeram : « supra burdonem tenoris », éd. par H. Sowa, p. 53) et comme appellation du système de b. propre à certains instr. de musique, la → cornemuse et la → vielle à roue en particulier. En France, la cornemuse a été appelée « muse au grant bourdon ». Albert le Grand désigne les grandes flûtes graves de l'orgue (voir plus loin) du terme de « bordunus » : « ... sicut vidimus in burdonibus, qui sunt magnae fistulae organorum musicorum, gravem esse sonum (éd. Bäumker 19,43). Jérôme de Moravie, de son côté, emploie le terme pour désigner une corde de la vièle, située à l'extérieur du corps de l'instrument et qui fait entendre un même son résonnant par sympathie (éd. Cserba 290, 4 et ss.). B. sert également à désigner les cloches au son grave (Dict. de l'Acad. Françoise, Paris 5/1798), la corde qui précède la plus grave du luth et de la viole de gambe (M. MERSENNE, Harmonicorum instrumentorum libri IV), les jeux bouchés de l'orgue (M. PRAETORIUS, Syntagma musicum III, p. 139 ; voir plus loin) ainsi que l'octave la plus grave des instr. à clavier : « et est notandum, quod unusquisque bordunus semper duplum sui naturalis in longitudine obtinebit » (Erfurt, coll. Amplonienne, Ms. F 395, f° 30ᵛᵒ ; cf. également N. DUFOURCQ, Documents inéd. relatifs à l'orgue fr. I, Paris 1934). — Selon des témoignages exclusivement littéraires, le terme de « burdon » s'appliquait, en Angleterre, à la voix grave qui tient le chant dans une musique à plusieurs voix improvisée ; il y apparaît régulièrement en relation avec « mene » (voix médiane) et « treble » (voix supérieure), p. ex. chez Robert Manning de Brunne, *The Story of England* (v. 1330) : « ther myghte men se fair samninge / of tho clerkes that best couthe synge / wyth treble, mene & burdoun (J.F. FURNIVALL, Rerum Britannicarum Medii Aevi Scriptores LXXXVII, Londres 1887, p. 11 261 et s.).

2. (Orgue). Jusqu'au xvᵉ s., les b. sont des tuyaux graves hors gamme pour longues tenues, un ou deux dans les → portatifs, bientôt multipliés jusqu'à constituer une octave diatonique complète. Au cours du xviᵉ s., ces tuyaux seront nommés → trompes en France, → diapasons en Angleterre. Aux Pays-Bas, on fit des b. bouchés pour l'octave grave du jeu à cheminées de 8′, fondamental du positif. Puis le nom s'appliqua au jeu entier ainsi constitué (Diest, 1523) et passa en France avec ce sens vers 1580 : b. de 16′ et de 8′ (dit souvent au xviiiᵉ s. de 4′ par sa longueur réelle), rarement de 4′. Au xixᵉ s. il tend à devenir entièrement bouché comme le « Gedackt » allemand. Sa sonorité est alors très neutre. Le b. est le jeu doux par excellence pour les accompagnements. Il figure aussi dans les → fonds, les → pleins-jeux français et partout comme fondamental remplaçant le → principal. — Angl., stopped-diapason ; all., Koppel, Gedackt ou Hohlflöte ; ital., bordone.

Bibliographie — 1. H. SOWA, Ein anonymer glossierter Mensuraltraktat 1279, Kassel 1930 ; JÉRÔME DE MORAVIE, Tractatus de musica, éd. par S.M. Cserba, Regensburg 1935 ; FR. GAFFURIO, Practica musice, Milan 1496, réimpr. en facs. Farnborough, Gregg, 1967 ; M. PRAETORIUS, Syntagma musicum III, Wolfenbüttel 1619, réimpr. en facs. Kassel, BV, 1958 ; M. MERSENNE, Harmonicorum instrumentorum libri IV, Paris 1636 ; S. DE BROSSARD, Dict. de mus., Amsterdam 3/1705, réimpr. en facs. Amsterdam, Antiqua, 1965 ; J.G. WALTHER, Musikalisches Lexikon, Leipzig 1732, réimpr. en facs. Kassel, BV, 1953 ; J.J. ROUSSEAU, Dict. de mus., Paris 1768 ; C. SACHS, Real-Lexikon der Musikinstr. (art. Bordun), Berlin 1913, réimpr. en facs., Hildesheim, Olms, 1964 ; H. BESSELER, B. u. Fauxbourdon, Leipzig 1950 ; D. HOFFMANN-AXTHELM, art. B. in Handwörterbuch der musikalischen Terminologie, éd. par H.H. Eggebrecht, Wiesbaden, Fr. Steiner, 1972 et suiv. ; cf. également l'art. FAUX-BOURDON.

D. HOFFMANN-AXTHELM et P. HARDOUIN

BOURDONNER. 1. Produire un bruit sourd et continu. — **2.** Actionner le battant de telle façon qu'il frappe la cloche des deux côtés.

BOURGES.

Bibliographie — A. DE BOISSOUDY, Le grand orgue de la cathédrale de B., Bourges 1883 ; H. BOYER, Hist. des corporations et confréries d'arts et métiers de B. : les ménétriers, maîtres de danse et maîtres d'armes, in Mémoires de la Soc. hist., litt. et scientifique du Cher, 4ᵉ série XXIII, 1909 ; F. RAUGEL, Les grandes orgues de la cathédrale de B., in L'Orgue n° 82, 1957.

BOURRÉE, danse populaire française datant du xviᵉ s. Son étymologie est controversée ; certains pensent qu'elle a été introduite en France par les Boulgres ou Bulgares. Par ailleurs le mot désigne en français un fagot, mais le rapport avec la danse n'a pas été établi. Plus intéressant est le verbe « bourrer » qui signifie frapper et pourrait être à l'origine de cette danse fortement rythmée. D'après la tradition, la b. aurait été introduite à la cour de France par Marguerite de Valois en 1555. Son succès chez les musiciens fut grand et on la rencontre bientôt dans les suites instrumentales (M. Praetorius, *Syntagma musicum*, 1615 ; Ms. de Cassel, 1640-70 ; H. Purcell, *Pièces de clavecin* op. 2, 1696), dans les ballets (Lully, *Les Noces de village*, 1663 ; *Les Amours déguisés*, 1664) et l'opéra (Lully, *Phaéton*, 1683). A la fin du xviiᵉ et au xviiiᵉ s., la b. prend une place importante dans la suite, se situant entre le noyau allemande-courante, sarabande et la gigue terminale. Dès 1750 elle disparaît pour renaître à la fin du xixᵉ s., où on l'utilisera soit à des fins descriptives (E. Chabrier, *Bourrée fantasque*, 1891), soit par besoin de renouer avec la tradition (A. Roussel, *Suite* pour piano, op. 14, 1909-10). Parallèlement, la b. est dansée en milieu rural au son d'instruments rustiques comme la cabrette. M. Brenet signale l'existence d'une b. « montagnarde » dansée par des hommes portant bâtons suspendus aux bras et grelots aux chevilles. La b. se danse par couples. On voit la femme fuir les avances de son cavalier, qui frappe le sol du pied pour marquer sa colère. La fin de la danse les réconcilie. La b. s'écrit à 2 ou 3 temps suivant les régions. Selon J.J. Rousseau (*Dictionnaire*, 1768), « la b. est à 2 temps gais, et commence par une noire avant le frappé. Elle doit avoir, comme la plupart des autres danses, deux parties, et 4 mesures, ou un multiple de 4 à chacune. Dans le caractère d'Air, on lie assez fréquemment la seconde moitié du 1ᵉʳ temps et la première du second par une blanche syncopée ». Cette b. « alla breve » à ¢ se danse dans le Berry, le Bourbonnais, le Languedoc et la basse Auvergne. La b. ternaire, plus légère et rapide, s'écrit à 3/4 ou 3/8. On la danse en Auvergne et en Limousin. Dans le théâtre et la suite classique, la b. est de rythme binaire et s'apparente à la gavotte, avec une anacrouse d'un seul temps toutefois :

J. B. Lully, *Les Noces de village* (1663), « bourrée à 5 ».

Elle se présente parfois avec un double (J.S. Bach, Ire *Partita* pour violon seul en *si* min.) ou suivie d'une seconde b. de caractère rustique formant trio :

J.S. Bach, 2e *Suite anglaise*, bourrée II.

Plus rarement la b. peut présenter un aspect fugué :

J.S. Bach, Ire *Suite anglaise*.

La forme générale est en deux parties : la première allant de la tonique à la dominante avec reprise, la seconde faisant le chemin inverse, également agrémentée d'une reprise. Ce plan stéréotypé n'est valable que pour la suite classique ; la b. moderne emprunte les formes les plus diverses et ne conserve de la danse traditionnelle que le rythme et le style.

Bibliographie — La b. limousine de Brive-la-Gaillarde, Conférence nationale des groupes folkloriques français, Limoges s.d. ; M. Versepuy, La b. d'Auvergne, *in* Bull. de la SIM, Paris 1910 ; La danse populaire. B. d'Auvergne, *in* Musica, mai-juin 1912 ; C. Sachs, Eine Weltgesch. des Tanzes, Berlin 1933, trad. fr., Hist. de la danse, Paris 1938 ; J. Canteloube, La danse d'Auvergne, *in* Le Français littéraire et artistique 1936 ; P. Nettl, The Story of Dance Music, New York 1947 ; P.R. Fournier, Deux noms de danses auvergnates, *in* Le Français moderne XVI/3, 1948 ; Cl. Marcel-Dubois, art. B. *in* MGG II, 1952 ; M. Juillard, La b. était-elle dansée en Auvergne au XIIe s.?, Clermont 1954 ; G. Reichert, Der Tanz, Cologne, A. Volk, 1965.

M. Cl. Beltrando-Patier

BOURSETTE, petit sac de peau disposé dans le sommier de l'orgue entre le tirant et la soupape, de façon à éviter une fuite d'air.

BOYAU (angl., gut ; all., Darm ; ital., minùgia), partie des intestins du mouton dont on tire les cordes avec lesquelles sont tendus les instruments à cordes frottées ou pincées. Bien que remplacées de plus en plus fréquemment par des cordes en acier insensibles à l'humidité et d'un timbre plus aigu, les cordes en b. sont le matériau le mieux adapté aux instruments traditionnels. Au violon, on les utilise pour les cordes de *sol*, *ré* et *la*, la corde de *mi*, la chanterelle, étant généralement en acier. Les cordes en b. présentent l'inconvénient d'être sensibles à l'humidité et par conséquent de tenir moins bien l'accord ; par contre, leur extensibilité permet à la hauteur du son de ne pas varier quand on exerce une pression plus forte de l'archet. Pour être de bonne qualité, une corde de b. doit être parfaitement lisse et transparente ; elle est souvent recouverte d'un fil de métal (boyau filé) qui permet d'augmenter la densité moyenne de la corde et par conséquent de diminuer sa rigidité. — Voir l'art. CORDE.

BRAILLE, écriture en relief, lue au toucher, inventée à l'usage des aveugles par L. Braille (1809-1852), professeur à l'Institution des aveugles de Paris et organiste, aveugle lui-même. Le système, universellement adopté, s'applique aux lettres, aux chiffres et à la musique. La notation musicale, perfectionnée en 1929, est fondée sur les 6 points de l'alphabet des aveugles, frappés au poinçon dans un carton spécial, et permet la transcription de tous les signes.

Bibliographie — A. Mahaut, Notation musicale à l'usage des aveugles..., *in* Lavignac Techn. VI, 1925.

BRANLE, ancienne danse française dont les pas auraient pour origine l'une des figures de la → basse danse. Elle s'exécutait en formant une chaîne, à laquelle un nombre important de danseurs pouvait prendre part, et se dansait de côté et non pas en avant. « Le br. se doibt commencer du pié senestre et se doibt finer du pié dextre et s'appelle br. pour ce qu'on le fayt en branlant d'un pié sur l'autre » (M. Toulouze, *L'art et instruction de bien danser* [av. 1496]). Sa popularité fut grande durant tout le XVIe s. et se poursuivit au XVIIe s., après que le ballet de cour eut fait place parmi ses entrées, mais sous une forme de plus en plus stylisée. Dans l'*Orchésographie* (1588), Th. Arbeau distingue quatre formes principales de br. qui constituent le noyau de la suite de danses françaises : « les anciens dancent gravement les br. doubles et simples. Les jeusnes mariez dancent les br. gayz. Et les plus jeusnes comme vous dancent legièrement les br. de Bourgoigne. Et neantmoins tous ceulx de la dance, s'acquittent du tout comme ils peuvent, chacun selon son aage, et la disposition de sa dexterité. » S'y ajoutent un nombre assez considérable de variantes donnant lieu à 26 types différents. La plupart sont en rythme binaire, tels les br. simples, doubles, coupés, les br. de Bourgogne, de Champagne, du haut Barrois, etc.

hudba 1971 ; D. Lehotská, J. Pleva et collab., Hist. de la ville de Br., Bratislava, Obzor, 1966 ; R. Rybarič, La mus. au

Cl. Gervaise, *Branle de Bourgogne.*

D'autres sont en rythme ternaire, tels les br. gais, courants et les br. de Poitou et d'Écosse.

chœur de la 1re église protestante de Br. (1638-1672), in Bratislava VII, 1972.

Cl. Gervaise, *Branle de Poitou.*

Les recueils de danses publiés par P. Attaingnant à partir de 1530 et par N. Du Chemin entre 1559 et 1564 contiennent de nombreux br. à 4 et 5 voix dus à Cl. Gervaise, J. d'Estrées ou E. Du Tertre et à divers auteurs anonymes. On les groupait en suites lors des exécutions. Les tablatures de luth, de cistre et de guitare en renferment également, souvent liés à des titres de chanson, ce qui prouve que les br. étaient également chantés. De M. Praetorius (*Terpsichore Musarum*, 1612) à G. Dumanoir et aux frères Brulart (Ms. de Cassel, 1664), les principaux auteurs de mus. instrumentale du XVIIe s. ont réservé à cette danse une place de choix dans leurs suites, avant qu'elle ne disparaisse définitivement à la fin du siècle. Le br. se rencontre en Angleterre qui l'avait adopté dès le règne de Henri VIII sous le nom de « brawl » ou « brangill » ; il était également connu en Italie sous le nom de « brando ».

Rééditions modernes — Cl. Gervaise et E. Du Tertre, Danceries, *in* Expert Maîtres XXXIII, 1898 ; 20 Suites d'orchestre du XVIIe s. fr. [Ms. de Cassel], éd. par J. Écorcheville, 2 vol., Paris 1906 ; P. Attaingnant, Danseries à 4 parties (2e Livre, 1547), éd. par R. Meylan, Paris, Heugel, 1969.

Bibliographie — M. Toulouze, L'art et instruction de bien danser, Paris [av. 1496], rééd. en facs. Londres 1936 ; Th. Arbeau, Orchésographie, Langres 1588, rééd. par L. Fonta, Paris 1888, rééd. en facs. Genève, Minkoff, 1970 ; F. de Lauze, Apologie de la danse, s.l. 1623 ; J. Écorcheville, ouvr. cité (voir ci-dessus) ; du même, Un livre inconnu sur la danse (F. de Lauze), *in* Fs. H. Riemann, Leipzig 1909 ; C. Sachs, Eine Weltgesch. des Tanzes, Berlin 1933 ; trad. fr., Hist. de la danse, Paris 1938 ; P. Nettl, The Story of Dance Music, New York 1947 ; du même, Die Tänze J. d'Estrées, *in* Mf VIII, 1955 ; Fr. Lesure, art. Br. *in* MGG 11, 1952.

M. Honegger

BRATISLAVA (en all., Pressburg ; en hongr., Pozsony, du lat. Posonium).

Bibliographie (en slovaque, sauf mention spéciale) — T. Ortvay, Gesch. der Stadt Pressburg, 4 vol., Pressburg-Pozsony 1892-1903 (en all.) ; K. Benyovszky, Das alte Theater. Kulturgesch. aus Pressburgs Vergangenheit, Bratislava 1926 (en all.) ; D. Orel, Les monuments musicaux de la bibl. des Franciscains à Br., Bratislava 1930 ; Z. Hrabussay, Facture instrumentale et facteurs d'instr. à Br., *in* Hudobnovedné štúdie V, Bratislava, Akademia, 1961 ; du même, La vie musicale à Br. jusqu'à la fin du XIXe s., *in* Slovenská

BRATSCHE (all.), voir Alto.

BRAYER, morceau de cuir qui soutient le battant d'une cloche.

BREAK (angl., = interruption), dans le → jazz, transition de soliste au cours de laquelle l'ensemble se tait. Le br. mettant en question le « beat » (voir l'art. Jazz), le flot mélodique et rythmique s'en trouve brouillé. L'origine de ce phénomène remonte à la réponse instrumentale dans les formes vocales afro-américaines (« blues » ; voir l'art. Call-and-response pattern). Le br. ne doit pas être confondu avec le « stop-time », qui lui est apparenté, au cours duquel l'ensemble se tait également tandis qu'un soliste continue à jouer. Dans ce cas, le flot normal reste bien établi, car l'ensemble marque les temps forts — le plus souvent pendant un « chorus » entier — par des accords non tenus et se tait sur les autres temps. On peut comparer ces deux phénomènes dans les enregistrements du « Hot Five » et du « Hot Seven » de L. Armstrong.

BRELOQUE ou BERLOQUE, batterie de tambour qui appelait les soldats à la distribution des repas ; de nos jours, associée à une sonnerie de clairon, elle fait rompre les rangs.

BRESCIA.

Bibliographie — **1. Vie musicale et ouvr. généraux :** A. Valentini, I musicisti bresciani e il Teatro Grande, Brescia 1894 ; P. Guerrini, I canonici cantori della cattedrale di Br., *in* Note d'Archivio, 1924 ; du même, Di alcuni organisti della cattedrale di Br. nel '500, *ibid.*, 1926 ; du même, Per la storia della mus. a Br., *ibid.*, 1934 ; du même, Gli organi e gli organisti della cattedrale di Br., *ibid.*, 1939 ; G. Bignami, Per la storia della mus. a Br., *ibid.*, 1934 ; du même, Enciclopedia dei musicisti bresciani, Milan 1963. — **2. Théâtres et spectacles :** F. Glissenti, Delle origini del nostro Teatro Grande, *in* Ateneo di Br., 1895 ; P. Treves Sartori, Il Teatro Grande, *in* La Lettura, août 1914 ; Cl. Sartori, Fr. Faccio e venti anni di spettacoli di fiera al Teatro Grande di Br., *in* RMI XLV, 1938. — **3. Bibliothèques :** V. Brunelli, Elenco degli esistenti nell' Archivio musicale della cattedrale di Br., *in* Memorie Storiche della Diocesi di Br. XXVIII, 1961.

BRÉSIL (Brasil). La musique des Indiens a été notée dès la découverte du pays par les Portugais à l'aube du XVIe s. On en trouve des exemples dans le récit du voyage de Jean de Léry, publié à Genève en 1585. A côté d'elle, d'autres musiques se firent bientôt entendre dans les plantations de canne à sucre ou dans les établissements des Jésuites : celle des Noirs amenés d'Afrique en esclavage et celle, populaire ou religieuse, de tradition portugaise que les Pères enseignaient à leurs élèves américains. Jusqu'à nos jours, ces trois modes d'expression musicale ont constitué le fonds de la mus. populaire brésilienne, avec prédominance de l'un ou de l'autre selon les régions. S'il est encore prématuré de parler de la musique qui se faisait au Brésil avant le XVIIIe s., celle de cette époque commence à être connue grâce aux travaux entrepris par des chercheurs tels que Fr.C. Lange, Regis Duprat ou Jayme Diniz. Luís Alvarez Pinto, né à Recife en 1719, maître de chapelle de St-Pierre des Clercs dans sa ville natale, est le plus ancien des compositeurs brésiliens dont l'œuvre nous soit connue. A la même époque, l'art musical fleurissait à la Capitainerie de Minas Gerais, d'où provenaient l'or et les pierreries qui faisaient la fortune de la Couronne portugaise. J.M. Nunes Garcia (1767-1830), au tournant du siècle, a vécu à Rio de Janeiro, la capitale du Brésil. Elle allait devenir le siège de la Couronne et du Gouvernement portugais et traverser une période brillante au cours de laquelle la vieille ville coloniale, un peu endormie, devait s'animer, accueillir des savants éminents, des artistes, des diplomates, et voir naître un bon nombre des institutions qui lui conféreront par la suite ses titres de grande ville et de foyer de la culture nationale. Nunes Garcia n'a jamais été oublié, mais il connaît aujourd'hui une recrudescence de popularité due aux exécutions plus fréquentes de ses œuvres et à leur enregistrement sur disques. Dès le XVIIe s., de petits théâtres d'opéra avaient vu le jour dans différentes villes du Brésil. Leur répertoire était assez éclectique, avec des concessions au goût populaire, mais des opéras sérieux y étaient également chantés. Au début du XIXe s., des chanteurs autochtones régnaient sur ces scènes, le contralto Joaquina da Conceição Lapa ou la basse João dos Reis par exemple. Avec l'inauguration en 1813 du « Real Teatro de São João », édifié d'après les plans du « Teatro São Carlos » de Lisbonne, une vraie scène d'opéra était offerte aux amateurs avec le répertoire de l'époque. Pourvue de chanteurs et de danseurs fameux venus de France et d'Italie, de chœurs et d'orchestres importants, elle a contribué à faire de la ville, pendant quelques années, la capitale musicale du Continent. Il appartenait à Francisco Manuel da Silva (1795-1865), l'un des disciples de J.M. Nunes Garcia, de doter le pays des institutions qu'exigeait la proclamation de l'Indépendance en 1822. On lui doit la création d'organisations de soutien aux musiciens, de diffusion de la musique, et, en 1848, celle du Conservatoire, devenu aujourd'hui l'École de musique de l'Université fédérale de Rio de Janeiro. Formé dans cet établissement, A.C. Gomes (1836-1896) apparaît comme la figure principale de la mus. brésilienne au cours de la 2de moitié du siècle. Il est l'auteur d'opéras chantés dans tous les théâtres du monde. — Vers la fin du siècle, les sociétés de musique classique et de mus. de chambre se multiplient, à Rio de Janeiro comme à São Paulo, marquant une évolution du goût du public qui n'apparaît plus uniquement attaché à l'opéra, notamment à l'opéra italien. Les nouvelles tendances sont personnifiées par Henrique Oswald (1852-1931), compositeur fécond, d'un romantisme retenu à l'écriture transparente, plus à l'aise dans la mus. de chambre que dans la mus. symphonique, ainsi que par Leopoldo Miguez (1850-1902), apôtre du wagnérisme, dont l'opéra Os Saldunes, chanté à Rio en 1901, constitue une sorte d'initiation à l'univers de R. Wagner et fait preuve, par ailleurs, d'une vraie force dramatique.

Un éveil de la conscience nationale des compositeurs se manifeste au tournant du XIXe s. Alberto Nepomuceno (1864-1920) l'annonce ; dans ses compositions, il introduit des thèmes populaires très connus, considérés comme très vulgaires, et leur fait subir un traitement savant. Écouté dans le monde entier, H. Villa-Lobos (1887-1959) représente l'apogée de cette tendance. Il est suivi de maîtres tels que O.L. Fernández (1897-1948), Fr. Mignone (* 1897), M. Camargo Guarnieri (* 1907) et, dans une certaine mesure, Cesar Guerra Peixe (* 1914) et Cl. Santoro (* 1919). Ces deux derniers, dont l'œuvre a commencé à être connue après la 2de Guerre mondiale, inaugurent, dans la mus. brésilienne, l'emploi des techniques sérielles. Il convient de reconnaître l'influence stimulante qu'a exercée sur les plus jeunes compositeurs l'Allemand H.J. Koellreutter (* 1915), qui avait déjà initié Guerra Peixe et Santoro à la recherche de formes d'expression contemporaines. Son action s'est fait sentir à l'Université fédérale de Bahia notamment, où il a créé l'enseignement de la musique sur des bases nouvelles. Presque tous les compositeurs de la jeune génération ont subi son influence, directement ou indirectement, à travers ses disciples, fixés aujourd'hui dans différentes villes du Brésil. Parmi les compositeurs qui avaient moins de 32 ans en 1970 et dont la réputation commence à s'établir solidement, il convient de citer Marlos Nobre, Lindembergue Cardoso, Fernando Cerqueira, Jorge Antunes, José Antônio de Almeida Prado, José Maria Neves, Aylton Escobar, Rinaldo Rossi, Jaceguay Lins et Marco Antônio Guimarães. L'impulsion donnée à la vie musicale par ces jeunes musiciens et par les interprètes de leur génération se fait sentir non seulement dans la diffusion de la musique d'aujourd'hui mais aussi dans les efforts pour faire connaître la musique ancienne. Plusieurs ensembles se sont constitués à cet effet. Rio de Janeiro a créé un Festival de mus. contemporaine, assorti d'un concours de composition. Le niveau des concours internationaux de piano et de chant qui ont également lieu dans cette ville y ont attiré, ces dernières années, les meilleurs parmi les jeunes virtuoses du monde entier.

Bibliographie — 1. Ouvr. bibliographiques : L.H. CORRÊA DE AZEVEDO, Bibliogr. musical brasileira (1820-1950), Rio de Janeiro, Inst. Nacional do Livro, 1952. — 2. Éditions monumentales : Arquivo de Música Brasileira, éd. par L.H. CORRÊA DE AZEVEDO, I Mús. sacra (J.M. Nunes Garcia, Fr.M. da Silva), II/1 A.C. Gomes (trechos escolhidos da ópera Joana de Flandres), Rio de Janeiro, Inst. Nacional de Música, 1934-36 ; Mus. brésilienne moderne, Rio de Janeiro 1937 ; Archivo de Música religiosa da Capitania Geral das Minas Gerais, éd. par Fr.C. LANGE, Mendoza, Univ. Nacional de Cuyo, 1951 ; 100 Melodias folclóricas, documentário musical nordestino, éd. par A. MAYNARD DE ARAÚJO e ARICÓ Jr., São Paulo, Ricordi, 1958 ; M. DE ANDRADE, Ensaio sobre a mús. brasileira, São Paulo, Martins, 1962 ; du même, Modinhas Imperiais, São Paulo, Martins, 1964. — 3. Études : V. CERNICCHIARO, Storia della mus. nel Brasile, Milan 1926 ; R. ALMEIDA, Hist. da mús. brasileira, Rio de Janeiro 2/1942 ; I. QUEIROZ SANTOS, Origem e evoluçao da mús. em Portugal e no Brasil, Rio de Janeiro 1942 ; G. DE MELO, A mús. no Brasil, Rio de Janeiro 2/1947 ; Boletín Latino Americano de Música VI, Rio de Janeiro 1947 ; L.H. CORRÊA DE AZEVEDO, Mús. e músicos do Brasil, Rio de Janeiro 1950 ; du même, 150 Anos de mús. no Brasil, Rio de Janeiro, J. Olympio, 1956 ; O. ALVARENGA, Mús. popular brasileira, Rio de Janeiro 1951 ; E. NOGUEIRA FRANÇA, Mús. no Brasil, Rio de Janeiro, Inst. Nacional do Livro, 1957 ; A. VASCONCELLOS, Panorama da mús. popular brasileira, São Paulo, Martins, 1964 ; Inter-Amer. Inst. for Music Research Yearbook IV, La Nouvelle-Orléans, Tulane Univ., 1968 (n° consacré au Brésil).

L.H. CORRÊA DE AZEVEDO

BRESLAU (Wrocław).

Bibliographie — **1. Vie musicale et ouvr. généraux :** G. MÜNZER, Beitr. zur Konzertgesch. Br.s, Leipzig 1890 ; R. STARKE, Kantoren u. Organisten der Kirche zu St. Maria Magdalenen zu Br. u. an St. Bernhardin, *in* MfM XXXVI, 1904 ; H.E. GUCKEL, Kathol. Kirchenmusik in Schlesien, Leipzig 1912 ; J. SASS, Die kirchenmusikalischen Ämter u. Einrichtungen an den 3 ev. Haupt- u. Pfarrkirchen der Stadt Br. (diss. Breslau 1922) ; L. BURGEMEISTER, Der Orgelbau in Schlesien, Strasbourg 1925 ; F. KOSCHINSKY, Das prot. Kirchenorchester im 17. Jh. Kirchenmusik in Schlesien (diss. Breslau 1931) ; J. HÜBNER, Bibliogr. des Schlesischen Musik- u. Theaterwesens, Breslau 1934 ; W. MATYSIAK, Br.er Domkapellmeister von 1831 bis 1925 (diss. Breslau 1934) ; F. FELDMANN, Ev. Kirchenmusik in schlesischer Landstadt, *in* Fs. M. Schneider, Halle 1935 ; du même, Musik u. Musikpflege im mittelalterlichen Schlesien, Breslau 1938 ; du même, Br. u. die musikalische Romantik..., *in* Zs. für Ostforschung II, 1953 ; du même, Br.s Musikleben zur Zeit Beethovens aus der Sicht L.A.L. Siebigks, *in* AfMw XIX-XX, 1962-63 ; W. ESCHENBACH, Fr.W. Berner, 1780-1827, ein Beitr. zur Br.er Musikgesch. (diss. Breslau 1935) ; H.A. SANDER, Beitr. zur Gesch. des lutherischen Gottesdienstes in Br., Breslau 1937. — **2. Les théâtres lyriques :** M. SCHLESINGER, Gesch. des Br.er Theaters, I : 1522-1841, Breslau 1898 ; L. SITTENFELD, Gesch. des Br.er Theaters 1841-1900, Breslau 1909 ; H.H. BORCHERDT, Gesch. der ital. Oper in Br., *in* Zs. des Vereins für Gesch. Schlesiens XLIV, 1910. — **3. Orchestres et chorales :** E. BOHN, 50 historische Concerte in Breslau, 1881-1892, Breslau 1893 ; du même, 100 historische Concerte des Bohnschen Gesangvereins in Br. 1881-1905, Breslau 1905 ; B. BEHR, Denkschrift zur Feier des 50jährigen Bestehens des Br.er Orchester-Vereins 1862-1912, Breslau 1912. — **4. Les bibliothèques :** E. BOHN, Bibliogr. der Musik-Druckwerke bis 1700, welche... zu Br. aufbewahrt werden, Berlin 1883 ; du même, Die musikalischen Hss. des 16. u. 17. Jh. in der Stadtbibl. zu Br., Breslau 1890 ; J. WOLF, Ein Br.er Mensuraltraktat des 15. Jh., *in* AfMw I, 1918-19 ; E. KIRSCH, Die Bibl. des musikalischen Instituts der Univ. Br., Breslau 1922 ; C. PARTSCH, Fs. zur 100 Jahrfeier der Br.er Singakad., Breslau 1925 : F. FELDMANN, Der Codex Mf 2016 des Musikalischen Instituts der Univ. Br., 2 vol., Breslau 1932 ; H.A. SANDER, Ein Orgelbuch der Br.er Magdalenen-Kirche aus dem 17. Jh., *in* Fs. M. Schneider, Halle 1935.

BRÈVE (lat., brevis).

1. Dans la métrique grecque ancienne, unité de durée indivisible représentée par le signe ∪. — **2.** Forme de note isolée issue du → « punctum » et utilisée dans la → notation modale de la fin du XIIe s. pour représenter la valeur de durée la plus courte (■). Le silence qui lui correspond est une barre verticale reliant deux lignes de la portée :

Aux alentours de 1430, la br. reçoit une forme évidée (▭) mais, par le fait que l'évolution musicale avait introduit dans la notation plusieurs valeurs de durée plus courtes, elle compte alors parmi les valeurs longues. Sous le nom de carrée (▭ ou ▯) elle est encore utilisée de nos jours comme un multiple de la ronde (V. d'Indy, *Poème des Montagnes*, 1881 ; Ch. Kœchlin dans diverses œuvres). — Voir également l'art. ALLA BREVE.

BRÉVIAIRE (du lat. breviarium, = abrégé).

Ce terme désigne le livre renfermant tous les textes de l'office divin dont la récitation est imposée aux clercs de l'Église romaine à partir du sous-diaconat. Le br. ne contient pas de pièces notées ; il est simplement destiné à la récitation. Cependant quelques br. manuscrits ont aussi la notation musicale. Dans sa présentation actuelle, le br. est composé soit d'un volume comprenant toutes les parties fixes de l'office, complété par des fascicules pour les parties mobiles, soit de quatre volumes correspondant aux quatre saisons liturgiques. Pour le chant de l'office au chœur, il était nécessaire de posséder plusieurs volumes, → antiphonaire, → psautier, → hymnaire, etc. Pour le récitant qui n'assistait pas au chœur ou qui était en voyage, il devint indispensable de réunir ces divers livres sous un format réduit. Les premiers exemplaires du br. apparaissent au XIe et au XIIe s. Ils se répandirent surtout à partir du XIIIe s. quand la curie romaine édita le *Breviarium secundum usum Romanae Curiae* pour ses membres contraints à de continuels déplacements. Les franciscains l'adoptèrent et le diffusèrent. Il était divisé en cinq parties : 1° calendrier ; 2° psautier avec les cantiques, les antiennes, les versets, les leçons, les répons et les oraisons ; 3° temporal ; 4° sanctoral avec le propre et le commun des saints ; 5° office *De Beata* et des Défunts. A partir de cette époque, grâce au br., la récitation privée de l'office s'imposa peu à peu. Elle était devenue pratique courante au début du XVe s. Il y eut toute une série d'essais de réformes visant à un plus grand allégement. A la suite du 2e concile du Vatican, le br. traditionnel a disparu, au moins pour les clercs séculiers et pour les religieux menant une vie active. Il a été remplacé par un office très allégé réduit à l'essentiel. Approuvé en janv. 1969, le nouvel office, dit « Prière du Temps présent », ne comprend plus que deux heures majeures, celle du matin (→ laudes) et celle du soir (→ vêpres), un office des Lectures qui peut être dit à l'heure la plus favorable de la journée, et deux heures secondaires, une heure médiane au milieu du jour et une prière au coucher (→ complies). Le nombre des psaumes est réduit au minimum du fait que le psautier est récité en quatre semaines. C'est ainsi que les laudes n'ont plus que deux psaumes, un cantique de l'Ancien Testament et le Cantique de Zacharie. Le sanctoral, lui aussi, a été très réduit. Enfin, cet office peut être récité en langue vivante.

Bibliographie — D.S. BAUMER, Hist. du br. romain, trad. par R. Biron, 2 vol., Paris 1905 ; Mgr P. BATIFFOL, Hist. du br. romain, Paris 3/1911 ; V. LEROQUAIS, Les br. manuscrits des bibl. publiques de France, 6 vol., Mâcon 1934 ; C. CALLEWAERT, Liturgicae institutiones, II De breviarii romani liturgia, Bruges 2/1939 ; P. ALFONSO, I riti della Chiesa I, Rome 1945, pp. 77-180, Le ore canoniche ; G. BRINKTRINE, Il breviario romano, trad. ital., Rome 1946 ; I.H. DALMAIS, Origine et constitution de l'office, Paris, Éd. du Cerf, 1950 ; D.P. PARSCH, Il breviario romano, trad. ital., Turin, Marietti, 1953 ; D.P. SALMON, L'office divin, Paris, Éd. du Cerf, 1959 ; E. CASSIEN et R. BOTTE, La prière des heures, Paris, Éd. du Cerf, 1963 ; D.P. SALMON, La prière des heures, *in* A.G. MARTIMORT, L'Église ancienne. Introd. à la liturgie, section III, Paris, Desclée, 3/1965 ; Coll. La Maison-Dieu, n° 95 L'office divin, et n° 105 La liturgie des heures. Le renouveau de l'office, Paris, Éd. du Cerf.

M. COCHERIL

BRIO (ital., = brillant),

terme employé dans la locution « con brio » pour caractériser une exécution vigoureuse et brillante.

BRIOLAGE,

chant de labours du Berry, improvisé autour de quelques notes pivots invariables, destiné à encourager les bœufs de l'attelage.

BRISÉ. 1. Accord dont les notes sont présentées successivement, sous forme d'→ arpège ou de → batterie. Employé avec élégance et discrétion, le style brisé caractérise le jeu des luthistes de la 2ᵈᵉ moitié du XVIᵉ s. (A. Le Roy p. ex.). Du luth il passe au clavecin, où sa vogue ne se démentira pas jusqu'au XVIIIᵉ s. (J.S. Bach, *Le Clavier bien tempéré* I, prélude nᵒ 1). — **2.** Jeu d'orgue commandé par deux registres, l'un à gauche pour la moitié inférieure, l'autre à droite pour la moitié supérieure du clavier. Le système est employé de nos jours dans l'harmonium.

BRISURE, terme qui, dans la technique du violon, désigne un grand intervalle dont l'exécution — délicate — se fait en passant d'une corde à une autre non voisine.

BRNO (en all. Brünn).

Bibliographie (en tchèque, sauf mention spéciale) — G. BONDI, Gesch. des Brünner Deutschen Theaters 1600-1925, Brno 1924 (en all.) ; K. VETTERL, L'opéra à Brno, *in* Československá vlastivěda VIII, Prague 1935 ; B. ŠTĚDROŇ, La coll. musicale des Augustiniens dans l'ancien Brno, *in* Vestník CAVU LII, Prague 1943 ; L. KUNDERA, L'école d'orgue de L. Janáček, Olomouc 1948 ; A. ZÁVODSKÝ (éd.), Le grand flambeau. Mélanges pour le 75ᵉ anniversaire du Théâtre tchèque à Brno, Brno, Státní divadlo, 1959 ; 100 Ans de la Soc. philharmonique Beseda brněnská, Brno, Krajské nakladatelství, 1960 ; E. STEINER, Die Brünner u. ihr Stadttheater, Leimen / Heidelberg, Brünner Heimatbote, 1964 (en all.) ; B. ŠTĚDROŇ, Die Landschafts-Trompeter u. Tympanisten im alten Brünn, *in* Mf XXI, 1968 (en all.) ; Le Cons. de Brno. Mélanges pour le 50ᵉ anniversaire, éd. par I. PETRŽELKA et J. MAJER, Brno, Blok, 1969 ; Almanach du Théâtre d'État à Brno... (1884-1969), éd. par E. DUFKOVÁ, Brno, Státní divadlo, 1969 ; V. TELEC, Les éditions anciennes des œuvres de compositeurs tchèques à la Bibl. de l'Univ. de Brno, Prague, SPN, 1969 ; J. VRATISLAVSKÝ, L'époque de F. Neumann à l'Opéra de Brno, Brno, Státní divadlo, 1971 ; T. STRAKOVÁ, J. SEHNAL, S. PŘIBÁŇOVÁ, Guide des archives de l'Institut d'hist. de la mus. du Musée Morave à Brno, Brno, Moravské Muzeum, 1971.

BRODERIE, son étranger à l'harmonie, décrivant un mélisme autour d'un son de l'harmonie. La br. simple est synonyme de → note d'échange : elle quitte le son de l'harmonie en un degré conjoint (diatonique ou chromatique) pour y revenir de la même manière (br. supérieure, ex. 1, ou inférieure, ex. 2). Une grande partie des notes d'agrément sont des br. (mordant, pincé, gruppetto, trille, etc.). La br. double est constituée par la suite immédiate de la note d'échange supérieure et inférieure, ou vice versa (ex. 3). Dans un sens plus large, br. peut être synonyme d'ornements ou de variation. Ainsi J.J. Rousseau la définit comme « notes de goût que le musicien ajoute pour varier un chant répété, pour orner des passages trop simples ». En outre, la notion de groupe-br. désigne l'ornement d'un même accord par différentes notes étrangères (ex. 4).

G. Frescobaldi, *Partite sopra l'Aria della Romanesca* (1615).
Cl. Monteverdi, *Non si levav'ancor l'alba novella* (*Libro secondo di madrigali*, 1590).

Fr. Chopin, *Nocturne* op. 9, nᵒ 3.

BRÜNN, voir BRNO.

BRUGES (Brugge).

Bibliographie — E. VANDERSTRAETEN, La mus. aux Pays-Bas av. le XIXᵉ s., 8 vol., Bruxelles 1867-88 ; D. VAN DE CASTEELE, Maîtres de chant et organistes de St-Donatien et de St-Sauveur à Br., Bruges 1870 ; A. MALFEYT, Het muziek-conservatorium te Br., Bruges 1922.

BRUIT, son complexe, produit par des vibrations irrégulières, apériodiques. Les br. s'opposent aux sons musicaux en ce qu'ils résultent de la superposition de vibrations diverses, souvent fortement amorties, et qui ne sont pas harmoniques les unes des autres. Tandis que le son, où prédominent une vibration fondamentale et ses harmoniques, possède une hauteur définie qui le situe dans une échelle ou gamme et le rend susceptible de notation précise, le br., de hauteur indéterminée, ne peut entrer dans une gamme et se prête mal à la notation. Jusqu'à la fin du XIXᵉ s., la musique était censée n'utiliser que des sonorités « simples et pures ». Pourtant, entre le son et le br., il y a une différence de degré dans la complexité et non de nature. Le son musical est un br. domestiqué, purifié, mais incomplètement puisqu'il conserve toujours une certaine part de bruit. Il est précédé d'une attaque (un ensemble très complexe de fréquences en régime transitoire), qui est un bruit. Or le timbre musical n'est pas seulement déterminé par le spectre des partiels dans l'état stationnaire, mais aussi par l'attaque, au point que si l'on coupe les sons de différents instruments de leurs attaques, l'on ne reconnaît plus la nature de l'instrument. Tous les instruments d'autre part ont un « grain » de sonorité, sorte de br. de fond qui en est indissociable. En fait la musique, loin d'éliminer le br., le cultive. Les Noirs recherchent les sons fêlés, les vibrations parasites, les voix voilées, gutturales ou nasales. Alors que la lutherie moderne pourrait atteindre la perfection, les facteurs fabriquent à dessein des instruments aux sons « impurs », flûtes dont on entend le souffle, piano dont on entend les marteaux, etc. ; et les violonistes font ressortir le br. de l'archet frottant sur les cordes. Enfin, la musique a toujours admis des sons demeurés à l'état de br. : bruts et domestiqués seulement par le rythme : les instr. à percussion. Se fondant précisément sur le fait qu'il n'y a pas d'opposition absolue entre le br. et le son, Luigi Russolo eut le premier l'idée d'un « art des bruits », qui renouvellerait la mus. traditionnelle. C'est dans le cadre du mouvement futuriste suscité en 1909 par l'Italien Filippo Tommaso Marinetti que se constitua un groupe de « bruiteurs », dont la personnalité dominante fut Russolo. Son *Arte dei rumori* (Milan 1913) jette les bases d'un nouvel art sonore. Le machinisme a selon lui créé un nombre immense de br. que l'on peut rendre musicaux ; il est donc possible d'enrichir l'orchestre avec des instruments construits de façon à donner le timbre des bruits. Russolo observe que la musique, dans son évolution, a dû admettre des dissonances de plus en plus complexes et se rapprocher ainsi du bruit. Or cette tendance ne pourra se satisfaire que par la musicalisation des br. et leur intégration à la musique même. Car « ces bruits, nous devons non pas les imiter seulement, mais les combiner selon notre imagination artistique ». En 1921, Russolo présenta aux Champs-Élysées, à Paris, plusieurs concerts de br., où il utilisait un grand nombre de sources sonores naturelles ou enregistrées (sur un phonographe), combinées selon un schéma organisé pour en faire le meilleur usage. Dans l'un des concerts, l'orchestre des bruiteurs comprenait 29 instruments : 3 hululeurs, 3 grondeurs, 3 crépiteurs, 3 strideurs, 3 bourdonneurs, 3 glouglouteurs, 2 éclateurs, 1 sibileur, 4 croasseurs et 4 froufrouteurs. On tenta même ensuite de construire un instrument unique, sorte d'orgue à bruitage, qui aurait porté le nom de « rumorharmonium ». Les concerts de Russolo exprimaient nettement déjà la valeur du br., « voix des choses », pour un art sonore à tendance figurative. Ce fut surtout la difficulté de maîtriser ce nouveau matériau à une époque où l'on ne disposait pas des ressources de l'enregistrement qui fit que ces tentatives avortèrent. Mais les « bruiteurs » eurent une nombreuse postérité : le compositeur américain G. Antheil, E. Varèse et surtout toute l'école des musiciens concrets et électroniques. Dans son *Ballet mécanique* (1925), Antheil utilise entre autres des trompes d'auto, des enclumes, des scies circulaires, des hélices d'avion, des klaxons, etc. Mais la supériorité de Varèse — qui, comme Russolo, estime que la musique doit s'approprier les br. de la civilisation industrielle — sera d'éviter l'arbitraire et l'empirique pour concevoir une organisation scientifique du bruit. Toutefois seule l'électro-acoustique devait lui apporter les moyens qu'il cherchait. Et c'est dans les mus. expérimentales, où les structures se fondent sur la morphologie du matériau sonore, que se réalise pleinement, selon le vœu des bruiteurs, la musicalisation du bruit.

Bibliographie — J. GRANIER, Les phénomènes vibratoires, *in* Coll. Que sais-je ?, Paris, PUF, 1949 ; A. MOLES, Physique et technique du br., Paris, Dunod, 1952 ; L'art des br., manifeste futuriste de 1913, introd. et trad. fr. de M. LEMAÎTRE, Paris, Richard Masse, 1954.

G. BRELET

BRUITAGE, ensemble de procédés faisant appel au pouvoir évocateur des → bruits, pour constituer le « décor sonore » qui contribue à définir le cadre d'une action dramatique. Le br. est particulièrement important au théâtre radiophonique, où il doit remplacer le décor visuel. Avec le développement de la mise en scène au XIXᵉ s. et dans le théâtre contemporain, avec surtout l'avènement du film, du théâtre télévisuel et radiophonique, le br. est devenu un art subtil nécessitant des « bruiteurs » spécialisés qui complètent le jeu des acteurs. Mais, rudimentaire à ses débuts, le br. a toujours fait partie de la mise en scène. Dans le théâtre grec, le chœur imitait le chant des oiseaux et, par des onomatopées diverses, évoquait toutes sortes d'événements naturels (tonnerre, etc.). Dans les mystères du Moyen Age, le crépitement des brasiers de l'enfer — auquel s'ajoutaient les hurlements des damnés — était évoqué par des moyens artificiels. A partir du XVIIᵉ s., les compositeurs d'opéra usèrent largement du bruitage. Il y avait à l'Opéra de Paris vers 1850 une machine à faire le vent ainsi qu'une énorme timbale de 7 pieds de diamètre qu'on appelait « le tonnerre ». Dès le XVIᵉ s., des éléments de br. avaient été introduits dans l'orchestre : appeaux de toutes sortes pour imiter le chant des oiseaux, armes à feu pour évoquer les batailles ; Beethoven, qui fit une part importante à l'artillerie dans sa *Bataille de Victoria*, n'était en cela que l'héritier d'une tradition déjà longue. Il faudrait signaler aussi les « chasses », très en faveur au XVIIIᵉ s., morceaux de mus. descriptive dans lesquels les instr. à vent s'efforçaient d'imiter l'aboiement des chiens. L'apparition des techniques électro-acoustiques a ouvert de nouvelles voies au br. en favorisant les « truquages ». Beaucoup sont classiques : le bruit de pas de chevaux est évoqué avec des noix de coco creuses ; un cylindre garni d'étoffe mis en mouvement, frottant sur une toile à gros grain, suggère le bruit du vent ; le froissement d'un papier de Cellophane au voisinage immédiat d'un microphone simule le bruit d'un incendie, etc. Mais en fait la plupart des illusions d'acoustique n'ont été rendues possibles que par le manque de fidélité de la reproduction. L'immense progrès accompli dans le domaine de la haute fidélité depuis une vingtaine d'années a permis le recours aux sources naturelles des bruits. Le plus souvent, après sa mise au point minutieuse, le br. au théâtre est enregistré d'avance pour toutes les représentations, et, dans le film, le théâtre télévisuel et radiophonique, il est ajouté lors de la postsynchronisation.

BRUIT BLANC, br. dans lequel toutes les fréquences audibles ont des chances égales de figurer à tout instant, ainsi nommé parce que son spectre est continu et uniforme comme celui de la lumière blanche. Lorsqu'on pousse au maximum l'amplification d'un récepteur radiophonique en l'absence d'émission, le souffle qu'il fait entendre est un br. blanc. En mus. concrète, si l'on filtre le br. blanc radicalement, à l'exception d'une mince couche du spectre, on a des chances de découvrir dans cette bande étroite, conservée intacte, des détails inaperçus, une texture intéressante. Ainsi s'opère une « transmutation » de la matière sonore.

BRUIT DE FOND, parasites introduits par l'ambiance, l'amplification, etc., et que l'on ne parvient jamais à éliminer tout à fait.

BRUNETTE, courte composition à une, deux ou trois voix, accompagnée ou non par la basse continue, sur un sujet champêtre, galant et enjoué. Elle a tantôt la forme binaire de l'air, tantôt celle de la chanson à refrain. Son hérédité est double : d'une part, elle tire son nom de l'ancienne poésie populaire médiévale dont l'idéal féminin, la « petite brune », demeura plus tard dans l' → air de cour le symbole de la simplicité et de l'« amour tendre » ; d'autre part, elle se rattache par son sujet au genre de la pastorale, imitée de Théocrite et de Virgile par les Italiens, et qui se répandit en France vers la fin du XVIᵉ s. sous l'influence des *Villanelle alla Napolitana*. Le genre précéda de beaucoup sa qualification. Au début du XVIIIe s. seulement Chr. Ballard s'avisa d'adopter le titre de *Brunettes*, qui lui avait été suggéré par un air de cour, *Le beau berger Tircis*, extrait du 7e *Livre d'Airs de cour et de différents autheurs* (Paris, P. Ballard, 1626) et qui finit par ces paroles : *Hélas ! Brunette, mes amours...* Aussi les premiers recueils de *Brunettes ou petits airs tendres* (Paris, Chr. Ballard, 1703, 1704, 1711) groupèrent-ils des airs anciens, airs de cour ou airs sérieux (notamment de M. Lambert, B. de Bacilly, J. Sicard, Fr. Couperin). Par la suite J. Naudé, J. Pinel, P. Lagarde et N. Bernier publièrent leurs propres recueils, tandis que d'autres musiciens comme J. Cochereau (1731), De Bousset (21 livres, 1700-25) et Jean-Baptiste Prunier (1724) en inséraient dans leurs *Airs sérieux et à boire*. Les br., qui s'étaient répandues au siècle précédent dans l'opéra lullyste sous le nom d'« airs tendres » ou « gavottes tendres », devaient figurer en grand nombre dans les opéras de Rameau et de ses contemporains. Vers 1725 elles pénétrèrent aussi la musique instrumentale. Montéclair, J. Hotteterre et M. Blavet en publièrent des arrangements pour la flûte à bec, la flûte traversière, le violon, le hautbois et autres instruments. Dans la 2de moitié du XVIIIe s. la br. évolua. Ou bien elle se rapprocha du vaudeville en prenant un ton faussement naïf et même grivois, ou bien elle se rapprocha de la romance en devenant exagérément sentimentale.

Rééditions — Chants de France et d'Italie, 1re série, éd. par H. EXPERT, Paris, Senart, 1909 ; Chansons de la vieille France, éd. par C. TENROC, Paris, A. Zurfluh, 1946 ; cf. également les nbr. recueils de J.B. WECKERLIN et J. TIERSOT.

Bibliographie — P.M. MASSON, Les br., in SIMG, avr.-juin, 1911 ; TH. GÉROLD, Monodie et lied, in Lavignac Techn. V, 1930 ; M. FRANÇON, Notes sur l'esthétique de la femme au XVIe s., Cambridge 1939 ; P. COIRAULT, Notre chanson folklorique, Paris 1942 ; A. VERCHALY, art. Br. in MGG II, 1952.

BRUSQUE, danse du XVIIe s. apparentée à la gigue, connue par deux spécimens figurant dans les *Pièces de clavecin* (1670) de J. Champion de Chambonnières.

BRUSTWERK (all.), voir PECTORAL.

BRUXELLES (Brussel).

Bibliographie — E. VANDERSTRAETEN, La mus. aux Pays-Bas avant le XIXe s., 8 vol., Bruxelles 1867-88 ; E. MAILLY, Les origines du Cons. Royal de Musique de Br., Bruxelles 1879 ; J. ISNARDON, Le Théâtre de la Monnaie, Bruxelles 1890 ; E. EVENEPOEL, Le wagnérisme hors d'Allemagne (Br. et la Belgique), Paris, Bruxelles et Leipzig 1891 ; H. LIEBRECHT, Hist. du théâtre français à Br. au XVIIe et au XVIIIe s., Paris 1923 ; Les Concerts populaires de Br., 60e anniversaire, Bruxelles 1927 ; M.O. MAUS, Trente années de lutte pour l'art (1884-1914), Bruxelles 1926 ; CH. VAN DEN BORREN, Les premières exécutions d'œuvres de Beethoven à Br., in RM, avr. 1927 ; L. RENIEU, Hist. des théâtres de Br. depuis leur origine jusqu'à nos jours, 2 vol., Paris 1928 ; Les concerts Pro Arte — Xe anniversaire — 1921-31, Bruxelles 1931 ; S. CLERCX, H.J. De Croes, compositeur et maître de mus. du Prince Charles de Lorraine (1705-86), Bruxelles 1940 ; de la même, La chapelle musicale de Charles de Lorraine, in La Revue Générale, 1940 ; de la même, La Chapelle royale de Br. sous l'Ancien Régime, in Annuaire du Cons. Royal de Mus. de Br., Bruxelles 1942 ; de la même, Les Boutmy. Une dynastie de musiciens belges au XVIIIe s., in Revue Belge d'archéologie et d'hist. de l'art, 1943 ; de la même, P. van Maldere, virtuose et maître des Concerts de Charles de Lorraine (1724-68), Bruxelles 1948 ; de la même, Les Godecharles, musiciens bruxellois au XVIIIe s., in Mélanges E. Closson, Bruxelles 1948 ; CHR. STELLFELD, Les Fiocco, Bruxelles 1941 ; R. WANGERMÉE, Les maîtres de chant des XVIIe et XVIIIe s. à la Collégiale des

SS. Michel et Gudule à Br., Bruxelles 1950 ; du même, Fr.J. Fétis, musicologue et compositeur, Bruxelles 1950 ; du même, Notes sur la vie musicale à Br. au XVe s., in Br. au XVe s., Bruxelles 1953 ; du même, La mus. belge contemporaine, Bruxelles, La Renaissance du livre, 1959 ; J. SALES, Théâtre Royal de la Monnaie, 1856-1970, Nivelles, Éd. Havaux, 1971.

BUCCIN. 1. Copie de la « bucina » romaine (trompe recourbée), utilisée à l'époque de la Révolution dans certaines cérémonies civiques (transfert de la dépouille de Voltaire au Panthéon le 12.6.1791). — **2.** Sorte de → trombone à coulisse dont le pavillon, courbé vers l'avant, a la forme d'une tête de dragon ; il fut très populaire dans la mus. militaire entre les années 1815 et 1840. Parmi ses facteurs parisiens, citons Courtois neveu aîné et Guichard.

BÛCHE DE FLANDRE, → cithare populaire archaïque, répandue dans le nord et le centre de l'Europe (variantes : → basse de Flandre, → épinette des Vosges, « Scheitholt » allemand, « Noordsche Balk » hollandais, « humle » danoise, « hummel » suédoise). Elle possède une caisse plate sur laquelle sont tendues de 1 à 4 cordes métalliques pincées avec un bâtonnet.

BUDAPEST.

Bibliographie (éd. à Budapest et en hongr., sauf mention spéciale) — **1. Vie musicale et ouvr. généraux :** K. Isoz, Hist. de la Soc. philharmonique hongr. 1853-1903, B. 1903 ; du même, Culture musicale à Buda et à Pest entre 1686 et 1873, B. 1926 (seul le 1er vol., consacré au XVIIIe s., est paru) ; I. MOLNAR (éd.), Livre de la mus. hongr., B. 1936 (à consulter pour l'hist. du théâtre lyrique, des concerts, des orchestres..., de l'éducation et de l'industrie musicales) ; E. MAJOR, Beethoven in Ofen, in ZfMw VIII, 1925-26 (en all.) ; Z. FALVY, Th. Stoltzers Austellungskunde aus dem Jahre 1522, in Studia musicologica Academiae Scientiarum Hungaricae 1961 (en all.) ; G. GÁBRY, Das Meisterbuch der Pester Instrumentenmacher Innung, ibid. 1962 (en all.) ; F. SCHRAM, On Hungarian Organ Building in the 18th Cent., ibid. (en angl.) ; cf. également la série Budapest publ. par la Bibl. Ervin Szabó de B. — **2. Bibliothèques, musées et collections :** Catal. de la Bibl. Széchenyi, VI Mss. musicaux, 1re partie publ. par K. Isoz : Lettres, B. 1921-24, 2e partie publ. par R. LAVOTTA : Partitions, B. 1940 ; J. SZILÁGYI, Aquincum, B., Acad. des Sciences, 1956 ; J. VÉCSEY, Haydn Compositions in the Music Collection of the National Széchenyi Libr., B., Acad. des Sciences, 1960 ; L. SOMFAI, Albrechtsberger-Eigenschriften in der Nationalbibl. Széchenyi, in Studia musicologica... 1961 (en all.) ; L. VARGYAS, Folk Music Research in Hungary, ibid. (en angl.) ; I. KECSKEMÉTI, Süssmayr-Hss. in der Nationalbibl. Széchenyi, ibid. 1962 (en all.) ; Bartók Archives, B., Acad. des Sciences, 1964 (en hongr. et en angl.) ; M. PRAHÁCS, Catal. descriptif du Musée F. Liszt, B. 1968 ; G. GÁBRY, Anciens instr. de mus., B., Corvina, 1969 ; M. KABA, Die restaurierte Orgel von Aquincum, in Studia musicologica... 1969. — Cf. également l'art. HYDRAULE en ce qui concerne l'orgue d'Aquincum.

BUENOS AIRES.

Bibliographie — M.G. BOSCH, Hist. de la ópera en B.A., Buenos Aires 1905 ; A. FIORDA KELLY, Cronología de las óperas, dramas líricos, oratorios, himnos, etc., cantados en B.A., Buenos Aires 1934 ; E. EPSTEIN, art. B.A. in MGG XV, 1973 ; cf. également l'art. ARGENTINE.

BUFFET (anciennement, fût ; angl., case ; all., ● Gehäuse, Prospekt ; ital., cassa ; esp., caja), meuble dans lequel sont logées les parties mécaniques et sonores de l' → orgue, à l'exception le plus souvent de la soufflerie. Dans l'hydraule, il se réduisait à une sorte de colonne cachant soubassement et cuve, avec un entablement devant le sommier ; au-dessus, les tuyaux étaient maintenus par une barre oblique à mi-hauteur, soutenue par deux montants latéraux verticaux.

L'orgue occidental du Xe s. n'a plus de meuble ; les tuyaux plantés sur sommier peuvent être protégés par une cloche de toile amovible. La soufflerie est placée à part ; elle restera désormais hors du b., sauf pour certains cabinets classiques ou orgues de chœur. Dans le portatif et le positif, les tuyaux sont à nouveau maintenus par une simple barre ; quand apparaissent les bourdons, ils sont logés dans un bâti plus complet, décoré en forme de tour. L'orgue de tribune reprend la même disposition. A partir de l'invention de l'abrégé, il occupe un meuble complet en deux parties : un soubassement contenant clavier et mécanismes et supportant le sommier plus large, d'où la forme trapézoïdale de sa partie supérieure. Les tuyaux sont au-dessus, dans une caisse fermée, sauf sur le devant, constitué par la série de tuyaux du premier principal, qui prendra pour cela en France le nom de → montre (après parement et devanture), et protégé par un rideau vertical, tiré latéralement au ras des tuyaux. Les basses sont logées dans des compartiments en hauteur (tourelles) à créneaux ou flèches ; les dessus sont disposés désormais en mitre, dans un meuble à plafond incliné suivant le mouvement des tuyaux, puis plat. L'écart entre le meuble et le haut des tuyaux coupés en ton est alors comblé en partie par une décoration triangulaire, les claires-voies. L'augmentation du nombre des bourdons multiplie les tourelles. La division des mitres en moitiés, ou en éléments plus petits, permet très tôt des dispositions variées : tourelle centrale entre deux demi-mitres accolées (Paris, Sainte-Chapelle) ou en ailes (Solliès) ; tourelles latérales encadrant la mitre (Sion, Valère) ; 3 tourelles et 2 mitres (Saragosse, Seo), etc. Dans les grands instruments du XVe s., la largeur de certaines façades permet deux mitres complètes (Amiens) ou plus et 5 tourelles (Reims). Inversement, des façades trop étroites ont amené à superposer des fragments de la mitre en étages (Le Monastier). L'effet plut au point qu'on le recherche pour lui-même, avec des tuyaux postiches (chanoines), parfois la tête en bas (Pays-Bas ; Espagne). L'adjonction tardive de gros bourdons (trompes) les a fait disposer parfois dans des tourelles indépendantes (Haarlem, St-Bavon ; Angers ; Chartres, dont les tuyaux viennent d'être restitués).

Italie. Le b. médiéval était resté plat. Le même principe sera conservé en Italie avec les tuyaux de montre coupés en ton et maintenus par des barrettes à mi-hauteur, quel que soit le style décoratif adopté au cours des temps. La Renaissance installe les mitres sous des arcades d'architecture à l'antique, parfois sur plusieurs étages portant des frontons (Bologne, St-Martin, 1556). Il en est de même du style classique, encadrant parfois, sans le transformer, un meuble plus ancien (Bologne, St-Pétrone, 1474-1661) ; du style néo-antique de la fin du XVIIIe s. (Borca di Cadore, 1791, de Callido) ; de la néo-Renaissance du XIXe s. (cathédrale de Mantoue, 1851, de Serassi). Des b. récents prolongent la même lignée (Monte Cassino, 1956). Le XVIIIe s., surtout dans le Sud, avait esquissé un mouvement général arrondi, appliqué au même schéma (Naples, St-Séverin/St-Sosie, 1690). Tranchent sur cette tradition solide quelques b. marqués d'influences étrangères ; franco-flamande au XVIIe s. (Gênes, Ste-Marie de Carignan) ; allemande au XVIIIe s., avec de fausses tourelles et des « Ober-werke » (Catane, St-Nicolas, 1755) ; internationales

au XXe s. (projet pour St-Pierre de Rome, orgues sans b.).

Péninsule Ibérique. Le schéma plat médiéval subsiste par quelques exemples anciens. Viennent ensuite des b. à l'italienne (XVIe s.), remarquables par leurs tuyaux décorés (Ëvora, 1562), leur rigueur architecturale (Escorial, 1578), ou des formes typiques du Sud (cathédrale de Tolède, 1543). Au cours du XVIe s. et au XVIIe s. apparaissent des influences nordiques : de la Renaissance française (Saragosse, N.-D. del Pilar ; Covarrubias) ; des Pays-Bas : b. à tourelles et positif dorsal (cathédrale de Séville, 1673). Au XVIIIe s. on revient, en Espagne surtout, au b. presque toujours plat, en un seul corps, très caractéristique par son occupation de tout l'espace architectural au moyen de nombreux compartiments à tuyaux factices et de boiseries dorées. Adaptées à tous les types de b., des → chamades parallèles ou rayonnantes prennent place au pied des montres. L'orgue comporte souvent plusieurs façades, ainsi que, dans le chœur ou le transept, des pendants réels ou factices. Un retour au classicisme en fin de siècle se lit p.ex. dans l'orgue du Palais Royal de Madrid (1778).

Europe du Nord. Dès la fin du XVe s., on renonça au b. plat pour loger en façade davantage de tuyaux graves. Un mouvement convexe en avant apparaît : mitre en tiers-point à Chartres (1479) ; avancée trapézoïdale à Strasbourg (1489), au positif de Levroux, s'il est authentique. Aux Pays-Bas, on fait avancer plutôt les tourelles, en tiers-point ou en demi-rond (Middelburg, 1480) ; en demi-polygone en Normandie (Rouen, St-Maclou, 1541). La même disposition se retrouve pour les positifs venus se placer en avant de la chaire de l'organiste dès la fin du XIVe s. Le croisement de l'avancée centrale et des tourelles donne là des b. comme arrondis (Enkhuisen, 1547), plus rares au grand orgue (Jutfaas, 1515, probablement modifié). Avec ces différentes formes, le simple rideau tiré devant les montres n'est plus une protection assez proche, d'où la construction de volets mobiles peints ; ils épousent tous les détails de la façade. Leur usage se maintiendra jusqu'au XVIIIe s. (conservés à Uzès).

L'enrichissement des instruments au cours du XVIe s. s'est traduit dans les b., qui vont ainsi se différencier selon les écoles régionales ou selon les facteurs.

Buffet du Nord. Aux Pays-Bas, la multiplication des sommiers donne naissance à des façades complexes. L'orgue brabançon superpose deux étages presque égaux (« Haupt- » et « Oberwerk »), avec mitres et tourelles, encadrés sur toute la hauteur par les tours à trompes (Bois-le-Duc, 1617) qui deviennent b. de pédales ; en avant, le positif dorsal. Le b. d'Allemagne du Nord du XVIIe s. dérive de cet arrangement avec une silhouette moins verticale ; les tours de pédale plus profondes s'avancent jusqu'au niveau du positif, parfois complètement séparées du grand-corps (Steinkirchen, 1687) ; un petit étage intermédiaire apparaît sous la grande montre quand l'instrument reçoit un « Brustwerk » (Lüneburg, St-Jean, 1551 ; Brême, St-Martin, 1615). Ce type fut très largement répandu, de Saint-Mihiel (1678) à Kasimierz (1620, Pologne) en passant par Anvers (St-Paul, 1654), etc.

Le XVIe s. en France. En France du Nord, le XVIe s. est d'abord marqué par de nombreux petits b. plats à plan médiéval et décor Renaissance, souvent complétés de trompes latérales (Lorris) ou intercalées (Taverny) et ornés de tuyaux peints ou tournés (Gonesse). On trouve tardivement ce type à l'est de Paris (Nogent-sur-Seine ; N.-D. de l'Épine ; Tonnerre). Mais dès le XVIᵉ s. sont construits, à partir de la Normandie, toute une série de grands b. à tourelles et clochetons à dômes, décoration luxuriante d'influence flamande. Leur plan est soit à 3 tourelles encore plates à Argentan (1524) et au Mans (où le raccourcissement de trompes a fait apparaître en définitive 5 tourelles), soit à 4 tourelles saillantes à partir d'Alençon (1537 ; Rouen, St-Maclou, 1541 ; Caudebec ; Grand-Andely, 1573 ; Écouis). Chartres se met au goût du jour en 1562 avec 7 clochetons dont 2 pour les trompes séparées. Saint-Bertrand-de-Comminges est de la même école, malgré son plan extraordinaire en angle.

Buffets franco-flamands. Ce type monumental s'est cependant effacé devant l'invasion d'instruments flamands importés avec leur type de meuble. Le chef de file d'un 1ᵉʳ type pourrait être le b. de la Sainte-Chapelle de Paris (v. 1553) ; lié aux orgues du Mors, il a pu avoir des prédécesseurs (Bruxelles, St-Omer ?). Il comporte une forte tourelle centrale encadrée de deux plates-faces, les côtés formant un arrondi en refusé. Ce type assez répandu a été considéré par la suite comme caractéristique de l'orgue wallon (chef de file St-Jacques de Liège), mais on le trouvait aussi bien sur le Rhin (Cologne, St-Géréon ; Maestricht, N.-D.) qu'en France (Dreux, Vernon, etc.). Le refusé a été souvent séparé des plates-faces par de petites tourelles ; parfois il disparaît, donnant alors un plan très simple, proche du schéma classique à 3 tourelles, adapté à des voûtes basses (Néville) ; il est très fréquent en Allemagne. — Un 2ᵉ type formé dans les Pays-Bas du Sud dispose 3 tourelles encadrant deux groupes de plates-faces, en général deux par groupe, l'une plus basse, souvent surmontée d'une petite montre (rang du cornet). Sur la petite tourelle centrale, le Sauveur ressuscité. Ce fut le type importé en France par Carlier et ses élèves, celui du premier orgue français classique (Pont-de-l'Arche, 1605). Le plan peut être inversé (grosse tourelle centrale) pour des raisons d'opportunité (Paris, St-Nicolas-des-Champs). La décoration, très baroque en Flandre (Aire-sur-la-Lys, 1633), est plus modérée en France (Paris, St-Étienne-du-Mont, 1631), surtout après 1630 (sauf à Rodez, très flamand). De plus en plus souvent, un positif à 3 tourelles (2 ou 4 plates-faces) est placé sur le rebord de la tribune, reproduisant ou inversant le schéma du grand orgue. Le même plan était utilisé en Angleterre, si bien que les œuvres des facteurs anglais réfugiés en France ne se différencient que par des particularités décoratives : bois découpés minces, couronnes de culs-de-lampe réduites à 3 consoles, pieds de montres obliques (cathédrales de Quimper et de Saint-Pol-de-Léon). A partir de 1641, des transformations (Paris, Jésuites, St-Merry) et des rhabillages (cathédrale de Reims) ont donné naissance à un schéma développé de 16′ à 5 tourelles et 4 plates-faces. Il est à l'origine du parti adopté à St-Germain-des-Prés (1661), orgue très imité qui a lancé aussi le b. concave (tourelles latérales avancées) si goûté au XVIIIᵉ s., et les tourelles centrales élargies (plan tréflé). Mais entre 1660 et le début du XVIIIᵉ s. apparaissent d'abord des recherches architecturales variées, parfois extravagantes et peu de descendance (Paris, St-Victor ;

Saint-Quentin) ; toutefois les Invalides ont été imités à Versailles, Blois, et même, dans une certaine mesure, à la Chapelle du château de Versailles.

Le XVIIIᵉ s. en France. On revient aux plans traditionnels, le style se marquant par les formes arrondies ou la décoration (cathédrale de Saint-Omer ; Paris, St-Roch, St-Séverin ; Pézenas, etc.). Cas particuliers : des positifs à deux tourelles dans la zone en contact avec l'orgue « belge » (Maroilles ; Provins, St-Ayoul ; Alsace) ; les façades élargies des facteurs lorrains (Moucherel, Parizot) portées par eux en Normandie (Falaise, N.-D.), dans le Sud (Albi), par Picart en Belgique (Louvain, St-Michel, 1744, d'où Helmond, par Robustelli, 1770) et même en Allemagne (Hagen) ; assez tardivement le plan à 4 tourelles, resté vivace en Angleterre, réapparaît en Normandie (Mortain, Verneuil) et en Alsace (Mollau). A partir de 1750, les recherches architecturales reviennent à la mode : orgue sans tuyaux visibles (Lunéville), boiseries indépendantes du plan de l'orgue (Paris, St-Sulpice) ou débordantes (Toul) ; remplacement de la tourelle centrale par un panneau (cathédrale de Nancy ; Paris, Sainte-Chapelle, aujourd'hui à St-Germain-l'Auxerrois ; orgues Silbermann d'Alsace) ; trouvailles très particulières comme la fausse perspective de Saint-Maximin, les bases de tourelles descendues à Pithiviers. Par contre, le style Louis XVI, tôt apparu dans la décoration aux Pays-Bas (festons aux plates-faces dès 1714 à Louvain), est souvent fidèle au passé (Poitiers, Vitry-le-François) avec une certaine raideur (positif de N.-D. de Paris ; Louviers). Ce n'est qu'au début du XIXᵉ s. qu'apparaissent quelques b. d'un néo-classicisme sec (Bressuire ; Paris, Sorbonne ou Oratoire), plus précoce et plus intéressant aux Pays-Bas (Roosdaal, 1753 ; Ressegem, 1770 ; Hoegaarden, 1788) et en Allemagne rhénane (b. cylindrique du lycée de Mayence, 1821).

En Allemagne du Sud. Les recherches architecturales de la fin du XVIIᵉ s. y ont porté des fruits particuliers, donnant des façades élargies où les tourelles deviennent des sortes de panneaux surmontés de frontons courbes (Aschaffenburg, 1710 ; Amorbach, 1717) avec une grande variété dans le nombre et la disposition des compartiments. Une variante simplifiée a donné les buffets saxons (de G. Silbermann à Dresde ou de J. Wagner à Berlin). Au Sud, le schéma s'adapte à l'architecture dans les grands ensembles rococo, tourne autour des fenêtres (Weingarten, 1737 ; Irsee, 1752 ; Neresheim, 1797), parfois en passant seulement par-dessus (Waldenbruch en Wurtemberg, 1760 ; Mayence, Augustins, 1774).

En Belgique. Longtemps analogues aux b. franco-flamands (qq. influences anglaises comme à Saint-Trond, 1717), les orgues belges prennent une grande largeur avec J.B. Forceville et les Peteghem, les deux moitiés du grand orgue s'écartant pour dégager la fenêtre, et le positif venant souvent se placer sous celle-ci au centre d'un meuble continu (Anvers, St-Charles ; Gand, St-Jacques). Mais des b. en largeur apparaissent partout où l'exige l'existence d'un plafond plat (Massevaux ; Carmes de Wurtzbourg).

En Angleterre. Le type flamand s'y est généralisé, surtout après la Restauration, mais avec une décoration un peu particulière (plates-faces à arcades ou longues corniches). L'essai architectural dû à Wren pour St-Paul de Londres (1695) n'a pas eu de suite. S'il y a deux corps, plan classique, 3 ou 4 tourelles et plates-faces; si le corps est unique ou l'orgue à 3 claviers, les plates-faces sont à deux étages.

Buffets néo-gothiques. Très tôt (1760, avec England) la vogue de l'architecture médiévale fit construire en Angleterre des b. néo-gothiques très divers (cathédrales de Down v. 1800 ; d'York, 1829) ; cette mode se maintiendra longtemps pour des raisons d'unité de style (Beverley, 1916), tandis que pour d'autres églises le même principe fait naître des pastiches souvent très rigoureux de gothique allemand ou baltique (Winchester College, 1908), de la Renaissance normande (Carshalton, Toussaints, 1932), des styles baroque, saxon ou classique. La mode du néo-gothique a atteint les Pays-Bas (cathédrale d'Utrecht, 1826) puis la France (Saint-Denis, 1840 ; Montbrison, av. 1843), ainsi que les autres styles d'imitation : Renaissance (Paris, St-Eustache, 1854), saxon (Salle Gaveau), avec moins d'exactitude archéologique qu'en Angleterre, dans des combinaisons personnelles dues aux architectes et rarement heureuses (Paris, St-Philippe-du-Roule, 1904). On pourrait trouver dans les autres pays une évolution analogue, plus tardive en Italie ou en Espagne, plus active et plus insolente en Allemagne (projet d'orgue gothique sur arc en fonte pour la croisée de la cathédrale de Cologne). Le même abâtardissement a présidé aux modifications et agrandissements apportés aux b. anciens, qui deviennent parfois méconnaissables (Rouen, St-Ouen ; Saint-Brieuc).

Orgues sans buffet. Des raisons d'économie, la méconnaissance du rôle acoustique d'une caisse et les théories de l'architecture fonctionnelle firent penser que la décoration de l'orgue était à faire par les seuls tuyaux. Le mouvement apparaît en France à l'orgue du Théâtre des Champs-Élysées à Paris (1913) : tourelles et flûtes de Pan croisées. A partir de 1930 surtout, les facteurs néo-classiques multiplient les orgues sans aucun b. en disposant décorativement les tuyaux visibles en grand nombre : orgues de salons, de salles de concert (Paris, Palais de Chaillot, 1938-39 ; Studio 104, Maison de Radio France), puis d'églises (Saint-Benoît-sur-Loire, cathédrale de Limoges, Royan). Tous les pays adoptent au même moment cette solution économique mais peu sonore et peu protectrice, Pays-Bas, Scandinavie, Italie même, et, bien sûr, les pays assez nouvellement venus à l'orgue, États-Unis, Canada, Japon.

Orgues à caissons. Cependant les facteurs allemands, suisses et alsaciens reconnurent les premiers la perte acoustique due à l'absence de b. et placèrent chacun des ensembles sonores de leurs orgues dans des caissons de menuiserie laissés crus ou décorés à la moderne, non sans inspiration médiévale, avec des montres plates (Lübeck, Ste-Marie, 1951 ; cathédrale d'Ulm, 1968). Mais la monotonie de ces encadrements a poussé à des recherches de modernisme plus architectural, utilisant toutes les dispositions de tuyaux, tous les rapports des caissons entre eux avec encore l'appoint décoratif des chamades (Rotterdam, Salle De Doelen). Les résultats sont souvent décevants.

Bibliographie — A.G. HILL, The Organ and Organ Cases of Middle Age and Renaissance, 2 séries, Londres 1883-91, réimpr. avec introd. et notes de W.L. SUMMER, Amsterdam, Fr. Knuf, 1966; A. FREEMAN, English Organ Cases, Londres 1923; G. SERVIÈRES, La décoration artistique des b. d'orgues, Paris et Bruxelles 1928; W. KAUFMANN, Der Orgelprospekt in stillgeschichtlicher Entwicklung, Mayence 1935, 3/1949; P. SMETS, Aus Spanien altem Orgelbau, Mayence 1939; D. WERNER, Gestaltungsformen des modernen Orgelprospektes, Kassel, BV, 1951; C. CLUTTON et A. NILAND, The British Organ, Londres, B.T. Batsford, 1963; J. GARCÍA LLOVERA, Itinerarium Organicum, Saragosse 1964; Organae Europae (calendriers annuels), Saint-Dié, Assoc. des Concerts spirituels 1968 et suiv.; N. DUFOURCQ, Le livre de l'orgue II, Paris, Picard, 1970; C. DE AZEVEDO, Baroque Organ Cases of Portugal, Amsterdam, Fr. Knuf, 1972; cf. également les ouvrages généraux sur l'orgue (art. Orgue, Bibliographie).

BUFFO (ital.), chanteur qui interprète un rôle comique, grotesque ou joyeux dans une œuvre lyrique.

BUGAKU (japonais), voir GAGAKU.

BUGLE (angl., flugel horn ; all., Flügelhorn ; ital., flicorno ; esp., bugle, fiscorno), instr. à vent, en cuivre et à pistons, introduit en France vers 1840, en provenance d'Allemagne et remanié par A. Sax qui lui donna sa forme actuelle. On l'utilise dans toutes les harmonies et les fanfares. Sa perce est fondamentalement celle du → clairon militaire, dont le b. est historiquement une version à pistons. Le grand b. ou b. contralto est en si♭ et le petit b. en mi♭ (une quarte au-dessus). Le b. a été employé à l'orchestre par O. Respighi (*Pini di Roma*) et I. Stravinski (*Threni*). Le mot b., d'origine française, a été adopté par les Anglais au XVIIIe s. pour désigner le cor de signal militaire. Il en existe un modèle avec clefs (« keyed bugle ») dont Halary fit une copie en 1817 à Paris, d'où l'expression b. à clefs qui donna le b. (à pistons).

Bibliographie — J.G. KASTNER, Traité général d'instrumentation, Paris 1837; du même, Manuel général de mus. militaire, Paris 1848; C. PIERRE, La facture instrumentale à l'Exposition... de 1889, Paris 1890.

BUISINE ou BUSINE. Deux interprétations sont possibles dans l'étymologie de ce nom : l'une fait remonter son origine au latin « bùccina » ou, avec une accentuation différente, « buccína », qui désigne une sorte de longue trompe courbe et qu'on traduit par buccine ou → buccin ; l'autre rapproche de « buse » qui, en vieux français, signifie tuyau. L'usage du mot b. se maintient jusqu'au XIIIe s., époque à laquelle le terme de → trompette commence à prévaloir. Pour établir une définition de cet instrument, force est de recourir parallèlement aux textes littéraires et aux représentations figurées, car les traités contenant des dessins accompagnés de légendes n'apparaissent guère avant la fin du XIVe s. Dans la *Chanson de Roland* (XIe s.), un vers, « Si fait suner ses cors e ses buisines », montre que cors et b. sont deux instruments de même usage — les appels guerriers — mais bien distincts. En revanche, le vieil allemand « busine » sert à désigner trompe, trompette ou trombone jusqu'à l'époque de S. Virdung (1511). Un autre texte montre aussi que la b. ne peut être qu'un instrument de forme fine à cause de sa matière : « Si avoit quatre buisines d'argent devant lui qui buisinoient et tymbres qui grant goie demenoient » (R. de Clàri, *La Conquête de Constantinople*, début XIIIe s.).

La b. se fait entendre non seulement en temps de guerre mais dans les grandes fêtes de plein air, ainsi qu'en témoigne ce passage d'*Erec et Enide*, grand roman de chevalerie de Chrétien de Troyes (XIIe s.) : « Sonent tinbre, sonent tabor / Muses, estives / freteles / Et buisines et chalemeles. » Quant à l'iconographie, constituée en majorité de peintures de manuscrits et parfois de fresques, elle montre deux types principaux d'instruments, tous deux à long tuyau rectiligne : l'un, à perce étroite, s'évasant progressivement pour former un pavillon en forme d'entonnoir peu marqué ; l'autre, à perce plutôt cylindrique, se terminant par un pavillon brusquement élargi en forme d'assiette. Ce dernier se rapproche de l'instrument des « Sarrasinois » qui se joue aujourd'hui encore dans tout l'Orient, tandis que le premier type, par repliement de son tuyau, aboutit, au XIVe s., à la trompette qui sera en usage jusqu'au milieu du XVIIe s. environ sous cette forme.

BULGARIE (Bulgaria). **Du VIIe au XIVe siècle.** A en croire les sources historiques, les plus anciens habitants de l'actuelle Bulgarie, les Thraces et les Slaves, montraient des dons pour la musique et pratiquaient cet art. Après l'établissement d'une troisième ethnie, les Protobulgares, après la fondation en 681 du premier État slavo-bulgare et la christianisation du pays (865), le chant liturgique oriental trouva un terrain favorable à son épanouissement durant l'époque byzantine. Au IXe s., les frères Cyrille et Méthode de Salonique mirent au point le plus ancien alphabet slave. Ils traduisirent non seulement la Bible en ancien bulgare, mais encore de nombreux livres religieux. Ils introduisirent le culte orthodoxe dans certaines églises de Rome ; on leur attribue même, ainsi qu'à leur élève, le Bulgare Kliment d'Ochrid, la composition de chants d'église. D'après la Chronique de Joachim de Gustinsk, le patriarche de Constantinople aurait, au Xe s., confié à des moines et à des chantres bulgares la christianisation du grand-duc russe Vladimir et de son peuple. Avant et pendant la domination de la Bulgarie par Byzance (1018-1187), et surtout pendant la seconde période de souveraineté nationale (1187-1396), la culture bulgare, et particulièrement le chant liturgique orthodoxe, échappa souvent à la politique d'assimilation byzantine (voir p.ex. dans les chants grégoriens la «sequenzia bulgarica» mentionnée par les mss. italiens du IXe s. et citée entre autres par A. Gastoué ; les chants « démoniaques » des bogomiles, hérétiques bulgares dont s'inspirèrent les cathares et les albigeois; la création des célèbres centres musicaux d'Ochrid et de

de la Bulgarie par les Turcs en 1396, le pays fut placé sous la tutelle du patriarche de Constantinople et le grec resta jusqu'en 1870 la langue du chant d'église bulgare. Ce dernier se développa néanmoins dans les premières années de la domination ottomane, en particulier dans les nombreux monastères du pays et, grâce aux moines réfugiés à l'étranger, au Mont Athos, en Roumanie, en Hongrie, et surtout au sud de la Russie, où les manuscrits des XVIIe et XVIIIe s. le désignent explicitement par « bolgarski rospev » (chant d'église bulgare). Quatre cent quatre-vingt deux années de domination politique et intellectuelle coupèrent la Bulgarie de la vie culturelle du reste de l'Europe et firent obstacle au développement de toute mus. savante. La plupart des manuscrits, des documents culturels et musicaux du passé furent pillés ou brûlés par les Ottomans. Le seul trésor culturel inaliénable fut la mus. populaire, dont l'épanouissement fut d'autant plus éclatant. Les innombrables chansons populaires bulgares, dont les textes reflètent dans leur extrême diversité l'histoire épique du peuple, entretinrent durant des siècles la vitalité de la conscience nationale. Issues d'anciennes traditions orales, elles constituent un fonds musical unique. Les notions de mesure, de système tonal tempéré, de tonalité majeure, d'harmonie, de mélodisme et d'instrumentation, propres à la musique d'Europe occidentale, leur sont totalement étrangères. L'ensemble de la mus. populaire bulgare se caractérise par des mesures à hémioles et temps inégaux, par ce que B. Bartók a dénommé « rythmes bulgares », ainsi $5/16$ $\dfrac{(2+3)}{16}$ = ♪ ♪.

$7/16$ $\dfrac{(2+2+3)}{16}$ = ♪ ♪ ♪. ou $\dfrac{(3+2+2)}{16}$ = ♪ ♪ ♪

$8/16$ $\dfrac{(3+2+3)}{16}$ = ♪. ♪ ♪ ; $9/16$ $\dfrac{(2+2+2+3)}{16}$ = ♪ ♪ ♪ ♪. ou $\dfrac{(3+2+2+2)}{16}$ = ♪ ♪ ♪ ♪ etc., jusqu'à

$15/16$ $\dfrac{(3+2+3+2+2+3)}{16}$ = ♪ ♪ ♪ ♪ ♪ ♪ .

Les nouvelles mesures nées de la juxtaposition de temps inégaux comportent au minimum un temps prolongé qui est caractéristique de la mus. populaire bulgare ; ainsi :

Extrait de S. DJUDJEV, Bǎlgarska narodna musika, Sofia, Nauka i iskustvo, 1970, I, p. 119, n° 43.

Preslaw ; au XIIIe s. un « Triphologion » de Sograph, couvent bulgare du Mont Athos, qui se distingue par son écriture en neumes bulgares, etc.). Un manuscrit grec tardif désigne comme bulgare le chanteur et compositeur le plus important du Moyen Age byzantin, J. Kukuzeles (XIVe s.), qui a lui-même intitulé « Polyeleïos de la Bulgarie » l'une de ses compositions les plus intéressantes.
Durant la domination ottomane. Après l'invasion

La plupart des chants populaires bulgares sont écrits à une voix. Mais il n'est pas rare de rencontrer un embryon de polyphonie, semblable à l'hétérophonie antique, qui utilise très souvent les intervalles de quartes, quintes et secondes. En dehors des chants populaires au rythme strictement mesuré, il en existe d'innombrables sans mètres précis ni mesure, exécutés lentement, à la manière d'une improvisation, avec de nombreux ornements. Ainsi :

Extrait de M. Todorov, Bălgarska narodna musika, Sofia, Nauka i iskustoo, 1966, III p. 99, n° 256.

La plupart des chants populaires bulgares sont de tonalité mineure. Ils utilisent souvent des modes antiques, plus rarement des gammes pentatoniques. Parmi leurs traits caractéristiques, il faut encore relever les mélodies construites sur des tétracordes, les nombreuses progressions par intervalle de seconde augmentée et l'emploi d'ornements très variés. Les instr. de mus. populaire les plus répandus sont : la « gadulka », instr. à cordes piriforme à trois, rarement quatre cordes ; le « kaval », flûte droite ouverte, sans embouchure ni biseau ; la « gaïda », instr. à vent semblable à la cornemuse. La mus. populaire bulgare est particulièrement riche en danses, pour la plupart très animées et accompagnées de figures difficiles à exécuter. Parmi les plus répandues, citons le « choró » et la « ratchenítza » à 7/16. A la mus. populaire se rattachent de nombreuses coutumes dont certaines sont d'origine païenne.

La culture musicale dans le nouvel État bulgare.
Après le départ des Turcs en 1878, la mus. polyphonique se dégagea progressivement du trésor de la mus. populaire. Elle s'épanouit tout d'abord sous la forme du chant choral dans les écoles et les églises, et bientôt dans les sociétés de chant choral. Il faut mentionner le rôle important joué par l'Assoc. des chœurs populaires qui, quelques années après sa fondation (1926), groupait déjà 120 chœurs et qui a fonctionné jusqu'en 1952 (à partir de 1935 sous le nom de « Soc. des chorales bulgares »). Le répertoire comprenait essentiellement des arrangements de chants populaires. Presque tous les compositeurs dits « de la première génération » enseignèrent la musique. Les plus importants furent Emanuil Manolov (1860-1902), auteur du premier opéra bulgare (1900) ; Panajot Pipkov (1871-1942), auteur de la première opérette bulgare pour enfants et de pièces pour piano ; D. Christov (1875-1941), l'un des premiers théoriciens et folkloristes bulgares et le plus populaire des compositeurs de mus. chorale ; Georgi Athanassov, appelé « Maestro » (1882-1931), qui écrivit entre autres 6 opéras. Le mérite de ces compositeurs, qui ne purent faire que de brefs séjours à l'étranger et qui se formèrent surtout en autodidactes, est d'avoir contribué au passage de la mus. populaire à la mus. savante. Une place importante revient également aux nombreux ensembles d'instr. à vent, généralement créés par des chefs de musique tchèques. Vers 1885 certains d'entre eux furent enrichis d'instr. à cordes. C'est avec un orchestre semblable que le « Maestro » donna à Sofia, à partir de 1916, 89 concerts qui permirent d'entendre pour la première fois des œuvres symphoniques classiques et romantiques. Le premier orchestre bulgare, très primitif, fondé à Schumen en 1850 par un émigré politique hongrois, Schafran, ne jouait que des arrangements de chants populaires, des pots-pourris, etc. L'opéra ne tarda pas à faire son entrée dans le pays libéré. Dès 1891-92 quelques chanteurs bulgares formés à Prague firent entendre à Sofia des extraits d'opéras avec accompagnement de piano. Sous la direction du célèbre ténor bulgare Konstantin Michaïlov-Stojan (1856-1914), attaché à l'Opéra impérial de Moscou, fut créé en 1908 un opéra qui devint en 1922 Opéra national. Quelques faits pourront encore illustrer l'épanouissement rapide de la musique dans la jeune Bulgarie : en 1903 tous les musiciens actifs du pays se groupèrent en association ; quatre écoles privées de musique (1904 à Sofia, et par la suite trois en province), puis en 1922 une Acad. nationale de musique à Sofia ouvrirent leurs portes ; en 1912 Nikola Athanassov (1886-1969) composa la première symphonie bulgare ; en 1926 fut créé à Sofia l'Orch. académique, devenu en 1936 Orch. symphonique royal, et qui depuis 1944 se produit régulièrement en Bulgarie comme à l'étranger sous le nom d'Orch. philharmonique d'État de Sofia. Les activités de concerts ont connu également un grand développement.

Les représentants de la seconde génération de compositeurs, qui se manifestèrent à partir des années 1920, s'inspirèrent encore plus ou moins de la mus. populaire bulgare pour des œuvres déjà écrites dans un langage moderne. A l'exception de P. Vladigerov, tous ont fait leurs études à l'Acad. de musique de Sofia avant de se spécialiser en Allemagne, en France ou en Autriche. Parmi les plus importants il faut citer Petko Stajnov (* 1896), auteur de chœurs, de 2 symphonies et de quelques œuvres pour orch. encore fortement imprégnées de folklore national et de romantisme tardif ; P. Vladigerov (* 1899), dont les nombreuses œuvres pour l'orchestre, la mus. de chambre et la scène se distinguent par la virtuosité, la richesse des couleurs, le pathétique et le tempérament ; Wesselin Stojanov (1902-1972), auteur de 3 opéras, un ballet, 2 symphonies, 3 concertos pour p., etc., remarquables pour leur expressivité, leur couleur, leur aspect monumental et leur forme classique; Ljubomir Pipkov (1904-1974) qui, depuis quelques années, cherche une voie nouvelle, a fait preuve dans ses 4 symphonies, ses 3 opéras et ses nombreuses œuvres pour orch., mus. de chambre et voix, d'un style très personnel, « puisé dans la terre de Bulgarie », selon son maître P. Dukas ; Marin Goleminov (* 1908), élève de V. d'Indy, auteur de 3 œuvres scéniques, de 3 symphonies, outre de nombreuses œuvres pour orchestre, mus. de chambre et chœur, que caractérisent un rythme insistant, une intonation d'inspiration nationale et une magistrale instrumentation. Parachkev Hadjiev (* 1912) est l'auteur de nombreuses œuvres pour orchestre, mus. de chambre et voix, dont 12 sont destinées à la scène. Son langage est clair, vivant, expressif et d'une particulière richesse harmonique. Il faut encore mentionner les noms de Bojan Ikonomov (* 1900), Dimităr Nenov (1902-1953), Philip Kutev (* 1903), Georgi Dimitrov (* 1904), Svetoslav Obretenov (1909-1955), Dimităr Sagaev (* 1915), Dimităr Petkov (* 1919) et Todor Popov (* 1921). Parmi les jeunes compositeurs qui jouissent déjà d'une certaine réputation à l'étranger, il faut citer en particulier les noms de Lazar Nikolov (* 1922), Alexandăr Răičev (* 1922), Konstantin Iliev (* 1924), Georgi Tutev (* 1924), Simeon Pironkov (* 1927), Ivan Marinov (* 1928), Dimităr Tăpkov (* 1929), Penčo Stojanov (* 1931), Dimităr Christov (* 1933), Vassil Kasandjiev (* 1934) et Krassimir Kjurkčiiski (* 1936). Leurs nombreuses compositions de tous genres illustrent un talent original et des techniques de composition modernes. — De même que la création musicale, les activités de concerts ont connu un remarquable développement après la révolution populaire de 1944. Le nouveau régime socialiste a pris des mesures pour rendre la musique accessible à toutes les couches de la population. De nombreux interprètes et ensembles bulgares se produisent depuis dans leur pays et à l'étranger : outre de nombreux solistes, citons les Quatuors Avramov et Dimov, l'ensemble de chambre des « Solistes de Sofia », 8 orch. symphoniques d'État, 5 opéras d'État, de nombreux ensembles d'État de mus. de chambre, de chant choral et de mus. populaire, etc. Le nombre d'ensembles vocaux et instrumentaux de musiciens amateurs atteint 15 000. La Bulgarie organise plusieurs concours musicaux nationaux et internationaux.

Bibliographie (ouvr. éd. à Sofia) — 1. Éditions musicales : Narodni pesni ot Timok do Vita (« Chts pop. du Timok à la Vita »), éd. par V. Stoïn, S. 1928 ; Narodni pesni ot Sredna Severna Bălgaria (« Chts pop. du centre de la Bulgarie septentrionale »), éd. par le même, S. 1931 ; Rodopski pesni (« Chansons des Rhodopes »), éd. par A. Boukorechtliev, V. Stoïn et R. Kazarova, in Sbornik za narodni umotvorenija i narodopis, S. 1934 ; Bălgarski narodni pesni ot istočna i sapadna Trakija (« Chansons pop. bulgares de Thrace orientale et occidentale), éd. par V. Stoïn, S. 1939 ; Bălgarski savremenni narodni pesni (« Chansons pop. bulgares contemp. ») éd. par E. Stoïn, I. Kačulev et R. Kazarova, S., Akademija na naukite, 1958 ; Narodni pesni ot sapadnite pokrainini (« Chansons pop. de la Bulgarie de l'Ouest »), éd. par V. Stoïn, S., Akademija na naukite, 1959 ; Narodni pesni ot Severoistočna Bălgaria (« Chansons pop. de la Bulgarie du Nord-Est »), éd. par R. Kazarova, I. Kačulev et E. Stoïn, S., Akademija na naukite 1962 ; Narodni pesni ot jougosapadna Bălgaria. Pirinski kraj (« Chansons pop. de la Bulgarie du Sud-Ouest. La région du Pirine »), éd. par N. Kaufmann et T. Todorov, S., Akademija na naukite, 1967. — 2. Études (en bulgare, sauf mention spéciale) : D. Christov, Les bases rythmiques de la chanson pop. bulgare, S. 1912 ; du même, La construction technique de la mus. pop. bulgare, S. 1928 ; S. Brachovanov, Über die Rhythmik u. Metrik des bulgarischen Volksliedes (diss. Leipzig 1922, en all.) ; du même, Considérations sociologiques sur la chanson pop., in Filosofski pregled, S. 1931 ; du même, La mus. bulgare contemp., in Revue intern des Études balkaniques IV, Belgrade 1936 (en fr) ; du même, art. Bulgarische Musik, in MGG II, 1952 ; V. Stoïn, Hypothèse sur l'origine bulgare de la diaphonie, S 1925 (en fr) ; du même, Mus. pop. bulgare — Métrique et rythmique, S. 1927 ; S. Djudjev, Rythme et mesure dans la mus. pop bulgare, in Travaux publiés par l'Inst. d'Études Slaves de l'Univ.

de Paris, 1931 (en fr.) ; du même, Die Zeitmessung in der orientalischen Musik, in Archiv für Gesch. der Philosophie XL/2, Berlin 1931 (en all.) ; du même, Le folklore musical en Bulgarie, in Revue intern. des Études balkaniques IV, Belgrade 1936 (en fr.) ; du même, Théorie de la mus. bulgare, 5 vol., S., Nauka i iskustvo, 1954-69 ; du même, Vestiges de la métrique ancienne dans le folklore bulgare, in Travaux de Conférence intern. de poésie et de linguistique, Varsovie 1961 (en fr.) ; R. Kazarova, Bulgarische Tänze u. Tanzrhythmen, in Fs. E.H. Müller von Asow, Berlin 1942 (en all.) ; de la même, art. Folk music : Bulgarian, in Grove 5/1954 (en angl.) ; de la même, La danse folklorique bulgare, S., Nauka i iskustvo, 1955, trad. russe et angl. 1958 ; E. Stoïn, La chanson pop. bulgare contemp., in Isvestija na Inst. za musika I, S. 1952 ; R. Palikarova-Verdeil, La mus. byzantine chez les Bulgares et les Russes du IXe au XIVe s., in Monumenta Musicae XI, Subsidia II, Copenhague 1953 (en fr.) ; W. Krăstev, D. Christov, S., Akademija na naukite, 1954, trad. russe, Moscou, Muzgiz, 1960 ; du même, P. Stajnov, S., Akademija na naukite, 1954 ; M. Todorov, L'orch. pop. bulgare, S., Nauka i iskustvo, 1957 ; du même, La chanson pop. bulgare et l'éducation musicale des enfants, S., Narodna prosveta, 1967 ; L. Brachovanova, Recherches sur la vie et l'activité de J. Kukuzeles, in Isvestija na Inst. za musika VI, S. 1959 ; de la même, Die Musik von 1830 bis 1914 in Bulgarien, in Kgr.-Ber. Kassel 1962, Kassel, BV, 1963 (en all.) ; de la même, Die Volksmusiktradition in Bulgarien, in Österreichische Osthefte VII/1, Vienne 1965 (en all.) ; de la même, Bulgarien — ein Land reicher Volksmusiktraditionen, in Die Welt der Slaven III-IV, Wiesbaden, Br. & H., 1965 ; S. Lazarov, Le Synodique du tsar Boril, un monument de l'hist. musicale, in Isvestija na Inst. za musika VII, S. 1961 ; K. Ganev, La mus. p. bulgare, Moscou, Muzgiz, 1962 (en russe) ; B. Starchenov et P. Stojanov, Mus. bulgare, S., Narodna prosveta, 1966 ; N. Kaufmann, Le folklore musical des Juifs espagnols en Bulgarie, in Isvetija na Inst. za musika XII, S. 1967 ; du même, La chanson pop. bulgare polyphonique, S., Nauka i iskustvo, 1968 ; du même, Mus. pop. bulgare, S., Nauka i iskustvo, 1970. — 3. Dictionnaires : Enzyklopädija na bălgarskata musikalna kultura, S., Akademija na naukite, 1967.

L. Stantcheva-Brachovanova

BUNRAKU (japonais), terme dérivé du nom d'un théâtre de marionnettes de la ville d'Osaka, fondé en 1862 par Uemura Bunrakuken. Le terme exact désignant le théâtre de marionnettes japonais est « ningyô-jôruri » (« ningyô » = marionnettes ; « jôruri » = type de mus. pour → « shamisen » utilisé dans le théâtre de marionnettes Gidayû). L'origine du genre remonte au XIVe ou au XVe s., où l'on combina le chant épique et le théâtre de marionnettes de style primitif. Il se développa rapidement dans les grandes villes avec l'utilisation du « shamisen » pour accompagner le chant. La collaboration, dès 1684, de deux personnalités célèbres, le musicien Takemoto Gidayû — qui fonda à Osaka le théâtre Takemoto-za — et l'écrivain Chikamatsu Monzaemon, considéré comme le Shakespeare japonais, assura au théâtre B. sa prééminence. De nombreux auteurs (Chikamatsu Hanji, Takeda Izumo, Ki-no-Kaiun...) et musiciens (Takemoto Masatayû, Toyotake Wakatayû, tous deux élèves de Gidayû) poursuivirent l'œuvre des deux fondateurs et donnèrent à cet art du théâtre une perfection unique au monde. Il faut noter également l'influence exercée par le genre sur le théâtre → Kabuki.

Il existe deux types de drames, en 5 et 3 actes. Le premier (« jidaï-mono ») se prête surtout à des sujets historiques concernant les samouraï et obéit à une forme fixe : 1er acte, présentation des personnages principaux ; 2e acte, les moutons (= les hommes bons) sont affligés par les chèvres (= les hommes mauvais) ; 3e acte, représentation d'un épisode ; 4e acte, l'affliction de l'homme bon atteint son paroxysme ; le 5e acte voit le triomphe de la vertu sur le vice. — Le déroulement du drame en 3 actes (« sewa-mono ») est plus libre, mais demeure lié à la lutte du bien et du mal, au conflit entre la puissante éthique féodale (obligations envers le seigneur, les samouraï, les parents...) et l'amour pour un être humain. Il met en scène des personnages contemporains, marchands ou paysans. S'adressant à un public populaire, l'intrigue illustrait souvent la résistance des faibles face aux dirigeants.

Le théâtre de marionnettes fait appel à trois catégories d'artistes, des hommes exclusivement : les marionnettistes, les narrateurs ou chanteurs, et les joueurs de « shamisen ». La beauté des poupées et la perfection de leur manipulation sont remarquables. C'est à Yoshida Bunzaburo que l'on doit la mise au point de la technique (1734) permettant de faire mouvoir les poupées par trois marionnettistes : le principal s'occupe du corps, de la tête et de la main droite; le 2e de la main gauche; le 3e des pieds, ou, s'il s'agit d'un personnage féminin, du bas du kimono. Les marionnettistes se déplacent sur le plancher de la scène dont l'avant est barré d'une rampe destinée à cacher le bas de leur corps. Ils manœuvrent en silence. C'est au chanteur Gidayû qu'incombent monologues et dialogues de tous les personnages. Le récit parlé n'est pas accompagné instrumentalement. Le narrateur raconte l'histoire, explique ce qui se passe sur scène, décrit le cadre. Cette narration se transforme en chant ou, plus exactement, en une sorte de récitatif accompagné du « shamisen », la ligne devenant plus mélodique lorsque l'émotion s'intensifie ou lorsque le rôle fait intervenir une chanson. Texte parlé, narration psalmodiée et chant ont respectivement pour nom « kotoba », « jiaï » et « fushi ». Le « jiaï » constitue véritablement le cœur et l'originalité du style Gidayû, qui se différencie par là nettement des mus. vocales narratives pratiquées en Corée (« pansoli »), en Chine (« tan-tsu ») ou en Inde (« bajan »). — La règle veut que la musique soit exécutée par un narrateur (« tayû ») et un joueur de « shamisen ». Dans certains cas, les rôles sont cependant répartis entre plusieurs narrateurs. Le nombre des instrumentistes peut également être accru, en particulier pour la brillante exécution des interludes. Dans certaines scènes — notamment celles d'atmosphère mélancolique — le « kokyû », luth à 3 ou 4 cordes joué à l'aide d'un archet, s'ajoute au « shamisen ». Enfin une musique de fond, « kagebayashi », utilisant de nombreux instr. de percussion

(voir l'art. KABUKI), peut fournir un accompagnement supplémentaire. Le → « shamisen » employé dans le Gidayû — auquel incombe le rôle de l'orchestre dans l'opéra occidental — est d'un type particulier, permettant des effets expressifs plus étendus : le corps et le manche sont plus gros, les cordes et la peau plus épaisses, le plectre (« bachi ») plus lourd. Les musiciens sont classés selon leur adresse et leur expérience. Aux plus adroits reviennent les scènes les plus importantes, en particulier la scène finale du 3e acte (« san no kiri »). Le couple formé par le narrateur et l'instrumentiste constituait autrefois une association indissoluble : c'est dire l'accord total, sur le plan de l'esprit comme de la technique, qui était exigé pour parvenir à ce sommet de l'art théâtral.

Bibliographie — A.C. SCOTT, The Puppet Theatre in Japan, Tokyo 1936; S. HIRONAGA, B., Tokyo 1964; T. ANDO, B., Tokyo, Weatherhill, 1971.

S. KISHIBE

BURLESQUE (ital., burlesca, de burla, = farce, comédie), titre employé dans la mus. instrumentale pour désigner de courtes → pièces de genre, de style gai ou capricieux. J.S. Bach a inséré une *Burlesca* dans sa *Partita en la min.*, R. Schumann une *Burla* dans ses *Albumblätter* op. 124, tandis que R. Strauss a écrit une *Burleske* pour piano et orchestre et B. Bartók 3 *Burlesques* pour piano.

BURLETTA (ital., diminutif de burla, = farce, comédie), comédie musicale importée d'Italie en Angleterre et qui connut une certaine faveur à la suite de la création de *Midas* de Kane O'Hara, à Dublin, en déc. 1761. Le genre inclut des chansons chantées sur des timbres et s'apparente au → « ballad opera ».

BUSINE, voir BUSINE.

BYZANCE, voir GRÈCE, § La musique byzantine ; voir également CHANT BYZANTIN.

BYZANTIN (Chant), voir CHANT BYZANTIN.

C

C. 1. (Angl. et all., = *do*), troisième lettre de l'alphabet, qui, dans la notation alphabétique latine, servait à désigner l'*ut* dans l'échelle générale ou gamme.

fr., ital., esp.	angl.	all.
do ♭	C flat	Ces
do ♭♭	C double flat	Ceses
do ♯	C sharp	Cis
do ♯♯	C double sharp	Cisis

2. Abréviation pour → « cantus » et → cent. — **3.** Dans la → notation mensuraliste, le c — moitié du cercle indiquant la perfection et non lettre de l'alphabet — indiquait le temps imparfait, prolation mineure, et le ₵ le temps imparfait diminué ou → « alla breve ». De nos jours, c équivaut à 4/4 et ₵ à 2/2.

CABALETTA (ital.), petit air d'opéra, caractérisé par la facilité mélodique et le retour uniforme d'un motif rythmique. En usage dès le XVIIIe s., sa vogue se répandit avec G. Rossini. Par la suite, le terme désigna la « strette » ou « coda » brillante d'un air ou d'un ensemble dans les opéras italiens (exemples célèbres dans les œuvres de Bellini et de Verdi, en particulier dans *La Traviata*, acte I, scène air de Violetta).

CABINET D'ORGUES, nom donné, à l'époque classique, à un petit orgue de chapelle ou d'étude.

CABRETTE, voir CHEVRETTE.

CACCIA (ital. ; fr., → chace), genre poético-musical répandu en Italie aux XIVe et XVe s., formé d'un nombre variable de vers de 5, 7 ou 11 pieds. Composée de deux voix chantées se succédant en canon et d'un ténor instrumental, la c. constitue le plus ancien exemple de polyphonie profane à 3 voix du → « Trecento » qui nous soit parvenu. On ne sait si la dénomination de « caccia » (= chasse) se rapporte au texte à la déclamation rapide qui décrit des scènes de chasse d'une manière réaliste à l'aide de cris et d'onomatopées ou à la succession du premier et du second « cantus ». Parfois les scènes de chasse sont remplacées par des textes amoureux, des scènes de marché, etc. La forme littéraire n'est pas fixe. Si le texte adopte la forme du madrigal, on désigne la pièce musicale du terme de madrigal canonique.

La c. s'est vraisemblablement développée parallèlement au → madrigal, auquel la lient des rapports formels et stylistiques (adoption du → « ritornello » ; alternance de passages mélismatiques et syllabiques ; parties en hoquet). La technique de composition donne la priorité au canon des voix supérieures ; le ténor instrumental leur est subordonné. L'existence de quelques œuvres canoniques à 2 voix seulement, sans ténor, nous en donne la preuve. Quatre des « cacce » du « Trecento » présentent le texte aux 3 voix : parmi elles, *A poste messe* de Lorenzo est un canon à 3 voix sur le modèle de la « chace » française, *De ! dimmi tu* de Fr. Landini (un madrigal d'après son texte) un canon entre le second « cantus » et le ténor tandis que le premier « cantus » reste libre. La « ballata » d'Andrea, *Dal traditor*, constitue un emprunt à la technique de la « caccia ». On connaît en outre 2 madrigaux de J. Ciconia, *Caçando un giorn* et *I cani sono fuora*, que seuls les textes rattachent à la « caccia ».

La mention la plus ancienne de la c. se trouve dans un traité vénitien du début du XIVe s. (éd. par S. Debenedetti) : « Cacie sive incalci », une pièce exécutée par 5 chanteurs, qui, selon le principe de l'échange des voix, se chante sur des vers de 5 ou 7 pieds. A l'exception de quelques essais isolés, l'évolution s'est détournée de cette forme apparentée au « rondellus ». La plus ancienne c. qui nous soit parvenue, *Or qua compagni*, est notée dans le Codex Rossi (RISM : I - R vat 215), originaire de l'Italie du Nord, et pourrait être attribuée à Piero. Outre Piero, la c. a été cultivée par Giovanni da Cascia et Jacopo da Bologna, à Milan et Vérone, entre 1340 et 1360. Nous possédons des c. dues aux compositeurs florentins suivants : Gherardello, Donato, Lorenzo, Vincenzo, Niccolò, Fr. Landini et Zacharias. Peu après 1400 la c. canonique semble éteinte ; elle survit cependant aux XVe et XVIe s. dans les formes non canoniques du → « strambotto » ou du → « canto carnascialesco ». Hors d'Italie, on ne rencontre que deux allusions à la c. : le *Salve mater*, contrafacture de *Cacciando per gustar* de Zacharias (RISM, Ms de Strasbourg F - Sm 222), et la mention du Codex de Breslau (éd. par J. WOLF, *in* AfMw I, 1918-19) « katschetum est, quod habet tres choros in se cum tenore et suo contratenore ».

Éditions — J. WOLF, Gesch. der Mensuralnotation II-III, Leipzig 1904 ; W.TH. MARROCCO, 14th Cent. Italian Cacce, Cambridge (Mass.), The Mediaeval Acad. of America, 1942, 2/1961 (révisée) ; N. PIRROTTA, The Music of 14th Cent. Italy, *in* CMM VIII, Amer. Inst. of Musicology, 1954.

Bibliographie — **1. Ouvr. généraux** (catal. des éditions et listes bibliogr.) : voir Bibliogr. de l'art. BALLATA. — **2. Études :** G. CARDUCCI, Cacce in rime dei s. XIV e XV, Bologne 1896 ; S. DEBENEDETTI, Un trattatello del s. XIV sopra la poesia musicale, in Studi Medievali II, 1906-07 ; F. NOVATI, Per l'origine e la storia della c., ibid. ; A. EINSTEIN, Eine C. im Cinquecento, in Fs. Liliencron, Leipzig 1910 ; A. VON KÖNIGSLÖW, Die italienischen Madrigalisten des Trecento, Wurtzbourg 1940 ; N. PIRROTTA, Per l'origine e la storia delle « C. » e del « Madrigale » trecentesco, in RMI XLVIII-XLIX, 1946-47 ; du même, Piero e l'impressionismo musicale del s. XIV, in L'Ars nova italiana del Trecento I, Certaldo 1962 ; F. GHISI, art. C. in MGG II, 1952 ; A. RINGER, The Chasse : Historical and Analytical Bibliogr. ... (diss. Columbia Univ. 1955) ; A. MAIN, Lorenzo Masini's Dear Hunt, in The Commonwealth of Music, éd. par G. Reese et R. Brandel, New York, The Free Press, et Londres, Collier-Macmillan, 1965 ; TH. KARP, The Textual Origin of a Piece of Trecento Polyphony, in JAMS XX, 1967 ; K. TOGUCHI, Sulla struttura e l'esecuzione di alcune cacce italiane, in L'Ars nova italiana del Trecento III, Certaldo 1970 ; G. CORSI, Poesie musicali del Trecento, Bologne, Carducci, 1970 ; E.C. FELLIN, A Study of Superius Variants in the Sources of Italian Trecento Music : Madrigals and Cacce (diss. Univ. of Wisconsin 1970).

D. BAUMANN

CACHUCHA (esp.), danse andalouse de rythme ternaire (généralement à 3/8) et de mouvement modéré, très populaire au début du XIXe s. Elle était primitivement chantée avec accompagnement de guitare et de castagnettes. Proche du → boléro, elle est exécutée par un soliste. Fanny Elssler la dansa à l'Opéra de Paris dans le ballet de Jean Coralli, Le Diable boiteux (1836).

CACOPHONIE, ensemble de sons discordants dont l'audition blesse l'oreille.

CADENCE (angl., cadence ; all., Kadenz ; ital., cadenza ; esp., cadencia). **1.** Formule mélodique ou harmonique qui sert de conclusion. Le terme, dérivé de l'italien « cadere » (= choir, tomber), se rencontre dans les œuvres théoriques à partir du XVIe s. ; il est mis en rapport avec la chute de quinte à la basse qui se produit lors du passage du Ve au Ier degré d'un ton. Mais les mélodies modales du Moyen Age se terminaient souvent par une seconde descendante. Cette terminaison devint typique pour le ténor, qui, pendant longtemps, fut la voix la plus grave. En mouvement contraire par rapport au ténor, la voix supérieure progressait de la sensible à la finale, qu'elle atteignait parfois indirectement par la tierce inférieure (c. dite de Landino). Dans la polyphonie à 3 voix, la voix du milieu progressait quelquefois également par une sensible à la quinte (c. à double sensible) :

Fr. Landino, *El mio dolce sospir*.

A la place de la 2e sensible, le XVe s. introduisit le saut d'une octave, qui croise le ténor de façon que les deux derniers sons inférieurs, appartenant à deux voix différentes, se trouvent en relation de quarte ascendante (ex. 2), ce qui annonce déjà la marche cadentielle typique de la basse (ex. 3).

G. Binchois, *Benedictus* de la *Missa de Angelis*.

G. Dufay, *Agnus Dei* de la *Missa « L'Homme armé »*.

Avant le XVIe s. il était de règle que l'accord final ne comporte pas de tierce ; considérée comme imparfaitement consonante, elle ne pouvait pas former une conclusion parfaite. C'était encore l'avis des théoriciens du XVIe s., bien que la pratique de ce temps ait admis la tierce majeure à la fin. Les formules que nous venons d'énumérer passaient à l'époque pour un ensemble de conclusions mélodiques appelées → clausules et non pour une suite d'accords. Même Zarlino, qui introduisit la notion de c. (*Istitutioni harmoniche*, 1558), ne parle que d'intervalles et non d'accords. Ce ne sera que Rameau (*Traité de l'harmonie*, 1722) qui reliera clairement la c. à la notion de fonction harmonique. Dès la première apparition du terme, les théoriciens élaborèrent des classifications de différents types de c. selon les valeurs des notes, les relations rythmiques entre les voix, la marche de la basse, la structure et la fonction de l'accord final, etc. J.G. Walther (*Musicalisches Lexicon*, 1732) donne la liste d'une vingtaine de c. tout en affirmant que la seule qui corresponde à la signification primitive du terme est celle qui se fonde sur la chute de quinte à la basse. Voici les dénominations principales qui se sont maintenues dans l'enseignement de l'harmonie traditionnelle. 1o C. p a r f a i t e (angl., perfect c. ; all., Ganzschluss ou authentische Kadenz ; ital., c. perfetta) : marche de la dominante (avec ou sans 7e) à la tonique, les deux accords en position fondamentale (ex. 4). 2o C. i m p a r f a i t e (angl. imperfect c. ; all., unvollkommene Kadenz ; ital., c. imperfetta) : marche de la dominante à la tonique, un des deux accords ou tous les deux se trouvant en position de 1er renversement (ex. 5). 3o C. p l a g a l e (angl., plagal c. ; all., Plagalschluss ; ital., c. plagale) : marche de la sous-dominante à la tonique (ex. 6). 4o D e m i - c. ou c. de dominante (angl., half c. ; all., Halbschluss ; ital., c. sospesa ou semi-c.) : arrêt à la dominante (ex. 7). 5o C. r o m p u e ou évitée (angl., interrupted c. ou deceptive c. ; all., Trugschluss ; ital., c. rotta ou c. d'inganno) : remplacement de la tonique, dans un mouvement cadentiel, par un accord inattendu, souvent par celui du VIe degré (ex. 8) ou par un accord modulant dans un autre ton (ex. 9) :

façon nouvelle et touchante et de mener l'émotion passionnée à son comble, à quoi l'interprète ne saurait

Ex. de J.S. Bach, tirés du choral de la cantate *Wo soll ich fliehen hin*, BWV 5 (ex. 4, 7, 9), de la fugue en *ut* min. du *Clavier bien tempéré* I (ex. 5), de la *Toccata et fugue* en *ré* min. pour orgue, BWV 565 (ex. 6), du choral de la cantate *Ihr, die ihr euch von Christo nennet*, BWV 164 (ex. 8).

Pour être complète, c.-à-d. représentative d'une tonalité, la c. doit comporter un accord de sous-dominante outre ceux de dominante et de tonique. C'est en effet l'état de tension équilibrée, provoqué par les fonctions opposées de la sous-dominante qui s'éloigne de la tonique et de la dominante qui y retourne, qui caractérise la cadence. Par sa signification fonctionnelle, la c. représente un phénomène typique de la musique tonale. La musique contemporaine tonale a varié, quelquefois camouflé la c. sans changer son principe fondamental, tandis que la musique non tonale renonce forcément à la c. et doit employer d'autres moyens pour éveiller chez l'auditeur le sentiment de conclusion.

2. Nom d'un agrément correspondant au → trille, débutant par le son supérieur (ex. 10). La c. appuyée prolonge un peu le premier son (ex. 11). La double c. touche la seconde inférieure avant le dernier son (ex. 12). Chez J.H. d'Anglebert et Fr. Couperin, le même agrément porte le nom de → tremblement.

J.Ph. Rameau, Tables des agréments du *1er Livre de pièces de clavecin* (1706), ex. 10 et 11, et des *Pièces de clavecin* (1724), ex. 12.

3. Improvisation du soliste, placée en général peu avant la fin d'un morceau, surtout dans les mouvements de concertos et les airs de concert. La première mention du terme c. pris dans ce sens semble se trouver dans une publication du compositeur vénitien G. Bassano : *Ricercate, passagi et cadentie per potersi essercitar nel diminuir terminatamente, con ogni sorte d'instrumento et anco diversi passagi per la semplice voce* (1598). Le terme n'est donc pas dérivé du nom français de l'agrément cité plus haut, puisque celui-ci n'apparaît qu'au XVIIIe s. D'ailleurs, J.J. Quantz (*Versuch einer Anweisung die Flöte traversiere zu spielen*, 1752) souligne que les c. « ad libitum » ne sont pas de simples ornements mais des improvisations qui ne se soumettent pas à la mesure régulière du mouvement qu'elles terminent. D'après lui, le but de la c. est d'émerveiller l'auditeur d'une

certainement pas arriver en n'enfilant qu'une quantité de passages rapides. Aussi bien Quantz que J.J. Rousseau (*Dictionnaire de musique*, 1781) affirment que la tradition des c. improvisées vient des Italiens et qu'elle n'a guère trouvé d'imitation en France. Tandis qu'au cours de la 1re moitié du XVIIIe s. il était encore rare que le compositeur écrive la c. (p. ex. J.S. Bach, c. du clavecin dans le 1er mouvt du *5e Concerto brandebourgeois*), nous trouvons de plus en plus, à partir de la 2de moitié du siècle, des c. écrites par le compositeur et qui constituent quelquefois une partie intégrante de la forme du mouvement (ex. plusieurs concertos pour piano de Mozart). Deux raisons amenèrent les compositeurs à noter exactement leurs c. : les abus commis par des interprètes plus soucieux de faire briller leur dextérité technique que de respecter le style et les proportions de l'œuvre, puis le déclin progressif des facultés d'improvisation créatrice parmi les interprètes. Cette dernière raison fut aussi celle qui incita plusieurs interprètes et quelques compositeurs du XIXe et du XXe s. à composer et à faire éditer des c. pour des concertos classiques. Depuis le *5e Concerto pour piano* op. 73 de Beethoven, on note en outre une tendance vers l'abolition de la c. traditionnelle (« Non si fa una cadenza, ma s'attacca subito il seguente »), exemple suivi entre autres par Chopin (dans les 2 *Concertos pour piano*) et J. Brahms (*2e Concerto pour piano*) et par de nombreux compositeurs de concertos du XXe s.

4. Structure régulière du temps musical qui se manifeste dans le rythme de temps forts et temps faibles (c. binaire et c. ternaire), mesures fortes et faibles, périodes fortes et faibles. Dans ce sens, la mus. de danse et de marche est la plus strictement cadencée.

Bibliographie — 1. E.M. LEE, Cadences and Closes, *in* Proc. Mus. Assoc. XXXI, 1904-05; H.J. MOSER, Die harmonischen Funktionen in der tonalen Kadenz, *in* ZfMw I, 1918-19; du même, Das Schicksal der Penultima, *in* Jb. Peters XLI, 1934; A. CASELLA, The Evolution of Music throughout the Hist. of the Perfect C., Londres 1924; H. BESSELER, Bourdon u. Fauxbourdon, Leipzig 1950; A. SCHMITZ, Die Kadenz als Ornamentum musicae, *in* Kgr.-Ber. Bamberg 1953, Kassel, BV, 1954; A. MACHABEY, Genèse de la tonalité musicale classique, Paris, Richard-Masse, 1955. — 3. A. SCHERING, Die freie Kadenz im Instrumentalkonzert des 18. Jh., *in* Kgr.-Ber. Basel 1906, Leipzig 1907; H. GOLDSCHMIDT, Die Lehre von der vokalen Ornamentik I, Charlottenburg 1907; H. KNÖDT, Zur Entwicklungsgesch. der Kadenzen im Instrumentalkonzert, *in* SIMG XV, 1913-14; K. STOCKHAMMER, Die Kadenzen zu den Klavierkonzerten der Wiener Klassiker (diss. Vienne 1936); E. FERRAND, Die Improvisation in der Musik, Zurich 1938.

M. FAVRE

CAEN.
Bibliographie — E. CHUPPIN, De l'état de la mus. en Normandie depuis le IXe s., Caen 1837; J. CARLEZ, La mus. à C. de 1066 à 1848, Caen 1876; du même, La mus. et la société caennaise au XVIIIe s., Caen 1884; du même, Le Puy de mus. de C. (1671-1685), Caen

1886 ; du même, La Soc. philharmonique du Calvados (1827-1869), Caen 1896 ; du même, Les chansonniers de J. Mangeant au point de vue musical, Caen 1903 ; A. BENET, Notes sur les artistes caennais de la fin du XVIIe s. et du commencement du XVIIIe s., *in* Réunion des Soc. des Beaux-Arts..., Caen 1897 ; A. BLOCH-MICHEL, Mélanges sur la vie musicale à C. aux XVIe et XVIIe s., *in* Études normandes LXXXIII, 1957 ; CL. NOISETTE DE CRAUZAT, Les orgues de C. aux XIIe et XIIIe s., *in* Recherches XII, Paris, Picard, 1972.

CAFÉ-CONCERT, voir CHANSON POPULAIRE, § Les débuts de la chanson populaire.

CAISSE. 1. C. de résonance (voir ci-dessous), coffre de bois composant le corps des instr. à cordes, destiné à amplifier les vibrations de celles-ci. — **2.** Corps cylindrique des tambours, en bois ou en métal mince, dont les extrémités sont fermées par une membrane. — **3.** C. d'orchestre, instr. de la famille des → tambours, comprenant la → grosse c., la c. roulante, la c. claire ou c. plate. — **4.** C. du tympan, sorte de tambour rempli d'air, situé en arrière de la membrane du tympan, qui constitue l'oreille moyenne et contient la chaîne des osselets.

CAISSE DE RÉSONANCE (angl., resonant box ; all., Resonanzkasten ; ital., cassa di risonanza), élément indispensable des instr. à archet ou à cordes pincées, car la vibration des cordes seules est trop peu sonore. Son architecture interne, complexe, exige une facture minutieuse. Cette « construction interne doit grossir de manière homogène une gamme de fréquences très large » (E. Leipp). La c. de r. comporte une → table d'harmonie, qui peut être reliée par collage direct à un fond galbé (luth, harpe) ou plat (cithares orientales telles que le « koto » japonais, le « tseng » chinois) — dans ce cas, c'est la table qui est fortement galbée ; ou bien table et fond sont montés sur des → éclisses, cadre qui forme les côtés de la caisse (famille des violes, du violon et de la guitare). Les instr. à clavier n'ont pour résonateur véritable que leur table d'harmonie. La cavité formée par une caisse a pour fonction de faire entrer en vibration un certain volume d'air excité par la vibration des cordes. Elle a d'ailleurs une fréquence propre, facile à constater par l'action du souffle humain lorsque la table est ajourée par des ouïes ou une rose par lesquelles elle transmet la résonance à l'air extérieur. — La nature de la cavité fait la personnalité d'un instrument. L'idée d'un assemblage de pièces de bois de qualités appropriées est relativement tardive. Elle est venue du Proche-Orient et s'est propagée en Occident au cours du Moyen Age. Cependant le principe même de la caisse remonte à la préhistoire. C'est d'abord la cavité buccale (→ arc musical), le trou creusé dans la terre (formes primitives du « bala » ; voir l'art. BALAFON), les calebasses fermées par de la toile d'araignée ; ailleurs, les poteries, les carapaces de tortue (→ lyre grecque), puis enfin de lourdes caisses creusées dans du bois massif et formant une seule pièce avec le manche (étapes primitives du violon) et dont la sensibilité n'est pas encore satisfaisante. En même temps on trouve aussi le bambou creux des cithares malgaches. Pour apprécier à sa juste valeur la complexité des problèmes soulevés par l'architecture d'une c. de r. moderne, on ne saurait choisir de meilleur exemple que le violon, pour lequel les études sont nombreuses.

Bibliographie — H. BACKHAUS, Über Resonanzeigenschaften von Streichinstrumenten, *in* Akustische Zs. 1936 ; K. STEINER, Die geometrische Konstruktion der Geigenform von Stradivari, *in* Instrumentenbau Zs. IX, 1949 ; E. LEIPP, Sonorité du violon, de l'alto, du violoncelle, Paris, l'Auteur, 1952 ; du même, Le violon et le nombre d'or, *in* Musique et Radio, oct. 1954 ; du même, Le violon, Paris, Hermann, 1965 ; C. FUHR, Die akustischen Rätsel der Geige, Francfort/M., Hofmeister, 1958.

CAKEWALK (angl.), danse des Noirs d'Amérique du Nord, de caractère grotesque, écrite à 2/4 sur des rythmes syncopés. Elle apparut en Amérique vers 1870, puis fut importée en Europe vers 1900 comme danse de music-hall et de spectacle. Cl. Debussy s'en est inspiré dans une pièce de la suite pour piano *Children's Corner* (*Golliwogg's cake-walk*).

CALAMUS (lat.), voir CHALUMEAU.

CALANDO (ital., calare, = céder), terme d'exécution musicale qui demande à la fois un ralentissement du mouvement (« ritardando ») et une diminution de la force du son (« diminuendo »). Syn. : « morendo », « smorzando ».

CALANDRONE (ital.), instr. champêtre utilisé autrefois dans la campagne italienne. C'est un → chalumeau de bois, à anche double, muni de deux clefs, à la sonorité rauque, qui laisse échapper l'air par deux trous diamétralement opposés.

CALATA, ancienne danse italienne apparentée à la → basse danse. Notée en 3/2, elle se compose de 3 mesures à 2/4. On la rencontre dans les tablatures de luth italiennes du début du XVIe s.

CALIBRE, diamètre d'une corde ou de l'intérieur d'un tuyau.

CALL-AND-RESPONSE PATTERN (angl., = structure d'appel et réponse), forme de dialogue qui apparaît conformément à la règle dans tous les phénomènes musicaux afro-américains, et qui peut être retrouvée jusque sur le continent africain. Dans la mus. africaine, le premier chanteur et le chœur se manifestent avec des rôles différents : le premier chanteur présente un fait (« statement ») d'après lequel le chœur réagit (« response »). L'appel (« call », « statement ») reste une structure ouverte, car il exige une prolongation verbale et musicale. La succession « call » (« statement ») et « response » tend à se recouvrir, c'est-à-dire à être simultanée, si bien que la structure d'appel et réponse constitue une forme essentielle de la musique afro-américaine comprise comme une structure polyphonique nettement différente de la polyphonie européenne. Ce n'est qu'avec la symbiose croissante de la mus. africaine et de la mus. européenne sur le sol nord-américain que le phénomène s'imprègne de l'harmonie cadentielle. Le témoignage en est net dans le culte afro-américain, lorsque le « shout » (« shouting ») de la prédication se trouve ponctué par l'acclamation de l'assemblée. Dans le → « blues » accompagné par les instruments, la voix humaine et l'instrument — mais également les sections (normalisées) d'une strophe — sont en rapport semblable. Dans la période la plus ancienne du jazz, la succession de plusieurs « calls » et « responses » a entraîné un partage des rôles spécifiques dans la facture polyphonique (« lead » de la trompette : « call » ; trombone et clarinette en fonction de « response »). Le → « riff » (« response » transformée dans la musique de « big band ») prend également sa source dans cette structure.

CALOTTE. 1. Pièce coiffant les jeux d'orgue bouchés, dont l'enfoncement réglable permet l'accord du jeu. — **2.** Partie supérieure de la cloche.

CALYPSO, chant populaire d'Amérique centrale et des Antilles (Jamaïque, Trinité), dont le texte, formé d'un curieux agglomérat de mots français, anglais et africains, et la musique étaient généralement improvisés sur un accompagnement d'instr. à percussion qui appelle la danse. Satirique à l'origine (fin du XVIIIe s.), il revêt un caractère pompeux et strident et s'exécute sur un mouvement modéré apparenté à la rumba. Il a été répandu vers 1957 en Europe, où il est devenu une danse à la mode, notée en 2/2 ou 4/4 : ♫♪ ♫ ♫ ♫ .

Bibliographie — N.R. ORTIZ ODERIGO, El C., Expresión mus. de los negros de Trinidad, *in* Miscelánea F. Ortiz II, La Havane 1956 ; D.J. CROWLEY, Toward a Definition of C., *in* Ethnomusicology III, 1959.

CAMBIATA (ital., « nota cambiata », = note échangée), terme qui désigne deux pratiques du traitement de la dissonance aux XVe et XVIe s. — **1.** Selon A. Berardi, la c. est une dissonance de passage relativement accentuée, passant en valeur rapide et aboutissant immédiatement sur une consonance (ex. 1ᵃ). Le processus normal voulant que la consonance soit accentuée et que la dissonance de passage tombe sur un temps faible est ici inversé. — **2.** Selon J.J. Fux, la c. est une dissonance introduite par mouvement conjoint descendant, passant en valeur rapide sur une partie de mesure non accentuée et quittée par saut de 3ᵉᵉ descendante. De nos jours, c'est presque toujours à cette signification que l'on se réfère. A l'origine, il s'agissait d'une note ornementale introduite dans

la 4ᵗᵉ mélodique descendante ♪♪ chantée

♪. ♪ sans aucune signification harmonique et traitée à la façon d'une échappée, donc sans obligation résolutive. Au XVe s. la c. consistait encore en ce groupe de 3 notes qui pouvait servir de conclusion ou s'enchaîner à une note de mouvement non imposé. Au XVIe s. la note qui succédait à la 3ᵉᵉ descendante n'était pas libre et devait en général monter d'une 2ᵈᵉ, ce qui, pour Kn. Jeppesen, représente une résolution différée (ex. 1ᵇ). Toutefois, si cette 3ᵉᵉ descendante était accentuée, elle pouvait être suivie d'une 3ᵉᵉ ascendante, elle-même suivie d'une 2ᵈᵉ descendante (ex. 1ᶜ), ce que Jeppesen considère comme une résolution doublement différée :

ex.1

Ainsi, la c. passe, au XVIe s., d'une formule mélodique de 3 notes à une de 4, parfois même de 5 notes. Elle représente chez Palestrina la seule exception à la règle de résolution de la consonance par mouvement conjoint. — Il faut enfin signaler une formule assez fréquente vers 1500 et qui est exactement l'inverse de la c. classique usuelle : dissonance introduite par 2ᵈᵉ ascendante, quittée par saut de 3ᵉᵉ ascendante et suivie d'une 2ᵈᵉ descendante. Voici un passage de la messe *Hercules dux Ferrariae* de Josquin des Prés où s'accumulent les diverses formes de la c. (au sens de Fux) et qui fait ressortir l'importance mélodique structurale de la 4ᵗᵉ juste :

Bibliographie — A. BERARDI, Miscellanea musicale, Bologne 1689 ; J.J. FUX, Gradus ad Parnassum, Vienne 1725, trad. all. par L. Mizler, Leipzig 1742, trad. fr. par Denis, 1773 ; C. DAHLHAUS, Die « Nota cambiata », *in* KmJb XLVII, 1963 ; KN. JEPPESEN, Kontrapunkt, Leipzig, Br. & H., 4/1971.

CAMBODGE (Mus. khmère). De l'époque préhistorique, les recherches ont mis au jour les grands tambours de bronze et les lithophones répandus dans la péninsule Indochinoise. Les cultures môn-khmères durent connaître les gongs suspendus, les divers instruments en bambou (flûte, cithares, vièles) ainsi que divers instr. à percussion ; ils sont encore pratiqués chez les montagnards de la chaîne annamitique. Au début de l'ère chrétienne, ces cultures môn-khmères assimileront l'influence indienne qui, sur le plan musical, se manifeste par l'apport de nouveaux instruments et introduit une nouvelle musique rituelle. Mais l'hindouisation de la péninsule ne sera pas un facteur de colonisation culturelle absolu puisque la musique locale n'utilisera ni les modes, ni les développements de type indien. L'apport indien n'est cependant pas négligeable. L'iconographie la plus ancienne montre de nombreux instruments importés : harpe coudée (Vat Phu, VIIe s.), cymbales et tambours en sablier (Vat Khna, VIIe s.), une vinâ monocorde à calebasse (Sambor Prei Kuk, VIIe s.), etc. Mais c'est à partir du IXe s., avec le retour de Java d'un prince khmer exilé qui deviendra roi, que l'art musical et chorégraphique prendra l'aspect qu'il a encore aujourd'hui. Jusqu'au XIIIe s. l'Empire khmer va s'étendre de la Birmanie au Laos et à la Malaisie, et marquera profondément les cultures locales. A l'apogée de l'Empire, marqué par la construction des grands temples d'Angkor, la musique occupe une place très importante ; les inscriptions lapidaires nous apprennent que les princes faisaient offrande aux temples d'orchestres et de danseuses en grand nombre. Pour sa part, le roi Jayavarman VII (XII-XIIIe s.) fit don de 1 000 danseuses et musiciens au temple de Preah Khan, de 615 à Ta-Prohm et de plus de 1 000 autres dans divers temples de l'Empire. Déjà au XIe s., un roi faisait don à un brahmane de 100 luths et flûtes, 50 orchestres, cymbales, tambours, etc. Les bas-reliefs nous montrent que les instr. à percussion dominent pour les défilés militaires et religieux (gongs, tambours, cymbales). Les danses sacrées sont accompagnées d'instr. à cordes (vièles, harpes monocordes, vinâ à une ou deux calebasses). Le jeu de gongs sur cadre circulaire horizontal apparaît sur un fronton du XIIe s. (Thommanon) mais dut être en usage dès le IXe s. Enfin, à partir du XVe s., l'influence malaise se manifeste par l'apport du hautbois à pavillon, de la vièle à pique tricorde et de certains tambours à deux membranes.

Les instruments. La plupart d'entre eux sont nés de la symbiose entre les vieux fonds môn-khmer et la culture indienne. — **1.** Les idiophones : les grands gongs suspendus pour les défilés kong ; les jeux de gongs bulbés sur cadre circulaire horizontal, « kong thom » (à 17 gongs graves) et « kong touch » (à 16 gongs aigus). Ils sont caractéristiques de la culture khmère et se trouvent partout où elle a eu une influence (Thaïlande, Laos, Birmanie). Ils ont leur équivalent à Java avec les « bonang » courbés qui sont peut-être à l'origine de cette formule adoptée par les Khmers. Il est possible que ce procédé soit une adaptation des ensembles de gongs suspendus des cultures autochtones primitives. On trouve encore certains modèles anciens à 11 ou 13 gongs seulement. Le «roneat dek » est un métallophone à 21 lames frappées par deux maillets ; deux xylophones à lames de bambou ou de teck suspendus à des cordes au-dessus d'une caisse de résonance, «roneat ek », à 21 lames, et « roneat thung », à 17 lames. — **2.** Les membranophones. Les tambours sont innombrables : tambours à deux peaux de buffle, posés obliquement par paires, « skor-thom », à deux peaux portés à l'aide de bretelle, « skor khlang khêk », d'origine malaise ; tambours à une peau sur cadre très allongés, « skor cha-yam » ; tambour sur poterie à une peau, « skor-arak » ; petits tambours horizontaux posés sur un socle, « skor sampho », et divers autres dérivant des précédents. — **3.** Les cordophones : un monocorde à une calebasse, « sadev », type ancien de la vinâ ; un luth à long manche à deux cordes, deux doubles cordes, ou une double corde et une corde simple, selon les régions, « chapey » ; une cithare à 3 cordes, « takkhé » (instrument tardif) ; une vièle à pique tricorde de type rebab, « tro-khmer » ; deux vièles bicordes, « tro chhê », à caisse de résonance cylindrique, et « tro-ou », à caisse de noix de coco. — **4.** Les aérophones : diverses flûtes droites en bambou, « khloy », à 3, 5, 6 ou 7 trous ; une flûte oblique à 5 ou 6 trous, « pey pok » ; un hautbois à perce cylindrique (bambou) à 6 trous, « pey âr » ; un hautbois à deux anches doubles, « sralay », et un autre à pavillon, « sralay khlang khêk », réservé aux cérémonies funèbres. Des conques marines sacrées étaient encore en usage récemment dans les rites du Palais royal de Phnom Penh. Quelques instruments, encore pratiqués plus ou moins dans les campagnes, sont des traces des anciennes cultures autochtones : la guimbarde en bambou ou en métal, « ankouch » ; la feuille dans laquelle on siffle, « sloeuk », et l'orgue à bouche, « khloy », répandu surtout chez les populations des monts Cardamômes. Enfin, les montagnards môn-khmers des plateaux du Nord-Est ont des orchestres de 3, 6, 9, 13 ou 16 gongs suspendus, des orgues à bouche à tuyaux divergents, « m'boat », et des cithares sur bambou, « gong ring ». — **5.** Les orchestres. Les Khmers ont trois types principaux d'orchestre : a) l'orchestre

« phleng pinpeat », consacré à la mus. des monastères et aux danses sacrées (voir l'art. PINPEAT) ; b) l'orchestre « phleng khmer », réservé aux mariages et aux cérémonies magiques, comprenant un « chapey », un « pey âr », un « tro-khmer », un « sadev » et un ou deux « skor-arak ». Pour la musique magique dite « phleng arak », on emploie les vièles bicordes « tro-ou » et « tro-chhê ». Les formations instrumentales peuvent varier légèrement d'une région à une autre. c) L'orchestre « mohori » réunit les xylophones « roneat ek » et « roneat thung », les vièles « tro-ou », « tro-chhê » et « tro-khmer », de une à trois flûtes, deux tambours « thung » et « rumanea », le luth « chapey » et la cithare « takkhé », et des cymbales « chhing ». En dehors des cérémonies royales, l'orchestre « mohori » est surtout un orchestre de divertissement. Il est en particulier utilisé dans les chants alternés dits « aye-aye ». Des variantes peuvent être apportées dans sa composition. En dehors des orchestres, beaucoup d'instruments peuvent être joués en solo comme le « pey-pok » pour la musique magique, ou pour accompagner les chants comme le « chapey » ou le « sadev ».

La théorie. La mus. khmère est fondamentalement pentatonique. Cependant les instruments à sons fixes sont accordés sur une gamme de 7 intervalles tendant à être égaux. Il est rare de trouver aujourd'hui des instruments accordés sur cet heptaphone tempéré, sauf dans les villages éloignés. On accorde de plus en plus les instruments sur une gamme qui se rapproche du diatonique occidental. Chaque note de la gamme peut être employée comme tonique, et les échelles employées sont nombreuses et varient selon l'habitude et le désir de chaque orchestre. Les gammes les plus fréquemment utilisées sont ‑123 56, 12 45 7, 123 45 7 et 123 5 7. Les autres notes de la gamme heptatonique sont utilisées accessoirement comme « piens » pour les ornements. Sur une mélodie donnée, les musiciens de l'orchestre apportent leur ornementation en jouant leur propre version de la ligne mélodique. Ils se retrouvent à l'unisson, parfois à l'octave, sur certains temps et sur les notes principales de la mélodie. On ne peut donc pas parler de polyphonie, puisqu'il n'y a pas d'harmonie, mais d'une sorte d'hétérophonie voulue et toujours renouvelée. La métabole est très courante et la manière dont elle est employée est considérée comme un signe essentiel de musicalité chez l'instrumentiste. La mus. khmère étant transmise oralement par répétition, le vocabulaire théorique est pratiquement inexistant.

Bibliographie — A. TRICON et CH. BELLAN, Chansons cambodgiennes, Saïgon 1921 ; G. KNOSP, art. Cambodge, in Lavignac Hist. V, 1922 ; G. DE GIRONCOURT, Motifs de chants cambodgiens, Saïgon 1941 ; A. DANIÉLOU, La mus. du Cambodge et du Laos, Pondichéry, Inst. Fr. d'Indologie, 1957 ; B.P. GROSTIER, Danses et mus. sous les rois d'Angkor, in Journal of Siam Soc. II 1965 ; W.P. MALM, The Near East and South-East Asia, in Music Cultures of the Pacific, New Jersey, H. Wiley Hitchcock, 1967 ; J. BRUNET, Introd. à la mus. cambodgienne à l'époque d'Angkor, les théâtres d'ombres et leur musique, récitation et chant liturgique khmer, les chants cambodgiens, in Musique et danse au Cambodge, Paris, Harmonia Mundi, 1969.

J. BRUNET

CAMBRAI.

Bibliographie — E. DE COUSSEMAKER, Notice sur les coll. musicales de la Bibl. de C., in Mémoires de la Soc. d'émulation de C. XVIII, 1841, tiré à part Paris 1843 ; A. DURIEUX et A. BRUYELLE,

Chants et chansons pop. du Cambrésis, *ibid.* XXVIII, 1864, et XXX, 1867 ; A. Durieux, Le th. à C. av. et depuis 1789, Cambrai 1883 ; du même, Les chants pop. du Cambrésis, *in* Mémoires de la Soc. d'émulation de C. XLI, 1886 ; F. Delcroix, La mus. à C., la maîtrise de C., *ibid.* LXVIII, 1921 ; Ch. Dancourt, Note complémentaire sur les musiciens à C., *ibid.* LXXV, 1928 ; E. Debu, Les soc. musicales de C., *ibid.* ; J. Delporte, Jean Leleu (dit Lupus ou Lupi : 1506-1539), *in* Revue liturgique et musicale XXII, Lille 1938-39 ; H. Besseler, Bourdon u. Fauxbourdon, Leipzig, VEB Br. & H., 1950 ; Vl. Fédorov, art. C. *in* MGG II, 1952 ; N. Bridgman, La participation musicale à l'entrée de Charles Quint à C. le 20 janv. 1540, *in* Les fêtes de la Renaissance II, Paris, CNRS, 1960.

CAMBRIDGE.

Bibliographie — W. Glover, Memoirs of a C. Chorister, Londres 1883 ; J.A. Fuller Maitland et A.H. Mann, Catal. of Music in the Fitzwilliam Museum, C., Londres 1893 ; C.F. Abdy Williams, A Short Account of the Degrees of Music at Oxford and C., from 1643, with a Chronological List of Graduates, Londres 1893 ; H.S. Middleton, Music Studies, *in* Proc. R. Mus. Assoc. LXXI, 1944 ; N.C. Carpenter, Music in the Medieval and Renaissance Universities, Oklahoma, Norman, 1958 ; W.J. Smith, Five Cent. of C. Musicians, 1464-1964, Cambridge, Univ. Press, 1964 ; D.J. Reid, Some Festival Programmes of the 18th and 19th Cent., II Oxford and C., *in* Proc. R. Mus. Assoc. VI, 1966.

CAMERATA FIORENTINA,

CAMERATA FIORENTINA, mouvement musical et culturel florentin qui s'est manifesté de 1576 env. jusqu'aux premières décennies du XVII⁰ s. et auquel participèrent des musiciens, des poètes et des représentants de la noblesse. La naissance de l'opéra en fut le résultat le plus évident. Les réunions, qui avaient pour thème non seulement la musique, mais aussi la poésie, l'astrologie et d'autres sciences et arts, eurent lieu initialement chez G. Bardi, comte de Vernio. Les discussions musicales portaient surtout sur des problèmes d'acoustique et de technique concernant la musique de la Grèce antique. Le correspondant expert en cette matière était G. Mei, qui résidait alors à Rome. Il avait écrit avant 1572 un *Dialogo della musica antica e della moderna* (éd. posthume à Venise en 1602) après avoir découvert dans la bibliothèque du cardinal de S. Angelo les mélodies des trois hymnes grecs de Mésomède. V. Galilei reprit en grande partie ses travaux lorsqu'il écrivit son *Dialogo della musica antica e moderna* (Florence 1581), qui reflète jusque dans le choix des interlocuteurs (G. Bardi et P. Strozzi) les discussions qui eurent lieu à ce sujet au sein de la Camerata. Toutefois Galilei aborde aussi la question esthétique, en critiquant le contrepoint à plusieurs voix dans le motet et le madrigal, au bénéfice d'un style qui ressuscite la technique et l'esprit de l'antique mélopée grecque, ainsi que ses merveilleux effets moraux et psychologiques. Dans ce but, il encourage les musiciens à composer des pièces monodiques, en s'inspirant éventuellement des inflexions et de l'expressivité du langage qu'employaient les acteurs de théâtre. Il s'y essaya lui-même et composa le *Lamento del conte Ugolino* d'après la *Divine Comédie* de Dante, et les *Lamentazioni di Geremia*, pour ténor solo et ensemble de violes. Depuis 1570 env., il avait mené à bien plusieurs réductions restées inédites, pour voix seule et luth, de madrigaux, villanelles et autres pièces polyphoniques. Un autre membre de la C., P. Strozzi, avait déjà composé en 1579 une pièce monodique fameuse, *Fuor de l'humido nido*, pour les noces du grand-duc François de Médicis. Elle fut exécutée par G. Caccini, chanteur de la Cour, accompagné par des violes. Ce même Caccini se consacra ensuite à la

composition monodique et collabora en 1589, soit comme chanteur, soit comme compositeur, aux intermèdes conçus par Bardi et coordonnés par E. de' Cavalieri, entre les actes de la comédie *La Pellegrina* de Girolamo Bargagli, représentée à l'occasion des noces de Ferdinand de Médicis et de Christine de Lorraine. D'autres musiciens, J. Peri, Antonio Archilei, E. de' Cavalieri, G. Bardi, L. Marenzio, G. Malvezzi, collaborèrent à cette occasion ; les trois premiers fournirent eux aussi des pièces monodiques qui, comme celles de Caccini, accordaient plus d'importance à une ornementation vocale brillante qu'à des effets expressifs. Le résultat dramatique de ces intermèdes est pauvre en regard de la considération dans laquelle la C. tenait le théâtre classique. Tombé en disgrâce, G. Bardi quitta Florence en 1592. Entretemps, la vie musicale s'était concentrée autour d'E. de' Cavalieri. Avec la collaboration de la poétesse Laura Guidiccioni et de la cantatrice Vittoria Archilei, celui-ci s'orienta vers la représentation de pastorales en musique comme *Il Satiro*, *La Disperazione di Fileno* (1590) et *Il Gioco della cieca* (1595). Premiers exemples d'action théâtrale entièrement chantée, ces œuvres conservaient cependant un style léger et pseudo-monodique.

La recherche d'un drame moderne en musique capable de rivaliser avec celui de l'Antiquité, et d'une façon toute nouvelle située à mi-chemin entre la diction parlée et la mélodie pure se poursuivit grâce à J. Corsi, nouveau mécène de la C., à J. Peri et au poète O. Rinuccini qui prépara le livret de *Dafne*, mis en musique par les deux autres. La représentation eut lieu dans la demeure de Corsi durant trois carnavals consécutifs (probablement 1598, 1599, 1600). Le nouveau style, dit « recitativo » ou du « recitar cantando », fut immédiatement imité par Caccini et par Cavalieri qui mit en scène à l'oratoire de l'ordre de St-Philippe de Neri à Rome sa *Rappresentazione di Anima e di Corpo* (fév. 1600). Devant le succès de cette œuvre, Rinuccini et Peri travaillèrent à un nouvel opéra, l'*Euridice*, représenté le 6 oct. 1600 au Palais Pitti en l'honneur de Marie de Médicis mariée au roi de France Henri IV. Ce fut le premier et peut-être l'unique chef-d'œuvre dramatique né au sein de la Camerata. Caccini composa lui aussi une *Euridice* sur le même livret, mais elle est inférieure, du point de vue dramatique, à celle de Peri ; il ne reste presque rien de ses chœurs pour le *Rapimento di Cefalo* de Gabriello Chiabrera composés en collaboration avec d'autres musiciens : l'œuvre fut représentée à la même occasion que l'*Euridice* de Peri. Il excella au contraire dans la composition de pièces monodiques brèves, publiées par la suite sous le titre *Le Nuove musiche* (1601), qui constituent l'autre pilier artistique de la Camerata.

En 1607 un jeune musicien de cour, M. da Gagliano, fonda à Florence l' « Accademia degli Elevati », qui recueillit l'héritage culturel de la Camerata. L'activité théâtrale et musicale se poursuivit à la Cour avec des opéras, ballets, intermèdes, « veglie » et mascarades composés entre autres par Gagliano, Peri, Francesca Caccini, fille de Giulio, jusque vers 1637. En 1608 des représentants de la C., Gagliano, Rinuccini, Chiabrera et la cantatrice Settimia Caccini se rendirent à Mantoue pour collaborer aux festivités des noces du prince Ferdinand de Gonzague : il en résulta l'*Arianna* et le *Ballo delle ingrate*, texte de Rinuccini et musique de Monteverdi, la *Dafne* de M. da Gagliano et les intermèdes de Chiabrera pour l'*Idropica* de Guarini, musique des frères Monteverdi, de S. Rossi, de G.G. Gastoldi et d'autres encore. Le genre de l' → opéra était désormais officiellement reconnu.

Bibliographie — Commémoration de la réforme mélodramatique, in Atti dell'Accad. del Real Istituto Musicale di Firenze XXXIII, 1895; A. SOLERTI, L. Guidiccioni Lucchesini ed E. de' Cavalieri, in RMI IX, 1902; du même, Le origini del melodramma, Turin 1903; du même, Gli albori del melodramma, Milan, Palerme et Naples 1904; du même, Musica, ballo e drammatica alla corte Medicea dal 1600 al 1637, Florence 1905; H. MARTIN, La c. du comte Bardi, in RMI XXXIX-XL, 1932-33; F. FANO, La C. Fiorentina. V. Galilei, Milan 1934; F. GHISI, Alle fonti della monodia, Milan 1940; N. PIRROTTA, Temperaments and Tendencies in the Florentine C., in MQ XL, 1954; du même, Tragédie et comédie dans la C. F., in Mus. et poésie au XVIᵉ s., Paris, CNRS, 1954; du même, Li due Orfei, Turin, E.R.I., 1969; CL.V. PALISCA, G. Mei : a Mentor to the Florentine C., in MQ XL, 1954; du même, V. Galilei's Counterpoint Treatise : a Code for the 2ᵃ Pratica, in JAMS IX, 1956; du même, V. Galilei and Some Links between Pseudo-Monody and Monody, in MQ LVI, 1960; du même, G. Mei. Letters on Ancient and Modern Music to V. Galilei and G. Bardi, s.l. 1960; A. LOEWENBERG, Annals of Opera I, Genève, Droz, 2/1955; D.P. WALKER, F. GHISI et J. JACQUOT, Mus. des intermèdes de la Pellegrina, Paris, CNRS, 1963; V. PORTER, Peri and Corsi's Dafne, in JAMS XVIII, 1965; A.M. MONTEROSSO VACCHELLI, Elementi stilistici nell' Euridice di J. Peri in rapporto all' Orfeo di Monteverdi, in Cl. Monteverdi e il suo tempo, Congresso intern. 1968, Venise, Mantoue et Crémone, Comitato per le celebrazioni nazionale del IV Centenario..., 1969; A.T. CORTELLAZZO, Il melodramma di M. da Gagliano, *ibidem*.

E. FERRARI BARASSI

CANADA. La première phase du développement de la vie musicale au Canada, et plus particulièrement au Québec, est caractérisée par le folklore. C'est sous Jean Talon, intendant de la Nouvelle-France, que l'immigration prit de l'importance. De 2 500 habitants en 1663, la population était passée à 6 700 en 1675. La plupart des immigrants étaient originaires de la Normandie et de la Bretagne. Ils apportaient avec eux un répertoire de chansons françaises, première étape d'une évolution folklorique qui aboutit à la création de chansons canadiennes françaises telles que *Alouette*, *Vive la Canadienne* et *Un Canadien errant*. Après la victoire décisive des Anglais aux Plaines d'Abraham en 1759, de nouveaux immigrants, venant de presque tous les pays d'Europe, s'installèrent sur l'ensemble du territoire. En Ontario, dont la population était d'origine britannique, on chantait *The Maple Leaf Forever* (1867), que les Québécois rejetaient pour *O Canada* (1880) de C. Lavallée. En Nouvelle-Écosse, dont la population était d'origine écossaise, on entendait les chants écossais traditionnels et la cornemuse. Dans les prairies de l'Ouest, les conditions de vie n'étaient pas propices au développement du folklore, à cause de divers facteurs géographiques et ethniques. — Élément important de la culture canadienne, la chanson folklorique demeura cependant longtemps ignorée des compositeurs comme source d'inspiration. Ce n'est qu'à partir des recherches effectuées par Alexandre Hubert La Rue (1833-1881) et E. Gagnon (1834-1915) puis, sur une plus grande échelle, par M. Barbeau (1883-1969) et d'autres spécialistes, que les compositeurs canadiens prirent conscience de son intérêt. Toute la production musicale avait été dominée jusque-là par l'influence de la culture européenne. Les compositeurs allaient désormais travailler à la recherche d'une musique typiquement canadienne. Deux œuvres significatives dans ce sens voient le jour coup sur coup en 1928 : les *2 Sketches* de Sir Ernest MacMillan et la *Suite canadienne* de Cl. Champagne.

Cette date est en même temps le point de départ du développement de la musique savante. Sans vouloir nier l'intérêt d'œuvres antérieures comme la cantate *David's Lament* (1903) d'Angelo Read (1854-1926) ou l'oratorio *Jean le Précurseur* (1914) de Guillaume Couture (1851-1915), c'est seulement vers 1930 qu'apparaît un art dégagé des influences extérieures et riche de promesses. Champagne et MacMillan, qui en sont les instigateurs, conjuguent leurs efforts pour former une école de composition d'où est sortie la génération actuelle. Parmi les élèves du premier, R. Matton (* 1929) se distingue par l'intensité de l'expression et la sûreté de l'écriture avec son *Concerto pour 2 pianos* (1964) et la *Symphonie « Te Deum »* (1967). Citons également Jean Vallerand (* 1915), J. Papineau-Couture (* 1916), Lorne Betts (* 1918), Harry Freedman (* 1922), Harry Somers (* 1925), Fr. Morel (* 1926) et Cl. Pépin (* 1926). Parmi les élèves de MacMillan, John Weinzweig (* 1913) s'impose par la qualité de son inspiration et de son orchestration. Son *3ᵉ Quatuor à cordes* (1963) est sans doute l'œuvre la plus rigoureuse et la plus accomplie qu'il ait écrite. La plupart des jeunes compositeurs d'aujourd'hui sont engagés dans le mouvement de la musique expérimentale.

Les institutions musicales. Au début du siècle, « The Royal Conservatory of Music of Toronto », fondé en 1886, et le « McGill Conservatorium », fondé en 1904, sont les plus importantes maisons d'enseignement musical. Après la Première Guerre mondiale, les facultés de musique font leur apparition. Les plus importantes sont celles de l'Univ. de Toronto, instituée en 1918, qui se développera rapidement sous la direction de Sir Ernest MacMillan, et celle de l'Univ. McGill, instituée en 1920. Le Cons. de Musique de la Province de Québec joue un rôle prépondérant dans la vie musicale. Bien qu'il existe une École de musique, fondée en 1922, à l'Univ. Laval et une Faculté de musique, instituée en 1952, à l'Univ. de Montréal, c'est au Conservatoire que sont formés la plupart des musiciens québécois. Fondé en 1942 par Cl. Champagne et dirigé par lui en tant qu'assistant-directeur jusqu'à sa retraite en 1962, il a acquis en peu de temps le statut de grande école de musique. L'École de Musique V. d'Indy (Québec) et la Faculté de Musique de l'Univ. de la Colombie britannique où enseigne Barbara Pentland (* 1912), compositrice de talent, sont d'autres institutions d'enseignement musical de grande valeur. — Le camp des Jeunesses musicales à Orford (Québec), fondé en 1949, où se réunissent chaque année durant l'été de jeunes musiciens venant de toutes les provinces du Canada et des artistes pédagogues de réputation internationale, est un autre type d'institution, dont la valeur et la popularité sont de plus en plus appréciées des Canadiens. Enfin, les orchestres de statut professionnel (Montréal, Toronto, Vancouver entre autres), les compagnies d'opéra (Vancouver, Toronto, Québec), les somptueuses salles de concerts et les organismes qui accordent une aide financière aux arts (dont les plus importants sont le Gouvernement fédéral et les Gouvernements provinciaux) font du Canada un pays privilégié.

Bibliographie — 1. **Ouvrages bibliographiques :** J.R. MACMILLAN, Music in Canada : A Short Bibliogr., in Ontario Libr. Review

XXIV, 1940 ; L. MAY, Music and Composers of Canada, *ibid.*
XXXIII, 1949 ; N.J. WILLIAMSON, Canadian Music and Composers
since 1949, *ibid.* XXXVIII, 1954 ; A Bio-Bibliographical Finding
List of Canadian Musicians..., Ottawa, Canadian Libr. Assoc.,
1960-61. — **2. Études :** The Musical Red Book of Montréal 1895-1907,
éd. par B. R. SANDWELL, Montréal 1907 ; Les archives de folklore
(Publications de l'Univ. Laval), Montréal, Fides, 1946-50, et Québec,
Presses universitaires Laval, 1956 ; Music in Canada, éd. par
E. MacMILLAN, Toronto, Univ. of Toronto Press, 1955 ; W. AMTMANN,
La vie musicale dans la Nouvelle France (diss. Strasbourg 1956) ;
M. et R. BÉCLARD D'HARCOURT, Chansons folkloriques françaises
du Canada : leur langue musicale, Paris, PUF, et Québec, Presses
universitaires Laval, 1956 ; H. KALLMANN, Historical Background,
in Music in Canada éd. par E. MacMillan, Toronto, Univ. of Toronto
Press, 1955 ; du même, art. Kanada *in* MGG VII, 1958 ; du même,
A Hist. of Music in Canada 1534-1914, Toronto, Univ. of Toronto
Press, 1960 ; A. LASALLE-LEDUC, La vie musicale au Canada fr.,
Québec, Ministère des Affaires culturelles, 1964 ; Rapport de la
Commission d'enquête sur l'enseignement des arts au Québec,
Québec, Éditeur officiel du Québec, 1969. — **3. Dictionnaires :**
Dict. biogr. des musiciens canadiens, Lachine (Québec), Sœurs
de Ste-Anne, 1934.

G. PILOTE

CANAL. L'air conduit le son ; c'est un canal. Le son
peut aussi se réfléchir sur les murs d'une salle ; celle-ci
représente également un canal. Il peut encore être
envoyé sous forme d'ondes hertziennes à un récepteur
radio ou gravé sur disque, ou enregistré sur bande, etc.
On appelle c. toute voie par laquelle passe un son
sous quelque forme que ce soit. Rappelons que tout c.
distord et filtre le son qui s'y propage et rajoute nécessairement du bruit de fond.

CANARD, par analogie avec le cri discordant du
canard, fausse note tirée d'un instrument à anche ou
produite par un tuyau d'orgue mal accordé.

CANARIE, danse du XVIIᵉ s., peut-être originaire des
îles Canaries, parvenue en France au XVIᵉ s. par
l'intermédiaire de l'Espagne. Dans l'*Orchésographie*
(1588), Th. Arbeau la relie à la mascarade et lui
donne le rythme suivant : ♩ ♪ ♪. Les exemples
connus de cette danse datent du XVIIᵉ s. : L. Couperin ;
J. Champion de Chambonnières, *Pièces de clavecin* ;
Georg Muffat, *Florilegium primum* ; J.K. Fischer,
Les Pièces de clavessin, op. 2, etc. Ils sont en mouvement rapide noté à 3/8, 6/8, 3/4 ou 6/4 et s'apparentent
à la saltarelle et à la gigue.

L. Couperin, *Canaries* pour clavecin.

CANCAN, danse française issue du galop de quadrille,
écrite sur un rythme à 2/4 très rapide. Elle se développa à partir du deuxième tiers du XIXᵉ s. et connut
pendant quelque temps une grande vogue en raison
de sa liberté et de son débraillé. A cause de sa vulgarité, cette danse fut rapidement réservée au spectacle de variétés et au music-hall ; elle est restée
jusqu'à nos jours l'attraction essentielle du « Moulin-
Rouge » de Montmartre. Offenbach a introduit un
c. dans le *Galop infernal* d'*Orphée aux Enfers* (1858).

CANCIONERO (esp. ; port., cancioneiro, = chansonnier), recueil de poésies espagnoles ou portugaises
destinées au chant, limitées au texte ou comportant
une notation musicale. Les plus anciens c. sont
consacrés aux → « cantigas » monodiques, tandis que
ceux des XVᵉ et XVIᵉ s. renferment des « canciones »
et des → « villancicos » à plusieurs voix (C. de Palacio,
de Sevilla, de la Casa de Medinaceli, de Sablonara...).
Le terme désigne également des collections de chants
populaires espagnols.

Bibliographie — Art. C. *in* Riemann Musik-Lexikon, III Sachteil,
Mayence, Schott, 1967.

CANON (du grec kanôn, = règle). **1.** Dans l'Antiquité,
ce terme servait à désigner la longueur de la partie
vibrante d'une corde (par rapport à la corde entière).
La démonstration se faisait au → monocorde au
cours du Moyen Age. — **2.** Dans la mus. polyphonique
du Moyen Age et de la Renaissance, le terme s'applique
à des instructions grâce auxquelles on déduit d'une
voix notée d'autres voix qui doivent être chantées
simultanément (dans le → faux-bourdon du XVᵉ s.
p. ex.). — **3.** Apparentée à de telles règles, l'acception
la plus courante du terme s'applique à un type de
composition polyphonique dans lequel toutes les voix
ou une partie d'entre elles concordent du point de vue
mélodique et souvent rythmique, mais dans lequel
elles débutent à des moments différents, parfois
également à des hauteurs différentes (c. d'intervalles),
les mélodies décalées les unes par rapport aux autres
se contrepointant mutuellement. On peut distinguer
quatre sortes principales de canons. 1° C. circulaire
ou « c. perpetuus » : les différentes voix retournent
à leur commencement de telle sorte que la pièce
peut se poursuivre théoriquement sans fin (J.S. Bach,
Offrande musicale, BWV 1079, nº 2) ; 2° c. en spirale
ou « c. per tonos » : les voix retournent également
à leur commencement mais à une hauteur différente
(J.S. Bach, *Offrande musicale* nº 3) ; 3° c. au miroir,
à l'écrevisse, au miroir et à l'écrevisse : les voix
déduites présentent le chant au miroir, le chant à
l'écrevisse ou rétrograde et le chant au miroir et à
l'écrevisse de la voix conductrice, le début des voix
se faisant ensemble en règle générale ; 4° c. de mensuration ou c. de proportions : les différentes voix
sont identiques au point de vue mélodique mais
diffèrent par le rythme (Josquin des Prés, *Agnus
Dei* II de la *Missa « L'Homme armé super voces
musicales »*) ; le c. par augmentation, où les valeurs
de durée des voix maintiennent un rapport fixe
bien déterminé, appartient également à ce type.

Les premiers c. remontent au XIIᵉ s., étant noté
que certaines civilisations non européennes connaissent
depuis très longtemps le c. ou des procédés apparentés.
Les plus anciens c. européens reposent sur le principe
de l'échange des voix (voir l'art. RONDELLUS) tel
le célèbre *Sumer is icumen in*, noté vers 1300 à
Reading. La → « chace » française et la → « caccia »
italienne sont les premiers genres dans lesquels

le c. est un caractère distinctif tout comme la fixation du contenu sur le thème de la chasse. Le rondeau n° 14 de G. de Machault *Ma fin est mon commencement* passe pour être le premier c. à l'écrevisse, mais il n'est pas impossible qu'avec sa règle « Hin und her wider zuo singen », le c. *Cordium o intima* du Ms. Berne C 50, f° 179ᵛ lui soit antérieur. Après 1400, le c. devient un élément technique essentiel de la grande composition polyphonique dans la messe et le motet, tout particulièrement sous les formes savantes du c. d'intervalle et du c. de mensuration, acquérant souvent une valeur symbolique comme dans le cas du passage du *Credo* « Qui cum Pater et Filio simul adoratur ». Bien qu'au XVIᵉ s. les types compliqués s'effacent, des messes ou des fragments de messe canoniques continuent à être composés (p. ex. la *Missa ad fugam* de Palestrina). A côté de l'important corpus du choral d'orgue protestant (S. Scheidt, M. Weckmann, J.G. Walther...), des « livres artistiques » comme les *Artificii musicali* (1689) de G.B. Vitali ou de nombreuses œuvres de A. Caldara renouent au XVIIᵉ s. avec des techniques canoniques savantes, dans un but didactique, fournissant ainsi les modèles des dernières œuvres de J.S. Bach (*Variations Goldberg*, BWV 988; *L'Offrande musicale*, BWV 1079; *Variations canoniques sur* « *Vom Himmel hoch* », BWV 769, etc.), bien que son œuvre d'orgue et ses cantates renferment également d'importantes pièces canoniques. Alors qu'à l'époque de la musique expressive des XVIIIᵉ et XIXᵉ s., le c. n'a plus grande importance (si l'on excepte G. Fauré, *3ᵉ Romance sans paroles*, *Thème et variations*, *Prélude n° 6*), sinon comme une technique d'enseignement du contrepoint, le XXᵉ s. a renoué fortement depuis les années 20 avec les techniques canoniques dans la perspective d'une nouvelle objectivité, aussi bien l'École de Vienne (A. Schönberg, op. 25, 28, 40, 41, etc.; A. Berg, *Kammerkonzert*; A. Webern, op. 2, 16, 28, 30, 31, etc.; E. Křenek...) que les musiciens néo-classiques (I. Stravinski, *Octuor*, 1928; *Sextuor*, 1953; *In Memoriam Dylan Thomas*, 1954; P. Hindemith...).

Éditions — Der Kanon, éd. par Fr. Jöde, Wolfenbüttel, Möseler, 1925; Alte Kanons, éd. par K. Ameln, Kassel, BV, 1931; Classic Canons, éd. par H. Reichenbach, New York, Music Press, s.d.; Die Kanon-Kanone, éd. par H. von Hase et G. Sievers, Wiesbaden, Br. & H., 1957; G.B. Vitali, Artificii Musicali, éd. par L. Rood et G.P. Smith, Northampton (Mass.), Smith College, 1959; A. Caldara, 35 Kanons, éd. par K. Geiringer, in DTÖ LXXV, 1932; C. in the Trent Codices, éd. par R. Loyan, in CMM 38, Amer. Inst. of Musicology, 1967.

Bibliographie — A. Schering, Bach u. das Symbol, in Bach Jb. XXII, 1925; L. Feininger, Die Frühgesch. des K. bis Josquin des Prez, Emsdetten 1937; M. Bukofzer, « Sumer is icumen in », A Revision, Berkeley et Los Angeles 1944; J. Handschin, The Summer C. and Its Background, in MD III, 1949, et V, 1951; W. Blankenburg, Die Bedeutung des K. in Bachs Werk, in Bachtagung Leipzig 1950, Leipzig 1951; R. Leibowitz, Le c., Liège 1952; E. Schenk, « Das musikalische Opfer » von J.S. Bach, Vienne, Oesterr. Akad. der Wissenschaften, phil.-hist. Klasse 1953/3; J.J.A. van der Walt, Die K. gestaltung im Werk Palestrinas (diss. Cologne 1956); M. Stöhr et W. Blankenburg, art. K. in MGG VII, 1958; R. Dionisi, art. C. in Encicl. della musica I, Milan, Ricordi, 1963; Kl.J. Sachs, art. K. in Riemann Musik-Lexikon, III Sachteil, Mayence, Schott, 1967.

J. Stenzl

CANON LITURGIQUE (du grec kanôn; lat., = règle).

Dans la liturgie latine, le nom de c. est réservé à la prière eucharistique, plus particulièrement à celle qui fut exclusivement en usage du Vᵉ s.

à l'année 1968. Chez les Byzantins, on donne le nom de c. à des compositions poétiques chantées à l'office du matin (« orthros »). — **1. Canon latin.** Le c. est la « règle » de la prière eucharistique; l'usage a même prévalu de désigner par ce terme la partie de la prière eucharistique qui commence après le *Sanctus* et s'achève à la doxologie. La préface, ou partie de la prière eucharistique chantée avant le *Sanctus*, est consacrée plus particulièrement à l'action de grâces et a reçu un traitement à part. Il n'est pas douteux que le c. n'ait été d'abord chanté tout entier sur le ton d'un récitatif, moins orné que celui de la préface, jusqu'aux environs des IXᵉ-Xᵉ s. Par la suite le c. fut dit à voix basse, à l'imitation de ce qui se faisait dans quelques régions de l'Orient dès le VIᵉ s. La restauration récente du rite de concélébration a conduit l'Église romaine à reprendre l'usage d'un récitatif pour la prière eucharistique. Deux tons sont prévus pour les célébrations en latin : l'un est une adaptation du récitatif des oraisons solennelles; l'autre reprend une ancienne mélodie qui a peut-être été utilisée à l'origine pour les prières eucharistiques (ton de la partie ancienne du *Te Deum*). Les récitatifs sont les mêmes pour les quatre prières eucharistiques actuellement en usage dans le rite romain.

2. Canon byzantin. Après le → « kontakion », le c. est la deuxième grande forme utilisée par la poésie et la mus. d'église byzantines. Vers la fin du VIIᵉ s., il a supplanté le « kontakion » jusque-là prédominant, et s'est même imposé comme genre essentiel de l'hymnographie byzantine. Théoriquement, le c. comprend 9 parties (généralement 8, parfois 2, 3 ou 4), appelées odes, qui sont chacune formées de plusieurs strophes (voir l'art. Tropaire). Chaque ode a pour base une strophe type (voir l'art. Hirmos) d'après laquelle sont chantés les différents tropaires. Pour le mètre comme pour la musique, le c. est plus varié que le « kontakion ». Il est construit sur 9 strophes types tandis que le « kontakion » n'en utilise que deux, une pour le « prooïmion » et une pour les « oïkoï ». Thématiquement, les 9 odes du canon se rattachent aux 9 chants qui composent le psaume byzantin. Le genre du c. a fleuri surtout aux VIIIᵉ et IXᵉ s.; ses plus éminents représentants furent André de Crète (v. 660-v. 740), dont l'œuvre maîtresse, le grand Canon, compte 250 strophes, Jean Damascène († v. 749), Cosmas de Jérusalem (VIIIᵉ s.) et Théodoros Studites (759-826), chef spirituel de l'orthodoxie durant la querelle des iconoclastes.

Éditions. — **2. Canon byzantin** : Hirmologium athoum (= Cod. Monasterii Hiberorum 470), éd. par C. Høeg, in Monumenta Musicae Byzantinae, Série principale II, Copenhague 1938; Hirmologium cryptense (= Cryptensis E. γ. II), éd. par L. Tardo, ibid. III, Rome 1951; C. Høeg, The Hymns of the Hirmologium I, ibid., Transcripta VI, Copenhague 1952; H.J.W. Tillyard, Twenty C. from the Trinity Hirmologium, ibid. IV, Boston 1952; E. Koschmieder, Die ältesten Novgoroder Hirmologien-Fragmente, in Abh. der Bayerischen Akad. der Wissenschaften, Phil.-hist. Klasse nouv. série XXXV, XXXVII et XLV, Munich 1952-58; H.J.W. Tillyard, The Hymns of the Hirmologium III/2, in Monumenta Musicae Byzantinae, Transcripta VIII, Copenhague 1956; Fragmenta chiliandarica palaeoslavica (= Hirmologium chiliandaricum 308), éd. par R. Jacobson, ibid., Série principale V B, Copenhague 1957; Hirmologium sabbaiticum (Cod. Monasterii S. Sabbae 83), 2 vol., éd. par J. Raasted, ibid. VIII, Copenhague 1968-70.

Bibliographie — **1. Canon latin** : E. de Moreau, Récitation du c. de la messe à voix basse, in Nouv. Revue théologique LI, 1924; J.A. Jungmann, Praefatio u. stiller K., in Zs. für katholische Theologie LIII, 1929; C.A. Lewis, The Silent Recitation of the C. of Mass, Rome, Univ. grégorienne, 1962; D.J. Claire, Deux mélodies pour le c., in Revue Grég. XLII, 1964; D.M. Robert, Le C. devrait-il être chanté ? *ibid.* ; L. Bouyer, Eucharistie. Théologie et spiritualité de la Prière eucharistique, Paris, Desclée, 2/1968, pp. 353-366. — **2. Canon byzantin** : E. Wellesz, A Hist. of Byzantine Music and Hymnography, Oxford, Clarendon Press, 1949, 3/1963 ; M. Velimirovic, Byzantine Elements in Early Slavic Chant, 2 vol., *in* Monumenta Musicae Byzantinae, Subsidia IV, Copenhague 1960 ; R. von Busch, Untersuchungen zum byzantinischen Heirmologion. Der Echos Deuteros, Hamburg, K.D. Wagner, 1971.

G. Oury et C. Floros

CANSO (provençal), chanson provençale. Elle représente une symbiose idéale du verbe et du son ; les critères courtois font d'elle la forme maîtresse du « trobar ». La c. appartient formellement au type hymne et ses rapports avec le versus aquitain, en plein essor au XIe s., sont étroits. C'est peut-être la raison pour laquelle les premières d'entre elles sont dénommées « vers », terme resté parallèlement en usage dans le vocabulaire occitan jusqu'au XVe s. A la fin du XIIe s., le mot c. désigne une structure assez nettement déterminée : « pièce lyrique accompagnée d'une mélodie composée pour elle et dont les couplets, au nombre de cinq ou six, sont de structure identique » (A. Jeanroy). Ces couplets se nomment → « coblas ». Leur dimension varie au gré du poète, généralement huit ou neuf vers de sept ou huit syllabes. Le nombre et la disposition des rimes ne sont pas non plus imposés. La c. se termine fréquemment par une « tornada » simple ou double, péroraison qui reproduit la fin de la dernière strophe avec rimes, mètre et mélodie identiques. La « tornada » simple est un hommage à la « domna » (la dame), souvent désignée par un « senhal » (mot symbole connu des seuls amants et tenant en échec les indiscrets). Dans le cas d'une seconde « tornada », il s'agit d'un envoi au protecteur du poète.

Les philologues distinguent divers genres de « coblas » selon le sujet traité : canso développant un topique d'amour courtois, reverdie évoquant le printemps, planh de deuil, pastorella ou chanson de bergère, chanson de croisade, sirventes politique, etc. Mais seule la c., pour être valable, exige d'être dotée d'une mélodie originale, alors que les autres genres exploitent souvent une mélodie préexistante dans le cadre d'un schéma métrique amphibie (→ contrafacta). La forme musicale de la c. est parallèle au schéma strophique ; c'est parfois une ode continue du type α β γ δ ε ζ η θ ou du vrai type c. avec la reprise caractéristique des deux premières incises : ‖:α β:‖ γ δ ε ζ.

Parmi les maîtres les plus inspirés de la c., on nomme Jaufré Rudel, dont le thème de la *Princesse lointaine* est devenu un véritable symbole littéraire, autant que la célèbre *Alouette* de Bernard de Ventadour. Ce dernier peut être considéré comme l'un des plus grands lyriques de tous les temps, avec ses quelque 44 c. qui sont des modèles du genre. Mais Giraut de Borneilh et Arnaut Daniel, le créateur de formes, sont également considérés en pays d'oc comme des maîtres. La liste est longue des troubadours de valeur, Gaucelm Faidit, Aimeric de Peguilhan, Peire Vidal, Rigaut de Barbézieux, Raimbaut de Vaqueiras, Folquet de Marseille, Guiraut Riquier, Raimon de Miraval pour ne citer que ceux dont l'héritage musical est le plus considérable ; ou bien Eble de Ventadour, dont les œuvres réputées semblent irrémédiablement perdues. Le répertoire de la c. exploite les diverses formes de « trobar » : « plan », « ric », ou

« clus » (voir l'art. Troubadour). Les c. se meuvent dans le cadre d'échelles modales non tempérées et ne sont pas oblitérées par la notion sous-jacente de polyphonie ou d'harmonie, qui dictera généralement l'inspiration des musiciens à partir de G. de Machault. Elles sont donc dépourvues de banalités, et même les formules auxquelles elles cèdent — pour liturgiques qu'elles aient été à l'origine — sont accusées par la personnalité de certains auteurs, parfois géniaux comme Bernard de Ventadour. Le soutien instrumental, non noté dans les chansonniers, est attesté par la littérature narrative aussi bien que par l'iconographie. La tradition de la c. s'est maintenue longtemps après la disparition des troubadours ; les meilleures c. étaient récompensées par le Consistoire du Gai Savoir, fondé à Toulouse en 1323.

Bibliographie — Dante Alighieri, Œuvres complètes, VI De vulgari eloquentia, éd. par A. Marigo, Florence, Lemonnier, 1948 ; P. Meyer, Des rapports de la poésie des trouvères avec celle des troubadours, *in* Romania XIX, 1890 ; K. Bartsch et E. Koschwitz, Chrestomathie provençale, 6e éd., Marburg 1904 ; J.B. Beck, Die Melodien der Troubadours, Strasbourg 1908 ; du même, Le Chansonnier Cangé, *in* Corpus Cantilenarum Medii Aevi I, 2 vol., Paris et Philadelphie 1927 ; du même, Le Ms. du Roi, *ibid.* II, Philadelphie 1938 ; E. Faral, Les arts poétiques du XIIe et du XIIIe s., Paris, Champion, 1923, 2/1962 ; K. Lewent, Weitere textkritische Bemerkungen zu den Liedern des Bernart von Ventadorn, *in* Zs. für romanische Philologie XLIII, 1923 ; J. Masso Torrents, La c. provençale in la literatura, *in* Mélanges Prat de la Riba, Barcelone 1923 ; Fr. Gennrich, Grundriss einer Formenlehre des mittelalterlichen Liedes..., Halle 1932 ; du même, Der musikalische Nachlass der Troubadours, 2 vol., Darmstadt, l'Auteur, 1958-60 ; A. Pillet et H. Carstens, Bibliogr. der Troubadours, Halle 1933, 2/ New York, Lenox Hill, 1970 ; H.J. Moser, Zu Ventadorns Melodien, *in* ZfMw XVI, 1934 ; A. Jeanroy, La poésie lyrique des troubadours, Toulouse et Paris 1934 ; H. Anglés, La mús. a Catalunya fins al segle XIII, Barcelone 1935 ; D. Scheludko, Religiöse Elemente im weltlichen Liebeslied der Trobadors. Zu Form u. Inhalt der Kanzone, *in* Zs. für französische Sprache u. Literatur LX, 1937 ; U. Sesini, Le melodie trobadoriche, *in* Bibl. Ambrosiana, Turin 1942 ; I. Franck et E. Brayer, Répertoire métrique de la poésie des troubadours, 2 vol., Paris, Champion, 1953-57 ; E. Lommatzsch, Leben u. Lieder der provenzalischen Trobadors, 2 vol., Berlin, Akademie Verlag, 1957 ; D.R. Sutherland, L'élément théâtral dans la c. chez les troubadours de l'époque classique, *in* IIIe Congrès intern. de langue... d'oc, Bordeaux, Fac. des Lettres, 1964 ; J.H. Marshall, Le « vers » au XIIe s. : genre poétique ?, *in* Revue de Langue et Littérature d'Oc XII-XIII, 1965 ; M. Lazar, Bernard de Ventadour, troubadour du XIIe s., chansons d'amour, Paris, Klincksieck, 1966 ; J. Maillard, Anth. de chants de troubadours, Nice, Delrieu, 1967 ; du même, Six Medieval Songs, Nedlands, Univ. of Western Australia Press, 1970 (distribué par A. Kalmus Ltd, Londres) ; P. Bec, Nouv. anth. de la lyrique occitane au M.A., 5e éd., Avignon, Aubanel, 1970 ; R. Lafont et C. Anatole, Nouv. hist. de la littérature occitane, Paris, PUF, 1970.

J. Maillard

CANTABILE (ital., = « chantable », chantant), terme d'exécution employé dans la mus. instrumentale depuis le XVIe s. par comparaison avec la mus. vocale. Il désigne un morceau ou un passage dont il convient avant tout de faire ressortir la mélodie. Il fut particulièrement utilisé au XVIIIe s., où le caractère « chantant » d'une composition instrumentale était synonyme de limpidité et d'expressivité et l'un des principaux critères de sa valeur.

CANTANDO (ital., = en chantant), voir Cantabile.

CANTATE (ital., cantata), composition à une ou plusieurs voix avec accompagnement instrumental, dont la structure se présente généralement comme une succession d'airs et de chœurs reliés par des récitatifs, soit une introduction (orchestre ou instruments solistes), un chœur, des récitatifs précédant des airs ou des chœurs, enfin un chœur final. L'apparition du → récitatif constitue la grande nouveauté de la c.; grâce à lui, une idée, un sentiment, un état d'âme peuvent s'exprimer en toute liberté, suivant une mélodie adaptée au texte. On distingue deux types de c. : la c. de chambre, qui tend vers l'opéra, et la c. d'église, qui se rapproche de l'oratorio. La c. de chambre, qui se développe surtout vers le milieu du XVIIᵉ s., est destinée au concert. Elle est essentiellement construite autour d'un sujet profane; on y retrouve tous les personnages classiques de l'Arcadie et du monde pastoral lorsqu'elle n'est pas composée en l'honneur d'un mariage ou d'un baptême princier, d'une victoire ou d'une fête de cour. La c. d'église doit son nom à un texte religieux. Mais, à la différence de l'oratorio, elle n'est que rarement exécutée à l'église, sauf la c. protestante en Allemagne. Il ne faut pas la confondre avec la mus. liturgique, mais l'intégrer au domaine de la mus. religieuse de concert. La c. sacrée peut être illustrée par les *Concerti ecclesiastici* de L. Viadana (Venise 1602 et 1607), les *Arie devote* d'Ottavio Durante (Rome 1608), par le recueil *Selva morale e spirituale* de Cl. Monteverdi (Venise 1640), les c. de D. Buxtehude et surtout celles de J.S. Bach.

La cantate en Italie. La c. est née en Italie, fruit des recherches de nombreux compositeurs attirés par la beauté et l'expression du chant soutenu par les instruments. Dès 1502 un certain Pietro de Fossis, musicien néerlandais établi à Venise, composait des c.; en 1539 on chanta au mariage de Côme de Médicis avec Éléonore de Tolède une c. d'Annibale Caro et Luca Martini. En 1609 J. Peri écrivait *Le varie musiche... a 1, 2 e 3 voci con alcune spirituali in ultimo per cantare nel clavicembalo e chitarrone, et ancora la maggior parte di esse per sonare semplicemento nell' organo.* En même temps qu'à la c. l'Italie donnait le jour à l'oratorio et à l'opéra, effort créateur reflétant la diversité des cours italiennes. Les Este à Ferrare, les Gonzague à Mantoue, les Médicis à Florence, les Farnèse à Parme, les Visconti et les Sforza à Milan entretenaient tous une chapelle et de nombreux musiciens : Cl. Monteverdi à Venise et à Mantoue, J. Peri et G. Caccini à Florence, G.P. Cima à Milan, A. Grandi à Ferrare, Venise et Bologne, G. Carissimi à Rome, A. Stradella et A. Scarlatti, qui donnèrent à la c. italienne ses lettres de noblesse partout reconnues. De même que l'architecture varie d'une principauté à une autre, de même la c. est différente selon les centres, Venise, Rome, Bologne et Naples. Si la c. possède une structure généralement fixe, son aspect et son évolution varient selon les écoles et leurs principaux représentants.

1. V e n i s e. Le grand mérite de Cl. Monteverdi († 1643) est d'avoir exalté le style récitatif qui transforma complètement le langage musical. *I Madrigali guerrieri e amorosi*, le *Lamento d'Arianna* seront pour ses successeurs une source exceptionnelle de renouveau. Il faut citer après lui Fr. Cavalli (1602-1676), avec *Amante veridico per 2 S. e B.C.* ou *Se la giù negl'abissi per 1 voce e continuo*, qui donna à la c. un aspect plutôt théâtral. Ses œuvres sont en général moins intéressantes que celles de G. Legrenzi (1626-1690), qui publia des c. remarquables par leur invention mélodique, *Cantate e canzonette a voce sola* op. 12 (Bologne 1676), *Echi di riverenza di cantate*

e canzoni (libro 2º, op. 14, Bologne 1678, 24 c.). Parmi ses nombreux élèves, il faut citer C.Fr. Pollarolo, A. Caldara et Fr. Gasparini. — **2. R o m e.** Née à Venise, la c. s'épanouit à Rome, où elle atteint son apogée grâce à deux compositeurs, L. Rossi († 1653) et G. Carissimi († 1674). Avec Rossi la c. s'amplifie, devient descriptive avec une mélodie admirablement développée. *Io che sinhor le piante*, publiée par H. Prunières, peut être donnée comme modèle de la c. au XVIIᵉ s. De nombreux musiciens romains suivirent son exemple, A.M. Abbatini, A. Cesti, C. Caproli, A. Melani, A.Fr. Tenaglia, M. Savioni..., mais le plus génial fut sans doute G. Carissimi, qui utilisa toutes les formes possibles de la c. : avec un ou 2 violons (rarement), 2 voix (parfois 3) sur une basse continue et, par-dessus tout, une voix avec basse continue. Le titre de c. est rarement employé; on rencontre plus fréquemment les termes de « canzone », « serenata » et même « sonetto » ou « duo ». Citons *Il Ciarlatano, I Filosofi, Non piangete o ciechi amanti, Ah, non torna, Suonerà l'ultima tromba, Dunque degl'horti miei* et le très beau *Lamento in morte di Maria Stuarda*. — **3. B o l o g n e.** Particulièrement importante dans le développement de la c., Bologne peut être considérée comme un trait d'union entre Rome et Venise. C'est là que naquit un nouveau type de c., caractérisé par l'introduction de la ritournelle instrumentale (clavecin, violoncelle, 2 ou 3 violons). Les c. de G.B. Bassani (1647-1716) en fournissent de nombreux exemples; citons *L'Armonia delle Sirene, Il cigno canoro, Affetti canori*, etc. Il faut également citer les c. de M. Cazzati (*Diporti spirituali*, 1668), celles de G.M. Bononcini (22 recueils de *Cantate per Camera a voce sola*, op. 10 et 13, Bologne 1677-78), les c. de Fr. Gasparini, D. Gabrielli et surtout celles de G.A. Perti (*Dal profondo de' pensieri, con violino e violoncello obligato, concerto grosso, arpa o tiorba*), qui écrivit environ 130 c. avec instruments. — **4. N a p l e s.** L'importance de Naples se justifie par l'évolution de la c. vers le théâtre. C'est à Naples que devait se développer jusqu'à la perfection l'air à « da capo ». La c. y devient plus lyrique. Les quelque 700 c. d'A. Scarlatti († 1725) témoignent du talent de ce compositeur qui portera le genre à sa plus haute expression, que ce soit par la richesse de la mélodie, des récitatifs ou par la virtuosité incomparable des airs. Un autre grand auteur de c. est A. Stradella († 1682), la c. *Per la Notte del SS. Natale a 3 voce e strumenti* étant peut-être, dans ce domaine, son œuvre la plus significative (il en écrivit environ 200). La c. lui doit l'introduction du principe du « concerto grosso » dans l'accompagnement (p. ex. dans *Lo Schiavo liberato*). En outre, il s'inspire volontiers de textes historiques ou d'extraits de la mythologie classique *(Seneca svenato)*; ce simple fait conduit la c. bien près du mélodrame.

Un centre musical — secondaire en ce qui concerne la c. — mérite d'être mentionné pour sa position géographique qui le met en contact aussi bien avec la France qu'avec l'Italie : Turin, capitale des États de Savoie, qui fut au cours des siècles un carrefour des idées entre Paris, Genève, Florence ou Rome. Il faut rappeler l'activité de S. D'India à la cour de Savoie entre 1611 et 1623, et celle de Giovanni Antonio Giay, maître de chapelle du roi de Sardaigne entre 1732 et 1764, qui écrivit quelques c. pour voix seule et basse continue ou accompagnement de cordes, presque toutes inspirées par la fable de l'Arcadie (p. ex. *Tirsi e Clori*). — Parmi les artistes italiens du XVIIIe s., B. Marcello (1686-1739) occupe une place à part. L'un des derniers compositeurs à se consacrer à la c., il est surtout remarquable par son sens inné de la satire et de l'ironie. La c. *Senza gran pena non si giunge al fine* donne la mesure de la virtuosité à laquelle pouvait prétendre cette forme musicale désormais arrivée à son apogée. *L'Estro Poetico Armonico. Parafrasi sopra li primi venticinque Salmi*, deux œuvres parues entre 1724 et 1727, sont comme un résumé de la somme des connaissances que pouvait posséder un compositeur du XVIIIe s. Après Marcello, la c. semble s'éteindre en Italie en faveur de l'opéra. Parmi les musiciens du XXe s. qui ont écrit des c., il faut citer I. Pizzetti, avec la c. pour basse *Oritur Sol et occidit*, G. Petrassi, auteur de la *Noche oscura*, et L. Nono, auteur de *Il canto sospeso*.

La cantate en Allemagne. Bien que K. Kittel ait publié en 1638 un recueil d'*Arien und Cantaten* à 1-4 voix avec basse continue qui relèvent plutôt de l'air strophique, l'absence d'une tradition poétique comparable à celle que connaissait l'Italie à cette époque devait empêcher tout développement de la c. profane allemande. Ce n'est qu'au XVIIIe s. que la c. italienne prit un certain essor dans le cadre aristocratique des cours allemandes, principalement à l'occasion des fêtes et des anniversaires princiers. Les principaux compositeurs qui ont écrit des c. italiennes en pays germaniques sont J.D. Heinichen, G.A. Ristori, J.A. Hasse et C.H. Graun. C'est dans le domaine de la mus. religieuse que l'Allemagne protestante devait porter la c. à un niveau remarquable. La c. protestante, généralement en langue allemande, est née du concert spirituel dans la 2de moitié du XVIIe s. et l'a progressivement remplacé. Dans la terminologie savante actuelle, la c. protestante est une œuvre instrumentale et vocale, généralement en plusieurs parties de caractère différent, dont les textes sont souvent de provenance variée, pratique qui s'imposera avec le temps comme une règle. Dès l'époque de Schütz se développa à partir du concert spirituel en une seule partie une composition en plusieurs parties, variées quant à l'instrumentation, la mesure et la forme, cette dernière pouvant être tantôt concertante, tantôt mélodique et tantôt récitative. Il faut y ajouter les fréquentes interventions d'une ritournelle purement instrumentale. Mais on ne peut vraiment parler de c. que lorsque tous ces éléments se trouvent réunis. La c. prit également la relève du concert spirituel dans la liturgie. La source des futurs cycles de c. réside dans le fait que le concert spirituel, successeur des motets évangéliques, était lié aux lectures de l'office ; dans les 2e et 3e parties des *Neue geistliche Konzerte* (1634-35) de S. Scheidt, on trouve déjà une disposition selon l'ordre des dimanches et jours de fête de l'année. De même, dans le culte luthérien, la véritable place liturgique de la c. est désignée par son rattachement direct à la lecture de l'Évangile. Relevons également les exécutions de c. après la prédication (en particulier pour la 2de partie d'une c.) ou pendant la distribution de la Sainte Cène (« sub communione »). Si dans l'office la tâche impartie aux motets évangéliques vers 1600, et plus tard au concert spirituel, était simple-

ment d'offrir une représentation musicale d'une partie ou de la totalité de la lecture du jour (en général la péricope) afin de la solenniser, la c. va jusqu'à en expliquer le contenu à la manière d'une prédication, à l'aide de divers textes auxquels répondent des formes musicales précises. Les titres souvent utilisés de *Musikalische Andachten* et de *Musikalische Gespräche*, ou bien — comme c'est déjà le cas à l'époque du concert spirituel — de *Dialoge*, sont révélateurs de cette fonction nouvelle. Normalement, les compositeurs réalisaient eux-mêmes les premières ébauches de textes. Il faut citer tout particulièrement A. Hammerschmidt vers 1650 et, peu après, W.C. Briegel dont les œuvres marquent véritablement les débuts du genre. La c. de Briegel, *Fahre auf die Höhe* (rééd. Berlin, Merseburger, 1955), peut être considérée comme le type même d'une cantate-prédication au premier stade de son développement. Dans la génération née entre 1610 et 1630 — celle des élèves de Schütz — il ne se trouve guère de compositeur protestant qui n'ait participé de près ou de loin à cette évolution. Citons Fr. Tunder, J. Rosenmüller, Thomas Strutius, J.R. Ahle, C.Chr. Dedekind, S.Fr. Capricornus (Bockshorn) et, parmi les élèves de Schütz, M. Weckmann et Chr. Bernhard. Parmi les compositeurs de c. de la génération suivante (1630-60) se formèrent certains groupes régionaux qui n'étaient pas sans partager souvent les mêmes vues et qui eurent par la suite divers contacts. Au groupe nurembergeois appartenaient Paul Hainlein, H. Schwemmer, G.C. Wecker, les frères J. et J.Ph. Krieger, ainsi que J. Pachelbel. Pour l'Allemagne du Centre, il faut mentionner les noms de J.G. Ahle, Ph.H. Erlebach, et Fr.W. Zachow, de même que ceux des 3 cantors de St-Thomas à Leipzig, S. Knüpfer, J. Schelle et J. Kuhnau. Les représentants de l'Allemagne du Nord et de l'Est forment un groupe particulièrement important : G. Böhm, A. Pfleger, Chr. Geist, Joachim Gerstenbüttel, Johann Valentin Meder, J.Ph. Förtsch, V. Lübeck, N. Bruhns et J.N. Hanff ; ils sont rejetés au second plan par D. Buxtehude dont les œuvres constituent une synthèse de tous les types de c. préexistants. Parmi ceux-ci il faut relever : 1° la c.-lied (« Liedkantate »), construite autour d'une aria empruntée au répertoire des premiers chants piétistes ; 2° la c. de choral (« Choralkantate »), certaines dans la forme simple de l'harmonisation de choral ; 3° la c. concertante avec aria (« Concerto-Aria-Kantate »), qui associe un texte biblique à un air, et enfin 4° la c. mixte avec partie concertante, récitatif, arioso, air et arrangement de choral (types établis d'après M. Geck). Dans le 2e type domine la c. strophique « per omnes versus », que J.S. Bach cultive encore dans la c. BWV 4, *Christ lag in Todesbanden* ; à ce type est souvent associé un long Amen ou Alleluia final, tel que Schütz le pratique déjà dans les *Symphoniae sacrae III* (n° 50, *Feget den alten Sauerteig aus*) et tel que Bach en présente encore dans la c. BWV 106, *Gottes Zeit ist die allerbeste Zeit* (*Actus tragicus*). Dans le 4e type, la c. est devenue progressivement un véritable culte « sui generis » à l'intérieur même de la messe luthérienne.

Il ne restait qu'un pas à franchir pour réaliser des livrets de c. tels qu'E. Neumeister en fit pour la première fois en 1700. A la même époque furent adoptés dans la mus. d'église le « recitativo secco » et l'air « da capo » empruntés à l'opéra. « C'est ainsi qu'une c.

est tout à fait semblable à un fragment d'opéra fait de récitatifs et d'airs » (E. Neumeister). Néanmoins le terme « cantata » n'apparaît que rarement ; on parle plutôt de musique principale (« Hauptmusik ») ou tout simplement de musique. Neumeister écrivit 6 cycles de livrets de c. : les 1er, 5e et 6e pour J.Ph. Krieger à Weissenfels (1700, 1716, 1719), le 2e pour Ph.H. Erlebach à Rudolstadt (1708), les 3e et 4e pour G.Ph. Telemann à Eisenach (1711 et 1714). Si ses premiers textes s'inspirent uniquement de la poésie madrigalisante, les suivants, à partir du 3e cycle, utilisent à nouveau des textes bibliques et des strophes de choral. Puis la c. protestante de la période baroque s'épanouit dans sa forme classique, qui comporte un chœur d'introduction dont le texte, emprunté à la Bible, propose une interprétation de l'Évangile du jour, des récitatifs et des airs qui fournissent le contenu spirituel et les applications pratiques de cette lecture. Elle prend fin sur un choral qui peut être prière ou chant de louange. Dans la c. pour voix seule, les parties solistes sont en relation directe avec la lecture du jour. La c. de choral continue à être pratiquée mais on y mêle également d'éléments poétiques libres. Neumeister fut le précurseur d'un grand nombre d'écrivains, auteurs de livrets de c. : B.H. Brockes, Johann Konrad Lichtenberg, et surtout S. Franck, Christian Friedrich Hunold, Mariane von Ziegler et Chr. Fr. Henrici (dit Picander) dont Bach utilisa les textes. Innombrables sont les c. écrites dans la 1re moitié du XVIIIe s. Telemann en écrivit à lui seul environ 23 cycles. Citons encore Chr. Graupner, G.H. Stölzel et G. Gebel le Jeune. Seule une infime partie de cette production fut imprimée, ce qui explique l'étendue des pertes. Cependant de nombreux recueils de textes imprimés, souvent groupés par cycles ou par temps de l'année liturgique (p. ex. pour les dimanches de la Passion), ont été conservés.

La période suivante voit se poursuivre la composition de c. par de nombreux musiciens, généralement de moindre importance. Au siècle des « lumières » et du rationalisme, à l'époque de l'« Empfindsamkeit » où les anciens cadres liturgiques se désagrègent peu à peu, le genre perd progressivement de son importance dans le culte pour se limiter à l'expression de sentiments. Puis il finit par être totalement abandonné. Peu de compositeurs valent encore d'être cités : C.H. Graun, W.Fr. Bach, le fils aîné de Johann Sebastian, G.A. Homilius, G. Benda, Fr.W. Rust, J.G. Vierling et J.R. Zumsteeg. Dans l'ensemble, la c. n'a plus à cette époque qu'une importance secondaire. Les œuvres de K. Löwe, de F. Mendelssohn et, vers 1900, de M. Reger n'ont rien changé à cet état de fait. Le renouveau de la mus. d'église autour de 1930 a fait naître plusieurs c. sans apporter pour autant de nouveaux développements à l'histoire du genre.

La cantate en France. La « cantata » fut importée en France vers la fin du XVIIe s. « On commence à rendre ce terme François, par celuy de Cantate », écrit, en 1703, S. de Brossard *(Dictionnaire)*, qui définit ainsi le genre : « C'est une grande pièce, dont les paroles sont en Italien, variée de Récitatifs, d'Ariettes et de mouvemens différens ; pour l'ordinaire à Voix seule et une B[asse] C[ontinue], souvent avec deux Violons ou plusieurs Instrumens ». Selon l'*Encyclopédie*, elle consiste en « un petit poème fait pour être mis en musique » et se compose « d'un récit exposant le sujet, d'un air en rondeau, d'un deuxième récit

et d'un dernier air contenant le point moral de l'ouvrage ». Non conçue pour le théâtre, cette saynète à un, deux ou trois personnages est destinée à être chantée dans l'intimité. Elle est, dans le domaine vocal, profane ou spirituel, le pendant de la sonate. Les premières c. françaises furent composées avant 1700 par M.A. Charpentier *(Orphée descendant aux Enfers ; Coulez, coulez, charmans ruisseaux*, v. 1683 ?) et S. de Brossard (2 c. italiennes et 6 c. spirituelles, av. 1699). Peu prisée de la « Vieille Cour » mais appréciée dans les milieux italianisants, la c. ne prend réellement son essor qu'au début du XVIIIe s., dans l'entourage du duc d'Orléans, le futur Régent. Parmi les nombreux compositeurs qui répondent au changement de goût d'un public un peu las du style lulliste, on donne généralement la priorité à J.B. Morin, qui publie 3 livres de *C. françoises de 1 à 3 voix avec ou sans symphonie* (1706, 1707, 1712), dont quelques-unes composées vers 1701. A défaut d'être, comme il le prétend, l'inventeur de la c., Morin précise que celle sans symphonie est simplement accompagnée au clavecin tandis que celle avec symphonie exige l'adjonction de la basse de viole. Vers le même temps, J.B. Stuck (Batistin) publie 4 livres de c. (1706, 1707, 1711, 1714), A. Campra 3 livres (1708, 1714, 1728), où il réunit plus habilement que Stuck les goûts français (récitatifs) et italien (ariettes), et N. Bernier 8 livres (de 1703 [?] à 1723) dont les textes sont pour la plupart de J.B. Rousseau, qui fixa le cadre poétique du genre. L.N. Clérambault (5 livres, 1710, 1713, 1716, 1720, 1726) tend à les surpasser tous. Ses cantates *Orphée, Médée* et *Léandre et Héro* eurent un énorme succès au Concert Spirituel. Dans l'ensemble elles sont riches en effets expressifs. Leur style vocal gracieux est souvent très orné *(L'Amour piqué par une abeille)* et leur instrumentation de qualité. Citons aussi, parmi les nombreux auteurs de c., M.P. de Montéclair (3 livres, ap. 1709, ap. 1716, 1728), Th. Bourgeois *(C. anacréontiques*, av. 1740), E. Jacquet de La Guerre (2 livres de *C. françoises sur des sujets tirez de l'Écriture*, 1708, 1711, et des c. profanes), R. Drouart de Bousset *(C. spirituelles tirées des Psaumes*, 2 livres, 1735, 1740), Colin de Blamont, J. Bodin de Boismortier, A.C. Destouches, N.R. de Grandval, Ch. Piroye, J.J. Mouret, A. de Villeneuve, N. Renier, enfin Ph. Courbois (1710) et L. Gervais (2 livres, 1727, s.d.), dont les c. comiques ou burlesques usent du style imitatif et descriptif. J.Ph. Rameau a laissé 7 c., œuvres de jeunesse écrites entre 1710 et 1730. Elles sont d'une grande perfection formelle mais révèlent une forte influence italienne. Variées, souvent descriptives, elles se rattachent à la c. traditionnelle mythologique et pastorale *(Thétis)* ou bien à la c. comique *(Les Amants trahis)* ou dramatique *(Orphée)*. La personnalité de Rameau n'apparaît que dans *Le Berger fidèle*. Sous le nom de → cantatille, on désigne, au XVIIIe s., une pièce à une voix plus légère et moins développée que la cantate. Celle-ci disparaît vers 1750.

Sous le nom d'hymne, d'ode ou de chant patriotique, puis sous son propre vocable, la c. s'épanouit à nouveau à l'époque révolutionnaire avec Fr.J. Gossec *(C. funèbre*, 1799), É. Méhul, Cherubini et Lesueur. Devenue plus libre, elle ne cessera d'évoluer. Non seulement elle ne conserve pas toujours ses caractères originaux, mais elle subit les fluctuations du langage

13. ALLEMAGNE. *Début du XIVᵉ s. Le Minnesänger Heinrich von Frauenlob et des musiciens avec leurs instruments : tambour, flûte, chalemie, vièles, psaltérion, cornemuse. Miniature du recueil de chansons zurichois dit Codex Manesse. Heidelberg, Universitätsbibliothek.*

14. *ESPAGNE. XIVᵉ s. Joueurs de flûte traversière. Miniature des* Cantigas de Santa María, *livre de musique du roi Alphonse le Sage. Bibliothèque du Monastère Royal de l'Escorial.*

15. *ITALIE. Fin XIVᵉ s. Trois musiciens : orgue portatif, viola da braccio, chalemie. Miniature du* Tacuinum sanitatis in medicina, *traduction latine du traité d'hygiène d'Albucacis, médecin arabe du XIIᵉ s. Paris, Bibliothèque Nationale, Dépt. des Mss., NAL 1673, fol. 86.*

Organarii ut̃ pulsare.

Nature queḋã in utra ut̃ cant̃ molent̃. melius exeo. q̃ est p̃
portionatii concordit̃ ct̃ nece. Iuuamentii q̃n cantat̃ suaui̅
non festinant̃. nocumentũq̃n discordit̃ cantat̃ qd̃ iuũ.
alterii iux audietur occulte cantat̃. reineno nci. ct̃ portiona
liter ꝯcordatur.

16. FRANCE. XIVᵉ s. Le charivari, miniature du Roman de Fauvel, de
Gervais du Bus (1310-1314). Orchestre burlesque comprenant tambourins, vièle,
cymbales, clochettes et... marmite ! Paris, Bibliothèque Nationale, Dépt. des Mss.,
Franç. 146, fol. 34.

musical. Œuvre de circonstance ou non, elle se transforme au gré des compositeurs (chœur « a cappella »; pièce pour un soliste; scène lyrique avec soliste(s), chœurs chantés ou récités et orchestre, etc.). De nombreux musiciens ont contribué à donner à la c. une jeunesse nouvelle et, sans doute en raison de sa malléabilité, ont pu y affirmer sans contrainte leur originalité. Citons, au XIXe s., E. Auber, H. Berlioz, Ch. Gounod, J. Massenet, C. Franck, C. Saint-Saëns, et, plus près de nous, V. d'Indy, G. Charpentier, Cl. Debussy, Fl. Schmitt, A. Honegger, D. Milhaud, G. Migot, Fr. Poulenc, S. Nigg. Dans l'enseignement officiel, la c. a longtemps servi d'épreuve de concours pour le Prix de Rome. Elle consistait en une scène à trois personnages, avec orchestre (à l'exclusion du chœur). Ce concours, qui avait lieu depuis 1803, a été supprimé en 1969.

Rééditions (anthologies seulement) — 1. Italie : L. TORCHI, L'arte musicale in Italia V, Milan 1897-1907, vol. V, rééd. en facs., Milan, Ricordi, 1968; Kantaten-Frühling, éd. par H. RIEMANN, Leipzig 1909-13; 6 Kammerkantaten, éd. par le même, Leipzig s.d.; Alte Meister des Belcanto, éd. par L. LANDSHOFF, 5 vol., Leipzig 1912-27; La Flora, éd. par KN. JEPPESEN, 3 vol., Copenhague 1949; The Italian Cantata, éd. par D.L. BURROWS, Wellesley (Mass.), The Wellesley Editions, 1963. — 2. Allemagne : Nürnberger Meister der 2. Hälfte des 17. Jh., in DTB VI/1, 1905; Ausgewählte Kirchenkantaten, in DDT LVIII-LIX, 1918; Altbachisches Archiv II, in EDM, 2. Sonderband, 1933; Kirchenkantaten von G. Kirchhoff u. J.G. Goldberg, in EDM XXXV, série IX/1, 1957; Geistliche Konzerte von A. Pfleger, ibid. L et LXIV, série IX/4-5, 1961-64; Geistliche Harmonien von Chr. Bernhard, ibid. LXV, série IX/6, 1972; Geistliche Konzerte um 1600-1700, ibid. XLV-XLVI, série IX/2-3 (à paraître).

Bibliographie — 1. Ouvr. généraux : E. SCHMITZ, Gesch. der Kantate u. des geistlichen Konzerts, I Gesch. der weltlichen Solokantate, Leipzig 1914, 2/1955, rééd. en facs., Hildesheim, Olms, 1965; H. ENGEL, H. HUCKE, D. LAUNAY, S. WALLON, G. FEDER et R. SCHAAL, art. Kantate in MGG VII, 1958. — 2. Italie : E. DENT, Ital. Chamber Cantatas, in The Musical Antiquary, Oxford 1911; H. PRUNIÈRES, Notes bibliogr. sur les c. de L. Rossi au Cons. de Naples, in ZIMG XIV, 1912-13; du même, The Ital. Cantata of the 17th Cent., in ML VII, 1926; du même, La c. ital. à voix seule au XVIIe s., in Lavignac Techn. V, 1930; L. RONGA, art. Cantata, in Encicl. Italiana, Rome 1930; F. GHISI, Due c. del Giudizio Universale di G. Carissimi, in Rass. Mus. 1948; F. MOMPELLIO, D'India e il suo libro primo di Musiche da cantar solo, in Collectanea Historiae Musicae I, Florence, Olschki, 1953; A. DAMERINI, in Encycl. de la Pléiade, Hist. de la mus. I, éd. par Roland-Manuel, Paris, Gallimard, 1960; L. BIANCHI, art. Cantata, in La Musica I, Turin, Unione tipografico-editrice torinese, 1966. — 3. Allemagne : PH. SPITTA, J.S. Bach, 2 vol., Leipzig 1873-80; du même, Die Anfänge madrigalischer Dichtung in Deutschland, in Musikgeschichtliche Aufsätze, Berlin 1894; FR. NOACK, Chr. Graupners Kirchenmusiken, Leipzig 1916; P. BRAUSCH, Gesch. der Kantate bis Gottschald (diss. Heidelberg 1921); J. MÜLLER-BLATTAU, Hamann u. Herder in ihren Beziehungen zur Musik, Königsberg 1931; H.J. MOSER, Die mehrstimmige Vertonung des Evangeliums I, Leipzig 1931, 2/Hildesheim, Olms, 1968; K.F. RIEBER, Die Entwicklung der deutschen geistlichen Solokantate im 17.Jh. (diss. Fribourg-en-Br. 1932); F. TREIBER, Die thüringisch-sächsische Kirchenkantate zur Zeit des jungen J.S. Bach (etwa 1700-1723), in AfMf II, 1937; W. LANGE, Die Anfänge der Kantate, Dresde 1938; H.O. HUDEMANN, Die protestantische Dialogkomposition im 17.Jh. (diss. Kiel 1941); FR. SMEND, J.S. Bach. Kirchenkantaten erläutert, Berlin, Christlicher Zeitschriften Verlag, 1947-49, 3/1966; W. NEUMANN, Hdb. der Kantaten J.S. Bachs, Leipzig, VEB Br. & H., 1947, 3/1967; du même, J.S. Bach. Sämtliche Kantatentexte, Leipzig, VEB Br. & H., 1956; H.H. EGGEBRECHT, J. Pachelbel als Vokalkomponist, in AfMf XI, 1954; H. KÜMMERLING, J.Ph. Förtsch als Kantatenkomponist (diss. Halle 1956); L.F. TAGLIAVINI, Studi sui testi delle cantate sacre di J.S. Bach, Padoue, Cedam, et Kassel, BV, 1956; A.M. JAFFÉ, The Cantatas of J.L. Bach (diss. Boston 1957); E.V. LEHM, The Sacred Cantatas of Ph.H. Erlebach (diss. Univ. of North Carolina 1958); B. BASELT, Fr.W. Zachow u. die protestantische Kirchenkantate, in 11. Händelfestspiele Halle (Saale) 1962; du même, Die Musikaliensammlung der Schwarzburg-Rudolstädtischen Hofkapelle unter Ph.II. Erlebach (1657-1714), in Tradition u. Aufgaben der Hallischen Mw., Halle, Martin-Luther-Univ., 1963; du même, G.Ph. Telemann u. die protestantische Kirchenmusik, in MuK XXXVII, 1967; E. NOACK, W.C. Briegel, Berlin, Merseburger, 1963; P. GÜLKE, Musik u.

Musiker in Rudolstadt, Rudolstadt, Rudolstädter Heimatheftel 1963; W. BLANKENBURG, 12 Jahre Bach-Forschung, in AM, XXXVII, 1965; du même, Die Gesch. der ev. Kirchenmusik, in Die ev. Kirchenmusik, éd. par E. Valentin et F. Hofmann, Regensburg, Bosse, 1967; du même, Neue Forschungen über das geistliche Vokalschaffen D. Buxtehudes, in AM1 XL, 1968; FR. BLUME, Gesch. der ev. Kirchenmusik, Kassel, BV, 1965; M. GECK, Die Vokalmusik D. Buxtehudes u. der frühe Pietismus, Kassel, BV, 1965; F. HENNEBERG, Das Kantatenschaffen von G.H. Stölzel (diss. Leipzig 1965); FR. KRUMMACHER, Die Überlieferung der Choralbearbeitungen in der frühen ev. Kantate, Berlin, Merseburger, 1965; du même, Die Tradition in Bachs vokalen Choralbearbeitungen, in Bach-Interpretationen, éd. par M. Geck, Göttingen, Vandenhoeck & Ruprecht, 1969; F. ZANDER, Die Dichter der Kantatentexte J.S. Bachs (diss. Cologne 1967); R. JACOBY, Die Kantate, Cologne, A. Volk, 1968; A. DÜRR, Die Kantaten von J.S. Bach, 2 vol., Kassel, BV, et Munich, Taschenbuch Verlag, 1971. — 4. France : J. TIERSOT, La c. au XVIIIe s., Paris 1893; H. QUITTARD, Orphée descendant aux Enfers, in RM IV, 1904; E. SCHMITZ, Gesch. der weltlichen Solokantate, Leipzig 1914, 2/1955; L. DE LA LAURENCIE, La mus. fr. de Lulli à Gluck, in Lavignac Hist. III, 1914; M. BARTHÉLEMY, A. Campra, sa vie et son œuvre (1660-1744), Paris, Picard, 1957; du même, Les c. de J.B. Stuck, in Recherches II, Paris, Picard, 1961-62; C. GIRLDLESTONE, J.Ph. Rameau, Paris, Desclée de Brouwer, 1962; D. TUNLEY, « An Embarkment for Cythera ». Literary and social aspects of the French Cantata, in Recherches VII, Paris, Picard, 1967; du même, The 18th Cent. French Cantata, Londres, Dobson, 1974.

M. TH. BOUQUET, W. BLANKENBURG et A. VERCHALY

CANTATILLE, mot français créé au XVIIIe s. pour désigner une petite → cantate. Il s'agit d'un genre musical en faveur dès 1715 et dont le succès suit celui de la cantate. La c. reprend le plan de cette dernière, mais elle est écrite pour voix seule avec accompagnement du clavecin, d'un instrument soliste, rarement d'une petite « symphonie ». Les récitatifs en sont brefs et elle se compose de 2 ou 3 airs à « da capo » ou en rondeau. Elle peut s'inscrire dans les divertissements d'un opéra, plus généralement dans le ballet ou l'opéra-ballet. Les sujets en faveur ne sont pas aussi dramatiques que ceux d'une cantate. Ils proviennent d'une poésie plus légère, aux thèmes conventionnels, d'un caractère anacréontique. Une grande partie des compositeurs français du XVIIIe s. traitèrent ce genre : J.J. Mouret, Th.L. Bourgeois, Bodin de Boismortier, Th. Bertin de La Doué, A.L. Couperin, M. Corrette, Louis Charles Bordier, L.A. Lefebvre, Ch.H. de Blainville, L. Lemaire et beaucoup de compositeurs mineurs. La c. séduit par le rôle confié au chanteur, dont la voix doit être brillante et légère. Subissant les attraits du → « bel canto », elle exploite des procédés et des formules qui deviennent conventionnels et lassants.

CANTATORIUM (lat., = livre de chant). Sous l'influence d'Amalaire (1re moitié du IXe s.), les différents livres de chant reçurent les titres définitifs qui permettaient de les distinguer aisément. C'est ainsi que le mot → antiphonaire fut réservé au recueil des antiennes de la messe exécutées par le chœur. Celui de c. désigne le recueil des pièces réservées aux solistes. Les plus anciens c. ne comprennent parfois que l'alleluia, le graduel et le trait. Ces manuscrits archaïques ne sont pas notés. Le c. de Saint-Gall (Ms. 359), le plus ancien entièrement noté, date de la fin du IXe s. Le mot disparaît peu après. Il est remplacé par le titre *Liber gradualis* (→ graduel), qui désigne un livre comprenant les chants des solistes et de la schola, à l'exclusion de l'ordinaire et des pièces réservées au célébrant.

CANTATRICE (ital.), chanteuse professionnelle ; le terme s'applique à une soliste de talent, dans une acception plus artistique que celui de chanteuse, utilisé pour une artiste de variétés.

CANTE FLAMENCO (esp.), voir FLAMENCO.

CANTE JONDO (esp.), voir FLAMENCO.

CANTIGA (ou cántiga, esp., = chanson). Vers le XIIIᵉ s., ce nom générique désignait toutes les œuvres des poètes galiciens et portugais, sans tenir compte de leur forme poétique ni de leur caractère (lyrique, moral, religieux, etc.). L'abondante production poétique de cette époque a été conservée grâce à quelques recueils contemporains, le Cancioneiro da Ajuda (Lisbonne, Bibl. da Ajuda), qui contient en outre d'importantes miniatures représentant des scènes musicales, le Chansonnier Colocci Brancuti (Lisbonne, Bibl. nat.) et le Chansonnier de la Vaticane (Rome, Bibl. Vaticane, Ms. 4 803). Ces trois recueils contiennent env. 1 700 compositions poétiques non notées (malgré la présence de portées), qui s'étendent du milieu du XIIIᵉ au 1ᵉʳ quart du XIVᵉ s. Leur contenu donne l'éventail de toute l'école et de tous les genres cultivés : « c. de amor » (chansons d'amour) ou plutôt « c. de maestría » (chansons de maîtrise, imitation de la poésie occitane avec ses conventions et difficultés métriques), « c. de amigo » (montrant une jeune femme se plaignant de l'absence de son « ami » : un souffle vraiment populaire anime ces chansons qui sont pour la plupart d'authentiques chefs-d'œuvre), « c. de escarnho » ou « c. de maldizer » (dont l'agressivité ne doit pas être prise au sérieux : elles sont plutôt une convention, un jeu). — Il faut mettre à part les Cantigas de Santa María, traditionnellement attribuées à Alphonse X de Castille, dit le Sage ou le Savant. La critique actuelle considère qu'elles sont indéniablement son œuvre, même s'il eut des collaborateurs pour les rédiger. Quelques-unes des miniatures ornant les manuscrits de ces compositions montrent Alphonse entouré de jongleurs et de clercs dictant ses poèmes aux scribes. Les c. sont conservées dans trois manuscrits principaux (sans compter le fragment de Florence) : le manuscrit donné par le roi lui-même à l'église de Tolède (aujourd'hui à Madrid, Bibl. nat.) et les deux manuscrits de l'Escorial, l'un avec 193 mélodies et l'autre avec 417 c., presque toutes notées. Si Alphonse le Sage passe à juste titre pour le fondateur de la prose castillane — c'est lui qui décida l'abandon du latin dans les actes royaux — son œuvre poétique, qui comprend en outre quelques c. lyriques, est tout entière écrite en dialecte galicio-portugais. Elle constitue le corpus de poésie musicale spirituelle le plus important de tout le Moyen Age. La notation des c. est déjà mensuraliste. Les miniatures des manuscrits de l'Escorial sont extrêmement importantes pour l'histoire de la musique (voir Bibliogr., M. Guerrero Lovillo) : elles montrent tous les instruments usités à l'époque, des musiciens espagnols et arabes jouant côte à côte, et même un jongleur accompagnant un clerc tonsuré. En plus d'images concernant l'organographie, elles offrent des documents de grande valeur sur la pratique et sur la portée sociale de la musique de cette époque.

Éditions — Cancioneiro da Ajuda, éd. par C. MICHAËLIS DE VASCONCELLOS, 2 vol., Halle 1904, par H.H. CARTER, New York et Oxford 1941, et par MARQUES BRAGA, 2 vol., Lisbonne 1945 ; Cancioneiro Colocci Brancuti, éd. par E.G. MOLTENI, Halle 1880, et par E.P. et J.P. MACHADO, 2 vol., Lisbonne 1949-50 ; Cancioneiro della Vaticana, éd. par E. MONACCI, Halle 1875, et par T. BRAGA, Lisbonne 1878 ; Cantigas de Santa María, éd. par L. CUETO, marquis de VALMAR, 2 vol., Madrid 1889, et par W. METTMANN, 2 vol., Coimbre 1959-61 (texte seul) ; La música de las c. de Santa María..., éd. par H. ANGLÉS, Barcelone, Bibl. Central, Publicaciones de la Sección de música, 3 vol., 1943-64.

Bibliographie — J. GUERRERO LOVILLO, Las c., Madrid 1949.

D. DEVOTO

CANTILÈNE (lat., cantilena). Le terme « cantilena » n'est pas utilisé au Moyen Age comme une notion au sens strict : le contexte ou un adjectif permettent d'en réduire la portée. Le plus souvent, il est employé comme synonyme de « canticum » ou « carmen » avec le sens de pièce chantée ; dans le domaine profane, il s'applique à la chanson épique (« cantilena ioculatoris », « cantilena Rolandi »), à la chanson d'amour, à la déploration, aux chants des troubadours et des trouvères mais aussi aux mélodies ecclésiastiques, remplaçant alors les termes d'hymne, antienne, séquence, etc., ainsi qu'aux chants religieux en langue vulgaire (« per cantilenas linguae vulgaris »). La musique ainsi désignée peut généralement prétendre à un certain niveau artistique mais il arrive que c. désigne jusqu'à des chants d'animaux (chants d'oiseaux, chant de la cigale ou du grillon). C. s'emploie en outre pour désigner le chant en général ou le chant de l'église, p. ex. « c. romana », « ecclesiastica c. » au lieu de plain-chant. Depuis la Musica enchiriadis (IXᵉ s.), le terme sert également à désigner le chant polyphonique, les « mélodies à plusieurs voix » (« haec... est, quam diaphoniam cantilenam vel assuete organum vocamus »). Zarlino l'emploie encore en 1558 pour désigner la mus. polyphonique en général. Vers la fin du Moyen Age, c. s'applique également à des pièces instrumentales, p. ex. dans les chansons de Cambridge et chez Jean de Grouchy. Dans son De vulgari eloquentia (II ; VIII, 8), Dante distingue entre la forme élevée (tragique) de la poésie qu'est la « cantio » (« canzona ») et la forme (tragi-comique) de la c., qu'il décrit étymologiquement comme une petite « cantio » (« per diminutionem »), mais, en accord avec la terminologie latine, il emploie le terme autant pour désigner la chanson à danser que la poésie chantée en général. Dans la Divine Comédie (Paradis, XXXII, 97), la salutation angélique de Gabriel à Marie, « Ave, Maria, gratia plena », est dénommée « la divina cantilena ». — A partir du XIIIᵉ s., c. s'applique principalement à une chanson polyphonique profane composée à l'aide des formes à refrain de l' → Ars Nova (voir l'art. RONDELLUS) ; il est alors synonyme de « carmen » et de → chanson. L'une des caractéristiques techniques de ces pièces — voix supérieure chantée, richement ornée de mélismes, avec accompagnement instrumental — a conduit la musicologie du XXᵉ s. (J. Handschin) à désigner ces formes du terme c., en allemand « Kantilenensatz ». Un sens aussi restreint, relevant de la technique de composition, n'est pas attesté au Moyen Age. — Dans le langage des XIXᵉ et XXᵉ s. — en français en anglais et en allemand mais pas en italien — c. désigne une mélodie dominante, liée et chantante, apparaissant dans une œuvre vocale ou instrumentale à plusieurs voix ; le terme a pratiquement le même sens que l'indication d'interprétation « cantabile ». C. est encore utilisé pour désigner une composition ou un mouvement isolé (p. ex. I. Stravinski, 1er mouvt en *do* du *Duo concertant* pour violon et piano, 1932 ; Bruno Bartolozzi, *Cantilena per flauto*, 1970).

Bibliographie — A. VISCARI, C., *in* Studi Medievali, nouv. série IX, 1936, pp. 204-19 ; J. HANDSCHIN, Les études sur le xve s. musical de Ch. van den Borren, *in* RBMie I, 1946-47 ; du même, Réflexions sur la terminologie, *ibid.* VI, 1952 ; H.H. EGGEBRECHT, art. C., Kantilene, Kantilenensatz, *in* Riemann Musik-Lexikon III, 1967 ; R. MONTEROSSO, art. C. *in* Encicl. Dantesca I, Rome 1970 ; Art. C. *in* Mittellateinisches Wörterbuch II, 1971.

J. STENZL

CANTILLATION, terme français à désinence diminutive adopté vers 1900 à partir du latin populaire « cantillare » (fredonner) mais par la voie d'ouvrages anglais. Il désigne « une forme de mélodie religieuse, de construction primitive et plus proche de la déclamation que du chant proprement dit, bien que pouvant être entremêlé de vocalises » (M. Brenet). Le terme c. est donc synonyme de récitatif liturgique. Il s'applique aux diverses formes de récitatifs adoptés dans la Synagogue pour lire les livres bibliques (voir l'art. ISRAËL). Dans l'Église chrétienne, tant en Orient qu'en Occident, la c. occupe une place importante dans le déroulement de la liturgie : lectures et prières reviennent aux divers exécutants qui ne sont pas chantres virtuoses, en fait les lecteurs, sous-diacres, diacres et prêtres. La c. occupe donc une situation intermédiaire entre la récitation horizontale (« in directum » ou « recto tono ») et la → psalmodie qui comporte parfois dans certains cas (1er et 4e ton) des cadences très ornées. Cette forme de la lecture publique se rencontre aussi dans le culte des diverses religions orientales et africaines, notamment dans la lecture du Coran.

Bibliographie — M. BRENET, art. C. *in* Dict. pratique et historique de la mus., Paris 1926 ; S. CORBIN et I. ADLER, art. C. *in* Encycl. de la mus. I, éd. par Fr. Michel, Paris, Fasquelle, 1958 ; S. CORBIN, La c. des rituels chrétiens, *in* RMie XLVII, 1961 ; TRAN VAN KHE, Aspects de la c. : technique du Viêt-nam, *ibid.* ; E. WERNER, The Sacred Bridge, New York, Columbia Univ. Press, et Londres, Dobson, 1959.

CANTIO SACRA (lat. ; plur., cantiones sacrae), terme qui apparaît dès la 1re moitié du xvie s. dans les titres de certains recueils collectifs pour désigner le genre du → motet, c.-à-d. toute composition religieuse sur texte latin à l'exception de la messe. Utilisé avec prédilection en Allemagne, il a fini par y désigner également des compositions spirituelles sur texte allemand (S. Scheidt, H. Schütz) et même des œuvres pour orgue (S. Scheidt, *Tabulatura nova*, 1624).

CANTIQUE (lat., canticum, = chant; angl., canticle, hymn; ital., cantico). Dans la Bible, le c. est un chant lyrique d'action de grâces ou d'imploration, rédigé dans une forme versifiée et rythmée analogue à celle des psaumes, introduit dans les livres historiques, didactiques (à l'exclusion du Psautier) ou prophétiques. Dans certaines bibles grecques (Codex Alexandrinus) et dans les plus anciens psautiers liturgiques, les c. de l'Ancien Testament (au nombre de 14) et trois c. du Nouveau Testament (*Benedictus*,

→ *Magnificat* et *Nunc dimittis*), auxquels s'ajoutent le c. christologique du iiie s. *Gloria in excelsis*, sont regroupés en collections à destination des offices de Laudes et Vêpres. Chaque métropole de l'Église grecque et, en Occident, les diverses églises de rite romain ou gallican ont constitué une collection de c. qui sont parfois rédigés suivant une version latine antérieure à la Vulgate. Dans l'office monastique constitué par la *Regula monasteriorum* dite de St Benoît, trois c. de l'Ancien Testament sont prescrits pour le iiie nocturne des dimanches et jours de fêtes. On retrouve aussi dans les psautiers monastiques une série de c. supplémentaires dont la constitution semble remonter à l'époque carolingienne, à la suite du *Capitulare monasticum* de 817, inspiré par Benoît d'Aniane. – Les c. de l'Ancien Testament (à Laudes dans tous les rites et en outre au iiie nocturne du rite monastique) se chantent avec antienne sur les divers tons psalmodiques simples. Les c. du Nouveau Testament se chantent sur un ton psalmodique un peu plus orné à l'intonation et à la médiante (voir l'art. MAGNIFICAT).

Dans les églises réformées de langue française, l'essentiel du chant liturgique était constitué jusqu'au début du xixe s. par les 150 psaumes. Le terme de c. se trouvait réservé aux autres chants tirés des Écritures (c. de Moïse, de Siméon, de Zacharie, *Magnificat*) ou hérités de la tradition (*Te Deum* ou c. de St Ambroise et St Augustin). Les traductions de c. se multiplièrent au xvie s. sans réussir à s'introduire à l'église (c. d'Accace d'Albiac dit Du Plessis, 1556, 1558-60; de Louis des Masures, 1564; de Th. de Bèze, 1595), pour y parvenir enfin avec les c. sacrés de Bénédict Pictet (1705). Dès 1557 Maturin Cordier avait publié, avec des mélodies de Fr. Gindron, divers *Cantiques spirituels* d'invention personnelle, non traduits des Écritures. C'est ce type de méditation lyrique qui s'est développé hors de l'église chez les catholiques à partir du xviie s., et chez les protestants dans les milieux issus du piétisme germanique et du réveil religieux d'origine anglo-saxonne, dès le milieu du xviiie s. et principalement au xixe s.

De nos jours, on désigne communément du nom de c. tout → hymne de caractère religieux, en langue vulgaire, versifié, pourvu d'une mélodie simple destinée au chant d'une communauté chrétienne. En ce sens, et d'une manière très générale, le c. représente l'essentiel du chant confié aux assemblées dans les églises protestantes, mais il a également sa place dans la piété catholique depuis la Contre-Réforme. Il y a lieu cependant d'employer ce terme avec discernement. Dans les églises réformées de langue française, on distingue les psaumes huguenots (voir l'art. PSAUTIER HUGUENOT), les → chorals luthériens, associés les uns et les autres à un répertoire mélodique d'une exceptionnelle qualité, et les c. qui sont pour la plupart le fruit d'une inspiration religieuse personnelle. En ce qui concerne la musique, ces derniers se distinguent souvent par une inspiration subjective ou sentimentale accusée. C'est dans le domaine du c. que l'emprunt à des mélodies connues a été le plus constant, qu'il s'agisse d'airs à la mode aux xviie et xviiie s., de romances ou de mélodies instrumentales des grands classiques au xixe siècle. Les airs de marche y ont joui d'une faveur toute particulière.

Bibliographie — **1. C. biblique et liturgique :** F. CABROL, art. C. *in* Dict. d'archéologie chrétienne et de liturgie II, Paris 1910; V. LEROQUAIS, Les Psautiers liturgiques latins des bibl. publiques de France, Mâcon 1940-41. — **2. C. moderne :** A.H.TH. LÜTTEROTH, Hist. du c. en France, *in* Le Semeur 1837; A. ATGER, Hist. et rôle des c. dans les églises réformées de langue fr., Genève 1883, rééd. en facs. Genève, Minkoff, 1970; PH. POINCENOT, Essai sur les origines des c.fr., Montbéliard 1908; A. GASTOUÉ, Le c. populaire en France, Lyon 1924; P. PIDOUX et M. HONEGGER, art. Lied, chap. C, § 3. et 4., *in* MGG VIII, 1960; P. PIDOUX, Le psautier huguenot, 2 vol., Bâle, BV, 1962.

M. HUGLO et M. HONEGGER

CANTO CARNASCIALESCO (ital. ; plur., canti carnascialeschi = chants carnavalesques), chanson que l'on exécutait sur de grandioses « chars » allégoriques, dans les cortèges masqués du Carnaval florentin, entre la fin du XVe et le début du XVIe s. Ces cérémonies atteignirent leur plus grande splendeur sous le gouvernement de Laurent le Magnifique, qui reste encore le plus célèbre des auteurs de textes poétiques. Les c.c., qui dans leur signification se rattachent directement aux rites propitiatoires et purificateurs du début du cycle annuel, constituent pour cette raison un des points les plus caractéristiques de la rencontre entre la culture populaire et la culture humaniste. A côté de Laurent, figurent parmi les auteurs de textes Angiolo Poliziano (le Politien), Niccolò Machiavelli et d'autres versificateurs plus obscurs, tels Battista dell'Ottonaio, Jacopo da Bientina, Bernardino del Boccia... La plupart des textes restent pourtant anonymes. Parmi les musiciens se détachent les noms de H. Isaac, A. Agricola, Alexander Coppinus, G.D. Del Giovane dit Da Nola. Dans leur style et dans leur forme les c.c. ressemblent beaucoup à la → « frottola » ; quant au contenu, le ton satirique y domine naturellement. Beaucoup de textes se réfèrent à des catégories d'artisans (chants des écrivains publics, des vendeurs de gâteaux, des tailleurs...) ou à des groupes sociaux (chants des juifs, des mendiants), dont ils illustrent les prérogatives avec abondance de doubles sens et d'allusions obscènes. Cependant ne manquent pas de nombreux exemples de travestissements spirituels de ces chansons, changées en → laudes par les modifications appropriées du texte.

Éditions modernes — Chants de carnaval florentins, éd. par P.M. MASSON, Paris 1913; KN. JEPPESEN, Die mehrstimmige italienische Lauda, Leipzig et Copenhagen 1935; C.c. del Rinascimento, éd. par CH.S. SINGLETON, Bari 1936 (textes); Karnevalslieder der Renaissance, éd. par K. WESTPHAL, *in* Chw 43, Wolfenbüttel, Möseler, 1936.

Bibliographie (voir également l'art. FROTTOLA) — F. GHISI, I c.c. nelle fonti musicali del xv e xvi s., Florence 1937 ; du même, Feste musicali della Firenze medicea, Florence 1939 ; du même, Carnival Songs and the Origins of the Intermezzo giocoso, *in* MQ XXV, 1939 ; E. GERSON-KIWI, Studien zur Gesch. des italienischen Liedmadrigals, Wurtzbourg 1938.

CANTOR (lat., = chantre ; all., Kantor). **1.** C'est l'exécutant des chants ornés (graduels, répons prolixes de la messe et de l'office, alleluia, offertoires) : il entonne les chants simples, les hymnes et les psaumes de l'office dans le ton convenable. Souvent, le chantre qui entonne est désigné par le terme de « praecentor ». A l'époque de la tradition orale du chant, il apprend par cœur le répertoire : l'effort de mémorisation dure plus de dix ans. Durant le jour, entre les offices, soit sous le cloître, soit dans la bibliothèque, le c. s'exerce

et apprend les mélodies des chants classés dans le → tonaire suivant les 8 tons (modes) et d'après les → différences psalmodiques convenables. Le texte des pièces qu'il doit chanter au cours de la liturgie est intégralement transcrit dans l'antiphonaire de l'office ou dans le graduel de la messe, livres qui ne comportent aucune notation musicale, mais seulement parfois une simple indication tonale en lettres ou en chiffres. L'adjonction de la notation neumatique, répandue surtout au début du Xe s., soulagea beaucoup l'effort de mémoire exigé des chantres. Les théoriciens médiévaux expriment à l'égard du c. — tout comme à l'égard des autres exécutants de la musique, instrumentistes et chanteurs — un certain dédain pour leur ignorance de l'« Ars musica » : leur considération se porte sur le « musicus », qui étudie la théorie musicale. Cependant les c. joignaient souvent l'étude de la théorie à la pratique, ce qui les portait à remanier certaines mélodies apparemment peu conformes aux principes théoriques. C'est le c. qui, au scriptorium, trace en chantonnant les neumes des mélodies sur les textes préparés par le copiste. Au chœur, le c. spécialiste, qui improvise l'organum vocal sur la teneur liturgique exécutée par un autre, porte le nom d' « organista ». Suivant certains érudits, la fonction de « succentor » serait identique à celle d' « organista ». A Rome, la « Schola cantorum » comptait aussi dès le VIIIe s. le « paraphonista », qui, suivant P. Wagner et Br. Stäblein, serait l'un des plus anciens témoins de la « diaphonia » ou chant à deux voix.

2. La différence fondamentale entre « musicus » et c. encore formulée vers 1473-74 dans le *Terminorum musicae diffinitorium* de J. Tinctoris — « la différence est grande des chanteurs aux musiciens : ceux-ci savent, ceux-là disent ce qui est composé en musique » — est rendue caduque par un changement de sens du terme c. au cours de la Réforme. Lorsque J. Walter s'intitule c. de la → « Kantorei » de Torgau dans son épigramme *Lob und Preis der löblichen Kunst Musica* (av. 1538), c. apparaît à la place de termes plus anciens, « praecentor » ou « Sangmeister ». Il inclut en même temps l'idée médiévale de « musicus eruditus » ; comme J. Walter, le c. luthérien a reçu en principe une formation académique. Il doit se consacrer à la fois à la pratique et à l'« Ars musica », c.-à-d. à la musique comme à un art scientifiquement fondé, relevant des sept arts libéraux. Le terme se charge en même temps d'un sens théologique et eschatologique, car seule parmi tous les arts la musique possède un caractère d'éternité ; seule elle appartient à la catégorie du divin par son accomplissement de la louange de Dieu. Dans sa position sociale, le c. se sépare pourtant, malgré sa formation académique, de l'état ecclésiastique auquel appartenait autrefois le « praecentor ». Avec ses fonctions scolaires et civiles, J. Walter donne ainsi pour des siècles le modèle de la situation du c. luthérien placé à côté du pasteur et du directeur d'école dans la communauté ecclésiastique urbaine. Le c. est responsable de l'ensemble de la musique du culte ; ses capacités s'exercent plus particulièrement dans la direction du « chorus symphoniacus », c.-à-d. de la mus. polyphonique. A l'école, il est le troisième personnage après le recteur et son adjoint. Il assure la totalité de l'enseignement musical de l'école de latin et il lui arrive également d'y enseigner d'autres matières. Toutes les villes qui entretiennent une école de latin possèdent un c. ; les villes importantes en ont plusieurs. Le développement sans équivalent de la mus. d'église protestante du XVIᵉ au XVIIIᵉ s. est inséparable de la situation et de l'importance du c. luthérien. A la vérité, il n'est pas rare que le c. considère sa fonction comme un échelon intermédiaire entre des études universitaires et la fonction pastorale (G. Dressler, M. Altenburg, E. Bodenschatz...) mais en règle générale il exerce sa profession comme une vocation, source de considération générale. Après 1600 ses fonctions s'étendirent souvent, dans les villes importantes, aux activités de directeur de la musique, responsable de l'ensemble de la vie musicale municipale. Mais à partir du XVIIᵉ s. son autorité publique fut soumise à restriction en de nombreux endroits, en raison de l'importance grandissante de la fonction de maître de chapelle de la cour à l'époque de l'absolutisme princier d'une part, du développement de la mus. d'orgue et de la fonction d'organiste d'autre part. Caractéristique est la remarque de J.S. Bach (lettre à Georges Erdmann du 28 oct. 1730 ; voir Bach-Dokumente I, Kassel, BV, 1963, p. 67) disant qu' « au début il ne [lui] paraissait pas convenable du tout de devenir c. après avoir été maître de chapelle ». Du côté des organistes que l'origine artisanale de leur corporation avait placés tout d'abord sous l'autorité du c., il lui naquit également un rival. A l'époque de S. Scheidt, les c. de Halle se trouvaient déjà sous la dépendance des organistes. Après la floraison de la mus. d'orgue, le développement du concert spirituel et de la cantate joua également un rôle : son exécution au culte dépendait rarement du c., dont la fonction exigeait la présence autour de l'autel, mais plus souvent de l'organiste à la tribune. C'est ainsi qu'à l'époque de Buxtehude il existait à Lübeck une musique relevant du c. et une autre relevant de l'organiste. Lorsqu'il advint que le c. n'avait pas reçu de formation académique — ce fut le cas de J.S. Bach — les frontières entre l'état de c. et celui d'organiste s'effacèrent de plus en plus. Le déclin de la mus. d'église à l'époque des lumières et du rationalisme eut pour résultat la disparition de la fonction de c. luthérien. Désormais les fonctions de c. et d'organiste se trouvèrent presque toujours rassemblées en une seule personne, celle de l'instituteur. Le titre de c. fut décerné à titre honorifique à des organistes méritants qui apprenaient aux enfants le chant des chorals et des cantiques mais qui ne dirigeaient pas nécessairement de musique liturgique polyphonique. En raison de la séparation de l'Église et de l'État et de la rupture de l'unité de la profession d'instituteur et de la fonction d'organiste au XXᵉ s., grâce aussi au renouvellement de la mus. d'église, l'office du c. a été réintroduit comme une profession à temps plein, sans rapport avec une activité scolaire mais liée à un service d'organiste. Le titre de c. est aujourd'hui le terme qui, chez les protestants, désigne la profession de musicien d'église dans les pays germaniques. Dans l'église catholique, la fonction de maître de chapelle subsiste encore dans les cathédrales ; elle est fréquemment assurée par un prêtre, qui maintient ainsi la distinction entre le c. et l'organiste.

Bibliographie — 1. H. LECLERCQ, art. Chantres *in* Dict. d'archéologie chrétienne et de liturgie III/1, Paris 1913 ; G. PIETZSCH, Bildung u. Aufgaben des K.s im M.A. u. Frühprotestantismus, *in* Die Musikpflege IV, 1933-34 ; W. GURLITT, Zur Bedeutungsgesch von musicus u. c. bei Isidor von Sevilla, *in* Abh. der Mainzer Akad, der Wissenschaften nᵒ 7, Wiesbaden, Steiner, 1950 ; M. RUHNKE, art. K. *in* Riemann Musik Lexikon, III Sachteil, Mayence, Schott, 1967 ; E.K. FARRENKOPF, Breviarium Eberhardi Cantoris, *in* Liturgiewissenschaftliche Quellen u. Forschungen I., Münster 1969 ; M. HUGLO, Les tonaires, Paris, Heugel (Soc. fr. de Mie), 1971 ; G.G. MEERSSEMANN, Il « Carpsum » ossia Ordinarium Veronense del Cantore Stefano, Fribourg (Suisse) 1972 ; cf. également la bibliogr. de l'art. MAÎTRISE. — 2. A. WERNER, Vier Jh. im Dienste der Kirchenmusik. Gesch. des Amtes u. Standes der K.en, Organisten u. Stadtpfeifer seit der Reformation, Leipzig 1902 ; G. PIETZSCH, ouvr. cité ; W. GURLITT, introd. à l'éd. en facs. de J. WALTER, Lob u. Preis der löblichen Kunst Musica, Kassel 1938 ; M. LUTHER, Die gesellschaftliche u. wirtschaftliche Stellung des protestantischen K.s., *in* MuK XXIX, 1949 ; K.F. MÜLLER, Der K. ..., Gütersloh, G. Mohn, 1964 ; D. KRICKEBERG, Das protestantische Kantorat im 17. Jh., Berlin, Merseburger, 1965 ; KL. W. NIEMÖLLER, Untersuchungen zur Musikpflege u. Musikunterricht an den deutschen Lateinschulen... bis 1600, Regensburg, Bosse, 1961.

M. HUGLO et W. BLANKENBURG

CANTORINUS (bas lat.). On a donné ce titre à un recueil contenant l'ensemble des règles concernant le chant de l' → office et des parties réservées au célébrant et au lecteur. Inconnu avant le XVIᵉ s., ce mot n'a pas eu de succès et ne s'est pas maintenu. Il a été repris dans l'édition du *Cantorinus romanus seu toni communi officium et missae cum regulis et exemplis*, édition typique promulguée par le décret du 3 avr. 1911. Le c. est imprimé à la fin du → graduel romain.

CANTUS (lat., = chant), terme désignant l'action de chanter, le chant. Chez les théoriciens médiévaux, à partir de la fin du IXᵉ s. (*Musica enchiriadis*), c. s'emploie pour dénommer globalement les différents genres de pièces de la messe ou de l'office. Par extension, c. désigne le répertoire propre de chaque église : « c. romanus », « c. sancti Gregorii », « c. ambrosianus ». Dans les livres de chant ambrosien, le c. désigne une pièce qui correspond au trait grégorien du Carême. Guy d'Arezzo (*Micrologus de musica*, chap. 18) et ses commentateurs usent du terme c. pour désigner la teneur liturgique sur laquelle on improvise l'organum. Dans la chanson polyphonique à 2 ou 3 voix des XIVᵉ et XVᵉ s. et dans les compositions du XVIᵉ s., c. désigne la voix supérieure composée en premier, celle qui attire toute l'attention de l'auditeur (voir l'art. CANTILÈNE). A cette époque, c. peut également désigner une composition polyphonique dans son ensemble : les 3 volumes de l'*Odhecaton* d'O. Petrucci (1501-04) sont sous-titrés *Canti A*, *Canti B* et *Canti C*. Les termes de « c. figuratus », « c. fractus », « c. mensurabilis » se réfèrent tous à la mus. mesurée, par opposition à « c. planus », qui désigne la monodie grégorienne. Dans son *Terminorum musicae diffinitorium* (av. 1476), J. Tinctoris distingue entre « c. simplex » et « c. compositus » ou « res facta » (= chose faite), c.-à-d. entre chant monodique et polyphonique.

CANTUS FIRMUS (lat.). Au sens large, un c.f. est une donnée mélodique qui sert de point de départ à une composition polyphonique. En ce sens, la technique du c.f. a joué un rôle dominant depuis le début de la polyphonie jusqu'au XVIᵉ s. Au sens strict, c'est une mélodie indépendante en valeurs longues, souvent égales, qui fait partie d'un ensemble polyphonique ou qui domine toute la composition. Cette signification restreinte du terme est due en particulier à la théorie du contrepoint des XVIIe et XVIIIe s. qui faisait écrire des mélodies contrastantes contre un c.f. en notes longues égales. Les → « organa » mélismatiques du XIIe s. sont à l'origine de la technique du cantus firmus : contre chacune des notes d'une mélodie grégorienne placée à la voix grave, une voix plus élevée chantait un mélisme libre. La terminologie des voix est en rapport avec cette technique. La voix la plus grave, le → « tenor » (teneur), supportait la mélodie préexistante, le « cantus prius factus » ; l'autre voix, le « discantus » (déchant), exécutait une contre-partie plus élevée. Les compositions de Léonin et de Pérotin ainsi que les motets de l'Ars Antiqua ajoutent sans doute des éléments nouveaux à cette technique, extension de la polyphonie à 3 ou 4 voix, division rythmique fixe, combinaison de textes différents (dans les motets), mais ils maintiennent la ligne mélodique autonome et le mouvement lent de la voix inférieure (ou des voix inférieures). Cela vaut également pour les motets isorythmiques de l'Ars Nova et même pour les motets monumentaux de la 1re moitié du XVe s., tel le *Nuper rosarum flores* de G. Dufay où les deux voix supérieures chantent un texte écrit pour l'inauguration du dôme de Florence tandis qu'un duo de voix graves, beaucoup plus lentes, fait retentir l'introït de la dédicace d'une église.

Au XVe s. se fait jour une nouvelle technique du cantus firmus. La mélodie choisie est traitée plus librement ; par le moyen d'ornements, de colorations et de figurations, elle se développe en une riche ligne mélodique où la donnée originale est parfois difficile à reconnaître. Cette technique est employée principalement dans les messes polyphoniques ; le c.f. fait fonction d'élément commun dans les diverses parties de l'ordinaire, leur conférant ainsi une unité perceptible. Pouvaient servir de modèle soit une composition grégorienne de l'ordinaire, soit des chants du propre ou de l'office, des chansons populaires même (*L'homme armé* p. ex.), soit encore une voix extraite d'une composition polyphonique (Messe « *Se la face ay pale* » de G. Dufay, où l'auteur utilise sans changement le ténor de sa propre ballade). S'opposant aux messes, où le c.f. placé au ténor est rarement emprunté à un ordinaire grégorien, la plupart des antiennes, des hymnes et des *Magnificat* du XVe s. présentent la mélodie grégorienne ornée à la voix supérieure (à la voix médiane dans les compositions anglaises). Plus que dans les messes, le c.f. y domine toute l'œuvre. La plupart des œuvres liturgiques polyphoniques du XVe s. peuvent ainsi être considérées comme des arrangements polyphoniques de la mélodie grégorienne correspondante, alors que dans les messes le compositeur conserve le choix du cantus firmus.

Dans les œuvres profanes, où l'application de cette technique est rare, le c.f. remplit une autre fonction. Lorsqu'il est formé d'un texte liturgique et de sa mélodie, il réalise un lien symbolique ou idéal avec les autres voix, pourvues de leur propre texte et de leur propre musique (chanson-motet) : *Je ne puis plus ce que j'ai pu*/ *Unde veniet auxilium mihi* de G. Dufay ; *Ce pauvre mendiant*/ *Pauper sum ego* et la *Déploration de Jehan Ockeghem* de Josquin des Prés où l'arrangement à 4 voix de *Nymphes des bois* se trouve lié à l'introït *Requiem aeternam* chanté par le ténor.

A côté de la technique du c.f. librement orné, qui de plus en plus fournit les éléments mélodiques de toutes les voix jusqu'à l'apparition de l'imitation syntaxique, le c.f. strict, qui laisse la mélodie inchangée et la déclame en notes longues, se développe en une technique de composition indépendante. Dans les messes avec c.f. strict, il n'est pas rare que la voix qui tient le chant emprunté en conserve le texte original (Messe « *Sub tuum praesidium* » de J. Obrecht, où d'autres c.f. liés avec cette antienne et avec le texte de la messe). Souvent le c.f. ne correspond plus à ses deux objectifs initiaux : être la source de l'invention musicale en même temps qu'un élément d'unité. Il perd sa fonction de lien si les cinq parties de la messe emploient divers c.f., comme la *Missa Pascale* de P. de La Rue, où l'introït de Pâques et des antiennes de l'office du temps pascal sont employés comme c.f. dans diverses parties. Par son caractère fortement constructif, le c.f. peut être inapte à fournir les éléments mélodiques des autres voix ; c'est le cas lorsqu'il se compose de syllabes de la solmisation ou lorsqu'il est construit à la manière d'un tétracorde ou d'un hexacorde.

Les psaumes et les cantiques du Nouveau Testament réunissent souvent un c.f. librement orné et un c.f. strict. Une voix — parfois deux, éventuellement en canon — déclame la psalmodie non ornée en notes longues, contre lesquelles les autres voix inscrivent des motifs en imitation empruntés au même ton psalmodique. C'est en Allemagne que cette technique se maintint le plus longtemps, favorisée par la naissance d'un nouveau répertoire liturgique protestant, les chorals. Dans la mus. profane, le « Tenorlied » y était encore en vogue au XVIe s., au moment où la technique du c.f. se trouvait presque partout hors d'usage. Chez les musiciens protestants français du XVIe s., L. Bourgeois, Cl. Goudimel, Ph. Jambe de Fer, J. Servin, Cl. Le Jeune..., la technique du c.f. fleurit également de diverses manières. Par contre, le motet polyphonique latin du XVIe s. n'emploie que rarement un cantus firmus. On en trouve, librement ornés, dans les motets sur texte d'antienne et, sous une forme stricte, comme moyen stylistique destiné à mettre une idée en relief par la répétition d'un texte et de sa mélodie en notes longues. Dans le motet *Fremuit spiritu Jesu* de Clemens non Papa, qui raconte l'histoire de la réanimation de Lazare, l'une des voix se limite à l'exclamation sans cesse répétée de *Lazare, veni foras*. Ce procédé a été imité par R. de Lassus en particulier. Au-delà du XVIe s., il n'a été fait usage que rarement de la technique du c.f., sauf dans la mus. protestante. Le c.f. apparaît également dans la mus. instrumentale, généralement sous la forme d'un c.f. strict en combinaison avec des voix libres ou en imitation, p. ex. dans les œuvres à variations de J.P. Sweelinck, dans les préludes de choral de Schein, Buxtehude, Pachelbel, J.S. Bach... et dans certains chœurs ou airs des motets, cantates et passions de J.S. Bach. Depuis le XIXe s. quelques compositeurs ont repris consciemment cette technique, surtout dans la musique pour orgue et dans la musique chorale. La *Symphonie fantastique* de Berlioz avec sa citation du *Dies irae* peut être rapprochée de la plainte du début du XVIe s. *Cueurs desolez* (Ms. Bruxelles 228) qui présente le même c.f. au ténor.

Bibliographie — H. BESSELER, Die Musik des Mittelalters u. der Renaissance, Potsdam 1931 ; FR. DIETRICH, Gesch. des deutschen

Orgelchorals im 17. Jh., Kassel 1932 ; F.H. SAWYER, The Use and Treatment of C. F. by the Netherlands School of the 15th Cent., *in* Papers of the Amer. Musicological Soc. LXIII, 1937 ; A. PIRRO, Hist. de la mus. de la fin du XIVᵉ s. à la fin du XVIᵉ s., Paris 1940 ; G. REESE, Music in the Middle Ages, New York 1940 ; du même, Music in the Renaissance, New York, Norton, 1954, 2/1959 ; CH. VAN DEN BORREN, Études sur le XVᵉ s. musical, Anvers 1941 ; M. BUKOFZER, Studies in Medieval and Renaissance Music, New York, Norton, 1950, et Londres, Dent, 1951 ; B. MEIER, Die Harmonik im c.f.-haltigen Satz des 15.Jh., *in* AfMw IX, 1952 ; K. SCHNÜRL, Die Variationstechnik in den Choral-C.f.-Werken Palestrinas, *in* StMw XXIII, 1956 ; G. SCHMIDT, Zur Frage des C. f. im 14. u. beginnenden 15.Jh., *in* AfMw XV, 1958 ; H. BAILLIE, Squares, *in* AMl XXXII, 1960 ; J.A. MATTFELD, Some Relationships between Texts and C. F. in the Liturgical Motets of Josquin des Prés, *in* JAMS XIV, 1961 ; L. FINSCHER, Zur C.f.-Behandlung in der Psalm-Motette der Josquinzeit, *in* H. Albrecht in memoriam, Kassel, BV, 1962 ; E.H. SPARKS, C. F. in Mass and Motet 1420-1520, Berkeley et Los Angeles, Univ. of California Press, et Londres, Cambridge Univ. Press, 1963 ; W. ELDERS, Zur Formtechnik in Titelouzes « Hymnes de l'Église », *in* Mf XVIII, 1965 ; E.H. SANDERS, Die Rolle der englischen Mehrstimmigkeit des Mittelalters in der Entwicklung von C.f.-Satz u. Tonalitätsstruktur, *in* AfMw XXIV, 1967 ; GL. HAYDON, « Ave Maris Stella » from Apt to Avignon, *in* Fs. Br. Stäblein, Kassel, BV, 1967 ; L.F. BERNSTEIN, The C. F. Chanson of T. Susato, *in* JAMS XXII, 1969.

C. MAAS

CANZONE ou **CANZONA** (ital.). **1.** Forme poético-musicale d'origine provençale (→ « canso »), cultivée en Italie à partir du XIIIᵉ s. Sa structure, expliquée par Dante dans le *De vulgari eloquentia* (II/10), prévoit une mélodie différente pour chaque strophe : à l'intérieur de chacune d'elles, une mélodie continue sans répétition, ou bien deux sections différentes dont l'une ou les deux sont répétées — « piedi » et « volte », séparées par une « diesis ». Cependant toutes les c. italiennes n'étaient pas destinées au chant, à la différence des « cansos » provençaux, et il ne nous en reste aucun exemple musical monodique. Par la suite, la c. littéraire connut de nouveaux types de réalisation polyphoniques. De la c. de Pétrarque *Vergine bella*, G. Dufay tira un motet en langue vulgaire ; dans les livres de « frottole » du début du XVIᵉ s., on la retrouve avec d'autres du même poète, mises en musique sous forme strophique, en particulier par B. Tromboncino. — **2.** Entre-temps le terme en était venu à désigner n'importe quelle composition musicale profane de caractère noble, distincte aussi bien du motet religieux que des autres formes profanes telles que la → « frottola », le « sonetto », le → « strambotto », le « capitolo » (voir *Canzoni nove*, Rome 1510 ; *Canzoni, soneti, stramboti e frotole libro 2.*, Rome 1513 ; *Motetti e canzone, libro 1.* [1521 ?] etc.). La nouvelle c. cultivée par des auteurs comme M. Cara, Michele Vicentino, S. Festa, reflétait ce changement de goût qui, exigeant une même dignité des textes littéraires et de la musique, devait donner naissance au madrigal. Le recueil *Musica de messer Bernardo Pisano sopra le canzone del Petrarcha* (éd. 1520), où les textes ne sont d'ailleurs pas tous de Pétrarque ni en forme de c., est déjà caractéristique du genre. A l'inverse, le madrigal proprement dit continua à traiter plus tard des textes poétiques qui pouvaient avoir d'autres formes que celle du véritable madrigal, entre autres celle de la canzone. — **3.** Le terme désigna encore des compositions au ton léger, rustique, d'origine napolitaine, écrites sur des textes en dialecte (*Canzone villanesche alla Napolitana*, Naples 1537 ; G.D. Del Giovane, dit Da Nola, *Canzoni villanesche*, Venise 1541, etc.) ; elles se répandirent très vite jusqu'en Italie du Nord, abandonnant le dialecte et le caractère fruste, mais conservant le ton franc et la structure strophique à refrain suivant des

schémas variables. La texture passa souvent de 3 voix, caractérisées par des passages en quintes parallèles, à 4 voix dont la marche resta généralement syllabique et verticale (A. Willaert et Fr. Corteccia, 1545, etc.). A partir de 1565, on préféra les termes de → « villotta alla Napolitana » et de → « villanella ». Vers la fin du siècle apparut la → « canzonetta », elle aussi d'allure joyeuse et de forme strophique, mais plus proche du madrigal par le style. — **4.** On donna aussi le nom de c. dans la 1ʳᵉ moitié du XVIᵉ s. aux transcriptions de chansons françaises pour le luth ou pour les instr. à clavier, plus ou moins fidèles à l'original vocal. Citons, pour le luth, Fr. Spinaccino (1507), Vicenzo Capirola (v. 1520), Fr. da Milano (1536, 1546)... ; pour les instr. à clavier, M.A. Cavazzoni (1523) et son fils G. Cavazzoni (1543). Les auteurs transcrits furent d'abord ceux de l'École flamande (Ockeghem, Ghiselin, Brumel, Josquin), puis les représentants de la chanson parisienne (Passereau, Claudin de Sermisy, Janequin). On imprima en Italie pendant tout le XVIᵉ s., et même au-delà, des transcriptions pour le clavier de « canzoni francese » ou « alla francese » ; voir le recueil d'A. Gardano en 1577 et plusieurs pièces d'A. Gabrieli (1605) et de Cl. Merulo (1611), où la transposition se colore de passages typiquement instrumentaux. — **5.** A partir de la 2ᵈᵉ moitié du XVIᵉ s., il se développa dans la littérature instrumentale un genre de « canzon francese » ou « canzon da sonar », conçu pour le clavier ou pour un ensemble instrumental, indépendant de modèles vocaux déterminés, même s'il relevait encore de leur esprit par l'emploi des entrées en imitation (souvent sur des notes répétées suivant un rythme dactylique), d'une polyphonie transparente, d'un ton généralement léger et d'une subdivision en plusieurs sections construites sur des thèmes différents. On possède aussi des exemples de c. tripartites, dont les premier et troisième volets sont en style imitatif, celui du centre utilisant le style vertical et la mesure ternaire (V. Pellegrini, 1599 ; G.M. Trabacci, 1603 ; G.P. Cima, 1606, etc.). Bon nombre de « ricercari » d'A. Gabrieli pour clavier (1605) et pour des ensembles allant jusqu'à 8 parties (1587, 1589) sont en réalité des c. construites sur un matériau indépendant. En écrivant une pièce de ce type intitulée *Canzone ariosa* (1596), Gabrieli semble être, avec Cl. Merulo, l'un des premiers à employer cette forme dans le domaine du clavier et de l'orgue. Depuis longtemps déjà, la c. pour ensemble instrumental désignait une forme conçue à partir d'un matériau entièrement original. Elle avait en outre commencé à introduire des titres particuliers : *La bella* de N. Vicentino (1572) ; un recueil de F. Maschera (1582) donne à la moitié des pièces les noms de familles nobles de Brescia. La c. pour clavier suivra cette mode : dans ses recueils de 1592, 1606 et 1611, Cl. Merulo donne à ses pièces des titres descriptifs : *La pazza* (La folle), *La pargoletta* (La petite), etc., ou issus de noms aristocratiques, *La Bovia*, *L'Albergata*, etc. Il est intéressant de noter que la c. pour clavier, exécutée même à l'église, se distingua de la c. pour ensemble instrumental par l'acquisition d'une écriture instrumentale autonome (comparer les c. pour orgue de Cl. Merulo avec celles qu'il composa pour 4 instruments). De nombreux recueils pour instruments (de 4 à 8) apparurent entre 1588 et 1617 ; le choix de ceux-ci était d'ordinaire libre, cordes ou vents. Les c. de G. Gabrieli

(1597, 1608, 1615) ont une valeur particulière. Certaines d'entre elles sont écrites en dialogue pour deux chœurs d'instruments, particulièrement cornets et trombones. Les c. d'A. Banchieri (1596, 1603, 1607, 1612) sont intéressantes elles aussi ; cependant le dernier livre est destiné à l'orgue avec accompagnement « ad libitum » de deux autres instruments. Le goût évoluant dans le sens baroque, un certain langage violonistique apparaît plus marqué dans la c. pour ensemble, traitée de plus en plus fréquemment en monodie ou en dialogue sur une basse continue ; en outre, les diverses sections de la pièce tendent à se diversifier toujours plus. Ces modifications entraînent une nouvelle terminologie, de sorte que, souvent, on accole ou substitue au vocable « canzone » celui de « sonata » (G. Gabrieli, *Canzoni et Sonate*, 1615 ; C. Gussago, *Sonate a 4, 6, 8*, 1608 ; T. Merula, *Canzoni, overo Sonate concertate, libro 3º*, 1637 ; M. Uccellini, *Sonate over Canzoni da farsi a violino solo*, 1649, etc.). Dans l'intervalle, la c. pour clavier elle aussi change de physionomie, grâce à J. de Macque et à d'autres auteurs de l'école napolitaine (Ascanio Majone, G.M. Trabaci), mais surtout grâce à G. Frescobaldi. Celuici, après avoir composé des c. en style traditionnel (1615), passa à un type de c. monothématique à variations où, dans une construction ample et puissante (recueils de 1627, 1635, 1645), l'écriture contrapuntique est coupée de passages en style de « toccata ». On composa des c. pour clavier jusqu'aux premières décennies du XVIIIe s. (B. Pasquini, D. Zipoli, A. Della Ciaja) ; entre-temps la forme avait passé en Allemagne par l'intermédiaire de H.L. Hassler, Chr. Erbach, J.J. Froberger et J.K. Kerll. Elle y fut cultivée jusqu'à J.S. Bach, auteur d'une *Canzona in re minore* monothématique, à deux parties. La c. instrumentale, qui portait quelquefois le nom de « fantasia », sinfonia » ou « capriccio », est considérée avec le « ricercare » et le « capriccio » comme une anticipation de la fugue. Un type particulier de c. fut dénommé « battaglia » ; il fut précédé lui aussi par des compositions vocales analogues, souvent transcrites pour luth ou clavier (*La Guerre* de Janequin, p. ex.) ou existant à la fois en version vocale et instrumentale (*Battaglia* à 8 v. de A. Gabrieli). Ce fut ensuite un genre instrumental indépendant, dont on trouve des exemples chez A. Padovano (*Aria di battaglia per sonare d'istrumenti a fiato*), W. Byrd, J.P. Sweelinck, A. Banchieri, G. Frescobaldi, J.J. Froberger, J.K. Kerll, A. Poglietti...

Bibliographie — O. CHILESOTTI, Les chansons fr. du XVIe s. en Italie, *in* Revue d'Histoire et de Critique musicale, Paris 1902 ; A. HEUSS, Ein Beitrag zur Klärung der Kanzonen- u. Sonaten-Form, *in* SIMG IV, 1902-03 ; O. KINKELDEY, Orgel u. Klavier in der Musik des 16. Jh., Leipzig 1910 ; L. RONGA, G. Frescobaldi, Turin 1930 ; J. MÜLLER-BLATTAU, Grundzüge einer Gesch. der Fuge, Kassel 1931 ; H. KLOTZ, Über die Orgelkunst der Gotik, der Renaissance u. des Barock, Kassel 1934 ; A. SCHLOSSBERG, Die italienische Sonate für mehrere Instrumente im 17. Jh., Leipzig 1936 ; E. GERSON-KIWI, Studien zur Gesch. des italienischen Liedmadrigals im 16. Jh. Satzlehre u. Genealogie der Kanzonetten, Wurtzbourg 1938 ; J.M. KNAPP, The Canzon Francese and its Vocal Models (diss. Columbia Univ. 1941) ; E. CROCKER, An Introductory Study of the Ital. Canzona for Instrumental Ensembles (diss. Radcliff College 1943) ; KN. JEPPESEN, Die italienische Orgelmusik am Anfang des Cinquecento, Copenhague 1943 ; A. EINSTEIN, The Ital. Madrigal, Princeton 1949 ; A. GHISLANZONI, Storia della fuga, Milan, Bocca, 1952 ; J.M. WARD, The Use of Borrowed Material in 16th Cent. Instrumental Music, *in* JAMS V, 1952 ; CL. SARTORI, Une pratique des musiciens lombards (1582-1639), l'hommage des chansons instrumentales aux familles d'une ville, *in* La mus. instrumentale de la Renaissance, Paris, CNRS, 1955 ; R. MONTEROSSO, Musica e poesia nel De vulgari eloquentia, *in* Dante, Atti della giornata intern. di studio per il VII centenario, Faënza,

Lega, 1965 ; F. MOMPELLIO, art. C. *in* La Musica, Enciclopedia Storica I, Turin, Unione tipografico-editrice torinese, 1966.

E. FERRARI BARASSI

CANZONETTE (ital., canzonetta ; angl., canzonet), composition vocale profane qui adopte la forme d'une chanson strophique et dont la période d'épanouissement se place en Italie dans les deux dernières décennies du XVIe s. La c. marque la dernière étape du développement de la chanson populaire italienne au XVIe s. E. Gerson-Kiwi a souligné son évolution autonome et son importance par rapport à la mus. religieuse et au madrigal. Le texte de la c. n'est lié à aucune forme fixe, mais la construction musicale suit le schéma tripartite a a b c c. Cette forme, issue de la mus. de danse instrumentale (basse danse) — M. Praetorius la relève également dans son *Syntagma musicum* (vol. III, fº 16) — est l'un des deux schémas propres à toutes les chansons italiennes du XVIe s., à la → villanelle avant la c., à la → villanesca et à la → canzone vocale. Dans la c. s'accomplit l'interpénétration des formes populaires des chansons à danser et de l'art aristocratique du madrigal. Tandis que ce dernier devient de plus en plus homophone, la c. en adopte les techniques raffinées, la construction en imitations et, en partie, les motifs à déclamation syllabique, non plus comme éléments constitutifs de la composition, mais comme éléments purement décoratifs. Le rapprochement des deux genres est tel que Th. Morley définit la c. comme un « counterfeit of the Madrigal ». Le déroulement musical y est conditionné par les voix extrêmes, en particulier par une basse obstinée à la manière d'une danse, qui détermine les fonctions harmoniques. Les recueils de c. publiés par S. Verovio entre 1586 et 1595 sont déjà pourvus de tablatures pour le luth et le clavecin. Le processus de rapprochement des genres aboutira finalement aux formes à basse continue du XVIIe s. D'abord écrite le plus souvent pour 3 ou 4 voix, la c. se limite de plus en plus à une voix soliste, écriture qui apparaît pour la première fois chez D.M. Melli en 1602. L'époque baroque continue à pratiquer le genre, essentiellement dans l'opéra, où G.B. Doni déplore son intrusion. La c. s'y caractérise par une forme strophique et une mélodie à périodes, proche de la chanson populaire. Francesco Saverio Quadrio, qui distingue la c. de l'air, semble désigner par ce terme toute chanson strophique (*Della storia e della ragione d'ogni poesia*, 7 vol., Bologne 1739-52). Le schéma tripartite, qui avait déjà subi des modifications sous l'influence du madrigal, ne s'impose plus au XVIIe s. ; il est remplacé par la reprise de la première phrase (premier vers) à la fin du morceau, forme fréquemment employée, indiquée comme étant celle de la c. dans le *Musicalisches Lexicon* de J. Walther (1732). Le terme de c. sera encore utilisé aux XVIIIe et XIXe s., mais ne désignera aucune forme précise, distincte des autres genres.

Rééditions — G. CAIMO (1584), G. GASTOLDI (1591), O. VECCHI (1580, 1597), éd. par A. Einstein (cf. Bibliogr.) ; H.L. HASSLER (1590), éd. par R. Schwartz, *in* DTB V/2, 1904 ; CL. MONTEVERDI, éd. par Fr. Malipiero, in Œuvres complètes IX-X, 1929-30 ; T. MORLEY (1593, 1595, 1597), G. FARNABY (1598), H. YOULL (1608), éd. par E.H. Fellowes, *in* The English Madrigal School I et III, 1913, XX et XXVIII, s.d.

Bibliographie — E. [GERSON-]KIWI, Studien zur Gesch. des italienischen Liedmadrigals im 16. Jh. Satzlehre u. Genealogie der

Kanzonetten, Wurtzbourg 1937 ; A. EINSTEIN, The Italian Madrigal, 3 vol., Princeton, Univ. Press, 1949 ; G. REESE, Music in the Renaissance, New York, Norton, et Londres, Dent, 1954, 2/1959 ; W. DÜRR, Die italienische C. u. das deutsche Lied im Ausgang des 16.Jh., in Studi in onore di L. Bianchi, Bologne, Zanichelli, 1960 ; J. RACEK, Stilprobleme der italienischen Monodie, Prague, Státní pedagogické nakladatelství, 1965.

R. DI BENEDETTO

CAPOTASTO (ital. ; fr., barre), petite pièce de bois ou de métal que l'on fixe en travers de la touche de certains instruments à cordes pincées (guitare, luth) pour raccourcir la longueur des cordes vibrantes et ainsi modifier l'accord. L'usage du c. facilite l'exécution des morceaux dont la tonalité pose des problèmes de doigté. Un doigté spécial appelé → « barré » remplit le même office.

CAPRICCIO. 1. Au XVIe s. et au début du XVIIe s., ce terme ne désigne aucune forme précise, mais se réfère, en Italie, à des compositions de genres divers regroupées suivant des critères variables : dans le domaine vocal, série de madrigaux sur des huitains de l'*Orlando furioso* (J. Berchem, 1561), « ballets » chantés sur un rythme de gaillarde (Giampiero Manenti, 1586), ou mélange hétéroclite de pièces caractéristiques (G. Croce, 1596) ; dans le domaine instrumental, formes disparates comme les « ricercari », « canzoni », « toccate », etc., pour clavier, réunies dans un même livre (Ascanio Majone, 1603 ; G.M. Trabaci, 1615). Des pièces polyphoniques vocales et instrumentales pouvaient également coexister dans un même recueil (Giacomo Bonzanini, 1616). — **2.** A la fin du XVIe s., le terme commence également à désigner une forme instrumentale plus définie, apparentée à la fantaisie et à la « canzone », dont le plus souvent elle ne se distingue pas (Ottavio Bariolla, *Capricci overo Canzoni a 4*, Milan 1594). Mais à la différence de la canzone, le c., qui se compose lui aussi de plusieurs sections juxtaposées, se fonde sur l'élaboration contrapuntique d'un seul thème utilisé chaque fois sous un aspect différent. Le c. peut donc être considéré, avec la canzone et le ricercare, comme un ancêtre de la fugue. Il est particulièrement caractéristique de la musique pour clavier : on trouve des c. dans le *1o Libro delle Ricercate* de G.M. Trabaci (1603) ; G. Frescobaldi compose un livre entier de *Capricci* (1624), où l'on remarque un caractère fantasque à mi-chemin de la canzone (souvent monothématique chez Frescobaldi) et du thème avec variations ou « partite ». Leurs sujets sont tous caractérisés : sur « ut ré mi fa sol la », « sur le Coucou », « sur la Spagnoletta », « chromatique », etc. G. Strozzi (1687) et B. Pasquini (1697-1702) se tourneront plus tard vers la même forme en plusieurs sections. Il en va de même des Allemands J.J. Froberger et G. Böhm, des Français Fr. Roberday (*Fugues et Caprices*, 1660) et J.H. d'Anglebert (un c. dans les *Pièces de clavecin*, 1689). Par contre, le *Capriccio über das Hennergeschrey* d'A. Poglietti (entre 1661 et 1683) est plus proche de la fugue. A cette époque le c. s'est également fait une place dans la musique pour plusieurs instruments : deux c. d'A. Cima, respectivement à 2 et 4 voix, se trouvent dans un recueil de son frère Gian Paolo (1610). La forme continue à côtoyer la canzone ou la sonate pour instrument solo et à trois (B. Marini, 1626 ; J. Vierdank, 1641 ; A. Falconieri, 1650 ; M. Cazzati, 1660, 1669 ; G.B. Vitali, 1669, 1682, 1683, 1684, 1689), mais tend vers la

structure bipartite d'un mouvement de sonate ou de danse. — **3.** Dans deux sonates de l'op. 2 de Vivaldi, le c. est un véritable mouvement de sonate pour violon ; dans la *Partita* en do min. pour clavecin de J.S. Bach, il devient un mouvement de la suite ; du *Capriccio sopra la lontananza del suo fratello dilettissimo* pour clavecin, ce dernier fait cependant une pièce à programme en plusieurs mouvements. Au contraire, Fr.M. Veracini reste l'auteur d'un *Capriccio cromatico* en style fugué pour violon et basse continue (1744). — **4.** Entre-temps le terme de c. en était venu à désigner également une pièce de virtuosité, souvent même une cadence insérée dans les concertos pour violon (G. Tartini, P.A. Locatelli) : c'est l'explication du titre de *Capricci* donné par N. Paganini à ses fameuses 24 pièces op. 1 pour violon seul (1818), d'où dérivent également les *Caprices* de J.P. Rode et ceux de R. Kreutzer. — **5.** Dans le domaine pianistique, c. désigne une pièce rapide de structure libre, imitant au début la forme de la sonate ou celle du rondo : Mozart (KV 395), Clementi (op. 17, 34, 47), Beethoven (op. 129), Mendelssohn (op. 5 et 33), Brahms (op. 76), M. Reger, G. Martucci, F. Busoni. — **6.** Aux XIXe et XXe s., c. désigne aussi une pièce d'orchestre pleine de fantaisie, parfois d'inspiration folklorique : Rimski-Korsakov, *Capriccio espagnol* op. 34 ; Tchaïkovski, *Capriccio italien* op. 45, etc. Par contre, le *Capriccio* (1929) de Stravinski est une pièce pour piano et orchestre construite en épisodes contrastants successifs.

Bibliographie — M. SEIFFERT, Gesch. der Klaviermusik, Leipzig 1899 ; A. MOSER, Gesch. des Violinspiels, Berlin 1923 ; G. WOLF, Das C. bei M. Reger (diss. Vienne 1929) ; G. FROTSCHER, Gesch. des Orgel-Spiels u. der Orgel-Komposition, 2 vol., Berlin 1935-36 ; L.F. TAGLIAVINI, art. C. in Enciclopedia della musica I, Milan, Ricordi, 1963.

E. FERRARI BARASSI

CARILLON (de quatrinionem, lat. populaire, = réunion de 4 → cloches). **1.** Le *Roman de Renart* signale déjà la sonnerie à 2 et à 4 cloches : « A glas sone et a quereignon ». Sonner à quadrillon ou quadrillonner se faisait à l'aide de cordes. Le principe de la frappe au marteau est attesté dès le XIVe s. par les nombreux jacquemarts ou horloges municipales. Le c. moderne se constitue au XVe s. (Anvers 1480) grâce à l'adjonction d'un, puis de deux claviers dont les touches sont reliées par câbles et relais aux marteaux frappant les cloches. Ces touches sont frappées du poing et du pied par le carillonneur ; un gantelet de cuir protège la main, que ce jeu très athlétique pourrait endommager. Le nombre des cloches utilisé est très variable et fournit une échelle de parfois 4 octaves et plus ; c'est le cas des c. de plus de 40 cloches tels que ceux de Seclin (42 cloches) ou Châtellerault (50 cloches). A la veille de la Révolution française, les c. étaient encore fort nombreux mais beaucoup furent fondus. Une renaissance de l'art campanaire au XXe s. permit de nombreuses réalisations tant en France qu'aux USA et en Australie. Pierre Eschenbrenner, carillonneur de Reims et de Châlons, dénombrait près de 250 c. dans le monde en 1945. En 1922 une école de c. a été fondée à Malines et, depuis 1972, Jacques Lannoy anime une classe de c. dans le cadre du Cons. de Tourcoing. — **2.** Le c. s'emploie également dans l'orchestre. C'est un instr. à percussion composé de timbres, de barres vibrantes et de calottes de bronze de diverses dimensions, mises en vibration par

2 maillets. — **3.** Petite mixture de l'orgue du XIXᵉ s., assez peu fréquente, ordinairement à 3 rangs (quinte, tierce, octave). Toujours à l'orgue, jeu de percussion à tubes métalliques disposé à la pédale, destiné à imiter les cloches. Il reste rare (XXᵉ s.). — **4.** C'est encore le titre d'une pièce de musique imitant la sonnerie des cloches telle qu'en ont écrit W. Byrd pour virginale, J.B. Bésard pour luth, M. Marais pour viole de gambe, Fr. Couperin pour clavecin, P. Dandrieu, L. Boëllmann et L. Vierne pour orgue. M. Emmanuel a utilisé le c. de Notre-Dame de Beaune et celui de la cathédrale St-Bénigne de Dijon dans le 1ᵉʳ mouvt de sa *Sonatine bourguignonne* (1ʳᵉ *Sonatine*) pour piano.

Bibliographie — **1.** F. FARNIER, Notice historique sur les cloches, Robécourt 1882 ; Dom J. BAUDOT, Les cloches, Paris 1913 ; Dom G. DEMARET, Cloches, sonneurs et sonneries, in Revue liturgique et musicale XIV/2, sept.-oct. 1930 ; A. et TH. UNGERER, Cloches et c. des origines à nos jours, in La France horlogère, 15 nov. 1932 ; P. PRICE, The C., Londres 1933 ; A. PALUEL-MARMONT, Cloches et c., leur histoire, leur fabrication, leurs légendes, Paris, SEGEP, 1953 ; P. VISSER, art. Glockenspiel in MGG V, 1956 ; J. GOGUET, Le c. des origines à nos jours, Paris, Éd. Le Cerf-volant, 1958 ; M. VERNET, Les c. du Valais, Bâle, Soc. suisse des traditions populaires, 1965 ; M.CL. PATIER, Des cymbala aux c. (diss. Paris 1969).

CARMAGNOLE, chant révolutionnaire anonyme, composé après la journée du 10 août 1792 où Louis XVI fut enfermé au Temple. Sorte de ballade populaire qui met en scène le roi et la reine sous le nom de M. et Mme Veto, elle connut une vogue extraordinaire dans la France entière et donnait lieu à d'immenses farandoles entraînant toutes les classes de la société. Sous la Terreur, elle était chantée durant les exécutions capitales. Elle fut également exécutée sur les scènes lyriques et fit partie du répertoire des orchestres militaires jusqu'au Consulat. Pour certains, elle devrait son nom à la c., danse vive qui doit elle-même le sien à la ville piémontaise de Carmagnola ; pour d'autres, à la veste portée sous la Révolution par de nombreux patriotes.

CARMEN, voir CANTILÈNE.

CARMINA BURANA (lat.), voir GOLIARDS.

CARNAVALESQUE (Chant), voir CANTO CARNASCIALESCO.

CAROL (angl., du fr. → carole), au Moyen Age, chanson présentant l'alternance d'un refrain à danser chanté en chœur (« burden ») et de strophes chantées par un soliste. De nos jours, le terme désigne un chant mi-religieux, de style populaire, généralement lié au temps de Noël (on le compare souvent au → « Noël » français). Le c. populaire du Moyen Age fut adopté par la mus. savante du XVᵉ s. : la strophe garda sa forme monodique pour une voix soliste et le refrain reçut un traitement polyphonique. Le *Chant d'Agincourt* (Azincourt), écrit pour célébrer la victoire anglaise de 1415, est l'un des plus anciens exemples de ce type. Il offre deux refrains, l'un pour voix soliste, l'autre pour chœur, principe que l'on retrouvera fréquemment par la suite sans qu'il soit possible de dire si les refrains étaient chantés tous les deux après chaque strophe, ou en alternance d'une strophe à l'autre. Presque tous les c. du XVᵉ s. sont écrits à 3 temps, fréquemment dans le mode ionien (*ut* maj.). Il s'agit d'œuvres élaborées, destinées à des chœurs

expérimentés : les parties de contraténor (voix la plus élevée dans les « burden » polyphoniques) sont souvent très difficiles. Toutefois, rien n'indique de façon sûre que les c. aient été composés pour des circonstances officielles ou liturgiques. Dans de nombreux recueils, ils apparaissent souvent au milieu de pages de musique processionnelle, ce qui suggère qu'ils étaient considérés comme une forme tardive et développée du conduit. Quoique leur exécution fût affaire de professionnels, bon nombre de c. exploitèrent en les idéalisant des éléments populaires, assurant ainsi leur succès auprès du peuple. Ce sont les polyphonistes qui sont à l'origine de l'association particulière du c. avec Noël : les trois quarts environ du répertoire subsistant sont liés à la Nativité, soit directement, soit sous forme de louanges à la Vierge Marie. Dans certains cas, il s'agit de chants profanes écrits pour les fêtes données à Noël à la cour d'un noble.

A l'époque de la Réforme, le terme de c. fut appliqué à tout chant de Noël de structure non traditionnelle. C'est ainsi que la complainte pour le massacre des Innocents dans le Miracle de Coventry se fit connaître sous le nom de *Coventry Carol*, quoique le mot c. recèle l'idée de joie. Aujourd'hui, un recueil de c. comprend toujours des chants et des hymnes destinés à être chantés à Noël, en latin ou en langue vulgaire, provenant de tous les pays d'Europe. On y trouve aussi des pages de R. Vaughan Williams, G. Holst, Ph. Heseltine (pseud. Peter Warlock), B. Britten, Peter Maxwell Davies, entre autres.

Éditions musicales — The Cowley C. Book, éd. par R.G. WOODWARD, 2 vol., Londres 1902-09 ; English C. Book, éd. par M. SHAW et P. DEARMER, 2 vol., Londres 1913-19 ; Ancient English Christmas C., éd. par E. RICKERT, Londres 1914 ; Oxford Book of C., éd. par P. DEARMER, R. VAUGHAN WILLIAMS et M. SHAW, Londres 1928, 26/Oxford 1965 ; A Medieval C. Book, éd. par R.R. TERRY, Londres 1931 ; 200 Folk C., éd. par le même, Londres 1934 ; Medieval C., éd. par J. STEVENS, in Musica Britannica IV, Londres, Stainer & B., 1952 ; C. for Choirs, éd. par J. et R. WILCOCKS, Londres, Oxford Univ. Press, 1961 ; Early English Christmas C., éd. par R.H. ROBBINS, New York, Columbia Univ. Press, 1961 ; University Book, éd. par E. ROUTLEY, Brighton, H. Freeman, 1961.

Bibliographie — M. HOWORTH, Traditional C., Londres 1893 ; W.E. DUNCAN, The Story of the C., Londres 1910 ; R.L. GREENE, The Early English C., Londres 1934 ; J. STEVENS, C. and Songs of the Early Tudor Period, in Proc. R. Mus. Assoc. LXXVII, 1951 ; E. ROUTLEY, The English C., Londres, Jenkins, 1958 ; R. NETTEL, Christmas and its C., Londres, Faith Publ., 1960.

H. RAYNOR

CAROLE, danse populaire exécutée en cercle, de mouvement lent, très répandue en France jusqu'au XVIᵉ s. Aucun témoignage musical ne nous en est parvenu mais il est probable que la chorégraphie de la c., ainsi que la forme poétique qui lui est associée, soit à l'origine du rondeau et du virelai. Les airs n'étaient pas toujours chantés et la danse pouvait être menée par un instrumentiste qui se tenait sans doute au centre de la ronde. On ignore tout des mélodies et des rythmes utilisés. Une étymologie peu sûre fait dériver le terme de « chorea » et de « chorela » ; par contre, il semble certain que la c. fut, à l'origine, une danse païenne liée à des rites magiques condamnés par l'Église après une tentative d'assimilation.

Bibliographie — P. VERRIER, La plus vieille citation de c., in Romania VIII, 1932 ; Y. LACROIX-NOVARO, La c. Ses origines, in RMie XVI, 1935 ; M. SAHLIN, Étude sur la c. médiévale, Upsal 1940.

CARRÉE, voir Brève.

CARRURE, procédé de construction mélodique ou polyphonique qui partage la phrase musicale en fragments d'égale durée ponctués par un repos, un retour à la tonique, une cadence ou toute autre formule. Ces fragments sont généralement les multiples de quatre d'une unité qui peut être le temps ou la mesure. La c. est issue des pas de la danse et permet aux danseurs de ramener à intervalles réguliers les pieds et le corps dans leur position de départ. Elle est présente dès les premières danses dont la musique nous est parvenue, les estampies du Moyen Age (voir P. Aubry, Estampies et danses royales, Paris 1907, et J. Wolf, Die Tänze des Mittelalters, in AfMw I, 1918-19), et, grâce au développement de la suite instrumentale formée de danses variées, s'impose, au XVIIIe s., à l'ensemble de la mus. instrumentale et vocale. Les maîtres classiques lui sont presque totalement inféodés, en dehors même de toute intention chorégraphique. H. Berlioz est le premier à réagir contre la tyrannie de la carrure. G. Fauré y reste longtemps assujetti tandis que Cl. Debussy s'en libère très tôt et, à sa suite, la musique du XXe s., à l'exception de certaines œuvres qui cherchent volontairement à évoquer le style classique. — Voir également l'art. Rythme, § La carrure.

CARTELLE (diminutif de carte), feuille de peau d'âne sur laquelle étaient tracées des portées et que les compositeurs utilisaient autrefois pour noter leurs idées qu'ils pouvaient effacer ensuite à l'éponge. — Voir également l'art. Tabula compositoria.

CASSATION, l'un des termes servant à désigner, au XVIIIe s., les formes cycliques issues de la suite baroque (→ sérénade, → « notturno », → « divertimento », etc.). Le nombre, le genre et l'instrumentation des différents mouvements étaient libres. S'opposant à la diversité de la suite baroque, certains types de mouvement prédominent néanmoins dans ces formes, essentiellement la marche et les mouvements apparentés qui remplissent leur ancienne fonction de musique d'entrée et de sortie. Des éléments concertants sont introduits dans l'instrumentation tandis que la basse continue disparaît. La c. est une musique de plein air. Pris dans son sens littéral, le mot (de l'ital. « cassazione ») peut signifier séparation, abandon, adieu ; il pourrait aussi dériver de « cassaten » ou « gassatim gehen », expression qui sert à désigner une promenade nocturne faite dans un but amoureux. Cette acception était déjà courante au XVIIIe s., mais, pour H.C. Koch (cf. Bibliogr.), c'est la forme musicale qui a existé en premier et qui a inspiré la langue parlée. J. et M. Haydn, C. Ditters von Dittersdorf et W.A. Mozart ont écrit des cassations.

Bibliographie — H.C. Koch, Musikalisches Lexikon, Francfort/M. 1802 ; A. Sandberger, Zur Gesch. des Haydnschen Streichquartetts, in Ausgewählte Aufsätze zur Musikgesch. I, Munich 1921 ; G. Hausswald, Mozarts Serenaden, Leipzig, VEB Br. & H., 1951 ; du même, Die Orchesterserenade, Cologne, A. Volk, 1970 ; H. Engel, art. Divertimento, C., Serenade, in MGG III, 1954 ; R. Hess, Serenade, C., Notturno u. Divertimento bei M. Haydn (diss. Mayence 1963).

CASSETTE, emballage contenant une bobine de ruban magnétique et le mécanisme nécessaire à son déroulement en vue de l'enregistrement et de la reproduction. La c. est, pour l'enregistrement sonore, le pendant du chargeur en cinématographie. Son usage supprime les manipulations jusqu'alors nécessaires à l'ajustage du ruban sur la platine. Le modèle de c. le plus répandu est la minicassette ou musicassette, qui associe une bobine débitrice et une bobine réceptrice dont les rôles s'inversent naturellement par retournement de la cassette. Dans chaque sens, le ruban n'est utilisé que sur la moitié de sa largeur. La vitesse de déroulement des minic. est de 4,75 cm par seconde, ce qui permet un degré de fidélité convenable pour la plupart des appareils de lecture. Trois types de minic. diffèrent par la durée d'enregistrement : le C 60 assure 30 mn par piste ; le C 90, 45 mn et le C 120 une heure. Il existe des appareils d'enregistrement et de lecture à haute fidélité qui utilisent les minic. à la vitesse de 9,5 cm ; leur durée en est réduite de moitié. Le commerce de la musique enregistrée met en vente une grande partie du répertoire, surtout en variétés, simultanément sur → disques et sur minicassettes. — Depuis 1972, le ruban magnétique du magnétoscope, jusqu'alors réservé aux professionnels pour l'enregistrement simultané des sons et des images et pour leur projection sur téléviseurs, est offert au public sous forme de cassettes. Ce sont les vidéocassettes. Leur diffusion est entravée par leur coût et par celui du matériel indispensable à leur utilisation.

CASTAGNETTES (esp., castañuelas), instruments idiophones composés d'une paire d'éléments symétriques — en ivoire ou en bois dur — frappés l'un contre l'autre. Les deux faces qu'on entrechoque sont évidées pour augmenter la résonance, ce qui leur donne l'aspect d'une châtaigne — dont elles tirent leur nom. Elles sont tenues d'une seule main et l'on peut donc utiliser deux paires à la fois : dans ce cas, l'un des jeux est plus aigu (femelle) que l'autre (mâle). Les c. doivent être « chauffées » avant usage pour ne pas se fêler. L'instrument employé à l'orchestre consiste en une tige portant la paire d'idiophones à l'une ou aux deux extrémités. Les c. étaient déjà utilisées dans l'Égypte ancienne et en Grèce (→ crotales), mais leur origine serait plutôt phénicienne, ce qui explique leur diffusion dans le Bassin méditerranéen : Andalousie, Baléares, Italie du Sud.

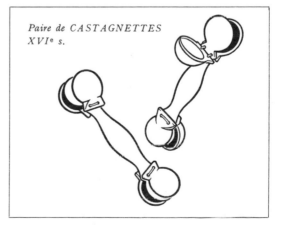

Paire de CASTAGNETTES XVIe s.

CASTRATS (ital. et angl., castrati ; all., Kastraten ; esp., castrados), chanteurs que l'on a émasculés avant la mue afin qu'ils conservent le registre des voix de femmes et d'enfants (soprano ou contralto), tout en bénéficiant du volume sonore que confère le souffle d'un adulte. Cette pratique fut très répandue en Italie, où l'existence de c. est attestée dès la basse Antiquité, ainsi que dans la péninsule Ibérique. Les femmes n'étant pas autorisées à chanter à l'église, les c. furent admis au XVIᵉ s. dans les chapelles, où ils remplacèrent les voix d'enfants et de → falsettistes, et, bien que l'église catholique ait interdit la castration, la Chapelle pontificale engageait en 1588 un c. espagnol. De l'église, les c. passèrent au théâtre, où ils connurent des succès triomphaux non seulement dans des rôles travestis mais aussi dans des rôles masculins. Toutes les cours d'Europe comblèrent de faveurs ces virtuoses aux voix brillantes et très étendues, qui contribuèrent beaucoup au développement du « bel canto ». Les plus célèbres c. furent, au XVIIIᵉ s., Giovanni Carestini, C. Farinelli, G.M. Caffarelli, Gioacchino Conti dit Gizziello, G.F. Tenducci dit Il Senesino, entre autres. Clément XIV (pape de 1769 à 1774) interdit définitivement la castration et permit aux femmes de chanter dans les églises. Avec G. Crescentini, qui termina sa carrière en 1812 à Paris, et Giovanni Battista Velluti, interprète préféré de G. Rossini à la Scala (1814), qui se produisit jusqu'en 1829, les c. disparurent de la scène.

Bibliographie — E. CELANI, I cantori della Cappella Pontificia nei s. XVI-XVIII, in RMI XIV, 1907 et XVI, 1909; G. MONALDI, Cantanti evirati celebri del Teatro italiano, Rome 1920; FR. HABÖCK, Die Kastraten u. ihre Gesangkunst, Berlin et Leipzig 1927; H.B. BOWMAN, A Study of the Castrati Singers and Their Music (diss. Indiana Univ. 1952); A. HERIOT, The Castrati in Opera, Londres, Secker & Warburg, 1956; H. HUCKE, Die Besetzung von Sopranen u. Alten in der Sixtinischen Kapelle, in Miscelánea en homenaje a H. Anglés I, Barcelone, Consejo Superior de Investigaciones científicas, 1958-61.

CATALOGUE THÉMATIQUE (angl., thematic catalog; all., thematisches Verzeichnis; ital., catalogo tematico), liste d'œuvres musicales complétée par la notation du début de chaque pièce (→ incipit), ce qui permet l'identification précise d'une composition. Le c.th. rend de grands services pour la musique du XVIIIᵉ s., époque où les symphonies, les quintettes, quatuors, trios, sonates et pièces apparentées se comptent parfois par centaines dans l'œuvre d'un même compositeur. Les c.th. peuvent concerner des fonds d'édition (Leipzig, Breitkopf, 1762; Amsterdam, J.J. Hummel, 1768; Vienne, Artaria, 1789; Londres, J. Bland, 1790; Offenbach, André, 1805; Leipzig, Hofmeister, 1819, etc.), des collections publiques ou privées ou des œuvres d'un même compositeur (c.th. autographes de J. Haydn, W.A. Mozart...). Aux XIXᵉ et XXᵉ s., la musicologie a pris le relais des éditeurs, des collectionneurs et des auteurs en établissant le c.th. de plusieurs collections et de la plupart des compositeurs importants. Ces catalogues réunissent un grand nombre de renseignements annexes tels que titre détaillé, dédicace, dates et lieux de composition, formation, auteur du texte littéraire, liste et localisation des manuscrits, des éditions originales, des éditions successives et des arrangements éventuels, lieu et date de création avec mention des interprètes, études consacrées à l'œuvre en question et toutes indications susceptibles

d'aider à son explication. Les c.th. les plus connus et les plus fréquemment utilisés sont consacrés à J.S. Bach (Schmieder, BWV), Mozart (Köchel, KV), J. Haydn (Hoboken, Hob.), Beethoven (Kinsky et Halm), Schubert (Deutsch), et sont des travaux scientifiques de première importance. Les musicologues et les bibliothécaires se sont également préoccupés de constituer des catalogues d'incipit musicaux classés selon un système fondé sur une équivalence des notes avec les lettres de l'alphabet.

Bibliographie — N. BRIDGMAN, L'établissement d'un catal. par incipit musical, in MD IV, 1950; de la même, A propos d'un catalogue central d'incipit musicaux, in Fontes I, 1954; de la même, Nouv. visite aux incipit musicaux, in AMI XXXIII, 1961; O.E. DEUTSCH, Thematische Kataloge, in Fontes V, 1958; H.J. SLEEPER et collab., A Check List of Thematic Catal., in Bull. of the New York Public Libr. 1953, tiré à part New York 1954; B.S. BROOK, Thematic Catal. in Music, New York, Pendragon Press, 1972; cf. également la bibliogr. des compositeurs qui figurent aux vol. I-II, Les hommes et leurs œuvres, ainsi que l'art. BIBLIOTHÈQUE MUSICALE et les notices consacrées aux principales villes.

CATCH (angl., = prise, butin), forme de musique vocale anglaise à 3 voix ou plus, relevant du « round » ou du « canon », en vogue aux XVIIᵉ et XVIIIᵉ s. Son originalité résidait dans la façon astucieuse d'entrelacer les mots et de disposer les entrées des différentes voix pour obtenir des effets verbaux plaisants de par leur incongruité, leur humour ou leur grivoiserie. Parmi les c. du XVIIᵉ et du début du XVIIIᵉ s., nombreux sont ceux dont l'effet verbal comique ne s'obtient qu'au prix d'une grande adresse. La plus ancienne collection des c., Pammelia or Musicke's Miscellany, fut publiée en 1609. H. Purcell et ses successeurs W. Hayes, Th. Arne, Jonathan Battishill, parmi beaucoup d'autres compositeurs, écrivirent de nombreux c., qui présentent des mélodies charmantes, tissées en un contrepoint d'une grande complexité technique et reposant sur des paroles spirituelles, souvent scandaleuses. Avec le raffinement des manières qui s'opéra au cours du XVIIIᵉ s., le charme des paroles disparut comme leur grivoiserie et celui de la musique comme son ingénieux contrepoint. De ce fait, le c. se confondit petit à petit avec le → « glee ».

Éditions et rééditions — J. WALSH, The C. Club..., s. l. n. d. [v. 1730], réed. en facs. New York, Da Capo Press, 1965; TH. WARREN, A Coll. of C., Canons and Glees..., s. l. 1763 et suiv.; E.F. RIMBAULT, The Rounds, C. and Canons of England, s.l. 1864.
Bibliographie — V. GLADSTONE, The Story of the Noblemen and Gentlemen's Club, s.l. 1931; C.L. DAY et E.B. MURRIE, English Song-Books 1651-1702, Londres 1940; E.F. HART, The Restoration C., in ML XXXIV, 1953.

CATHEDRAL MUSIC (angl.), désigne, en Angleterre, la musique écrite pour les chœurs des cathédrales, mais à la disposition du chœur de toute église anglicane s'il sait en faire bon usage. Elle comprend des → « services » et des → « anthems ». L'organisation du culte célébré dans les cathédrales anglaises du Moyen Age était l'œuvre d'un chapitre de prébendiers ou de chanoines, parmi lesquels le « praecentor » était directement responsable du répertoire vocal et de la qualité de son exécution. Le doyen avait son siège dans la partie nord du chœur tandis que le « praecentor » occupait la première place dans la partie sud ; c'est pourquoi on désigne, dans la musique antiphonée, les chœurs par les termes « decani » et « cantoris ». Après le « praecentor » venait, dans l'ordre hiérarchique, le « succentor » ou « subcantor ». Comme les prébendiers et les chanoines jouissaient de bénéfices loin des cathédrales, des curés (« vicars ») étaient chargés de les remplacer quand ils étaient absents. A l'origine, ceux-ci étaient capables de chanter la messe, mais, avec le développement de la polyphonie, on dut engager des chanteurs spécialisés, les « vicars-choral » : laïcs ou issus des ordres mineurs, ils constituaient les pupitres d'alto, de ténor et de basse, celui de soprano étant confié à de jeunes garçons qui recevaient leur enseignement général et musical dans les « choir schools » ou « song schools » des cathédrales. — La dissolution des monastères par Henri VIII entre 1536 et 1539 permit de transformer plusieurs fondations monastiques en cathédrales. Le « praecentor » conserva la responsabilité de la musique. Les chœurs et les « song schools » de ces « cathedrals of the new foundation » gardèrent la même constitution que par le passé. Les fondations plus récentes comme la cathédrale de Manchester (XIXe s.) bénéficièrent d'une organisation semblable, alors que les cathédrales du XXe s. (Liverpool ou Guildford p. ex.) recrutent leurs chœurs parmi des éléments venus d'écoles non spécialisées.

Bibliographie — S.S. WESLEY, A Few Words on English C.M., Londres 1849, rééd. Londres, Hinrichsen, 1961 ; L.A. SWAINSON, The Hist. and Constitution of Chichester Cathedral, Londres 1880 ; T. RENOLDS, Wells Cathedral, Wells 1881 ; J.E. WEST, Cathedral Organists, Londres 1889 ; J.S. BUMPUS, Hist. of English C.M., 2 vol., Londres 1898 ; M.B. FOSTER, Anthems and Anthem Composers, Londres 1901 ; E.H. FELLOWES et C.G. STEWART, A Repertoire of English C.M., Londres 1920 ; des mêmes, English C.M. from Edward VI to Edward VIII, Londres 1929 ; A.T. BANNISTER, The Cathedral Church of Hereford, Hereford 1924 ; N. BOSTON, The Musical Hist. of the Cathedral Church of Norwich, Norwich 1939 ; G.W. STUBBINGS, A Dict. of Church Music, Epworth 1945 ; W.H. PARRY, 13 Cent. of Church Music, Londres 2/1946 ; F. HARRISON, York Minster, York 1951 ; R.H.V. BURNE, The Hist. of Chester Cathedral, Chester 1952 ; E. PINE, The Westminster Abbey Singers, Londres, Dobson, 1953 ; W.R. MATTHEWS et W.M. ATKINS, A Hist. of St. Paul's Cathedral, Londres, Phoenix House, 1957 ; D. STEVENS, Tudor Church Music, Londres, Faber 2/1961 ; A.G. DICKENS, The English Reformation, Londres, Batsford, 1964 ; P. LE HURAY, Music and the Reformation in England, Londres, Jenkins, 1967 ; C. DEARNLEY, English Church Music, 1650-1750, Londres, Jenkins, 1967 ; A. HUTCHINGS, Church Music in the 19th Cent., Londres, Jenkins, 1967 ; E. ROUTLEY, 20th Cent. Church Music, Londres, Jenkins, 1967.

H. RAYNOR

CAUDA (lat., = queue). **1.** Trait vertical attaché à la → maxime et à la → longue dans la notation mensuraliste mais aussi à certaines → ligatures dont il détermine la propriété, c.-à-d. la valeur de la première note. — **2.** Passage mélismatique plus ou moins étendu qui introduit (première syllabe) et termine (dernière syllabe accentuée) le chant syllabique de chaque vers dans le → conduit. La durée des « caudae » peut souvent l'emporter sur celle des passages syllabiques. — **3.** Sous la forme italianisée de → « coda », le terme désigne la partie conclusive d'une composition.

CAUDÉE, figure de note munie d'une queue, employée dans la notation du chant grégorien où elle marque parfois la fin des mots sans comporter une indication de durée. Par extension, toute note munie d'une hampe. — Voir également l'art. CAUDA.

CAVALQUET, ancienne sonnerie de trompette pour la marche de la cavalerie française.

CAVAQUINHO (portugais), voir CHÔRO.

CAVATINE (du lat. cavare, = creuser, d'où, en ital., cavatina, diminutif de cavata : action de tirer un son d'un instrument). **1.** Courte pièce vocale assez mal définie qui, dans les opéras et les oratorios des XVIIIe et XIXe s., était chantée par un soliste et ne comportait qu'une seule section sans reprise. A l'origine, elle n'était qu'un prolongement plus mélodique et plus lyrique du récitatif accompagné, avant l'air proprement dit. Par la suite, sous une forme plus développée, elle devint une sorte d'intermédiaire entre l'→ air et l'→ arioso — auquel on l'a parfois assimilée — et adopta un style plus diversifié et pas toujours conforme à sa définition première. Citons, parmi les plus célèbres, les c. des *Noces de Figaro* (*Se vuol ballare*) de Mozart, du *Barbier de Séville* (*Una voce poco fa*) de Rossini et du *Faust* (*Salut, demeure chaste et pure*) de Gounod. Aujourd'hui, on désigne souvent sous le nom de c. des œuvres bien antérieures à l'usage de ce mot. — **2.** Dans la mus. instrumentale, la c. est une pièce très mélodique, souvent pure effusion lyrique, qui ne comporte pas de développement. Beethoven intitule ainsi l'adagio de son *13e Quatuor à cordes*, op. 130.

CÉDER, indique un ralentissement du mouvement. On emploie souvent ce terme comme synonyme de « ritenuto ».

CÉLÈBES, voir INDONÉSIE.

CÉLÉRITÉ DU SON. Lorsqu'un son est produit par une source, il se propage dans l'air environnant. Le mécanisme est le suivant : chaque molécule d'air pousse la voisine et revient à sa position d'origine ; il n'y a pas de déplacement de l'air à distance, il n'y a que déplacement du mouvement. Celui-ci se propage dans l'air à quelque 340 m par seconde : on dit que la c. du son dans l'air est de 340 m/s. Le terme « vitesse du son » est impropre, car « vitesse » implique un déplacement de matière. La c. du son est fonction de la température de l'air (330 m/s à 0 °C ; 349 m/s à 30 °C, etc.). Elle varie aussi avec les matériaux (acier, 5 100 m/s ; verre, 5 400 m/s ; sapin, 4 500 m/s ; eau, 1 435 m/s, etc.).

CÉLESTA, instr. à clavier mis au point par A. Mustel (1886). C'est une sorte de piano dont les cordes sont remplacées par des lames métalliques avec résonateurs de bois. Le son, pauvre en harmoniques, à résonance brève, est d'une grande pureté. On note les parties de c. une octave en dessous des sons réels :

Étendue   Effet

Les Français et les Russes furent les premiers à l'utiliser (ex. Tchaïkovski, *Casse-Noisette*, 1891-92, Danse de la fée).

CELLO (ital., abr. de violoncello), voir VIOLONCELLE.

CELLULE. 1. Le plus petit élément rythmique ou mélodique pouvant apparaître d'une manière isolée ou comme partie d'un tout plus étendu. La seule succession de deux valeurs de notes forme déjà une c. rythmique, le seul intervalle entre deux notes une c. mélodique. Celle-ci peut engendrer la structure d'un thème, d'un développement ou même d'une œuvre. Dans ce cas, on parle de c. génératrice. Beethoven a souvent élaboré ses thèmes ou développements à partir d'une simple cellule. — **2.** C. lectrice, voir l'art. TÊTE DE LECTURE.

CEMBAL D'AMOUR ou CLAVECIN D'AMOUR (ital., cembalo d'amore). Contrairement à ce que l'on peut supposer, il ne s'agit pas d'un instr. à cordes pincées, mais d'un perfectionnement, resté sans avenir, du → clavicorde. L'auteur de cette invention fut, en 1722, G.Ier Silbermann (1683-1753), établi à Freiberg, en Saxe. Constructeur d'orgues et de piano-forte, il créa un clavicorde à double table de résonance, double chevalet, tendu de cordes ayant deux fois la longueur habituelle. Dans son instrument aux possibilités expressives améliorées, les tangentes sont montées sur un clavier se situant bien au milieu de la caisse de résonance. Elles frappent les cordes en leur centre, par conséquent elles émettent deux sons identiques, accompagnés, selon la vitesse d'attaque de chaque tangente, de leur octave inférieure qui correspond à la vibration de la corde dans son entier. Il en est ainsi pendant le court laps de temps où la tangente soulève la corde. A la retombée, un étouffoir arrête son mouvement. Il résulte de ce principe un enrichissement sonore que le clavicorde, au son nuancé mais un peu maigre, ne donne pas car le bout mort de la corde (section la plus courte) comporte un étouffoir. Le piano fut inventé 13 ans avant le c. d'a., et G. Silbermann a contribué à son perfectionnement; c'est peut-être une des raisons qui ne lui ont pas assuré d'imitateurs dans le cas du cembal.

Bibliographie — J. MATTHESON, Critica musica II, Hambourg 1725; J. ADLUNG, Anleitung zu der musikalischen Gelahrtheit, Erfurt 1758, 2/1783, rééd. en facs. par H.J. Moser, Kassel, BV, 1953; du même, Musica mechanica organoedi, 2 vol., Berlin 1768, rééd. en facs. par Chr. Mahrenholz, Kassel, BV, 1931; E. FLADE, G. Silbermann, Leipzig 1926, 2/Wiesbaden, Br. & H., 1952.

CEMBALO (ital.), voir CLAVECIN.

CENT, unité de petit intervalle utilisée surtout dans les pays anglo-saxons, correspondant à un centième de demi-ton tempéré. Il y a donc 100 c. dans un demi-ton, 200 dans un ton, 1 200 dans une octave. En pratique, cette unité n'a pas de signification perceptive ; elle est avantageusement remplacée par le → savart, que l'on peut calculer très facilement à l'aide d'une règle à calcul.

CENTON (lat., cento ; ital., centone). En latin, le terme désigne un vêtement composé de divers morceaux de tissus cousus ensemble. C'est également un genre de composition littéraire consistant à compiler des bribes de textes pillés dans les ouvrages célèbres (St Augustin, *De Civitate Dei* 17, 15). Dans sa *Vie de Notker*, le chroniqueur sangallien Ekkehart écrit que St Grégoire a « centonisé l'antiphonaire ».

Il s'agit ici de centonisation musicale, c.-à-d. du réemploi de diverses formules d'intonation, de cadence, de liaison déjà existantes, mais adaptées à des textes nouveaux. Il ne faut pas confondre centonisation et adaptation d'un → timbre ou modèle tout fait qui s'adapte moyennant extension ou contraction sur des textes de coupe sensiblement identiques. Les deux procédés, centonisation et adaptation, ont permis une rapide extension du répertoire sans création musicale proprement dite. C'est surtout dans les compositions d'offices propres pour les saints patrons des diocèses que la centonisation a été utilisée et l'est encore de nos jours. — Voir également l'art. QUODLIBET.

Bibliographie — D.P. FERRETTI, Estetica gregoriana, Rome 1934, trad. fr. par D.A. Agaësse, Tournai 1938.

CENTONISATION, voir CENTON.

CENTRE HARMONIQUE, expression utilisée par J.Ph. Rameau dès son *Traité de l'harmonie* (1722) pour désigner les → fondamentales des accords de tonique et de dominante. Ces deux sons forment le « principe de l'harmonie » auquel tous les autres sons doivent se rapporter. Le c.h. représente ainsi la première idée de ce que sera plus tard l' → harmonie fonctionnelle.

CEPHALICUS, voir NEUME, § Neumes liquescents.

CERVELAS (all., Rackett ou Wurstfagott ; ital., cervello), nom donné par le père Mersenne à un instr. à vent à anche double apparu vers la fin du XVIe s. Sa perce cylindrique est constituée par de nombreux canaux, courts et parallèles, creusés dans un cylindre d'ivoire ou de bois et reliés bout à bout pour ne former qu'un seul tube. Le cylindre a une longueur de 12 à 30 cm. Ce même instrument est l'élément de la famille que M. Praetorius désigne par le terme allemand de « Rackette ». Leur tessiture était grave (le c. basse, long de 16 pieds, descendait à l'ut^{-1}) et leur son doux et bourdonnant. Sur les modèles anciens, l'anche — comme celle du basson à la même

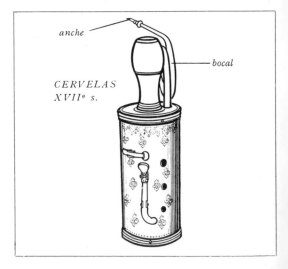

anche

bocal

CERVELAS XVIIe s.

époque — était placée sur une → pirouette centrale ; il en existe encore trois dans des collections à Vienne et à Leipzig. Sur les modèles plus récents (v. 1700), l'anche est fixée à un → bocal comme dans le cas du basson. Il y a un instrument de ce type au Musée instrumental du Conservatoire de Paris. Pour ce qui est de son utilisation musicale, M. Praetorius conseille de joindre un seul « Rackett » à un ensemble d'instr. à cordes ou à un ensemble d'instr. à vent ; cet emploi se trouve illustré dans une peinture du Codex Müelich (Staatsbibliothek de Munich) représentant R. de Lassus parmi ses musiciens.

Bibliographie — M. MERSENNE, Harmonie universelle, Paris 1636, rééd. en facs. par Fr. Lesure, 3 vol., Paris, CNRS, 1963 ; du même, Harmonicorum libri XII, 2 vol., Paris 2/1648 ; G. KINSKY, Doppelrohrblattinstr. mit Windkapsel, in AfMw VII, 1925 ; H. SEIDL, Das Rackett (diss. Leipzig 1959).

CES, nom allemand du *do* bémol.

CESES, nom allemand du *do* double bémol.

CÉSURE (du lat. caesura, = coupure). **1.** Endroit où le vers est coupé, à la fin d'un mot important quant au sens, par une accentuation de la voix et un arrêt plus ou moins marqué, ce qui contribue à lui donner son rythme particulier. Dans la métrique française, la c. se place, dans les vers de 12 syllabes après la 6e, dans les vers de 10 syllabes après la 4e (parfois la 5e), coupant le vers en deux hémistiches. — **2.** En musique, par analogie, on appelle c. les ponctuations dans la phrase marquées par une respiration, un silence ou la disposition des liaisons. — Voir l'art. PHRASÉ.

CHACE, forme de la mus. polyphonique du XIVe s. correspondant en tout point à la définition moderne du → canon. Alors que la → « caccia » italienne se présente sous l'aspect d'un canon à l'unisson de deux voix supérieures soutenues dès l'entrée de la première voix par un ténor instrumental, la ch. française est exclusivement vocale et combine trois voix en un canon strict à l'unisson. L'origine de cette forme est à chercher dans le principe de la permutation ou échange des voix qui caractérise de nombreux passages des « organa » de l'École de Notre-Dame. Ce procédé se répand au XIIIe s. dans la mus. de société (→ « rondellus », motet) pour aboutir à la technique du canon (*Sumer is icumen in*, v. 1300). C'est à partir de ces bases que s'élaborent au XIVe s. les formes de la ch. et de la « caccia », l'importance historique de la seconde l'emportant nettement sur la première. Parmi les ch. françaises à 3 voix on peut citer 4 pièces du Ms. d'Ivrée, le canon circulaire *Talent m'est pris de chanter* (éd. par J. Handschin, in MD III, 1949, p. 81), *Se je chant mais que ne suel* (éd. par H. Besseler, in AfMw VII, 1925, p. 251 et s.), *Très dous compains* et *Umblemens vous pri merchi*, ainsi que trois pièces célèbres de G. de Machault, la triple ballade *Sans cuer / Dame, par vous / Ami dolens* (no 17), le *Lai de la fontaine* (no 16), qui présente l'alternance régulière d'une strophe monodique et d'une strophe en ch., et le *Lai de Confort* (no 17), entièrement en canon. A ces pièces il faut ajouter encore *Andray soulet* de Matheus de Perusio (Ms. de Modène). La technique du → hoquet, si prisée à cette époque, trouve place

dans la ch. en se combinant avec le chant du coucou ou avec divers cris ou onomatopées.

Bibliographie — W. WIORA, Der mittelalterliche Liedkanon, in Kgr.-Ber. Lüneburg 1950, Kassel, BV, 1952 ; H. BESSELER, art. Ch. in MGG II, 1952 ; R. FALCK, Rondellus, Canon and Related Types before 1300, in JAMS XXV, 1972.

CHACONNE ou CHACONE (de l'esp. chacona et de l'ital. ciaccona, phonétiquement semblables), danse ancienne d'origine espagnole, de rythme modéré à trois temps, consistant en un certain nombre de variations sur une basse obstinée. On en trouve les premières traces vers 1600, en Espagne, où elle est citée à plusieurs reprises dans des œuvres littéraires et théâtrales. Selon Lope de Vega (1618), elle serait d'origine américaine (« venue des Indes »). Il la décrit — avec la sarabande — comme une danse animée et lascive. Cervantès (1610) y voit une danse pour le bas peuple, pratiquée par les servantes et les domestiques, chantée par les muletiers agitant des castagnettes. C'était primitivement, semble-t-il, une chanson à refrain en forme de rondeau dans laquelle les couplets s'inspiraient du refrain, ce qui pourrait expliquer la tendance de la ch. à une répétition continuelle. Reprise peu après par la mus. instrumentale avec les caractéristiques classiques définies plus haut, elle connut une carrière importante, brusquement interrompue dans la 2de moitié du XVIIIe s. Grâce à la musique de luth et de guitare, la ch. passe d'Espagne en Italie dès le début du XVIIe s., se liant de plus en plus à la technique de l' → « ostinato ». On en trouve dans les tablatures de cette époque : N. Vallet (1618), Benedetto Sanseverino (1622), Giovanni Colonna (1623), Luis Briceño (1626), Pietro Millioni (1627), Foriano Pico (1628). Mais, curieusement, elle disparaît en Espagne pour ne reparaître que vers la fin du siècle avec Ruys de Ribayas (1672) et G. Sanz (1674). Très rapidement aussi elle passe des instruments pincés manuellement à d'autres domaines. Elle prend notamment une importance particulière dans la monodie chantée : dans un manuscrit napolitain (Bibl. du Cons. de Bruxelles, v. 1620), une ch. utilise 16 fois le tétracorde descendant ; chez Fr. Manelli (1636), un duo et un trio sont désignés comme ch. ; dans les *Musiche varie* de B. Ferrari (1637 et 1642), le thème d'une ch. est répété 54 fois ; après Fr. Negri, Cl. Monteverdi, P.Fr. Cavalli, A. Stradella, la carrière de la ch. vocale se poursuit jusque dans le XVIIIe s. C'est G. Frescobaldi qui l'introduit dans la mus. pour clavier (1615) et son exemple est suivi, entre autres, par B. Storace dans sa tablature de 1664. L. Rossi l'utilise pour la première fois dans la mus. instrumentale d'ensemble dès 1613. Introduite dans la sonate à trois par Cl. Merulo (1637), on l'y retrouve chez A. Corelli à la fin du siècle avec la ch. à 16 variations sur le thème espagnol de la → « folía ». Traitée en général avec plus de rigueur que la → passacaille, sur une basse plus strictement répétée, la ch. se développe plutôt dans le mode majeur, sans que toutefois la différence entre les deux pièces soit vraiment bien établie. Après avoir été dominée par un petit nombre de formules de basse obstinée, notamment le tétracorde descendant, la ch. est élaborée à partir de la fin du XVIIe s. sur des thèmes plus variés. En France, elle apparaît à peu près à la même époque qu'en Italie, prenant vite une importance et une forme différentes. Dans le *Ballet des fées de la forêt de Saint-Germain* (1625), il y a une « entrée des chaconistes espagnols » accompagnée par la guitare. Toujours dansée, la ch. passe du ballet de cour à l'opéra, où elle conserve sa place jusqu'à la fin du XVIIIe s. C'est J.B. Lully qui est le créateur de la forme définitive de la ch. scénique, à l'allure plus vive et qui occupe une place importante dans la plupart de ses opéras. Élargie pour les besoins du spectacle, tout en respectant une symétrie périodique, la mesure à trois temps et une harmonie fondamentale simple, elle se développe plus librement, transformant le thème lui-même en une grande forme souvent ternaire. On retrouve l'essentiel de ce type chez P. Collasse, A. Campra, A. Destouches, puis, plus fréquemment encore, dans les opéras de J.Ph. Rameau, A. Grétry et Chr. W. Gluck. Dès la première moitié du XVIIe s., la ch. fleurit aussi dans la mus. instrumentale française. Contrairement à l'Italie, elle connaît un traitement plus libre du thème de la basse. Les premiers représentants importants, J. Champion de Chambonnières et son élève L. Couperin, établissent ou consolident une forme caractéristique pour la France, celle de la ch. en rondeau. Les ch. de N. Lebègue, M. Marais, A. Raison, Fr. Couperin sont sensiblement du même type : *La Favorite* de ce dernier est une ch. à deux temps. Au XVIIIe s. J.M. Leclair revient, avec sa seule ch. connue, au type italo-allemand, plus fidèle à la basse obstinée. En Allemagne se confondent les influences française et italienne. La ch. vocale de H. Schütz à D. Buxtehude, la ch. pour violon de J.H. Schmelzer à H. Biber et celle des sonates en trio suivent toutes le modèle italien. Mais dans de nombreuses ch. extraites de suites pour le clavecin ou pour l'orchestre, on reconnaît plus souvent le type de la ch. française, comme p. ex. chez J.K. Kerll, G. Muffat, J. Fischer, tandis que, J. Kuhnau, J.Ph. Krieger, J.J. Fux, G. Boehm, D. Buxtehude, G.Fr. Haendel marquent une nette fidélité à la rigueur italienne de l'« ostinato ». Tous les théoriciens de l'époque, S. de Brossard (1703), J. Mattheson (1713), J.G. Walther (1732), préconisent effectivement la forme stricte de l'« ostinato ». Vers la fin du XVIIe s. la ch. pour orgue devient le modèle du genre avec J. Pachelbel et D. Buxtehude.

J. Pachelbel, *Chaconne* en *fa* mineur.

D. Buxtehude, *Chaconne* en *mi* mineur.

Après quelques œuvres pour clavecin et pour orgue de G.Fr. Haendel, le genre culmine dans la ch. pour violon seul extraite de la *Partita* en *ré* min. de J.S. Bach, un monument musical sans pareil qui développe en une trentaine de structures variées un thème de basse de 4 mesures :

J. S. Bach, *Chaconne* en *ré* mineur pour violon seul.

En Angleterre, où la ch. a pu se développer à partir de l'ancienne technique du → « ground », elle est représentée surtout par les grandes ch. vocales de H. Purcell et de G.Fr. Haendel.

Il est difficile, sinon impossible, d'établir une différence précise entre la ch. et la passacaille, les caractéristiques changeant et se confondant géographiquement et historiquement. Cette confusion des formes est d'ailleurs confirmée par les musiciens eux-mêmes. Dès la première moitié du XVIIe s. une ch. de la *Rhétorique des dieux* de D. Gaultier se trouve, dans une autre source, désignée du terme de sarabande. La ch. du *12e Concerto grosso* de G. Muffat figurait déjà comme passacaille dans l'*Armonico Tributo*. Fr. Couperin, tout comme son oncle Louis, préfère même donner les deux dénominations : passacaille ou chaconne. Certains passages des cent passacailles de G. Frescobaldi portent le titre de chaconne. Celle de *Pâris et Hélène* de Chr.W. Gluck devient une passacaille dans *Iphigénie en Aulide*. — La ch. instrumentale disparaît pratiquement après J.S. Bach mais l'esprit en semble survivre parfois : ainsi les *32 Variations* pour piano en *ut* min. (1806) de Beethoven sont une véritable ch., et le mouvement final de la *4e Symphonie* de J. Brahms est également conçu comme telle. C'est aux environs de 1900 qu'on peut déceler une tendance vers la reprise de la forme. M. Reger manifeste son admiration pour J.S. Bach en recourant plus souvent à l'« ostinato » et en composant des ch. dont une également pour violon seul. Plus près de nous, B. Bartók place une ch. en tête de sa *Sonate* pour violon seul. Nombreux sont les compositeurs du XXe s. qui reviennent à l'« ostinato » mais en utilisant davantage la désignation de passacaille. — Voir l'art. PASSACAILLE.

Bibliographie — S. DE BROSSARD, Dict. de musique, Paris 1703, rééd. en facs. Amsterdam, Antiqua, 1964 ; J. MATTHESON, Das Neu-Eröffnete Orchestre, Hambourg 1713 ; J.G. WALTHER, Musicalisches Lexicon, Leipzig 1732, rééd. en facs. Kassel, BV, 1953 ; J.J. ROUSSEAU, Dict. de musique, Paris 1768 ; H. RIEMANN, Der Basso ostinato u. die Anfänge der Kantate, in SIMG XIII, 1911-12 ; du même, Hdb. der Musikgesch. II/2, Leipzig 1912, 2/1921 ; L. DE LA LAURENCIE, L'école fr. du violon, Paris 1922 ; R. LITTERSCHEID, Zur Gesch. des Basso ostinato (diss. Marburg 1928) ; P. MIES, Die Ch. (Passacaille) bei Händel, in Händel Jb. II, Leipzig 1929 ; R. HAAS, Die Musik des Barock, Potsdam 1932 ; L. NOWAK, Grundzüge einer Gesch. des Basso ostinato, Vienne 1932 ; C. SACHS, Eine Weltgesch. des Tanzes, Berlin 1933, trad. fr. Hist. de la danse, Paris 1938 ; L. WALTHER, Die Ostinato-Techniken in den Ch.- u. Arienformen des 17. u. 18. Jh., Wurtzbourg 1940 ; A. MACHABEY, Les origines de la ch. et de la passacaille, in RMie XXVIII, 1946 ; K. VON FISCHER, Ch. u. Passacaglia, in RBMie XII, 1958 ; du même, Die Variation, Cologne, A. Volk, 2/1961 ; G. REICHERT, art. Ch. in MGG II, 1952 ; W. APEL, Gesch. der Orgel- u. Klaviermusik bis 1700, Kassel, BV, 1967, trad. angl. Bloomington et Londres, Indiana Univ. Press, 1972 ; K.H. TAUBERT, Höfische Tänze, ihre Gesch. u. Choreographie, Mayence, Schott, 1968.

R. KOPFF

CHAÎNE ÉLECTRO-ACOUSTIQUE, ensemble d'appareils utilisant les phénomènes électriques, mécaniques et acoustiques, et couplés judicieusement de manière à transmettre des sons. L'électro-acoustique étudie la transformation des ondes sonores en signaux électriques et réciproquement. La liaison entre l'acoustique et l'électricité est réalisée par un ensemble d'éléments reliés entre eux électriquement, appelé ch. électro-acoustique. Chaque élément de la ch. est un maillon qui assure une fonction propre. Un ensemble de maillons peut constituer un canal soit spatial, soit temporel. La première ch. date de l'invention du téléphone par Graham Bell en 1878. Pour la 1re fois l'électricité permettait de transmettre un son à distance. La ch. é.-a. peut être très complexe. Schématiquement on peut trouver : un premier maillon, qui opère toujours la traduction (traducteur ou transducteur) sous forme électrique de l'information du type acoustique (les signaux sont faibles) ; un deuxième maillon, qui effectue l'amplification des signaux électriques ; un troisième maillon, qui peut permettre le stockage de l'information (→ magnétophone ou → gravure sur disque). L'ensemble de ces maillons constitue un canal spatial. L'information est stockée sur un support d'information (→ bande magnétique ou → disque) constituant un maillon d'un canal temporel. Après retraduction (lecteur magnétique ou table de lecture) et amplification, le signal peut être transformé en ondes hertziennes captées par un récepteur puis amplifiées et envoyées sur un → haut-parleur. Cet ensemble de maillons du type spatial constitue le canal permettant l'audition, le dernier maillon (→ haut-parleur) faisant passer dans le domaine acoustique les signaux qu'il reçoit du maillon précédent.

Bibliographie — Voir l'art. ÉLECTRO-ACOUSTIQUE.

CHALEMELLE, voir CHALEMIE et CHALUMEAU.

CHALEMIE ou CHALEMELLE (du lat. calamus, = roseau ; angl., shawm ou shalm ; all., Schalmei ; ital., piffero). Le terme désigne aussi bien des instruments primitifs à 1, 2 ou 3 tuyaux que des formes plus évoluées fondées sur le principe de l'anche double en paille ou en roseau. Venues, semble-t-il, du Proche-Orient au XIIe s., les ch. forment au

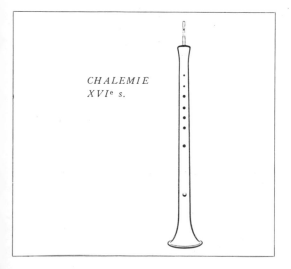

CHALEMIE
XVIe s.

Moyen Age une famille complète d'anches doubles, que cite, vers 1340, le poète Lefèvre de Resson en les mariant aux « cornemuses » ou aux « doucennes ». En 1376 il sera question de leurs basses, appelées → bombardes. En 1487 J. Tinctoris compare les ch. aux « tibiae ». Elles ont alors 6, 7 ou 8 trous ; dans ce dernier cas, les 7e et 8e, selon la position de la main, peuvent émettre le même son. Les anches sont fixées sur un cuivret, tuyau fin et métallique que l'on introduit dans l'extrémité du tuyau conique. Ainsi les ch. sont-elles les ancêtres directs du → hautbois classique, qui possède une sonorité ample et une étendue plus grande. — Voir également l'art. CHALUMEAU.

Bibliographie — W. FREI, Schalmei u. Pommer, in Mf XIV, 1961.

CHALUMEAU (autrefois chalemiau, → chalemie, chalemelle ; angl., shawm ; all., Schalmei ; ital., piffero). **1.** Ce nom a été appliqué à divers instr. à vent à anche. De façon générale, il désigne un pipeau pastoral fait à partir d'un épi de maïs, ou l'élément mélodique de la → cornemuse. Dans un sens spécifiquement musical, il désigne un petit instr. à anche simple, construit en Allemagne et en Italie pendant les 60 premières années du XVIIIe s. et ayant sa partie dans de nombreux opéras et cantates. Les premiers exemples de telles parties se trouvent à Venise (signées M.A. Ziani, 1704) et sont écrits dans une tessiture allant de fa³ à si ♭⁴. On pense que J.Chr. Denner a apporté des transformations au ch. vers cette date mais on ignore en quoi elles consistaient. Deux exemplaires conformes aux descriptions du XVIIIe s. sont conservés au Bayerisches Nationalmuseum à Munich ; l'un d'eux a 22,3 cm de long et deux clefs. — Plusieurs compositeurs allemands écrivirent également pour des ch. plus graves et, d'après certains spécialistes autorisés, les quelques instruments plus longs à deux clefs conservés dans les musées seraient soit des ch. altos ou ténors, soit des versions anciennes de la vraie clarinette. Il existe en Tchécoslovaquie des instruments folkloriques (« fanfarka ») ressemblant à de petits ch. et on trouve en Allemagne dans le commerce une sorte de ch. à deux clefs avec embouchure de clarinette, connue sous le nom de « Kinder-Klarinette ». — **2.** Jeu d'orgue à anche battante et résonateur conique croissant étroit, plus étroit que celui du → clairon. Fréquent et divers en pays germaniques, il n'apparaît guère en France sinon dans l'orgue néo-baroque, où il est souvent disposé en chamade. On l'a nommé également soprano dans l'orgue symphonique (XIXe s.). — **3.** Terme désignant le registre grave de la → clarinette.

Bibliographie — **1.** J.G. WALTHER, Musicalisches Lexicon, Leipzig 1732 ; O. KROLL, Das Ch., in ZfMw XV, 1933 ; TH. DART, The « Mock Trumpet », in Galpin Soc. Journal VI, 1953 ; F.G. RENDALL, The Clarinet, Londres, Benn, 2/1957 ; W. FREI, Schalmei u. Pommer, in Mf XIV, 1961.

CHAMADE, terme de facture d'orgue désignant la disposition horizontale des tuyaux de jeux d'anches, le plus souvent sur le devant du buffet, au pied des montres. Originaires d'Espagne, où leur diffusion a été générale à partir de la fin du XVIIe s., les ch. ont été introduites exceptionnellement en France au xviiie s. (Saint-Maximin) et au xixe s. (Rouen, St-Ouen) pour n'acquérir la vogue que depuis 1950.

CHAMBRE. Sous l'Ancien Régime ce terme désignait l'appartement royal officiel et privé, et par extension l'ensemble des serviteurs qui y exerçaient leurs fonctions. Sous le règne de François Ier, le nombre des musiciens s'accrut si considérablement que l'on divisa leur service en 3 groupes : Ch., → Chapelle et → Écurie. Sous Louis XIII, la Musique de la Ch. (1624) comprenait deux surintendants, servant chacun six mois, deux compositeurs, des instrumentistes (épinette, luth, viole, flûte), la « Grande Bande des 24 violons du Roi » fondée vers la fin du xvie s., des chantres et des pages. Vers 1648 Louis XIV créa en outre la bande des « Petits violons », dite aussi « Violons du Cabinet », qui fut associée en 1661 à la Grande Bande. Les musiciens de la Ch. participaient aux concerts publics ou privés, aux bals, ballets et opéras donnés à la Cour, aux soupers du roi et aux cérémonies d'apparat. Chargés d'exécuter tout le répertoire profane, ils prêtaient leur concours à la Chapelle et réciproquement.

Bibliographie — H. PRUNIÈRES, La Mus. de la Ch. et de l'Écurie sous François Ier, in AM 1911 ; E. BORREL, Notes sur la Mus. de la Grande Écurie de 1650 à 1789, et P. CITRON, Notes sur la mus. de ch. à Versailles, in Bull. de la Soc. d'études du xviie s. no 34, 1957 ; M. LE MOEL, La Chapelle de mus. sous Henri IV et Louis XIII, in Recherches VI, Paris, Picard, 1966.

CHAMBRE (Musique de), voir MUSIQUE DE CHAMBRE.

CHAMBRE D'ÉCHO, voir UNITÉ DE RÉVERBÉRATION.

CHAMP DE LIBERTÉ. La quasi-totalité des instr. de musique permet de « modeler » les sons qu'ils produisent, soit en hauteur, soit en intensité, soit en timbre, soit en → transitoire d'attaque ou d'extinction. Cette particularité conditionne l'intérêt musical d'un instrument et fait la différence entre un orgue de Barbarie et une flûte ou une clarinette. En acoustique musicale, on a désormais la faculté de définir objectivement dans quelle mesure on peut modeler un son en décrivant les ch. de l. en hauteur, en intensité, en timbre, etc. Pour relever le ch. de l. d'une flûte, on demande à un flûtiste de jouer une note, puis, en conservant le même doigté, de « forcer » la note vers le haut ou vers le bas par tous les moyens possibles : en soufflant plus ou moins fort, en recouvrant plus ou moins le trou de l'embouchure avec les lèvres, etc. On relève sur un diagramme les limites atteintes vers le haut et le bas pour chacune des notes de l'instrument ; entre les deux lignes indiquant les limites maximales et minimales s'inscrit le ch. de l. des hauteurs. On procède de même pour l'intensité, le timbre, etc.

CHANSON. 1. Jusqu'au XIVe siècle. De la fin du xie s. jusqu'à G. de Machault, la ch. est une composition pour voix seule, constituée d'une mélodie originale par principe, inséparable d'un texte poétique de caractère lyrique, suscité par le même sentiment. Elle peut être dotée d'un soutien instrumental évoqué par les textes anciens, mais non transmis par les manuscrits. La ch. des trouvères est parfois nommée « son » ou « sonet ». Les contemporains des xiie et xiiie s. distinguent d'ailleurs nettement paroles et musique. Écrite en langue d'oïl, la ch. correspond à la → « canso » des troubadours et au « liet » (→ «Lied») des «Minnesänger». Comme ces deux genres, elle présente de nombreuses variétés : badinage rustique (pastourelle), évocation villageoise (bergerie), printemps (reverdie), débats politique (serventois) ou amoureux (jeu-parti), complainte, chanson de croisade, etc. Mais le type le plus achevé est la ch. d'amour ou grand chant courtois, dont Dante écrit dans De vulgari eloquentia : « ... dans les choses faites par art, celle-là est la plus noble qui embrasse l'art tout entier ; or donc ce que l'on chante en vers étant bien œuvre d'art, et l'art ne se trouvant embrassé tout entier que dans la ch., la ch. est le plus noble des poèmes et sa figure est ainsi plus noble que toute autre » (II, III, 8). Les manuscrits ont transmis plus de 4 000 chansons ; environ la moitié d'entre elles sont dotées d'une notation musicale. Parmi les auteurs les plus remarquables : Chrétien de Troyes, Adam de la Halle, Andrieu Contredit, Blondel de Nesles, le Châtelain de Couci, Colin Muset, Gautier de Dargies, Gace Brulé, Gautier d'Épinal, Gautier de Coinci, Guillaume le Vinier, Jehan Bodel, Jehan Bretel, Jacques de Cysoing, Jehan de Renti, Perrin d'Angicourt, Gillebert de Berneville et le roi-chansonnier Thibaut de Champagne. Les ch. de toile ou d'histoire posent une énigme à l'historien et il est délicat de décider de l'authenticité de l'archaïsme de ce répertoire. « Elles transposent dans le beau monde, dit J. Frappier, la vie sentimentale et amoureuse du peuple ». On les chantait en filant, en évoquant quelque amour triste comme dans Belle Doette, Gaiete et Oriour ou bien En un vergier lès une fontenele. E. Faral notait que « les refrains font un composé singulier d'ingénuité, d'archaïsme pittoresque et de passion violente », mais il avance que «ces ch. n'étaient vieilles qu'en apparence ». C. Bartsch nommait « romance » ce genre que tenta de relancer Audefroi le Bâtard à Arras au xiiie s. Les strophes de ces ch. de toile sont très simples et usent d'un système de versification proche de la laisse des → ch. de geste : 3, 4 ou 5 vers assonancés ou de même rime avec un refrain terminal ; ce sont des décasyllabes à césure épique (4 + 6) ou « a majori » (6 + 4), ou des octosyllabes, voire des alexandrins dans les pièces tardives.

$$\begin{array}{l} a\ a\ a\ (\,a\ a\,) + R \\ b\ b\ b\ (\,b\ b\,) + R \end{array}$$

C'est la strophe même de la → rotrouenge. La mélodie est mélismatique et d'un ambitus audacieux, avec des tours vocaux recherchés et d'exécution peu aisée. — La ch. à danser comprend divers petits genres comme les rondets de carole, les ballettes, les → virelais, voire l' → estampie, plus développée.

Parmi les structures strophiques multiples utilisées par les trouvères pour la ch., l'une des plus fréquentes consiste en 8 vers de 2 à 3 rimes avec un « frons » à rimes enchaînées et une « cauda » à rimes embrassées, du type ab ab baab, ou bien ab ab bccb, le schéma mélodique étant parallèle. On trouve aussi, mais différentes du grand chant courtois, des ch. avec refrains séparés ou internes, dans le cas de la rotrouenge et de la pastourelle. Le chant royal apparaît chez Guillaume le Vinier et Gillebert de Berneville, avec ses 5 strophes plus un envoi. Les témoins essentiels des derniers monodistes au XIVe s. sont les anonymes groupés autour du Collège de Navarre, Jehannot de Lescurel et surtout G. de Machault qui nous a légué dans ce domaine une complainte, une chanson royale, une seule ballade monodique sur 42 et 25 ch. baladées monodiques sur 38.

Les XIVe et XVe siècles. La ch. polyphonique des XIVe et XVe s. se rattache d'une part aux danses du XIIIe s. en ce qui concerne la structure (→ rondeau, → virelai, → ballade), d'autre part aux motets et aux conduits en ce qui concerne l'écriture. A partir des années 1250, en effet, le « triplum » et le « quadruplum » des motets sont souvent constitués d'un chant de trouvère sur texte amoureux ou bachique. Le ténor même est parfois extrait d'une mus. profane (danse instrumentale, cris des rues, refrain connu). D'une certaine manière, les rondeaux d'Adam de la Halle, qui adoptent l'écriture du conduit, peuvent être considérés comme les premiers chefs-d'œuvre de la « cantilena » polyphonique (voir l'art. CANTILÈNE), qui réalise son équilibre au XIVe s. La « cantilena » ou « carmen » ou ch. est écrite à 3 voix le plus souvent : une voix supérieure animée, écrite en premier, donc essentiellement mélodique, destinée à servir de support au texte poétique et attirant toute l'attention ; un ténor mélodique mais non emprunté, d'allure plus calme, servant de soutien au « superius » avec lequel il forme un duo pratiquement indissociable ; un contraténor enfin, voix de remplissage harmonique dont l'emplacement se situe entre le « superius » et le ténor mais qui croise fréquemment ce dernier et dont l'allure souvent peu mélodique est caractérisée par l'utilisation de grands intervalles. Le « superius » est chanté, tandis que les deux voix inférieures sont exécutées par des instruments. C'est ainsi que se présentent la majorité des chansons de G. de Machault dont la personnalité domine tout le siècle. Il restaure et amplifie les anciennes formes fixes (doubles et triples ballades) tout en recherchant des procédés nouveaux d'écriture, parfois d'une extrême complexité. Le souffle de son lyrisme vient heureusement transcender sa virtuosité technique (rondeau *Rose, lys, printemps, verdure*). Parmi les maîtres de moindre importance, il faut citer J. Vaillant et Borlet, auteurs de charmantes pièces en forme de virelai sur le rossignol, le coucou, l'alouette ; Jacob de Senlèches, J. Cuvelier, P. Taillandier et François Andrieu, qui mit en musique la ballade d'Eustache Deschamps sur la mort de Machault. Cette époque voit encore naître les premières → « chaces », pièces descriptives mettant en œuvre les techniques du canon et du hoquet.

Dans les premières années du XVe s., les recherches de l'Ars Nova aboutissent à un maniérisme qui n'est pas sans charme chez les meilleurs : B. Cordier, J. Césaris. A partir des années 1420, les musiciens de la cour de Bourgogne brillent d'un éclat particulier. A côté de G. Binchois, de loin le plus important d'entre eux, citons P. Fontaine, J. Vide, l'Anglais R. Morton. Les ch. du célèbre G. Dufay diffèrent des productions « bourguignonnes » par la simplicité du rythme, la justesse de l'expression et l'aisance mélodique où se glisse parfois un tour quasi populaire (*Ce mois de may, Bon jour, bon mois, bon an et bonne estrenne*). L'ancien rondeau triolet donne naissance à des formes plus développées : rondeau quatrain, puis rondeau cinquain. Le dernier tiers du siècle est dominé par J. Ockeghem († 1497), dont les ch., toutes à 3 voix, ont une densité polyphonique et une ampleur mélodique qui les rapprochent des motets. Le caractère fonctionnel des voix de la ch. du début du siècle y a fait place à une même expression mélodique, également répartie entre le « superius », le ténor et le « bassus ». L'idéal sonore n'est plus le mélange des voix et des instruments mais une sonorité homogène dominée par la voix humaine même si les instruments — qui commencent à se grouper par familles — participent au concert avec le rôle de doublure. A la même époque, les chansons, rondeaux et → bergerettes d'A. Busnois reflètent une dernière fois l'élégance et la grâce un peu maniérée de la cour de Bourgogne. Parmi les contemporains d'Ockeghem, les plus talentueux auteurs de ch. sont sans doute Jean Delahaye, F. Caron et surtout Hayne van Ghizeghem. L'évolution de la ch., au tournant du siècle, est parfaitement reflétée par les trois publications de l'éditeur vénitien O. Petrucci : *Odhecaton A, Canti B, Canti C* (1501-04). La ch. à 4 voix y prend progressivement le pas sur la chanson à 3 voix tandis que l'écriture vocale tend à devenir syllabique. Josquin des Prés, le maître incontesté de sa génération, laisse quelque 86 chansons à 3 à 6 voix. Fondées sur le principe de l'imitation syntaxique, la plupart d'entre elles sont d'écriture complexe, incluant jusqu'à de triples canons (*Baisies moy ma doulce amye*). En dépit de leur beauté intrinsèque, elles auront peu d'influence sur la ch. « parisienne » des années 1530. La ch. française brille d'un vif éclat dans toute l'Europe musicale. A côté de plusieurs grands noms — P. de La Rue, J. Mouton, A. de Févin, A. Brumel, L. Compère, A. Agricola — on découvre des musiciens peu connus, A. Bruhier, M. de Orto, Ninot le Petit, qui signent des pièces fort réussies.

Le XVIe siècle. C'est vers 1525 que se situe le grand départ de ce que l'on a coutume de nommer la ch. de la Renaissance. L'éditeur parisien P. Attaingnant (à partir de 1528) puis le Lyonnais J. Moderne diffusent par centaines de courtes pièces à 3 et surtout à 4 voix. Les poèmes mis en musique sont souvent des quatrains ou des cinquains (schéma musical *abca* ou *abcda*) ; les anciennes formes fixes à refrain ne subsistent plus que dans les ch. de style populaire. L'écriture verticale tend à l'emporter sur l'écriture horizontale ; mélismes et points d'imitation deviennent de plus en plus discrets ; les voix procèdent assez souvent par tierces, sixtes ou dixièmes parallèles ; la tierce apparaît fréquemment dans les accords conclusifs. Il en résulte une écriture élégante, d'un agrément un peu superficiel parfois. Les chefs de file de cette génération sont Cl. Janequin, Cl. de Sermisy, P. Certon. Autour d'eux gravite une multitude de bons artisans, E. Du Tertre, M. Gascongne, Gentian, H. d'Hesdin, Jacotin, G. Le Heurteur, J. Lupi, P. Moulu, Passereau, P. Sandrin, M. Sohier parmi beaucoup d'autres. Il convient de considérer à part les musiciens dont la carrière se déroule en Flandre, en Espagne ou en Italie, mais dont les noms apparaissent dans les chansonniers parisiens ou lyonnais : N. Gombert, P. de Manchicourt, Th. Créquillon, J. Clemens non Papa, A. Willaert, J. Arcadelt. Ceux-ci, dans leurs compositions sur paroles françaises, tantôt adoptent le style de la ch. parisienne, tantôt conservent l'écriture contrapuntique de tradition franco-flamande. Le succès de ce répertoire est attesté par d'innombrables transcriptions et arrangements pour instr. à cordes pincées (luth, guitare, etc.) ou à clavier (orgue, épinette, clavecin).

La 2de moitié du siècle voit la vogue croissante des ch. en forme de → vaudeville, pièces d'écriture verticale et syllabique, à strophes multiples (P. Certon en publie un volume en 1552). Dans les œuvres françaises du génial R. de Lassus viendront ensuite se mêler les formes de la ch. traditionnelle et celles du nouveau → madrigal italien (chromatisme d'expression). A partir de cette période, on se remet à écrire à 5 et 6 voix ou même davantage. Au cours du dernier tiers du siècle se multiplient les expériences techniques influencées par l'humanisme : vers français « mesurés à l'antique » (Cl. Le Jeune, J. Mauduit, E. Du Caurroy ; voir l'art. MUSIQUE MESURÉE À L'ANTIQUE), modes chromatiques « grecs » (Cl. Le Jeune), intervalles de tiers de ton (G. Costeley). En ce qui concerne la vigueur de l'inspiration et la richesse de l'écriture, seul Cl. Le Jeune peut être comparé à R. de Lassus. Mais, outre les noms déjà cités, il convient de ne pas sous-estimer le talent de compositeurs qui s'illustrent particulièrement en mettant en musique des poèmes de Ronsard : Cl. Goudimel, Fr. Regnard, G. Boni et surtout A. de Bertrand. Et il faut réserver une place à part à J. Servin, l'auteur des extraordinaires *Regrets de Didon*. Dans les toutes dernières années du siècle, la ch. polyphonique tend à n'être plus qu'une mélodie accompagnée par les voix inférieures — telles apparaissent les ch. d'un P. Bonnet — ou par un instr. à cordes pincées comme le luth (voir l'art. CHANSON AU LUTH). La ch. proprement dite n'existe plus ; elle prend alors le nom d'→ air. Il faut signaler enfin qu'à côté de la ch. profane se développe, dans la 2de moitié du siècle, la ch. spirituelle ou cantique spirituel, d'obédience protestante, souvent remarquable par sa recherche de l'expressivité. Cl. Janequin et plusieurs musiciens de sa génération (J. Legendre, J. Maillard) en composent un certain nombre. Mais c'est d'abord avec D. Lupi Second, plus tard avec Cl. Le Jeune et P. de L'Estocart, que ce genre nouveau produit d'authentiques chefs-d'œuvre (*Octonaires de la vanité et inconstance du Monde*).

Rééditions modernes (anthologies seulement) — G. PARIS et A. GEVAERT, Ch. du XVe s., Paris 1875 ; H. EXPERT, Les maîtres musiciens de la Renaissance fr., 23 vol., Paris 1894-1908 ; du même, Les monuments de la musique au temps de la Renaissance, 10 vol., Paris 1924-29 ; du même, Florilège du concert vocal de la Renaissance, 8 fasc., Paris 1928-29 ; du même, Extraits des Maîtres musiciens..., Paris, Salabert ; TH. GÉROLD, Le Ms. de Bayeux, Strasbourg 1921 ; M. CAUCHIE, 15 Ch. fr. du XVIe s., Paris, Salabert, 1926 ; E. DROZ, G. THIBAULT et Y. ROKSETH. Trois chansonniers du XVe s., Paris 1927 ; KN. JEPPESEN, Der Kopenhagener Chansonnier, Copenhague 1927 ; J. MARIX, Les musiciens de la cour de Bourgogne au XVe s., Paris 1937 ; H. HEWITT, Harmonice Musices Odhecaton A, Cambridge (Mass.), The Mediaeval Acad. of America, 1942, 2/1946 ; H.T. DAVISON et W. APEL, Historical Anth. of Music I, Cambridge (Mass.), Harvard Univ. Press, 1946, plus. rééd. ; W. APEL, French Secular Music of the Late 14th Cent., Cambridge (Mass.), Mediaeval Acad. of America, 1950 ; du même et S.N. ROSENBERG, French Secular Compositions of the 14th Cent., 3 vol., in CMM 53, Amer. Inst. of Musicology, 1970-72 ; Fr. LESURE, Anth. de la ch. parisienne au XVIe s., Monaco, L'Oiseau-Lyre, 1953 ; G. REANEY, Early 15th Cent. Music, 5 vol., in CMM 11, Amer. Inst. of Musicology, 1955 et suiv. ; L. SCHRADE, FR.LL. HARRISON et autres, Polyphonic Music of the 14th Cent., Monaco, L'Oiseau-Lyre, 1956 et suiv. ; H. ALBRECHT, Zwölf französische Lieder aus J. Moderne : Le Parangon des Ch. (1538), in Chw 61, 1957 ; A. SEAY, Thirty Ch. for 3 and 4 Voices from Attaingnant's Coll., New Haven, Yale Univ., 1960 ; du même, P. Attaingnant. Transcriptions of Ch. for Keyboard, in CMM 20, Amer. Inst. of Musicology, 1961 ; H.M.

BROWN, Theatrical Ch. of the 15th and Early 16th Cent., Cambridge (Mass.), Harvard Univ. Press, 1963 ; J. BONFILS, Ch. fr. pour orgue, Paris, Heugel, 1968 ; cf. également les coll. Ch. fr., et Soli Deo Gloria, éd. par M. HONEGGER, Paris, Éd. Ouvrières, 1960 et suiv. ; Duos et Trios de la Renaissance, éd. par A. AGNEL, Paris, Heugel, 1968.

Bibliographie — 1. **Jusqu'au XIVe s. :** DANTE, Œuvres complètes, VI De vulgari eloquentia, éd. par A. Marigo, Florence, Lemonnier, 1948, 3/1957 ; trad. fr. par A. Pézard, Paris, Gallimard, 1965 ; G. RAYNAUD, Bibliogr. des Chansonniers fr. des XIIe et XIIIe s. ..., 2 vol., Paris 1884, 2e éd. refondue par H. Spanke et d'après H. Husmann, Leyde, Brill, 1955 ; reprod. anastatique de l'éd. originale, New York, Lenox Hill, 1970 ; A. JEANROY, Les origines de la poésie lyrique en France au M.A. ..., Paris, Champion, 1889, 7/1965 ; H. BESSELER, Die Musik des Mittelalters u. der Renaissance, Potsdam 1931-34 ; FR. GENNRICH, Grundriss einer Formenlehre des mittelalterlichen Liedes..., Halle 1932 ; G. REESE, Music in the Middle Ages, New York 1940, trad. ital., Florence, Sansoni, 1960 ; J. CHAILLEY, Hist. musicale du M.A., Paris, PUF, 1950, 2/1970 ; du même, La monodie occidentale hors de la liturgie jusqu'à la fin du XIIIe s., in Précis de musicologie, Paris, PUF, 1958 ; du même, Mus. postgrégorienne. La monodie non-liturgique ..., in Encycl. de la Pléiade, Hist. de la mus. I, Paris, Gallimard, 1960 ; R. BOSSUAT, Manuel bibliogr. de la littérature fr. du M.A., Melun, D'Argences, 1951, supplts 1959 et 1963 ; R. DRAGONETTI, La technique poétique des trouvères dans la ch. courtoise, Bruges, De Tempel, 1960 ; H. VANDERWERF, The Ch. of the Trouvères : A Study in Rhythmic and Melodic Analysis (diss. Columbia Univ. 1964) ; du même, The Trouvère Ch. as Creations of a Notationless Musical Culture, in Current Musicology I, 1965 ; du même, Recitative Melodies in Trouvère Ch., in Fs. W. Wiora, Kassel, BV, 1967 ; du même, Deklamatorischer Rhythmus in den Ch. der Trouvères, in Mf XX, 1967 ; J. MAILLARD, Anth. de chants de trouvères, Paris, Zurfluh, 1967 ; J. FRAPPIER, La poésie lyrique en France aux XIIe et XIIIe s., Paris, CDU, s.d. ; — 2. **Du XIVe au XVIe s. a)** Bibliographies : G. THIBAULT et L. PERCEAU, Bibliogr. des poésies de Ronsard mises en mus. au XVIe s., Paris 1942 ; FR. LESURE et G. THIBAULT, Bibliogr. des éd. musicales publ. par N. Du Chemin, 1549-1576, in Ann. Mus. I, 1953, supplt ibid. IV, 1956, et VI, 1963 ; des mêmes, Bibliogr. des éd. d'A. Le Roy et R. Ballard, 1551-1598, Paris, Heugel (Soc. Fr. de Mie), 1955 ; U. MEISSNER, Der Antwerpener Notendrucker T. Susato, 2 vol., Berlin, Merseburger, 1967 ; D. HEARTZ, P. Attaingnant, Royal Printer of Music, Berkeley et Los Angeles, Univ. of California Press, 1969 ; S.FR. POGUE, J. Moderne, Lyons Music Printer of the 16th Cent., Genève, Droz, 1969. — b) Études : J. TIERSOT, Ronsard et la mus. de son temps, in SIMG IV, 1902-03 ; E. DROZ et G. THIBAULT, Poètes et musiciens du XVe s., Paris 1924 ; E. DROZ, La mus. populaire de la ch. fr. au XVe s., in Gedenkboek D.Fr. Scheurleer, 's-Gravenhage 1925 ; D. BARTHA, Probleme der Ch. gesch. im 16. Jh., in ZfMw XIII, 1930-31 ; J. MARIX, Hist. de la mus. et des musiciens de la cour de Bourgogne sous le règne de Philippe le Bon, Strasbourg 1939 ; A. PIRRO, Hist. de la mus. de la fin du XIVe à la fin du XVIe, Paris 1940 ; H. BESSELER, Bourdon u. Fauxbourdon, Leipzig 1950 ; J. ROLLIN, Les ch. de Cl. Marot, Paris 1951 ; FR. LESURE, Autour de Cl. Marot et de ses musiciens, in RMie XXXIII, 1951 ; D. PLAMENAC, A Reconstruction of the French Chansonnier in the Bibl. Colombina, Séville, in MQ XXXVII-XXXVIII, 1951-52 ; du même, The « Second » Chansonnier of the Bibl. Riccardiana in Ann. Mus. II, 1954 ; G. REANEY, G. THIBAULT, FR. LESURE et K.J. LEVY, art. Ch. in MGG II, 1952 ; P. CHAILLON, Le chansonnier de Françoise, in RMie XXXII, 1953 ; N.C. CARPENTER, Rabelais and Music, Chapel-Hill, Univ. of North Carolina Press, 1954 ; K.J. LEVY, Vaudeville, vers mesurés et airs de cour, in Mus. et poésie au XVIe s., Paris, CNRS, 1954 ; G. REESE, Music in the Renaissance, Londres, Dent, 1954 ; A. VERCHALY, Desportes et la mus., in Ann. Mus. II, 1954 ; M. PICKER, The Ch. Albums of Margaret of Austria, in Ann. Mus. VI, 1958-63 ; G. THIBAULT, La ch. fr. au XVe s., et FR. LESURE, La ch. fr. au XVIe s., in Encycl. de la Pléiade, Hist. de la mus. I, éd. par Roland-Manuel, Paris, Gallimard, 1960 ; H.M. BROWN, Music in the French Secular Theater 1400-1550, Cambridge (Mass.), Harvard Univ. Press, 1963 ; J. HAAR, Ch. and Madrigal, 1480-1530, Cambridge (Mass.), Harvard Univ. Press, 1964 ; M. HONEGGER, Les ch. spirituelles de D. Lupi et les débuts de la mus. prot. en France, Lille, Service de reproduction des thèses, 1971 ; BR. JEFFERY, Ch. Verse of the Early Renaissance, Londres, l'Auteur, 1971.

J. MAILLARD et G. DOTTIN

CHANSON AU LUTH. La ch. avec accompagnement de luth est pratiquée de façon rudimentaire dès le Moyen Age par les jongleurs, les troubadours, les trouvères et les « Minnesänger ». Aux XIVe et XVe s., ainsi qu'en témoignent des écrits et des documents iconographiques, la vogue du luth croît rapidement. On chante, soutenues par le luth ou la citole, les pièces monodiques de G. de Machault. En Italie, dans la 2de moitié du XVe s., des poètes comme Ange Politien et Serafino dall'Aquila (Aquilano) unissent paroles et musique (« poesia per musica ») en improvisant selon la mode antique. Pour enrichir leur répertoire, des amateurs s'inspirent de chants polyphoniques simples. Il devient rare que l'on exécute une pièce à 3 voix comme elle est écrite : le « superius » est confié à un soliste, tandis que le luth réduit les autres parties. Mais la ch. au l. ne prend toute son importance qu'au XVIe s. Elle est favorisée par l'apparition de l'imprimerie musicale, qui facilite non seulement sa diffusion mais aussi les échanges entre pays étrangers. Son développement coïncide également avec l'évolution de l'écriture, dans laquelle, sous l'influence de formes populaires (→ « frottola », → vaudeville, → « Lied », → « villancico »), le style harmonique tend à se substituer au style contrapuntique. Tandis qu'apparaît toute une littérature pour le luth seul, fondée sur des transcriptions de chansons et motets polyphoniques, la ch. au l. semble fleurir en marge et donne lieu à beaucoup moins de publications, tant il semble aisé de transformer une version polyphonique originale en chant monodique accompagné. En 1504 Petrucci publie à Venise les premières « frottole » à 4 voix, dont le dessus est seul muni d'un texte, ce qui implique probablement une participation instrumentale. Mais, en 1507, il livre au public l'*Intabulatura de lauto* de Fr. Spinaccino, qui renferme les premières tablatures de ch. au luth. L'année suivante, il insère dans l'*Intavolatura de lauto, libro quarto* (1508) quelques pièces analogues de G.A. Dalza. Peu après, le luthiste Fr. Bossinensis fait figurer dans ses deux recueils (*Tenori e contrabassi intabulati col sopran in canto figurato per cantar e sonar lauto*, Venise 1509, 1511) des arrangements pour chant et luth de pièces de divers auteurs dont beaucoup sont italiens, comme B. Tromboncino et M. Cara. Le recueil suivant n'est publié qu'en 1536; il a pour auteur A. Willaert, maître de chapelle à St-Marc de Venise, et contient des transcriptions pour chant et luth de madrigaux — les premiers qui aient été publiés — de Ph. Verdelot. Les deux compositeurs contribuent toutefois à l'élimination de la « frottola » au profit d'un genre qui deviendra trop complexe pour permettre la constitution d'une école italienne de ch. au luth. Les transcriptions intégrales sont alors réservées aux luthistes expérimentés, tandis que les nouveaux chants marqueront, vers 1570, le point de départ de la monodie accompagnée par la basse continue. Parmi les luthistes qui marient encore le luth à la voix, il faut citer V. Galilei, qui, selon Doni, est l'auteur d'une scène d'*Ugolin* de Dante, et Gabrielo Fallamero, dont les *Canzonette alla napolitana* (1584) soulignent, mieux que les recueils cités plus haut, l'évolution de l'écriture.

En Allemagne, les compositeurs qui transcrivent les polyphonies en conservant une partie chantée sont aussi rares qu'en Italie. Les premières tablatures de « Lieder » pour voix et luth d'A. Schlick (*Tabulatura etlicher Lobgesang und Liedlein*, Mayence 1512) et II. Judenkünig (*Ain schone kunstliche Underweisung*, Vienne 1523) ont plutôt un caractère pédagogique. S. Ochsenkuhn (*Tabulaturbuch auff die Lauten*, Heidelberg 1558), lorsqu'il conserve une partie chantée, révèle par contre dans ses transcriptions profanes et spirituelles une nature profondément sensible. De même A. Denss (*Florilegium...*, Cologne 1594), qui arrange des « Lieder » de L. Lechner et Matthäus Reymann dans lesquels la déclamation reste toujours au service du texte.

La première tablature française, publiée à Paris par P. Attaingnant en 1529 (*Tres breve et familiere Introduction*), contient 21 ch. au l. où l'accompagnement respecte la trame polyphonique et admet seulement quelques figurations sous les tenues. Le recueil suivant, *Premier livre de Psalmes mis en musique par M.P. Certon... reduitz en tabulature de leut pour chanter en jouant* (1554), par G. Morlaye, apporte 13 pièces nouvelles. En 1571 le livre d'*Airs de cour miz sur le luth* par A. Le Roy annonce le futur chant accompagné dans le goût français. Sous le nom d' → air de cour, il se développe dès le début du XVIIe s. et connaît une vogue sans précédent. Le luthiste G. Bataille publie, de 1608 à 1615, 6 livres de transcriptions d'airs de cour à 4 et 5 parties de différents auteurs, inaugurant ainsi une collection qui sera terminée par A. Boesset (16e Livre, 1643). D'autres musiciens, comme J. Boyer, E. Richard et E. Moulinié, publient leurs airs à la fois dans deux versions, l'une polyphonique, l'autre pour chant et luth. L'apogée du genre se situe vers 1630, époque à laquelle la basse continue commence à s'imposer avant d'être adoptée définitivement après 1643. La ch. au l., durant cette période, est aussi l'ornement de la mascarade et du ballet de cour. Alors que l'opéra est déjà né en Italie, elle apprend aux musiciens français à déclamer un texte, d'autant mieux que certains airs et récits n'ont plus de versions polyphoniques et sont conçus directement pour la voix et le luth.

Aux Pays-Bas, l'*Hortus Musarum* (Louvain, Phalèse, 1552-53) contient dans sa 2e partie quelques pièces de Th. Créquillon, Josquin des Prés, J. Clemens non Papa, Ph. Rogier... pour voix et luth. Il y a aussi des airs de J. Planson dans le *Novum pratum musicum* (Anvers, Phalèse, 1592) d'E. Adriaensen. En Angleterre, le luth est très populaire à la fin du XVIe s. La ch. au l. connaît, à l'époque élisabéthaine et dans les quelques années qui suivent, une vogue égale à celle qui règne en France. Des musiciens comme J. Dowland (*First Booke of Songes or Ayres*, 1597, 3/1603), M. Cavendish (1598), Th. Morley (1600), Th. Campian (1601), Ph. Rosseter (1601), R. Jones (1600, 5/1610), Fr. Pilkington (1605), J. Daniel (1606) et A. Ferrabosco (1609) illustrent cette brève mais éclatante période. Dès 1612 W. Corkine joint la viole au luth. A partir de 1622, date à laquelle John Attey publie son livre d'airs à 4 parties avec tablature de luth, la basse continue commence à s'imposer et la forme tend à perdre sa rythmique originale et une partie de sa spontanéité. En Espagne, où la « vihuela » tient lieu de luth, on trouve des chansons accompagnées chez L. Milán (*El Maestro*, Valence 1535-36), L. de Narváez (*El Delphin de música*, Valladolid 1538), A. Mudarra (Séville, 1546) et D. Pisador (Salamanque 1552). L. Venegas de Hinestrosa (Alcalá de Henares 1557) joint une harpe ou un instr. à clavier à la « vihuela ». Celle-ci, à la fin du siècle, cède la place à la guitare.

L'histoire de la ch. au l. est dominée par la recherche d'une union étroite entre la poésie et la musique, union si intime qu'en Angleterre et en France poètes et musiciens s'associent au point de se confondre parfois en une seule personne (Th. Campian, P. Guédron, Fr. de Chancy...).

Éditions — O. Chilesotti, Lautenspieler des 16. Jh., Leipzig 1891; L. Torchi, L'Arte musicale in Italia nei s. xiv-xviii, Milan 1897-1907; P. Warlock, From G. Bataille's Airs de differents autheurs (1608-1618), Oxford 1926; E. Fellowes, The English School of Lutenist Song-Writers, 32 vol., Londres 1925-32, rééd. par Th. Dart sous le titre The English Lute-Songs, Londres, Stainer & B., 1959; L. de La Laurencie, A. Mairy et G. Thibault, Ch. au l. et Airs de cour fr. du xvie s., Paris 1934; R. de Morcourt (éd.), Psaumes de P. Certon réduits pour chant et luth par G. Morlaye (1554), Paris, CNRS, 1957; du même, Psaumes d'A. Le Roy (Tiers Livre, 1552; Instruction, 1574), Paris, CNRS, 1962; Fr. Noske, The Solo Song Outside German Speaking Countries, Cologne, A. Volk, 1958; A. Verchaly, Airs de cour fr. pour voix et luth (1603-1643), Paris, Heugel (Soc. Fr. de Mie), 1961.

Bibliographie — H. Quittard, L'Hortus Musarum de 1552-1553 et les arrangements de pièces polyphoniques pour voix seule et luth, in Bull. de la SIM, janv.-mars 1907; H. Scherrer, Laute u. Lied, 1919; Th. Gérold, L'art du chant en France au xviie s., Strasbourg 1921; H.D. Bruger, Alte Lautenkunst aus drei Jahrhunderten, Berlin et Leipzig 1923; A. Tessier, Le luth et l'art du chant au xviie s., in Bull. de la Soc. de l'Hist. de l'art fr. I, 1927; L. de La Laurencie, Les luthistes, Paris 1928; A.W. Patterson, The 16th Cent. Lute Songs, in The Musical Times LXXXVI, 1930; G. Bontoux, La chanson en Angleterre au temps d'Élisabeth, Oxford 1936; W. Boetticher, Studien zur solistischen Lautenpraxis des 16. u. 17. Jh.s, Berlin 1943; B. Patisson, Music and Poetry of the English Renaissance, Londres 1948; G. Reese, Music in the Renaissance, New York 1954; A. Verchaly, G. Bataille et son œuvre personnelle pour chant et luth, in RMie XXVI, 1947; du même, Poésie et air de cour en France jusqu'en 1620, in Mus. et poésie au xvie s., Paris, CNRS, 1954; du même, Desportes et la mus., in Ann. Mus. II, 1954; D. Devoto, Poésie et mus. dans l'œuvre des vihuelistes, ibid. IV, 1956; G. Thibault, La mus. instrumentale au xvie s., Italie, Allemagne, France, in Encycl. de la Pléiade, Hist. de la mus. I, éd. par Roland-Manuel, Paris, Gallimard, 1960; D. Stevens, A Hist. of Song, Londres, Hutchinson, 1960.

A. Verchaly

CHANSON BALADÉE, terme employé pour désigner le → virelai, par G. de Machault en particulier.

CHANSON DE GESTE, dénomination réservée aux productions épiques de la France médiévale. Les plus anciens poèmes conservés datent de la fin du xie s. mais tout porte à croire que d'autres récits les ont précédés. La critique, toutefois, est divisée sur la durée de l'activité épique antérieure et sur la forme de ces récits perdus. La majeure partie des ch. ont été composées aux xiie et xiiie s. et manifestent, au-delà de leurs sujets, qui sont carolingiens, des préoccupations contemporaines : esprit de croisade, affaiblissement de la royauté française. On les répartit traditionnellement en plusieurs groupes. 1º Les ch. de la « Geste du Roi » montrent Charlemagne, les douze pairs et ceux de leur lignage défendant la chrétienté contre les païens envahisseurs, en Espagne, en Italie, en Bretagne ou en Rhénanie. 2º La Geste de Guillaume d'Orange constitue l'ensemble le plus vaste, celui où le phénomène d'organisation cyclique se manifeste avec le plus d'éclat ; le héros, ses frères, ses neveux, ses ancêtres se taillent des fiefs dans le Midi et en Espagne, gardent les frontières de la chrétienté et soutiennent fermement Charles et son faible successeur Louis. 3º Dans les ch. des « vassaux rebelles », en revanche, de grands barons se révoltent contre leur suzerain ou s'affrontent en d'impitoyables guerres de clan. 4º Certaines ch. se fondent sur des événements contemporains, tantôt rapportant les faits avec rigueur, tantôt les mêlant d'éléments fabuleux : cycle de la Croisade, ch. provençales de la croisade contre les albigeois. 5º Il faut citer enfin de petits cycles (Geste de St Gilles, Geste de Nanteuil, Geste des Lorrains) et des ch. à caractère franchement romanesque.

Les ch. sont conçues pour la diffusion orale. De multiples passages évoquent la pratique jongleresque du chanteur qui fait appel à l'attention, aux sentiments, à la générosité de son public. Les poètes utilisent le plus souvent le décasyllabe coupé 6-6, mais aussi le décasyllabe 6-4 ou le décasyllabe 4-6 et, dans un seul cas, l'octosyllabe. Les vers sont organisés en séries homéotéleutes (→ laisses) assonancées (rimées pour les œuvres de la seconde époque). Dans les plus anciennes ch., la fin des laisses, marquée sans doute par une clausule musicale, est aussi ponctuée par un refrain (A.O.I. de la *Chanson de Roland*, refrain semainier « lundi al vespre, joedi al vespre » de la *Chanson de Guillaume*, quatrain de *Gormont et Isembart*). Une autre technique, plus récente, orne la fin des laisses d'un hexasyllabe féminin, appelé « vers orphelin ». Dans les premiers temps, les dimensions de la laisse sont réduites et les poètes usent, dans les « laisses similaires », du procédé de reprise avec variation qui suspend le récit et assure la fonction lyrique de la laisse. Par la suite, les laisses s'allongent, démesurément parfois, et deviennent purement narratives. L'emploi de formules coïncidant avec l'hémistiche est caractéristique de certains motifs (armement, ambassade, combat singulier, mêlée générale), qui eux-mêmes se répètent abondamment. Cette pratique formulaire et l'évidence de la diffusion orale ont amené une partie de la critique à croire que les poèmes furent composés, transmis (et sans cesse recomposés) oralement jusqu'à leur mise par écrit tardive, mais cette hypothèse est loin de recueillir l'assentiment général.

Bibliographie — J. Bédier, Les légendes épiques, 4 vol., Paris 1926-29; I. Siciliano, Les origines des ch. de g., trad. de P. Antonetti, Paris 1951; du même, Les ch. de g. et l'épopée, Turin, Soc. Editrice Intern., 1968; J. Rychner, La ch. de g. : essai sur l'art épique des jongleurs, Genève et Lille, Soc. publ. romanes et françaises, 1955; M. de Riquer, Les ch. de g. françaises, trad. de I. Cluzel, Paris, Nizet, 1957; M. Delbouille, La ch. de g. et le livre, in La technique littéraire des ch. de g., Paris, Les Belles-Lettres, 1959.

M. Tyssens

CHANSONNIER. 1. Celui qui compose des chansons, tout particulièrement des textes de chansons. Le terme désigne également les auteurs de chansons ou de monologues satiriques qui se produisent sur une scène ou dans un cabaret. — **2.** Recueil de → chansons manuscrit ou imprimé, limité au texte ou comportant une notation musicale. Le terme est utilisé pour désigner les manuscrits qui renferment les œuvres lyriques des → troubadours et des → trouvères (Ch. d'Urfé, du Roi, de Saint-Germain, Cangé...) ainsi que les recueils qui succèdent, aux environs de 1430, aux manuscrits mi-profanes, mi-religieux, et qui ne contiennent que des chansons, soit à une voix (Ch. de Bayeux), soit à plusieurs voix (Ch. cordiforme, Pixérécourt, de Françoise, Laborde, Mellon...). Il s'applique également aux recueils de → vaudevilles publiés au xviiie s. et au début du xixe s., sans airs notés mais avec l'indication de timbres, depuis

La Clé des chansonniers (2 vol., Paris 1717) jusqu'à
La Clé du Caveau de P. Cappelle (2 vol., Paris 1811,
1816).

Bibliographie — Art. Ch. *in* Riemann Musik-Lexikon, III
Sachteil, Mayence, Schott, 1967.

CHANSON POPULAIRE (angl., folk song; all.,
Volkslied; ital., canto popolare), chanson conçue pour
le peuple et chantée par lui. Le terme s'applique à deux
genres apparemment différents, la ch. des rues et
la ch. folklorique ou traditionnelle. Cependant, si
l'on considère la morphologie de l'une et de l'autre,
on constate une identité de conception. La ch.p.
doit avant tout être bâtie sur une ligne mélodique
simple, facile à retenir. Le poème, souvent accessoire,
doit pourtant toucher soit la fibre sensible, soit
l'humour de l'auditeur, qui devient ensuite interprète,
transmettant la ch. par le truchement de la tradition
orale qui entraîne nécessairement une transformation
du texte initial, paroles et musique. Malgré de
nombreux recueils manuscrits ou imprimés et l'apparition, au XIXe s., du « petit format » qui démocratise
le commerce chansonnier, grâce au disque et surtout
à la radio, la ch.p. continue à se transmettre de la
même façon, la mémoire défaillante de l'interprète
remplaçant le texte par des onomatopées ou des
paroles sans signification (Charles Trenet, *L'Âme des
poètes*). La ch. traditionnelle et la ch. des rues ont
eu souvent des rapports étroits et se sont opposées
ensemble à la ch. savante ou littéraire. Certaines ch.
ont cependant une origine savante : la ch. de route
Ne pleure pas, Jeannette remonte à une ch. de toile
du XIIe s., *Bele Amelot soule en chambre feloit*, en
passant par le stade folklorique de *La Pernette*.

Les débuts de la chanson populaire. Si l'on trouve
des éléments populaires dans la ch. française depuis
le XIIIe s., c'est seulement à partir du XVe s. que la ch.
destinée à être chantée par le peuple prend son
véritable essor. Les plus grands compositeurs,
G. Binchois, G. Dufay, J. Ockeghem, Josquin des
Prés puis R. de Lassus, ne dédaignent pas d'arranger
des ch.p. à 3 et 4 parties, bâtissant sur celles-ci
certaines de leurs messes. Les ch.p. sont propagées
par de nombreux recueils manuscrits. L'un des
plus célèbres et des plus anciens, le Ms. de Bayeux
(éd. par Th. Gérold, Strasbourg 1921, rééd. en facs.
Genève, Minkoff, 1971), contient un éventail complet
de la ch.p. à la fin du XVe s. Au siècle suivant, ce
genre de ch. est désigné par le terme significatif de
« voix-de-ville » (voir l'art. VAUDEVILLE). — Avec
l'école parisienne, la ch. polyphonique évolue vers
une écriture verticale qui aboutira à l'air accompagné
au luth (voir les art. CHANSON et CHANSON AU LUTH).
Mais elle abandonne rapidement son caractère
populaire en sacrifiant à la mode précieuse. Aussi
la ch.p. trouve-t-elle son vrai refuge dans la rue,
qui demeurera son domaine durant plus de trois
siècles. C'est le Pont-Neuf qui devient le lieu où se
forment les ch., transmises au reste du pays par les
colporteurs ou les compagnons. Jusqu'au début du
XIXe s., on y a chanté de tout : complaintes crimi-
nelles, romances, chansonnettes grivoises, mais
surtout ch. politiques. Les chansonniers emploient
le plus souvent des airs en vogue, voire des airs
d'opéras, pour servir de support à leurs textes. Ceux-ci
prennent alors le nom de → timbres ou ponts-neufs.

Concurremment au Pont-Neuf, les théâtres des foires
représentent devant un public populaire des pièces
dont la plupart des ch. emploient, elles aussi, des
timbres. Jusqu'au milieu du XVIIIe s., la ch.p. est
plutôt orientée vers les → brunettes, bergeries, ch.
à danser ou parodies bachiques. Ch. faciles, sans
prétention, que relève souvent une pointe de gauloi-
serie. A ce moment, le goût populaire devient sensible,
voire larmoyant, et se tourne vers une autre forme
de ch., la → romance, qui fera fureur durant près
d'un siècle avant de devenir mélodie, perdant alors
l'auditoire populaire qui était le sien.

Au XIXe s. la ch.p. se confond souvent avec la ch.
politique, Pierre Jean de Béranger restant le chef
de file de toute sa génération et abordant tous les
genres : de la romance à la ch. épicurienne, en
passant par la satire politique et la ch. sociale.
Cette dernière forme a pris naissance au début du
siècle dans les goguettes, réunions d'ouvriers poètes.
Puis elle continue sa carrière dans les cafés-concerts,
les music-halls et les cabarets, où, sous le titre de
« ch. engagée », elle a toujours de nombreux protagonistes. Sous le second Empire, le café-concert,
qui avait fait de timides débuts à Paris vers 1770,
prend une importance considérable et devient
« l'Opéra du peuple et sa Comédie-Française »
(E. Héros). Le répertoire est en général d'une qualité
médiocre, mais les grands succès sont repris par des
chanteurs ambulants, installés aux carrefours ou
à la sortie des ateliers et des usines. Le public répète
le refrain en chœur et acquiert pour une somme
modique la ch. reproduite en « petit format » (ligne
mélodique et texte). — Successeur du café-concert, le
→ music-hall, à ses débuts, présente peu de différences
avec son aîné quant au répertoire. Mais après la
Ire Guerre mondiale, de jeunes créateurs renouvellent
la ch.p. en y introduisant les rythmes du jazz. La
qualité de certains auteurs s'affirme (Charles Trenet,
Georges Brassens, Guy Béart, Gilbert Bécaud), et
des ch. que leur contexte apparenterait plutôt à la ch.
littéraire trouvent aujourd'hui un vaste auditoire
grâce à la radio, au disque et à la télévision.

La chanson traditionnelle. La ch. traditionnelle
ou folklorique est attestée depuis le Moyen Age.
Deux théories s'affrontent concernant son origine :
1o génération spontanée, parfois collective, issue
du génie populaire, ce qui peut être exact chez
certains peuples doués pour l'improvisation (Corse,
Roumanie, Italie [Toscane]); 2o transmission orale
d'un texte dont l'auteur est tombé dans l'oubli, et
qui subit des modifications au cours des transmissions
successives. Beaucoup de ch. traditionnelles ont une
origine savante incontestable. Leur ligne mélodique
dérive souvent de certains modes antiques ou du
plain-chant liturgique, et leur texte poétique les
apparente aux ch. des troubadours et des trouvères,
dont elles reprennent les thèmes. Certaines ch. servent
à danser, sans qu'un accompagnement instrumental
intervienne obligatoirement; la rythmique asservit
souvent la prosodie — parfois médiocre, incohérente
même — à la danse, surtout dans les refrains.

Les folklores des marches frontalières ont tendance
à se confondre mais le propre de la ch. traditionnelle
est de voyager. Certains thèmes suivent les cours
d'eau navigables, les itinéraires du compagnonnage
ou ceux des pèlerins. D'autres ch. ont été importées
par des conquérants ou des émigrants. Le colportage

a été aussi l'un des grands véhicules de la ch. traditionnelle, comme le fait remarquer P. Coirault, que le chanteur en soit l'auteur ou qu'il n'en soit que l'interprète. Le thème initial d'une ch. se transforme selon le tempérament propre à chaque peuple ou à chaque province. Il n'est que de citer la *Ballade du roi Renaud*, d'origine scandinave, dont on retrouve des versions en Europe centrale, en Écosse et qui aboutit au « gwerz » breton du comte Nann pour se propager ensuite dans les provinces de l'ouest de la France. Les mêmes thèmes se retrouvent dans la plupart des ch. traditionnelles des pays d'Europe. Ch. de cérémonies (fêtes calendaires, mariages), chants processionnels, lamentations funéraires, ch. épiques et ballades, ch. de jeux (comptines, rondes, souvent énumératives), berceuses, ch. de travail, auxquels il faut ajouter le répertoire des ch. de l'ancienne marine à voile française et les « shanties » de la marine britannique.

La France a souvent exporté son folklore dans les pays qu'elle a colonisés. Le Canada, la Louisiane en restent les meilleurs exemples, et l'on assiste actuellement à une transmutation du folklore français dans les pays francophones d'Afrique noire ou du Bassin méditerranéen. Oubliée par les Français, puis redécouverte au XIXᵉ s. grâce à un groupe d'écrivains (George Sand, Chateaubriand, Gérard de Nerval), la ch. folklorique, après une éclipse due aux guerres mondiales, retrouve une audience de plus en plus attentive. — Voir également l'art. FOLKLORE.

La chanson régionaliste. Elle diffère du folklore en ce sens que l'on connaît ses auteurs. Elle est inspirée par une coutume, une particularité de la province ou reprend à son compte l'un des thèmes de la ch. traditionnelle. Après un temps plus ou moins long, quand la tradition orale l'a transformée et que les auteurs sont tombés dans l'oubli, la ch. régionaliste s'intègre au folklore, auquel elle apporte un sang nouveau. Certains auteurs régionalistes passent au folklore avec plus ou moins de rapidité : ainsi, en Béarn, Jélyotte, Despourrins, Navarrot; dans le Nord, Alexandre Desrousseaux, dont le *P'tit Quinquin* est la ch. la plus populaire de la Flandre française. La *Coupo Santo* de Frédéric Mistral est devenue l'hymne de la Provence qui accueille d'ailleurs dans son folklore des ch. de félibres comme Charloun Rieu ou Théodore Aubanel. Par contre, les pays celtiques se refusent obstinément à considérer Théodore Botrel (*La Paimpolaise*) comme un auteur susceptible de passer dans leur folklore.

Bibliographie — E. FOURNIER, Hist. du Pont-Neuf, Paris 1862; J. TIERSOT, Hist. de la ch.p. en France, Paris 1889, rééd. en facs. Genève, Minkoff, 1974; du même, La ch.p. et les écrivains romantiques, Paris 1931; DONCIEUX, Romancero pop. de la France, Paris 1904; TH. GÉROLD, Ch.p. des XVᵉ et XVIᵉ s., Strasbourg [1913]; G. CHEPFER, La chansonnette et la mus. au café-concert, *in* 50 Ans de mus.fr. II, Paris 1926; P. COIRAULT, Recherches sur notre ancienne ch.p. traditionnelle, 5 fasc., s.l.n.d. [1927-33]; du même, Notre ch. folklorique, Paris 1941; du même, Formation de nos ch. folkloriques, 4 vol., Paris, Éd. du Scarabée, 1953-63; J. CHAILLEY, La ch.p. française, Paris 1942; H. DAVENSON, Le livre des ch., Neuchâtel 1944; J. CANTELOUBE, Les ch. des provinces fr., Paris 1947; du même, Anth. des ch. p.françaises, 4 vol., Paris, Durand, 1951; V. DELFOLIE, Trésor des plus belles mélodies..., Chambéry 1947; ROMI, Petite hist. des cafés-concerts parisiens, Paris 1950; FR. LESURE, Éléments pop. dans la ch. française au début du XVIᵉ s., *in* Mus. et poésie au XVIᵉ s., Paris, CNRS, 1954; L. GUICHARD, La mus. et les lettres au temps du romantisme, Paris, PUF, 1955; P. BROCHON, La ch. fr., 2 vol., Paris, Éd. sociales, 1956-57; P. BARBIER et FR. VERNILLAT, Hist. de France par les chansons, 8 vol., Paris, Gallimard, 1956-61; L. BORJON, La ch. d'aujourd'hui, Paris 1959; FR. VERNILLAT et J. CHARPENTREAU, Dict. de la ch. fr., Paris, Larousse, 1968; des mêmes, Hist. de la ch. fr., Paris, PUF, 1971; P. BÉNICHOU, Nerval et la ch. folklorique, Paris, Corti, 1970; CH. BRUNSCHWIG et J.CL. KLEIN, 100 Ans de ch.fr., Paris, Éd. du Seuil, 1972.

FR. VERNILLAT

CHANT (angl., singing; all., Gesangskunst; ital. et esp., canto). L'utilisation mélodieuse de la → voix est sans doute la forme primordiale d'activité musicale. S'il existe des ethnies sans instr. de musique, il n'y en a pas qui ignorent le ch.; par contre, dans bien des cas, le ch. est considéré comme l'expression musicale la plus noble et parfois la seule autorisée par le dogme religieux (Mésopotamie, Islam). Très souvent, c'est le ch. qui est à l'origine de la mus. instrumentale, suscitant soit un accompagnement, soit une imitation. C'est vraisemblablement à partir du ch. et non des instruments ou de la science que se sont fixés les intervalles universellement connus tels que seconde, quinte et quarte, et que se sont formées les échelles. Le ch. est l'aspect mélodique, expressif de la voix, la parole l'aspect rythmique et signifiant; mais ch. et langage sont étroitement solidaires, si bien qu'il est parfois difficile de les distinguer. Certaines langues à tons sont plus mélodieuses que des psalmodies; il est donc impossible de saisir objectivement le processus complexe qui fait de la parole un chant. On a peut-être commencé à chanter en maîtrisant certaines hauteurs émises dans l'articulation de la parole, mais rien n'autorise à dire que le ch. est un dépassement de la parole. Les formes les plus simples de ch. consistent au contraire à figer la parole en l'articulant sur une seule hauteur invariable, parfois deux ou trois (hymnes védiques, bouddhistes, liturgie chrétienne). On peut aussi penser que le ch. a son origine dans le cri inarticulé mais savamment modulé, imitant peut-être celui des animaux. Plutôt que de rechercher l'origine historique du ch., il est plus profitable de le considérer dans son association, ou son antagonisme, avec le verbe, qui marque toute son évolution. Ce rapport constitue un principe de distinction : le ch. syllabique, étroitement dépendant du texte, et le ch. pur, la → vocalise sans support littéraire, sont les deux extrêmes entre lesquels tous les styles prennent place. Dans le premier, la musique se modèle sur le texte qui, souvent, impose des éléments rythmiques et exige un traitement mélodique précis pour ne pas défigurer le sens et la mélodie intrinsèque de la langue. La mélodie amplifie donc l'expression, la magie du texte; c'est pourquoi tous les textes sacrés sont psalmodiés, cantillés (chant grégorien, → cantillation du Coran ou de la « Thora »). Elle acquiert parfois une certaine indépendance et se développe pour elle-même avant de prendre le pas sur le texte et de devenir enfin une forme mélodique pure ne s'appuyant plus que sur un seul mot (l' « alleluia » p. ex.), une voyelle ou une onomatopée (dans la solmisation ou le ch. classique d'Inde du Sud). Tous ces aspects existent dans la plupart des mus. savantes et, sans exception, aucun d'eux n'est nécessairement le privilège d'une culture ou d'une époque.

Du fait que le ch. ne laisse aucune trace tangible, il est impossible d'en décrire l'évolution, d'autant plus que les façons de chanter — c.-à-d. la pose de la voix, le timbre, l'émission — sont extrêmement variées d'un peuple à l'autre, d'une époque à l'autre.

Dans le ch. grégorien, à l'imitation des Orientaux, on préférait les voix nasales; aux XIVᵉ et XVᵉ s., les voix de fausset étaient les plus appréciées, supplantées plus tard par celles des castrats, auxquelles succéderont les voix du « bel canto » et de l'opéra dramatique. Les registres ont également varié avec le temps : celui de ténor fut le seul utilisé pendant tout le Moyen Age et la voix de basse ne fit son apparition qu'au XVᵉ s. avec l'École franco-flamande; elle fut encore longtemps négligée par l'école italienne. Auparavant, on ne distinguait pas les voix d'hommes et celles des femmes; ce n'est qu'avec l'opéra que les voix furent départagées, quoique les interprètes fussent souvent travestis. Par ailleurs, la tessiture de la voix fut utilisée dans son extension maximale au XIXᵉ s., où elle atteint trois octaves et plus, alors que dans le ch. grégorien ou dans la polyphonie médiévale on dépassait rarement la 10ᵉ. Au siècle dernier, on crut pouvoir mettre à profit les données scientifiques, et notamment physiologiques, pour élaborer une méthode rationnelle du ch. mais, en définitive, les seuls critères demeurent le goût, l'intuition et l'expérience. La qualité d'un ch. ne dépend pas seulement de celle de la voix, mais aussi du goût et de l'oreille. La justesse de l'oreille et la sensation intérieure du son constituent les seuls repères pour le chanteur, qui, d'ailleurs, ne perçoit que l'image interne de sa propre voix; de plus, c'est surtout par l'imitation, c.-à-d. par le discernement de subtiles nuances, qu'il apprend à chanter. L'enseignement du ch. vise essentiellement à développer les dons personnels de l'élève sans lui imposer une image préconçue : on travaille donc l'étendue, l'intensité et la qualité de la voix, ainsi que la souplesse et l'expression. Plus que toute autre pratique musicale, l'art du ch. dépend de conditions physiologiques (santé, âge, nutrition), musicales (pas de repères spatiaux, nécessité de chanter par cœur), théâtrales (combiner le jeu de scène et le ch.) et acoustiques (le chanteur ne s'entend pas ou mal lorsqu'il lutte contre une orchestration pesante ou lorsque l'acoustique est mauvaise; il est alors conduit à chanter faux malgré la justesse de son oreille). Enfin il est beaucoup plus difficile pour un chanteur que pour un instrumentiste d'assimiler tous les styles et de remodeler sa voix. En forçant ses possibilités naturelles dans un répertoire qui ne lui convient pas, il risque de perdre sa voix définitivement.

Jusqu'à la Renaissance, les formes musicales les plus raffinées sont sans conteste les formes vocales, comme en témoignent tout d'abord le ch. grégorien puis les chansons de troubadours et de trouvères et, à partir du XIVᵉ s., les motets, ballades, virelais, rondeaux, madrigaux, « caccie » etc. Après une période florissante sous la Renaissance, le ch. est concurrencé par la mus. instrumentale. De 1600 à 1750, les cantates, opéras, oratorios sont à peu près aussi nombreux que les œuvres instrumentales mais, depuis le XIXᵉ s., l'importance du ch. régresse par rapport à celle de la mus. instrumentale, bien qu'il ait ouvert de nouvelles voies par l'opéra, la chanson, le « Lied » et la mélodie. Les premières formes vocales perpétuent, comme le ch. grégorien, un art de la monodie connu des Grecs et des Orientaux, caractérisé par les mélismes et les vocalises où la voix se libère des contraintes du ch. syllabique. Ce style passera dans toutes les formes ultérieures du ch. soliste aussi bien que polyphonique. Le ch. médiéval mettait déjà en œuvre des procédés tels que « piano », « forte », « crescendo », « decrescendo », « accelerando », et des effets vocaux tels que trilles, mordants, flatté, piqué, port de voix. Toutefois il est probable qu'avec l'apparition de l'écriture, qui fut longtemps seulement destinée aux chanteurs, et avec le développement de la polyphonie, le ch. perdit de sa spontanéité et de son caractère mélismatique hérité de l'Antiquité. On n'avait plus à assimiler par cœur des pièces qu'on pouvait désormais déchiffrer. Seule subsista l'improvisation « sur le livre », qui paraphrasait sous forme de seconde voix une mélodie donnée. Le dernier improvisateur fut sans doute B. de Bacilly, qui, au XVIIᵉ s. encore, pratiquait l'art du « chant à la cavalière », improvisé sans accompagnement. C'est aussi au Moyen Age qu'apparaît la rivalité entre l'école française, peut-être héritière d'une riche tradition gauloise, et l'école italienne, qui, depuis la fondation de la Schola Cantorum par St Sylvestre au IVᵉ s., s'était rendue célèbre. Charlemagne fonda à Metz et à Soissons des écoles de ch. dans l'intention d'imposer le style italien. L'enseignement du ch. se faisait dans des écoles épiscopales ou des couvents, où les gens de qualité envoyaient leurs enfants. Dans ces maîtrises se développa, à partir du XIIᵉ s., l'art du motet, qui ne disparaîtra qu'au XVIIᵉ s., lorsque le triomphe de la monodie accompagnée aura donné naissance à l'opéra, à l'oratorio et à la cantate.

Comme par réaction à la confusion croissante de la polyphonie, apparut, au début du XVIIᵉ s., un nouveau style de ch. se distinguant par la clarté de l'interprétation du texte littéraire jusqu'alors noyé dans les méandres de la polyphonie. Ce « buon canto », appelé plus tard → « bel canto », emprunte pour une large part au génie de l'improvisation vocale représentée par les virtuoses qui, telle Vittoria Archilei, inspirèrent les compositeurs, à moins que ceux-ci ne fussent en même temps des chanteurs comme J. Peri et G. Caccini. Le style du « buon canto » laissait une certaine liberté à l'interprète en ménageant sur les points d'orgue des cadences qui, plus tard, donneront les cadences des concertos de solistes, de Mozart à J. Brahms. La vocalise expressive, déjà présente chez Josquin des Prés, R. de Lassus ou Palestrina, prit son essor avec Cl. Monteverdi qui porta le « bel canto » à sa perfection en équilibrant les chants syllabiques et ornés dans une expression souveraine. Mais, très tôt, le « bel canto » prit des proportions exagérées et devint le prétexte d'exhibitions vocales soutenues par des accompagnements indigents où les interprétations fantaisistes servaient des formules stéréotypées. Avant le renouveau du « bel canto » par Mozart et G. Rossini, ce sont, plus encore que les A. Cesti, P.Fr. Cavalli, A. Scarlatti, des musiciens comme Bach ou Haendel qui, après Monteverdi, servirent le mieux le style. C'est néanmoins en Italie que l'art du ch. était le plus développé. Au XVIᵉ s. on y recrutait déjà les chanteurs de chapelles et, plus tard, les chanteurs d'opéra. Des écoles célèbres s'ouvrirent au XVIIIᵉ s. à Rome, Naples, Venise, Bologne, et des méthodes furent publiées. Certaines de ces écoles formaient uniquement des → castrats, dont les voix exceptionnelles supplantèrent les voix de → fausset (« falsetto »), très appréciées en Espagne puis en France. En arrêtant le développement du larynx dans l'enfance, on pouvait obtenir, après un long apprentissage, des voix d'un velouté, d'une tenue de souffle et d'une étendue remarquables, en plus de leur timbre et de leur pouvoir expressif. Bien davantage qu'un simple caprice de la mode, l'art des castrats était au service du style le plus raffiné, et les compositeurs leur durent beaucoup. Leur souplesse vocale leur permettait de chanter indifféremment les rôles d'hommes et de femmes, mais, avec G. Rossini et le nouvel opéra italien, les castrats disparurent, remplacés par les « prime donne », contralto ou contralto-coloratura. En revenant au ch. syllabique épuré des vocalises de l'ancienne manière, la virtuosité vocale fut altérée, mais les voix gagnèrent en brillant et en force expressive : de nouveaux types apparurent, dont les plus marquants furent le soprano absolu et le ténor dramatique qui régnèrent sur tout l'opéra du XIXᵉ s. Des virtuoses mirent au point de nouvelles façons de chanter, reculèrent les limites de leurs possibilités, atteignirent le contre-*ut* ou l'*ut* de poitrine, et les compositeurs d'opéra comme G. Meyerbeer ou G. Verdi exploitèrent à fond ces nouvelles ressources au point de mettre en danger les voix de leurs interprètes. Le ch. fut porté à son paroxysme, tant par l'éclat, l'intensité, l'étendue de la voix, que par la véhémence de l'expression. Avec V. Bellini, le « bel canto » remonte en quelque sorte à sa source et retrouve un moment la finesse, la sensibilité, la clarté mais aussi la vélocité et les vocalises du « buon canto ». Malgré sa pérennité, le « bel canto » fut très tôt concurrencé par d'autres styles. Au XVIIᵉ s. le goût français mettait en cause le ch. italien et prônait un retour au verbe. Mazarin ne put imposer l'opéra italien mais c'est néanmoins un Florentin, J.B. Lully, qui, amplifiant les inflexions naturelles de la langue en une sorte de récitatif élargi, jeta les bases de la → déclamation lyrique française. Celle-ci accorde la priorité à l'expression, à la clarté et à la douceur du ch., au détriment de la puissance et de la virtuosité du ch. italien. Chr.W. Gluck sut s'inspirer de la force expressive du ch. français, mais c'est Mozart qui réalisa la synthèse de tous les courants.

Au début du XIXᵉ s., on tenta de concilier l'esthétique française et italienne rénovée par G. Rossini, puis, après G. Verdi et G. Meyerbeer, ce fut le retour moins spectaculaire mais décisif au « parlando » dans le ch. français et allemand. Sous l'influence de M. Moussorgski, Cl. Debussy, se détachant de J. Massenet et de Ch. Gounod, sut recréer un ch. français original qui, avec H. Duparc, G. Fauré, puis M. Ravel, A. Roussel et surtout G. Migot, se distingua définitivement des ch. italien et allemand. Un autre retour à l'authenticité du langage se fit avec R. Wagner qui donna au ch. allemand une ampleur et une dimension nouvelles. Après R. Strauss, l'héritage de la déclamation allemande fut repris par l'école sérielle de Vienne. Son → « Sprechgesang », situé entre la parole et le ch., utilise les sons détimbrés, proscrit les « vibratos », évite les intonations exactes des notes grâce au port de voix constant.

Les auteurs de l'Antiquité et du Moyen Age ne donnent guère de précisions sur l'art du ch., mais, d'après G. Zarlino, il est probable que les principes du ch. étaient les mêmes qu'aujourd'hui. Jérôme de Moravie (XIIIᵉ s.) est le premier à décrire les ornements et à ranger les voix selon leur registre. Johannes de Muris recommande aux chanteurs la pratique d'un instrument afin de chanter juste. Jusqu'à la fin du XVIᵉ s., le ch. français avait sa propre tradition, appréciée des pays voisins, mais ce sont les Italiens qui imposèrent leur esthétique : en 1555 un traité de gloses de Gandessi del Fontezo ne contient pas moins de 400 exemples de cadences. En 1562 G.C. Maffei rédige à Naples le premier traité de chant. G. Caccini donne une brève méthode de ch. dans ses *Nuove musiche* (1601-02) et ce n'est qu'en 1636 qu'un Français, le père Mersenne, traite du ch. *(Harmonie universelle)*. Tout au long du XVIIIᵉ et du XIXᵉ s., des méthodes et des écoles de ch. illustrant les diverses tendances musicales se développèrent en France, en Italie et en Allemagne notamment. P.Fr. Tosi *(Opinioni de' cantori antichi e moderni*, 1723), G.B. Mancini *(Pensieri e riflessioni pratiche sopra il canto figurato*, 1774), G. Crescentini et N. Porpora comptent parmi les maîtres les plus fameux de l'école italienne. En 1803 H. Langlé publiait la *Méthode du Conservatoire* et, en 1845, François Magendie *L'Art du chant*. Des cahiers de vocalises étaient publiés en France par les Italiens Fr. Danzi et F. Paër, et une méthode de vocalisation fut composée par A.M. Panseron en 1840. Avec M. Garcia *(Mémoire sur la voix humaine* et *Traité complet du chant*, 1847), le ch., défini comme « une opération musculaire consciente et volontaire », pouvait espérer bénéficier d'un apport scientifique. Mais malgré l'essor du grand opéra et la qualité de ses interprètes, surtout entre les deux siècles, les compositeurs n'ont cessé, depuis Fr. Mancini, G. Rossini, G. Verdi, de déplorer le déclin irréversible de l'art du chant. A l'heure actuelle, cette décadence est due non au manque de talents mais au manque de vocations et se trouve liée pour une bonne part au déclin de l'opéra lui-même.

Forme essentielle d'activité musicale, ch. est devenu synonyme de mélodie. La voix principale d'une œuvre polyphonique (en général située dans le registre le plus élevé) était appelée → « cantus » ou chant. Le terme désigne aussi toute pièce chantée dans laquelle les paroles ont une importance moindre que, p. ex., dans une chanson. Par extension, ch. peut désigner une pièce instrumentale où l'aspect mélodique domine l'aspect rythmique et harmonique (Fl. Schmitt, *Chant élégiaque* ; K. Stockhausen, *Gesang der Jünglinge*).

Le ch. des → oiseaux se distingue du cri des animaux par sa musicalité. Il a toujours inspiré les compositeurs qui l'ont évoqué (Cl. Janequin, *Le Chant des oiseaux* ; G. Migot, *6 Petits Préludes, Le Mariage des oiseaux*) ou imité (O. Messiaen, *Oiseaux exotiques, Catalogue d'oiseaux*).

Bibliographie (cf. également l'art. BEL CANTO) — G. CACCINI, Le nuove musiche (Préface), Florence 1602 ; M. MERSENNE, L'harmonie universelle, Paris 1636-37, rééd. en facs. par Fr. Lesure, Paris, CNRS, 1963 ; J.A. HERBST, Musica moderna prattica, ovvero maniera del buon canto. Das ist : Eine kurtze Anleitung... zum Singen, Francfort/M. 1653, 2/1658 ; B. DE BACILLY, Remarques curieuses sur l'art de bien chanter, Paris 1668, 2/1679, rééd. en facs. de la 2ᵉ éd., Genève, Minkoff, 1971 ; P.Fr. TOSI, Opinioni de' cantori antichi e moderni, Bologne 1723, trad. fr. par F. Lemaire, L'art du ch., Paris 1874 ; J.A. BÉRARD, L'art du ch., Paris 1755, rééd. en facs., Genève, Minkoff, 1972 ; G.B. MANCINI, Pensieri e riflessioni pratiche sopra il canto figurato, Vienne 1774 ; M. GARCIA, Traité complet de l'art du ch., Paris 1847 ; LEMAIRE et LAVOIX, Le ch., ses principes et son hist., Paris 1881 ; J. COMBARIEU, La musique et la magie, Paris 1909, rééd. en facs., Genève, Minkoff, 1972 ; L. LEHMANN, Meine Gesangskunst, Berlin 3/1922, trad. fr. Mon art du ch., Paris 1911 ; TH. GÉROLD, L'art du ch. en France au XVIIᵉ s., Strasbourg 1921 ; A. DELLA CORTE, Canto e bel canto,

Turin 1933; A. FIELDS, Training the Singing Voice, New York 1947; A. MACHABEY, Le bel canto, Paris 1948; H. HICKMANN, La mus. polyphonique dans l'Égypte ancienne, Le Caire 1952; M. BEAUFILS, Mus. du son, mus. du verbe, Paris, PUF, 1954; R. HUSSON, Le ch., in Coll. « Que sais-je? », Paris, PUF, 1962; H. PLEASANT, The Great Singers, New York, Simon & Schuster, 1966, et Londres, Gollancz, 1967; R. MANCINI, L'art du ch., in Coll. « Que sais-je? », Paris, PUF, 1969; J. GOURRET et G. MARCHAL, La technique du ch. en France depuis le XVIIe s., Sens, Éd. I.C.C., 1973.

J. DURING

CHANT, RECHANT, termes employés au cours de la 2de moitié du XVIe s. par les auteurs de « vers mesurés à l'antique » et leurs musiciens, Cl. Le Jeune, J. Mauduit, E. Du Caurroy... Ils désignent le couplet (chant), dont la musique se renouvelle constamment, et le refrain (rechant), identique à lui-même, qui l'accompagne dans les pièces de caractère profane.

CHANT AMBROSIEN. Dans la péninsule Italique, chaque église de quelque importance possédait un répertoire liturgico-musical propre. Il subsiste des manuscrits qui nous transmettent l'ancien chant bénéventain, localisé à Bénévent et sans doute à Naples, le → chant vieux-romain, probablement antérieur au → chant grégorien, des bribes de pièces composées en Toscane avant l'unification des rites et des chants. En Italie du Nord, trois anciens répertoires musicaux sont aujourd'hui connus, mais un seul a subsisté jusqu'à nos jours : le cht ambr., propre au diocèse de Milan et à quelques églises de Suisse.

Le cht ambr. se réclame de St Ambroise († 397), tout comme le grégorien de St Grégoire le Grand († 604). Cependant, il est certain que St Ambroise a composé des hymnes et que ses compositions — texte et mélodie — ont été soigneusement maintenues par la tradition milanaise. L'hymnaire milanais compte 14 pièces sûrement authentiques dont certaines furent répandues dans tous les hymnaires médiévaux, quoique sous des timbres mélodiques différents. D'autre part, lorsque Valentinien assiégea la basilique qu'Ambroise refusait de livrer aux Ariens, l'évêque — au témoignage de son jeune disciple Augustin, récemment converti — eut l'idée de remplacer l'ancienne psalmodie responsoriale par le chant antiphoné afin d'occuper son peuple réuni dans la basilique assiégée. Cette nouveauté se répandit alors dans tout l'Occident, mais devait se perpétuer là même où elle naquit, à Milan. La structure de la psalmodie ambr. décèle un archaïsme incontestable et l'analyse des antiennes permet de retrouver dans plusieurs pièces l'emploi d'échelles défectives qui constituent la couche la plus ancienne des répertoires musicaux. La liturgie milanaise n'a jamais subi de retouches profondes ou de réformes analogues à celles que la renaissance carolingienne fit subir à la liturgie et au chant des églises de Gaule et de Germanie. Par contre, elle s'est sans cesse enrichie d'apports nouveaux qui confèrent à son répertoire liturgico-musical un certain caractère hétéroclite : le répertoire ambr. apparaît de ce fait moins homogène que le grégorien. Il est possible de retrouver dans ce répertoire, l'un des plus anciens de l'Occident, diverses stratifications. Le *Gloria* ambr., chanté jadis à l'office du matin, remonte sans doute au début du IVe s., d'après les allusions historiques des versets terminaux. Dans la psalmodie, on

remarque plusieurs cadences d'une simplicité aussi primitive que celle de la psalmodie responsoriale qui, suivant la remarque de St Augustin (*Confessiones* X, 50) était plus voisine de la lecture « recto tono », sans flexion de voix, que du chant proprement dit. La psalmodie ambr., en effet, ne comporte pas de médiante au milieu du verset, mais une simple pause. Les cadences finales par flexion sur la dernière syllabe du verset présentent donc un caractère beaucoup moins élaboré que les cadences syllabiques ou toniques, qui mettent en jeu des règles d'adaptation plus complexes. Il faut remarquer aussi, au point de vue de la composition mélodique, la part assez importante des petites antiennes du Psautier, entièrement syllabiques, qui forment le noyau initial de l'antiphonaire. — Pour l'hymnaire, la base a été formée par St Ambroise. Elle fut complétée au Ve s. par l'hymnaire de Maximianus, qui compte 12 pièces (surtout pour le sanctoral) non diffusées hors de Milan. — Aux siècles suivants, un apport oriental, en partie syrien, donne une nuance exotique à ce répertoire foncièrement occidental : plusieurs chants de la messe ne sont autres que des traductions mot à mot de → stichères byzantins et leurs mélodies, comparées à celles des pièces traduites en latin, dénotent une certaine parenté d'inspiration, quoique la centonisation des formules d'intonation et de cadence ait aligné ces pièces sur le reste du répertoire proprement ambrosien. Il faut aussi mentionner l'usage de la répétition du triple *Kyrie eleison* à la fin de certaines antiennes de l'office. — L'apport gallican se décèle dans une autre série de pièces, ainsi dans le transitorium *Venite populi*, dont le texte a été retrouvé dans un palimpseste du VIIIe s. L'*Alleluia* ambr., qui comporte dans les éditions actuelles des vocalises de plusieurs lignes intitulées « melodiae », n'est pas sans rapport avec les « melodiae longissimae » de l'*Alleluia* qui florissaient en Gaule avant l'imposition du graduel grégorien et qui se maintinrent parfois jusqu'au début du XIe s.

Le répertoire des chants de la messe milanaise est plus pauvre que celui de la messe romaine : pourtant, au cours du IXe s., Milan avait emprunté au graduel grégorien plus de 130 pièces dont les mélodies avaient été retouchées en fonction des caractéristiques propres au genre musical ambr. : les formules d'intonation ou de cadence propres à chaque mode grégorien ont été remplacées par des formules proprement ambr. et la ligne mélodique a été conformée à celle des autres pièces de l'ancien fonds milanais. — Le cht ambr. s'est transmis par voie orale des origines jusqu'à la fin du XIe s. : les textes des pièces de chant étaient écrits, mais les mélodies se retenaient de mémoire. Les premiers antiphonaires ambr. notés — qui contiennent en un seul volume tous les chants de l'office et de la messe — ont adopté la notation sur lignes colorées avec lettres clés suivant le procédé divulgué par Guy d'Arezzo à partir de l'an 1030. Les antiphonaires ambr. sont divisés en deux parties : « pars hiemalis », « pars estiva ». En effet, à la cathédrale de Milan et dans les autres églises principales, on passait après la vigile du samedi saint de la basilique d'hiver à la basilique d'été : chacune avait ses livres liturgiques propres. D'ailleurs, l'appellation des pièces de cht ambr. reste marquée par une localisation concrète des rites : « responsorium in choro », « in baptisterio », « antiphona ad crucem », « lucernarium », etc. En outre, il n'y a pas comme à Rome deux schémas d'offices (festif-dominical et férial), mais plusieurs, suivant la période liturgique. — Malgré la grande variété d'appellation des pièces de chant, on peut ramener les genres liturgico-ambrosiens aux trois catégories usuelles : antiennes, répons, hymnes, auxquelles il faut ajouter la catégorie spéciale des « preces » litaniques du Carême propre aux liturgies orientales et gallicanes. Le répertoire ambr. est une source d'importance primordiale pour la connaissance des premiers développements de la monodie occidentale.

Éditions — Antiphonarium Ambrosianum (Londres, BrM, Cod. add. 34 209), *in* Paléogr. Mus. V-VI, Solesmes 1896; Antiphonale Missarum... Mediolanensis, éd. par D.G. SUNYOL, Tournai 1935; Liber Vesperalis... Mediolanensis, éd. par le même, Tournai 1939; une éd. crit. du cht ambr. est préparée par B. Baroffio.

Bibliographie — E. GARBAGNATI, Gli inni del Breviario ambrosiano, Milan 1897; M. MAGISTRETTI, Monumenta veteris liturgicae ambrosianae II-III, *in* Manuale ambrosianum, Milan 1905; E. CATTANEO, Note storiche sul Canto ambrosiano, *in* Archivio ambrosiano III, Milan 1950; M. HUGLO et E. MONETA-CAGLIO, Fonti e paleografia del Canto ambrosiano, *ibid.* VII, Milan 1956.

M. HUGLO

CHANT BYZANTIN. Les origines.

Vu le manque de sources musicales, l'étude des origines de la mus. chrétienne primitive est l'un des problèmes les plus ardus de la musicologie. L'unique et le plus ancien document de mus. chrétienne primitive est un fragment d'une hymne à la Trinité provenant d'Oxyrhynchos, en notation alphabétique grecque enrichie de signes rythmiques (2de moitié du IIIe s. ; voir l'art. GRÈCE). La précarité des sources musicales a orienté la recherche surtout vers les sources littéraires. En étudiant les transcriptions modernes de chants hébraïques, arméniens et syriens, on s'efforce en outre de tirer des conclusions « a posteriori » sur la mus. chrétienne primitive. Deux théories s'opposent à ce sujet. L'une fait remonter la mus. byzantine, ainsi que le chant grégorien, au chant d'église syro-palestinien, c.-à-d. en dernier ressort à la musique de la Synagogue (E. Werner, E. Wellesz). L'autre fait remonter le chant chrétien primitif à la musique de la dernière période de l'Antiquité hellénistique (J. Handschin).

L'hymnographie.

La liturgie de l'église byzantine ne repose pas seulement sur l'Écriture Sainte mais aussi sur un répertoire extrêmement vaste de poésies religieuses appartenant à des genres très variés. Bien plus encore qu'en Occident l'enthousiasme religieux a suscité en Orient jusque vers le XIe s. une extraordinaire floraison de poésies sacrées. L'hymnographie grecque du premier millénaire recouvre deux domaines : celui de la poésie savante à l'antique, qui utilise souvent des mètres anciens, et celui de la poésie dite rythmique, qui repose sur l'accentuation. La poésie à l'antique imite des modèles grecs anciens et, à quelques exceptions près, n'a pas pénétré dans la liturgie. La poésie rythmique par contre s'est apparemment fixée en Syrie et a été en grande partie incorporée à la liturgie. Ses principes de base sont les lois de l'homotonie (identité d'accentuation) et de l'isosyllabisme (même nombre de syllabes) entre les strophes ou les différents vers.

Il est d'usage de distinguer trois périodes dans l'histoire de l'hymnographie grecque. La première période (Ier-IVe s.) voit s'épanouir la composition d'hymnes à l'antique (voir l'art. HYMNE). La poésie rythmique n'existe encore qu'à l'état naissant. De cette époque ne nous sont parvenues — dans les *Constitutiones apostolorum* (IVe s.) — que peu d'hymnes et de prières en style rythmique. La psalmodie forme l'épine dorsale de la liturgie. La deuxième période (V^e-VIIe s.) constitue l'âge classique de la poésie d'église rythmique. Si quelques → tropaires apparaissent déjà au Ve s., le → « kontakion » devient aux VIe et VIIe s. le genre dominant. On peut dater de la même période toute une série de → stichères et d'antiphones (antiennes). Durant la troisième période (VIIIe-Xe s.), c'est le → canon qui s'impose dans la production hymnographique. Mais on voit également apparaître un nombre presque incalculable de stichères de différents genres et de « kontakia ». Les IXe et Xe s. cultivent particulièrement la poésie mariale (« theotokia », « staurotheotokia » ; voir l'art. STICHÈRE). Trois écoles s'imposent durant cette période : l'école palestinienne des Sabbaïtes (d'après le monastère de St-Sabbas, près de Jérusalem), représentée par André de Crète (v. 660-v.740), St Jean Damascène († v. 749) et Cosmas de Jérusalem (VIIIe s.) ; l'école constantinopolitaine des Studites, représentée par Theodoros Studites (759-826), Joseph Studites (762-832) et Theophanes Graptos (778-845) ; enfin l'école sicilienne des Italo-Grecs, représentée par Methodios de Syracuse († 847) et Joseph l'Hymnographe (v. 816-886) entre autres.

Répertoires et styles de la période « classique » (Xe-XIIIe s.).

De même que dans le chant grégorien, deux formes principales se dégagent de la mus. d'église byzantine : le récitatif liturgique et le chant pur (comparables à l' → « accentus » et au → « concentus »). En conséquence il convient de distinguer deux types de manuscrits : les lectionnaires et les livres de chants. Les lectionnaires sont des manuscrits en notation ekphonétique qui renferment les péricopes des Évangiles (« Evangeliaria »), des Actes des Apôtres (« Apostolos ») et du « Prophetologion » destinés à une lecture solennelle. Les plus anciens remontent au VIIIe-IXe s. La tradition manuscrite des mélodies ne commence qu'au Xe s. Quelques-uns des plus anciens traités byzantins divisent l'ensemble des mélodies liturgiques en deux grands répertoires : le répertoire de l'*Hagiopolites*, qui se rapporte à Jérusalem, la ville sainte, et celui de l'*Asmata* (chants) ; le premier fait appel à dix modes, le second à seize. Le répertoire de l'*Hagiopolites* comprend les chants de l'« heirmologion », du « sticherarion », du « psaltikon » et de l'« asmatikon ». On désigne du terme d' « heirmologion » les manuscrits qui contiennent les strophes-modèles (voir l'art. HIRMOS) du canon, classées selon les 8 « echoï ». Dans la mesure où ils sont complets, les « sticheraria » englobent les stichères des → menées (selon le déroulement de l'année liturgique, c.-à-d. du 1er sept. au 31 août), du « triodion », du « pentekostarion » et de l' → « octoechos ». Les « psaltika » ont transmis les chants mélismatiques exécutés par le soliste, essentiellement des « kontakia », des « prokeïmena », des « alleluiaria » et des « hypakoaï ». Les « asmatika » enfin renferment les chants mélismatiques exécutés par le chœur, c.-à-d. des « kontakia », des « hypakoaï », des « koïnonika », des tropaires et quelques chants de l'ordinaire.

A cette division des manuscrits en 4 types correspond une répartition des chants en 4 styles différents : les chants hirmologiques font apparaître une composition syllabique dans la mesure où un ou deux sons sont associés à chaque syllabe. Les chants du « sticherarion » inclinent fortement vers un mélismatisme discret ; on y rencontre plus fréquemment des groupes de deux, trois ou plusieurs sons. Quant aux chants du « psaltikon » et de l' « asmatikon », ils se caractérisent par une véritable structure mélismatique. — Comme pour le chant grégorien, le principe de la centonisation (voir l'art. CENTON) est absolument inhérent à la mus. d'église byzantine. Les mélodies sont normalement formées d'un certain nombre de phrases stéréotypées, de formules et de figures. L'analyse des mélodies prouve que de très nombreuses figures et formules sont communes aux chants de l' « heirmologion », du « sticherarion » et de l'« asmatikon ». Les chants du « psaltikon » présentent par contre des particularités de structure et constituent un groupe stylistique séparé.

Théorie de la musique. On peut distinguer deux courants dans la théorie musicale byzantine. Le premier est antiquisant ; il transmet la théorie de la mus. grecque antique et ne tient pratiquement pas compte de la mus. d'église byzantine contemporaine. Ses plus éminents représentants sont les polygraphes Michael Psellos (1018-v.1078), Georges Pachymère (1242-v.1310), Manuel Bryennios (v.1320) et Nicéphore Grégoras (1295-1359). Leurs traités s'appuient sur les écrits des auteurs anciens, qu'ils citent, résument, paraphrasent et commentent. Le second courant s'oriente résolument vers les besoins de la pratique musicale contemporaine. Les traités, appelés « Papadike » et conservés en grand nombre à partir du XIVe s., sont des manuels de théorie musicale et sont conçus comme des introductions à l'apprentissage de la « techne psaltike ». Ils exposent le système des modes et expliquent l'écriture des neumes. Parmi ces ouvrages il faut particulièrement mentionner l'*Hagiopolites* (Paris, BN grec 360), qui associe à des fragments d'écrits anciens l'enseignement des « Papadike ».

Les modes. Il est d'usage dans la musicologie moderne de désigner par le terme d' → « octoechos » (système des 8 « echoï ») le système modal de la mus. d'église byzantine et du chant grégorien. Il s'ensuit que les chants byzantin et grégorien seraient basés sur 4 modes authentes et 4 modes plagaux. Cette interprétation est toutefois sujette à caution. En effet, quelques théoriciens médio-latins et l'ensemble des traités byzantins affirment que le système modal du Moyen Age comprenait 12 tons. Les traités byzantins font intervenir, à côté des 4 modes authentes (« echoï kyrioï » = modes dominants) et des 4 modes plagaux (« plagioï » = modes secondaires), 4 modes moyens (« mesoï » = moyens). A chaque « echos » correspondent une ou plusieurs formules initiales (« echemata », « apechemata ») et une ou plusieurs clés (« martyriaï » = témoins). L'analyse modale des chants permet d'affirmer que chaque « echos » ne possède pas seulement une finale et des notes dominantes qui lui sont propres, mais également des cadences et même des intervalles caractéristiques. Changement de mode et modulation intervenaient très fréquemment. Dans les plus anciens manuscrits le changement de mode est indiqué par les clés moyennes et la modulation

par des signes conventionnels, les « phthoraï » (corrupteurs). La théorie des 12 modes a été illustrée entre autres par les auteurs médio-latins Aurélien de Réomé, le pseudo-Hucbald, Bernon de Reichenau, par le traité de Leipzig, le traité Anonymus Vaticanus ; elle remonte directement à la tradition byzantine. — Voir l'art. NOTATION, § 3. La notation du chant byzantin.

La mus. d'église byzantine tardive, post-byzantine et néo-grecque. Durant la période « classique » (Xe-XIIIe s.), la tradition mélodique de la mus. d'église byzantine se distingue, dans son ensemble, par sa stabilité. Mais à partir de 1300 se dessine néanmoins une évolution de plus en plus sensible du style. Les anciennes mélodies se transforment ; elles sont arrangées, enrichies de variations ou remplacées par de nouvelles compositions. C'est le début du style dit « kalophonique ». Il se caractérise par un mélismatisme et une virtuosité poussés à l'extrême, par une exubérance presque baroque de l'ornementation et par le mépris des textes liturgiques, souvent traités comme un simple support verbal. Pour satisfaire aux exigences de la musique, on répète une ou plusieurs lignes, des mots, ou même des syllabes isolées. Entre ces fractions de texte seront ensuite introduites des parties libres, chantées sans texte, le plus souvent sur les syllabes *te-re*, ou sous forme de vocalises. Le style kalophonique a été cultivé par les « melurgoï » et les « maistores ». Les compositeurs les plus importants de la période byzantine tardive sont J. Kukuzeles (v. 1300) et Manuel Chrysaphes Lampadarios (XVe s.). Durant la période post-byzantine, le style de la mus. d'église a encore subi de profondes modifications. Ce sont essentiellement les chantres de l'église patriarcale de Constantinople qui, aux XVIIe et XVIIIe s., ont créé un style nouveau. Ils ont enrichi le répertoire de compositions nouvelles, renouvelé bon nombre d'anciennes mélodies et abrégé les chants mélismatiques. Parmi les compositeurs de cette époque, il faut citer Germanos Neon Patron, Balasios, Chrysaphes le Jeune, Jean de Trapezous, et surtout Petros Lampadarios († 1777). — Au début du XIXe s., l'archimandrite Chrysanthos de Madytos († 1843) entreprit, en collaboration avec les « protopsaltes » Gregorios Levites et le « kartophylax » Chourmouzios, une profonde réforme de l'écriture neumatique post-byzantine, de la théorie musicale et de la mus. d'église. Cette réforme, approuvée en 1818 par le patriarcat de Constantinople, marqua les débuts de la mus. d'église néo-grecque. La réduction des signes d'intervalles et des grandes hypostases permit une simplification de la notation. On introduisit en même temps de nouveaux signes rythmiques, très différenciés, qui servirent à la mensuralisation des chants. Dans la théorie musicale, l'élément de base de la réforme fut le retour aux trois genres de l'Antiquité : diatonique, chromatique et enharmonique, qui constituent le fondement de la théorie chrysanthine des « echoï ».

Mus. byzantine et mus. d'église occidentale. Jusqu'à la fin du Xe s., d'étroites relations politiques, religieuses et culturelles unirent Byzance à l'Occident latino-chrétien. Cela explique la puissante influence exercée par Byzance sur la mus. occidentale. Qu'on se rappelle seulement que Rome, ville des papes, fit partie de l'Empire byzantin jusqu'au milieu du VIIIe s. environ. De nombreux Syriens et Grecs occupèrent le siège apostolique aux VIIe et VIIIe s. C'est à cette époque précisément que des fêtes, processions et chants du rite byzantin furent introduits en grand nombre dans l'Église romaine : les processions pour la fête de la Purification et le dimanche des Rameaux, les antiennes *Hodie*, les chants pour l'Adoration de la Croix, l'*Agnus Dei*, les *Alleluias* des vêpres de Pâques. L'influence byzantine fut également considérable sur la musique de l'époque carolingienne. C'est ainsi qu'en 757 l'empereur Constantin Copronyme offrit un orgue à Pépin le Bref. Une délégation byzantine qui se rendit en 812 à Aix-la-Chapelle, où Charlemagne tenait sa cour, apporta également un orgue. Selon d'autres témoignages, Charlemagne fit traduire en latin des chants grecs et les fit introduire dans la liturgie. — Il existe de nombreuses relations entre la théorie musicale byzantine et la théorie musicale médio-latine. L'Occident a emprunté à Byzance la théorie des 12 modes et ses formules d'intonation (voir ci-dessus). La terminologie des modes était, à l'origine, médio-grecque ; on retrouve d'ailleurs un nombreux termes musicaux grecs dans les traités latins. — Des comparaisons détaillées établies entre les neumes latins et paléo-byzantins ont prouvé récemment que Rome a emprunté à Byzance la notation du chant grégorien, la « nota romana ». Cette affirmation s'appuie sur les faits suivants : les noms usuels des neumes latins et les « litterae significativae » se sont révélés être, pour la plupart, des mots ou des traductions empruntés au grec moyen. Les écritures neumatiques latine et paléo-byzantine comptent presque le même nombre de neumes de base. Les neumes latins et paléo-byzantins correspondants ont généralement une signification mélodique et rythmique proche ou identique. Remarquons enfin qu'un nombre étonnant de figures, de formules d'intonation et de phrases sont communes au chant grégorien et à la mus. d'église byzantine.

Bibliographie — **1. Éditions monumentales :** Monumenta Musicae Byzantinae (MMB), Copenhague, Boston et Rome 1935 et suiv., 4 séries : Facsimilia (Série principale), Subsidia, Transcripta, Lectionaria ; cf. également E. WELLESZ, Die Musik der Byzantinischen Kirche, Cologne, A. Volk, 1959. — **2. Ouvrages généraux :** H. J. W. TILLYARD, The Acclamation of Emperors in Byzantine Ritual, *in* Annual of the British School at Athens XVIII, 1911-12 ; du même, Byzantine Music and Hymnography, Londres 1923 ; E. WELLESZ, Byzantinische Musik, Breslau 1927 ; du même, Eastern Elements in Western Chant (= MMB, Subsidia II), Boston 1947 ; du même, A Hist. of Byzantine Music and Hymnography, Oxford, Clarendon Press, 1949, 3/1963 (cf. compte rendu critique de C. FLOROS, *in* Mf XVII, 1964) ; J. D. PETRESCO, Les idiomèles et le canon de l'office de Noël, Paris 1932 ; O. TIBY, La mus. byzantina. Teoria e storia, Milan 1938 ; L. TARDO, L'antica melurgia bizantina, Grottaferrata 1938 ; J. HANDSCHIN, Das Zeremonienwerk Kaiser Konstantins u. die sangbare Dichtung, *in* Rektoratsprogramm der Univ. Basel 1940-41 ; du même, Musikgesch. im Überblick, Bâle 1948 ; R. PALIKAROVA VERDEIL, La mus. byzantine chez les Bulgares et les Russes (= MMB, Subsidia III), Copenhague 1953 ; O. STRUNK, The Byzantine Office at Hagia Sophia, *in* Dumbarton Oaks Papers IX-X, 1956 ; E. WERNER, The Sacred Bridge, Londres, Dobson, 1959 ; B. DI SALVO, Gli asmata nella mus. bizantina, *in* Boll. della Badia greca di Grottaferrata XIII-XIV, 1959-60 ; B. BOUVIER, Chants pop. tirés d'un ms. du monastère d'Iwiron, Athènes, Inst. fr., 1960 (en grec) ; E. BENZ, C. FLOROS et H. THURN, Das Buch der heiligen Gesänge der Ostkirche, Hambourg, Furche-Verlag, 1962 ; D. MAZARAKE, Interprétation musicale des chants pop. du monastère d'Iwiron, Athènes 1967 (en grec ; cf. compte rendu critique de C. FLOROS, *in* Mf XXV, 1972) ; D. SCHUBERTH, Kaiserliche Liturgie, Göttingen, Vandenhoeck & R., 1968. — **3. L'hymnographie :** J.B. PITRA, L'hymnographie de l'église grecque, Rome 1867 ; du même, Analecta sacra spicilegio Solesmensi parata I, Paris 1876 ; W. CHRIST et M. PARANIKAS, Anthologia graeca carminum christianorum, Leipzig 1871 ; K. KRUMBACHER, Gesch. der byzantinischen Literatur, Munich 2/1897 ; P.N. TREMPELAS, Anthologie de l'hymnographie grecque orthodoxe, Athènes 1949 (en grec) ; N.B. TOMADAKES, Introd. à la littérature byzantine, Athènes 2/1958 (en grec) ; H.G. BECK, Kirche u. theologische

Literatur im byzantinischen Reich, Munich, 1959. — **4. La théorie musicale et les modes :** CHRYSANTHE DE MADYTE, Introduction à la théorie et à la pratique de la mus. d'église, Paris 1821 (en grec) ; du même, Grande théorie de la mus., Trieste 1832 (en grec) ; J.B. REBOURS, Traité de psaltique. Théorie et pratique du chant dans l'église grecque, Paris 1906 ; C. HØEG, La théorie de la mus. byzantine, *in* Revue des Études grecques XXXV, 1922 ; A. GASTOUÉ, L'importance musicale, liturgique et philologique du Ms. Hagiopolites, *in* Byzantion V, 1929 ; O. STRUNK, The Tonal System of Byzantine Music, *in* MQ XXVIII, 1942 ; du même, Intonations and Signatures of the Byzantine Modes, *in* MQ XXXI, 1945 ; D. PANAJOTOPOULOS, Théorie et pratique de la mus. d'église byzantine, Athènes 1947 (en grec) ; L. RICHTER, Antike Überlieferungen in der byzantinischen Musiktheorie, *in* Deutsches Jb. der Mw. 1961, Leipzig, Peters, 1962 ; J. RAASTED, Intonation Formulas and Modal Signatures in Byzantine Musical Mss. (= MMB Subsidia VII), Copenhague, E. Munksgaard, 1966 ; H. HUSMANN, Modulation u. Transposition in den bi- u. trimodalen Stichera, *in* AfMw XXVII, 1970 ; du même, Die oktomodalen Stichera u. die Entwicklung des byzantinischen Oktoëchos, *ibid.* ; du même, Modalitätsprobleme des psaltischen Stils, *ibid.* XXVIII, 1971.

C. FLOROS

CHANT CARNAVALESQUE, voir CANTO CARNASCIALESCO.

CHANTEFABLE (de chanter, et ancien fr. fabler, = parler), œuvre littéraire où alternent les parties en vers chantées et les passages en prose destinés à la récitation. L'exemple typique en est le récit d'*Aucassin et Nicolette* (anon. XIIIᵉ s.), œuvre de transition entre la → chanson de geste et le roman en prose.

CHANTERELLE (all., Sangsaite ; ital., cantino), nom donné à la corde la plus aiguë d'un instr. à cordes frottées ou pincées et à manche.

CHANTERESSE, ancien fém. de chanteur. « Par les comptes du duc de Bourgogne, nous savons que les vraies ménestrières et chanteresses furent nombreuses à la fin du XIVᵉ s. : en 1372 Jehannette la Page et ses trois compagnes à Gand, Aiglantine de Tournay en 1377... Dans les comptes du duc de Berry... on paie en 1377 Catherine « la chanteresse », qui chante avec son mari » (A. PIRRO, Hist. de la mus. de la fin du XIVᵉ s. à la fin du XVIᵉ, p. 25). On cite également Marie d'Arras, récompensée en 1383 après avoir chanté devant Charles VI.

CHANTERIE, néologisme désignant un groupe de chanteurs qui s'adonnent à l'art du chant choral « a cappella », p. ex. la «Chanterie de la Renaissance», qu'anima H. Expert à partir de 1924. Le mouvement choral « A Cœur Joie » a repris le terme pour désigner les nombreuses chorales d'enfants de 7 à 12 ans qu'il a suscitées un peu partout en France.

CHANTEUR, CHANTEUSE, personne qui chante soit par profession, soit pour le plaisir. Le féminin italien cantatrice prévaut pour une soliste de talent, celui de chanteuse étant réservé à une artiste de variétés ou utilisé dans certaines expressions propres au théâtre telles que « première chanteuse » ou « ch. légère ». — Voir également les art. CHORISTE, BASSE, BARYTON, TÉNOR, CONTRALTO, SOPRANO.

CHANT GALLICAN. Le cht g., par analogie au → chant ambrosien ou milanais, pourrait se définir comme le chant propre à l'église des Gaules avant la réforme liturgique imposée dans l'Empire franc par Pépin le Bref († 768) et par Charlemagne. En fait, il n'a jamais existé une liturgie et un cht g. mais des liturgies et des répertoires de genre gallican : sous le terme de « gallican », au sens large, on regroupe les rites non romains en usage au-delà de la péninsule Italique ; dans un sens plus précis, il faut entendre par liturgies gallicanes l'ensemble des rites, organisation des lectures et des chants propres aux grandes églises métropolitaines de la Gaule Cisalpine et de la Germanie (Toulouse, Lyon, Autun, Tours, Sens, Rouen, Cambrai, Trèves, Mayence, Cologne, etc.). Cet ancien rite gallican n'a rien à voir avec la liturgie néo-gallicane forgée de toutes pièces dans la 2de moitié du XVIIe s. par des prêtres érudits.

Les différences qui distinguent les anciennes liturgies gallicanes de la romaine se relèvent non seulement dans les usages mais aussi dans le style euchologique. A Rome, le style des collectes et des préfaces de la messe est d'une rigoureuse précision dans sa formulation théologique et d'une stricte concision dans le choix du vocabulaire : par contre, dans les livres gallicans, les oraisons et « contestations » (ou préfaces) développent un thème sous tous ses aspects, avec accumulation de figures de rhétorique (répétitions, redondances, métaphores, antithèses, etc.) et à l'aide d'un vocabulaire très riche. Dans le domaine du chant, on constate qu'il n'a pas existé un cht g. mais un ensemble hétéroclite de pièces qui se rattachent — par opposition à la « romana cantilena » — à la famille des liturgies gallicanes. Le cadre qui permet de déterminer la fonction liturgique des chants de la messe est fourni par les deux lettres attribuées par un manuscrit d'Autun à St Germain, évêque de Paris : l'auteur y décrit l'ordonnance de la messe gallicane sans oublier les pièces de chant. Les écrits de Grégoire de Tours († 594) font parfois allusion à telle ou telle pièce de chant.

Les chts g. ne sont pas conservés dans un ou plusieurs manuscrits notés qui auraient survécu à l'imposition de la liturgie et de la cantilène romaines. Abolis par cette substitution des liturgies à la fin du VIIIe s., les plus beaux ont survécu en s'introduisant dans les manuscrits grégoriens. La situation se présente donc ici comme en Italie du Sud, où les pièces du répertoire primitif de l'église de Bénévent ont pénétré sous forme de doublets dans les manuscrits de chant grégorien, écrits et notés par des mains bénéventaines. La critique doit donc s'efforcer de faire un tri dans cet ensemble de pièces transmises par les manuscrits notés et distinguer les pièces du fonds primitif grégorien et celles qui y furent introduites après l'imposition officielle de la fin du VIIIe s. Dans ce groupe des pièces ajoutées au cours du IXe et du Xe s. une nouvelle sélection s'impose : les compositions romano-franques d'une part et de l'autre les anciennes pièces gallicanes. Mais cette analyse du répertoire est très délicate dans sa réalisation concrète.

Le premier critère de sélection est d'ordre paléographique : la comparaison des graduels entre eux (et ultérieurement la confrontation des antiphonaires). Les pièces qui appartiennent à tous les témoins d'origines diverses font partie du « fonds primitif » grégorien. Le « résidu », c.-à-d. les pièces qu'on trouve isolément dans telle ou telle région seulement, sont à soumettre au verdict de la critique interne. C'est ainsi que l'offertoire de St Étienne *Elegerunt*, qui ne fait pas partie du fonds primitif (au 26 déc., les plus anciens manuscrits grégoriens indiquent l'offertoire *In virtute*), présente dans son texte et dans sa mélodie plusieurs indices qui dénotent son origine gallicane : l'offertoire *Elegerunt* qui figure encore au Graduel romain (mais sans ses anciens versets) est donc un ancien « sonus » ou pièce ornée accompagnant la solennelle procession des oblats. Suivant la remarque de Walafrid Strabon (v. 830), c'est d'après le vocabulaire et la mélodie (« verbis et sono ») que l'on peut déceler les anciennes pièces de cht gallican. En effet, le vocabulaire et les expressions du texte sont les mêmes que dans l'euchologie gallicane (G. Manz, cf. Bibliogr.) et la version scripturaire est celle des traductions latines parfois antérieures à la Vulgate de St Jérôme. Enfin, lorsque le texte d'une pièce de chant rencontre des parallèles dans les antiphonaires hispaniques ou milanais, c'est un nouvel indice en faveur de son origine gallicane : tel est justement le cas de l'offertoire *Elegerunt*. Malheureusement, l'affectation liturgique des pièces ainsi identifiées n'est pas toujours établie ; c'est là un écueil qui empêche de bien connaître les différents genres liturgico-musicaux de l'ancien rite gallican. Cependant, il n'est pas tout à fait impossible de déceler quelques traits propres aux divers genres de cht gallican.

La psalmodie gallicane ne comportait pas de médiante au milieu du verset, mais une simple pause, comme à Milan et en Espagne. En outre, on pratiquait la psalmodie à deux teneurs, celle du 2d membre du verset étant plus basse d'un degré que celle du premier : ainsi dans le → ton pérégrin, qui ne faisait pas partie de l' « octoéchos » latin, pour le Ps. 113 *In exitu*. Il faut mentionner encore l' « alleluiaticum » ou psaumes des laudes (Ps. 148-150), antiphonés avec l'alleluia, qui se chantait à l'office du matin. A la différence de l'office romain, l'office gallican utilisait les hymnes métriques. Ainsi l'hymne du lucernaire ou petit office précédant les vêpres :

Comme autres hymnes gallicanes, on peut encore mentionner *Christe qui lux es et dies* pour complies, *Mediae noctis tempus est* pour les nocturnes, *Veni, Redemptor gentium* pour Noël. Enfin, l'hymne en prose *Te Deum* : sa mélodie, construite sur une échelle défective, peut se réduire à une psalmodie ornée à deux teneurs, du moins au début. De même, le *Gloria in excelsis* (no XV de l'ordinaire du Graduel romain), qui a une structure mélodique identique, faisait jadis partie de l'office des laudes du rite gallican. L'office gallican comportait encore des antiennes aux mélismes chargés, souvent terminées par un

Alleluia dont le « neuma » se développait non pas sur la finale -*a*, mais sur voyelle la médiane -*e*-, comme dans l'ancien → chant mozarabe. C'est le cas dans l'antienne à la Croix, *O crux benedicta, quae sola... alle-* (mélisme d'env. 50 notes)- *luia*. On utilisait aussi les antiennes à versets, comme à Milan : il en reste plusieurs exemples dans la série des antiennes pour le « Mandatum » du jeudi saint. Enfin, il faut relever l'usage fréquent des « preces » litaniques, genre propre aux liturgies gallicanes (Gaule, Espagne et Germanie) : elles sont caractérisées par le dialogue entre le diacre qui formule l'intention de prière et la foule qui répond par une demande très courte, p.ex. « Rogamus te Rex seculorum ». Ces « preces », dont certaines viennent d'Espagne, ont été maintenues longtemps dans les manuscrits en notation aquitaine. — Voir également l'art. CHANT MOZARABE.

Bibliographie — H. LECLERCQ, art. Gallicane (Liturgie), *in* Dict. d'archéologie chrétienne et de liturgie VI/1, 1924 ; A. WILMART, art. Germain de Paris (lettres), *ibid.* ; F. CABROL, Les origines de la liturgie g., *in* Revue d'Hist. eccl. XXX, 1930 ; A. GASTOUÉ, Le cht g., *ibid.* XLI-XLIII, 1937-39, tiré à part Grenoble 1939 ; G. MANZ, Ausdrucksformen der lateinischen Liturgiesprache, *in* Texte u. Arbeiten, 1. Beiheft, Beuron 1941 ; J. QUASTEN, Oriental Influence in the G. Liturgy, *in* Traditio I, 1943 ; P. SALMON, Le lectionnaire de Luxeuil, *in* Collectanea biblica latina VII, Rome 1944 ; E. GRIFFE, Aux origines de la liturgie g., *in* Bull. de littérature ecclésiastique LII, 1951 ; M. HUGLO, L'auteur de l'Exultet pascal, *in* Vigiliae christianae VII, 1953 ; du même, Die Gesänge der altgallikanischen Liturgie, *in* Gesch. der kath. Kirchenmusik, Kassel, BV, 1972 ; BR. STÄBLEIN, art. Gallikanische Liturgie, *in* MGG IV, 1955 ; Les preces des graduels aquitains empruntés à la liturgie hispanique, *in* Hispania Sacra VIII, 1955 ; R. J. HESBERT, Le cht de la bénédiction épiscopale, *in* Mélanges Mgr M. Andrieu, n° spécial de la Revue des Sciences religieuses, Strasbourg 1956 ; C. GINDELE, Die gallikanischen « Laus perennis »-Kloster u. ihr Ordo officii, *in* Revue Bénédictine LXIX, 1959 ; G. OURY, Psalmum dicere cum alleluia, *in* Ephemerides liturgicae LXXVI, 1965 ; H. ANGLÉS, St Césaire d'Arles et le cht des hymnes, *in* Maison-Dieu n° 92, 1967.

M. HUGLO

CHANT GRÉGORIEN.

On appelle cht grég. les mélodies liturgiques officielles de l'Église latine. Depuis la fin du Moyen Age jusqu'à une époque assez récente, on les avait désignées sous le nom de → « plainchant », c.-à-d. lorsque ces mélodies perdirent leur rythme propre et devinrent une succession monotone de notes d'égale durée, « cantus planus », chant uni. En les restaurant, Pie X les présenta comme « le chant grégorien, qui est le chant propre de l'Église romaine » (*Motu Proprio*, 22 nov. 1903).

Le cht grég. se distingue donc des autres plainschants ecclésiastiques d'Occident, comme l'ambrosien (Milan), le bénéventain ancien, le gallican et le mozarabe (Tolède). A fortiori se distingue-t-il des productions des XVIIᵉ et XVIIIᵉ s., qui n'en sont que des déformations (plain-chant mesuré) ; des compositions dans le genre des messes de Du Mont ou des messes « musicales », comme celles de La Feillée (plain-chant musical), et même des divers plainschants diocésains en cours au XIXᵉ s., qui ne sont que des éditions bâtardes.

Origines. Le cht grég. doit son nom au pape St Grégoire le Grand (590-604), dont l'influence fut immense pendant tout le Moyen Age. Depuis l'époque carolingienne jusqu'à une date très récente, on faisait en effet remonter à ce pape « la paternité, au sens large du moins, et la haute et active direction du chant liturgique » (D. Suñol). Maintenant on réduit

considérablement le rôle de St Grégoire en ce domaine et on va même jusqu'à lui refuser la codification et la centonisation du cht grég. (S. Corbin). Cela s'est produit à la suite de la découverte de six manuscrits rédigés à partir de 1050, tous porteurs d'un chant spécial, archaïque ou bâtard, apparenté au grégorien, mais franchement distinct, le → « vieux-romain ». De plus, si les premiers témoins du chant liturgique, de la fin du VIIIᵉ s. (D.R.J. HESBERT, Antiphonale Missarum Sextuplex), ne sont pas notés, les premiers témoins du cht grég. le sont et ont fait leur apparition non à Rome mais en pays francs, au IXᵉ s.

Dom Mocquereau avait signalé le chant vieux-romain dès 1890 (Paléogr. Mus. II, p. 4, n. 1) mais ce n'est qu'en 1912 que D. Andoyer y vit un répertoire romain primitif antérieur à St Grégoire, qui lui aurait substitué les mélodies grégoriennes à la fin du VIᵉ s., le vieux-romain étant resté en usage seulement dans quelques basiliques romaines.

Br. Stäblein affirme que le cht grég. est apparu le premier, à Rome même au cours du VIIᵉ s., et qu'il y serait resté en usage jusqu'au IXᵉ s. ; de là, il serait passé en Gaule au VIIIᵉ s. et se serait répandu ensuite dans toute l'Europe. Quant au vieux-romain, il n'aurait vu le jour à Rome qu'au IXᵉ ou au Xᵉ s. et aurait disparu avec l'acceptation par la Curie du missel franciscain. Cette opinion demeure vraisemblable, même en l'absence de manuscrits romains contenant le cht grég. et antérieurs aux manuscrits vieux-romains.

H. Hucke voit dans le chant vieux-romain l'unique chant liturgique de Rome entre le VIIᵉ et le XIIIᵉ s. C'est donc ce chant qui au VIIIᵉ s. serait entré en Gaule (et en Angleterre), où il aurait été remanié, adapté au style du chant gallican et imposé par Charlemagne à l'Europe occidentale et centrale, d'abord sous le nom de chant romain puis sous celui de chant grégorien. A Rome, le vieux-romain n'aurait été supplanté par le cht grég. qu'au XIIIᵉ s. avec l'adoption du missel franciscain.

L'abbé Chavasse part de l'existence à Rome aux VIᵉ et VIIᵉ s. de deux liturgies distinctes : celle des titres presbytéraux, qui entra en Gaule au milieu du VIIIᵉ s., et celle de la Curie (Latran), qui n'y pénétra qu'à la fin de ce même siècle, chacune avec son chant propre, par hypothèse. Mais si dans ce cas les deux répertoires sont bien d'origine romaine, il reste à déterminer quel était celui de la Curie et celui des titres presbytéraux. Or sur ce sujet il y a désaccord. D'autres musicologues sont entrés en lice (voir Bibliogr.), faisant intervenir parfois un « vieux chant italien » (J. Smits van Waesberghe), qui serait à l'origine des deux répertoires envisagés et du vieux chant milanais. En conclusion, on ne peut que souscrire à un vœu souvent émis : celui d'une étude approfondie de ces deux répertoires et d'une comparaison minutieuse avec les chants ambrosien et bénéventain, qui pourront peut-être trancher le débat.

Histoire. La notation grégorienne est donc apparue en pays francs au IXᵉ s., dans le nord-est de la Gaule et au temps de Charles le Chauve (2ᵈᵉ renaissance carolingienne), précisent certains (D. Hourlier, M. Huglo). Elle se développa et se répandit au cours des trois siècles suivants dans toute la chrétienté et les royaumes latins d'Orient. C'est au même système de notation, dérivé des accents des grammairiens (accent aigu ' et accent grave `), que se rattachent

Charles Lamoureux (1834-1899). Caricature au lavis par Georges Villa. Paris,
Collection André Meyer.

Bruno Walter (1876-1962) au pupitre.
Dessin au crayon de Dolbin, 1956. Paris,
Collection André Meyer.

Arturo Toscanini (1867-1957).

Charles Münch (1891-1968). ►

◄ Wilhelm Furtwängler (1886-1954).

Ph. © Clive Barda, Londres

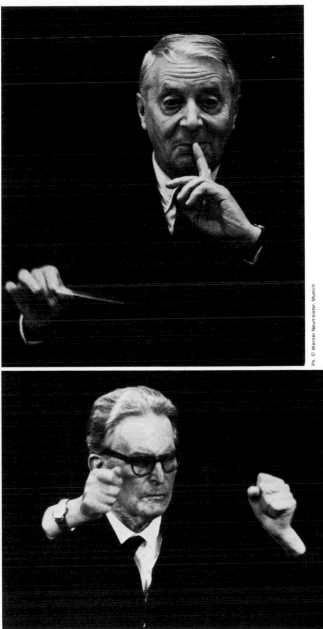

Ph. © Werner Neumeister, Munich

Leonard Bernstein (né en 1918).

Otto Klemperer (1885-1973).

Ph. © Erich Auerbach, Londres

Page suivante : Colin Davis (né en 1927).

Ph. © Werner Neumeister, Munich

pratiquement les diverses notations qui nous sont transmises par les manuscrits (cantatorium, antiphonaire de la messe ou graduel, antiphonaire de l'office) : sangallienne et allemande, messine, char traine ou bretonne, aquitaine et bénéventaine, pour ne citer que les principales, d'où les autres sont issues. D. Mocquereau a prouvé l'unanimité remarquable de la tradition grégorienne (voir les 219 planches des t. II-III de la Paléogr. Mus. et ses grands tableaux comparatifs de tout le répertoire ancien, établis chacun sur une trentaine de manuscrits). L'apogée du grégorien s'étend jusqu'au xiᵉ s. mais dès le ixᵉ s. il en est en possession de son répertoire complet, au moins pour la messe. Celui-ci est issu de la psalmodie synagogale. Les antiennes sont faites pour être alternées avec les psaumes, y compris celles de la messe : introït et communion. On retrouve encore le style psalmodique dans les traits, sous la richesse exubérante des formules. Les autres pièces (réponsgraduel, répons de l'office, et même originairement offertoire et Alleluia, accompagnés de leurs versets, ce qui est encore le cas de l'Alleluia) se ramènent au genre responsorial, lui-même issu de la psalmodie.

Si les hymnes remontent au ivᵉ s. (mais leurs mélodies ne furent notées que bien plus tard), les séquences, proses, tropes et versus ont vu le jour à l'âge d'or grégorien. Toutefois ces formes musicales nouvelles sont déjà une déviation. L'âge d'or vit encore apparaître les théoriciens, dont les écrits (*Scriptores*) sont souvent peu clairs, au dire même des musicologues qui les ont beaucoup fréquentés. A partir du xiiiᵉ s., on perd le sens de la tradition dans la version mélodique et le rythme. Peu à peu, à partir du xivᵉ s., la décadence s'accentue sous diverses causes (apparition du déchant et de la polyphonie, dès le xiiᵉ s. ; critiques des humanistes au nom d'une latinité mal comprise ; chorals en langue vulgaire ; nouvelles liturgies en France), pour aboutir au fameux Graduel médicéen de 1614, qui consacre la décadence : mélodies simplifiées, vocalises abrégées ou supprimées, neumes déplacés des pénultièmes brèves sur les syllabes accentuées, groupement défectueux des notes. Cette version sera rééditée (Regensburg, Pustet, 1871, avec privilège de trente ans). Mais déjà dès le milieu du xixᵉ s. l'intérêt porté au cht grég. était amorcé. Il aboutit à la restauration accomplie à Solesmes, sous l'impulsion de D. Guéranger, par D. Pothier et D. Mocquereau, et à la réforme de Pie X (1903). A la suite du Concile Vatican II, le Saint-Siège a demandé à Solesmes de préparer une édition critique des livres grégoriens (voir Bibliogr.). C'est une nouvelle consécration de la valeur de ce chant, une reconnaissance officielle de sa pérennité.

Caractères généraux. Conçu sans substrat harmonique ou trame polyphonique, le cht grég. est mélodie pure, monodique ou homophone (unisson), diatonique, excluant toute succession chromatique, tout accident (sauf le *si* ♭) et la sensible. Son ambitus est souvent assez étroit ; la mélodie avance par degrés conjoints avec des intervalles des plus simples et des plus naturels. De tout cela, tout comme de son rythme, lui viennent la fermeté et la noblesse, la retenue et la dignité qui le caractérisent. Il est essentiellement latin, calqué sur le mot latin. L'accent tonique joue en effet un rôle de tout premier plan dans l'élaboration du répertoire grégorien, au point qu'on peut parler d'alliance indissoluble entre la musique et le texte. « Telle mélodie a été composée pour telles paroles latines et cette mélodie a été suggérée non seulement par la signification de mots bien déterminés, mais aussi par la place de leur accent, le nombre de leurs syllabes, parfois le poids de leurs consonnes et la couleur de leurs voyelles, sans oublier que l'agencement de ces mots provoque par leur succession même une diversité de césures dont la gamme s'étend presque à l'infini » (D. Cardine).

Dom Mocquereau a mis en lumière, après de multiples comparaisons et de minutieuses analyses, « l'influence de l'accent tonique latin et du cursus sur la structure mélodique et rythmique de la phrase grégorienne » (Paléogr. Mus. II-IV, VII) et a exposé les lois de composition de cette ancienne langue musicale : règles d'application des paroles à la mélodie, d'accentuation tonique, règles relatives aux pénultièmes faibles, règles des « cursus » mélodiques calqués sur les « cursus » du texte, règles des rimes musicales. De plus, le cht grég. a ses procédés d'expression propres, ses formules ; elles sont très variées selon le style de la pièce (syllabique, neumatique, mélismatique), son genre (introït, graduel...) ou sa modalité, etc. D'autres sont communes à plusieurs modes et à divers genres. C'est dire l'importance de ces formules qui servaient de guides aux chanteurs. Là encore des règles très précises présidèrent à leur composition pour s'adapter très harmonieusement aux différents textes qu'elles revêtent. On constate « dans l'organisation des cantilènes toute une série de procédés ingénieux et artistiques, transférés du langage ordinaire à l'art musical ; p. ex. dans une formule mélodique donnée, des suppressions ou des additions de notes, exigées par les modifications du texte ; ou encore des contractions, des divisions ou même des permutations de notes ou de groupes, tout cela employé par les compositeurs selon des règles bien et dûment vérifiées, sur des exemples sans nombre, tirés des plus anciennes pièces grégoriennes » (D. Mocquereau).

On distingue généralement trois catégories de pièces du point de vue de l'invention créatrice : les mélodies originales, expressives dans le sens le plus strict du mot, parce que créées pour un texte bien déterminé, tellement il y a union indissoluble entre la mélodie et le texte (offertoire *Jubilate*, 1ᵉʳ mode, *Precatus est*) ; les mélodies-types, que le compositeur adapte à plusieurs textes à certaines conditions bien déterminées (graduel *Justus ut palma*) ; enfin les mélodies-centons, qui n'utilisent pas une mélodie dans son entier, mais sont faites de formules enchaînées en un tout homogène et harmonieux (D. Ferretti en donne de nombreux exemples). La centonisation a été souvent méprisée, mais elle fut en grand honneur dans l'Antiquité et les anciens compositeurs ont su la manier avec un art consommé. « Beaucoup de pièces du répertoire de la plus belle époque sont faites de centons, ce qui ne les empêche pas d'être de véritables chefs-d'œuvre, de ligne, de style, de naturel et d'expression, tant ces formules s'harmonisent et se fondent les unes dans les autres » (D. Ferretti). C'est le cas notamment du merveilleux graduel de Pâques, *Haec dies*.

Sémiologie grégorienne. Mais si l'on veut connaître exactement ce qu'est le cht grég., il faut interroger les manuscrits eux-mêmes : « Ils renferment tout ce que nous voulons savoir sur la version, sur la modalité, sur le rythme et la notation des mélodies ecclésiastiques » (D. Mocquereau). Ils nous fournissent des connaissances capitales sur la signification rythmique ou expressive donnée aux → neumes par les plus anciens compositeurs, car le Moyen Age ne séparait pas dans l'exécution la mélodie et le rythme, tous deux étant appris par cœur sans qu'on songeât à les dissocier. C'est ce que montre encore une récente étude de D. Cardine dont voici les grandes lignes. Les notateurs disposaient de divers moyens qui font l'objet de la sémiologie (recherche de la raison de leur diversité) : les graphies représentent les sons et le groupement des notes. Ou bien les notateurs modifiaient intrinsèquement la graphie du neume, par ex. un → « punctum » peut être arrondi, épaissi, allongé ou divisé à l'aide de coupures en plusieurs éléments : → « punctum » et → « clivis » ou encore, à Laon, 3 « uncinus ». Ou bien ils ajoutaient aux neumes des → épisèmes qui soulignent la valeur d'une ou plusieurs notes, ou des lettres significatives, qui en précisent la hauteur mélodique (« altius », « equaliter », « inferius »), le mouvement (« celeriter », « tenete ») ou l'expression vocale (« fragore », « clange », « leniter »). Mais ils utilisaient aussi des graphies spéciales, qui indiquent une nuance particulière, par ex. l' → « oriscus », le plus souvent léger, qui joue le rôle de neume de conduction vers la note suivante, inférieure dans le → « pressus » et supérieure dans le → « pes quassus » et le → « salicus ». Enfin, dans un long mélisme, il y a de multiples combinaisons de neumes possibles, qui ne sont pas faites au hasard, mais ont au contraire une importance particulière.

Deux constatations se dégagent de tous ces faits. 1° L'abondance des indications d'augmentation et de diminution, aussi nombreuses les unes que les autres, prouve l'élasticité du temps premier grégorien, tant dans le chant syllabique, où il est régi par la valeur et le poids des syllabes, que dans les neumes eux-mêmes (par ex. le « torculus » spécial, dont la première note a une valeur plus courte que les deux autres). Ce qui ne contredit pas le principe immuable de l'indivisibilité du temps premier, mais indique seulement qu'il peut s'élargir ou s'alléger dans des proportions non mathématiques, comme les syllabes du discours. Comme nuances de légèreté, il faut signaler les → répercussions (car à l'époque des premiers notateurs grégoriens il n'y avait pas de sons bloqués ensemble, pas plus d'ailleurs que de sons vibrés), spécialement celles des « distropha » et « tristropha », qui rendaient les mélodies beaucoup plus aériennes. 2° Les manuscrits les plus anciens sont unanimes, comme le prouvent de multiples et minutieuses comparaisons, à indiquer les coupures rythmiques et expressives. Et ces coupures sont normalement plus importantes que les épisèmes ou les lettres d'allongement qui viennent souvent les confirmer, parce qu'elles sont inscrites dans le neume lui-même et sont indiquées avec beaucoup plus de fidélité et d'unanimité. Le notateur interrompt le tracé d'un neume et en sépare ainsi les éléments, alors qu'il pourrait poursuivre sans séparation, pour indiquer l'importance de la note ainsi coupée de celle qui suit immédiatement. Par ce procédé, il indique que cette note doit être plus ou moins prolongée pour en souligner la valeur rythmique ou expressive.

Toutes les coupures n'ont pas la même importance. Toute coupure après la première note d'un neume

(initiale) ou avant la dernière (terminale) est intentionnelle. Les coupures médianes entre ces deux points extrêmes ne le sont pas forcément, mais, quand elles sont voulues, elles ont plus d'importance que les précédentes et une valeur rythmique très nette. C'est le cas des coupures à l'aigu, à mi-pente ascendante ou à mi-pente descendante, alors que les coupures au grave sont neutres par elles-mêmes (si le notateur veut les souligner, il doit ajouter un épisème ou une lettre d'allongement). L'unanimité est telle entre les manuscrits anciens que le doute n'est plus possible sur la valeur des coupures ; aussi les futures éditions devront-elles en tenir compte (voir le graduel *Ecce quam bonum*, d'après le Graduel neumé de D. CARDINE, p. ex. 3 coupures intentionnelles sur la première syllabe).

Graduel *Ecce quam bonum* (Édition Vaticane) avec signes rythmiques de Solesmes ; au-dessus des portées, neumes d'après le *Graduel neumé* de D. Cardine, Solesmes 1966, p. 360.

Modalité. Construit sur l'échelle diatonique, le cht grég. pourrait compter autant de → modes que de notes (le mode est caractérisé par sa première tierce et sa sous-tonique), mais ceux-ci se ramènent à quatre : les modes de *ré* (« protus »), de *mi* (« deuterus »), de *fa* (« tritus ») et de *sol* (« tetrardus »). Au Moyen Age, chaque mode s'est subdivisé en deux dérivés, selon la situation de sa → corde récitative par rapport à la tonique (note finale) : l' → authente, de la tonique à l'octave supérieure, et le → plagal, qui ne s'élève que d'une quinte au-dessus et descend à la quarte inférieure. En fait les types modaux irréductibles sont plus nombreux, ce qui donne au cht grég. une souplesse incomparable et une grande richesse d'expression. L'importance relative de la dominante et de la tonique semble avoir varié au cours des siècles : d'abord liée aux cordes récitatives, la mélodie s'en est peu à peu affranchie à mesure qu'elle s'ornait et se développait. On trouve en fait des pièces où la mélodie se meut d'un bout à l'autre autour d'une dominante unique et ne laisse pratiquement aucun rôle à la tonique, et d'autres pièces dont l'unité est assurée par la permanence d'une tonique unique sous diverses dominantes.

J. Chailley a posé le problème de l'origine des modes grégoriens. Ceux-ci étaient constitués au IXe s. Mais il y a un silence de trois siècles entre cette date et les dernières dissertations sur la mus. grecque (Boèce, † 524), et l'on n'admet plus aujourd'hui que les modes grégoriens viennent de la Grèce. « Il n'y a aucun rapport réel et primitif entre la modalité grecque classique et l' → « octoéchos » grégorien (8 modestons des premiers théoriciens), tel qu'il apparaît au IXe s. » (J. Chailley, D. Claire). Déjà H. Potiron avait montré que les échelles grecques n'avaient pas été prises telles quelles et n'avaient pas servi de cadres rigides et immuables aux constructions des compositeurs grégoriens, en dépit des affirmations contraires de théoriciens du Moyen Age. L'analyse des types modaux et des « équivalences » avait en effet mis en lumière la richesse des formes modales grégoriennes, qui ne se laissent pas épuiser par des catégories trop étroites. Mais l'étude des formes musicales les plus anciennes a permis d'atteindre, grâce à l'examen minutieux des répertoires liturgiques latins, les modes archaïques caractérisés par un seul élément, une seule corde modale jouant à la fois le rôle de dominante et de finale. Ces cordes modales, au nombre de trois, constituent trois modes distincts et irréductibles l'un à l'autre : les modes de *do*, *ré* et *mi*. Une modalité évoluée est caractérisée par deux éléments (deux cordes modales distinctes, la dominante et la finale) grâce à deux procédés techniques — descente de la finale et montée de la dominante — procédés extrêmement simples et généraux, qui sont comme les lois fondamentales de l'évolution modale (D. Claire).

Constatant d'une part le caractère pentatonique de la plus ancienne mélodie grégorienne (J. Yasser, D. Delalande et J.Y. Hameline) et d'autre part les faits établis ci-dessus (D. Claire), J. Chailley a voulu reconstituer l'enchaînement probable de l'évolution modale grégorienne à partir de l'analyse modale elle-même. Il conclut que les « huit modes de l'octoéchos » étaient le résultat, hors de toute théorie, de la création sous la teneur psalmodique, et selon une échelle pentatonique ultérieurement comblée de → « piens » mobiles, d'une zone mélodique déterminée d'une part par cette teneur ou dominante, d'autre part par une finale ou tonique ». Il propose donc un classement des modes fondé non sur la finale mais sur la façon dont sons et formules s'organisent autour de la corde récitative.

Il faut aussi souligner « la différence de caractère et d'expression qui résulte, pour chacun des modes, de la constitution de sa gamme propre. Le sens de la mélodie, la réaction qu'elle produit sur notre sentiment esthétique, la façon dont elle nous émeut varient avec la constitution même du mode. Chacun a sa couleur, sa physionomie, son éthos, son action particulière » (D. Gajard). Cette richesse d'expression est particulièrement sensible dans l'*Antiphonale Monasticum* (Tournai, Desclée, 1934, ou *Antiphonale Solesmense*, éd. de 1935), qui a restitué les 3e et 4e modes dans leur pureté primitive. — Voir également les art. MODES ECCLÉSIASTIQUES, TONS PSALMODIQUES et TON PÉRÉGRIN.

Accompagnement. On discute beaucoup sur la nécessité de l'accompagnement du chant grégorien. Il semble qu'il ne soit acceptable qu'à la condition de se contenter de soutenir le chant. Tout accompagnement qui l'alourdirait par des accords intempestifs ou le dénaturerait en lui ôtant ce qui fait sa spiritualité, sa fluidité et sa souplesse est évidemment à rejeter. « L'accompagnement doit marcher au même pas qu'elle [la mélodie], s'appuyer où elle s'appuie. La place ordinaire des accords est donc toute indiquée sur les touchements. Mais étant donné la souplesse infinie, la marche, le vol aérien, la spiritualité du rythme grégorien, l'accompagnement est toujours pour lui un danger. C'est le revêtir d'une lourde cuirasse. Le plus léger, le plus subtil sera le meilleur. Mieux n'en vaudrait pas du tout » (D. Mocquereau).

Rythme. Les manuscrits nous font connaître à la fois la mélodie et le rythme. Mais il faut savoir découvrir ce qu'ils contiennent. Depuis la restauration des mélodies traditionnelles opérée au siècle dernier, diverses théories ont vu le jour, dans le but de préciser la nature exacte du rythme grégorien. Elles se ramènent à deux : la théorie du rythme libre et celle du mensuralisme. Celle-ci a été soutenue jusqu'à ces dernières années par divers musicologues qui ne s'entendent pas entre eux sur les fondements mêmes de leur système. Aussi les résultats concrets qu'ils ont laissés sont tous décevants en ce sens qu'ils ne nous donnent plus le chant traditionnel, manifestement irréductible à la mesure et au fractionnement proportionnel, qui est à la base du mensuralisme, comme le prouve l'examen objectif des faits neumatiques. Même si, musicalement parlant, ces divers systèmes nous donnent quelque chose de beau, il s'agit d'une « hérésie » grégorienne. Les partisans du rythme libre divergent bien, eux aussi, sur quelques points, mais à la base on trouve toujours le principe de l'indivisibilité du temps premier, indivisibilité qui n'exclut pas la souplesse et le retour des touchements rythmiques indépendamment de toute mesure, comme, dans le discours, celui de l'accent tonique. Le rythme oratoire de D. Pothier s'en tient là et groupe les divers éléments de la mélodie comme ceux du discours, en incises, membres, phrases et périodes, pour faire l'unité de la pièce. Son disciple, D. Mocquereau, a cherché plus de précision dans l'exécution. S'appuyant sur l'analyse intrinsèque des mélodies grégoriennes, sur l'étude de la philologie latine et des œuvres tant poétiques que musicales de l'Antiquité et du Moyen Age, il définit le rythme grégorien comme libre et musical. Rythme libre, celui-ci combine à son gré les temps premiers approximativement égaux entre eux (comme les syllabes du mot) en temps composés indifféremment binaires ou ternaires, lesquels se groupent à leur tour en rythmes composés, en incises, en membres et en phrases. Rythme musical, il donne le pas à la mélodie sur le texte. Affranchi de la mesure, le rythme grégorien l'est également de l'intensité ou du temps fort, et ses touchements rythmiques n'ont rien de matériel, tout comme l'accent tonique latin lui-même (voir plus haut), qui, alerte et spirituel, se trouve souvent au levé, à l' → « arsis ». On peut dire que l'accord est fait entre grégorianistes sur la nature du rythme grégorien, qui est libre (la législation ecclésiastique a reconnu ce fait comme seul authentique), et que la théorie de Solesmes, la plus connue, a produit d'heureux résultats. Tous, même ceux qui ne partagent pas les principes de D. Mocquereau, reconnaissent sa valeur de prière, liée à son rythme pacifiant, à la fois souple et précis.

Tout cela contribue à faire du cht grég. une musique éminemment religieuse. A la fois hiératique et souple, elle s'adapte merveilleusement au culte divin et aux sentiments de l'âme en prière. Au lieu de distraire, elle pacifie et provoque l'adoration. Pie X, dans son *Motu proprio* du 22 nov. 1903, a présenté le cht grég. comme « modèle le plus parfait de la musique sacrée »... possédant au suprême degré « les qualités propres à la liturgie : la sainteté, l'excellence des formes, d'où naît spontanément son autre caractère, l'universalité ».

Bibliographie (voir également l'art. SOLESMES). — On trouvera une abondante bibliogr. dans D.G. SUÑOL, Introd. à la paléogr. musicale grég., Paris, Desclée, 1935 (bibliogr. dressée par H. Anglès), complété par M. HUGLO, Bibliogr. grég. 1937-57, Solesmes 1958 ; de même dans S. CORBIN, L'Église à la conquête de sa mus., Paris, Gallimard, 1960, et dans J. DE VALOIS, Le cht grég., Paris, PUF, 1963 ; on peut également consulter l'art. de S. CORBIN, Le plain-chant, in Précis de musicologie, éd. par J. Chailley, Paris, PUF, 1958. — 1. Origines : D.R. ANDOYER, Le cht romain antégrég., in Revue du Cht grég. XX, 1911-12 ; BR. STÄBLEIN, Zur Frühgesch. des römischen Chorals, in Atti del Congresso intern. di Mus. sacra Roma 1950, Rome, Desclée, 1952 ; du même, Alt- u. neurömischer Choral, in Kgr.-Ber. Lüneburg 1950, Kassel, BV, [1950] ; du même, Zur Entstehung der gregorianischen Melodien, in KmJb XXXV, 1951 ; du même, art. Choral in MGG II, 1952 ; du même, Kann der gregorianische Choral im Frankenreich entstanden sein ? in AfMw XXIV, 1967 (cf. compte rendu de E. MONETA-CAGLIO, in Musica Sacra, Bergame, 28 fév. 1969) ; du même, Nochmals zur angeblichen Entstehung des gregorianischen Chorals im Frankenreich, ibid, XXVII, 1970 ; M. HUGLO, Les antiennes de la procession des reliques, vestiges du cht vieux-romain dans le Pontifical, in Revue Grég. XXXI, 1952 ; du même, Le cht vieux-romain, liste des mss. et témoins indirects, in Sacris Erudiri VI, 1954 ; D.J. HOURLIER et M. HUGLO, Un important témoin du cht « vieux-romain », le Graduel Ste-Cécile du Transtévère, ibid.; A. CHAVASSE, Les plus anciens types du lectionnaire et de l'antiphonaire romains de la messe, in Revue Bénédictine LXII, 1952 ; du même, Le sacramentaire gélasien (Vat. Reg. 316). Sacramentaire presbytéral en usage dans les titres romains au VIIᵉ s., in Bibl. de Théologie, série IV, Hist. de la théologie, Tournai, Desclée, 1958 ; H. HUCKE, Die Einführung des gregorianischen Gesanges im Frankenreich, in Römische Quartalschrift XLIX, 1954 ; du même, Improvisation im gregorianischen Gesang, in KmJb XXXVIII, 1954 ; du même, Die Entstehung der Überlieferung von einer musikalischen Tätigkeit Gregors des Grossen, in Mf VIII, 1955 ; du même, Die Tradition des gregorianischen Gesanges in der römischen Schola Cantorum, in Kirchenmusik-Kongress Wien 1955 ; du même, Gregorianischer Gesang in altrömischer u. fränkischer Überlieferung, in AfMw XII, 1955 ; du même, Die gregorianische Gradualweise des 2. Tons u. ambrosianische Parallelen, ibid. XIII, 1956 ; du même, Zu einigen Problemen der Choralforschung, in Mf XI, 1958 ; J. HANDSCHIN, La question du cht vieux romain, in Ann. Mus. II, 1954 ; J. SMITS VAN WAESBERGHE, Neues über die Schola Cantorum, in Kirchenmusik-Kongress Wien 1954, Vienne 1955 ; du même, The two Versions of the Gregorian Chant (polycopie 1955) ; du même, L'état actuel des recherches scientifiques dans le domaine du cht grég., in Actes du 3ᵉ Congrès intern. de mus. sacrée, Paris 1957, Paris 1959 ; du même, De glorioso officio. Zum Aufbau der Gross-Alleluia in den päpstlichen Ostervespern, in Essays E. Wellesz, Oxford, Clarendon Press, 1966 ; H. SCHMIDT, Die Tractus des 2. Tons in gregorianischer u. stadtrömischer Überlieferung, in Fs. Schmidt-Görg, Bonn 1957 ; W. APEL, The Central Problem of Gregorian Chant, in JAMS IX, 1958 ; R. SNOW, The Old-Roman Chant, in W. Apel, Gregorian Chant, Bloomington, Indiana Univ. Press, et Londres, Burns Oates, 1958 ; D.J. GAJARD, « Vieux-romain » et « Grégorien », in Études Grég. III, 1959 ; D.G. FRÉNAUD, Les témoins indirects du cht liturgique en usage à Rome aux IXᵉ et Xᵉ s., ibid., 1959 ; D.J. HOURLIER, Compte rendu des Actes du Congrès de Vienne, ibid.; S.J.P. VAN DIJK, The Old-Roman Rite, in Studia Patristica V, 1962 ; du même, The Urban and Papal Rites in 7th and 8th Cent. Rome, in Sacris Erudiri XII, 1961 ; du même, Papal Schola « versus » Charlemagne, in Organicae voces (Fs. Smits van Waesberghe), Amsterdam, Inst. voor Med. Muziek, 1963 ; E. JAMMERS, Musik in Byzanz, im päpstlichen Rom u. im Frankenreich, Heidelberg, Akad. der Wissenschaften, 1962 ; D.J. CLAIRE, L'évolution modale dans les répertoires liturgiques occidentaux, in Revue Grég. XL, 1962 ; P. PEACOCK, The Problem of the Old Roman Chant, in Essays E. Wellesz, Oxford, Clarendon Press, 1966. — 2. Histoire. a) Ouvrages généraux : S. CORBIN, L'Église à la recherche de sa mus. (cf. supra) ; J.Y. HAMELINE, Le cht grég., Paris, Presses d'Ile-de-France, 1961 ;

J. DE VALOIS, Le cht grég. (cf. supra). — b) Éditions : D.R. MOLITOR, Nachtridentinische Choral-Reform, 2 vol., Leipzig 1901-02 ; A. GASTOUÉ, Le Graduel et l'Antiphonaire romains, Lyon 9113 ; J. JEANNETEAU, L'Antiphonaire monastique, in Revue Grég. XXXI, 1952 ; Le Graduel Romain, éd. crit. par les moines de Solesmes, III Les Sources, Solesmes 1957 ; D.P. COMBE, Hist. de la restauration du cht grég. d'après les documents inéd., Solesmes 1969. — c) Législation : A. HANIN, La législation ecclésiastique en matière de mus. religieuse, Tournai 1933 ; F. ROMITA, Jus Musicae Liturgicae, Rome 1947 ; du même, Codex Juris Musicae Sacrae, Tournai, Desclée, 1958 ; du même, La mus. e la costituzione conciliare sulla Sacra Liturgia, Rome, Desclée, s.d. ; A. PONS, Droit ecclésiastique et mus. sacrée, 5 vol., Saint-Maurice (Suisse), Éd. St Augustin, 1958-64 ; A. BUGNINI, Legislazione musicale-liturgica, Rome 1963 (polycopie) ; A. BEILLIARD, La mus. sacrée après la réforme liturgique, Paris, Centurion, 1967 ; E. PAPINUTTI, La mus. sacra del Concilio Vaticano II al nuovo « Ordo Missae », Rome, Ed. Francescane, 1971. — 3. Paléographie et sémiologie : Paléographie Musicale, 20 vol., Solesmes 1889 et suiv. (une vingtaine de mss. anciens publiés), rééd. Berne, Lang, 1969 et suiv. ; H. BANNISTER, Monumenti Vaticani di Paleografia musicale latina, 2 vol., Leipzig 1913 ; D.G. SUÑOL, Introd. à la paléographie musicale grég. (cf. supra) ; Le Graduel Romain, éd. crit. par les moines de Solesmes, II Sources, et IV Groupement, Solesmes 1957-62 ; D. J. HOURLIER, La notation musicale des chts liturgiques latins, 39 planches, Solesmes 1960 ; A. AGUSTONI, Gregorianischer Choral, Fribourg-en-Br., Herder, 1963, éd. fr. 1969 ; D.E. CARDINE, Graduel neumé, Solesmes 1966 ; du même, Semiologia gregoriana, Rome, Pontificio Istituto di Mus. sacra, 1968, éd. fr. Solesmes 1970. — 4. Modalité : J. YASSER, Mediaeval Quartal Harmony. A Plea for Restoration, New York 1938 ; H. POTIRON, Analyse modale, Tournai, Desclée, 1948 ; du même, L'origine des modes grég., Tournai, Desclée, 1948 ; du même, Les modes grecs antiques, Tournai, Desclée, 1950 ; du même, La notation grecque et Boèce, Tournai, Desclée, 1951 ; du même, La composition des modes grég., Tournai, Desclée, 1953 ; D. DELALANDE, L'influence du système d'écriture guidonien ou l'existence de plus. notes mobiles dans le système grég., in Atti del Congresso intern. di Mus. sacra Roma 1950, Rome, Desclée, 1952 ; J.Y. HAMELINE, Le cht grég., Paris, Presses d'Ile-de-France, 1960 ; J. CHAILLEY, L'imbroglio des modes, Paris, Leduc, 1960 ; du même, Essai analytique sur la formation de l'octoéchos latin, in Essays E. Wellesz, Oxford, Clarendon Press, 1966 ; D.J. CLAIRE, L'évolution modale dans les répertoires liturgiques, in Revue Grég. XL, 1962 ; du même, La psalmodie responsoriale, ibid. XLI, 1963. — 5. Rythme : D.J. POTHIER, Les mélodies grég. d'après la tradition, Tournai 1880 ; D.A. MOCQUEREAU, Le Nombre musical grég., 2 vol., Tournai 1907-28 ; D.L. DAVID, Le rythme verbal et musical dans le cht grég., Ottawa 1933 ; D.J. GAJARD, La méthode de Solesmes, Tournai, Desclée, 1951 ; J.W.A. VOLLAERTS, Rhythmic Proportions in Early Mediaeval Ecclesiastical Chant, Leyde, Brill, 1958 ; D.E. CARDINE, Le cht grég. est-il mesuré ? in Études Grég. VI, 1963 (critique de J.W.A. Vollaerts) ; du même, Neume et rythme, Solesmes 1970. — Cf. également les périodiques suivants : Revue du Cht Grég., 1892-1940 ; Monographies Grég., 1910-35 ; Revue Grég., 1911-64 ; Études Grég., depuis 1955.

P. COMBE

CHANT HISPANIQUE, voir CHANT MOZARABE.

CHANT LITURGIQUE, voir les art. CANTIQUE, CHANT AMBROSIEN, CHANT BYZANTIN, CHANT GALLICAN, CHANT GRÉGORIEN, CHANT MOZARABE, CHANT VIEUX-ROMAIN, CHORAL, ISRAËL, PSAUME, PSAUTIER HUGUENOT.

CHANT MOZARABE. Dans la péninsule Ibérique, les églises chrétiennes possédaient depuis le IVᵉ s. une liturgie très particulière, distincte de la liturgie romaine par le style redondant de ses prières et par l'abondance de ses rites extérieurs. Cette liturgie malencontreusement abolie par Grégoire VII et ses successeurs, appuyée par les moines de Cluny, a été dénommée « mozarabe » depuis plus de 4 siècles mais le terme est inexact, car d'une part les Arabes n'ont pénétré dans la Péninsule qu'en 711, alors que cette liturgie avait déjà été fixée par des évêques tels qu'Isidore de Séville († 636) ou Ildefonse († 667) et par les conciles provinciaux, notamment ceux de Tolède ; d'autre part, parce que les Arabes n'ont exercé aucune influence sur le développement ultérieur de cette liturgie et du chant. Aussi a-t-on proposé de nos jours un terme plus générique, celui d'hispanique. — Voir également l'art. ESPAGNE.

La liturgie hispanique et le chant dit mozarabe ont été transmis par des manuscrits en écriture dite wisigothique : il s'agit en fait d'une ancienne cursive régularisée, qui survécut à la réforme carolingienne des anciennes écritures, désormais remplacée par la minuscule. Par assimilation, on baptisa du terme de wisigothique la notation neumatique des livres de chant du nord de l'Espagne (León, Castille), alors que la notation des livres de Tolède, nettement distincte, devait tout naturellement prendre le nom de notation tolédane. Cette dernière, comme d'ailleurs l'écriture des manuscrits de Tolède, a été récemment reconnue par E. Mundó comme relativement tardive (XIIIᵉ s.), alors que les paléographes et liturgistes s'accordaient à placer ces manuscrits dans le cours du IXᵉ ou au début du Xᵉ s. Notation et écriture wisigothiques furent maintenues çà et là, p.ex. à Silos ou à S. Millan, pour la transcription des livres liturgiques grégoriens, quelques années après les décrets des papes supprimant le rite mozarabe lors de la « Reconquista ». La notation des chants grégoriens en neumes wisigothiques constitue une clé permettant de mieux connaître la notation des chants de l'ancienne liturgie mozarabe et de reconnaître des parentés possibles avec les répertoires continentaux. Mais du point de vue purement mélodique, ces manuscrits de transition n'apportent rien à la musique : les antiphonaires mozarabes les mieux notés, tel celui de León noté « in campo aperto », resteront à jamais scellés pour le musicien. Les recherches seraient sans doute plus fructueuses si elles s'orientaient vers les premiers livres liturgiques transcrits et notés en Espagne sitôt après l'abolition du rite mozarabe. C'est en procédant ainsi que l'on a déjà pu découvrir plusieurs vestiges de cht m. : des pièces de l'office des morts notées en points aquitains, des chants de la semaine sainte notés sur lignes ou encore des récitatifs, telle l'admirable *Oratio Hieremiae Prophetae*, imprimée dans les livres grégoriens de la semaine sainte en 1923. Ces pièces authentiques ne sauraient se confondre avec les reconstitutions du « Cantorale » mozarabe mises à l'usage de la Capilla mozarabe de Tolède par le cardinal Ximenès.

La liturgie mozarabe fait partie du groupe des liturgies gallicanes, caractérisées par leur style euchologique, par le choix de leurs péricopes et enfin par leurs usages liturgiques propres (voir l'art. CHANT GALLICAN). La psalmodie du cht m. ne comportait pas de médiante, tout comme les psalmodies gallicane et ambrosienne. Les antiennes du Psautier, qui constituent le fonds essentiel de l'office, paraissent fort anciennes : elles comportent des variantes textuelles qui viennent de l'ancienne traduction africaine du Psautier, ce qui laisse entendre qu'elles ont été composées avant la révision du Psautier mozarabe entreprise probablement par Isidore de Séville. D'autres influences ont été décelées. Parmi les pièces de Noël et de la semaine sainte, plusieurs traductions de pièces byzantines ont été découvertes ; quelques pièces ont même été maintenues en grec et en latin, notamment le *Trisagion*, tout comme à Arles au temps de St Césaire. Il faut enfin remarquer, parmi

les sources des textes des chants, les nombreux emprunts à des livres de l'Écriture qui n'étaient pas reconnus comme canoniques par toutes les Églises : le IVᵉ livre d'*Esdras*, l'*Oratio Manasse* et le Psaume 151.

Le genre des pièces de l'antiphonaire est très varié, tout comme en Gaule. Cependant, on retrouve ici les diverses formes liturgico-musicales d'usage universel en Occident, à savoir antiennes, répons et hymnes (les églises d'Espagne avaient leur hymnaire propre, non sans relation avec les hymnaires du continent). Il faut y ajouter les « preces » diaconales avec invocation de la foule après chaque verset : certaines ont pénétré dans le sud de la Gaule. Certaines « preces » sont des « abecedaria », c.-à-d. que l'ordre des versets est celui de l'alphabet. Enfin il faut relever la place prépondérante occupée par l'alleluia dans le cht m. : à côté de l'alleluia bref, on chante à l'office comme à la messe un alleluia prolixe. Le verset est intitulé « laudes » (abrégé en Lds), terme qui semble avoir été déjà en usage au temps d'Isidore de Séville (« Laudes hoc est alleluia canere »). Dans les alleluias prolixes, la vocalise porte sur l'-*e*- médian d'alleluia, plutôt que sur le -*a* final comme dans le grégorien. En outre, on relève la répétition d'incises, prescrite par un d (= « duplicatur ») : ces répétitions de motifs, sorte d'écho, ont naturellement engendré des « proses » (ou séquences), tout comme les « melodiae longissimae » de l'alleluia dans le nord de la France à la fin du IXᵉ s.

Le cht m. constitue un témoin précieux pour déceler les chants gallicans maintenus en usage en France après la réforme carolingienne, alors même que les uns sont indéchiffrables et les autres enfouis dans l'amas des antiphonaires : cependant, il reste encore beaucoup à faire pour tenter de retrouver les pièces mozarabes maintenues après la « Reconquista » et notées alors suivant une notation diastématique précise apportée d'au-delà des Pyrénées.

Éditions musicales — Antifonario visigótico mozárabe de la Catedral de León, éd. par L. BROU et J. VIVES, I Facs., II Textes (= Monumenta Hispaniae Sacra V), Madrid, Barcelone et León, Consejo superior de Investigaciones científicas, 1953-59.

Bibliographie — M. FÉROTIN, Le « liber Ordinum » en usage dans l'église visigothique et mozarabe d'Espagne, Paris 1904 ; du même, Liber Mozarabicus Sacramentorum, Paris 1912 ; P. WAGNER, Der mozarabische Kirchengesang, in Spanische Forschungen der Görresgesellschaft I-II, Münster 1928 ; C. ROJO et G. PRADO, El canto m., Barcelone 1929 ; R. ORCAJO, The Gregorian Antiphonary of Silos and the Melody of the Lamentations, in Speculum V, 1930 ; G. PRADO, Un « Gloria in excelsis » m., in Revue Grég. XVIII, 1933 ; F. CABROL, art. Mozarabe (Liturgie), in Dict. d'archéologie chrétienne et liturgique XII/1, 1935 ; G. SUNYOL, Introd. à la paléographie musicale (chap. XIII), Tournai 1935 ; P. DAVID, Études historiques sur la Galice et le Portugal du VIᵉ au XIIᵉ s., Lisbonne et Paris 1947 (sur l'abolition du rite m.) ; L. BROU, Liturgie « mozarabe » ou liturgie « Hispanique », in Ephemerides liturgicae LXIII, 1949 ; du même, Bull. de liturgie m. (1936-1948), in Hispania Sacra II, 1949 ; du même, de nbr. art. dont la liste figure in Ephemerides liturgicae LXXV, 1961 ; M. HUGLO, Mélodie hispanique pour une ancienne hymne à la Croix, in Revue Grég. XXVIII, 1949 ; du même, Source hagiopolite d'une antienne hispanique, in Hispania Sacra V, 1952 ; du même, Les Preces des graduels aquitains empruntées à la liturgie hispanique, ibid. VIII, 1955 ; J. PINELL, Boletín de liturgia hispano-visigótica (II), in Hispania Sacra IX, 1956 (bibliogr. de 1948 à 1956) ; A. MUNDÓ, La datación de los códices litúrgicos visigóticos toledanos, ibid. XVIII, 1968 ; CL.W. BROCKETT, Antiphons, Responsories and other Chants of the Mozarabic Rite, Brooklyn (N.Y.), Inst. of Mediaeval Music, 1968.

M. HUGLO

CHANTRE. Autrefois synonyme de chanteur, le terme désigne depuis le XVᵉ s. un dignitaire ecclésiastique dont la fonction est de chanter aux offices dans une cathédrale ou une grande église. La plupart des compositeurs de l'École franco-flamande ont été attachés comme ch. à une chapelle ecclésiastique, princière, royale ou même pontificale, p. ex. G. Dufay, G. Binchois, J. Ockeghem, Josquin des Prés, J. Obrecht, P. de La Rue, A. Brumel... Dans l'usage ordinaire, c'est le chanoine placé à la tête du chœur liturgique qui était appelé chantre. Lors des fêtes solennelles il portait la chape et le bâton cantoral, signes de son autorité. Les chapitres importants avaient un préchantre (« praecentor ») et un sous-chantre (« succentor »). — Voir les art. CANTOR, CHAPELLE et MAÎTRISE.

CHANTRERIE. 1. Bénéfice, dignité de chantre dans le chapitre d'une église cathédrale ou collégiale. — **2.** École de chant d'une église (voir l'art. MAÎTRISE).

CHANT RESPONSORIAL, genre d'exécution de la → psalmodie antérieur à l'antiphonie (voir l'art. ANTIENNE), en usage dans l'Église primitive, tant en Orient qu'en Occident. Probablement emprunté par les premiers chrétiens aux usages synagogaux, la psalmodie responsoriale dispose de moyens très réduits. Un chantre soliste fait connaître le titre du psaume qu'il va exécuter et il lance la « responsa » (en grec « upakouê ») qui sera ultérieurement reprise par le peuple entre chaque verset. Le soliste chante les versets du psaume et laisse le peuple répéter la « responsa » ou refrain qui, très souvent, est empruntée à l'incipit ou à quelques mots du premier verset. Il conviendrait de parler ici de → cantillation plutôt que de chant, car, suivant St Augustin, qui vivait au moment de la transition de l'ancien chant responsorial à l'antiphonie nouvelle, le soliste mettait tellement peu d'inflexions dans son récitatif qu'il serait préférable de parler de lecture plutôt que de chant (« tam modico flexu faciebat sonare lectorem psalmi ut pronuncianti vicinior esset quam canenti », *Confessiones* X, 50). La hiérarchie des ordres mineurs comportait alors un degré, celui de psalmiste (« psalmista »), qu'on trouve encore attesté dans les *Statuta Ecclesiae antiqua* de l'église d'Arles au VIᵉ s. St Jérôme († 420) s'adresse à ceux dont la charge est de psalmodier : « audiant hi quibus psallendi in Ecclesia officium est ». Dans l'église d'Afrique, qui employait la langue latine avant que Rome n'abandonnât le grec au profit du latin, entre 360 et 380, Tertullien († v. 220) évoque l'usage du ch. r. caractérisé par la réponse du peuple : « ... hoc genus psalmos quorum clausulis respondeant » (*De Oratione*, 27). De même, St Augustin fait allusion à cette alternance entre soliste et fidèles : « psalmo quem cantatum audivimus, cui cantando respondimus » (*Enarratio in Psalmis* XLVI, 1). La « responsa » chantée par le peuple est contenue dans le titre même d'une vingtaine de psaumes qui, dans toutes les langues anciennes, n'est autre que l'alleluia. Dans le Ps. 135, la 2ᵈᵉ moitié de chaque verset est tout simplement une « responsa » (*Quoniam in aeternum misericordia ejus*), constatation qui confirme l'origine juive de la psalmodie responsoriale. Cependant, il est plus intéressant encore de relever dans un psautier du VIᵉ s., originaire d'Italie, le *Psalterium Sangermanense* (du fonds de St-Germain-des-Prés, Paris BN, Ms. lat. 11 947), toute une série

de « responsae » qui sont désignées au début du psaume ou en son milieu par un R, écrit en or. En voici quelques exemples : Ps. 49, *Immola Deo sacrificium laudis* ; Ps. 75, *Notus in Judaea Deus* ; Ps. 80, *Exultate Deo adjutori nostro* ; Ps. 91, *Bonum est confiteri Domino*. A travers ces quelques exemples, on constate que la « responsae » était très brève (de 3 à 6 mots) : sa mélodie devait être extrêmement simple pour être retenue par tous. Au moment de la transition de la psalmodie responsoriale à l'antiphonie, on a probablement transformé les « responsae » en « antiphonae » : en effet, les antiennes des anciens psautiers romain, mozarabe et milanais offrent les mêmes caractéristiques littéraires que les anciennes « responsae » et, au point de vue musical, elles présentent une simplicité qui échappe à la structuration de la modalité. Le passage du « psalmus responsorius » au répons prolixe (« responsorium »), soit à l'office nocturne, soit à la messe (répons-graduel), suppose une refonte plus profonde du donné primitif dont on perçoit encore quelques traces dans les textes (voir l'art. RÉPONS). Isidore de Séville († 636) définit le répons prolixe de son temps en des termes qui s'appliqueraient mieux à la psalmodie responsoriale et qui, de ce fait, offrent une certaine ambiguïté : « Responsoria... vocata hoc nomine quod uno canente chorus consonando respondeat » (*De ecclesiae officiis* 1,9). Le chant responsorial n'a donc pas totalement disparu sous la poussée de l'antiphonie au IVᵉ s. : il a seulement été transformé.

Bibliographie — D.H. LECLERCQ, art. Chant romain, *in* Dict. d'archéologie chrétienne et de liturgie III/3, 1913 ; W. ROETZER, Des heiligen Augustinus Schriften als liturgiegeschichtliche Quelle, Munich 1930 ; TH. GÉROLD, Les Pères de l'Église et la mus., Paris 1931 ; H. LECLERCQ, art. Psalmodie responsoriale, *in* Dict. d'archéologie chrétienne et de liturgie XIV/2, 1940 ; A. BLAISE, Dict. latin-fr. des auteurs chrétiens, Turnhout, Brépols, 1954, p. 719 ; P. SALMON, Les « Tituli psalmorum » des mss. latins, Paris, Éd. du Cerf, 1959 ; J.A. JUNGMANN, La liturgie des premiers siècles, Paris Éd. du Cerf, 1962 ; P. VERBRAKEN, Oraisons sur les 150 ps., Paris, Éd. du Cerf, 1967.

M. HUGLO

CHANT SUR LE LIVRE (ital., contrapunto alla mente), contrepoint improvisé selon certaines règles par les chantres groupés autour du lutrin pour accompagner le chant liturgique. Cette pratique, que l'on peut faire remonter au → déchant, était courante au XVIᵉ s., lorsque les maîtrises étaient composées de musiciens experts. Elle fut abandonnée au XVIIIᵉ s.

CHANT SYNAGOGAL, voir ISRAËL.

CHANT VIEUX-ROMAIN, chant liturgique apparenté au cht grég. et découvert par D.A. Mocquereau en 1890 sur des manuscrits du XIᵉ s. On discute pour savoir s'il ne serait pas antérieur au cht grég., qui l'aurait supplanté au IXᵉ s., ou si les deux répertoires n'auraient pas un ancêtre commun. Le vieux-romain conserve des archaïsmes manifestes (p. ex. au point de vue modal) et d'autres caractéristiques (p. ex. la répétition fréquente d'un même groupe neumatique), qui le font considérer soit comme un premier jet du grégorien, soit comme un chant décadent. Les manuscrits vieux-romains possèdent aussi des adjonctions grégoriennes. Ils ont dans l'ensemble la même ordonnance liturgique que les manuscrits grégoriens, mais l'antiphonaire de l'office est beaucoup moins développé ; par ailleurs ils emploient le Psautier romain (et non le Psautier gallican), dont ils suivent l'aire de diffusion. Au problème musical s'ajoutent donc un problème liturgique et un problème historique, auxquels les spécialistes n'ont pas encore apporté de solutions définitives.

Bibliographie — Cf. la bibliogr. de l'art. CHANT GRÉGORIEN, § 1. Origines.

CHAPE, voir ORGUE, § B 2. Le sommier.

CHAPEAU CHINOIS (angl., Chinese crescent ; all., Schellenbaum, Halbmond ; ital., capello, padiglione cinese, mezzaluna ; esp., chinesco, cimbalero), instr. d'origine turque qui s'implanta au XVIIIe s. dans les mus. militaires européennes, à la suite des guerres contre l'Empire ottoman. Il est formé d'une perche garnie d'ornements métalliques et surmontée d'un croissant de lune ou d'une sorte de ch. ch. auxquels sont suspendus des grelots et des clochettes. L'instrument, qui fut délaissé en France et en Angleterre dès le milieu du XIXe s., resta en usage en Allemagne jusqu'en 1945.

CHAPELAIN (du bas lat. capellanus, du lat. capella), mot qui désigne, entre autres ecclésiastiques des églises primatiales, métropolitaines, cathédrales, collégiales, paroissiales, ou des cours royales et princières, les prêtres bénéficiers titulaires d'une chapelle et ceux qui viennent aider et suppléer les chanoines. Parmi leurs différentes tâches, il en est une, essentielle, qui consiste à chanter quotidiennement la messe et l'office divin.

● **CHAPELLE** (angl., chapel; all., Kapelle; ital., cappella; esp., capilla), groupe de chanteurs, parfois soutenus par des instrumentistes, réunis au service d'une église ou d'un prince. L'origine de ces ch. — que l'on appelle parfois et plus précisément ch. de musique ou ch. musicales — remonte aux débuts de l'ère chrétienne si l'on considère que le chantre fait son apparition, d'une manière officielle, au concile de Laodicée (341-363). Sous le pontificat de Sylvestre Ier (314-336) se place la fondation d'une → « schola cantorum », qui ne fut véritablement constituée que par saint Grégoire le Grand († 604). Elle se développa à partir du VIIe s. et fut réorganisée lors du séjour des papes en Avignon (1306-78). A la fin du XIVe s., elle se transforme en ch. : on l'appellera volontiers, surtout aux XVIIe et XVIIIe s., la « maîtrise en France et la « cappella dei cantori » en Italie. Chaque cathédrale, chaque église importante possède sa ch., édifiée sur le modèle de la Chapelle pontificale qui demeure la plus importante et la plus renommée : aux XVe et XVIe s., Français, Anglais, Allemands, Espagnols et Italiens se rendront à Rome, et l'on retrouvera facilement les plus célèbres chanteurs et compositeurs de l'époque soit à la Cappella Sixtina (ch. pontificale), soit à la Cappella Julia (ch. de l'église St-Pierre de Rome). Ces musiciens (G. Dufay p. ex.) passeront par Chambéry et Turin pour se rendre à Rome. De ce fait, la ch. des ducs de Savoie sera l'une des plus considérables de la fin du Moyen Age : 23 chanteurs et 2 organistes aux alentours des années 1460. En Italie (Milan, Turin, Plaisance, Venise, etc.), en Espagne, en Allemagne, en Angleterre, en France (Bourges, Rouen, Amiens, Lyon, Bordeaux, etc.), les maîtrises prennent de plus en plus d'importance, deviennent autonomes et indispensables à la célébration du service divin. A Chartres, la maîtrise, qui se confondait avec l'école cléricale entre le Ve et le Xe s., devient indépendante entre le XIe et le XIVe s. et se transforme peu à peu en une sorte de conservatoire où des enfants (appelés « innocents », âgés de 5 à 15 ans, au nombre de 6 à 8) apprennent la théorie de la musique, la pratique d'un instrument, le chant grégorien et le chant figuré, recevant aussi l'enseignement de la grammaire. La présence de ces collèges d'enfants (collèges d'innocents) se généralise surtout au XVe s., et, à cette époque, chaque ch. se voit adjoindre cette institution favorisée par les innombrables legs et fondations des évêques et des princes. A Turin p. ex., en 1450, la ch. de la cathédrale fut dotée officiellement d'un collège d'innocents par l'évêque Lodovico di Romagnano; les enfants chantaient les offices aux côtés des chanoines et des chantres et participaient à toutes les cérémonies importantes de l'église.

A côté de ces ch. annexées aux cathédrales et aux églises, il faut également citer les sanctuaires faisant partie des palais royaux et princiers : la Ste-Chapelle de Paris, celles de Dijon, de Chambéry (où fut conservé jusqu'à la fin du XVIe s. le St Suaire, propriété de la Maison de Savoie), de Vincennes ou de Bourges. Un office quotidien était célébré et chaque Ste-Chapelle possédait sa maîtrise et son collège d'innocents. A Chambéry, un tel collège fut fondé en 1470 par la duchesse Yolande, sœur de Louis XI, et la ch. de musique accueillit des musiciens tels que G. Dufay, A. Brumel, Éloy d'Amerval, Antoine de Longueval ou Jehan Sarton. Mentionnons encore les ch. italiennes des familles de Médicis (Florence), Visconti et Sforza (Milan), Gonzague (Mantoue), Este (Ferrare); la célèbre ch. des ducs de Bourgogne, qui comptait, à l'époque de Charles le Téméraire, 24 chanteurs, des innocents, un organiste, un guitariste, des violes et des hautbois; rappelons l'existence de la ch. de Bavière, de celles de Saxe et de Brunswick, toutes organisées plus ou moins comme la ch. pontificale, et la ch. royale de France, de toutes les ch. princières la plus importante avec celle de l'empereur.

Le mérite d'avoir donné une organisation stable à la ch. royale revient, semble-t-il, à François Ier. A partir de son règne, deux institutions doivent être signalées : la ch. de plain-chant (12 chantres et 3 clercs) et la ch. de musique, dirigée par un maître — qui était, de règle, une personnalité ecclésiastique —, un sous-maître chargé du service musical, et comprenant une vingtaine de chantres et plusieurs clercs. Les musiciens de la ch. suivaient la Cour dans tous ses déplacements. L'exemple le plus typique d'une ch. itinérante est donné par la ch. des ducs de Savoie, qui franchissait sans cesse les Alpes, allant de Genève à Turin, de Chambéry à Pignerol, de Moncalier à Nice. Sous le règne de Henri IV, la ch. royale, toujours placée sous les ordres d'un maître ecclésiastique, est en réalité dirigée par deux sous-maîtres de musique et comprend un ou deux compositeurs, un organiste, 24 chantres, un cornet, deux maîtres de luth pour les enfants. Il convient de distinguer, à partir de cette période, d'une part la ch. oratoire, entièrement ecclésiastique avec aumônier, chapelains et clercs, et d'autre part la ch. de musique, qui atteindra son apogée à la fin du XVIIe s. sous Louis XIV. De E. Du Caurroy (maître de chapelle sous Henri IV) à H. Du Mont, nommé à la tête de la ch. royale en 1663, en passant par N. Formé, J. Veillot et Th. Gobert, on notera l'évolution des cérémonies et, par conséquent, des œuvres musicales. Pendant tout le règne de Louis XIV, on n'entendra plus la messe en musique proprement dite mais trois motets; c'est la raison pour laquelle H. Du Mont et P. Robert composent un nombre considérable de petits motets à 1, 2 ou 3 voix, souvent accompagnées par la basse continue, et de grands motets à deux chœurs utilisant tout l'effectif de la chapelle. Grâce à l'intervention de Lully, les voix de femmes furent introduites à la ch. royale et le nombre des instrumentistes fut renforcé. En 1678 la charge d'organiste sera divisée entre 4 titulaires qui remplissent leurs fonctions par quartiers ainsi que les 4 sous-maîtres à partir de 1683. La Ch. sera, pendant tout le XVIIIe s., un important ensemble composé d'une soixantaine de chantres et d'une trentaine d'instrumentistes; elle intégrera en 1761 les musiciens de la → Chambre mais sera dissoute par la Révolution. Rétablie par Napoléon Ier, elle connaît encore quelques heures de gloire sous l'Empire, mais elle sera complètement supprimée en 1830.

Bibliographie — E. THOINAN, Les origines de la Ch. - musique des souverains de France, Paris 1864; C. PIERRE, Notes inédites sur la mus. de la Ch. royale, 1532-1790, Paris 1899; M. BRENET, Les musiciens de la Ste-Chapelle du Palais, Paris 1921; J. MARIX, Les musiciens de la Cour de Bourgogne au XVe s., Paris 1937; A. VERCHALY, La mus. religieuse fr. de Titelouze à 1660, in RM, n^o spécial 222, 1953-54; N. DUFOURCQ, La mus. religieuse fr. de 1660 à 1789, ibid.; G. RONCAGLIA, La cappella musicale del Duomo di Modena, Florence, Olschki, 1957; M. GARROS, Mus. religieuse en France, in Encycl. de la Pléiade, Hist. de la mus. I, éd. par Roland-Manuel, Paris, Gallimard, 1960; S. CORBIN, L'Église à la conquête de sa musique, Paris, Gallimard, 1960; M. LE MOEL, La Ch. de musique sous Henri IV et Louis XIII, in Recherches VI, Paris, Picard, 1966; M.TH. BOUQUET, La cappella musicale dei duchi di Savoia dal 1450 al 1500, in Rivista Italiana di Musicologia III/2, 1968; de la même, La cappella musicale dei duchi di Savoia dal 1504 al 1550, ibid. V, 1970; de la même, Mus. et musiciens à Turin de 1648 à 1775, Turin, Acad. des sciences, in France, Picard, 1969; M. BENOÎT, Versailles et les musiciens du roi, 1661-1733, Paris, Picard, 1971; de la même, Mus. de Cour. Chapelle, Chambre, Écurie (1718-1723), Paris, Picard, 1971; R. MACHARD, Les musiciens en France au temps de J.Ph. Rameau, in Recherches XI, Paris, Picard, 1971.

M. TH. BOUQUET

CHARANGO, petite guitare à 5 cordes doubles et dos bombé comme la mandoline, dont la caisse de résonance est faite d'une carapace de tatou; elle est très populaire en Argentine, en Bolivie et au Pérou.

CHARGE, sonnerie de clairon et batterie exécutées pour mener les troupes à l'assaut.

CHARIVARI, tapage fait en groupe, mélangeant les sons les plus discordants, donné en guise de sérénade à des personnes dont on veut se moquer (époux ridicules p. ex.) ou qui ont mécontenté l'opinion publique. Cette coutume était très répandue dans les provinces françaises, en dépit des interdictions. Dans le domaine de la mus. dramatique, il faut signaler le « Charivari grotesque » introduit par J.B. Lully dans la comédie-ballet de Molière *Le Mariage forcé* (1664), à la 7e entrée

du ballet final. Par analogie, le terme désigne une exécution musicale informe et bruyante.

Bibliographie — G. PEIGNOT, Hist. morale, civile, politique et littéraire du ch. depuis son origine vers le IVe s., Paris 1833; G.HÉRELLE, Les ch. nocturnes dans le Pays basque fr., in Revue Internat. des Études basques XV, 1924; H. et R. KAHANE, Ch., in The Jewish Quarterly Review LII, 1961-62.

CHARLESTON, danse d'origine américaine qui tient son nom de la ville de Charleston, en Caroline du Sud (USA). Sorte de → fox-trot rapide (♩ = 96), elle se caractérise par un rythme syncopé. Elle fut créée à New York autour de 1920 puis connut rapidement une grande vogue en Europe comme danse de société et comme spectacle de music-hall.

CHARTRES.

Bibliographie — Abbé CLERVAL, L'ancienne maîtrise de N.-D. de Ch., Paris 1899; du même, La mus. relig. de Ch., in Tribune de St-Gervais VI-VII, 1900-01; Chanoine MÉTAIS, Les orgues de la cathédrale de Ch., in Archives du diocèse de Ch. XXI, 1914; M. JUSSELIN, Les orgues de St-Pierre de Ch. (1595-1922), Chartres 1922; du même, Orgues d'églises chartraines aux XVe et XVIe s., in Mémoires de la Soc. d'archéologie d'E.-et-L. XVI, 1936; du même, Hist. des livres liturgiques de la cathédrale de Ch. au XVIe s., ibid.; N. DUFOURCQ, Les orgues des Jacobins de Ch. Notes sur la diffusion de la facture d'orgues rouennaise au XVIIe s., in RMie XII, 1928; VL. FÉDOROV, art. Ch. in MGG II, 1952; N. GOLDINE, Les heuriers-matiniers de la cathédrale de Ch. jusqu'au XVIe s. Organisation liturgique et musicale, in RMie LIV, 1968.

CHASSE, voir CACCIA et CHACE.

CHEF D'ORCHESTRE (angl., conductor; all., Dirigent; ital., direttore; esp., director), musicien qui, par ses gestes, coordonne et dirige l'exécution des instrumentistes dans un concert symphonique ou celle des chanteurs, des choristes et des instrumentistes dans la représentation d'une œuvre lyrique. La tâche du ch. d'o. est double : 1° il indique aux exécutants le → « tempo », la → mesure, les → accents rythmiques en battant régulièrement la mesure; 2° il manifeste ses intentions artistiques par ses autres gestes et par des instructions orales communiquées au cours de → répétitions préalables. La mesure est donnée par la main et le bras droits — le plus souvent à l'aide d'un → bâton ou → baguette — et, en règle générale, suivant des schémas de mouvements conventionnels. Le moment accentué de la mesure, le premier temps, est ainsi toujours indiqué par un battement descendant ou « frappé », tandis que la « levée » préparant la mesure suivante l'est par un battement ascendant. En intercalant les autres temps de la mesure entre le frappé et la levée, on obtient une série de figures de battue qui sont communément admises. D'autre part, les battements sont adaptés au « tempo ». La règle de base est d'exécuter un battement par temps de la mesure; cependant, dans les mouvements lents, on fait parfois deux ou plusieurs battements par temps (p. ex. dans un « adagio » à 4/4, huit battements par mesure). C'est ce que l'on nomme la battue décomposée. Par contre, dans des mouvements rapides, plusieurs temps peuvent être compris sous un même battement (p.ex. dans un « allegro » en 6/8, deux battements de 3 croches chacun par mesure; en 9/8, trois battements de 3 croches par mesure, etc.). En faisant des gestes plus ou moins grands, le ch. d'o. peut en

● **Voir hors-texte entre pages 176 - 177.**

même temps indiquer des nuances, p et f aussi bien que « crescendo » et « diminuendo ». En variant la direction, la netteté ou l'arrondi des battements, il peut en outre signaler l'articulation et le caractère souhaité, « legato », « staccato », « tenuto », « marcato », etc. Un battement particulièrement important est le geste de préparation ou geste de départ, qui rassemble les exécutants pour une entrée commune, en indiquant le « tempo » et le caractère. Si les mouvements de la main et du bras droits servent principalement à des indications de mesure, le bras gauche est plus disponible pour indiquer des nuances d'intensité et de dynamique, pour illustrer de façon plastique le processus musical (phrasé, agogique), pour susciter des entrées difficiles, etc. Cette individualisation des deux bras est une des choses les plus importantes dans l'art de diriger et les plus difficiles à acquérir. Toutefois la communication avec les exécutants ne passe pas exclusivement par les mouvements des bras et des mains. L'attitude et le regard du ch. d'o., la tension ou la douceur des mouvements, l'ensemble de son jeu corporel provoquent des réactions particulières chez les exécutants. La stature physique, la façon de se tenir, le caractère du ch. d'o. ont, de ce fait, une importance décisive.

Certaines œuvres pour orchestre des dernières décennies requièrent une technique de direction toute particulière. Les partitions dépourvues d'un ordre métrique commun demandent, à la place d'un battement de mesure, d'autres formes d'indication, p. ex. des mouvements circulaires que les musiciens peuvent lire comme une horloge, des signes de sémaphore pour susciter des entrées, des modes de jeu, des degrés d'intensité, des improvisations, etc. Le répertoire de signaux varie souvent d'une œuvre à l'autre et il n'est pas rare que le ch. d'o. doive trouver lui-même la gestique propre à orienter les exécutants. Certaines œuvres exigent même plusieurs ch. d'o. en action simultanée. Il va de soi que l'instruction orale comporte pour ces œuvres récentes une part accrue d'information puisque la notation aussi bien que la façon de jouer peuvent être inconnues des musiciens. Dans ces œuvres également, la qualité de l'exécution dépend de l'influence positive ou négative du ch. d'orchestre.

Les mouvements corporels à travers lesquels un ch. d'o. transmet aux exécutants ses intentions musicales sont la manifestation extérieure de sa conception artistique. Son rôle suppose, outre une musicalité, un tempérament et une intelligence au-dessus de la moyenne, une forte personnalité de chef, un fonds solide de connaissances musicales pratiques et théoriques et de plus une connaissance intime des styles des diverses époques et des différents compositeurs. De nos jours, le ch. d'o. a une tâche musicale des plus exigeantes, et peu nombreux sont ceux qui atteignent à une véritable maîtrise dans ce domaine. — En ce qui concerne la manière de travailler, on peut distinguer deux types principaux : d'un côté, le ch. « instructeur », qui se livre à un intense travail de préparation lui permettant, lors de l'exécution publique, de n'avoir qu'un rôle de surveillant attentif ; de l'autre côté, le ch. « impulsif », qui, en vertu de son pouvoir suggestif sur les exécutants, compte, pour le résultat artistique, sur l'inspiration du moment. Les exigences de qualité du public et l'évolution du coût des onéreux orchestres

symphoniques ont entraîné à notre époque une recherche de la plus grande efficacité du ch. d'orchestre. D'un exercice sommaire des éléments de base, sa formation est devenue un « cursus » d'études long et différencié. Grâce surtout au modèle génial de A. Toscanini et à l'œuvre de pionnier pédagogique de H. Scherchen, on entrevoit désormais les contours d'une formation de ch. d'o. adéquate aux exigences de notre époque. — Le ch. de chœur, en plus des problèmes évoqués, doit tenir compte d'éléments spécifiquement vocaux comme l'intonation et la prononciation des textes. Bien plus souvent que le ch. d'o., il travaille sans bâton, utilisant d'une façon souvent toute personnelle les mouvements des mains et des doigts pour rassembler et diriger ses choristes. Le ch. d'o. de théâtre se trouve devant des tâches toutes spéciales, notamment celle de coordonner le plateau et ses chanteurs, chœurs et ballets avec l'orchestre placé dans une fosse. Parfois il exerce le rôle de metteur en scène et d'instructeur artistique des chanteurs.

Ce n'est que vers le milieu du XIXe s. que le travail du ch. d'o. fut reconnu comme une tâche artistique à part entière (voir l'art. DIRECTION). Si Beethoven et Berlioz se consacraient presque exclusivement à diriger leurs propres œuvres, C.M. von Weber, F. Mendelssohn, G. Spontini et L. Spohr travaillaient déjà comme des ch. d'o. au sens moderne du terme. A partir de 1830 environ, la France se signale par d'éminents ch. d'o. qui contribuèrent beaucoup au développement de la technique de la direction, Fr. Habeneck, J. Pasdeloup, É. Colonne et Ch. Lamoureux. Berlioz influença parmi d'autres F. Liszt dans son activité de « Kapellmeister » à Weimar. Avec le travail novateur de Wagner à Dresde et surtout par son livre Über das Dirigieren (1869), les tâches du ch. d'o. moderne se trouvent pour l'essentiel définies. Grâce à Wagner et à ses successeurs, H. von Bülow, H. Richter, H. Levi, Karl Muck, F. Mottl — qui furent tous des ch. d'o. de théâtre, surtout wagnériens —, G. Mahler, R. Strauss et F. von Weingartner, l'art de diriger atteignit définitivement la position privilégiée qu'il occupe dans la vie musicale actuelle. L'intérêt du public se porte en effet sur l'interprétation et la personne même du ch. d'o., et cela d'une façon qui risque de cacher l'œuvre musicale.

Dans le monde entier, chaque → orchestre important a son propre chef. En outre, les échanges internationaux de ch. d'o. célèbres se développent de plus en plus, et il en est beaucoup qui, tels les virtuoses, peuvent se consacrer à des tournées de ch. invité, ce qui a d'ailleurs nécessité une amélioration de la qualité des orchestres. Parmi les plus grands ch. d'o. du XXe s., il convient de citer les Italiens A. Toscanini et Vittorio De Sabata ; les Allemands W. Furtwängler, Br. Walter, Hans Knappertsbusch, O. Klemperer ; les Autrichiens Clemens Krauss, Karl Böhm, H. von Karajan ; les Anglais Sir H. Wood, Sir Adrian Boult, Sir Th. Beecham, Sir John Barbirolli, Sir Malcom Sargent, Sir Colin Davis ; les Hollandais W. Mengelberg, Eduard van Beinum, Bernard Haitink ; les Français C. Chevillard, P. Monteux, G. Pierné, A. Wolff, Ch. Münch, P. Paray ; le Suisse E. Ansermet ; les Tchèques Vaclav Talich et R. Kubelik ; les Polonais Paul Klecki, Witold Rowicki, Jan Krenz ; les Russes Ievgeni Mravinski, I. Markevitch, Kyril Kondrachine, Guennadi Rojdestvenski. Les ch. d'o. suivants, de différentes nationalités, exercent aux États-Unis ou un peu partout dans le monde : S. Koussevitski, L. Stokovski, Fritz Reiner, Georg Szell, Eugen Ormandy, Georg Solti, Carlo Maria Giulini, L. Bernstein, Serge Baudo, P. Boulez, Zubin Mehta, Seiji Ozawa. Pour la musique d'avant-garde, il faut signaler le Français Ernest Bour, l'Argentin d'origine allemande Michaël Gielen et l'Italien Br. Maderna.

Bibliographie — Cf. l'art. DIRECTION.

CHEMINÉE, tube étroit superposé à un tuyau d'orgue plus large. — Voir l'art. ORGUE, § B 4. La tuyauterie, § Tuyaux bouchés et flûtes.

CHENG (chinois), voir ORGUE À BOUCHE.

CHEVALET (angl., bridge ; all., Steg ; ital., ponticello ; esp., puente, puentecillo), pièce de bois jouant le rôle de pont à l'égard des cordes qu'elle sous-tend. Le ch. est posé à cheval sur l'axe central de la table d'harmonie. Son rôle est double : 1º avec le sillet placé à l'autre extrémité de la touche, il délimite la longueur de corde vibrante ; 2º il transmet à la table les vibrations des cordes et exerce à ce titre une influence sur la qualité de la sonorité. — Pour les instr. à cordes pincées, le ch. est constitué par une petite barre collée sur la table et percée de trous pour attacher les cordes et fait également office de cordier. Il se prolonge souvent par deux fines volutes ornementales. Les ch. des violes et des violons sont libres et plus importants. Ils sont fixés à la table par la seule pression des cordes. Leurs découpes ne sont pas dessinées au hasard mais ont pour but de les alléger. Chez les violes, leur partie supérieure, peu arquée, favorise le jeu polyphonique en mettant les cordes presque à la même hauteur. Plus arquée chez les violons, elle permet un jeu monodique puissant et vigoureux. — L'archet, lorsqu'il est placé près du ch., à l'endroit où les cordes sont les plus dures, produit une sonorité détimbrée assez particulière. Cet effet est parfois demandé par les compositeurs sous la mention « ponticello ».

CHEVILLE (angl., peg ; all., Wirbel ; ital., bischero ; esp., clavija), dans les instr. à cordes, pièce de bois dur (palissandre, ébène) ou de métal fichée dans le manche ou sur la table, autour de laquelle est enroulée l'extrémité de la corde. En faisant tourner la ch., on peut modifier la tension de celle-ci pour l'accorder. Les ch. métalliques des instr. à clavier ou des harpes doivent être manipulées avec une clef. Dans certains instruments comme la contrebasse et la mandoline, les ch. sont remplacées par des roues dentées.

CHEVILLIER (angl., peg box ; all., Wirbelkasten ; ital., cavigliere ; esp., clavijero), extrémité du manche d'un instr. à cordes où sont fixées les → chevilles. Le ch. du luth, renversé presque à angle droit, a une forme très caractéristique. Certains instruments, qui possèdent des cordes sonnant à vide (archiluth, théorbe), sont munis d'un double chevillier. Les ch. des instr. à archet se terminent par une volute et furent souvent ornés d'une tête sculptée.

CHEVRETTE, ancien nom d'une → cornemuse que l'on trouve encore en Auvergne (cabrette), dont le réservoir était en peau de chèvre.

CHEVROTEMENT, tremblement de la voix provoqué par le relâchement des muscles du larynx.

CHIAVETTE (ital., petites clefs), terme désignant l'une des deux combinaisons de → clefs grâce auxquelles la majorité des œuvres vocales polyphoniques sont notées depuis 1540 environ, l'autre combinaison étant appelée « chiavi naturali » (= clefs naturelles). Ces deux termes sont cependant de création récente. Lors de la composition d'une œuvre musicale, l'un des deux groupes de clefs était placé en tête de la → « tabula compositoria », d'où les clefs étaient réparties entre les différentes voix au moment de la confection des parties séparées. Th. Morley, qui est le premier à exposer la question (A Plaine and Easie Introduction... III, 1597), dénomme les deux groupes de clefs « high key » et « low key » :

Chiavette (high key)   Chiavi naturali (low key)

S.   A.   T.   .   B.   S.   A.   T.   B.

L'emploi généralisé de ces deux manières de disposer les clefs est étroitement lié au développement de l'art de la composition, ainsi qu'à l'organisation des → chapelles et des → maîtrises au XVIe s. On connaissait alors 4 groupes de voix (voix de garçons, voix d'hommes aiguës, moyennes et graves, appelées superius, altus, ténor, bassus), chacune ayant une étendue d'une dixième, séparées l'une de l'autre par des intervalles de quinte, de tierce et de quinte, ce qui donne une étendue vocale générale de 3 octaves (21 sons). Pour la qualité de la sonorité et pour ménager les chanteurs, ces limites et cette répartition étaient expressément exigées par les théoriciens et rendues visibles au moyen de la portée générale ou → « scala decemlinealis » :

a)   b)

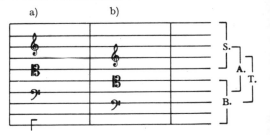

S.
A.
T.
B.

Au début du XVIe s., les clefs étaient toujours disposées comme en a), commençant avec Γ (sol1), la note la plus grave de l'échelle générale. Selon le traité anonyme Explicatio compendiosa (v. 1550, Deutsche Staatsbibl., Berlin, Mus. ms. 1175), les jeunes compositeurs prirent l'habitude de transposer toute l'échelle (« transpositio totius scalae ») de telle sorte que les clefs soient déplacées d'une ligne vers le grave comme en b). La disposition des clefs de a) se nomme « chiavi naturali »; celle de b), « chiavette ». Il arrive que la basse soit notée à l'aide de deux clefs car cette voix outrepasse fréquemment l'étendue d'une dixième ; les copistes devaient choisir celle qui nécessitait le moins de lignes supplémentaires (voir le premier exemple).

L'usage des ch. provoque un déplacement de la note fondamentale du ton à l'intérieur de l'« ambitus » des différentes voix et, par conséquent, des modifications de la structure contrapuntique et du caractère sonore de la musique en général. L'*Explicatio compendiosa* signale ainsi que les pièces notées en ch. offrent d'autres possibilités de cadences, et Th. Morley souligne que « ces chants qui sont adaptés à la clef haute sont faits pour plus de vitalité, les autres dans la clef basse pour plus de gravité et de fermeté ». La condition pour réaliser ces effets est le respect strict de l'étendue vocale de 21 sons ; les pièces en ch. doivent donc être entonnées plus bas. Morley distingue effectivement entre diapason grave (« low pitch ») et diapason élevé (« high pitch ») et soutient énergiquement que les pièces qui ne sont pas entonnées à la hauteur qui correspond à leurs clefs « perdront leur charme et seront faussées comme si elles étaient hors de leur nature ». Dans les tablatures d'orgue, les pièces notées en ch. se retrouvent notées une quarte ou une quinte plus bas, tandis que les autres pièces sont transcrites fidèlement. De ces sources on ne peut guère tirer de règle quant à la différence d'intonation, car l'accord des instr. à clavier est par trop variable à cette époque. — Parmi les nombreuses autres combinaisons de clefs possibles (voix égales p.ex.), il peut s'en trouver qui dépassent l'étendue vocale normale avec « cantus » en clef de *sol* 2de ligne et basse en *fa* 4e ligne. Cela peut être l'indice d'une exécution partiellement instrumentale ou — ce qui est prouvé pour la chapelle du duc de Bavière sous R. de Lassus — d'une participation de voix de basse exceptionnellement graves.

L'usage des ch. a augmenté le nombre des structures fondamentales, qui, comme les tonalités du cycle des quintes pour les générations ultérieures, se trouvaient à la disposition des polyphonistes tels des modes à caractère sonore bien déterminé. C'est pourquoi on ne sert guère la musique de cette époque si l'on applique indistinctement le ton de la chambre aux pièces notées à l'aide de chacun des groupes de clefs. Leur charme sonore est mieux mis en valeur si l'on entonne les pièces en ch. deux ou trois demi-tons plus bas et celles en « chiavi naturali » un peu plus haut que leur notation.

Au XVIIIe s. la connaissance de la pratique des ch. se perdit. Mais au XIXe s. la renaissance palestrinienne s'est trouvée à nouveau confrontée au problème des « chiavette ». C'est alors que s'est formée la thèse qui donne aux ch. le sens restreint d'une transposition et qui ne correspond qu'imparfaitement à la réalité. Elle a été soutenue par R.G. Kiesewetter, H. Bellermann et surtout par Th. Kroyer contre Richard Ehrmann et A. Schering entre autres. Même les travaux d'Arthur Mendel et H. Federhofer se trouvent affectés par le témoignage de l'*Explicatio compendiosa*. S'introduisit également dans la contro-

verse la catégorie des « ch. graves » (transposition à la tierce supérieure) avec les clefs suivantes :

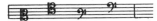

dont on s'est servi à l'occasion au XVIe s. pour la notation de musique funèbre (« chiavi trasportati ») mais non comme l'opposé aux ch. (« ch. élevées »).

Bibliographie — H. BELLERMANN, Der Contrapunkt, Berlin 1862, 4/1901 ; J. WOLF, Hdb. der Notationskunde I, Leipzig 1913, p. 137 et ss. ; R. EHRMANN, Die Schlüsselkombinationen im 15. u. 16. Jh., *in* StMw XI, 1924 ; TH. KROYER, Zur Ch.-Frage, *in* Fs. G. Adler, Vienne 1930 ; du même, Der vollkommene Partiturspieler, Leipzig 1930 ; A. SCHERING, Aufführungspraxis alter Musik, Leipzig 1931 ; A. MENDEL, Pitch in the 16th and Early 17th Cent., *in* MQ XXXIV, 1948 ; H. FEDERHOFER, Zur Ch.-Frage, *in* Anzeiger der phil.-hist. Klasse der... Akad. der Wissenschaften, Vienne 1952 ; du même, Hohe u. tiefe Schlüsselung im 16. Jh., *in* Fs. Fr. Blume, Kassel, BV, 1963 ; S. HERMELINK, Zur Ch.-Frage, *in* Kgr.-Ber. Wien 1956 ; du même, Dispositiones modorum, Tutzing, Schneider, 1960 ; du même, Ein neuer Beleg zum Ursprung der Ch., *in* Mf XIV, 1961 ; D. WULSTAN, The Problem of Pitch in 16th Cent. English Vocal Polyphony, *in* Proc. R.Mus. Assoc. XCIII, 1966-67.

S. HERMELINK

CHICAGO.

Bibliographie — TH. THOMAS, A Musical Autobiogr., Chicago 1905 ; R.F. THOMAS, Memoirs of Th. Thomas, Chicago 1911 ; K.SP. HACKETT, The Beginnings of Grand Opera in Ch. 1850-59, Chicago 1913 ; P.A. OTIS, The Ch. Symphony Orchestra, Chicago 1925 ; C.E. RUSSELL, The Amer. Orchestra and Th. Thomas, New York 1927 ; K.J. REHAGE, Music in Ch., 1871-1893 (diss. Univ. of Ch. 1935) ; E.A. JOHNSON, The Ch. Symphony Orchestra. 1891-1942 (diss. Univ. of Ch. 1955) ; R.L. DAVIS, Opera in Ch., New York, Appleton, 1966 ; D.J. EPSTEIN, Music Publishing in Ch. before 1871. The Firm of Root & Cady, 1858-1871, *in* Detroit Studies in Music Bibliogr. 14, Detroit 1969.

CHICAGO JAZZ, voir JAZZ.

CHIFFRAGE. L'utilisation des chiffres pour indiquer un accord à partir d'une basse donnée date de l'emploi de la → basse continue. Les ch. devenant de plus en plus complexes, ils furent abandonnés en musique pratique vers le milieu du XVIIIe s. mais restèrent en usage dans l'enseignement théorique, où ils sont toujours très employés. On s'en sert tout particulièrement en harmonie (où la réalisation de basses chiffrées occupe une place importante) et à des fins d'analyse musicale. Le ch. actuel n'est pas tout à fait le même que celui des siècles passés et varie quelque peu d'un pays à l'autre. C'est en France qu'il a atteint le plus grande précision. Voici l'ensemble des conventions qui le caractérisent : 1º Par principe absolu et sans exception, tout chiffre correspond à l'intervalle qu'il représente par rapport à la basse. 2º L'accord parfait majeur ou mineur se chiffre par 5, la 3ce restant sous-entendue (ex. 1a). 3º L'altération placée devant un chiffre affecte la note désignée par ce chiffre (ex. 1b). 4º L'altération seule se rapporte toujours à la 3ce, la quinte restant supposée (ex. 1c). 5º Un chiffre barré indique un intervalle diminué (ex. 1d). 6º La croix signifie augmenté ou sensible, ou les deux (ex. 1e). 7º La barre horizontale après un chiffre indique que la même harmonie est maintenue (ex. 1f).

Chiffrage
ex. I

CHIFFRAGE

Il n'y a pas de chiffrage particulier pour indiquer la quinte à vide. On pourrait y remédier en employant le chiffrage $\frac{5}{0}$, le 0 mis à la place de la tierce indiquant que celle-ci est absente. Voir ci-dessous le tableau des principaux accords utilisés en harmonie classique avec leur dénomination et leur ch. en position fondamen-

tale et à l'état de renversement. A partir de ce tableau, il est facile de déduire par analogie les ch. de tous les accords possibles.

En dehors du ch. des accords, il existe un ch. des degrés de l'échelle employée, indiquant la place qu'occupe un accord donné dans une tonalité donnée. On emploie à cet effet des chiffres romains. Certains

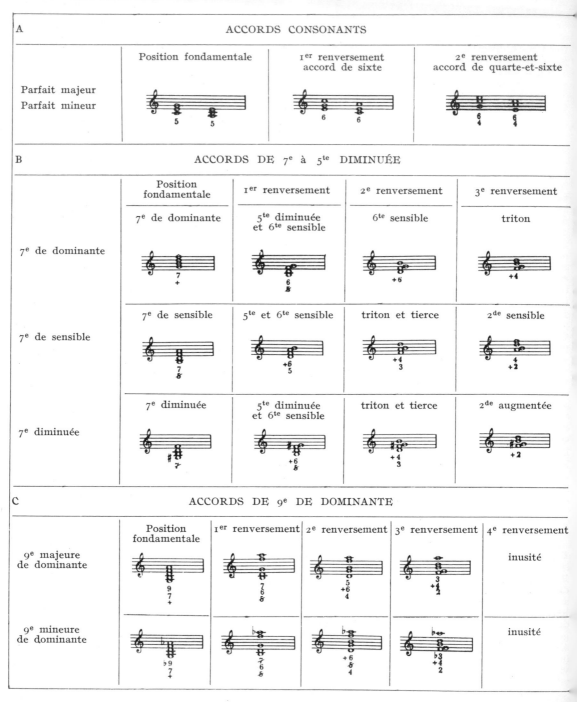

théoriciens préconisent de toujours chiffrer le degré sur lequel se trouve la fondamentale d'un accord donné, même si celui-ci est à l'état de renversement. C'est ce qu'ils appellent, d'un terme en partie impropre, ch. fonctionnel :

ex. 2

En fait, il paraît préférable de distinguer le degré de la → fonction en conservant le ch. de degré et en indiquant au-dessous la fonction.

ex. 3

S. GUT

CHIFFRES, signes utilisés pour écrire les nombres et fréquemment ·employés en musique avec des sens variés. Les chiffres arabes ont servi principalement à la notation de la musique, 1º dans les tablatures des instr. à cordes pincées (luth, vihuela, guitare, etc.) pour indiquer soit les cordes à vide (tablature allemande), soit les cordes à vide et les cases déterminées par les frettes sur le manche (tablatures italienne et espagnole), 2º comme substitut des notes musicales en Espagne à la fin du Moyen Age, chez les protestants français pour le chant des psaumes à l'unisson (méthode de P. Davantès reprise au XVIIIe s. par J.J. Rousseau), en France au XVIIe s. appliqués au plain-chant et à la polyphonie dans divers ouvrages du père Souhaitty, enfin chez le mathématicien et pédagogue musical Pierre Galin au début du XIXe s. Ils ont également servi à indiquer les modifications apportées aux durées des notes par les → proportions dans la notation mensuraliste des XVe et XVIe s. et continuent à indiquer schématiquement les → accords dans l'enseignement de l'harmonie ou la réalisation de la → basse continue (voir l'art. CHIFFRAGE), la combinaison des valeurs de durée qui constituent la → mesure, enfin les → doigtés à employer dans le jeu des instruments. Quant aux sept premiers chiffres romains, ils servent à désigner les 7 → degrés de la gamme diatonique dans la théorie classique de l'harmonie ainsi que les 7 → positions du jeu du violon.

CHIFONIE, voir VIELLE À ROUE.

CHILI (Chile). Carrefour des communications physiques, politiques et sociales entre l'Argentine et le Pérou, le Chili possède un riche patrimoine de traditions musicales populaires. Bien qu'acclimatées et ayant acquis des couleurs propres, elles révèlent toujours leur appartenance à l'un ou à l'autre des deux pays qui les ont exportées. La « cueca » est le genre national par excellence ; c'est une danse accompagnée du chant à deux voix et d'un ensemble instrumental. La musique autochtone, dont les survivances — notamment chez les Indiens araucans — ont été recueillies et étudiées par des spécialistes tels

que P.H. Allende, Carlos Isamitt, le père Augusta et Carlos Lavin, était d'une sobre beauté mélodique et d'une assez grande variété rythmique. Celle des Européens a été introduite, dès le début de la conquête, par des musiciens militaires, des religieux ou de simples amateurs, comme Pedro de Miranda, ce gentilhomme dont l'histoire est racontée par Gongora de Marmolejo. Tombé aux mains des Indiens, il sauva sa vie et celle d'un compagnon en leur jouant quelques airs sur la flûte. Les Indiens furent dociles à l'enseignement musical des premiers missionnaires et se rendirent bientôt indispensables dans les chœurs d'église. Des orgues construites par des artisans locaux furent installées dans certaines églises dès le début du XVIIe s. A l'occasion des fêtes religieuses ou civiles, des représentations théâtrales entremêlées de musique firent bientôt leur apparition. Les salons de l'aristocratie coloniale s'ouvrirent pour des soirées musicales ; tous possédaient leurs clavecins, importés d'Europe. Dès le début de sa carrière en Europe au XVIIIe s., la « tonadilla » trouva au Chili un terrain propice, où elle se développa grâce au compositeur espagnol Antonio Aranaz. Sous sa direction, un premier théâtre public régulier ouvrit ses portes à Santiago en 1793.

La grande figure de la vie musicale chilienne du début du XIXe s. est Don José Zapiola, qui a consigné ses souvenirs dans un livre intitulé *Recuerdos de treinta años (1810-1840)*. Il apprit la musique au sein de la mus. militaire d'une formation de l'armée républicaine qui combattait les Espagnols. On lui doit l'introduction de l'enseignement de la musique dans les écoles, la fondation d'un orchestre symphonique, d'un hebdomadaire musical et de la « Sociedad de la Igualdad », qui avait des buts sociaux et politiques. A la fin de sa vie, il fut élu membre du Conseil municipal de Santiago. Il a composé de la musique pour l'église et des hymnes patriotiques. En 1827 était fondée à Santiago une Soc. philharmonique qui disposait d'un orchestre de 16 musiciens. A sa fondation furent associés le commerçant danois Karl Drewetcke, féru de musique, et Doña Isidora Zegers y Montenegro, espagnole de naissance, arrivée au Chili en 1822. Elle a laissé des traces profondes de son action dans la vie musicale du pays. Son influence s'est fait sentir au moment de la création du Conservatoire de musique (1850) dont elle fut nommée directeur honoraire. Deux musiciens péruviens ont vécu et travaillé au Chili, dans le 1er quart du XIXe s. : Bartolomé Filomeno, compositeur de musique sacrée et professeur réputé, et José Bernardo Alzedo y Larrín, auteur de l'hymne national de son pays natal, qui, venu au Chili avec l'armée de libération, y resta 40 ans, composant, enseignant, s'occupant de musiques militaires et, plus tard, exerçant les fonctions de maître de chapelle de la cathédrale de Santiago. — Les premiers opéras italiens furent présentés à Valparaiso en 1830, pendant la guerre civile, puis, l'ordre ayant été rétabli, à Santiago. Mais ce genre de spectacle ne put jamais s'acclimater entièrement au Chili. Malgré l'enthousiasme que la diva Clorinda Pentanelli souleva en 1840, interprétant les opéras de Bellini, de Donizetti ou de Verdi, les amateurs chiliens restaient plus attachés à la musique de concert des maîtres classiques. La « zarzuela », genre typiquement espagnol qui fleurissait au XIXe s., devait être mieux accueillie par le public populaire auquel elle se destinait. Elle connut une grande vogue à partir de 1857.

Les compositeurs qui peuvent être considérés comme les fondateurs de la mus. chilienne du XXe s. sont Enrique Soro (1884-1954), Alfonso Leng (* 1884), P.H. Allende (1885-1966) et Carlos Isamitt (* 1887). D. Santa-Cruz (* 1899), par ses qualités d'animateur, a exercé une grande influence sur la vie musicale de son pays. Il a été l'inspirateur des nouvelles structures de l'enseignement musical et des institutions destinées à la diffusion de la musique, tel l' « Instituto de Extensión musical ». Les fruits de ces réformes n'ont pas tardé à se faire sentir. Aujourd'hui le Chili a rattrapé son retard et possède une pléiade de compositeurs à la réputation bien établie : Jorge Urrutia Blondel, René Amengual, Alfonso Letelier, J. Orrego-Salas, Eduardo Maturana, Carlos Botto Villarino, Alfonso Montecino, G. Becerra-Schmidt, Carlos Riesco, Claudio Spies-Heilbronn et, parmi les plus jeunes, José Vicente Asuar, Leon Schidlowsky, Gabriel Brncic. La meilleure et la plus ancienne des revues musicales de langue espagnole est éditée au Chili par l' « Instituto de Extensión musical » : la *Revista musical chilena*, qui a commencé à paraître en 1947.

Bibliographie — J. ZAPIOLA, Recuerdos de treinta años (1810-1840), Santiago 1932 ; L. SANDOVAL Y BUSTAMANTE, Reseña histórica nacional de música, Santiago 1911 ; A. HUNEEUS, Los Huneeus y los Zegers en Chile, Paris 1927 ; A. RIED, Diario de Aquinas Ried, Santiago 1927 ; E. PEREIRA SALAS, Los origenes del arte musical en Chile, id. ; du même, La mús. en la Isla de Pascua, Santiago 1947 ; du même, Hist. de la mús. en Chile (1850-1900), Santiago, Univ. de Chile, 1957 ; A. ABASCAL BRUNET, Apuntes para la historia del teatro en Chile ; la Zarzuela grande, 2 vol., Santiago 1941 et 1951 ; du même et E. PEREIRA SALAS, Pepe Vila. La Zarzuela Chica en Chile, Santiago, Imprenta Universitaria, 1955 ; P. GARRIDO, Biogr. de la cueca, Santiago 1943 ; V. SALAS VIU, La creación musical en Chile (1900-1951), Santiago, Univ. de Chile, s.d. ; S. CLARO, Panorama de la mús. contemporanea de Chile, Santiago, Univ. de Chile, 1969 ; R. ESCOBAR et R. IRARRAZABAL, Mús. compuesta en Chile, 1900-1968, Santiago, Bibl. Nacional, 1969 ; R. BARROS et M. DANEMANN, El romancero chileno, Santiago, Univ. de Chile, 1970.

L.H. CORRÊA DE AZEVEDO

CHINE. La mus. chinoise est le mode d'expression d'une des plus vieilles civilisations. Après la mus. populaire, née sous la forme de chansons d'amour et de chants de travail dont l'origine se perd dans la nuit des temps, la mus. de cour fut créée, dit-on, il y a 6 000 ans, sous le règne de l'empereur Fou-hi (4477-4380 av. J.C.). Dès l'Antiquité les empereurs chinois avaient utilisé la musique comme moyen d'influence sur le peuple. La mus. de cour était exécutée non seulement à la Cour, mais aussi lors des cérémonies religieuses et civiles. Sous le règne de l'empereur Chouen (2255-2205 av. J.C.), la danse, d'un caractère religieux et symbolique, fut introduite dans les cérémonies. La tradition conserva fidèlement l'art musical jusqu'à la dynastie des Tcheou (1134-256 av. J.C.). A cette époque, la mus. rituelle jouissait d'une très grande considération ; le nombre des musiciens de la Cour atteignit mille quatre cents.

La théorie. Les douze sons appelés « liu » (équivalant à une échelle chromatique) furent inventés par le ministre Lin-Louen sous le règne de l'empereur Houang-ti (2697-2597 av. J.C.). Ils sont établis par des tuyaux de bambou de même grosseur, coupés dans l'intervalle de deux nœuds de longueurs différentes.

Le premier tuyau, mesurant huit pouces et 1/10, produit le son fondamental appelé *houang-tchong* (= la cloche jaune, équivalent du *fa* actuel), qui servit de point de départ pour produire les douze « liu » donnant des quintes justes par le rapport de 2/3, ou des quartes justes par le rapport de 4/3. La progression des quintes donna les 12 sons : *fa, do, sol, ré, la, mi, si, fa ♯, do ♯, sol ♯, ré ♯, la ♯.* En les mettant à leur place dans une octave, on forme l'échelle chromatique : *do, do ♯, ré, ré ♯, mi, fa, fa ♯, sol, sol ♯, la, la ♯, si.* Les quatre premières quintes — *fa, do, sol, ré, la* — formèrent la première gamme pentatonique : *fa, sol, la, do, ré.* Dans la théorie de la mus. chinoise, chacune des notes de la gamme prend un nom particulier pour indiquer sa fonction : *fa* appelé *kong* (= le palais), représentant le prince ; *sol* appelé *chang* (= la délibération), représentant le ministre ; *la* appelé *kiao* (= la corne), représentant le peuple; *do* appelé *tche* (= la manifestation), représentant les affaires et *ré* appelé *yu* (= les ailes), représentant les objets. En prenant chacun des 5 degrés comme tonique, on forme les 5 modes suivants : mode de *kong* : *fa, sol, la, do, ré* ; mode de *chang* : *sol, la, do, ré, fa* ; mode de *kiao* : *la, do, ré, fa, sol* ; mode de *tche* : *do, ré, fa, sol, la* ; mode de *yu* : *ré, fa, sol, la, do.* Ces modes, formés de divers intervalles, ont pris le *houang-tchong* pour point de départ. Les douze « liu », donnant la hauteur absolue, peuvent servir tous de point de départ à un de ces modes. La combinaison des 5 modes avec les 12 « liu » a donné naissance à 60 tons différents.

Deux notes complémentaires furent ajoutées à la gamme pentatonique pour former une gamme de 7 sons à l'époque Tcheou (1134 - 256 av. J.C.). Elles sont moins élevées d'un demi-ton que la note qui suit : l'une s'appelle *pien-tche* (= *tche* modifié) et l'autre *pien-kong* (= *kong* modifié) :

Les 7 modes se forment en prenant chacun des 7 degrés pour servir de tonique. La combinaison des 7 modes avec les 12 « liu » a produit 84 tons différents. Dans la mus. chinoise, chaque mode a son propre caractère. Ainsi le mode *la ♭, si ♭, do, ré, mi ♭, fa, sol, la ♭* est-il frais et profond ; le mode *ré, mi, fa ♯, sol, la, si, do, ré,* élégant et raffiné ; le mode *la, si, do, ré, mi, fa, sol, la* évoque l'ordre et le calme ; le mode *sol, la, si ♭, do, ré, mi ♭, fa, sol,* la tendresse et les pleurs.

Les 12 « liu » établis par la progression des quintes n'étaient pas tempérés. De nombreux théoriciens essayèrent de trouver une solution en calculant les « liu » par la progression des quintes en nombres astronomiques. Qu'il s'agisse de Sseu-ma Ts'ien ou de King Fang des Han (206 av. J.C. - 219 ap. J.C.), de Ts'ien Yo-Tseu au temps de l'empereur Wen-ti (424-453) ou de Ts'ai Yuan-ting sous le règne de l'empereur Hiao-tsong (1163-1189), personne n'a pu aboutir à un résultat satisfaisant. Finalement le prince Tchou Tsai-yu inventa les 12 « liu » tempérés sous la dynastie des Ming (1368-1643). Le système du tempérament fut adopté officiellement en 1596, soit un siècle plus tôt que l'adoption en Europe de la gamme chromatique tempérée par A. Werckmeister.

La notation la plus ancienne qu'on possède date du VIIIe s. Elle indique simplement les noms abrégés des « liu » en caractères chinois (p. ex., *houang* pour *houang-tchong* = *fa*). La notation populaire a été mentionnée au début du XIe s. par Chen Kouo, dans son ouvrage intitulé *Mong-k'i pi-t'an*, « Causerie écrite à Mong-k'i ». Elle est encore employée de nos jours avec quelques améliorations dans la mus. instrumentale populaire ainsi que dans le chant des théâtres. Voici cette notation avec sa transcription phonétique, placée sous la notation universelle correspondante :

Écrites en colonnes verticales descendantes et rangées de droite à gauche, ces notes suivent le sens de l'ancienne écriture chinoise. Pour constituer la mélodie d'un chant, elles sont rapportées à chaque mot, souvent de façon oblique. De petits signes sont ajoutés pour marquer la mesure. — La notation des instruments classiques tels que le « k'in » (luth à 7 cordes) est écrite en caractères spéciaux qui indiquent le doigté aussi bien que la corde et la manière de jouer.

Les instruments. Les instr. de musique chinois ont été de tout temps divisés en 8 classes, d'après les matières principales dont ils sont formés : métal, pierre, soie, bambou, calebasse, terre, cuir et bois. Les instr. à cordes pincées ou frottées, classés dans la catégorie de la soie, sont en très grand nombre : « k'in » ou luth à 7 cordes, « se » ou grande cithare, « tcheng », « p'i-p'a », « san-hiuan », « yue-k'in » ou guitare de lune, « chouang-ts'ing », « hou-k'in » ou violon chinois, « eul-hou », « seu-hou », « king-hou »... Les instr. à vent peuvent être faits de l'une des cinq matières suivantes : métal, comme le « la-pa » ou trompette ; le bambou, comme le « siao » ou flûte droite, et le « ti » ou flûte traversière ; la calebasse, comme le « cheng » ou orgue à bouche ; la terre, comme le « hiuan » ou ocarina ; le bois, comme le « so-na » ou hautbois chinois. Les instr. à percussion sont soit en métal : « po-tchong », « pien-tchong », « fang-hiang », « lo » ou gong, « yun-lo », « po » ou cymbales, « t'ong-kou » ou tambour de bronze, « ling » ou petite cloche ; soit en pierre : « t'e-k'ing » et « pien-k'ing » ; soit en cuir : « kou » ou tambours ; soit enfin en bois : « tchou » et « yu » pour la mus. rituelle, « pei-pan » ou claquettes de bois, « pang-tseu » ou bâtons de bois pour la mus. populaire et « mou-yu » ou poisson de bois pour accompagner le chant bouddhique.

La ligne mélodique est toujours confiée aux instr. à cordes et à vent. Mais les instr. à percussion ont une importance particulière dans la mus. chinoise, aussi bien rituelle que populaire. Non seulement ils jouent un rôle rythmique et expressif, mais ils indiquent le commencement et la fin d'une mus. rituelle ; aussi est-ce souvent l'un des joueurs d'instr. à percussion qui tient le rôle de chef d'orchestre. La plupart des instruments ont été inventés par des Chinois. L'origine de certains d'entre eux remonte même très loin. Des instruments importés des pays voisins, perfectionnés ensuite par des Chinois, furent adoptés dans l'orchestre impérial, mais un certain nombre d'entre eux ne sont plus employés de nos jours.

La musique de cour. La chanson populaire était aussi une des sources de la mus. de cour. Sous la dynastie des Tcheou (1134-256 av. J.C.), il en existait d'innombrables, dont 3 000, unissant le poème et la musique, furent recueillies par Confucius (551-479 av. J.C.). Inspirés par ces chansons, des lettrés écrivirent d'autres poèmes avec musique, qui furent ensuite adoptés pour des cérémonies ou pour des divertissements de la Cour. Au temps de l'empereur Wou-ti (140-87 av. J.C.) de la dynastie des Han, un département de musique fut fondé pour superviser les rites, les cérémonies, la mus. de cour ainsi que le chant populaire. Le chant de certains poèmes accompagné par un instrument constitue un genre appelé « yo-fou ». Sous la dynastie des T'ang (618-907), la poésie chantée, en pleine floraison, se divisa progressivement en deux genres : le « che », poème en vers symétriques, et le « ts'eu », poème en vers non symétriques. Ce dernier, écrit souvent sur des mélodies préexistantes, parvint à sa perfection sous la dynastie des Song (960-1276) et, s'écartant enfin du « yo-fou », devint un des éléments du théâtre traditionnel chinois.

Le théâtre. Le chant et la danse, qui constituent la source lointaine de la plupart des arts théâtraux, sont inséparables dans le théâtre traditionnel chinois. Ils se présentaient tout d'abord dans le spectacle sous forme de ballet qui, malgré son origine populaire, connut bientôt un grand succès à la Cour. Décorées de figures humaines en relief, des briques de l'époque Han (206 av. J.C. - 219 ap. J.C.), mises au jour par des fouilles, représentent une scène de danse et illustrent ce genre de spectacle. A côté du chant et de la danse, apparaissent à cette même époque Han les Cent Jeux, appelés « po-hi », qui se perfectionnèrent sous la dynastie des Wei postérieurs (386-534) dans des ballets costumés, accompagnés de musique, avec des acrobaties étonnantes et de farces pleines d'esprit.

Dès le début de la dynastie des T'ang (618), la mus. théâtrale d'origine populaire appelée « san-yue » trouva sa place face à la mus. de cour dans les cérémonies religieuses et civiles, et se développa de plus en plus sous le règne de l'empereur Hiuan-tsong (713-756). Non seulement elle accompagnait le théâtre chanté et le théâtre de marionnettes, mais elle soulignait aussi les actions des Cent Jeux et de l'acrobatie. L'empereur Hiuan-tsong fonda en 714 les deux institutions officielles pour instruire les acteurs et les musiciens : l'Institution d'art dramatique (« Kiao-fang ») pour former les acteurs, et le Jardin des poiriers (« Li-yuan ») pour former les musiciens. A cette époque, la prospérité du théâtre fut sans précédent, et des amateurs ne tardèrent pas à paraître en scène à côté des acteurs professionnels. Au milieu de l'époque T'ang (756-826), le théâtre changea de caractère : il ne se contenta plus de son simple rôle de divertissement et voulut être le porte-parole du peuple pour exprimer son mécontentement devant l'injustice. Parmi les chefs-d'œuvre du genre, citons, à côté du *Han-chouei*, « Les Impôts sur la sécheresse », le célèbre *Si-leang ki*, « L'Art du Si-leang » ou « Le Regret du Lion », que l'on continuera à jouer pendant plus de mille ans.

Vers la fin du XIᵉ s. apparaît avec K'ong San-tch'ouan un nouveau genre théâtral appelé « tchou-kong-tiao ». Suivirent cette voie Tong Kiai-yuan avec *Si-siang ki tchou-kong-tiao*, « Histoire du pavillon d'Occident » (v. 1190), et Wang Po-tch'eng avec *K'ai-yuan T'ien-pao yi-che tchou-kong-tiao*, « Souvenir du VIIIᵉ s. » (v. 1279) ; citons enfin, d'un auteur anonyme, *Lieou Tche-yuan tchou-kong-tiao*, « Histoire de Lieou Tche-yuan » (éd. à l'époque Kin, 1115-1234). Le « tchou-kong-tiao », écrit en vers et en prose, est une sorte de narration. La partie en prose est interprétée par un récitant, tandis que les vers sont chantés dans divers tons, accompagnés d'instr. de musique. Cet emploi de divers tons — d'où dérive le nom de « tchou-kong-tiao » — dans la même pièce représente une innovation qui inspirera plus tard les créateurs du théâtre des Yuan (1277-1367).

A la fin des Song du Nord (XIIIᵉ s.), le théâtre varié appelé « tsa-kiu » acquit une place primordiale. Le chant et la danse n'y jouaient pas un rôle aussi important que dans le théâtre des T'ang.

Sous la dynastie des Yuan (1277), les théâtres se développèrent rapidement avec la prospérité de l'industrie et du commerce. Les pièces de théâtre varié écrites par des acteurs se trouvèrent en nombre insuffisant et certains acteurs commencèrent à collaborer avec des lettrés. Cette collaboration fructueuse prépara la création du « Yuan-kiu » ou théâtre des Yuan, considéré comme le théâtre complet, dont la vogue devait durer un siècle. Les pièces comportent généralement 4 actes et font appel au chant, à la déclamation et à la pantomime. On distingue deux écoles, celle du Sud et celle du Nord. Dans la première, le texte littéraire est écrit dans un style savant, la musique utilise les gammes pentatoniques et la flûte traversière constitue le principal instrument d'accompagnement. Dans la seconde, le texte a un caractère populaire, le chant est fondé sur des gammes heptatoniques, accompagné par des instr. à cordes. Le dramaturge le plus célèbre de cette époque fut Kouan Han-k'ing, auteur de 66 pièces. Dans un style raffiné, il dépeint les différents caractères des personnages pour exprimer leur souffrance, reflet de la vie contemporaine.

Dans la seconde moitié de l'époque Yuan, prit naissance un nouveau genre, dérivé de l'école du Sud : le « tchouan-k'i » (= histoire merveilleuse), qui accordait une grande liberté aux jeux de scène. Vers le milieu de l'époque Ming (1ʳᵉ moitié du XVIᵉ s.), le célèbre dramaturge de K'ouen-chan, Leang Po-long, écrivit une pièce de « tchouan-k'i » intitulée *Wan-cha ki*, « Histoire de la laveuse de voiles », dont il confia le texte au non moins célèbre musicien Wei Leang-fou. Ce dernier, après plusieurs années de travail, créa le « chouei-mo-tiao » (= la mélodie polie à l'eau). *Wan-cha ki* fut salué comme le chef-d'œuvre du théâtre du Sud, et donna naissance au « K'ouen-k'iu » ou « musique de l'école de K'ouen-chan ». Cette acception englobe toutes les pièces révisées ensuite par Wei Leang-fou (théâtres des Yuan, du Sud, du Nord et du « tchouan-k'i »). La magnificence des chants a valu à ce genre un succès continu jusqu'à nos jours.

Le théâtre dit de Pékin prit naissance dans la province du Hou-pei pour se perfectionner dans la province du Ngan-houei, d'où sa première appellation de « Houei-tiao » (= chant du Ngan-houei). Plus tard, il se répandit jusqu'à Pékin et prit le nom de « King-tiao » (= chant de Pékin). Les livrets n'avaient guère de valeur littéraire. Les auteurs étaient souvent de simples acteurs, qui se contentaient de faire des emprunts aux œuvres antérieures et d'adapter des textes originaux sur des airs déjà connus. Plus tard, ils s'inspirèrent des romans ou des sources populaires et historiques pour composer des scénarios. Dans le théâtre de Pékin, les jeux scéniques, issus de la danse, sont plus recherchés, tandis que la musique joue un rôle secondaire. Il réunit cependant plusieurs arts traditionnels — le chant, la danse, la déclamation, le mime et l'acrobatie — et continue à être apprécié par le public chinois et étranger.

Le théâtre chinois a connu et conserve encore une importance considérable dans la vie du peuple. Non seulement il était un instrument de récréation mais il recélait aussi un but moral et instructif. Dans l'histoire de la mus. chinoise, il constitue le seul fil conducteur à travers la succession des dynasties.

La musique de cour et la musique rituelle traditionnelle sont perdues, à l'exception de certains morceaux subsistant dans des pièces de théâtre et dans certaines régions de la Chine. La mus. instrumentale est conservée en partie par la tradition. Une nouvelle école nationale est en voie de création et l'on peut espérer voir accéder bientôt la mus. chinoise contemporaine aux tribunes internationales.

Bibliographie — Tsai-Yu TCHOU, Liu-liu tsing-yi (« Traité des liu »), 1595 (?) ; J.J.M. AMIOT SJ, Mémoire sur la mus. des Chinois..., Paris 1779, également sous le titre De la mus. des Chinois, in Mémoires concernant l'hist.... des Chinois VI, éd. par l'abbé Roussier, Paris 1780 ; J.A. VAN ALST, Chinese Music, Changhaï 1884 ; E. CHAVANNES, Les mémoires historiques de Se-mz Ts'ien, 5 vol., Paris 1895-1905 ; M. COURANT, Essai historique sur la mus. classique des Chinois, in Lavignac Hist. I, 1912 ; L. LALOY, La mus. chinoise, Paris 1912 ; M. GRANET, Fêtes et chansons anciennes de la Chine, Paris 1919 ; G. SOULIÉ DE MORANT, Théâtre et mus. modernes en Chine, Paris 1926 ; Kouang-K'i WANG, Tong-si yo-tche tche yen-kieou (« Études sur les systèmes de mus. orientaux et occidentaux »), Changhaï 1928 ; du même, Über die chinesische klassische Oper, Berne 1934 ; Un-Kai TSIANG, K'ouen-k'iu, Paris 1932 ; Fei T'ONG, Tchong-yo sin-yuan (« Recherches sur les origines de la mus. chinoise »), Changhaï 1935 ; J.H. LEVIS, Foundations of Chinese Musical Art, Pékin 1936 ; Hiao-Tsiun MA, La mus. chinoise de style européen, Paris 1941 ; du même, La mus. chinoise, in La mus. des origines à nos jours, éd. par N. Dufourcq, Paris 1946 ; du même, Le théâtre national chinois à Paris, in Arts asiatiques V/1, Paris, PUF, 1958 ; du même, La mus. chinoise, in Encycl. de la Pléiade, Hist. de la mus. I, Paris, Gallimard, 1960 ; du même, Le théâtre de Pékin, in Les théâtres d'Asie, Paris, CNRS, 1961 ; du même, Hist. des spectacles en Chine, in Encycl. de la Pléiade, Hist. des spectacles, Paris, Gallimard, 1965 ; A. HOFFMANN, Die Lieder des Li Yu (937-978), Herrschers der südlichen T'ang-Dynastie, Cologne 1950 ; E. HARICH-SCHNEIDER, The Earliest Sources of Chinese Music and their Survival in Japan, in Monumenta Nipponica XI, 1955 ; H. PIRSCHNER, Musik in China, Berlin, Henschelverlag, 1955 ; K. REINHARD, Chinesische Musik, Kassel, BV, 1956 ; A. CL. SCOTT, The Classical Theatre of China, Londres, Allen & Unwin, 1957.

HIAO-TSIUN MA

CHIRONOMIE (du grec kheïr, = main, et nomos, = règle, loi), méthode de → direction chorale qui permet d'indiquer à l'aide du mouvement de la main non seulement le « tempo » mais également le mouvement mélodique. Des documents figurés permettent d'en supposer l'existence dès une antiquité très reculée (Sumer, Égypte du milieu du IIIᵉ millénaire), mais c'est chez les Grecs que cette méthode se développa et reçut son nom. Elle fut adoptée ensuite par l'Église byzantine, qui la perfectionna en utilisant des signes spécifiques exécutés à l'aide des doigts et qui la transmit à l'Église latine au cours du IXe s. Les signes neumatiques dépourvus d'une indication de hauteur précise étaient probablement interprétés par le préchantre au moyen de cette méthode. De nos jours, un système de direction appelé ch. a été instauré pour les « scholae » grégoriennes et les chœurs par l'école de Solesmes, qui en a formulé les règles pratiques, mais elle n'a que le nom en commun avec la ch. byzantine et médiévale.

Bibliographie — G. SCHÜNEMANN, Gesch. des Dirigierens, Leipzig 1913; H. HICKMANN, Observation sur les survivances de la ch. égyptienne, *in* Annales du Service des antiquités de l'Égypte XLIX, 1949; du même, Qq. nouveaux documents concernant ... l'emploi de la ch. dans l'Égypte pharaonique, *in* Kgr.-Ber. Utrecht 1952; du même, Musicologie pharaonique, Kehl 1956; du même, Ägypten, *in* Musikgesch. in Bildern II/1, éd. par H. Besseler et M. Schneider, Leipzig, VEB Deutscher Verlag für Musik [1962]; E. WELLESZ, A Hist. of Byzantine Music and Hymnography, Oxford, Clarendon Press, 1949, 3/1963; J. GAJARD, La méthode de Solesmes, Tournai 1951; C. ECCHER, Ch. grégorienne, Rome 1952; C. GINDELE, Gregorianisches Chordirigieren, Regensburg, Pustet, 1956; M. HUGLO, La ch. médiévale, *in* RMie XLIX, 1963.

CHIROPLASTE (du grec kheïr, = main, et plasseïn, = modeler), appareil inventé par J.B. Logier (1777-1846), destiné à donner une bonne position aux mains des pianistes. Le ch. se compose d'une tringle, de la longueur du clavier, sur laquelle se posent les mains, et d'une autre tringle, où glissent deux espèces de gantelets ouverts à la partie inférieure et prêts à recevoir les doigts du pianiste. Breveté en 1814, cet appareil connut un réel succès en Irlande, en Angleterre et en France, où plusieurs écoles adoptèrent la méthode de piano présentée par Logier dans son *Compagnon du chiroplaste* (Paris s.d.). M. Clementi et J.B. Cramer l'approuvèrent, J. Zimmermann le popularisa à Paris et Fr. Kalkbrenner le perfectionna sous le nom de → guide-mains.

Bibliographie — FR.J. FÉTIS, art. Logier *in* Biogr. universelle des musiciens, Paris 1837-44.

CHITARRA BATTENTE (ital.; fr., guitare à dos bombé, en bateau, à la capucine; all., Schlaggitarre), instr. à cordes pincées qui se différencie de la → guitare par son corps épais, son dos bombé et ses éclisses évasées dans la partie cintrée. De plus, sa table d'harmonie s'incline depuis le chevalet jusqu'au bord inférieur comme sur une mandoline, ce qui permet de fixer les cordes non pas sur un chevalet frontal mais sur l'éclisse, et assure par ailleurs une pression suffisante des cordes sur le chevalet. Le corps de la ch. b. a pour autre particularité d'être constitué entièrement de lames de bois, ce qui, du point de vue de la facture, la situe entre la guitare et le luth. Sa longueur varie entre 84 et 100 cm. Son manche est muni d'une dizaine de frettes de boyau. Elle est montée de 4 à 7 doubles (ou rarement triples) cordes; la plus répandue avait 5 doubles cordes en acier et en laiton accordées en quarte et tierce. La présence d'un bourdon au milieu du chœur confirme son utilisation en tant qu'instrument d'accompagnement pincé avec un plectre. Très répandue aux XVIe et XVIIe s., la ch.b. fut délaissée par la suite, sauf en Calabre, où elle est encore utilisée dans la mus. populaire. Elle semble dérivée de la « vihuela de peñola ». Selon C. Sachs, elle aurait pour origine une vielle du haut Moyen Age transformée en instr. à cordes pincées.

CHITARRONE (ital.). Apparu en Italie vers 1570, le ch. ou → théorbe romain est le plus grave des instruments de la famille des → archiluths. Sa caisse, qui est celle d'une grande basse de luth, porte jusqu'à trois ouïes, munies d'une rosace. Son manche, démesurément allongé, porte généralement deux, mais aussi parfois trois chevilliers, distants de 20 à 30 centimètres. Sa hauteur peut ainsi atteindre près de 2 mètres. L'instrument se monte de cordes de boyau ou de métal. Au premier chevillier s'accrochent les 6 chœurs de cordes habituels mais accordés de la manière suivante: sol^1, do^2, fa^2, la^2, $ré^2$, sol^2. Chaque rang est monté de deux cordes à l'unisson et les deux chœurs aigus sont baissés d'une octave. Le second chevillier, recourbé vers l'avant en forme de crosse, porte les cordes hors manche (de 4 à 8 paires) accordées sur une gamme descendante, de fa^1 à fa^{-1}, éventuellement modifiée en vue de la pièce à exécuter. Le ch. est un instrument d'accompagnement pour les chanteurs. En outre, la profondeur de ses graves et la puissance de sa sonorité lui permettent de remplacer le clavecin pour la réalisation de la basse continue. Dès 1598 E. de' Cavalieri l'emploie à cette fin dans sa *Rappresentazione di Anima e di Corpo*. J. Peri puis Cl. Monteverdi l'introduisent dans leurs ensembles instrumentaux. Bien qu'il soit plus rarement employé en soliste, J.H. Kapsberger et A. Piccinini écrivent des pièces à son intention. Très apprécié au XVIIe s., son emploi ne dépassera guère le milieu du XVIIIe s.

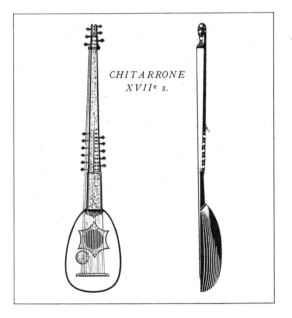

CHITARRONE XVIIe s.

CHOCALHO, instrument idiophone d'origine brésilienne, qui sert à marquer le rythme des danses sud-américaines, de la → « samba » notamment. Il est constitué par un cylindre de bois ou de métal de 6 à 7 cm de diamètre, fermé à ses deux extrémités et rempli de grains divers qui percutent les parois lorsque l'on imprime un mouvement de va-et-vient à l'instrument.

● **CHŒUR** (du grec khoros, = emplacement réservé à la danse, puis ronde, chanson à danser, groupe des danseurs; lat., chorus; angl., choir; all., Chor; ital. et esp., coro). **1.** Groupe de chanteurs assemblés en vue de l'exécution d'une œuvre vocale monodique ou polyphonique, chacune des voix devant être tenue par plusieurs personnes, faute de quoi il est parlé de duo, trio, quatuor, quintette ou sextuor vocal. Synon. : chorale. — Essentiellement mélodique, le ch. à l'unisson a pour rôle l'exécution d'un chant monodique. Si les instruments y participent, c'est comme simples doublures. C'était le cas du ch. de la tragédie antique (voir l'art. GRÈCE), du ch. liturgique de l'église catholique (voir l'art. SCHOLA CANTORUM) et du ch. formé par l'assemblée des fidèles dans les églises protestantes, tous deux placés sous la direction d'un → « cantor », ainsi que des ch. de formation spontanée qui accompagnaient les danses du Moyen Age et qui, de tout temps, ont chanté les chansons populaires. Le ch. à l'unisson a gardé toute son importance dans les églises chrétiennes et dans le chant scolaire. L'unisson n'est strict que lorsque le ch. est formé de voix de femmes et d'enfants ou de voix d'hommes. Lorsque ces voix sont mêlées, il s'agit en réalité d'un chant en octaves parallèles. — Le ch. à voix égales est formé de plusieurs parties, trois le plus souvent, dévolues soit aux voix de femmes et d'enfants, soit aux voix d'hommes. Le ch. féminin et le ch. d'enfants impliquent une écriture plus linéaire qu'harmonique et, → « a cappella » ou avec un simple accompagnement de piano, jouent un rôle important dans le chant scolaire. — Le ch. mixte réunit les voix de femmes ou d'enfants et les voix d'hommes dans une écriture qui est le plus souvent à 4 voix, avec ou sans divisions, réparties du grave à l'aigu entre les pupitres de → basse, → ténor, → alto et → soprano. Cependant, diverses formations chorales ont été en usage à travers l'histoire, au gré des aspects variés de la vie sociale, soit qu'elles aient donné l'exclusivité (mus. d'église du XVe au XVIIIe s.) ou seulement la prépondérance (XVIIe-XIXe s.) aux voix masculines, soit qu'elles aient mêlé en proportions toujours plus importantes les voix de femmes aux voix d'hommes (XIXe-XXe s.), soit enfin qu'elles aient opposé différents groupes vocaux, séparés dans l'espace, par la technique du double, du triple ou même du quadruple ch. (voir l'art. CORO SPEZZATO). Dès la fin du XVe s., apparaît l'écriture à 5 et 6 voix, qui se généralise dans le madrigal italien et s'étend jusqu'à 7 et 8 voix, allant même jusqu'à des formations aussi exceptionnelles que les 40 voix du motet de Th. Tallis *Spem in alium* (1573), selon les progrès du style harmonique. Toutefois, le ch. mixte à 4 voix est resté jusqu'à nos jours la formation la plus courante car il se prête aussi bien à l'écriture harmonique que polyphonique.

Alors que, dans les → chapelles et les → maîtrises du XVe s., les différentes voix du ch. n'étaient guère tenues par plus de trois chantres, si l'on excepte le → « superius » chanté par 6 ou 8 → enfants de chœur, on trouve dès la fin du XVIe s. des réunions de chanteurs atteignant la centaine (psaumes en vers mesurés de Cl. Le Jeune). L'écriture est alors entièrement dominée par la voix; si les instruments participent à l'exécution, c'est sous la forme de doublures, → « colla parte ». La tendance au gonflement des effectifs reçoit sa totale justification dans l'opéra et l'oratorio des XVIIe et XVIIIe s., formes dramatiques qui exigent l'union des voix et des instruments groupés au sein de l'orchestre. Avec G.Fr. Haendel se créent en Angleterre de véritables sociétés chorales qui se vouent à l'exécution des oratorios et qui servent de modèle à toute l'Europe, à l'Allemagne en particulier. C'est l'époque où la bourgeoisie éclairée prend la relève de l'aristocratie déclinante et s'ouvre aux activités artistiques sous l'influence des mouvements idéalistes qui trouveront leur expression la plus spectaculaire à la fin du XVIIIe s., dans les chœurs de masse des fêtes de la Révolution française, et au XIXe s., dans des œuvres telles que la 9e *Symphonie* de Beethoven et les grandes compositions chorales de Berlioz. Simultanément naissent sur le modèle de la « Liedertafel », créée en 1809 à Berlin par C.Fr. Zelter, des associations masculines de chant choral ou → orphéons, animées par des idéaux patriotiques, politiques et parfois sociaux. Si le XIXe s. est l'âge d'or du ch. d'hommes, les changements apportés par la vie sociale au XXe s. ont placé au premier plan de la pratique musicale, tout spécialement chez les jeunes, la forme classique du ch. mixte à 4 voix sans accompagnement.

2. On désigne également de ce terme un morceau de musique destiné à être chanté par un ch., qu'il soit accompagné par les instruments ou non. — **3.** C'est encore la partie d'un édifice religieux où se tiennent les chantres. On y trouve souvent un orgue de ch., de dimensions plus réduites que le grand orgue, qui sert au soutien du chant. L'autel principal d'une église catholique est placé dans le chœur. — **4.** Le terme désigne enfin les cordes du luth ou des instruments apparentés qui vont par paires, qu'elles soient accordées à l'octave ou à l'unisson, et les cordes triples ou doubles du piano mises en vibration par une même touche. Dans l'orchestre baroque, les instruments sont répartis en grand ch. ou « tutti » et petit ch. ou « ripieno » qui groupe quelques instr. solistes chargés d'accompagner les airs ou les récitatifs. A la période classique, l'écriture orchestrale oppose ou unit les ch. des cordes, des bois et des cuivres.

Bibliographie — 1. K. THOMAS, Lehrbuch der Chorleitung, 3 vol., Leipzig 1935-48, rééd. Wiesbaden, Br. & H., 1962; J. SAMSON, Grammaire du chant choral, Genève, Henn, 1947; F. RAUGEL, Le chant choral, in Coll. « Que sais-je? », Paris, PUF, 1948; P. KAELIN, Le livre du chef de ch., Genève, Kister, 1949; W. EHMANN, Die Chorführung, Kassel, BV, 1950, 2/1956; CHR. WAGNER, Le meneur de chant, Paris, Presses d'Ile-de-France, 1956

M. HONEGGER

CHORAL, adjectif issu du latin médiéval « choralis » servant à qualifier ce qui se rapporte au chœur (chant choral, œuvre chorale, association chorale); substantif emprunté à la langue allemande, où il désigne le chant liturgique à l'unisson des églises chrétiennes, qu'il s'agisse du chant grégorien (« Gregorianischer Choral ») ou du chant d'assemblée de l'église luthérienne. Sous ce second aspect, le terme s'applique en français à trois formes musicales : 1o le ch. luthérien ou chant d'assemblée monodique des églises protestantes de langue allemande (les chants issus de la Réforme française sont désignés du terme de → psaume ou de → cantique); 2o le type de l'harmonisation vocale, note contre note, des ch. luthériens et toute composition vocale ou instrumentale utilisant

● **Voir hors-texte entre pages 240 - 241.**

d'une manière ou d'une autre le ch. luthérien; 3° par extension, une composition religieuse ou profane (ou un fragment de cette composition) caractérisée soit par la verticalité de l'écriture et le respect plus ou moins strict de la disposition des voix d'un chœur, soit par la mise en valeur d'une mélodie proche de l'hymne (C. Franck, *3 Chorals* pour orgue).

Le choral luthérien. Il doit son existence au réformateur lui-même, qui, connaissant la grande force des textes chantés, voulait faire participer activement le peuple au service divin (lettre à Georg Spalatin, fin 1523). Le chant des fidèles élevé à la dignité liturgique, il se constitua, à l'époque de la Réforme, un fonds de cantiques — l'Évangile chanté — qu'on peut répartir en psaumes, chants pour les fêtes et le catéchisme, cantiques pour l'ordinaire de la messe. Le ch. de la Réforme a ainsi davantage le caractère d'une hymne ou d'un témoignage didactique que celui d'une hymne religieuse, encore que les deux aspects ne s'excluent pas, surtout dans les chants fondés sur les psaumes. C'est à Luther que sont dus la majeure partie des cantiques de l'Église évangélique à ses débuts. A ses côtés, il faut citer Johann Agricola, Erasmus Alber, Elisabeth Cruciger, N. Decius, Johann Gramann, Nikolaus Herman, S. Heyden, Justus Jonas, Lazarus Spengler, Paul Speratus et J. Walter. Comme Luther, tous ces poètes se rattachèrent consciemment aux formes du chant populaire, surtout aux hymnes et aux → « Leisen » du Moyen Age, dans le domaine religieux; à la forme du → « Bar », marquée par l'empreinte de la poésie du → « Minnesang », dans le domaine profane. La strophe rimée, aux syllabes comptées et sans mètre fixe, fut employée dans une très large mesure. Mais les ch. ne pouvaient remplir leur mission de poèmes utilitaires destinés au culte que si leurs auteurs en fournissaient également les mélodies, selon l'exemple des maîtres chanteurs contemporains (voir l'art. MEISTERSINGER). Cela ne signifie pas que les poètes furent obligés d'inventer des airs; en règle générale, ils s'appuyèrent sur la tradition, reprenant dans la mesure du possible des mélodies religieuses du Moyen Age, que l'on transformait selon les cas afin de les rendre utilisables par la paroisse, p. ex. en supprimant les ligatures.

Komm, Gott Schöpfer, Heiliger Geist (1524), choral de M. Luther d'après l'hymne *Veni Creator Spiritus.*

Pour la forme strophique du → « Bar », on ne pouvait se permettre d'emprunt qu'à la chanson de société bourgeoise, héritière du chant courtois du Moyen Age, ou aux airs des maîtres chanteurs, à ceux, particulièrement caractéristiques, qui utilisent le mode ionien (majeur) :

Nun freut euch, lieben Christen gmein (1523), choral de M. Luther.

Il n'est donc guère possible de classer les auteurs des ch. de la Réforme — selon la terminologie du *Dodecachordon* de Glarean (1547) — parmi les « componistae », mais parmi les « phonasci » ou « inventores ». Le voile de l'anonymat recouvre les origines des mélodies de la Réforme. Que Luther ait été « phonascus » est hors de doute; la question est de savoir dans quelle mesure. Il est certain que J. Walter, entre autres, participa à l'établissement de mélodies destinées à des textes du réformateur.

Les ch. luthériens furent diffusés par un nombre considérable de recueils de cantiques imprimés dont les plus anciens sont le « Achtliederbuch » de Nuremberg, les deux « Enchiridien » d'Erfurt (imprimés « Zum schwartzen Horn » et « Zum Färbefass ») et le *Geistliches Gesangbüchlein* à 3-5 voix, arrangé par J. Walter et édité à Wittenberg (toutes ces éd. de 1524). Le recueil qui subit la plus forte influence de Luther et qui manifeste le plus fidèlement sa conception des chants destinés à l'église est celui de Joseph Klug, dont 4 éditions parurent à Wittenberg entre 1529 et 1543. Le dernier recueil issu de l'entourage de Luther et doté, comme plusieurs autres auparavant, d'une préface du réformateur fut celui de Valentin Babst (Leipzig 1545). En Allemagne du Nord, Rostock et Königsberg eurent également une grande importance comme lieux d'édition de recueils de cantiques, de même qu'au Sud Constance et Strasbourg. Il faut également citer le recueil de Bonn (à partir de 1550). Les chants de Nikolaus Herman de Joachimsthal (Bohême) parurent séparément, mais à Wittenberg. Les plus importants sont *Die Sontags Evangelia über das gantze Jar* (1560).

Dès le milieu du XVIᵉ s., le fonds essentiel du chant d'église luthérien était constitué et l'ordre d'utilisation des cantiques dans la liturgie fixé : cantique du → propre (« de tempore »), entre la lecture de l'Épître et de l'Évangile; chant de l' → ordinaire, pour le *Gloria* (*Allein Gott in der Höh sei Ehr*, de N. Decius), le *Credo* (*Wir glauben all an einen Gott*, de Luther), le *Sanctus* (*Jesaja dem Propheten das geschah*, de Luther), l'*Agnus Dei* (*Christe, du Lamm Gottes*, de Luther, ou *O Lamm Gottes, unschuldig*, de N. Decius); cantique de communion; cantique précédant et suivant le sermon; cantique de sortie remplaçant le *Da pacem* (*Verleih uns Frieden gnädiglich*, de Luther). A cette époque, le chant d'entrée n'avait pas encore acquis droit de cité ferme. Les quelque 50 ans qui suivirent permirent l'affermissement et la consolidation de ce fonds classique. Peu de nouveautés s'y ajoutèrent (Paul Eber, N. Selnecker). Vers la fin du siècle cependant, une piété nouvelle s'éveilla, conséquence de périodes de détresse (épidémie de peste), réaction de défense face aux désaccords confessionnels. Le mysticisme du Moyen Age y renaissait assez souvent. Si la détresse s'est exprimée surtout à travers les chants de Ludwig Helmbold, la piété mystique se retrouve dans les œuvres de Bartholomäus Ringwaldt et des Silésiens Martin Moller, Valerius Herberger et Melchior Teschner. C'est Ph. Nicolai qui a créé les œuvres les plus importantes de cette période avec *Wie schön leuchtet der Morgenstern* et *Wachet auf, ruft uns die Stimme* (1599), où texte et mélodie proviennent encore une fois du même auteur. Tandis que la forme strophique de ces deux ch. et les mélodies façonnées sur le modèle du « Bar », avec « Stollen » de 3 vers, portent la marque de la tradition ancienne — strasbourgeoise — le lien étroit du texte et de la musique qu'on trouve dans chaque première strophe annonce une ère nouvelle dans la conception de la mélodie. Ses représentants essentiels alliaient être M. Vulpius, avec *Ein schön geistlich Gesangbuch* à 4-5 voix (Iéna 1609), et M. Franck, avec le *Rosetulum musicum* à 4-8 voix (Cobourg 1627-28). Leurs mélodies ne parurent pas d'abord à une voix, comme c'était la règle jusqu'alors, mais comme la partie de dessus d'une harmonisation à 4 voix ou plus, note contre note (« Kantionalsatz »). Désormais, les mélodies seront liées à l'harmonie et ne seront plus exclusivement linéaires. Il n'y a plus de → modes ecclésiastiques mais seulement les modes majeurs et mineurs modernes. L'obligation d'observer la mesure s'oppose au rythme fluide de l'époque de la Réforme. L'adéquation de la mélodie à la première strophe d'un ch. s'impose partout, incluant même le figuralisme :

Hinunter ist der Sonnen Schein, choral de Nikolaus Herman, mélodie de M. Vulpius (1609).

L'époque de la guerre de Trente Ans (1618-48) conduisit le ch. à un nouvel apogée avec un grand nombre de poètes : Johann Heermann, Matthäus Apelles von Löwenstern et Andreas Gryphfus, de Silésie; Martin Rinckart, Paul Fleming, Johann Olearius, Johann Franck, Michael Franck, Johann Matthäus Meyfart et Georg Neumark, d'Allemagne centrale; Georg Weissel, Simon Dach, H. Albert et Valentin Thilo, de Prusse-Orientale; Josua Stegmann, Justus Gesenius, David Denicke et J. Rist, d'Allemagne du Nord; Michael Schirmer et surtout P. Gerhardt, du Brandebourg. Cependant l'impulsion créatrice ne provenait plus des nécessités cultuelles mais du besoin, souvent issu de la misère des temps de guerre, d'exprimer ses soucis personnels. Le ch. était ainsi destiné en priorité au culte domestique. De là proviennent non seulement les nombreux chants du matin et du soir mais avant tout ceux dans lesquels s'expriment la confiance, la souffrance, les consolations et la foi en l'éternité, qui commencent à former d'importantes parties distinctes dans les recueils de cantiques. Une grande importance revient aux ch. célébrant la Passion, à la fois méditations sur la croix du Christ et chants de pénitence. Les exemples les plus connus en sont *Herzliebster Jesu, was hast Du verbrochen ?* de Johann Heermann, *O Haupt voll Blut und Wunden* et *O Welt, sieh hier dein Leben* de P. Gerhardt. Par leur forme poétique, les nombreux ch. de cette époque s'insèrent dans le cadre de la réforme de Martin Opitz qui, dans son ouvrage intitulé *Buch von der deutschen Poeterey* (1624), érige en règle absolue l'obligation de faire coïncider les accents du mètre poétique avec ceux de la langue.

Ces poètes par nécessité personnelle n'avaient, au XVIIe s., aucune raison de produire des mélodies pour leurs textes; ce fut désormais le rôle de compositeurs renommés : J. Crüger et J. Ebeling pour P. Gerhardt; J. Crüger pour Johann Heermann entre autres; J. Schop et Th. Selle pour J. Rist. Pour la composition des mélodies, on continua dans les voies ouvertes par M. Vulpius et M. Franck. Si le rythme du « balletto » italien y avait déjà joué un rôle, suggéré sans doute par l'utilisation que fait Johann Lindemann de *A lieta vita* de G. Gastoldi dans *In Dir ist Freude* (1598) :

il s'y ajoute à présent des influences du → Psautier huguenot. Pour opposés que soient le « balletto », avec sa mesure à 3 temps, et les mélodies de Genève, constamment binaires, ils ont cependant en commun un rythme bien défini et strict qui constitue le corrélatif musical approprié à la réforme d'Opitz. L'étroite adaptation de la musique au texte en ce qui concerne la première strophe ainsi que l'influence de l'harmonie restent les signes distinctifs de la conception mélodique. Ils apparaissent le plus clairement chez J. Crüger. En même temps se fait le passage du « Kantional » — livre de cantiques à harmonisation verticale — à des recueils de cantiques domestiques où sont uniquement notées la mélodie et sa basse continue, d'abord avec le *Neues vollkömmliches Gesangbuch* (Berlin 1640) de J. Crüger, précurseur de sa *Praxis pietatis melica* (Berlin 1647, nbr. rééd jusqu'en 1736), puis avec les *Himmlische Lieder* (Lüneburg 1641-42) de J. Rist, mélodies de J. Schop. Le dernier tiers du XVIIe s. constitue une nouvelle période transitoire qui mène au piétisme (1re moitié du XVIIIe s.), dont elle possède déjà de nombreux signes avant-coureurs. Parmi les rares poètes renommés de cette époque, il faut citer Samuel Rodigast avec *Was Gott tut, das ist wohlgetan*, Johann Scheffler avec *Ich will Dich lieben, meine Stärke* et Ämilie Juliane von Schwarzburg-Rudolstadt avec *Wer weiss, wie nahe mir mein Ende*. — Un important changement s'accomplit à la fin du xviie s. dans la manière de composer les airs. L'extériorisation plus poussée de la sensibilité et l'importance accrue accordée aux sentiments conduisirent les mélodies à une isométrie systématiquement recherchée, aboutissant également à l'aplanissement rythmique des chants d'époques antérieures. Les nombreux airs isométriques d'entre 1660 et 1760 env. ont déterminé le caractère du chant d'église protestant jusqu'aux premières années du xxe s. *Was Gott tut, das ist wohlgetan* de Severus Gastorius est particulièrement caractéristique à cet égard :

Parmi les recueils de cantiques de cette époque, il faut citer celui de Celle, dû à W. Wessnitzer (1661, 1696), et celui de Darmstadt (1698, composé cependant à Halle), précurseur immédiat du recueil piétiste le plus influent, celui de J.A. Freylinghausen (2 parties, Halle 1704, 1714, nbr. rééd.). A la mélodie de type isométrique ce dernier ajoute un type de mélodie plus animé, sur une mesure à 3 temps, dansante, dactylique, correspondant exactement au mètre des poèmes concernés. Le ch. de Christian Friedrich Richter, *Es glänzet der Christen inwendiges Leben* (texte et mus. 1704), fut stigmatisé comme « sensuel », dépourvu de « la gravité exigée par les mystères sublimes », par la Faculté de théologie de Wittenberg en 1716. La productivité du piétisme se mesure à la profusion d'auteurs importants : Johann Jakob Schütz, Heinrich Georg Neuss, Gottfried Arnold — son *O Durchbrecher aller Bande* est typique de la philosophie piétiste de l'existence —, Christian Friedrich Richter et le Souabe Ph.Fr. Miller. Mais on trouve également des traces du piétisme chez des poètes luthériens orthodoxes comme S. Franck, E. Neumeister (auteurs tous deux de textes de cantates), Valentin Ernst Löscher et Benjamin Schmolck. A cette masse de poètes correspond une profusion de mélodies nouvelles, anonymes pour la plupart. Depuis J. Crüger, on les notait avec leur basse continue ; cet usage resta général jusqu'au milieu du xviiie s. (voir p. ex. le recueil de G.Chr. Schemelli de 1736, auquel participa J.S. Bach). Mais, peu à peu, les notes disparurent des recueils utilisés durant le culte officiel, à la différence des recueils piétistes servant au culte domestique ; elles étaient devenues

superflues à la suite de la parution de recueils d'orgue destinés à l'accompagnement du chant de la paroisse dont la direction avait été confiée au → « cantor » jusqu'à une époque avancée du xviie s.

Avec le piétisme s'achève l'histoire du ch. luthérien, mais non celle de son utilisation dans le culte. Les chants nouveaux composés par la suite ne sont pas spécifiquement luthériens mais protestants, quand ils ne sont pas supra-confessionnels, comme à une époque récente. A partir de 1760 env., les textes des ch. luthériens subirent des révisions souvent si poussées qu'il ne restait presque rien des paroles primitives malgré la présence du nom du premier poète. Parmi les cantiques du rationalisme, seuls ceux de Chr.F. Gellert ont survécu un temps. Le culte de la sensibilité de la fin du xviiie s. se refléta dans une sentimentalité vague qui imprègne les mélodies de cette période. De nos jours, on n'utilise plus que certains airs de la communauté des frères moraves (« Herrnhuter Brüdergemeine ») parmi ceux qui sont strictement isométriques, avant tout *Herz und Herz vereint zusammen*, et, p. ex., *Der Mond ist aufgegangen*, texte de Matthias Claudius (1779), mélodie de J.A.P. Schulz (1790). Le xixe s. amena la restauration du ch. luthérien authentique, des textes puis de ses mélodies, un processus qui n'a pris fin qu'au xxe s. Grâce au renouvellement de la mus. d'église, le ch. des xvie et xviie s. connaît une renaissance unique en son genre, d'où sont issus l'*Evangelisches Kirchengesangbuch* (1949), recueil commun à toutes les églises territoriales allemandes, le *Recueil de cantiques de l'Église de la Confession d'Augsbourg en Alsace et en Lorraine* (1952) et le *Gesangbuch der evangelisch-reformierten Kirchen der deutschsprachigen Schweiz* (1952).

W. Blankenburg

Le choral polyphonique. L'harmonisation de ch. (dite simplement choral) est une création de la fin de la 1re moitié du xvie s., qui s'est développée en l'espace de 12 années (1546-58) grâce à la pratique musicale nouvelle des réformés français. P. Certon semble être le premier musicien à avoir publié une harmonisation à 4 voix, en accords parfaits, des mélodies de psaumes huguenots placées à la voix de ténor (31 *Psaumes de David*, Paris 1546), suivi par L. Bourgeois (1547), qui donne à ce type de composition le nom de → vaudeville, D. Lupi Second (1548), Cl. Janequin (1558-59), Ph. Jambe de Fer (1559-64), Cl. Goudimel (1562-64) et Cl. Le Jeune (1601), pour ne citer que les plus importants. Mais c'est à Cl. Janequin que revient le mérite d'avoir créé la forme définitive du ch. harmonisé avec ses *Proverbes de Salomon* (Paris 1558) et ses *Octante deux psaumes de David* (Paris 1559) où, le premier, il place systématiquement la mélodie traditionnelle au superius. Ces compositions n'étaient pas destinées à un usage ecclésiastique mais représentent, avec les divers aspects du psaume polyphonique et de la chanson spirituelle, ce qu'il est convenu de nommer la musique domestique des protestants français, violemment hostiles aux textes légers de la chanson profane. Le ch. harmonisé (en all. « Kantionalsatz ») est entré dans l'histoire de la musique grâce aux innombrables versions à 4 voix de ch. luthériens qui ont suivi la publication à Nuremberg, en 1586, des *Fünftzig Geistliche Lieder und Psalmen* de L. Osiander,

« composés à 4 voix en manière de contrepoint (pour les écoles et les églises du Wurtemberg) de telle façon qu'une assemblée chrétienne tout entière puisse se joindre au chant ». La mélodie y était placée à la voix la plus élevée et se trouvait harmonisée par de simples accords parfaits. Ce style dépouillé permettait au chœur polyphonique (voir l'art. KANTOREI) de soutenir et d'entraîner le chant d'assemblée. Après Osiander, les « Kantionalien » les plus importants sont dus à R. Michael (1593), A. Raselius (1595), J. Eccard (1597), S. Calvisius (1597), B. Gesius (1601), M. Vulpius (1604), M. Praetorius (1605 et suiv.), H.L. Hassler (1608), J.H. Schein (1627), M. Franck (1631). De nombreuses strophes de ch. simplement harmonisés ont pénétré, au cours du XVIIe s., dans des compositions plus vastes, concerts spirituels, cantates ou oratorios. La plupart des cantates d'église de J.S. Bach se terminent par un ch. harmonisé à 4 voix et soutenu par l'orchestre ; dans ses Passions, les strophes de chorals jouent le rôle dévolu autrefois au chœur de la tragédie antique. Au XVIIIe s., et chez J.S. Bach en particulier, le caractère désormais recherché de l'harmonisation est toujours en relation avec un mot ou une image du texte. A la même époque, les « Kantionalien » furent progressivement remplacés par des recueils de cantiques où seuls étaient notés le ch. au soprano et sa basse continue chiffrée. L'harmonisation de ch. à 4 voix continua cependant à être pratiquée par les organistes lorsque l'orgue fut chargé du rôle d'accompagnement et de soutien du chant d'assemblée. A notre époque encore, le type de l'harmonisation de ch. tel qu'il est enseigné et pratiqué par les organistes reste fréquemment fondé sur une harmonie non dissonante.

M. HONEGGER

Le choral pour orgue. Par sa situation au cœur de la liturgie, le ch. luthérien revêt une importance exceptionnelle pour la mus. d'orgue. Dès les débuts de la Réforme, l'orgue avait été partenaire — là où il existait — dans la pratique déjà ancienne de l' → alternance, comme représentant du chœur ou de l'assemblée, tout d'abord dans le domaine monodique puis en exécutant des œuvres vocales à plusieurs voix réduites en tablature. Malgré l'existence de deux ch. dans la tablature de H. Kotter *(Aus tiefer Not* et *O Herre Gott, begnade mich)*, ce n'est qu'au début du XVIIe s. que commence l'histoire proprement dite du ch. pour orgue avec M. Praetorius et J.P. Sweelinck (morts tous deux en 1621). Les quatre arrangements de ch. (dont trois de Luther) qui clôturent la 7e partie des *Musae Sioniae* (1609) de Praetorius se distinguent des motets de ch. contemporains par une conduite des voix essentiellement instrumentale, utilisant principalement la technique du passage. Ce sont en réalité des fantaisies de ch. car ils ne comportent pas de « cantus firmus » strict, toutes les voix étant nourries de la substance mélodique du choral. Mais les œuvres d'orgue de Sweelinck ont exercé une plus grande influence. Que le ch. luthérien y ait joué un rôle — Sweelinck vivait en Hollande calviniste — est à mettre au compte de ses nombreux élèves allemands. Les deux plus importants, S. Scheidt à Halle (1587-1654) et H. Scheidemann à Hambourg (1596-1663), ont fait fructifier l'héritage de leur maître et fait école, l'un dans l'Allemagne du

Centre, l'autre dans l'Allemagne du Nord. Alors que les œuvres de Scheidt constituent la seule collection de ch. pour orgue imprimée dans la 1re moitié du XVIIe s., si l'on excepte les 40 variations sur *Vater unser im Himmelreich* de la tablature de U. Steigleder (Strasbourg 1627), les autres ch. pour orgue de cette époque, notamment ceux qui proviennent du nord de l'Allemagne, sont contenus dans deux importants manuscrits destinés à un usage liturgique ; le Ms. Lübbenau Ly B 1-9, qui renferme également des œuvres d'orgue de Sweelinck, et le Ms. Lüneburg KN 207-209.

Alors que la tablature de Görlitz de 1650 ne contient que des ch. figurés, Scheidt a repris dans sa *Tabulatura nova* (Hambourg 1624) la technique de la variation de Sweelinck en l'utilisant de deux manières : 1° dans des séries de variations disposées selon un point de vue exclusivement musical et dont le nombre ne correspond pas à celui des strophes du ch. (*Tabulatura nova* I et II ; même chose pour les 40 variations d'U. Steigleder sur un unique « cantus firmus ») ; 2° dans des arrangements destinés à la pratique de l'alternance lors de la messe et des vêpres luthériennes. S'il est probable que, dans la première manière, le concert ait été le but visé — selon le modèle hollandais, des concerts étaient organisés depuis le début du XVIIe s. dans les églises de certaines villes allemandes, dans le Nord principalement — cela n'exclut nullement que des versets isolés aient pu être extraits de l'ensemble pour un usage liturgique, d'autant plus que Scheidt laisse le « cantus firmus » intact, à la différence de Sweelinck. Parmi les nombreuses formes d'arrangement — p. ex. le « bicinium » ou l'utilisation du « cantus firmus » à n'importe quelle voix, souvent en valeurs longues — le type du ch.-« ricercar » est particulièrement caractéristique et a largement servi de modèle au ch. liturgique ultérieur. La première phrase du ch. au moins — parfois toutes — s'y trouve traitée en imitation préalable, à la manière d'une exposition de fugue précédant l'entrée du « cantus firmus ».

L'Allemagne du Nord crée moins d'œuvres à variations mais plutôt divers types d'arrangements : à côté du ch.-« ricercar », le ch. orné avec « cantus firmus » à la voix supérieure, abondamment coloré, joué en solo au positif dorsal, et la fantaisie de ch. de vastes proportions. Si les voix accompagnantes ont un caractère exclusivement ornemental chez Scheidt, l'interprétation subjective du ch. selon l'esprit du piétisme apparaît chez Scheidemann. En ces débuts de l'époque de la basse continue, où s'introduit l'habitude d'accompagner le chant de l'assemblée par l'orgue, le ch. pour orgue trouve également un emploi comme prélude de choral. Non moins caractéristique pour l'Allemagne du Nord, la fantaisie de ch. se distingue du prélude de ch. par le fait que les diverses phrases musicales du ch. se déroulent sans utilisation stricte du « cantus firmus », selon des techniques variées où des éléments de la « toccata » et des parties en écho trouvent naturellement leur place. A côté de H. Scheidemann († 1663), les élèves de Sweelinck les plus importants de l'Allemagne du Nord sont J. II Praetorius à Hambourg († 1651), P. Siefert à Dantzig († 1666) et M. Schildt à Hanovre († 1667). A la même sphère d'influence appartiennent, bien que n'ayant pas été élèves directs de Sweelinck, Fr. Tunder à Lübeck († 1667) et M. Weckmann à

Hambourg († 1674) dont les 6 variations de ch. sont particulièrement dignes d'attention.

D. Buxtehude de Lübeck († 1707) se situe au centre des deux générations suivantes des organistes d'Allemagne du Nord dont les œuvres sont restées exclusivement manuscrites. A ses côtés, il faut citer le génial N. Bruhns à Husum († 1697 à l'âge de 32 ans), J.N. Hanff à Schleswig († 1712), Daniel Erich à Güstrow († 1712), J.A. Reinken à Hambourg († 1722), G. Böhm à Lüneburg († 1733) et V. Lübeck à Hambourg († 1740). Ils continuent à cultiver les deux formes du prélude et de la fantaisie de ch. élaborées par la génération précédente. Plus encore que chez Scheidemann, chaque prélude devient chez Buxtehude une pièce de caractère originale, correspondant au texte du choral et où s'affirme déjà l'emploi de motifs symboliques sans que disparaisse toutefois le lien rétrospectif qui l'unit au ch. - « ricercar ». Certaines des 8 fantaisies de ch. de Buxtehude ont acquis des dimensions importantes, développant une mélodie au travers de formes multiples avec parfois des intermèdes libres. N. Bruhns a apporté lui aussi une contribution importante à ce genre avec sa fantaisie de ch. *Nun komm, der Heiden Heiland.*

L'héritage de S. Scheidt s'est maintenu plus fortement parmi les organistes de l'Allemagne du Centre, même s'il faut y ajouter, au seuil du XVIII⁰ s., l'influence de J. Pachelbel (1654-1706) qui, né à Nuremberg, se rattache à la tradition Frescobaldi - Froberger - Kerll. Pachelbel a cultivé trois sortes de ch. pour orgue : la « partita » de ch. sous la forme de l' « aria » variée, le prélude de ch., de plus vastes dimensions, avec l'imitation préalable, phrase après phrase, du « cantus firmus » en valeurs longues, enfin le court prélude fugué, fondé sur la première phrase d'un choral. Cette forme, souvent désignée du terme de fughette, est une idée originale de Pachelbel. Après Scheidt, il est le premier à avoir fait imprimer une partie de son œuvre d'orgue, les *Musikalische Sterbensgedanken* (Erfurt 1683; ouvr. disparu), contenant des « partite » sur 4 ch., et *Acht Choräle zum praeambulieren* (Nuremberg 1693). La plupart de ses œuvres restèrent cependant manuscrites.

Parmi les nombreux organistes d'Allemagne du Centre, certains élèves de Pachelbel, il faut citer Johann Michael Bach à Gehren († 1694), Johann Christoph Bach à Eisenach († 1703), Fr.W. Zachow à Halle († 1712), J.H. Buttstedt à Erfurt († 1727), G.Fr. Kaufmann à Merseburg († 1739), dont les 75 ch. et préludes de ch. de la *Harmonische Seelenlust* (1733-36) parurent en plusieurs cahiers, et enfin J.G. Walther à Weimar († 1746), qui a écrit quelque 290 ch. pour orgue. Les organistes de l'Allemagne du Centre n'ont pas cultivé le ch. orné.

Ce n'est que chez J.S. Bach que se réunissent tous les fils de la tradition de l'Allemagne du Nord et de celle du Centre. Dans ses « partite » de jeunesse (BWV 766-68 et 770) étroitement apparentées à Pachelbel, dans l'*Orgelbüchlein* de la période de Weimar et du début de celle de Coethen, dans la 3⁰ partie de la *Klavierübung* de 1739, dans les ch. dits « de Schübler » de 1747 (BWV 645-50 à l'exception de BWV 646) — ces deux dernières œuvres furent éditées —, dans le manuscrit autographe de Leipzig contenant les 17 ch., qui ne sont toutefois que des remaniements d'œuvres de la période de Weimar, dans les *Variations canoniques sur « Vom Himmel*

hoch » écrites pour la Société Mizler et imprimées en 1748, enfin dans le dernier ch. *Vor deinen Thron tret ich hiermit,* ainsi que dans un certain nombre de ch. pour orgue isolés, Bach a porté à la perfection toutes les formes du ch. pour orgue. L'essentiel de son effort créateur date de la période de Weimar alors qu'il assurait un service d'organiste. Chacun des 45 ch. de l'*Orgelbüchlein* (BWV 599-644) est une pièce de caractère concentrée, écrite selon les modèles de l'Allemagne du Nord, avec déroulement unifié (« Ganzheitsablauf ») et le plus souvent début simultané de toutes les voix sans imitation préalable ni intermèdes entre les phrases du choral. Dans beaucoup d'entre eux, le « cantus firmus » est coloré d'une manière expressive; fréquents sont ceux dont l'unité est renforcée par un motif que l'on peut considérer comme une véritable figure de rhétorique musicale. Par contre, les 17 ch. (BWV 651-67) sont généralement pourvus de passages introductifs et d'intermèdes, principalement sous forme d'imitation préalable, et sont par conséquent beaucoup plus étendus. Mais là aussi l'ornementation du « cantus firmus », le déroulement unifié et les motifs à valeur symbolique sont les éléments de la construction formelle. Le terme de « fantasia » est utilisé par Bach pour plusieurs pièces, même pour des ch. étendus avec « cantus firmus » strict (p.ex. BWV 651), mais deux arrangements précoces de *Christ lag in Todesbanden* (BWV 718-19), peut-être également celui de *Valet will ich dir geben* (BWV 735), doivent être considérés comme des fantaisies au sens traditionnel. J.S. Bach innove en créant la forme du ch. en trio (BWV 655, 660, 664 et 670), et les savants canons sur *Vom Himmel hoch* (BWV 769) lui sont absolument propres. Le couronnement de sa création dans ce domaine est constitué par la *Klavierübung* III avec ses deux arrangements du *Kyrie (Kyrie, Gott Vater in Ewigkeit)*, ses trois arrangements du *Gloria (Allein Gott in der Höh sei Ehr)* et les deux arrangements des 6 ch. du catéchisme de Luther (dans tous les cas, le 2⁰ arrangement est une pièce exclusivement manuelle, la plupart du temps en forme de fantaisie). Toutes les formes imaginables de l'arrangement et de la composition, notamment des figures de rhétorique de caractère symbolique, apparaissent ici dans leur plus haute concentration spirituelle. Selon des recherches récentes, les diverses pièces du recueil ont probablement toutes été écrites peu de temps avant l'impression, ce que paraît également confirmer leur style de haute maturité. Avec J.S. Bach s'achève l'histoire du ch. luthérien pour orgue. Son héritage musical fut cependant soigneusement préservé et maintenu dans des œuvres d'une grande qualité artisanale, en particulier par deux de ses élèves, J.L. Krebs à Altenburg († 1780) et J.Chr. Kittel à Erfurt († 1809). Kittel surtout sut réunir autour de lui un vaste cercle d'élèves, parfaitement conscients de la valeur de la tradition de J.S. Bach dans la mus. d'orgue liturgique de l'Allemagne du Centre; le plus important est l'organiste de Darmstadt J.Chr.H. Rinck († 1846). Aucune forme nouvelle du ch. pour orgue n'a été élaborée par les descendants spirituels de Bach.

Par contre, il existe une parenté interne entre la fantaisie de ch. baroque et les *6 Sonates* pour orgue op. 65 de F. Mendelssohn, surtout dans la 6⁰ avec ses variations sur *Vater unser im Himmelreich.* Cela est encore plus net dans les 5 *Choral-Phantasien*, op. 40 et 52, de M. Reger, où les ch. d'église correspondants sont mis en musique strophe après strophe. A la fin du XIXe s., des ch. pour orgue, au sens étroit du terme, ont encore été écrits par J. Brahms (*11 Choralvorspiele*, op. 122, 1896, précédés par le prélude et fugue sur *O Traurigkeit, o Herzeleid*, 1856) et surtout par M. Reger avec son op. 67, *52 leicht ausführbare Vorspiele... zu den gebräuchlichen Chorälen* (1902), ses *13 Choralvorspiele*, op. 79 (1903) et ses *30 kleine Choralvorspiele*, op. 135a (1914). Malgré le souci de renouer avec l'œuvre de Bach, les créations de Reger ne sont nullement œuvres d'épigone. Le ch. pour orgue a repris un essor extraordinaire à partir de 1930 environ. Un nombre important de musiciens de renom ont publié une masse d'œuvres dans lesquelles apparaissent à nouveau toutes les formes imaginables du genre. Les compositeurs les plus importants en ce domaine sont J.N. David, E. Pepping, H. Distler († 1942), H. Bornefeld et S. Reda († 1968).

Éditions modernes — **1. Le ch. luthérien :** PH. WACKERNAGEL, Das deutsche Kirchenlied... bis zum Anfang des 17. Jh., 5 vol., Leipzig 1864-77, rééd. en facs. Hildesheim, Olms, 1964; L. SCHOE-BERLEIN, Schatz des liturgischen Chor- u. Gemeindegesangs, 3 vol., Göttingen 1865-72; J. ZAHN, Die Melodien der deutschen ev. Kirchenlieder, Gütersloh 1889-93, rééd. en facs. Hildesheim, Olms, 1963; A.F.W. FISCHER u. W. TÜMPEL, Das deutsche ev. Kirchenlied des 17. Jh., 6 vol., Gütersloh 1904-16, rééd. en facs. Hildesheim, Olms 1964; M. Luthers Werke, XXXV Die Lieder Luthers (avec les mélodies), Weimar 1923; Hdb. der deutschen ev. Kirchenmusik III/1-2, éd. par K. AMELN, CHR. MAHRENHOLZ et W. THOMAS, Göttingen, Vandenhoeck & R., 1939; M. Luther, Die deutschen geistlichen Lieder, éd. S. HAHN, Tübingen, Niemeyer, 1967. **2. Le ch. pour orgue** (anthologies seulement) : K. STRAUBE, Choralvorspiele alter Meister, Leipzig 1907; Orgelchoräle um J.S. Bach, éd. par G. FROTSCHER, *in* EDM X, 1937; H. KELLER, 80 Choralvorspiele deutscher Meister der 17. u. 18. Jh., Leipzig 1937; H. FLEISCHER, 73 leichte Choralvorspiele alter u. neuer Meister nach Melodien des Ev. Kirchengesangbuch, nouv. éd. par K. Fiebig, Munich 6/1952; K. FIEBIG, Leichte Choralvorspiele... II, Munich 5/1952; Choräle u. freie Stücke der deutschen Sweelinck-Schule, éd. par H.J. MOSER et TR. FEDTKE, 2 vol., Kassel, BV, 1954-55; Allein Gott in der Höh sei Ehr, 20 Choräle der deutschen Sweelinck-Schule, éd. par les mêmes, Kassel, BV, 1955; 46 Choräle für Organisten v. J.P. Sweelinck u. seinen deutschen Schülern, éd. par G. GERDES, *in* Musikalische Denkmäler, Mayence, Schott, 1957; Die Lüneburger Orgeltabulatur KN 208¹ u. KN 208², éd. par M. REIMANN, *in* EDM XXXV et XL, 1957 et 1968; G. RAMIN, Das Organistenamt II/1-3, nouv. éd. par D. Hellmann, Wiesbaden, Br. & H., 1962; Choralvorspiele für den Gottesdienstlichen Gebrauch, éd. par A. GRAF, 3 vol., Kassel, BV, 10/1967-71.

Bibliographie — **1. Le ch. luthérien :** A.J. RAMBACH, Über D.M. Luthers Verdienst um den Kirchengesang, Hambourg 1813, rééd. en facs., Hildesheim, Olms, 1972; C. VON WINTERFELD, Der ev. Kirchengesang u. sein Verhältnis zur Kunst des Tonsatzes, 3 vol., Leipzig 1843-47, rééd. en facs. Hildesheim, Olms, 1965; E.E. KOCH, Gesch. des Kirchenlieds u. Kirchengesangs, 8 vol., Stuttgart 6/1866-76; PH. WOLFRUM, Die Entstehung u. erste Entwicklung des ev. Kirchenliedes in musikalischer Beziehung, Leipzig 1890; G. MÜLLER, Gesch. des deutschen Liedes, Munich 1925, rééd. en facs. Darmstadt, Wissenschaftliche Buchgesellschaft, 1959; W. NELLE, Gesch. des deutschen ev. Kirchenliedes, Leipzig 3/1928; CH. SCHNEIDER, Luther poète et musicien et les Choräle de 1524, Genève 1942; W. BLANKENBURG, Wertmasstäbe für Choralweisen, *in* MuK XXVIII, 1948; CHR. MAHRENHOLZ, Das ev. Kirchengesangbuch, Kassel, BV, 1950; K. BERGER, Barock u. Aufklärung im deutschen Lied, Marburg, Rathmann, 1951; Hdb. zum Ev. Kirchengesangbuch, éd. par CHR. MAHRENHOLZ et O. SÖHNGEN, Göttingen, Vandenhoeck & Ruprecht, 1953-70; W. BLANKENBURG, art. Gemeindegesang *in* MGG IV, 1955; du même, Der gottesdienstliche Liedgesang der Gemeinde, *in* Leiturgia IV, Kassel 1961; J. RÖBBELEN, Theologie u. Frömmigkeit im deutschen ev.-luth. Kirchenlied des 17. u. frühen 18. Jh., Goettingen, Vandenhoeck & R., 1957; W.J. SAUER, art. Kirchenlied, *in* Reallexikon der Deutschen Literaturgesch. I, Berlin, de Gruyter, 1958; K. AMELN, art. Lied, § III., 2. Deutschland, *in* MGG VIII, 1960; G. HAHN, « Christ ist erstanden ». Zu Luthers Stellung in der Gesch. des deutschen Gemeindeliedes, *in* Werk-Typ-Situation, Stuttgart, Metzler, 1969; W. BLANKENBURG, J. Walters Chorgesangbuch von

1524..., *in* Jb. für Liturgik u. Hymnologie XVIII, 1973-74; M. TESSMER, Neue Bach Ausgabe IV/4, Kritischer Bericht, Kassel, BV, 1974. — **2. Le ch. polyphonique :** FR. BLUME, Die evangelische Kirchenmusik, 2/Kassel, BV, 1965; E. WOLF, Der vierstimmige homophone Satz. Die stilistischen Merkmale der Kantionalsatzes zwischen 1590 u. 1630, Wiesbaden, Br. & H., 1965; M. HONEGGER, Les chansons spirituelles de D. Lupi et les débuts de la mus. protestante en France au XVIe s., Lille, Service de reprod. des thèses, 1971. — **3. Le ch. pour orgue :** A.G. RITTER, Zur Gesch. des Orgelspiels, Leipzig 1884; G. RIETSCHEL, Die Aufgabe der Orgel im Gottesdienst bis in das 18. Jh., Leipzig 1893; F. DIETRICH, J.S. Bachs Orgelchoral u. seine geschichtlichen Wurzeln, *in* Bach Jb. XXVI, 1929; du même, Gesch. des deutschen Orgelchorals im 17. Jh., Kassel 1932; G. KITTLER, Gesch. des protestantischen Orgelchorals von seinen Anfängen bis zu den Lüneburger Orgeltabulaturen (diss. Greifswald 1931); G. FROT-SCHER, Gesch. des Orgelspiels u. der Orgelkomposition, 2 vol., Berlin 1935-36, 2/Berlin, Merseburger, 1959; CHR. MAHRENHOLZ, *in* Scheidts Werke VII, pp. 1-41, Hambourg, Ugrino-Verlag, 1954; K. VON FISCHER, Die Variation, Cologne, A. Volk, 1955; du même, Zur Entstehungsgesch. der Orgelchoralvariation, *in* Fs. Fr. Blume, Kassel, BV, 1963; G. GERDES, Die Choralvariationen J.P. Sweelincks u. seiner Schüler (diss. Fribourg -en- Br. 1956); FR.W. RIEDEL, Quellenkundliche Beiträge zur Gesch. der Musik für Tasteninstr. in der 2. Hälfte des 17. Jh., Kassel, BV, 1960; L. SCHIERNING, Die Überlieferung der deutschen Orgel- u. Klaviermusik aus der 1. Hälfte des 17. Jh., Kassel, BV, 1961; CHR. WOLFF, Publikationen liturgischen Orgelmusik vom 16. bis ins 18. Jh., *in* Kerygma u. Melos, Fs. Chr. Mahrenholz, Kassel, BV, 1970; P. SCHLEUNING, Die Fantasie, I 16. bis 18. Jh., Cologne, A. Volk, 1971; J. CHAILLEY, Les ch. pour orgue de J.S. Bach, Paris, Leduc, 1974.

W. BLANKENBURG

CHORALE (abréviation de société ou association chorale), terme synonyme de → chœur.

CHORÉE (lat., chorea ; du grec choreïa). **1.** Terme sans équivalent dans les langues modernes, signifiant chez les Grecs anciens l'action de la danse intimement liée à la musique. Il a été employé au Moyen Age pour désigner une danse chantée (Jean de Grouchy, v. 1300 ; Robert de Handlo, v. 1326) ; au XVIe s. c'est un terme générique pour désigner la danse, appliqué parfois à la pavane (B. de Drusina, 1556) et à l'allemande (Matthäus Reymann, 1598, « chorea germanica », J.B. Besard, 1603). — **2.** Danse frénétique de caractère pathologique, la danse de saint-Guy par exemple. — Voir l'art. TARENTELLE.

CHORÉGRAPHE, CHORÉGRAPHIE (du grec khoreia, = danse, et graphein, = tracer, écrire, noter). Selon l'étymologie, chorégraphe devrait désigner celui qui note la danse — c'est d'ailleurs une de ses significations — au lieu de désigner le créateur d'une danse, comme cela s'observe dans la pratique. En règle générale, on appelle ch. un compositeur de ballets ou de danses, celui qui en invente et règle les pas et la mise en scène. Quant au maître de ballet, c'est celui qui s'occupe des répétitions d'une chorégraphie — donc, en fait, un répétiteur et un régisseur de la danse — ou bien remet en scène un ballet primitivement composé par un autre que lui-même. Ainsi, il existe une chorégraphie du ballet de *Giselle* d'A.Ch. Adam, celle de Jules Perrot et de Jean Coralli réglée à l'Opéra de Paris en 1841, toutes les autres versions ayant été remontées par des maîtres de ballet. M. Petipa est intervenu comme ch. pour la première réalisation de *La Belle au bois dormant* de P.I. Tchaïkovski et comme maître de ballet lors de la reprise de *Giselle* au Théâtre Marinski, à Saint-Pétersbourg. Par ailleurs, le maître de ballet est également le chef d'une troupe chorégraphique. Dès 1938 S. Lifar, dans son ouvrage *La Danse*, a attiré l'attention sur le peu d'exactitude de cette terminologie : « Le ch. est à proprement parler celui qui écrit, dans le sens où l'on dit d'un écrivain qu'il écrit un livre. On pourrait, certes, laisser le titre de ch. à celui qui crée des danses, mais que sera alors celui qui note, qui inscrit un ballet ? ... C'est pourquoi je suggère qu'un créateur soit appelé choréauteur. De même faudrait-il limiter le sens de maître de ballet et n'entendre plus, ne désigner plus de la sorte que quiconque s'occupe de la réalisation pratique de la création d'un choréauteur — la sienne propre ou celle d'un autre... ». Pour J.G. Noverre (1727-1810), « la chorégraphie... est l'art d'écrire la danse à l'aide de différents signes, comme on écrit la musique à l'aide de figures ou de caractères désignés pour la dénomination des notes... Ce genre d'écriture particulier à notre art, et que les Anciens ont peut-être ignoré, pouvait être nécessaire dans les premiers moments où la danse a été asservie à des principes. Les maîtres s'envoyaient réciproquement de petites contredanses et des morceaux, brillants et difficiles, tels que le *Menuet d'Anjou*, la *Bretagne*, la *Mariée*, etc. Les chemins ou la figure de ces danses étaient tracés; les pas étaient ensuite indiqués sur ces chemins par des traits et des signes démonstratifs ou de convention; la cadence ou la mesure étaient marquées par de petites barres posées transversalement qui divisaient les pas et fixaient les temps; l'air, sur lequel ces pas étaient composés, se notait au-dessus de la page, de sorte que 8 mesures de chorégraphie équivalaient à 8 mesures de musique; moyennant cet arrangement, on parvenait à épeler la danse pourvu que l'on eût la précaution de ne jamais changer la position du livre et de le tenir toujours dans le même sens... » (J.G. Noverre, *Lettres sur la danse*).

Il semble établi que les Égyptiens et les Romains ont disposé d'un certain nombre de signes pour indiquer les pas de leurs saltations, mais la méthode se serait perdue au Moyen Age. Dans le traité de M.F. Caroso, *Il Ballarino* (1581), on trouve des indications de figures et de pas. Puis, dans son *Orchésographie* (1589), Th. Arbeau tente de réaliser un système d'écriture qui fait correspondre des pas avec la musique en disposant la portée verticalement et en écrivant horizontalement, en langage ordinaire et à la hauteur de la note, le pas à exécuter. Ce procédé, trop rudimentaire, reste inefficace. Charles Louis Beauchamps, le célèbre maître de ballet du siècle de Louis XIV, invente vers 1671 une méthode d'écriture qu'il appelle judicieusement chorégraphie. Un arrêt du Parlement consacre le brevet de son invention mais nous ne disposons plus d'aucun document imprimé ou manuscrit qui nous permette de juger de la portée de celle-ci. Après lui, on essaie un procédé qui consiste à utiliser, pour marquer chaque temps, la première lettre du mot par lequel on désigne ce temps. Enfin, en 1699, paraît la *Chorégraphie ou l'Art de décrire la danse* de R.A. Feuillet et c'est à ce traité-là que Noverre semble avoir fait allusion. Et c'est toujours à propos du traité de Feuillet que Noverre semble avoir observé que, si un bon musicien lit 200 mesures en un instant, un excellent ch. ne déchiffrera pas 200 mesures de danse en deux heures, tant le système de Feuillet était compliqué et obscur. En outre, même si certains

parcours pouvaient être notés et péniblement déchiffrés, l'essentiel de la danse, qui concerne tout le corps, ne pouvait être indiqué.

En 1765 parut à Paris un ouvrage du maître de ballet Magny, *Principes de la chorégraphie*, « suivis d'un traité de la cadence qui apprendra les temps et les mouvements et les valeurs de chaque pas de danse, détaillés par caractères, signes démonstratifs et figures ». Cette fois, notes et pas étaient superposés. Les pieds du danseur étaient représentés par le signe « -o » pour le gauche et « o- » pour le droit, « o » désignant le talon et « - » la pointe (les deux pieds réunis formaient donc « -oo- »); mais pas plus que le précédent, ce nouveau traité ne constituait une véritable notation de tous les éléments d'une danse.

En 1852 Arthur Saint-Léon publie sa *Sténochorégraphie* et écrit dans sa préface qu'elle « diffère essentiellement de tous les essais du même genre en ce que non seulement elle indique l'ensemble des pas, mais elle donne au danseur, initié à la connaissance des signes sténochorégraphiques, la faculté de reproduire au premier coup d'œil et pour ainsi dire machinalement tous les temps : pliés, relevés, sauts sur une ou deux jambes, retombés, développés, etc., enfin tous les mouvements qui, réunis, forment un pas, et de donner à chacun de ces mouvements une durée exacte par la valeur de la note musicale à laquelle ils correspondent. » Pour sténographier la danse, Saint-Léon se servait : 1º de 5 lignes qui donnent dans leurs interlignes 4 plans; 2º d'une 6e ligne, placée au-dessus des 5 autres et détachée des plans; elle représentait la ligne des épaules. A tout cela il ajoutait des signes particuliers indiquant les bras dans les diverses positions classiques, ainsi que les deux bras en avant, dits « au public ». En 1887 Albert Zorn publie un système fondé sur celui de Saint-Léon, légèrement amélioré. Et environ 6 ans plus tard, Vladimir Stépanov, danseur du corps de ballet puis choryphée au Théâtre Marinski de Saint-Pétersbourg, met au point son propre système de notation, après avoir obtenu une bourse qui lui permet de travailler pendant plus d'un an à Paris. Il le fait éditer tout d'abord en français sous le titre d'*Alphabet des mouvements du corps humain. Essai d'enregistrement des mouvements du corps humain au moyen de signes musicaux*. Sur des portées musicales (6 lignes) sont représentées des figurines dont chacune reproduit un élément d'un mouvement de danse; si bien que, pour un seul mouvement, il faut plusieurs figurines et conjointement une notation musicale de la phrase dansée. Le système Stépanov a été adopté par Tamara Karsavina, L. Massine et surtout Nicolaï Serguéiev qui réussit à noter de la sorte 27 ballets du répertoire du Théâtre Marinski, en particulier *La Belle au bois dormant* de M. Petipa, qui fut remontée à Londres sous sa direction. Le procédé est valable, bien qu'insuffisant : il permet de rétablir une chorégraphie qu'on a vu danser (plusieurs fois de préférence) car c'est une sorte d'aide-mémoire plutôt qu'un véritable enregistrement graphique.

En 1928 le danseur et maître de ballet allemand Rudolf von Laban fait paraître sa *Kinétographie*, un système de 3 lignes verticales. Les signes symboliques sont écrits de bas en haut et de droite à gauche, représentant les mouvements et les pas des danseurs. Cette méthode, connue sous le nom de « Labanotation », a été relativement suivie. Enfin, deux ans plus tard, un Français, Pierre Conté, publie à son tour un procédé d'écriture de la danse, qui utilise 9 portées. Toutes ces méthodes sont largement dépassées par le cinématographe, qui constitue le seul procédé de notation parfaitement valable et durable. L. Massine l'a bien compris et a pris soin de filmer lui-même toutes ses propres chorégraphies. — Voir également l'art. DANSE.

Les grands créateurs. Il n'est guère possible d'entreprendre sérieusement une histoire de la chorégraphie. C'est comme si l'on voulait écrire une histoire de la musique en utilisant non pas des partitions mais des témoignages de l'époque rédigés par des non-spécialistes. Pour les ballets tant soit peu anciens, il n'existe qu'une tradition orale ; de plus, les danseurs n'ont jamais hésité à modifier les pas en les adaptant au mieux des ressources de leur virtuosité personnelle. Si bien qu'on ne peut proposer qu'une liste légendaire de grands chorégraphes-créateurs, traditionnelle plutôt qu'objective. Il semble que le → ballet, tel que nous le concevons, soit né au XVIIIe s. sous l'impulsion de J.G. Noverre (1727-1810), un ami de Gluck conquis par sa réforme lyrique qu'il entreprit d'appliquer à l'art chorégraphique en préconisant le ballet d'action, c.-à-d. un spectacle où tout s'exprime par la danse. Jusqu'alors, les maîtres de ballet se bornaient à enchaîner des danses types, comme le menuet, la gavotte, etc., en les variant tant soit peu. Certains des contemporains de Noverre ont prétendu l'avoir devancé dans cette voie, notamment G. Angiolini (1731-1803), Fr. A. Hilverding (1710-1768) et le célèbre S. Viganò (1769-1821) qu'admirait tant Stendhal. J.G. Noverre a formé d'assez nombreux et excellents disciples, soit par enseignement direct — ce fut le cas de Charles Didelot (1767-1836), le fondateur du ballet en Russie — soit par le truchement d'Auguste Vestris (1760-1842), son grand interprète, adepte et défenseur. Parmi les plus grands élèves du « dieu de la danse », il faut retenir les noms d'Auguste Bournonville (1805-1879), Jules Perrot (1810-1892), M. Petipa (1822-1910) qui fut, sinon le fondateur, du moins le véritable promoteur, maître à danser et à penser du ballet impérial russe, sur lequel il régna durant plus d'un demi-siècle. En France, à la même époque, Arthur Saint-Léon (1821-1870) comptait parmi les meilleurs maîtres de ballet. Parmi les héritiers de M. Petipa ont figuré M. Fokine (1880-1942), V. Nijinski (1890-1950) et sa sœur Bronislava (1891-1972), L. Massine (* 1896), G. Balanchine (* 1904), S. Lifar (* 1905). Du côté des novateurs, contestataires de la danse académique et partisans d'une « danse libre », il faut citer Kurt Joos (* 1901), l'auteur célèbre de *La Table verte*, Rudolf von Laban (1879-1958), Mary Waigmann, Martha Graham... Deux grands ch., chacun à sa façon, tendent à concilier l'académisme et la liberté, Jerome Robbins (* 1918) et Maurice Béjart (* 1928).

Bibliographie (cf. également l'art. DANSE) — R.A. FEUILLET, Chorégraphie ou l'Art de décrire la danse, Paris 1700, P. RAMEAU, Le maître à danser, Paris 1725 ; du même, Abrégé de la nouvelle méthode de l'art d'écrire ou de tracer toutes sortes de danses de ville, Paris 1725 ; J.G. NOVERRE, Lettres sur la danse, Paris 1760 ; MAGNY, Principes de la chorégraphie, Paris 1765 ; A. SAINT-LÉON, Sténochorégraphie, Paris 1852 ; VL. STEPANOV, Alphabet des mouvements du corps humain, Paris 1893 ; R. VON LABAN, Schrifttanz, 2 vol., Vienne 1928 ; du même, Principles of Dance Movement Notation, Londres, Macdonald & Evans, 1956 ; S. LIFAR, La danse, Paris 1937 ; A. KNUST, Abriss der Kinetographie Laban, Munich 1942,

2/Leipzig, VEB Hofmeister, 1956, trad. angl. sous le titre de Handbook of Kinetography Laban, Hamburg 1958.

M.R. HOFMANN

CHOREUTE (grec), dans l'Antiquité, membre du chœur qui participait aux représentations des tragédies ou des comédies. L'entretien des ch. (enfants ou adolescents) et leur instruction musicale étaient à la charge du chorège.

CHORÏAMBE, voir MÈTRE.

CHORISTE, musicien ou musicienne participant à l'exécution d'un chœur.

CHORO (ou choron ; lat., chorus), instr. à cordes soit pincées, soit frappées à l'aide d'une baguette, en usage au Moyen Age et cité dans le *Roman de Brut* (XIIe s.) ainsi que par Gerson et Eustache Deschamps au XIVe s. Il semblerait apparenté à la cithare. Dans sa *Descriptio Cambriae* (Xe s.), Giraldus désigne de ce nom un instr. à vent qui pourrait être une cornemuse primitive.

CHÔRO, petit ensemble caractéristique de la mus. populaire brésilienne, vraisemblablement d'origine noire, formé d'instr. à cordes pincées et d'instr. à vent, p. ex. flûte, ophicléide, mandoline, clarinette, guitare, « cavaquinho » (sorte de petite guitare à 4 cordes), trompette et trombone, l'un d'eux jouant en soliste. Le terme désigne également la musique destinée à de tels ensembles, principalement de la mus. de danse, valses langoureuses, polkas, tangos, scottishs, etc., ou des airs de danses populaires appelés « assustados » ou « arrasta-pé ». Selon l'exemple d'Ernesto Nazaré, H. Villa-Lobos a écrit une série de 14 *Chôros* et de 2 *Chôros-bis* pour divers instr. solistes, pour des groupes d'instruments variés, pour orchestre, piano et orchestre et même chœur et orchestre. D'autres compositeurs brésiliens ont écrit des ch., Fr. Mignone et C. Guarnieri par exemple.

Bibliographie — R. ALMEIDA, Hist. da mus. brasileira, Rio de Janeiro 2/1942 ; O. ALVARENGA, Mus. popular brasileira, Rio de Janeiro 1951 ; A. VASCONCELLOS, Panorama da mus. popular brasileira, São Paulo, Martins, 1964 ; V. MARIZ, H. Villa-Lobos, Paris, Seghers, 1967.

CHORUS (angl.), voir JAZZ.

CHOSE FAITE, voir RES FACTA.

CHROMATISME (du grec chroma, = couleur ; angl., chromaticism ; all., Chromatik ; ital. et esp., cromatismo). **1.** Dans son emploi solfégique usuel, le terme chr. indique l' → altération — la « coloration » — d'un degré diatonique en le déplaçant d'un → demiton vers le grave ou l'aigu. La notion de chr. suppose comme référence de base l'adoption de l'échelle → heptatonique naturelle, qui représente le dernier stade du → diatonisme. Selon le → système acoustique employé, la valeur de l'intervalle de demi-ton chr. varie. Ce n'est qu'en système tempéré que le ton se divise par moitiés égales en un demi-ton diatonique et un demi-ton chromatique. — **2.** L'échelle (ou gamme) chr. consiste en une succession de demi-tons diatoniques et chromatiques qui sont au nombre de 12 à l'octave ; elle pourrait donc tout aussi bien s'appeler échelle par demi-tons (par analogie avec l'échelle par tons). Du fait qu'il n'y a que 7 noms de notes différentes pour en désigner douze, 5 notes conservent le même nom, qui est pourvu d'un → accident (♯, ♭, ♮). Le choix de celui-ci pose des problèmes d'orthographe musicale, qui sont théoriquement résolus de la manière suivante : on utilise l'accident ascendant pour aller d'une note à une autre plus aiguë, excepté avec le VIᵉ degré ; on utilise l'accident descendant pour aller d'une note à une autre plus grave, excepté avec le Vᵉ degré.

Échelle chromatique d'*ut* majeur.

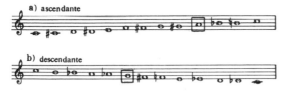

a) ascendante

b) descendante

Dans la pratique, surtout depuis que le système tempéré est généralisé, les accidents sont employés avec beaucoup de liberté puisqu'ils sont enharmoniquement identiques (*fa* ♯ = *sol* ♭). — **3.** Le genre chromatique désigne, en mus. grecque antique, l'une des trois divisions possibles du → tétracorde, les deux autres étant la diatonique et l'→ enharmonique. La pente mélodique étant descendante, on assiste à une → attraction vers le son grave de la quarte fixe de structure : *la-sol* ♭-*fa-mi*.

Historique. C'est en Grèce antique que le terme chr. apparaît pour la première fois. Boèce en retrans-

XIVᵉ s. (Ph. de Vitry, G. de Machault), le premier chr. proprement dit : celui du passage d'un degré au même degré altéré. Il s'agit donc essentiellement d'un chr. de consonance. Parallèlement à ce phénomène, l'emploi du → système pythagoricien provoque un chr. d'attraction qui se manifeste tout particulièrement au moment des cadences (→ « subsemitonium » et doubles sensibles). C'est à ce dernier chr. que se réfère Marchettus de Padoue, le premier théoricien à citer des successions de demi-tons (*Lucidarium*, début XIVᵉ s.). Ces deux premiers aspects du chr. ne résultent pas d'une volonté délibérée mais bien d'une double nécessité qui est de satisfaire d'un côté aux exigences d'ordre harmonique (principe de consonance) et de l'autre à celles d'ordre mélodique (principe d'attraction pythagoricienne). Cela explique que ce chr. reste rare et ne comporte jamais plus de deux demi-tons successifs.

Par contre, la Renaissance marque une étape capitale puisqu'elle réintroduit un chr. d'intention, délibérément voulu. Celui-ci se présente sous deux aspects distincts. 1⁰ Un chr. d'humaniste cherchant à reprendre les principes du chr. antique. Mais comme alors les notions grecques de pente mélodique descendante, de cadre tétracordal fixe et d'attraction pythagoricienne n'avaient plus de sens, les musiciens renaissants n'en ont retenu que la formule mélodique tierce mineure + deux demi-tons qui pouvaient aussi bien se concevoir en montant qu'en descendant et qu'à l'occasion l'on pouvait réduire à un cadre de tierce. En outre, en raison de l'erreur orthographique commise par Boèce, le tétracorde type *la-sol* ♭-*fa-mi* devenait *la-fa* ♯-*fa* ♮-*mi*. Le début du *Jerusalem* (*Lamentationes*, 1555) de N. Vicentino illustre bien ce procédé d'écriture que J. Chailley appelle chr. de démonstration et que l'on trouve également chez Cl. Le Jeune.

N. Vicentino, *Jerusalem*, début.

met une description approximative au Moyen Age (VIᵉ s.) mais celle-ci ne correspond plus à la réalité musicale d'alors, qui est essentiellement fondée sur un diatonisme strict. Aussi, en monodie grégorienne, l'alternance du *si* ♭ et du *si* ♮ correspond à une mutation hexacordale et non à une modification de l'échelle heptatonique. Il est impossible de faire se succéder deux demi-tons de suite. A partir du XIIIᵉ s., les diverses altérations résultant des transpositions d'hexacordes (voir l'art. SOLMISATION) sont désignées par le terme → « musica ficta » ou « musica falsa » et ne correspondent en rien au chr. antique. Mais à cette même époque, les nécessités de l'écriture polyphonique amènent rapidement l'emploi des altérations pour rétablir la qualité de consonance de certains intervalles. C'est par ce processus qu'apparaît, au

On trouve dans cet exemple quatre formules différentes dont seule la deuxième (b) est conforme au modèle grec (en admettant l'équivalence enharmonique *mi* = *fa* ♭). La formule (d) ne respecte même pas le cadre du tétracorde :

2⁰ Un chr. expressif. Tout en n'étant pour les uns qu'une sorte d'exercice savant, le chr. apparaît vite aux autres comme capable de traduire musicalement le contenu émotionnel de certains textes littéraires et en particulier de mots tels que douleur, tendresse, amour, pitié, colère, etc. Si, chez C. de Rore et Cl. Le

Jeune (*Qu'est devenu ce bel œil*), les aspects hellénisants et expressifs sont étroitement mêlés, les madrigalistes italiens de la 2de moitié du XVIe s. (L. Marenzio, C. Gesualdo) ne retiennent que le côté expressif et — pour traduire la douleur exacerbée — se laissent aller à d'audacieuses expériences qui représentent un premier paroxysme du genre.

expressif — cette fois aussi bien vocal qu'instrumental — apparaît avec F. Liszt et R. Wagner. Il atteint une intensité non encore égalée grâce à l'emploi simultané de l'attraction mélodique horizontale et de la tension dissonante verticale (voir l'art. HARMONIE, § III, B). Le *Tristan* (1859) de R. Wagner représente l'apogée de cette sorte de chr. qui se poursuivra avec R.

C. Gesualdo, *Mercè! grido piangendo*, extrait.

A l'époque baroque (1600-1750), la monodie accompagnée et la mus. vocale — toutes deux liées à la parole — ne retiendront que ce second aspect du chr. qui s'inscrit dans le cadre plus large du → figuralisme (ou madrigalisme) musical. Il se retrouve de Cl. Monteverdi à J.S. Bach, en passant par H. Schütz et H. Purcell. Dans l'expression de la douleur, il est souvent associé avec l'emploi de la dissonance qui, à partir du milieu du XVIIe s., fait irruption dans le langage harmonique. Parallèlement, la mus. instrumentale adopte le principe du chr. mais sans en retenir son côté de figuralisme expressif. Le chr. est alors essentiellement utilisé pour l'enrichissement qu'il apporte à l'écriture et il obéit soit à des lois de progressions harmoniques, soit à des phénomènes d'attraction mélodique ; ou encore il résulte tout simplement de notes de passage (G. Frescobaldi, J. Dowland, J.P. Sweelinck, D. Buxtehude, J.S. Bach). En outre, l'introduction progressive du tempérament égal à partir du XVIIIe s. incite les musiciens à altérer toutes les notes de l'échelle heptatonique et à exploiter les possibilités de l'enharmonie.

Strauss (*Salomé*, 1901, *Elektra*, 1909), M. Reger et le premier Schönberg.

Vers 1920 un double courant se dessine. D'un côté, il y a une réaction contre le chr. hypertrophié (le Stravinski néo-classique, Fr. Poulenc, D. Milhaud, C. Orff) ; de l'autre, l'atonalité, d'abord libre puis bientôt dodécaphonique, abolit l'échelle heptatonique pour la remplacer par l'échelle à 12 demitons de valeur strictement identique et sans aucune hiérarchie entre eux. Du même coup, les notions de tension et d'attraction sont supprimées et la distinction entre demi-ton diatonique et demi-ton chromatique disparaît. Dans un tel langage, le mot de chr. perd son sens et ne devrait pas être employé.

Total chromatisme. Ce terme est employé quand on applique les principes du chr. aux durées, aux intensités et aux timbres. Il s'agit évidemment d'un processus par analogie. Le chr. des hauteurs — celui qui nous est habituel — fait intervenir le plus petit intervalle tempéré connu : le demi-ton. C'est donc la notion de plus petite (ou très petite) unité qui intervient. Ainsi quand O. Messiaen part de la triple

J.S. Bach, *Fantaisie chromatique et fugue.*

A l'époque classique et au début du romantisme — de J. Haydn et W.A. Mozart à Fr. Chopin — le chr. devient surtout ornemental et sert à l'enjolivement de la ligne mélodique. Mais un nouveau chr.

croche et procède par ajouts successifs de triples croches pour aller jusqu'à la noire pointée, il obtient un ensemble de 12 valeurs formant une sorte de « gamme chromatique » en triples croches avec une analogie triple croche = demi-ton. Ce même principe appliqué aux intensités, en partant du ppp pour aller au fff, donne également une progression chromatique. Signalons que ces chr., véritables → paramètres utilisés en mus. → sérielle, ne sont pas obligés de s'inscrire dans un cadre de 12 unités. Quant à l'organisation chromatique des timbres, elle n'a jamais dépassé le stade des essais expérimentaux et de la spéculation intellectuelle. Avec l'apparition de

R. Wagner, schéma harmonique du début de *Tristan.*

l'électronique musicale, le chr. tend à disparaître au profit du continuum total.

Bibliographie — TH. KROYER, Die Anfänge der Chromatik im italienischen Madrigal des 16. Jh., Leipzig 1902 ; R. VON FICKER, Beitr. zur Chromatik des 14. bis 16. Jh., in StMw II, 1914 ; E. LOWINSKY, Secret Chromatic Art, New York 1946 ; O. MESSIAEN, Modes de valeurs et d'intensités, Paris 1949 ; J. CHAILLEY, Esprit et technique du chr. de la Renaissance, in Mus. et poésie au XVIe s., Paris, CNRS, 1954 ; du même, Formation et transformation du langage musical, Paris, C.D.U., 1961 ; K.J. LEVY, Costeley's Chromatic Chanson, in Ann. Mus. III, 1955 ; C. DAHLHAUS, D. Belli u. der chromatische Kontrapunkt um 1600, in Mf XV, 1962 ; W.J. MITCHELL, The Study of Chromaticism, in Journal of Music Theory VI, 1962 ; R. BULLIVANT, The Nature of Chromaticism, in MR XXIV, 1963 ; E. SIEGMEISTER, Harmony and Melody II, Belmont (Calif.), Wadsworth, 1965 ; E. SEIDEL, Ein chromatisches Harmonisierungsmodell in Schuberts Winterreise, in AfMw XXVI, 1969 ; D. HOFFMAN, The Chromatic Fourth, in The Consort Great Britain XXVI, 1970 ; cf. également la bibliogr. des art. ATONALITÉ, DODÉCAPHONISME, EXPRESSIONNISME, HARMONIE.

S. GUT

CHUTE, ornement expressif en usage chez les musiciens français depuis J.H. d'Anglebert. C'est une inflexion descendante de la voix, qui peut être identifiée au port de voix et qui possède un caractère pathétique et plaintif. On signifie la ch. de la manière suivante :

CIRQUE (Musique de c.). Dès l'origine du c. moderne (Londres 1768), la musique a créé l'ambiance tour à tour explosive, haletante, alerte ou rêveuse qui s'accordait avec les phases des différents numéros présentés. Avant la 1re Guerre mondiale, chaque établissement possédait une sorte d'orphéon dont l'importance variait avec son étendue. Généralement, certains monteurs du chapiteau se retrouvaient sur l'estrade des musiciens. Leur rôle était capital au moment de la « parade » destinée à attirer les spectateurs. Entre les deux guerres, dans certains grands établissements voyageurs, les monteurs-musiciens venaient traditionnellement d'Europe centrale et furent, pour cette raison, appelés « Tchécos » (Tchécoslovaques ; le terme est d'ailleurs resté dans le vocabulaire du c. et désigne tous les monteurs, quel que soit leur pays). Après la 2de Guerre mondiale, les musiciens se sont parfois recrutés parmi les Polonais et les Espagnols et si, dans les petits cirques, au lendemain des hostilités, on pouvait encore rencontrer des musiciens d'orphéons villageois, très vite les grands établissements recrutèrent des professionnels, issus d'orchestres de variétés et spécialisés dans la mus. de cirque. Actuellement les orchestres comprennent, sauf exception, de 6 à 10 musiciens (orgue, cuivres — particulièrement tubas —, batterie). Un instrument assez nouveau, l'orgue électronique, a joué un rôle dans cette diminution, mais, s'il y a moins d'instrumentistes, ils sont d'excellente qualité. Traditionnellement, les membres de l'orchestre étaient juchés sur le « montoir » (ce terme désignait autrefois l'emplacement qui servait aux écuyers à monter sur leurs chevaux), tapissé par-devant par la « gardine » (le rideau rouge qui masque l'entrée des coulisses). Aujourd'hui, en France du moins, ils sont placés sur une sorte d'estrade plus basse pour être mieux en vue. Tous les genres de musique peuvent

être entendus sous le chapiteau : de la mus. classique au jazz, en passant par les variétés, les airs à la mode, le folklore... Par ailleurs, il existe des œuvres originales, toutes composées par des chefs ou des musiciens de cirque et dont certaines sont devenues des « classiques ». Le spectacle s'ouvre généralement par une marche (*Entrée des Gladiateurs* de Fucik, *The Stars and Stripes forever* de J.Ph. Souza). Les numéros de fauves ou d'illusion seront accompagnés par une mus. « exotique ». Une évolution de chevaux sera présentée aux sons de *Tritsch-Tratsch Polka* (J. Strauss) et on pourra les faire sortir de piste debout aux accents de la marche d'*Aïda* (G. Verdi). Un numéro de trapèze est souvent agrémenté d'une valse (*Sleepy Lagoon* d'E. Coates et de J. Lawrence, p. ex.). Dans les grands établissements, le spectacle se clôt souvent par un défilé de toute la troupe au rythme d'une marche brillante comme *The Greatest on Earth* (V. Young).

Le cirque possède des chefs — souvent compositeurs — qui se sont fait un nom : hier Raymond Brunel et Paul Elie, plus récemment Jean Laporte, Jacques Jay, Yves Bouvard, Christian Faure, Fred Pons, Carmino d'Angelo, Raymond Wraskoff, Adrien Terme, Bernard Hilda. A l'étranger, Merle Evans du Ringling Barnum et Boris Ossipov du Cirque de Moscou comptent parmi les plus célèbres. Des orchestres de variétés se sont aussi produits sous le chapiteau, celui de Fred Adison chez Pinder, celui de Radio-Varsovie chez Althoff. Apportent aussi de la musique au c. : les fantaisistes musicaux (« Les Sippolo », Rolph et Suzanne Zavatta) et les clowns musicaux (Grock et son violon, Don Saunders et sa cornemuse, les « Pompoff Thedy », violon, les « Corin's », violon et saxophone, les « Rastelli », trompette).

A noter que des compositeurs connus ont écrit des œuvres sur le thème du c. : Ch. Ives, *Circus Band* (1894) et *Concord Sonata* (1922) ; L. Ganne, *Les Saltimbanques* (1899) ; E. Satie, *Parade* (1915-17) ; D. Milhaud, *Le Bœuf sur le toit* (1919 ; créée comme ballet à la Comédie des Champs-Élysées en 1920, l'œuvre faisait évoluer les Fratellini et la troupe de clowns de Médrano sur une pantomime de J. Cocteau) ; J. Absil, *Le Cirque volant* ; L. Durey, *Images de cirque* ; E. Kalman, *Princesse de cirque* (1926) ; I. Stravinski, *Zirkuspolka* (1942 ; composée pour un jeune éléphant) ; H. Sauguet, *Les Forains* (1945) ; H. Dutilleux, *Le Loup* (1953).

Bibliographie — Le C. dans l'Univers, revue du Club du Cirque.

M. BURGARD

CIS, nom allemand du *do* dièse.

CISIS, nom allemand du *do* double dièse.

CISTRE (du lat. cithara ; angl., cittern ; all., Cister ; ● ital., citera ; esp., cedra). Peu connu de nos jours, le c. — qu'il ne faut pas confondre avec le → sistre égyptien — appartient à la famille des instr. à cordes pincées. Comme l'indique l'étymologie de son nom, il peut être considéré comme l'un des descendants directs de la célèbre cithare de l'Antiquité. Les premières apparitions du c. restent encore à découvrir. Il figure régulièrement dans les documents iconographiques à partir du VIe s. de notre ère. De nombreux miniaturistes le représentent et il n'est pas rare de trouver des joueurs de c. parmi les anges musiciens qui décorent les cathédrales. Sous des formes diverses, il est en usage dans toute l'Europe occidentale à partir du XIIIe s. Le premier âge d'or de l'instrument se situe entre l'aube du XVIe s. et le milieu du XVIIe. Quelques spécimens de cette époque sont conservés, nous permettant de connaître avec précision les caractéristiques de leur facture. Parvenu à son stade classique, le c. se présente comme un instrument élégant, à caisse de résonance peu volumineuse, de forme arrondie et à fond plat. Le manche, long et étroit, porte de 15 à 20 frettes de métal insérées dans la touche. Il se termine par un chevillier recourbé vers l'avant, généralement orné d'une tête grimaçante. A l'accroche de ce manche, la caisse porte deux volutes ornementales, héritage des courbes harmonieuses de la cithare antique. Au contraire du luth, le c. se monte de cordes métalliques qui s'accrochent à la lisière inférieure de la caisse et sont soulevées par un chevalet. Vers 1550 ces cordes sont généralement au nombre de 10, irrégulièrement réparties en 4 rangs ou « chœurs ». L'accord français est sur le modèle de $la^{1,2}$, $sol^{1,2}$, $ré^{2,3}$, $mi^{2,3}$, chaque rang étant monté de cordes à l'octave. En outre, le rang le plus grave ne se trouve pas placé le dernier mais l'avant-dernier. A partir de 1580 on construit des instruments plus importants, des doubles c. montés de 6 chœurs de cordes doubles. Tous ces instruments se jouent non pas avec les doigts nus, mais à l'aide d'un plectre formé d'un bec de plume.

Pendant un siècle et demi, le c. constitue, chez les amateurs, l'équivalent du luth. De nombreux recueils voient le jour : 2 livres chez Le Roy et Ballard (Paris v. 1560, 1564), 5 au moins chez P. Phalèse, un nombre plus important encore en Angleterre, dus à A. Holborne, Richard Alison, Thomas Robinson, J. Playford. A compter du milieu du XVIIe s., le c. tombe en désuétude. Pendant un siècle environ, il n'est plus guère pratiqué, puis, vers 1770, il suscite de nouveau l'attention. Profitant du regain de succès de la guitare et de la facilité de son jeu, des professeurs de musique le remettent à la mode. Ce second âge d'or de l'instrument durera jusqu'aux années 1800 environ. De nombreux spécimens de cette époque nous sont parvenus, provenant de la plupart des pays d'Europe. Ces c. ont perdu leur pureté de facture primitive. Des diverses formes adoptées, celle qui représente le profil d'une cloche est la plus répandue. Le manche, désormais assez court, se termine par une sorte de crochet auquel est adapté un système de vis (mécanique Preston) qui permet un réglage plus aisé de l'accord. Le nombre des cordes et leur accord, extrêmement variables, dépendent des fabricants. Le jeu au plectre est abandonné au profit du jeu de doigt, mais un facteur imagine d'adapter à la table une mécanique de piano-forte, utilisant de petits marteaux qu'il suffit d'actionner à l'aide d'un clavier. L'invention de ce c. à touches marque le début du déclin de l'instrument. Entre 1770 et 1800, une très importante littérature pour c. a vu le jour. Non seulement l'instrument sert à l'accompagnement de toute la musique vocale alors en vigueur, mais il existe de nombreuses transcriptions d'airs à la mode pour c. soliste, voire pour duo de cistres. Un important répertoire de musique purement instrumentale

s'y ajoute : variations, danses et même sonates. Leur intérêt musical reste médiocre. Le c. tombe ensuite dans l'oubli. Seules quelques régions d'Europe continuent à l'employer : Allemagne, Corse et surtout Portugal où il est introduit au XVIIIe s. par l'intermédiaire de l'Angleterre. Depuis cette date, il s'est si bien implanté qu'il est devenu l'instrument national et a pris le nom de « chitarra portuguese ». Il sert ainsi traditionnellement à l'accompagnement du chant, en particulier des « fados », ce qui contribue très largement à sa popularité.

CISTRE FRANÇAIS XVIIe s.

Bibliographie — M. Mersenne, Harmonie universelle III, chap. 15, Paris 1636, rééd. en facs. par Fr. Lesure, 3 vol., Paris, CNRS, 1963 ; R. Thurston Dart, The Cittern and its English Music, in The Galpin Soc. Journal, mars 1948 ; H. Charnassé et Fr. Vernillat, Les instr. à cordes pincées, Paris, PUF, 1970.

H. Charnassé

CISTRE-LYRE, voir Archicistre.

CITHARE (grec, kithara). 1. Avec la → lyre, dont elle se distingue par son usage et ses ressources variées, la c. est l'instr. à cordes le plus répandu de l'Antiquité grecque. De forme trapézoïdale, sa caisse, entièrement en bois, comporte une table plate avec un dos concave et se plaque contre la poitrine par une éclisse, ce qui libère les mains. La caisse est de taille variable et peut atteindre 80 cm. Un tire-corde, véritable boîte sonore, un large chevalet de corne en « toit », des bras creux chevillés à la caisse, des revêtements d'ivoire font de l'instrument une pièce de belle facture. Un réseau d'éléments courbes, arcboutés entre chaque bras, absorbe la pression des cordes et constitue un système décoratif. La traverse reliant les bras s'achève par des poignées qui servent moins à tourner qu'à bloquer les cordes après l'accord; elles sont toujours représentées dans la même position. — Entre le VIIIe et le IVe s. le nombre des cordes augmente de 5 à 15, non pour étendre le registre mais essentiellement pour « moduler », c.-à-d. passer du genre diatonique à l'enharmonique. Leur accord s'est fait selon divers procédés : d'abord par des lanières enroulées autour de la traverse mise en rotation ; dans la période classique, par des boutons fixateurs et un laçage des cordes accordées séparément ; puis par des chevilles tournant dans le joug. Enfin la période hellénistique voit naître le procédé des fléchettes ; chaque corde est alors coincée dans un cylindre visible sur les c. tardives à bras en pilastres. Ces dernières possèdent des lames (pour isoler certaines cordes en fonction du mode) qui remplacent les blocs mobiles placés sous les cordes à l'origine. La longueur des cordes favorise l'émission des harmoniques (« syrma »). Le jeu varie selon le style des genres musicaux. Doux : un plectre immobilise une ou deux cordes tandis que la main gauche gratte les cordes libres. Dur : la main droite martèle l'ensemble des cordes, l'autre main, bloquée par le baudrier, isolant quelques cordes ou les effleurant pour obtenir des harmoniques. Les mains se passent rarement du plectre ; posé près du chevalet, il permet de baisser le ton et d'obtenir ainsi le genre enharmonique. A la fin de l'époque romaine, l'instrument tend à se rapprocher de la harpe. Rarement confiée à des mains féminines, la c. apparaît comme la création suprême des luthiers grecs à l'intention des virtuoses. Dans les scènes de concours, une luxueuse enveloppe est toujours attachée à sa base, ce qui indique la valeur qu'on lui accorde.

La c. existait déjà en Mésopotamie et en Égypte. Chez les Grecs, Pausanias l'attribua à Apollon, ce qui explique son rôle privilégié. Elle apparaît dans les représentations céramiques à la fin du VIIᵉ s., avant la lyre. A cette époque, elle provient de Lesbos. Le mot « kitharis » figure dans l'Iliade (III, 54), mais il s'agit peut-être de la → phorminx dont elle est une descendante probable. Téleste de Sélinonte évoque la « pectis » (c. ou lyre aiguë), introduite par les compagnons de Pélops (1350 av. J.C.), tandis qu'Hérodote (I, 24,5) établit la distinction entre la c. et les instruments apparentés. Cépion, élève de Terpandre, attache son nom au nome citharodique. Au VIᵉ s. la c. prend part aux Jeux Pythiques de Delphes, puis au concours de citharistique. A la fin du Vᵉ s., elle est attachée aux virtuoses et atteint 12 cordes avec Mélanippidès (v. 450). Les Romains la confirment dans cet usage et tentent d'amplifier ses possibilités (table tournante à 3 c.). La céramique permet de situer son âge d'or entre les Vᵉ et IIIᵉ s. av. J.C. — Voir également CITHARE À BERCEAU. — 2. Le mot sert encore à désigner le → cistre et la → « zither ».

Bibliographie — PSEUDO-PLUTARQUE, De la musique, trad. Fr. Lasserre, Lausanne, Urs Graf, 1954 ; M. EMMANUEL, La mus. grecque antique, in Lavignac Hist. I, 1913 ; H. HUCHZERMEYER, Aulos u. Kithara der griechischen Musik bis zum Anfang der klassischen Zeit (diss. Münster 1931) ; M. GUILLEMIN et J. DUCHESNE, Sur l'origine asiatique de la c. grecque, in L'Antiquité classique IV, 1935 ; A. SCHAEFFNER, Origine des instr. de mus., Paris 1936 ; M. WEGNER, Das Musikleben der Griechen, Berlin 1949 ; du même, Griechenland, in Musikgesch. in Bildern II/4, Leipzig, VEB Deutscher Verlag für Musik, 1963 ; FR. BEHN, Musikleben im Altertum u. frühen Mittelalter, Stuttgart, Hirsemann, 1954 ; R. FLACELLIÈRE, La vie quotidienne en Grèce au siècle de Périclès, Paris, Hachette, 1959 ; H. METZGER, Recherches sur l'imagerie athénienne, Paris, Boccard, 1965 ; D. PAQUETTE, L'instr. de mus. à travers la céramique de la Grèce antique (diss. Dijon 1968).

D. PAQUETTE

CITHARE À BERCEAU. Elle apparaît sur les vases grecs à partir du Vᵉ s. et représente une sorte de transition entre la → phorminx (par sa forme arrondie) et la grande → cithare de concert. Les sources littéraires n'indiquent ni son nom dans le monde hellénique ni sa provenance. M. Emmanuel la nomme lyre de luthier. La traverse n'est pas plaquée mais engagée dans les bras, de section rectangulaire, percés de trous. Sept cordes, deux ouïes complètent un instrument aux dispositions originales. D'après les représentations céramiques, son usage semble avoir été réservé au gynécée.

Bibliographie — M. WEGNER, Das Musikleben der Griechen, Berlin 1949 ; D. PAQUETTE, L'instr. de mus. à travers la céramique de la Grèce antique (diss. Dijon 1968).

CITHARÈDE, musicien ou musicienne qui, dans l'Antiquité, chantait en s'accompagnant de la → cithare.

CITOLE, nom ancien du → cistre (Moyen Age).

CLAIRON. 1. Instr. à vent en cuivre servant aux sonneries militaires. Muni d'une embouchure, il a la forme d'une trompette avec une perce conique évasée faisant une ou deux boucles. Il est construit en *do* ou en *si* ♭ et les sonneries utilisent les sons naturels entre *do*³ et *sol*⁴ (plus graves d'un ton sur le clairon en *si* ♭). Il fut construit pour la première fois en France après les guerres napoléoniennes, sur le modèle du → bugle d'infanterie anglais, qui dérivait lui-même du « Halbmond » ou cor en forme de U adopté par les chasseurs de Hanovre pendant la guerre de Sept Ans. On a aussi construit des cl. à un piston afin d'accroître leurs possibilités mélodiques dans les fanfares. Pendant la Renaissance, le mot cl. ou claron désignait, semble-t-il, une sorte de trompette plus aiguë que la trompette ordinaire ; c'est ainsi qu'en parle rétrospectivement Jean Nicot (*Thrésor de la langue françoise*, Paris 1606) sous le nom de « clairon ». D'où l'expression « clarino » désignant le registre aigu de la trompette ordinaire des XVIIᵉ et XVIIIᵉ s. — **2.** Jeu d'orgue à anche battante et résonateur conique croissant qui sert d'octave à la → trompette, sans laquelle il s'emploie rarement. Son octave supérieure reprend en trompette ou en tuyaux d'un autre type : double longueur (cl. harmonique) ou tuyaux à bouche. — **3.** Terme désignant le registre aigu de la → clarinette.

CLAQUEBOIS. 1. Appelé également orgue de bois ou harmonica de paille, c'est un → xylophone constitué de lattes de bois rangées par ordre de grandeur sur une caisse rectangulaire. Les lattes sont placées sur de la paille de façon que leur vibration ne soit pas entravée ; elles sont frappées à l'aide de deux maillets en bois. Certains cl. ont une étendue chromatique de deux octaves et demie. C. Saint-Saëns a utilisé le cl. dans la *Danse macabre*. — **2.** Idiophone constitué de trois marteaux de bois disposés verticalement en éventail sur un socle. Deux d'entre eux oscillent sous l'action du pouce et de l'index et percutent celui du milieu en produisant un claquement sec.

CLAQUETTE. 1. Instrument formé de deux bandes de cuir garnies de grelots, qui, au théâtre, sert à simuler l'approche d'un attelage. — **2.** Instrument formé de deux lames de bois réunies par une charnière et claquant l'une contre l'autre. — **3.** Danse rythmée par le claquement des pointes puis des talons des pieds sur le sol.

CLARABELLA, jeu d'orgue à bouche conique croissant, venu d'Angleterre. Souvent en bois, il est de sonorité douce et se rencontre dans l'orgue symphonique (XIXe s.).

CLARINETTE (angl., clarinet ; all., Klarinette ; ital., clarinetto ; esp., clarinete). **1.** Instr. à vent à anche simple fait de 5 segments, le bec, le baril, le corps supérieur ou corps de la main gauche, le corps inférieur ou corps de la main droite, et le pavillon. L' → anche est fixée au bec par une attache en métal.

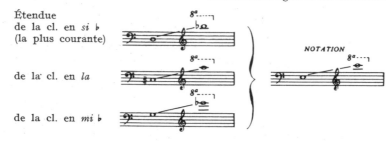

Étendue de la cl. en si ♭ (la plus courante)

de la cl. en la

de la cl. en mi ♭

NOTATION

La cl. ayant une perce cylindrique, son deuxième registre ou medium commence à une douzième du premier son fondamental — le premier registre se nomme le chalumeau, le deuxième le clairon — et son troisième registre, l'aigu, est à une sixte du deuxième ; il se poursuit par le suraigu. On prétend que la cl. est l'invention de J.Chr. Denner de Nuremberg († 1707). Si l'exemplaire qu'il laissa, conservé à Munich, représente un stade transitoire de l'évolution du → chalumeau, ceux fabriqués par son fils ont l'aspect typique de la cl. en usage jusqu'au milieu du siècle : deux clefs, un pavillon semblable à celui du hautbois et fa² comme note de départ. C'est la cl. que connurent Vivaldi et Rameau. Elle était généralement en ré ou en do. On ne sait pas encore de façon sûre quand le pavillon fut allongé, acquérant ainsi sa forme actuelle, et doté d'une clé de mi grave. C'est à ces modifications que les Concertos de J.M. Molter doivent leur extrême virtuosité. Autour de 1770 on se servait de 5 clefs, usage qui subsista jusqu'à la fin du XVIIIe s. Grâce à ces 5 clefs, la cl. avait une bonne gamme chromatique dans le deuxième registre mais les sons du registre inférieur, produits par les doigtés fourchus, étaient moins satisfaisants : la façon complexe dont Mozart écrivait dans ce registre était un rude défi à la dextérité de son clarinettiste, A. Stadler. Ce dernier posa deux nouvelles clefs dans le seul but d'ajouter un ré et un mi graves à l'étendue de l'instrument. On reconstruit parfois de ces instruments pour l'exécution des œuvres de Mozart comprenant ces notes exceptionnellement graves. J.X. Lefèvre, premier professeur au Conservatoire de Paris, ajouta une 6e clef (do ♯³), bientôt suivie d'autres destinées à remplacer les

doigtés fourchus. En 1809 H.J. Bärmann adopta une cl. à 10 clefs et c'est avec ce type d'instrument qu'il joua les œuvres pour cl. seule que C.M. von Weber écrivit pour lui. Puis, en 1812, à Paris, I. Müller mit au point un système de 13 clefs qui eut une grande influence sur les modèles suivants, allemands compris. Vers 1845 A. Sax créa deux anneaux pour permettre à la main droite de rectifier le si naturellement bas. Ce fut le dernier apport fondamental au système ordinaire ancien, appelé parfois « système Albert » selon le dire du célèbre fabricant bruxellois. Richard Mühlfeld, pour qui Brahms écrivit son Quintette en si min., utilisa une variante à 18 clefs construite par K. Bärmann en 1860. Avec la version améliorée qu'en fit Oehler à Berlin, elle reste le modèle préféré des Allemands. La cl. à système Boehm (système à anneaux mobiles) fut inventée à Paris par Auguste Buffet en collaboration avec Hyacinthe Klosé, professeur au Conservatoire, et brevetée en 1844. C'est le système utilisé aujourd'hui presque partout sauf en Allemagne. Il est resté semblable à sa version originale car, parmi les nombreux arrangements proposés, aucun ne se révéla d'un intérêt suffisant pour s'implanter dans l'usage courant.

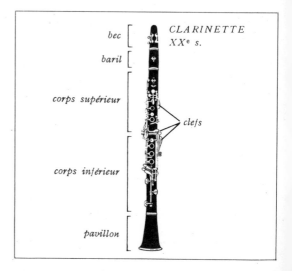

CLARINETTE XXe s.

bec

baril

corps supérieur

clefs

corps inférieur

pavillon

A l'origine, on jouait de la cl. avec l'anche sur le bec, pratique qui resta en vigueur en France jusqu'à ce que Friedrich Berr, nommé professeur au Conservatoire en 1831, imposât la pratique inverse, qui avait déjà de nombreux adeptes en Allemagne. D'après I. Müller, la qualité du son est aussi bonne dans les deux cas. Elle dépend davantage de la forme

17. FRANCE. XVe s. *Un groupe de chanteurs accompagnés par des joueurs d'instruments : de g. à dr., flûte droite et tambour, saqueboute, chifonie, luth, harpe, orgue portatif, chalemie, groupe de 5 chanteurs, doulcemelle, vièle de bras, cymbales, cornet, gigue. Miniature du* Livre des propriétéz des choses, *de Barthélemy de Glanville. Paris, Bibliothèque Nationale, Dépt. des Mss., Franç 22532, fol. 336.*

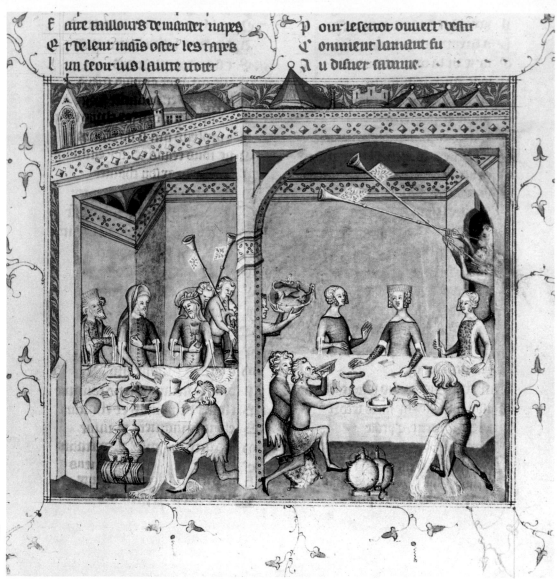

18. FRANCE. XVe s. "Comment l'amant fu au disner de sa dame", miniature d'un manuscrit des œuvres de Guillaume de Machault. A la porte de la salle, deux joueurs de trompette droite "cornent" l'entrée des mets, tandis que, placés derrière l'une des tables, deux ou trois instrumentistes de cornemuse et de bombarde font entendre un concert.
Paris, Bibliothèque Nationale, Dépt. des Mss., Franç. 1586, fol. 55.

19. FRANCE. XVe s. La carole dans le verger, miniature du Roman de la Rose, par le Maître de Juvénal des Ursins (?), vers 1460. Trois musiciens joueurs de chalemies (ou bombardes).
Paris, Bibliothèque Nationale, Dépt. des Mss., Franç. 19153, fol. 7.

20. FRANCE. XVe s. Danse paysanne accompagnée à la cornemuse par un berger.
Paris, Bibliothèque Nationale, Dépt. des Mss., Lat. 873, fol. 21.

21. ITALIE. XVᵉ s. Détail d'un coffre peint dont le décor représente les fêtes
données pour les noces de Boccacio Adimari avec Lisa Ricasoli, œuvre d'un peintre
florentin anonyme appelé le Maître du coffre Adimari. Chalemies et saqueboute.
Florence, Galleria dell'Accademia.

du bec, de la taille de l'anche et de la position du bec dans la bouche. Les Allemands, fidèles à leur tradition, utilisent une anche étroite et un bec pointu, les dents supérieures touchant le bas du bec. Il en résulte un timbre bien distinct du timbre français, obtenu celui-ci avec une anche et un bec larges, la lèvre supérieure étant tendue de façon à recouvrir les dents selon une tradition plus vieille encore, vestige du temps où l'anche était sur le bec. Dans sa *Méthode* (vers 1825), I. Müller exhorta les clarinettistes à abandonner les cl. en *do* et en *la* (utilisées pour éviter des armatures riches en dièses, peu praticables sur une cl. à 5 clefs) dès qu'ils pourraient s'en procurer une à 13 clefs, et à exécuter toute partie sur la seule cl. en *si* ♭. Mais son idée ne fut pas acceptée car, malgré les clefs supplémentaires, les dièses continuèrent à poser des problèmes d'exécution. La cl. en *do* (dont le timbre est plutôt grêle) ne sortit de l'usage courant que bien plus tard ; celle-ci fait encore partie du matériel dont dispose un clarinettiste, sauf en Italie et parfois en France où la cl. en *si* ♭ est munie d'un demi-ton supplémentaire (système Boehm) permettant de jouer le *mi* grave de la cl. en *la*. La petite cl. en *mi* ♭ sert surtout dans la mus. militaire, où elle succède à la cl. en *fa*, d'un usage courant au début du XIXᵉ s. Berlioz, Mahler... l'ont utilisée à l'orchestre, les compositeurs allemands faisant même parfois appel à la cl. en *ré* (R. Strauss, *Till Eulenspiegel*). Au-dessus de celles-là, il y a encore la petite cl. en *la* dont l'usage, rare aujourd'hui, se limite à la mus. militaire. La cl. alto en *mi* ♭, autre invention de I. Müller, appartient également à la mus. militaire ; elle a la forme de la cl. basse, avec un bocal en métal recourbé et un pavillon tourné vers le haut (voir également l'art. COR DE BASSET). La cl. basse, qui sonne à l'octave inférieure de la cl. ordinaire, était une réalisation expérimentale isolée avant les modèles pleinement satisfaisants conçus par Streitwolf, Buffet et Sax entre les années 1828 et 1838. Elle se lit normalement en clef de *sol* et sonne une neuvième au-dessous. Dans certains modèles allemands, la note de départ est plus grave (*ré* ou *do*) qu'ailleurs. C'est Fontaine-Besson qui, en 1889, réussit la première cl. contrebasse ; plus grave encore d'une octave, elle

CLARINETTE BASSE
XXᵉ s.

sert surtout dans les orchestres d'instr. à vent ; le modèle actuel le plus courant est l'œuvre de M. Houvenaghel : entièrement métallique et courbé plusieurs fois, il est fabriqué par Leblanc et Cie.

2. Jeu d'orgue apparu peu après l'instrument qu'il veut imiter. Après divers tâtonnements, on le construisit communément à anche battante et résonateur cylindrique de grosse taille. Avec un pavillon, c'est le cor de basset.

Bibliographie — **1.** J.FR.B.C. MAJER, Museum musicum, Schwäbisch Hall 1732, rééd. en facs. par J. Becker, Kassel, BV, 1954 ; V. ROESER, Essai d'instruction à l'usage... de ceux qui composent pour la cl. et les cors, Paris 1764 ; F. ANTOLINI, La retta maniera di scrivere per il cl., Milan 1813 ; P. MIMART, La cl., *in* Lavignac Techn. III, 1925 ; A. GABUZZI, Origine e storia del cl., Milan 2/1937 ; R. MARAMOTTI, Il cl., Bologne 1941 ; F.G. RENDALL, The Cl., Londres, Benn, 2/1957 ; H. KUNITZ, Die Instrumentation, IV Die Kl., Leipzig, VEB Br. & H., 1961 ; O. KROLL, Die Kl., Kassel, BV, 1964.

A. BAINES

CLARINETTE (Musique pour cl.). L'emploi de la cl. est antérieur à son introduction à l'orchestre par J.Ph. Rameau en 1749 (*Zoroastre*) ainsi qu'en témoignent deux documents : les *Airs à deux clarinettes ou deux chalumeaux* publiés vers 1716 par E. Roger à Amsterdam et la messe « *Maria assumpta* » composée en 1726 par Jean Adam Joseph Faber, maître de chapelle à Anvers. Mais il semble que l'École de Mannheim ait été la première à doter l'instrument d'un répertoire de soliste. Les 4 *Concertos* de J.M. Molter pour cl. en *ré* paraissent être les premiers du genre, suivis de peu par ceux de Franz Xaver Pokorny (2) et de K. Stamitz (11). Pour intéressantes et déjà brillantes qu'elles soient, ces partitions ne peuvent néanmoins rivaliser avec les deux chefs-d'œuvre de Mozart : le *Quintette* KV 581 (cl. et cordes) et le *Concerto* KV 622. Outre le rôle de soliste qu'il lui confère parfois dans ses opéras (air de Sesto dans *La Clémence de Titus*) et l'importance qu'il lui accorde dans ses dernières symphonies, Mozart marque par ailleurs son intérêt pour cet instrument en lui offrant le *Trio* en *mi* ♭ maj. KV 498, intitulé « *Kegelstatt-Trio* », 12 *Duos* pour cor de basset et cl. alto en *fa*, 5 *Divertissements* en trio, et en le faisant participer à son *Quintette* KV 452 pour instr. à vent et piano, à plusieurs de ses divertissements et à sa *Symphonie concertante* pour hautbois, cl., cor et basson KV Anh. C 14.01. Si Beethoven ne lui consacre aucun concerto, il reprend la formule mozartienne du quintette avec piano, intègre l'instrument à son *Septuor* op. 20, à son *Sextuor* op. 71, à son *Octuor* op. 130 et lui consacre *3 Duos* avec le basson (op. 147) ainsi qu'un *Trio* pour cl., violoncelle et piano. Avec ses 14 *Concertos* et 30 *Quatuors* pour cl. et cordes, M. Yost est certainement l'instrumentiste compositeur le plus prolixe de son époque. Durant la période romantique, la cl. jouira d'une faveur particulière et verra son répertoire s'accroître dans divers domaines. Non seulement elle figure dans l'*Octuor* en *fa* de Fr. Schubert mais celui-ci l'utilise conjointement avec la voix et le piano dans l'un de ses « Lieder », *Der Hirt auf dem Felsen*. F. Mendelssohn écrit deux pièces concertantes pour cor de basset et piano (op. 113 et 114). C.M. von Weber lui dédie un *Concertino* op. 26, 2 *Concertos*, op. 73 et 74, 7 *Variations*, un *Grand Duo concertant* avec piano et le *Quintette* op. 34 avec cordes. R. Schumann lui consacre ses *Phantasiestücke* op. 73 avec piano et utilise merveilleusement la souplesse de sa sonorité et la pureté de son timbre dans ses *Märchenerzählungen* op. 132, en dialogue avec l'alto et le piano. J. Brahms lui offre 4 chefs-d'œuvre : le *Trio* op. 114 avec violon et piano, *2 Sonates* op. 120 avec piano et le *Quintette* op. 115 avec cordes. Les époques post-romantique, moderne et contemporaine ne feront qu'étendre ce répertoire, tant dans le domaine du concerto que dans celui de la mus. de chambre. Citons parmi les œuvres les plus marquantes : R. Strauss, *Duett-Concertino* pour cl., basson, orch. à cordes et harpe ; M. Reger, *3 Sonates* et le *Quintette* op. 146 pour cl. et cordes ; V. d'Indy, *Trio* pour cl., violoncelle et piano ; C. Saint-Saëns, *Sonate* pour cl. et piano ; Cl. Debussy, *Rapsodie* pour cl. et orchestre ; M. Ravel, *Introduction et Allegro* pour harpe avec accomp. de quatuor à cordes, flûte et cl. ; I. Stravinski, *3 Pièces* pour cl. seule, *Berceuse du chat* pour voix et 3 cl., *Septuor*, *Octuor*, *Suite* tirée de l'*Histoire du soldat* pour violon, cl. et piano ; P. Hindemith, *Concerto*, *Variations* pour cl. et orchestre, *2 Sonates* pour cl. et piano. L'école viennoise dodécaphonique a marqué une prédilection pour la clarinette. Dans la *Sérénade* op. 24 d'A. Schönberg figurent une cl. et une cl. basse ; le compositeur lui fait une place dans son *Quintette à vent* op. 26 et dans sa *Suite* op. 29 où sont réunies la petite cl., la cl. en *mi ♭* et la cl. basse. A. Berg lui dédie *4 Pièces* (cl. et piano) et A. Webern l'utilise (cl. et cl. basse) dans ses op. 15, 16, 17, 18 et 19 — mélodies pour voix et instruments — ainsi que dans son *Quatuor* op. 22 pour violon, cl., saxophone ténor et piano. Parmi les œuvres contemporaines, il faut citer les concertos d'Alain Bernaud, E. Bozza, D. Milhaud, H. Tomasi ; la *Sonate* pour cl. seule de G. Migot, les sonates pour cl. et piano d'A. Honegger, D. Milhaud, Fr. Poulenc, H. Sauguet ; le *Livre de divertissements français* (flûte, cl. et harpe) de G. Migot ; les trios d'anches (hautbois, cl. et basson) de G. Auric, J. Ibert, G. Migot, D. Milhaud (*Suite d'après Corrette*) ; le *Quatuor pour la fin du temps* d'O. Messiaen (violon, cl., violoncelle et piano), les *Variations* pour quatuor d'anches (hautbois, cl., saxophone et basson) de G. Massias et les *3 Pastorales* (flûte, hautbois, cl. et basson) de G. Migot ; enfin les nombreux quintettes à vent dont nous ne pouvons nommer que quelques-uns des compositeurs : J. Absil, J.M. Damase, J. Françaix, J. Ibert, A. Jolivet, G. Migot, D. Milhaud (*La Cheminée du roi René*), Fl. Schmitt, K. Stockhausen (qui remplace le cor par le cor anglais).

Bibliographie — L.W. FOSTER, A Directory of Cl. Music, Pittsfield (Mass.) 1940 ; K. OPPERMAN, Repertory of the Cl., New York et Londres, Ricordi, 1960.

G. GOURDET

CLARINO (ital.), terme en usage en Italie et en Allemagne au cours des XVIIe et XVIIIe s., s'appliquant à l'élément le plus aigu d'un ensemble de trompettes, puis désignation courante d'une partie de trompette d'orchestre écrite dans ce registre aigu. Celui-ci comprend les sons naturels d'une octave à partir du *do⁴*, *fa⁴* et *la⁴* posant des problèmes de justesse. Au XXe s. on joue les parties de cl. sur de petites trompettes à pistons, quoiqu'il existe depuis 1959 une trompette naturelle en *ré*, de forme circulaire, appelée cl., due aux Allemands Steinkopf et Finke. Cet instrument est percé d'un ou plusieurs petits trous

que les doigts peuvent laisser libres pour corriger le *fa* et le *la*. Dans certaines partitions italiennes, cl. désigne la clarinette.

Bibliographie — J.E. ALTENBURG, Versuch einer Anleitung zur heroisch-musikalischen Trompeter- u. Pauker-Kunst, Halle 1795, rééd. Dresde 1911 ; H. EICHBORN, Das alte Clarin-Blasek auf Trompeten, Leipzig 1894 ; C. SACHS, Eine unkritische Kritin des Klarinblasens, in AfMw II, 1919-20 ; W. MENKE, Hist. of the Trumpet of Bach and Handel, Londres 1934 ; H. KIRCHMEYER, Die Rekonstruktion der « Bachtrompete », in NZfM CXXVIII, 1967.

CLASSICISME (du lat. classicus, = de premier ordre), terme communément accepté pour désigner la période qui va des années 1750 à la mort de Beethoven. Il n'aurait pu prendre cette valeur historique s'il ne désignait, sur le plan conceptuel, certaines caractéristiques apparues précisément à cette époque. Tout d'abord, classique désigne « ce qu'on étudie dans les classes » ; c'est aussi, selon l'étymologie, « ce qui excelle », les deux sens se rejoignant. Dans le domaine musical, on range couramment sous la rubrique de mus. classique tout ce qui n'est pas folklore, jazz, variétés. C'est faire perdre à l'adjectif tout sens précis. Toutefois la même langue usuelle emploie le terme pour désigner le modèle d'un genre (un classique de la chanson, du jazz, etc.), conservant par là son sens premier. Si l'on veut préciser le concept, c'est à la littérature, et en particulier à la littérature française, qu'il faut se référer, l'école classique « ayant porté à un si haut degré de plénitude les vertus de l'esprit français qu'à son tour (après les cl. grec et latin) elle semblait atteindre la perfection suprême et fixer le plus pur de notre tradition » (R. Jasinski). Le mot cl. n'apparaît qu'en 1825, doté d'un sens réactionnaire, par opposition aux idées et aux goûts du jour. Mais c'est le XVIIIe s. qui avait consacré le siècle de Louis XIV, l'égalant à ceux de Périclès, d'Auguste, de Léon X ; et c'est grâce à lui que le cl. musical héritera de certaines des idées esthétiques du Grand Siècle, en même temps que de toutes celles qui fermentent au temps des Lumières. Pour passer, en littérature, du cl. au romantisme, il a fallu le bouillonnement d'un siècle et une révolution. Venu plus tard, le cl. musical fera l'économie de cet intervalle et, rattrapant le mouvement des idées, débouchera directement sur le romantisme : la *Symphonie fantastique* de Berlioz est contemporaine d'*Hernani* de V. Hugo. Ce parallélisme frappant fait pressentir d'autres similitudes. On a cru trop vite qu'il n'y avait aucun rapport entre cl. musical et cl. littéraire : c'est qu'on réduisait celui-ci à des schémas simplistes en le ramenant, p.ex., à un rationalisme sans nuance. En réalité, cl. et romantisme — ou baroque — sont complémentaires, comme l'apollinien et le dionysiaque, tous deux présents, en proportions variables, dans toute œuvre d'art réelle. L'absence totale de l'un ruinerait l'œuvre, réduite soit à une forme vide, soit à un informe chaos. Ainsi tout cl., comme l'a dit Paul Valéry, suppose un romantisme surmonté. Il survient après une période riche, exubérante, comme son couronnement désiré, atteignant un point, dû à un concours de circonstances exceptionnel, où toutes les tensions antérieures s'équilibrent.

Les conditions qui régissent l'apparition du cl. expliquent ses traits essentiels : un art épris de grandeur (qui ne doit rien à la démesure), d'équilibre (entre raison et passion, volonté et destinée, individu et société), d'universalité (s'il va prendre ses sujets dans la mythologie ou l'Antiquité, c'est pour peindre l'éternel cœur humain), d'unité (point de mélange des genres), de clarté et de simplicité (il s'adresse à tous et fait sa joie du parler et de l'art populaires), de nature (soucieux de vérité, son horreur de l'artificiel va jusqu'au refus de paraître en tant qu'art); et loin de se préoccuper uniquement de l'application de règles, comme on l'a trop dit, il ne songe qu'au moyen — qui est un secret — de plaire et de toucher. On comprend qu'il préfère la litote, qui, à bien regarder, est le mode d'expression le plus puissant puisque, à l'inverse de l'exagération, elle dit plus qu'elle ne semble dire. A quel point ces principes ont trouvé écho chez les musiciens, et d'abord les français, naturellement, deux citations suffiront à le montrer. « J'aime mieux ce qui me touche que ce qui me surprend », disait Fr. Couperin; et J.Ph. Rameau : « Je tâche de cacher l'art par l'art même ».

On a donc coutume de désigner sous le nom de cl., en musique, la période qui va, en gros, de la mort de J.S. Bach à celle de Beethoven (1750-1827), en distinguant comme une phase préparatoire ou préclassique les années 1750-1770 et comme l'apogée du mouvement la période suivante, qui voit s'épanouir le cl. viennois avec la maturité de Haydn, Mozart et Beethoven. Des trois grands classiques, Haydn est naturellement celui qui reste le plus près du baroque, Beethoven celui qui annonce le plus clairement le romantisme. Mais leur œuvre à tous trois reflète bien la mouvante réalité de leur temps, lourd d'héritages divers et riche de tendances divergentes, qui ne doivent pas faire perdre de vue ce qui lui donne son unité : le caractère sans précédent de sa mus. instrumentale.

L'âge baroque avait vu le règne de l'opéra et de l'oratorio. Certes, le cl. leur restera attaché. C'est même cet attachement qui donnera à sa mus. instrumentale une puissance expressive longuement préparée par l'opéra lui-même; l'italien, par la parfaite harmonie réalisée entre la voix des « castrati » — en raison de sa puissance, de sa tessiture, de son agilité — et un orchestre dont le violon est l'âme; le français, par le rôle capital qu'il confie à l'orchestre soit dans les chœurs et les danses, soit dans le commentaire descriptif ou psychologique qui accompagne le chant. J.Ph. Rameau, peintre du cœur humain, épris d'exactitude et de vérité, a perfectionné la tragédie lyrique de Ph. Quinault et J.B. Lully, demandant à sa science harmonique et à son sens du timbre ces « couleurs », ces « nuances », ces airs « caractérisés » de chant ou de danse dont, à ses yeux, doit disposer le musicien de théâtre. La même précision se remarque dans sa mus. instrumentale, si proche de sa mus. dramatique. Et l'ouverture de Zoroastre (1749), premier opéra qui renonce au prologue lullyste, est, pour la première fois, en relation avec le drame qui la suit. Toutefois le genre reste encombré de trop de divertissements dansés, qui ralentissent l'action, et d'un merveilleux suranné, faiblesses que la fameuse → querelle des Bouffons (1752-54) met en évidence. Résultat indirect : le renouveau de l'opéra-comique français qui, commencé avec Le Devin du village de J.J. Rousseau, illustré par E.R. Duni, Fr.A. Philidor, P.A. Monsigny, A.M. Grétry, N.M. d'Alayrac..., sera joué dans toute l'Europe et exercera une influence directe sur l'opéra

allemand, de Mozart à C.M. von Weber. Rebondissement plus étrange encore : c'est en adaptant, dans les années 1755-64, des opéras-comiques français pour les besoins du public viennois que Chr.W. Gluck s'initie à la mus. française : il en suivra les principes pour accomplir à Paris, entre 1774 et 1779, sa réforme de l'opéra. Musicien moins riche de nuances, moins varié et vivant que Rameau, mais disposant d'un orchestre plus haut en couleur grâce à la présence des cuivres, génial dans la simplicité de son allure large et franche, excellent dramaturge, il réalise la formule la plus purement racinienne de la → tragédie lyrique.

Ce n'est pourtant pas cette perfection toute classique qui donne son nom au cl. musical, et pas davantage la mus. religieuse, les oratorios ou les opéras de Haydn, Mozart ou Beethoven : quelles que soient la valeur et l'originalité de ces œuvres, elles s'inscrivent dans une tradition. La mus. instrumentale de cette époque est, au contraire, une création totale. C'est son extraordinaire essor, dû à une réunion de circonstances qui ne se retrouveront plus, qui détermine l'apogée caractéristique de tout classicisme. Idées, formes, matériel instrumental même, tout semble soulevé du même mouvement créateur, converger vers le même équilibre. Les idées qui parcourent l'Europe à cette date peuvent être ramenées à deux tendances également puissantes, dont les aspects contradictoires rendent encore plus vigoureux le dynamisme intrinsèque : raison et sensibilité, « Aufklärung » et « Sturm und Drang ». D'un côté, goût de la clarté, de la simplicité, de l'universalité, qui se retrouvera dans le cl. musical, de la cassation et du divertissement à l'Hymne à la Joie de la 9e Symphonie; de l'autre, revendication du « moi » singulier, besoin de confession et de justification, lyrisme personnel. Cette tendance, où l'âme allemande trouvera son expression la plus authentique, favorise l'épanchement musical, la recherche d'une communion où l'âme parle à l'âme et non plus l'acteur à son public : chemin qui mène tout droit au « Lied » allemand et, par Mozart et Beethoven, à la perfection de Schubert. Mais la mus. instrumentale peut elle aussi l'emprunter : le clavier devient le confident du musicien. Plus de 10 ans avant La Nouvelle Héloïse, C.Ph.E. Bach confie ses sentiments (« Empfindungen ») à son instrument préféré, le clavicorde. La nouvelle → sonate va doter la mus. instrumentale d'un pouvoir expressif égal à celui de la voix humaine.

Née en Italie, elle est écrite pour les instruments, par opposition à la cantate, destinée aux voix. On distinguait pendant l'époque baroque la « sonata da chiesa », de style sévère, généralement en 4 mouvements, et la « sonata da camera », suite de danses. Aux alentours de 1750, celles-ci sont abandonnées et la structure de la sonate comprend désormais, à l'image de l'ouverture italienne, 3 mouvements : « allegro », « adagio », allegro » (l'introduction lente qui précède souvent l' « allegro » initial provient, elle, de l'ouverture française). Seul de toutes les danses anciennes, le menuet pourra s'y joindre, suivi d'un trio y remplaçant le 2d menuet baroque après lequel on reprenait le premier; comme pour évoquer son origine, on l'écrira d'abord pour deux dessus et une basse, d'où son nom. D'où aussi sa moindre fréquence dans la sonate pour un ou deux instruments que dans la symphonie et le quatuor, où il devient un morceau de caractère, souvent gracieux mais parfois sombre (J. Haydn, *Quatuor à cordes* op. 76 n° 2) ou dramatique, voire tragique (Mozart, *Symphonie* en *sol* min. KV 550; *Quatuor* en *ré* min. KV 421), avant de se transformer, sous la plume de Beethoven, en « scherzo », à la fois inquiet et brillant, d'un rythme souvent endiablé — l'élément démoniaque, comme on l'a dit, de son écriture instrumentale. Cependant le legs le plus important de la danse à la sonate classique se trouve dans la → carrure, découpage issu de la musique écrite pour être dansée et que la suite baroque s'ingéniait plutôt à dissimuler sous la floraison de mélismes dissymétriques. Le cl. l'adopte résolument, tout comme l'homophonie, dans un but évident de simplicité et de clarté. Observée trop rigoureusement, elle peut engendrer pauvreté et raideur; mais il en va tout autrement chez les maîtres qui savent la respecter sans s'y asservir. Il suffira de citer l'*Allegretto* du *Quatuor* op. 54 n° 1 de J. Haydn : l'exposition présente un thème de 3 mesures, deux fois énoncées, la première fois précédées, la seconde fois suivies d'une mesure supplémentaire — agencement subtil, parmi une infinité d'autres, des 8 mesures habituelles. Cette liberté, cette invention perpétuelles, on les retrouve partout dans le vrai cl. : aucune application mécanique de règles; toujours un acte créateur original sait inventer la forme spécifique convenable à l'idée. Comment ne pas songer à l'alexandrin de Corneille, Racine, Molière, La Fontaine, toujours à l'aise pour couler dans 12 syllabes un rythme personnel et particulier à chaque vers ?

Si la carrure représente, dans la mus. instrumentale classique, l'héritage de la danse, la → sonate réalise le désir passionné d'y atteindre à l'expression dramatique, apanage jusqu'ici de la voix et de l'opéra. Au contact de la voix, l'orchestre qui l'accompagne a pris le goût de cette expression; et la symphonie naissante, avec un Sammartini et un Vivaldi, un peu plus tard à Paris ou à Mannheim, a transporté au concert les accents de l'ouverture ou du « recitativo obbligato » : la forme sonate va donner à cette vocation de la mus. instrumentale son épanouissement total. A son apogée, on la trouve dans le premier mouvement, variante savante de la forme rondeau (ABA) dite encore forme lied, affectée d'ordinaire au mouvement lent, le final étant souvent un « rondo » (ABACADA...). L'innovation essentielle, c'est l'invention d'un 2^d thème, présenté à la dominante du ton principal (celui du 1er thème) au cours de l'exposition qui est reprise; suit le développement, travail thématique sur des fragments de l'un ou l'autre thème : figures rythmiques, modulations éloignées du ton principal où l'on revient pour la réexposition, le 2^d thème cette fois apparaissant dans le même ton que le premier. D'où l'instauration d'une tension d'autant plus forte que, le plus souvent, les deux thèmes sont de caractère opposé, le premier rythmique (masculin), le second mélodique (féminin); d'ordinaire, elle culmine dans l'éclatement du développement pour trouver son apaisement dans la réexposition. Avec ces thèmes caractérisés, pareils à des personnages antagonistes puis réconciliés, l'auditeur vit une sorte d'action comportant, comme au théâtre, une exposition, des péripéties, un dénouement. De plus, cette forme donne à l'esprit la satisfaction d'une unité qui se réalise non par appauvrissement mais par synthèse, surmontant sans l'abolir la foisonnante richesse de sa propre pluralité.

La répartition de principe indiquée entre les mouvements de la sonate n'a cependant rien d'absolu. On trouve parfois la forme sonate dans le mouvement lent (Mozart, *Sonate* pour piano et violon en *ré* maj., KV 306) ou dans le final (*Symphonie* en *sol* min., KV 550). Et dans le premier mouvement, elle n'offre pas toujours un aspect régulier (dans la *Sonate* KV 306 déjà citée, le 1er thème, absent de la réexposition, ne reparaît que dans la coda); elle manque même parfois (le 1er mouvement du *Quatuor* op. 64 n° 5, dit *L'Alouette*, de J. Haydn n'a qu'un thème mais dont la 2de partie, passant à la dominante, joue le rôle de 2^d thème, suivie d'un pont conduisant à une coda, elle aussi à la dominante; lors de la réexposition, le pont mène cette fois à la coda dans le ton principal). On voit la souplesse de cette structure; on voit aussi que ce qui subsiste, même en l'absence du 2^d thème, c'est l'écriture thématique, éminemment caractéristique du classicisme : le → thème y est l'affirmation de la primauté donnée à la mélodie, sous le signe de la simplicité, de la clarté, du naturel; mais le travail thématique, qui s'accomplit au mieux au cours du développement, redonne vitalité et richesse à cette écriture. Ici paraît dans tout son éclat le génie rythmique des classiques : le rythme, élément essentiel du thème, auquel il donne la netteté de son contour, s'affirme, s'exalte, se transforme dans le jeu le plus varié et le plus libre. Il en va de même de l'harmonie : le développement est le lieu de ces modulations hardies qui enrichissent une écriture résolument tonale (il faut attendre l'*Adagio* du *15e Quatuor* de Beethoven pour voir apparaître le modal), la tonalité bien affirmée étant elle aussi un moyen essentiel de clarté mais devenu infiniment plus souple avec Haydn et Mozart, qui emploient le chromatisme et l'enharmonie, que chez leurs prédécesseurs. Même Beethoven, à ses débuts, usera d'une harmonie moins savante pour venir progressivement, surtout dans ses dernières œuvres.

C'est à J. Haydn que revient l'honneur d'avoir porté à leur plein épanouissement le développement et le travail thématique. Mais l'adoption décisive du 2^d thème est attribuée tantôt à W. Fr., tantôt à C.Ph.E. Bach, tantôt aux Italiens, tantôt aux Français ou à l'École de Mannheim... En réalité, il semble que l'usage en apparaisse un peu partout en Europe, à peu près au même moment : comme le baroque ou le romantisme, le cl. est européen. S'il culmine à Vienne, c'est que celle-ci est à la croisée des chemins. Ouverte à toutes les influences — française, italienne, allemande — elle est comme le creuset où vont se fondre tous les courants : elle va relayer Paris, secoué par la tourmente révolutionnaire, comme capitale de la musique européenne.

Même caractère européen dans l'évolution de la facture instrumentale, qui voit apparaître deux perfectionnements capitaux : celui du pianoforte, celui de l'archet. Le « continuo » reléguait le clavecin dans un rôle subalterne. A mesure qu'il disparaît et que l'écriture pour deux dessus et basse cède du terrain, le clavier reprend un intérêt propre, au point qu'un J.J.C. de Mondonville intitule en 1735 son recueil *Pièces de clavecin en sonates avec un accompagnement de violon*. Pendant qu'à l'opéra on finit par se passer du clavecin à l'orchestre, les sonates pour clavier, mêlant au → style galant — décoratif et spirituel — celui de la sensibilité (« Empfindsamkeit »), appellent de leurs vœux un instrument plus apte à l'expression des sentiments : vers 1770 le → pianoforte devient l'instrument à la mode, et son nom en dit le mérite nouveau : alors que le clavecin ne permettait guère que des oppositions d'une phrase à l'autre, on va pouvoir désormais passer du « forte » au « piano » d'une note à l'autre. — D'autre part, alors que le violon, l'alto et le violoncelle ont atteint leur perfection dès les années 1600, l'archet n'a cessé depuis lors de progresser vers sa forme définitive, sa courbure en arc s'atténuant jusqu'à ces mêmes années 1770 où un luthier parisien, Fr. Tourte, le perfectionne et lui donne la cambrure que nous lui connaissons. Par l'appui de l'index sur la baguette, cette cambrure permet désormais l'accent soudain, le « sforzando », autrement dit le jeu expressif qui suit les moindres inflexions de la phrase avec autant de variété que la voix vivante : c'est la même révolution qu'au clavier. D'où la nouvelle écriture orchestrale, ses indications dynamiques caractéristiques; d'où aussi, tout opposées à la continuité propre au style instrumental du baroque, ces interruptions, si naturelles après un accent, et cette utilisation fréquente et expressive des silences.

Liée à la forme sonate, la → symphonie est la création majeure du cl., à laquelle le génie de Haydn a donné, à partir des années 1760, tout son éclat. Née de l' → ouverture de l'opéra, elle va contribuer par sa propre perfection à l'orienter vers le → poème symphonique : Beethoven écrira des ouvertures, telles *Egmont* ou *Coriolan*, qui se suffisent à elles-mêmes. Avec la symphonie est apparu un orchestre incomparablement plus riche que celui des baroques. La présence des cors, des timbales, des contrebasses, des bois par deux, y compris parfois (toujours chez Beethoven) les clarinettes, étoffe les cordes du quatuor, dotées d'un pouvoir expressif nouveau : d'où des possibilités de coloris inédites. Dans la période précédente, on s'attachait peu à la précision du timbre et l'on pouvait au besoin remplacer un instrument par un autre. Ce n'est plus le cas. Désormais, le timbre fait partie de l'idée et de son expression au même titre que la mélodie ou le rythme. Haydn, Mozart, Beethoven seront exemplaires pour l'instrumentation et l'orchestration. Le dernier disposera d'un orchestre plus fourni, mais l'habileté de ses prédécesseurs, avec un matériel plus réduit, ne le cède pas à la sienne.

Cette souveraineté du timbre se retrouve dans cette autre innovation, le → quatuor à cordes, issu de la sonate à 3 ou à 4 sans « continuo », et dans lequel s'illustrent au même moment Haydn et Boccherini. Le premier le mènera à sa perfection, faisant preuve d'une invention inépuisable dans l'utilisation des ressources expressives des cordes, depuis la *Sérénade* de l'op. 3 n° 5 jouée « con sordini » par le 1er violon avec accompagnement de « pizzicati » imitant la guitare, jusqu'aux doubles cordes du 1er violon à effet de musette (op. 9 n° 1, 1er mouvement) ou de fanfare (op. 76 n° 2, final), en passant par les oppositions de registre, les puissants unissons, les effets « sopra una corda » (op. 20 n° 6, trio), les croisements ou tel accord de quinte diminuée et sixte (op. 64 n° 5, adagio) reposant sur le *sol* ♯ grave du 1er violon, succédant au *ré*4 sur la chanterelle. Mozart n'est pas moins soucieux de sa palette; il suffit de penser à l'emploi qu'il fait de l'alto dans le trio d'allure popu-

laire du *Divertissement* KV 563 ou à ces mouvements lents des quatuors KV 458 et 465 dans lesquels les voix prennent une irréalité céleste qui n'appartient qu'à lui. Quant à Beethoven, c'est vraiment une richesse orchestrale insurpassée (puissance et variété) qu'il déploie à partir de l'op. 59.

De Haydn à Beethoven, le centre de gravité de l'orchestre et du quatuor s'est déplacé vers le grave. Significatifs sont les *Quintettes* à deux altos de Mozart (1787), les *Sonates* pour violoncelle et piano op. 5 de Beethoven (1796), la séparation, fréquente chez Beethoven, entre les violoncelles et les contrebasses. De même, le piano de Beethoven s'emplit dès le début de sonorités violoncellistiques (voir la *Sonate* op. 10 n° 3, *Largo e mesto*). Autant de signes avant-coureurs du romantisme, l'œuvre de Beethoven présente bien d'autres symptômes, en particulier dans le renouvellement de la forme sonate qu'il associe à la fugue ou à la variation. Mais si Beethoven cherche un nouvel équilibre, il reste un constructeur, et son souci fondamental de l'architecture le maintient dans le cl. : point de rhapsodie chez lui, même dans le *14e Quatuor à cordes* fait « de pièces et de morceaux dérobés çà et là », où la continuité du déroulement sonore, le plan tonal, les liens étroits qui unissent le dernier mouvement au premier assurent, par-delà une foisonnante diversité, le triomphe de l'unité. On croirait aussi que, rêvant toute sa vie d'écrire des opéras et presque toujours contraint de demander la réalisation de ce rêve à la mus. instrumentale, il a prévu le danger que courait cette dernière à se séparer tout à fait de la voix, alors qu'elle ne vit que de son commerce avec elle ou de son souvenir : le danger de la virtuosité, condamnée à devenir rapidement gratuité, à perdre toute signification humaine. L'introduction des voix dans la *9e Symphonie* rappelle à la mus. instrumentale ses origines, ses liens, sa mission. — Autre trait enfin qui fait de Beethoven un classique, pour paradoxal qu'il y paraisse : son optimisme fondamental. Malgré toutes les tristesses que leur a values la vie, Beethoven comme Mozart sont en définitive du côté de Haydn, de son équilibre, de son finale gai, spirituel, étincelant : aucune place chez eux pour ce qui sera, dans l'âge suivant, « le mal du siècle »; de la souffrance, certes, mais qui n'a pas le dernier mot. Mozart, peut-être à certains moments le plus tragique des musiciens, est sans désespoir. Beethoven est un de ces caractères à la Démosthène que les épreuves et les difficultés galvanisent. Le finale de la *5e Symphonie*, chant de victoire, a le même sens que celui du *Quintette* KV 516 de Mozart : « Durch Leiden Freude », il s'agit toujours de traverser la souffrance pour aller à la Joie, qui se conquiert.

Il y a de l'épique dans ce cl., et la recherche de la perfection artistique y est aussi un moyen de salut, pour autrui comme pour soi. C'est sans doute là son plus haut message, dont la lumière éclaire encore les âges suivants, à la recherche d'autres manières de sentir, de penser et de voir : ce qu'exprime le cri d'un Berlioz ou d'un Delacroix, romantiques, certes, mais illuminés par ce message, et qui entendent lui demeurer fidèles : « Je suis un classique! ».

Bibliographie — **1. Études littéraires** : É. DESCHANEL, Le romantisme des classiques, 6 vol., Paris 1883-88; P. MOREAU, Le cl. des romantiques, Paris 1932; R. JASINSKI, Hist. de la littérature française, Paris, Nizet, 1965. — **2. Études musicales** : M. BRENET, Les concerts en France sous·l'Ancien Régime, Paris 1900; L. TORCHI, La mus. instrumentale in Italia nei s. XVI-XVIII, Turin 1901; J. TIERSOT, Gluck, Paris 1909; du même, J.J. Rousseau, Paris 1920; I. DE LA LAURENCIE, Les Bouffons, Paris 1912; du même, L'école fr. de violon de Lully à Viotti, 3 vol., Paris 1922-24, rééd. en facs. Genève, Minkoff, 1971; G. BONNET, Philidor et l'évolution de la mus. fr. au XVIIIe s., Paris 1921; A. DELLA CORTE, L'opera comica ital. nel '700, Bari 1923; E. BUCKEN, Die Musik des Rokokos u. der Klassik, Potsdam 1927; M. PINCHERLE, Feuillets d'hist. du violon, Paris 1927; A. SCHERING, Gesch. des Instrumentalkonzerts, Leipzig 1927; A. SCHMITZ, Das romantische Beethovenbild, Berlin et Bonn 1927; P.M. MASSON, L'opéra de Rameau, Paris 1930; E. PREUSSNER, Die bürgerliche Musikkultur, Hambourg 1935, 2/Kassel 1950; K. WESTPHAL, Der Begriff der musikalischen Form in der Wiener Klassik, Leipzig 1935; K. HUBER, Herders Begründung der Musikästhetik, in AfMf I, 1936; J. BOYER, Le romantisme de Beethoven, contribution à l'étude de la formation d'une légende, Paris 1938; A. DAMERINI, Classicismo e romanticismo nella musica, Florence 1942; N. BOYER, La guerre des Bouffons et la mus. fr., Paris 1945; E. BORREL. La sonate, Paris, Larousse, 1951; du même, La symphonie, Paris, Larousse, 1954; du même, L'orchestre du Concert spirituel et celui de l'Opéra de Paris de 1751 à 1800, in Mélanges P.M. Masson II, Paris, Richard Masse, 1955; THR. GEORGIADES, Zur Musiksprache der Wiener Klassiker, in Mozart Jb. 1951; H. TISCHLER, Classicism, Romanticism and Music, in MR XIV, 1953; K. STEPHENSON, Die musikalische Klassik, Cologne, A. Volk, 1953; J.C. SINGLETON, The Rationality of 18th Cent. Musical Classicism..., 2 vol., New York, School of Education, 1954; FR. BLUME, art. Klassik in MGG VII, 1958; du même, Classic and Romantic Music, Londres, Faber, 1972; C. GIRDLESTONE, J.Ph. Rameau, sa vie, son œuvre, Paris, Desclée de Brouwer, 1962; W.S. NEWMAN, The Sonata in the Classic Era, Chapel Hill, Univ. of North Carolina Press, 1963; W. KIRKENDALE, Fuge u. Fugato in der Kammermusik des Rokokos u. der Klassik, Tutzing, Schneider, 1966; TH.E. HEGER, Music of the Classic Period, Iowa City, Brown, 1969; CH. ROSEN, The Classical Style : Haydn, Mozart, Beethoven, New York, The Viking Press, 1971; cf. également la revue Recherches sur la mus. fr. classique, Paris, Picard, 1960 et suivantes.

P. FORTASSIER

CLAUSULE. Dans la grammaire du Moyen Age, la « clausula » est l'une des trois « distinctiones ». Le terme fut ensuite adopté par la terminologie musicale pour désigner soit une formule conclusive, soit l'ensemble de la phrase dont cette formule marque la fin. Dans les deux cas, il se rapporte principalement au chant grégorien (GERBERT Scr. II, 276 b) et par la suite seulement à des arrangements polyphoniques du chant grégorien (ibid. I, 271 b, 342 a, 357 a, 363 a ; III, 289 b ; IV, 180 a ; voir ORGANUM et DISCANTUS). La cl. a par conséquent une fonction linéaire, alors que la cadence, plus récente, met en évidence l'ensemble des voix. A la notion de cl. il faut rattacher les termes d' → ouvert et de clos, attestés dès le début du XIVe s. Le clos se distingue toujours par l'arrivée sur la finale (tonique) qui est préparée de manière caractéristique par la pénultième et l'antépénultième. — Au sens large, le terme sert à désigner, d'après Fr. Ludwig, qui s'appuie sur l'Anonyme IV (COUSSEMAKER Scr. I, 342 a), des compositions de remplacement, toujours écrites sur le ténor authentique mais le plus souvent dans le style du déchant, qui pouvaient se substituer à certaines parties du chant grégorien ou de son arrangement polyphonique (Léonin, Magnus liber organi ; Pérotin, organa triples et quadruples) et qui, dans les manuscrits de l'École de Notre-Dame, sont groupées en fascicules. Ces cl. témoignent en particulier des diverses transformations subies par le Magnus liber de Léonin ; elles ont donné peu après naissance au motet.

Bibliographie — FR. LUDWIG, Die liturgischen Organa Leonins u. Perotins, in Fs. H. Riemann, Leipzig 1909 ; H. RIEMANN, Gesch. der Musiktheorie im 9. - 19.Jh., Berlin 2/1920 ; M. APPEL, Terminologie in den mittelalterlichen Musiktraktaten, Bottrop 1935 ; F. RACEK, Die Clauseln von W¹ (diss. Vienne 1939) ; H. HUSMANN, Die drei- u. vierstimmigen Notre-Dame-Organa, in PäM XI, Leipzig 1940 ; Y. ROKSETH, Polyphonies du XIIIe s., vol. IV, Paris, L'Oiseau-Lyre, 1948 ; H. BESSELER, Bourdon u. Fauxbourdon, Leipzig, VEB Br. & H., 1950 ; M. BUKOFZER, Interrelations between Conductus and Cl., in Ann. Mus. I, 1953 ; D.D. COLTON, The Two-Part Cl. of the Ms. Wolfenbüttel 677 (diss. Indiana Univ. 1956); G. SCHMIDT, Strukturprobleme der Mehrstimmigkeit im Repertoire von St-Martial, in Mf XV, 1962 ; N.E. SMITH, The Cl. of the Notre-Dame School, 3 vol. (diss. Yale Univ. 1964); R. FLOTZINGER, Der Discantussatz im Magnus liber u. seiner Nachfolge, Vienne, Böhlau, 1969 ; J. STENZL, Die 40 Cl. der Hs. Paris Bibl. Nat. lat. 15 139, in Publ. der Schweizerischen Musikforschenden Gesellschaft II/22, Berne, Haupt, 1970.

CLAVECIN (angl., harpsichord; all., Cembalo; ital., clavicembalo; esp., clavicímbalo), terme désignant un ensemble d'instr. à cordes pincées et à clavier répandus du XVIe au XVIIIe s. La caisse du cl. est formée de cinq côtés ou éclisses : le grand côté, la pointe, l'éclisse courbe, le petit côté ou petite joue, et le devant où se trouve le clavier. Dans sa forme la plus développée, il a environ 2,30 m de long et 0,90 m de large. Ses cordes, parallèles au grand côté, sont tendues par deux pointes sur les chevalets ; elles sont accrochées d'une part au côté courbe ou à la pointe et sont enroulées d'autre part aux chevilles qui servent à les accorder. Les chevilles sont fichées dans une planche de bois dense, le sommier, sur lequel est collé le premier chevalet ou sillet. Les vibrations provenant des cordes sont transmises par le second chevalet à la table d'harmonie. Celle-ci, fine planche (3 mm env.) d'un bois résineux, est rendue rigide par un ensemble de baguettes ou barres collées dessous et constituant le barrage. Il existe entre le sommier et la table d'harmonie un espace (5 cm env.) dans lequel passent les registres (2, 3 ou 4 selon l'instrument). Ce sont des baguettes de bois (18 mm de large env.), percées d'autant de mortaises rectangulaires qu'il y a de touches au clavier. Les → sautereaux coulissent librement, mais exactement, dans ces mortaises et sont guidés, à l'intérieur de l'instrument, par de semblables contre-registres. Les sautereaux reposent sur l'extrémité des touches du clavier ; leur partie supérieure, seule visible au-dessus des registres, est recouverte d'une barre garnie de feutre, le chapiteau, sur lequel ils viennent buter et qui limite leur course. La caisse du clavier est consolidée intérieurement de traverses et d'arcs-boutants. Elle est fermée en dessous par un fond sur lequel repose le clavier constitué de marches (touches diatoniques) et de feintes (touches chromatiques). L'ensemble des cordes, pincées par un rang de sautereaux passant par le même registre, constitue un jeu. Le jeu de 8 pieds (8′) sonne à l'unisson du 8′ de l'orgue ; le jeu de 4′, constitué de cordes plus courtes que le précédent, est à l'octave du 8′. Différents styles de facture utilisent ces éléments de façon caractéristique.

La facture italienne, remarquablement stable au cours de son histoire, apparaît à la fin du XVe s. et serait issue d'une souche bourguignonne. Le cl. italien est construit en cyprès, de façon très légère : les éclisses ont quelques millimètres d'épaisseur. Il a généralement un seul clavier, recouvert de bois naturel clair, et deux 8′, ou un 8′ et un 4′. L'ensemble registre et contre-registre est remplacé par un seul registre épais, dont les mortaises ont plusieurs centimètres de profondeur. L'instrument, fragile, est enfermé dans une boîte qui en épouse exactement la forme. Parmi une multitude de facteurs, citons Dominicus Pisaurensis, Antonius Baffo, Nicolaus

● Voir hors-texte entre pages 304 - 305.

Dequoco, Giovanni Battista Boni, Girolamo Zenti(s), Carlo Grimaldi, B. Cristofori, Annibale Rossi.

La facture flamande, issue sans doute de la même source bourguignonne, arrive à la perfection au début du XVIIᵉ s. avec les membres de la guilde de Saint-Luc à Anvers, dont la célèbre famille Ruckers et Jean Couchet. Les cl. flamands ont une structure plus robuste que celle des cl. italiens. Par exemple, les éclisses, en tilleul, ont 15 mm d'épaisseur environ. Cela donne un instrument plus lourd et qui permet une plus grande tension des cordes, modifiant ainsi la sonorité. La décoration elle aussi est différente : les éclisses sont recouvertes de papier imprimé, la table d'harmonie est décorée « a tempera » de fleurs et d'oiseaux ; elle est percée d'un trou circulaire où l'on place une rose, motif purement décoratif en étain doré, comportant les initiales du facteur. Les Flamands ont inventé le second clavier. Primitivement, celui-ci n'était pas transpositeur, à la quarte, et l'on ne pouvait pas réunir ou accoupler les deux claviers. Par la suite (fin du XVIIᵉ s.), ces deux claviers s'accordent à l'unisson et peuvent donc s'accoupler.

La facture française au XVIIᵉ s., avec Thibault de Toulouse, les Denis, Michel Richard, est à mi-chemin entre l'Italie et les Flandres. Caisse fine en noyer, barrage léger, sans boîte extérieure, l'instrument a déjà deux claviers et une décoration peinte sur la table d'harmonie. Au début du XVIIIᵉ s., la facture incline nettement vers les instruments flamands, qui sont alors si prisés qu'on les copie, on en fait des faux et on les « ravale », c.-à-d. qu'on les agrandit, faisant passer le clavier de 50 à 61 notes. Les claviers ont alors des couleurs inversées, marches en ébène, feintes plaquées d'os. Au clavier inférieur, un 8' et un 4', au clavier supérieur un 8' avec accouplement au précédent. Parmi les facteurs de cette époque, citons Jean-Claude Goujon, Jean Marius, Guillaume Hemsch, François-Étienne Blanchet, Pascal Taskin et les facteurs flamands Albert Delin et Jean-Daniel Dulcken.

Il reste peu d'instruments anglais des XVIᵉ et XVIIᵉ s. hormis ceux de Charles Harward et Thomas Hitchcock. Leur facture est proche de la facture flamande de la même époque. Au XVIIIᵉ s., avec les Kirkman, B. Tschudi et Broadwood, apparaît une facture presque de série de grands cl. parfaitement exécutés, larges, sonores et puissants. Ils sont recouverts de placage, la table d'harmonie n'est pas peinte, les marches sont recouvertes d'ivoire, les feintes sont en ébène.

Il existe des documents anciens se rapportant au cl. allemand avant 1700, mais peu d'instruments ont survécu. L'intérêt pour le clavicorde au XVIIIᵉ s. explique peut-être la rareté de la facture, en dépit des noms de Christian Zell, Johann Heinrich Gräbner et G. Silbermann ; tandis que les problèmes propres à l'orgue semblent animer Hieronimus Albrecht Hass dans la réalisation de cl. compliqués, aux jeux multipliés.

Bibliographie — G. LE CERF et E.R. LABANDE, Instr. de mus. du XVᵉ s. Traités de H. Arnault de Zwolle..., Paris 1932 ; M. MERSENNE, Harmonie universelle, 3 vol., Paris 1636, rééd. en facs. par Fr. Lesure, Paris, CNRS, 1963 ; D. DIDEROT et J. D'ALEMBERT, art. Arts et métiers mécaniques, Instr. de musique, Lutherie, in Encyclopédie ou Dict. raisonné..., Paris 1751-58 ; A. SCHAEFFNER, Le cl., in Lavignac Techn. III, 1925 ; H. NEUPERT, Das Cembalo, Kassel, BV, 1933, 3/1956 ; E. HARICH-SCHNEIDER, Die Kunst des Cembalospiels, Kassel, BV, 1939, 2/1957, trad. angl. The Harpsichord, Kassel, BV, 1953 ; N. DUFOURCQ, Le cl., in Coll. « Que sais-je ? », Paris. PUF, 1949 ; FR.J. HIRT, Meisterwerke des Klavierbaus, Olten, Urs Graf-Verlag, 1955 ; D. BOALCH, Makers of the Harpsichord and Clavichord, Londres, Ronald, 1956 ; R. RUSSELL, The Harpsichord and Clavichord, Londres, Faber, 1959, 2/1973 ; F. HUBBARD, Three Cent. of Harpsichord Making, Cambridge (Mass.), Harvard Univ. Press, 1965, 4/1971 ; C. SAMOYAULT-VERLET, Les facteurs de cl. parisiens, Paris, Heugel (Soc. Fr. de Mie), 1966 ; W.J. ZUCKERMANN, The Modern Harpsichord, New York, Oct. House Inc., 1969.

J.L. VAL

CLAVECIN (Musique pour cl.). Le premier témoignage d'un répertoire instrumental qui nous soit parvenu est un manuscrit anglais du début du XIVᵉ s., le Robertsbridge Codex. S'il faut attendre le milieu du XVᵉ s. pour trouver, chez H. Arnault de Zwolle, une description du cl. et 1485 pour le voir représenté, dans les *Très Riches Heures du duc de Berry*, il s'agit déjà d'un instrument élaboré dont l'existence est sans nul doute plus ancienne. On peut donc supposer que les estampies du Robertsbridge Codex convenaient autant au cl. qu'à l'orgue. Il est difficile de distinguer ces deux instruments dans les premiers recueils pour clavier. Sans doute, les pièces profanes s'adaptent-elles aux cl. et orgue de salon mais aussi aux épinettes, clavicordes et manichordions, tandis que les pages sacrées sont réservées à l'orgue. Les chansons du Codex Faënza (v. 1400) et celles du Codex Reina (Paris, BN) peuvent donc figurer au répertoire du clavecin. Un style propre au clavier se dessine déjà à travers les transcriptions de chansons ou motets et les danses, dont les mélodies sont ornées selon le principe des diminutions avec une invention très féconde. Les tablatures allemandes du XVᵉ s. (*Fundamentum Organisandi* de K. Paumann ; *Buxheimer Orgelbuch*) sont avant tout pour orgue, mais, à travers elles, se précisent la notation et l'évolution vers des formes purement instrumentales : → prélude, → « ricercare », → « canzone », → « toccata », qui vont s'épanouir au XVIᵉ s.

De véritables écoles instrumentales apparaissent alors et l'édition permet une diffusion plus rapide des œuvres. En 1517 l'Italien A. Antico publie des *Frottole da sonar organi* dont le frontispice représente une jeune femme jouant du clavecin. De même, les « canzoni » et « ricercari » d'A. et G. Gabrieli s'adaptent à tous les instr. à clavier. Traits de virtuosité ou polyphonies ornées s'inscrivent dans un art instrumental déjà évolué dont G. Diruta, en 1593, fixe les principes d'exécution. Le répertoire de danses figure dans l'anthologie de Gardane et les « balli d'arpicordi » de la fin du siècle. — En France, 7 volumes de mus. de clavier publiés par P. Attaingnant en 1531 restent un témoignage isolé de l'art instrumental au XVIᵉ s. Les gaillardes, pavanes, basses danses, branles et nombreuses « chansons musicales » de ces recueils connaissent une vogue exceptionnelle, même à l'étranger.

L'école allemande est toujours plus attachée à l'orgue, et le pédalier, dont l'usage se généralise, va accentuer la séparation des deux répertoires. Cependant des pages profanes de l'anthologie de H. Kotter (1532) font appel au clavecin. La Pologne, dont l'école remonte au XIIIᵉ s., nous est connue à travers une tablature de Jean de Lublin (v. 1550), groupant des pièces de compositeurs locaux et des transcriptions des principaux maîtres européens.

Si on commence à peine à découvrir les origines de la mus. instrumentale espagnole (XIIIe s.), on sait qu'en 1387 le roi d'Aragon demandait qu'on lui envoie des Pays-Bas un instrument « appelat exaquier », qui est sans nul doute de la famille du cl. s'il ne s'identifie à lui. Pourtant il faut attendre le 1er tiers du XVIe s. pour trouver avec A. de Cabezón un témoignage du répertoire, mais son extrême maturité met en évidence la richesse et l'ancienneté de cette école. — On aimerait pouvoir parler de l'école portugaise en songeant qu'en 1538 l'on restaurait les trois cl. de la reine, mais les témoignages musicaux seront plus tardifs avec M. Rodrigues Coelho (1555 ?-1635) et A.J.C. de Seixas au XVIIIe s.

A. de Cabezón, par ses voyages en Angleterre et dans les Flandres, a entraîné dans toute l'Europe l'essor de la → variation, particulièrement exploitée par l'école anglaise. Celle-ci destine au → virginal une littérature très spécifique. Danses cursives, diminutions, traits rapides mettent en valeur dans un esprit souvent populaire un instrument au son incisif. De nombreux recueils (Ms. de Dublin, *Parthenia*, *Fitzwilliam Virginal Book*, etc.) conservent les œuvres de J. Bull, W. Byrd, O. Gibbons, G. Farnaby et d'auteurs anonymes. H. Purcell, dont l'œuvre de clavier est peu importante, ne se place pas dans la filiation des virginalistes. C'est aux Pays-Bas, avec J.P. Sweelinck, qu'ils trouveront leur véritable successeur. Unissant la variation anglaise au style contrapuntique italien, Sweelinck féconde toute l'école allemande du Nord par l'intermédiaire de ses élèves S. Scheidt, M. Schildt, H. Scheidemann. Ce sont sans doute les « Liedvariationen » qui, dans son œuvre, conviennent le mieux au clavecin. Il est séduisant aussi de confier à cet instrument les *Fantaisies en manière d'écho* et de les traduire à deux claviers, bien que, du temps de Sweelinck, le second clavier (transpositeur) élargît le tempérament sans permettre ce procédé d'interprétation.

L'école allemande du Sud sera marquée par l'Italien G. Frescobaldi. Celui-ci, à la suite de G.P. Cima, L. Luzzaschi, G. Picchi, réalise une synthèse et trouve un style instrumental novateur. Ses « canzoni », « toccate » ou « arie » variés utilisent un langage audacieux dont le chromatisme et la liberté d'expression doivent aux madrigalistes, mais c'est aussi un architecte qui renouvelle les formes anciennes pour les conduire vers des schémas neufs : → fugue, → sonate, monothématisme. J.J. Froberger, qui lui doit beaucoup, contribue à la formation de la → suite, dont il prend modèle chez les luthistes français. S'il lui emprunte des éléments ornementaux, il apporte aussi dans notre pays cet art improvisé et méditatif venu d'Italie et dont L. Couperin se souviendra. Le Saxon J.K. Kerll se consacre à l'orgue, mais J. Pachelbel, son adjoint (?) à St-Étienne de Vienne, destine au cl. des suites et variations où il excelle. J. Krieger utilise les doubles à la française et développe la fugue dans son *Anmuthige Clavier Übung*, connue de G.Fr. Haendel. Si Fr.W. Zachow se consacre à la suite, J. Kuhnau adapte la sonate (descriptive dans ses *Histoires bibliques*, 1700) au cl. tandis que J.C.F. Fischer est profondément marqué par la France.

Alors qu'en 1623 il est « hors de souvenance des hommes », selon J. Titelouze, que l'on ait imprimé

en France de la mus. pour clavier, L. Couperin († 1661) laisse une importante œuvre manuscrite. Les éditions se succèdent ensuite avec les *Livres* de J. Champion de Chambonnières (1670), N. Lebègue (1676, 1677), J. H. d'Anglebert (1689), Ch. Dieupart (v. 1700), L. Marchand 1702), L.N. Clérambault (1704), G. Le Roux (1705), E. Jacquet de La Guerre (1707). Entre-temps se place aussi le volumineux *Livre* manuscrit de J.N. Geoffroy († 1694), groupant plus de 250 pièces et 14 suites. Cette école du XVIIe s. ouvre la voie aux deux grandes œuvres du XVIIIe s. français : celles de Fr. Couperin et de J.Ph. Rameau. Les quatre *Livres* de Couperin traduisent une évolution vers la brièveté des → ordres, un abandon progressif des danses pour les pièces descriptives et une recherche de plus en plus abstraite et intérieure de l'expression. Rameau, dans ses trois *Livres*, part aussi des danses pures pour trouver un style de clavier influencé par l'art dramatique et utilisant brillamment les ressources de la virtuosité. Citons également les *Pièces de clavecin en concert*, accompagnées par les cordes selon une formule toute nouvelle. — Ces deux maîtres ne doivent pas faire oublier leurs contemporains, tels Nicolas Siret, J.Fr. d'Andrieu, Fr. d'Agincour, A. Dornel ou L.Cl. Daquin.

L'instrument atteint au XVIIIe s. un point avancé de perfection : ses deux claviers réunis lui donnent plus de puissance et sa tessiture s'accroît. Il va pouvoir ainsi se mesurer à l'orchestre, et J.S. Bach est un des premiers à transposer au cl. la forme du concerto confiée de longue date au violon. A côté des concertos pour un à quatre cl., les *Partite*, *Suites*, *Toccate*, *Fantaisies*, le *Concerto italien* et les *Variations Goldberg* demeurent des pages uniques dans la littérature de clavier, de même que les œuvres conçues dans un but plus didactique (*Préludes et fugues*, *Inventions*, etc.). Bach confie aussi au cl. un rôle inusité en mus. de chambre en lui réservant des sonates concertantes avec violon, flûte et viole de gambe. Jusqu'alors, le claveciniste devait — doublé d'une viole ou d'un violoncelle — improviser les accords et imitations complétant la polyphonie sans qu'il s'agisse d'une partie écrite. G.Fr. Haendel, établi en Angleterre, associe la France et l'Allemagne en un style très vigoureux qui n'ignore pas la fantaisie. Ses suites pour cl. se placent au niveau de celles de J.S. Bach et ont relégué dans l'ombre des compositeurs locaux comme Th. Arne. — En Italie, succédant à B. Pasquini, D. Zipoli et A.B. Della Ciaja, D. Scarlatti développe avec lyrisme et imagination un art typiquement lié au cl. dans ses *Essercizi*.

Après de tels sommets, le style change, s'oriente vers un art galant — aux mélodies accompagnées — teinté d'un romantisme naissant et parfois très éloquent. On tente parallèlement des recherches de raffinement sonore avec des jeux expérimentaux (peau de buffle ; nasal) et l'adjonction de genouillères pour changer les registres ou de mécanismes permettant de graduer le volume sonore. Les fils de Bach contribuent à cette évolution esthétique et à l'établissement de la sonate pour cl. : Jean-Chrétien se contente souvent de deux mouvements, comme Mozart à ses débuts ; Carl Philipp Emanuel généralise l'emploi du second thème. En même temps, la sonate « avec accompagnement » de violon ou flûte (dont J.J.C. de Mondonville donne en 1734 les premiers exemples) se multiplie. Si Pancrace Royer,

P.Cl. Foucquet, Cl. Balbastre et A.L. Couperin se réfèrent encore à la suite, J.Fr. Edelmann ou N.J. Hüllmandel adoptent définitivement la forme sonate. Les Italiens G.B. Platti, B. Galuppi, le père G.B. Martini, les Allemands J.G. Eckard, Fr.W. Rust, J. Schobert, Leontzi Honauer, H.J. Rigel suivent une évolution semblable, que les programmes cosmopolites du Concert Spirituel parisien permettent d'apprécier.

Progressivement, on écrit pour cl. ou pianoforte. Ce dernier, apparu dès le début du XVIIIe s. mais diffusé plus tardivement, correspond mieux à une sensibilité nouvelle mais déçoit souvent par son manque de puissance. Cependant il ne remplace pas le cl., qui reste présent au XIXe s. : I. Moscheles donne un récital de cl. en 1837 ; F. Mendelssohn en possédait un. Parallèlement, A. Farrenc, J.B. Laurens, Jean Amédée Lefroid de Méreaux et J. Brahms font éditer en pleine période romantique les grandes pages de cl. du XVIIIe s. Pourtant le terme « cembalo » sur des manuscrits autographes de Mozart, parfois tardifs, semble correspondre davantage à une tradition de terminologie qu'à une réalité. Il n'en reste pas moins que l'instrument est présent au temps de Mozart, Haydn et même Beethoven, et l'on ne doit pas exclure son usage si le style des œuvres s'y prête.

Sous l'impulsion de W. Landowska, naît, au début du XXe s., un répertoire destiné spécifiquement au cl. — à un instrument transformé par l'adjonction systématique d'un jeu de 16 pieds et de pédales permettant de varier les sonorités — avec M. de Falla (Concerto, 1927), Fr. Poulenc (Concert champêtre, 1927), Fr. Martin (Petite Symphonie concertante, 1945). Si Cl. Debussy n'a pu écrire la sonate qu'il projetait pour hautbois, cor et cl., B. Martinů (Concerto, 1935 ; 2 Préludes, 1935 ; Promenades pour fl., vl. et cl.), J. Ibert (2 Interludes pour fl., vl. et clv., 1946), Fl. Schmitt (Le clavecin obtempérant, 1947) sont les pionniers d'une école nouvelle très florissante, illustrée en France par G. Migot (Prélude à deux pour 2 cl. ou cl. et harpe, 1931 ; Concerto pour cl. et orch. de ch., 1964 ; Trio pour fl., vlc. et cl., 1968), J. Françaix (Insectorium, 1953), J.M. Damase (Passacaille, 1958), et à l'étranger par H. Distler (Concerto, 1936), W. Fortner (New Delhi Music pour fl., vl., vlc. et cl., 1956), G.Fr. Malipiero (Fantasia concertata n° 6 pour cl. et orch., 1956), E.C. Carter (Double concerto pour cl., p. et orch. de ch., 1961 ; Sonate pour fl., htb., vlc. et cl., 1962), M. Ohana, J. Orbón... Dans des voies très novatrices s'engage une jeune école traitant l'instrument en soliste ou dans des ensembles de mus. de chambre, l'unissant à l'orchestre mais aussi aux percussions les plus complexes et à la mus. électronique. Il faut citer les noms de H.W. Henze, Kl. Huber, L. Berio, G. Ligeti, Anatol Vieru, M. Constant, Alain Louvier..., qui témoignent du renouveau éclatant d'un instrument dont le répertoire ne cesse de s'élargir, tant par les créations nouvelles que par les éditions contemporaines d'œuvres anciennes encore inédites.

Bibliographie — 1. Ouvrages généraux : A. MÉREAUX, Les clavecinistes de 1637 à 1790, Paris 1867 ; A. PIRRO, Les clavecinistes, Paris 1924 ; W. APEL, Masters of the Keyboard, Cambridge (Mass.) 1947 ; du même, Gesch. der Orgel- u. Klaviermusik bis 1700, Kassel, BV, 1967, trad. angl. Bloomington, Indiana Univ. Press, 1972 ; N. DUFOURCQ, Le cl., in Coll. « Que sais-je ? », Paris, PUF, 1949 ; W. GEORGII, Klaviermusik, Zurich 1950 ; E. BORREL, La sonate, Paris 1951 ; J. GILLESPIE, Five Centuries of Keyboard

Music, Belmont (Calif.), Wadsworth, 1965. — 2. Études : O. KINKELDEY, Orgel u. Klavier in der Musik des 16. Jh., Leipzig 1910 ; CH. VAN DEN BORREN, Les origines de la mus. de clavier en Angleterre, Bruxelles 1912 ; du même, Les origines de la mus. de clavier aux Pays-Bas, Bruxelles 1914 ; W. APEL, Early Spanish Music for Lute and Keyboard Instr., in MQ XX, 1934 ; M.C. BOYD, Elizabethan Music and Musical Criticism, Philadelphie 1940 ; H. ANGLÉS, La mus. en la Corte de los Reyes Católicos, Barcelone 1941 ; D. PLAMENAC, Keyboard Music of the 14th Cent. in Codex Faenza 117, in JAMS IV, 1951 ; S.M. KASTNER, Parallels and Discrepancies Between English and Spanish Keyboard Music of the 16th and 17th Cent., in Anuario Mus. VII, 1952 ; G. REESE, Music in the Renaissance, New York, Norton, 1954, 2/1959 ; Fr. W. RIEDEL, Quellenkundliche Beitr. zur Gesch. der Musik für Tasteninstr. in der 2. Hälfte des 17. Jh. (vornehmlich in Deutschland), Kassel, BV, 1960.

M. ROCHE

CLAVECIN D'AMOUR, voir CEMBAL D'AMOUR.

CLAVECIN ORGANISÉ (angl., claviorgan ; all., Orgelklavier ; ital. et esp., claviorgano), instr. à clavier combinant les tuyaux de l'orgue et les cordes pincées du clavecin ou de l'épinette. Attesté dès le XVe s., il a connu une certaine diffusion en Europe au XVIe et au XVIIIe s. Le Victoria and Albert Museum de Londres en conserve un spécimen construit en Angleterre en 1579. Dans L'Art du facteur d'orgues (1778), dom Bedos décrit un exemplaire à 3 claviers. En Allemagne J.A. Stein réalisa sous le nom de « Melodica » l'union de l'orgue et du pianoforte. Joué de la main droite, le chant était produit par les tuyaux de l'orgue, tandis que la main gauche actionnait la mécanique du pianoforte sur un autre clavier.

Bibliographie — J.A. STEIN, Beschreibung meiner Melodica, eines neu-erfundenen Clavierinstrumentes, Augsbourg 1772.

CLAVIATURE, terme employé en facture d'orgue pour désigner la disposition des différents claviers d'un instrument.

CLAVICORDE (du lat. clavis, = clef, puis touche, et chorda, = boyau, puis corde ; angl., clavichord ; all., Klavichord ; ital., clavicordo ; esp., clavicordio), instr. à clavier et à cordes frappées par des lamelles métalliques appelées tangentes, l'un des instruments d'intimité les plus attachants de la période ancienne par ses qualités expressives délicates, ses possibilités de nuances dans le toucher, enfin par sa valeur pédagogique auprès des jeunes clavecinistes ou organistes.

Le cl. est le premier instr. à clavier du Moyen Age. Son apparition — assez difficile à situer en raison d'une confusion de termes s'appliquant, dès les XIe et XIIe s., à des instruments apparentés avec ou sans clavier (→ monocorde, mani- ou manucorde, → manicordion) — date de la 2de moitié du XIVe s. en Italie. Il a pour ancêtre la cithare monocorde appelée « kanôn » chez les Grecs, instr. de mesure à l'origine, sur lequel se penche Pythagore au portail royal de la cathédrale de Chartres. La représentation de Guy d'Arezzo, au XIe s., montre le même instrument à chevalet mobile, corde unique de longueur variable, pincée pour le calcul des intervalles, ancêtre du psaltérion médiéval et d'un polycorde décrit en 1434 par Georgius Anselmi. Le « Weimarer Wunderbuch » (1440) présente un cl. aux cordes de même longueur. Un siècle plus tard, on le retrouve dans une tapisserie flamande conservée aux musées d'Art et d'Histoire de Bruxelles. Le « monocordum » à 19 cordes de la *Musica speculativa* (1323) de Johannes de Muris semble être un précurseur du cl. à cordes percutées. Le terme apparaît vers 1405, chez Eberhard Cersne de Minden. Dans la 2ᵈᵉ moitié du XVᵉ s., l'instrument comporte d'abord 2 octaves et demie, puis 3 octaves, c.-à-d. 35 touches au clavier pour 18 cordes (cl. « lié ») dans une description de H. Arnault de Zwolle (v. 1460). A la même époque, « clavicordium » désigne le clavecin en Espagne. D'Italie le cl. se répand dans toute l'Europe occidentale au XVᵉ s.. Le cl. le plus ancien parvenu jusqu'à nous date de 1543; il est dû à Domenico de Pesaro et se trouve conservé au Musée instrumental de l'Univ. de Leipzig. Le cl. est encore un instrument apprécié au XVIIIᵉ s. C.Ph.E. Bach (*Versuch über die wahre Art das Clavier zu spielen*, 1753) le préfère au clavecin et Ch. Burney témoigne, en 1770, de sa manière inimitable d'en toucher. Relégué dans l'ombre par le pianoforte à la fin du XVIIIᵉ s. et au début du XIXᵉ, il tend depuis quelques années à susciter de nouveaux adeptes parmi les facteurs d'instruments et les interprètes.

Jusqu'à la fin du XVIIᵉ s., le cl. se présente sous la forme d'une caisse rectangulaire oblongue, de petites dimensions encore, généralement posée sur une table. Dans les premiers instruments, dits « liés » (all., gebundenes Klavichord), chaque corde peut être mise en vibration par plusieurs touches du clavier, d'où un nombre de cordes relativement restreint, ce qui rend l'instrument aisément transportable. Caisse et couvercle sont en bois ordinaire (épicéa), peint de motifs aux couleurs vives. D'après des relevés de dimensions au Musée historique de Vienne, leur longueur varie à cette époque entre 1 m et 1,10 m, la largeur entre 30 et 32,5 cm. Quant au corps sonore proprement dit, entre fond et table de résonance, il n'a que de 8,4 à 10,7 cm de haut, mais l'ensemble du cl. mesure entre fond et couvercle de 12 à 12,5 cm. A partir du XVIIIᵉ s., à l'époque des Silbermann, notamment chez Johann Heinrich à Strasbourg, le cl. « libre » (all., ungebundenes ou bundfreies Klavichord), qui possède une seule tangente par corde, donc une touche par corde, évolue vers des dimensions plus importantes. Caisse et couvercle sont en noyer massif, souvent embellis par des travaux de marqueterie, des bois ou métaux précieux. Les dimensions habituelles sont de 122 à 144 cm de long, de 40 à 48,6 cm de large et de 12 à 16,2 cm de haut jusqu'à la table de résonance. Mozart et Haydn possédaient chacun un cl., qui leur servait pour composer. Le premier date de 1765 environ et se trouve à Salzbourg; le second, construit à Prague en 1794 par Johann Bohak, est exposé au Royal College of Music de Londres (nᵒ 177). La table de résonance, en épicéa ou en cyprès d'Italie, est garnie d'une rose sculptée ou simplement peinte sur du papier et collée, comme aussi d'autres décorations florales. Le chevalet est en forme de S plus ou moins prononcé et se situe très à droite, près des chevilles. Du côté gauche, le mécanisme des leviers est entièrement visible. On remarque la présence de bandelettes de drap passant entre les cordes à la manière d'un tissage, faisant office d'étouffoirs. Enfin le clavier, enclavé dans la caisse à partir de la fin du XVIᵉ s., est déporté du côté gauche. La dimension des touches évolue entre le XVIIᵉ et le XVIIIᵉ s. : d'abord de l'ordre de 8,7 à 9,2 cm de long dans les cl. liés, elle atteint

de 10,5 à 10,7 cm dans les cl. libres. Le matériau le plus souvent utilisé pour les touches dites blanches est le merisier, le buis ou l'ivoire; pour les touches noires, le prunier, le poirier. Les touches se prolongent par des leviers visibles, obliques, en tilleul, sur lesquels est fixé l'élément primordial qui donne sa sonorité nuancée à l'instrument, la petite lamelle de laiton appelée tangente. Elle frappe la corde en dessous et a pour double fonction d'une part de faire sonner la corde (ou la paire de cordes s'il s'agit de « chœurs »), d'autre part de diviser cette corde en deux segments d'inégale longueur dont l'un, le plus court, situé à gauche, ne peut émettre de son à cause de la présence de l'étouffoir en drap. Il résulte de ce principe un son unique donné par la section la plus longue de la corde. Les tangentes sont l'aboutissement du principe du chevalet mobile existant au monocorde. Lorsque l'idée vint de faire vibrer une corde, simple ou double, en la percutant en des endroits différents calculés d'avance, à l'aide de 2 à 5 tangentes correspondant à autant de touches du clavier, on créa le cl. lié. Le jeu polyphonique n'y était naturellement pas possible à l'aide de tangentes frappant la même corde. En 1725 l'organiste de Crailsheim, Daniel Tobias Faber, créa un nouveau type d'instrument où chaque tangente frappait une seule corde. C'est le cl. libre. Pour tous ces instruments, « liés » ou « libres », les cordes, à peu près perpendiculaires à la direction des touches du clavier, sont en acier dans l'aigu, en cuivre ou laiton dans le registre grave, tendues entre les pointes à gauche et les chevilles à droite. Au XVIᵉ s. elles sont souvent simples, mais il existait des instr. à cordes doubles ou même triples depuis le XVᵉ s. Toutes les cordes avaient, à l'origine, la même longueur, la même section et aussi le même accord. Peu à peu on en tendit de plus courtes à l'aigu.

En 1511 S. Virdung parle de 38 touches et d'une échelle chromatique sur 3 octaves aboutissant à *si⁴*. Le cl. de Domenico de Pesaro, en 1543, comporte 11 paires de cordes à une tangente par chœur, donnant une échelle diatonique, 11 autres paires à une tangente par chœur donnant une échelle chromatique, puis des cordes doubles frappées par deux tangentes et enfin par quatre tangentes. Les trois cl. italiens décrits par M. Praetorius dans son *Syntagma musicum* sont de forme trapézoïdale, avec clavier situé en avant de la caisse, et ont de 40 à 50 touches. La tessiture atteint 5 octaves à la fin du XVIIᵉ s. Vers 1800, après avoir côtoyé le piano carré dès 1758, le cl. atteint 6 octaves avant de disparaître.

La sonorité du cl., riche en harmoniques supérieurs du fait que la tangente frappe la corde à l'extrémité de sa partie vibrante, est confidentielle, discrète. Toutefois, sa richesse expressive est due au contact que la lamelle métallique garde avec la corde, puisqu'elle ne retombe pas d'elle-même tant que la touche est baissée. Il en résulte la possibilité d'un vibrato, avantage sur le clavecin comme sur le pianoforte, produisant un effet de variation de hauteur tant que la tangente adhère à la corde en la tendant, et un effet de variation d'intensité, tressaillement nuancé que l'organiste Chr.Fr.D. Schubart nomme « das Schwellen und Sterben der Töne ». En Allemagne, ce vibrato s'appelle « Bebung » (‿‿‿‿). Il résulte d'une conception déjà romantique du toucher. On le décrit dans de nombreux traités ou méthodes au XVIIIᵉ s. Avec C.Ph.E. Bach, les indications d'ordre affectif, telles qu'on les retrouvera plus tard chez Schumann p. ex., se multiplient et en sont la conséquence. Ainsi donc le cl., « das Fundament aller Clavirten Instrumenten » (M. Praetorius), instrument domestique par excellence, semble avoir été créé pour traduire toutes les subtilités de la mus. allemande jusqu'à Mozart. Il en existe même une version à deux claviers manuels et pédalier, à l'usage des organistes, ce qui explique le style vif de Pachelbel ou les sonates en trio de J.S. Bach. C'est C.Ph.E. Bach qui porta le jeu du cl. à son plus haut niveau. Les plus beaux instruments semblent avoir été construits en Allemagne par Christian Gottlob Hubert (1714-1793) d'Anspach. Ses instruments furent exportés en France, en Hollande et en Angleterre. Par ailleurs, J.N. Forkel vante la beauté des instruments de J.H. Silbermann de Strasbourg. — Voir également l'art. CEMBAL D'AMOUR.

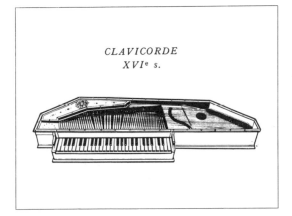

CLAVICORDE XVIᵉ s.

Bibliographie — Les traités de H. Arnault de Zwolle et de divers anonymes, éd. par G. LE CERF et E.R. LABANDE sous le titre Instr. de mus. du XVᵉ s., Paris 1932; S. VIRDUNG, Musica getutscht, Bâle 1511, éd. en facs. par R. Eitner, in PGfM XI, 1882, et par L. Schrade, Kassel 1931; M. PRAETORIUS, Syntagma musicum, II De Organographia, Wolfenbüttel 1618, 2/1619, rééd. en facs. par W. Gurlitt, Kassel 1958-59; C.Ph.E. BACH, Versuch über die wahre Art das Clavier zu spielen, Berlin 1753, rééd. mod. par W. Niemann, Leipzig 1906, 3/1921; K. NEF, Klavizymbel u. Klavichord, in Jb. Peters X, Leipzig 1903; F.A. GOEHLINGER, Gesch. des Cl. (diss. Bâle 1910); G. KINSKY, Kurze Oktaven auf besaiteten Tasteninstr. Ein Beitr. zur Gesch. des Klaviers, in ZfMw II, 1919-20; C. AUERBACH, Die deutsche Cl.kunst des 18. Jh., Kassel 1930; T. NORLIND, Systematik der Saiteninstr., II Gesch. des Klaviers, Stockholm 1939, 2/Hanovre 1941; H. NEUPERT, Das Klavichord, Kassel, BV, 1948, 2/1956, trad. angl. Kassel et Londres, BV, 1965; M.S. KASTNER, Portugiesische u. spanische Cl. des 18. Jh., in AMI XXIV, 1952; D.H. BOALCH, Makers of the Harpsichord and Cl. 1440 to 1840, Londres, Ronald, 1956; R. RUSSELL, The Harpsichord and Cl., Londres, Faber, 1959, 2/1973; W. STAUDER, Alte Musikinstr., Braunschweig, Klinkhardt & Biermann, 1973.

E. BUBERT

CLAVICYTHERIUM (angl., clavicytherium; all., Klaviziterium; ital., cembalo verticale), variété verticale moins courante du → clavecin ou sorte de psaltérion « positif » à clavier, assez répandu dans la plupart des pays occidentaux entre le XVᵉ et le XVIIIᵉ s. Son origine, probablement italienne d'après S. Virdung et le père Mersenne, se situe à la fin du Moyen Age puisque le plus ancien document est une sculpture sur bois d'un retable du XVᵉ s. à l'église de Kefermarkt,

en Haute-Autriche. La table de résonance, trapézoïdale, est ajourée par une rose centrale finement ciselée. De la 1ʳᵉ moitié du XVIᵉ s. nous est parvenu un instrument de facture italienne, proche du précédent par la forme mais qui comporte deux psaltérions superposés (toujours à table verticale) : le premier, en bas, pour le registre grave, le second pour l'aigu, d'où l'existence de deux claviers (Cologne, coll. Heyer). Un peu plus tard, on rencontre des caisses de résonance triangulaires ou en forme d'aile. Un instrument du début du XVIᵉ s. se trouve au Royal College of Music de Londres. Les ouvertures pratiquées dans la table y sont en forme de fenêtres gothiques. Un siècle plus tard, M. Praetorius parle de clavier couvrant 3 octaves et demie et d'une sonorité proche de la harpe. En 1636 le père Mersenne précise que les cordes sont en boyau, pincées par des pointes de métal. A la fin du XVIIᵉ s., Martin Kaiser construit un instrument curieux, actuellement exposé à Vienne, dont la caisse, de forme pyramidale, richement ornée, a une hauteur totale de 2,82 m. Les cordes les plus longues sont au centre. Le clavier a une étendue de 4 octaves 1/4, mais ne comporte pas de sol ♯. Au milieu du XVIIIᵉ s. enfin, le Flamand Albert Delin de Tournai construit, entre 1750 et 1770, des cl. d'une sonorité remarquable. Leur forme est pyramidale ou triangulaire (musées de Bruxelles et de Berlin), la table décorée de fleurs; le clavier fait sonner deux rangs de cordes de 8 pieds munis d'un jeu (divisé) de luth. — Le problème posé par la verticalité de la table est avant tout un problème de retombée de sautereaux horizontaux qui reviennent à leur position de départ grâce à des ressorts. Les avantages essentiels de l'instrument sont le gain de place et le côté décoratif, transmis, mais de façon moins heureuse, au piano-girafe.

Bibliographie — S. VIRDUNG, Musica getutscht, Bâle 1511, rééd. en facs. par R. Eitner, in PGfM XI, 1882, et par L. Schrade, Kassel 1931; J.H. VAN DER MEER, Zur Gesch. des Kl., in Kgr.-Ber. Kassel 1962, Kassel, BV, 1962.

CLAVIER (du lat. clavis, = clef; angl., keyboard; all., Klaviatur; ital., tastiera; esp., teclado), ensemble des → touches qui, sous la pression des doigts, commandent le mécanisme producteur du son dans certains instruments (orgue, clavecin, clavicorde, épinette, piano, célesta, etc.) qui sont dits instr. à clavier. Le terme n'est cependant pas très ancien. Il ne figure pas dans les premiers ouvrages relatifs à la musique, où n'est utilisé que le mot « clavis », appliqué d'abord aux touches de l'orgue, qui, telles des clefs, permettaient d'ouvrir les tuyaux afin que l'air y pénètre. En 1767 encore, dans le *Dictionnaire de la musique* de J.J. Rousseau, le cl. est défini comme « portée générale ou somme des sons de tout le système qui résulte de la position relative des trois clefs » (soit 3 octaves et une quarte) avant que ne lui soit attribué le sens de « notes ou touches ». Le cl. n'a pas toujours été composé de touches. Avant le XIIIᵉ s., alors que l'organiste jouait debout, des tirettes étaient affectées aux notes. Au XIIIᵉ s. le cl. de l'orgue évoque celui d'une machine à écrire et la notion de doigté commence à se dégager. Aux approches du XVᵉ s. apparaissent des touches peu profondes et très larges, mais le cl. est alors encore fréquemment diatonique. Ce n'est que dans la 2de moitié du XVe s. que les peintures du temps attestent la prépondérance des cl. chromatiques (Hans Memling, Bruges ; Hugo van der Goes, Holyrood Palace), tandis que des cl. diatoniques avec *si*   et *si* ♭ — tels ceux décrits par S. Virdung dans sa *Musica getutscht* (1511) — subsistent encore sur l'orgue jusqu'au début du XVIIe s. (M. Praetorius, *Syntagma musicum*, 1619).

L'étendue du cl., d'une seule octave sur les régales, atteignait généralement 4 octaves et un demi-ton sur les épinettes italiennes du XVIe s. Les cl. de l'orgue ont d'ordinaire 4 octaves et demie (*ut*^{1} à *fa*^{5}), sauf ceux des orgues italiennes, qui vont de *sol*$^{-1}$, *fa*$^{-1}$ ou *ut*$^{-1}$ à *ut*^{6}. Les premiers pianoforte de B. Cristofori avaient une étendue de 4 octaves ou 4 octaves et demie. Le piano de concert de Mozart avait 5 octaves. C'est en 1793 que J. Broadwood fabriqua le premier piano de 5 octaves et demie et en 1796 qu'il porta l'étendue du cl. à 6 octaves. Les œuvres de Chopin et de Schumann ne demandent pas un instrument de plus de 6 octaves et demie. Le piano actuel a 85 ou 88 notes (7 octaves et demie), mais il a existé des pianos de 8 octaves. De plus, sur l'orgue comme sur le clavicorde et le clavecin, il arrivait autrefois que, pour gagner de la place, la première octave ne possédât pas tous ses tons et demi-tons : celle-ci était alors dite « courte », et ses 5 ou 6 premières touches ne donnaient que les éléments essentiels d'une gamme, les plus utiles pour les modulations. Pour les mêmes raisons, le facteur pouvait parfois scinder une touche chromatique en deux parties égales, chacune d'entre elles correspondant alors à une note différente. Les Flamands, surtout les Rückers, construisaient des instruments où les notes naturelles étaient blanches ou noires, tandis que les clavicordes allemands et les clavecins français présentaient ordinairement des touches naturelles noires et des touches chromatiques blanches.

On a essayé, dans l'histoire de la facture instrumentale et plus particulièrement de la facture des pianos, des types de cl. très divers. Citons parmi ceux-ci les cl. en forme d'arc (Wofel), les doubles cl. (Moor) et les cl. renversés (Mangeot). Quant au nombre des cl. d'un même instrument, il peut aller jusqu'à 5 sur l'orgue (grand orgue, bombarde, positif, récit, écho), sans compter le → pédalier, et l'on a même construit des pianos à 6 cl. superposés (Janko). L'étude des transformations du cl. est importante car elle a conditionné l'évolution de la technique d'exécution instrumentale. — Voir également les art. ORGUE, § B 3. Transmission du mouvement, et PIANO, § Le clavier.

Bibliographie — G. KINSKY, Kurze Oktaven auf besaiteten Tasteninstr., *in* ZfMw II, 1919-20 ; PH. JAMES, Early Keyboard Instr., *in* Proc. Mus. Assoc. LVII, 1930 ; T. NORLIND, Systematik der Saiteninstr., II Gesch. des Klaviers, Stockholm 1939, 2/Hanovre 1941 ; cf. également Le musicien et son clavier, film de J. CHAILLEY, réalisé par R. Rossi, Paris, Service du film de recherche scientifique, 96, bd Raspail.

D. PISTONE

CLAVIER TRANSPOSITEUR, cl. auquel est adapté un mécanisme de translation qui permet une → transposition musicale automatique. Ce système existait déjà sans doute sur les cl. des orgues du XVIe s. (A. Schlick, *Spiegel der Orgelmacher und Organisten*,

1511) ; M. Praetorius fait également référence, quelque cent ans plus tard, aux clavecins transpositeurs (*Syntagma musicum*, 1619). Au XVIIIe s. Ch. Burney en rencontre aussi lors de son voyage en France (*The Present State of Music in France and Italy*, 1771). J. Broadwood construit, au XIXe s., des pianos transpositeurs en Angleterre. Roller présente à Paris, en 1820, un instrument semblable dont l'accord peut varier de demi-ton en demi-ton dans l'espace d'une octave, et, en 1873, A. Wolff surnomme « le transpositeur » un piano du même genre sorti de la maison Pleyel, Wolff et Cie. De nos jours, les → harmoniums comportent encore des cl. de cette sorte. — Voir également l'art. PIANO, § Le clavier.

CLAVIOLINE, instr. de musique électronique à clavier, permettant de reproduire avec une certaine fidélité le timbre de divers instruments. Exclusivement monodique, il peut être associé à un piano et est utilisé principalement dans le domaine de la mus. légère.

CLAVIORGANUM, voir CLAVECIN ORGANISÉ.

CLAVIS (lat., = clef ; plur., claves), dans la théorie médiévale, toute note désignée par une lettre de l'alphabet. Ces lettres ayant été reportées sur les → touches de l'orgue, cl. a servi également à désigner la touche, d'où le terme de → clavier (angl., keyboard). Dans le système de notation dû à Guy d'Arezzo, les lettres de l'alphabet furent placées devant les lignes de la portée, ce qui donna naissance aux → clefs modernes.

CLAVITIMBRE ou carillon à clavier (all., Glockenklavier), instr. de mus. inventé par Auguste Mustel et son fils Adolphe. L'organe sonore est formé d'une lame épaisse d'acier spécial, mise en vibration par le choc d'un marteau métallique ; chaque note est dotée d'un résonateur tubulaire, soigneusement calculé et accordé pour renforcer au maximum la note correspondante. Le clavier de cet instr. couvre une étendue de 3 octaves et une tierce majeure (*do*^{4} - *mi*^{7}).

CLEF. 1. (Lat., clavis ; angl., clef ; all., Schlüssel ; ital., chiave ; esp., clave), signe de référence placé au début de la → portée, sur l'une de ses lignes, pour indiquer la hauteur des notes qui y sont inscrites. L'usage actuel courant connaît 3 sortes de cl., les cl. de

fa ⟶ , d'*ut* ⟶ et de *sol* ⟶ qui désignent respectivement le *fa*^{2}, le *do*^{3} et le *sol*^{3}. La cl. la plus commune est celle de *sol*, qui a sa place sur la 2e ligne ; la cl. de *fa* a la sienne sur la 4e ligne, tandis que la cl. d'*ut* se rencontre sur la 3e (alto) et sur la 4e ligne (violoncelle, basson, trombone ténor). L'origine de ces signes remonte aux lettres F, c et g, chargées de représenter les notes correspondantes et devenues rapidement méconnaissables :

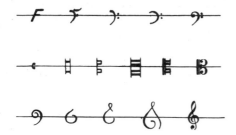

Il a également existé des cl. de Γ (gamma, sol¹), D (ré²), a (la²), ♭ ou ♮ (si²), e (mi³). Dans la musique antérieure au milieu du XVIIIᵉ s., chaque cl. pouvait être inscrite sur plusieurs lignes. Son emplacement correspondait à un type de voix bien déterminé, alors que la dénomination des différentes parties : « superius », « altus », « contratenor », « tenor », « bassus », etc.), se référait à leur fonction dans l'ensemble polyphonique.

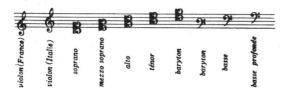

L'avantage de ce procédé résidait dans l'économie de lignes supplémentaires qu'il permettait de réaliser dans la notation des voix en parties séparées. Dans le chant grégorien, la forme de la cl. d'ut est restée celle du c  tandis que la cl. de fa se compose du même signe auquel se trouve accolée une figure de note munie d'une queue

De même au XVIᵉ s., la cl. de fa était formée de deux minimes dont les pointes enserraient la ligne concernée et auxquelles était accolée une longue :

L'évolution de la notation musicale a conduit à abandonner la plupart des cl. anciennes. Dans l'usage courant, la cl. d'ut employée pour le registre de ténor tend à disparaître devant l'emploi généralisé d'une cl. de sol dite « ténor », désignée de plusieurs manières :

et indiquant que les notes résonnent une octave plus bas qu'elles sont notées. — Voir également l'art. CHIAVETTE.

2. (Angl., key; all., Klappe ou Schlüssel; ital., chiave; esp., llave), terme organologique s'appliquant à un mécanisme apparu dès le début du XVIᵉ s. sur les instruments de la famille des bois, et au début du XIXᵉ s. sur certains cuivres (cor à clefs), afin de permettre à distance le contrôle de l'ouverture ou de la fermeture des trous pratiqués dans la paroi du tuyau sonore et qui modifient pour chaque doigté la longueur de la colonne d'air entrant en vibration. Pour les instruments au tuyau allongé, les doigts seuls n'y suffisaient plus ou manquaient de précision. Les cl. comportent un levier terminé par un anneau ou plateau garni de peau de chèvre afin de garantir l'étanchéité de l'orifice. Le nombre des cl. n'a cessé d'augmenter au cours du XVIIIᵉ s. Au début du XIXᵉ s. c'est à Frederick Nolan (1808) et à Th. Böhm (flûte traversière, 1832) que l'on doit les perfectionnements les plus efficaces dans le fonctionnement de ce nouveau mécanisme.

Bibliographie — 1. P. WAGNER, Einführung in die gregorianischen Melodien, II Neumenkunde, Leipzig 2/1912, rééd. en facs. Hildesheim, Olms, 1962; du même, Aus der Frühzeit des Liniensystems, in AfMw VIII, 1926; J. WOLF, Hdb. der Notationskunde, 2 vol., Leipzig 1913-19; W. APEL, The Notation of Polyphonic Music, 900-1600, Cambridge (Mass.), Mediaeval Acad. of America, 1942, 5/1961, trad. all. Leipzig, Br. & H., 1962; S. HERMELINK, Dispositiones modorum, Tutzing, Schneider, 1960.

CLERMONT-FERRAND.

Bibliographie — J. DESAYMARD, La mus. en Auvergne, Clermont-Ferrand 1908; L. LE PELETIER D'AUNAY, La vie mondaine à Cl.-F. au XVIIIᵉ s. Les concerts et les théâtres, in La Veillée d'Auvergne, sept. et oct. 1911; J.L. WELTER, Le chapitre cathédral de Cl. : sa constitution, ses privilèges, in Revue d'Hist. de l'Église de France XLI, 1955; CHR. MARANDET, Notes pour servir à l'hist. des orgues et des organistes en Auvergne, in Bull. hist. et scientifique de l'Auvergne LXXXV, 1971.

CLIMACUS, voir NEUME, § Neumes composés de trois notes.

CLIQUE, ensemble des tambours et des clairons d'un régiment, qui précède le corps de la musique dans les défilés.

CLIQUETTE. 1. Instrument rudimentaire fait de deux morceaux d'os ou de bois qu'on place entre les doigts pour en tirer des sons en les entrechoquant. — **2.** Instrument similaire fait de deux parties mobiles assemblées et adaptées à un manche. Les lépreux étaient autrefois astreints à agiter des cl. pour qu'on se détourne de leur chemin.

CLIVIS ou CLINIS, voir NEUME, § Neumes composés de deux notes.

CLOCHE (du bas lat. clocca, issu du celtique clocc; angl., bell; all., Glocke; ital. et esp., campana). L'usage de la cl. est antérieur au Moyen Age. Dans les monastères bouddhistes ou chrétiens, il a toujours fallu, pour appeler les religieux aux exercices communs, faire entendre un signal sonore convenu : on utilisait alors le gong, les claquettes ou les cloches. En Occident, c'est la cl. (« signum ») qui a prévalu en tant que signal : le terme « signum » se relève dans la Regula monasteriorum attribuée à St Benoît (VIᵉ s.). Les cl. d'alors étaient de petites dimensions, faites de feuilles de cuivre martelé — comme les sonnailles à bestiaux de nos alpages — ou parfois d'étain, comme durant le Moyen Age. Le terme de « tintinabulum » (clochette), qui se rencontre dans l'Ordo X (voir M. ANDRIEU, Les Ordines romani..., 5 vol., Louvain 1931, 2/Gembloux 1948-61, vol. II, p. 351; Studi e Testi 226, p. 350), conviendrait plutôt à ces cl. en métal léger. Au Moyen Age, on employait encore pour désigner les cl. légères le terme de → « cymbala », qui concerne plutôt les clochettes à son aigu (Alain de Lille). Pour les grosses cl., on se servait des mots « campana » (sous-entendu « pelvis »), en Italie, en Afrique du Nord et en Angleterre ; « nola », du nom de la ville de Nole, en Campanie, dans la province de Naples ; « caccabulum » à Tarragone, en Espagne.

On bénissait les cl. en récitant sur elles une oraison, dont le sacramentaire de Gellone, transcrit à Cambrai pour l'abbaye de Rebais à la fin du VIIIe s., nous a laissé un exemple (« oratio ad signum ecclesiae benedicendum »). En Espagne, on relève dans le rituel intitulé *Liber Ordinum* des prières pour le « baptême » des cl., lequel comportait des ablutions d'eau lustrale et des onctions d'huile sainte. Ce genre de cérémonies devait être supprimé par un capitulaire du 23 mars 789 (« Ut cloccas non baptizent »). Mais ce capitulaire devait rester sans effet puisque le *Pontifical romain*, au livre II, prévoit une « Benedictio signi vel campanae » avec ablutions d'eau bénite, d'huile des catéchumènes et de saint chrême, attribution d'un nom et de parrains.

La fonte des cl. constituait dès le Moyen Age un artisanat prospère, dont les procédés sont brièvement exposés par les auteurs de traités (voir Bibliogr., J. Smits van Waesberghe), qui s'attachent surtout à définir les dimensions des petites cl. (« cymbala ») en fonction du son recherché. Les fondeurs de cl. se répartissaient surtout dans la vallée de la Meuse, en Suisse (Saint-Gall et Reichenau), en Allemagne (Fulda, Erfurt), en Autriche (Salzbourg) et en Italie du Sud. Le plus ancien traité relatif aux cl. est la *Schedula diversarum artium* du bénédictin Théophile (Xe s.), qui codifie des usages ancestraux, mis en œuvre dans des cl. telles que celle de Canino (VIIIe-IXe s.), actuellement conservée au Musée du Latran ou celles de différentes époques conservées en France, en Angleterre ou en Allemagne : celle d'Hersfeld — ou cl. de Lullus — mesure 102 cm de diamètre, mais les autres ont des dimensions plus réduites (40 à 65 cm de diamètre). Jusqu'au XIIe s., la cl. prend la forme de la ruche d'abeilles en osier. Au XIIIe s. elle s'évase à la base, d'où accroissement de dimension et de poids : ainsi, la cl. Hosanna, à Fribourg-en-Brisgau, datée de 1258, pèse 2 500 kg et mesure 1,60 m de diamètre. Au XVe s. les fondeurs de cl. se font aussi fabricants de canons : il arrivera même plus tard, p.ex. durant la guerre de Trente Ans, puis sous la Révolution française, que les cl. soient refondues afin de récupérer du bronze pour les canons. Au cours des deux dernières guerres mondiales, l'Allemagne fit refondre 42 583 cloches, soit 77% de son patrimoine. Actuellement, on dresse l'inventaire des cl. conservées et de celles dont on a pu garder les dimensions, les caractéristiques sonores, voire un enregistrement (Deutscher Glockenatlas, éd. par G. Grundmann, Munich et Berlin, 1959 et suiv.).

Pour les cl. en bronze, les lois concernant les rapports entre dimensions et poids sont connues depuis le Moyen Age mais ont été précisées depuis (voir tableau *in* MGG V, art. Glocke, col. 282). En principe, le poids de deux cl. qui donnent la tierce majeure est dans la proportion du simple au double (4/8), mais le poids de deux cloches qui donnent l'octave monte à la proportion 1/8. La nature de l'alliage (20 à 22 % d'étain, et 78 à 80 % de cuivre) confère à la cl. un son plus ou moins argentin. Les procédés de fabrication ont été améliorés entre les Xe et XIIe s. mais n'ont guère évolué depuis, sauf pour résoudre les problèmes techniques posés par l'accroissement de dimension et de poids. La fonte d'une cl. ne s'effectue pas directement dans un moule, mais en deux temps distincts : il faut d'abord exécuter son tracé (contours extérieur et intérieur) et préparer le moule, qui comporte, de l'extérieur vers l'intérieur, la chape, la fausse cl. et le noyau. La fausse cl. une fois retirée, on coule par le haut du moule, qui formera la « couronne » d'attache de la cl., le métal en fusion qui descend dans l'espace compris entre noyau et chape, maintenus fixés sur une plaque de métal ou sur une dalle de ciment.

Une cl. bien fondue, c.-à-d. non fêlée dès le début, émet sous l'impulsion du battant qui la frappe à la base un son fondamental mais aussi les harmoniques du son de base : octave 1, quinte, tierce mineure, octave grave ou « hum ». L'accord d'une cl. neuve est une opération délicate, car la retouche d'une note entraîne celle des autres. Pour effacer les battements, on « étouffe » la tierce mineure. Il faut en pratique meuler ou passer au tour d'ajuster les points précis générateurs des différents harmoniques : pince, panse, chape, cerveau. La couronne, au sommet, sert à suspendre la cl. au « mouton » en bois, traversé dans sa largeur par une tige d'acier qui forme l'axe du balancement de la volée.

Dans les monastères, les cl., isolées en semaine ou toutes ensemble les jours de fête, sonnent suivant un « ordo » très précis. Au Moyen Age, la volée de toutes les cl. réservée aux grandes fêtes s'appelait « classicum ». La sonnerie de 4 cl., appelée en latin « quadrillio », est à l'origine du → carillon. Dans les paroisses, surtout en ville, l'usage des cl. a été très limité : l'usage de l'Angelus trois fois par jour et les sonneries du glas la veille des enterrements ont presque partout disparu. Dans les autres domaines de l'activité humaine, on a remplacé la cl. par des signaux sonores généralement plus bruyants. Jadis, le son de la cl. donnait le signal à plus d'un événement de la vie civile ou de l'activité commerciale : tocsin d'incendie, cl. de grêle, cl. d'usine, cl. de brume, cl. signalant l'arrivée de la marée fraîche sur le marché, etc. — De nos jours, lorsqu'elles ne sont pas remplacées par des haut-parleurs fixes ou par des diffuseurs en tôle qui se balancent au même rythme qu'une cl. de bronze — font l'objet d'une bénédiction spéciale appelée communément baptême (voir ci-dessus). A propos du nom conféré à la cl. lors de son baptême et gravé en relief sur le bronze, il faut remarquer qu'on a parfois employé un nom de fonction plutôt qu'un prénom : « Apostolica », cl. réservée aux fêtes d'apôtres ; « Dominica », cl. des dimanches ordinaires ; « Sanctus », cl. tintée depuis le Sanctus jusqu'à la fin du Canon de la messe. Au nom de la cl. gravé sur la chape — suivant un usage qui remonte au IXe s. — on ajoute habituellement l'année de la coulée, les noms du fondeur et des parrains, et on entoure les inscriptions de décorations ou de motifs d'encadrement.

Certains musiciens, tels N.M. Dalayrac dans *Camille* (1791) ou L. Cherubini dans *Elisa* (1794), ont fait appel aux cl. dans leurs compositions mais, dans l'exécution, on est évidemment obligé de remplacer le jeu de ces cl. par d'autres instruments, d'encombrement et de poids plus réduits. D'autre part, la complexité de sons introduits par la cl. oblige à la remplacer dans l'orchestre par le → jeu de timbres ou jeu de cl. de petites dimensions : ainsi dans la *Symphonie fantastique* de Berlioz ou chez Debussy. Certaines pièces, principalement pour piano mais également pour clavecin ou pour orgue, imitent le carillon ou les sonneries de cloches : Fr. Couperin, *Le Carillon de Cythère* (3ᵉ Livre) ; Fr. Liszt, *La Campanella* ; M. Moussorgski, *La grande porte de Kiev* (*Tableaux d'une exposition*) ; M. Ravel, *La vallée des cloches* (*Miroirs*) ; Cl. Debussy, *Cloches à travers les feuilles* (*Images II*), *La Cathédrale engloutie* (*Préludes I*). Il faut également citer le *Chant de la cloche* pour soli, chœur et orchestre de V. d'Indy.

Bibliographie — H. LECLERCQ, art. Cl., clochette, *in* Dict. d'archéologie chrétienne et de liturgie III/2 ; J. SMITS VAN WAESBERGHE, Cymbala, The Bells in the Middle Age, *in* MSD I, Amer. Inst. of Musicology, 1951 ; A. PALUEL-MARMONT, Cl. et carillons..., Paris, SEGEP, 1953 ; CHR. MAHRENHOLZ, art. Glocken *in* MGG V, 1956 ; M.CL. PATIER, Des cymbala aux carillons (diss. Paris, Sorbonne, 1969).

M. HUGLO

CLOCHETTE. 1. Petite cloche portative servant aux signaux dans l'usage domestique. — **2.** A l'orgue, grelots ou cl. suspendus à une étoile qui tournait par l'air du perd-vent (soupape de vidange des soufflets), au Moyen Age et au XVIᵉ s.

CLOS, voir OUVERT ET CLOS.

CLUNY.

Bibliographie — L. SCHRADE, Die Darstellung der Töne an den Kapitellen der Abteikirche zu Cl., *in* Deutsche Vierteljahrsschrift für Literaturwiss. u. Geistesgesch. VII, 1929 ; J. HOURLIER, Remarques sur la notation clunisienne, *in* Revue Grégorienne XXX, 1951 ; K. MEYER-BAER, The Eight Gregorian Modes on the Cl. Capitals, New Rochelle (N. Y.) 1952.

CLUSTER (angl.), voir GRAPPE SONORE.

● **COBLA. 1.** Nom de la strophe lyrique chez les poètes occitans. Elle connaît son parfait équilibre esthétique entre fond et forme avec les troubadours, du XIᵉ au XIIIᵉ s. On distingue les « c. unissonans », qui ont de même métrique (« compas ») mais bâties sur des rimes particulières (« singulars ») pour chacune d'elles ; lorsque les rimes sont identiques de deux en deux strophes, on les nomme « c. doblas » ; les suites de trois sont des « c. ternas » (chez Raimbaut d'Orange) et de quatre, « quaternas » (chez Bertrand de Born). Il existe des c. monométriques et d'autres polymétriques dans lesquelles les rimes sont parfois dérivées, c'est-à-dire qu'elles se rencontrent, identiques, à la même place dans chaque cobla. On peut également rencontrer des mots-refrains qui reviennent en même position d'une strophe à l'autre. Les c. peuvent être « capfinidas » : le dernier mot est repris sous une forme quelconque au vers initial de la c. suivante ; « retrogradas », affectant les strophes alternées : les diverses particularités de la strophe initiale sont reprises dans la suivante, mais dans l'ordre inverse ; « capcaudadas » : le premier vers d'une c. reprend la rime du dernier vers de la strophe précédente. La « tornada » est une c. tronquée, placée en fin

de poème et reprenant des éléments métriques, des rimes et des incises mélodiques de la c. précédente. C'est une sorte de péroraison ou d'envoi qui peut être double : en l'honneur de la dame ou du protecteur du poète. Dans le jeu-parti, la « tornada » est double et comporte le jugement du différend. — **2.** Ensemble instrumental de caractère populaire utilisé en Catalogne pour interpréter la danse la plus caractéristique de cette région, la → sardane. Avant que J. Ventura (1817-1875) n'ait donné à la sardane sa structure musicale actuelle, la c. se composait d'un « tiple », d'un « caramillo », d'un « flabiol » et d'un tambourin. C'est J. Ventura qui a défini selon le schéma suivant l'actuelle disposition instrumentale de la c. : un → flabiol et un tambourin (joués par un seul exécutant), 2 → tiples, 2 → tenoras, 2 cornets, 2 → fiscornos, un trombone et une contrebasse, c'est-à-dire 12 instruments et 11 exécutants. La sonorité pénétrante et un peu aigre d'une telle formation est la plus appropriée à une audition en plein air, où se jouent et se dansent habituellement les sardanes. Parmi ceux qui ont écrit pour c., citons J. Ventura, E. Morera, Juli Garreta, P. Casals, J. Manen et E. Toldrà.

Bibliographie — 1. Las flors del Gai Saber, éd. par GATIEN-ARNOULT, *in* Monuments de la littérature romane, 3 vol., Toulouse 1841-43 ; éd. par J. ANGLADE, Barcelone 1926 ; Las Leys d'Amors, éd. par le même, 4 vol., Toulouse et Paris 1919-20 ; G. BATTEZZATI, El Breviari d'amor di Matfre Ermengau, *in* Studi critici, Turin 1906 ; H. MORF, Vom Ursprung der provenzalischen Schriftsprache, Berlin 1912 ; E. FARAL, Les arts poétiques du XIIᵉ et du XIIIᵉ s..., Paris 1923 ; I. FRANK et E. BRAYER, Répertoire métrique de la poésie des troubadours, 2 vol., Paris, Champion, 1953-57. — 2. A. CAPMANY, La dansa a Catalunya, Barcelone 1930 ; H. BESSELER, Katalanische C. *in* Kgr.-Ber. Basel 1949, Bâle s. d. ; A. BAINES, Shawms of the Sardana C., *in* The Galpin Soc. Journal V, 1952 ; J. SERRA, Tractat d'instrumentació per a c., Barcelone, Obra del ballet popular, 1957.

CODA (ital., = queue), terme employé en musique dans le sens de terminaison, conclusion, péroraison, épilogue. A l'origine, il s'appliquait aux quelques mesures ajoutées à la fin d'un canon pour conclure (S. de Brossard, *Dict. de musique*, 1703). On désignait aussi par ce mot, dans la fugue, les quelques notes prolongeant le sujet pour permettre une entrée correcte de la réponse et du contre-sujet. Chez Bach, cette c. constitue parfois un élément important pour les développements ultérieurs. A partir de l'époque classique, le nom de c. est donné par extension à toute partie conclusive. Pratiquement, toute composition sérieuse se termine par une c., que celle-ci soit ou non désignée comme telle. C'est le plus souvent le premier thème principal qui est repris en guise de c., arrondissant ainsi l'équilibre de la forme. Les variations anciennes reprennent quelquefois la première présentation du thème pour former la coda. Chez Beethoven, par contre, la dernière variation devient c. par développement ou amplification. Il en est souvent de même pour le dernier refrain d'un rondo. Dans la forme sonate, la c. rappelle une dernière fois le thème principal après la réexposition. Mais elle peut aussi donner lieu à un important développement final (Beethoven, *3ᵉ Symphonie*, 1ᵉʳ mouvement), ou se fonder sur un thème secondaire (M. de Falla, *Danse rituelle du feu*), ou former un saisissant raccourci de tous les éléments essentiels (Mozart, *Symphonie « Jupiter »*, dernier mouvt), ou rappeler une idée fixe, directrice (A. Honegger, *Symphonie liturgique*, mouvt final), ou amener un élément thématique nouveau (R. Schumann, 1re Symphonie, 1er mouvt). Parfois une c. lente fait pendant à un prélude lent (P.Dukas, L'Apprenti sorcier). Mais plus souvent elle produit une impression finale particulière en amplifiant le caractère essentiel du morceau : ainsi elle est plus reposante dans un mouvement lent et plus serrée dans un mouvement vif (Beethoven, 3e Symphonie, mouvt lent et mouvt final).

COL, COLL', COLLA, forme contractée de la préposition ital. « con » et de l'article, signifiant « avec le », « avec la », dans les expressions suivantes : « coll' arco », = avec l'archet ; « colla destra », = avec la main droite ; → « colla parte » ou « colla voce », = avec la voix ; « col legno », avec le bois (en utilisant la baguette au lieu de la mèche de l'archet) ; « colla punta d'arco », = avec la pointe de l'archet ; « coll' ottava », = avec l'octave ; « colla sinistra », = avec la main gauche.

COLACHON (ital., colascione), instr. à cordes pincées de la famille des → luths à manche long. D'origine orientale, il descend probablement du → « tanbura » employé en Turquie. Tel que nous le connaissons, le c. possède une caisse de résonance piriforme de petite taille, formée de côtes de bois dur. La table d'harmonie, ouverte d'une ouïe circulaire ornée d'une rosace, porte le cordier, auquel s'accrochent les cordes. Le manche, démesurément allongé, peut atteindre plus d'un mètre et porte une vingtaine de frettes de boyau. Il se termine par un chevillier rudimentaire, orné d'une volute ou d'une tête grossièrement sculptée. Le nombre des cordes, leur nature (boyau ou métal filé), ainsi que leur accord sont variables. Quelques c. n'ont qu'une corde ; d'autres en portent deux ou trois simples ; certains enfin, cinq ou six doubles. L'accord s'effectue par quartes (mi^1, la^1, $ré^2$) pour les seconds, sur le modèle du luth basse pour les suivants ($ré^1$, sol^1, do^2, fa^2, la^2, $ré^3$). Le jeu se fait soit au plectre, soit au doigt. — L'emploi du c. en Europe remonte au XVIIe s. Tout d'abord utilisé en Italie, à Naples notamment où il fait figure d'instr. populaire, il se répand ensuite dans les autres pays. Dans la 2de moitié du XVIIIe s., il devient même l'instrument des virtuoses : les frères Colla à Brescia, Giacomo Merchi à Paris s'illustrent dans son jeu. — Il nous reste quelques recueils de musique pour c. qui remontent au XVIIIe s. Notés en tablature, ils comprennent des danses et des sonates en plusieurs mouvements, vifs et lents alternés. Nous trouvons encore des sonates pour deux c. et des Duetti pour c. et violoncelle concertant.

Bibliographie — G. KINSKY, Katal. des Musikhistorischen Museums von W. Heyer II, Cologne 1912 ; J. WOLF, Hdb. der Notationskunde II, Leipzig 1919.

COLINDE (roumain, colindă), forme musicale fixe du folklore roumain, d'origine très ancienne (thraco-daco-gète), appartenant aux coutumes hivernales (Noël, Nouvel An). Écrite dans le style « giusto » - syllabique (parfois « aksak », « parlando-rubato »), elle est fondée sur l'alternance des couplets et d'un refrain. Les textes sont profanes ou religieux et varient selon l'état, le sexe, la profession ou la catégorie sociale des exécutants. Les c. peuvent être interprétées soit par un groupe vocal unissant des voix d'enfants et des voix d'hommes, soit par un groupe vocal et instrumental comprenant des instr. à vent et à percussion. Les mélodies, généralement syllabiques et diatoniques, ont une structure pentatonique ou hexatonique, parfois réduite. B. Bartók a établi l'existence de 36 échelles différentes. Les cadences finales s'exécutent sur les degrés 1, 2, 4 et 5. Il existe un nouveau style des noëls roumains avec un rythme élargi, un mouvement lent, une mélodie ample et mélismatique avec « rubato », coexistant avec le style ancien dans quelques régions de Roumanie. La c. dérive de la mus. grégorienne et byzantine. On ne doit pas la confondre avec la « chanson de l'étoile », dont le texte est quasi religieux, le caractère solennel, et où les vers sont groupés en strophes sans refrain.

Bibliographie — G.D. TEODORESCU, Notiuni despre colindele romane, Bucarest 1870 ; S. DRAGOI, 303 C. cu texte si melodie..., Craïova 1930 ; P. CARAMAN, Datina colindatului la slavi si români, Cracovie 1933 ; G. BREAZUL, Colindele ..., Craïova 1941 ; E. COMISEL, Folclor muzical, Bucarest, Éd. Didactica, 1967.

COLLA PARTE ou COLLA VOCE (ital., = avec la voix), expression utilisée pour désigner le jeu d'un ou de plusieurs instruments qui accompagnent l'exécution d'une œuvre vocale en doublant la ou les voix. Les parties instrumentales portent souvent la simple indication : suivez. Cette pratique, mêlant les voix et les instruments les plus divers, prit une réelle extension depuis la 2de moitié du XVe s. jusqu'au début du XVIIIe (voir les motets de J.S. Bach) dans l'exécution des œuvres écrites dans le style → « a cappella ».

COLLECTAIRE, livre contenant les oraisons ou → collectes récitées ou chantées par l'hebdomadier à la fin des → heures de l'office canonial. L'hebdomadier est le prêtre désigné chaque semaine dans les chapitres et dans les monastères pour présider l'office liturgique, et qui, à ce titre, doit réciter ou chanter l'oraison.

COLLECTE (du lat. colligere, = recueillir, réunir), première des prières présidentielles de la messe romaine, en conclusion des rites d'entrée. Le célébrant y rassemble (« colligit ») en une expression commune les diverses intentions de la communauté. La c. est précédée d'une invitation à la prière, « Oremus », et d'un temps de prière commune silencieuse ; elle se termine par une formule stéréotypée : « Per Dominum nostrum Jesum Christum qui tecum vivit et regnat in unitate Sancti Spiritus Deus per omnia saecula saeculorum ». L'assemblée répond « Amen ». L'ancienne tradition romaine demande que la c. soit adressée au Père. Les traditions gallicane et mozarabe, ainsi que la tradition romaine plus récente, admettent les oraisons adressées au Fils ; les c. de ce type se terminent par la formule : « Qui vivis et regnas cum Deo Patre in unitate... ». Les autres oraisons de la messe sont la prière sur les offrandes et la prière après la communion ; celle qui clôt la prière universelle après l'Évangile peut être improvisée par le célébrant, et les livres liturgiques officiels ne contiennent que des « specimina » ou modèles. Le traitement mélodique des diverses oraisons de la messe est absolument identique.

On rencontre des textes de c. romaines dans les plus anciens recueils connus en Occident (*Sacramentaire de Vérone*, dit Léonien, v⁰ s.). Cette première prière sacerdotale n'a pas d'équivalent dans les liturgies d'Orient. Dans les anciennes liturgies gallicane et mozarabe, la première intervention du célébrant consistait en une longue monition sous forme d'invitatoire. Les oraisons anciennes se caractérisent par des constructions symétriques, des oppositions de mots et des assonances. Les membres de la phrase se terminent selon les formules du « cursus » tonique qui régissait la prose latine des IV⁰-V⁰ s. Les phrases elles-mêmes sont souvent bâties selon un « cursus » métrique tenant compte de la quantité des syllabes.

La nouvelle édition du *Missale Romanum* ne donne pas de ton pour les c. et les autres oraisons de la messe, car elles sont désormais chantées presque partout en langue vernaculaire. Le *Graduale Romanum* connaît 4 tons, deux anciens et deux plus modernes. Le ton férial ancien est un récitatif dont les cadences se font sur la tierce mineure ; le ton solennel ancien est bâti sur la corde-mère *ré* et présente des flexes d'un ton ; la cadence finale revient à la teneur. A ce ton se rapportent les nombreuses formes mélodiques autrefois en usage pour les récitatifs d'oraisons dans les différents rites romano-francs.

Bibliographie — J. Cochez, La structure rythmique des oraisons, *in* Cours et conférences des Semaines liturgiques de Louvain VI, 1928 ; D. B. Capelle, Collecta, *in* Revue Bénédictine XLII, 1930 ; H. Rheinfelder, Zum Stil der lateinischen Orationen, *in* Jb. für Liturgiewiss. 1931 ; D. P. Salmon, Les protocoles des oraisons du Missel romain, *in* Ephemerides Liturgicae XLV, 1931 ; D. P. Bruylants, Les oraisons du Missel romain, 2 vol., Louvain, 1952, 2/1965 ; D. J. Claire, L'évolution modale dans les récitatifs liturgiques, *in* Revue Grég. XLI, 1963 ; D. M. Robert, Chants du célébrant. I. Les Oraisons, *ibid.*

G. Oury

COLLEGIUM MUSICUM (lat.), nom donné en Allemagne et en Suisse alémanique à des associations d'amateurs réunis pour pratiquer la musique en commun, sans autre but que leur propre délectation. Des auditeurs pouvaient y être admis, en nombre limité, mais les musiciens professionnels en faisaient partie comme membres ordinaires. Émanant de la bourgeoisie citadine comme les → « Kantoreien », dont la raison d'être était la pratique du chant polyphonique à l'église, et les « convivia musica », qui se contentaient d'agrémenter de musique des repas pris en commun, les « collegia musica » se formèrent à l'écart de la cour et de l'église avec des buts exclusivement musicaux. On y pratiqua essentiellement la mus. vocale jusque vers le milieu du XVII⁰ s. puis, de plus en plus, la mus. instrumentale et la mus. d'orchestre. Leur période de floraison se situe au XVII⁰ et dans la I⁰ moitié du XVIII⁰ s. La première société à porter ce titre est attestée à Prague en 1616, suivie très rapidement par de nombreuses villes suisses et allemandes. Parmi les c.m. les plus célèbres, il faut citer ceux de Hambourg (1660-74), dirigé par M. Weckmann puis Chr. Bernhard ; de Leipzig, formés presque exclusivement d'étudiants et dirigés par J. Kuhnau, G. Ph. Telemann, J. Fr. Fasch, J. S. Bach (1729-39) et J. G. Görner ; de Francfort/M. (1712-21), dirigé par G. Ph. Telemann. A partir de 1750, des associations publiques de → concert vinrent un peu partout recueillir la succession des c.m., sauf en Suisse, où ils subsistèrent plus longtemps. Le terme de c.m. a été repris au XX⁰ s., principalement dans les universités mais également par de petites formations de chambre.

Bibliographie — K. Nef, Die Collegia musica in der deutschen reformierten Schweiz, Saint-Gall 1897 ; M. Seiffert, M. Weckmann u. das C.m. in Hamburg, *in* SIMG II, 1900-01 ; C. Valentin, Gesch. der Musik in Frankfurt/M., Francfort 1906 ; A. Schering, Musikgesch. Leipzigs II, Leipzig 1926 ; G. Pinthus, Das Konzertleben in Deutschland, Leipzig, Strasbourg et Zurich 1932 ; E. Preussner, Die bürgerliche Musikkultur, Kassel 2/1950 ; K. Gudewill, art. C.m. *in* MGG II, 1952.

COL LEGNO (ital., = avec le bois), locution utilisée dans le jeu des instr. à archet pour indiquer que l'on doit exécuter un passage avec la baguette de l'archet et non avec les crins, soit en frappant légèrement les cordes, soit en les frottant. La fin du passage est marquée par le terme → « arco ». Cette technique a été utilisée par J. Haydn (2ᵈ mouvement de la *Symphonie n⁰ 67*) puis par F. Liszt (*Mazeppa*), A. Schönberg (2ᵉ acte de *Moïse et Aaron*) et A. Honegger (*La Danse des morts*), entre autres.

COLOGNE (Köln).

Bibliographie (ouvr. éd. à Cologne) — 1. Vie musicale et ouvr. généraux : F.C. Eisen, Der Kölner Männergesangverein... Unter Fr. Weber, 3 vol., C. 1852-89 ; K. Wolff, 100 Jahre Musikalische Gesellschaft..., C. 1912 ; E. Wehsener, Das Kölner städtische Orchester, C. 1913 ; A. Schmitz, Kölner Jesuitenmusik im 17.Jh., *in* AfMw III, 1921, ZfMw IV, 1921, et Gregoriusblatt XLVI 1921 ; H. Unger, Festbuch zur Hundertjahrfeier der Konzertgesellschaft in K., C. 1927 ; R. Oberheide, Das Orchester von K. (1913-38), C. 1938 ; 100 Jahre deutscher Männergesangverein. Kölner MGV (1842-1942), C. 1942 ; P. Mies, Das kölnische Volks- u. Karnevalslied, C., Staufen Verlag, 1951 ; H. Lemacher, 125 Jahre Gürzenichchor..., C., Staufen Verlag, 1953 ; W. Kahl, Studien zur Kölner Musikgesch. des 16. u. 17. Jh., C., Staufen-Verlag, 1953 ; U. Niemöller, C. Rosier (1640-1725), Kölner Dom- u. Ratskapellmeister, C., A. Volk, 1957 ; H. Oepen, Beitr. zur Gesch. des Kölner Musiklebens 1760-1840, Beitr. zur Musikgesch. der Stadt K., C., A. Volk, 1959 ; Kl.W. Niemöller, Kirchenmusik u. reichsstädtische Musikpflege im K. des 18.Jh., C., A. Volk, 1960 ; Das Gürzenichorchester 75 Jahre..., C., Greven, 1963 ; H.J. Zingel, Das Gürzenichorchester. Werden u. Sein, C., Gerig, 1963 ; H.J. Werner, Die Hymnen in der Choraltradition des Stiftes St. Kunibert zu Köln, C., A. Volk, 1966 ; G. Pietzsch, Fürsten u. fürstliche Musiker im mittelalterlichen K., C., A. Volk, 1966 ; H. Jensen, Untersuchungen zum Kölner Musikleben am Anfang des 20.Jh., C., A. Volk, 1969 ; K. Körner, Das Musikleben in K. um die Mitte des 19.Jh., C., A. Volk, 1969. — 2. Théâtres et spectacles : G. Hagen, Die Kölner Oper 1902-12, C. 1912. — 3. Enseignement : O. Klauwell, Das Conservatorium der Musik in K., C. 1912 ; Fs. zur Feier der Gründung des Kölner Konservatoriums, C. 1950. — 4. Bibliothèques et musées : G. Kinsky, Musikhistorisches Museum Heyer... Katalog, 3 vol. C. 1910-16 ; W. Kahl, Die alten Musikalien der Kölner Univ.- u. Stadtbibl., *in* 28. Kölner Geschichtsvereins XXVIII, 1953 ; G. Göller, Die Leiblsche Sammlung. Katal. der Musikalien der Kölner Domkapelle, C., A. Volk, 1964.

COLOMBIE (Colombia). La Colombie est un pays de l'Amérique du Sud fortement rattaché par son histoire à cette partie du continent, mais qui, baigné par la mer des Antilles, a absorbé beaucoup d'éléments culturels venant par voie maritime des îles de l'Archipel, où un type particulier de tradition musicale s'est développé. Selon le cas, sa mus. populaire relève de l'Espagne, des civilisations autochtones de la cordillère des Andes ou de l'Afrique, qui a marqué de son empreinte beaucoup d'aspects de la vie nationale. Le « bambuco » est la danse traditionnelle de la Colombie. Sa chorégraphie, proche de celle de la → « cueca » chilienne ou de la « marinera » péruvienne, évoque la mimique amoureuse du couple, interprétée par le peuple avec une retenue et une grâce toutes naturelles. C'était au son du « bambuco », au rythme ternaire et au mouvement modéré, que les troupes marchaient au combat au temps de la guerre de l'Indépendance (1810-19).

Comme en Argentine, les jésuites ont joué un rôle important dans l'implantation du goût de la musique. L'Italien José Dadey, débarqué en 1604, ouvrit une école de musique à Bogotá pour l'instruction des Indiens et des missionnaires. La tradition veut qu'à Fontibón, où un autre jésuite, le père José Hurtado, avait également créé une école, il fabriqua de ses mains un orgue rustique dont les tuyaux étaient de bambou. Juan de Herrera y Chumacero et Juan de Dios Torres furent, au début du XVIIIe s., les premiers compositeurs dont la réputation nous soit connue. Les œuvres du premier se trouvent conservées aux archives de la basilique primatiale de Bogotá. Dès 1783 Bogotá comptait un théâtre, autorisé par le pouvoir civil malgré l'opposition ecclésiastique. Mais c'est dans les salons de l'aristocratie locale que l'on cultivait une musique plus distinguée. La marquise de San Jorge, appelée la Jerezana parce qu'elle était née en Espagne, à Jerez de la Frontera, chantait, jouait du piano et, en compagnie de son amie doña Maria de los Remedios Cebollino, faisait entendre à ses invités les « tonadillas » à la mode. A l'époque des luttes pour l'Indépendance, Juan Antonio Velasco composa des chansons patriotiques, tomba aux mains des Espagnols (1816), réussit à s'échapper, s'engagea dans l'armée de libération et reçut une médaille d'or de Bolívar. Nicolas Quevedo Rachadell, aide de camp de Bolívar, fut un autre soldat-musicien. Avec Velasco, il participa activement à la vie musicale du nouvel État. Dans les vastes salons de leurs demeures, ils organisèrent des concerts avec orchestre, où l'on pouvait entendre, à côté de symphonies de Haydn, Mozart et Beethoven, les ouvertures des opéras italiens les plus en vogue. Chaque année, le 28 octobre, fête de Bolívar, l'un des concerts Quevedo était consacré à la mémoire du libérateur et se terminait habituellement par la *Canción patriótica* de Lino Gallardo, écrite en son honneur. On doit à Juan Antonio Velasco la fondation du premier conservatoire de musique, qui se tint au couvent de la Chandeleur et dans lequel enseignèrent José María et Eladio Cancino, ainsi que Mariano de la Hortua et ses enfants. Il existait alors des familles de musiciens en Colombie, les Cancino, les Hortua, les Quevedo et, un peu plus tard, les Figueiroa. Les enfants de Nicolas Quevedo Rachadell se groupaient autour de lui pour des concerts, et l'un d'eux, Julio Quevedo Arvelo (1829-1896), fut non seulement un compositeur éminent mais aussi un théoricien, un professeur et un facteur d'orgues. Son contemporain José Joaquín Guarín a été également un compositeur apprécié, auteur de mus. religieuse et de pièces de salon pour piano.

Guillermo Uribe Holguín (1880-1971) est la figure centrale de la mus. colombienne au XXe s. Élève de V. d'Indy à la Schola cantorum de Paris, il a dirigé pendant de longues années le conservatoire de Bogotá et a composé des œuvres importantes, auxquelles

il donna une certaine couleur nationale, faisant également appel à quelques innovations du langage musical en vogue à son époque. A ses côtés, Antonio María Valencia (* 1904), Carlos Posada Amador (* 1908), Adolfo Mejia (* 1909) et Roberto Pineda Duque (* 1910) représentent la première génération de compositeurs du XXe s., la deuxième ayant comme figures essentielles Fabio González-Zuleta (* 1920) et Luis Antonio Escobar (* 1925), encore attachés à une conception nationaliste de la musique mais évoluant vers d'autres perspectives. Les tendances les plus récentes de la mus. contemporaine sont représentées dans les partitions de Blas Emilio Atehortua (* 1933) et de Jacqueline Nova (* 1937). — Dans le domaine musicologique, Andres Pardo Tovar (1911-1972), directeur du Centre d'études folkloriques et musicales de l'Université nationale, a laissé une œuvre importante et significative.

Possédant un des meilleurs systèmes de radiodiffusion de cette partie du monde, la Colombie a fait bénéficier la musique des avantages d'un tel moyen de communication. En 1938, à une époque où les relations musicales entre les pays de l'Amérique latine étaient encore très précaires, la ville de Bogotá organisait la première un Festival ibéro-américain de musique pour célébrer le 4e centenaire de sa fondation. Bientôt, d'autres festivals du même genre, dans d'autres villes du continent, ont permis aux musiciens des différents pays de l'Amérique de mieux se connaître et de confronter leurs œuvres, leurs techniques et leurs idées.

Bibliographie — **1. Ouvrages bibliographiques :** R. STEVENSON, The Bogota Music Archive, *in* JAMS XV/3, 1962. — **2. Éditions monumentales :** M. CARVAJAL, Romancero colonial de Santiago de Cali, Cali, Carvajal & Cie, 1936. — **3. Études :** G. URIBE HOLGUÍN, Vida de un músico colombiano, Bogotá 1941 (autobiographie); E. DE LIMA, Folklore colombiano, Barranquilla 1942; A. PARDO TOVAR, Antonio Maria Valencia, artista integral, Cali 1958; du même, Los cantares tradicionales del Baudo, Bogotá 1960; du même, Rítmica y melódica del folklore chocano, Bogotá, Univ. Nacional de Colombia, 1961; du même, La cultura musical en Colombia, Bogotá, Ed. Lerner, 1966; J.I. PERDOMO ESCOBAR, Hist. de la mús. en Colombia, Bogotá, Editora ABC, 1963; R. STEVENSON, La mús. colonial en Colombia, trad. par A. Pardo Tovar, Cali, Inst. Popular de Cultura, 1964.

L.H. CORRÊA DE AZEVEDO

COLOPHANE (du grec kolophônia, = résine de Colophon, ville d'Ionie, en Asie Mineure ; angl., rosin, colophony ; all., Kolophonium, Geigenharz ; ital., colôfonia), matière résineuse, solide et transparente, de couleur jaune, obtenue à partir de la distillation de la térébenthine. Elle se présente sous la forme de petits blocs dont on enduit les crins de l'archet pour leur donner prise sur les cordes.

COLOR (lat., = couleur). **1.** Dans la notation du XIVe s., le c. désigne l'emploi de notes rouges au lieu de notes noires. L'usage de notes blanches ou évidées (« vacuae » ou « cavatae ») avec signification identique se répandit au cours de ce siècle, et lorsque, au début du XVe s., les notes blanches constituèrent la forme la plus courante de la notation musicale, la situation originale en fut complètement retournée : les notes noires représentèrent alors les notes « colorées ». Le sens du procédé reste le même dans tous les cas, bien que l'usage varie avec les styles. Les notes colorées perdent le tiers de leur valeur. Si elles sont parfaites dans la mensuration employée, le c. les rend imparfaites. Si elles sont déjà imparfaites, le c. introduit le rythme ternaire du triolet. La première apparition du c. figure dans le ténor de deux motets du *Roman de Fauvel* (1316). Comme l'auteur anonyme de la *Seconde Rhétorique* attribue l'invention du c. à Ph. de Vitry, ces deux motets pourraient bien être son œuvre (facs. de *Garrit gallus / In nova fert* in W. APEL, The Notation of Polyphonic Music... p. 331 ; voir Bibliogr.). Dans son ouvrage intitulé *Ars Nova*, Ph. de Vitry traite effectivement du c. et en relève plusieurs utilisations. L'une d'elles — notes colorées servant à distinguer un « cantus firmus » — fut utilisée au XVIe s. dans la mus. anglaise pour clavier. Toutes les possibilités inhérentes au système furent employées par les compositeurs de la fin du XIVe s., qui élaborèrent un style rythmique d'une extrême complexité. Les notes rouges peuvent amener des passages en syncopes (dans les ex. suivants, les notes colorées sont désignées par ⌐ ¬ comme dans les éd. modernes) :

A l'inverse de l'usage courant, elles peuvent être également utilisées pour ajouter à une note la moitié de sa valeur (usage mentionné dans l'*Ars Nova*) :

Les exemples les plus poussés de ce style maniéré introduisent des notes aux formes rares dans le but de créer une complexité rythmique encore plus grande : p. ex. 4 minimes rouges évidées (ou 2 brèves rouges évidées) prenant la place de 3 minimes noires. Au XVe s. les effets rythmiques créés par le c. sont d'une nature beaucoup plus modérée. Un exemple typique est fourni par la chanson *Quel fronte signorille* de G. Dufay (v. 1430 ; facs. *in* W. APEL, ouvr. cité, p. 103) :

La coloration de deux semi-brèves est un procédé courant, bien que dépourvu de toute signification rythmique. Il indique au chanteur l'achèvement d'une perfection laissée incomplète par les brèves noires. La structure rythmique (typique dans cette musique) apparaît ainsi plus clairement dans la notation originale que dans une transcription moderne. Le c. appliqué aux semi-brèves et aux minimes dans la → prolation mineure indique le maintien du rythme en triolets ; toutefois une utilisation fugace semble être l'indice de l'emploi du rythme pointé :

Dans la notation du XVIe s., le c. est souvent dépourvu de signification rythmique et se réfère au sens du texte. Le madrigal fait un fréquent emploi de cette expression visuelle du mot, qui convient particulièrement bien à une musique dont les « auditeurs » sont au premier chef les exécutants (voir P. de L'Estocart, *Octonaires de la Vanité du Monde* I, *J'ay veu que le Monde est un songe*).

2. Au XIIe s. ce terme s'applique à tout procédé permettant de rendre la musique plus attrayante. Pour Jean de Garlande, c. désigne la beauté du son (« pulchritudo soni »). Le c. peut être réalisé de plusieurs manières : par l'emploi de séquences mélodiques, par la technique de l'ornementation dénommée « florificatio » ou par l'emploi de la répétition musicale « soit à la même voix, soit à une autre ». D'après d'autres remarques, une dissonance lui semble ajouter du c. à une pièce, tout comme l'emploi de citations musicales dans les voix supérieures des motets. Dans ce large éventail de procédés, l'emploi de la répétition semble être le plus important ; il a fourni le sens principal du terme. L'Anonyme IV signale les « colores » (répétitions de phrases) qui caractérisent les répons à 3 et 4 voix de Pérotin ; en Angleterre, le c. est typique de la technique du « rondellus » (échange des voix). L'emploi le plus large du terme doit être rapporté à la répétition de phrases mélodiques (particulièrement au ténor) dans le motet isorythmique des XIIIe-XVe s. Les auteurs contemporains sont loin d'être d'accord en ce qui concerne l'emploi des termes ; ils ne font souvent aucune différence entre la répétition rythmique et la répétition mélodique. Chez les auteurs modernes, le terme de c. est couramment employé pour désigner la répétition d'un fragment mélodique alors que la répétition rythmique est dénommée → « talea ».

Bibliographie — JEAN DE GARLANDE, *in* Coussemaker Scr I, 1864 ; H. RIEMANN, Gesch. der Musiktheorie im 9.-19. Jh., Leipzig 1892, 2/1920, trad. angl. Lincoln, Univ. of Nebraska Press ; J. WOLF, Gesch. der Mensuralnotation von 1250 bis 1460, 3 vol., Leipzig 1904 ; A. EINSTEIN, Augenmusik im Madrigal, *in* ZIMG XIV, 1928 ; W. APEL, The Notation of Polyphonic Music 900-1600, Cambridge (Mass.), Medieval Acad. of America, 1942, 5/1961, trad. all. Leipzig, Br. & H., 1962 ; du même (éd.), French Secular Music of the Late 14th Cent., Cambridge (Mass.), Medieval Acad. of America, 1950 ; A. MACHABEY, La notation musicale, Paris, PUF, 1952 ; G. REANEY, art. C. *in* MGG II, 1952 ; du même, Ars Nova in France, *in* New Oxford Hist. of Music III, éd. par A. Hughes et G. Abraham, Londres, Oxford Univ. Press, 1960 ; F. MATHIASSEN, The Style of the Early Motet, Copenhague, Dan Fog Musikverlag, 1966 ; FR.LL. HARRISON (éd.), Motets of French Provenance, *in* Polyphonic Music of the 14th Cent. V, Monaco, L'Oiseau-Lyre, 1968.

D. CHADD

COLORATION (du lat. *colorare*, = orner ; angl., *coloration* ; all., *Kolorierung*), technique d' → ornementation et d'embellissement visant à transformer une mélodie connue en une nouvelle mélodie, plus riche, dont les liens avec le modèle ne sont pas nécessairement apparents. Elle a été appliquée principalement à la voix supérieure des pièces polyphoniques dès le XIVe s. et constitue l'une des caractéristiques majeures du style → cantilène du XVe s. (messes, motets, hymnes, etc.). A la même époque et au XVIe s., la mise en tablature des pièces vocales polyphoniques s'accompagnait d'une très abondante c. de la voix supérieure (tablature d'orgue, de luth, de guitare, etc.) :

utilisés au XVIᵉ s. dans la mus. de clavier, en particulier par ceux que l'on nomme les coloristes, les organistes allemands E.N. Amerbach, B. Schmid père et

G. de Machault, *De toutes flours*, ballade 31 à 3 voix, transcrite à 2 voix par suppression du contraténor dans le Codex Faënza (fᵒ 58 = 37ᵛ à fᵒ 59 = 38), avec c. abondante de la voix supérieure. Les notes surmontées d'un astérisque appartiennent à l'original de Machault.

Par l'intermédiaire du choral orné — H. Kotter, *Aus tiefer Not* (1532) en est le premier exemple — cette technique a subsisté jusqu'au XVIIIᵉ s. dans la musique des organistes protestants (voir l'art. CHORAL, § Le choral pour orgue). Elle ne se ramène pas seulement à une ornementation écrite en toutes notes mais consiste, dans la plupart des cas, en une véritable recomposition de la ligne mélodique abondamment pourvue de mélismes. C'est l'un des procédés privilégiés de la → variation à ses débuts; il apparaît nettement dans les → doubles des clavecinistes et des luthistes français du XVIIᵉ s.

Bibliographie (voir également l'art. ORNEMENTATION) — A. OREL, Einige Grundformen der Motettkomposition im 15. Jh., *in* StMw VII, 1920; R. VON FICKER, Die Kolorierungstechnik der Trienter Messen, *ibid.*; du même, Die frühen Messenkompositionen der Trienter Codices, *ibid.* XI, 1924; J. HANDSCHIN, Zur Frage der melodischen Paraphrasierung im M.A., *in* ZfMw X, 1927-28; E.H. SPARKS, Cantus firmus in Mass and Motet, 1420-1920, Berkeley et Los Angeles, Univ. of California Press, et Londres, Cambridge Univ. Press, 1963.

COLORATURA (ital., du lat. color ; all., Koloratur). **1.** Passage de virtuosité formé de trilles, gammes, arpèges, grands sauts, figures répétées, etc., qui, sous forme de vocalises, prend place dans un air de bravoure, en particulier dans les opéras des XVIIIᵉ et XIXᵉ s. influencés par le style de l' → « aria » italienne. Ces ornements étaient rarement notés — ou ne le furent qu'à partir du début du XIXᵉ s. (G. Rossini) — et leur improvisation était laissée à la liberté des chanteurs, → castrats et → « primadonne ». Ils constituent l'une des caractéristiques majeures du → « bel canto » italien. Un exemple fameux de c. est offert par l'air de la Reine de la nuit dans *La Flûte enchantée* de Mozart. Bien que l'opéra français du XVIIIᵉ s. ait également connu le chant orné et la virtuosité (ariette *Rossignols amoureux* d'*Hippolyte et Aricie* de J.Ph. Rameau, acte V, sc. 8), il s'est montré particulièrement réfractaire au style de la c., qui était à l'opposé du goût du naturel et de l'expression des Français. En allemand, « Koloratur » désigne tous les ornements du chant. — **2.** Le terme est également employé pour désigner les ornements stéréotypés

fils, J. Paix. — **3.** Voix de femme élevée et légère, particulièrement apte à exécuter des airs très ornés.

Bibliographie — **1.** M. GARCIA, Traité complet de l'art du chant, Paris 1847 ; H. GOLDSCHMIDT, Die Lehre von der vokalen Ornamentik I, Charlottenburg 1907 ; FR. HABÖCK, Die Kastraten u. ihre Gesangskunst, Berlin et Leipzig 1927 ; L. RICCI, Variazioni, cadenze, tradizione per canto, Milan 1945. — **2.** W. APEL, Gesch. der Orgel- u. Klaviermusik bis 1700, Kassel, BV, 1967, trad. angl., Bloomington, Indiana Univ. Press, 1972.

COMBINAISON (angl., combination ; all., Kombination), mécanisme de l'orgue permettant d'appeler d'un coup plusieurs jeux formant une registration. C. fixe : le choix est fait à demeure (appel d'anches, etc.) ; c. ajustable : le choix est enregistré à l'avance au gré de l'organiste. Les c. sont appelées par des pédales, des pistons (au pied), des boutons placés sous les claviers, des dominos basculants (à la main). L'appel du cornet en France, l'appel par laye en Allemagne (« Sperrventil ») et le « tutti » dans l'orgue italien sont les seules c. de l'orgue classique.

COMBO (angl.), voir BAND.

COMÉDIE-BALLET, comédie musicale qui mêle des intermèdes dansés à des textes parlés. La confusion entre la comédie lyrique et la c.-b. permet difficilement de classer les genres. Louis de Cahusac a entretenu cette confusion dans son article de l'*Encyclopédie*. La comédie lyrique ne diffère de la « tragédie en musique » que par la nature du sujet, mais elle est chantée d'un bout à l'autre. La c.-b. se rapproche de l'opéra-comique parce qu'elle juxtapose à un texte parlé de la musique et de la danse. Le créateur du genre fut Molière qui, dans *Les Fâcheux* (1661) distribua le peu de danseurs qu'il avait à son service dans le cours de la comédie. Pour ne pas rompre le fil de la pièce, il « s'avisa de les coudre au sujet du mieux que l'on put, et de ne faire qu'une seule chose du Ballet et de la Comédie ». Molière et Lully composèrent un certain nombre de c.-b. dont *Monsieur de Pourceaugnac* (1669), *Les Amants magnifiques* (1670) et *Le Bourgeois gentilhomme* (1670). Après eux, le genre sera beaucoup moins traité. Signalons toutefois *Le Carnaval et la Folie* de Destouches (1703), *Le Prince de Cathay* de J.B. Matho (1704), *La Vénitienne* de M. de La Barre (1705) et *La Princesse de Navarre* de Rameau (1745), dernier exemple d'un genre difficile à définir dans la mesure où, dès le XVe s., des confusions se sont établies avec des genres apparentés.

COMÉDIE MUSICALE, voir MUSIQUE DE FILM.

COMES (lat.), voir CONSÉQUENT et FUGUE.

COME STA (ital.), locution signifiant « comme c'est [écrit] » et interdisant d'orner la mélodie donnée.

COMMA, unité de petit intervalle. Selon les échelles musicales qu'ils ont imaginées, les théoriciens des gammes ont établi pour chaque cas des c. différents. Ainsi on connaît le c. pythagoricien, le c. schisma (système de Zarlino), le c. de Holder, etc. Toute la numérologie arithmétique des c. n'a qu'une signification théorique. Pour les praticiens, le c. signifie un intervalle très petit, inférieur au demi-ton, en fait le plus petit intervalle discernable sinon praticable systématiquement. Les musiciens ont généralement adopté le c. de Holder, qui correspond au 1/9 de ton, le demi-ton chromatique étant alors de 5 c., le demi-ton diatonique de 4 c. et leur différence de un comma. L'octave a 53 c. de Holder ; le ton holdérien est un peu plus grand que le ton tempéré. En fait, les musiciens, jouant sur l' → attraction et sur d'autres phénomènes perceptifs compliqués, se soucient peu de théorie, à juste titre, et utilisent des intervalles variables selon le contexte. Les discussions sur le c. ont donc peu d'intérêt pratique. — Voir également l'art. INTERVALLE.

COMMUN. Ce terme s'oppose à celui de → propre de la messe et de l'office. Il ne doit pas être confondu avec l' → ordinaire. A l'origine, les fêtes des saints avaient toutes un formulaire propre. Cela ne fut plus possible à partir du VIe s., quand ces fêtes se multiplièrent. Certaines fêtes solennelles avaient plusieurs formulaires. On en vint alors à composer des messes et des offices communs à plusieurs saints en utilisant des compositions antérieures. On trouve des c. dès les dernières années du IXe s., à la fin de plusieurs sacramentaires. Les plus anciens sont ceux des martyrs, des confesseurs et des vierges. Celui de la dédicace d'une église est de peu postérieur aux précédents. Les formulaires variaient d'une église à l'autre. Le bréviaire de Pie V les unifia. A une époque plus récente, on introduisit de nouveaux c., ceux des « non vierges » et de la Sainte Vierge. Le missel romain en a seize, dont neuf seulement ont un office complet. Le nouveau formulaire de la messe romaine a profondément modifié le commun. On y trouve en tête celui de la dédicace d'une église puis, dans l'ordre, celui de la Vierge, les c. des martyrs, des pasteurs, des docteurs, des vierges, des saints et des saintes, avec au total 53 messes très variées et très riches.

COMMUNION, rite de distribution des espèces eucharistiques aux fidèles. Il est accompagné par un chant (psaume, hymne ou antienne) qui porte le nom de c. au rite romain, abrégé d'antienne pour la communion. Jusqu'au XIe s. et même au XIIe suivant les régions, l'antienne de c. était accompagnée d'une psalmodie,

exactement comme l'antienne d'introït (voir l'art. ANTIENNE). Cet usage de la psalmodie durant la c. était fort ancien puisqu'on le trouve mentionné au IVe s. dans les Constitutions Apostoliques (VIII, 13 et 16), par St Cyrille de Jérusalem (Catéchèse mystique V, 20) et St Augustin (Sermones 225) au siècle suivant. On chantait habituellement, en Orient et en Occident, le Ps. 33 à cause du verset « Gustate et videte quoniam suavis est Dominus », qui sert encore de texte à la c. d'un des dimanches après la Pentecôte. Sévère d'Antioche a composé des hymnes pour la c. (Patrologie orientale VII, 678 et ss.) ; dans la liturgie gallicane, on chantait une hymne métrique dont le texte a été conservé par l'Antiphonaire de Bangor. Enfin, à Milan, c'est une antienne sans psalmodie qui était chantée au cours de la c. : elle portait le nom de « transitorium ». Fait notable, la série des « transitoria » ambrosiens offre moins de ressemblances avec la série des c. grégoriennes que la série des chants de fraction (« confractoria ») exécutés à Milan avant la c. lors de la fraction des hosties.

Dans le chant vieux-romain, on relève 38 antiennes de c. qui sont reprises de l'Antiphonaire, où, grâce à l'adjonction d'un verset, elles servent comme répons. Dans le chant grégorien, où la distinction des genres est mieux observée, on trouve beaucoup moins de pièces communes au Graduel et à l'Antiphonaire. On relève p. ex. la c. Ego sum Pastor (2e dimanche après Pâques), qui se reprend comme répons à l'Office, la c. Vos qui secuti (Apôtres), reprise comme antienne ; la c. Dominus Jesus (jeudi saint) est une antienne du « Mandatum ». Cette distinction des genres musicaux dans le chant grégorien permet d'expliquer pourquoi plusieurs c. évangéliques, de style syllabique, ont été par la suite revêtues de mélodies ornées, différentes les unes des autres suivant les régions. Il s'agit de 5 c. évangéliques de Carême, qui ont remplacé des c. psalmiques, formant une série continue empruntée aux psaumes, du Ps. 1 au Ps. 26 : c. Oportet (qui a remplacé la c. tirée du Ps. 12), 10 mélodies différentes ; c. Qui biberit (remplace la c. du Ps. 16), 6 mélodies différentes ; c. Nemo (remplace la c. du Ps. 17), 5 mélodies différentes ; c. Lutum (remplace la c. du Ps. 20), 7 mélodies différentes ; c. Videns (remplace la c. du Ps. 21), 4 mélodies différentes. A ces c. évangéliques de Carême se joignent 3 autres c. évangéliques du reste du répertoire : c. Mirabantur (dimanche après l'Épiphanie), 4 mélodies différentes ; c. Spiritus qui a Patre (mardi de Pentecôte), 4 mélodies différentes ; c. Vos qui secuti (Apôtres), 6 mélodies différentes. Les 136 c. du fonds primitif qui restent à examiner se répartissent ainsi : mode de ré (protus), 41 c. ; mode de mi (deuterus), 26 c. ; mode de fa (tritus), 31 c. ; hésitation entre tritus et tetrardus, 11 c. ; mode de sol (tetrardus), 27 communions. Plusieurs mélodies de c. ne sont que des adaptations de mélodies types à des textes nouveaux : Ab occultis → Per signum crucis ; Ego sum pastor bonus → Ego sum vitis vera ; Feci judicium + Involabit → Benedicimus (pour la fête de la Trinité, au IXe s.) ; Factus est repente → Quotiescumque (pour la fête du St Sacrement, au XIIIe s.). Les c. ont été moins souvent tropées que les introïts (cf. Analecta hymnica 49, pp. 345-359).

Bibliographie — D.R.J. HESBERT, Antiphonale Missarum Sextuplex, Bruxelles 1935 ; D.P. FERRETTI, Estetica gregoriana, Rome 1934, trad. fr. Tournai 1938 ; D.J. FROGER, Les chants de la messe aux VIIIe-IXe s., in Revue Grég. XXVII, 1948, tiré à part

Tournai, Desclée, 1950 ; Br. Stäblein, art. Communio in MGG II, 1952 ; J.A. Jungmann, Missarum sollemnia. Explication génétique de la messe romaine III, Paris, Aubier, 1954 ; M. Huglo, Antifone antiche per la « fractio panis », in Ambrosius XXXI, 1955.

M. Huglo

COMPLAINTE, chanson sur un sujet tragique, comportant de nombreux couplets et débutant par une invitation à écouter. L'origine de la c. est le → « planctus », long récit en latin sur des thèmes religieux ou tragiques (*Planctus Karoli, Ugoni Abbatis, Jacob super filios suos*). Le « planctus » tenait une place importante dans la littérature médiévale mais il ne fut jamais populaire, contrairement à la c. en français dont la tradition orale fut perpétuée par les chanteurs itinérants. Au XVIe s. on la définissait comme un récit narratif, triste et sérieux mais non pas comme une élégie ou une déploration, bien qu'au Moyen Age elle ait eu cet aspect. A l'origine, ces récits étaient surtout inspirés de la Bible et leurs mélodies tirées du chant grégorien. Par la suite, des sujets plus romanesques inspirèrent des c. célèbres telles que la c. du déserteur, celle du Juif errant, la chanson de Jean Renaud, la c. d'Henriette et Damon, celle de Geneviève de Brabant, côtoyant des récits religieux ou bibliques sur les thèmes de Joseph vendu par ses frères, de Judith et Holopherne et sur la Légende ou Passion du Christ, etc. Au XVIIIe s. la c. amorça une décadence en abordant des sujets satiriques et tomba peu à peu en désuétude.

Bibliographie — J. Tiersot, Hist. de la chanson populaire en France, Paris 1889.

COMPLIES (du lat. completorium, = fin), → heure canoniale qui termine la journée. Cet office, d'origine monastique, apparaît dans la *Regula ad monachos* de St Césaire d'Arles sous le titre « prière du dortoir ». Dans la *Regula monachorum* de St Colomban, il est « officium ad initium noctis ». Dans l'office monastique, les c. se composent de 3 psaumes (4, 90 et 133), de l'hymne *Te lucis ante terminum*, d'un capitule, d'un verset et de la bénédiction. L'office est suivi du chant du *Salve Regina* chez les cisterciens. Dans les monastères, les c. étaient précédées d'une lecture publique faite dans le cloître. L'office romain avait remplacé cette lecture par une leçon brève. Il avait ajouté un répons bref et le cantique de Siméon. La plupart des monastères qui ont abandonné récemment l'office de St Benoît ont adopté le romain. Depuis la réforme liturgique, l'office de c. romain comprend une introduction, l'hymne, un psaume qui varie chaque jour, un bref capitule dit « la Parole de Dieu », un répons bref, le cantique de Siméon et une oraison.

COMPOSITEUR (angl., composer ; all., Komponist ; ital., compositore; esp., compositor), artiste qui crée des œuvres musicales, mû à la fois par son intuition, son imagination et une parfaite connaissance de son métier. L'intuition, l'inspiration, auxquelles l'opinion accorde généralement un rôle exagéré, ne sont que le point de départ que certains, se sentant plus artisans qu'artistes, jugent même négligeable. Elles peuvent nourrir l'imagination et donner lieu, en liaison avec une parfaite technique instrumentale, à de géniaux élans d'improvisation. Mais composer, c'est construire, assembler, élaborer intelligemment, avec art, goût et discernement à partir des idées premières intuitives. Le vrai c. doit donc acquérir la maîtrise absolue de ce langage spécifique dans lequel il veut exprimer et transmettre ses pensées, ses émotions, ses sentiments par d'importantes études fondées autant sur une somme d'éléments techniques du langage musical que sur la connaissance des œuvres des grands créateurs : théorie, solfège, harmonie, contrepoint et fugue, rythmique et dynamique sonore, instrumentation et orchestration, étude et analyse des formes musicales. Une technique instrumentale poussée et une vaste culture générale et esthétique ne peuvent que favoriser encore la liberté, l'aisance et la richesse du processus créateur. — Voir également l'art. Composition.

COMPOSITION (lat., compositio; angl., composition; all., Komposition; ital., composizione; esp., composición). En musique, le terme désigne de nos jours une œuvre d'écriture élaborée, dont la réalisation suppose l'existence d'un don de création musicale et d'une formation approfondie, et dont le but est l'exécution sonore. Du point de vue des → droits d'auteur, est considérée comme c. toute création individuelle, indépendamment de sa valeur artistique.

Par la personne du compositeur, en particulier par sa situation sociale, une c. est intimement mêlée au contexte historique (politique, religieux, culturel et social) dans lequel elle voit le jour. Toutefois, composer implique un mode spécifique de pensée exprimée en sons, qui suit des règles et une logique internes et qui, d'une part, est en accord avec la → théorie de la musique, d'autre part, en tant qu'objet de réflexion, peut même influencer, déterminer ou appuyer des théories. L'art de composer s'acquiert par l'étude de la c. en tant que discipline (harmonie et contrepoint; technique dodécaphonique, sérielle ou tout autre système; rythmique, métrique, étude des formes et de l'instrumentation) et, au début tout au moins, se rattache aux œuvres d'un maître élu pour modèle. Cependant, pour être valable, l'œuvre composée doit répondre à une exigence de nouveauté et d'originalité. En tant qu'écriture élaborée de la musique s'opposant à l' → improvisation, la c., dans ses débuts comme au cours de son évolution, est indissociable de l'histoire de la → notation. Dans la → monodie, elle n'apparaît d'une manière évidente qu'à partir du IXe s. (séquence, trope); dans la → polyphonie, à partir du XIIe s. (organum), c.-à-d. après l'élaboration de la notation modale (voir les art. École de Notre-Dame et Discantus), qui ajoute à l'écriture des sons la précision de la durée. Depuis, l'histoire de la c. est au centre même de l'histoire de la mus. occidentale. Chaque œuvre de quelque importance se situe dans une histoire de sa conception qui se reflète dans l'interprétation, les traditions d'exécution et l'édition musicales.

En ce qui concerne sa logique et son mode d'expression, la c. est déterminée par l'état historique des données du langage musical (système, échelle et tonalité, relation entre partie séparée et résultante harmonique, traitement de la dissonance, mesure et division du temps, mètre et rythme, etc.). Ces données, qui se conditionnent mutuellement, forment un système de valeurs musicales auxquelles la c. doit se soumettre mais qu'elle aspire également à enrichir et à transformer pour créer de nouvelles possibilités d'expression. La valeur historique d'une c. tient à l'importance de cette transformation, tandis que la c. considérée comme réalisation d'un système de valeurs est l'expression unique, et donc irremplaçable, d'une époque ou d'une personnalité. Alliée à la qualité, qu'il faut définir et analyser comme une plénitude du sens, elle tend par conséquent à atteindre une valeur durable. Si l'on peut dire que l'événement historique est prédominant dans les *Cento Concerti ecclesiastici* de L. da Viadana, dans l'œuvre de C.Ph.E. Bach ou dans celle de J. Stamitz p.ex., mais que, dans leur ensemble, les œuvres de H. Schütz, de J.S. Bach ou de W.A. Mozart dépassent de loin en qualité les valeurs musicales de l'époque, les deux aspects s'allient d'une manière remarquable dans l'art d'un G. Dufay, d'un Cl. Monteverdi ou d'un Cl. Debussy.

Cependant, en dehors de toute contrainte historique, la c. doit toujours répondre aux impératifs du langage sonore : clarté, diversité et cohésion, conclusion. Certains processus historiques de c. se répètent : ainsi la pénétration de la dissonance à l'intérieur de l'œuvre musicale à partir de la formule conclusive, ou la cristallisation formelle d'éléments annexes tout d'abord improvisés. Un ensemble de réalités inhérentes à toute c. peut être circonscrit par les termes suivants : répétition (également → « ostinato », séquence, échange des voix, → renversement), → imitation, transformation (voir l'art. VARIATION), → ornementation (voir les art. COLOR, § 2, COLORATION, DOUBLE). Certains points de vue restent également constants, comme ceux qui président aux relations entre la musique et le langage (grammaire, rhétorique, → déclamation) que l'on retrouve dans les principes de c. (construction) et dans la terminologie, ou bien encore la création musicale issue d'un contexte social (mus. de circonstance, de salon). Si l'on ne peut considérer l'histoire de la c. sous l'angle du perfectionnement (du progrès) puisque chaque transformation entraîne une perte en même temps qu'un enrichissement, il se dégage néanmoins une certaine aspiration à atteindre un but, à l'intérieur non seulement de l'œuvre d'un compositeur mais aussi d'une époque. Ainsi la polyphonie médiévale a-t-elle fait progresser avant tout les possibilités rythmique de la c. (en même temps que la notation) jusqu'à l'Ars Nova et l'Ars Subtilior du XIVe s.; l'art de J.S. Bach marque l'apogée d'une époque où s'affrontent la polyphonie contrapuntique et la logique harmonique qui s'émancipe; et l'on peut définir le XIXe s. comme l'ère de la sublimation croissante et de la dissolution de l'harmonie fonctionnelle. On peut donc parler d'une finalité de l'histoire de la c. : dans la recherche toujours plus poussée de la nouveauté liée à l'accroissement des moyens de c.; de même dans le passage de l'anonymat du compositeur à la citation d'un nom à partir du XIVe s., puis au concept de l' « ingenium » au XVIe s. et à celui de génie au XVIIIe s.; de même encore dans l'évolution de la c., depuis ses liens étroits avec le langage au Moyen Age jusqu'à l'apparition du concept de mus. absolue au XIXe s. et de c. absolue ou totale au XXe s., en passant par l'expression musicale du mot à la période humaniste et à la Renaissance, par le langage instrumental de la période baroque et son interprétation en mus. pure à la période classique.

Le Moyen Age. La littérature musicale du Moyen Age emploie généralement les termes « componere » et « compositio » au sens propre (en opposant souvent « simplex » et « compositus ») pour désigner p.ex. la formation d'intervalles simples ou dérivés (COUSSEMAKER Scr. III, 424 b : « ... tonus cum dyapente... dicitur a tono et dyapente compositus »), d'intervalles (« simplices symphoniae ») et d'accords à plusieurs sons (voir GERBERT Scr. I, 162 a), d'une monodie et d'une phrase polyphonique (COUSSEMAKER Scr. IV, 26 b : « simplex cantus — compositus cantus »), de notes isolées (« figurae simplices ») et de ligatures (*ibid*. III, 336), d'unités de temps et de valeurs composées (*ibid*. III, 137 b). Dans une terminologie plus précise (souvent difficile à distinguer du sens premier), « componere » et « compositio » désignent la formation d'un « cantus » qui répond à des critères d'enchaînement des sons, de construction, de rythme, d'unité, de diversité, d'euphonie, avec, dès le début du XIe s., l'obligation d'être noté (Guy d'Arezzo, *Micrologus*, chap. XV : « De commoda vel componenda modulatione »; Johannes Affligemensis, *De arte musica*, chap. XVIII : « Praecepta de cantu componendo », in COUSSEMAKER Scr. I, 117). Il s'agit là, très vraisemblablement, d'un emprunt à l'idée de « compositio » dans la rhétorique antique, où le terme désignait la réunion harmonieuse des mots en une phrase, compte tenu de leur articulation et de leur choix, cela visant à « recte et bene dicere ». A côté du terme « componere », dont le sens s'est fixé et qui, à partir du XIIIe s., désigne de plus en plus exclusivement la mus. polyphonique, apparaît le terme « modulari » (Johannes Affligemensis, ouvr. cité, *ibid*. I, 77 : « ... modulatur id est componitur »). Dans son emploi spécifiquement musical, il est plus concret dans sa signification, qui se rattache à la notion de → mode, et plus exhaustif dans l'utilisation qu'on peut en faire (« modulatio »). Jusque vers la fin du Moyen Age, on trouve, outre « componere » et « modulari », employés parfois avec le même sens et la même importance, les termes « fingere » (Boèce, *De institutione musica* I, 34), « facere » (Guy d'Arezzo, *in* COUSSEMAKER Scr. IV, 167), « formare » (Jean de Grouchy, éd. E. Rohloff, p. 57), « ordinare » (« tenorem »; Aegidius de Murino, *in* COUSSEMAKER Scr. III, 24), « notare » (Anonyme A. de Lafage, *in* Ann. Mus. V, 1957, p. 30), « edere » (*Quartum principale*, *in* COUSSEMAKER Scr. IV, 268), « scribere » (Prosdocimus de Beldemandis, *ibid*. III, 194). De même que ces différents termes, « componere » apparaît presque toujours, jusqu'au XVe s., associé à un autre mot qui en précise l'objet (« componere cantum, cantilenam », etc.; « compositor cantus » ou « cantuum »).

Si l'on peut considérer l' → organum et le → conduit de Pérotin, le → motet après Ph. de Vitry, la → chanson (voir également les art. BALLADE, RONDEAU, VIRELAI et CANTILÈNE) après G. de Machault, la → « ballata » et le → madrigal après Fr. Landini comme des formes déjà très évoluées de c., si l'histoire de la c. médiévale, dans son évolution du déchant (voir l'art. DISCANTUS) au → contrepoint, de l' → École de Notre-Dame à l' → Ars Antiqua, à l' → Ars Nova et à l' → Ars Subtilior puis à l'art du → « Trecento », apparaît comme une ouverture et une transformation constantes du système de valeurs musicales, la notion moderne de c., création d'un individu, ne s'est développée que très lentement dans la pensée du Moyen Age, à partir du XIIIe s. environ. La conception, l'écriture, la notation, la recherche et la création, tout cela ne s'entendait en premier lieu que comme la gestation artificielle, reposant sur la science, l'apprentissage et la pratique, d'un être sonore en perpétuel devenir tendant à la réalisation de l' « harmonia », cette élaboration devant sans cesse être éclairée par la tradition et l'autorité et prendre racine dans la contemplation.

La Renaissance. Aux XVe et XVIe s., avec l'humanisme et la → Renaissance, libertés et possibilités de la c. s'accroissent en liaison avec l'apparition de l' → harmonie nouvelle (un nouvel idéal de « suavitas » harmonique remplace le primat de la « subtilitas » rythmique), de la c. libérée du → « cantus firmus », de la traduction musicale d'un texte ou d'un sentiment, de différentes recherches telles que la variété, l'élégance, l'ornement et l'expression. Pour J. Tinctoris (*Liber de arte contrapuncti*, 1477, prologue, *in* COUSSEMAKER Scr. IV, 77 b), ce n'est qu'à partir des années 1430, avec les œuvres de J. Dunstable, G. Dufay et G. Binchois et le début de la mus. franco-flamande (voir l'art. ÉCOLE FRANCO-FLAMANDE), qu'on peut trouver « quippiam compositum... quod auditu dignum ab eruditis existimetur ». Il distingue également d'une manière très nette l'exécution improvisée d'une polyphonie (→ chant sur le livre, « super librum cantare », → « sortisatio ») et l'écriture élaborée d'une mus. polyphonique (« cantus compositus », → « res facta ») et définit le compositeur : « est alicujus novi cantus editor » (*Diffinitorium*, 1473-74). Glarean aussi s'explique sur la valeur nouvelle du compositeur quand il compare « phonascus » et « symphoneta » (ce dernier appelé communément « compositor », préface du 3e livre du *Dodecachordon*, 1547) et qu'il fait l'éloge des « symphonetae » importants de son temps (« De Symphonetarum ingenio », ouvr. cité, 3e livre, chap. XXVI). Le « musicus-cantor » de la fin du Moyen Age se voit remplacé par le « musicus-componista », qui met tout son souci théorique au service de la création musicale. La réussite de l'œuvre musicale tient aux « viribus ingenii » (« naturali quadam ac ingenita virtute magis quam arte », *Dodecachordon*, 2e livre, chap. XXXVIII), à l' « impetu quodam naturali » (A.P. Coclico, 1552), au « celeste influsso » (P. Aaron, 1545); se conformant à l'enseignement par l'imitation, elle s'inspire des modèles illustres mais doit cependant apporter des éléments nouveaux et contribuer au perfectionnement constant de la musique. Comme « opus perfectum et absolutum », elle survit à la mort et fonde la réputation du compositeur (N. Listenius, 1537).

A côté de la notion de → contrepoint, lié par son nom même à des règles précises, apparaît dès le début du XVIe s. le terme « compositio », d'abord synonyme puis fixé au sens précis et plus étendu de forme (« constitutio cantilenae », A. Ornitoparchus, 1517). « Compositionis regula liberior est, et in hac plura licent quam in contrapuncto » (A.P. Coclico, 1552). Le concept de « compositio » exclut désormais le contrepoint improvisé, englobe le contrepoint écrit et va recouvrir toutes les innovations de l'écriture musicale. L'enseignement du contrepoint dans la première période humaniste, tel qu'on le trouve dans les traités de Fr. Gaffurio (1480), Adam de Fulda (1490) et J. Tinctoris, est élargi en un enseignement de la c. (« ars componendi »). Cette évolution fut surtout l'œuvre d'une école musicale rattachée à l'université de Cologne (N. Wollick et Melchior Schanppecher, J. Cochlaeus, Glarean) et était fortement influencée par les c. de Josquin des Prés. Il faut citer ici les traités imprimés de Schanppecher (*Ars componendi*, qui forme la 4e partie de l'*Opus aureum musicae*, Cologne 1501), J. Cochlaeus (1511), A. Ornitoparchus (1517), J. Galliculus (1520) et O. Luscinius (1536). En Allemagne apparut au milieu du XVIe s. une tradition particulière de c. sous la dénomination humaniste de « musica poetica » (« melopoïe »). En Italie parurent les traités des élèves d'A. Willaert, N. Vicentino (1555) et G. Zarlino (1558); ce dernier exposait une conception fondamentalement nouvelle de la « musical prattica », qui connut un grand rayonnement (G.M. Artusi, 1586-89 et suiv.; L. Zacconi, 1592; S. Calvisius, 1592; Th. Morley, 1597; J.P. Sweelinck) mais qui en Italie devint, dès les années 1570, pour les défenseurs d'un art nouveau (voir l'art. CAMERATA FIORENTINA), l'exemple même de théories surannées. A côté de cet enseignement inspiré de la mus. vocale et en relation avec le développement systématique de la → diminution (également vocale) et de la → variation, on voit s'épanouir une littérature didactique pour l'orgue (→ « Fundamentum »; A. Schlick, 1511) ainsi que des ouvrages relatifs à la facture instrumentale.

L'époque baroque. L'histoire de la c. au XVIe s. et au début du XVIIe s. a été déterminée essentiellement par l'importance croissante de l' → harmonie dans l'élaboration de la phrase musicale, par l'apparition d'une mus. instrumentale indépendante (→ « ricercare », → « toccata », etc.) et surtout par une recherche toujours plus soutenue de l'expression (du texte et des sentiments). A l'opposé du contrepoint, celle-ci justifiait et constituait un nouveau système de valeurs musicales s'appuyant sur la signification et l'autorité des figures musicales, et concernant bientôt également la mus. instrumentale pure. Ces innovations se regroupèrent sous les notions de → « coro spezzato », → polychoralité, → concerto, → basse continue, → « musica reservata », → monodie, → « seconda pratica » (→ chromatisme, « durezza », → consonance-dissonance). En même temps, le caractère profondément inconciliable des anciens et des nouveaux principes de c. allait entraîner son éclatement en « styles ».

Conformément aux styles les plus importants du XVIIe s. (→ baroque), c.-à-d. l'ancien « stilus ecclesiasticus » (contrapuntique) prôné par l'Église catholique, le style choral renouvelant la tradition « a cappella » du motet, le nouveau style monodique concertant et la → basse continue qui s'y rattache, l'enseignement de la c. se divise, dès le début du siècle : 1o en un enseignement qui, pour l'essentiel, reste fidèle à la tradition contrapuntique : le style palestrinien (A. Berardi, 1690, et même J.J. Fux, 1725); 2o en un enseignement qui bâtit une théorie de la c. sur cette tradition (J.A. Herbst, *Musica poetica*, 1643; J.G. Walther, *Praecepta der musikalischen Composition*, 1708); 3o enfin en un enseignement adapté au « stilus recitativus » (Chr. Bernhard) auquel s'ajoute la pratique de la basse continue. Celle-ci, que Fr. Gasparini, en 1708, désigne par les termes de « composizione estemporanea », fut enseignée dès la fin du XVIIᵉ s. comme une « voie menant à la composition » (Fr.E. Niedt, *Musicalische Handleitung* I, 1700; J.D. Heinichen, *Der Generalbass in der Composition*, 1728; G.A. Sorge, 1745-47, et J.Ph. Kirnberger, 1781) et reste liée jusqu'au XIXᵉ s. à l'enseignement de l'harmonie apparu avec le *Traité d'harmonie* (1722) de J.Ph. Rameau.

S'opposant au *Gradus ad Parnassum* de J.J. Fux (1725), issu de la tradition vocale et de la c. à 2 voix avec « cantus firmus », l'enseignement de J.S. Bach était entièrement conçu en fonction de la mus. instrumentale (« clavieristisch ») et de l'harmonie. Selon le témoignage de ses élèves (J.Ph. Kirnberger, C.Ph.E. Bach d'après J.N. Forkel), une leçon de c. donnée par Bach commençait par le jeu et la réalisation d'une basse continue (d'après Fr.E. Niedt, *Musikalische Handleitung*, Spitta II, p. 597) et l'harmonisation à 4 voix d'une mélodie de choral. Ensuite seulement, sur cette base de la plénitude de l'écriture harmonique, venait l'initiation aux différentes techniques de la c., pour lesquelles les œuvres didactiques du maître servaient de modèles (les *Inventions*, *Le Clavier bien tempéré* et *L'Art de la fugue*). Que Bach ait fondé son enseignement sur le choral protestant, cela s'explique par l'interpénétration, caractéristique de la richesse de son écriture, du système modal (tons ecclésiastiques) et du système tonal majeur - mineur (*O Haupt voll Blut und Wunden* p.ex.). Et si C.Ph.E. Bach qualifie d'antiramistes les principes de son père, il faut entendre par là leur opposition à la réduction faite par Rameau de l'harmonie et de la conduite mélodique aux « principes naturels » qui seront effectivement de règle par la suite.

Durant la période préclassique (→ École de Mannheim, → École viennoise, § 1; C.Ph.E. Bach, J.Chr. Bach), le système de valeurs fut converti en principes fondamentaux d'un langage musical essentiellement instrumental. Ces principes constituèrent la norme de la période classique : harmonie cadentielle claire (harmonie fonctionnelle), ligne mélodique inspirée du « Lied » ou de la danse, métrique nettement dessinée à travers la mesure ou le groupe de mesures articulé en éléments de phrases (mesure isolée, groupes de mesures, demi-phrase, période; voir l'art. CARRURE), qui, associées à la dynamique et en alternance avec des développements (souvent à séquences et modulants), se correspondent selon le principe de l'exposition et de la réponse (symétrie), et qui permettent les effets de contraste par un continuel processus de conclusion et de recommencement. La forme à travers laquelle se traduit ici la dimension spécifiquement humaine (limitée toutefois par des conventions) est la forme → sonate et le cycle de la sonate lui-même (avec les formes → lied, → variation et → rondo),

et en particulier le → menuet, qui, comme forme type de chant à danser, répond parfaitement aux principes énumérés plus haut. A l'époque de Mozart, son importance dans l'enseignement de la c. peut se comparer à celle du choral dans l'enseignement de Bach. Les principaux traités de c. de la fin du XVIIIᵉ s., ceux de J. Riepel (1752) et H.Chr. Koch (1782-93), placent au premier plan la métrique des groupes de mesures (carrure), l'illustrent généralement par des fragments de danses (surtout des menuets), expliquent les cas généraux et codifient les exceptions. Pourtant, le classicisme viennois commence dès le moment où, sur la base des normes établies, la c. se réalise comme un événement unique, où l'humain est élevé à l'individu, comme c'est déjà le cas dans le menuet du *Trio* KV 65a (n° 4) de Mozart (1769) reprenant le premier

motif rythmique du menuet  ;

le mètre (⁄ ∪ ∪) s'anime grâce à l'accentuation, aux liaisons, au phrasé changeant pour apparaître d'autant mieux par la suite comme l'élément normatif :

La c. en tant que pratique de certaines normes a été poussée par le classicisme viennois à un niveau de raffinement extrême dans la → symphonie, → la sonate, → le concerto, → l'opéra, la mus. d'église, la → fantaisie et → fugue, et en particulier dans le → quatuor à cordes. Il a ainsi enrichi l'art de composer par divers procédés : l'accompagnement obligé, le partage des motifs entre plusieurs voix (« durchbrochene Arbeit ») et le travail thématique, la technique du développement, la dérivation et la variation des motifs, des thèmes et des phrases musicales ainsi que, d'une manière générale, par son adhésion à la vérité quotidienne de l'action dans l'opéra-bouffe et son assimilation de la tradition viennoise du contrepoint et de l'étude de Bach. L'homme — avec sa vitalité, son individualité, sa liberté (grâce aux contraintes) et sa beauté qu'éclaire l'esprit — constitue le centre de l'art classique. Le fait que l'élément humain soit déjà inhérent à ces principes normatifs par le caractère « Lied » du chant, la pulsation intérieure dans la mesure et la correspondance exposition-réponse, a permis la parfaite fusion entre la signification (contenu) et l'apparence (forme) de la c., et par conséquent la pureté toujours admirée de cette musique; pureté en ce sens qu'il n'est pas nécessaire d'y faire intervenir la dimension intellectuelle voulue par le compositeur, ce qui répond au caractère intuitif et intangible de la musique.

Les XIXᵉ et XXᵉ siècles. L'histoire de la c. à cette époque est celle d'un débat constant avec le classicisme viennois (et, de plus en plus, avec l' → histoire de la musique même), d'une part entre une adhésion consciente au passé et une volonté de le perpétuer (Mendelssohn, Schumann, Brahms, Reger) et d'autre part une recherche déterminée de nouveauté (Berlioz, nouvelle école allemande, musique de l'avenir, Debussy). Conservatisme et fanatisme progressiste forment une de ces antithèses qui caractérisent le XIXᵉ s. et qui se sont révélées de diverses manières : par opposition à la qualité (épigones et oubli total ; génie sublime et contingence historique), dans le conflit des données sociologiques (rapport bourgeoisie-masses, artiste-public, intimité-publicité) et dans le contraste des ordres de grandeur : d'un côté la modération et la « Gemütlichkeit » petite-bourgeoise (Schumann), les dimensions très réduites des → pièces de caractère, de la mus. de → salon et de la mus. → domestique (voir également les œuvres de Schumann *pour la jeunesse*, op. 68 et 79 avec frontispices de L. Richter) ; de l'autre le fantastique et le gigantesque, les dimensions développées à l'extrême du drame musical, de la symphonie et des œuvres destinées à une occasion solennelle (all., Festmusik).

L'antithèse fondamentale de la mus. du XIXᵉ s. apparaît avant tout dans la dislocation de l'unité classique signification-apparence, en la dualité contenu (expression) et forme (mus. absolue). La conception abstraite de la → forme (théorie de la forme) entraînait l'isolement du contenu qui, « voulu » et très diversement interprété par le romantisme musical, fut érigé en principe motivant la c. et qui, ainsi envisagé, commençait à rendre problématique la « pureté » de la musique. Avec Beethoven apparaît un art qui tend résolument à se dépasser, si bien que chez lui « une conception musicale ne suffit plus à tout expliquer » (J. HANDSCHIN, Musikgesch. im Überblick, 1948, p. 349). Au cours du XIXᵉ s., apparaît un élément venu de l'extérieur et destiné à être le contenu de la c., l'impulsion des « formes sonores en mouvement ». Il porte le nom de programme (voir l'art. Musique à PROGRAMME) : Berlioz voyait sa *Symphonie fantastique* comme une œuvre « où le développement de mon infernale passion doit être peint » (*Lettres intimes*, éd. par Ch. Gounod, Paris 1882, p. 63), soit impression et choc violent (les *Huit Scènes de Faust* de Berlioz devaient « épouvanter le monde musical », *ibid.*, p. 30) ; soit révolution de l'humanité (« l'œuvre d'art totale » de Wagner est pour lui une préparation et une expression de la société humaine parfaite qui doit remplacer « l'incapacité de notre frivole culture », *Das Kunstwerk der Zukunft*, 1850) ; soit « prophétie de mort », « soumission », « transfiguration » (Bruckner à propos de sa *8ᵉ Symphonie*, le 27 janv. 1891) ; soit nostalgie d'une nature, image de pureté et de rédemption (G. Mahler parlant de sa musique le 18 fév. 1896 : « Partout et toujours, elle n'est que l'écho de la nature »). « Le déchirement vient d'ailleurs, au-delà du mouvement propre de la musique. C'est elle qui est agressée » (TH.W. ADORNO, Mahler, 1960, à propos de la 1ʳᵉ *Symphonie* de Mahler, 1ᵉʳ mouvt., partition p. 35). Particulièrement délicat et musical est le courant poétique qui anime la musique du XIXᵉ s. et qui s'exprime également dans le terme allemand « Tondichter » (le 30.7.1817, Beethoven écrit à Nanette Streicher qu'il a « gedichtet oder wie man sagt komponirt »). L'un des buts recherchés par Schumann dans sa *Neue Zeitschrift für Musik* est de « préparer les voies à une nouvelle ère poétique, de contribuer à en hâter l'avènement » (introd. à l'année 1835). Plus « les éléments apparentés à la musique portent

en eux-mêmes les pensées et les images nées avec les sons », plus l'expression musicale sera « poétique » (Schumann, compte rendu de la *Symphonie fantastique* de Berlioz, 1835). Le caractère poétique de la musique repose sur des analogies et des associations ; c'est en quelque sorte la musicalité de la poésie, c.-à-d. l'expression artistique d'une émotion ou d'un état d'âme momentanés au contact de la réalité. La poésie est la ligne de force qui justifie « l'apparente absence de forme » et qui libère la musique de la correspondance introduction-conclusion et de la règle du temps fort, si bien qu' « elle semble s'élever d'elle-même à une ponctuation poétique d'un niveau supérieur (comme... dans la prose de Jean-Paul) » (Schumann, *ibidem*).

Ainsi se trouve dessiné au XIXᵉ s. le processus historique qui a mené à la musique du XXᵉ s. C'est d'ailleurs la puissance de l'histoire qui a motivé la c. (considérée dans son contenu) ; « ... ce sont des tendances extra-musicales... qui ont été à la source des transformations dans toutes les formes qu'a revêtues la matière musicale » (A. Schönberg, *Structural Functions of Harmony*, 1954 ; p. 74). En modifiant le système de valeurs jusqu'aux limites de la tonalité — à travers l'harmonie, la mélodie et la métrique —, en cherchant à faire éclater les formes traditionnelles et à en créer de nouvelles, individuelles et par conséquent indissociables de ce contenu immédiat, ces tendances ont à nouveau effacé la dualité contenu et forme et ont acheminé la musique vers une nouvelle pureté intrinsèque. Ce nouveau caractère absolu de la musique s'est révélé en particulier dans l' → atonalité et l'expressivité de l' → École viennoise (§ 2). La matérialité de la musique y gagne une nouvelle autonomie. Les contenus deviennent informulables. L'acte de composer même prend un caractère absolu dans la mesure où style, genre et forme deviennent secondaires et où le processus de composition passe dans le domaine de l'« organisation matérielle » (mus. → sérielle, → électronique, → concrète). La forme naît (de même que le contenu) chaque fois différente, ou bien elle est abandonnée au jeu du hasard (mus. → aléatoire). Le matériau musical n'est plus limité par une sélection et par un système de valeurs prédéterminé, mais tend au contraire à atteindre l'illimité, auquel le compositeur imposera des normes selon les cas. A partir de Schönberg, Berg et Webern, il est question de c. « totale », en ce sens qu'elle semble échapper à toute formulation de règles et qu'elle « ne fait appel qu'à l'instinct aussi bien chez les compositeurs que chez les auditeurs » (B. Bartók, 1920). « Qui oserait ici réclamer des théories ? » (A. Schönberg, dernière phrase de son *Traité d'harmonie*, 1911).

Pourtant ce sont précisément les tentatives de pénétration théorique de la musique de l'École viennoise (en particulier les œuvres de Webern) qui forment la toile de fond de la mus. sérielle, dont les coordonnées ne prédéterminent pas seulement les caractéristiques sonores (qualité, hauteur, couleur, etc.) mais également les qualités propres de la c. musicale (structure, densité, groupement, etc.). La limitation d'une matérialité illimitée (détermination des valeurs) ne se fait plus ici en tant qu'agencement de sons ; l'œuvre se soumet au plan qui la dirige. Le problème de la mus. nouvelle après 1950 semble être celui du public, provenant du fait nouveau que « la conception devient plus importante que l'exécution et l'audition » (E. Křenek, *in* Die Reihe I, Vienne, UE, 1955). Mais cela n'aura qu'un temps. Les grands traités de J.J. de Momigny (1803-06), A. Reicha (1818 et suiv.), G. Weber (1817-21), J.B. Logier (1827), A.B. Marx (1837-47), J.Chr. Lobe (1850-67), S. Sechter (1853-54), E. Prout (en recueils séparés, 1876 et suiv.), S. Jadassohn (1883-89), V. d'Indy (1903 et suiv.) associent d'une manière progressive les éléments didactiques issus du classicisme et de la période baroque : harmonie (construction mélodique et c., formes mineures), contrepoint (avec canon et fugue), étude des formes et instrumentation. Cet enseignement va de la. « c. « pure » à la c. « appliquée » (A.B. Marx), de la « c. savante » à la « c. libre » (S. Jadassohn), du « dessin musical » (forme) à la « coloration musicale et à la caractérisation » (H. Riemann, préface au vol. III de la *Grosse Kompositionslehre*, 1913) et s'appuie essentiellement sur l'analyse d'exemples historiques. La tradition didactique de la c. au XIXe s. est couronnée par l'ouvrage de H. Riemann, *Grosse Kompositionslehre* (1902-13). Parmi ses prédécesseurs, il faut citer H.Chr. Koch (constructions de périodes), J.J. de Momigny (motif rythmique et phrasé, dont maints aspects, particulièrement d'ordre métrique, furent sacrifiés au système de Riemann), G. Weber (désignation des fonctions) et A.B. Marx (planification de l'enseignement). L'enseignement de Riemann tendait à la « prise de conscience du caractère permanent de la musique à travers ses diverses manifestations et de sa signification universelle : la rigueur interne, la logique qui règne dans toute création artistique » (préface au vol. III, 1913). Et la situation est bien caractérisée lorsque Riemann écrit en 1913 « que ce qu'il y a de nouveau dans les œuvres les plus récentes s'oppose délibérément à toutes les règles durement élaborées au cours des siècles, que, de ce fait, cela se soustrait à toute représentation systématique et ne peut donc pas fournir matière à enseignement » *(ibidem)*. Mais que l'élève suive l'enseignement de Schönberg ou d'Hindemith, qu'il ait choisi comme modèle Bartók ou Stravinski, ou que, partant de la technique dodécaphonique et de la mus. sérielle, il cherche des voies nouvelles, il n'en reste pas moins vrai qu'il « doit faire progresser l'art, fort du savoir que lui ont légué ses prédécesseurs » (H. Riemann, vol. I, 1902).

Voir également les art. ALÉATOIRE (Musique), ALGORITHMIQUE (Musique), ATHÉMATISME, CANON, COMPOSITION AUTOMATIQUE, CONCRÈTE (Musique), CONTREPOINT, DODÉCAPHONISME, ÉLECTRONIQUE (Musique), EXPÉRIMENTALE (Musique), FORME, HARMONIE, MONODIE, POLYPHONIE, SÉRIELLE (Musique), THÈME, ainsi que les différentes formes de la musique et les art. ÉCOLE DE NOTRE-DAME, ARS ANTIQUA, ARS NOVA, TRECENTO, ARS SUBTILIOR, ÉCOLE DE BOURGOGNE, ÉCOLE FRANCO-FLAMANDE, RENAISSANCE, BAROQUE, CLASSICISME, ROMANTISME, IMPRESSIONNISME, EXPRESSIONNISME, etc.

Principaux traités de composition — XVe et XVIe s. : J. TINCTORIS, De arte contrapuncti (ms., 1477), *in* Coussemaker Scr. IV, Paris 1876; FR. GAFFURIO, Practica musice, Milan 1496; M. SCHANPPECHER, Ars componendi, *in* N. Wollick, Opus aureum musicae IV, Cologne 1501, rééd. par Kl.W. Niemöller sous le titre Die Musica figurativa des M. Schanppecher, Cologne, A. Volk, 1961; J. COCHLAEUS, Tetrachordum musices..., Nuremberg 1511, 7/1526; A. ORNITOPARCHUS, Musice active micrologus, Leipzig 1517, 6/1540, trad. angl. par J. Dowland, Londres 1609; J. GALLI-

CULUS, Isagoge [ou Libellus] de compositione cantu, Leipzig 1520, 2/1538; O. LUSCINIUS, Musurgia seu praxis musicae, Strasbourg 1536, 2/1542; GLAREAN, Dodekachordon, Bâle 1547, rééd. avec trad. all. par P. Bohn, *in* PGfM XVI, Leipzig 1888-90, avec trad. angl. par C.A. Miller, *in* MSD 6, Amer. Inst. of Musicology, 1966; A.P. COCLICO, Compendium musices, Nuremberg 1552, rééd. en facs. par M. Bukofzer, Kassel, BV, 1954; N. VICENTINO, L'antica musica ridotta alla moderna prattica, Rome 1555, rééd. en facs. par E.E. Lowinsky, Kassel, BV, 1959; G. ZARLINO, Istitutioni harmoniche, Venise 1558, 3/1573 (augm.), plus. autres rééd., rééd. en facs. de la 1re éd., New York, Broude & Bros, 1965; FR. SALINAS, De musica libri septem..., Salamanque 1577, 2/1592, rééd. en facs. par M.S. Kastner, Kassel, BV, 1958; P. PONTIO, Ragionamento di musica, ... ove si tratta... del modo di far motetti, messe, salmi, et altre c. ..., Parme 1588, rééd. en facs. par S. Clercx, Kassel, BV, 1959; G.M. ARTUSI, L'arte del contrapunto, 2 vol., Venise 1586-89, 2/1598; S. CALVISIUS, Melopoeia seu melodiae condendae ratio..., Erfurt 1592; L. ZACCONI, Prattica di musica..., 2 vol., Venise 1592-1622; TH. MORLEY, A Plaine and Easie Introd. to Practicall Musicke..., Londres 1597, plus. rééd., rééd. en facs. par E.H. Fellowes, Londres 1937, 2/1952. — **1600-1750** : G.M. ARTUSI, L'Artusi overo delle imperfettioni della moderna musica, 2 vol., Venise 1600-03; J.P. SWEELINCK, Règles de c. ... (v. 1600), éd. par H. Gehrmann, *in* Œuvres complètes X, 's-Gravenhage et Leipzig 1903; A. PARRAN, Traité de la mus. ... contenant les préceptes de la c., Paris 1636, 3/1646; CHR. BERNHARD, Tractatus compositionis augmentatus (ms., v. 1648-49), éd. par J. Müller-Blattau sous le titre Die K.slehre H. Schützens in die Fassung seines Schülers Chr. Bernhard, Leipzig 1926, 2/Kassel, BV, 1963; G.G. NIVERS, Traité de la c. de mus., Paris 1667, rééd.; A. BERARDI, Ragionamenti musicali, Bologne 1681; du même, Documenti armonici, Bologne 1687; du même, Il perché musicale, Bologne 1693; CH. MASSON, Nouveau Traité des règles pour la c., Paris 1694, 4/Amsterdam 1738, rééd. en facs. de l'éd. de 1705, Genève, Minkoff, 1971; FR.E. NIEDT, Musicalische Handleitung..., 3 vol., Hambourg 1700-17, plus. rééd.; J.PH. RAMEAU, Traité de l'harmonie..., Paris 1722; J.J. FUX, Gradus ad Parnassum, Vienne 1725, trad. all. Leipzig 1742, trad. angl. par A. Mann, New York 1943; J.D. HEINICHEN, Der General-Bass in der C., Dresde 1728; G.A. SORGE, Vorgemach der musicalischen C., 3 vol., Lobenstein 1745-47. — **1750-1900** : J. RIEPEL, Anfangsgründe zur musicalischen Setzkunst..., 5 vol., Francfort/M. et Leipzig, Augsbourg, Regensburg 1752-68; du même, Bassschlüssel..., éd. par J.C. Schuberth, Regensburg 1768; du même, Harmonisches Silbenmass..., Regensburg 1776; J.PH. KIRNBERGER, Der allezeit fertige Polonoisen- u. Menuetten-Componist, Berlin 1757; du même, Die Kunst des reinen Satzes in der Musik, 2 vol., Berlin et Königsberg 1771-79; du même, Anleitung zur Singec., Berlin 1782; du même, Gedanken über die verschiedenen Lehrarten in der C. als Vorbereitung zur Fugenkenntnis, Berlin 1782; P. GIANOTTI, Le guide du compositeur, Paris 1759; F. FENAROLI, Regole musicale, Naples 1775, trad. fr. par E. Imbido sous le titre Cours complet d'harmonie et de hte c., Paris s.d.; H.CHR. KOCH, Versuch einer Anleitung zur C., 3 vol., Rudolstadt et Leipzig 1782-93; J.G. ALBRECHTSBERGER, Gründliche Anweisung zur K., Leipzig 1790, 2/1818, trad. fr. par A.E. Choron sous le titre Méthode élémentaire de c., Paris 1814; CH. GAUZARGUES, Traité de c., Paris 1797; J.J. DE MOMIGNY, Cours complet d'harmonie et de c. d'après une théorie neuve et générale de la mus., 3 vol., Paris 1806; A.E. CHORON, Principes de c. des écoles d'Italie, 3 vol., Paris 1808-09, 2e éd. en 6 vol., Paris 1816; A. REICHA, Traité de mélodie, abstraction faite de ses rapports avec l'harmonie, Paris 1814, 11/1911; du même, Traité de hte c. musicale, 2 vol., Paris 1824-26; du même, L'art du compositeur dramatique ou Cours complet de c. vocale, 4 vol., Paris 1833; G. WEBER, Versuch einer geordneten Theorie der Tonsetzkunst, 3 vol., Mayence 1817-21, 3/1830-32; J.B. LOGIER, A Systeme of the Science of Music, Londres 1827; A.B. MARX, Die Lehre von der musikalischen K., 4 vol., Leipzig 1837-47, plus. rééd.; J.CHR. LOBE, C.slehre..., Leipzig 1844; du même, Lehrbuch der musikalischen C., 4 vol., Leipzig 1850-67, 2e éd. par H. Kretzschmar 1884-87, trad. fr. de G. Sandré 1897; S. SECHTER, Die Grundsätze der musicalischen C., 3 vol., Leipzig 1853-54; E. PROUT, Instrumentation, Londres 1876; du même, Harmony Londres 1889, 2/1910 (rév.); du même, Counterpoint, Londres 1890; du même, Double Counterpoint and Canon, Londres 1891, 2/1893; du même, Fugue, Londres 1891; du même, Fugal Analysis, Londres 1892; du même, Musical Form, Londres 1893; du même, Applied Forms, Londres 3/1895; du même, The Orchestra, 2 vol., Londres 1898-99; H. RIEMANN, Musikalische Syntaxis, Leipzig 1877; du même, Neue Schule der Melodik, Hambourg 1883; du même, Systematische Modulationslehre als Grundlage der musikalischen Formenlehre, Hambourg 1887; du même, Grundriss der K.slehre, Leipzig 1889; du même, Katechismus [ou Hdb.] der K.slehre, 2 vol., Leipzig 1889, 7/1922; du même, Katechismus der Gesangsk., Leipzig 1891; S. JADASSOHN, Musikalische K.slehre, 5 vol., Leipzig 1883-89, plus. rééd. — **Depuis 1900** : H. RIEMANN, Grosse K.slehre, 3 vol., I Der homophone Satz, II Der polyphone Satz, III Der Orchestersatz u. der dramatische Gesangstil, Berlin et Stuttgart, 1902-13; V. D'INDY avec le concours d'A. Sérieyx, Cours de c. musicale,

4 vol., I-III Paris 1903-33, IV éd. par G. de Lioncourt, Paris 1950; H. Schenker, Neue musikalische Theorien u. Phantasien, 4 vol., I Harmonielehre, Stuttgart et Berlin 1906, II/1 Kontrapunkt, Stuttgart et Berlin 1910, II/2 Kontrapunkt, Vienne 1922, III Der freie Satz, Vienne 1935; A. Bertelin, Traité de c. musicale, 4 vol., Paris 1931-34; P. Hindemith, Unterweisung im Tonsatz, 2 vol., Mayence 1937-39; E. Křenek, Studies in Counterpoint Based on the 12-Tone Technique, New York 1941, trad. all. Mayence 1952; A. Schönberg, Models for Beginners in C., New York 1942; du même, Composing with 12 Tones, in Style and Idea, Londres et New York 1950; H. Busser, Précis de c., Paris 1943; O. Messiaen, Technique de mon langage musical, Paris 1944; B. Blacher, Einführung in den strengen Satz, Berlin et Wiesbaden 1953.

Bibliographie (choix) — U. Kornmüller, Die Choralkompositionslehre vom 10. bis 13. Jh., in MfM IV, 1872; A. Gastoué, Un ms. inconnu : un cours de c. de Gounod, in RMie XXIII, 1939; J. Daniskas, Analytische Studien über die Kompositions-Technik der burgundischen Schule. in Kgr.-Ber. Utrecht 1952, Amsterdam 1953; W. Gurlitt, Die Kompositionslehre der deutschen 16. u. 17. Jh., in Kgr.-Ber. Bamberg 1953, rééd. in Musik u. Gegenwart I, Wiesbaden, Steiner, 1966; J. Hein, Die Kompositions-Lehre bei den Musiktheoretikern im 17. Jh. (diss. Cologne 1954); C. Dahlhaus, Eine deutsche Kompositionslehre des frühen 16. Jh., in KmJb XL, 1956; E.T. Ferand et H. Haase, art. Komposition in MGG VII, 1958 (avec bibliogr.); P. Benary, Die deutsche Kompositionslehre des 18. Jh., Leipzig, Br. & H., 1961; E. Apfel, Über das Verhältnis von Musiktheorie u. Kompositionspraxis im späteren M.A. (etwa 1200-1500), in Kgr.-Ber. Kassel 1962, Kassel, BV, 1962; du même, Beitr. zu einer Gesch. der Satztechnik von der frühen Motette bis Bach, 2 vol., Munich, Eidos Verlag, 1964-65; H. Schneider, Die französische Kompositionslehre in der 1. Hälfte des 17. Jh., Tutzing, Schneider, 1972.

H.H. Eggebrecht

COMPOSITION AUTOMATIQUE (angl., computer music). La composition est dite « automatique » lorsqu'elle fait appel à un ordinateur (calculatrice ou cerveau électronique). G.W. Leibniz définissait la musique comme un « calcul inconscient ». C'est cette parenté de la musique et des mathématiques qui a suggéré l'idée d'une « machine à composer ». Cette idée apparaît dès le XVIIIe s. (*Ludus melothedicus*, Anonyme, Paris, Bibl. Nat. Vm⁸ 1137). On la prête même à Mozart... Elle subit une éclipse pendant le romantisme, qui conçoit la création de l'œuvre musicale comme une effusion lyrique. C'est seulement à notre époque que l'idée d'une mécanisation de la création musicale trouve à la fois un climat favorable — esthétique objectiviste, conceptions de la forme s'inspirant des théories scientifiques — et, par l'invention des ordinateurs, les conditions techniques de sa réalisation. En 1956 Lejaren Hiller et Leonard Isaacson composèrent la *Suite Iliac* pour quatuor à cordes au moyen d'un ordinateur. L'expérience eut lieu à l'Univ. de l'Illinois. Les recherches sur la c.a. se sont poursuivies depuis en Amérique à la School of Music de l'Univ. de l'Illinois et à la Bell Telephone, respectivement sous la direction de Lejaren Hiller et de M.V. Mathews. En Angleterre, citons la Computer Music Society, en Hollande le Studio voor elektronische Muziek d'Utrecht. En France, sous les impulsions souvent opposées de I. Xenakis, de M. Philippot et de Pierre Barbaud, le Groupe de musique algorithmique puis l'EMAMu, le Groupe d'art et d'informatique rattaché à l'Assoc. internationale d'esthétique expérimentale, le Groupe d'art et informatique de la Faculté de Vincennes, le département musical de la Bull General Electric.

L'ordinateur est capable — comme le montre la *Suite Iliac* — d'assimiler les lois de composition existantes et de restituer une musique écrite selon ces lois. Le principal intérêt de ces expériences de restitution a été de mettre en évidence « le fait que

leurs résultats, s'ils sont jugés comme musique « normale » par des sujets variés, s'éloignent notablement des habitudes du discours classique, tout en restant grammaticalement corrects, mais aussi le fait qu'on y trouve d'autres qualités qui, elles, sont à porter au compte de la machine » (P. Barbaud). La conscience de ces qualités spécifiques de la c.a. a conduit Pierre Barbaud à prendre la position radicale qui consiste « à faire délibérément de la musique de machine, et non à faire, au moyen des machines, une simulation de la musique des hommes ».

La musique → algorithmique se distingue de toutes les autres musiques (traditionnelle, concrète, électronique), où le choix d'une solution est fait en conformité, d'une part, avec « une grammaire préétablie », d'autre part, avec « les variables caractérielles de chaque compositeur ». Le propre de la c.a., c'est son caractère « résolument systématique », son strict formalisme, par quoi elle est une science autant qu'un art. Le compositeur-informaticien cherche un enseignement dans l'œuvre que lui rend la machine : celle-ci lui offre des moyens puissants et précis pour explorer, expérimenter — et non pas seulement pour composer. L'ordinateur permet 1º d'établir un contrôle rigoureux des analyses des structures sonores qui constituent la musique ; 2º de mieux pénétrer la nature de la création musicale en isolant objectivement son aspect objectif formalisable de son aspect proprement « humain » ; 3º de laisser la machine pousser à son extrême limite la logique d'un système dont elle fournit le modèle abstrait ; 4º d'alléger le travail matériel du compositeur. C'est ainsi que Xenakis, sans pratiquer exclusivement la c.a., utilise volontiers, selon son esthétique personnelle, les ordinateurs IBM (dans *ST-10-1*, 080 262, *ST-48*, *ST-4-2*). De Pierre Barbaud, il faut citer les œuvres de mus. algorithmique suivantes : *Variations heuristiques*, *Trajets*, *Musica d'invenzione*, *Nonetto in forma di triangolo*, *La Boussole des précieux*, *Cogitationes symbolicae I*, *Cogitationes symbolicae II*, *0 1 10*, *Hoquetus B-6 E* et *Credoc*.

A ceux qui pourraient s'étonner et même s'indigner de cette automatisation de la création musicale, Pierre Barbaud répond que la machine obéit aux directives d'un être humain et que la rédaction d'un programme de calcul électronique, comme la composition traditionnelle, implique de libres décisions. Mais si l'on peut contester la valeur artistique de la c.a., sa valeur scientifique est indéniable. En particulier elle pourrait permettre, selon Pierre Barbaud, de substituer aux recettes empiriques du savoir-faire une théorie musicale, fondée sur « la généralité des structures abstraites fondamentales de la musique ».

Bibliographie — P. Barbaud, Initiation à la composition musicale automatique, Paris, Dunod, 1966 ; du même, Ars Nova, in L'informatique et la vie, nº spécial de Automatisme XV/9, 1970 ; du même, La musique, discipline scientifique, Paris, Dunod, 1971 ; N. Lachartre, in Les musiques artificielles, nº spécial de Diagrammes du monde, avr. 1969.

G. Brelet

COMPUTER MUSIC (angl.), voir Composition automatique.

CON (ital.), préposition signifiant « avec ». Elle s'utilise en musique pour indiquer une façon de jouer particulière ou pour accompagner une indication de

tempo, entre autres dans les expressions suivantes :
« con affetto », = tendrement ; « con alcuna licenza »,
= sans aucune licence ; « con amore », = avec
expression ; « con anima », = avec âme ; « con
animo », = avec énergie ; « con bravura », = avec
bravoure ; « con brio », = d'une façon brillante ;
« con civetteria », = avec coquetterie ; « con collera »,
= avec colère ; « con concitamento », = avec véhémence ; « con divisione », = en divisant ; « con doglia »,
= avec douleur ; « con forza », = avec force ; « con
fretta », = avec hâte ; « con foco » ou « con fuoco »,
= avec feu ; « con garbo », = avec grâce ; « con gioia »,
= avec joie ; « con gli strumenti », = avec les instruments ; « con grazia », = avec grâce ; « con impeto »,
= avec élan ; « con ira », = avec colère ; « con legge-
rezza », = avec légèreté ; « con maestà », = avec
majesté ; « con maestria », = avec maîtrise ; « con
malinconia », = mélancoliquement ; « con moto », =
vivement ; « con morbidezza », = avec douceur ;
« con osservanza », = avec attention ; « con rabbia »,
= avec rage ; « con replica », = avec reprise ; « con
risoluzione », = résolument ; « con sdegno », = avec
indignation ; « con sentimento », = avec sentiment ;
« con slancio », = avec élan ; « con smania », = avec
frénésie ; « con spirito », = avec entrain ; « con tenerezza », = avec tendresse ; « con tinto », = coloré ;
« con un dito », = avec un (seul) doigt ; « con vagliez-
za », = avec grâce ; « con variazione », = avec
variation ; « con velocità », = rapidement.

CONCENTUS (lat., = accord, union). Ce terme s'oppose
à → « accentus » et désigne le chant liturgique
à l'unisson. Au XVIe s. il fut employé pour désigner
tous les chants neumés exécutés par les chantres
ou par le chœur. La structure du chant liturgique
de l'Église romaine dépend essentiellement de ces
deux notions : le récitatif accentué d'un soliste
(accentus) et le chant orné, mélismatique du chœur
ou de la schola (concentus).

● **CONCERT** (angl., concert ; all., Konzert ; ital.,
concerto ; esp., concierto). 1. Le c. ne se définit avec
précision que s'il existe un auditoire spécialement
réuni en vue d'écouter un programme prévu à
l'avance. Dans cette optique, ses origines se perdent
dans la nuit des temps. Aussi bien se limite-t-on ici
à l'Occident et au sens restreint qui y a été donné
au terme, généralement dans un cadre urbain et sur
une base commerciale. Avant le XVIIe s. la musique
s'insérait naturellement dans le cadre de la vie
quotidienne. Aussi est-on frappé par l'originalité des
auditions prévues par les statuts de l'Académie de
Poésie et Musique de J.A. de Baïf et Thibaut de
Courville (1570) : deux heures chaque dimanche devant
un public payant. C'est vers le milieu du XVIIe s. que
prend forme, au moins en France, en Italie et en
Angleterre, un certain type de c. plus ou moins réguliers et ouverts au public. A Paris, François de
Grenaille, dans *Les Plaisirs des dames* (1641), fait
l'éloge de ces nouvelles pratiques, dont M. de La
Barre, A. Maugars et E. Moulinié sont, parmi d'autres,
les initiateurs. Il faut mettre à part l'« Assemblée des
honnêtes curieux », due à l'initiative de J. Champion
de Chambonnières et placée sous la protection royale
(1641) : les c. avaient lieu deux fois par semaine à
midi dans la salle de Mandosse, rue Montorgueil.

Ces exemples rendent sceptique sur le fait que J.
Banister ait été le premier à organiser à Londres le
premier c. payant ; on en a abusivement conclu qu'il
fallait retenir cette date de 1672 comme date de
baptême du concert. A partir de 1678 l'idée fut
reprise par un marchand de charbon, Thomas Britton,
qui pendant 36 ans donna des c. dans sa maison
londonienne, d'abord gratuitement puis par abonnement. Au cours du XVIIIe s. le c. n'a connu qu'un
essor relatif, diversifié selon les pays : → académies
en Italie, → « collegia musica » en Allemagne où l'on
note particulièrement les concerts publics fondés à
Hambourg par G.Ph. Telemann en 1722. La plupart
étaient plus des sortes de clubs que des concerts. En
France, dans les dernières années du XVIIe s., l'abbé
Mathieu, curé de St-André-des-Arts, et, à partir de
1713, le financier Crozat organisaient chez eux des c.
de mus. italienne, tandis qu'en province se créaient
des → académies ou « concerts » dans une trentaine de
villes, dont le but était de donner des c. publics. C'est
à Paris qu'il faut chercher la première entreprise
permanente et structurée : le Concert Spirituel, fondé
en 1725 par A. Philidor, qui avait obtenu un privilège
de l'Acad. Royale de Musique pour organiser, les
35 jours de l'année où l'observation des fêtes religieuses
suspendait les représentations de l'Académie, des c.
de « musique de chapelle ». Ceux-ci se tinrent dans
une salle du palais des Tuileries. Malgré les difficultés
financières et de fréquents changements de direction,
le Concert Spirituel poursuivit ses activités jusqu'à
la Révolution et permit à de nombreux virtuoses,
français et étrangers, de faire entendre des œuvres
de toute nature. L'orchestre se composait en 1775 de
58 exécutants et de 55 chanteurs. Cette institution fut
en province comme à l'étranger le modèle envié
par excellence. Seule l'Angleterre connut des formes
particulières de c. : ceux qui étaient donnés dans les
jardins de Londres, les plus fameux étant ceux du
Vauxhall, dès 1730 env., et les « Concerts of Ancient
Music », à partir de 1776, consacrés en grande partie
aux œuvres de Haendel.

L'époque révolutionnaire donna, en supprimant les
privilèges, une nouvelle impulsion aux concerts : c. de
la rue de Cléry remplaçant ceux de la Loge Olym-
pique, c. du Théâtre Feydeau de 1794 à 1796, bientôt
les c. du Conservatoire, d'abord « exercices d'élèves »,
à partir de 1802. A cette image, les sociétés philharmoniques se créèrent un peu partout en province
(Arras, 1826 ; Caen, 1827 ; mais précédées par les
C. Thubaneau à Marseille, 1805-39). La Soc. des C.
du Conservatoire commence en 1828, sous la direction
de Fr. Habeneck, une existence désormais ininterrompue et fait connaître la mus. symphonique
classique. D'autres sociétés se vouant à la même
activité ne furent le plus souvent que des tentatives
sporadiques (le Gymnase musical, 1854 ; la Grande
Soc. philharmonique, de Berlioz, 1850, etc.). Certaines sociétés se spécialisent dans la mus. de chambre
(Alard et Franchomme, 1849 ; Armingaud et Jacquart,
1855). Mais la plupart ne donnent guère leurs chances
à de jeunes auteurs et s'adressent à un public privilégié. F. Liszt peut écrire : « La multitude d'obstacles
qui s'opposent à l'organisation matérielle d'un c. et la
misère des recettes ordinaires font que la plupart
des artistes renoncent à l'entreprise ». L'innovation
vint là de J. Pasdeloup, dont la Soc. des jeunes artistes
commença ses activités en 1853 : jusqu'en 1871 aucune

autre association ne put concurrencer efficacement ces c. « populaires » qui vont être imités en province et à l'étranger. On ne peut désormais que citer quelques dates comme repères pour les c. les plus durables : en 1813 la Royal Philharmonic Society de Londres et la Gesellschaft der Musikfreunde de Vienne ; en 1842 la New York Philharmonic Society ; en 1855 les Crystal Palace Concerts de Londres ; en 1873 les C. Colonne ; en 1881 le Boston Philharmonic Orchestra ; en 1882 le Berliner Philharmonisches Orchester ; en 1883 le Concertgebouw d'Amsterdam. L'histoire du c. se confond désormais avec celle des associations symphoniques et des institutions culturelles, publiques et privées. Le premier bureau d'organisation de c. d'Europe a été créé à Paris en 1896 par Arthur Dandelot; en 1927 naquit la Chambre syndicale des organisateurs de c., qui devait être suivie d'une Assoc. européenne des directeurs de bureaux de concerts.

Depuis un siècle environ, beaucoup de c. se sont installés dans la régularité des c. dominicaux, maintenus grâce à des subventions, avec un répertoire classique de base et une part réduite pour les créations contemporaines. L'autre volet des c. repose sur les récitals de virtuoses, dont l'économie est diamétralement différente selon qu'ils sont débutants ou illustres. Certaines voix ont affirmé que la formule du c. est usée, qu'elle ne correspond plus aux nouvelles formes de création musicale, qu'elle ne s'adresse en fait qu'aux classes moyennes, et qu'en France, p. ex., 70 % des adultes n'ont jamais assisté à un c. et que seulement 9 % y vont au moins une fois par an. Cependant, et malgré les nouveaux moyens de communication (télévision, radio, disque), le c. reste au centre de l'activité musicale.

2. Avec des sens variés, souvent différents de l'italien → « concerto », le terme de c. a servi de titre à diverses œuvres instrumentales comme le *Concert à 4 parties de viole* de M.A. Charpentier, la *Sérénade ou Concert divisé en 3 suites de pièces* (1697) de M.P. de Montéclair, les *Pièces de clavecin en concert* (1741) de J.Ph. Rameau ou l'orchestration de ces pièces, contemporaine mais non de lui, sous le titre de *Concerts en sextuor*, le *Concert* pour piano, violon et quatuor à cordes (1890-91) d'E. Chausson, le *Concert champêtre* pour clavecin et orchestre (1928) de Fr. Poulenc et le *Concert* pour flûte, violoncelle et harpe (1929) de G. Migot.

Bibliographie — 1. A.A.E. ELWART, Hist. de la Soc. des C. du Conservatoire, Paris 1860, 3/1885; E. HANSLICK, Gesch. des Konzertwesens in Wien, Vienne 1869; J. SITTARD, Gesch. der Musik u. des Concertwesens in Hamburg vom 14. Jh. bis zur Gegenwart, Altona 1890; M. BRENET, Les c. en France sous l'Ancien Régime, Paris 1900; O. SONNECK, Early C.-Life in America (1731-1800), Leipzig 1907; A. WEISSMANN, Berlin als Musikstadt. Gesch. der Oper u. des Konzerts von 1740 bis 1911, Berlin 1911; M.B. FOSTER, Hist. of the Philharmonic Soc. of London, 1813-1912, Londres 1912; A. DANDELOT, La Soc. des C. du Conservatoire, 1828-1923, Paris 1923; E. CREUZBURG, Die Gewandhaus-Konzerte zu Leipzig, 1781-1931, Leipzig 1931; G. PINTHUS, Das Konzertleben in Deutschland. Ein Abriss seiner Entwicklung bis zum Beginn des 19. Jh., Strasbourg 1932; A. DE ANGELIS, Il concerto dal 1859 al 1933. R. Accad. di S. Cecilia, Rome 1933; R. ALDRICH, C. Life in New York, 1902-1923, New York 1941; S.A.M. BOTTENHEIM, Gesch. van het Concertgebouw, 3 vol., Amsterdam 1948-50; R. SCHAAL, art. Konzertwesen in MGG VII, 1958; M. KENNEDY, The Hallé Tradition, a Cent. of Music, Manchester 1960; H.W. SCHWAB, Konzert, öffentliche Musikdarbietung vom 17. bis zum 19. Jh., in Musikgesch. in Bildern IV/2, Leipzig, Deutscher Verlag für Musik, 1971 (iconographie); C. PIERRE, Le Concert Spirituel, Paris, Heugel (Soc. Fr. de Mie), 1974.

FR. LESURE

CONCERTANTE, voir SYMPHONIE CONCERTANTE.

CONCERTATO (ital.), voir STILE CONCERTATO.

CONCERTINA, sorte d'→ accordéon de forme hexagonale, construit en 1829 par Charles Wheatstone, populaire en Angleterre. Il est muni d'un clavier de boutons chromatique. On le construit en 4 tailles, soprano, ténor, basse et contrebasse.

CONCERTINO (ital., = petit concert), désigne, dans les formes du → concerto grosso et de la → symphonie concertante, le groupe des instruments solistes opposé à l'ensemble de l'effectif instrumental appelé « concerto grosso » ou « tutti ». A partir du XIXe s., le terme s'applique à une forme concertante pour un ou plusieurs solistes (D. Milhaud, *Concertino d'automne* pour 2 p. et 8 instr.), généralement tripartite mais plus brève et d'un style moins strict que le → concerto (A. Honegger, *Finale « Blues »* du *Concertino* pour p. et orch.).

CONCERTO (ital., du lat. concertare, = lutter, rivaliser ; angl., concerto ; all., Konzert), forme musicale opposant un ou plusieurs solistes (double ou triple c.) à un groupement instrumental de dimensions variables. Ce critère suffit en principe pour identifier sûrement la forme. Cependant le c. obéit en plus à des lois très précises qui évoluent historiquement selon l'état du langage, le goût ou la technique instrumentale.

Les origines. Le terme apparaît en Italie au XVIe s., désignant principalement des pièces vocales : « concerti da chiesa », « concerti ecclesiastici », madrigaux concertants, etc. Des pièces purement instrumentales appartiennent également à ce style mais conservent les noms génériques de « canzone », « sinfonie » ou « sonate ». A l'époque baroque, le c. hésite entre deux types principaux : le → « concerto grosso », groupant plusieurs solistes, et le c. pour un seul soliste. Des degrés intermédiaires existent, en particulier lorsqu'un soliste se détache du → « concertino », dans le « c. grosso », pour dialoguer seul avec la masse orchestrale. Ce cas est fréquent chez G. Torelli (*6 Concerti a quattro*, op. 5 ; *12 Concerti musicali a quattro*, op. 6). Dans les œuvres les plus recherchées (Torelli), la structure « da chiesa » domine mais l'emploi des mouvements de danse reste fréquent.

Le concerto préclassique, 1700-1750. Le c. de soliste n'est plus désormais une « sinfonia » ou une sonate comportant des oppositions de masses sonores, mais un genre particulier répondant à ses propres lois : un seul instrument dialogue avec l'orchestre (le violon aura tout d'abord la faveur des compositeurs, puis le clavecin) et la forme tripartite se généralise (allegro - adagio - allegro). Le 1er mouvement est un allegro monothématique dont les conventions d'exposition fixant les rôles respectifs du soliste et de l'orchestre ne sont pas encore précisées ; le développement qui suit l'exposition se limite aux tons voisins et utilise le thème initial ; la réexposition finale, souvent écourtée, n'admet pas encore de cadence de virtuosité. Le 2e mouvement se présente comme une « aria » de style très contrapuntique, en 2 ou 3 parties. Il est traditionnellement réservé au soliste accompagné d'une instrumentation très légère qui peut être réduite à la seule basse continue. Le finale, de forme sonate monothématique, s'apparente beaucoup au 1er mouvement. A. Vivaldi tend à imposer cette forme tripartite et à regrouper les courts passages des « soli » et des « tutti » afin d'obtenir une intensité expressive plus grande. Telemann se rapproche de cette esthétique alors que chez J.S. Bach les rôles des protagonistes sont moins nettement tranchés. Avec J.M. Leclair s'introduit la notion de bithématisme dans l'allegro, qui apportera tant à la génération suivante sur le plan de l'expression.

Le concerto classique, 1750-1780. A cette époque la basse continue est supprimée et le style contrapuntique s'efface devant une écriture beaucoup plus harmonique, fondée sur le principe de la mélodie accompagnée. Par ailleurs, les progrès de la facture instrumentale, tout particulièrement dans le domaine des instr. à vent, permettent une grande variété dans le choix de l'instrument soliste. Chez Mozart le c. est en 3 mouvements : allegro à 2 thèmes, andante et finale. L'allegro initial commence par une double exposition des deux thèmes (par l'orchestre et par le soliste) issue de la reprise d'exposition de l'allegro de symphonie mais écrite « in extenso » sans barres de reprise ; parfois le thème A est exposé deux fois, d'abord par l'orchestre puis par le soliste, qui se réserve ensuite l'exposition complète du thème B.

Mozart, *Concerto* en *mi ♭ maj.*, KV 482, 1er mouvement.

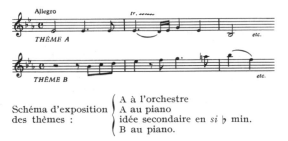

Schéma d'exposition des thèmes :
- A à l'orchestre
- A au piano
- idée secondaire en *si ♭* min.
- B au piano.

Le développement qui suit la double exposition des thèmes est assez court ; il est commencé par le soliste et se termine par la réexposition à l'orchestre du 1er thème au ton principal. Le soliste réexpose le plus souvent le thème B au ton principal et une cadence improvisée précède conclusion et coda. Le mouvement lent laisse une large place à l'instrument soliste et prend la forme lied (*Concerto pour p.* en *ré* min. KV 467), variations (*Concerto pour p.* en *mi ♭* maj. KV 482) ou « aria » en deux parties (*Concerto pour p.* en *si ♭* maj. KV 238). Le finale en « rondo » est attaqué par le soliste. Les « soli » se placent durant les couplets et parfois une courte cadence intervient avant le dernier refrain. Ce schéma est également celui des fils de J.S. Bach et de Haydn. Puis un style brillant, à tendances parfois descriptives, se développe chez les pianistes de l'école viennoise et trouvera son expression la plus intense chez les contemporains de Beethoven : Steibelt, Hummel et Cramer.

Le concerto romantique. Avec Beethoven, de grandes modifications s'introduisent dans le concerto. Les thèmes principaux du 1er mouvement sont contrastés et une introduction peut précéder leur exposition (5e *Concerto pour p.* en *mi ♭* maj.). Des développements épisodiques s'ajoutent au développement central. La cadence de virtuosité est écrite par l'auteur. Le 2e mouvement garde sa forme traditionnelle ; il peut cependant s'enchaîner au finale (5e *Concerto pour p.*) et de nouveaux rapports de tons, plus lointains, l'opposent aux autres mouvements. Le finale, en « rondo », conserve son aspect classique. Sur ces bases, le c. romantique évolue vers une plus grande liberté. Les mouvements tendent à s'enchaîner sans interruption de façon à donner l'impression d'un poème symphonique par une subtile confusion des formes (F. Mendelssohn, 1er *Concerto pour p.* en *sol* min. ; R. Schumann, *Concerto pour vlc.* en *la* min. ; F. Liszt, *Concerto pour p.* en *la* maj.). Le nombre des mouvements est d'ailleurs très variable et leur multiplication (4 mouvements chez Brahms, 5 et 6 chez Liszt) produit un effet d'improvisation. Chaque mouvement perd plus ou moins sa forme spécifique : ainsi Schumann évite-t-il la double exposition de l'allegro initial propre au c. classique en supprimant dans le *Concerto pour vlc.* en *la* min. l'exposition de l'orchestre et en exposant directement les thèmes (au nombre de 3) à l'instrument soliste. Les thèmes des différents mouvements sont souvent apparentés (R. Schumann, *Concerto pour vlc.* en *la* min.) et parfois un motif caractéristique circule à travers toute l'œuvre.

F. Liszt, *Concerto pour piano* en *mi ♭* maj.

L'aspect symphonique se développe au détriment des « soli », désormais éparpillés et intimement liés à l'orchestre dans une sorte de symphonie avec soliste obligé. Le *Concerto pour vl.* de Brahms est typique de cette dernière tendance et fit dire au violoniste Sarasate : « Me croyez-vous assez dépourvu de goût pour me tenir sur l'estrade en auditeur, le violon à la main, pendant que le hautbois joue la seule mélodie de toute l'œuvre ? »

Le concerto moderne. On peut distinguer deux tendances principales dans la production concertante moderne. La première, très néo-classique, est dominée par le souci de la pureté formelle et de la virtuosité ; le rôle du soliste y est prépondérant. Parmi les compositeurs les plus représentatifs de ce style, Tchaïkovski, Rachmaninov, Grieg, Paderewski et Saint-Saëns. La 2de tendance se distingue par l'abandon du caractère soliste traditionnel au bénéfice d'une confusion des formes typique du romantisme finissant. Le terme c., de plus en plus rarement employé, laisse place à ceux de « fantaisie » (Debussy, *Fantaisie* pour p. et orch. ; Fauré, *Fantaisie* pour p. et orch.), « poème » (L. Vierne, *Poème* pour p. et orch. ; E.Chausson, *Poème* pour vl. et orch.), « poème symphonique » (C. Franck, *Les Djinns*, poème symphonique pour p. et orch.), « variations » (C. Franck, *Variations symphoniques* pour p. et orch.), « symphonie » (Lalo, *Symphonie espagnole* pour vl. et orch. ; V. d'Indy, *Symphonie sur un thème montagnard* pour p. et orch.), « suite » (G. Migot, 3 *Suites* pour instrument soliste et orch. : pour vl., pour p., pour harpe). La période contemporaine marque dès 1920 un renouveau dans l'esprit concertant. Sous la pression des esthétiques de retour aux styles passés, les formes renouent avec les modèles équilibrés du classicisme et l'attention des musiciens se porte plus particulièrement sur la couleur instrumentale (I. Stravinski, *Concerto* pour p. et instr. à vent ; P. Hindemith, *Concerto* pour orgue et orch. de ch. op. 46 ; Fr. Poulenc, *Concerto champêtre* pour clv. et orch. ; *Aubade*, c. chorégraphique pour p. et 18 instruments).

Bibliographie — A. SCHERING, Gesch. des Instrumental-Konzerts bis auf die Gegenwart, Leipzig 1905 ; H. DAFFNER, Die Entwicklung des Klavierkonzerts bis Mozart, Leipzig 1906 ; H. KNÖDT, Zur Entwicklungsgesch. der Kadenzen im Instrumentalkonzert, *in* SIM XV, 1913-14 ; L. DE LA LAURENCIE, L'école fr. du vl., 3 vol., Paris 1922-24 ; H. ENGEL, Die Entwicklung des deutschen Klavierkonzerts von Mozart bis Liszt, Leipzig 1927, rééd. en facs. Hildesheim, Olms, 1970 ; du même, Das Instrumentalkonzert, Leipzig 1932 ; du même, art. Konzert § C., *in* MGG VII, 1958 ; C.M. GIRDLESTONE, Mozart et ses c. pour p., 2 vol., Paris 1939, 2/1953 ; B.J. SWALIN, The Violin C., a Study in German Romanticism, Chapel Hill 1941 ; A. VEINUS, The C., New York 1945 ; M. PINCHERLE, Vivaldi et la mus. instrumentale, Paris 1948 ; E. DAMAIS, Le c. pour p. et orch., Paris, Larousse, 1950 ; E.J. SIMON, The Double Exposition in the Classic C., *in* JAMS X, 1957 ; A. HUTCHINGS, The Baroque C., Londres, Faber, 1961.

M.CL. BELTRANDO-PATIER

CONCERTO GROSSO (ital.), forme musicale caractérisée par l'opposition de deux masses sonores, le → « concertino » ou « petit concert », groupant les musiciens solistes, et le → « tutti » ou « plein concert », désignant l'ensemble instrumental accompagnateur. Ce dernier est parfois également nommé → « ripieno » car il est formé des divers pupitres à plusieurs exécutants de l'orchestre et non de solistes. L'ensemble du « concertino » et du « ripieno » s'appelle c.gr. ou « grand concert ». Ce genre est parfois attribué à G. Torelli pour ses *12 Concerti da camera* op. 2 (1686) ou même à A. Corelli pour les *12 Concerti grossi* op. 6 (1714). Cependant, A. Stradella († 1682) donne déjà des exemples de ce style concertant dans ses *Sinfonie* et *Concerti*. A l'origine, le c.gr. hésite entre deux structures : « da chiesa » (d'église) et « da camera » (de chambre). Au début de sa carrière, Torelli emprunte la forme « da chiesa », issue de la sonate d'église, avec ses 4 mouvements désignés par les termes agogiques « adagio », « allegro », « adagio », « allegro ». Corelli adopte un plan identique dans les 8 premiers des *12 Concerti grossi* op. 6, et le plan « da camera » en 4 à 6 mouvements inspirés des formes de la suite de danses dans les 4 derniers. Ce style italien composite se retrouve en Allemagne avec G. Muffat (*6 Concerti grossi*, 1701). Les instruments utilisés dans cette première période sont le plus souvent les cordes. Le « concertino » se compose généralement de 2 violons et d'une basse et joue également avec les ripienistes en dehors des « soli ». Les « soli » sont très courts et nombreux, créant un effet d'émiettement du discours musical. P. Locatelli, dans ses premiers c.gr. (*12 Concerti grossi* op. 1, 1721), suit encore l'exemple de Corelli. Sous l'influence d'A. Vivaldi, le c.gr. adopte le plan en 3 mouvements typique de l'époque préclassique, « allegro », « adagio », « allegro ». Le 1er mouvement est construit, selon le schéma de la sonate monothématique en 3 sections : exposition, développement et réexposition. C'est désormais sous cette forme que le c.gr. se répand en Italie et dans toute l'Europe musicale. J.S. Bach, dans les *6 Concertos brandebourgeois* BWV 1046-1051 (1721), apporte une grande variété dans le choix des solistes. Pour les deux premiers c., il emploie surtout des instr. à vent (1er *Concerto* : 2 cors, 3 hautbois, basson et violino piccolo ; 2e *Concerto* : trompette, flûte, hautbois et violon). Le 3e *Concerto* est réservé aux cordes ; le 4e groupe dans les solistes un violon et 2 flûtes ; le 5e, clavecin, flûte et violon ; le 6e est de nouveau pour les instr. à cordes. Sur le plan formel, le découpage préclassique en 3 mouvements est de rigueur dès le 2e *Concerto*, le 1er utilisant un schéma mixte en usage en Italie à l'époque de Corelli : « allegro », « adagio », « allegro », « Menuetto », « Polacca ». Le 1er et le 3e mouvement opposent constamment « ripieno » et « concertino » en des « soli » courts et mal délimités. Par opposition, le 2e mouvement est intégralement réservé aux solistes sur le soutien de la basse continue. Le 3e *Concerto brandebourgeois* réduit ce mouvement central à deux accords,

laissant ainsi aux solistes une totale liberté d'improvisation. G.Fr. Haendel écrivit *6 Concerti grossi* op. 3 (1734), comprenant des instr. à vent, et *12 Grands Concertos in seven Parts* op. 6 (1740) pour instr. à cordes. Ses modèles sont toujours les Italiens (Corelli en particulier) et il adopte encore leur plan libre en nombreux mouvements. A partir de 1750, le c.gr. disparaît, momentanément supplanté par le → concerto de soliste et la → symphonie concertante. On retrouve cependant une permanence de l'esprit du c.gr. dans les « concerti » doubles, triples et quadruples de l'époque romantique : Beethoven, *Triple Concerto* op. 56 pour violon, violoncelle et piano (1803-04) ; Schumann, *Concertstück* en *fa* maj. op. 86 pour 4 cors et orchestre (1849) ; J. Brahms, *Concerto* en *la* min. pour violon, violoncelle et orchestre (1887). L'époque moderne retrouve une prédilection pour cette forme. Certains musiciens conservent le terme de c.gr. (H. Kaminsky, 1923 ; E. Krenek, op. 25, 1924 ; B. Martinu, s.d.) ; d'autres choisissent le terme de « concerto pour orchestre », où chaque instrument est susceptible de se détacher de la masse et de devenir soliste (M. Reger, *Konzert im alten Stil für Orchester*, op. 13, 1912 ; P. Hindemith, *Konzert für Orchester*, op. 38, 1925 ; W. Piston, *Concerto for orchestra*, 1933 ; I. Stravinski, *Concerto en mi ♭ « Dumbarton Oaks »* pour orch. de chambre, 1938 ; B. Bartók, *Concerto pour orchestre*, 1943 ; W. Lutosławski, *Concerto pour orchestre*, 1950-54).

Bibliographie — A. SCHERING, Gesch. des Instrumentalkonzerts, Leipzig 1904, 2/1927 ; FR. VATIELLI, La genesi del concerto strumentale e G. Torelli, *in* Arte e Vita musicale a Bologna, Bologne 1927 ; H. ENGEL, Das Instrumentalkonzert, Leipzig 1932 ; A. VEINUS, The Concerto, New York 1945 ; M. PINCHERLE, Vivaldi et la mus. instrumentale, Paris 1948 ; du même, Corelli et la mus. instrumentale, Paris, Plon, 1954 ; H. ENGEL, Das C.gr., Cologne, A. Volk, 1962 ; du même, art. C.gr. *in* MGG II, 1952.

M.CL. BELTRANDO-PATIER

CONCERTSTÜCK (all.), voir KONZERTSTÜCK.

CONCITATO (ital., = agité), terme généralement employé dans la locution italienne « stile concitato » pour caractériser une composition essentiellement

Alfred Deller (à g.), premier chanteur haute-contre depuis deux cents ans, chef du Deller Consort, qu'il fonda en 1950 dans le but de donner des exécutions authentiques de la musique vocale anglaise et européenne de la Renaissance. Il a également fondé une Académie de chant grégorien à Sénanque (Vaucluse).

Concert d'oratorio dans le chœur de la cathédrale de Strasbourg, lors du Festival 1972.

Ph. © Studio Klein, Strasbourg.
© by SPADEM, 1976

Ph. © Harmonia Mundi - Photeb

Concert de musique chorale dans l'église Saint-Séverin à Paris : Chorale Stéphane Caillat, dirigée par Stéphane Caillat.

Choralies de Vaison-la-Romaine : sur scène, soli, chœur et orchestre; dans l'amphithéâtre, chœur de foule. Triennales, elles furent fondées en 1953.

CISTRE. Basse de cistre allemande du XVIe s. Vienne, Kunsthistorisches Museum, Sammlung alter Musikinstrumente.

CLAVECIN et CLAVICORDE : voir l'ensemble du hors-texte entre pages 304 et 305.

CONSERVATOIRE. La classe d'Olivier Messiaen au Conservatoire National Supérieur de Musique de Paris, en 1976.

COBLA. Une partie des instruments à vent d'une cobla traditionnelle, à Barcelone. De g. à dr. : un flabiol, deux tiples, deux tenoras.

CONSERVATOIRE. Le Conservatoire National de Région de Grenoble : la salle de concert et d'audition.

Le Conservatoire National de Région de Grenoble : vue d'ensemble des bâtiments, inaugurés en 1970.

COR DES ALPES vu face au pavillon. Suisse.

CORNEMUSE. Cornemuseux berrichon.

dramatique, p. ex. *Il Combattimento di Tancredi e Clorinda* de Cl. Monteverdi.

CONCOMITANT, adj. désignant en acoustique les sons harmoniques qui accompagnent le son fondamental.

CONCORDANCE, voir CONSONANCE.

CONCORDANT, terme couramment employé en France, au XVIIe s., pour désigner dans l'écriture vocale à 5 parties une voix d'homme grave intermédiaire entre la basse et le ténor. Il en va de même dans l'écriture à 5 parties des cordes, où le terme correspond à celui de quinte (des violons) qui s'applique à une partie instrumentale située entre la basse et la taille.

CONCRÈTE (Musique). La m.c. est celle qui est réalisée à partir de l'organisation, de la combinaison et de la juxtaposition de sons qui ne sont pas nécessairement des sons musicaux, produits par des objets ou machines qui ne sont pas nécessairement des instr. de musique. Certains ont cru voir dans les concerts de → bruits des futuristes italiens (Filippo Tommaso Marinetti, Luigi Russolo) donnés au Théâtre des Champs-Élysées, à Paris, en 1921, sinon la première manifestation du genre, du moins la première idée que l'on en ait eue. En réalité, la m.c. est née avec P. Schaeffer en 1948, au Studio d'essai de la Radiodiffusion française. C'est à lui que l'on doit les premières œuvres (*Symphonie de bruits, Étude aux chemins de fer*, etc.) réalisées grâce aux progrès des procédés de transformation des sons (variation de vitesse changeant la hauteur, filtrages changeant le timbre, modification de la courbe dynamique, etc.). Considérant que cette nouvelle méthode de composition musicale qui consiste à assembler des sons et des bruits préalablement existants, choisis par le musicien, était opposée à la méthode classique par laquelle on organise « a priori » et dans l'abstrait des sons qui ne seront audibles, donc existants, que par l'intermédiaire du musicien exécutant, P. Schaeffer décida de l'appeler par construction m. concrète. On peut admettre qu'une telle méthode, dans l'exercice de laquelle le musicien décide d'accepter, de modifier ou de refuser telle ou telle combinaison sonore en même temps qu'il l'entend lui-même, est plus comparable à celle du peintre, qui voit son œuvre se constituer en même temps qu'il l'imagine, qu'à celle du compositeur, qui imagine son œuvre bien avant de pouvoir l'entendre réellement. L'exceptionnelle séduction exercée par les matériaux sonores ainsi utilisés a même conduit certains musiciens à la théorie extrême de la satisfaction acoustique suffisante en elle-même. Un beau son serait déjà de la musique, et il suffirait d'ajouter les unes aux autres des sonorités agréables ou intéressantes sans se préoccuper de composer véritablement. Une telle théorie reste évidemment discutable. Dès 1949 un musicien, Pierre Henry, se joint à P. Schaeffer. De nombreuses œuvres naissent alors de leur collaboration : *Symphonie pour un homme seul, Le Voile d'Orphée*... En 1952 de nombreux compositeurs rejoignent à Paris le Groupe de recherches musicales dirigé par P. Schaef-

fer : P. Boulez, J. Barraqué, O. Messiaen, Yvette Grimaud, A. Hodeir. Sous l'impulsion des deux premiers notamment, un effort de réhabilitation de la composition est tenté, fondé sur l'esprit de rigueur issu de la technique sérielle (*Étude* de J. Barraqué, *Études* de P. Boulez, *Antiphonie* de Pierre Henry, *Timbres-Durées* d'O. Messiaen). A. Hodeir fait une tentative d'adaptation au jazz (*Jazz et Jazz* pour bande magnétique et piano) ; H. Sauguet, pour sa part, essaye d'utiliser des procédés de composition plus classiques (*Trois Aspects sentimentaux*). A partir de 1953, on assiste à une réconciliation de la m.c. avec la mus. → électronique (*Gesang der Jünglinge* de K. Stockhausen) ainsi qu'à l'apparition de la coexistence de musiciens exécutants avec les sons « concrets » (*Déserts* d'E. Varèse). Vers 1958 une nouvelle génération de musiciens concrets, extrêmement riche, fait son apparition : Luc Ferrari, François Bernard Mâche, Bernard Parmegiani, François Bayle... On a maintenant tendance à appeler la m.c. (ainsi que la mus. → électronique) mus. électro-acoustique. De nombreux studios se sont ouverts en France et à l'étranger dans lesquels on pratique ce genre de création musicale. En France, à Bourges, il existe depuis 1973 un concours international de mus. électro-acoustique, auquel se présentent des musiciens du monde entier.

Bibliographie — P. SCHAEFFER, A la recherche d'une m.c., Paris, Éd. du Seuil, 1952; du même, Traité des objets musicaux, Paris, Éd. du Seuil, 1966; du même, La m.c., Paris, PUF, 1967; du même, Expériences musicales, *in* RM, nᵒ spécial, 1959; L'art des bruits, manifeste futuriste de 1913, introd. et trad. fr. de M. LEMAÎTRE, Paris, Richard-Masse, 1954.

M. PHILIPPOT

CONDUCTEUR, partition d'orchestre, réduite sur deux ou trois portées, servant à diriger l'exécution, à défaut de la partition complète appelée grande partition.

CONDUIT (lat., conductus), composition vocale du Moyen Age, à une ou plusieurs voix, sur un texte religieux latin, en vers rythmés, généralement strophique. Le contenu en est toujours sérieux ou moralisateur, le chant (ou le ténor) presque toujours original. Ce genre fleurit particulièrement à l'époque de St-Martial de Limoges et de l'École de Notre-Dame de Paris. Contrairement aux diverses interprétations données par des théoriciens du XIIIe s., le c. tire son nom au XIIe de sa destination paraliturgique de chant de conduite destiné à accompagner l'entrée du lecteur dans les offices, de certains personnages dans les jeux liturgiques ou à accompagner les processions et autres cérémonies. Mais les origines du c. ne se situent pas seulement dans les domaines liturgiques et paraliturgiques ; elles peuvent se rattacher d'une manière générale à l'adoption définitive et au remarquable essor de la poésie accentuée dus essentiellement au développement de la → séquence à partir de la fin du XIe s. (source la plus ancienne Ms. Paris BN lat. 1139, v. 1100 ; formes mixtes dans le répertoire des jongleurs, chansons de Cambridge, XIe s.). Il semble que l'introduction du c. dans la liturgie n'ait été, comme celle du → trope, qu'une tolérance réservée à des moments précis : préparatifs ou conclusion solennelle d'une action où il s'identifiera bientôt aux paraphrases du *Benedicamus*. Ce genre constitue l'essentiel du répertoire de St-Martial, alors que dans les mss. de Notre-Dame le c. purement liturgique ne joue plus qu'un rôle secondaire. De toute évidence, la pratique du c. resta toujours largement répandue en dehors de la liturgie, dans les écoles, les communautés, lors de manifestations officielles, d'où son contenu varié : commentaire solennel de certains offices, sujet spirituel ou moralisateur visiblement inspiré par la circonstance, blâme ou parodie. C'est pourquoi, si l'on s'en tient à sa fonction, le c. constitue la réplique spirituelle du répertoire profane des troubadours et des trouvères ainsi qu'une forme originale d'interpolation musico-poétique et enfin (en particulier la forme polyphonique) une étape dans le processus qui conduit les formes nouvelles de la polyphonie (déchant, voir l'art. DISCANTUS) à rejeter le joug de la liturgie.

Bien qu'il soit indépendant d'un ténor grégorien, le c. reflète dès ses débuts, sur le plan de la technique musicale, l'évolution fondamentale de la mus. française entre le XIe et le XIIIe s. Le principe syllabique, qui anime la forme à une voix, devient, dans le c. à plusieurs voix, le principe d'articulation simultanée des syllabes à toutes les voix et, associé au déchant, s'amplifie en une large homogénéité des voix (la possibilité de la contribution du c. à la formation du rythme modal n'a pas encore été étudiée ; voir l'art. MODE, § 2).

fortement controversé, ce qui se reflète dans les éditions savantes encore peu nombreuses et peu convaincantes. Jusqu'à ce jour aucun des systèmes de transcription proposés ne peut prétendre s'imposer d'une manière exclusive (égalité des valeurs ; mesure binaire, d'après H. Riemann ; notation dite syllabique, d'après W. Apel ; modale, d'après Fr. Ludwig ; principe de la numération des syllabes, de H. Husmann ; par analogie, lorsque des passages mélismatiques et syllabiques sont musicalement identiques, selon M. Bukofzer et H. Husmann). Tenant compte d'une part de la destination pratique du c. et d'autre part de son contexte historique (dans l'époque qui précède les modes rythmiques, toute interprétation modale sera proscrite d'office), ces systèmes permettent d'arriver au résultat souhaité par contrôle réciproque ou complémentarité. L'union intime du ténor et du texte, que l'on constate à tous les stades de développement, amène une structuration correspondante de l'ensemble poético-musical (périodes, etc.). On y trouve également en germe la transformation du ténor, encore considéré comme base de la composition, en un type de voix bien déterminé. Cela s'est répercuté, au plus tard à partir du XIIIe s., sur les autres genres, en particulier sur le motet, et a indubitablement entraîné l'absorption du c., dans ses fonctions propres, par le motet, au moment où celui-ci s'est à son tour libéré de la liturgie. Le c.

Conduit *Ave maris stella*, extrait du Ms. Florence, Bibl. Mediceo-Laurenziana, plut. 29, 1, fo 221ʳ.

Ces traits distinctifs, tenus par la suite pour caractéristiques de l'homophonie, sont unanimement soulignés par les auteurs du XIIIe s., qui se sont particulièrement efforcés d'établir les différences entre l'organum et le motet (G.D. Sasse). Des différents stades de développement et des fonctions assignées au c., il se dégage néanmoins plusieurs manières qui se réfèrent plus ou moins aux autres genres : disposition strophique ; composition partiellement puis entièrement libre (« durchkomponiert ») ; accentuation par des mélismes de certaines césures dans les vers et les strophes ; alternance stricte de parties syllabiques et de parties mélismatiques, certains exemples se rattachant même directement aux mélismes de l'organum (M. Bukofzer), etc. Seule cette diversité permet de comprendre que le problème fondamental du c., celui du rythme, reste

tombe alors dans le répertoire populaire (chanson spirituelle, carol). Le style propre au c. devient néanmoins le point de départ essentiel pour l'expansion des acquisitions de la mus. française dans de nouveaux centres de l'évolution musicale, en Angleterre (Worcester, Old Hall), en Italie (Florence), et, d'une manière générale, pour leur diffusion (cf. H. Anglés, A. Geering). Ces acquisitions convergeront à nouveau au XVe s. dans le style de la chanson homophone.

Bibliographie — F. RAILLARD, Recueil de 32 chants religieux extraits d'un ms. du XIe s., Paris 1852 ; G.M. DREVES, Analecta hymnica medii aevi XVII, XX et XXI, Leipzig 1894-95 ; J. HANDSCHIN, Notizen über den Notre-Dame-C., *in* Kgr.-Ber. Leipzig 1925 ; du même, Zur Frage der C.-Rhythmik, *in* AMl XXIV, 1952 ; du même, C.-Spicilegien, *in* AfMw IX, 1952 ; H. ANGLÉS, El Códex musical de Las Huelgas, 3 vol., Barcelone 1931 ; du même, Der Rhythmus in der Melodik mittelalterlicher Lyrik, *in* Kgr.-Ber.

New York 1961, Kassel, BV, 1961 ; H. SPANKE, St-Martial-Studien, *in* Zs. für französische Sprache u. Literatur LIV, 1931 ; du même, Beziehungen zwischen romanischer u. mittellateinischer Lyrik, in Abh. der Gesellschaft der Wissenschaften zu Göttingen, phil.-hist. Klasse, 3. Folge XVIII, 1936 ; P. WAGNER, Die Gesänge der Jakobsliturgie zu Santiago de Compostela, Fribourg 1931 ; E. GRÖNINGER, Repertoire-Untersuchungen zum mehrstimmigen Notre-Dame-C., Regensburg 1939 ; G.D. SASSE, Die Mehrstimmigkeit der Ars antiqua in Theorie u. Praxis, Borna et Leipzig 1940 ; W. APEL, The Notation of Polyphonic Music 900-1600, Cambridge (Mass.), Medieval Acad. of America, 1942,5/1961 ; M. BUKOFZER, Rhythm and Metre in the Notre-Dame-C., *in* Bull. of the American Musicological Soc. XI et XIII, 1946 et 1948 ; du même, Interrelations Between C. and Clausula, *in* Ann. Mus. I, 1953 ; J. CHAILLEY, Hist. musicale du M.A., Paris, PUF, 1950, 2/1970 ; A. GEERING, Die Organa u. mehrstimmigen C. in den Hss. des deutschen Sprachgebietes vom 13. bis 16. Jh., Berne, Haupt, 1952 ; H. HUSMANN, Zur Grundlegung der Rhythmik der mittelalterlichen Liedes, *in* AfMw IX, 1952 ; du même, Das Prinzip der Silbenzählung im Lied des zentralen Mittelalters, *in* Mf VI, 1953 ; du même, Das System der modalen Rhythmik, *in* AfMw XI, 1954 ; C. PARRISH, Some Rhythmical Problems of the Notre-Dame Organa and C., *in* JAMS VI, 1953 ; E. THURSTEN, The C. Compositions in Ms. Wolfenbüttel 1206, 2 vol. (diss. New York 1954) ; FR. GENNRICH, Lateinische Liedkontrafaktur, Darmstadt, l'Auteur, 1956 ; G. REANEY, A Note on C. Rhythm, *in* Kgr.-Ber. Köln 1958, Kassel, BV, 1959 ; J.E. KNAPP, The Polyphonic C. in the Notre-Dame Epoch, 4 vol. (diss. Yale Univ. 1961) ; du même, 35 C. for 2 and 3 Voices, Yale Univ., 1965 ; FR.LL. HARRISON, Benedicamus, C., Carol : A Newly-Discovered Source, *in* AMl XXXVII, 1965 ; E.F. FLINDELL, Syllabic Notation and Change of Mode, *ibid.* XXXIX, 1967 ; W. OSTHOFF, Die C. des Codex Calixtinus, *in* Fs. Br. Stäblein, Kassel, BV, 1967 ; G.A. ANDERSON, Mode and Change of Mode in Notre-Dame-C., *in* AMl XL, 1968.

R. FLOTZINGER

CONGA, danse carnavalesque cubaine d'origine noire, caractérisée par le rythme ♪ ⁷ ♪ ⁷ | ♫ ⁓

En 1856 déjà, elle était admise dans les salons de la bonne société et dansée avec enthousiasme par les jeunes invités d'un bal officiel donné au palais du Gouvernement, à La Havane.

CONIQUE, voir PERCE.

CONJOINT, voir CONJONCTION, DISJONCTION.

CONJONCTION, DISJONCTION. 1. Propriétés concernant la distance des sons entre eux dans leur déroulement mélodique. Dans nos conventions habituelles, les termes de c. et de d. s'appliquent relativement à l'échelle → heptatonique : quand deux sons successifs sont situés sur des degrés consécutifs de cette échelle, ils sont dits conjoints ; sinon ils sont disjoints. Ainsi, *fa-sol* et *si-do* sont conjoints, mais *ré-fa* et *mi-si* sont disjoints puisque l'on a un *mi* entre *ré* et *fa*, et *fa, sol, la* entre *mi* et *si*. Les sons conjoints sont toujours à distance de → seconde, soit majeure, soit mineure ; ils sont donc séparés par un → ton ou un → demi-ton. De nos jours, il est recommandé d'adapter les notions de c. et de d. aux échelles utilisées. Ainsi, dans les → gammes dites défectives, les degrés consécutifs sont toujours conjoints même si, par rapport à l'heptatonique, ils apparaissent disjoints. Prenons l'échelle pentatonique *do-ré-fa-sol-la-do* : les successions *ré-fa* et *la-do* sont conjointes puisqu'elles appartiennent aux degrés consécutifs d'un système qui ignore le *mi* et le *si*. Par contre *fa-la* est disjoint en raison du *sol* intermédiaire. — **2.** En théorie grecque antique, les termes de c. et de d. ont un sens différent. Ils concernent les rapports de deux → tétracordes successifs qui sont dits conjoints

quand ils sont reliés par une note commune, mais disjoints quand ils sont séparés par un ton disjonctif (→ « diazcuxis »).

conjonction   disjonction

CONQUE (angl., conch trumpet ; all., Muschelhorn ; ital., conchiglia), coquillage marin de grande taille ou coquille en albâtre (Crète) ou en terre cuite (Pérou), enroulée en une spirale creuse largement ouverte, dont l'extrémité pointue est sectionnée soit pour servir directement d'embouchure terminale (Amérique, Malaisie, Iran, Tibet), soit pour y loger une sorte d'embouchure de cor (Japon) ou un petit tuyau de bambou ou de métal (Océanie). Il existe aussi une position transversale du coquillage, pour laquelle a été percée une ouverture latérale. Cette pratique est courante en Polynésie et à Madagascar. La c. est une forme primitive de → trompe dont un musicien habile peut tirer, outre le son fondamental, grave et solennel, très proche du son du cor, une série de 6 à 7 sons partiels, voisins d'une série harmonique. Attribut traditionnel des tritons dans la mythologie grecque, instrument sacré dans les légendes hindoues, jouée par les divinités ou les démons, la c. n'est pas un instrument particulier aux pays côtiers ; elle a pénétré profondément dans tous les continents. Son utilisation dans les temples bouddhistes remonte au XIIᵉ s. En Corée, sa sonorité se mêle à celle des hautbois, des gongs, des cymbales et des tambours dans les processions militaires. A Tahiti ou à Madagascar, elle résonne entre les doigts des piroguiers. Dans les pays méditerranéens (Sardaigne), c'est l'instrument des bergers. Selon le pays, le son de la c. est lié à l'idée de danger, de mort, de combat (Nouvelle-Calédonie), mais aussi de faste, de richesse (Nouvelle-Guinée), de solennité et de magie.

Bibliographie — OVIDE, Métamorphoses I, trad. par G. Lafaye, Paris 1928 ; M. LEENHARDT, Notes d'ethnologie néo-calédonienne, Paris 1930 ; du même, Documents néo-calédoniens, Paris 1932 ; K.G. IZIKOWITZ, Musical and Other Sound Instr. of the South American Indians, Göteborg 1935 ; A. SCHAEFFNER, Origine des instr. de mus., Paris 1936, 2/Paris et La Haye, Mouton, 1968.

CONSÉQUENT ou COMES, en rapport avec l' → antécédent ou « dux », le c. désigne, dans une → fugue, la → réponse, forme modifiée du → sujet. On nomme également ainsi, dans un canon à deux parties, celle qui entre la dernière.

CONSERVATOIRE (angl. conservatory ; all., Konservatorium ; ital. et esp., conservatorio), terme emprunté, à la fin du XVIIIᵉ s., à l'italien, dérivé du verbe « conservare » (= conserver), servant à désigner un établissement spécialisé d'enseignement musical. Les premiers c. italiens étaient des hospices recueillant les orphelins ou les enfants abandonnés et initiant à la musique les plus doués, mais l'enseignement de la musique ne figurait pas au programme de ces écoles dans les premières années de leur fondation. Le plus ancien c. connu est celui de Santa Maria di Loreto, fondé à Naples en 1537 par Giovanni di Tapia. Par ordre de Murat, il fut réuni en 1808 à d'autres écoles semblables, créées elles aussi au XVIᵉ s., et prit le nom de « Collegio Reale di Musica », aujourd'hui « Conservatorio di San Pietro a Majella ». A Venise, 4 établissements de ce genre étaient nommés « ospedali » : « della Pietà », « dei Mendicanti », « degli Incurabili », « l'Ospedaletto ». A Palerme, un c. fut établi dès 1615.

Le mot c. entre dans la langue française à la fin du XVIIIᵉ s. Il désigne alors, pour ce qui est de la musique, un établissement d'enseignement où les différents degrés sont accessibles par voie de concours. La véritable origine du Cons. de Paris n'est pas l'École Royale de Chant et de Déclamation, fondée en 1784 et dirigée par Fr.J. Gossec jusqu'en 1788, mais la Musique de la Garde Nationale, créée en 1789 par B. Sarrette avec 45 musiciens choisis parmi les gardes qui venaient d'être licenciés. Cette école devint en 1792 l'École gratuite de la Garde Nationale, en 1793 l'Institut National de Musique, avant de prendre, le 16 thermidor an III (3 août 1795), le nom de Conservatoire de Musique, titre que cet établissement devait perdre sous la Restauration au profit de celui d'École Royale de Musique pour devenir enfin en 1822 Conservatoire de Musique et de Déclamation. Installé d'abord à l'Hôtel des Menus-Plaisirs, faubourg Poissonnière, il a été transféré en 1911 dans l'ancien collège des Jésuites de la rue de Madrid, où, seul c. supérieur de musique existant en France, il se trouve encore aujourd'hui. Les musiciens appelés à le diriger furent successivement L. Cherubini (1822), D.F.E. Auber (1842), A. Thomas (1871), Th. Dubois (1896), G. Fauré (1905), H. Rabaud (1920), Cl. Delvincourt (1940), M. Dupré (1954), R. Loucheur (1956), R. Gallois-Montbrun (1962). Ce dernier y instaura en 1966 des cours de perfectionnement, dits de 3ᵉ cycle, destinés aux élèves les plus doués parmi ceux qui ont obtenu leur 1ᵉʳ Prix (leur désignation a lieu par concours). Dotés de bourses de 2, 3 ou 4 ans à partir de leur admission, les élèves continuent à travailler avec leurs professeurs, auxquels se joignent pour des séminaires d'autres grands artistes français et étrangers invités par l'établissement. Ce cycle de perfectionnement couvre actuellement 5 disciplines : piano, violon, chant, dir. d'orchestre et mus. de chambre. En province, des c. furent créés dès le début du XIXᵉ s. à Douai (1806), Lille (1816), Roubaix (1820), Toulouse (1821), Avignon (1828), Marseille (1830), Caen (1835), Aix-en-Provence (1849), etc. Au 1ᵉʳ janv. 1974, seize c. avaient le rang de Cons. National de Région (Besançon, Bordeaux, Grenoble, Lille, Lyon, Marseille, Metz, Nancy, Nice, Reims, Rennes, Rouen, Strasbourg, Toulouse, Tours, Versailles). Pour bénéficier de ce titre, ces c. doivent avoir au moins 20 professeurs titulaires ainsi que 2 accompagnateurs et enseigner obligatoirement 32 disciplines : solfège spécialisé, solfège initiation, piano, violon, alto, violoncelle, contrebasse, flûte, hautbois, clarinette, basson, cor, trompette, trombone, tuba et saxhorn, chant, art lyrique, danse classique, guitare, saxophone, lecture à vue (piano, cordes, vents), ensemble instrumental, ensemble vocal et dir. d'ensemble vocal, orchestre, percussion, orgue, harpe, hist. de la musique, écriture et composition, analyse, technique du son et organologie, plus 2 disciplines à choisir entre clavecin, ondes Martenot, mus. traditionnelles, pédagogie, atelier de mus. contemporaine, chant grégorien, flûte à bec, instr. anciens, dir. d'orchestre, danses anciennes et tradi-

tionnelles, atelier de recherches chorégraphiques, classe de ballet, solfège danseurs et chanteurs, transposition, hist. de la littérature lyrique, accompagnement. Les autres établissements, de moindre importance, sont répartis en 2 types d'Écoles Nationales de Musique. Les directeurs et les professeurs de ces écoles, comme ceux des c. nationaux de région, sont nommés par le maire après agrément ministériel, à la suite d'un concours sur titres pour les directeurs et sur épreuves pour les professeurs. De plus, le Secrétariat d'État à la Culture peut donner à d'autres établissements mineurs, après inspection, le nom d'Écoles Municipales de Musique agréées.

A côté de ces c. subventionnés par l'État, de nombreux établissements musicaux privés ont existé ou existent encore en France. Citons à Paris, parmi les plus importants, l'Institution Royale de Musique classique et religieuse de A.E. Choron (1816-1830). l'École de Musique classique et religieuse de L. Niedermeyer (depuis 1853), la Schola Cantorum fondée en 1896 par V. d'Indy, Ch. Bordes et A. Guilmant et dont s'est détachée en 1934 l'École César-Franck, l'École Normale de Musique créée en 1919 par A. Cortot et A. Mangeot, le Conservatoire international de Musique de P. Lucs et le Conservatoire européen dirigé par H. Sauguet.

Dans les autres pays d'Europe, les c. ne sont pas moins nombreux. En Italie s'ouvrirent en 1804 le « Liceo filarmonico » de Bologne et en 1869 l' « Accad. Santa Cecilia » de Rome. Le territoire italien compte aujourd'hui 14 « Conservatori di Stato » (Bari, Bolzano, Bologne, Cagliari, Florence, Milan, Naples, Palerme, Parme, Pesaro, Rome, Turin, Trieste, Venise) souvent appelés « Licei Musicali ». — En Belgique, une école de chant fut fondée dès 1813 à Bruxelles ; elle devint en 1832 Cons. Royal de Musique, dirigé successivement au XIXᵉ s. par Fr.J. Fétis (1833-1871) et Fr.J. Gevaert (1871-1908). Ce pays possède actuellement 4 autres c. royaux, deux d'expression française (Liège et Mons) et deux flamands (Anvers et Gand). — Dans les pays germaniques, s'ouvrirent en 1811 le c. de Vienne, en 1843 celui de Leipzig inauguré par Mendelssohn, en 1850 ceux de Berlin, Cologne et Dresde, et en 1856 celui de Stuttgart. De semblables établissements sont apparus peu à peu dans toute l'Europe. Citons ceux de Prague (1811), Madrid (1830), Genève (1835), Lisbonne (1836), Berne (1858), Lausanne (1861), Bucarest (1864), Bâle et Copenhague (1867), Athènes (1871), Zurich (1875), Helsinki (1882), Oslo (1883), Barcelone (1886), Sofia (1922). En Angleterre, aux USA et en Australie, les c. sont englobés dans l'enseignement universitaire. Notons cependant à Londres la création des établissements suivants : Royal Acad. of Music (1822), Royal College of Music (1883), Guildhall School of Music, Trinity College of Music... et aux USA des collèges musicaux de Boston (1853), Baltimore (1868), Cambridge (1871), Ann Arbor (1892), New Haven (1894), Rochester (1913), Philadelphie (1924). — Le premier c. du Mexique s'ouvrit en 1825, grâce à José Mariano Elízaga, et en Amérique du Sud des c. apparurent à Santiago du Chili en 1849, à Buenos Aires en 1893 et à La Paz en 1908.

Bibliographie — P. LASSABATHIE, Hist. du Cons. National de Mus. et de Déclamation, Paris 1882 ; C. PIERRE, B. Sarrette et les origines du Cons. National de Mus. et de Déclamation, Paris 1895 ; du même, Le Cons. National de Mus. et de Déclamation, Paris

1900 ; M. Emmanuel, Les c. de mus. en Allemagne et en Autriche, *in* Revue de Paris VII, 1900 ; J. Prod'homme et E. de Crauzat, Les Menus-Plaisirs du Roi : l'École Royale et le Cons. de Mus., Paris 1929 ; Th. Dubois, L'enseignement musical, *in* Lavignac Techn. V, 1931 ; H. Bauer, The Paris C. : Some Reminiscences, *in* MQ XXXIII, 1947 ; R. Schaal, art. Konservatorium *in* MGG VII, 1958 ; Notices sur les c. d'Europe, ouvr. coll. s.l.n.d. (Paris BN, fonds du Cons. 4° B 1697); W. Kolneder, Die Gründung des Pariser Konservatoriums, *in* Mf XX, 1967; Intern. Directory of Music Education Institutions, publ. par l'ISME, Paris, UNESCO, 1968 ; J. Braun, Le c. de Strasbourg de 1855 à 1967, *in* La mus. en Alsace, Strasbourg, Istra, 1970 ; Ministère des Affaires Culturelles, Notes d'information 23, 1er trimestre 1974, IV Réalisation et perspective de la Direction de la Musique... — Voir également la bibliogr. des différentes villes traitées dans cet ouvrage.

D. Pistone

CONSOLE (angl., console ; all., Spieltisch ; ital., consolle ; esp., consola), meuble contenant l'ensemble des claviers et des mécanismes (boutons, pistons, pédales, dominos, etc.) mis à la disposition de l'organiste. La c. est dite « en fenêtre » quand elle est encastrée dans le grand corps, le plus souvent entre celui-ci et le positif, parfois derrière ou de côté ; c'est la disposition adoptée pour l'orgue classique. La c. est dite séparée lorsqu'elle est placée en avant du grand corps, lui tournant le dos ; l'organiste fait alors face à la nef. Au XIXe s. elle était souvent masquée par un positif postiche. Depuis l'invention de la transmission électrique, la c. peut être éloignée du grand corps ; parfois même elle peut être rendue mobile.

CONSONANCE, DISSONANCE (du lat. consonare, = qui sonne avec ; dissonare, = qui ne sonne pas avec). Ces notions servent à l'appréciation qualitative des → intervalles et des → accords ainsi qu'à leur classification. Elles sont déterminées d'après des considérations mathématiques (degré de complexité des rapports de nombres), physiques (phénomènes des → sons harmoniques, → battements, → sons résultants), physiologiques (harmoniques subjectifs, expériences bi-auditives) et psychologiques (degré de fusion, agrément de l'oreille). En outre, la tradition et l'habitude jouent un grand rôle. Il en résulte que les limites entre c. et d. sont imprécises et variables. La notion de c. est inséparable de celle de dissonance. Si, d'un côté, la d. est l'opposé de la c., de l'autre elle est déduite par rapport à celle-ci. Les mathématiques et la physique ne confirment qu'une transition graduelle de la c. à la d., sans être capables de tracer une frontière entre ces deux notions. C'est le système musical utilisé — produit de la tradition et de l'histoire — qui impose une distinction entre elles.

I. Historique. 1. L'Antiquité grecque. La pensée grecque antique fut la première à tenter une explication des consonances. A cet effet, elle utilisa les rapports mathématiques les plus simples, ceux qui sont inclus dans la « tétractys » sacrée de Pythagore. Ces rapports devaient être des proportions soit multiples ($1/2$ = octave, $1/3$ = douzième, $1/4$ = double octave), soit superpartielles ($1/2$ = octave, $2/3$ = quinte, $3/4$ = quarte). Les intervalles ainsi obtenus furent appelés « symphoniae » et reçurent à partir du XIIe s. le nom de c. parfaites, dénomination qui est restée jusqu'à nos jours. L'instrument de vérification utilisé était le → monocorde. Mais les Grecs anciens n'en restèrent pas là. Ils observèrent

que la quinte et la quarte divisaient l'octave et cherchèrent les formules de cette division. Ce problème occupe une partie importante du *Timée* de Platon. L'octave grecque pouvait ainsi se diviser en *mi-si-mi* ou en *mi-la-mi*. La première fut appelée → division harmonique et la seconde → division arithmétique. Les Grecs ne firent aucune différence entre ces deux divisions et — par voie de conséquence — placèrent sur un pied d'égalité la quinte et la quarte qui toutes deux étaient englobées dans une c. supérieure : l'octave. Enfin, il ne faut pas oublier que les c. antiques — vérifiées par une perception de fusion — ne se rapportaient pas à une mus. polyphonique ; elles servaient d'intervalles et de structures pour l'organisation de leur système sonore.

2. Quinte et quarte au Moyen Age. Le Moyen Age reprit l'essentiel de ces conceptions, qui lui avaient été transmises par Boèce au VIe s. La *Musica enchiriadis* retient les trois mêmes c. essentielles que la Grèce antique : octave, quinte et quarte. Mais si l'on excepte l'octave, c. privilégiée, la quarte est préférée à la quinte jusqu'à la fin du XIe s., bien que les *Scholiae* (complément de la *Musica enchiriadis*) fassent exception en préférant la quinte. L'organum (ou diaphonie) du IXe au XIe s. se faisait en successions parallèles de quintes ou de quartes, mais Guy d'Arezzo (XIe s.) n'admettait que ces dernières. Aux XIe et XIIe s., les quartes et les quintes sont considérées comme également consonantes et sont utilisées soit isolément, soit consécutivement. Dès la fin du XIIe s., le *Discantus positio vulgaris* place la quarte parmi les d. mais ce n'est qu'avec le XIVe s. que cette attitude se généralise. Parallèlement, l'Anonyme XIII formule la première défense de quintes et octaves consécutives (XIIIe s.) en donnant comme argument que ces intervalles sont parfaits. Cette explication n'est guère satisfaisante mais aucune autre avancée depuis ne paraît convaincante. Il y a là un problème théorique encore non résolu. En raison de sa dégradation au rang de d., la quarte échappe à cet interdit. Mais, du fait qu'elle est théoriquement c. parfaite (rapport $3/4$) et pratiquement rejetée de l'écriture musicale, elle pose des problèmes quasi insolubles aux théoriciens. J. Tinctoris va jusqu'à la considérer à la fois comme c. et comme dissonance. Avec la notion de → renversement et la découverte des → sons harmoniques, son utilisation redevient facile à expliquer : en tant que renversement de la quinte, elle est défendue avec la basse mais permise avec les autres parties.

3. Tierces et sixtes au Moyen Age. Pour notre conception moderne, ces deux catégories de c. font partie de la même classification puisque les unes sont les renversements des autres. Il n'en est pas ainsi au Moyen Age. Les tierces ne posent aucun problème de classification. Dans les tout premiers traités, elles ne sont pas mentionnées. A partir du XIIIe s., elles sont régulièrement considérées comme c. imparfaites, sans distinction de leur aspect majeur ou mineur. Le Traité de Montpellier (XIIe s.) est le premier à indiquer la possibilité de débuter par une tierce ou une sixte et l'Anonyme XIII autorise pour la première fois l'emploi des tierces successives (XIIIe s.), qui, d'après l'Anonyme IV, sont alors courantes en Angleterre. Adam von Fulda (XVe s.) permet autant de tierces successives que l'on veut.

Mais indépendamment de la classification, un problème d'acoustique vient compliquer les considérations théoriques. En effet, le → système pythagoricien, hérité de la Grèce antique, est le seul en usage au Moyen Age. Par suite, la tierce majeure correspond à la proportion de 64/81 — soit de deux tons entiers, d'où son nom de « ditonus » (8/9 × 8/9 = 64/81) — et non au rapport simple des harmoniques 4/5 (=64/80). Cette différence de 80/81, appelée « comma syntonique », empêcha les théoriciens d'accepter les tierces comme c. véritables (voir l'art. INTERVALLE). Pendant tout le Moyen Age, deux théoriciens seulement, tous deux anglais, remarquèrent la proximité de ces deux rapports. Theinred de Douvres, à la fin du XIIᵉ s., en déduisit : « quod auditu percipere difficile est ». W. Odington (début du XIVᵉ s.) démontra d'une manière détaillée la parenté des deux rapports et en conclut que c'était affaire d'habileté de la part des chanteurs pour en camoufler la différence. C'est B. Ramos de Pareja (*Musica practica*, 1482) qui appliqua le premier les rapports simples de 4/5 (tierce majeure) et 5/6 (tierce mineure) qui avec G. Zarlino (1558) furent définitivement adoptés.

La pratique musicale confirme les dires des théoriciens. On remarque toutefois que des chaînes importantes de tierces successives existent déjà vers la fin du XIIᵉ s. sur le Continent (St-Martial de Limoges) et que, contrairement à l'opinion communément admise, l'Angleterre ne paraît pas en être la terre d'origine. Sur le problème capital de l'apparition de la tierce en position terminale, les traités restent généralement muets. Seul l'Anonyme IV (XIIIᵉ s.) signale que certains compositeurs finissent improprement par la tierce majeure ou la tierce mineure. Puis J. Tinctoris (XVᵉ s.) dit qu'en chantant « super librum » la tierce majeure ou mineure n'est pas mauvaise pour terminer. Dans la pratique musicale, si l'on excepte un exemple isolé du XIIIᵉ s. (tierce mineure finale du conduit *Quis imponet terminum*), les tierces commencent à s'infiltrer en position terminale à partir de la fin du XIVᵉ s. (Ms. d'Apt) pour devenir usuelles vers le milieu du XVIᵉ s. Remarquons que la tierce est indifféremment majeure ou mineure, ce qui exclut une explication de formation analogique de l'une par rapport à l'autre. Toutefois, à partir du milieu du XVIᵉ s. et pour plus d'un siècle, seule la tierce majeure finale est en usage, donc haussée dans les morceaux mineurs (tierce picarde). Il faut attendre le XVIIIᵉ s. pour voir réapparaître d'une manière courante la tierce mineure finale. Les explications théoriques de ce phénomène n'en sont encore qu'au stade des hypothèses. Un autre fait troublant est à signaler. Quand l'accord parfait devient la base de l'écriture consonante (fin XVIᵉ s.) et qu'il se présente de manière incomplète, c'est presque toujours par suppression de la quinte et non de la tierce. Cette dernière se suffit donc à elle seule et détrône, à partir du XVIIᵉ s., l'antique privilège réservé à la quinte en raison de sa plus grande perfection. Il faut en déduire une préférence esthétique et affective pour la tierce au détriment de la quinte.

La classification des sixtes présente une grande confusion. L'aspect le plus déroutant est la différence faite par nombre de théoriciens entre la sixte mineure et la sixte majeure (voir tableau), ainsi que le plus grand degré d'imperfection attribué en général à la sixte mineure. Cette dernière — renversement de la tierce majeure — devrait, dans l'optique physique fondée sur le tableau des harmoniques, passer avant la sixte majeure, renversement de la tierce mineure. Il n'y a guère d'explication vraiment satisfaisante à cette constatation si ce n'est dans une conception d'écriture linéaire : sixte majeure aboutissant à l'octave.

alors que la sixte mineure est horizontalement en situation « bloquée ». Dans la pratique musicale, toutefois, on ne retrouve pas cette différence de traitement entre les deux aspects de l'intervalle. Seul le décalage entre tierces d'un côté et sixtes de l'autre est nettement discernable : privilège des intervalles de rapport superpartiel (4/5 et 5/6) sur les autres (3/5 et 5/8). Cette explication, acceptable dans le cadre de la pensée grecque antique, est rejetée par la majorité des théoriciens modernes, qui toutefois n'en ont pas proposé d'autres. A partir du XVᵉ s., les tierces et les sixtes sont placées au même degré consonantique avec, cependant, impossibilité de terminer avec la sixte en raison de son état de renversement.

4. La notion de dissonance dans la polyphonie jusqu'au début du XVIIᵉ s. L'organum primitif ne connaît pas de d. à proprement parler, mais seulement des dérogations à la distance régulière admise (quinte ou quarte). C'est avec le principe du mouvement contraire (XIIᵉ s.) que la notion de d. apparaît : les points d'appui doivent être consonants et, entre eux, les d. peuvent servir de transition. Elles correspondent à ce que plus tard on appellera des notes de passage. Parfois on rencontre de rares appogiatures. En général, les rencontres de ces notes étrangères sont fort libres jusqu'à la fin du XIVᵉ s. : secondes ou septièmes successives, notes de passage disjointes, échappées, notes étrangères en même temps que la note réelle, etc. Aux XVᵉ et XVIᵉ s., avec l'incorporation des tierces et sixtes comme c. usuelles, les libertés sont réduites et en même temps la notion de d. change. D'anarchique qu'elle était, elle s'incorpore à l'écriture. Sur temps fort, elle demande une préparation (principe du retard avec rythme syncopé) et exige une résolution par mouvement de seconde descendante (« suspensio », ex. a) ; sur temps faible, elle se présente comme note de passage entre deux c. (« transitus », ex. b). Les exceptions à cette double règle sont rares, à part l'usage fréquent et admis de la → « cambiata ».

5. De la consonance d'intervalle à la consonance d'accord. Jusqu'au XVIᵉ s., les → accords sont ressentis comme des assemblages simultanés d'intervalles analysés deux par deux et non comme des unités sonores globales. La technique d'écriture consistait en ajouts successifs de voix à un chant déjà existant (« cantus prius factus », appelé aussi → « cantus firmus » ou teneur) servant de référence. Cela explique qu'au XIIIᵉ s. Francon de Cologne admettait que deux voix en c. avec la teneur puissent dissoner entre elles et que l'Anonyme I considérait la double quinte comme consonante. Celle-ci ne doit surtout pas être analysée comme un accord de neuvième défectif, mais comme une superposition de deux c. parfaites de part et d'autre de la teneur. On rencontre pour les mêmes raisons des doubles quartes. Mais au XIVe s. de telles licences sont déjà rares, bien qu'on en trouve encore chez G. de Machault. Du reste, c'est en ce même siècle que Johannes de Muris attire pour la première fois l'attention sur l'intervalle différentiel produit par deux c. simultanées avec la teneur et demande qu'il ne soit pas dissonant. Ce principe se généralise au XVe s. P. Aaron considère bien la composition des voix l'une après l'autre comme démodée (1523) mais ce n'est qu'au milieu du XVIe s. que la teneur est détrônée de son ancien privilège au profit de la basse (A.P. Coclico, 1552, et surtout G. Zarlino, 1558). Zarlino est le premier à établir rationnellement les rapports constitutifs de l' → accord parfait majeur (correspondant à la division harmonique de la quinte) et de l'accord parfait mineur (correspondant à sa division arithmétique). S'il continue à analyser les accords par groupes de deux sons, il en a déjà une conscience globale.

Celle-ci s'accentue au cours du XVIIe s., en grande partie grâce à la pratique de la → basse continue, surtout en Italie. Ce n'est qu'au début du XVIIIe s. que la notion d'accord en tant qu'entité unitaire est généralement acceptée.

6. La dissonance d'accord. A partir du XVIIe s., la notion de c. et de d. change, du fait que l'on passe d'une conscience d'intervalle à une conscience d'accord. Toutefois la classification des c., telle qu'elle s'est dégagée au XVIe s., est conservée pratiquement jusqu'à nos jours : c. parfaites (octave, quinte et quarte), c. imparfaites (tierces et sixtes), d. (tous les autres intervalles). En conséquence, le seul accord consonant est l'accord parfait (majeur ou mineur), ainsi que ses renversements. L'accord de septième est dissonant et, selon l'usage établi dès le XVe s., sa septième doit être préparée. Toutefois, certains accords de septième peuvent, à partir de la fin du XVIIe s., ne pas être préparés. Ils sont tous caractérisés par le fait qu'ils comprennent un (ou deux) triton et une septième non majeure, soit, selon la dénomination actuelle, les accords de septième de dominante, de septième de sensible et de septième diminuée.

TABLEAU DE LA CLASSIFICATION DES CONSONANCES DU Xe AU XVIe SIÈCLE

C. = consonance ; D. = dissonance ; P. = parfaite ; M. = moyenne ; I. = imparfaite

Siècle	Auteur ou Traité	1 ou 8	3 maj/min	4te	5te	6te min.	6te maj.
Début Xe	*Musica enchiriadis*	C.		C.	C.		
»	*De Organo*	C.		C.			
XIe	Guy d'Arezzo	C.		C.			
Fin XIe	Traité de Milan	C. P.	C. I.	C. P.	C. P.		
Début XIIe	Traité de Montpellier	C. P.	C. I.	C. P.	C. P.	C. I.	C. I.
»	Jean Cotton	C.					
Fin XIIe	Theinred/Douvres	C. P.	C. I.	C. P.	C. P.	C. I.	C. I.
»	*Quiconques veut déchanter*	C.			C.		
»	*Discantus positio vulgaris*	C.		D. I.	C.		
XIIIe	Gui de Chalis	C.		C.	C.		
»	Garlande l'Ancien	C. P.	C. I.	C. M.	C. M.	D. M.	D. I.
»	Anonyme I	C. P.	C. I.	C. M.	C. M.	D. P.	D. I.
»	Anonyme II	C. P.	C. I.	C. M.	C. M.	D.	C. I.
»	Anonyme XIII	C. P.	C. I.	D.	C. P.	C. I.	C. I.
»	Francon de Cologne	C. P.	C. I.	C. M.	C. M.	D. P.	D. I.
»	Anonyme IV	C. P.	C. I.	C. M.	C. M.	D.	D.
Fin XIIIe	*Compendium Discantus*	C. P.	C. I.		C. P.	D. P.	C. I.
»	Jean de Grouchy	C. P.		C. P.	C. P.		
Début XIVe	Garlande le Jeune	C. P.	C. I.		C. P.	C. I.	C. I.
»	Odington	C. P.	C. I.	C. P.	C. P.		D.
»	Marchettus/Padoue	C. P.	C. I.	C. P.	C. P.	C. I.	C. I.
XIVe	Philippe de Vitry	C. P.	C. I.	D.	C. P.	C. I.	C. I.
»	Jean de Muris	C. P.	C. I.		C. P.		C. I.
»	Jacques de Liège	C. P.	C. M.	C. P.	C. P.	D. I.	C. I.
»	Tunstede	C. P.	C. I.	D. I.	C. P.	D. I.	C. I.
Fin XIVe	Anonyme V	C. P.	C. I.	C.	C. P.	C. I.	C. I.
Début XVe	Beldemandis	C. P.	C. I.	D.	C. P.	C. I.	C. I.
XVe	Tinctoris	C. P.	C. I.	C et D.	C. P.	C. I.	C. I.
»	Ramos de Pareja	C.	C.	D.	C.	C.	C.
»	Adam von Fulda	C. P.	C. I.	D. I.	C. P.	C. I.	C. I.
Fin XVe	Gaffurio	C. P.	C. I.	C. P.	C. P.	C. I.	C. I.
XVIe	Pietro Aron	C. P.	C. I.	C. P.	C. P.	C. I.	C. I.
»	Fogliano	C.	C.	C.	C.	C.	C.
»	Glarean	C. P.	C. I.	D.	C. P.	C. I.	C. I.
»	Vicentino	C. P.	C. I.	C. P.	C. P.	C. I.	D. I.
»	Zarlino	C. P.	C. I.	C. P.	C. P.	C. I.	C. I.
»	Salinas	C. P.	C. I.	C. P.	C. P.	C. I.	C. I.

Leur caractère dissonant n'est pas lié à la seule septième mais à l'ensemble septième + triton ; la sensation de d. imprègne tout l'accord. Du fait qu'ils peuvent être attaqués sans préparation, ils doivent être distingués des autres accords de septième qui ne bénéficient pas du même privilège. Toutefois, ils exigent une résolution, ce qui les sépare des accords consonants (voir l'art. HARMONIE). — Le triton (quarte augmentée ou quinte diminuée), considéré jusqu'au début du XVIIIe s. comme d., ne pouvait apparaître que comme note étrangère. Désormais, non seulement il se trouve incorporé à des accords d'importance essentielle, mais encore il en détermine le caractère et leur confère leur nature instable et tendue. Selon P. Hindemith, le triton ne peut se ranger ni parmi les c. ni parmi les d. et reste le plus singulier des intervalles. De fait, la théorie est dans l'incapacité d'expliquer de manière vraiment satisfaisante sa nature étrange (voir l'art. INTERVALLE). — Les d. ne faisant pas partie des accords de septième et plus tard de neuvième sont dites étrangères à l'harmonie et restent des d. d'intervalle comme au XVe s. — A la suite de H. Riemann, les notions de d. caractéristiques et de c. apparentes se sont surtout répandues en Europe centrale (voir l'art. HARMONIE).

7. Consonance et dissonance au XXe s. La différence spécifique entre c. et d. s'estompe progressivement à partir de la fin du XIXe s. pour être finalement abolie par le → dodécaphonisme, qui ne distingue plus que des degrés de « sonance ». Avec la disparition de l'harmonie fonctionnelle apparaît la notion de décroissance progressive de la qualité de c., sans qu'il soit possible de tracer une frontière précise entre c. et d. Parallèlement, les obligations de préparation et de résolution sont supprimées et la notion même d'accord est souvent abandonnée au profit d'un retour à la notion d'intervalle du Moyen Age.

II. Les théories de la consonance. 1. Théorie des rapports mathématiques simples. C'est la grande leçon héritée des Grecs que plus un intervalle correspond à un rapport de nombres simples, plus il est consonant. Ce principe reste jusqu'à nos jours l'une des bases les plus solides de l'appréciation des c. (voir plus haut I/1). Les Grecs limitaient la division au chiffre 4 (« tétractys »). Au XVIe s. G. Zarlino la poussa jusqu'au chiffre 6 (« senarius ») pour obtenir les divisions harmonique et arithmétique de la quinte, donnant ainsi une explication aux accords parfaits majeurs et mineurs alors en usage. Mais pourquoi arrêter d'abord à 4, puis à 6 le principe de la division et décider qu'au-delà on entrait dans le domaine de la dissonance? Aucune réponse satisfaisante n'a pu être apportée à cette question par les théoriciens. C'est uniquement une appréciation musicale — donc esthétique et subjective — qui nous avertit qu'en touchant au chiffre 7 on fait intervenir un élément entièrement nouveau.

2. Théorie des harmoniques. Le phénomène des → sons harmoniques, déjà remarqué par R. Descartes et M. Mersenne, est présenté pour la première fois clairement par J. Sauveur (1701). Il confirme la division harmonique pratiquée par les théoriciens antérieurs, ce qui confère à celle-ci un prestige incomparable puisque désormais elle se trouve vérifiée physiquement et devient ainsi une « donnée de la nature ». A vrai dire, le fait de fixer au chiffre 4 ou 6 ou plus la limite des c. n'est pas davantage

expliqué que précédemment. En outre, l'infériorité qui en résulte pour la division arithmétique — non confirmée par la « nature » — prive les théoriciens de leur seule explication satisfaisante de l'accord parfait mineur et les place devant un problème inextricable.

3. La théorie des battements. L'une des deux explications de la d. avancées par H. von Helmholtz est que celle-ci résulte des dérangements occasionnés par deux ou plusieurs phénomènes vibratoires simultanés en rapports de fréquences compliqués, provoquant des → battements entre les sons émis ou entre leurs sons harmoniques et résultants. Ces dérangements disparaissent ou sont très amoindris avec les rapports de fréquences des consonances. Mais depuis que C. Stumpf a démontré qu'il pouvait y avoir des battements sans d. et des d. sans battements, cette théorie perd beaucoup de son importance.

4. Théorie de la fusion. C. Stumpf rejeta les théories physiques et tenta de démontrer à l'aide de tests psychophysiologiques que la c. provient de la fusion de deux sons qui donnent l'impression de n'en former qu'un seul. Cette manière de procéder est davantage une constatation de l'effet produit par la c. qu'une réelle explication.

5. Théorie des sons résultants. Felix Krueger explique la c. et la d. par la compatibilité ou l'incompatibilité des → sons résultants produits par l'émission simultanée de deux sons : pour la c., il se produit une série inférieure de sons résultants complémentaire de celle des harmoniques ; tandis qu'avec la d., la série inférieure provoque des dérangements et des obscurcissements qui portent préjudice à la perception sonore et rendent l'intervalle instable. Krueger considère le triton et les intervalles altérés comme des « sonances » neutres.

6. Les expériences d'audition par oreilles séparées. Albert Wellek (1934), H. Sandig (1939), H. Husmann (1952) et Raoul Husson (1953) ont procédé par oreilles séparées à des auditions de sons privés d'harmoniques : un son de l'intervalle est envoyé à une oreille et le second à l'autre. Même les personnes hautement musiciennes furent incapables de reconnaître les intervalles proposés et se trompèrent fortement. H. Husmann reprit la même expérience, mais avec des sons pourvus d'harmoniques : les intervalles furent aussitôt reconnus.

7. Théorie des harmoniques communs. Fort du résultat ci-dessus exposé, Husmann — tout en rejetant la théorie des battements de Helmholtz — reprit sa seconde théorie, celle de la parenté des sons par harmoniques communs et lui donna une nouvelle impulsion en l'englobant dans sa « Koinzidenztheorie ». Ce sont les points de rencontre (coïncidences) des harmoniques normaux (objectifs), ainsi que des harmoniques subjectifs (découverts récemment et qui naissent dans l'oreille même) de deux ou plusieurs sons simultanés, qui permettent de reconnaître les intervalles. Le mélange de c. et de d. de tout intervalle (ou accord) est déterminé par la simplicité ou la complexité de ces « Koinzidenzen » (harmoniques communs). Pour Husmann, les rapports 6/7 et 7/8 ont déjà autant de « Koinzidenzen » dissonantes que de consonantes : ils sont donc à la limite entre c. et dissonance. Avec le rapport 8/9 (ton entier), les « Koinzidenzen » dissonantes l'emportent.

8. La théorie des causes multiples. Du fait que les théories de la c. et de la d. sont nombreuses et variées et que plusieurs d'entre elles paraissent fournir une explication satisfaisante pour des aspects partiels seulement, Albert Wellek en arrive à la conclusion qu'il faut tenter une synthèse englobant les diverses théories envisagées. C'est ce qu'il appelle la « Multiplizitätstheorie ». En réalité, les problèmes que pose le phénomène de la c. (et, par voie de conséquence, de la d.) sont infiniment complexes et vastes et loin d'être tous résolus et même abordés.

Bibliographie — **1. Historique :** FR.A. GEVAERT, Hist. et théorie de la mus. de l'Antiquité, Gand 1875-81 ; C. STUMPF, Gesch. des Konsonanzbegriffs, Munich 1897 ; H. RIEMANN, Gesch. der Musiktheorie, Leipzig 1898, 2/1921 ; S. KREHL, Die Dissonanz als musikalisches Ausdrucksmittel, in ZfMw I, 1918 ; KN. JEPPESEN, Der Palestrinastil u. die Dissonanz, Leipzig 1925 ; K. LENZEN, Gesch. des Konsonanzbegriffes im 19. Jh., Bonn 1933 ; J. HANDSCHIN, Der Toncharakter, Zurich 1948 ; J. CHAILLEY, Traité historique d'analyse musicale, Paris, Leduc, 1951 ; du même, Expliquer l'harmonie ?, Lausanne, Éd. Rencontre, 1967 ; C. DAHLHAUS, art. Konsonanz-Dissonanz, § C., in MGG VII, 1958 ; R.W.WIENPAHL, The Evolutionary Significance of 15th Cent. Cadential Formulae, in Journal of Music Theory IV, 1960 ; H. PISCHNER, Die Harmonielehre J.Ph. Rameaus, Leipzig, Br. & H., 1963 ; S. GUT, La tierce harmonique dans la mus. occidentale, Paris, Heugel, 1969 ; du même, La notion de c. chez les théoriciens du M.A., in Studia Musicologica XVI, 1974. — **2. Les théories de la consonance :** H. HELMHOLTZ, Die Lehre von den Tonempfindungen, Braunschweig 1863, 6/1913 ; C. STUMPF, Tonpsychologie 2 vol., Leipzig 1883-90 ; H. RIEMANN, Zur Theorie der Konsonanz u. Dissonanz, Leipzig 1901 ; F. KRUEGER, Die Theorie der Konsonanz, in Psychologische Studien I, 1906 ; A. VON OETTINGEN, Das duale Harmoniesystem, Leipzig 1913 ; CH. LALO, Éléments d'une esthétique musicale scientifique, Paris 2/1939 ; H. SANDIG, Beobachtungen an Zweiklängen in getrenntohriger u. beidohriger Darbietung, in Neue Psychologische Studien XIV, 1939 ; P. HINDEMITH, Unterweisung im Tonsatz, Mayence 2/1940 ; H. KAYSER, Lehrbuch der Harmonik, Bâle, Benno Schwabe, 1950 ; H. HUSMANN, Vom Wesen der Konsonanz, Heidelberg, Müller-Thiergarten Verlag, 1953 ; R. SIOHAN, Horizons sonores, Paris, Flammarion, 1956 ; A. WELLEK, art. Konzonanz-Dissonanz, § B., in MGG VII, 1958 ; du même, Musikpsychologie u. Musikästhetik, Francfort/M., Akademischer Verlag, 1963 ; R. BOBBIT, The Physical Basis of Intervallic Quality and its Application to the Problem of Dissonance, in Journal of Music Theory III, 1959 ; E. COSTÈRE, Mort ou transfiguration de l'harmonie, Paris, PUF, 1962 ; H.P. REINECKE, Experimentelle Beitr. zur Psychologie des musikalischen Horens, in Schriftenreihe des Mw. Inst. der Univ. Hamburg III, Hamburg 1964 ; H. DE LA MOTTE, Zum Problem der Klassifikation von Akkorden, in Jb. des Staatlichen Inst. für Musikforschung 1968, Berlin 1969 ; S. GUT, Les bases théoriques de l'organisation des sons chez Hindemith, in Revue Musicale de Suisse Romande XXVI/2, 1973, et in Hommage à P. Hindemith, Morges, Éd. du Cervin, 1973.

S. GUT

CONSONNE, son du langage ou lettre de l'alphabet s'opposant traditionnellement à → voyelle. D'un point de vue articulatoire, une c. est caractérisée par le rétrécissement (c. constrictives), voire l'obstruction (c. occlusives) du conduit vocal. Ce rétrécissement, cette obstruction sont réalisés par le rapprochement de la langue et de diverses parties de la mâchoire supérieure (c. dentales, alvéolaires, palatales, palato-vélaires), le rapprochement des deux lèvres (c. bilabiales) ou celui des dents supérieures et de la lèvre inférieure (c. labio-dentales). Les cordes vocales peuvent participer (c. sonores) ou ne pas participer (c. sourdes) à l'articulation. La c. est nasale lorsque le voile du palais n'est pas accolé à la paroi pharyngale. La friction ainsi que l'explosion suivant l'obstruction sont à l'origine de bruits correspondant acoustiquement à un spectre aléatoire. Ces bruits peuvent avoir une intensité, une fréquence plus ou moins grandes et être plus ou moins mêlés de voix (spectre de raies). Ainsi [l] et [r] — c. continues pratiquement vides de bruits mais composées de bandes harmoniques assez intenses — sont-elles plus proches d'une voyelle que d'une c. tel [p] ou [ʃ] (ch). — Si elles favorisent la compréhension du texte, les c. nuisent à la réalisation du chant, qui s'accommode mal d'un canal encombré et qui a besoin de vibrations glottales si possible pures (sans bruits). Les c. présentent toutefois un intérêt musical dans la mesure où elles permettent des effets imitatifs ou rythmiques (p. ex. Le Chant des oiseaux de Cl. Janequin).

Bibliographie — Voir l'art. VOYELLE.

CONSORT (angl. ; du lat. consortium, = communauté, association), terme employé par les musiciens anglais des XVIe et XVIIe s. pour désigner un ensemble instrumental. Un « whole consort » (c. « complet ») comprenait des instruments de même famille mais de tailles différentes, p. ex. un c. de violes, formation la plus courante, ou un c. de flûtes à bec. Un ensemble formé d'instruments de familles différentes s'appelait « broken consort » (c. « brisé »). Les Consort Lessons de Th. Morley sont écrites pour un « broken c. » comprenant un dessus et une basse de viole, une flûte à bec basse et 3 instr. à cordes pincées (luth, pandore et cistre), formation apparemment courante en Angleterre à la fin du XVIe s.

Bibliographie — R. NORTH, Memoirs of Musick, Londres 1842 ; M. BUKOFZER, Studies in Medieval and Renaissance Music, Londres 1951.

CONTINUO ou BASSO CONTINUO (b.c.), abréviation usuelle pour désigner la → basse continue.

CONTRA, voir CONTRATÉNOR.

CONTRAFACTURE, voir PARODIE.

CONTRAIRE (Mouvement), voir MOUVEMENT.

CONTRALTO (ital.). **1.** Terme issu de l'écriture musicale du XVe s., à l'époque où le → contraténor donne naissance à une partie grave et à une partie élevée encadrant celle du ténor. Par contraction, « contratenor altus » a donné en italien « contralto », abrégé en « alto », qui désigne la plus grave des voix de femme et de garçon depuis le XVIIe s., époque où cette voix a cessé d'être uniquement chantée par des voix d'hommes en fausset. L'étendue du c. est approximativement la suivante :

mais peut s'étendre encore vers l'aigu. Sa couleur sombre, le volume et la rondeur de sa sonorité lui confèrent un caractère pathétique et une grande noblesse qui ont trouvé leur emploi dans l'oratorio classique (G.Fr. Haendel, J.S. Bach) et dans le théâtre lyrique à partir du XIXe s. — **2.** Le luthier J.B. Vuillaume a nommé c. un alto à la sonorité plus ample et plus ferme qu'il construisit à Paris en 1855 mais qui ne parvint pas à s'imposer.

CONTRAPUNTISTE (de l'ital.), adj. préféré au français contrepointiste. Désigne le compositeur passé maître dans la science du → contrepoint.

CONTRATÉNOR (lat., = voix placée contre le ténor ; abr., contra). Dans la polyphonie à 3 voix des XIVe et XVe s., dans la chanson et dans les pièces en style de → cantilène, le c. est une voix ajoutée au duo pratiquement indissociable que constituent le → « cantus » (ou « superius »), voix mélodique animée écrite en premier, et le → ténor, plus calme, qui lui sert de soutien mélodique. Le c. est une voix de remplissage relativement animée, destinée à enrichir la sonorité de la composition. Pratiquement de même étendue que le ténor, il forme avec lui de fréquents croisements ; cependant, son emplacement normal — visible au début, à la fin de la pièce et lors des cadences — se situe entre le « cantus » et le ténor. La fonction qu'il remplit dans la composition ne permet guère de lui assurer une totale continuité mélodique ; c'est l'explication des très nombreux sauts qui ponctuent son déroulement. Comme le ténor il est essentiellement instrumental. La transformation du c. en une voix grave possédant les caractéristiques d'une basse harmonique est l'œuvre de G. Dufay, qui l'expérimente dans un certain nombre de chansons où le c. est noté sur une portée à 6 lignes (voir également le rondeau de P. Fontaine, *J'ayme bien celui qui s'en va*, dont le c. « trompette » serait l'œuvre de G. Dufay, selon H. Besseler). La voie est alors ouverte à l'élargissement à 4 voix de l'écriture courante et à l'enrichissement de la sonorité. Au ténor s'ajoutent désormais un c. « bassus » qui deviendra la basse et un c. « altus », d'abord voix d'homme élevée, qui se transforme par la suite en → « contralto », voix de femme grave. — Dès le XIVe s., le c. est également présent dans le motet sous l'aspect d'une voix libre, d'étendue et de caractère rythmique semblable au ténor qui expose une mélodie liturgique. Ces deux voix se croisent également et forment un duo instrumental qui soutient les voix supérieures nettement plus animées. Dans certaines pièces, une voix de combinaison appelée « solus tenor » réunit les notes graves du ténor et du c., permettant ainsi une exécution réduite à 3 voix. Le motet ancien disparaissant vers 1440, c'est dans la messe à 4 voix que se retrouvent les caractéristiques de son écriture.

Bibliographie — H. BESSELER, Bourdon u. Fauxbourdon, Leipzig, VEB Br. & H., 1950 ; E. APFEL, Der klangliche Satz u. der freie Diskantsatz im 15. Jh., *in* AfMw XII, 1955 ; du même, Die klangliche Struktur der spätmittelalterlichen Musik, *in* Mf XV, 1962.

CONTREBASSE (angl., double bass ; all., Kontrabass ; ital., contrabasso ; esp., contrabajo). **1.** Instrument le plus grave et le plus volumineux du quintette à cordes de l'orchestre moderne, où il joue le rôle de 16 pieds. La c. est d'autant plus difficile à décrire que ni sur le plan formel, ni pour le nombre de cordes et leur accord, ni pour le maniement de l'archet elle n'adopte un aspect définitif au cours des 3 derniers siècles. Deux formes essentielles se distinguent cependant : celle de la grande c. d'accompagnement, en usage chez les classiques, et celle, plus petite, d'une c. destinée au rôle plus récent de virtuose.

Après s'être dégagée peu à peu de la silhouette du → « violone » italien, la c. ressemble davantage à la → viole de gambe au corps allongé qu'à un violon géant. Ses dimensions ont varié entre 1,60 m et près de 2 m, mis à part certaines tentatives de gigantisme restées sans lendemain, telles une c. du XVIIe s. exposée au South Kensington Museum de Londres (facture italienne ; 2,47 m) ou l' → octobasse (4 m) de J.B. Vuillaume exposée au Musée instrumental du Conservatoire de Paris, mise au point en 1851 et appréciée par Berlioz. En dehors de quelques rares cas de c. des XVIIe et XVIIIe s., surtout italiennes, reprenant en grand format la facture du violon ou celle du violoncelle avec un dos galbé, la caisse de résonance actuelle, aux larges éclisses, prolonge bien au-delà de son époque l'allure de la basse de viole. Elle en a les épaules tombantes, le fond plat à pan brisé dans sa partie supérieure. La table d'harmonie est à peine voûtée, renforcée par une barre nettement plus allongée que dans les autres instruments de sa famille, d'où l'éclat remarquable des sons graves, la netteté de leur timbre un peu rugueux. L'âme prend appui sur une barre de renforcement. Le seul détail nouveau, qui rappelle le violoncelle, est le dessin des ouïes en f et non en C, de même que la présence de la pique. Le chevalet, peu travaillé sur les côtés lorsqu'on le compare à celui d'un violon, est haut, mais le passage des cordes s'y fait sur une courbe peu accusée. Le manche de la c., comparé à ses dimensions générales, est très court. Sa longueur varie entre 42 et 43 cm. Il se termine par une volute. La touche est lisse. Cependant, depuis l'époque de M. Praetorius jusque vers 1800, elle comportait des frettes, dont l'abandon n'a eu pour cause que le bruit de fond émis par les trop amples vibrations des cordes. La distance d'une note à la voisine rend le jeu particulièrement difficile et la justesse hasardeuse. L'écart entre le sillet et le talon du manche est calculé de manière à faciliter le jeu en 4e position ; il est de 36 cm environ.

Les cordes, moins épaisses que sur les instruments anciens puisque leur calibre de l'aigu au grave varie entre 2,4 mm et 3,4 mm, supportent une tension relativement faible. Il en résulte des « pizzicati » très appréciés, utilisés avec bonheur dans la mus. de jazz, qui range la c. dans la section rythmique. Leur nombre et leur accord ont varié fréquemment en fonction de l'effet à obtenir. La c. moderne est tendue le plus souvent de 4 cordes. Leur accord se fait par quartes successives :

Les 2 premières cordes (*mi, la*) sont filées. En utilisant les sons harmoniques, le contrebassiste peut donc couvrir une étendue de 4 octaves. La notation de la c. se situe à l'octave supérieure de ce qu'elle fait entendre. A divers moments de l'histoire, les luthiers se sont employés à ajouter une 5e corde à la c. (donnant l'*ut* à la tierce inférieure de sa corde grave, p. ex. au cours du XIXe s.). Actuellement, en Allemagne et aux États-Unis, cette tentative se porte au contraire sur l'aigu afin d'y permettre plus de virtuosité (5e corde *ut* à la quarte de la corde aiguë *sol*). Le nombre de 6 cordes est nettement plus rare et suppose de toute façon une pression insoutenable sur la table de résonance. Des expériences en furent faites par Speer, Walther et Eisel à la fin du XVIIe et au début du XVIIIe s. Par contre, 3 cordes, accordées à distance de quinte en Angleterre ou à distance de quarte en Italie, ont donné des résultats satisfaisants au point de vue du timbre (accord *sol - ré - la*, ou bien *la - ré - sol*).

Comme l'accord, l'archet varie d'un pays à l'autre quant à sa forme et à sa technique. La France reste fidèle à l'archet de D. Dragonetti (1763-1846), contrebassiste de grand talent. Ici comme en Angleterre, le jeu est conforme à celui du violon. L'archet a en moyenne 67 cm de long et pèse 120 grammes. En Allemagne, en Autriche, au contraire, les contrebassistes disciples du virtuose Franz Simandl restent fidèles à la tenue d'archet ancienne des violes de gambe. La sonorité se trouve enrichie et nuancée mais le « staccato » y est moins précis.

Les premières apparitions de la c., compromis formel entre les violes et la silhouette du violon, sont signalées dans le sud de l'Allemagne au cours de la 2de moitié du XVIe s., vers 1568 environ. Un siècle plus tard, l'instrument fait son entrée parmi les « violons du roi ». Mais ce n'est que dans les premières années du XVIIIe s. qu'on la verra à l'Opéra de Paris. En 1706 elle figure dans *Alcyone* de M. Marais. M. Corrette consacre un ouvrage à la c. en 1741. Le rôle de l'instrument a été longtemps limité à une simple doublure des violoncelles à l'octave au-dessous, notamment dans la mus. classique. La 2de moitié du XVIIIe s. et surtout le XIXe s. auront leurs premiers virtuoses, tels D. Dragonetti, Giovanni Bottesini puis S. Koussevitzky, d'où la floraison de *Concertos* signés C. Ditters von Dittersdorf, J. Haydn, C. Stamitz et d'autres, d'où aussi les *Quintettes* avec c. de L. Boccherini, Fr. Schubert ou A. Dvořák, les *2 Stèles* de G. Migot, la *Sonate* de P. Hindemith, sans compter maints passages symphoniques où la c. est particulièrement mise en valeur.

2. Tuyaux d'orgue à bouche de 16′ ouverts ou fermés (d'où 32′), de petite taille. Placés en « montre » ils sont en étain (dans certains cas, au XIXe s., on en faisait en bois). La c. est située à la pédale et sert d'assise plus affirmée que la → soubasse.

Bibliographie — M. PRAETORIUS, Syntagma musicum, II De organographia, Wolfenbüttel 1618, 2/1619, rééd. par R. Eitner *in* PGfM XII, 1884, et en facs. par W. Gurlitt, Kassel, BV, 1958-59; M. FLECHSIG, Spielkultur auf dem Kontrabass, Leipzig 1934; R. et M. MILLANT, Manuel pratique de lutherie, Paris, Larousse, 1952; A. PLANYAVSKY, Der Kontrabass in der Kammermusik, *in* ÖMz XIII, 1958; R. ELGAR, Introd. to the Double Bass, St. Leonards-on-Sea (Sussex), l'Auteur, 1960; du même, More about the Double Bass, St. Leonards-on-Sea, l'Auteur, 1963; M. GRODNER, Comprehensive Catal. of Literature for the String Bass, Bloomington, Lemur Musical Research, [1964]; W. STAUDER, Alte Musikinstr., Braunschweig, Klinkhardt & Biermann, 1973.

E. BUBERT

CONTREBASSON (angl., double-bassoon; all., Kontrafagott; ital., controfagotto; esp., contrafagot), instr. à vent à anche double et perce conique. Il est plus grave d'une octave que le → basson ordinaire mais sa partie est normalement notée à l'octave supérieure, comme pour la contrebasse. L'exemplaire le plus ancien fut construit en 1714 par Andreas Eichentopf de Leipzig. En 1727 on utilisa un c. (longueur 2,50 m) de Thomas Stanesby à Londres dans des œuvres de Haendel. Plus tard dans le XVIIIe s., le c. connut une fabrication particulièrement intensive en Autriche, avant tout pour les besoins de la mus.

militaire. Il descendait jusqu'au *ré*⁻¹ ou *do*⁻¹ et, s'il était bien fait, pouvait avoir un effet excellent, même dans l'orchestre de la *Création* de Haydn. Au XIXe s. le o. fut éclipsé par l'apparition d'instruments contrebasse à vent plus puissants (→ tuba) et, en dépit de nombreuses expériences, ne retrouva la confiance des compositeurs qu'en 1876, grâce au modèle de W. Heckel. Le modèle (ou ses proches copies) est à présent universel. Le tube est courbé trois ou quatre fois et les trous, entièrement couverts grâce au mécanisme, sont placés suivant des principes logiques. La note la plus grave est *si*♭⁻¹ ou *la*⁻¹; l'étendue, de 3 octaves. Dans le grave, le timbre est plein et pénétrant; plus haut, le son, qui a pourtant sa couleur propre, est trop ténu pour être entendu, à moins qu'il ne soit bien mis en valeur.

Bibliographie — L.G. LANGWILL, The Double-Bassoon, *in* Proc. Mus. Assoc. LXIX, 1942; du même, The Bassoon and Contrabassoon, Londres, Benn, et New York, Norton, 1965.

CONTRE-CHANT, ligne mélodique secondaire (ou second thème) opposée ou associée à la ligne mélodique principale (ou thème) dans une composition en style contrapuntique.

CONTREDANSE (angl., country dance), danse anglaise, vraisemblablement d'origine rurale, qui fut en vogue dans la haute société au XVIIIe s. C'était une danse rapide et gaie, d'ordinaire à 2/4 ou à 6/8. Le nom sous lequel elle se répandit en Europe est une déformation phonétique de « country dance ». On retrouve la c. dans le livre de danses avec notations chorégraphiques publié par Raoul Auger Feuillet en 1706 : l'auteur prouve l'origine anglaise de la c. continentale en illustrant sa notation d'airs anglais, tel *Greensleeves* (XVIe s.). Mozart écrivit un certain nombre de c. (KV 101, 106, 123, 267, 462, 463, 534, 535, 535a, 565, 587, 603, 607, 609, 610 et 611). Le thème de la septième des 12 *Contredanses* de Beethoven (1800-01), issu du finale de *Prometheus*, fut ensuite utilisé dans l'op. 35 (*Eroica-Variationen* pour piano) et dans le finale de la *Symphonie héroïque*; la 11e apparaît également dans le finale de *Prometheus*. — Voir également l'art. DANSE.

Bibliographie — J.M. GUILCHER, La c. et le renouvellement de la danse française, Paris, Mouton, 1969.

CONTRE-ÉCLISSE, voir ÉCLISSES.

CONTRE-EXPOSITION. Dans la → fugue classique, lorsque le sujet est court, le premier épisode peut être suivi d'une c.-e. où la réponse précède le sujet.

CONTREPOINT (angl., counterpoint; all., Kontrapunkt; ital., contrappunto; esp., contrapunto), théorie de l'écriture polyphonique, selon la terminologie actuelle, alors que l'harmonie désigne la théorie de l'écriture homophonique. Ces deux disciplines correspondent à deux perspectives différentes selon lesquelles on envisage le langage musical, horizontale pour l'une et verticale pour l'autre. Tandis que l'harmonie utilise l'accord comme matériau premier, le c. part de la mélodie et définit les principes permettant de superposer correctement deux ou plusieurs lignes mélodiques simultanées, censées conserver chacune un intérêt propre. Harmonie et c., loin de s'opposer l'une l'autre, interfèrent réciproquement. Si l'harmonie codifie les règles relatives à l'enchaînement des accords, ces règles ne s'en révèlent pas moins, dans bien des cas, d'essence contrapuntique (l'interdiction des parallélismes de quinte ou d'octave p. ex.). Inversement, le c. se doit de prendre en considération la résultante verticale des superpositions mélodiques, résultante qui, dès que trois parties sont en présence, donne lieu à de véritables accords. Entre harmonie et c. existe ainsi une différence de point de vue plutôt que d'essence, et toute maîtrise réelle de l'écriture, selon les normes traditionnelles, suppose une égale possession de l'une et l'autre discipline.

Historiquement, la première mention du terme se rattache à la technique du déchant (voit l'art. DISCANTUS), telle qu'on la pratique à partir du XIᵉ s. : à une mélodie (ou → « cantus firmus ») donnée on superpose une seconde mélodie « point contre point » — c.-à-d. note contre note — en observant le principe du mouvement contraire et en contrôlant la succession des consonances produites. Le déchant, écrit Pierre de Palmoiseuse en 1336, n'est autre qu'un point contre point (« nihil aliud est quam punctus contra punctus »). Le déchant ne correspond toutefois qu'à une étape intermédiaire dans l'évolution de la → polyphonie, de sorte que la véritable origine du c. coïncide avec la naissance de cette dernière. C'est bien plus tard seulement que les deux notions se différencieront entre elles, soit au moment où le c. prendra l'allure d'un entraînement scolaire et impliquera un style et des règles qui ne seront plus ceux de la composition libre. Mais jusqu'au XVIᵉ s. inclusivement, le style polyphonique rigoureux constitue la seule technique utilisée — du moins pour la mus. vocale — et les règles du c. sont celles de la composition elle-même. Aussi peut-on à bon droit considérer le traité *Musica enchiriadis* d'Ogier (attribué traditionnellement à Hucbald) comme la charte de naissance du contrepoint. L'auteur y donne quelques exemples d' → organum ou → diaphonie, technique rudimentaire de chant polyphonique mis en œuvre sous forme improvisée. — Au XIᵉ s., outre le principe capital du mouvement contraire, qui caractérise le déchant et qui demeurera l'une des constantes de l'écriture polyphonique, apparaît l'organum fleuri ou à vocalises, s'affranchissant de l'homorythmie propre au style « note contre note ». Comme les notes comprises entre deux consonances ont une fonction ornementale, elles ne sont plus forcément en relation consonante avec le « cantus firmus », d'où introduction d'une autre notion essentielle, celle de dissonance. Le théoricien Francon de Cologne, vers le milieu du XIIIᵉ s., enregistre cette innovation en formulant la règle générale suivante : le début d'une mesure doit toujours être consonant, alors que les temps faibles peuvent comporter des dissonances (« ... in omnibus modis utendum est semper concordantiis in principio perfectionis, licet sit longa, brevis vel semibrevis », GERBERT Scr. III, p. 13). A l'instar du mouvement contraire, ce principe prendra rapidement force de loi : la seule modification notable qu'on lui apportera par la suite sera la dissonance syncopale, dont la polyphonie renaissante fera l'un de ses procédés favoris.

Si la polyphonie peut désormais diversifier les rythmes entre les parties simultanées, le concept de c. n'en restera pas moins, pendant longtemps encore, limité à l'écriture note contre note, conformément à l'étymologie du terme. Il faudra en effet attendre la fin du XVᵉ s. pour voir les théoriciens prendre en considération d'autres techniques contrapuntiques que le style note contre note originel et en définir les règles. Cette étape, importante mais relativement tardive, s'accomplit par l'intermédiaire du *Liber de arte contrapuncti*, rédigé en 1477 par J. Tinctoris, ouvrage fondamental et le premier vrai traité de contrepoint. Outre le « contrapunctus simplex » (note contre note), Tinctoris fixe les principes du « contrapunctus diminutus » ou « floridus », équivalent de ce qu'on nomme, aujourd'hui encore, c. fleuri. La dissonance devient alors élément de structure au même titre que la consonance, d'où la nécessité de définir les conditions de son emploi. Si le « contrapunctus simplex » ne tolère que des intervalles consonants, le « contrapunctus diminutus » admet les intervalles dissonants : sur temps faible par mouvement conjoint (éventuellement suivis d'un saut de tierce, licence supprimée peu après) ou sur temps fort, aux cadences, en tant que retard (syncopes dissonantes). Les règles concernant le retard sont développées et complétées à la même époque par Guilielmus Monachus (*De praeceptis artis musice...*, COUSSEMAKER Scr. III, p. 273 et ss.) : la résolution du retard doit de préférence s'effectuer sur une consonance imparfaite, tierce ou sixte. D'après N. Vincentino (*L'Antica Musica...*, 1555), cette dernière exigence a pour but d'éviter un contraste trop marqué entre une consonance parfaite et la dissonance qui la précède. On s'efforce également de donner des indications d'ordre rythmique : la durée de la résolution, p. ex., doit correspondre à la moitié de celle du retard lui-même. — G. Zarlino, dans le 3ᵉ tome de son traité *Istitutioni harmoniche* (1589), est certainement le premier à présenter une théorie complète du c., pour laquelle il se réfère au style de la polyphonie franco-flamande. Il aborde en particulier le domaine de l'écriture mélodique, totalement négligé par ses prédécesseurs parce que considéré comme allant de soi. Il préconise à cet égard la primauté du mouvement conjoint, qu'il justifie par les critères de la vocalité. Par ailleurs, Zarlino expose en détail les artifices contrapuntiques divers tels que → imitations, → canons, etc.

La réforme mélodramatique et l'avènement de la monodie accompagnée, aux alentours de 1600, provoquent d'importantes mutations dans le langage musical. Les règles du style polyphonique rigoureux tombent rapidement en désuétude au profit d'un style à prédominance harmonique où les intentions expressives autorisent un traitement plus libre de la dissonance. Les théoriciens n'en demeurent pas moins fidèles à la doctrine traditionnelle, qui, de ce fait, tend à devenir de plus en plus ce qu'elle est encore aujourd'hui : une discipline scolaire destinée avant tout à assouplir la plume de l'apprenti compositeur mais n'ayant qu'un lointain rapport avec la musique vivante. C'est alors que prennent corps, dès la fin du XVIᵉ s. et à la suite de divers tâtonnements, les espèces d'écriture isolant et graduant les difficultés de façon rationnelle. G. Diruta (*Il Transilvano*, 1597) et A. Banchieri (*Cartella musicale*, 1614) se rapprochent des 5 espèces qui deviendront traditionnelles, tandis que L. Zacconi (*Prattica di musica*, 1622) et A. Berardi (*Documenti armonici*, 1687) s'ingénient à les multiplier à l'envi : rythmes ou mouvements obligés, élimination de certains intervalles, imitations, etc. Ces tentatives encore désordonnées se cristalliseront sous une forme claire, méthodique et définitive dans le *Gradus ad Parnassum* (1725) de J.J. Fux, ouvrage capital marquant le point de départ de l'enseignement moderne du contrepoint. L'auteur pose le style de Palestrina comme le modèle de l'écriture polyphonique rigoureuse et en déduit des règles qu'il juge, sauf quelque excès, en émaner directement. Un « cantus firmus » ou chant donné en rondes doit être, selon Fux, contrepointé dans chacune des 5 espèces suivantes : rondes (note contre note), blanches (deux notes contre une), noires (4 notes contre une), blanches syncopées et « fleuri » (mélange des 4 autres espèces avec usage sporadique de croches). On commence par le c. à deux parties pour aborder ensuite le c. à 3 et 4 parties donnant lieu à des mélanges variés (p. ex. le chant donné en rondes, une partie en blanches et une autre en noires). On termine par l' → imitation, la → fugue et le c. double (celui dont on peut intervertir la disposition des parties).

Parallèlement au courant tributaire de Palestrina et issu de Fux, un autre courant prend naissance vers le milieu du XVIIIe s. : ce second courant se rattache à la conception de la → basse fondamentale et rapporte tout mouvement contrapuntique à une armature harmonique sous-jacente. Le premier représentant en est J.Ph. Kirnberger, disciple de J.S. Bach, qui, dans ses traités théoriques, fournit un écho de l'enseignement dispensé par ce dernier. La méthode préconisée par Kirnberger renverse l'ordre de Fux : elle prend comme base le c. à 4 parties, qui donne des accords complets, et considère les espèces à 3 et 2 parties comme des formes simplifiées de celui-ci. C'est d'un point de vue analogue, avec ces aménagements divers, que procèdent les ouvrages de A.B. Marx (1838), E.Fr. Richter (1872), S. Jadassohn (1884), H. Riemann (1888) et d'autres, tous s'appuyant sur la polyphonie harmonique de J.S. Bach. Les méthodes de ce type n'ont toutefois pas connu, semble-t-il, une diffusion égale à celles qui se fondent sur le style palestrinien.

Les traités aujourd'hui en usage correspondent-ils réellement aux besoins modernes ? On peut en douter si l'on songe à l'optique résolument harmonique qu'ils adoptent : seules, en fait, les relations verticales sont contrôlées et réglementées en vertu de leur qualité

Les cinq espèces du c. à deux parties d'après Ch. Kœchlin, *Précis des règles du contrepoint*, Paris, Heugel, 1927.

Le *Gradus ad Parnassum* jouit immédiatement d'un prestige considérable et fut couramment utilisé durant tout le XVIIIe s. : c'est en se servant de ce manuel que J. Haydn fit travailler le jeune Beethoven. En outre, la majorité des traités ultérieurs se borneront à reprendre, dans le fond et la forme, la méthode élaborée par Fux sans y introduire de modification notable : citons ceux de L. Cherubini (1835), H. Bellermann (1862), Ch. Kœchlin (1927), M. Dupré (1938), Noël-Gallon et M. Bitsch (1964). Il convient de réserver une place à part, dans cette catégorie, au traité de Kn. Jeppesen (1935), lequel, tout en reprenant l'ordre des matières adopté par Fux, s'efforce de compléter et, le cas échéant, de corriger les règles de ce dernier à la faveur d'une analyse minutieuse du style palestrinien : démarche intéressante mais qui, dans la pratique, aboutit à un rigorisme peut-être excessif.

consonante ou dissonante ; quant à la ligne mélodique, on se borne à lui consacrer quelques préceptes très généraux, négatifs le plus souvent (défauts à éviter). On ne saurait nier, pourtant, que l'effet produit par un même intervalle vertical varie dans une large mesure en fonction de son contexte horizontal et de sa situation rythmique. Un c. devrait donc être envisagé non comme un enchaînement d'intervalles verticaux mais comme une superposition de mélodies perçues globalement en tant que telles. Ce n'est pas autrement que l'on procédait au Moyen Age. On peut s'étonner, par conséquent, qu'à notre époque où l'harmonie tonale est définitivement périmée, l'enseignement du c. continue à s'appuyer sur le style palestrinien, dans lequel la composante harmonique prime déjà nettement la composante mélodique. Un enseignement renouvelé du c., conforme à l'évolution actuelle du langage musical, devrait fatalement redonner à l'élément mélodique pur la primauté séculaire qui est la sienne, primauté que seuls trois ou quatre siècles d'harmonie tonale lui ont refusée en Occident. Signalons néanmoins quelques tentatives récentes de mise à jour de la théorie contrapuntique, effectuées dans des perspectives très diverses par des auteurs tels que P. Hindemith, E. Křenek et H. Searle.

Bibliographie — J.J. Fux, Gradus ad Parnassum, Vienne 1725 (en lat.), éd. all. Leipzig 1742, ital. Carpi 1761, angl. Londres 1770, fr. Paris 1773; éd. fragmentaire en all. par A. Mann, Celle, Moeck, 1938; trad. angl. par A. Mann, New York 1943; L. Cherubini, Cours de c. et de fugue, Paris 1835; A.B. Marx, Die Lehre von der musikalischen Komposition, 4 vol., Leipzig 1837-47; H. Bellermann, Der Contrapunkt, Berlin 1862, 4/1901; E.Fr. Richter, Lehrbuch des einfachen u. doppelten Kontrapunkts, Leipzig 1872, 15/1920, éd. fr. 1892; S. Jadassohn, Lehrbuch des einfachen, doppelten, drei- u. vierfachen Kontrapunkts, Leipzig 1884, 7/1926, éd. fr. 1896; H. Riemann, Lehrbuch des einfachen, doppelten u. imitierenden Kontrapunkts, Leipzig 1888 4-6/1921; Ch. Kœchlin, Précis des règles du c., Paris, Heugel, 1927; Kn. Jeppesen, Kontrapunkt, Lehrbuch der klassischen Vokalpolyphonie, Copenhague, Hansen, 1930 (en danois), éd. all. Leipzig, Br. & H., 1935, 3/Wiesbaden, Br. & H., 1963, éd. angl. New York, Prentice Hall, 1939; P. Hindemith, Unterweisung im Tonsatz, 2 vol., Mayence, Schott, 1937-39; M. Dupré, Cours de c., Paris, Leduc, 1938; E. Křenek, Studies in Counterpoint, New York 1940, éd. all. Zwölfton-Kontrapunkt-Studien, Mayence, Schott, 1952; H. Searle, 20th Cent. Counterpoint, Londres, Benn, 1954, 2/1955; Noël-Gallon et M. Bitsch, Traité de c., Paris, Durand, 1964; cf. également Cl. V. Palisca, art. Kontrapunkt in MGG VII, 1958; Kl.J. Sachs, Der Contrapunctus im 14. u. 15. Jh., Wiesbaden, Steiner, 1974.

J. Viret

CONTRE-SUJET (angl., countersubject; all., Kontrasubjekt; ital., controsoggetto; esp., contrasujeto, contramotivo), ligne mélodique écrite en contrepoint renversable à la suite du sujet d'une → fugue et exécutée par la première voix lorsque entre la seconde voix qui donne la réponse. Le c.-s. accompagne ensuite toute nouvelle reprise du sujet ou de la réponse.

CONTRE-TEMPS, note énoncée sur un temps faible ou sur la partie faible d'un temps, et ne se prolongeant pas sur le temps fort ou sur la partie forte du temps qui est occupé par un silence. Les c.-t. sont réguliers (ex. 1) lorsque le silence qui les suit est égal à leur durée, irréguliers (ex. 2) dans le cas contraire.

Les c.-t. sont fréquemment employés dans les accompagnements, aux parties intermédiaires. Comme les syncopes, ils déplacent l'accentuation sur le temps faible et acquièrent par là une valeur expressive, utilisée en particulier dans la mus. vocale.

CONTRETÉNOR, voir Countertenor.

COOL JAZZ, voir Jazz.

COPENHAGUE (København).

Bibliographie (en danois, sauf mention spéciale; tous les ouvr. ont été édités à Copenhague) — Th. Overskou, Le théâtre danois ..., 5 vol., C. 1854-64; A. Hammerich, L'hist. de la Soc. de mus. (Musikforeningen) 1836-86, C. 1886; du même, La mus. à la Cour de Christian IV, C. 1892, extrait en all., in VfMw IX, 1893; V.C. Ravn, Les concerts et les soc. de mus. d'autrefois, in Fs. Musikforeningens Halvhundredeaarsdag, C. 1886; A. Aumont et E. Collin, Le Théâtre national danois 1748-1889..., 3 vol., et C. 1896-99; C. Thrane, A l'époque des violons de Cour, C. 1908; T. Krogh, Zur Gesch. des dänischen Singspiels im 18.Jh., C. 1924 (en all.); G. Hetsch, La vie musicale, in Danmark i Fest og Glæde V, C. 1935-36; N. Friis, Le Théâtre royal, C. 1943; du même, Le corps royal de trompettes de Cour, C. 1947; du même, La Chapelle royale, C. 1948; S. Berg, Traits de l'hist. de la pédagogie musicale au Danemark, C. 1948; S. Kragh-Jacobsen et T. Krogh, Le ballet royal danois, C. 1952; Sv. Lunn et E. Dal, art. Kopenhagen in MGG VII, 1958 (en all.).

COPLA (esp.; du lat. copula), brève composition poétique et musicale employée comme moyen d'expression propre par le peuple, notamment en Andalousie. Très vivante encore de nos jours dans l'âme populaire, grâce à la transmission orale, cette forme est l'une des manifestations les plus anciennes et les plus originales du lyrisme espagnol traditionnel. Elle remonterait, selon certains auteurs, aux poésies et « cancioncillas » romanes mozarabes héritées de la civilisation judéo-arabe de Al-Andalus. Au cours des âges, la c. a été également cultivée par des écrivains et musiciens « cultos ». Tantôt légère, frivole, triviale, tantôt aristocratique, précieuse, raffinée, dévote, elle se prête par sa flexibilité même à l'expression des sentiments les plus divers. Amant, moraliste, philosophe ou mystique, chacun a pu, de Jorge Manrique et J. del Encina à Antonio Machado et Federico García Lorca, en passant par Ste Thérèse d'Avila, St Jean de la Croix ou Cervantès, trouver en elle la forme poétique capable par excellence de traduire l'amour, la vision satirique du monde, la crainte de la mort, la foi en Dieu. On remarquera la force expressive de la c., en particulier dans le domaine de la mus. flamenca où l'âme andalouse se livre dans le chant passionné et humain de l'amour, de la peine, de la douleur et de la mort. Ici la c. peut apparaître comme le véhicule collectif naturel et spontané de tout un monde de pensée et de culture populaire ainsi que d'une façon hispanique de vivre, sensible, affective, spirituelle.

Bibliographie — J. Rodríguez Mateo, La c. y el cante popular en Andalucía, Séville 1946; M. Pradal de Martín, La c. popular andaluza, Toulouse, Inst. d'Études hispaniques, 1967; D. Dumas, C. flamencas, Paris, Éd. Aubier-Montaigne, 1973.

COPULA (lat., = lien, enchaînement). **1.** Depuis Guy d'Arezzo, et particulièrement aux XIIIe et XIVe s., cette notion n'a cessé de préoccuper les théoriciens de la musique; jusqu'à une date récente, leurs affirmations ont paru manquer d'unité ou même être fausses. Alors que Guy d'Arezzo définit la c. comme un groupe mélismatique formant un tout (Gerbert Scr. II, 31), ce qui la rapproche par conséquent du → neume, les sources plus tardives reflètent assez nettement l'évolution de la polyphonie dans la mus. religieuse des XIIe et XIIIe s. : la distinction opérée par Jean de Garlande (ibid. I, 175 a) entre trois formes, → organum, c. et → discantus, est remarquablement conforme aux connaissances actuelles tirées du Magnus liber organi de Léonin. A la suite des nombreuses modifications qu'a subies le Magnus liber dans le sens du déchant et de l'évolution générale, les c. deviennent de plus en plus courtes. Elles se maintiennent encore quelque temps, dans l'organum, le motet et même dans le conduit, comme formule caractéristique placée immédiatement avant la fin d'une composition. Cet usage est attesté par les théoriciens tardifs. La c. est par conséquent très semblable à la forme décrite par Guy d'Arezzo; elle disparut définitivement au XIVe s.

[Hec]

etc...

Copula extraite de l'organum *Hec dies* du Ms. Florence, Bibl. Mediceo-Laurenziana, plut. 29, 1, f° 108ʳ (suite de l'art. ORGANUM; voir également l'ex. de l'art. DISCANTUS extrait de la même pièce).

2. Terme de facture d'orgue, syn. d' → accouplement.

Bibliographie. — GERBERT Scr.; COUSSEMAKER Scr.; G.D. SASSE, Die Mehrstimmigkeit der Ars Antiqua in Theorie u. Praxis. Borna et Leipzig 1940; W.G. WAITE, Discantus, C., Organum, *in* JAMS V. 1952; S. GULLO, Das Tempo in der Musik des 13. u.14. Jh., *in* Publ. der Schweizerischen Musikforschenden Gesellschaft II/10, Berne, Haupt, 1964; F. RECKOW, Der Musiktraktat des Anonymus 4, Wiesbaden, Fr. Steiner, 1967 (= AfMw IV-V, Beihefte); R. FLOTZINGER, Der Discantussatz im Magnus liber u. seiner Nachfolge, Vienne, Böhlau, 1969.

COPYRIGHT (angl., = droit de copie), voir DROIT D'AUTEUR.

COR (angl., French horn; all., Horn; ital., corno; esp., cuerno), instr. à vent, membre « alto » de la famille des cuivres dans l'orchestre symphonique moderne. Il est caractérisé par un tube à paroi mince et à perce étroite, par un pavillon évasé et une embouchure en forme d'entonnoir. Bien que le → « cornu » en forme de G des Romains représente un premier stade élaboré de cet instrument, son histoire musicale débute plus précisément sur les terrains de chasse français du XVIe s. Le « cor à plusieurs tours », cor hélicoïdal à perce étroite et conique, au pavillon évasé et à l'embouchure en entonnoir, était utilisé pour de simples sonneries de chasse à deux parties au moins. Cet instrument enroulé en spirale, peut-être d'origine allemande, semble avoir fusionné avec le « cornet de chasse » court, formé d'une seule spire, pour donner ce qui deviendra le « cor de chasse » au cours du 3e quart du XVIIe s. C'est pour cet instrument que le marquis de Dampierre écrivit ses fanfares de chasse harmoniques destinées à Louis XIV (voir Bibliogr., J. Serré de Rieux). Sous la forme d'un cercle ouvert avec une seule spire — la très grande taille de la boucle était imposée par celle du chapeau tricorne de l'époque — le comte Franz Anton von Sporck l'importa en 1680-81 dans sa Bohême natale. C'est là qu'il fut incorporé à l'orchestre au cours des dix dernières années du siècle. Par l'intermédiaire de Sporck, il parvint à Vienne, où les frères Leichnam-

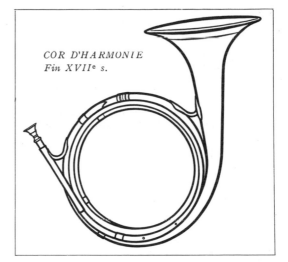

COR D'HARMONIE
Fin XVIIe s.

schneider transformèrent de façon radicale ses caractéristiques essentiellement françaises. Ils donnèrent au pavillon une ouverture de 9 1/4″, élargirent le calibre du tube et ajoutèrent les → tons de rechange qui permirent à l'instrument de jouer dans des tonalités différentes. Tel était le premier cor d'orchestre, et beaucoup de grands solistes lui restèrent fidèles tout au long du XVIIIe s. Vers 1755 le cor-basse tchèque Anton Joseph Hampl ou Hampel, qui travaillait avec le facteur Josef Werner à Dresde, déplaça le ton de rechange de l'extrémité du tube contiguë à l'embouchure au centre du corps de l'instrument, ce qui permit d'accorder avec une grande précision en se servant des branches du ton de rechange central comme d'une coulisse d'accord. C'était en fait le prototype du cor d'orchestre moderne. En 1781 le virtuose allemand Carl Thürrschmidt, collaborateur du facteur parisien Lucien Joseph Raoux, effectua sur ce modèle de base quelques transformations mineures. Il en résulta le fameux « cor solo », qui différait du modèle de Werner par sa branche d'embouchure fixe et ses tons de rechange centraux limités aux tonalités d'usage courantes chez les solistes de l'époque. Le « cor d'orchestre », qui devint l'instrument d'orchestre type en France et le resta bien au-delà du XVIIIe s., incorporait au modèle Raoux à la fois l'ancien ton ou corps de rechange terminal viennois et une coulisse d'accord amovible. Cet arrangement connut une faveur considérable en Angleterre et se maintint dans les orchestres militaires jusqu'à la Première Guerre mondiale. C'est à ce modèle que Blühmel et Stölzel de Berlin ajoutèrent le premier piston en 1815. Plus tard, les perfectionnements apportés par J. Meifred et Perinet à Paris dès le début des années 1830 donnèrent le type de cor d'orchestre à pistons en usage en France et en Angleterre jusqu'à l'apparition récente d'instruments à tube court et à soupapes multiples, venus d'Allemagne. Dans les années 1820, le facteur Leopold Uhlmann, de Vienne, développa son système du double piston, et c'est avec des cors viennois à trois pistons construits sur le modèle Uhlmann que les cornistes de Johann Strauss firent grande impression à Berlin en 1835. Aujourd'hui encore, le pupitre des cors de l'Orchestre philharmonique de Vienne reste fidèle au modèle Uhlmann. En 1832 Joseph Riedl, autre facteur viennois, fit breveter le cylindre qui est d'un usage très courant aujourd'hui. Dans la plupart des pays, le ton de *fa* a été admis depuis le début du XIXe s. comme ton de base du cor à pistons. Mais vers 1895, Kruspe, d'Erfurt, élabora le cor double en joignant un ensemble de boucles plus courtes et indépendantes au corps principal de l'instrument en *fa*. Un 4e cylindre raccourcissait la longueur de base du tube jusqu'à faire sonner l'instrument en *si* ♭.

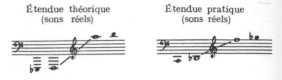

Étendue théorique (sons réels)   Étendue pratique (sons réels)

Notation de l'étendue pratique

ou

Bibliographie — J. DU FOUILLOUX, La vénerie, Poitiers 1561 ; M. MERSENNE, Harmonicorum libri XII, Paris 1635-36 ; du même, Harmonie universelle, II Traité des instr., Paris 1636-37, rééd. en facs. par Fr. Lesure, Paris, CNRS, 1963 ; J. SERRÉ DE RIEUX, Les dons des Enfants de Latone, Paris 1734 ; D. DIDEROT et J. D'ALEMBERT, Encyclopédie ou Dict. raisonné des Sciences, des Arts et des Métiers, Paris, IV, 1754, et IX, 1765 ; V.CH. MAHILLON, Les instr. à vent, II Le cor, son hist., sa théorie, sa construction, Bruxelles 1907 ; du même, Catal. descriptif et analytique du Musée Instrumental du Cons. Royal de Bruxelles II, Gand 1909 ; H. KLING, Le cor de chasse, *in* RMI XVIII, 1911 ; W.H.F. BLANDFORD, The French Horn in England, *in* Musical Times, août 1922 ; E. PAUL, Die Entwicklung des Hornes vom Natur- zum Ventilinstrument (diss. Vienne 1932) ; W. STAUDER, H. HICKMANN et G. KARSTÄDT, art. Horninstrumente *in* MGG VI, 1957 ; R. MORLEY-PEGGE, The French Horn, Londres, Benn, 1960 ; L. LANGWILL, An Index of Wind-Instr. Makers, Édimbourg, l'Auteur, 1960, 2/1962 (augm.) ; R. GREGORY, The Horn, Londres, Faber, 1961, 2/1969 ; H.A. FITZPATRICK, The Horn and Horn-Playing and the Austro-Bohemian Tradition, 1680-1830, Londres, Oxford Univ. Press, 1970.

H.A. FITZPATRICK

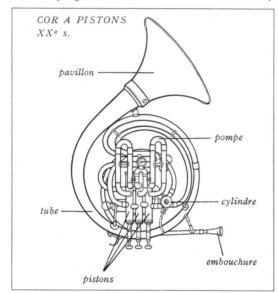

COR A PISTONS XXe s.

pavillon

pompe

cylindre

tube

embouchure

pistons

C'est ce modèle qui est resté le plus répandu dans tous les pays, sauf en France où le système à trois pistons, complété après la guerre par une 4e soupape cylindrique pour donner un cor double ascendant, est resté en faveur. L'instrument français, avec sa perce plus étroite et son pavillon légèrement moins évasé, se caractérise par un timbre plus éclatant et plus direct. En 1888 le facteur Cerveny, de Graslitz, présenta un cor à cylindre en *fa* aigu. Il devait résoudre les problèmes posés par les parties aiguës de la mus. baroque, objet d'une première tentative de renaissance. Comme l'intérêt pour cette musique décrut, le cor en *fa* aigu tomba en désuétude. Ce n'est qu'après la Seconde Guerre mondiale, avec la difficulté croissante des parties de cor chez les compositeurs modernes et avec la véritable renaissance de la mus. baroque, que les cornistes se tournèrent davantage vers l'instrument en *fa* aigu. Pour remédier aux imperfections de l'intonation, on éprouva le besoin d'ajouter des pistons, ce qui donna des systèmes compliqués, allant jusqu'à 7 pistons. Aujourd'hui, les cors sont construits en *fa* aigu avec un barillet pour *ut* et même pour *si* ♭ aigu ; un facteur propose même trois instruments combinés en un seul. De tels extrêmes au niveau de la mécanique ont réduit les qualités musicales essentielles du cor ; on ne peut toutefois nier le gain réalisé en agilité et en justesse. Le cor double, en *fa* et *si* ♭, n'en demeure pas moins l'instrument d'orchestre courant dans la plupart des pays.

COR (Musique pour cor). Bien que le recueil de batailles, chasses et chansons publié par Susato en 1545 (RISM 1545¹⁷) contienne des indications selon lesquelles les madrigaux de chasse à 5 voix pouvaient également être exécutés sur des cornets de chasse, la première musique écrite spécifiquement pour le cor se trouve dans l'opéra de Cavalli, *Le Nozze di Teti e di Peleo* (1639), qui utilisait le genre français de la fanfare de chasse cité par M. Mersenne dans son ouvrage intitulé *Harmonicorum Libri* (1637). Lully inclut une fanfare de chasse à 5 parties pour cors dans son ballet *Les Plaisirs de l'Isle enchantée* (1664), tandis que J.J. Fux incorpore des fanfares de cors dans sa musique de ballet pour l'anniversaire de l'impératrice d'Autriche en 1680. Ces faits, joints à l'impulsion donnée à la pratique du cor dans les pays germaniques par Franz Anton von Sporck, permirent l'adoption rapide de l'instrument par les compositeurs de la fin de l'époque baroque. Dès les premières années du XVIIIe s., les meilleurs cornistes parmi les virtuoses tchèques itinérants attirèrent sur leur art l'attention des compositeurs de toute l'Europe. La fanfare d'*Octavia* (1705) de R. Keiser ainsi que le besoin qu'éprouva Buxtehude d'utiliser un chœur de cors dans son *Templum honoris* en sont les premières marques importantes. Les *Concertos* de Telemann (autour de 1712 et 1733), les *Concertos brandebourgeois* de Bach (1719), les parties de cor obligées introduites en 1751 dans le motet *In convertendo* de Rameau, celle du *Giulio Cesare* (1754) de Haendel témoignent de l'habileté de ces premiers solistes tchèques. Ce style d'écriture pour cor abonde dans les opéras de Rameau, Haendel, Fux, A. Scarlatti, Schürrmann, Hasse et Graun, de même que dans les cantates de

J.S. Bach. Lorsque apparut la technique des sons bouchés (introduction de la main dans le pavillon), dans la 2ᵈᵉ moitié du siècle, le cor devint un instrument de soliste. Il eut la faveur de Rosetti (26 concertos), de Mozart (4 concertos), de Haydn (2 concertos, dont l'un pourrait fort bien être de K.H. Graun), de Beethoven (*Sonate* op. 17, 1800) et, anachroniquement, de Brahms (*Trio* op. 40, pour p., vl. et cor, 1865). Le piston mit fin à la carrière du cor en tant qu'instrument soliste. A l'exception du *Concertstück* op. 86 (1849) pour 4 cors et orchestre de Schumann, il fut surtout considéré comme un membre indispensable de l'orchestre à partir de 1830. H. Berlioz, F. Mendelssohn, R. Wagner, J. Brahms, P.I. Tchaïkovski, V. d'Indy, G. Mahler, Cl. Debussy, R. Strauss, P. Dukas, R. Vaughan Williams, M. Ravel, A. Webern, G. Migot, A. Honegger, M. Tippett, B. Britten et de nombreux compositeurs américains modernes lui ont consacré néanmoins des parties importantes. Au cours du XXᵉ s. le cor a retrouvé une certaine popularité comme instrument soliste, ce qui a incité certains compositeurs à écrire à leur tour d'importantes pièces de mus. de chambre et des œuvres concertantes : P. Dukas, *Villanelle* (1906), cor et p. ; Ch. Kœchlin, *Sonate* op 70 (1918-25), cor et p., *Poème* op. 70 (1927), cor et orch., 15 *Pièces* (1942), cor et p. ; E.M. Smyth, *Trio* (1927), p., vl. et cor ; P. Hindemith, 2 *Sonates* (1939, 1943), cor et p., *Concerto* (1949), *Sonate* (1952), 4 cors ; B. Britten, *Sérénade* (1943), ténor, cor et orch. à cordes ; M. Seiber, *Notturno* (1944), cor et orch. à cordes, *Fantaisie* (1945), fl., cor et quintette à cordes ; G. Jacob, *Concerto* (1951), cor et orch. à cordes, *Double Concerto*, vlc., cor et orch. à cordes ; M. Tippett, *Sonate* (1955), 4 cors.

Bibliographie — HAMPEL et PUNTO, Seule et vraie méthode pour apprendre facilement les éléments des 1ᵉʳ et 2ᵈ cors aux jeunes élèves, Paris 1798 ; H. DOMNICH, Méthode de 1ᵉʳ et 2ᵈ cor, Mayence 1808 ; M. BRENET, Les concerts en France sous l'Ancien Régime, Paris 1900 ; H. KLING, G. Punto, célèbre corniste, in Bull. de la SIM IV, 1908 ; Fr. PIERSIG, Die Einführung des Hornes in die Kunstmusik u. seine Verwendung bis zum Tode J.S. Bachs, Halle 1927 ; B. BRÜCHLE, Horn-Bibliogr., Wilhelmshafen, Heinrichshofen, 1970.

H.A. FITZPATRICK

COR ANGLAIS (angl., cor anglais ; all., englisch Horn ; ital., corno inglese ; esp., corno inglés) **et TAILLE DES HAUTBOIS. 1.** Deux instr. à vent à anche double, de registre inférieur d'une quinte à celui du → hautbois. La taille fut introduite en France à l'époque de J.B. Lully pour tenir les parties de ténor dans les orchestres militaires de hautbois et de bassons. Sous sa forme droite, avec un bocal en angle droit, elle suivit le hautbois dans les autres pays — on la trouve p. ex. dans les cantates de Fr. W. Zachow — mais chez J.S. Bach les parties de taille étaient probablement exécutées sur le c.a., forme coudée du même instrument. Inventé en Allemagne vers 1720, le c.a. fut appelé « corne d'Anglois », « Waldhautbois » ou, par J.S. Bach, « hautbois da caccia » (dans les éditions modernes, « oboe da caccia »). Le tuyau courbe, en bois, est recouvert de cuir et les modèles les plus anciens que l'on ait conservés, construits à Leipzig, ont un pavillon évasé en cuivre. Par la suite le pavillon devint piriforme. L'instrument apparaît dans les opéras, à partir de N. Jommelli, en 1749, sous le nom de « corno inglese » : cette épithète d'« anglais » demeure inexpliquée. En

France, ce c.a. fut peu connu avant le XIXᵉ s., époque où il fut construit par Guillaume Triébert, toujours sous sa forme courbe, avec des clefs comme le hautbois de ce facteur. C'est sous cette forme que le connut H. Berlioz. En Allemagne on le construisait aussi courbe. Cependant, en 1839, Henri Brod en fabriqua un modèle droit, revenant en fait à la taille disparue. C'est ce modèle qui finit, après de nombreuses années, par remplacer le modèle courbe et par devenir le modèle normal du c.a. à la sonorité pastorale que l'on rencontre aujourd'hui dans tous les orchestres symphoniques.

Étendue   notée

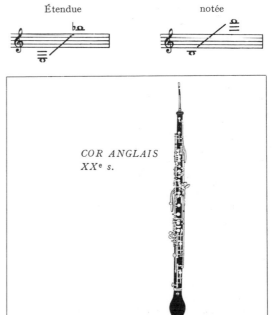

COR ANGLAIS XXᵉ s.

2. Jeu d'orgue à anches libres et résonateur étroit, surmonté d'un pavillon refermé, en vogue au récit au milieu du XIXᵉ s.

Bibliographie (voir également l'art. HAUTBOIS) — R. DAHLQVIST, Taille, Oboe da Caccia and Corno Inglese, in The Galpin Soc. Journal XXVI, 1973.

CORDE (angl., string ; all., Saite ; ital., corda ; esp., cuerda). Une c. vibrante est un élément sonore indispensable au fonctionnement de certains instr. de musique regroupés sous l'appellation → cordophones (→ cordes dans l'orchestre moderne). Elle consiste en un filament cylindrique souple et parfaitement homogène, dont les modes d'excitation à travers les âges et les pays sont nombreux. Une c. vibre soit par pincement du doigt, d'un plectre, d'un sautereau, soit par frappement à l'aide de battes, de tangentes ou de marteaux, ou encore par frottement d'un archet de crins ou de bois (Corée). Pincement et frappement sont les moyens les plus anciens et les plus logiques utilisés par l'homme. La c. communique la fréquence de son mouvement à l'air qui l'environne. On amplifie l'intensité sonore par un résonateur, de forme et de dimensions variables à l'infini. Timbre, justesse, puissance des c. sont le résultat d'une fabrication minutieuse et complexe nécessitant chez le spécialiste un apprentissage exigeant et des dons particuliers. Quant à la fréquence, elle varie selon des éléments en liaison directe les uns avec les autres : la longueur de la c., son épaisseur, sa tension, sa masse par unité de longueur. Par conséquent, le choix du matériau est d'une importance capitale. Dans les pays occidentaux, les c. sont en boyau de chat, d'agneau ou de mouton ; elles peuvent être en soie, en crins torsadés (« gusle »), mais le plus souvent, et dès le XIVe s., on utilise le métal, actuellement le laiton, l'acier fin, l'aluminium, le fer ou le bronze. Dans les musiques exotiques, on rencontre essentiellement les fibres végétales, dont certaines ne sont pas cylindriques : bambou en lanières, rotin, chiendent (Afrique, Indonésie). L'Extrême-Orient est resté fidèle aux c. en soie jusqu'au XVIIIe s. Partout aussi on retrouve le boyau. Tout changement de matériau entraîne un changement de facture de l'instrument et réciproquement. Le remplacement actuel du boyau ou du métal par le nylon n'est pas sans conséquences sur les dimensions internes des résonateurs modernes.

Les c. utilisées sont « nues » — donc fragiles, sensibles à l'usure autant qu'à la transpiration des doigts — ou bien « filées », c.-à-d. renforcées en spirale par un second matériau qui modifie leur comportement. Le boyau vient de Bulgarie. Soigneusement sélectionné, il subit divers traitements chimiques ou mécaniques. Il est raclé, lavé, pressé, refendu, coupé en lanières garantissant sa solidité, puis blanchi, soufré, torsadé. Le *la* d'un violon est fait de 3 à 4 boyaux ; les c. de violoncelle en exigent une dizaine, celles de la contrebasse jusqu'à 80. Enfin le boyau est séché et poli. Si la masse par unité de longueur est partout la même, la c. est de qualité. On le vérifie par contrôle à vide en plaçant le doigt sur des c. voisines : l'intervalle émis doit être la quinte juste. La c. en boyau peut être filée — on l'appelle alors « âme » — à simple ou double trait d'argent fin, de cuivre argenté ou d'alliage d'aluminium. Ce filage devient courant à partir de la fin du XVIIe s. pour certains métaux. Il donne beaucoup de souplesse aux c. graves. Entre boyau et argent, on peut même « sous-filer » avec de la soie. Celle-ci garnit aussi l'extrémité des c. qui sert à leur fixation. Quant au monofilament métallique (pianos), il est tréfilé par passes successives dans une filière aux trous de plus en plus fins (chanterelle actuelle du violon, c. du medium et de l'aigu d'un piano). L'acier est filé surtout de cuivre, d'argent, de bronze.

Il existe, en dehors des c. vibrantes habituelles, deux cas particuliers essentiels : 1° les → c. sympathiques en métal, qui entrent en vibration spontanée (viole d'amour p. ex.) lorsque la fréquence des autres c. présente certains rapports avec elles ; 2° les → c. vocales, membranes élastiques se comportant comme des anches doubles et qui sont à la base même du fonctionnement de l'appareil phonatoire (voir l'art. PHONATION).

Bibliographie — A. DOLGE, Pianos and their makers, Covina (Calif.) 1911-13 ; H. BOUASSE, C. et membranes, Paris 1926 ; C. SACHS, Geist u. Werden der Musikinstr., Berlin 1929 ; R. et M. MILLANT, Manuel pratique de lutherie, Paris, Larousse, 1952 ; E. LEIPP, Sonorité du violon, de l'alto, du violoncelle, Paris, l'Auteur, 1952 ; du même, Acoustique et musique, Paris, Masson, 1971.

E. BUBERT

CORDE À VIDE (angl., open string ; all., leere Saite ; ital., corda vuota ; esp., cuerda al aire), locution s'appliquant, dans le jeu des instr. à cordes et à manche, à une corde qui vibre sur toute sa longueur sans que l'on appuie de doigt sur la touche. Fréquent jusqu'au XIXe s., l'emploi de la c. à v. est généralement évité dans la technique moderne du violon, si ce n'est pour obtenir certains effets (p. ex. début du *Concerto pour violon* d'A. Berg). La c. à v. est marquée par le chiffre 0 placé au-dessus de la note. — Certains instr. à cordes pincées tels que le luth théorbé, l'archiluth, le théorbe, le chitarrone, à cordes frottées tels que la « lira da braccio » et la « lira da gamba » possédaient des cordes tendues en dehors du manche qui sonnaient toujours à vide.

COR DE BASSET (angl., basset-horn ; all., Bassetthorn ; ital., corno di bassetto), sorte de → clarinette en *fa*, plus grave d'une quarte que celle en *si* $\flat$ et descendant chromatiquement jusqu'à *fa*^{1} (noté *do*^{2} sur la portée). Sa forme est aujourd'hui semblable à celle de la clarinette alto mais elle a gardé une perce un peu plus étroite et un son plus léger. Les plus anciens c. de b. qu'on connaisse ont une forme en demi-cercle et furent construits à Passau, autour de 1770, par Schofflmeyer et les Mayrhofer. Un peu plus tard, dans le souci d'éviter les tubes courbes, on donna à cet instrument des formes diverses, dont la plus courante présente un angle obtus suivi d'un pavillon en cuivre. Les c. de b. devinrent populaires en Autriche sous l'influence des frères Stadler. Mozart en employa souvent (2 ou 3) dans des œuvres instrumentales ou vocales, depuis la *Sérénade* pour instr. à vent en *si* $\flat$ KV 370 a, jusqu'au *Requiem*. Pendant les 40 années suivantes, ils connurent un usage intensif en Allemagne dans la mus. d'harmonie. Quelques solistes jouèrent parfois du c. de b. en concert, tel K. Bärmann pour qui fut écrite la partie de c. de b. du *Konzertstück* op. 113 de F. Mendelssohn. R. Strauss fit revivre le c. de b. dans *Elektra* et d'autres opéras, mais, en dehors de ces exemples, son emploi est très rare, et si l'on en fabrique aujourd'hui en France et en Allemagne, c'est surtout pour jouer la musique de Mozart.

COR DE CHAMOIS (all., Gemshorn), jeu d'orgue à bouche, le plus souvent conique rétréci, de 8', 4' ou 2' (XIXe s.).

COR DE CHASSE, voir COR.

COR DE NUIT (de l'all. Nachthorn), jeu d'orgue bouché, analogue au bourdon 8' ou 4'. En fait il correspond par sa facture et sa sonorité au « Gedacktpommer » (XIXe s., orgue symphonique). — Angl., bourdon ; all., Quintaden ou Gedacktpommer ; ital., corno di notte.

CORDE RÉCITATIVE, terme qui dans la → psalmodie désigne la note sur laquelle se fait l'essentiel de la récitation. On l'appelle encore teneur, dominante ou tuba. — Voir également l'art. TONS PSALMODIQUES.

CORDES (angl. strings, stringed instruments ; all., Streicher, Streichinstrumente), nom donné dans l'orchestre ou dans la mus. de chambre à l'ensemble des instr. à cordes et à archet (violon, alto, violoncelle, contrebasse) par opposition aux groupes des → bois (flûte, hautbois, etc.) et des → cuivres (cor, trompette, etc.).

Bibliographie — P. PETERLONGO, Strumenti ad arco — Les instr. à archet, Milan, Ed. Siei, et Florence, Olschki, 1973 (éd. bilingue).

COR DES ALPES (all., Alphorn), trompette de pâtre, en bois ou en écorce, de forme droite ou légèrement recourbée ; il est plus rare qu'elle le soit deux fois à l'imitation des trompettes en métal. Cet instrument peut mesurer jusqu'à 4 m de long ; en Europe, il est généralement pourvu d'une embouchure en bois ou en métal, mais ne porte ni trous ni accessoires pouvant en faciliter le jeu. Sa perce, étroite par rapport à sa longueur relativement importante, fait ressortir essentiellement les harmoniques aigus (6e à 12e, rarement 4e et 5e) et permet d'obtenir une échelle approximativement diatonique, y compris le 11e harmonique étranger au système et légèrement trop haut (« Alphorn-Fa »). Dans les régions alpines (en particulier en Suisse), cet instrument, attesté depuis le XVIe s. au moins, est encore répandu de nos jours. Il était vraisemblablement déjà connu des Germains (« cornua alpina » chez Tacite) et de l'Europe médiévale. On en trouve des formes apparentées dans les Pyrénées, en Scandinavie (→ lur), en Estonie (« luik »), en Pologne (« ligawka »), en Roumanie (« bucium »), dans le nord de l'Hindoustan, en Kirghizie et dans la région de l'Amour ; il s'agirait donc d'une origine commune aryenne, très ancienne. Mais on a retrouvé des instruments du même genre chez des Indiens d'Amérique du Sud. Cela permet de conclure que cet instrument n'a pas été utilisé à l'origine comme instr. de musique mais comme moyen de communication en raison de sa grande portée, et que son emploi ne s'est pas limité à des régions de montagne. Depuis le XIXe s., la musique savante l'a employé ou l'a imité à l'occasion pour caractériser la musique des populations alpines (Rossini, Guillaume Tell ; G. Meyerbeer, Appenzeller Kuhreigen ; Brahms, Ire Symphonie).

Bibliographie — C. SACHS, Reallexikon der Musikinstr., Berlin 1913, réimpr. Hildesheim, Olms, 1964 ; du même, Geist u. Werden der Musikinstr., Berlin 1928 ; A.L. GASSMANN, 's Alphorn, Zurich et Leipzig 1913 ; du même, Blast mir das Alphorn noch einmal, Zurich et Leipzig 1938.

CORDES SYMPATHIQUES, cordes métalliques, de laiton en général, tendues sur la touche d'un instr. à cordes frottées et qui vibrent d'elles-mêmes sans être touchées ni frottées. Elles forment l'élément caractéristique de la → viole d'amour et du → baryton.

CORDES VOCALES, replis membraneux qui bordent la fente de la glotte et qui, pendant l'acte de la → phonation, se rapprochent et s'écartent.

CORDIER (angl., tailpiece ; all., Saitenhalter ; ital., cordiera ; esp., cordal), pièce servant à fixer les cordes à la partie inférieure des instruments de la famille des luths, guitares, mandolines, vielles à roue, violes et violons. Les instr. à cordes frottées possèdent un chevalet assez haut réclament un c. important, capable de résister à une forte tension. C'est généralement une pièce en forme de triangle renversé. La pointe est fixée par un clou à grosse tête chez les violes et, chez les vielles et les violons, par un câble enroulé autour d'un bouton placé à l'éclisse inférieure. Les cordes s'attachent à la partie supérieure — la base du triangle — en passant par de petits trous qui y sont pratiqués. Chez les violes et les vielles, dont la décoration est assez recherchée, le c. constitue un élément ornemental. La partie supérieure peut adopter des lignes courbes et sculptées (c. à balustre) ainsi que des incrustations de nacre et d'ivoire. Pour les instr. à cordes pincées, c'est le chevalet, bas et collé sur la table, qui sert de cordier.

CORDOPHONE, tout instr. de musique dont le mode principal de mise en vibration est constitué par une ou plusieurs cordes, quelle que soit leur matière. Celles-ci peuvent être de longueur vibrante constante (p. ex. les cordes à vide de la harpe) ou variable (les cordes sur manche de la guitare). Elles peuvent être mises en vibration par pincement, par percussion, par frottement, par l'action d'un courant d'air ou par les vibrations émises par d'autres corps (les cordes « sympathiques »). Dans les c., nombreux sont les types de montage des parties constitutives des instruments, donnant, par la diversité de leurs combinaisons, une infinité de variantes. — Voir également l'art. ORGANOLOGIE.

CORÉE. La source la plus ancienne concernant la mus. coréenne est le chapitre consacré à la Corée dans le San-Kuo Chih (« Histoire des Trois Royaumes », 297 ap. J.C.) du Chinois Chen Shou, où sont décrits des sacrifices offerts aux divinités dans l'État de Mahan (Corée du Sud-Est) après les semailles et les moissons. On y chantait, dansait et buvait nuit et jour, analogie possible avec la musique exubérante jouée de nos jours par les paysans avec gongs et tambours. Selon la même source, un instr. à cordes indigène, semblable au « chu » chinois, était déjà utilisé dans la région de Pyonjin (Corée du Sud) ; mais il devait être tombé en désuétude quand fut inventé au VIe s., dans l'État de Kaya (Corée du Sud), le « kayago », instrument à 12 cordes. A Anak (Corée du Nord), les peintures murales de la tombe no 3, datées de 357, représentent plusieurs instr. de musique chinois. Dans l'antichambre, sont figurés un tambour (« ku »), une flûte de Pan (« hsiao ») et un chanteur, ensemble caractéristique de la mus. de cérémonie (« ku-ch'ui ») de la dynastie Han. Sur le mur du corridor, une procession grandiose ; à l'arrière, un orchestre à cheval joue du tambour, de la flûte de Pan, du cor (« chiao »), de l'aulos (« chia ») et d'une clochette (« nao ») : il s'agit sans doute d'un orchestre militaire. Sur le mur de la pièce du fond, trois musiciens assis accompagnent un danseur à la cithare (« komun'go » ou « kayageum »), au luth (« wol-geum ») et sur une longue flûte droite. Tous ces instruments chinois de la dynastie Han étaient donc utilisés en Corée du Nord au IVe s. La musique « ku-ch'ui », terme que l'on retrouve souvent dans l' « Histoire des Trois Royaumes », avait certainement été adoptée dans les cours de Corée.

● **Voir hors-texte entre pages 240-241.**

La période des Trois Royaumes (jusqu'en 668).
Pendant la période Koguryo, Wang San-ak inventa
une cithare, le « komun'go ». C'est un « k'in » chinois
transformé. Munie de frettes, elle possédait 4 cordes,
pincées au moyen d'un bâtonnet. Par la suite, le
nombre des cordes fut porté à 6 comme aujourd'hui.
Le roi Kasil, de l'État de Kaya, inventa le « kayago »,
dérivé du « tchêng » chinois, et demanda au musicien
U Ruk de composer pour le nouvel instrument, qui
comportait alors 12 cordes et différait peu de l'actuel.
La musique et les instruments des Trois Royaumes
furent introduits à la cour du Japon, où l'on jouait,
en 684, le « koma-gaku » (mus. de Koguryo), le
« kudara-gaku » (mus. de Paekche) et le « shiragi-
gaku » (mus. de Silla). Mais on sait que dès 584 —
deux ans après l'introduction du bouddhisme venu
de Paekche — quatre musiciens de cette région quittèrent le Japon pour rentrer dans leur pays et furent
remplacés. D'après le *Nihon Shoki* (« Histoire du
Japon »), il y avait au Japon en 809 quatre professeurs de musique Koguryo : pour la flûte, le « kugo »
(probablement le « komun'go »), le « makumo »
(instrument non encore identifié) et la danse. Quatre
musiciens Paekche occupaient les mêmes fonctions
mais il n'y avait que deux professeurs de musique
Silla, l'un pour le « k'in » (probablement le «kayago»),
l'autre pour la danse.
Après l'introduction du bouddhisme, venu de Chine
du Nord dans le royaume de Koguryo (372), de
Chine du Sud dans le royaume de Paekche (384) les
caractères spécifiques de la musique des deux États
s'accentuèrent, comme le rapporte l' « Histoire de la
dynastie Sui » (*Sui-shu*, 662). Dans le royaume de
Koguryo, on jouait le luth à 5 cordes (« wu-hsien-
ch'in ») et le hautbois cylindrique (« p'iri ») ; en
Paekche, la harpe (« k'ung-hou ») et surtout la flûte
à embouchure surélevée (« ch'ih »), que l'on trouve
seulement dans la musique « ch'ing-yueh », appréciée
en Chine méridionale. Le luth à 5 cordes, le hautbois
et la harpe étaient originaires de l'Inde ou de l'Asie
centrale. Cet apport enrichit la musique Koguryo
(« kao-li-chi ») jouée à la cour Sui, où elle comptait
au nombre des 7 espèces de musique nationale (« ch'i-
pu-chi ») et par conséquent au nombre des 9 espèces
de musique (« chui-pu-chi ») ; elle continua à être
jouée à la cour T'ang. La musique Paekche ne fut
pas jouée à la cour de Chine avant la dynastie T'ang.
D'autres faits attestent la pénétration de l'art
d'Asie centrale dans les Trois Royaumes. En 612
un musicien Paekche nommé Mimaji, qui avait
appris le théâtre dansé et masqué (« Ki-ahk ») en
Chine méridionale, l'enseignait à la cour du Japon.
Les masques utilisés révèlent leur origine d'Asie centrale. De plus, le fait que les danses masquées de ces
régions aient été considérées comme mus. coréenne
par Ch'oi Ch'iwon (857) dans ses « Cinq Poèmes sur
de la mus. coréenne » *(Hyangahk Chabyong Osu)*
prouve que la mus. d'Asie centrale avait été pratiquée en Corée avant l'introduction de la nouvelle
musique T'ang. Les thèmes de ces 5 poèmes sont les
suivants : 1. *Sanye* (« La danse du lion) est clairement
d'origine Hsiliang ou Kueitsu ; 2. *Soktok* signifie probablement Sogdiane, pays d'Asie centrale ; 3. de
même *Wolchon*, mime comique d'ivrognes, signifie
sans doute Khotan, autre pays d'Asie centrale ;
4. dans *Taemyon*, un homme portant un masque
doré et tenant un fouet exorcise les esprits malins.

Le titre traduit le Ta-mien de la dynastie chinoise
septentrionale Ch'i (550-557) ; 5. *Kumhwan* décrit un
jeu acrobatique. *Kumhwan* et *Taemyon* appartenaient aux « san-ahk », spectacles donnés en Chine
au son de la flûte et du tambour-sablier (« changgo »).
Au Japon, l'accompagnement du « Sotoku » (équivalent du « Soktok » coréen) ajoutait le hautbois à ces
deux instruments. De nos jours, la plupart des danses
s'exécutent en Corée au son du violon à 2 cordes
(« haegeum ») et des trois instruments mentionnés
ci-dessus. Mais il n'est question dans le poème que
de la force et de la vivacité du tambour.

La période du royaume unifié de Silla (669-936).
Elle est marquée par l'importation de la nouvelle
musique T'ang, probablement au début du IXe s.,
exécutée au même titre que la mus. coréenne jusqu'à
la dynastie Yi. Elle apporta le jeu du luth à 4 cordes
(« tang-bip'a »), du hautbois court et large (« tang-
p'iri »), des plaques de fer (« pang-hyang ») et de la
claquette (« pahk »). La mus. coréenne de cette
époque utilisait à la fois des instruments autochtones
et étrangers : les premiers étaient représentés par le
« kayago » et par les grande, moyenne et petite flûtes
traversières en bambou (« taegeum », choongeum »
et « sogeum ») ; les seconds par le « komun'go » de
Koguryo, le luth à 5 cordes d'Asie centrale (« hyang-
bip'a ») et la claquette (« pahk ») de la dynastie T'ang.
Cet art diffère totalement de l'ancienne musique Silla,
qui n'utilisait que le « kayago ». Il faut noter aussi
que la longue tradition de classes distinctes de mus.
coréenne indigène (« hyang-ahk ») et de musique
T'ang (« Tang-ahk ») date de cette époque.

La période Koryo (936-1392). En fondant la
dynastie Koryo, le roi Taejo hérita de deux institutions : le « P'algwan-höe », durant lequel des moines
priaient pour la paix de la nation, et le « Yondung-
höe », cérémonie de l'allumage des lanternes. Ces
deux cérémonies bouddhistes, qui furent pratiquées
jusqu'à la fin de la dynastie, comportaient non seulement de la mus. coréenne et de la musique T'ang,
mais aussi de l'acrobatie et des danses appelées
« paek-hui ». Date importante dans les annales musicales de Koryo, en 1116 l'empereur Hui-Tsung, de
la dynastie chinoise de Sung, envoya au roi Yejong
des partitions et des instruments pour l'exécution de
la mus. rituelle chinoise de Confucius, connue sous
le nom de « Ah-ahk ». Celle-ci fut donc jouée en Corée
pour la première fois sur des instruments rares comme
les cloches de bronze (« p'yun-jong »), les carillons
de pierres (« p'yun-kyung »), une cuve (« chook »),
un tigre en bois (« uh »). En 1188 cette mus. rituelle
archaïque fut amalgamée à la mus. coréenne plus
connue (« hyang-ahk kyo-ju ») et ce n'est pas avant
le XVe s. que la mus. chinoise put retrouver sa pureté.
Autre événement important, l'introduction en
Corée de la musique de la dynastie Sung, qui finit
par remplacer la musique T'ang. Dès le Xe s., les
musiciens et les instruments chinois avaient pénétré
en Koryo. En 1073, les groupes de danse de la dynastie Sung, « T'a-sha-hang » et « P'ao-ch'iu-yüeh »,
participèrent, à la cour Koryo, aux cérémonies « Yon-
dung-höe » et « P'algwan-höe ». En 1076 la musique
T'ang utilisait les plaques de fer (« pang-hyang »),
le luth (« bip'a »), l'harmonica (« saeng-hwang »),
une petite flûte traversière (« t'ang-juk »), un hautbois
en bambou (« p'iri »), le tambour-sablier et la claquette, instruments qui n'ont pas varié depuis.

Toute la mus. chinoise jouée à la cour Koryo était de la musique de « tz'u », forme poétique en vers irréguliers dont l' « Histoire de Koryo » mentionne 41 exemples. Parmi ceux-ci on en a identifié 8 comme étant l'œuvre du poète chinois Liu Yung (XIe s.), ce qui aide à dater l'introduction de la musique de « tz'u » à Koryo. Le poème Nakyang-Ch'oon (« Printemps à Nakyang ») fut écrit par Ouyang Hsiu (1000-1072) ; sa musique se trouve notée dans Sogak Wonbo, ouvrage datant du XVIIIe s. Il en ressort que la musique de « tz'u » peut être considérée comme syllabique, tout au plus neumatique, et qu'elle ne comporte ni prélude ni interlude. — On trouve de la musique Koryo dans des recueils anciens comme le Tae-ahk-Hubo et le Siyong Hyang-ahk Bo. Les poèmes coréens qu'ils contiennent se composent de 3 ou 5 vers irréguliers au lieu de 4 comme les poèmes chinois. La claquette est frappée au début de la phrase, alors que dans la mus. chinoise elle en ponctue la fin ; le rythme est beaucoup plus irrégulier ; la cadence tombe peu à peu vers la note la plus grave (une octave au-dessous de la note centrale), tandis que dans la mus. chinoise la dernière note s'étire en longueur. La mus. coréenne comporte généralement un prélude et un interlude.

Les danses de cour coréennes se déroulaient de la manière suivante : les danseurs se prosternaient devant le roi. Demeurant immobiles, ils relevaient la tête et, accompagnés par l'orchestre, chantaient une prière pour le bonheur du souverain (« ch'ang-sa »). Ils exécutaient ensuite la danse, accompagnés par l'orchestre et un chœur de femmes, puis se prosternaient à nouveau devant le roi avant de se retirer. Musique et danses coréennes et chinoises alternaient aux banquets royaux. La mus. coréenne de la dynastie Koryo a uni à sa vitalité la simplicité et la solennité de la mus. chinoise.

La première dynastie Yi (1392-1593). La musique Koryo était encore largement pratiquée au début de la dynastie Yi. Mais à partir du règne de Sejong le Grand (1419-1450), des changements se produisirent sous l'influence du confucianisme. Celui-ci accorda une grande attention à l' « Ah-ahk », forme qui avait atteint la perfection sous la dynastie Chou, l'âge d'or de la Chine. L'étude des œuvres du savant chinois Chu Hsi (1130-1200) amena celle du « Nouveau Traité sur le réglage des diapasons de bouche » (Lü-lü Shin-shu, 1174-1189), de Ts'ai Yuan-ting's, et entraîna une tentative pour déterminer le diapason du « hwang-jung » (à l'origine do², aujourd'hui mi ♭²). De nombreux instruments utilisés pour l' « Ah-ahk » — comme les cloches de bronze, les carillons de pierres, les cithares (« ch'in » et « sê »), l'harmonica et la flûte de Pan — n'étaient plus importés, mais fabriqués sur place. L' « Ah-ahk » de la dynastie Koryo, qui contenait des éléments de mus. coréenne, fut entièrement épuré. On alla jusqu'à mettre en doute son authenticité et il fut finalement remplacé par la musique de Lin Yü pour le temple de Confucius, conservée dans les « Chroniques du roi Sejong ». La musique de « tz'u », jouée jusque-là dans les cérémonies de cour, fut elle aussi remplacée pendant quelque temps par de la musique Ah-ahk ».

Le confucianisme ne contribua pas seulement à réformer l' « Ah-ahk » ; il modifia la conception de la musique en général, qui ne devait pas se contenter d'être agréable à l'oreille mais devait aussi être une nourriture pour l'esprit. En fonction de ces critères, on révisa la mus. chinoise de « tz'u », qui comportait de nombreux chants d'amour. Les textes d'origine furent supprimés et le chant aux banquets royaux fut remplacé par des poèmes du Shi-ching (« Livre d'odes »). Les chants coréens de la dynastie précédente qui abordaient l'amour furent rejetés comme inaptes aux cérémonies de la Cour. Dans certains cas, le texte fut remanié ; dans d'autres, il fut remplacé par un texte chinois et la musique légèrement modifiée. De nouveaux chants furent composés. Après l'invention de l'alphabet coréen (1443), le long poème intitulé « Le dragon s'envole au ciel » (Yong-bi Uh-ch'un-Ka) fut imprimé en 1447. Le titre symbolise l'accession d'un noble au trône. Le poème fut mis en musique sur deux mélodies pentatoniques en mode de sol. Traduit en chinois, il fut pourvu d'une musique hexatonique encore exécutée de nos jours dans une version orchestrale. — Po-t'ae-p'yung constitue une suite de chants à la louange des exploits civils des rois de la dynastie Yi, Chung-dae-up une autre à la louange de leurs exploits militaires. Toutes deux furent composées en chinois sous le règne de Sejong le Grand. La musique fut empruntée à des chants coréens ou à la musique « ku-ch'wi » (pour tambour et instr. à vent). Po-t'ae-p'yung, formée de 11 chants en mode de sol (« p'yung-jo »), et Chung-dae-up, formée de 15 chants en mode de la (« kye-myun-jo »), furent, une fois réduites, adoptées pour la chapelle royale ancestrale en 1464. On la chante encore de nos jours. Les 6 œuvres mentionnées ci-dessus furent notées dans les « Chroniques du roi Sejong le Grand » en colonnes de 32 carrés (chacun représentant une unité métrique). C'est le plus ancien exemple de notation proportionnelle en Corée ; celle-ci est encore en usage, mais, depuis le règne de Sejo (1456-1468), les colonnes de 32 carrés sont divisées en deux colonnes de 16 carrés.

Le premier traité sur la musique (Akhak Kwebum) parut en 1493. On y trouve un exposé de la théorie de la musique (détermination des modes), de la disposition des instrumentistes d'orchestre, de la chorégraphie, des instruments, des costumes et des décors. Grâce à ses descriptions détaillées et à ses illustrations, il fut possible de rétablir la musique ancienne après l'invasion japonaise (fin du XVIe s.) qui avait entraîné la fuite des musiciens et la destruction des instruments.

La seconde dynastie Yi (1593-1910). Malgré le rétablissement de l'ancienne mus. de cour, le nouvel orchestre d' « Ah-ahk » était beaucoup plus réduit que l'ancien. L'orchestre chinois (« T'ang-ahk ») ne se distinguait plus de l'orchestre coréen (« hyang-ahk ») mais formait avec lui un seul et même ensemble appelé « hyang-tang-kyoju ». La mus. de cour coréenne ancestrale subit des modifications importantes et adopta le style chinois ou syllabisme. Les instruments coréens, « komun'go » et « kayago », furent exclus de l'orchestre au profit d'instruments chinois : cloches de bronze, carillons de pierres, cuve et tigre. Si la mus. de cour, influencée par l'idéal du confucianisme, se caractérisait par sa majesté et sa magnificence, la mus. coréenne avait par ailleurs tendance à être rapide, spontanée et à obéir aux émotions. Le chant lyrique (« kagok ») fut le seul à garder le style ancien, ses modèles rythmiques et ses formules cadentielles. Le chant original noté dans le Tae-ahk-Hubo (XVe s.) était très lent. On lui adjoignit le chant modéré *Chung-hwanip* et le chant assez rapide *Chajin-hwanip*. Mais les deux premiers furent abandonnés au XIXe s. Seul subsiste le troisième. Par la suite, on ajouta des chansons dans un tempo plus rapide et qui utilisaient le langage populaire. Elles chantaient l'amour librement et avec humour.

Une autre chanson lyrique, le « sijo », qui adopta le texte du « kagok » mais renonça au style mélismatique, était très goûtée des lettrés. La première musique « sijo » est contenue dans un recueil pour cithare, *Kura Ch'olsagum Chabo* de Yi Kyu-gyong (début du Xe s.). — Le long chant dramatique, « p'ansori », exécuté par les musiciens de classe inférieure (« kwangdae »), fut répandu en Corée méridionale au début du XVIIIe s. Mention en est faite pour la première fois dans le *Manhwa-jip* (1754). Des 12 parties qui le composent, l'histoire de *Ch'oon-hyang* (« Parfum du Printemps ») est la plus populaire; d'un caractère épique, elle exprime librement les passions humaines.

La musique en style d'improvisation pour « kayageum » solo, appelée « sanjo » (= mélodie éparpillée), a été attribuée à Kim Ch'ang jo (v. 1842-1897). Bien qu'elle consiste, conformément au style classique, en mouvements lents, modérés et rapides, sa musique est aussi expressive que le chant dramatique et peut être considérée comme la version instrumentale de ce genre. — La 2de moitié de la dynastie Yi fut donc caractérisée par le développement de la mus. populaire qui alliait la dignité à l'humour.

Bibliographie — ANONYME, Sejong Sillok Ahk-po (Mss. musicaux de la chronique du roi Sejong le Grand), Séoul 1454; Hyun SUNG, Akhak Kwebum (Éléments essentiels de la mus.), Séoul, fin du XVe s.; ANONYME, Sogak Wonbo (Ms. de mus. profane), Séoul, fin du XVIIIe s.; M. COURANT, La mus. en Corée, in Lavignac Hist. I, 1913; CH.S. KEH, Die koreanische Musik, Strasbourg 1935; ANONYME, Siyong Hyang-ahk-po (Ms. de mus. et de chants coréens), Séoul 1954; Ki-su KIM, Ahk-Jun Ch'ut Kuhreum (Théorie élémentaire de la mus. coréenne), Séoul 1958; Hwa-jin HAHM, Hang'uk Umak Sosa (Brève hist. de la mus. coréenne), Séoul 1959; Sa-hoon CHANG, Kuk-ahk Kaeyo (Glossaire de la mus. coréenne), Séoul 1961; A.C. HEYMAN, Dances of the Three-Thousand-League Land, in Dance Perspectives no 19, New York 1964; Kyung-rin SUNG, Han'guk ui Ahk-ki (Instr. de mus. coréens), Séoul 1965; Hye-gu YI, Han'guk Umak Sosol (Lieux communs de la mus. coréenne), Séoul 1967; A. ECKARDT, Musik, Lied, Tanz in Korea, Bonn, Bouvier, 1968; Du-hyun LEE, Han'guk Kamyun Keuk (Drame chorégraphique masqué coréen), Séoul 1969; J. HOYT, Songs of the Dragons, Séoul 1971.

A.C. HEYMAN

CORNEMENT, incident qui fait qu'un tuyau d'orgue sonne sans qu'on le veuille, par suite d'une défaillance mécanique. — Voir également l'art. EMPRUNT.

CORNEMUSE (angl., bagpipe ; all., Sackpfeife ou Dudelsack ; ital., piva, cornamusa ou zampogna ; esp., gaita), instr. de musique pastoral caractérisé par un réservoir d'air fait d'une peau (ou d'un sac) dans laquelle sont fixés plusieurs tuyaux sonores résonant à l'aide d'anches. La c. se distingue de la → musette par sa taille plus grande et par son principe d'admission de l'air qui se fait à l'aide d'un tuyau porte-vent ou boufferet, dans lequel souffle le sonneur. L'air est retenu dans le sac par un clapet qui obture le boufferet dès que le bras gauche de l'exécutant appuie sur la peau. Cet air s'échappe alors par les tuyaux sonores, qui sont de deux sortes : d'une part le chalumeau (dit parfois hautbois ou plus rarement flûte), percé de trous donnant des échelles variables selon le type d'instrument; d'autre part un ou plusieurs tuyaux nommés bourdons, donnant des notes pédales, généralement la tonique, éventuellement son octave, plus exceptionnellement la dominante. Certains instruments possèdent des bourdons dont l'accord peut être modifié. Dans certains types de c. dont le jeu est doublé par d'autres instruments comme la vielle à roue ou l'accordéon, les sonneurs ont délibérément supprimé les bourdons de manière à fournir plus de puissance au chalumeau avec un minimum de souffle, les tuyaux des bourdons n'ayant plus alors qu'un rôle décoratif. Les anches des bourdons sont simples et battantes tandis que celle du chalumeau est double. Le chalumeau possède souvent, près du pavillon, des trous constamment ouverts : ce sont les ouïes, dont le but est d'épurer le son. Certaines c. possèdent un chalumeau à échelles défectives Parfois encore, le chalumeau débouche dans une corne de bovin faisant office de pavillon.

Le principe de l'outre servant de réservoir d'air pour plusieurs tuyaux sonores est connu dès l'Antiquité grecque. Les aulètes, dont les joues étaient bridées par une → « phorbeïa », remplacèrent ce procédé peu esthétique par la peau caractéristique de ce que les Romains nommèrent « tibia utricularis ». L'instrument se répandit autour du Bassin méditerranéen, où il survit encore en Israël (« sumponya », « symphonia »), au Maghreb (« mezoued », « zukra », « arghoul »), au Portugal (divers types de → « gaitas »), aux Baléares (« cheremia »), en Italie et en Sicile (→ « zampogna », → « piva », « cornamusina », « caramia »), en Croatie (« mih », « gajda »), en Turquie (« tulum »). Il fut colporté par les légions romaines aux quatre coins de l'Empire : on le rencontre en Roumanie (« cimpoi »), Hongrie (« duda »), Ukraine (« volynka »), Tchécoslovaquie (« gajdos »), Rhénanie (« Dudelsackpfeife », « hummelschen »), Scandinavie (« säckpipan »), îles Britanniques (« bagpipe » ou mieux « piobmhor », « smallpipe » d'Écosse et de Northumbrie ; « warpipe » et « uilleanpipe » d'Irlande) et France (« biniou koz », « biniou bras » et « veuze » de Bretagne, cornemuse ou cornadouelle du Berry et du Bourbonnais, cabrette d'Auvergne et du Limousin, etc.). Instrument des jongleurs et ménestrels, la c. fut rapidement dévolue aux bergers, qui menaient à l'occasion des réjouissances populaires, profanes ou religieuses : il y est fait allusion dans de nombreux textes littéraires (Adam de la Halle, G. de Machault, *Roman de Flamenca*, Rabelais). Elle fut intégrée dans les bandes militaires écossaises dès le Moyen Age. Participant à tous les événements, heureux ou malheureux, des clans, elle devint si populaire que son nom reste attaché à plus d'une épopée, depuis Fontenoy jusqu'au débarquement de Normandie en juin 1944. L'actuelle tradition de « bagpipe » provient du clan MacCrimonn, dans l'île de Skye, au début du XVIIe s. Les émigrants écossais en ont répandu le goût dans le monde entier. — Certaines c. ont pour compagnon inséparable un hautbois rustique : par exemple le « talabar » ou bombarde, uni au petit « biniou koz », voire au « biniou bras » de Bretagne ; la « piffera », qu'on sonne en Italie avec la « zampogna » ; ou la « raïta » maghrébine, associée fréquemment au « mezoued ». Les c. sonnent parfois en groupes dont la réputation peut être internationale : « bagadou » bretons (Bagad militaire de la lande d'Ouée, Bagad Bleimor...), « pipe-bands » d'Écosse (Muirhead & Sons Ltd...), soutenus rythmiquement par une batterie. Certaines danses caractéristiques ont pris le nom des c. qui les sonnaient (→ piva). — Les

● **Voir hors-texte entre pages 240 - 241.**

c. et musettes ont été évoquées par des compositeurs célèbres : d'abord les clavecinistes, puis Corelli dans le *Concerto per la notte di Natale*, Haendel dans la *Pastorale* du *Messie*, J.S. Bach dans l'*Oratorio de Noël*, Beethoven dans la *Symphonie pastorale* et dans le *15e Quatuor*, Berlioz dans *Harold en Italie*.

Bibliographie — H. LAPAIRE, Vielles et c., Moulins 1901 ; W.H. GRATTAN FLOOD, The Story of the Bagpipe, Londres 1911 ; V. FEDELI, Zampogne calabresi, *in* SIMG XIII, 1911-12 ; W. COCKS, The Northumbrian Bagpipes, Newcastle 1933 ; E. WINTERNITZ, Bagpipes and Hurdy-gurdies in their Social Setting, *in* Bull. of the Metropolitan Museum of Arts, nouv. série II, New York 1943 ; CL. MARCEL-DUBOIS, Bombardes et binious, *in* Bretagne, Art populaire, Paris, Musée des Arts et traditions populaires, 1951 ; A. BAINES, Bagpipes, *in* Occasionnal Papers on Technology n° 9, Univ. d'Oxford, 1960 (avec bibliogr.) ; J. MAILLARD, Musettes et c., *in* L'Éducation musicale n° 11, Paris 1962 ; E. STOCKMANN, art. Volksinstrumente *in* MGG XIII, 1966 ; L. BONNAUD, Essai sur une chronologie de la c. en Limousin, *in* Bull. de la Soc. archéologique et hist. du Limousin XCIV, 1967 ; S. MACNEILL, Poibaireachd, Classical Music of Scotland, Édimbourg et Londres, Morrison & Gibbs, 1968 ; J. MACLELLAN, Manuel du sonneur, Rostrenen, Bodadeg ar Soneriou, 1969, éd. angl., Londres, Paterson, s.d. ; J. MICHON et J. MAILLARD, La mus. angl., Paris, A. Colin, 1970 ; cf. également les revues Ar Soner, Rennes depuis 1948, et The Piping Times, Glasgow depuis 1948.

J. MAILLARD

CORNET. 1. Voir l'art. CORNET À BOUQUIN. — **2.** Voir l'art. CORNET À PISTONS. — **3.** (Angl., posthorn ; all., Posthorn ; ital., cornetta di postiglione), instr. à vent et à embouchure dont le tube, à perce conique, était enroulé à la manière d'un cor de petite dimension. Appelé c. de poste ou c. de postillon, il servait à annoncer le passage d'une diligence. On le construisait en *ut*. — **4.** (Orgue) Résonateur conique de jeu d'anches (XVIe s.). — **5.** Registration de l'orgue à → « ripieno », riche en harmoniques supérieurs mais où la tierce ne semble pas avoir été indispensable. Elle était destinée à imiter l'instrument de ce nom ou le hautbois. Au cours du XVIe s., le terme a servi à désigner le rang caractéristique de cette registration (petite tierce ou petite quinte). — **6.** Jeu de mutation (dessus) à 5 rangs de tuyaux à bouche : 8′ bouché ou à cheminée, rarement ouvert, 4′ (flûte), 2′ 2/3 (nasard), 2′ (quarte), 1′ 3/5 (tierce), ouverts de grosse taille, harmonisés pour donner un timbre de synthèse homogène. Issu de la → cymbale-tierce du pays haut-rhénan, il fut amélioré et généralisé aux Pays-Bas à la fois comme jeu soliste et comme jeu compensateur de l'affaiblissement des trompettes dans l'aigu. Il fut introduit en France avec ces deux fonctions, parfois avec une structure progressive (IV, V, VI) ou un VIe rang : flûte 1′ 1/3 ou anche 8′, dès le milieu du XVIe s. mais surtout au début du XVIIe s., où il devint une caractéristique de l'orgue français. A partir de 1628, les Parisiens jouèrent ce c. en soliste, par emprunt sur un 3e clavier (récit). Après 1660 ils opposèrent à ce grand c. du grand orgue, jouant le rôle de compensateur, un c. séparé (de récit) plus égal et plus fin. Depuis 1640 env., un 3e c. dans le soubassement de l'orgue servait d'écho. Au XVIIIe s. un 4e c. fit parfois apparition au positif, soit pour remplacer un récit, soit pour tenir les mêmes rôles qu'au grand orgue. Dans de très grands instruments, on envisagea même un 5e c., fondé sur le 16′, comme compensateur à la bombarde. Par économie, le c. peut être réduit à ses rangs aigus (IV ou III). Si l'on ne garde que le nasard et la tierce, il est plutôt appelé → « sesquialtera ». Rare en dehors des pays soumis à l'influence française, le c. est harmonisé en Allemagne moins large et moins homogène. Dans l'orgue moderne, il est parfois renforcé d'harmoniques encore plus aigus. — **7.** Provenant du « Kornett » (ou « cornetto »), il s'agit d'un clairon 2′ de pédale, importé d'Allemagne au XXe s. pour l'exécution d'un cantus firmus.

CORNET À BOUQUIN (angl., cornet ; all., Zink ; ital., cornetto ; esp., corneta), instr. à vent que caractérisent une perce conique, le jeu au moyen de trous et la production du son grâce aux vibrations des lèvres, comme à la trompette. Ses formes les plus anciennes remontent à la corne animale (buffle, bélier, chèvre). Des instruments de ce type sont attestés en Égypte vers 2000 av. J.C., en Perse à l'époque sassanide, sur des cruches d'argent, ainsi que chez les Hébreux (« shofar » ; voir l'art. ISRAËL). Au début du Moyen Age (v. 1000), les cornes percées de trous apparaissent en groupes, associées à d'autres instruments, comme le montrent de nombreuses miniatures. Certaines sont faites d'ivoire. A côté des c. recourbés, d'autres de forme droite étaient en usage dès cette époque. La grande période des c. est la période baroque (1600-1700), où on les trouve groupés en une famille allant du soprano à la basse. M. Praetorius atteste l'existence du c. droit (« cornetto diritto ») avec embouchure ; il mesure 55 à 59 cm de long et son étendue va du *la²* au *la⁴*. Lorsque l'embouchure est vissée dans le tube, il est dit c. muet (« cornetto muto »). Sa sonorité douce et agréable l'a fait apprécier dans la mus. de chambre. Mais le représentant le plus employé de la famille est le c. recourbé (« cornetto curvo »). Comme de nombreux instruments conservés le prouvent, il est en bois ou en ivoire, de section hexagonale ou octogonale, avec une embouchure rapportée. Pour le protéger des chocs et des intempéries, on le recouvre de cuir. Comme presque tous les c., il est percé de 6 trous sur le devant du tube et d'un trou pour le pouce à l'arrière. Son étendue correspond à celle du c. droit. Un c. soprano aigu de forme recourbée (« cornettino curvo ») sonne une quinte au-dessus du c. normal (une quarte au-dessus au XVIIIe s.). Le c. ténor, dont l'étendue va du *ré²* au *ré³*, adopte la forme en S (« corno vel cornetto torto »). Afin d'augmenter son étendue on l'a doté d'une clef pour le petit doigt.

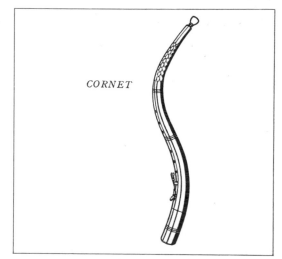

CORNET

La basse de la famille est constituée par le serpent, dénommé ainsi en raison de sa forme sinueuse. Le père Mersenne lui consacre une description détaillée. D'Italie il fut introduit en France par le chanoine E. Guillaume, d'Auxerre, et y jouit d'une grande popularité jusqu'à une époque avancée du XIXe s., surtout dans le rôle d'accompagnateur du chant grégorien. Après sa transformation par Régibo (1780) et l'adoption d'une disposition du tube semblable à celle du basson, Louis Alexandre Frichot reprit cette forme vers 1800 et fit construire un cor basse par le facteur d'instruments londonien John Jacob Astor. De cet instrument sortit l' → ophicléide, construit dans une étendue allant de l'alto à la basse par Jean Hilaire Asté, dit Hilary (brevet en 1821).

A l'époque ancienne, le c. trouve place dans les chapelles ecclésiastiques et princières ainsi que dans les formations de mus. de chambre les plus variées. En tant qu'instrument soliste, il a au XVIIe s. la préséance sur le violon, dans les sonates de B. Marini, D. Castello, Cl. Merulo et J. Vierdanck, par exemple. Dans la mus. chorale à grand effectif de G. Gabrieli et de son élève H. Schütz, les c. associés aux trombones constituent une partie indispensable de l'accompagnement des messes et des motets. Dans les premiers opéras, ils servent à dépeindre les scènes infernales (Monteverdi, Cesti, Cavalli, Rossi). La formation de 2 c. et de 3 trombones est fréquemment utilisée par les joueurs d'instruments municipaux pour exécuter des sonneries du haut des tours (« Turmmusiken ») ; au groupe des c. est assigné un rôle de soliste dans une littérature très particulière (J. Pezel ; J.G. Reiche). Les c. se sont maintenus jusqu'au XIXe s. chez les joueurs d'instruments municipaux. A une époque récente, on a tenté avec succès de les réanimer dans différentes villes. Moeck, à Celle, reconstruit des cornets, du « cornettino » au serpent. C'est pour une exécution historiquement fidèle de la musique baroque que cet instrument a été restitué ; sa sonorité caractéristique, apparentée à celle de la trompette, peut difficilement être remplacée par celle d'autres instruments.

Bibliographie — M. PRAETORIUS, Syntagma musicum, II De organographia, Wolfenbüttel 1618, 2/1619, rééd. par R. Eitner, in PGfM XII, 1884 ; rééd. en facs. par W. Gurlitt, Kassel, BV, 1958-59 ; M. MERSENNE, Harmonie universelle, Paris 1636, rééd. en facs. par Fr. Lesure, Paris, CNRS, 1963 ; FR.W. GALPIN, Old English Instr. of Music, Londres 1910, 4/Londres, Methuen, 1965 ; C. SACHS, Reallexikon der Musikinstr., Berlin 1913, réimpr. Hildesheim, Olms, 1964 ; du même, Hdb. der Musikinstr., Leipzig 2/1930, réimpr. Hildesheim, Olms, 1967 ; du même, The Hist. of Musical Instr., New York 1940 ; G. KARSTÄDT, Zur Gesch. des Zinken u. seiner Verwendung in der Musik des 16. bis 18. Jh., in AfMf II, 1937 ; D. ARNOLD, Brass Instr. in Italian Church Music of the 16th and Early 17th Cent., in Brass Quarterly I, 1957-58 ; A. BAINES, Woodwind Instr. and their Hist., Londres, Norton, 3/1963 ; A. CARSE, Musical Wind Instr., New York, Da Capo Press, 3/1965.

G. KARSTÄDT

CORNET À PISTONS (angl., cornet ; all., Kornett ; ital., cornetta ; esp., corneta), instr. à vent et à embouchure de la famille des cuivres. Inventé en Allemagne, son apparition au XIXe s. suit de peu celle de l'adjonction des pistons sur les cors et les trompettes. On le classe généralement parmi les cuivres clairs. Il a une forme moins allongée que la → trompette ; sa perce, plus évasée, lui donne un timbre particulier et une sonorité plus voilée. Sa souplesse et son agilité ont largement contribué à sa vogue pendant le XIXe s., où il a souvent éclipsé la trompette. L'étendue des deux instruments est sensiblement la même : 2 octaves et une quinte. Le c. à p. est accordé en si ♭ ou la ; il existe cependant des instruments en si et en ut. Cette tonalité fut recommandée par Jean-Baptiste Arban (1825-1889), dont la Grande Méthode de c. à p. composée pour le Conservatoire et l'armée fait autorité. Pour le changement d'accord, le recours au système du barillet est aisé. A côté de la tonalité de si ♭, la plus répandue, on rencontre des parties de c. à p. en sol et en mi ♭ dans la Symphonie fantastique de Berlioz. Au XIXe s. les c. ont surtout été employés par deux aux côtés des trompettes. Bizet p. ex., dans Carmen, exige des c. tantôt le brillant, tantôt des doublures pour renforcer les cordes dans l'extrême grave. — Si le répertoire de soliste est limité à des morceaux de concours, le c., pour son timbre particulier, a intéressé au XXe s. des compositeurs comme Stravinski, Poulenc et Messiaen, qui l'ont placé dans des ensembles instrumentaux, effaçant ainsi le discrédit qu'il avait pu connaître. Actuellement, cet instrument a surtout sa place dans les harmonies et les musiques militaires. A l'orchestre symphonique, les parties de c. à p. des œuvres écrites au siècle dernier (Berlioz, Rossini, Franck, Saint-Saëns) sont exécutées à tort aux trompettes. Dans les débuts du jazz à La Nouvelle-Orléans, le c. à p. a tenu un rôle prépondérant mais il a été peu à peu remplacé par la trompette en si ♭.

CORNET DE CHASSE, voir COR.

CORNOPHONE (également cornon), famille de 5 instr. à vent en cuivre, à embouchure et à 3 pistons (soprano en si ♭, alto en fa ou mi ♭, ténor en do ou si ♭, basse en do ou si ♭, contrebasse en fa ou mi ♭), inventés à Paris par Fontaine-Besson et brevetés en 1890. Leur sonorité est intermédiaire entre le cor et le bugle. Ils ont été employés en France, à la place des tubas wagnériens, lors des premières exécutions de la Tétralogie.

CORNU (lat.), cor utilisé dans l'armée romaine pour transmettre des messages par signaux sonores.

CORO SPEZZATO ou **CORO BATTENTE** (ital.), type de double chœur en dialogue, à la mode au cours du XVIe s. pour les compositions polyphoniques sacrées dans la basilique St-Marc à Venise. L'exécution en était favorisée par l'existence de deux tribunes opposées, situées au-dessus de l'autel principal, dans lesquelles on plaçait les chanteurs divisés en deux groupes. Cette technique de composition, qui se rattache à l'antiphonie du chant chrétien dans les premiers siècles de l'Église romaine, fut d'abord appliquée aux psaumes. L'unité modale était scrupuleusement respectée tout au long de la pièce, ainsi que la distribution alternée des versets entre les deux chœurs qui se réunissaient seulement dans la doxologie finale. Parfois, cependant, il arrivait que l'unité structurelle des versets fût rompue par des effets d'écho, des répétitions de mots, des échanges rapides entre sujets et réponses. L'usage du c. sp. fut étendu par la suite à d'autres formes de la polyphonie sacrée : messes, hymnes, motets. Selon A.W. Ambros, le créateur du genre serait A. Willaert, qui en aurait offert le premier exemple dans les *Salmi appartenenti alli Vesperi* à un et 2 chœurs (Venise, Gardano, 1550), mentionnés également par G. Zarlino dans les *Istituzioni harmoniche* (3ᵉ partie, chap. LXVI). Mais G. D'Alessi a prouvé que Willaert n'avait fait que reprendre un usage répandu dans la région vénitienne depuis le 1ᵉʳ quart du siècle. On rencontre des exemples indéniables du genre chez Fra' Ruffino Bartolucci di Assici, qui fut maître de chapelle à Padoue et à Vicence, chez le Padouan Francesco Santa Croce et chez le Français Nicolo Olivetto, tous deux maîtres de chapelle à la cathédrale de Trévise. A la suite de Willaert, les principaux maîtres vénitiens écrivirent des c. sp. : N. Nasco, G.M. Asola, B. Donato, Cl. Merulo, G. Croce et surtout A. et G. Gabrieli.

Bibliographie — G. BENVENUTI, A. e G. Gabrieli e la musica strumentale in S. Marco, Milan 1931 ; R. CASIMIRI, Il coro battente o spezzato fu una novità di A. Willaert ?, in Boll. ceciliano, avr. 1943 ; G. D'ALESSI, Precursors of A. Willaert in the Practice of C. Sp., in JAMS V, 1952 ; du même, La cappella musicale del duomo di Treviso (1300-1633), Vedelago, Ars et religio, 1954.

CORPS DE RECHANGE, voir TON DE RECHANGE.

CORPS SONORE, voir IDIOPHONE.

CORRIDO, variante mexicaine du → « romance » espagnol. Les vers ont un caractère narratif. La mélodie est généralement chantée à deux voix, en tierces parallèles. Les instruments d'accompagnement sont la guitare, le « guitarrón » (guitare basse de grande dimension, typiquement mexicaine) ou le « bandolón » (sorte de théorbe) et la harpe.

CORTÈGE, titre d'une composition instrumentale de caractère solennel, proche de la marche, évoquant le déroulement d'un cortège ou d'une procession. Parmi les pièces qui portent ce titre, il faut citer le *Cortège burlesque* d'E. Chabrier et le c. de la *Petite Suite* de Cl. Debussy, tous deux pour piano à 4 mains, le *Cortège solennel* pour orchestre d'A. Glazounov, le c. de la *Suite élisabéthaine* de J. Ibert et le *Cortège d'Amphitrite* de G. Migot pour chœur et orchestre à cordes sur un poème d'A. Samain.

CORYPHÉE (du grec). **1.** Chef du chœur dans la tragédie antique. C'est lui qui entonnait le chant, réglant l'attaque générale. — **2.** Dans le théâtre moderne, chef d'attaque des chœurs (un par voix) ; par analogie, danseur qui dirige les autres dans le corps de ballet.

COTILLON, danse française du début du XVIIIᵉ s., mentionnée dans le *Dictionnaire universel de Trévoux* (1752) comme une variété de la → contredanse. D'abord dansée par 4 couples sur des figures précises, elle fut bientôt entremêlée de danses et de figures variées. Le c. décrit par Émile Zola dans *La Curée* se dansait sous le 2ᵈ Empire et constituait l'un des principaux attraits des bals parisiens ; exécuté à la fin de la soirée, il comprenait des pas et des figures très divers, dansés par un couple puis imités par les autres danseurs, sur des musiques de valse, de polka, de galop ou de mazurka.

COUAC, onomatopée qui désigne un son discordant ou une fausse note émis par une voix ou un instr. de musique.

COUCOU, voir Chant des OISEAUX.

COULADE, ornement de la mus. vocale française des XVIIᵉ et XVIIIᵉ s., également appelé passage ou diminution, qui consiste en l'introduction de plusieurs petites notes par degrés conjoints entre deux sons éloignés qu'il s'agit de relier soit en montant, soit en descendant :

COULÉ, ornement mélodique permettant de relier deux sons — descendants le plus souvent — séparés par un intervalle de tierce. Il est désigné de différentes manières dans la mus. vocale et par une barre oblique traversant la tierce dans la mus. pour clavecin :

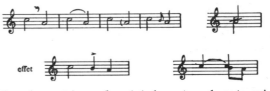

Sa valeur est à prendre généralement sur la note qui le suit. Il s'emploie dans les airs tendres et langoureux.

COULISSE (angl., slide). **1.** Élément coulissant d'un trombone ou de certains anciens modèles de trompette. — **2.** Pompe d'accord d'autres instr. à vent en cuivre ; ou, dans l'expression « tons à coulisse », corps (tons) intercalés dans le circuit sonore d'un cor ou d'une trompette de la même façon qu'une pompe d'accord, par opposition à « tons à l'embouchure ».

COUNTERTENOR (angl., = contreténor), voix d'homme adulte, de l'étendue approximative d'une douzième, allant environ de sol² à ré⁴ ou mi⁴. Contrairement à la voix d'homme alto, obtenue par une basse chantant en voix de fausset (« falsetto »), la vraie voix de c. provient de l'emploi naturel, sans fausset, de la voix de tête d'un ténor. L'usage du c. n'était pas limité à l'Angleterre mais les compositeurs anglais de l'époque baroque — tel H. Purcell, qui chantait lui même des parties de c. exceptionnellement fleuries — employèrent fréquemment des voix de c. au lieu de voix de castrat.

Bibliographie — A.H.D. PRENDERGAST, The Man's Alto in English Music, in ZIMG III, 1900-01 ; W.J. JOUGH, The Historical Significance of the C. Voice, in Proc. R. Mus. Assoc. LXIX, 1937.

COUNTRY DANCE (angl.), voir CONTREDANSE.

COUP D'ARCHET (angl., bowing ; all., Bogenführung ; ital., colpo d'arco), désigne, dans le jeu des instr. à cordes, la tenue de l'archet et son maniement par la main et le bras droits de l'instrumentiste. De la bonne position de l'archet sur la corde et de l'exécution franche et aisée des différents mouvements de bras et de poignet dépend la qualité du son, de l'articulation et du phrasé. La technique du c. d'a. s'est perfectionnée progressivement avec l'évolution de la forme et du mécanisme de l' → archet. On appelle également c. d'a. les diverses manières d'utiliser l'archet en fonction du caractère propre de chaque phrase musicale. Généralement indiqués par divers signes, les c. d'a. sont parfois suggérés à l'exécutant uniquement par le caractère de la musique. Les plus usuels sont le détaché, le «legato», le «martellato», le «staccato», le «spiccato» et le sautillé (voir ces termes).

COUP DE LANGUE, locution servant à désigner les différents mouvements effectués par la langue durant le jeu d'un instr. à vent. Toutefois le début d'un son n'est pas produit par un coup de langue mais par le retrait de la pointe de la langue. Celle-ci agit comme une soupape : elle ouvre et ferme alternativement le passage à l'air respiratoire. La position de la pointe de la langue au moment de l'attaque peut être, selon l'instrument et la technique utilisés, soit sur le palais, sur les dents, sur les lèvres recouvrant les deux rangées de dents, soit sur l'embouchure ou l'anche de l'instrument. Les « syllabes » d'articulation produites par les mouvements de la langue peuvent comporter différentes consonnes d'attaque ou d'arrêt (*d* ou *t* de force graduée). L'adjonction de voyelles permet d'introduire de nouvelles nuances d'articulation. Les « syllabes » d'articulation varient selon l'instrument joué et le style (p. ex. *di*, *du*, *da*, *té*, *teu*, *ti*). L'alternance de différentes syllabes (p. ex. *té-ké*, *di-ké*, *tu-rû*, *tû-ru*) permet d'enrichir considérablement la gamme des articulations. Le meilleur coup de langue est celui qui est le moins astreignant pour la musculature de la langue. — Voir également l'art. FLATTERZUNGE.

COUPE, terme se référant à la forme d'une œuvre musicale : distribution des parties dont la réunion forme un morceau. Les pièces issues de la → suite instrumentale du XVIIe s. sont de c. binaire ; la forme → lied est de c. ternaire.

COUPÉ, se dit d'un jeu d'orgue divisé en deux registres — basse et dessus — comme le sont les jeux de l'harmonium.

COUPLET (du lat. copula ; ancien provençal, → cobla ; esp., → copla), terme apparu au XIVe s. pour désigner la paire de vers unis par la rime puis la → strophe (ou stance) tout entière. La strophe lyrique des troubadours s'appelle → « cobla ». Dans la mus. instrumentale française des XVIIe et XVIIIe s., le c. est la partie musicale qui se place entre deux répétitions du → rondeau jouant le rôle de refrain. A partir du XVIIIe s., on appelle c. des chants strophiques à refrain, de caractère léger, introduits dans la prose du → vaudeville, de l' → opéra-comique, de l'opérette ou au cabaret. Ils se chantent souvent sur des airs connus ou pont-neufs.

COUPURE, suppression de certains passages dans une partition jugée trop longue. Cette pratique est surtout fréquente dans la mus. dramatique.

COURANTE (ital., corrente), danse italienne ou française issue d'une variété de → branle, le branle courant (voir Cl. Gervaise, *Danceries*, 1550). L'étymologie « courir » semble indiquer qu'il s'agissait d'une danse rapide, comportant de nombreux déplacements. Selon Th. Arbeau (*Orchésographie*, 1588), « il faut saulter les pas de la c., ce qui ne se faict pas en la Pavane, ny en la Basse-dance ». Th. Arbeau décrit également les figures très précises qu'exécutaient les couples au cours de cette danse, en signalant que l'usage s'en perdait cependant : « ... trois jeusnes hommes choisissoient trois jeunes filles : Et s'estants mis en reng, le premier danceur avec sa damoiselle la menoit en fin sister, à l'aultre bout de la salle, et les trois jeusnes hommes de l'aultre : Et quant le troisième estoit de retour, le premier alloit en se gambadant et faisant plusieurs mines et contenances d'amoureux, comme espoussetant et guindant ses chausses, tirant sa chemise bien à propos, alloit requérir sa damoiselle, laquelle luy faisoit reffus de la main, ou luy tornoit le doz, quoy voyant le jeusne homme s'en retornoit en sa place, faisant contenance d'être désespéré : Les deux aultres en faisoient aultant : Enfin ils alloient tous trois ensemble requérir leurs dites damoiselles chacun la sienne, en mettant le genoil à terre, et demandant mercy les mains joinctes. Lors lesdites damoiselles se rendoient entre leurs bras, et dançoient ladite courante pesle mesle ». Les pas se faisaient en zigzag, deux simples et un double à gauche puis à droite. Au XVIIe s. la c. est régulièrement dansée à la cour de France et Louis XIV la préfère à toutes les danses. A cette époque, elle s'exécute par couples solistes, selon des pas glissés en diagonale. Au XVIIIe s. J.J. Rousseau signale dans son *Dictionnaire* (1758) qu'elle n'est plus en usage. Il précise par ailleurs l'origine supposée de son nom : « [la c. est] ainsi nommée à cause des allées et des venues dont elle est remplie plus qu'une autre ». Si la c. se rencontre assez souvent dans les recueils et tablatures du XVIe s. (B. Schmid, *La Courante du Roy*, 1577), elle devient très fréquente dans la suite du XVIIe s. et se place après l'allemande. Elle disparaît avec le genre suite vers 1750 et ne retrouve guère de faveur dans les siècles suivants. Il faut noter cependant que le 2e mouvement de la 5e *Sonatine* pour piano (1925) de M. Emmanuel est une courante. La c. est de rythme ternaire (3/8, 3/4, 3/2 ou 6/4) ; quelques rares exemples sont binaires (¢ dans Th. Arbeau, *Orchésographie*). Le type le plus ancien est dit « italien » ou « alla italiana » : très rapide et sans artifices contrapuntiques, il s'écrit à 3/4 ou 3/8. A ce style appartiennent les c. du *Fitzwilliam Virginal Book*, de A. Corelli, H. Schein, S. Scheidt, et certaines de J.S. Bach (*Suites françaises* nos 2, 4, 5, 6 ; *Partitas* nos 1, 3, 5, 6) :

J.S. Bach, *Suite française* no 6.

Le type français, plus récent, est à 3/2 ou 6/4, d'allure modérée, avec de plus grandes subtilités rythmiques et un style volontiers contrapuntique. Il est traité par J. Champion de Chambonnières, J.H. d'Anglebert, Fr. Couperin, J.J. Froberger et J.S. Bach (*Suite anglaise* n° 2, *Suite française* n° 1) :

J.S. Bach, Ire *Suite française.*

Dans la mus. française, la c. est parfois suivie d'un → double ou de variations. Dès le début du XVIIe s. se manifestent des intentions descriptives par l'intermédiaire de titres concernant des portraits ou la peinture de sentiments (D. Gaultier, *La Rhétorique des Dieux*, 1552, c. « La Caressante », « La Belle Homicide », « La Belle Ténébreuse »).

Bibliographie — K. NEF, Gesch. der Sinfonie u. Suite, Leipzig 1921 ; W. MERIAN, Der Tanz in den deutschen Tabulaturbüchern, Leipzig 1927 ; P. NETTL, The Story of Dance Music, New York 1947 ; J. BARIL, Dict. de danse, Paris, Éd. du Seuil, 1964 ; G. REICHERT, Der Tanz, Cologne, A. Volk, 1965.

M.CL. BELTRANDO-PATIER

COURTAUD (all., Kortholt), instrument à vent à anche double décrit par le père Mersenne. Il est fait de deux perces cylindriques parallèles, creusées dans un seul morceau de bois et reliées par le bas. Les doigtés font intervenir les paumes des mains autant que les doigts. Il a existé un instrument analogue en Italie, « sordone », et en Allemagne, « Sordun », mentionné pour la première fois en 1596 et décrit par M. Praetorius comme existant en plusieurs tailles, depuis le soprano jusqu'à la contrebasse. Il y en a 4 exemplaires au Kunsthistorisches Museum de Vienne et un cinquième existerait dans une collection à Rome.

Bibliographie — M. PRAETORIUS, Syntagma musicum, II De organographia, Wolfenbüttel 1618, 2/1619, rééd. par R. Eitner, in PGfM XII, 1884, et en facs. par W. Gurlitt, Kassel, BV, 1958-59 ; M. MERSENNE, Harmonie universelle, Paris 1636, rééd. en facs. par Fr. Lesure, 3 vol., Paris, CNRS, 1963.

COURTE OCTAVE, ou octave brisée, octave grave d'un clavier d'orgue dont la gamme est incomplète. Issue du caractère hors gamme des bourdons et des trompes, l'octave grave ne s'est complétée que peu à peu (degrés diatoniques, *si* ♭, puis le reste des feintes), l'*ut* grave restant absent en France presque jusqu'à la fin du XVIIIe s. La pédale de l'orgue autrichien, le → ravalement manuel de l'orgue italien sont en octaves courtes. La disposition au clavier de la c. o. se fait en reportant sur les feintes certaines naturelles : *mi* sonne *ut*, *fa* ♯ sonne *ré*, *sol* ♯ sonne *mi*, ce qui permettait quelques performances de doigté. L'obligation de compléter une c. o. pose des problèmes de place et de continuité de timbre aux restaurateurs d'orgues.

CRACOVIE (Kraków), voir également l'art. POLOGNE.

Bibliographie (en pol., sauf mention spéciale ; classement par époques) — H. FEICHT, Problèmes fondamentaux de la culture mus. pol. au M.A., in Historia kultury sredniowiecznej w Polsce, Varsovie, PWN, 1963 ; Z.M. SZWEYKOWSKI, Mus. dans l'ancienne Cr., Cracovie, PWM, 1964 ; H. FEICHT, Mus. de l'ancienne Pologne, Cracovie, PWM, 1966 ; A. SZWEYKOWSKA, Les débuts de la chapelle mus. de Cr., in Muzyka IV, 1959 ; J. DOBRZYCKI, La mus. du haut des tours de Cr., Cracovie, PWM, 1961 ; A. CHYBIŃSKI, Dict. des musiciens de l'ancienne Pologne jusqu'en 1800, Cracovie, PWM, 1949 ; du même, Polnische Musik u. Musikkultur des 16.Jh. in ihren Beziehungen zu Deutschland, in SIMG XIII, 1911-12 (en all.) ; du même, Contributions à l'hist. de la chapelle royale rorantiste au château de Wawel (1540-1624, 1624-1694), in Przegląd Muzyczny IV, 1911 ; du même, Musiciens ital. dans les chapelles de la cathédrale de Cr. (1619-1657), Poznań 1927 ; du même, Trois contributions à l'hist. de la mus. à Cr. dans la Ire moitié du XVIIe s., Varsovie 1927 ; L. FINSCHER, Deutsch-polnische Beziehungen in der Musikgesch des 16.Jh., in Musik des Ostens II, Kassel, BV, 1963 (en all.) ; J.Wł. REISS, Almanach mus. de Cr. (1780-1914), Cracovie 1939 ; W. BIEŃKOWSKI, L'école de mus. de Cr. de 1841 à 1873, in Studia Muzykologiczne III, 1954 ; Z. JACHIMECKI, Wł. Żelenski, Cracovie, PWM, 1952 ; H. FEICHT, art. Krakau in MGG VIII, 1960 (en all.) ; cf. également Z. LISSA, in La Musique, 2 vol., Paris, Larousse, 1965 (en fr.).

CRACOVIENNE (en pol. krakowiak), danse polonaise de la région de Cracovie. C'est une danse rapide, à 2/4, caractérisée par des syncopes : ♪♩♪ ou ♪♪♪. Elle est construite symétriquement, avec un court refrain initial de 4 mesures, un nouveau passage de 4 mesures et une reprise ornée. Il y a diverses variétés de cr., selon la disposition des syncopes : elles peuvent affecter le temps faible de la mesure, le temps fort ou les deux à la fois.

On la danse par couples, avec des sauts, des galops, et en frappant le sol du pied ; la fin va s'accélérant. Au cours des fêtes de mariage, la cr. est dansée avec d'autres danses populaires comme la « chodzony » (ou polonaise), la « mazur », la « kujawiak » et l' « oberek ». Elle figure déjà, avec ses rythmes caractéristiques, dans les tablatures des XVIe et XVIIe s., sous le nom de « chorea polonica », « volta polonica » ou « polnisch Dantz » (Jean de Lublin, E.N. Ammerbach, A. Nörmiger, G.L. Fuhrmann...). Sa dénomination actuelle n'apparaît qu'au XVIIIe s. D'abord danse populaire, elle se répandit dans les salons après la représentation de l'opéra polonais de J. Steffani, *Krakowiacy i górale*, « Cracoviens et montagnards » (1794). Elle entra vite, sous une forme élaborée (3 parties avec un mouvt médian lent), dans les opéras, les ballets, les symphonies et même les symphonies d'église et les messes. Au XIXe s. on publia des recueils entiers de cr. pour piano. Elle arriva jusqu'à Paris grâce au ballet d'A. Thomas, *Gitana*, dansé en 1826 par Fanny Elssler en costume national, et pénétra en Russie avec la cr. du 2e acte d'*Ivan Soussanino* de

Glinka. Il faut retenir l'utilisation qu'en a faite Chopin (*Krakowiak*, *Grand Rondo de concert*, op. 14; finale du *Concerto* en *mi* min., op. 11), ainsi que I.F. Dobrzyński (finale de sa *Symphonie*), I. Paderewski (*Cracovienne phantastique*, op. 14) et L. Różycki (ballet *Pan Twardowski*).

Bibliographie (en pol.) — K. CZERNIAWSKI, Les danses nationales — historique et esthétique, Varsovie 1860; O. KOLBERG, Le peuple, série V, 1871, VI, 1873; Z. KWAŚNICOWA, Recueil de danses, 2 vol., Varsovie 1936, 1938; T. ZYGLER, Les danses pop. polonaises, Cracovie 1952; F. ZOGULA, Les danses pop., Varsovie 1952; J.M. CHOMIŃSKI, Manuel des formes musicales I, Cracovie, PWM, 1954.

CRÂMIGNON, chanson populaire du pays de Liège et de Wallonie, de mouvement animé, comportant de nombreux couplets de caractère naïf et comique.

CRÉCELLE (anciennement tartevelle; angl., ratchet; all., Ratsche, Schnarre; ital., raganella; esp., carraca), idiophone constitué d'un axe cylindrique autour duquel pivote un cadre rectangulaire en bois. La partie inférieure de l'axe sert de poignée, alors que la partie supérieure, formant un des côtés du cadre mobile, est garnie d'une roue ou d'un cylindre denté. Sur le cadre sont fixées une ou plusieurs langues de bois, parfois de métal, butant sur les dents de l'axe. La rotation du boîtier, obtenue par un mouvement du poignet, produit un son bruyant provenant des déclics successifs des lames sur les dents. Certaines grosses cr., fondées sur le même principe, s'actionnent à l'aide d'une manivelle, comme la « fusillade » utilisée dans certaines orchestrations descriptives du XIXe s. Ce genre d'instrument était utilisé en Alsace et en Allemagne et tenait lieu de carillon à Pâques. Il était aussi utilisé dans les monastères orthodoxes au Moyen Age. La cr. fait depuis longtemps partie du folklore enfantin de beaucoup de pays et accompagne les fêtes populaires. Elle était le signal des mendiants ou de certains métiers. Des compositeurs l'ont intégrée à leurs œuvres (R. Strauss, *Don Quichotte*, *Till Eulenspiegel*; M. Ravel, *L'Enfant et les sortilèges*; O. Respighi, *Les Pins de Rome*). — Voir également l'art. MARACA.

CREDO (lat., = je crois). Le Cr. ou Symbole formule les principales vérités de la foi jadis enseignées aux candidats au baptême. La formule la plus brève, ou Symbole des Apôtres, devait être apprise puis récitée par les néophytes : elle fut progressivement remplacée par une formule plus développée — dite Symbole de Nicée-Constantinople en raison des deux conciles qui l'approuvèrent — composée probablement à Jérusalem. Dans les divers rites orientaux, dès le VIe s., on récitait — sans chant — le 2d symbole au cours de la « liturgie » ou messe solennelle. En Espagne, on le disait aussi à la messe, avant le Pater. En Occident, un diacre le chantait en grec et en latin au cours de scrutins préparatoires au baptême. Charlemagne fit introduire le symbole à la messe dans sa chapelle palatine et il en étendit l'usage à tout l'Empire dès 798. Mais ce n'est qu'au début du XIe s. que Benoît VIII, cédant aux instances de l'empereur Henri II, l'introduisit à la messe romaine. Peu après on devait en restreindre l'usage au dimanche et à certaines fêtes.

Dans le Graduel de l'Éd. Vaticane publié par Pie X, on a retenu seulement 4 mélodies parmi celles qui ont été composées durant le Moyen Age et après : la 1re mélodie (Cr. I), dite « authentique », est incontestablement la plus répandue et la plus ancienne : peut-être est-elle d'origine grecque. La 2e (Cr. II) n'est qu'une variante de la première, excluant la broderie au-dessus de la teneur de récitation. Le Cr. III est souvent intitulé *De angelis* parce que composé dans le même ton grégorien que la messe des fêtes en l'honneur des anges (Messe VIII de l'Éd. Vaticane) mais aussi parce qu'il se trouve parfois rapproché de cette messe dans les sources des XVe et XVIe s. Enfin, le Cr. IV est la partie de ténor d'un Cr. à deux voix (parfois à trois), composé à l'époque de l'Ars Nova. Dans les éditions du Graduel préparées à Solesmes, on a cru bon d'ajouter, pour varier le chant du Cr. au cours des fêtes successives ou au cours des octaves, deux nouvelles mélodies « ad libitum » : le Cr. V, dit « cassinien » en raison de sa provenance, et le Cr. VI, un peu plus ancien (XIe s. d'après Paris, BN lat. 887 : voir Bibliogr., Gajard-Desrocquettes). Plus tard, vers 1298 (?), le curieux office de la Circoncision, attribué à Pierre de Corbeil, fournit la mélodie du Cr. VII (H. VILLETARD, *in* Revue Grég. XVII, 1932).

Si au XIIIe s. le Cr. se chante assez rarement à 2 voix (on connaît une composition française et une italienne), en revanche les compositions fleurissent au XIVe s. Le Cr. à 2 ou à plusieurs voix figure dans les manuscrits d'Apt et d'Ivrée, dont certaines compositions viennent d'Avignon. A ces compositions de l'Ars Nova, il faut ajouter le Cr. de la Messe de Tournai et celui de la Messe de G. de Machault. Désormais, le Cr. ou plutôt le *Patrem*... (l'intonation reste en plainchant) est une partie obligatoire de la → messe considérée comme un genre musical, qui comprend habituellement 5 pièces. Dans plusieurs manuscrits allemands du XIVe au XVIe s. on a découvert que la partie de ténor de certains Cr. à 2 voix était en allemand (*Wir glauben in eynen got*...) : ils constituent les ancêtres du *Wir glauben all an einen Gott* de M. Luther (Wittenberg 1524). A côté de ce choral strophique en vers rimés, la Réforme a également chanté le Cr. en prose sur des mélodies grégoriennes plus ou moins arrangées (M. Greiter, *Ich glaub in Gott*, Strasbourg 1525, inspiré du Cr. III ; J. Calvin, *Je croy en Dieu le père tout-puissant, Créateur du ciel*..., Strasbourg 1539, sur la mélodie de M. Greiter; *Ich glaub an einen einigen Gott*, Strasbourg 1560, inspiré du Cr. I). Le Cr. de Cl. Marot, *Je croy en Dieu le père tout-puissant, Qui créa terre et ciel*... (Genève 1542), est lui aussi en vers rimés, mais, à la différence du choral de Luther, il cessa très tôt d'être chanté.

Enfin, le maître de chapelle de Louis XIV, H. Du Mont, publia en 1679 des messes en plain-chant musical : le Cr. du 1er ton, très populaire, est resté longtemps en usage dans les paroisses malgré la réforme du chant imposée par Pie X. Mais les messes de Du Mont ne présentent pas un cas isolé. D'autres messes en plain-chant avec Cr. furent composées par Campra, Delalande et d'autres (Paris, BN Mus. Vm¹ 395) : ces compositions furent suscitées par le remplacement de la liturgie romaine et de son chant par les liturgies néo-gallicanes et le plain-chant musical.

Bibliographie — **1. Études générales :** B. CAPELLE, Le Cr., *in* Cours et conférences VI, Louvain 1928 ; J.A. JUNGMANN, Missarum sollemnia II, Paris, Aubier, 1952 ; Br. Stäblein, art. Cr. in MGG II, 1952. — **2. Les mélodies** : J.A., Le Cr. de Dumont du 1er ton et le Cr. cardinal, in Revue du Cht Grég. VI, 1897-98 ; A. Gastoué, Les Messes royales de H. Du Mont. Étude hist., Paris 1909 ; du même, Les chants du Cr., in Revue du Cht Grég. XXXVII, 1933 ; L. Boyer, Les 4 Cr. de l'Éd. Vaticane, in La Musique sacrée, 1924 ; L. David, Le Cr. des Anges, in Revue du Cht Grég. XXVIII, 1924 ; J. Gajard et J.H. Desrocquettes, Le Cr. VI, in Revue Grég. IX, 1924 ; M. Huglo, Origine de la mélodie « authentique » du Cr. de la Vaticane, ibid. XXX, 1951.

M. Huglo et M. Honegger

CRÉMONE (Cremona).

Bibliographie — P. Lombardini, Cenni sulla celebre scuola cremonese degli stromenti ad arco..., Crémone 1872 ; L. Lucchini, Cenni storici sui più celebri musicisti cremonese, Crémone 1887 ; L. Greilsamer, L'anatomie et la physiologie du vl... Aperçus nouveaux suivis du Vernis de Cr., Paris 1924 ; C. Bonetti, La genealogia degli Amati liutai e il primato della scuola liutistica cremonese, Crémone 1935 ; La mus. in Cr. nella 2a metà del s. XVI, in Istituzioni e Monumenti dell' arte musicale ital. VI, Milan, Ricordi, 1939 ; R. Monterosso, Guida alla Bibl. di G. Cesari musicologo cremonese, in Annali della Bibl. Governativa I, 1948, Crémone 1949 ; du même, Mostra bibliogr. dei musicisti cremonesi dal Rinascimento all' ottocento. Catal., ibid. II, 1949 ; du même, Catal. storico-critico-bibliogr. dei musicisti cremonesi, Crémone 1951.

CRESCENDO, DECRESCENDO (ital., = en augmentant, en diminuant ; abr., cresc. ◁▭ , decresc. ou dim., ▭▷). **1.** Indications de nuance selon lesquelles il convient d'augmenter et de diminuer progressivement l'intensité du son. Même si aucune indication de cr. ne figure dans les partitions avant le XVIIe s., il est très probable que celui-ci a été pratiqué dans le chant depuis une époque très reculée. Dans un ouvrage théorique intitulé Opinioni de' cantori antichi e moderni... (1723), le chanteur P.F. Tosi en parle comme d'un procédé très ancien. Les effets de cr. sont notés déjà chez M. Locke, qui, dans sa musique pour The Tempest (1667), précise « louder by degrees ». A la même époque en Italie, les compositeurs (D. Mazzocchi p. ex.) font figurer sous la portée des successions telles que « forte piano pianissimo » pour indiquer la variation graduelle d'intensité. Ces indications se retrouveront encore chez J.M. Leclair dans sa célèbre Chasse (1734). Au XVIIIe s. le terme de cr. est employé à partir de l'Astianatte (1741) de N. Jommelli. Il figure dans les 12 Sonates pour clavecin (1742) de G.B. Platti. Fr. Geminiani, qui utilise les soufflets — tout comme J.Ph. Rameau — pour indiquer dans ses œuvres les « crescendi » et les « decrescendi », fait figurer dans The Art of Playing on the Violin (1740) la mention « rinforzando ». Ainsi a-t-il été dit à tort — sur la foi de Ch. Burney, J.Fr. Reichardt et Chr. Schubart — que l'École de Mannheim avait été la première à utiliser et à noter les effets de « crescendo ». En réalité leur apparition en Allemagne date peut-être de l'arrivée de N. Jommelli à Stuttgart (1753). De plus, le cr. était connu en France à cette époque : Fr.J. Gossec note le mot en toutes lettres dans ses 6 Sonates pour deux violons et basse (v. 1753) et M. Brenet a montré (voir Bibliogr.) que, dès 1752, l'auteur des Sentiments d'un harmoniphile sur divers ouvrages de musique l'avait remarqué dans le Te Deum de A. Calvière. Sous la forme de l'abréviation cres., le terme figure dans les 6 Symphonies à grand orchestre (1764) de J.B. Miroglio. Cependant, comme l'a souligné A. Heuss, le cr. instrumental des Italiens était plutôt une « Gefühlsdynamik » et le « cr. de sentiment » s'opposait alors au cr. de l'École de Mannheim, non imité par Haydn et Mozart mais

dont le cr. beethovénien (« Effektdynamik ») serait tout droit issu. Ainsi s'explique le fait que Wagner, qui n'avait pas lu les œuvres des symphonistes de l'École de Mannheim, se soit demandé, devant le grand cr. de Leonore III, où pouvaient se rencontrer avant Beethoven de semblables effets. Avec le renforcement de l'effectif orchestral, ces procédés d'augmentation graduelle de l'intensité sonore se sont multipliés dans les partitions du XIXe s. Le Boléro (1928) de M. Ravel est un bel exemple de cr. obtenu par un accroissement constant de la densité orchestrale. Il faut noter enfin que les effets de cr. qu'il est possible d'obtenir sur la majorité des instruments ne peuvent être rendus au clavecin ; sur l'orgue, ils ne peuvent l'être qu'au moyen de la → boîte expressive, perfectionnement apporté à l'orgue au milieu du XVIIIe s., c.-à-d. au moment où commençaient à être régulièrement notés les « crescendi ». — Le musicologue italien F. Torrefranca a introduit le terme de « doppio crescendo » pour désigner l'alternance de sonorités fortes et faibles au sein d'un même cr., ce qui vaut aussi pour de semblables effets de « decrescendo » nommés par lui « doppio diminuendo ». F. Torrefranca a signalé ces effets chez A. Vivaldi, où de longues progressions ascendantes et descendantes se présentent souvent sous forme d'incises en écho.

2. Dans la facture d'orgue, mécanisme commandé en général par une pédale qui introduit automatiquement et progressivement les jeux composant le → « tutti ».

Bibliographie — 1. A. Heuss, Über die Dynamik der Mannheimer Schule, in Fs.H. Riemann, Leipzig 1909 ; du même, Das Orchester-Cr. bei Beethoven, in ZfM IX, 1927 ; M. Brenet, L'origine du cr., in Bull. de la SIM VI, 1910.

D. Pistone

CRI. 1. Son perçant émis par la voix comme l'expression subite, instantanée d'un sentiment violent. Le cri a sa place dans le récitatif dramatique, souvent sous la forme d'un grand intervalle ascendant, parfois sous la forme de sons dissonants (Cl. Debussy, Pelléas et Mélisande, acte IV, sc. 2) ou même de sons non modulés (R. Wagner, Tristan et Isolde, acte II, sc. 3 ; Cl. Debussy, Pelléas et Mélisande, acte II, sc. 3). — **2.** Avertissement ou appel modulé lancé à haute voix pour effrayer l'ennemi et galvaniser les troupes (cri de guerre, cri d'armes) ou pour attirer l'attention (cris des marchands). Cl. Janequin a construit l'une de ses chansons descriptives, Les Cris de Paris, sur les cris les plus divers des rues de Paris. — **3.** Sons inarticulés et non modulés que poussent les animaux et qui caractérisent chaque espèce.

CRINS (angl., horse-hair ; all., Rosshaare ; ital., crini ; esp., crines). Ils forment, sous le nom de mèche, l'élément capital d'un → archet. Bien tendus entre sa hausse et sa tête, ils sont réunis en un ruban plat, quelquefois légèrement arrondi sur les bords. Le soin avec lequel on procède à la fixation de la mèche sur une baguette à la fois ferme et flexible, servant de support, montre à quel point les exigences de qualité sont importantes pour un bon résultat sonore. Aussi loin que l'on remonte dans le temps, pour les premiers archets d'Europe ou d'Asie, on constate

que le choix s'est fixé sur les cr. de cheval. Il y a à cela deux raisons : 1º leur extrême résistance (un cr. supporte plusieurs centaines de grammes ou bien encore 1/5 d'élongation avant de casser) ; 2º le timbre riche en harmoniques très régulièrement répartis, qui résulte de leur frottement avec les cordes à condition qu'ils soient convenablement enduits de → colophane. Ces cr. sont de préférence blancs et proviennent de chevaux étalons (Russie) ; dans le cas de la contrebasse, on leur préfère des crins noirs, plus rugueux. Les mèches anciennes étaient nettement moins épaisses que de nos jours ; leur tension s'obtenait, de la fin du Moyen Age au XVIIᵉ s., avec les seuls doigts (l'auriculaire et l'annulaire). A partir de l'époque romantique, un archet comportera de 110 à 120 crins. Actuellement, leur poids est de 5 à 6 grammes et on utilise, selon les écoles, de 160 à 240 ou 250 crins. Le réglage de la tension s'est perfectionné à partir de 1730 ; on le contrôle à l'aide d'une vis modifiant la position de la hausse. Les cr. sont triés en fonction de leur élasticité, de leur blancheur et de leur longueur. L'archet de violon nécessite des cr. de 76 à 77 cm, celui de la contrebasse, nettement plus court, des cr. de 60 à 64 cm. Il est indispensable pour la qualité sonore que tous les cr. soient tendus uniformément, sans chevauchement aucun, d'où la tradition de les peigner en les fixant dans la hausse d'abord. De la hausse à la tête de l'archet, leur sens doit être celui allant du corps vers la queue du cheval, pour des raisons techniques surtout, car les attaques énergiques d'un violoniste se font au talon de l'archet ; pour des raisons acoustiques aussi, puisque chaque cr. se présente à la manière d'un épi de blé où la colophane, indispensable à la parfaite adhérence du cr. à la corde, se loge dans d'invisibles barbes et agit sur le mordant, donc sur le timbre. Le son le plus riche semble être celui des archets neufs. De l'évolution de la forme de l'archet découlent les différences non négligeables d'écartement entre les cr. et la baguette. Ainsi les archets du XVIIIᵉ s. permettaient encore un relâchement des cr. assez considérable pour jouer simultanément 3 ou 4 sons, qui sont arpégés de nos jours. Le relâchement n'a plus maintenant pour objet que de mettre la mèche à l'état de repos (sans lui enlever la forme de ruban souple), ainsi que la baguette dont il ne faut pas inutilement forcer la tension.

Bibliographie — Voir l'art. ARCHET.

E. BUBERT

CRITIQUE MUSICALE. Au sens le plus large, la cr. m. englobe tous les jugements formulés depuis l'Antiquité jusqu'à nos jours sur divers aspects généraux de la musique (esthétique, philosophie, sociologie, psychologie, etc.), ainsi que sur des œuvres particulières. Dans une acception plus restreinte, il s'agit d'écrits journalistiques, guère antérieurs au début du XVIIIᵉ s., qui traitent de la vie et des courants musicaux contemporains. La cr. m. écrite — il existe également une cr. orale, qui se pratique spontanément à l'occasion de manifestations musicales — ne se cantonne pas uniquement à la presse mais s'étend à toutes sortes de publications : thèses, monographies, encyclopédies, revues, préfaces d'œuvres musicales, programmes de concert, correspondance, etc. Les journaux insèrent des comptes rendus de concerts et de spectacles musicaux, dans lesquels on porte des jugements sur la valeur des exécutants, sur celle des œuvres interprétées, sur la composition du programme en général, parfois même sur les réactions du public. Dans certaines publications plus spécialisées, on critique également des éditions musicales, ainsi que les points de vue d'autres critiques. L'histoire de la cr. m. ne manque pas de polémiques demeurées célèbres : Artusi-Monteverdi, Scheibe-Birnbaum, → Querelle des Bouffons.

La musique n'a pas toujours été jugée comme une discipline indépendante. Dès l'Antiquité les pythagoriciens la mêlaient aux mathématiques et mesuraient les rapports numériques des sons qui reflètent plutôt l'ordre de l'univers. Ils ont influencé bien des théoriciens depuis le Moyen Age jusqu'à nos jours. Platon attribuait à la musique des fonctions éthiques et pédagogiques, et non pas esthétiques (*République*) ; elle servait à l'éducation de l'âme et à la maîtrise des passions. Il jugeait donc les modes, le répertoire musical, les instruments et les voix d'après leurs effets moraux. D'autres considéraient la musique comme agent thérapeutique. Le début d'une méthode empirique d'esthétique musicale apparaît chez Aristoxène, qui recommande de juger les notes d'après l'oreille plutôt que d'après des rapports mathématiques. C'est ce que feront aux XVᵉ et XVIᵉ s. Tinctoris, Glarean et beaucoup d'autres. Pour de nombreux théologiens, la musique est une expression d'idées chrétiennes, un intermédiaire entre Dieu et les hommes, un moyen d'inspirer la dévotion, ainsi que le démontrent les reproches que s'adresse St Augustin d'avoir parfois été plus ému par la musique que par les paroles ; les invectives du pape Jean XXII contre la musique polyphonique de son époque ; la préface du Psautier huguenot de J. Calvin, qui recommande de « n'en point abuser, de peur de la souiller et contaminer, la convertissant en nostre condamnation, où elle estoit dédiée à nostre profit et salut » ; les recommandations du Concile de Trente pour la clarté du texte littéraire et l'élimination des éléments profanes, et celles de Pie X (*Motu proprio*, 1903) pour que l'on s'inspire de Palestrina. On exige parfois que la musique laisse dominer les paroles et les fasse mieux valoir (Vicentino, Monteverdi...). On veut aussi que la musique (à programme ou indépendante) exprime quelque chose d'extra-musical : objet, histoire, symbole ou émotion. Selon l'« Affektenlehre » (→ théorie des passions) du XVIIIᵉ s., chaque sentiment aurait sa correspondance musicale et chaque pièce ou mouvement devrait se limiter à une seule émotion. On a souvent reproché à une œuvre musicale de mal illustrer ce qu'elle aurait dû dépeindre. Andréi Alexandrovitch Jdanov (Moscou 1948) critique un opéra à cause du manque de concordance entre musique et action (emploi des tambours dans un passage lyrique ; musique douce pour accompagner des événements héroïques). Selon les partisans de l'esthétique autonome (M. Chabanon, E. Hanslick, A. Halm...), la musique, au contraire, n'exprimerait rien en dehors d'elle-même et devrait être considérée comme un phénomène purement indépendant. C'est ainsi que Stravinski a jugé son art (*Poétique musicale*).

La cr. m. périodique (comptes rendus d'exécution, problèmes du goût musical) remonte au XVIIIᵉ s., à la *Critica Musica* (1722-25) de J. Mattheson, première revue musicale allemande, suivie des publications de J.A. Scheibe, *Der critische Musicus* (1737-40) et de Fr.W. Marpurg en Allemagne ; au *Mercure de France*, au *Spectateur français*, au *Journal des spectacles* en France ; au *Spectator* (avec des réflexions d'Addison) et au *Guardian* en Angleterre ; et plus tard à *Dwight's Journal of Music* (USA 1852). Les revues et journaux ont proliféré aux XIXe et XXe s., ainsi que les critiques musicaux, qualifiés ou non. La cr. devient souvent personnelle et subjective comme celle d'A. de Garaudé et G.M. Cambini (*Tablettes de Polymnie*), de J.Fr. Reichardt et des Rellstab père et fils. L. Rellstab fait même de la prison à cause de la violence de ses écrits contre H. Sontag et G. Spontini. Bien que certains critiques célèbres aient eu plus d'expérience dans d'autres disciplines que dans la musique (Th. Gautier, Colette, B. Shaw p. ex.), beaucoup de musiciens ont fait de la cr. mus., surtout aux XIXe et XXe s. Citons, parmi les compositeurs, E.T.A. Hoffmann, C.M. von Weber, R. Schumann, F. Liszt, R. Wagner, H. Wolf, R. Strauss, H. Berlioz, E. Reyer, C. Cui, C. Saint-Saëns, G. Fauré, Cl. Debussy, P. Dukas, Fl. Schmitt, V. Thomson, et, parmi les musicologues, Fr.J. Fétis, H. Quittard, M. Pincherle, Ch. van den Borren, A. Einstein, H. Opieński, A. Della Corte et P.H. Lang. On a essayé de formuler des principes plus ou moins objectifs de cr. m. (Ch. Burney, Michel Dimitri Calvocoressi, A. Machabey), tout en reconnaissant au critique le droit d'exprimer ses vues personnelles, mais la cr. telle qu'on la lit dans les journaux est souvent impressionniste. Le critique non musicologue nous dit parfois ce qu'il a ressenti à l'audition d'une œuvre, s'il l'a aimée ou non, sans porter de jugement. Rellstab père conseillait aux critiques ignorants de s'en tenir à cette méthode. A. Einstein recommandait de formuler son jugement pendant le concert, mais d'avoir à l'avance une opinion sur le répertoire classique (Cours de cr. m. fait à Smith College, 1945-46). Selon M. Pincherle, « la complète objectivité serait l'idéal si elle était possible. Mais les éléments d'une composition et d'une exécution musicales nous sont transmis par nos sens, et... sont tributaires... de nos idées préconçues... Qui de nous peut se flatter de détenir un critère du beau musical qui autorise une foi aveugle dans l'analyse « objective » ? » (CDMI, Les cahiers d'information musicale, nos 9-10, Paris, 1953, p. 41). Il n'est donc guère possible, ni souhaitable, d'éviter toute cr. subjective, même si elle nous apprend davantage sur le critique que sur la musique qu'il juge. Les écrits de Cl. Debussy nous intéressent parce qu'ils aident à mieux comprendre sa musique et sa pensée. Il est moins important de savoir ce qu'un critique peu averti a éprouvé, s'il ne s'efforce pas d'en communiquer les raisons et s'il ne donne pas une appréciation de la musique dans son contexte pertinent, historique, social ou autre. Il ne nous apprend pas grand-chose s'il se borne à critiquer des concerts d'œuvres connues, exécutées par des artistes célèbres, qui n'ont pas besoin de lui pour attirer le public. A. Einstein estimait que les critiques devraient assister aux concerts de débutants de préférence, car c'est en les recommandant aux lecteurs, s'ils le méritent, qu'ils peuvent faire le plus de bien à tous (Cours de cr. m. fait à Smith College, 1945-46). Pour G. Migot, « il faut... que vive la critique quotidienne, avec ses erreurs et ses vérités, afin que par elle se mettent en mouvement toutes

les apathies, les indifférences, les curiosités, les passions et les aptitudes des contemporains... Mais le fait extraordinaire, c'est que bien souvent il y a plus de lecteurs de la critique d'une œuvre que d'auditeurs de cette œuvre ; de sorte que celle-ci exerce un rayonnement avec un pouvoir qui n'est pas le sien propre » (*Lexique*, 1946). La cr. méchante ou satirique — celle de B. Marcello (*Teatro alla moda*) ou celle de B. Shaw, p. ex. — peut nous amuser et parfois nous instruire, mais, ainsi que le dit P.H. Lang, le but de la cr. devrait être de découvrir et d'expliquer ce que l'artiste voulait faire et non pas ce qu'il aurait dû faire (*Music in Western Civilization*, New York 1941). C'est ainsi qu'elle peut l'encourager dans sa création d'œuvres nouvelles.

Bibliographie — CH. BURNEY, Essay on Musical Criticism, *in* A General Hist. of Music III, Londres 1789 ; E. HANSLICK, Vom Musikalisch-Schönen, Leipzig 1854 ; M.D. CALVOCORESSI, The Principles and Methods of Musical Criticism, Oxford 1931 ; P.H. LANG, Music in Western Civilization, New York 1941 ; G. MIGOT, art. cr. m., *in* Lexique, Paris 1946 ; A. MACHABEY, Traité de la cr. m., Paris 1947 ; A.R. OLIVER, The Encyclopedists as Critics of Music, New York 1947 ; R. FRENCH, Music and Criticism. A Symposium, Cambridge (Mass.) 1948 ; V. THOMSON, The Art of Judging Music, New York 1948 ; N. SLONIMSKY, Music since 1900, New York 1949 ; du même, Lexicon of Musical Invective, New York, Coleman-Ross, 1953 ; O. STRUNK, Source Readings in Music Hist., New York 1950 ; A. EINSTEIN, Grösse in der Musik, Zurich, Pan-Verlag, 1951 ; W. DEAN, art. Criticism, *in* Grove 5/1954 ; G. BRELET, Philosophie et esthétique musicales, *in* Précis de musicologie, éd. par J. Chailley, Paris, PUF, 1958 ; J. MATTHYSSENS, Droit du critique musical, *in* Encycl. de la mus. I, Paris, Fasquelle, 1958 ; A. DELLA CORTE, La cr. m. e i critici, Turin, Unione Tipografico-Editrice, 1961 ; E. HARASZTI, La cr. m., *in* Encycl. de la mus., Hist. de la mus. II, Paris, Gallimard, 1963 ; H. LEICHTENTRITT et J.R. WHITE, art. Music Criticism, *in* Harvard Dict. of Music, éd. par W. Apel, Cambridge (Mass.), Harvard Univ. Press, 2/1970.

I. CAZEAUX

CROCHE (angl., quaver ; amer., eigth note ; all., Achtelnote ; ital., croma ; esp., corchea), figure de note ($\flat$) issue de la → fuse ($\flat$) qui vaut la moitié d'une noire et dont le silence correspondant est le demi-soupir.

CROISEMENT (angl., crossing ; all., Durchkreuzung, Stimmenkreuzung ; ital., incrocio ; esp., cruce, cruzamiento). **1.** Dans l'écriture de la musique, passage d'une partie au-dessus de celle qui lui est normalement supérieure, ou vice versa. Les cr. sont très nombreux dans la polyphonie du Moyen Age (École de Notre-Dame de Paris p.ex.) du fait qu'elle est presque toujours conçue pour un ensemble de voix d'hommes de même tessiture. Les rondeaux d'Adam de la Halle offrent cependant deux exemples d'une écriture sans cr., *Hareu, li maus d'amer* et *Bonne amourete*. Dans le style de la → cantilène tout comme dans le motet à 4 voix (XIVe s. et 1re moitié du XVe s.), la fréquence des cr. est une caractéristique des parties de → ténor et de → contraténor. L'enseignement classique recommande d'éviter les cr. mais chez tous les maîtres anciens les exemples en sont nombreux, surtout dans l'écriture contrapuntique. — **2.** Dans le jeu des instr. à clavier, passage d'une main par-dessus l'autre. Cette innovation technique apparaît pour la 1re fois, semble-t-il, dans la pièce intitulée *Les Tourbillons* du livre de *Pièces de clavecin* (1724) de J.Ph. Rameau. Elle a été très utilisée par D. Scarlatti vers la même époque. L'une des pièces de clavecin de L. Marchand s'intitule *Le Spectacle des mains* (1748). Le cr. des mains est devenu d'un usage constant dans la technique moderne du piano.

CROMORNE (de l'all. Krummhorn ; angl., crumhorn ; ital., storta ; esp., orlo) ou → tournebout. — **1.** Instr. à vent au tube de bois étroit et recourbé, à anche double enfermée dans une capsule. Les trous et le doigté sont ceux de la flûte à bec ; l'étendue est d'une neuvième. Les sons sont déterminés par le doigté, la hauteur de l'anche dans la capsule et le souffle, dont l'effet est considérable : le son descend d'une quinte quand on en diminue la pression. C'est dire qu'une seule nuance est possible pour une note déterminée. On peut toutefois pincer l'anche par sa bague selon la nuance générale d'un morceau. Le joueur articule sans accent le début de chaque note, tient la pression nécessaire absolument stable et coupe le vent pour finir la note comme s'il prononçait, pour l'ensemble de la note, le mot « tête ». Cette tenue du son caractérise le cr. dont le timbre « musqué » ne ressemble à celui d'aucun instrument de l'orchestre moderne. Il ne porte pas loin mais se fond très bien avec les voix et les autres instruments de la Renaissance.

Le cr. n'apparaît qu'à la Renaissance (Allemagne 1489, comme jeu d'orgue ; Italie 1491 ; Hollande v. 1495 ; Suisse 1511 ; Angleterre, Henri VIII en possédait 18 ; Espagne av. 1558 ; Portugal 1567 ; France 1636). Les citations antérieures (dans chaque pays) reposent sur des malentendus : chez Heinrich von Neustadt (v. 1300), il s'agit probablement d'une corne courbe, et lorsque Philippe le Bon fait cadeau d'instruments au marquis d'Este (1426), il est question de « douchaines » et non pas de cromornes.

On a construit les cr. en différentes grandeurs correspondant aux tessitures vocales. Les pièces où l'emploi du cr. est attesté sont rares : A. von Fulda, 2 messes non identifiées (1500) ; A. Della Viola, musiques perdues (1529) ; Fr. Corteccia, *Guardame almo pastore* (1539), à 6 v. et 6 cr. ; Anonyme, *Hor mes Largire* (1541), à 6, dessus aux cr. ; L. Senfl, *Ich klag den Tag* (1541), à 6, basse aux cr. et aux trombones ; Petrus Almire, *Dandernack* (1541), à 5, basse aux cr. ; J.H. Schein, *Padouana* (1617), pour 4 cromornes.

En France, le cr. était en usage à la musique de la Grande-Écurie jusque vers 1750, mais sans capsule. Cette technique était déjà apparue à Ferrare en 1529, pour une pièce en solo d'A. Della Viola. Elle correspond au jeu du chalumeau, partie de la musette qu'on pouvait aussi séparer de l'outre (M. Mersenne). Des instruments historiques sont conservés dans les musées de Berlin, Bruxelles, Copenhague, Leipzig, Linz, Munich, Nuremberg, Paris et Prague. Depuis 1952 on reconstruit des cr., souvent avec des doubles trous dans l'idée discutable de faciliter le chromatisme. De nouvelles clefs ont ajouté une tierce dans l'aigu. Les anches et les tubes synthétiques faussent sa sonorité.

2. Jeu d'orgue à anche battante et résonateur cylindrique d'environ une demi-longueur, conçu pour imiter l'instrument de ce nom au cours du XVᵉ s. Il apparaît d'abord en Allemagne (1489) ; aux Pays-Bas il est dit « dulkaan » (= douçaine). Rarement de 4′, le cr. 8′ est dans l'orgue français classique le seul jeu d'anche indispensable au positif. Il joue le rôle de soliste (basse et dessus) et s'intègre au grand jeu. Au XVIIIᵉ s. il perd ce second emploi au profit d'une trompette. Presque éliminé au XIXᵉ s. par la clarinette et l'euphone, il s'impose à nouveau à partir de l'orgue néo-classique. Sa sonorité typique est dite cruchante.

Bibliographie — 1. M. AGRICOLA, Musica instrumentalis deudsch, Wittenberg 1529, 4/1545, rééd. par R. Eitner, *in* PGfM XX, 1896 ; M. PRAETORIUS, Syntagma musicum, II De organographia, Wolfenbüttel 1618, 2/1619, rééd. par R. Eitner, *ibid.* XII, 1884 ; rééd. en facs. par W. Gurlitt, Kassel, BV, 1958-59 ; G. KINSKY, Doppelrohrblatt-Instr. mit Windkapsel, *in* AfMw VII, 1925 ; A. BERNER, art. Krummhorn *in* MGG VII, 1958 ; B. THOMAS, The Crumhorn Repertoire, *in* Early Music, Londres juil. 1973 ; R. MEYLAN, Le cr. dans les documents historiques (en prép.).

R. MEYLAN et P. HARDOUIN

CROTALES (grec, krotala), → castagnettes de la Grèce antique. De la taille d'une main, les c. sont formés de deux planchettes reliées par une charnière, évidées au centre et en longueur. Généralement en bois, ils sont parfois fabriqués en bronze ou même en terre cuite. Exclusivement affectés à la danse, leur effet passe pour considérable. Homère les mentionne déjà. Avec Sappho, ils deviennent l'élément essentiel des cortèges dionysiaques. Dans la mythologie, on voit parfois les Muses s'en saisir, mais ils servent surtout à déchaîner les ménades par leur crépitement exaspérant. A l'époque classique, cet instrument, toujours utilisé par paire, a sa place dans la vie privée (gynécée) ou publique (« comoï »).

Bibliographie — H. HICKMANN, Cymbales et cr. dans l'Égypte ancienne, *in* Annales du Service des antiquités de l'Égypte XLIX, 1949.

CRUCHEMENT, sonorité caractéristique du → cromorne.

CRWTH (kymrique ; lat., chrotta ; angl. crowd), instr. à cordes frottées dont on joua au pays de Galles jusqu'au début du XIXᵉ s. quoiqu'il fût déjà devenu très rare à cette époque. Le corps avait la même forme que l'ancienne lyre germanique mais comportait une touche entre les deux bras de la lyre. On le tenait comme un violon et il était soutenu par une lanière passée autour du cou. Ses 6 cordes, de crins

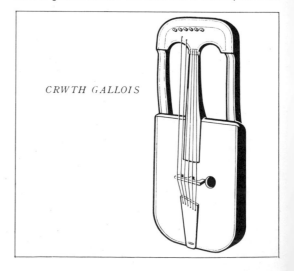

CRWTH GALLOIS

per sont ceulx z celles. qui ont
fait le psaultier.

22. FRANCE. XVᵉ s. Miniature du Bréviaire de René II de Lorraine représentant "ceulx et celles qui ont fait le psaultier". Entre Salomon et Asaph, en
train d'écrire, le roi David tient une petite harpe. Les divers instrumentistes de ce
concert symbolique réunissent le tympanon, la flûte à bec (ou chalemie?), l'orgue
portatif, la trompette droite, la viole, le tambour.
Paris, Bibliothèque de l'Arsenal, Ms. 601, fol. 2 vᵒ.

23. ITALIE. XVᵉ s. Plat aux musiciens de Coffagiolo.
Rouen, Musée départemental des Antiquités.

24. ITALIE. XVᵉ s. Fra Angelico : anges musiciens,
détail du Couronnement de la Vierge, v. 1430-
1440. Peinture sur bois. Florence, Musée des Offices.

25. *FLANDRES. XVe s. Hubert et Jan Van Eyck : anges jouant de l'orgue, de la viole et de la harpe, volet de dr. du* Polyptyque de l'Agneau mystique, *1426-1432. Gand, cathédrale Saint-Bavon.*

de cheval ou de boyau, étaient groupées en 3 paires où l'une était accordée à l'octave de l'autre. La paire la plus grave n'était pas tendue sur la touche : attaquée par le pouce, elle réalisait une sorte de bourdon. Quelques exemplaires de cr. subsistent dans les musées. Des manuscrits français et allemands du XIe s. montrent ce genre de lyre à archet entre les mains du roi David mais sans la touche, laquelle apparaît pour la première fois sur un sceau anglais de 1316 avec le nom de « crowd ».

Bibliographie — O. ANDERSSON, The Bowed Harp, Londres 1930.

CSÁRDÁS (hongr., de csárda = auberge), danse hongroise d'origine savante mais à prétention populaire, créée vers 1840 par des chorégraphes à l'usage de la population rurale par analogie avec le « palotas » — danse hongroise pratiquée dès le XVIIIe s., principalement par la haute société (palota = palais). Elle utilise les éléments du → « verbunkos », tant pour les pas que pour la musique. Les premiers cs. connus sont dus à M. Rózsavölgyi.

CUBA. Avec ses rythmes complexes et entraînants, la mus. populaire cubaine est l'une des plus caractéristiques du Nouveau Monde. Sa provenance africaine est indiscutable, ce qui ne veut pas dire qu'elle soit exclusivement une musique nègre : des genres espagnols ou de nouvelles formes créoles, « boleros », « guajiras », « habaneras », figurent parmi ses manifestations les plus authentiques. Mais les Africains et leurs descendants ont joué un rôle très important dans la formation du folklore cubain. Les genres hybrides marqués par leur influence sont les plus répandus, la « conga », la « rumba » et le « son » notamment. Ils ont comme bases rythmiques les deux figures suivantes : ♩♪♪♩ (qui appartient originairement à la « conga ») et ♪♪♪♪♩ (localement appelée « cinquillo » et importée de Haïti). Une chanson populaire qui a survécu jusqu'à nos jours, le Son de la Ma Teodora, garde le souvenir de la Mère Teodora, une guitariste originaire de Santiago de los Caballeros dans l'île de Saint-Domingue, qui, avec sa sœur Micaela Ginés, avait acquis une grande célébrité à Cuba à la fin du XVIe s.

Miguel Velásquez, dont le père appartenait à la famille de Diego Velásquez, gouverneur de l'île, et dont la mère était indienne, peut être considéré comme le premier musicien né sur le continent américain. Organiste ayant fait des études en Espagne et connaissant les règles du plain-chant, il était chanoine à la cathédrale de Santiago de Cuba en 1544. En 1601 La Havane possédait déjà une classe de musique, entretenue par les autorités municipales, dont était chargé Gonzalo de Silva. En 1776 fut inauguré le « Teatro Principal », où l'on donnait de petits opéras, des « zarzuelas », des « tonadillas », des spectacles de danse et des concerts en alternance avec les comédies classiques espagnoles de Calderón, de Lope de Vega ou de Moreto. En 1800 une troupe lyrique française se rendant à La Nouvelle-Orléans présenta à ce théâtre des opéras de Cambert, d'Audinot, de Monsigny et de Grétry, ainsi que d'auteurs italiens, Pergolèse et Paisiello. Le grand compositeur cubain du XVIIIe s. est E. de Salas y Castro (1725-

1803), maître de chapelle de la cathédrale de Santiago de Cuba de 1764 à sa mort. Il a laissé une œuvre importante, mise en valeur par des découvertes récentes. Son successeur à la cathédrale, le père Juan Paris (1759-1845), a été lui aussi un compositeur éminent.

N'ayant pas été touchée par les guerres de libération qui aboutirent à l'indépendance des autres États latino-américains, Cuba était, au début du XIXe s., une espèce de jardin clos propice au développement de la musique. De ses imprimeries musicales sortaient de nombreuses chansons typiques. Mus. populaire et mus. savante y faisaient bon ménage. Dans les fameuses contredanses cubaines pour piano de Manuel Saumell (1817-1870), on décèle déjà les rythmes qui feront la fortune de la musique insulaire. Juan Federico Edelmann, le fils du compositeur strasbourgeois du même nom guillotiné dans sa ville natale pendant la Terreur, était venu se fixer à Cuba en 1832. Il s'y illustra comme professeur de piano : Saumell comptait parmi ses élèves. Antonio Raffelin (1796-1882), qui vécut 12 ans à Paris de 1836 à 1848, a écrit des œuvres symphoniques et de mus. de chambre dans un style sévère ignorant la révolution romantique. — Au XIXe s. l'opéra continuait à faire fortune au « Teatro Principal » comme au nouveau « Teatro Tacón », inauguré en 1838 à La Havane. Une « Sociedad Filarmónica de Santa Cecilia » familiarisait les amateurs havanais avec les nouveautés d'outre-mer. Un théâtre populaire, né du « sainete » et de la « tonadilla » d'Espagne mais utilisant des personnages typiques de l'île, des danses et des chansons nationales, s'était développé et faisait fureur au « Teatro Cervantes » et à l' « Alhambra », que seuls les hommes fréquentaient. Quelques-uns des meilleurs compositeurs cubains de l'époque, Laureano Fuentes Matons et Ignacio Cervantes notamment, n'ont pas dédaigné d'écrire des partitions pour ce genre de spectacle. D'autres vivaient entièrement détachés du sol natal, comme Gaspar Villate dont les opéras ont été chantés avec succès à Paris, La Haye et Madrid. Ce pourrait être aussi le cas de Nicolas Ruís Espadero, pianiste virtuose à la manière romantique, qui n'a pas quitté Cuba pour ses études et qui s'intéressait à la mus. populaire de l'île. Mais, par le genre qu'il s'était donné, il est l'un des compositeurs les moins authentiques cubains de son temps. La véritable découverte de la mus. afro-cubaine a été l'œuvre de deux compositeurs du XXe s., morts jeunes l'un et l'autre, A. Roldán (1900-1939) et A. García Caturla (1906-1940). Après leur disparition, l'influence exercée par un excellent musicien espagnol, J. Ardévol (* 1911), a détourné beaucoup de jeunes compositeurs de cette voie rattachée au nationalisme dont la vogue commençait à décliner partout. Ces compositeurs ont constitué le « Grupo Renovación Musical », à tendance néoclassique. Les principaux sont Serafín Pro, E. Martín, Virginia Fleites, Juan Antonio Cámara, H. Grammatges et J. Orbón. Gisela Hernández, Hilario González et Argeliers León, bien qu'ayant appartenu au groupe, ne cachent pas leur sympathie pour la mus. populaire, dont ils continuent à tirer leur inspiration. Avec une formation différente, A. de la Vega a fait ses études et vit à l'étranger. Et Juan Blanco, leur contemporain, se trouve plus proche des compositeurs de la jeune génération par son esthétique. Parmi les derniers venus il faut retenir les noms de

Hector Ángulo, Carlos Fariña, Roberto Valera, Calixto Álvarez et Leo Brouwer. La révolution castriste n'a exercé aucune pression sur l'esthétique de ces compositeurs, qui s'expriment en toute liberté, employant parfois les procédés d'avant-garde les plus imaginatifs.

Bibliographie — 1. Ouvr. bibliographiques : P. HERNÁNDEZ BALAGUER, Catál. de mús. de los archivos de la catedral de Santiago de Cuba y del Museo Bacardi, La Havane, Bibl. Nacional J. Marti, 1961. — 2. Éditions monumentales : E. SALAS, Cuatro Villancicos éd. par P. HERNÁNDEZ BALAGUER, La Havane, Bibl. Nacional J. Cervantes Kawanag, La Havane 1936 ; E. GRENET, Mús. popular cubana, La Havane 1939 ; E. TOLÓN et J.A. GONZÁLEZ, Óperas cubanas y sus autores, La Havane 1943 ; A. CARPENTIER, La mús. en Cuba, Mexico 1947 ; F. ORTIZ, La africania de la mús. folklórica, La Havane 1950 ; du même, Los bailes y el teatro de los negros en el folklore de Cuba, La Havane 1951 ; du même, Los instrumentos de la mús. afrocubana, La Havane 1952-55 ; A. LEÓN, El patrimonio folklórico musical cubano, La Havane 1952 ; du même, El paso de elementos por nuestro folklore, La Havane 1952 ; du même, Mús. folklórica cubana, La Havane, Bibl. Nacional J. Marti, 1964 ; M. FERNÁNDEZ MORRELL, Algunos aspectos de la mús. religiosa en Cuba, La Havane 1958 ; O. CASTELLO FAILDE, Miguel Failde, creator del Danzón, La Havane, Consejo Nacional de Cultura, 1964.

L.H. CORRÊA DE AZEVEDO

CUECA, danse nationale chilienne connue aussi sous le nom de « zamacueca ». L'homme et la femme agitent de petits mouchoirs colorés avec la main droite et miment les jeux de la conquête amoureuse : lui entreprenant, elle modeste, se dérobant, et finalement apprivoisée. La musique, passant du mouvement lent du début au vif de la partie finale, s'écrit d'ordinaire en 6/8. La c. est aussi dansée en Bolivie et, quelquefois sous d'autres noms, au Pérou, qui a été son pays d'origine et où on l'appelle aujourd'hui « marinera », ainsi qu'en Argentine, où elle est aussi connue sous le nom de « zamba ».

CUÍCA ou PUÍTA, tambour à friction employé au Brésil dans la mus. d'origine noire. La tige, que l'exécutant frictionne la main mouillée ou à l'aide d'un chiffon humide, se trouve à l'intérieur de la caisse, attachée à la peau qui la recouvre d'un seul côté. Certains compositeurs comme C. Guarnieri ont fait usage de cet instrument dans l'orchestre symphonique.

CUIVRÉ. 1. Adj. qualifiant les sons métalliques du cor, obtenus en bouchant la moitié de la colonne d'air par l'introduction de la main dans le pavillon de l'instrument. Ils sont d'un grand effet dramatique. Les sons cuivrés sont indiqués par une croix (+) placée au-dessus des notes. — **2.** Timbre éclatant d'une voix, rappelant la sonorité des cuivres.

CUIVRES (angl., brass instruments; all., Blechblasinstrumente; ital., ottoni; esp., instrumentos de metal). Instr. de cuivre est la désignation courante mais quelque peu inexacte de l'ensemble des instr. à vent avec → embouchure. Ils forment une famille dans l'orchestre moderne; les romantiques, particulièrement H. Berlioz et R. Wagner, leur ont donné une importance accrue. Les c. regroupent les → cors, → trompettes, → trombones, → tubas, à l'occasion aussi les → cornets à pistons, « saxhorns et « Wagner-Tuben » (Tétralogie). Le seul trait véritablement commun, permettant de les définir globalement, consiste dans leur fonctionnement par anches lippales. Les lèvres de l'exécutant, membranes souples, mobiles pour les corrections que l'artiste de talent peut réaliser, jouent le rôle d'anche double musculaire, en prenant appui sur une sorte de bassin aux dimensions et formes diverses selon le timbre recherché. Le bassin garantit, avec le degré de tension des lèvres, des attaques justes, précises. Les vibrations des lèvres, « oscillations de relaxation en dents de scie » (E. Leipp) qui ont la particularité de faire surgir des sons partiels dont l'éventail étendu est intéressant, se communiquent ainsi à une colonne d'air assez difficile à analyser à cause de la diversité de ses profils possibles, à l'intérieur d'un tuyau de laiton. Ce métal à peu d'importance sur le plan sonore par rapport à la nature de l'embouchure et à la perce du tuyau. Il a succédé aux matériaux les plus divers, qui ne permettraient pas, de toute façon, de généraliser le terme de c. pour tous les instruments de ce type. On distingue les instruments dits coniques et sans pistons : cor de chasse, cor d'harmonie, clairon; et les instr. cylindro-coniques, les uns sans pistons : trompette d'orchestre ou de cavalerie, trombone à coulisse (le ténor est le plus fréquent), les autres avec pistons, c.-à-d. permettant d'intercaler rapidement des tons de rechange : cornets, cor et trombone à pistons, trompette chromatique et saxhorns, dont le tuba qui sert de basse aux trombones. — Voir également l'art. FANFARE.

Bibliographie — H. BERLIOZ, Grand Traité d'instrumentation et d'orchestration, Paris 1843, 2/1855 (augm.); H. BOUASSE, Instr. à vent, Paris 1929; H. BAHNERT, TH. HERZBERG et H. SCHRAMM, Metallblasinstr., Leipzig, Fachbuchverlag, 1958; P. FARKAS, The Art of Brass Playing, 1962; E. LEIPP et L. THEVET, Le cor, in Bull. n° 41 du GAM, Paris, Faculté des Sciences, mai 1969; E. LEIPP, Acoustique et mus., Paris, Masson, 1971.

CURSUS (du lat. currere, = courir), désigne, au Moyen Age, une ordonnance des mots accentués en fin de phrase afin de créer une clausule rythmique : l'effet rythmique est produit par l'alternance des syllabes accentuées — qui tombent sur des longues — et des syllabes atones. L'usage des clausules accentuelles est issu peu à peu de l'emploi des clausules métriques déjà suivi par Cicéron et recommandé par lui dans son De oratore. A la fin du III e s. de notre ère, le c. rythmique était adopté par les prosateurs et il entrait bientôt dans les usages littéraires de la chancellerie pontificale (Liber diurnus, lettres des papes). Il est employé aux diverses cadences des collectes et préfaces du Libellus missarum de Vérone, dit « sacramentaire léonien », issu de recueils euchologiques composés à Rome aux IV e, V e et VI e s. Les sacramentaires gélasiens et grégoriens suivent également les règles du c., qui facilitent la cantillation des pièces prononcées par le célébrant. Les formes les plus usuelles du c. sont :

le c. «velox» : gló-ŕi-àm pèr-dù-cá-múr (7 syllabes),
le c. « tardus » ou « ecclesiasticus » :

incarnatió-ńem cógnó-vi-mús (6 syllabes),

le c. «planus» : nós-tŕis infuh-dé (5 syllabes).
Les ex. sont empruntés à la même oraison Gratiam tuam du 25 mars). Aux trois formes usuelles énumérées ci-dessus, on ajoute parfois le c. trispondaïque :

, · · · , · ꒿ (6 syllabes).

Le c. n'a pas été sans exercer une influence sur l'adaptation de la monodie grégorienne aux textes latins, en particulier sur les finales : les formules cadentielles pentésyllabiques de la psalmodie ornée, celles des répons nocturnes et des invitatoires ont été calquées sur les formules usuelles du c. « planus ». Du VIIIᵉ au XIᵉ s., les règles du c. ne furent pas toujours parfaitement observées, mais Jean de Gaëte les remit en honneur en 1088, sur ordre du pape Urbain II : le *Liber pontificalis* (éd. DUCHESNE II, p. 21), qui mentionne cette restauration du c., le nomme c. « leoninus », probablement parce que le pape Léon le Grand († 461) l'avait lui-même employé dans ses sermons qui servaient de modèle de style à la chancellerie pontificale. En 1187 le chancelier Albert de Morra, devenu pape sous le nom de Grégoire VIII, publia une *Forma dictandi* énonçant les règles du cursus. C'est sous Léon X (1513-1521) que l'humanisme élimina de la chancellerie les dernières traces de style du Moyen Age.

Bibliographie — Elle est trop considérable pour être rapportée ici : elle a été dressée jusqu'à l'année 1928 par L. LAURAND, *in* Revue des Études Latines VI, 1928 ; voir la même revue pour les années suivantes, ainsi que L'Année Philologique, à partir de 1930. Sur le c. en général : H. LECLERCQ, art. C. *in* Dict. d'archéologie chrétienne et de liturgie III/2, Paris 1914 ; M.L. NICOLAU, L'origine du c. rythmique et les débuts de l'accent d'intensité en latin, Paris 1930 ; G. LINDHOLM, Studien zum mittellateinischen Prosarhythmus, Stockholm 1963. — Sur le c. dans les lettres des papes : F. DI CAPUA, Il ritmo prosaico nelle lettere dei Papi e nei documenti della Cancelleria romana dal IV al XIV s., 2 vol., Rome 1937. — Sur le c. dans les sacramentaires : L.C. MOHLBERG, Sacramentarium Veronense, Rerum Ecclesiasticarum Documenta, Series major, Fontes I, Rome 1956. — Sur le c. et le cht grég. : A. MOCQUEREAU, *in* Paléogr. Mus. IV, 1894 ; P. FERRETTI, Estetica gregoriana, Rome 1934, trad. fr. Tournai 1938.

CUSTOS (lat.), voir GUIDON.

CYCLE. 1. Ensemble de pièces musicales de formes variées se rapportant à un même programme ou à un même sujet mais dont le lien thématique ou tonal est lâche sinon inexistant. Le terme est fréquemment employé pour désigner un ensemble de mélodies que réunit un même argument poétique et qui forment un tout : *La Belle Meunière* de Fr. Schubert, *L'Amour et la vie d'une femme* et *Les Amours du poète* de R. Schumann, *La Bonne Chanson* et *La Chanson d'Ève* de G. Fauré, *Les Poèmes du brugnon* de G. Migot. Il caractérise également une succession de pièces instrumentales que relie un même programme : *Les Années de pèlerinage* et les *Harmonies poétiques et religieuses* de F. Liszt, *Le Carnaval de Vienne* de R. Schumann, *Le Poème des montagnes* de V. d'Indy (sous-titré poème symphonique). Employé par les musiciens romantiques concurremment aux formes héritées du classicisme, le c. tend à évincer ces dernières au XXᵉ s., en particulier dans la mus pour piano grâce à la liberté de conception qu'autorise son extrême souplesse : G. Fauré, *Dolly*, et M. Ravel, *Ma mère l'Oye* pour piano à 4 mains ; Ch. Kœchlin, *Le Livre de la jungle* pour soli, chœur et orchestre, *L'Abbaye* pour chœur, orchestre et orgue et *L'Ancienne Maison de campagne* pour piano ; G. Migot, *Le Zodiaque* et *Le Calendrier du petit berger* ; O. Messiaen, *20 Regards sur l'Enfant Jésus* ; A. Jolivet, *Mana* pour piano. Ce qui oppose le c. à la → suite, à la → sonate et à la → symphonie, c'est la présence constante d'une idée littéraire ou poétique. Ainsi le c. a-t-il pris, au XXᵉ s., la place qu'occupait le poème symphonique au XIXᵉ s. — **2.** Voir l'art. ONDE.

CYCLE DES QUINTES (angl., cycle of fifths ; all., Quintenzirkel). On dénomme ainsi la présentation en orbite circulaire de l'échelonnement successif des 12 → quintes parcourant tous les degrés de l'échelle chromatique du → système tempéré. Dans ce système, la 13ᵉ note de la 12ᵉ quinte s'identifie par → enharmonie à la 8ᵉ note de la 7ᵉ octave et justifie ainsi la figuration d'un cercle fermé. La relation de quinte étant en mélodie aussi bien qu'en harmonie la plus forte qui soit, la parenté plus ou moins grande de deux sons et surtout de deux tonalités est facile à constater grâce au tableau du c. des quintes.

En raison des progrès du tempérament égal, les compositeurs s'enhardissent à moduler toujours plus loin et vers 1700 apparaissent de nombreux morceaux expérimentaux parcourant tout le c. des quintes. Ce n'est qu'après en avoir pratiqué le principe que l'idée théorique d'une présentation circulaire est apparue. J.D. Heinichen en donne en 1711 la première figuration, en faisant alterner les rapports de quintes et de tierces. G.A. Sorge le critique pour cette présentation et donne en 1747 un c. des q. plus logique puisqu'il accouple en une double rangée chaque ton avec son relatif :

$$\left\{ \begin{array}{l} \textit{do} \text{ maj. -} \textit{sol} \text{ maj. -} \textit{ré} \text{ maj.} \\ \textit{la} \text{ min. -} \textit{mi} \text{ min. -} \textit{si} \text{ min.} \end{array} \right\} \text{ etc.}$$

Cette figuration est toujours usuelle en Allemagne. En France, c'est A. Sérieyx qui, à la fin du XIXᵉ s., adopte et répand le c. des quintes.

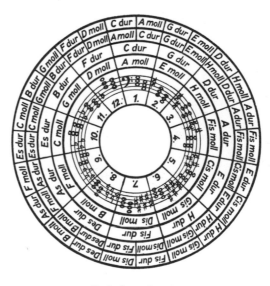

G. A. Sorge (1747).

Si le c. des q. rend des services indéniables, il contribue par ailleurs à de dangereuses confusions. 1º Historiquement, seule la gamme heptatonique résulte de la succession des quintes ; le chromatisme ne provient pas de l'adjonction d'une 7ᵉ quinte à la sixième. 2º En → système pythagoricien — celui qui est propre à la mélodie — les quintes sont légèrement trop grandes pour se retrouver avec la 7ᵉ octave : elles la dépassent d'un comma pythagoricien. Il en résulte

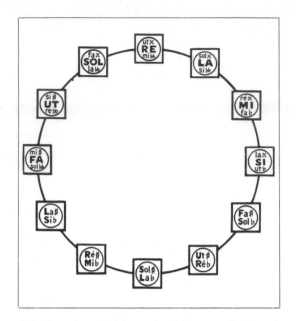

Cycle des quintes établi par A. Sérieyx pour le *Cours de composition* de V. d'Indy.

un dynamisme expansif que ne traduit pas la présentation en cercle fermé. Aussi serait-il préférable d'utiliser la spirale des quintes (proposée par August Halm, Louis-Thuille et Edmond Costère), qui traduit beaucoup mieux le devenir en mouvement de l'ordre mélodique et évite de faire croire que l'échelle chromatique de 12 sons n'est que l'extension de l'échelle heptatonique.

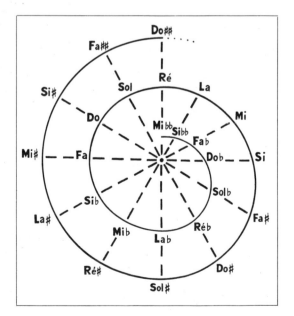

Spirale des quintes.

CYCLIQUE, se dit de l'aspect que prend une composition en plusieurs mouvements, au cours du XIXᵉ s. : chez Beethoven (dernières sonates), H. Berlioz (*Symphonie fantastique*), F. Liszt (*Sonate* pour piano) et surtout chez C. Franck (*Grande Pièce symphonique* pour orgue, *Quintette* avec piano, *Sonate* pour piano et violon, *Prélude, Aria et Finale* pour piano, *Symphonie* en *ré* min., *Quatuor à cordes* p. ex.) et ses disciples, V. d'Indy en tête (*Symphonie sur un chant montagnard*). L'élément caractéristique de la forme c. est la présence d'un ou de plusieurs motifs conducteurs, chargés d'une expression particulière, qui circulent à travers les différents mouvements de l'œuvre comme éléments d'unité et comme facteurs du déroulement dramatique. Il y a lieu de distinguer entre le dessin c., groupe de notes concourant à la formation des différents thèmes d'une œuvre c., et le thème c., qui, sans altération mélodique, intervient dans les différentes parties de l'œuvre. Ces deux aspects sont présents dans la *Symphonie* en *ut* min. avec orgue de C. Saint-Saëns. Le principe c. est à rapprocher de celui du → « Leitmotiv » qu'emploie R. Wagner dans ses drames lyriques.

CYLINDRE. 1. Pièce du mécanisme des → boîtes à musique, des carillons automatiques, des sonnettes, des orgues de Barbarie. De sa surface se détachent des dents de métal qui, au cours d'un mouvement de rotation régulier, accrochent et mettent en vibration des lamelles vibrantes ou déclenchent les leviers des marteaux. Le c. des grands carillons est appelé tambour. — **2.** Partie du mécanisme des instr. à vent et à piston (cors, trompettes, cornets, etc., autrefois appelés instr. à c.) dans laquelle se meut le piston. — **3.** Forme primitive du support de l'enregistrement phonographique tel qu'il fut réalisé par Thomas Edison en 1877 (voir l'art. PHONOGRAPHE). Le c. tournait d'un mouvement régulier autour d'un axe horizontal. Un stylet graveur était déplacé longitudinalement par une vis micrométrique. L'enregistrement du son se trouvait ainsi gravé, sous la forme d'une hélice à spires conjointes, sur la surface du c. (d'abord en étain puis en ébonite tendre). La reproduction se faisait avec le même appareil, le graveur étant remplacé par une pointe mousse reliée à un cornet amplificateur. Ce procédé était le plus sûr, du point de vue acoustique, à cause de sa vitesse linéaire constante. Il posait toutefois des problèmes pour la duplication des enregistrements, pour le rangement des cylindres, etc. L'application par Émile Berliner en 1887 des principes de l'enregistrement sur → disques énoncés par Ch. Cros devait bientôt détrôner le cylindre. On peut entendre à la Phonothèque Nationale les plus intéressants des enregistrements réalisés sur cylindres. Le fonds actuel (1973) en compte près de 7 000 spécimens.

Bibliographie — **3.** J. THÉVENOT, art. Disque *in* Encycl. Universalis, 1971 ; P. CHARBON, Les Mémoires d'une mémoire, *in* Diapason nº 167, mai 1972, et suivants.

CYLINDRIQUE, voir PERCE.

CYMBALA (lat.), jeux de clochettes frappées au marteau, souvent improprement appelés → carillon. Cet instrument pouvait comporter de une à 15 cloches, variables dans leur forme et leur mode de suspension.

Le terme de c. (à la place de « nolae ») témoigne de son origine religieuse et savante, dans laquelle interviennent, ainsi que le confirme l'iconographie, la légende pseudo-scientifique de Pythagore et le thème de Tubalcaïn, forgeron de la Genèse. Les c. apparaissent dans l'iconographie (psautiers, illustration de la Musique parmi les Arts libéraux) dès le XIᵉ s., principalement dans le nord de la France, les Pays-Bas, l'Allemagne et l'Angleterre. Des traités théoriques contemporains en étudient la fabrication mais non l'usage. Certains musicologues ont pensé pouvoir attribuer aux c. un rôle de signal ou un rôle accompagnateur. Mais les c. sont trop petits — donc trop aigus — pour avoir une portée suffisante, et la cloche de volée, parfaitement adaptée à la fonction d'appel, est déjà bien connue. Par ailleurs, le rôle accompagnateur n'est attesté par aucun texte et les limites musicales de l'instrument ne le lui permettent guère. L'intérêt des c. est plutôt pédagogique et théorique : ainsi qu'en témoignent l'iconographie et la partie acoustique des traités, il s'agit en fait d'un instrument de démonstration destiné à illustrer les propos des théoriciens. D'ailleurs, le manque total d'intérêt porté au perfectionnement de l'instrument pendant les 4 siècles de son existence le relègue au rang de matériel scolaire, sans qualités musicales réelles. Les c. disparaissent au XVIᵉ s., par défaut d'utilisation, les préoccupations des théoriciens ayant changé.

Bibliographie — E. BUHLE, Das Glockenspiel in den Miniaturen des frühen Mittelalters, Leipzig 1910 ; P. PRICE, The Carillon, Londres 1933 ; J. SMITS VAN WAESBERGHE, C., Bells in the Middle Ages, MSD I, American Inst. of Musicology, 1951 ; du même, art. C. in MGG II, 1952 ; A. PALUEL-MARMONT, Cloches et carillons, leur hist., leur fabrication, leurs légendes, Paris, SEGEP 1953 ; M.CL. PATIER, Des c. aux carillons (diss. Paris 1969).

CYMBALE (all., Zimbel ; ital., cimbala). **1.** Jeu d'orgue imaginé au début du XVᵉ s. (attesté par Arnault de Zwolle) pour incorporer à l'instrument la sonorité des clochettes (→ cymbala) qui l'accompagnaient souvent dès la période impériale (IXᵉ s.). — **2.** Registration à rangs harmoniques aigus, imaginée pour le même usage dans l'orgue de type → « ripieno ». — Dans le jeu, la sonorité résulte de l'emploi simultané de trois tuyaux à bouche donnant l'accord parfait majeur assez haut au-dessus du son fondamental, la tessiture restant la même quelle que soit l'octave au clavier (structure à → reprises). Le schéma des reprises a varié selon les temps et les lieux. La tierce a été le plus souvent éliminée de l'accord et les octaves et quintes multipliées. Les reprises se firent d'abord par rang quand celui-ci atteignait une acuité plafond ; puis, à partir du XVIᵉ s., sur l'accord entier quand sa note supérieure atteignait le plafond. Le saut en arrière était d'une octave au XVIᵉ s., puis d'une quinte alternant avec une quarte au XVIIᵉ s. La c. française classique (1 à 5 rangées, la plus haute commençant au 1/4′) reprend de manière à ne pas dépasser le 1/8′ pour garder une tessiture moyenne, de fa^1 à fa^4. Ce principe a été étendu à tout le → plein-jeu (→ fourniture et c.) dès le XVIᵉ s. en Allemagne, dans la 2ᵈᵉ moitié du XVIIIᵉ s. en France. L'orgue romantique rejette la cymbale. Elle revient avec un plafond plus aigu dans l'orgue néo-classique. L'orgue néo-baroque réintroduit en France des c. à tierce, toujours vivantes dans l'orgue allemand à côté de « Zimbeln » à schémas variés, le plus souvent

à tessiture ascendante par diminution du nombre des reprises. Pendant la période classique, la c. ne s'employait que dans le plein-jeu ou avec des fonds comme petit plein-jeu. — Angl., sesquialtera ; all., Zimbel ou Scharf ; ital., ripieno acuto ; esp., cimbala.

CYMBALES (angl., cymbals ; all., Becken ; ital., piatti), instr. à percussion formés de deux plaques métalliques circulaires, plus ou moins concaves, que l'on met en vibration en les frappant l'une contre l'autre. A l'origine, le métal était coulé dans des moules de sable et retravaillé à froid. On obtenait ainsi des formes très creuses et des épaisseurs de 2 à 10 fois supérieures aux épaisseurs actuelles. Les c. modernes sont minces et plates ; l'alliage, laminé et embouti, comprend du cuivre et de l'étain dans une proportion de 20 à 25 %. Le diamètre est variable : env. 50 cm pour une c. de concert et 55 cm pour une c. de jazz. Venues d'Asie, les c. connurent la faveur des Anciens tant pour les réjouissances populaires que dans la célébration des cultes. Au Moyen Age, l'Église les condamna et l'usage s'en perdit. A l'époque classique, les c. quittent le domaine de la musique militaire pour entrer à l'orchestre du théâtre en 1779, dans le chœur des Scythes d'*Iphigénie en Tauride* de Gluck. Leur emploi est assez long à se généraliser car les compositeurs ne les utilisent à l'origine que dans un sens descriptif. Berlioz les considère encore comme exceptionnelles. Actuellement, elles occupent une place de choix parmi les instr. à percussion et leur jeu s'est beaucoup diversifié. On peut, selon la tradition, les entrechoquer mais aussi frapper une seule c. par différents moyens : maillets, baguettes ou balais. La manière traditionnelle (c. entrechoquées) permet deux effets : la résonance prolongée indiquée ainsi : [notation musicale] ou le son étouffé : [notation musicale]. D'autre part, une seule c. peut être jouée avec des accessoires variés, soit aux coups : [notation musicale], soit en roulement (tremolo) : [notation musicale]. Suivant la sonorité désirée, on peut utiliser les baguettes de timbales ou les baguettes de tambour, le balai de fils d'acier, les baguettes d'éponge ou de laine ou la tringle du triangle.

Bibliographie — S. JULIEN, Procédé des Chinois pour fabriquer les tam-tams et les c., in Gazette musicale de Paris I [1834] ; C. SACHS, Real-Lexikon der Musikinstrumente, Berlin 1913 ; H. HICKMANN, C. et crotales dans l'Égypte ancienne, in Annales du Service des antiquités de l'Égypte XLIX, Le Caire 1950 ; A.FR. MARESCOTTI, Les instr. d'orch., Paris, Jobert, 1950 ; H. HICKMANN, Sonderformen antiker Becken, in Fs. W. Wiora, Kassel, BV, 1967.

CYMBALES ANTIQUES, instruments à percussion utilisés dans l'orchestre moderne et qui présentent certaines analogies avec les c. grecques ou romaines. Elles sont plus petites et plus concaves que les c. symphoniques et leur sonorité, fine et aiguë, se rapproche de celle de la cloche. — Voir également l'art. CROTALES.

CYMBALUM (angl., dulcimer ; all., Hackbrett ; hongr., cimbalom), instr. de musique dont les cordes, tendues sur une caisse de résonance trapézoïdale, sont frappées par deux marteaux tenus chacun dans une main de l'exécutant. D'origine très ancienne, le c., sous des formes et des noms différents, se retrouve dans les musiques traditionnelles de la Chine, de la Perse et de l'Asie Mineure. Grâce aux Arabes, il est présent en Europe occidentale au Moyen Age («dulce melos» ou → tympanon), mais n'y joue qu'un rôle marginal, cependant que dans le folklore (alpin en particulier) il restera utilisé jusqu'à nos jours. A la fin du XVIIᵉ s. l'Allemand P. Hebenstreit en construisit un modèle nommé pantaléon, dont il visait à faire un instrument de soliste, tentative sans lendemain. Réintroduit en Europe probablement par le canal des Turcs, son emploi est attesté dès le XVᵉ s. en Hongrie ; tout comme dans les pays limitrophes, il y sera utilisé principalement dans les réjouissances populaires. Au XVIIIᵉ s., les orchestres tsiganes l'adoptent à leur tour. Son apparition dans l'orchestre symphonique est due à F. Erkel (1861), dont l'exemple sera suivi par Liszt, Bartók, Kodály, Stravinski et Paderewski entre autres. Sa forme actuelle (avec étouffoir et quatre pieds) lui a été donnée en 1874 par un facteur de Budapest, Venceslas Joseph Schunda, qui a également édité la première méthode, due à Géza Allaga. Depuis lors, la construction des c. est demeurée le monopole des Hongrois. Son enseignement figure au programme des principales écoles de musique en Hongrie, où l'on utilise actuellement la méthode d'Ida Tarjáni-Tóth et József Falka (Budapest 1958, en all. et en hongr.). Sa technique a été entièrement renouvelée vers 1930 par A. Rácz, grâce à qui le c. est devenu un instrument capable de s'intégrer dans la mus. de chambre. Ses possibilités ont été bien exploitées par la jeune école hongroise (György Ránki, György Kurtág...). Sa tessiture s'étend du *mi*¹ au *mi*⁵, plus deux notes ajoutées :

Bibliographie — A. HARTMANN, The C., Hungary's National Instrument, *in* MQ II, 1916 ; A. SCHAEFFNER, Origine des instr. de musique, Paris 1936 ; B. SÀROSI, Die Volksmusikinstrumente Ungarns, Leipzig, Deutscher Verlag für Musik, 1967 ; du même, La mus. tsigane, Budapest, Gondolat, 1971 (en hongr.).

D

D. 1. (Angl. et all., = *ré*), quatrième lettre de l'alphabet, qui, dans la notation alphabétique latine, servait à désigner le *ré* dans l'échelle générale ou gamme.

fr., ital., esp.	angl.	all.
ré ♭	D flat	Des
ré ♭♭	D double flat	Deses
ré ♯	D sharp	Dis
ré ♯♯	D double sharp	Disis

2. Abréviation pour → « discantus », → dominante.

DA CAPO (ital., = du commencement ; abrév. D. C.), locution indiquant qu'il faut reprendre le morceau à son début jusqu'à l'endroit marqué du mot « Fine » ou d'un point d'orgue. Dans l'air à « da capo », c'est la reprise de la première partie qui constitue, après une partie centrale, la conclusion de l'air. La forme peut en être schématisée par ABA.

DACTYLE, voir Mètre.

DAFF, voir Riq.

DAL SEGNO (ital.), voir Al segno.

DAMÉNISATION, voir Solmisation.

DANEMARK (Danmark). Durant toute son histoire, la vie musicale danoise est restée étroitement liée au développement des autres pays d'Europe. D'une manière générale, l'influence allemande y a joué un rôle prédominant, sans qu'il faille négliger pour autant les courants d'influence venus de France et d'Italie. C'est seulement au XIXe s. que s'est développée une tradition musicale spécifiquement danoise, qui a imprégné tous les compositeurs du pays jusqu'au milieu du XXe s.

Origines et Moyen Age. Les premiers témoignages d'une vie musicale au Danemark proviennent des → lurs nordiques, instruments en bronze de dimensions comparables à celles du trombone. Comme ils ont été généralement découverts par groupe de deux, on peut penser qu'ils durent servir au culte d'une manière alternée. Ces instruments remontent à la dernière période de l'âge du bronze (jusque v. 500 av. J.C.) ; ils ont disparu à l'âge du fer. L'existence d'instr.

de musique (harpe, rotta) est attestée dès les plus anciennes sagas (v. 900), mais la description de leur jeu n'est pas très claire. Le chroniqueur Saxo (v. 1200) rapporte qu'au XIIe s. des chanteurs et des instrumentistes étrangers exerçaient leur art dans le pays. La naissance de la ballade danoise médiévale — qui fleurit entre 1250 et 1350, mais qui persista jusqu'au XVIe s. — semble due à une influence française. Elle consistait le plus souvent en une longue série de strophes de deux ou quatre vers avec refrain. Conçues pour accompagner les danses de la noblesse, les ballades tombèrent ensuite dans le répertoire populaire, qui les conserva longtemps grâce à la tradition orale. De nos jours encore, des ballades accompagnent les rondes aux îles Féroé. Si l'on a conservé des textes manuscrits du milieu du XVIe s., seuls quelques fragments de notation musicale datant de cette époque ont été retrouvés. Ce n'est qu'au début du XIXe s. que l'on a entrepris une recherche systématique de matériaux, édités depuis 1935 par E. Abrahamsen et H. Grüner Nielsen dans *Danmarks Gamle Folkeviser*, « Les vieilles ballades du Danemark », tome XI (cf. Bibliogr.).

La Réforme. Au Moyen Age, le chant d'église se modela sur les traditions européennes, mais, après la Réforme (1536) le chant spirituel en langue vernaculaire conquit une place considérable dans les offices religieux. Des textes et des airs de chorals parurent dans le *Salmebog* de Hans Thomissøn (1569), dont l'usage fut autorisé en dehors de la grand-messe. Le *Gradual* de Niels Jesperssøn (1573), autorisé comme livre d'office, montre que l'on faisait alterner le chant grégorien et des chants spirituels en danois. Ce n'est qu'avec le *Gradual* de Th. Kingo (1699) que la messe s'enrichit de nouvelles mélodies et qu'elle se limita à la forme du choral qui devait se figer en des valeurs de notes égales. On y introduisit au XIXe s. des mélodies inspirées des romances. A la fin du siècle dernier se dessina, comme en Allemagne, une réaction qui s'efforça de retrouver le style de l'époque de la Réforme. Le chef de file de ce mouvement, Thomas Laub (1852-1927), fit paraître en 1918, dans un recueil intitulé *Dansk Kirkesang*, « Le chant d'église danois », des mélodies nouvellement harmonisées et en partie composées par lui-même selon les modèles du XVIe s. De nos jours encore, les idées de Laub s'opposent à la tradition romantique de la mus. religieuse.

Les débuts de la mus. savante : XVIe et XVIIe s. Une véritable musique de caractère artistique n'apparaît que vers la fin de la Renaissance. Des instrumentistes figurent à partir de 1440 dans les relevés de comptes de la Cour, mais on ne peut parler de Chapelle royale qu'à partir du milieu du XVIe s. La vie musicale commença à fleurir sous le règne de Christian III et Frederik II pour s'épanouir pleinement sous le règne de Christian IV (1588-1648) et faire de la cour danoise l'un des centres musicaux de l'Europe du Nord. La Chapelle ou « Cantori », jusqu'alors formée de choristes danois, fut complétée par des chanteurs et des instrumentistes étrangers. Citons les Anglais J. Dowland, W. et Chr. Brade, les maîtres de chapelle néerlandais Gregorius Trehou, M. Borchgrevinck, et, parmi les Allemands, H. Schütz, M. Weckmann et G. Voigtländer. Vers 1600 l'influence la plus importante fut toutefois celle de Venise, où le roi envoyait les compositeurs les plus doués pour y parfaire leur éducation musicale auprès de G. Gabrieli. Citons entre autres Hans Brachrogge, Hans Nielsen (Fonteio) et M. Pederssøn (Petreio). Ce dernier fut le plus important compositeur de l'époque avec ses deux recueils de madrigaux (1608 et 1611) et une grande œuvre religieuse, *Pratum spirituale* (1620). En dehors des cercles de la Cour, il faut nommer Trude Aagesøn et J. Lorentz.

Le marasme économique des années 1640 mit fin aux efforts déployés pour créer une mus. danoise et pendant longtemps la vie musicale resta dominée par les compositeurs étrangers. Après l'influence allemande et italienne vint une période de mus. française inaugurée par les maîtres de chapelle Pascal Bence et Gaspard Besson, qui montaient des ballets de cour et cultivaient une musique d'orchestre à la française. Le plus grand compositeur de l'époque, D. Buxtehude, partit dès 1668 pour Lübeck et n'eut guère d'importance pour le développement de la vie musicale dans son pays natal.

Le XVIIIᵉ siècle. L'opéra n'atteignit le Danemark qu'en 1689 avec *Der vereinigte Götterstreit* de Poul Christian Schindler. Dans les dix premières années du XVIIIᵉ s., B. Bernardi et R. Keiser créèrent des drames lyriques pour la Cour royale. Sous le règne du roi piétiste Christian VI (1730-46), de nombreux spectacles furent interdits ; mais dès la levée de cette interdiction, des troupes italiennes et françaises vinrent solliciter la faveur du public avec des représentations de drames lyriques. En 1748 Gluck se retrouva à Copenhague à la tête d'une compagnie italienne. Le défenseur le plus fervent de l'opéra français fut le maître de chapelle J.A. Scheibe. La 2ᵈᵉ moitié du siècle vit naître les efforts pour créer un art lyrique national. Les premiers essais entrepris par l'Italien G. Sarti (*Gram og Signe*, 1756) et l'Allemand J.E. Hartmann (*Balders død*, « La Mort de Balder », 1779, et *Fiskerne*, « Les Pêcheurs », 1780) ne connurent aucun succès. J.A.P. Schulz, maître de chapelle à la Cour (1787-95), est le fondateur du style qui devait dominer la mus. danoise. Associant la comédie lyrique française et le « Lied » allemand à un texte danois, il créa *Høstgildet*, « Le Festin de la moisson » (1790), et *Peters Bryllup*, « Les Noces de Pierre » (1793), dont l'importance pour la comédie lyrique danoise fut fondamentale. Ses successeurs furent Fr.L.Ae. Kunzen et Cl.N. Schall (1757-1835), premier maître de la Chapelle royale, né au Danemark, qui inaugura la tradition danoise dans le domaine du ballet. En 1806 Ed. du Puy créa dans *Ungdom og Galskab*, « Jeunesse et sottise », une synthèse du classicisme viennois et de la comédie lyrique française.

Le classicisme viennois domina la vie musicale au Danemark pendant les quatre premières décennies du XIXᵉ s. Il trouva son expression la plus authentique dans l'œuvre de C.E.F. Weyse (1774-1842), dont les romances et les chants, influencés par Schulz, ont conservé jusqu'à nos jours leur importance pour le style de la mus. vocale au Danemark. Plusieurs de ses chants sont utilisés dans des comédies lyriques (*Sovedrikken*, « La Potion somnifère », 1809 ; *Ludlams Hule*, « La Grotte de Ludlam », 1816, et *Et eventyr i Rosenborg Have*, « Une Aventure au jardin de Rosenborg », 1827). En dépit d'une production très étendue, l'importance de Weyse se limite au domaine du « Lied » et de la romance, alors que Fr.D.R. Kuhlau (1786-1832), autre compositeur important de l'époque, a laissé un nombre considérable d'œuvres instrumentales à côté de drames lyriques (*Røverborgen*, « Le Repaire des brigands », 1814 ; *Lulu*, 1824) et de la musique du drame national le plus populaire, *Elverhøj*, « Le Mont des Elfes » (1828). Son style est très personnel, quoique influencé par Beethoven et Weber dont il introduisit les œuvres dans le répertoire des concerts donnés à Copenhague.

Le romantisme : naissance d'un style national. Avec N.W. Gade (1817-1890) et J.P.E. Hartmann (1805-1900), le romantisme s'épanouit dans la vie musicale danoise. L'ouverture *Efterklang af Ossian*, « Échos d'Ossian », l'opus 1 de Gade et sa 1ʳᵉ *Symphonie* enthousiasmèrent Mendelssohn, qui fit venir le compositeur à Leipzig et l'attacha aux concerts du Gewandhaus en qualité de chef d'orchestre (1843-48). L'empreinte personnelle du style de Gade s'effaça peu à peu et ses dernières œuvres furent nettement influencées par le classicisme de Mendelssohn. Chef de la Soc. de musique de Copenhague et directeur du Cons. royal, Gade marqua plus que tout autre la vie musicale danoise. Une grande partie de la production très personnelle de Hartmann est fondée sur la mythologie nordique. Parmi ses œuvres les plus importantes relevons le drame lyrique *Liden Kirsten*, « La Petite Christine » (1846), les ballets *Valkyren*, « La Walkyrie » (1861), et *Thrymskviden*, « La Légende de Thrym » (1868), l'œuvre chorale *Vølvens Spådom*, « La Prophétie de la Sibylle » (1872). Il faut encore citer parmi les compositeurs de la même époque J.Fr. Fröhlich et Henrik Rung, ce dernier connu surtout pour ses chants. La musique légère eut un éminent représentant en la personne de H.Chr. Lumbye. Dans le domaine de la mélodie, le plus grand compositeur romantique fut P.A. Heise (1830-1879). Son drame lyrique *Drot og Marsk*, « Le Roi et le maréchal » (1877), est incontestablement la plus grande œuvre lyrique de la mus. danoise avant C. Nielsen. Le dernier des grands compositeurs romantiques à avoir écrit pour le chant fut P.E. Lange-Müller (1850-1926), qui joignit au langage romantique de Heise des sonorités impressionnistes. Parmi ses œuvres citons la musique du drame *Der var engang*, « Il était une fois » (1886) ; il perpétua dans ses chœurs d'hommes la tradition instaurée par Kuhlau, Hartmann et Heise. Christian Fredrik Emil Hornemann (1840-1906) s'imposa surtout dans la mus. orchestrale. L'ouverture de son drame lyrique *Aladdin* (1864, 1888) et sa musique pour le drame historique *Gurre* (1902) figurent au répertoire traditionnel des concerts danois. Avec le Norvégien J. Svendsen, Hornemann a exercé une profonde influence sur le plus grand compositeur danois des Temps modernes, C. Nielsen (1865-1931).

Depuis C. Nielsen. Le talent très riche de Nielsen influença presque tous les compositeurs danois jusque dans les années 1950. En dehors de six symphonies, deux opéras et de multiples œuvres marquantes, il composa de nombreux chants populaires, qu'il concevait souvent en collaboration avec Thomas Laub, selon les idées de J.A.P. Schulz (*Schein des Bekannten*). La même tendance se retrouve chez Thorvald Aagaard (1877-1937), Oluf Ring (1884-1946) et de nos jours chez Otto Mortensen (* 1907), alors que Julius Bechgaard (1843-1917), Hakon Børresen (1876-1954), Rued Langgaard (1893-1952) et d'autres encore ont perpétué la tradition romantique. L'influence exercée par Nielsen sur la jeune génération fut si forte que les tendances nouvelles venues de l'étranger ne prirent pied que très lentement. On peut constater un intérêt certain pour le groupe français des « Six », pour Bartók, Stravinski et Hindemith, tandis que l'école de Schönberg ne s'impose que vers 1960. Parmi les disciples directs de Nielsen, citons Poul Schierbeck (1888-1949) et le musicologue Kn. Jeppesen (* 1892) ; parmi les compositeurs influencés par la mus. française, Poul Schierbeck, Kn. Riisager (* 1897), Sv.E. Tarp (* 1908), Jørgen Jersild (* 1913). S'inspirant de l'exemple de Hindemith, Jørgen Bentzon (1897-1951) et F. Høffding (* 1899) cherchent un contact étroit avec le grand public tandis que Herman D. Koppel (* 1908) s'inspire du « motorisme » et des rythmes obstinés de Bartók et de Stravinski. Le profil mélodique de Bartók s'unit avec bonheur à des traits nordiques dans les nombreuses œuvres instrumentales de V. Holmboe (* 1909). Dans le domaine de la mus. instrumentale et du drame lyrique, il faut citer Ebbe Hamerik (1898-1951) et Svend S. Schultz (* 1913). Dans sa vaste production, N.V. Bentzon (* 1919) se révèle influencé par tous les courants de l'époque. Avec Jan Maegård (* 1926), qui est par ailleurs l'un des premiers à utiliser les effets électroniques, la dodécaphonie fait son entrée dans la musique danoise. Il faut encore mentionner Poul Rousing Olsen (* 1922), Bernhard Lewkovitch (* 1927), Ib Nørholm (* 1931), Per Nørgaard (* 1932), Jørgen Plaetner (* 1930) et leurs nombreux élèves. Certains compositeurs, tel Leif Thybo (* 1922), se sentent encore attachés aux formes d'expression traditionnelles, mais la tendance générale des dernières années préconise l'expérience et l'ouverture sur les impulsions européennes les plus récentes.

Les institutions musicales. C'est au milieu du XVIII⁰ s. que commence l'essor des concerts, grâce à diverses sociétés musicales dont l'activité atteint un point culminant au XIXᵉ s., à Copenhague, avec des institutions telles que « Musikforeningen » (1836-1931), « Ceciliaforeningen » (1851-1934) et « Koncertforeningen » (1874-93). Jusqu'à l'année 1947, où fut fondé à Aarhus l'Opéra du Jutland, l'art lyrique n'était cultivé qu'au Théâtre royal, à Copenhague. De nos jours, les concerts symphoniques sont assurés principalement par des institutions municipales ou dépendant de l'État : l'Orch. symphonique de la Radio, la Chapelle royale (orch. du Théâtre royal), l'Orch. symphonique de Seeland (autrefois orch. de Tivoli), les orch. municipaux d'Aarhus, d'Odense et d'Aalborg, l'Orch. du Jutland du Sud. De nombreux autres orchestres et ensembles sont subventionnés. Dans une certaine mesure, l'activité musicale reste exercée par des institutions et des sociétés privées

comme la section danoise de la SIMC et « Det unge Tonekunstnerselskab ». La mus. chorale est cultivée surtout par des amateurs, si l'on excepte les chœurs des grandes institutions musicales. Les concours qu'organise chaque année la Radio encouragent le développement de cette activité.

La formation professionnelle est donnée dans les conservatoires d'État, le Cons. danois de musique à Copenhague et le Cons. de musique du Jutland à Aarhus, ainsi que dans les conservatoires régionaux d'Odense, d'Aalborg et d'Esbjerg. Ces 5 institutions ont le même niveau d'examen. L'enseignement privé de la musique est contrôlé par l'Association de pédagogie musicale, dont les membres ont passé un examen dans l'un des conservatoires. Dans la plupart des grandes villes, il existe des écoles populaires de musique.

La musicologie est enseignée dans les instituts des universités de Copenhague (depuis 1896) et d'Aarhus (depuis 1946), qui assurent également la formation des professeurs de musique des lycées. Les deux instituts de musicologie sont en forte expansion (5 professeurs titulaires et un grand nombre d'assistants). Dans le domaine des bibliothèques, des archives et des musées, il faut citer, à Copenhague, la Bibliothèque royale, la Discothèque nationale, les Collections du folklore danois, le Musée musicologique et les collections de Carl Claudius ; à Aarhus, la Bibliothèque d'État et les Archives de l'histoire du chant ; à Rebild, le Musée des ménétriers (« Spillemandsmuseet »).

Bibliographie (cf. également l'art. COPENHAGUE) — **1. Ouvrages bibliographiques :** J. BALZER, Bibliografi over Danske Komponister, Copenhague 1932. — **2. Éditions monumentales :** Danmarks galme folkeviser I-X, Copenhague 1853-1938 et suiv., XI (mélodies) éd. par E. ABRAHAMSEN et H. GRÜNER-NIELSEN, Copenhague 1935-38 et suiv. ; TH. LAUB et A. OLRIK, Danske folkeviser med gamle melodier, Copenhague 1899-1904 ; Gamle danske viser, éd. par A. ARNHOLTZ, N. SCHIØRRING et F. VIDERØ, 5 vol., Copenhague 1941-42 ; Dania sonans, I (M. Pedersøn), Copenhague 1933, II (H. Nielsen, T. Aagesen, H. Brachrogge) et III (M. Pedersøn, M. Borchgrevinck, N. Gistou), Egtved 1966-67. — **3. Études :** A. HAMMERICH, Hist. de la mus. danoise jusque v. 1700, Copenhague 1921 (en danois) ; H. GRÜNER-NIELSEN, La mus. pop. au Danemark, Copenhague 1934 (en danois) ; E. JACOBSEN et V. KAPPEL, Compositeurs danois, in Musikens Mestre II, Copenhague 1947 (en danois) ; V. KAPPEL, Contemp. Danish Composers, Copenhague 1950 ; N. SCHIØRRING, art. Dänemark in MGG II, 1952 ; SV. LUNN, T. NIELSEN, V. KAPPEL et SV. KRAGH-JACOBSEN, La vie musicale au Danemark, Copenhague, 1962 (en fr.) ; N.M. JENSEN, La romance danoise (1800-1850), Copenhague, Gyldendal, 1964 (en danois) ; K.A. BRUUN, Hist. de la mus. danoise de l'époque de Holberg à C. Nielsen, 2 vol., Copenhague, Vinten, 1969 (en danois) ; cf. également les revues Dansk Musiktidsskrift (depuis 1925), Musikhistorisk Arkiv (1931-39), Dansk Kirkesangs Aarsskrift (depuis 1940), Levende Musik (1942-46), Dansk Aarbog for Musikforskning (depuis 1961). — **4. Dictionnaires :** Musikens Hvem-Hvad-Hvor (« Qui, Quoi, Où en musique »), 3 vol., Copenhague 1950 (en danois) ; Aschehougs Musikleksikon, Copenhague, Aschehoug, 1957 (en danois).

J.P. JACOBSEN

DANSE (angl., dance ; all., Tanz ; ital. et esp., danza), mouvements rythmiques, pas ou gestes réglés habituellement par un accompagnement musical (instruments ou voix). Par la d., l'homme cherche à exprimer des états d'âme, à transcrire des événements particuliers ou à créer certaines conditions favorables à la vie de la société. Même dans ses aspects primitifs, la d. est la formulation de mouvements et de gestes quotidiens (d. religieuses ou sexuelles, d. guerrières ou de chasse, etc.), et ces formes simples constituent déjà une sorte d'exhibition artistique. Sans trancher la question de savoir si la d. avait précédé la musique, on a estimé qu'elle pouvait être considérée comme « la plus ancienne manifestation artistique » (K. Dittmer) étant donné la place qu'elle tient dans les civilisations les plus anciennes. D'autre part, certaines d. très primitives pourraient être rapprochées des rondes observées dans le règne animal, chez les oiseaux aquatiques, les gorilles et les chimpanzés par exemple.

La danse dans les civilisations antiques. Dans l'Égypte ancienne, la déesse de l'Amour Hathor était adorée comme puissance protectrice de la d. et de la musique. En son honneur ainsi qu'en celui d'autres divinités, des d. sacrées étaient exécutées aussi bien par le clergé que par des danseurs et des danseuses attachés au temple. La d. était par conséquent liée au culte et faisait partie du cérémonial des grands enterrements. Dans les cérémonies officielles ou privées et dans les banquets prenaient place des d. de caractère plus profane, généralement exécutées par un personnel engagé à cet effet mais parfois aussi par des amateurs de grande qualité. On y rencontrait le plus souvent des figures de d. symétriques. Dans un ensemble ayant reçu une formation professionnelle, danseur et musicien étaient fréquemment réunis en une même personne. La technique était très poussée, et les Égyptiens, qui semblent avoir connu la pirouette, faisaient preuve d'une grande adresse acrobatique.

Chez les Juifs, la d. n'était pas aussi développée mais plusieurs passages de la Bible attestent qu'elle a été cultivée à la fois comme expression de joie spontanée et comme rite religieux. Le peuple danse autour du Veau d'or lorsque Moïse descend du Sinaï, les femmes viennent en dansant à la rencontre de Saül et de David après la victoire sur les Philistins, David lui-même danse devant l'Arche. Dans les *Psaumes*, il est dit que l'on doit louer Dieu « avec les timbales et la danse », et on peut lire dans le *Cantique des cantiques* : « Qu'avez-vous à regarder la Sulamite comme une danse de deux chœurs » (chap. 7). — En Assyrie et à Babylone, l'art de la d. était plus sensuel mais des d. sacrées avaient cependant lieu autour des autels, et l'on pense que c'est aux Babyloniens que les Égyptiens empruntèrent la d. astronomique dans laquelle les figurants cherchaient à reproduire la révolution harmonieuse des astres. — En Perse également, il y avait un lien entre la d. et la religion. Même la danse lascive du ventre avait à l'origine un certain contenu sacramentel ou tout au moins symbolique.

Chez les Grecs, la d. tenait une place importante. On l'estimait indispensable à l'éducation de la jeunesse comme à la vie du culte. Les jeunes garçons devaient apprendre la pyrrhique (d. guerrière originaire de Crète) et la gymnopédie (d. de lutteurs), le → péan, chanté en marchant avant d'attaquer l'ennemi, et l' → hyporchème, auquel pouvaient prendre part de jeunes femmes. Dans l'emmélie, ronde grave, les femmes dominaient, de même qu'aux fêtes de Dionysos, où elles dansaient parfois en proie à une fureur sacrée. La d. devint un élément important du drame hellénique. Elle était habituellement exécutée par le chœur mais il arrivait que des acteurs fussent appelés à danser : c'est ainsi que Sophocle recueillit de vifs applaudissements lorsqu'il parut en Nausicaa dans l'un de ses drames. Dans cette d.

solennelle ou orchestique, les mouvements des mains — comme c'est de règle en Orient — tenaient une place prépondérante. Le chorégraphe Theleteus dut sa renommée pour avoir mis au point une chironomie si éloquente dans *Les Sept contre Thèbes* que les spectateurs avaient le sentiment d'un tableau vivant et détaillé des événements. Après avoir atteint la perfection dans les grandes tragédies, la d. grecque déclina en partie à cause du goût du public pour les histoires à sensation : les chœurs de citoyens durent céder devant les virtuoses professionnels qui rivalisaient dans une pantomime expressionniste aux dépens de la d. pure.

Dans la Rome impériale, la d. fut tout juste considérée comme un art mineur ou un divertissement social. On pratiquait assurément la pyrrhique et certaines d. sacrées issues des rites étrusques (procession des prêtres de Mars avec les boucliers sacrés, p. ex.). Mais, dès les Étrusques et des peuples orientaux, les jeunes patriciens apprirent aussi des d. si lascives qu'à l'origine, tout au moins, personne n'osait les exécuter sans masque. Ce fut sur l'arrière-plan de ces jeux nocturnes que Cicéron lança son mot historique : « Personne ne danse à jeun ». Ce libertinage envahit peu à peu les pantomimes du cirque si goûtées des Romains. L'accent fut mis sur un grossier naturalisme et il n'y eut plus guère de limite à ce que le public voulait voir dans une représentation plastique. Il n'était plus question de la d. comme l'un des beaux-arts.

Malgré sa dégénérescence, la d. fut admise dans la vie de la communauté chrétienne, tout d'abord parce qu'elle faisait partie du culte judaïque, puis comme une survivance des coutumes religieuses des esclaves et des peuples païens récemment convertis tels que les Germains. Même dans la chrétienté, la d. garda longtemps une signification magique. Les veilles de fête, les membres de la communauté dansaient autour des tombeaux des martyrs et aussi bien à l'intérieur qu'à l'extérieur des églises, non seulement en l'honneur de Dieu mais également pour invoquer leur secours contre les maladies et les démons. Les Pères de l'Église considéraient ces coutumes d'un œil sévère mais ils ne pouvaient condamner le principe même de la d., fondé sur les paroles de l'Écriture, alors que les prêtres eux-mêmes y participaient. En dépit des interdictions réitérées, la d. religieuse se maintint donc — sans le secours du clergé — jusqu'à notre époque, particulièrement en Espagne.

La danse en Occident. Les plus anciens textes émanent d'écrivains ecclésiastiques. Ils rapportent les condamnations prononcées par les conciles, statuts synodaux, textes canoniques, etc., à l'encontre des d. exécutées par le peuple dans les églises, les cimetières et les processions aux veilles des fêtes des différents martyrs et aux vigiles des grandes fêtes de l'année chrétienne. D. mixtes et le plus souvent d. de femmes, elles s'accompagnent de chants dont l'inspiration est tantôt guerrière, tantôt rustique, amoureuse, voire franchement lascive ou obscène. Les documents du haut Moyen Age les donnent explicitement pour un héritage du paganisme. Ils ne renseignent ni sur leurs formes ni sur leur contenu. Avec le développement d'une vie mondaine et l'apparition d'une littérature courtoise, les documents se font plus divers et moins laconiques. Les romans aristocratiques font souvent allusion aux d. pratiquées en milieu seigneurial. Les termes qui les désignent — danse, → carole, bal, → tresque, espringale, → estampie, etc. — sont multiples, et le sens de chacun d'eux est loin encore d'être connu avec certitude. Les passages les plus explicites et les miniatures qui souvent les accompagnent montrent au moins la prépondérance massive de la disposition collective en chaîne, ouverte ou fermée, héritée d'un passé beaucoup plus ancien. De toutes ces d. la → carole est la plus souvent mentionnée. Le mot apparaît dès le début du XIIᵉ s. Il est d'emploi courant au XIIIᵉ et persistera en se raréfiant jusqu'au XVIᵉ. En règle générale, il s'agit d'une d. chantée. Le chant est partagé entre un soliste et le chœur des danseurs, parfois peut-être entre deux solistes. L'organisation du mouvement dans la d. ne peut être que conjecturée. La terminologie, des plus sommaires, paraît indiquer un niveau d'expérience technique encore très modeste. Il est vraisemblable que le genre comprend des espèces différentes, soit au même lieu, soit, plus sûrement, suivant les lieux. Les grands rassemblements occasionnels par les mariages princiers, les tournois, etc., peuvent être l'occasion de confrontations entre pratiques différentes. On sait d'autre part que plusieurs catégories fondamentales de la d. sont communes à tous les milieux sociaux. Tresque, carole et bal sont mentionnés chez les pastoureaux comme chez les seigneurs et les bourgeois. Les clercs et les enfants des maîtrises eux-mêmes participent fréquemment aux divertissements profanes ou dansent la carole dans les églises, en dehors des offices proprement liturgiques, principalement durant les fêtes de Noël et de Pâques. L'aristocratie n'en possède pas moins des formes de la d. « que vilains ne pourraient savoir », mais la divergence des cultures n'est pas telle que des influences des unes aux autres soient inconcevables.

La d. constitue occasionnellement un spectacle (→ entremets des repas princiers aux XIVᵉ et XVᵉ s., fêtes des corporations, etc.). Certains genres y sont particulièrement propres et certains exécutants particulièrement exercés, mais la d.-représentation ne constitue pas encore, et ne constituera pas avant longtemps, un art distinct. Les seuls professionnels véritables sont les jongleurs, dont le savoir-faire paraît tenir plus de l'acrobatie que d'une chorégraphie spécialisée.

Les premières descriptions donnant des précisions techniques et permettant une reconstitution approximative des d. apparaissent au XVᵉ s., à peu près simultanément en Italie, Espagne et France. Les ouvrages français traitent de la seule basse-danse, élément typique mais non unique de la culture chevaleresque à cette date. La → basse-danse est normalement exécutée par un couple ou une suite de couples. Son style est noble et posé. Occasionnellement, des passages plus animés, en pas de brebant ou de → saltarelle, rompent l'uniformité de l'ensemble. Mais la caractéristique la plus remarquable du genre réside dans l'emploi simultané de plusieurs groupements moteurs différents, associés suivant divers modes. Sans être entièrement nouveau (quelques caroles ont pu l'utiliser à un degré élémentaire), le principe de la combinaison des unités motrices se manifeste pour la première fois avec éclat. La basse-danse française use de 5 unités fondamentales (révérence, branle, couple de pas simples, pas double,

démarche ou reprise) dont chacune occupe 4 pulsations musico-motrices. Elle les agence suivant des règles définies, un peu différentes selon que la basse-danse, majeure (commencée par une révérence) ou mineure (commencée par un pas de brebant), ordonne ses pas en « mesures imparfaites, parfaites ou plus-que-parfaites ». Les combinaisons réalisées étant nombreuses et complexes, la nécessité se fait sentir de notations écrites rappelant la formule de pas propre à chaque chanson. Ces notations consistent le plus souvent dans une suite de lettres dont chacune est l'abréviation d'un nom de mouvement (r. pour révérence, b. pour branle, etc.). Deux manuscrits catalans remplacent ou complètent les lettres par quelques signes graphiques très simples. La d. ainsi conçue n'est plus seulement cette pratique commune dont l'habitude sociale pouvait à elle seule assurer la continuité. Le clivage s'accuse entre d. populaire et d. aristocratique. L'élaboration de telles œuvres, aussi bien que leur indispensable enseignement, implique l'intervention de spécialistes dont la personnalité nous échappe.

On est mieux renseigné sur l'Italie du Nord, qui semble avoir, à cette époque, le plus haut niveau d'expérience technique et stylistique et, à ce titre, va bientôt influencer les autres nations. Dans l'entourage des princes toscans et lombards, la technique, enrichie du double point de vue chorégraphique et pantomimique, accède au niveau d'un art savant qui, avec des degrés et des modalités propres à chacune des catégories intéressées, s'impose à la fois à des professionnels et à des gentilshommes. Elle trouve son emploi dans l'intermède de d., d'abord simple diversion entre les actes d'une comédie, plus tard spectacle ayant sa fin en lui-même; dans les mascarades, momeries, triomphes allégoriques et festins de toutes natures; dans la d. de cour enfin, conçue désormais pour l'appréciation d'une assistance au moins autant que pour le plaisir des exécutants. Des maîtres de grande réputation enseignent aux princes et princesses les d. au goût du jour et l'art d'en composer de nouvelles. Plusieurs occupent un haut niveau dans l'échelle sociale. Trois d'entre eux, Domenico de Piacenza et ses deux disciples, Antonio Cornazano (1429-1484) et Giovanni Ambrogio de Pesaro, dit aussi Guglielmo Ebreo, ont laissé des traités manuscrits qui donnent une idée de leur art. Les mouvements et les rythmes de toutes les d. déjà connues, comparés, classés, épurés et perfectionnés, sont devenus les matériaux premiers de compositions renouvelables. Le nombre des exécutants va de 2 à 8 et les dispositions sont variées (couple, file, double ligne, double file, avec ou sans prise de mains). L'exigence de style est portée à un très haut degré. A la légèreté aérienne des « balli » s'oppose la gravité solennelle de la basse-danse, « reine des mesures », dansée sans élévation. A la différence de la française, elle n'impose pas de séquences fixes et s'ouvre assez largement à la composition individuelle. Bientôt se fonde à Milan une école de d. qui fournira des maîtres aux principales cours d'Europe. Au XVIᵉ s., l'influence italienne se fera sentir à la cour de France au double plan du spectacle et de la d. de bal. Quelque chose s'en communiquera indirectement à d'autres milieux sociaux. Inversement d'ailleurs, M.F. Caroso en 1581 traitera des d. « si all'uso d'Italia, come a' quello di Francia e Spagna ».

L'*Orchésographie*, publiée en 1588 par Th. Arbeau, est le premier ouvrage qui vise à donner une vue complète sur le répertoire pratiqué en un temps et un milieu considérés. Répertoire complexe, où l'héritage de la période précédente voisine avec diverses innovations et divers emprunts à d'autres cultures (surtout Italie et Espagne). La basse-danse, dont Th. Arbeau décrit en détail le dernier état, est, à la date où il écrit, « hors d'usage depuis quarante ou cinquante ans ». En revanche, sous l'appellation nouvelle de → branles, les d. en chaîne, issues de la plus ancienne tradition nationale, continuent de manifester une vitalité que les écrits du siècle précédent ne laissaient pas prévoir. Elles répondent au besoin toujours vivace d'expression collective. L'auteur ne leur consacre pas moins d'une cinquantaine de pages. En dehors des branles, le répertoire commun est constitué de d. pour couples (→ pavane, → gaillarde et → tourdion, → courante, → allemande, → volte, → canarie). La plupart des d. associent plusieurs unités motrices. Font exception, avec l'allemande, quelques branles de tradition ancienne dont les autres sont « derivez et emannez comme d'une source ». Ceux-là se caractérisent uniformément par la répétition indéfinie d'un groupement moteur unique dont la nature particulière caractérise chacun d'eux. Au contraire, les « branles coupés », que l'on compose à l'occasion des mascarades et festins, usent diversement de « doubles » et de « simples », « entremeslez... de pieds en l'air, de piedz joinctz et saultz, quelques fois variez par intercalation de mesures diverses pesantes ou légières, selon que bon a semblé aux compositeurs et inventeurs ». De toutes les « danses récréatives » alors connues, c'est la → gaillarde qui exploite le plus méthodiquement le principe de la combinaison. Attestée en Italie dès la fin du XVe s., accueillie d'abord avec réserve par les autres nations, elle a conquis l'Europe dans la 1re moitié du XVIe s. Elle use de positions et mouvements élémentaires multiples (pieds joints, pieds largis, révérence passagère, pieds croisés, marque-pied, marque-talon, grue, entretaille, ruade, posture, cabriole), que le danseur choisit et assemble à sa fantaisie dans le cadre d'un motif de 6 minimes blanches. Quatre de ces mouvements occupent les 4 premières notes, un « saut majeur » et une « posture » de conclusion les deux dernières. Les mouvements, vifs et « gaillards », s'exécutent avec une certaine élévation. La composition se renouvelle au gré de l'exécutant. La gaillarde encourage et nourrit le goût du jour pour la d. « découpée », c.-à-d. pour le monnayage des unités de quelque ampleur en plusieurs autres de durée moindre. Ainsi de la → pavane et de certains branles, dont le double peut être « haché par le menu ». Ainsi surtout de la → gavotte, nouvelle venue promise à un brillant avenir. Dansée en chaîne, elle se présente à cette date comme un branle double très animé, d'où chaque couple se détache à son tour pour danser seul au centre du cercle, en découpant le pas traditionnel par « passages à plaisir tirez des gaillardes ».

Faute de documents explicites, la technique de la d. de spectacle nous demeure mal connue. Il ne semble pas qu'elle ait beaucoup différé de celle du bal quant aux ressources en pas. A la combinaison originale des mêmes unités motrices elle ajoute des mimiques expressives accordées au caractère des personnages. La différence est grande, au contraire, en matière de dispositions d'ensemble et de parcours. Autant les ressources de la figure se montrent modestes dans la d. commune, autant les auteurs de → ballets attachent d'importance à renouveler les dessins matérialisés par la répartition et les trajets des acteurs. Les « meslanges géométriques de plusieurs personnes dansans ensemble » concourent à l'harmonie et à la signification du spectacle au même titre que la d. même, la musique, la poésie et le décor.

Les rapports entre d. de spectacle et d. de bal changent peu avant le dernier tiers du XVIIe s. Les ballets demeurent un divertissement aristocratique, exécuté par de jeunes seigneurs qu'assistent quelques professionnels. La prédominance de l'élément mondain oriente l'évolution de la d. et limite son niveau technique. Les choses commenceront de changer avec l'institution d'une Académie de la d. (1662) et la place donnée à la d. par J.B. Lully et Beauchamp dans le spectacle public. Un art de professionnels — auquel, après 1681, commencent de participer quelques femmes — est en train de naître. Mais entre cette pratique spécialisée et la pratique mondaine, l'écart ne s'accusera que progressivement et des échanges demeureront longtemps possibles. Toute d. nouvelle adoptée par la Cour est accueillie et refaçonnée au théâtre. Inversement, et comme aux époques plus anciennes, des entrées de ballet appréciées sont dansées au bal, quitte à y subir quelques simplifications.

L'évolution du répertoire dans les milieux qui donnent le ton fait apparaître quelques traits généraux importants. D'abord, un lent recul de l'expression collective. Les branles cessent bientôt d'être matière à créations nouvelles. Sans doute continueront-ils longtemps encore de se danser à l'ouverture du bal. François de Lauze en 1623, le père Mersenne en 1636 en font connaître une même suite : branle simple, branle gai, branle de Poitou (à mener), branle double de Poitou, branle de Montirandé, gavotte. Mais des 4e et 5e, de Lauze assure déjà qu' « outre qu'on ne les met que rarement en usage, on s'amuse bien plus à s'entretenir qu'à les danser sérieusement ». Les deux compositions (6 ou 4 termes) sont encore attestées vers 1665. Mais à l'apogée du règne de Louis XIV, au moins dans « le grand bal » du roi, l'ouverture ne consiste plus qu'un branle et une gavotte, et ils sont dansés en cortège. La disposition en couple ouvert est désormais la norme pour la majorité des danses. L'expression n'en demeure pas moins sociale. Les couples se produisent un à un, chacun à son tour concentrant sur lui l'attention de tous. A la Cour et dans les milieux qui s'en inspirent directement, l'ordre de leur succession reflète la hiérarchie des rangs. Deux de ces d. prennent successivement la première place. D'abord la → courante. A la date où écrit le père Mersenne, elle est devenue « la plus fréquente de toutes les d. pratiquées en France » et la plus propre à former un écolier. Jusque dans la 2de partie du siècle, elle gardera son prestige et sa place d'honneur après les branles. Elle se mue alors insensiblement en une d. grave qui, plus que toute autre, « inspire un air de noblesse » (P. Rameau). Concurrencée puis évincée par le → menuet, elle gardera quelque temps une place dans l'enseignement en raison de la valeur formative qu'on lui attribue. Pavanes, passemèzes (voir l'art. PASSAMEZZO), gaillardes, voltes, canaries continuent d'avoir cours, non pourtant sans renouveler leur contenu à plusieurs reprises. Aux premières années du siècle, le répertoire s'est accru de la → sarabande, reçue d'Espagne, et des → passepieds bretons. C'est également à cette date qu'il est pour la première fois question de → bourrée (sans précision d'origine). La mention « vieille bourrée » conduit à reporter à la fin du XVIe s. la probable apparition de cette d. à la Cour. Plus tard s'ajoutent la → chaconne, la → gigue, le → rigaudon, les folies d'Espagne (voir l'art. FOLÍA).

Branles exceptés, les d. se caractérisent de moins en moins par un déroulement moteur stable et défini. De Lauze, donnant un exemple de « courante réglée », avertit que les danseurs pourront en composer « tout autant d'autres qu'il leur plaira pourvu qu'ils n'ignorent la valeur des temps et autres pas et mouvements dont on les enrichit ». Le nombre des unités brèves, déjà appréciable à son époque (pas glissés, coulés, coupés, entrecoupés, chassé coulant, chassé hors terre, retirades simples et croisées, etc.), ne cesse de croître par isolement de mouvements élémentaires à partir des grandes unités anciennes (pas détachés des branles, courantes, gaillardes, gavottes, etc.) et diversification à partir de ces structures simples. Un soin toujours plus attentif est apporté à la définition précise des appuis, à la dignité de l'attitude, au dessin épuré du geste. Beauchamp met au point 5 positions fondamentales par lesquelles tout mouvement devra désormais commencer et finir, « juste proportion que l'on a trouvé d'éloigner ou d'approcher les pieds dans une distance mesurée, où le corps soit dans son équilibre ou à plomb sans se trouver gêné, soit que l'on marche, soit que l'on danse, ou lorsque l'on est arrêté » (P. Rameau). Enfin les d. de bal s'enrichissent de figures dont l'inspiration, plus décorative encore que dramatique, s'apparente à celle qui règne dans les ballets. La *Chorégraphie ou l'Art de décrire la danse* publiée par R.A. Feuillet (1700), *Le Maître à danser* et l'*Abrégé de la nouvelle méthode* de P. Rameau (1725) font connaître l'état de la d. parvenue au terme de cette longue évolution. Instrument raffiné d'éducation aristocratique en même temps qu'élément fondamental du cérémonial de Cour, soumise à de « justes règles » elles-mêmes expression supérieure du bon goût, cette d. réalise aux yeux des contemporains « la perfection de l'art ». Perfection toute relative, accordée aux besoins d'un temps et d'un milieu, que de nouvelles conditions de vie sociale ne vont pas tarder à remettre en cause.

Une transformation sans précédent des habitudes et du goût se prépare en effet, dont une nouvelle venue, la → contredanse, va être l'occasion et le moteur. A la date où les Français l'adoptent, la « country dance » est depuis longtemps, à la Cour d'Angleterre, la d. récréative et sociale par excellence. Son inspiration diffère profondément de celle de la d. grave à la française. Insoucieuse des nobles attitudes et de la hiérarchie des rangs, elle est un divertissement collectif, commun à tous les états de la société. Son dispositif le plus ordinaire est un double front d'hommes et de femmes. Les pas, laissés au bon plaisir des exécutants, y sont secondaires. La d. est faite de déplacements continuels et de rencontres multiples entre les participants. Leurs actions élémentaires, définies une fois pour toutes, se lient entre elles suivant des agencements convenus dont chacun caractérise une contredanse particulière. Importée de Londres, la « country dance » fait son apparition à la Cour de France entre 1684 et 1690. Elle est accueillie avec quelque réserve par les adeptes de « la belle danse », qui la jugent « badine, folâtre » et « peu convenable aux personnes de qualité ». Elle est très en faveur, au contraire, avant la fin du règne, chez les jeunes seigneurs en quête d'un style nouveau de la vie de Cour. Sous la Régence, l'audience de la contredanse s'élargit en même temps que son répertoire s'accroît. A côté de la contredanse anglaise « en colonne », dont la vogue se poursuit, est apparue une « contredanse française » (on dit aussi, peut-être dans un sens plus restreint, → cotillon), contredanse pour 4 ou 8, commencée en ronde, où l'héritage des branles figurés s'enrichit de l'expérience acquise au contact de la « country dance ». C'est à cette forme jeune que va le succès. La ville désormais donne le ton, et le goût du jour est au plaisir sans contrainte. Laissant aux danseurs de métier le soin de développer une technique de pas difficiles et brillants, les gens du monde, bientôt suivis par d'autres milieux sociaux, se passionnent pour la contredanse. Créations de maîtres ou compositions d'amateurs, les œuvres légères et enjouées se multiplient. La mobilité, la vivacité des parcours, la combinaison de figures élémentaires stéréotypées sont devenues la règle. L'exemple ainsi donné par la contredanse influence l'évolution de tout le répertoire, menuet compris.

Les « belles danses » reçues de la génération précédente gardent leur prestige dans la 1re moitié du siècle, sinon comme d. de bal du moins comme modèles pour la formation du danseur. Le → menuet, danse noble par excellence, conserve la faveur du public (on danse quelques menuets à deux, au début du bal, avant de passer aux « menuets figurés » à quatre et aux contredanses). Pourtant les « belles danses » vont s'amenuisant et, finalement, le menuet, qui la remplace dans leur fonction pédagogique comme dans leur rôle cérémoniel, demeure le seul témoin de l'esthétique ancienne. Lui-même passera de mode dans les années qui précèdent la Révolution. Quant à la contredanse, non seulement elle demeure en vogue mais elle ne cesse de gagner du terrain en direction des milieux populaires, principalement citadins. La contredanse de théâtre, en fournissant des modèles à la pratique commune, joue un grand rôle dans cette évolution. Les notations écrites qui foisonnent après 1760, diffusées sur feuilles à 4 sols par une douzaine d'éditeurs, contribuent efficacement à la généralisation de l'expérience. La d. collective a retrouvé la première place dans la vie française, mais sous une forme inédite, mieux adaptée que les anciens branles aux conditions nouvelles de la vie sociale et aux aspirations des contemporains. A une d. de communion et d'assimilation la contredanse a substitué une d. de relations multiples concertées suivant un plan d'ensemble. Le goût s'en communiquera à l'ensemble de la population.

Les années qui suivent la Révolution ouvrent un nouveau et court chapitre dans l'histoire des rapports entre d. de théâtre et d. de salon. La société composite du Directoire, du Consulat et de l'Empire cultive la d. avec une véritable passion. Les ballets sont devenus le ressort principal de la plupart des spectacles (voir l'art. DANSE CLASSIQUE). La d. commune s'approprie la technique de la d. théâtrale et tourne elle-même au spectacle mondain. Des genres nouveaux (béarnaise, sauteuse, → « fandango », → « bolero », cosaque, viennoise, → « Monferrina ») connaissent une vogue passagère. Les deux genres majeurs sont la gavotte et la contredanse. La gavotte, refaite au goût du jour, est réservée à quelques virtuoses. La contredanse s'exécute « en colonne » (anglaise) ou à 8, sur plan carré. Le niveau moyen d'expérience s'est incroyablement élevé. L'intérêt ne va plus à la figure mais aux pas. Le pot-pourri, qui naguère assemblait 9 contredanses, tend à les réduire à 5 ou 6. Les contredanses ainsi liées consistent de plus en plus en un enchaînement stéréotypé de figures élémentaires fixées une fois pour toutes, cadre universel propre à mettre en valeur des suites de pas très élaborées. Ainsi naît le → quadrille, où les beaux danseurs font admirer leur adresse. Une réaction contre les excès de la « dansomanie » s'affirme avec la Restauration. Dépouillant toute ambition artistique, la d. de société s'applique alors à n'être plus qu'un divertissement sans prétention. Ses ressources en pas s'appauvrissent. Le quadrille fait encore le fonds du bal avec quelques → valses et une ou deux anglaises ou écossaises, mais, vidé de sa substance, figé dans une forme dont on ne voit plus la raison d'être, il éveille de moins en moins d'intérêt. Vers 1840 le niveau du savoir technique est au plus bas. La d. de société s'est coupée de sa tradition propre et a définitivement renoncé aux échanges qu'elle entretenait avec la d. de spectacle. De la riche expérience amassée par les époques antérieures tant en matière de pas qu'en matière de figure, bien peu subsiste en dehors des milieux professionnels. — Voir l'art. CHORÉGRAPHE, CHORÉGRAPHIE.

La 2de moitié du siècle réalise un nouvel et dernier équilibre entre la d. de couple et la d. de groupe. Vers 1845 le succès foudroyant de la → polka inaugure le règne durable des d. tournantes pour couple fermé. La valse se généralise. La → mazurka, la « redowa », la → « scottish », d'autres encore suivront. Quant à la d. d'ensemble, en dehors de quelques quadrilles nouveaux, elle est surtout représentée par un genre inédit, improprement appelé → cotillon. Celui-ci regroupe un nombre quelconque de couples et termine le bal. Il tient du jeu de société plus encore que de la danse. Sa forme est très libre; ses pas sont ceux de la valse ou de la mazurka; ses figures sont laissées à l'initiative d'un meneur qui en dirige l'exécution et au besoin les enseigne sur-le-champ. Les ressources de ce qu'on nomme maintenant figures sont composites : vestiges de l'ancienne contredanse, trajets en farandole, rondes tressées, rondes à arceaux, petites actions dramatiques amusantes, épreuves d'adresse, jeux de compétition ou de hasard, etc. Les jeux avec accessoires y tiennent une place qui ne cessera de croître jusqu'à la disparition du genre au début du XXe s. Au lendemain de la 1re Guerre mondiale, la d. de salon ne connaîtra plus d'autre forme que le couple fermé.

Les danses populaires traditionnelles. Le moyen manque d'apprécier quelle influence les transformations successives de la d. aristocratique et bourgeoise ont exercée sur la d. des milieux populaires et particulièrement ruraux. Vers la fin du XIXe s., où l'information devient moins indigente, beaucoup de sociétés paysannes font une place de choix aux d. collectives en chaîne issues de la plus ancienne tradition nationale. Cela le plus souvent sous la forme

de la d. à structure répétitive dont les branles les plus archaïques notés par Th. Arbeau donnaient déjà des exemples (dañs-tro et laridés bretons, branles berrichons, rondeaux gascons, branles ossalois, etc.), exceptionnellement sous la forme du branle coupé (contre-pas roussillonnais, sauts basco-béarnais, rondes à deux pas combinés de certaines provinces de l'Ouest). Plusieurs de ces d. ont d'ailleurs été refaçonnées par une évolution « in situ » et constituent des espèces modernes d'un genre ancien plutôt qu'une simple survivance. D'autre part, une transformation des milieux ruraux, amorcée dès le dernier tiers du XVIIIe s., les a rendus progressivement plus perméables à la pénétration des modèles élaborés dans les classes dirigeantes. La contredanse s'est imposée à plusieurs d'entre eux, à des dates et sous des formes qui ne sont pas les mêmes pour tous. Les d. pour couple fermé ont reçu un accueil plus large encore. Il n'est pas jusqu'à la technique de ballet qui, par le truchement des maîtres à danser régimentaires et des sociétés d'amateurs, n'ait réussi à s'implanter en quelques provinces du Midi (Languedoc, Provence, Béarn, Pays basque), où les habitudes sociales lui préparaient un terrain favorable. Le devenir de ces emprunts a été très inégal. Aussi longtemps que la tradition paysanne a conservé une vigueur suffisante, le matériau emprunté est entré en composition avec le fonds plus ancien qu'il remettait en cause. De leur interaction sont résultées des réélaborations, différentes d'un pays à l'autre et qui, cumulant les valeurs complémentaires de la figure et du pas, ont enrichi nos folklores de d. de types inédits. Ainsi en a-t-il été au moins de la contredanse, dont l'apport a été déterminant pour la genèse de d. originales comme les bals, dérobées et jabadaos bretons, avant-deux de Haute-Bretagne et Vendée, bourrées du Centre, tornijaires, crousades, « branles carrés » bressans et jurassiens, quadrilles de divers terroirs. Une nouvelle géographie de la d. est apparue, dont les éléments sont empruntés à diverses époques sans que le résultat final en perpétue aucune. Ces genèses tardives comptent parmi les toutes dernières qu'on puisse encore mettre au crédit d'un processus folklorique. Les conditions nouvelles faites à la vie culturelle en milieu rural inclinent désormais à l'imitation pure et simple plus qu'aux lentes re-créations. Les modèles parisiens s'imposent à la société tout entière.

Les danses à la mode. Ces modèles, éphémères, se succèdent et se remplacent avec une rapidité sans précédent. La mode a effacé la tradition. A la valse, qui seule subsiste des anciens répertoires, s'ajoutent tour à tour des rythmes et des pas d'inspiration nouvelle, pour la plupart importés d'Amérique et ramenés par le plus grand nombre à un niveau technique des plus sommaires. Après quelques décennies, la d. pour couple fermé à son tour cédera du terrain devant la gesticulation individuelle de danseurs disjoints et juxtaposés (« twist », « jerk »). Simultanément et paradoxalement se fait jour un besoin confus de retrouver des formes communautaires d'expression. Il se manifeste dans la d. de bal elle-même par une recherche — généralement sans lendemain — de dispositions d'ensemble (« madison », « slop », « letkiss », « mexica »). Il se marque encore plus dans l'intérêt porté par une partie croissante de la jeunesse aux anciennes d. traditionnelles ou à leurs dérivés. La reviviscence de la → sardane, le succès des → « kolos » d'Europe centrale, des d. dites israéliennes et des « fest-noz » bretons nouvelle manière en sont, indépendamment de leurs connotations idéologiques, autant de signes évidents. Toutes tentatives qui, si elles traduisent une aspiration typique de notre société, se heurtent à l'absence de milieu cohérent, homogène et durable, capable de nourrir une évolution continue sur une durée suffisamment prolongée.

Bibliographie (voir également les art. BALLET et CHORÉGRAPHE, CHORÉGRAPHIE) — 1. Ouvr. généraux : GUGLIELMO EBREO, De pratica seu arte tripudii vulgare opusculum (1463, Ms. Paris, BN, fonds ital. 973); Trattato dell arte del ballo, éd. par F. ZAMBRINI, Bologne 1873; A. CORNAZANO, Il libro dell arte del danzare, éd. par C. Mazzi, in Bibliofilia XVII, 1915-16; M. TOULOUZE, L'Art et instruction de bien dancer, Paris v. 1495, rééd. par V. Scholderer, Londres 1936; M.F. CAROSO, Il Ballarino, Venise 1581; du même, Nobiltà di Dame, Venise 1600, 2/1605, rééd. moderne par O. Chilesotti, in Bibl. di rarità musicali, Milan 1883; TH. ARBEAU, Orchésographie, Langres 1589, rééd. en facs. par L. Fonta, Paris 1888, rééd. en facs. Genève, Minkoff, 1972; FR. DE LAUZE, Apologie de la d., Londres 1623; R.A. FEUILLET, Chorégraphie ou l'Art de décrire la d., Paris 1700, plus. éd. et trad.; G. TAUBERT, Rechtschaffener Tantzmeister..., Leipzig 1717; J. BONNET, Hist. générale de la d. sacrée et profane, Paris 1724; P. RAMEAU, Le maître à danser, Paris 1725; du même, Abrégé de la nouvelle méthode dans l'art d'écrire ou de tracer toutes sortes de la d., Paris 1725; G. DUFORT, Trattato del ballo nobile, Naples 1728; L. DE CAHUSAC, La d. ancienne et moderne, Paris 1754; CH. PAULI, Élémens de la d., Leipzig 1756; J.G. NOVERRE, Lettres sur la d. et sur les ballets, Paris 1760, rééd. par A. Levinson, Paris 1927; CH. COMPAN, Dict. de la d., Paris 1787; E. VOIART, Essai sur la d. antique et moderne, Paris 1823; C. BLASIS, Code complet de la d., Paris 1830; ALBERT, L'art de danser à la ville et à la Cour, Paris 1834; CELLARIUS, La d. des salons, Paris 2/1849; A CZERWINSKI, Gesch. der Tanzkunst, Leipzig 1862; GAWLIKOWSKI, Guide complet de la d., Paris 1874; G. DESRAT, Dict. de la d., Paris 1895; C.J. SHARP et A.P. OPPÉ, The Dance : An Historical Survey, Londres et New York 1924; M. VON BÖHM, Der Tanz, Berlin 1925; E. SHARP, Story of the Dance, New York 1928; C.W. BEAUMONT, Bibliogr. of Dancing, Londres 1929; C. SACHS, Eine Weltgesch. des Tanzes, Berlin 1933, trad. fr. Hist. de la d., Paris 1938; P. MAGRIEL, A Bibliogr. of Dance, New York 1936, supplt 1940; P. NETTL, The Story of Dance Music, New York 1947, trad. fr. Hist. de la d. et la mus. de ballet..., Paris, Payot, 1966; A. CHUJOY, The Dance Encycl., New York 1949; M. WOOD, Historical Dances, Londres 1952; du même, More Historical Dances, Londres 1956; S. BON, Les grands courants de la d. Leur hist. aux XVIIe et XVIIIe s., Paris, Richard-Masse, 1954; K.H. TAUBERT, Höfische Tänze, Mayence, Schott, 1968. — 2. Études particulières : FR.M. BÖHME, Gesch. des Tanzes in Deutschland, 2 vol., Leipzig 1886, rééd. en facs. Hildesheim, Olms, 1967; E. RODOCANACHI, La d. en Italie du XVe au XVIIe s., in Revue d'Études historiques 1905; H. GOUGAUD, La d. dans les églises, in Revue d'Hist. ecclésiastique XV, 1914; FR. WEEGE, Der Tanz in der Antike, Halle 1926; O. KINKELDEY, A Jewish Dancing Master of the Renaissance, Guglielmo Ebreo, in Studies in Jewish Bibliogr...., New York 1929; M. SAHLIN, Étude sur la carole médiévale, Upsal 1940; W. BAHR, Zur Entwicklungsgesch. des höfischen Gesellschaftstanzes, Breslau 1941; O. GOMBOSI, About Dance and Dance Music in the Late Middle Ages, in MQ XXVII, 1941; A. MICHEL, The Earliest Dance Manuals, in Medievalia et Humanistica III, 1945; Y. ROKSETH, D. cléricales du XIIIe s., in Mélanges 1945 III, Publ. de la Fac. des Lettres de l'Univ. de Strasbourg 1947; M. DOLMETSCH, Dances of England and France from 1450 to 1600, Londres, Routledge & Kegan Paul, 1949, 2/1959; de la même, Dances of Spain and Italy from 1400 to 1600, Londres, Routledge & Kegan Paul, 1954; D. HEARTZ, Sources and Forms of the French Instrumental Dance in the 16th Cent. (diss Harvard Univ. 1957); P. NETTL, The Dance in Classical Music, New York, Philosophical Libr., et Londres, Owen, 1963; FR. CRANE, Materials for the Study of the 15th Cent. Basse-dance, Brooklyn, Inst. of Medieval Music, 1968; J.M. GUILCHER, La contredanse et les renouvellements de la d. française, Paris, Mouton, 1969. — 3. La danse traditionnelle en France : J.B. BOUILLET, Album auvergnat, Moulins 1848; R. BLANCHARD, Le Ba'cubert, Paris 1914; L. DASSANCE, Les sauts basques et les vieilles d. labourdines, in Bull. du Musée basque IV, 1927; CONSTANTIN, Les d. spéciales au pays de Soule, ibid.; S. HARRUGUET, La d. en Basse-Navarre, ibid.; ANONYME, Recueil de chants et de d. populaires, éd. par l'Escolo, Paris 1929; F. DELZANGLES, D. et chansons de la d. d'Auvergne, Aurillac 1930; R. BLANCHARD, Les d. du Limousin, Paris 1943; H. PEPRATX-SAISSET, La sardane, Perpignan 1956; J. BAUMEL, Les d. populaires... et les ballets du Languedoc méditerranéen, Paris, Grande Revue, 1958; J.M. GUILCHER, La tradition pop. de d. en basse Bretagne, Paris, Mouton, 1963; du même, Les formes anciennes de la d. en Berry, in Arts et Traditions pop. XIII, 1965; du même, Les derniers branles de Béarn et Bigorre, ibid. XVI, 1968; du même, Les formes basques de la d. en chaîne, ibid. XVII, 1969; du même, Aspects et problèmes de la d. populaire traditionnelle, in Ethnologie fr. I, 1971; H. GUILCHER, La d. traditionnelle à St-Nicolas-de-Véroce, in Arts et Traditions pop. XII, 1964; de la même et J.M. GUILCHER, L'enseignement militaire de la d. et les traditions pop., ibid. XVIII, 1970; ANONYME, D. et costumes du Rouergue, Rodez [v. 1965]; FR. LANCELOT, Les soc. de farandole en Provence et Languedoc (diss. Paris, École pratique des Htes Études 1973).

J.M. GUILCHER

DANSE CLASSIQUE. Il est difficile de fixer avec précision la date de naissance de la d. classique. D'après les documents qui nous sont parvenus, elle aurait fait son apparition au XVe s. Le premier grand spectacle chorégraphique date de 1581, *Circé et ses nymphes*, « ballet comique de la Reyne », commandé par Catherine de Médicis afin de distraire son fils, le lymphatique Henri III. La technique de la d. cl. se fonde sur 5 positions des pieds, tournés la pointe en dehors. Tous les pas partent d'une de ces positions, passent par elle ou y aboutissent. On prétend souvent que les positions classiques « en dehors » sont fausses, artificielles, inventées et contre nature. Or quatre au moins d'entre elles existent naturellement dans certaines danses populaires : la 1re, la 3e et la 4e sont courantes dans les danses de l'Inde et du Cambodge (il suffit de « fermer » la 4e pour aboutir à la 5e), la 2e pourrait dériver des « marteaux » de la danse populaire masculine russe. A ces 5 positions immuables des pieds correspondent 5 positions des bras, dont la nomenclature varie légèrement selon les écoles. La disposition des pieds « en dehors » rend difficiles les déplacements, surtout de front, c'est pourquoi l'on fait intervenir plusieurs enchaînements classiques dont les principaux sont le pas de bourrée, le pas couru, le flic-flac, la glissade, le passé, les temps relevés, etc.

On peut distinguer deux éléments primordiaux dans le vocabulaire classique : l'adage et l'allegro, déterminés par le mouvement de la musique qui les accompagne. L' a d a g e , c'est le grand pas de deux lyrique qui fait valoir toute la pure plastique de la danse, où le corps « chante », où la danseuse, soutenue par son partenaire, développe des mouvements amples, lents et gracieux. Ses trois grands fondements sont l'attitude, l'arabesque et le développés. Soit une danseuse placée en attitude en arrière : elle tend la jambe, et sa pose devient une arabesque; elle la passe lentement de côté : c'est un développé à la seconde (position); continuant le mouvement, elle la place en avant, parallèlement au sol : c'est un développé à la quatrième; si le genou se replie, c'est une attitude en avant. L' a l l e g r o est, en fait, une démonstration de haute virtuosité : pas sur les pointes, tours et fouettés pour la danseuse, sauts et pirouettes pour le danseur.

Les p o i n t e s, qui n'ont fait leur apparition que vers 1826 (grâce à M. Taglioni), peuvent être piquées ou relevées, selon que la danseuse se pose sur une pointe ou bien s'y hausse, les pieds étant à plat au départ. Le genou doit être tendu, le pied bien cambré, l'équilibre parfait. Le principe des fouettés est le suivant : d'aplomb sur une pointe, la danseuse tourne rapidement sur elle-même en se donnant un nouvel élan à chaque rotation par un mouvement de l'autre jambe qui devient comme le fouet d'une toupie.

Record enregistré sur scène : 32 fouettés (à l'entraînement, 64). — Les s a u t s se décomposent en 4 catégories fondamentales. 1º La détente est fournie par une seule jambe et le danseur retombe sur l'autre : c'est un jeté, l'une des jambes étant projetée; on l'exécute en avant, en arrière, de côté, en diagonale ou en tournant. 2º La détente est fournie par une seule jambe; on retombe sur l'autre, que la première rejoint : c'est un assemblé, qui se pratique également sous tous les angles. 3º La détente est fournie par les deux jambes mais le danseur retombe sur un pied seulement : c'est une sissone, ouverte quand l'une des jambes reste levée, et fermée quand les deux jambes se rejoignent. 4º Détente et atterrissage font travailler les deux jambes en même temps : c'est un soubresaut, comme le saut de l'ange, le saut carpé et même les entrechats. Le principe de ces derniers est le suivant : le danseur s'élève verticalement et « frotte » ses jambes l'une contre l'autre, ou bien les « bat », mollet contre mollet, en changeant de pied. L'entrechat le plus usuel, celui qu'on voit communément dans les ballets, c'est l'entrechat-six, qui comporte deux changements de pieds en l'air.

A ces quatre prototypes il convient d'ajouter la cabriole (ital. « capriola », = ruade de chèvre; au Moyen Age, il existait des « ruz de vache » !), qui consiste à frapper l'une contre l'autre, en sautant, les deux jambes bien tendues au genou. Elle se pratique dans toutes les directions, peut être simple, double et même triple (3 battements en l'air). D'ailleurs tous les prototypes peuvent se compliquer d'entrechats; ils deviennent « battus » (jeté battu, assemblé battu, sissone battue, etc.). Les danseurs peuvent tourner sur eux-mêmes au sol : ce sont des pirouettes; ou bien au cours d'un saut vertical, et ce sont les tours en l'air (d'origine acrobatique et très récente, v. 1880 seulement). Deux tours en l'air produisent un bel effet mais certains spécialistes en réussissent trois. Danseuses et danseurs passent l'entrechat et pirouettent (la danseuse généralement sur une pointe) aussi bien sur place qu'en enchaînant, en piquant des pirouettes en diagonale ou tout autour de la scène, ce qui s'appelle un manège de tours piqués. Cependant les danseuses n'exécutent pas de tours en l'air, tandis qu'en principe les danseurs ne font pas de pointes. — Voir également les art. BALLET (Musique de b.), CHORÉGRAPHE, CHORÉGRAPHIE et DANSE.

Bibliographie — M. BOURGAT, Technique de la d., Paris, PUF, 1946; S. LIFAR, Traité de d. académique, Paris, Bordas, 1951; M.R. HOFMANN, Naissance d'un ballet, Paris, Éd. JMF, 1954.

M.R. HOFMANN

DANZÓN, danse cubaine devenue très populaire vers la fin du XIXᵉ s. La musique n'était pas d'origine populaire mais composée par des auteurs tels que Miguel Failde, Raimundo Velenzuela et Antonio María Romeu. Toutefois les « comparsas » (groupes carnavalesques de musiciens et de danseurs noirs) ne dédaignaient pas le d. et lui ont assuré son succès. La musique était ordinairement jouée par un ensemble instrumental avec participation d'une flûte ou d'une clarinette exécutant des passages d'agilité en forme de variations sur un rythme binaire et très syncopé.

DARBUKKA ou DERBAKKE, instr. à percussion répandu dans les pays arabes, dont l'aspect varie considérablement d'un type à l'autre. Il se présente sous la forme d'une cruche de terre glaise sans fond, recouverte d'une membrane en peau sur laquelle on agit par un jeu subtil de la paume et des dix doigts. C'est à la fois un instr. de musique populaire et un instr. de musique savante. Sa popularité est telle qu'on en trouve dans chaque famille, où la moindre occasion est prétexte aux accents sourds de l'instrument. Lorsqu'on l'intègre à l'orchestre arabe traditionnel dit → « takht », la d. est appelée « tablé ». Cet instrument s'est substitué depuis près d'un siècle aux → « naqqarât ».

DARMSTADT.

Bibliographie — G.S. THOMAS, Die grossherzogliche Hofkapelle unter Ludwig I., Darmstadt 2/1859; E. PASQUÉ, Musikalische Statistik des Grossherzoglichen Hoftheaters zu D., Darmstadt 1868; W. NAGEL, Zur Gesch. der Musik am Hofe von D., in MfM XXXII, 1900; W. KLEEFELD, Landgraf Ernst Ludwig von Hessen-D. u. die Deutsche Oper, Berlin 1904; W. NAGEL, Das Leben Chr. Graupners, in SIMG X, 1908-09; H. KNISPEL, Das Grossherzogliche Hoftheater zu D. 1810-1910, Darmstadt 1910; FR. NOACK, J.S. Bachs u. Chr. Graupners Kompositionen zur Bewerbung um das Thomaskantorat..., in Bach-Jb. X, 1913; du même, Chr. Graupners Kirchenmusiken (diss. Leipzig 1916); du même, Die Tabulaturen der Hessischen Landesbibl. zu D., in Kgr.-Ber. Basel 1924; du même, Hofkonzerte zu D. 1780-1790, in Mf VII, 1954; A. MÜLLER, Aus D.s Vergangenheit, Darmstadt 1930; F. SCHMIDT, 100 Jahre Darmstädter Musikverein, Darmstadt 1932; K. STEINHÄUSER, Die Musik an den Hessen-Darmstädtischen Lateinschulen im 16. u. 17. Jh., Düsseldorf 1936; H. KAISER, Das Barocktheater in D., Darmstadt, Roether, 1951; du même, Vom Zeittheater zur Sellner-Bühne, Darmstadt, Roether, 1961; Fs. zur Orgelweihe in der Stadtkirche zu D., Langen 1961; du même, Das Grossherzogliche Hoftheater zu D. 1810-1910, Darmstadt, Roether, 1964; E. NOACK, Musikgesch. D.s vom Mittelalter bis zur Goethezeit, Mayence, Schott, 1967; du même, Der Bühnenmeister C. Brandt u. R. Wagner, Darmstadt, Roether, 1968.

DASTGAH, voir IRAN.

DÉCACORDE (guitare décacorde), guitare à 6 cordes dotée de 4 cordes graves supplémentaires, inventée vers 1785 par le luthier versaillais Caron. Le corps est de forme ovale. Toutes les cordes passent sur une large gorge entaillée et les cordes graves ont leur propre chevillier situé au-dessus de l'autre. On trouve des exemplaires de d. au Musée instrumental du Cons. de Paris; sur certains, les cordes graves peuvent être haussées d'un demi-ton au moyen d'un levier métallique destiné au pouce. Le Parisien René Lacôte donna le même nom en 1826 à un instrument similaire de sa conception.

DÉCHANT, voir DISCANTUS.

DÉCHIFFRAGE, exécution à première vue d'une œuvre musicale.

DÉCIBEL. La sensation auditive, comme nos autres sensations d'ailleurs, n'est pas linéaire. En faisant jouer ensemble deux violons, le son n'est pas deux fois plus fort ; en faisant jouer ensemble 10 flûtes, le son n'est pas 10 fois plus fort. Gustav Theodor Fechner a étudié ces problèmes et a défini une loi célèbre : la sensation varie comme le logarithme de l'excitation. Pour savoir ce qu'on gagne en multipliant les sources sonores, il suffit alors de se rappeler que le logarithme de 10 est 1 ; le logarithme de 100 = 2 ; le logarithme de 1 000 = 3, etc., les valeurs intermédiaires étant données par des tables de logarithmes ou une règle à calcul. Cela signifie que si nous faisons jouer 10 violons ensemble nous avons un gain de 1 ; avec 100 violons un gain de deux ; avec 1 000 un gain de trois. Conventionnellement on a donné le nom de bels aux gains chiffrés ainsi. Avec 10 violons on gagne un bel ou 10 décibels (dB) ; avec 100 violons on gagne 2 bels ou 20 dB, etc. On a défini ainsi une unité de gain d'intensité, le décibel, qui permet de comparer l'intensité entre deux sons (ou de dire ce que l'on gagne ou perd en passant de l'une à l'autre). Le dB n'est qu'une unité relative, mais il suffit de choisir une base de départ absolue (seuil de pression pour percevoir un son de 1 000 Hz, soit env. 2. 10^{-4} baryes) et l'on se trouve en possession d'une unité de mesure physique absolue de l'intensité d'un son. Un appareillage électro-acoustique approprié, le décibelmètre, permettra de mesurer l'intensité d'un son en une unité physique précise et bien définie. Voici quelques ordres de grandeur : bruit de fond dans un village tranquille, de 30 à 40 dB ; dans un appartement très silencieux en ville, quelque 50 dB ; rue parisienne avec voitures, du haut d'une fenêtre ouverte au 5e étage, de 70 à 90 dB ; motocyclette, 100 dB ; piano à 1 m, 100 dB ; tutti d'orch., 110 dB, etc. Notons en passant qu'on distingue tout juste une augmentation de niveau de 3 dB. Le dB est une unité pratique mais qui ne tient malheureusement pas compte de la structure spectrale des phénomènes sonores, ni surtout de l'évolution temporelle de la structure physique des sons ; aussi a-t-on eu beaucoup de mal à raccorder les mesures faites au décibelmètre et la réalité auditive. En musique, L. Stokowski a tenté autrefois de normaliser les niveaux de l'orchestre en dB (ppp = 20 dB ; mf = 65 dB ; fff = 95 dB, etc.), mais, pour les raisons précitées, ces « normes » n'ont jamais été adoptées.

Bibliographie — P. LIÉNARD, D. et indices de bruit, Paris, Masson, 1974.

DÉCLAMATION, art de déclamer, ce qui est dire un texte à haute voix, devant un public. « Le ton, dit J.Fr. Marmontel, doit être plus haut, le langage plus soutenu, la prononciation plus marquée que dans la société, où l'on se communique de plus près, mais toujours dans les proportions de la perspective, c.-à-d. de manière que l'expression de la voix soit réduite au degré de la nature lorsqu'elle parvient à l'oreille du spectateur. » Le danger est de tomber dans l'emphase, d'où le sens péjoratif de déclamateur et déclamatoire, qu'il faut éviter de reporter sur le verbe ou sur le nom, sans quoi l'on confondrait la mauvaise d., au « ton démoniaque » (Molière), avec la bonne, la naturelle, celle du ton juste. Pour Louis Jouvet, « la d. est l'art d'articuler parfaitement, de prononcer clairement et de dire juste », définition bonne pour le musicien autant que pour l'acteur. Si l'on observe que le ton, pour l'acteur, s'analyse nécessairement en hauteur, intensité, durée (rythme) et timbre, c.-à-d. qu'il constitue proprement la partie musicale du langage, on n'aura pas besoin de l'exemple singulier de Caïus Gracchus, orateur véhément qui confiait à un flûtiste le soin de le ramener à un ton plus modéré, pour comprendre que la d. parlée relève de la musique. Inversement, elle tient dans le jeu musical une place considérable puisque, instrumental ou vocal, celui-ci se présente toujours comme un langage en acte.

1. Le parlé dans l'art musical (point de vue historique). Il semble que la naissance de la musique même soit cette → psalmodie ou → cantillation qui consiste à dire un texte sur une seule note, et qu'on pratique dans le chant liturgique (→ « recto tono »). Il s'agit là d'une lecture solennelle, où les sommaires mouvements mélodiques du début et de la fin des phrases sont sans rapport avec le sens du texte. Il faut attendre des formes plus élaborées pour que la ligne du chant s'accorde au sens des paroles. Mais longtemps encore, c'est la d. du texte qui donnera son rythme à la mélodie : il en va ainsi dans le chant grégorien comme dans celui des troubadours et trouvères, comme dans la mus. grecque antique ou, au XVIe s., « mesurée à l'antique ». Et c'est encore le cas du → récitatif de l'opéra vénitien, puis de l'opéra français ; dans ce dernier, pour mieux épouser le rythme du vers ou des mots, la mesure, dès J.B. Lully, change constamment. L'opéra français, à la différence de l'italien et surtout du napolitain, cherche son unité dans la parenté du récitatif, toujours un peu chanté, et de l'air, toujours un peu déclamé : voie que devaient suivre plus tard Wagner, Moussorgski et Debussy. Une autre façon d'assurer la vie de l'œuvre lyrique, cette fois par le naturel, consistait à réserver le chant aux moments convenables et à utiliser, le reste du temps, le simple parlé : formule de l'opéra-comique français, qui n'avait pas moins d'avenir. Dans son éclatante postérité, on se contentera de citer La Flûte enchantée, Fidelio, Carmen. Ici, les problèmes de la d. parlée intéressent directement les chanteurs.

Il y a eu bien d'autres manières d'associer, en de naturelles symbioses, d. parlée et musique : le « quasi parlando », utilisé dans le chant quand on veut le rapprocher de la parole ; le → « Sprechgesang », employé notamment par A. Schönberg et son école, qui suit le rythme du parlé mais note la hauteur des syllabes ; la « paracatalogè » de la tragédie grecque, associant le vers parlé à un accompagnement musical, tradition reprise au XVIIIe s. par le → mélodrame d'un J.A. Benda (Médée, Ariane à Naxos) qui enthousiasme Mozart. Ce qui nous vaudra les deux admirables scènes de Zaïde. L'association d. parlée et accompagnement musical produira encore nombre d'œuvres au cours des XIXe (Weber, Schubert, Schumann, Liszt) et XXe s. Il faut rapprocher de cette formule le « Lied » de H. Wolf, où souvent la voix, pour suivre les accents du parlé, délaisse la mélodie que chante le piano.

2. Déclamation parlée et mélodie (problème du compositeur). Sur ce terrain, la réflexion et les analyses des théoriciens et des musiciens français du XVIIIe s. sont encore riches d'enseignement. Pour J.J. Rousseau, la d. est, en musique, « l'art de rendre, par les inflexions et le nombre de la mélodie, l'accent grammatical et l'accent oratoire ». Le premier fait chaque syllabe aiguë ou grave, brève ou longue ; le second, dit aussi pathétique, « exprime les sentiments dont celui qui parle est agité et les communique à ceux qui l'écoutent ». Un troisième accent, logique ou rationnel, « marque la connexion plus ou moins grande que les propositions et les idées ont entre elles ». Leur étude « doit être la grande affaire du musicien ». La difficulté d'observer à la fois ces différents accents est d'autant plus grande pour lui, qui doit encore compter avec les règles de son art, que la mélodie possède aussi son accent propre, auquel il doit donner la priorité. Parmi les autres, celui qui le concerne le plus directement est le pathétique, car « il n'y a que les passions qui chantent; l'entendement ne fait que parler ». Sur cet accent pathétique, c'est D. Diderot qui apporte le plus de clarté. Professant le « credo » de toute la mus. française de son temps (lui qui ne jure que par la mus. italienne), il proclame : « L'accent est la pépinière de la mélodie... Il n'y a point de bel air dont on ne puisse faire un beau récitatif, et point de récitatif dont un habile homme ne puisse tirer un bel air ». Toutefois, l'accent pathétique peut transformer du tout au tout les valeurs du « discours tranquille » : « c'est au cri animal de la passion à nous dicter la ligne mélodique qui convient... La passion dispose de la prosodie presque comme il lui plaît... » Sur la nécessité enfin de respecter le rythme du parlé, mais aussi la relative autonomie du musicien que J.J. Rousseau ne fait qu'entrevoir, J.Ph. Rameau est le plus explicite. Il distingue entre longues et brèves, et veut en principe pour ces dernières « des notes de moindre valeur ». Mais l'on peut « faire passer plusieurs syllabes longues et brèves sur des notes d'égale valeur, pourvu que l'on fasse entendre les longues dans le premier moment de chaque temps, et surtout dans le premier temps ». Cette relative autonomie s'explique par la transformation qui accompagne nécessairement le passage du parlé au chanté : quand seraient scrupuleusement conservés par le musicien tous les accents du parlé et la qualité des brèves et des longues, on n'aurait quand même plus exactement le même texte, la mesure et le chant l'introduisant dans un système de relations tout différent, qui équivaut à un changement d'être. Entre ces deux états successifs il peut y avoir correspondance étroite, mais non pas identité. C'est pourquoi le musicien de génie, maître dans son domaine, se sent dégagé, vis-à-vis du texte, de toute exactitude servile. Il peut même, infidèle en apparence à la lettre mais servant l'esprit, donner du rythme à un texte qui en est dépourvu, grâce à de simples mais subtiles modifications (allongements, déplacements d'accents, etc.) qu'il faut se garder de prendre pour des fautes de prosodie. On retrouve cette savante relation entre d. parlée et mélodie dans toutes les langues, chez tous les grands musiciens, dès qu'ils ont affaire à un poète insuffisant, comme il arrive p. ex. à Schubert ou à Fauré.

3. Déclamation et expression (problème de l'interprète). Le premier devoir de qui veut « dire juste » est donc de rester simple et naturel. Dans l'article de l'*Encyclopédie*, l'abbé Du Bos pose bien le problème. Si la d. naturelle, dit-il, avait des tons déterminés, elle serait fixée par le chant du récitatif. Or, de deux acteurs qui chantent le récitatif avec la même justesse, « l'un nous laisse froids et tranquilles, tandis que l'autre, avec une voix moins belle et moins sonore, nous émeut et nous transporte ». Il en conclut que « l'expression dans le chant est quelque chose de différent du chant même et des intonations harmoniques ». On en peut dire autant du jeu instrumental, où l'expression est ailleurs que dans la jus-

tesse des notes, condition nécessaire mais non suffisante. Quel est cet ailleurs, ce quelque chose de différent, sinon précisément l'art de dire juste, qui est tout autre chose que l'art de chanter ou de jouer juste ? L'interprète doit se pénétrer du message du compositeur, le vivre au point de le faire sien et le restituer comme tel, en y participant de tout son être, non du bout des lèvres, ou du bout des doigts. On lui demande ce qui, pour Démosthène, était la principale qualité, le tout de l'orateur : l'action. C'est l'action, émanation de la pensée, qu'elle incarne et rend vivante, qui établit la communication avec spectateurs ou auditeurs, parce que l'être tout entier s'y engage. C'est ici qu'il faut penser à ce que la d. comporte de mimique, de gestuel : le geste accompagne toujours le langage, par essence éminemment dramatique (au sens étymologique du terme). Le geste est tout chez le chef d'orchestre. Mais cordes et clavier sonneront aussi différemment selon le geste qui amène à leur contact l'archet ou les doigts de la main. La seule esquisse du geste suffit souvent; mais elle est indispensable : qui retient son geste ne peut s'engager tout entier. Un fléchissement ou un redressement presque imperceptible du buste, un regard qui s'élève ou s'abaisse, épousant la courbe mélodique, font s'envoler la phrase au bon moment, et changent le son de la voix, comme de la flûte, du violon ou du piano. Ce mot de « phrase » en dit long sur la présence du langage dans la mus. instrumentale elle-même — présence confirmée par l'existence du récitatif instrumental. Il ne faut pas hésiter à appeler d. l'art de phraser, qui, dans toute l'étendue du domaine musical, fait le grand interprète.

Bibliographie — **Études littéraires :** MOLIÈRE, L'Impromptu de Versailles, sc. 1; J.FR. MARMONTEL, art. D. *in* l'Encyclopédie L. RACINE, La d. théâtrale des Anciens, Paris 1752; CL.J. DORAT La d. théâtrale, Paris 1771; E. LEGOUVÉ, L'art de la lecture, Paris 1897; P. VALÉRY, De la diction des vers, Paris 1926; A. WICART, L'orateur, Paris 1935; P. GRAVOLLET, D., école de mécanisme. Paris, A. Michel, 1960. — **Études musicales. 1.** W. KIENZL, Die musikalische D. dargestellt an der Entwicklungsgesch. der deutschen Gesanges, *in* Musikalisch-Philologische Studien, Leipzig 1880; K.G. FELLERER, Die D.srhythmik in der vokalen Polyphonie des 16. Jh., Düsseldorf 1928; H. MARTENS, Das Melodram, Berlin 1932; G. BIERI, Die Lieder von H. Wolf, Berne 1935; H. ENGEL art. D. *in* MGG III, 1954. — **2.** J.J. ROUSSEAU, Dict. de musique Genève 1764; D. DIDEROT, Le Neveu de Rameau (date incertaine) J.PH. RAMEAU, Traité d'harmonie réduite à ses principes naturels Paris 1722; J.K.FR. RELLSTAB, Versuch über die Vereinigung der musikalischen u. oratorischen D. ..., Berlin 1786; P. FORTASSIER Rythme verbal et rythme musical : à propos de la prosodie de G Fauré, *in* Mélanges P.M. Masson 1, Paris, Richard-Masse, 1955 du même, Mus. et livret dans les opéras de Berlioz, Gounod, Bizet *in* Cahiers de l'Assoc. internat. des études fr. XVII, 1965; du même Mus. et paroles dans les opéras de Campra, *in* Congrès 1968 du Centre aixois d'études et de recherches sur le XVIIIe s., Paris, A Colin, 1970. — **3.** M. BITSCH, L'interprétation musicale, Paris 1941 P. FORTASSIER, Le récitatif de l'écriture instrumentale de Mozart *in* Les influences étrangères dans l'œuvre de W.A. Mozart, éd par A. Verchaly, Paris, CNRS, 1958.

P. FORTASSIER

DECRESCENDO (ital., = en décroissant; abrév. decresc.), nuance indiquant une diminution progressive de la sonorité. Elle est notée par un angle aigu plus ou moins long, dont le sommet est tourné vers la droite, placé au-dessus ou au-dessous de la portée, entre les deux portées dans la musique pour clavier. Contraire : → crescendo.

DÉDUCTION, terme en usage dans la théorie musicale des XVe et XVIe s. pour désigner l'échelonnement des sons ordonnés selon l'hexacorde, *ut, ré, mi, fa, sol, la*.

DÉFECTIVE (Gamme), voir GAMME DÉFECTIVE.

DEGRÉ (angl., scale degree ; all., Stufe ; ital. et esp., grado), situation de chacune des 7 notes de la gamme diatonique par rapport à la tonique qui lui sert de base (voir l'art. TONALITÉ). Pour désigner ces notes, on utilise les chiffres romains de I à VII, comptés à partir de la tonique, ainsi que les termes suivants : → tonique (I), sus-tonique (II), → médiante (III), → sous-dominante (IV), → dominante (V), sus-dominante (VI), → sensible (VII). Les d. sont dits conjoints lorsqu'ils se succèdent à distance de seconde majeure ou mineure, disjoints lorsqu'ils sont séparés par un d. intermédiaire sous-entendu. Dans le langage musical classique (→ tonalité), les d. et les accords qu'ils supportent sont revêtus d'une importance variable selon leur → fonction tonale (voir l'art. HARMONIE, § 3. Les fonctions tonales).

DÉMANCHÉ. Sur les instr. à cordes et à archet, déplacement de la main gauche sur le manche, d'une → position à une autre. Pour que le son reste pur, le d. doit s'effectuer avec rapidité et précision.

DEMI-CADENCE, voir CADENCE.

DEMI-PAUSE (angl., minim rest ; all., halbe Pause ; ital., pausa di bianca ; esp., silencio de blanca) signe graphique (▬) qui représente un silence d'une durée équivalente à celle de la blanche.

DEMI-SOUPIR (angl., quaver rest, ou -pause; all., Achtel-Pause ; ital., pausa di croma ; esp., silencio de corchea), signe graphique (𝄾) qui représente un silence d'une durée équivalente à celle de la croche (♪).

DEMI-TON (angl., half-tone, semitone ; all., Halbton ; ital. et esp., semitono), le plus petit → intervalle du → système tempéré, correspondant à un douzième d'octave. On distingue entre demi-ton diatonique (ou seconde mineure) formé par des notes de noms différents (ex. *sol-la* ♭) et demi-ton chromatique (ou unisson augmenté) formé par des notes de même nom (ex. *sol-sol* ♯).

demi-ton diatonique   demi-ton chromatique

Le → ton n'est divisé en 2 demi-tons égaux que dans le système tempéré. Il s'agit là d'une convention pratique qui ne se retrouve pas dans les autres systèmes, où la division du ton est beaucoup plus complexe. — Voir l'art. INTERVALLE.

DENTS, incisions triangulaires, plus ou moins larges et profondes, sur la tranche avant du biseau des tuyaux à bouche de l'orgue. Elles facilitent l'attaque au détriment du timbre. Elles semblent inusitées avant le XIXe s.

DÉPLORATION (du lat. deplorare, = pleurer), mot d'ancien français, synonyme de lamentation, signifiant pleurer sur quelqu'un. C'est, vers la fin du Moyen Age, un genre analogue à la → complainte (voir également l'art. PLANCTUS), utilisé par les poètes et les musiciens pour commémorer la mort d'un personnage de marque. Composée à l'occasion de la mort de G. de Machault, la double ballade d'Eustache Deschamps *Armes, Amours | O flour des flours* mise en musique à 4 voix par François Andrieu (éd. par Fr. LUDWIG, *in* G. de Machaut. Musikalische Werke I, Leipzig 1926) en est un premier exemple, suivi par la d. qu'écrivit J. Ockeghem sur la mort de Binchois, *Mort tu as navré de ton dart* (éd. par J. MARIX, *in* Les musiciens de la Cour de Bourgogne au XVe s., Paris 1937), par la célèbre *Déploration de Johan Okeghem : Nymphes des bois* due au poète J. Molinet et mise en musique à 5 voix par Josquin des Prés qui place au ténor la mélodie liturgique du *Requiem* (éd. par A. SMIJERS, *in* Werken van Josquin des Prés, 5e livr., Amsterdam 1924), enfin par les pièces de H. Vinders, B. Appenzeller et N. Gombert composées pour célébrer la mort de Josquin des Prés (*ibid.*, 1re livr., Amsterdam 1922). Sous le titre de → tombeau, le genre se réfugie, au XVIIe s., sous les doigts des luthistes, des guitaristes, des clavecinistes et des violistes français mais le terme de d. se retrouve au XXe s. dans plusieurs compositions instrumentales de G. Migot. Il s'applique alors à un mouvement lent ayant le caractère d'une lamentation funèbre (3e mouvt de la *Sonate* pour flûte et piano ; 4e mouvt de la *2de Sonatine* pour flûte douce et piano ; *Déploration* pour orgue).

DES, nom allemand du *ré* bémol.

DESCORT (du lat. discordia, = désaccord), structure poétique et musicale complexe, propre à la lyrique occitane et particulièrement en faveur aux XIIe et XIIIe s. Le d. est fondé sur le principe de l'entrelacement et de la responsion mélodique et métrique issue du type séquence. Selon la définition même des *Leys d'amors* (1356), le d. est composé d'un nombre variable de strophes, en principe irrégulières dans leur schéma métrique et leur mélodie, s'achevant fréquemment par une sorte d'envoi ou tornada (voir l'art. COBLA). Ce désaccord subtil a pour but d'exprimer le désarroi de l'amant malheureux, incapable d'accorder texte et musique. C'est là un des aspects du jeu recherché et raffiné du « trobar clus » (inspiration hermétique). Les maîtres de ce genre difficile sont, entre autres, Aimeric de Peguilhan, Elias de Barjols, Guilhem Augier Novella, Guilhem de Cervera, Guiraut de Calanson, Pons de Capdoil et Raimbaut de Vaqueiras qui fonde le désaccord sur l'emploi de six langues différentes. L'« acort », forme rare, est précisément un anti-d. dont les strophes, également irrégulières, sont comparables à celles du d., mais dont la structure musicale est parallèle, « accordée » à celle du texte poétique.

Le d. s'est abâtardi hors du domaine littéraire d'oc. Il est avant tout un procédé qui affecte partiellement des pièces de structure → lai chez des trouvères comme Adam de Givenchi, Gautier de Dargies, Colin Muset, Guillaume le Vinier ou Thomas Hérier. Le dernier d. de langue d'oïl figure sous le titre *Lai des Hellequines* dans les interpolations musicales du *Roman de Fauvel* (v. 1314). Cette forme a persisté jusqu'au XVe s. dans la lyrique galaïco-portugaise avec des auteurs comme don Lopo Lias, Martim Moxa, Nun Eanes Cerzeo, don Afonso Lopez de Bayan ; mais sa conception même n'a plus rien de comparable aux réalisations raffinées des troubadours de l'âge d'or. Le mot désigne parfois les chants d'oiseaux :

Incessantes los discores
De melidiosas aves.

Il disparaît en péninsule Ibérique après Juan de Mena. Au XVIe s. l' → « ensalada » ou « ensaladilla » peut en rappeler de loin les raffinements. En Allemagne, la technique du d. a exercé une influence certaine sur la facture du lai d'amour (« Minneleich »). En Italie, il connaît un faible surgeon avec le « discordo » des « trovatori ».

Bibliographie — F. WOLF, Über die Lais, Leiche u. Sequenzen, Leipzig 1841 ; C. APPEL, Vom D., *in* Zs. für romanische Philologie XI, 1887 ; H.R. LANG, The D. in Old Spanish and Portuguese Poetry, *in* Beitr. zur romanischen Philologie (Fs. G. Gröber), Halle 1899 ; A. JEANROY, L. BRANDIN et P. AUBRY, Lais et d. fr. du XIIIe s., Solesmes et Paris 1901 ; O. GOTTSCHALK, Der deutsche Minneleich u. sein Verhältnis zu Lai u. D. (diss. Marburg 1908) ; I. FRANK et E. BRAYER, Répertoire métrique de la poésie des troubadours, 2 vol., Paris, Champion, 1953-57 ; P. LE GENTIL, Le virelai et le villancico. Le problème des origines arabes, Paris, Les Belles-Lettres, 1954 ; J. MAILLARD, Problèmes musicaux et littéraires du d., *in* Mélanges I. Frank, Sarrebruck, Annales Universitatis Saraviensis 1957 ; du même, Du d., *in* Esthétique et évolution du lai lyrique..., Paris, CDU, 1963 ; du même, Anth. de chants de troubadours, Nice, Delrieu, 1967 ; du même, Coblas dezacordablas et poésies d'oc, *in* Mélanges J. Boutière, Liège, Solédi, 1971 ; du même, Structures musicales complexes au M.A., *in* Mélanges P. Le Gentil, Paris, CDU, 1972 ; G. TAVANI, Repertorio metrico della lirica gallego-portoghese, Rome, Ed. Ateneo, 1967 ; J.M. D'HEUR, Les d. occitans et les d. galiciens-portugais, *in* Zs. für romanische Philologie LXXXIV, 1968 ; R. BAUM, Le d. ou l'anti-chanson, *in* Mélanges J. Boutière, Liège, Solédi, 1971.

J. MAILLARD

DESCRIPTIVE (Musique), musique qui se propose de transposer, vocalement ou plus souvent instrumentalement, des données sonores (mus. imitative), visuelles ou abstraites dans toute leur réalité, s'opposant en cela à la mus. → pure, libérée de toute préoccupation extra-musicale. Si toutefois l'œuvre est constamment asservie à la description explicite et préétable d'une action, d'une image ou d'un état d'âme, on sera en présence d'une mus. à → programme. — Historiquement, la m. d. apparaît très tôt. On relève dès les *Problèmes musicaux* d'Aristote (XIX, 15) qu' « il est plus important pour la musique que pour la parole d'avoir un caractère imitatif ». C'est bien ainsi que se présentaient dans la Grèce ancienne certaines pages musicales, tel le nome pythique qui, décrivant le triomphe d'Apollon sur le serpent Python, fut couronné aux Jeux de Delphes en 586 av. J.C. Au XIIIe s. un exemple de m.d. figure dans le Ms. de Montpellier sous forme d'un motet à 3 voix (ténor *Fraise nouvelle*). Plus tard, la → « caccia » italienne de l'Ars Nova et certains virelais de la fin du XIVe s. (éd. par W. APEL, *in* French Secular Music of the Late 14th Cent., Cambridge, Mass., 1950), tout comme de nombreuses chansons parisiennes du XVIe s., appartiennent à ce genre. De Cl. Janequin citons *Les Cris de Paris*, *Le Chant des oiseaux*, *La Chasse*, riches en onomatopées, ainsi que *La Guerre* dont le genre est en vogue aux XVIe et XVIIe s. H. Isaac, A. Gabrieli, W. Byrd, J.P. Sweelinck, G. Frescobaldi et J.J. Froberger ont laissé des exemples fameux de →

batailles. Quant à la musique des madrigaux italiens du XVIe s., elle s'attache plutôt à exploiter toutes les possibilités expressives du texte littéraire (voir l'art. FIGURALISME). Aux XVIIe et XVIIIe s. — ce dernier passant cependant pour être le siècle de la mus. pure — les pièces instrumentales de m. d. ne manquent pas (D. Buxtehude, M. Marais, J. Kuhnau, Fr. Couperin, J.Ph. Rameau). Le XIXe s., qui voit l'avènement du → poème symphonique, offre davantage de mus. à programme que de musique simplement descriptive. C'est bien à ce dernier genre qu'appartient cependant le *Carnaval des animaux*, grande fantaisie zoologique de C. Saint-Saëns (1886). Au XXe s. certains compositeurs, tel O. Messiaen, cherchent encore leurs modèles dans la nature (*Réveil des oiseaux*, 1953 ; *Oiseaux exotiques*, 1955), mais l'utilisation de la bande magnétique a relégué la reproduction des sons ou des bruits naturels au rang de simple matériau de départ.

Bibliographie — A.B. MARX, Über Malerei in der Tonkunst, Leipzig 1829 ; H. BERLIOZ, De l'imitation musicale, *in* Revue et Gazette musicale de Paris IV, 1837 ; A. ELWART, De la mus. imitative, *ibid.* XIII, 1846 ; M. BRENET, Les batailles en musique, *in* Le Guide musical XXXIII, 1888 ; de la même, Essai sur les origines de la m.d., *in* RMI XIV, 1907, et *in* Mus. et musiciens de la vieille France, Paris 1911 ; M. GRIVEAU, L'interprétation artistique de l'orage, *in* RMI III, 1896 ; E. VON WOELFFLIN, Zur Gesch. der Tonmalerei, *in* Sitzungsberichte der bayerischen Akad. der Wissenschaften, 1897/2 ; E. GOBLOT, La m.d., *in* Revue philosophique XXVI/2, 1901 ; K. NEF, Schlachtendarstellungen in der Musik, *in* Die Grenzboten LXIII/3, 1904 ; A. CARAPETYAN, The Concept of « imitazione della natura » in the 16th Cent., *in* Journal of Renaissance and Baroque Music I, 1946 ; W.H. RUBSAMEN, Descriptive Music for Stage and Screen, *in* Volume of Proceedings of the Music Teachers National Assoc. for 1946, s.l.n.d. [Paris, BN, 8°V, pièce 28796] ; I. SUPICIC, La mus. expressive, Paris, PUF, 1957.

D. PISTONE

DESES, nom allemand du *ré* double bémol.

DESSUS (lat., superius), nom donné du XVe au XVIIe s. à la voix supérieure d'une composition polyphonique. A la même époque il servait également à désigner le type le plus élevé d'une famille instrumentale (d. de viole, de violon, etc.). A l'orgue, il désigne soit la partie aiguë du clavier — en général à partir de l'*ut*³ — soit un jeu incomplet ne comportant pas de basse, soit encore une pièce musicale avec partie soliste au soprano.

DÉTABLER, ouvrir, démonter un instr. à cordes.

DÉTACHÉ (ital., → staccato), procédé qui consiste à séparer les sons d'une phrase musicale. S'oppose à lié (ital., legato), qui les enchaîne. D. et lié sont les deux moyens fondamentaux d'expression, qui se subdivisent et se combinent en formules très diverses. Au piano et aux instr. à archet, le d. s'exécute par des mouvements des doigts, du poignet, de l'avant-bras; aux instr. à vent, par des mouvements de la langue (voir l'art. COUP DE LANGUE) et des lèvres

Voici les principales variantes : ♩♩♩ Lié : se fait au piano en enfonçant une touche pendant que la précédente remonte ; aux cordes, dans un seul coup d'archet ; aux vents, dans une seule respiration. ♩♩♩♩
Détaché : au piano, comme ci-dessus mais un peu moins lié ; aux cordes, dans des coups d'archet différents mais enchaînés souplement ; aux vents, avec le plus petit coup de langue possible. ♩♩♩ Notes por-

tées : leur valeur est légèrement écourtée; au piano, attaque souple de l'avant-bras; même chose aux cordes, en faisant sentir les changements d'archet; aux vents, coup de langue plus marqué mais souple. ♩♩ Notes accentuées : comme ci-dessus, avec une attaque renforcée. ♩ Notes piquées : écourtées du quart ou de la moitié de leur valeur. Au piano et aux cordes, attaque sèche des doigts et du poignet; aux vents, double ou même triple coup de langue. Ici, l'exécution varie selon la nuance et le mouvement. Dans un tempo modéré, les notes sont martelées; dans une allure rapide, elles deviennent légères et bondissantes : c'est le « spiccato »; piano et très rapides aux cordes, l'archet quittant à peine la corde, c'est le sautillé (ital., saltellato). ♪♪♪ Larmes : notation utilisée souvent au XVIIIe s., plus rare de nos jours, exigeant un détaché lourd. Ces divers signes peuvent se combiner avec les traits, ♪♪♪ « spiccato » lourd (voir notes portées), avec les liaisons, ♪♪♪ d. bondissant dans un même coup d'archet; ou ♪♪♪♪ pour les instr. à cordes seulement : plusieurs martelés dans un même coup d'archet. C'est le « staccato » des virtuoses, sens auquel on limite volontiers le mot de nos jours. Ces variantes, beaucoup plus nombreuses et subtiles aux cordes, forment l'essentiel d'une technique d'archet qui s'est établie et a été codifiée au XVIIIe s. et à laquelle on se réfère toujours. La notation est presque inexistante au début, où le terme « staccato » s'employait parfois en guise de titre pour une courte pièce, laissant toutes initiatives à l'interprète. Elle se précise dans les traités des grands violonistes du temps, *The Art of Playing on the Violin* de Fr. Geminiani (3/1751), *Versuch einer gründlichen Violinschule* de L. Mozart (1756), *L'arte dell'arco* de G. Tartini (1758).

Bibliographie — A. POCHON, Le rôle du point en musique, Lausanne 1947.

DÉTONNER, s'écarter du ton, chanter ou jouer faux par rapport au ton établi.

DEUTÉRUS, voir MODES ECCLÉSIASTIQUES, § 1.

DEUX-PIEDS, jeux d'orgue dont les tuyaux qui font entendre le do¹ mesurent théoriquement deux pieds, soit 0,65 m. Ces jeux font entendre les notes à leur double octave aiguë.

DÉVELOPPEMENT (angl., development ; all., Durchführung ; ital., svolgimento ; esp., desarollo). **1.** Terme général désignant les modifications apportées à une idée musicale après son exposition. Dans ce sens, le d. se trouve dans toute musique, excepté celle qui ne forme qu'une idée complète n'appelant pas de suite (p. ex. une grande partie des chansons populaires) ou qui groupe plusieurs idées plus ou moins indépendantes (p. ex. le pot-pourri). Les moyens de d. sont extrêmement riches ; ils vont de la répétition à peine modifiée d'une idée jusqu'au changement fondamental de toutes ses caractéristiques (intervalles, rythme, harmonie, dynamique, ordre et nombre des éléments constitutifs, mesure, tempo). Le d. est un processus qui influence d'une façon importante l'effet psychologique de la musique sur l'auditeur. Son dynamisme plus ou moins accentué est un facteur essentiel du temps musical vécu. Il peut éveiller l'impression aussi bien d'une construction logique, d'une finalité précise que d'un mouvement tournant apparemment sur place. Mais si « développer, c'est tirer toutes les conséquences d'une idée exposée..., l'art du d. n'est pas tout l'art de la composition... », qui est « la mise à leurs places architecturales des différentes parties constituant le discours musical... » (G. MIGOT, Lexique, Paris 1946, art. Développement).

2. Dans la → fugue, le d. est la partie qui suit l'exposition du sujet dans toutes les voix. Il est moins strict que l'exposition : la règle de l'alternance régulière du sujet et de la réponse ne doit plus être suivie ; le sujet ne doit pas passer par toutes les voix avant de réapparaître dans la première ; des modulations dans différents tons sont possibles (la fugue classique se limite, avec peu d'exceptions, au ton relatif de la tonique, aux tons de la dominante et de la sous-dominante et à leurs tons relatifs). C'est au d. de la fugue que sont réservées certaines transformations du sujet telles que l'augmentation et la diminution des valeurs des notes, le renversement, la strette et, parfois, la récurrence (Beethoven, *Fugue* de la *Sonate* pour piano, op. 106). Si dans de nombreuses fugues le sujet ne subit aucune modification à part la transposition, les contrepoints du sujet, présentés à l'exposition, de même que les motifs dérivés du sujet et des contrepoints qui forment les divertissements, sont toujours plus ou moins transformés au cours du d., de sorte que le dynamisme d'une fugue réside souvent moins dans les répétitions du sujet que dans les voix qui les accompagnent et dans les divertissements.

3. Dans la forme → sonate, le d. constitue la partie centrale entre l'exposition et la réexposition (d. central). D'une simple transition de quelques mesures qui relie le ton de la dominante ou, en mineur, du relatif majeur de la fin de l'exposition au ton principal de la réexposition dans de nombreuses œuvres du début de la période classique, le d. peut atteindre dans certaines œuvres de Beethoven et du romantisme une longueur qui dépasse celle de l'exposition. Quant au contenu thématique et au plan tonal, le d. est la partie la plus libre de la forme sonate, dont on ne peut déduire aucune règle généralisée. Toutefois les possibilités multiples se réduisent à 3 cas types, souvent combinés de différentes manières : 1° d. mélodique, rythmique, harmonique et parfois aussi contrapuntique de motifs choisis de l'exposition ; 2° exposition et d. d'un nouveau thème (assez fréquent chez Mozart et Schubert) ; 3° fantaisie libre qui se sert souvent de motifs typiques soumis de préférence à un d. harmonique. Du point de vue tonal, le d. se caractérise par la tendance à éviter le ton principal et à moduler fréquemment. Dans l'œuvre de Beethoven et des romantiques, il n'est pas rare qu'un nouveau d. suive la réexposition (d. terminal). Par cette nouvelle partie, l'idée de symétrie de la forme sonate se voit contrecarrée par l'idée d'une intensification vers la fin du mouvement ; l'élément dynamique du d. prend une importance accrue par rapport au plan thématique qui souligne le retour au point de départ.

M. FAVRE

DEVISE, petite sentence, éventuellement rébus, accompagnant la notation d'un → canon énigmatique ou d'un « cantus firmus » dans le but d'aider à sa résolution, p. ex. « Cancer eat plenus sed redeat medius » (= Que l'écrevisse aille tout entière mais qu'elle retourne à moitié), indiquant que le ténor doit être chanté dans le sens rétrograde en valeurs normales puis dans le sens normal en valeurs réduites de moitié (G. Dufay, *Missa « L'Homme armé »*, *Agnus* III). Cet artifice était très en faveur dans l'École franco-flamande.

DIABOLUS IN MUSICA (lat., = le diable en musique), locution qui désigne chez les théoriciens des XIVe et XVe s. l'intervalle de triton dont l'usage était strictement limité, prohibé même. — Voir l'art. TRITON.

DIALOGUE (du grec dialogos, = entretien entre deux personnes), désigne dans la mus. vocale, à partir de 1550 et durant le XVIIe s., l'ensemble des paroles — accompagnées ou non d'instruments — qu'échangent soit deux solistes, soit un soliste et un chœur, soit deux ou plusieurs chœurs. Par extension, il qualifie aussi la manière dont le compositeur fait chanter les voix. Bien que, de l'Antiquité à nos jours, le d. ait été considéré surtout comme un genre littéraire (*Dialogues* de Platon, Cicéron, Érasme, Pascal, Montesquieu...), le chant alterné, qui en est l'esquisse, fut pratiqué très tôt par les primitifs et dans les anciennes civilisations de l'Asie, du Moyen-Orient et de l'Occident (Grèce). Il en fut de même durant les premiers siècles de l'ère chrétienne, puis au Moyen Age : des chants dialogués apparurent à l'église (psalmodie antiphonique, chant responsorial), dans le drame liturgique et les mystères, dans les chansons des troubadours, des trouvères et des « Minnesänger » (pastourelles, chansons d'aube, etc.), les chansons et motets polyphoniques, les « laude » italiennes et les « cantigas » espagnoles.

Le mot d. appliqué à une composition musicale est d'origine vénitienne. Après que A. Willaert eut introduit, vers 1527, à St-Marc, l'usage du double chœur (« cori spezzati »), A. Doni publia l'un des premiers un *Dialogo della musica* (1544), qui contenait des madrigaux auxquels participaient divers interlocuteurs. Après lui, de nombreux musiciens écrivirent des motets ou des chansons à 6, 7 ou 8 voix pour solo et chœur ou pour chœurs alternés. A. Striggio, dans *Il circolamento delle donne al bucato e la caccia* (1567), évoqua le babil des femmes au lavoir et à la chasse en des épisodes comiques ou dramatiques (de 4 à 7 voix) où le d. choral était fréquent. R. de Lassus usa d'une technique semblable dans ses madrigaux. Dans la pièce *A le guancie di rose*, A. Gabrieli divisa les 8 voix en deux chœurs qui entraient successivement, puis se répondaient avant de se fondre en un unique ensemble. Au XVIIe s. les motets latins de A. Banchieri, L. Viadana et S. Bonini, de même que les motets en langue vulgaire de D.M. Melli, B. Barbarino, A. Cifra et G.Fr. Anerio, usèrent des mêmes procédés. Dans son *Teatro armonico spirituale* (1619), Anerio insérait des « laude » dialoguées pour solistes, chœur et instruments. M. da Gagliano donna au genre un caractère essentiellement profane, mythologique et pastoral, tandis

que Fr. Rasi, dans ses *Dialoghi rappresentativi* (1620), le rapprochait de la cantate profane. Le dialogue connut son apogée à Rome avec G. Carissimi (motets, cantates et oratorios). — En Allemagne, le culte luthérien mit en usage le d. spirituel (« Geistliches Konzert ») et le développa sous toutes ses formes avec J.H. Schein, S. Scheidt, M. Franck, H. Schütz, B. Hammerschmidt, J. Rosenmüller, D. Buxtehude et W.C. Briegel.

En France, la mus. polyphonique usa fréquemment, au cours du XVIe s., de l'écriture dialoguée. Celle-ci s'observe chez Cl. Janequin et ses émules, plus tard chez Cl. Le Jeune (1564), E. Du Caurroy (1609) et J. Lefebvre (1610). Mais elle se transforma surtout dans l'air de cour. N. de La Grotte (1583), J. Planson (1587) et P. Guédron (1602, 1608) firent souvent du d. une pièce continue, confiée à un ensemble ou à un soliste, à moins que les interlocuteurs — sans que la tessiture ait été modifiée — ne pussent se répondre dans une même strophe ou d'une strophe à l'autre. P. Bonnet (*Dialogue entre le Poète et les Muses*, 1600) fut un des premiers à opposer un soliste à un chœur. Par la suite, P. Guédron (1613, 1617, 1618, 1620) et ses successeurs, A. Boesset (1617 à 1642), J. Boyer (1621), E. Moulinié (1624 à 1635), Fr. de Chancy (1635, 1644) et Fr. Richard (1637), se conformèrent à la règle du genre. Le ballet de cour, auquel collaborèrent ces compositeurs, offre quelques rares exemples de d. (en général soliste et chœur). Après 1643 le d. entre deux personnages prit de l'extension avec M. Lambert avant de se confondre avec le duo de la tragédie lyrique. Dans la mus. sacrée, G. Bouzignac se servit de l'écriture dialoguée pour soli et chœurs. H. Du Mont imposa ensuite le style de la monodie accompagnée avec basse continue. M.A. Charpentier s'inspira, dans ses *Histoires sacrées* et quelques d. des *Meslanges*, de son maître G. Carissimi. — Le d. se développa en Angleterre en même temps que le masque avec J. Dowland, H. Lawes (*Ayres and Dialogues*, 1652) et J. Hilton.

Vers la fin du XVIIe s., le terme de d. cessa de désigner une pièce de mus. vocale. En revanche, il s'appliqua à des pages de mus. instrumentale, surtout chez les organistes. G.G. Nivers, N. Lebègue, Fr. Couperin, N. de Grigny, L.N. Clérambault, L. Marchand, A. Dornel, J. Boyvin et L.Cl. Daquin lui redonnèrent son sens premier en opposant dans une même pièce deux claviers, deux jeux, etc. Au début du XVIIe s., S. Rossi donna le nom de *Sonata in dialogo* à une sonate à 4 ou 6 dans laquelle deux groupes d'instruments conversaient de manière antiphonique. Les *Sonates à quatre* d'A. Stradella avec basse continue sont aussi divisées en deux chœurs : 2 violons et 2 « cornetti ». Elles suffiraient à montrer combien les notions d'espace, de contraste et d'effets d'écho suggérées par le d. sont à l'origine du style concertant. — Au XXe s. le terme a été repris par G. Migot (2 *Dialogues* pour violon et piano, 1922, 1925-27; 2 *Dialogues* pour violoncelle et piano, 1929; 3 *Dialogues* pour chant et violoncelle, 1972), 1° pour distinguer de la sonate « une œuvre pour plusieurs instruments qui se répondent en continuant leur développement » (*Lexique*), 2° pour souligner une conception polyphonique de la musique qui fait qu'aucun instrument n'est subordonné à l'autre dans un rôle d'accompagnement.

Bibliographie — L. Torchi, L'Arte musicale in Italia nei s. XIV-XVIII II, Milan 1897-1907; A. Arnheim, Ein Beitrag zur Gesch. des einstimmigen weltlichen Kunstliedes in Frankreich im 17. Jh., in SIMG X, 1908-09; Th. Kroyer, Dialog u. Echo in der alten Chormusik, in Jb. Peters XVI, 1909; A. Schering, Gesch. des Oratoriums, Leipzig 1911; Th. Gérold, L'art du chant en France au XVIIe s., Strasbourg 1921; P. Warlock, The English Ayre, Londres 1926; M. Lange, Die Anfänge der Kantate, Dresde 1938; M. Bukofzer, Music in the Baroque Era, New York 1941; O. Hudeman, Die protestantische Dialogkomposition im 17. Jh. (diss. Kiel 1941); G. Reese, Music in the Renaissance, New York, Norton, 1954, 2/1959.

A. Verchaly

DIANE (du lat. dies, = jour), signal militaire destiné à réveiller les soldats.

DIAPASON. 1. Nom grec (dia pasôn, = d'un bout à l'autre) servant à désigner l'intervalle d'octave (voir l'art. Systema Teleïon). Ce sens s'est conservé durant le Moyen Age. — **2.** Norme adoptée pour l'accord des voix et des instruments, le *la*³ étant pris comme élément de référence. Jusqu'au milieu du XIXe s., aucune règle n'était établie ce domaine : il y avait, à cette époque, à Paris et dans les grandes villes françaises, 6 d. en usage, 17 dans les grandes villes d'Europe. Du d. de J. Sauveur, établi sur 808 vibrations par seconde et en usage à l'Acad. Royale de Musique en 1700, à celui usité à l'Opéra de Paris en 1859, 88 fréquences en sus étaient intervenues, le portant à 896, ce qui représentait une élévation de près d'un ton. Une mesure d'ordre général s'imposait donc. Au cours du Congrès international qui eut lieu à Paris en 1859 (Commission Lissajous-Halévy), le d. fut fixé à 870 vibrations par seconde à la température de 18º C. Un décret ratifia cette décision en France et un d. type fut déposé au Conservatoire National des Arts et Métiers. En 1939, une commission internationale réunie à Londres en vue d'examiner l'évolution du d. depuis la guerre de 1914-18 fixa à 880 vibrations (440 périodes) par seconde le d. non officiellement reconsidéré depuis 1859. Cette décision n'eut pas d'écho, en raison des événements qui suivirent. Une nouvelle conférence internationale (Comité d'acoustique de l'organisation internationale de normalisation) tint ses assises à Londres en 1953 et confirma les décisions prises en 1939. Si l'on considère une température voisine de 20º C, toutes les mesures faites ont montré que le d. actuellement en usage par le monde était très voisin de 444-445 Hz pour le *la*³. — **3.** Instrument servant à donner le *la*³. Il se présente sous la forme d'une fourche vibrante (angl., tuning fork; all., Stimmgabel; ital., diapason, corista; esp., diapasón) faite d'une tige d'acier recourbée en forme de U allongé et pourvue d'un court manche, également en acier. Son invention (1711) est attribuée à l'Anglais John Shore (v. 1662-1752). — **4.** En lutherie le d. est le rapport de longueur entre le manche (du sillet aux éclisses) et la longueur de la table. — **5.** A l'orgue d. désignait à l'origine l'octave diatonique grave, d'où les deux sens actuels du terme : 1º octave complète servant de base à l'accord; 2º rapport du diamètre à la longueur d'un tuyau (voir également l'art. Taille), défini par l'écart entre la note jouée et celle que donnerait un principal moyen de même diamètre : demi-ton, ton, ton et demi, etc. — En Angleterre ce nom a été appliqué de bonne heure au jeu constitué par le d. (1er

sens) prolongé du principal 4′, formant ainsi le principal 8′. Avec ce sens, il a été réintroduit en France au XIXe s. pour désigner des jeux de ce type non placés en montre.

Bibliographie — 2. A.J. Ellis, The Hist. of Musical Pitch, Londres 1880; A. Mendel, Musical Pitch, Londres 1950. — 3. H. Bouasse, Verges et plaques, cloches et carillons, Paris 1927.

DIAPENTE, nom grec servant à désigner l'intervalle de quinte. — Voir l'art. Systema Teleïon.

DIAPHONIE (du grec diaphonia; dia, = idée de séparation; phone, = son; soit « de sonorité différenciée »). Le sens littéral de ce mot grec latinisé par la suite permet d'expliquer, en dépit de quelques contresens occasionnels, toutes les significations par lesquelles il est passé, de l'Antiquité à l'époque de l'humanisme. C'est pourquoi toutes ces conceptions, aussi différentes qu'elles puissent paraître, ne s'éliminent pas entre elles mais s'influencent et se pénètrent mutuellement. Chez Platon, le terme s'applique à tout ce qui « ne va pas ensemble », que cela soit de nature musicale ou non. Comme concept de théorie musicale, il apparaît tout d'abord chez Aristoxène et chez Euclide et désigne tous les intervalles non symphones, c.-à-d. qui ne peuvent s'exprimer par des relations mathématiques simples et qui de ce fait « ne vont pas ensemble »; les textes latins emploieront plus tard le mot «dissonantia» (voir l'art. Dissonance), traduction du grec « diaphonia ». Cela explique que Gaudence à son tour ait pu utiliser le terme au sens plus commun d'intervalle (= différentes hauteurs de sons), sans qu'intervienne un jugement de valeur. Cette signification sera conservée, mais sans tenir une place importante, dans la terminologie du Moyen Age. Par contre, à partir d'Isidore de Séville (« diaphonia, i.e. voces discrepantes vel dissonae »), l'accent est à nouveau porté sur le caractère disparate, dissonant. C'est avec cette valeur que le terme en arrive à sa troisième signification importante puisque, dans la théorie musicale des débuts de la polyphonie, il est, à côté du mot plus courant d' → « organum », le terme savant qui désigne la polyphonie en général (ici comme un ensemble de deux voix différentes, d'où l'étymologie erronée répandue à partir de 1100 environ : « Diaphonia... a dya, quod est duo »). C'est pourquoi on cherche généralement à éliminer cet aspect négatif du terme par des épithètes appropriées. Quoi qu'il en soit, le mot d. admet une interprétation qui correspond aussi bien au degré de développement de la technique de composition à cette époque qu'à l'évolution du concept de polyphonie : jusque dans le courant du XIe s., cela concerne surtout la différenciation des voix; puis vers 1100 s'impose une conception de l'écriture en parties séparées; à la fin du Moyen Age, le concept de d. devient à l'occasion synonyme de « discantus » (voir l'art. Discantus) et enfin de « contrapunctus » (au sens de superposition de plusieurs chants, même en style « note contre note »). Mais à partir de la fin du XIIe s., alors que la terminologie musicale est dominée par les mots « organum » et « discantus », le terme d. est de plus en plus attesté comme archaïsme ou, dans les cas les plus favorables, comme un mot savant.

Bibliographie (cf. également la bibliogr. de l'art. Organum) — C. Stumpf, Gesch. des Consonanzbegriffs I, in Kgl. Bayerische

Akad. der Wissenschaften, philos.-philol. u. hist. Klasse XXI, Munich 1897; E.L. WAELTNER, Das Organum bis zur Mitte des 11. Jh. (diss. Heidelberg 1955); H.P. GYSIN, Studien zum Vokabular der Musiktheorie im Mittelalter (diss. Bâle 1958); H.H. EGGEBRECHT, D. vulgariter Organum, in Kgr.-Ber. Köln 1958, Kassel, BV, 1958; F. RECKOW, art. D., in Handwörterbuch der musikalischen Terminologie, éd. par H.H. Eggebrecht, Wiesbaden, Steiner, 1972.

R. FLOTZINGER

DIASTEMA (grec, = intervalle). Ce terme appartient au vocabulaire de Platon et d'Aristote, mais ne figure qu'une fois dans un contexte concernant le domaine du son. Transposé en latin, d. se rencontre dans la Passion des saintes Perpétue et Félicité, un des plus anciens textes latins des chrétiens, et chez quelques écrivains du Vᵉ s., Sidoine Apollinaire et Claudien Mamert. Ce dernier emploie d. pour désigner la distance des astres entre eux. Cependant, malgré les rapports établis par les spéculations gnostiques entre la distance des planètes entre elles et les intervalles des notes de la gamme, d. n'est guère employé dans les textes musicaux anciens : Boèce (De institutione musicae 1,8) et les théoriciens médiévaux préfèrent « intervallum ». On rencontre encore « spatium ».

En français, on utilise le terme diastématie à propos des anciennes notations médiévales en usage en Aquitaine et en Italie du Sud (Bénévent, Mont-Cassin), où, dès le Xᵉ s., on a cherché à traduire graphiquement les intervalles acoustiques par des écarts entre notes établis par rapport à une ligne imaginaire, puis par rapport à une ligne réelle tracée à la pointe sèche. Ces notations sont dites diastématiques. Le guidon en fin de ligne, indiquant la hauteur de la première note de la ligne suivante, est l'indice du souci de diastématie du notateur : il apparaît dans ces mêmes régions à la fin du Xᵉ s. Au milieu du siècle suivant, Guy d'Arezzo ajoutera à la diastématie l'élément de précision qui lui manquait encore, en indiquant la place du demi-ton grâce aux couleurs conventionnelles des lignes de la portée et grâce aux lettres clés.

Bibliographie — Cf. Paléogr. Mus. XIII, 1925, p. 127 et ss., et XV, 1951, pp. 104-113; D.G. SUNYOL, Introd. à la paléogr. musicale grégorienne, Tournai 1935; J. SMITS VAN WAESBERGHE, De musico...Guidone Aretino..., Florence, Olschki, 1953; H. BLAISE, Dict. latin-fr. des auteurs chrétiens, Turnhout, Brépols, 1954, p. 268.

DIATESSARON, nom grec servant à désigner l'intervalle de quarte. — Voir SYSTEMA TELEÏON.

DIATONISME (du grec dia, = par, et tonos, = ton; angl., diatonism; all., Diatonik; ital. et esp., diatonismo). **1.** Habituellement, le terme d. s'applique aux sons de l'échelle → heptatonique naturelle. Donc la gamme (ou échelle) diatonique consiste en une succession par mouvement conjoint de → tons et → demi-tons. Ces derniers, au nombre de deux, ne se succèdent jamais immédiatement mais sont séparés par au moins deux tons. Le demi-ton diatonique se trouve toujours entre deux sons de noms différents et sa valeur varie selon le → système acoustique utilisé. De nos jours, on considère que les échelles naturelles (obtenues par successions de quintes) ayant moins de 7 sons à l'octave sont également diatoniques, comme p. ex. le → pentatonique. L'heptatonique représente le dernier stade du d. au-delà duquel le → chromatisme apparaît. Autrement dit, il y a d. quand il n'y a pas plus d'un demi-ton de suite dans la succession par mouvement conjoint des sons d'une échelle donnée. — **2.** En Grèce antique, le genre diatonique indiquait une division du → tétracorde en deux tons et un demi-ton vers le grave, p. ex. la-sol-fa-mi.

Historique. C'est en Grèce antique que le terme d. apparaît pour la première fois. Il correspond à l'un des trois genres alors existants, les deux autres étant le chromatique et l'enharmonique. Le genre diatonique est probablement le plus ancien (d'après Aristoxène) et il est ainsi dénommé pour souligner l'importance de l'intervalle de ton (« tonos ») au sein du tétracorde, puisqu'il y en a deux de suite. Quant au pseudo-demi-ton, les Grecs l'appelaient « limma » et il n'était pour eux que la différence entre la tierce pythagoricienne et la quarte du tétracorde. Le genre diatonique servait de base et de point de départ pour leur théorie musicale et la formation de leurs systèmes. Le Moyen Age occidental abandonna rapidement le chromatisme et l'enharmonie pour ne conserver que le d., qui, dès le VIIIᵉ s., est presque uniquement utilisé. Quant à la mus. byzantine, elle conserva des restes de chromatisme jusqu'au XIIIᵉ s. et, dès le XVᵉ s., sous l'influence turque, subit des transformations profondes. A partir de Guy d'Arezzo (XIᵉ s.), le principe de transposition des → hexacordes permet de conserver le d. tout en modulant. Mais la polyphonie naissante va peu à peu miner le système diatonique si bien ancré dans les modes grégoriens. En effet, les exigences conjuguées de la consonance verticale et de l' → attraction mélodique ne sont pas toujours conciliables avec le déroulement diatonique. C'est ainsi qu'à partir du XIVᵉ s., le chromatisme réapparaît au milieu d'un d. généralisé. Toutefois, il reste discret car il n'est utilisé que par nécessité.

Il en va différemment à partir du XVIᵉ s., où le chromatisme est pratiqué soit par volonté d'humanisme hellénisant, soit surtout par goût pour ce nouveau moyen expressif. On assiste ainsi pendant la 2ᵈᵉ moitié du XVIᵉ s. à une poussée chromatique qui, cependant, représente un genre à part et reste limitée à certains compositeurs et à certaines œuvres. A partir du XVIIᵉ s., les modes majeur et mineur remplacent les modes grégoriens et c'est désormais dans le cadre de la → tonalité que se déploie le diatonisme. Celui-ci reste la norme de l'écriture musicale mais il est loisible d'y introduire un chromatisme plus ou moins important qui prend toujours l'aspect d'un élément ajouté à une donnée de base diatonique. En général, les œuvres simples, populaires, enfantines ou de caractère religieux et méditatif restent purement diatoniques. Par contre, certains morceaux à l'écriture riche et complexe, ainsi que les œuvres vocales exprimant la passion ou la douleur, recourent volontiers au chromatisme. On peut ainsi faire un partage par genres. Mais à une même époque, certains compositeurs penchent davantage vers un style que vers un autre; p. ex. J.S. Bach est plus souvent chromatique que Haendel. Il y a là un critère de style personnel.

Vers le milieu du XIXᵉ s., le chromatisme devient de plus en plus important, à tel point qu'il remet en question la suprématie admise et incontestée du diatonisme. Dans Tristan et Isolde (1859) de R. Wagner et Weinen, Klagen (1862) de F. Liszt, le d. est souvent battu en brèche par un chromatisme intempestif. Mais ces deux maîtres savent faire alterner un chromatisme exprimant le monde de la passion, de l'émotion intense, de la peine et de la douleur (principe des madrigalistes italiens du XVIᵉ s.) avec un d. réservé aux thèmes populaires, champêtres, religieux (dans le sens du recueillement), grandioses et surnaturels. Le d. disparaît avec l' → atonalité libre et le → dodécaphonisme. L'emploi de plus en plus fréquent à partir de 1860 de la → gamme par tons pose un problème particulier. En effet, les deux caractéristiques essentielles des échelles naturelles sont ici abandonnées : structures de quartes et de quintes, inégalité des intervalles dans les successions conjointes. Il en résulte que le mot d. perd ici son sens premier et habituel. Mais il semble logique qu'il puisse être appliqué aux degrés conjoints de la gamme par tons, dans une notion élargie et adaptée à ce cas particulier.

Parallèlement au courant qui, de 1860 à 1920, pousse certains compositeurs — surtout en Europe centrale — à quitter l'heptatonique pour le dodécaphonique, il y a un autre courant — principalement en France et en Russie — qui tire peu à peu de l'oubli les anciens modes grégoriens pour les remettre à l'honneur. On assiste ainsi au renouveau d'un d. rafraîchi et revigoré aux sources modales mais conservant les conquêtes harmoniques acquises (Liszt, Moussorgski, Borodine, Debussy, Ravel...). Mieux encore, on constate un retour à un d. antérieur à la modalité médiévale puisqu'il s'inscrit dans le cadre du → pentatonique (Debussy, Ravel, Stravinski, Orff...). Ainsi il semble qu'à un chromatisme de plus en plus envahissant, débouchant sur le dodécaphonisme, l'ultra-chromatisme et même le continuum sonore électronique, corresponde un d. renouvelant sa présentation et retournant parfois à des structures de plus en plus simples, voire primitives.

Bibliographie — Voir la bibliogr. des art. CHROMATISME et HARMONIE.

S. GUT

DIAZEUXIS (grec, = séparation). Dans la mus. grecque antique, la d. désigne l'intervalle de seconde maj. qui sépare deux → tétracordes dans le système disjoint.

DICTÉE MUSICALE, exercice permettant de développer et de contrôler l'acuité auditive, les élèves devant reconnaître oralement ou transcrire ce qu'ils entendent. Parmi les exercices variés pratiqués dans ce sens, on distingue particulièrement les d. mélodiques, les d. rythmiques, les d. d'accords, les d. à une voix, les d. polyphoniques ou harmoniques à deux ou plusieurs voix. On pratique aussi des exercices de reconnaissance d'erreurs, de changements, d'omissions. La d. m. peut également comporter l'identification des timbres, des nuances, des changements de mouvement, pratiquement de tous les éléments constitutifs de la musique. Traditionnellement, les d. m. scolaires sont faites par fragments d'une ou de deux mesures, parfois avec la note d'enchaînement suivante. Il est pourtant plus naturel de les donner par petites phrases ayant un sens musical réel.

DICTIONNAIRE (angl., dictionary; all., Lexikon ou Wörterbuch; ital., dizionario; esp., diccionario), recueil de mots d'une langue, rangés le plus souvent dans un ordre alphabétique, définis et expliqués, embrassant la plus grande partie possible de l'univers et de l'activité humaine ou se limitant à un aspect particulier de ceux-ci. Si l'on excepte quelques spécimens isolés, dont le *Terminorum musicae diffinitorium* de J. Tinctoris (v. 1475) n'est pas le plus ancien, l'histoire des d. musicaux proprement dits commence dans les premières années du XVIIIᵉ s.; ils se développent rapidement jusqu'à devenir au XXᵉ s. une branche privilégiée et très diversifiée de l'édition musicographique. On a coutume de les ranger en trois catégories principales qui sont loin d'épuiser la variété de ces ouvrages : 1º les d. encyclopédiques, qui traitent de tout ce qui concerne la musique, qu'il s'agisse de termes techniques ou d'individus; 2º les d. biographiques, qui se bornent à l'étude des hommes qui ont joué un rôle dans le développement de la musique (compositeurs, théoriciens, éditeurs, interprètes, facteurs d'instruments, musicologues, etc.); 3º les d. réunissant exclusivement les termes techniques de la musique (instruments, formes, techniques, etc.). A côté de ces trois types principaux il existe de nombreux d. spécialisés consacrés à des aspects particuliers de la musique, p.ex. le théâtre musical, les instr. de musique, les facteurs d'instruments, la mus. liturgique, la danse, le jazz, la mus. contemporaine, les éditeurs de musique, etc. Certains d. visent un but de vulgarisation et se limitent à un nombre plus ou moins restreint de termes et de personnes choisis en fonction du large intérêt qu'ils suscitent. Mais les meilleurs d. sont devenus au XXᵉ s. de véritables sommes accumulant les renseignements les plus divers, se référant constamment aux sources et donnant sur tous les sujets des indications bibliographiques permettant de satisfaire à toutes les curiosités. A une époque où la culture et la pratique musicales embrassent la totalité de l'histoire — et même la préhistoire avec la musique des peuplades primitives — le d. est devenu un outil de travail usuel qui tient à lui seul le rôle d'une bibliothèque.

Principaux d. et encyclopédies dans les langues d'usage courant. Pour des listes plus complètes, cf. J.B. COOVER, Bibliogr. of Music D., Denver (Colorado), Bibliographical Center for Research, Denver Public Libr., 1952, 2/1958 sous le titre Music Lexicography; A. HYATT KING, art. D. and Encyclopedias, in Grove 5/1954; H.H. EGGEBRECHT, art. Lexika der Musik, in MGG VIII, 1960; art. Lexika in H. RIEMANN Musik-Lexikon, 12ᵉ éd., III Sachteil, Mayence, Schott, 1967; cf. également le paragraphe Dictionnaires de la bibliographie des articles consacrés aux différents pays inclus dans cet ouvrage. — 1. Dict. encyclopédiques : J.G. WALTHER, Musicalisches Lexicon..., Leipzig 1732, réédd. in facs. par R. Schaal, Kassel, BV, 1953; G. SCHILLING, Encycl. der gesamten musikalischen Wissenschaft, oder Universal-Lexikon der Tonkunst, 7 vol., Stuttgart 1835-38, supplt 1841-42, 2/1847, éd. en un vol. par F.S. Gassner, Stuttgart 1849; J. SCHLADEBACH et E. BERNSDORF, Neues Universal-Lexikon der Tonkunst, 4 vol., Dresde, Berlin, Vienne et Offenbach 1855-65; H. MENDEL, Musikalisches Conversations-Lexikon, 11 vol., Berlin et New York 1870-79, 2/1880-82, supplt 1883; G. GROVE, D. of Music and Musicians, 4 vol., Londres 1878-89, 5ᵉ éd. par E. Blom en 9 vol., Londres, Macmillan, 1954, supplt 1961, 6ᵉ éd. par S. Sadie en prép.; H. RIEMANN, Musik-Lexikon, Leipzig 1882, 12ᵉ éd. en 5 vol. par W. Gurlitt (Personenteil, 2 vol. et 2 supplt) et par H.H. Eggebrecht (Sachteil, un vol.), Mayence, Schott, 1959-75; trad. fr. Paris 1895-1902, 3ᵉ éd. par A. Schaeffner, Paris 1931; A. LAVIGNAC et L. DE LA LAURENCIE, Encycl. de la mus. et Dict. du Conservatoire, I Hist. de la mus., 5 vol., Paris 1913-22, II Technique de la mus., 6 vol., Paris 1925-31; A. DELLA CORTE et G.M. GATTI, D. di mus., Turin, Unione tipografico editrice torinese, 1926, 7/1963; H.J. MOSER, Musik-Lexikon, Berlin 1933-35, 4ᵉ éd. en 2 vol., Hambourg, Sikorski, 1955, supplt 1958; P.A. SCHOLES, The Oxford Companion to Music, Londres et New York 1938, 9/1955; O. THOMPSON, The Intern. Cyclopedia of Music and Musicians, New York 1939, 9ᵉ éd. par R. Sabin, Londres, Dent, et New York, Dodd, 1964; Die Musik in Gesch. u. Gegenwart [MGG], éd. par Fr. Blume, 14 vol., Kassel, BV, 1949-68, supplts 1973 et suiv.; J. Pena et H. Anglés, D. de la mús. Labor, 2 vol., Barcelone, Labor, 1954; Larousse de la mus., éd. par N. Dufourcq, 2 vol., Paris, Larousse, 1957; Encycl. de la mus., éd. par Fr. Michel, 3 vol., Paris, Fasquelle, 1958-61; D. Ricordi della mus. e dei musicisti, éd. par Cl. Sartori, Milan, Ricordi, 1959; Encicl. della mus., éd. par Cl. Sartori et R. Allorto, 4 vol., Milan, Ricordi, 1963-64; Dict. de la mus., éd. par M. Honegger, 4 vol., I-II Les hommes et les œuvres, III-IV La science de la mus.. Paris, Bordas, 1970-76. — 2. Dict. biographiques : E.L. Gerber, Historisch-biographisches Lexikon der Tonkünstler, 2 vol., Leipzig 1790-92; du même, Neues historisch-biographisches Lexikon der Tonkünstler, 4 vol., Leipzig 1812-14; A.E. Choron et Fr. J.M. Fayolle, D. historique des musiciens, 2 vol., Paris 1810-11, 2/1817; Fr.J. Fétis, Biogr. universelle des musiciens, 8 vol., Paris 1835-44, 2/1860-65, 2 vol. de supplt par A. Pougin, Paris 1878-80; C. Schmidl, D. universale dei musicisti, Milan 1890, 2ᵉ éd. en 2 vol. 1926-29, supplt 1938; R. Eitner, Biographisch-bibliographisches Quellenlexikon der Musiker u. Musikgelehrten, 10 vol., Leipzig 1900-04, rééd. avec supplt Graz, Akademische Druck- u. Verlags-Anstalt, et Wiesbaden, Br. & H., 1959-60; Th. Baker, Biographical D. of Musicians, New York 1900, 5ᵉ éd. par N. Slonimsky, New York, Schirmer, 1971. — 3. Dict. terminologiques : J. Tinctoris, Terminorum musicae diffinitorium, s.l.n.d. [v. 1475], rééd. in Coussemaker Scr. IV, Paris 1876, et avec trad. fr. de A. Machabey, Paris, Richard Masse, 1951; T.B. Janowka, Clavis ad thesaurum magnae artis musicae, Prague 1701; S. de Brossard, D. de mus., Paris 1703, plus rééd., rééd. en facs. de l'éd. originale, Amsterdam, Antiqua, 1964; J. Grassineau, A Musical D. of Terms, Londres 1740, plus. rééd.; J.J. Rousseau, D. de mus., Genève 1767, nbr. rééd.; J. Hoyle, D. musicae, Londres 1770; J.G. Sulzer, Allgemeine Theorie der Schönen Künste..., 2 vol., Leipzig 1771-74, plus. rééd.; H. Chr. Koch, Musikalisches Lexikon, 2 vol., Francfort/M. 1802, plus. rééd., en particulier par H. Dommer, Heidelberg 1865; Fr. H.J. Castil-Blaze, D. de mus. moderne, Paris 1821; L. et M. Escudier, D. de mus. d'après les théoriciens historiens et critiques..., 2 vol., Paris 1844, 5/1872; J. Stainer et W.A. Barrett, A D. of Musical Terms, Boston et New York 1876, 5ᵉ éd. Londres et New York 1898; F. Pedrell, D. técnico de la mús., Barcelone 1894; Th. Baker, D. of Musical Terms, New York 1895; M. Brenet, D. pratique et historique de la mus., Paris 1926 /1930, trad. esp. par J. Barbará Humbert, J. Ricart Matas et A. Capmany sous le titre D. de la mús., Barcelone 1946; W. Apel, Harvard D. of Music, Cambridge (Mass.), Harvard Univ. Press, 1944, 2/1970; Handwörterbuch der musikalischen Terminologie, éd. par H.H. Eggebrecht, Wiesbaden, Fr. Steiner, 1972 et suiv. — 4. Dict. spéciaux. a) D. des opéras : F. Clément et P. Larousse, D. lyrique ou Hist. des opéras, Paris 1867, 4ᵉ éd. par A. Pougin sous le titre D. des opéras, Paris 1905; H. Riemann, Opern-Hdb., Leipzig 1887; C. Dassori, Opere e operisti..., Gênes 1903; Encicl. dello spettacolo, éd. par S. D'Amico, 9 vol., Rome, BU. Le maschere, et Florence, Sansoni, 1954-62, supplt 1966; U. Manferrari, D. universale delle opere melodrammatiche, 3 vol., Florence, Sansoni, 1954-55; D. Ewen, Encycl. of the Opera, New York et Londres 1955, 2ᵉ éd. sous le titre The New Encycl. of Opera, New York, Hill & Wang, 1971; H. Rosenthal et J. Warrack, D. de l'opéra, Paris, Fayard, 1974. — b) D. des instr. et des facteurs d'instr. : A. Jacquot, D. pratique et raisonné des instr. de mus. anciens et modernes, Paris 1886; W.L. von Lütgendorff, Die Geigen- u. Lautenmacher vom Mittelalter bis zur Gegenwart, Francfort/M. 1904, 6ᵉ éd. en 2 vol. 1922; C. Sachs, Reallexikon der Musikinstr., Berlin 1913, rééd. en facs. Hildesheim, Olms, 1962, et New York, Dover, 1963; P. de Fleury, D. biographique des facteurs d'orgue en France, Paris 1926; H. Poidras, D. des luthiers anciens et modernes..., Rouen 1924-29, 2/1932; R. Vannes, D. universel des luthiers, Paris 1932, 2/Bruxelles, Les Amis de la mus., 1951, supplt 1959; C. Elis, Orgelwörterbuch, Kassel 1933, 3/1949; D. dei chitarristi e liutai italiani, Bologne 1937; D.H. Boalch, Makers of the Harpsichord and Clavichord, 1440 to 1840, Londres, Ronald, 1956; K. Jalovec, Italienische Geigenbauer, Prague 1957; W. Henley, Universal D. of Violin and Bow Makers, 5 vol., Brighton, Amati Publ. Co., 1959-60. — c) D. liturgiques : J.L. d'Ortigue, D. liturgique, historique et théorique de plain-chant et de mus. relig., Paris 1854, 2/1860; U. Kornmüller, Lexikon der kirchlichen Tonkunst, Brixen 1870, 2/Regensburg 1891-95 (en 2 vol.); A.F.W. Fischer, Kirchenlieder-Lexikon, 2 vol., Gotha 1878-86; S. Kümmerle, Enzykl. der evangelischen Kirchenmusik, 4 vol., Gütersloh 1888-95; J. Julian, A D. of Hymnology, Londres 1892, rééd. en 2 vol., New York, Dover, et Londres, Murray, 1957; D. d'archéologie chrétienne et de liturgie, éd. par F. Cabrol et H. Leclercq, 15 vol., Paris 1924-53; A. Weissenbäck, Sacra musica, Lexikon der katholischen Kirchenmusik, Klosterneuburg 1937. — d) D. de la danse : G. Desrat, D. de la danse, Paris 1895; G.B.L. Wilson, A D. of Ballet, Harmondsworth 1957; D. du ballet moderne, Paris, Hazan, 1957. — e) D. du jazz : H. Panassié et M. Gautier, D. du jazz, Paris, A. Michel, 1954, 2/1971; S. Longstreet et A.M. Dauer, Knaurs Jazz-Lexikon, Munich et Zurich, Knaur, 1957, plus. rééd.; Fr. Tenot et Ph. Carls, D. du jazz,

Paris et Kehl, Larousse, 1967. — f) D. de mus. contemporaine : N. Slonimsky, Music Since 1900, New York 3/1949; D. Ewen, The Book of Modern Composers, New York 2/1950; du même, European Composers Today, New York 1954; K.Fr. Prieberg, Lexikon der Neuen Musik, Fribourg-en-Br. et Munich, Alber, 1958; Cl. Rostand, D. de la mus. contemporaine, Paris, Larousse, 1970. — g) D. des éditeurs : F. Kidson, British Music Publishers, Printers and Engravers, Londres 1900; C. Hopkinson, A D. of Parisian Music Publishers, 1700-1950, Londres, l'Auteur, 1954; C. Humphries et W.C. Smith, Music Publishing in the British Isles... A D. of Engravers, Printers, Publishers and Music Sellers..., Londres 1954; C. Johanson, French Music Publisher's Catal. of the 2ᵈ Half of the 18th Cent., Stockholm 1955; Cl. Sartori, D. degli editori musicali italiani, Florence, Olschki, 1958. — h) D. nationaux ou régionaux : voir le paragraphe Dictionnaires de la bibliographie des articles consacrés aux divers pays. — i) D. thématiques : R.M. Burrows et B.C. Redmond, Symphony Themes, New York 1942; des mêmes, Concerto Themes, New York 1951; H. Barlow et S. Morgenstern, A D. of Musical Themes, New York 1948, trad. ital. Milan, G. Sormani, 1955; des mêmes, D. of Vocal Themes, New York 1950; voir également l'art. Catalogue thématique. — j) Lexiques polyglottes : J. Hiles, A Complete D. of 12 500 Italian, French, German, English and other Musical Terms, Londres 7/1882; R. Vannes, Essai de terminologie musicale, D. universel en 8 langues, Paris 1925; A. Sardá, Léxico tecnológico musical en varios idiomas, Madrid 1929; W.J. Smith, A D. of Musical Terms in 4 Languages, Londres, Hutchinson, 1961.

M. Honegger

DIÈSE (angl., sharp; all., Kreuz; ital., diesis; esp., sostenido), signe d' → altération ou → accident (♯) qui élève d'un demi-ton chromatique la note naturelle devant laquelle il se trouve placé. Le double d. (♯♯) élève la note de deux demi-tons chromatiques. Dans les imprimés du XVIᵉ s., le d. apparaît fréquemment placé en diagonale (♯). Le d. a été utilisé dès le XIIIᵉ s. comme signe annulant l'altération d'une note par un bémol et n'a pris le sens d'accident qu'à la fin du XIIIᵉ et au début du XIVᵉ s. où G. de Machault en fait déjà un emploi assez fréquent. Cependant jusqu'à la 2ᵈᵉ moitié du XVIᵉ s., l'emploi du d. — contrairement à celui du bémol — était rarement prescrit par les textes mais laissé à l'initiative des interprètes, qui en faisaient un usage abondant dans les cadences, les broderies en mouvement rapide et les accords de fin à tierce majorisée. — Voir également l'art. Musica ficta.

DIESIS (grec), voir Enharmonie.

DIFERENCIA (esp., = différence), désigne, au XVIᵉ s., des variations, souvent très ornées et travaillées, sur des mélodies populaires ou des thèmes grégoriens, destinées à des instr. à clavier ou à la vihuela. Alors que l'art de la variation était encore inconnu en Europe, L. de Narváez fut le premier à composer des séries de d. (*Los seys libros del Delphín*, Valladolid 1538). Par la suite, L. Venegas de Henestrosa en recueillait pour son *Libro de cifra nueva* (éd. plus tard à Alcalá de Henares, 1557) et D. Ortiz en écrivait pour son *Tratado de glosas* (Rome 1553). Parmi les d. les plus fameuses, il faut citer les *D. sobre el Canto del caballero* d'A. de Cabezón (*Obras de música*, Madrid 1578) ; les *D. sobre Conde Claros* de Narváez, A. de Mudarra (*Tres libros de música*, Séville 1546), E. de Valderrábano (*Silva de Sirenas*, Valladolid 1547) et D. Pisador (*Libro de música*, Salamanque 1552) ; les *D. sobre Las vacas* de Narváez et de Cabezón (op. cit.).

DIFFÉRENCES, voir Tons psalmodiques.

DIFFÉRENCES PSALMODIQUES, voir Psalmodie et Tons psalmodiques.

DIFFÉRENTIEL, son produit par la coexistence de deux sons de fréquence voisine. Sa fréquence est égale à la différence des deux sons composants. — Voir l'art. Battements.

DIFFRACTION, propriété qu'ont les → ondes de contourner les obstacles. Elle s'observe d'autant plus facilement que la longueur d'onde est plus grande, p. ex. pour les ondes sonores et les grandes ondes de la radiodiffusion.

DIFFUSION ACOUSTIQUE, « réflexions ou diffractions irrégulières d'une onde acoustique dans plusieurs directions » (Afnor), entraînant une répartition plus ou moins homogène de l'énergie acoustique dans un milieu donné. La qualité de transmission acoustique d'un champ acoustique ou d'une salle est déterminée par une répartition uniforme et homogène de toutes les fréquences, non seulement dans le temps mais dans l'espace. La variation du temps de réverbération en fonction de la fréquence caractérise assez bien la répartition dans le temps. La notion de d., assez mal connue, est importante pour la répartition dans l'espace. Si la d. était totale, l'auditeur ne pourrait pas localiser un son puisqu'il viendrait de partout. Si elle était nulle, le son parviendrait d'une seule direction; l'auditeur n'aurait pas l'impression de se trouver dans une salle, il serait à l'extérieur, dans un désert. Une bonne « présence » exige un certain taux de d., et cela pour certaines longueurs d'onde, amenant une distribution uniforme du son, une croissance et une décroissance relativement régulières de celui-ci. On utilise à cet effet des éléments diffusants : surfaces polycylindriques, dents de scie, calottes sphériques imbriquées, colonnes, bibelots ou un brassage de matériaux sur les murs (quadrillage utilisé couramment dans les studios de radiodiffusion). On crée ainsi un effet de bord qui fait que tout se passe comme si le mur n'était pas plan. Ces éléments ont une efficacité diffusante maximale si leurs dimensions sont de même ordre de grandeur que la longueur d'onde de l'onde incidente; ils sont peu efficaces s'ils sont plus petits. Malgré de nombreux travaux récents (E. Meyer, Cremer, Reichhardt, Kürer en Allemagne, Schroeder aux USA, Lamoral et Trembaski en France), et en l'absence d'une unité caractéristique restant à définir, l'expérience permet seule actuellement d'en mettre ce qu'il convient en fonction de l'utilisation du local. — Le terme de d. est également employé avec le sens d' → émission.

DIJON.

Bibliographie (éd. à Dijon, sauf mention spéciale) — Ch. Poisot, Essai sur les musiciens bourguignons du IXᵉ au XIXᵉ s., D. 1854 ; J. Dietsch, Une page d'hist. locale : l'Institut de mus., premier conservatoire de D. 1703-1796, D. 1884 ; du même, Les orgues, les organiers (1424-1887), ms., 1888 (Bibl. municipale de D.) ; J. Bresson, Hist. de l'église de N.-D. de D. ... jusqu'à la fin du XVIIIᵉ s., D. 1891 ; R. Garraud, Hist. de la maîtrise de la cathédrale de D. depuis le Concordat, D. 1899 ; H. Quittard, Les années de jeunesse de Rameau, in RM II, 1902 ; E. Bélin, La Soc. chorale de D. de 1870 à 1900, D. 1905 ; J. Tiersot, Sur Cl. Rameau, frère de Jean-Philippe, in Bull. de la Soc. Fr. de Mie nᵒ 8, 1921 ; Mgr R. Moissenet, L'orgue de chœur de la cathédrale de D., in Revue de Bourgogne XV, 1925 ; Ch. Oursel, L'École de Mgr Moissenet, in Mémoires de l'Acad. de D. 1934 ; du même, Mgr Moissenet, ibid. 1939 ; du même, A propos de la maîtrise de D., ibid. 1943-46 ; R. Thiblot, Le séjour de Mozart à D. en 1766, ibid. 1937 ; E. Fyot, Mozart à D., ibid. 1937 ; J. Marix, Hist. de la mus. et des musiciens de la cour de Bourgogne... (1420-1467), Strasbourg 1939 ; J. Gardien, L'orgue et les organistes en Bourgogne... au XVIIIᵉ s., Paris 1943 ; Vl. Fédorov, art. D. in MGG III, 1954 (avec bibliogr.) ; H. Giroux, Autour de J.-Ph. Rameau : la jeunesse dijonnaise de J.-Ph. R. ; une sœur musicienne de J.-Ph. R. : Catherine R. ; la famille du « Neveu de R. », in Mémoires de l'Acad. de D. CXVII, 1963-65 ; Dijon, Bibl. publique, Ms. 517. With Introd. by D. Plamenac, New York, Inst. of Mediaeval Music, 1971.

DILETTANTE (ital., = qui se délecte). **1.** D'abord employé en français avec la même valeur qu'en italien, le terme a désigné un amateur passionné de musique ; ensuite, par analogie, un amateur d'un art quelconque. — Pendant la célèbre querelle qui opposa, au XVIIIᵉ s., gluckistes et piccinnistes, les « dilettanti » représentaient les partisans de la mus. italienne. — **2.** Loc. adv. : pratiquer un art en d., c'est le pratiquer pour l'agrément et non comme un métier.

DIMINUÉ, se dit d'un → intervalle qui comporte un demi-ton chromatique de moins que l'intervalle juste ou mineur correspondant. — Voir également les art. Attraction, Intervalle, Stabilité, Instabilité et Triton.

DIMINUENDO (ital., = en diminuant ; abrév. dimin. ou dim.), synonyme de → decrescendo.

DIMINUTION. 1. Dans la notation mensuraliste des XVᵉ et XVIᵉ s., raccourcissement d'un chant par la réduction de toutes ses durées constitutives au moyen de → proportions dites diminuantes : « proportio dupla » ou « dupla » indiquée par le rapport 2/1, « proportio tripla » ou « tripla » par 3/1, « proportio sesquialtera » par 3/2, « proportio quadrupla » par 4/1, etc. Ce procédé est employé fréquemment dans les ténors des motets dès le XIVᵉ s., chez Ph. de Vitry et G. de Machault p. ex., dans le ténor des messes à « cantus firmus » du XVᵉ s. ou encore à toutes les voix d'une composition pour amener un changement du tempo de base (« proportio sesquialtera »). En temps parfait ou en prolation majeure, la d. respectivement de la brève et de la semi-brève est réalisée au moyen du → « color ». La d. sert également à rétablir les valeurs altérées par le procédé inverse de l' → augmentation. — **2.** La d. du sujet est utilisée fréquemment dans la fugue, où elle s'apparente au procédé de la strette. J.S. Bach l'utilise dans le Clavier bien tempéré II, Fugue nᵒ 9 en mi maj. (mes. 26 et ss.), dans L'Art de la fugue, Fugues nᵒˢ 6 et 7, où apparaissent simultanément les formes normale, diminuée et augmentée du sujet. — **3.** Procédé très employé au XVIIᵉ s., qui consiste à orner considérablement le chant lors de la reprise d'une pièce vocale ou instrumentale (voir l'art. Double). D'une manière plus générale, le terme est utilisé couramment comme synonyme de coloration, figuration, ornementation. Il consiste en la décomposition souvent improvisée de certaines notes formant l'armature d'une mélodie en des groupes de notes brèves qui peuvent prendre la forme de passages, d'arpèges, de broderies, d'ornements, etc. — Voir l'art. Ornementation.

DIPHTONGUE (du grec dis-phthoggos = son double), son du langage, de nature vocalique et caractérisé par le glissement progressif d'un premier timbre vocalique vers un second différent du premier. Les d. sont donc des → voyelles; elles s'opposent aux voyelles monophtongues, caractérisées par un timbre vocalique simple, relativement stable durant leur émission. Une d. est représentée phonétiquement par le timbre initial suivi du timbre d'aboutissement (qui, du reste, n'est pas toujours atteint) : ainsi l'anglais « mice » (= souris) se transcrit [mais]. Le français ne possède pas de voyelles monophtongues mais il a connu des diphtongues. En témoigne l'orthographe française actuelle, qui date en gros du XIIᵉ s. Le manque de correspondance entre prononciation et orthographe est à l'origine d'une confusion — absurde du point de vue phonétique — entre d. et graphies doubles, représentatives de monophtongues : ainsi la graphie double « ai » de « mai » se prononce [ɛ] et n'est donc pas une dipthongue. Les d., unités vocaliques, ne doivent pas non plus être assimilées à la juxtaposition de deux monophtongues individuelles : le mot anglais « mice » ['mais] comprend une seule syllabe dont le centre est la d. [ai], alors que le mot français « maïs » [ma'is] comprend deux syllabes dont les centres sont respectivement les voyelles [a] et [i]. Ce dernier point n'est pas négligeable du point de vue de la prosodie musicale.

Bibliographie — Cf. l'art. VOYELLE.

DIPLOPHONIE, terme médical désignant la formation simultanée de deux sons de hauteur différente dans le larynx.

DIRECTANÉ (du lat. directaneus), signifie « psalmodié d'un seul trait » sans intercalation d'antienne. La Règle de St Benoît (chap. XVII) prescrit que les psaumes de complies se chantent « directement sans antienne » (« psalmi directanei sine antiphona dicendi sunt »). Voir encore le chap. XII (« Psalmus in directum »). La Règle aux moines d'Aurélien d'Arles (VIᵉ s.) indique aussi, pour l'office du soir appelé lucernaire, un « directaneus parvulus ». Le terme est repris adverbialement (« directaneo ») dans la Règle aux Vierges de St Césaire d'Arles. Le *Manuale* (ou Ordinaire) du chant ambrosien emploie également ce terme.

Bibliographie — D.H. LECLERCQ, art. Directaneus *in* Dict. d'archéologie chrétienne et de liturgie IV/1, Paris 1924 ; H. BLAISE, Dict. latin-fr. des auteurs chrétiens, Turnhout, Brépols, 1954, p. 275.

DIRECTION (angl., conducting; all., Dirigieren; ital., direzione; esp. dirigir), action de conduire, de diriger l'exécution d'une œuvre musicale par un groupe — chœur ou orchestre, ou soli, chœur et orchestre, etc. — dans le but de coordonner l'interprétation des différents individus qui y participent. Outre l'indication du départ ou des entrées successives des voix ou des instruments, l'élément essentiel de la d. consiste à → battre la → mesure avec rigueur et clarté pour être compris sans équivoque. Le geste du bras droit se prolonge et se précise grâce au mouvement de la baguette ou → bâton que tient la main droite. Mais la d. doit également indiquer les fluctuations du → « tempo », suggérer les → nuances dynamiques ou agogiques et l' → expression générale du morceau. Seul le côté spectaculaire de la d. — la gestique — s'offre à la vue et au jugement des mélomanes lors d'une exécution publique. Celle-ci se trouve précédée par de nombreuses séances de → répétitions, dont la qualité fait bien souvent la valeur du → chef d'orchestre ou du chef de chœur. Dans certains groupes restreints, l'indication des départs et des fluctuations du mouvement est donnée par l'un des interprètes à partir de son pupitre; ce rôle est presque toujours dévolu au premier violon dans le quatuor à cordes. Mais il ne s'agit pas là d'une véritable d., et chaque exécutant apporte sa contribution à l'interprétation d'une œuvre de mus. de chambre.

La manifestation la plus ancienne de la d. est la → chironomie, c.-à-d. le mouvement de la main indiquant le mouvement mélodique. Connue depuis la plus haute antiquité (Sumer, Égypte), elle s'est perpétuée jusqu'au Moyen Age dans l'exécution du chant ecclésiastique, byzantin et grégorien. Tant que la polyphonie resta un art de solistes, la d. ne s'imposa pas plus que dans l'exécution actuelle d'une œuvre de mus. de chambre. Mais le développement des chapelles au XVᵉ s. et la constitution de chœurs plus fournis, doublés ou soutenus par des instruments, entraînèrent la nécessité d'indiquer la pulsation avec netteté au moyen du → « tactus », abaissement régulier de la main permettant à la musique de s'écouler avec fluidité entre chacun de ces repères. Au XVIIᵉ s. l'influence grandissante de la mus. de danse eut pour conséquence l'élaboration des mesures modernes avec leurs temps alternativement forts et faibles. La d. dut alors se perfectionner pour exprimer visuellement les temps forts (abaissement ou frappé) et les temps faibles (battues de côté et levé). Aux XVIIᵉ et XVIIIᵉ s., la d. d'une œuvre était en général assurée par le musicien qui réalisait la basse chiffrée au clavecin, le « maestro al cembalo », ou à l'orgue, en étroit accord avec le premier violon (en all. → « Konzertmeister »). Les œuvres à grand effectif — oratorios, motets à grand chœur, tragédies lyriques — étaient dirigées soit avec un grand bâton qui servait à marquer bruyamment le rythme en frappant le sol, comme cela fut longtemps le cas à l'Opéra de Paris, soit avec un rouleau de papier tenu à pleine main en son milieu. Vers la fin du XVIIIᵉ s., le rôle du « Konzertmeister » décline au profit d'un nouveau venu, le → chef d'orchestre, qui dirige face aux exécutants à l'aide d'un archet ou d'un bâton. Très souvent, c'est le compositeur lui-même (J.Fr. Reichardt, L. Spohr, C.M. von Weber, G. Spontini, F. Mendelssohn, H. Berlioz). Depuis le milieu du XIXᵉ s., la d. de l'orchestre est confiée à un spécialiste (O. Nicolaï, H. von Bülow, A. Nikisch, F. Weingartner, Ch. Lamoureux, É. Colonne, C. Chevillard, P. Monteux, A. Toscanini...), qui, en plus de sa technique gestuelle et de ses dons d'interprétation, doit posséder au plus haut degré des capacités d'analyse, de décision, d'organisation et de psychologie.

Bibliographie — H. BERLIOZ, L'art du chef d'orch., *in* Grand Traité d'instrumentation..., Paris 2/1856; R. WAGNER, Über das Dirigieren, Leipzig 1869; E.M.E. DELDEVEZ, L'art du chef d'orch., Paris 1878; M. KUFFERATH, L'art de diriger l'orch., Bruxelles 1891; F. WEINGARTNER, Über das Dirigieren, Berlin 1895; G. SCHÜNEMANN, Gesch. des Dirigierens, Leipzig 1913; A. BOULT, A Handbook of the Technique of Conducting, Londres 1921, 2/1949; A. CARSE, Orchestral Conducting, Londres 1929; C. SCAGLIA, Guida allo studio della direzione d'orchestra, Milan 1929; H. SCHERCHEN, Lehrbuch des Dirigierens, Leipzig 1929, 2/ Mayence, Schott, 1956, trad. angl. Londres 1933; A. LUALDI, L'arte di dirigere l'orchestra, Milan 1940; D.E. INGHELBRECHT, Le chef d'orch. et son équipe, Paris 1949; M. RUDOLF, The Grammar of Conducting, New York 1950; F. PREVITALI, Guido allo studio della direzione d'orchestra, Rome 1951; FR. GOLDBECK, Le parfait chef d'orch., Paris 1952; CH. MÜNCH, Je suis chef d'orch., Paris, Éd. du Conquistador, 1954; B. GROSBAYNE, Techniques of Modern Orchestral Conducting, Cambridge (Mass.), Harvard Univ. Press, et Londres, Oxford Univ. Press, 1956; M. BOWLES, The Art of Conducting, New York, Doubleday, 1959, et, sous le titre The Conductor, Londres, Bell, 1961.

M. HONEGGER

DIRECTIONNALITÉ. Une trompette sonne plus aigu quand on se place dans son axe, un violon lorsqu'on est placé perpendiculairement à la table. Chaque instr. de musique possède un diagramme directionnel différent ; par conséquent, l'intensité et le timbre des sons changent selon son orientation par rapport à l'auditeur. La d. des instruments a été étudiée par de nombreux acousticiens depuis Vern Oliver Knudsen ; elle joue un rôle dans la disposition des musiciens de l'orchestre et les chefs en tiennent empiriquement compte en fonction de la salle lorsqu'ils sont habiles. Un microphone peut être directionnel ou non. On utilise un microphone directionnel afin d'éviter des bruits de fond venant des côtés ou de l'arrière.

DIRGE (angl.), chant funéraire, ou toute musique liée à une cérémonie funèbre. On emploie parfois ce terme pour désigner une œuvre écrite à la mémoire d'une personne défunte. Dans le langage parlé, on peut aussi l'employer dans le sens péjoratif d'une musique lente, déprimante, une « musique d'enterrement ». « Dirge » est une déformation du latin « dirige », premier mot de l'antienne *Dirige Domine* qui ouvre l'office des défunts.

DIS, nom allemand du *ré* dièse.

DISCANTUS (lat. ; fr., déchant ; angl., discant ; all., Diskant). **1.** Sorte de polyphonie improvisée ou composée. — **2.** Une ou plusieurs voix ajoutées au ténor ou au cantus firmus, donnant ainsi naissance à la polyphonie. — **3.** Aux XVIᵉ et XVIIᵉ s. en particulier, le terme désigne le registre aigu d'une voix ou d'une famille d'instruments (violes, flûtes à bec, cornets, etc. ; registres de l'orgue). — **4.** Dans une composition polyphonique, il désigne la voix la plus élevée, souvent chantée par des garçons, et s'emploie au lieu de cantus, superius ou soprano, en particulier au XVIᵉ s. en Allemagne.

Le mot « discantus » a été formé au XIIᵉ s. par analogie avec le mot grec « diaphonia », qui désigne une dissonance ; mais il a perdu l'acception de « sonorité différenciée » pour signifier « chant différencié » et désigner déjà chez Guy d'Arezzo (Anon. Lafage 355) le genre de composition opposé à l'organum primitif ou organum parallèle (voir l'art. ORGANUM) fondé exclusivement sur les intervalles d'octave, de quinte et de quarte. Il se caractérise essentiellement par une écriture syllabique, note contre note, ou mélisme contre mélisme, les voix se déplaçant autant que possible par degrés conjoints en mouvement contraire, respectant la perfection des consonances sur les points d'appui que séparent des dissonances admises sur les notes de passage. Cette forme se perpétua comme un genre improvisé (« d. ex improviso », « d. simplex », « d. supra librum »), sa simplicité s'opposant au développement rapide de la polyphonie savante, la plupart du temps à l'écart de ses grands centres. Elle est encore attestée au XVIIᵉ s. sous les noms de « contrapunctus simplex », « contrapunctus allemente », → « sortisatio ». Il faut également mentionner la forme particulière que M. Bukofzer nomme « English discant » et qui repose essentiellement sur le mouvement parallèle, c'est-à-dire sur des transpositions de la voix de ténor. Au cours du développement de sa forme savante, le déchant a conservé les principes de la succession harmonieuse des consonances et des dissonances et de la correspondance entre les mouvements des différentes voix (p. ex. St-Martial, *Codex Calixtinus*). Associé au nouveau principe du rythme modal, ce dernier aspect valut au déchant de prendre une importance de premier plan avec l'École de Notre-Dame. Par son principe de rythmisation de toutes les voix, il s'oppose à l' → organum non encore modal et à la → « copula » dont seul le « duplum » obéit à la rythmique modale.

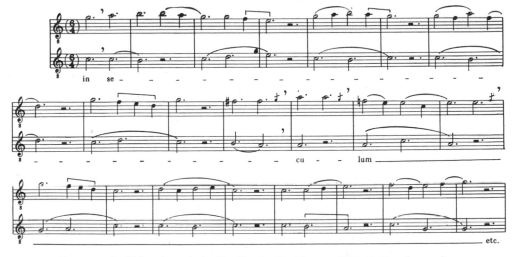

Fragment de déchant extrait du *Hec dies* du Ms. Florence, Bibl. Medeceo-Laurenziana, plut. 29, 1, fᵒ 108ᵛ (même pièce que les ex. des art. ORGANUM et COPULA).

Au cours du XIIIᵉ s., il les pénètre si profondément que les différences finissent par devenir imperceptibles. C'est sur ces fondements que se développent dans l'Ars Antiqua et l'Ars Nova françaises le motet et la composition en style de cantilène, dans le Trecento italien le madrigal, la ballata, etc., et dans la théorie, le contrepoint.

Bibliographie — GERBERT Scr.; COUSSEMAKER Scr.; E. DE COUSSEMAKER, Hist. de l'harmonie au M.A., Paris 1852; H.RIEMANN, Gesch. der Musiktheorie im 9.-19. Jh., Berlin 2/1920; H. BESSELER, Studien zur Musik des Mittelalters, in AfMw VII-VIII, 1925-26; J. HANDSCHIN, Der Organum-Traktat von Montpellier, in Fs.G. Adler, Vienne et Leipzig 1930; M. BUKOFZER, Gesch. des englischen Diskants u. des Fauxbourdons, Strasbourg 1936; THR. GEORGIADES, Englische Diskanttraktate aus der 1. Hälfte des 15. Jh., Munich ,1937; J. CHAILLEY, Hist. musicale du M.A., Paris, PUF, 1950, 2/1970; R. VON FICKER, Zur Schöpfungsgesch. des Fauxbourdon, in AMl XXIII, 1951; W.G. WAITE, D., Copula, Organum, in JAMS V, 1952; E. APFEL, Der Diskant in der Musiktheorie des 12. bis 15.Jh. (diss. Heidelberg 1953) u. dème, Studien zur Satztechnik der mittelalterlichen englischen Musik, 2 vol., in Abhandlungen der Heidelberger Akad. der Wissenschaft, phil.-hist. Klasse, nº 5, 1959; L.A. DITTMER, An English Discantuum Volumen, in MD VIII, 1954; S.W. KENNEY, « English Discant » and Discant in England, in MQ XLV, 1959; FR. ZAMINER, Der Vatikanische Organum-Traktat (Ottob. lat. 3 025), Tutzing, Schneider, 1959; R.L. CROCKER, D., Counterpoint and Harmony, in JAMS XV, 1962; R. FLOTZINGER, Der D.satz im Magnus liber u. seiner Nachfolge, Vienne, Böhlau, 1969.

R. FLOTZINGER

DISCOGRAPHIE, catalogue des enregistrements d'une même œuvre ou de l'ensemble de l'œuvre d'un compositeur, ou de l'ensemble des enregistrements d'œuvres comprises dans un ensemble (d. comparée de la *Symphonie pastorale*; d. de Chopin; d.des chansons de marins). A la fin d'un ouvrage : liste des sources sonores qui ont été consultées par l'auteur. Il existe dans plusieurs pays une d. générale (liste de tous les enregistrements disponibles dans le commerce), mise à jour chaque année. En voici les principales : France, *Catal. général de musique classique et de diction*, Paris, Diapason éd.; Grande-Bretagne, *The Gramophon Popular Record Catal.*; Allemagne fédérale, *Der grosse Schallplatten Katalog*; USA, *Schwann Long Playing Record Catal.*, Boston; *Yearly General Catalog*, Los Angeles; *Rock's Encyclopaedia*, New York.

DISCORDANCE, effet produit par des sons qui ne s'accordent pas ensemble. Si le terme a pu être autrefois synonyme de dissonance, il est employé de nos jours principalement avec le sens d'une rencontre de sons désagréable à l'oreille. — Voir également l'art. CONSONANCE, DISSONANCE.

DISCOTHÈQUE. 1. Département de certaines bibliothèques publiques, où l'on peut écouter et parfois emprunter des disques. En 1972 la Discothèque de Paris (12, rue François-Miron, 4ᵉ), principale section de la Discothèque de France (même adresse), a prêté 250 000 disques à 69 000 adhérents. De nombreuses d. municipales ou d'arrondissement sont aussi rattachées à la Discothèque de France. Un catalogue général est tenu à jour. Un bulletin, *Sillon*, est publié chaque mois. — **2.** Meuble où l'on range les disques, ou collection des disques rangés dans ce meuble. Par extension, l'ensemble des disques que l'on possède. Le meilleur principe pour le rangement des disques est de les disposer verticalement, modérément serrés. Les différents formats sont séparés. L'ordre est celui du rang alphabétique des compositeurs ou, en variétés,

des interprètes. Un disque portant plusieurs compositeurs ou interprètes sera placé au rang du premier d'entre eux dans l'ordre alphabétique, avec une fiche de renvoi à chacun des autres. Faites d'un carré de carton au format des pochettes, ces fiches prennent place dans la d. parmi les disques et dispensent de tout catalogue ou fichier. — **3.** Depuis 1960, club où l'on danse au son de la mus. enregistrée.

Bibliographie — R. DE CANDÉ, Ouverture pour une d., Paris, Éd. du Seuil, 1956; La d. idéale, Paris, PUF, 1956; R. LYON, Guide de l'amateur de microsillon, Paris, Éd. du Guide du Concert, 1958.

DISIS, nom allemand du *ré* double dièse.

DISJOINT, voir CONJONCTION, DISJONCTION.

DISJONCTION, voir CONJONCTION, DISJONCTION.

DISPOSITION, nom donné par les facteurs d'orgues à la description sommaire d'un orgue (registres, claviers, pédale, accouplements, etc.).

DISQUE (angl., record; all., Schallplatte; ital. et esp., disco), galette circulaire à la surface de laquelle on conserve, en vue de sa reproduction, l'empreinte d'un → enregistrement sonore et (ou) visuel. Cet enregistrement peut être mécanique (gravure d'un sillon modulé), magnétique (tracé invisible d'une piste magnétique), optique (cas de certains enregistrements audiovisuels), etc. Le d. de → phonographe représente l'aboutissement d'une compétition entre les divers systèmes d'enregistrement et de reproduction sonore qui se sont soumis à l'épreuve du marché commercial. Celui-ci devait concilier le bas prix de revient avec la meilleure satisfaction d'une clientèle désireuse d'acquérir le plus possible de musique sous le plus petit volume permis. Le désir de qualité musicale semble n'être apparu qu'avec l'enregistrement électrique, qui permettait d'espérer le satisfaire (1926). Le d. de phonographe porte l'empreinte mécanique de l'enregistrement sous la forme d'un → sillon enroulé en spirale. Il existe sur le marché sous deux formes dont chacune correspond à une conception particulière. Les œuvres très courtes sont généralement éditées sous la forme de d. de 17 cm de diamètre tournant à la vitesse de 45 tours à la minute. De la sorte, la durée d'une face diffère peu de celle à laquelle, pendant plus d'un demi-siècle, le d. à 78 tours avait accoutumé le public. Ces d., à peu près entièrement consacrés aux variétés, sont conçus pour des appareils munis d'un changeur de disques. Tout le reste du répertoire utilise les d. de 30 cm de diamètre, tournant à 33 tours ¹/₃ par minute, et qui permettent de réaliser une durée d'audition par face atteignant la demi-heure. D'abord en gomme-laque, les d. sont maintenant faits de diverses résines synthétiques, presque toujours colorées en noir (voir l'art. PRESSAGE). Ces résines ont souvent l'inconvénient d'être électrostatiques, c.-à-d. d'attirer les poussières et les débris textiles, ce qui est mauvais pour les enregistrements : ces poussières sont abrasives et peuvent être entraînées dans les sillons par la pointe lectrice. On trouve dans le commerce divers produits et dispositifs antimagnétiques. A défaut d'en posséder, on peut très valablement laver un d.

poussiéreux avec un tampon d'ouate imbibé d'eau distillée. Pour le rangement des d. voir l'art. DISCOTHÈQUE. — L'imprégnation magnétique d'une face de d. en spirale est depuis longtemps usitée dans certains types de dictaphones. Même dans cette application, ce système tend à tomber en désuétude devant le développement des → cassettes magnétiques.

Nouveau venu sur le marché, le vidéodisque est un d. qui porte deux enregistrements associés : d'une part le son, d'autre part les images d'un même événement, p. ex. un spectacle lyrique. Cela signifie que les phénomènes vibratoires du son et ceux de la lumière subissent les transformations nécessaires et se trouvent enregistrés ensemble. Le système de lecture consiste à réaliser la transformation inverse : séparation est faite entre ce qui doit être entendu et ce qui doit être vu, et le résultat est perçu par l'auditeur-spectateur par le moyen du petit écran d'un téléviseur. La modulation complexe enregistrée à la surface d'un d. peut être mécanique ou optique, mais il y a une caractéristique commune à tous les systèmes et qui est liée à la fréquence du courant électrique : c'est la vitesse de rotation. Cette vitesse correspond à 25 tours par seconde, c.-à-d. 1 500 tours par minute, ce qui est très supérieur aux 45 tours des d. phonographiques les plus rapides. Les systèmes de lecture sont, eux aussi, entièrement nouveaux. Dans le vidéod. à gravure mécanique, une vis mère guide une lame lectrice en diamant (il y a 150 spires au millimètre). Dans le d. à imprégnation optique, la pointe est remplacée par un fil lumineux (laser) d'une finesse microscopique. La durée de spectacle du vidéod. à sillon est de 6 à 10 mn ; celle du système à laser est de 45 mn.

Bibliographie — R. LYON, Guide de l'amateur de microsillon, Paris, Éd. du Guide du Concert, 1958 ; du même, Conservation et reproduction des sons, in encycl. Clartés, fasc. 9 187, 1971 ; N.V. FRANSSEN, Stéréophonie, Paris, Dunod, 1964 ; J. GILOTEAUX, L'industrie du d., in Coll. Que sais-je ? Paris, PUF, 1968 ; J. THÉVENOT, art. D. in Encycl. Universalis, 1971 ; M. CALMET, art. Son, ibid., 1972 ; J. MASSON-FORESTIER, L'ABC du d., Paris, C.I.D.D., 1974.

R. LYON

DISSONANCE, voir CONSONANCE, DISSONANCE.

DISTINCTION. Dans les ouvrages théologiques ou canoniques du XIIIe s., la « distinctio » désigne une subdivision d'une question. De même dans le chant grégorien, la d. désigne une subdivision intérieure de la phrase musicale, indiquée sur le tétragramme par une demi-barre ou un quart de barre (voir l'art. DIVISION). Le terme « distinctio » désignant une cadence interne semble avoir été employé pour la première fois par l'auteur anonyme du *Dialogus de musica* (GERBERT Scr. I, 1784, p. 257), qui souligne l'importance de ces demi-cadences pour l'analyse modale, et par Guy d'Arezzo (*Micrologus* XV, cf. CSM 4, p. 163 et ss.), qui précise que la durée du temps de repos (« mora ») nécessaire pour la respiration des chanteurs est fonction de leur hiérarchie dans la période. — Voir également l'art. DIVISION.

DISTIQUE (grec, distikhos ; dis, = deux fois ; stikhos, = vers). Chez les Anciens, Grecs et Latins, petit poème de deux vers ou réunion d'un vers hexamètre et d'un vers pentamètre ayant un sens complet. Chez les Modernes, on a conservé le nom pour désigner deux vers formant un tout. Ex. : « Borné dans sa nature, infini dans ses vœux, / L'homme est un dieu tombé qui se souvient des cieux. » (Lamartine.)

DISTORSION. Un son est une « forme » à trois dimensions : fréquence, temps et intensité. Lorsqu'on fait passer une telle forme à travers un → canal, électronique p. ex., comportant un microphone, une bande magnétique, des amplificateurs, un haut-parleur, etc., les maillons de cette chaîne de communication agissent tous nécessairement peu ou prou sur les dimensions du son, aucun maillon technique n'étant parfaitement fidèle. La forme originale est plus ou moins distordue : le son change donc de timbre (filtrage ou résonance de certaines fréquences), de → transitoires et d'intensité. En règle générale, dès qu'on passe par un transducteur, mécanique ou électronique, il y a nécessairement distorsion. Les causes de d. et les d. sont nombreuses et variées, mais le progrès technique a permis de les éliminer presque totalement et d'approcher ainsi la haute fidélité (voir l'art. FIDÉLITÉ) dans la reproduction du signal son. Pour reproduire correctement divers sons émis simultanément ou successivement, il faut restituer les diverses vibrations simples que comprend le son émis, en respectant les rapports d'amplitude. La musicalité d'un poste récepteur de radiodiffusion est bonne s'il présente peu de distorsion. Celle-ci se manifeste surtout par une inégalité dans la reproduction des sons de différentes fréquences. En outre, si, pour une fréquence donnée, les rapports d'amplitude des diverses vibrations ne sont pas respectés, des d. se manifestent par une altération du timbre des sons.

Bibliographie — J. BERNHART, Traité de prise de son, Paris, Eyrolles, 1949 ; A. MOLES, Les mus. expérimentales, Paris, Zurich et Bruxelles, Éd. du Cercle d'Art contemporain, 1960 (cf. son Tableau des d. du canal sonore, p. 134, où les d. et leurs causes sont analysées et classées).

DISTROPHA, voir NEUME, § Neumes d'ornement.

DITHYRAMBE (grec, dithyrambos). La tradition ancienne qui voyait dans le d. un chant choral célébrant la naissance de Dionysos se retrouve dans ce qui serait l'origine du mot, le mythe de la double naissance du dieu (il passa *deux fois* les *portes* de la vie). Cette étymologie est certainement incorrecte et le mot pourrait être d'origine extra-hellénique, mais, à en juger par le premier exemple de son emploi (chez Archiloque, VIIe s. av. J.C.), c'était un chant à la gloire de Dionysos, entonné à l'occasion de simples rencontres autour d'une table. Un peu plus tard, Arion aurait formé des chœurs à Corinthe dans le but de chanter des d. sur des thèmes particuliers ; au VIe s. av. J.C., les concours dithyrambiques entre des chœurs de 50 exécutants dansant en cercle (« le chœur cyclique ») constituaient une partie importante des fêtes dionysiaques à Athènes. Enfin, les grands poètes du Ve s., Pindare, Bacchylide, Simonide..., écrivirent tous dans ce genre dont nous conservons divers spécimens. Fréquemment d'aspect narratif, le poème n'est pas nécessairement consacré à Dionysos. Aristote pensait que la tragédie s'était développée à partir du d. improvisé, mais cette opinion est très discutée. Chez des compositeurs comme Mélanippidès, Timothée, Téleste (Ve-IVe s.), la partie musicale jouée sur l'aulos prit de plus en plus d'importance au détriment des paroles, jusqu'à ce que le d. décline comme genre poétique individuel.

Bibliographie — H. SCHÖNEWOLF, Der jungattische D. (diss. Giessen 1938) ; A.W. PICKARD-CAMBRIDGE, D., Tragedy and Comedy, rév. par T.B.L. Webster, Oxford, Clarendon Press, 2/1962.

DITON (lat., ditonus ; du grec, ditonos), terme employé par les théoriciens du Moyen Age et de la Renaissance pour désigner la tierce majeure formée de deux tons.

DITONIQUE, voir ÉCHELLE.

DIVA (ital., = divine), nom par lequel on désigne une cantatrice tenant les premiers rôles dans les opéras. Syn. : « prima donna ».

DIVERTIMENTO (ital.), voir DIVERTISSEMENT.

DIVERTISSEMENT (ital., divertimento). **1.** Terme qui, aux XVIIe et XVIIIe s., désigne la partie des danses et des airs qui s'insère dans chaque acte d'un opéra, qu'il s'agisse d'une tragédie en musique ou d'un ballet. Résurgence du → ballet de cour dans l'opéra français, le d., qui, à l'origine, était lié à l'action, s'en détachera peu à peu dans le ballet et surtout l'opéra-ballet, d'autant plus que ses proportions augmenteront au détriment de l'intérêt dramatique. — **2.** Le terme désigne aussi une petite pièce en musique créée pour une circonstance particulière, comme *L'Églogue de Versailles* de Lully (1668), *Le Canal de Versailles* de Philidor (1687), *Adonis* de Delalande (1696), *Vénus, feste galante* de Campra (1698) et, à la fin du XVIIIe s., *Le Triomphe de la République* de Gossec (1796). — **3.** Dans le théâtre de comédie, on désignait sous ce nom, aux XVIIe et XVIIIe s., les parties de chant et de danse intercalées dans une pièce, auxquelles s'ajoutait le vaudeville final. A la Comédie-Française, à la Comédie-Italienne, aux théâtres de la foire, les pièces de Ghérardi, de Lesage, de Dancourt, de Fuzelier ou de Marivaux sont ainsi agrémentées de d. musicaux écrits par P. Lorenzani, J.Cl. Gillier, M.R. Delalande, Jacques Raisin, J.J. Mouret. — **4.** Le « divertimento » constitue un genre musical en vogue au XVIIIe s. Il réunit plusieurs morceaux dont des danses, comme dans une suite. Il est caractérisé par la facture simple et la dimension réduite des pièces, souvent nombreuses, qui en font partie. Mozart et Haydn ont écrit des « divertimenti », qui portent aussi le nom de → sérénade ou de → cassation. — **5.** De nos jours, le d. ou « divertimento » est une pièce instrumentale de style sérieux, mais de construction libre, souvent conçue pour un ensemble réduit. T. Harsanyi, B. Bartók, J. Ibert, A. Roussel ont composé des œuvres qui portent ce titre. — **6.** Partie de la → fugue qui précède la strette, dans laquelle le compositeur sépare les différentes reprises de l'exposition par des épisodes ou d. dont les motifs sont généralement empruntés au contre-sujet. — **7.** Synonyme de → pot-pourri.

DIVISÉS (ital., divisi), terme employé pour désigner un effet spécial dans l'écriture d'orchestre des cordes qui consiste à faire exécuter plusieurs notes simultanées non en doubles cordes mais en les répartissant entre plusieurs instruments d'un même groupe.

DIVISION. 1. (Angl.), terme employé par les musiciens anglais des XVIe et XVIIe s. pour désigner l'agrémentation ou l'ornementation d'une mélodie : agrémentation d'une reprise ou ornementation « ad libitum » d'une mélodie-armature en notes longues. — Voir également les art. DIVISION-VIOL et DISTINCTION. — **2.** Les différentes d. d'une pièce de plain-chant sont marquées, dans la notation carrée sur lignes, par une hiérarchie de barres, de demi-barres et de quarts de barres, destinés à assurer un bref temps de repos pour la respiration. La barre s'emploie rarement au milieu d'une pièce, tandis que la double barre est réservée à la fin de la pièce de chant. Au XIIIe s. on ne faisait pas la distinction, dans les livres de plain-chant, entre ces diverses longueurs de barres : les livres de chœur des prêcheurs et des mendiants employaient la double barre (« duae pausae ») pour indiquer l'endroit précis de la reprise du chœur juste après l'intonation du soliste et, à la fin des versets de graduel ou d'alleluia, pour la reprise par tous de la « cauda » finale (voir Festschrift Br. Stäblein, Kassel, BV, 1967, p. 57 et ss.). — Dans les livres actuels de plain-chant, les divisions sont marquées ainsi :

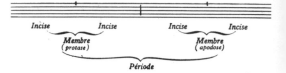

Incise   Incise   Incise   Incise
Membre   Membre
(protase)   (apodose)
Période

Dans la mus. mesurée du XIIIe s. notée sur 5 lignes, la valeur des différentes barres de division (« pausae ») a été redistribuée en six valeurs symétriques aux subdivisions de la « duplex longa » (Francon de Cologne, chap. IX ; Anonyme IV, chap. III, éd. Fr. Reckow, 1967, p. 57 et ss.) :

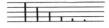

DIVISION ARITHMÉTIQUE, voir DIVISION HARMONIQUE.

DIVISION HARMONIQUE. Depuis l'Antiquité grecque, il y a deux manières de diviser une longueur de corde donnée. 1º Selon la proportion arithmétique qui correspond à la formule $x = \dfrac{A + B}{2}$. 2º Selon la proportion harmonique, inverse de la précédente, qui est donnée par l'équation $x' = \dfrac{2\,AB}{A + B}$. Le résultat x (ou x') est appelé moyenne ou médiété. Ces deux formules appliquées à l'octave la divisent : 1º en quarte + quinte ; 2º en quinte + quarte. Les théoriciens grecs et ceux du Moyen Age accordaient la même importance à ces deux proportions, plaçant ainsi la quarte au même rang que la quinte. La proportion harmonique correspond à la série des → sons harmoniques. C'est improprement que l'on parle de d. arithmétique : il y a une division de la corde selon la proportion arithmétique. L'emploi fautif résulte de la confusion des deux termes.

DIVISION-VIOL, basse de viole en usage en Angleterre. — Voir l'art. VIOLE DE GAMBE.

Clavecin à deux claviers de Johannes Ruckers,
Anvers, 1612. Amiens, Musée de Berny.

CLAVECIN

Clavecin à un clavier de Fabry, Bologne, 1677. Paris, Musée instrumental du Conservatoire National de Musique.

Table d'un clavecin à deux claviers de Nicolas Dumont, Paris, 1697. Paris, Musée instrumental du Conservatoire National de Musique.

Mécanique du clavecin à deux claviers de Nicolas Dumont.

Rangée de sautereaux, l'un dressé dont le bec vient de pincer les cordes.

Préparation des sautereaux chez un facteur.

CLAVICORDE

Clavicorde du XVIe s. (Italie ?) dont le couvercle, ouvert, représente la bataille navale de Lépante. Longueur 1,11 m. Paris, Musée instrumental du Conservatoire National de Musique.

Détail du mécanisme d'un clavicorde avec ruban étouffoir, cordes et leviers munis de leur tangente.

Leviers et tangentes de clavicorde, détail.

DIXIELAND JAZZ, voir Jazz.

DIXIÈME, intervalle à distance de 10 degrés ayant les mêmes particularités que la → tierce, dont il est le redoublement à l'octave.

DIXTUOR, pièce en forme de sonate écrite pour 10 instruments. Au XVIIIe s. le d. se rattache au → divertissement et à la → sérénade (Mozart, *Divertimento* KV 186). Comme d. proprement dit, on ne peut guère citer que celui de G. Enesco (1906). Parmi les *Petites Symphonies* de D. Milhaud, la 4e est un d. à cordes et la 5e un d. à vent.

DO, première syllabe de la → solmisation. Elle a remplacé la syllabe *ut* au cours du XVIIe s. et sert à vocaliser la note qui était autrefois désignée par la lettre C, toujours utilisée dans les pays germaniques et anglo-saxons. Le *do³* est désigné sur la portée par une → clef — la clef d'*ut* — qui peut être placée sur toutes les lignes.

DOCHMIUS, voir Mètre.

DODÉCAPHONISME (du grec dôdéka, = douze, et phônê, = voix, son; angl., twelve-tone system; all., Zwölftonsystem; ital. et esp., dodecafonia), terme forgé par R. Leibowitz, désignant une méthode de composition musicale fondée sur l'organisation systématique des 12 sons de l'échelle chromatique tempérée, dans un ordre préalablement déterminé par le compositeur. A. Schönberg, l'inventeur de la méthode, l'avait définie ainsi : composition à l'aide de 12 sons n'ayant que des rapports réciproques, « Komposition mit zwölf nur aufeinander bezogenen Tönen ». Cette technique devait donner une cohésion logique aux structures atonales issues du → total chromatique qu'il avait employé depuis 1908 (*3 Pièces pour piano*, op. 11 ; *5 Pièces pour orch.*, op. 16, 1909 ; *Erwartung* op. 17 ; *Pierrot lunaire*, op. 21). Après quelques essais inachevés (*Die Jakobsleiter*), Schönberg mit sa technique au point dans la *Valse* op. 23, n° 5.

Le d. repose sur le postulat de l'égalité absolue des 12 sons de l'échelle chromatique tempérée, donc sur la négation de la hiérarchie entre les notes et de l'→ attraction. A la base de la méthode se trouve la série dodécaphonique (« Zwölftonreihe » ou tout simplement « Reihe »), composée des 12 sons de l'échelle chromatique se succédant dans un ordre fixé à l'avance par le compositeur. Les registres ne sont pas prédéterminés ; chaque note se place dans n'importe quelle octave. La série de base (« Grundgestalt ») est le principe générateur nécessaire à l'élaboration d'une œuvre. A l'exception des

répétitions d'une même note (trémolos, batteries), aucune des notes de la série ne doit réapparaître avant qu'on ait entendu les 11 autres ; seules comptent les relations d'intervalles qui persistent tout au long de l'œuvre. On commence d'abord par établir les trois variantes fondamentales de la série de base : 1° en lisant la série de la dernière note à la première (forme rétrograde ou récurrence) ; 2° en renversant les intervalles de la série initiale (renversement ou mouvement contraire) ; 3° en établissant la rétrogradation de la 2e variante (récurrence du mouvement contraire).

La série de base et ses trois variantes peuvent être transposées 11 fois, ce qui met 48 aspects différents de la « Grundgestalt » à la disposition du compositeur. La série principale, énoncée au début de la *Suite* op. 25 de Schönberg, est accompagnée à la basse par une variante rythmique de cette même figure de base, mais transposée au triton :

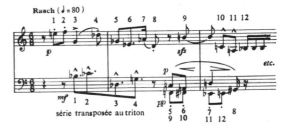

Début de la *Suite pour piano* op. 25, d'A. Schönberg.

La série détermine l'ordre de succession des intervalles qui fournit leur structure mélodique aux motifs principaux et secondaires. Les notes d'une série peuvent également être réparties entre les différentes voix, p. ex. chez A. Webern, dans ses *Drei volkstümliche Lieder* op. 17 (1924) pour soprano, violon, alto, clarinette et clarinette basse. Éparpillée entre les différents instruments, la série semble ne plus constituer qu'une sorte de poussière sonore.

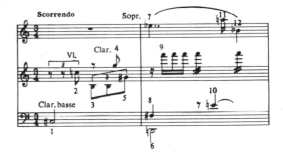

A. Webern, *Drei volkstümliche Lieder* op. 17.

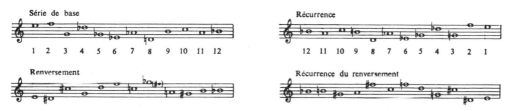

Série de base de la *Suite pour piano* op. 25 d'A. Schönberg et ses trois variantes.

En raison du postulat d'identité de l'horizontal et du vertical, la série ou une fraction de celle-ci peut être verticalisée en accord, de même qu'un bloc sonore peut être horizontalisé. Mais chez Schönberg, l'ordre mélodique prédomine d'une manière générale et la série joue dans son œuvre un rôle analogue au thème classique. Dans le *Klavierstück* op. 33a (1928), les trois premiers accords sont fondés sur la série initiale *si* ♭, *fa*, *si* ♮, *do*, *la*, *fa* ♯, *do* ♯, *ré* ♯, *sol*, *la* ♭, *ré* ♮, *mi*, tandis que les notes des trois accords suivants proviennent de la récurrence du renversement de la « Grundgestalt », transposée ici à la quarte (*la*, *si*, *fa*, *fa* ♯, *si* ♭, *do*, *sol*, *mi*, *ré*, *ré* ♭, *la* ♭, *mi* ♭). La ligne mélodique de la partie supérieure n'est pas déterminée par la série et, à l'intérieur des agrégats sonores, la position des notes est libre.

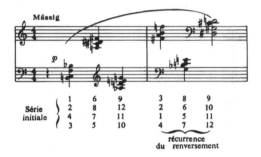

Série initiale	1	6	9	3	8	9
	2	8	12	2	6	10
	4	7	11	1	5	11
	3	5	10	4	7	12

récurrence du renversement

Mesures 1 et 2 du *Klavierstück* op. 33a d'A. Schönberg.

A l'instar des classiques, Schönberg emploie plusieurs procédés connus pour développer la série : développement rythmique (le rythme persiste, tandis que les intervalles de la série sont augmentés ou diminués dans des proportions identiques), développement mélodique (la série initiale persiste, tandis que le rythme change) et développement harmonique (les accords de l'accompagnement persistent tandis

matiques forment 11 intervalles différents, on peut former des séries où chaque intervalle est représenté une fois :

« Allintervallreihe »

demi-tons 1   2   3   4   5   6   7   8   9   10   11

Les trois Viennois ont exploré tantôt l'un, tantôt l'autre type de série. Schönberg avait une préférence très nette pour des séries dont la transposition au triton pouvait servir de partie secondaire sans qu'il y ait des notes répétées à l'intérieur des deux tronçons hexaphoniques. On rencontre un autre type de série dans son *Quintette à vent* : une série composée de deux tronçons hexaphoniques dont le second répète, à l'exception de la dernière note, les intervalles du premier mais transposés à la quinte supérieure :

Série du *Quintette à vent* op. 26 d'A. Schönberg.

Dans son *Concerto de violon*, A. Berg emploie une série hybride, composée d'une succession d'arpèges d'accords parfaits mineurs et majeurs et d'un fragment de la gamme par tons *sol*, *si* ♭, *ré*, *fa* ♯, *la*, *do*, *mi*, *sol* ♯, *si* ♮, *do* ♯, *ré* ♯, *fa* ♮. En manipulant la série, on peut former une série dérivée. Ce procédé est employé par A. Berg dans *Lulu*, où il constitue à partir de la série originale une série dérivée instituant un ordre nouveau en raison de la distribution d'une note sur 7 ou sur 5 de la série de base. Dans le dernier cas, la série dérivée sera composée des notes 1, 6, 11, 4, 9, 2, 7, 12, 5, 10, 3, 8.

| 1 | 2 | 3 | 4 | 5 | 6 | 7 | 8 | 9 | 10 | 11 | 12 | | 1 | 8 | 3 | 10 | 5 | 12 | 7 | 2 | 9 | 4 | 11 | 6 |

A. Berg, *Lulu*, série originale et série dérivée.

que le rythme et les éléments thématiques, issus de la série, sont permutés par augmentation ou diminution des intervalles ou encore par le procédé d'élimination ou d'interpolation d'une ou de plusieurs notes de la série). La série peut débuter avec n'importe laquelle des notes qui la constituent. De même, ces notes peuvent être déplacées dans les différents registres (octaves) ou être distribuées aux différents instruments, pourvu que l'ordre de succession des intervalles soit maintenu. On a calculé le nombre des séries dodécaphoniques qu'il est théoriquement possible d'établir : 479 001 600 soit :

$$1 \times 2 \times 3 \times 4 \times 5 \times 6 \ldots \times 12.$$

Ce chiffre fantastique englobe toutes sortes de séries de différents types : séries dont les intervalles sont agencés symétriquement ou asymétriquement ; séries dérivées des séries exposant tous les intervalles qui se trouvent à l'intérieur d'une octave (« Allintervallreihen »). Comme les 12 demi-tons de l'échelle chro-

Webern emploie souvent des séries symétriquement agencées. Ainsi, la série de base du *Quatuor* op. 28 se compose-t-elle de trois tronçons de 4 notes. Le premier est fondé sur le nom de Bach (*si* ♭, *la*, *do*, *si* ♮), le deuxième est la transposition de la récurrence du premier et le dernier représente la transposition à la tierce supérieure de la récurrence du deuxième tronçon, ou encore la transposition à la tierce supérieure du premier tronçon, le résultat étant le même. On peut aussi découper cette série en deux tronçons de 6 notes. Les 6 dernières notes constituent alors le renversement de la récurrence des 6 premières :

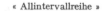

B A C H

A. Webern, série de base du *Quatuor* op. 28.

Il est impossible d'énumérer ici les nombreuses manipulations auxquelles se prête la série dodécaphonique.

Les trois Viennois se sont limités généralement à l'exploration d'un seul paramètre : la hauteur du son (les intervalles); c'est pourquoi le terme de d. s'applique surtout aux œuvres de Schönberg, Berg et Webern ainsi qu'à celles de leurs élèves directs, comme E. Křenek. Après 1945, le concept de d. a été élargi et englobé dans celui de mus. → sérielle dont les défenseurs, P. Boulez, K. Stockhausen, L. Nono, L. Berio..., s'efforcent de réaliser l'organisation totale de tous les → paramètres musicaux (hauteur, intensités, attaques, « tempi », rythme, forme, etc.).

Bibliographie (voir également les art. EXPRESSIONNISME et Musique SÉRIELLE. — H. EIMERT, Atonale Musiklehre, Leipzig 1924 ; du même, Lehrbuch der Zwölftontechnik, Wiesbaden 1950 ; J.M. HAUER, Vom Melos zur Pauke : eine Einführung in die Zwölftonmusik, Vienne 1925 ; du même, Zwölftontechnik..., Vienne 1926 ; D. PAQUE, L'atonalité ou mode chromatique unique, in RM, sept. 1930 ; R. LEIBOWITZ, Schoenberg et son école, Paris 1947 ; du même, Schoenberg, Paris, Éd. du Seuil, 1969 ; C. JACCHINO, Tecnica dodecafonica, trattato pratico, Milan 1948 ; K.H. WOERNER, Musik der Gegenwart, Mayence 1949 ; A. SCHÖNBERG, Style and Idea, New York, Philosophical Libr., 1950 ; H.H. STUCKENSCHMIDT, A. Schönberg, Zurich 1951 ; du même, Neue Musik, Berlin 1951 ; H. JELINEK, Anleitung zur Zwölftonkomposition, Vienne, UE, 1952 ; E. KŘENEK, Zwölfton Kontrapunkt-Studien, Mayence, Schott, 1952 ; J. RUFER, Die Komposition mit zwölf Tönen, Berlin, M. Hesse, 1952 ; du même, Das Werk A. Schönbergs, Kassel, BV, 1959 ; H. PFROGNER, Die Zwölfordnung der Töne, Zurich, Amalthea, 1953 ; G. PERLE, Serial Composition and Atonality (diss. Univ. de New York 1956) ; R. SIOHAN, Horizons sonores, Paris, Flammarion, 1956 ; R. VLAD, Storia della dodecafonia, Milan, Suvini Zerboni, 1958 ; E. WELLESZ, The Origins of Schönberg's Twelve-tone System Washington, Libr. of Congress, 1958 (texte d'une conférence) ; TH.W. ADORNO, Klangfiguren, Berlin, Suhrkamp, 1959 ; J. CHAILLEY Traité hist. d'analyse musicale, Paris, Leduc, 1964 ; P. BOULEZ, Relevés d'apprenti, Paris, Éd. du Seuil, 1966 ; R. SUDERBURG, Tonal Cohesion in Schönberg's Twelvetone Music (diss. Univ. of Pennsylvania 1966) ; D. EPSTEIN, Schoenberg's Grundgestalt and Total Serialism... (diss. Princeton Univ. 1968) ; J. HÄUSLER, Musik im 20. Jh., Bremen, C. Schünemann, 1969.

M. KELKEL

DOIGTÉ (anciennement doigter; angl., fingering; all., Fingersatz; ital., diteggiatura; esp., digitación). **1.** Façon de placer les doigts sur un instrument pour en jouer. — **2.** Ensemble des chiffres que le compositeur ou l'éditeur mettent sur une partition pour indiquer le doigté.

Absent encore du *Dictionnaire de musique* de S. de Brossard (1703), ce terme figure dans celui de J.J. Rousseau (1767), mais il est évident que la recherche du mouvement naturel des doigts sur les différents instruments a préoccupé les musiciens beaucoup plus tôt. Les d. les plus simples sont ceux des cuivres pourvus de trois pistons, actionnés par les doigts intermédiaires de la main gauche. Pour les instr. à archet, la manière de doigter est appelée → position et les doigts se numérotent ainsi : 1 pour l'index, 2 pour le médius, 3 pour l'annulaire, 4 pour le petit doigt, 0 représentant la corde à vide; quant au pouce, ce n'est qu'exceptionnellement qu'il est utilisé (au violoncelle, p. ex., il est posé parfois transversalement sur le manche pour servir de sillet mobile). Autrefois, pour le luth, la guitare et les instruments apparentés, on faisait usage de la → tablature, dont le principe consiste à indiquer les cordes que les doigts de la main gauche doivent toucher. L'usage de l'index de la main droite alternant avec celui du pouce est indiqué par des points. Mais ce sont les instr. à clavier qui présentent les d. les plus complexes et, par là même, le plus souvent sujets à variations. La notion de d. se dégage sur l'orgue dès le XIIIe s., lorsque les tirettes correspondant aux notes sont

remplacées par de petits boutons. Plus tard, sur les touches du XVIe s. (chez E. Ammerbach), la gamme montante s'y joue sans pouce ni petit doigt, alors qu'à la même époque, les organistes espagnols se servent de tous leurs doigts. Au XVIIe s. M. Praetorius se préoccupe peu du d. mais, cent ans plus tard, Fr. Couperin (1717) y attache une grande importance. Dès les premières années du XVIIIe s., J.Fr. Dandrieu avait écrit un livre de clavecin dont toutes les pièces sont entièrement doigtées (voir BR. FRANÇOIS-SAPPEY, in Recherches XIV, Paris, Picard, 1974). Du vivant de J.S. Bach, on jouait encore en laissant pendre le pouce, inutile sur des touches très resserrées. C'est M. Clementi, suivant l'exemple de C.Ph.E. Bach, qui supprime les chevauchements du médius par-dessus l'index et assigne au pouce un rôle actif, sur les touches blanches exclusivement. Depuis Fr. Chopin et F. Liszt, suivis par H. von Bülow et K. Tausig, le pouce est utilisé sur toutes les touches. Quant aux chiffres modernes indiquant le d. (pour les deux mains : 1 pour le pouce, 2 pour l'index, 3 pour le médius, 4 pour l'annulaire, 5 pour le petit doigt), ils figurent déjà chez G. Diruta (1609), alors que les Allemands (P. Hofhaimer p. ex.) ont utilisé une numérotation différente, distincte même de l'ancien chiffrage anglais (tel celui de H. Purcell).

Bibliographie — L. ADAM, Méthode ou principe général du d., Paris 1798; CH. NEATE, An Essay on Fingering, Londres 1855; G.A. MICHELSEN, Der Fingersatz beim Klavierspiel, Leipzig 1896; R. DONNINGTON, E. HALFPENNY et D.W. STEVENS, art. Fingering in Grove 5/1954; S. BABITZ, On Using J.S. Bach's Keyboard Fingerings, in ML XLIII, 1962; G. KAEMPER, Techniques pianistiques, Paris, Éd. de la Schola cantorum, s.d.

DOIGTÉ DE SUBSTITUTION (ou doigté lié). Utilisé à l'orgue, il permet de changer de doigts sur une même touche sans la lâcher; il a été aussi pratiqué au piano et à la guitare. — Voir l'art. SUBSTITUTION.

DOIGTÉ FOURCHU (angl., cross fingering; all., Gabelgriff). Sur certains instruments de la famille des bois, et particulièrement la clarinette, procédé qui consiste, pour abaisser une note d'un demi-ton, à boucher non pas le trou correspondant à cette note mais celui immédiatement au-dessus.

DOÏNE (roumain, doïna), genre musical improvisé, propre au folklore roumain et d'origine très ancienne (thraco-daco-gète). La d. se caractérise par un sentiment de nostalgie (« dor ») exprimé par une mélopée libre, abondamment ornée et continuellement variée, au rythme de « parlando-rubato ». Elle comporte trois parties : 1° une formule rythmico-mélodique d'introduction, de caractère facultatif, chantée sur des syllabes ou des interjections vocales; 2° des formules mélodiques médianes improvisées; 3° une formule finale formée de deux ou trois phrases mélodiques apparentées. Les éléments stylistiques propres à la d. sont la couleur du son (sons hoquetés, sons glottiques), une émission vocale faisant appel au « glissando », l'utilisation de sons non tempérés, des intensités variées, une grande liberté dans la variation et la combinaison des valeurs rythmiques, l'ornementation des degrés principaux de l'échelle, enfin une agogique variée. Les vers sont octosyllabiques. L'échelle, non modulante, se déroule principalement dans les modes dorien et éolien. L'étendue est large et dépasse l'octave. Par les sentiments qu'elle exprime (amour, nostalgie de la famille et de la patrie, souffrance, révolte), la d. appartient au répertoire des noces, au rituel de sécheresse, au genre épique, bien que, par essence, elle soit liée au métier des bergers. Elle est vocale ou instrumentale (cornemuse, flûte, flûte de Pan, chalumeau). Elle a été la principale source d'inspiration de la musique savante roumaine.

Bibliographie — B.P. HASDEU, Doină. Originea poeziei populare la români, in Columna lui Traian III, Bucarest 1882 ; C. BRAÏLOÏU, La mus. populaire roumaine, in RM 1940 ; O. PAPADIMA, Consideratii despre doină, in Studii si cercetări de istorie literară si folclor IV, Bucarest 1960 ; E. COMISEL, Genurile muzicii populare. Doina, in Studii de muzicologie V, Bucarest 1969.

DOLCE (ital., = doux), indique le caractère doux et aimable d'un morceau. A l'orgue, ce mot désigne un jeu de 8 pieds, de la famille des jeux de gambe.

DOLCIAN, voir DULCIAN.

DOLENDO (du latin dolere, = souffrir, s'affliger), terme employé pour indiquer le caractère douloureux et plaintif d'un morceau.

DOLZAINA, voir DOUÇAINE.

DOMESTIQUE (Musique), musique caractérisée par une certaine simplicité d'exécution, pratiquée dans le cadre intime de la demeure, au milieu de la famille ou des amis, pour le seul plaisir de la communion musicale, sans qu'intervienne le souci de produire un effet sur un public assemblé comme au concert. Si la → musique de chambre est née et s'est développée dans un cadre aristocratique avant d'évoluer vers le → concert public, la m.d. est essentiellement d'origine bourgeoise et citadine. Son essor date du XVIe s. et doit beaucoup à l'imprimerie, qui permettait, pour la première fois, de répandre la polyphonie dans de larges couches de la population. C'est au XVIIIe s., en Allemagne (« Hausmusik »), qu'elle a connu la plus vaste diffusion avant de s'étioler au XIXe s. devant le développement de la virtuosité liée à l'expression pathétique et passionnée des sentiments. Elle a cependant réussi à survivre grâce aux innombrables arrangements des œuvres classiques et romantiques destinés au piano → quatre mains. Le renouveau de la m.d. au XXe s. est dû principalement à la place que tient la mus. ancienne dans la vie musicale active et à la renaissance de la facture des instruments anciens (clavicorde, épinette, clavecin, flûte à bec, viole, luth, etc.).

DOMINANTE, seconde note essentielle (et second pôle d'intérêt) de la mélodie, la première étant la → tonique à laquelle elle sert de contrepoids. Mais alors que celle-ci établit un état de repos, la d. représente un état de tension et de mouvement. Le mot d. n'apparaît qu'au XVIIe s. et correspond à l'ancienne → teneur des chants psalmodiques ainsi qu'à la → mèse des Grecs anciens. En modalité grégorienne, la d. désignait également la « repercussa » et correspondait

au Ve degré des modes authentes, mais au IIIe ou IVe degré des modes plagaux. Ce n'est qu'en mus. tonale que la d. est toujours à la quinte de la tonique. En raison de l'accord instable qu'elle supporte (voir l'art. HARMONIE, § 3), le phénomène de tension est très accru et la d. devient la fonction principale (qui domine) ainsi que le pôle dynamique de l'écriture harmonique, alors que la tonique représente le pôle statique.

DOMRA (russe), luth à manche long, très répandu dans la mus. populaire russe. Introduite par les Mongols au XIIIe s., la d. donna naissance à la → « balalaïka » vers la fin du XVIIe s. Elle appartient à la famille des → « tanbûrs » comme le prouve son nom dérivé du kirghize « dambura ». L'instrument avait à l'origine deux cordes accordées en quartes mais en possède aujourd'hui trois en métal, qui se pincent avec un plectre.

Bibliographie — A.S. FAMINTZINE, La d. et les instr. de mus. populaire du peuple russe qui lui sont apparentés, Saint-Pétersbourg 1891 (en russe).

DONAUESCHINGEN.

Bibliographie — S. RIEZLER, Gesch. von D., in Schriften des Vereins für Gesch. u. Naturgesch. der Baar... II, 1872 ; P. RUNGE, Die Sangesweisen der Colmarer Hs. u. der Liederhs. D., Leipzig 1896 ; G. DINGES, Untersuchungen zum D.er Passionsspiel, Breslau 1910 ; C. VALENTIN, Mozartbriefe der D.er Bibl., in MfM XXXI, 1899 ; Das Fürstlich Fürstenbergische Hoftheater de D. 1775-1850, Donaueschingen 1914 ; H. BURKARD, Musikpflege in D., in Badische Heimat VIII, 1921 ; F. SCHNAPP, Neue Mozart-Funde in D., in Neues Mozart-Jb. II, 1942 ; E. FR. SCHMID, Ein schwäbisches Mozartbuch, Lorch et Stuttgart, Bürger-Verlag, 1948 ; H. BENNWITZ, D. u. die Neue Musik 1921-1955, Donaueschingen, Meder, 1956 ; du même, Die D.er Kammermusiktage 1921-1926 (diss. Fribourg-en-Br. 1962 ; M. RIEPLE, Musik in D., Constance, Rosengarten-Verlag, 1959 ; D.er Musiktage, Berne et Munich, Francke, 1963.

DOPPIO CRESCENDO (ital.), voir CRESCENDO.

DORIEN, ton grec appliqué par erreur au 1er mode grégorien (ré). — Voir l'art. MODES ECCLÉSIASTIQUES, §3.

DOUBLE. 1. N. f. donné, au Moyen Age, à l'intervalle d'octave et usité jusqu'au XVIe s. Il est encore employé par M. de Menehou (Nouvelle Instruction familière, Paris 1558), qui désigne aussi la double octave par la locution double sus double (chap. XVI). — **2.** N. m. qui, dans la mus. française des XVIIe et XVIIIe s., désigne la reprise modifiée et ornée d'une pièce vocale ou instrumentale. Le d. s'est beaucoup pratiqué dans l' → air de cour et l'air sérieux (M. Lambert), la musique de luth (Œuvres du vieux Gautier, Paris, CNRS, 1966) et de clavecin (Fr. Couperin, Les Canaries du 1er Livre de Pièces de clv., Paris 1713, 2e Ordre). Il y avait parfois deux ou plusieurs doubles (J.Ph. Rameau, Les Niais de Sologne des Pièces de clv., Paris, 1724, et Gavotte des Nouvelles Suites de Pièces de clv., Paris v. 1728), tous différents. Le d. devenait alors synonyme de → variation, bien que sa signification ne soit pas exactement la même : en effet, les variantes (diminutions, ornements) du d. affectaient surtout la mélodie, tandis que celles de la variation s'exerçaient aussi sur le rythme et l'harmonie. Il y a cependant parfois confusion des termes. On retrouve aussi l'esprit du double dans la mus. instrumentale étrangère (J.S. Bach, Sarabandes

des 2e et 3e *Suites anglaises*, v. 1716). — **3.** A l'orgue, ancien nom de l'octave 4'.

Bibliographie — M. REIMANN, Zur Entwicklungsgesch. des D., *in* Mf V-VI, 1952-53.

DOUBLÉ ou TOUR DE GOSIER, agrément identique au → « gruppetto », en usage dans la musique vocale et instrumentale des XVIIe et XVIIIe s. Il se marque par le signe ∾.

Notation   Effet

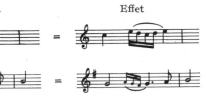

DOUBLE BARRE, double trait vertical traversant la portée (ou le système), qui marque la fin d'une œuvre ou d'une de ses parties. Elle se place également avant un changement de mesure ou un changement d'armature de la clef. Précédée ou suivie de deux points, elle constitue un signe de → reprise indiquant qu'il faut répéter la partie située du côté des points. — Voir également l'art. DIVISION, § 2.

DOUBLE BÉMOL (angl., double flat; all., Doppel-Be; ital., doppio bemolle; esp., doble bemol), voir BÉMOL.

DOUBLE CADENCE, voir CADENCE, § 2.

DOUBLE CHŒUR, technique d'écriture musicale fréquemment employée au XVIe et au XVIIe s. Elle permettait de faire dialoguer deux chœurs à 4 ou à 5 voix, situés sur deux tribunes séparées, pour les réunir à certains moments, à la fin de la composition en général. L'origine de ce style remonte à Josquin des Prés, qui, dans ses œuvres de la maturité, faisait fréquemment alterner le groupe des voix élevées et celui des voix graves. C'est en Italie, à Venise principalement, que ce style a donné ses modèles sous le nom de → « coro spezzato » ou « coro battente ». — Voir également l'art. POLYCHORALITÉ.

DOUBLE CONCERTO, → concerto écrit pour deux instruments solistes. Ex. : J. Brahms, *Concerto* op. 102 en *la* min., pour vl., vlc. et orchestre.

DOUBLE CORDE (angl., double stop; all., Doppelgriff; ital., doppio corda), technique du jeu des instr. à cordes et à archet qui consiste à exécuter simultanément deux ou plusieurs notes. Elle est attestée dès le XVIe s. pour la viole de gambe (S. Ganassi, 1552) et au début du XVIIe s. pour le violon. J.S. Bach l'emploie fréquemment dans les *Partitas* pour violon seul, de même que N. Paganini, qui en tire de brillants effets de virtuosité. L'exécution des d.c. pose souvent des problèmes de doigté et surtout d'archet.

DOUBLE CROCHE (angl., semiquaver; amér., sixteenth note; all., Sechzehntel; ital., semicroma;

esp., semicorchea), figure de note ($\flat$) issue de la → semi-fuse ($\flat$) qui vaut la moitié d'une croche et dont le silence correspondant est le quart de soupir.

DOUBLE DIÈSE (angl., double sharp; all., Doppelkreuz; ital., doppio diesis; esp., doble sostenido), voir DIÈSE.

DOUBLE FUGUE, voir FUGUE, § Divers types de fugues.

DOUBLETTE (angl., fifteenth; all., Superoktav; ital., decimaquinta; esp., quincena), jeu d'orgue : → principal 2'. Petite double, c'est-à-dire octave de la → double.

DOUBLURE. 1. Acteur ou artiste lyrique remplaçant, en cas de besoin, celui qui tient habituellement un rôle. — **2.** Procédé d'→ orchestration qui consiste à confier une même ligne mélodique à plusieurs instruments différents.

DOUÇAINE (all., Dulzian), nom d'un instr. à vent dont les traces remontent jusqu'au XIIIe s. (voir p. ex. l'isopet *Du loup qui trouva une teste peinte*) et qu'on rencontre fréquemment par la suite jusqu'au XVIe s., généralement en association avec des flûtes. Pendant la Renaissance, la d. était l'un des instruments des derniers ménestrels. Faute de plus amples détails, on ne sait si le mot a toujours désigné le même instrument. J. Tinctoris en parle brièvement sous l'appellation latinisée de « dulcina » : c'est un instr. à anche, de sonorité douce, percé de trous comme la flûte douce et d'étendue limitée. Un siècle plus tard, L. Zacconi nous apprend que l'étendue de la « dolzaina » est de 9 notes à partir du *do²*, plus grande si l'instrument est muni de clefs. A partir de ces détails, on a supposé que la d., au moins durant cette période, était un instrument à perce cylindrique et anche capuchonnée (comme dans le cas du cromorne), et l'on a construit récemment en Allemagne des instruments d'après ces hypothèses.

DOXOLOGIE (du grec doxa = gloire, et logos = parole). Les formules doxologiques, pour glorifier Dieu, scandaient la prière juive ; c'étaient des clausules de louange et d'adoration qui venaient conclure un développement. Les écrits du Nouveau Testament en contiennent un grand nombre, particulièrement les Épîtres de St Paul et l'Apocalypse ; elles tendent à prendre un caractère trinitaire : Rom. 9, 5 ; 11, 36 ; 16, 25-27 ; Gal. 1, 5 ; Éph. 3, 20-21 ; Phil. 4, 20 ; I Tim. 1, 17 ; 6, 16 ; II Tim. 4, 18 ; Hébr. 13, 21 ; I Pierre 4, 11 ; II Pierre 3, 18 ; Jude 25 ; Apoc. 1, 6 ; 5, 13 ; 7, 12. Si un grand nombre de

d. néo-testamentaires s'adressent encore au Père ou au Fils seuls, le motif invoqué est toujours puisé dans la contemplation des attributs divins ou de l'action divine créatrice et rédemptrice. Les d. liturgiques se sont développées à partir de cette source. Les Églises de tradition grecque les ont multipliées : toute prière se clôt par une doxologie. La liturgie romaine fait de même pour la prière eucharistique. Elle utilise habituellement les d. à la fin des Psaumes (*Gloria Patri* ou pte d.), des répons qui terminent une section de l'office et, avec quelques irrégularités toutefois, à la fin des hymnes. Certaines d. existent à l'état indépendant ; elles sont alors le plus souvent des traductions ou des adaptations de modèles grecs (*Gloria in excelsis* ou gde d., voir l'art. GLORIA IN EXCELSIS ; *Te decet laus*) ; toutefois le *Te Deum*, hymne doxologique, semble d'origine spécifiquement occidentale ; il offre de nombreuses analogies avec les prières eucharistiques.

Dans le cas où la d. termine un chant, psaume ou hymne, sa mélodie est calquée sur le dessin de la mélodie strophique du chant qu'elle conclut. Pour les répons, les mélodies sont généralement stéréotypées ; on en trouve une pour chacun des 8 tons.

Bibliographie — D.J. GAILLARD, *in* Catholicisme V, 1952, col. 59-61 ; D.B. BOTTE et CHR. MOHRMANN, L'ordinaire de la messe, Paris, Éd. du Cerf, 1953 ; A. STUIBER, art. D. *in* Reallexikon für Antike u. Christentum IV, 1958 ; J. PINELL, La grande conclusion du Canon romain, *in* La Maison-Dieu nº 88, 1966.

DRAGMA (grec), **1.** Selon le traité du XIVe s. intitulé *Ars discantus secundum J. de Muris* (COUSSEMAKER Scr. III, 1869), qui donne la première définition du → « color » et de la → « talea », ce serait la répétition des mêmes notes d'un chant avec des valeurs de durée différentes, c.-à-d. avec un nouveau rythme. — **2.** Forme de note de la fin du XIVe s. constituée par une semi-brève munie de deux hampes, l'une dirigée vers le bas, l'autre vers le haut (✦), et revêtant diverses significations (W. APEL, The Notation of Polyphonic Music 900-1600, Cambridge, Mass., 5/1961).

DRAME LITURGIQUE (angl., liturgical drama ; all., liturgisches Drama ; ital., dramma liturgico ; esp., drama litúrgico), terme moderne employé pour désigner toutes les représentations théâtrales religieuses du Moyen Age, plus spécialement des pièces latines chantées d'un bout à l'autre et présentées dans le cadre de la messe ou de l'office. Ces pièces ont fleuri aux XIe, XIIe et XIIIe s. avant de décliner, remplacées peu à peu par des œuvres en langue vulgaire plus populaires. Les dr. l. ne doivent rien au théâtre de l'Antiquité classique, qui avait entièrement disparu ; ils semblent plutôt issus de brefs passages de dialogue contenus dans la liturgie. Ces passages existaient dans les tropes de l'Église d'Occident dès le IXe s. — même plus tôt, dans le « soghithâ » et les « kontakioï » des liturgies syrienne et byzantine — mais rien n'indique qu'ils aient été conçus comme du théâtre. On ne trouve dans les premiers siècles aucune mention de rôles tenus par des acteurs ou de mise en scène. Le premier exemple connu de vraie représentation théâtrale est le *Quem quaeritis* du matin de Pâques, dont le dialogue entre l'Ange et les trois Marie au Saint-Sépulcre se chantait à Winchester vers le milieu du Xe s. — probablement plus tôt encore à Fleury-sur-Loire et à Gand — accompagné d'une

action, de costumes et d'une mise en scène. La popularité de ce drame de Pâques entraîna rapidement d'autres créations : le *Quem quaeritis in sepulchro?* (« Qui cherchez-vous au sépulcre ? ») servit de modèle à un dr. de Noël, le *Quem quaeritis in praesepe?* (« Qui cherchez-vous dans la crèche ? »). Les premières œuvres, composées d'un seul tableau et avec une mise en scène simple, évoluèrent dans certaines communautés au point de devenir longues et plus exigeantes, avec un matériel et une mise en scène plus élaborés. Ces œuvres étaient représentées vers la fin de l'office de matines ; le chant du *Te Deum* servait de conclusion à la fois à l'action de la pièce et à l'office religieux. Les matines sont le plus long et le plus solennel des 7 offices canoniaux et, comme les leçons, en principe, relatent les événements de la liturgie du jour et en éclairent la signification : c'était un cadre idéal pour une adaptation du sujet à la scène. En dehors des matines, on jouait aussi parfois le dr. l. à la messe, aux vêpres et même aux petites heures.

Les thèmes étaient fournis, le plus souvent, par les événements du calendrier ecclésiastique (Noël, Épiphanie, Semaine sainte, Pâques, Ascension), le but étant de rendre vivants les événements commémorés dans la liturgie du jour. Mais il existe aussi des pièces de caractère occasionnel, de sujets et de tons très différents : les unes retracent la vie ou la légende de saints populaires comme St Nicolas ou St Paul ; d'autres ont un caractère apocalyptique, d'autres encore laissent place à des traits d'humour. Les textes sont écrits en prose et en vers. Certaines œuvres présentent une totale uniformité de style et une grande perfection littéraire ; d'autres manifestent une étonnante diversité de style qui résulte de la coutume, fort goûtée au Moyen Age, de la centonisation. Une seule et même pièce peut contenir des versets des Écritures, d'antiennes et de répons, de tropes et de séquences, même des vers de l'Antiquité classique. Ce procédé produit souvent une œuvre partie en prose, partie en vers (parmi lesquels il faut distinguer vers métriques et vers au rythme défini par l'accent tonique, vers rimés et vers non rimés). La diversité stylistique observée dans les textes empruntés à la liturgie se retrouve dans la musique, elle aussi empruntée. Elle peut revêtir le style syllabique des séquences et des hymnes, le caractère calme des antiennes ou le style orné des répons. La musique originale présente la même variété de style, du plus simple et du plus sévère au plus abondamment orné. La musique, toujours monodique, est notée en neumes qui présentent les mêmes particularités locales que ceux des livres de chant liturgique et posent les mêmes problèmes. Celle des premiers dr. est perdue. Lorsque la notation des hauteurs est précise, il n'en reste pas moins le problème du rythme. L'usage d'une notation identique à celle du chant liturgique et, bien sûr, la fréquence des emprunts au Graduel et à l'Antiphonaire font penser au rythme oratoire non mesuré du plainchant de la fin du Moyen Age. Mais pour les pièces écrites en vers rythmés par l'accent tonique et par le dessin précis qu'il trace, on peut supposer que le chant s'effectuait sur des rythmes régulièrement mesurés, bien que la notation soit muette à ce sujet. Dans un dr. tardif, une Présentation de la Vierge de la fin du XIVe s., la participation d'instruments est prouvée de façon absolue. Malgré le silence des rubriques des périodes précédentes, on peut penser qu'il était courant d'accompagner les dr. l. aux instruments. Nombreux sont les textes qui semblent presque exiger un accompagnement instrumental comme celui-ci, extrait d'un jeu de Daniel représenté à Beauvais au xiie s. : « Simul omnes gratulemur, / Resonent et tympana, / Cythariste tangant cordas, / Musicorum organa / Resonent ad eius preconia. » Ces vers mentionnent les tambours, une harpe ou un instrument similaire à cordes pincées et d'autres instruments indéterminés. On peut se référer également aux instruments représentés sur les dessins du Moyen Age où la « Musica sacra », sous les traits de David le psalmiste, et les musiciens de sa suite jouent des cymbala, des flûtes, des cors, des vièles et des lyres à archet.

Si les indications scéniques sont d'ordinaire maigres, il est clair que l'on voulait une représentation réaliste. On utilisait un matériel et des machines compliqués. A Moosburg, p. ex., au cœur de la représentation de la Résurrection, une effigie du Christ ornée de fleurs, d'une colombe et d'un ange s'élevait au-dessus du sol, soulevée par des cordes, et disparaissait par une ouverture pratiquée dans le toit. Mais rares étaient les effets si laborieusement obtenus. Pour l'essentiel, le décor était suggéré à l'aide du mobilier et des particularités de l'église. L'autel, où l'on déposait les hosties consacrées, représentait par tradition patristique à la fois le berceau mystique et le sépulcre du Christ, et était fréquemment utilisé comme tel dans les drames de Noël et de Pâques. Pour les besoins plus ordinaires, bancs et tables, trônes, portes, marches, cryptes et « triforia » étaient facilement disponibles dans toute grande église. Les dimensions imposantes d'une cathédrale ou d'une église abbatiale permettaient une liberté de jeu inconnue des plus grands de nos théâtres modernes. Quant aux costumes, ils étaient le plus souvent improvisés à partir des vêtements du culte, qu'on arrangeait de manière inhabituelle pour l'occasion. Des attributs distinctifs les complétaient : couronnes, sceptres, épées, houlettes de bergers, etc. Les rubriques spécifient que certains participants devaient être habillés en jeunes gens, jeunes filles ou femmes. Le maquillage n'était pas inconnu : la coutume voulait que dans les pièces de Noël l'un des Mages eût le visage noirci, et, bien que les moines et les clercs fussent rasés, ils devaient à l'occasion jouer le rôle de personnages barbus. On sait que les rôles de femmes étaient normalement tenus par des hommes ou de jeunes garçons (habitude pratiquée jusqu'au xviie s.), mais la participation féminine n'était cependant pas absolument exclue. On conserve des récits de dr. à Barking et à Troyes où certains rôles étaient joués par des religieuses.

Bibliographie — E. DE COUSSEMAKER, Dr. l. du M.A., Rennes 1860, rééd. en facs., New York, Broude Bros, 1964; L. GAUTIER, Hist. de la poésie liturgique au M.A., Paris 1886; K. YOUNG, The Drama of the Medieval Church, Oxford, Clarendon Press, 1933, 2/1962; J. SMITS VAN WAESBERGHE, Muziek in Drama in de Middeleeuwen, Amsterdam 1942; G. COHEN, Hist. de la mise en scène dans le théâtre religieux fr. du M.A., Paris 1951; E. SCHULER, Die Musik der Osterfeiern, Osterspiele u. Passionen des Mittelalters, Kassel 1951; S. CORBIN, Le Ms. 201 d'Orléans, Dr. l. dits de Fleury, in Romania LXXIV, 1953; W. SMOLDON, art. Liturgical Music-Drama, in Grove 5/1954; G. FRANK, The Medieval French Drama, Londres, Oxford Univ. Press, 1954; H. CRAIG, English Religious Drama of the Middle Ages, Londres, Oxford Univ. Press, 1955; R. DONOVAN, The Liturgical Drama in Medieval Spain, Toronto, Pontifical Inst. of Mediaeval Studies, 1958; N. GREENBERG, The Play of Daniel, New York, Oxford Univ. Press, 1959; W. LIPPHARDT, art. Liturgische Dramen, in MGG VIII, 1960; T. BAILEY, The Fleury Play of Herod, Toronto, Pontifical Inst. of Mediaeval Studies, 1965; F. STEIN, art. Liturgische Dramen, in Gesch. der katholischen Kirchenmusik, éd. par G. Fellerer, Kassel, BV, 1973; S. CORBIN, Le dr. l. du M.A., in Gattungen der Musik II, éd. par H. Oesch, W. Arlt et E. Lichtenhahn, Berne et Munich, Francke Verlag (en prép.).

T. BAILEY

DRAME LYRIQUE. Depuis la naissance du → « stile rappresentativo » dans les œuvres théâtrales de l'école florentine, les Italiens utilisent l'expression → « dramma per musica » pour désigner l'opéra en général. Toutefois, depuis la fin du xixe s., on qualifie de dr. l. un certain nombre d'œuvres dont la nature et la structure formelle s'apparentent à celles du dr. musical conçu par R. Wagner. Cette appellation s'applique spécialement aux ouvrages dont l'unité profonde résulte à la fois de la continuité de l'action dramatique et de celle de l'élément symphonique, ces deux modes d'expression échappant ici aux divisions arbitraires qui sont trop souvent l'apanage de l'opéra, pour n'admettre que la césure des entractes, les différents tableaux — s'il y en a — étant reliés par des interludes. En rattachant le dr. l. au drame wagnérien, il convient de rappeler cependant que l'auteur de Parsifal préférait le terme « Ton-Drama » à celui de « Musik-Drama » dont il réfute étymologiquement et linguistiquement le sens lorsqu'il s'agit de ses propres œuvres (voir Œuvres complètes XI). Pour lui, le dr. musical correspond à « un nouveau genre d'art qui, très vraisemblablement sans son initiative, dit-il, aurait dû naître nécessairement comme répondant aux idées, aux exigences de l'époque et de ses tendances... ». Ce texte reconnaît implicitement l'existence d'une structure globale du dr. l. que chaque compositeur peut féconder de son style personnel et dont le dr. wagnérien n'offre qu'un aspect particulier. L'influence des écrivains, des poètes et même des philosophes ou des peintres sur l'évolution du dr. l. n'est pas niable. En France, le symbolisme a marqué de son empreinte Pelléas et Mélisande de Cl. Debussy autant qu'Ariane et Barbe-Bleue de P. Dukas, tandis que le naturalisme suscitait les œuvres d'A. Bruneau et de G. Charpentier. De même, le néo-hellénisme en faveur au début de ce siècle n'est pas étranger au Prométhée ou à la Pénélope de G. Fauré. En Italie, le → vérisme, auquel le romancier Giovanni Verga donna ses titres de noblesse, a orienté le dr. l. vers un réalisme dont les accents frôlent parfois la vulgarité. Avec A.S. Dargomyjski et M.P. Moussorgski, la Russie délaissant le grand opéra italo-slave, aborde le dr. l. sous l'angle de la légende historique. Quant à l'Allemagne, elle brille encore d'un certain éclat après Wagner avec H. Pfitzner (Palestrina) et R. Strauss (Salomé, Elektra, La Femme sans ombre), mais l'éclectisme de ce dernier compositeur le conduit, à la fin de sa vie, vers le style de la « conversation musicale » qui s'épanouit dans Capriccio et marque l'ultime étape du dr. l. en Europe centrale.

Bibliographie — É. SCHURÉ, Le drame musical, 2 vol., Paris 1875, 2/1914; F. CLÉMENT et P. LAROUSSE, Dict. lyrique ou Hist. des opéras, Paris 1867, 4e éd. par A. Pougin sous le titre Dict. des opéras, Paris 1905; H. LICHTENBERGER, R. Wagner, poète et penseur, Paris 1898, nouv. éd. 1948; M. EMMANUEL, Pelléas et Mélisande, Paris 1926, 2/1950.

G. FERCHAULT

DRAMMA PER MUSICA (ital.). C'est ainsi qu'ont été désignés les premiers opéras italiens sur un sujet sérieux, du XVIIe jusqu'au XVIIIe s. J.S. Bach a donné ce titre à plusieurs de ses cantates profanes (BWV 30 a, 201, 205-207 a, 213-215).

DRESDE (Dresden).

Bibliographie (ouvr. éd. à Dresde, sauf mention spéciale) — **1. Vie musicale et ouvr. généraux** : M. FÜRSTENAU, Beitr. zur Gesch. der Königlich Sächsischen musikalischen Kapelle, Dr. 1849; du même, Zur Gesch. der Musik u. des Theaters am Hofe zu Dr., 2 vol., Dr. 1861-62; H. MANNSTEIN, Denkwürdigkeiten der Churfürstlichen u. Königlichen Hofmusik zu Dr. im 18. u. 19. Jh., Leipzig 1863; M. FÜRSTENAU, Churfürstlich Sechsische Cantoreiordnung 1555, in MfM IX, 1877; O. SCHMID, Das sächsische Königshaus in selbstschöpferischer musikalischer Betätigung, Leipzig 1900; du même, Fürstliche Komponisten aus dem sächsischen Königshause, Langensalza 1910; R. KADE, A. Scandellus (1517-1580), in SIMG XV, 1913-14; W. STIEDA, Die Anfänge der Kurfürstlichen Kantorei von 1548, in Neues Archiv für Sächsische Gesch. ... XLII, 1921; Musik im alten Dr., Dr. 1921; R. ENGLÄNDER, Der Musikleben u. Dr.er Instrumentalpflege in der Zeit zwischen Hasse u. Weber, in ZfMw XIV, 1931-32; du même, Die Instrumentalmusik am Sächsischen Hofe unter Friedrich August III., in Neues Archiv für Sächsische Gesch. ...LIV, 1933; du même, Die Dr.er Instrumentalmusik in der Zeit der Wiener Klassik, Upsal, Almqvist & Wiksell, et Wiesbaden, Harrassowitz, 1956; H. TECHRITZ, Sächsische Stadtpfeifer (diss. Leipzig 1932); H. SCHNOOR, Dr., 400 Jahre Deutsche Musikkultur, Dr. 1948; F. VON LEPEL, Kurzgefasstes Dr.er Musiklexikon, Berlin, Lepel, 1953; K. LAUX, Bausteine zu einer Dr.er Musikgesch., in Wissenschaftliche Annalen V, 1956. — **2. Mus. religieuse** : Die Kirchenmusik in der katholischen Hofkirche zu Dr., Vienne 1865; R. KADE, Das erste Dr.er lutherische Gesangbuch 1593, in Dr.er Geschichtsblätter III, 1894; W. MÜLLER, J.A. Hasse als Kirchenkomponist, Leipzig 1911; Musik in der katholischen Hofkirche zu Dr., Dr. 1929; O. SOCHER, 700 Jahre Dr.er Kreuzchor, Dr. 1937; E.H. HOFMANN, Capella Sanctae Crucis, Berlin, Union-Verlag, 1957; du même, Der Dr.er Kreuzchor, Leipzig, Ed. Leipzig, 1962; E. SCHMIDT, Der Gottesdienst am Kurfürstlichen Hofe zu Dr., Göttingen, Vandenhoeck & R., 1961; Credo musicale. Komponistenportraits aus der Arbeit des Dr.er Kreuzchores, Kassel, BV, 1969. — **3. Les théâtres lyriques** : M. FÜRSTENAU, Die Theater in Dr. 1763-77, in Mitteilungen des sächsischen Altertumsvereins XXV, 1875; C. GURLITT, Das neue Königliche Hoftheater zu Dr., Dr. 1878; R. PRÖLSS, Gesch. des Hoftheaters zu Dr., Dr. 1878; du même, Beitr. zur Gesch. des Hoftheaters zu Dr. in actenmässiger Darstellung, Erfurt 1879; A. KOHUT, Das Dr.er Hoftheater in der Gegenwart, Dr. 1888; P. SAKOLOWSKI, E. von Schuch, Leipzig 1901; C. MENNICKE, J.A. Hasse, in SIMG V, 1903-04; C. HAGEMANN, W. Schröder-Devrient, Berlin 1904; G. CALMUS, Die ersten deutschen Singspiele von Standfuss u. Hiller, Leipzig 1908; R. ENGLÄNDER, J.G. Naumann als Opernkomponist, Leipzig 1922; O. SCHMID, C.M. von Weber u. seine Opern in Dr., Dr. 1922; M. HOEGG, Die Gesangskunst der Faustina Hasse u. das Sängerinnenwesen ihrer Zeit in Deutschland (diss. Berlin 1931); P. ADOLPH, Vom Hof- zum Staatstheater, Dr. 1932; F. KUMMER, Dr. u. seine Theaterwelt, Dr. 1938; G. HAUSSWALD, H. Marschner, ein Meister der deutschen Oper, Dr. 1938; H. SCHNOOR, Weber auf dem Welttheater, Dr. 1942; du même, Die Stunde des Rosenkavalier, Munich, Süddeutscher Verlag, 1968; F. BUSCH, Aus dem Leben eines Musikers, Zurich 1949; I. BECKER-GLAUCH, Die Bedeutung der Musik für die Dr.er Hoffeste, Kassel, BV, 1951; F. VON SCHUCH, R. Strauss, E. von Schuch u. Dr.s Oper, Leipzig, Br. & H., 2/1953; W. BECKER, Die deutsche Oper in Dr. unter der Leitung von C.M. von Weber, 1817-1826, Berlin, Colloquium-Verlag, 1962. — **4. Chœurs et orchestres** : Tonkünstler-Verein zu Dr. 1854-79, Dr. 1879; H. VON BRESCIUS, Die Königlich Sächsische musikalische Kapelle von Reissiger bis Schuch, 1826-98, Dr. 1898; A. REICHER, 50 Jahre Sinfoniekonzerte 1858-1908, Dr. 1908; O. SCHMID, Die sächsische Staatskapelle in Dr. u. ihre Konzerttätigkeit, Dr. 1923; O. FUNKE, Fs. zur Jahrhundertfeier des Dr.er Orpheus, 1834-1934, Dr. 1934; H. HERTWIG, Dr.er Orpheus, ältester Männergesangverein Dr.s, Dr. 1935; R. KÖTZSCHKE, 1839-1939, 100 Jahre Dr.er Liedertafel, Dr. 1939; Dr.er Kapellbuch 1548-1948, éd. par G. Hausswald, Dr. 1948; K. LAUX, Die Dr.er Staatskapelle, Leipzig, Ed. Leipzig, 1964; D. HÄRTWIG, Die Dr.er Philharmoniker, Leipzig, Deutscher Verlag für Musik, 1970. — **5. L'enseignement** : G.H. MÜLLER, Die Kreuzschule zu Dr. vom 13. Jh. bis 1926, Leipzig 1926. — **6. Les bibliothèques et les musées** : M. FÜRSTENAU, Ein Instrumenteninventarium vom Jahre 1593, in Mitteilungen des Sächsischen Altertumsvereins XXII, 1872; Th. DISTEL, Die Noten-Mss. im Königlich Sächsischen Hauptstaatsarchive aus den Jahren 1604-1610, in MfM XX, 1888; Katal. der Musik-Sammlung der Kgl. Öffentlichen Bibl. zu Dr., éd. par R. EITNER et O. KADE, Leipzig 1890.

DROIT D'AUTEUR (angl., copyright; all., Urheberrecht; ital., diritto d'autore; esp., derecho de autor). « L'auteur d'une œuvre de l'esprit jouit sur cette œuvre, du seul fait de sa création, d'un droit de propriété incorporelle exclusif et opposable à tous » (Loi no 57-298 du 11.3.1957 sur la propriété littéraire et artistique, art. I, § 1). La teneur intégrale de la loi, qui comprend 81 articles, réalise une investigation minutieuse de toutes les formes de ce droit, des circonstances de son exercice et codifie les modalités pratiques de cet exercice.

Le mot *incorporelle* précise que le droit de propriété s'exerce sur autre chose que la matière propre de l'œuvre. Ainsi le sculpteur peut-il vendre une statue à un amateur; il ne conserve pas moins le droit de propriété incorporelle sur l'œuvre qui ne lui appartient plus matériellement. Le propriétaire ne peut la modifier, la prêter à une exposition, la vendre sans son assentiment. S'il la vend, une part du prix revient au sculpteur. En poussant les choses à l'extrême, le sculpteur conserve le droit, lui, de se rendre chez le propriétaire de son œuvre et d'apporter à celle-ci des retouches ou d'effacer sa signature.

Si la notion d'auteur, comme la notion d'œuvre, est aisée à saisir dans le cas des arts plastiques, il est loin d'en être de même dans les arts du spectacle. La loi a beau dire dans son article 7 que « l'œuvre est réputée créée, indépendamment de toute divulgation publique, du seul fait de la réalisation même inachevée de la conception de l'auteur », l'œuvre musicale n'a d'existence réelle que lorsqu'elle est offerte à l'audition, ce qui multiplie les ayants droit au titre d'auteur. La loi elle-même s'efforce à dégager plusieurs types d'œuvres : « de collaboration », « composite », « collective »; elle n'y parvient pas toujours. Supposons que la télévision diffuse un film de cinéma montrant une réalisation scénique de *Pierre et le Loup* de S. Prokofiev, donnée au musée d'Art moderne. Cette diffusion ouvre, en principe, le droit à perception au profit des auteurs suivants : le réalisateur de télévision; le réalisateur du film; l'auteur de l'adaptation; l'auteur du texte français; l'auteur du texte étranger original; le compositeur de la musique; l'auteur de la mise en scène; l'éditeur de la partition. Si la caméra s'est attardée sur les tableaux du musée, les peintres ont droit à une participation. Enfin, dans les pays adhérant à la Convention de Rome, les interprètes percevraient un droit sur cette diffusion. En fait, la loi même tempère sa propre rigueur. Tout d'abord le dr. de l'a. est limité dans le temps : il expire 50 années après sa mort; l'œuvre entre alors dans le domaine public. Dans le cas d'œuvre collective, c'est la mort du dernier coauteur survivant qui détermine ce délai. Ainsi *Les Contes d'Hoffmann* ne sont entrés dans le domaine public que 12 années après les autres œuvres d'Offenbach, l'orchestration étant d'E. Guiraud, qui survécut 12 ans au compositeur. De plus, l'exercice du dr. d'a. est exclu d'un certain nombre d'applications : un auteur peut emprunter une citation à une œuvre existante sans devoir un droit à l'auteur cité (c'est le « droit de citation »). On peut aussi exécuter une œuvre musicale dans le cercle familial (voir l'art. ENREGISTREMENT). Enfin, grâce à l'institution des sociétés d'auteurs, le créateur lui-même est déchargé du soin de contrôler ce qu'on fait de son œuvre et de percevoir les droits qui lui reviennent. Mais le contrôle exercé par les sociétés se révèle de plus en plus difficile devant le développement des techniques de reproduction. La bande magnétique, les satellites de télécommunications rendront bientôt ce contrôle illusoire devant des actions de divulgation des œuvres sans contrepartie financière possible.

La société d'auteurs la plus ancienne, en France, est la Société des Auteurs et Compositeurs Dramatiques (S.A.C.D.). Ce fut d'abord un syndicat de défense, créé le 3 juillet 1777, sur l'initiative de Beaumarchais, par 21 auteurs de théâtre et compositeurs. Une loi de 1791 en fit une agence de représentation et de perception des droits. C'est E. Scribe qui la transforma, en 1837, en sa forme actuelle de société civile. En 1838 le romancier populaire Louis Desnoyers fondait la Société des Gens de Lettres de France, qui couvre aujourd'hui toute la production littéraire non accompagnée de musique et non théâtrale ou cinématographique. En 1851 apparaissait la Société des Auteurs, Compositeurs et Éditeurs de Musique (S.A.C.E.M.), fondée à partir d'une agence centrale établie l'année précédente pour la perception des droits. A l'heure actuelle, la S.A.C.E.M. est la plus puissante des sociétés d'auteurs. Enfin, le développement de la copie des œuvres sur disques, la vente de ces disques et leur audition publique ou radiodiffusée devaient engendrer une société de contrôle et de perception spéciale, la Société du Droit de Reproduction Mécanique (S.D.R.M.), fondée en 1934.

Bibliographie — R. HAINEVILLE, Les dr. de l'a. sur son œuvre, Paris 1926; M. ESCOLIER, Le phonographe et le dr. d'a., Paris 1931; P. BERTHIER, La protection légale du compositeur de musique, Paris 1936; P. POIRIER, Traité du dr. d'a., Bruxelles 1941; D. SIDIANSKI, Dr. d'a. Les rapports entre les différents systèmes en vigueur, Lausanne 1954; A. LE TARNEC, Manuel juridique et pratique de la propriété littéraire et artistique, Paris 1956; Loi nº 57-298 du 11.3.1957, in Journal officiel du 14.3.1957, p. 2723; P. DEVAUX, La Soc. des auteurs, compositeurs et éditeurs de musique (S.A.C.E.M.), in Encycl. de la mus. I, éd. par Fr. Michel, Paris, Fasquelle, 1958; J. MATTHYSSENS, La Soc. des auteurs et compositeurs dramatiques (S.A.C.D.), ibidem.

R. LYON

DUALISME (du lat. dualis, = de deux), conception harmonique fondée sur deux principes opposés et symétriques : 1º la série ascendante des → sons harmoniques; 2º la série descendante des sons harmoniques inférieurs, strictement inverse de la précédente. En conséquence, l'accord parfait (majeur) résultant de la série ascendante est considéré comme ascendant lui-même; celui (mineur) provenant de la série descendante, comme descendant lui-même. Ils sont le reflet l'un de l'autre et proviennent de deux origines opposées :

majeur   mineur

sol	6 ↑	10	4	15	mi fondamentale
mi	5	12	5	12	do
fondamentale do	4	15	6 ↓	10	la
	F	L	L	F	

F = fréquence, L = longueur d'onde (ou de corde). Les rapports de fréquences et de longueurs d'onde sont symétriques et inversement proportionnels.

Par extension, les fonctions tonales sont également symétriques et à la gamme majeure correspond une gamme mineure strictement inverse (pour do maj., ce sera mi min. descendant, soit la « doristi » grecque).

C'est à tort que H. Riemann et ses successeurs invoquent G. Zarlino comme le précurseur du dualisme.

Zarlino, de même que Fr. Salinas, recourt uniquement à la → division de la quinte selon les deux proportions alors en usage, l'arithmétique et l'harmonique. La première donne l'accord parfait mineur et la seconde l'accord parfait majeur : il n'y a ni sens opposé ni source différente. C'est A. von Oettingen qui, le premier, fonde le d. véritable (1866), en se basant en partie sur M. Hauptmann qui, tout en préparant la voie, n'est pas un vrai dualiste. Von Oettingen oppose à la « Tonizität » de l'accord parfait majeur (dont les sons constituants correspondent aux premiers harmoniques de la fondamentale, « tonique » de l'accord) la « Phonizität » de l'accord parfait mineur (dont les notes ont leur note aigue, son « phonique », comme harmonique commun) : dans *do-mi-sol*, *mi* et *sol* **sont** harmoniques de *do*; dans *la-do-mi*, *la* et *do* **ont** comme harmonique commun *mi*. H. Riemann développe son propre système à partir des thèses de Von Oettingen et, en s'efforçant de l'intégrer à l'harmonie pratique, donne une grande notoriété au dualisme.

S. Karg-Elert élargit la notion de d. et la mène à ses conséquences extrêmes en aboutissant à un double système qu'il appelle le polarisme. Ainsi, pour lui, la dominante réelle en mineur inverse est la quinte inférieure et l'accord de dominante celui que, d'ordinaire, on appelle (Riemann y compris) de sousdominante :

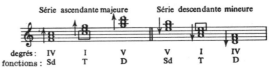

degrés :	IV	I	V		V	I	IV
fonctions :	Sd	T	D		Sd	T	D

T = tonique; D = dominante; Sd = sous-dominante; □ = fondamentale.

Cette dénomination est également adoptée par V. d'Indy. Mais Karg-Elert a, en outre, une heureuse idée en distinguant le son prime (son énergétique qui est à l'origine de l'accord) du son fondamental qui, en vertu de la pesanteur physique, est toujours au grave et impose sa prédominance. C'est ainsi que dans l'accord parfait mineur, la note prime et la fondamentale sont différentes. Voici la présentation polariste des deux accords parfaits symétriques autour de l'axe central *ré* et de la tierce centrale d'origine :

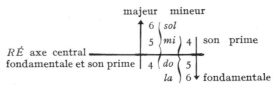

Bibliographie — M. HAUPTMANN, Die Natur der Harmonik u. der Metrik, Leipzig 1853; A. VON OETTINGEN, Harmoniesystem in dualer Entwicklung, Dorpat et Leipzig 1866; du même, Das duale Harmoniesystem, Leipzig 1913; H. RIEMANN, Über das musikalische Hören, Göttingen 1873; du même, Das Problem des harmonischen Dualismus, Leipzig 1905; V. D'INDY, Cours de composition musicale I, Paris 1903; S. KARG-ELERT, Polaristische Klang- u. Tonalitätslehre, Leipzig 1931; F. REUTER, Praktische Harmonik des 20. Jh., Halle, Mitteldeutscher Verlag, 1952; D. JORGENSON, A Résumé of Harmonic Dualism, in ML XLIV, 1963; E. SEIDEL, Die Harmonielehre H. Riemanns, in Beitr. zur Musiktheorie des 19. Jh., Regensburg, Bosse, 1966; M. VOGEL, A. von Oettingen u. der harmonische Dualismus, ibid.; P. SCHENK, Karg-Elerts polaristische Harmonielehre, ibidem.

S. GUT

DUCTIE (lat., ductia), voir ESTAMPIE.

DÜSSELDORF.

Bibliographie — G. WIMMER, Theater u. Musik, in Jb. des Düsseldorfer Geschichtsvereins III, 1889; F. WALTER, Gesch. des Theaters u. der Musik am kurpfälzischen Hofe, Leipzig 1898; Fs. des Städtischen Orchesters anlässlich seines 50-jährigen Bestehens, Düsseldorf 1914; W.H. FISCHER, Fs. zur 100-jährigen Jubelfeier des Städtischen Musikvereins, Düsseldorf 1918; J. ESSER, Mendelssohn u. das Rheinland (diss. Bonn 1922); J. NEYSES, R. Schumann als Musikdirektor in D., in Düsseldorfer Almanach LXXI, 1927; F. VOGL, Düsseldorfer Theater vor Immermann, in Jb. des Düsseldorfer Geschichtsvereins XXXVI, 1931; H. ECKERT, N. Burgmüller, Augsbourg 1932; J. ALF, Gesch. der niederrheinischen Musikfeste, in Jb. der Düsseldorfer Geschichtsvereins XLII-XLIII, 1940-41; Beitr. zur Musikgesch. D.s, Cologne, Staufen Verlag, 1952; G. STEFFEN, J.H. von Wilderer (1670-1724), Kapellmeister am pfälzischen Hofe zu D. u. Mannheim, Cologne, A. Volk, 1960; G. HEDLER, 100 Jahre Düsseldorfer Symphoniker, Düsseldorf 1964; P. DARIUS, Die Musik in den Elementarschulen u. Kirchen D.s im 19.Jh. (diss. Cologne 1969).

DUETTO (ital.), diminutif de → duo.

DUFF, voir RIQ.

DUGAZON, voir MEZZO-SOPRANO et SOUBRETTE.

DULCIAN. 1. Mot allemand en usage depuis la fin du XVIe s. jusqu'au début du XVIIIe s., désignant l'ancien → basson fait d'une seule pièce en bois, également appelé « Fagott » (de l'italien fagotto). Le père Mersenne le décrit comme un « fagot ou basson à trois clefs ». Quoique supplanté en France par le véritable basson à l'époque de Lully, le d. persista dans une certaine mus. militaire allemande jusqu'aux environs de 1720, avant d'être remplacé par le basson. — **2.** Jeu d'orgue à anche à résonateur cylindrique qui aurait été la première forme du → cromorne. Il est imité du « tolkaan » néerlandais (XVIe s.)

Bibliographie — 1. J. TINCTORIS, De inventione et usu musicae, éd. par K. Weinmann, Regensburg 1917; L. ZACCONI, Prattica di musica, Venise 1592, 2/1596; G. KINSKY, Doppelrohrblattinstr. mit Windkapsel, in AfMw VII, 1925; A. BAINES, 15th Cent. Instr. in Tinctoris « De inventione... », in The Galpin Soc. Journal III, 1950.

DULCIANE (angl., dulciana, dulcet; all., Dulzian, Dolcian; ital., dulciana), jeu d'orgue à bouche, assez étroit, souvent conique décroissant, harmonisé en douceur. Il a été inventé en Allemagne au XVIIe s. et passa par l'Angleterre pour venir enrichir l'orgue symphonique français (XIXe s.). Il sert souvent de support à l' → unda maris.

DULCIMER. 1. (Angl.; du lat. dulce melos; fr., doulcemelle, → tympanon; all., Hackbrett; ital. et esp., salterio), cithare médiévale à cordes frappées à l'aide de battes, proche, sur le plan formel, du → psaltérion. Sa caisse de résonance, trapézoïdale ou rectangulaire, est tendue de cordes métalliques, contrairement à celles du psaltérion, qui sont en boyau. Elles sont parallèles à la table de résonance, ornée d'une ou de plusieurs roses. L'instrument se pose à plat sur les genoux ou sur tout autre support. Le nombre des cordes, tantôt uniques, tantôt par chœurs de 2, 3 ou même 4 cordes, est variable d'un pays à l'autre, comme aussi la forme et la disposition des chevalets. La filiation avec le → « santûr » iranien semble logique. Venu de Perse et d'Assyrie par la Turquie, il atteint la Hongrie, où le → « cymbalum » se joue de même avec deux battes. De là, il gagne l'Allemagne (« Hackbrett ») et les pays nordiques. Par la Méditerranée, le d. se répand dès le XIIe s. en Italie, en Espagne et en France : une des plus anciennes représentations, qui date de 1184, à Saint-Jacques-de-Compostelle, semble plutôt montrer un psaltérion; la différenciation reste difficile à établir dans l'iconographie religieuse avant 1300. L'Italie adopte une technique à cordes pincées, d'où l'expression « salterio tedesco » attribuée à la pratique allemande du « Hackbrett ». — Sous le nom de d., H. Arnault de Zwolle (XVe s.) décrit un instrument comportant déjà un clavier et des marteaux. Il s'agit d'un tympanon à clavier.
2. Aux États-Unis et au Canada, le d. est un instr. à cordes pincées, originaire des monts Appalaches du Sud, semblable à l' → épinette des Vosges, au « Scheitholt » allemand, etc. Ce d. rappelle une guitare coupée en deux selon l'axe, dont la touche borde la table de résonance comme dans la cithare viennoise. Elle comporte des barrettes sous les 3 ou 4 cordes mélodiques ou bourdons, quelquefois sous la chanterelle seule. Le d. traditionnel est diatonique et se joue à l'aide d'un plectre de forme variable.

DULCINA, voir DOUÇAINE.

DULZIAN, voir DOUÇAINE.

DUMKA (diminutif de l'ukrainien duma, = pensée, chant populaire), type de chant populaire d'origine ukrainienne, répandu en Russie et en Pologne. La d. est une sorte de ballade épique ou narrative, d'expression mélancolique, élégiaque et langoureuse, mais très contrastée. Son tempo est lent, d'allure récitative. On l'accompagne à la « kobza » ou à la → « bandoura » et sa tonalité mineure contribue à lui conférer un caractère oriental. Les compositeurs romantiques s'en sont inspirés : Beethoven, 10 Thèmes variés pour piano, op. 107; F. Liszt, Dumka pour piano, op. 48; H. Wieniawski, Dumka pour violon et piano; A. Dvořák, Dumka et Furiant pour piano, op. 12, Dumka pour piano, op. 35, Trio « Dumky » en 6 parties pour violon, violoncelle et piano, op. 90.

Bibliographie — L. CHODŹKO, Les chants historiques de l'Ukraine, Paris 1879; M. SCHERRER, Les dumky ukrainiennes, Paris 1947; M. ANTONOWYTSCH, art. D. in MGG XV, 1973.

DUO (angl., duet; all., Duett; ital., duetto; esp., duo), pièce écrite pour deux parties mélodiques simultanées ou deux instruments différents. Le chant à deux voix, forme la plus simple de polyphonie, est attesté en Occident dès le IXe s.; l'écriture à trois parties n'intervient qu'au XIIe s. avec l'École de Notre-Dame. Si l'écriture à deux parties se maintient durant tout le Moyen Age parallèlement à des formes plus complexes — elle trouve en particulier dans les œuvres de G. de Machault et de l'Ars Nova italienne —, elle trouve un terrain d'élection au XVe s. dans la polyphonie religieuse de l'École franco-flamande (G. Dufay, J. Ockeghem, Josquin des Prés...), où les 4 ou 5 voix usuelles dans les motets et les messes s'allègent fréquemment en des séquences à deux voix.

Chez Josquin, le chœur à 4 voix se scinde volontiers en deux groupes de deux voix chacun, les deux voix supérieures s'opposant généralement aux deux voix inférieures. C'est à cette époque que le terme de d. fait son apparition. — Le développement de la mus. instrumentale incita naturellement à associer deux instruments mélodiques, semblables ou non (flûtes, violons, violes...), sous des dénominations variables : duo, sonate, suite, fantaisie, « capriccio », « ayre » (en Angleterre). La « sonata a due » peut parfois comporter une → basse continue en plus des deux parties mélodiques, auquel cas elle est identique à la « sonata a tre » (J. Walther, *Lexicon* de 1732 ; voir les 12 *Sonate a due* de J.Ph. Krieger). Mais le d. sans basse continue se maintient durant l'époque baroque, notamment le d. de flûtes (G.Ph. Telemann, J. Hotteterre, G. et G.B. Sammartini). La mus. baroque applique encore le terme à un contrepoint à deux parties destiné à l'orgue ou au clavecin : les organistes français le pratiquent couramment et J.S. Bach insère quatre d. pour clavecin dans sa *Clavierübung*. Dès l'époque classique la combinaison d'un instrument mélodique et du piano (ou de deux pianos) sera dénommée régulièrement sonate, sauf exception comme le *Grand Duo concertant* pour clarinette et piano de C.M. von Weber ou, plus près de nous, le *Duo concertant* pour violon et piano d'I. Stravinski. Le terme de d. est réservé en principe aux combinaisons d'instruments mélodiques. Le d. a connu une grande vogue en France aux alentours de 1800 (Fr. Devienne, R. Kreutzer, I. Pleyel, R. Rode, J. Mazas, J.B. Dancla, L. Spohr), pour deux violons en particulier, mais bien d'autres formules ont été expérimentées : Mozart p. ex. écrit deux *Duos* pour violon et alto, une *Sonate* pour basson et violoncelle ainsi que 12 *Duos* pour deux cors, Beethoven 3 *Duos* pour clarinette et basson. Au XXᵉ s. l'appellation de sonate continue à s'imposer dans la plupart des cas, du moins pour les œuvres de dimension importante (*Sonate* pour violon et violoncelle de Ravel) ; cependant G. Migot préfère utiliser le terme de → dialogue, précisant par là l'importance égale qu'il donne à chaque instrument. Les pièces brèves, réunies en séries, continuent de s'appeler d. (*14 leichte Duette* pour 2 violons de P. Hindemith ; *44 Duos* pour deux violons de B. Bartók).

Dans le domaine vocal il convient de mentionner le → « bicinium » du XVIᵉ s., non accompagné. Depuis lors le d. vocal implique toujours un accompagnement instrumental confié au clavier ou à l'orchestre. A ce titre, il s'intègre en tant que substitut de l'air pour soliste au sein d'une œuvre plus vaste telle que la cantate, l'opéra ou l'oratorio, dont il devient l'un des numéros constitutifs. Mais il existe également comme forme indépendante : le XVIIᵉ s. italien le pratique d'abord comme un air simple (D. Belli, D. Brunetti, A. Cifra) puis le subdivise en plusieurs parties, ce qui l'apparente à la → cantate (M. Cazzati, *Duetti per camera*, Bologne, Monti, 1677). Depuis l'époque romantique il arrive que le « Lied » et la mélodie fassent appel à deux voix au lieu d'une seule : Schubert, Schumann, Mendelssohn, J. Brahms, G. Fauré, G. Migot ont écrit un certain nombre de duos, très proches, quant au style, de leurs « Lieder » ou mélodies proprement dits.

Bibliographie — E. Schmitz, Zur Gesch. des italienischen Continuo-Madrigals im 17. Jh., *in* Jb. Peters XXIII, 1916 ; O. Gombosi, Violinduette im 15. Jh., *in* AMl IX, 1937 ; H. Moldenhauer, Duo-Pianism, Chicago 1950.

J. Viret

DUOLET (angl., duplet ; all., Duole ; ital., duina ; esp., dosillo), groupe de deux notes égales dont la valeur est identique à celle des trois notes dans une mesure ternaire. On l'indique par le chiffre 2 placé au-dessus ou au-dessous des notes. Ex., dans une mesure à 6/8, ♩♪ = ♪♪♪.

DUPLA (lat., = double) ou « proportio dupla », → proportion diminuant les valeurs de durée de moitié dans la notation mensuraliste des XVᵉ et XVIᵉ s.

DUPLUM (lat.), nom de la voix qui est placée au-dessus du → ténor dans les « organa » et les clausules de l'École de Notre-Dame et de l'Ars Antiqua. Lorsque la composition comporte une 3ᵉ et une 4ᵉ voix, elles se nomment « triplum » et « quadruplum ». Le d. prend le nom de « motetus » lorsqu'il recouvre un texte différent du ténor (voir l'art. Motet).

DUR (all.), voir Majeur.

DURCHKOMPONIERT, terme allemand utilisé dans la littérature musicologique pour désigner un chant dont les parties ne se répètent pas comme dans la ballade, le rondeau, le virelai des XIVᵉ et XVᵉ s., la chanson ou le lied strophique du XVIᵉ au XIXᵉ s., mais qui est mis en musique tout au long, sans reprise, en tenant compte des liens possibles entre le texte littéraire et son vêtement musical. Le terme s'applique également au théâtre pour caractériser une œuvre lyrique où le parler n'intervient pas, par opposition à l'opéra-comique ou au « Singspiel ».

DURÉE, temps pendant lequel un son, un silence doit être maintenu. La d. s'exprime par une ou plusieurs figures de notes ou de silences (voir l'art. Valeur). En mus. sérielle, le principe générateur de la série dodécaphonique s'applique aux d. sous forme de séries chromatiques de durées (voir les art. Paramètre et Musique Sérielle).

DUREZZA (ital., = dureté), désigne en Italie, au XVIIᵉ s., une conduite des voix peu régulière, donnant naissance à des dissonances non préparées ou non résolues, à de fausses relations et à des intervalles inhabituels. Issue du madrigal, cette écriture s'étend à la mus. instrumentale au début du XVIIᵉ s. avec G. de Macque, son élève G.M. Trabaci, A. Banchieri, G. Frescobaldi (*Capriccio di durezze, Toccata di durezze e ligature*) et J.K. Kerll (*Toccata cromatica con durezze e ligature*). — De nos jours, l'expression « con durezza » signifie avec rudesse.

DÜSSELDORF, classé à Duesseldorf.

DUX, voir Antécédent et Fugue.

DYNAMIQUE, « caractéristique d'une chaîne ou d'un élément de chaîne électro-acoustique exprimée par la différence entre le niveau maximal du signal et son niveau minimal que peut transmettre la chaîne ou l'élément considéré dans les conditions normales de fonctionnement » (Afnor). En d'autres termes, c'est la différence entre les niveaux extrêmes d'intensité sonore (*fff* - *ppp*) qu'elle peut transmettre, ou le rapport des intensités sonores maximales aux intensités sonores minimales exprimées en décibels.

$$D_{dB} = 10 \log_{10} \frac{I \text{ max.}}{I \text{ min.}} = 10 \log_{10} \frac{I}{I} = 10 \left(\frac{fff}{ppp} \right)$$

Les musiciens l'appellent contraste musical. Pour un grand orchestre, l'intensité acoustique varie dans un rapport de 1 à 10^8, tandis que la d. est de l'ordre de 80 à 90 dB. La d. est d'une très grande importance lors de l'enregistrement ou de la reproduction sonore, car les → nuances musicales sont d'autant mieux reproduites qu'elle est plus étendue. La limite inférieure (ppp) est déterminée par la présence de perturbations qui se manifestent dans le canal de transmission; on les désigne généralement du terme de → bruit de fond (acoustique ou électronique). La limite supérieure est déterminée par les défauts éventuels de fidélité en cas de surcharges (augmentation de la distorsion non linéaire). La d. peut également être exprimée par le rapport (en dB) entre le niveau du signal maximal admissible d'un système ou d'un élément et le niveau de bruit. Ce rapport est dit « rapport signal sur bruit ». Afin d'avoir un rapport signal/bruit optimal et compatible avec la dynamique des éléments du canal de transmission, on effectue souvent, lors de l'enregistrement, une « compression » consistant à réduire le gain dans les *f* et à l'augmenter dans les *p*. Ce réglage peut être automatique mais il est le plus souvent manuel, ce qui exige un opérateur au sens musical développé. La situation est rétablie à la reproduction finale par « expansion » en sens inverse; cette action est automatique. — La d. est aussi l'étude des facteurs qui définissent la matière sonore, enregistrée ou diffusée, en ce qui concerne l'ampleur et la force. Elle touche à un des domaines les plus délicats de la prise de son et de l'art musical. Les musiciens appellent ce domaine l' → expression. Elle représente la loi des écarts de volume sonore d'une interprétation artistique donnée. — Voir également les art. CRESCENDO, DECRESCENDO, NIVEAU et NUANCES.

E (angl. et all., = *mi*), cinquième lettre de l'alphabet, qui, dans la notation alphabétique latine, servait à désigner le *mi* dans l'échelle générale ou → gamme.

fr., ital., esp.	angl.	all.
mi ♭	E flat	Es
mi ♭♭	E double flat	Eses
mi ♯	E sharp	Eis
mi ♯♯	E double sharp	Eisis

ÉCART. 1. Distance entre deux notes. Dans l'écriture classique, les é. au-delà de l'octave ne sont pas admis entre les parties supérieures; ils sont tolérés jusqu'à la quinzième entre la basse et le ténor. Dans la mus. contemporaine, où l'espace sonore est considéré comme un des → paramètres musicaux, des é. encore plus grands ne sont pas rares, quelle que soit la situation des voix. — **2.** Sur les instr. à clavier, la dixième est l'é. maximal pratiqué entre le pouce et le 5e doigt. Les é. plus grands font appel à la technique du saut ou de l'arpègement.

ÉCHANCRURE (angl., bouts; all., Bügel). On appelle ainsi, dans un instr. à cordes frottées, chacune des deux encoches latérales, postérieures à l'apparition de l'archet, tracées par arcs de cercles rentrants

gallois à 4 cordes frottées. Le nombre restreint de cordes, trois généralement durant le Moyen Age, n'imposait pas une forme très élaborée à ces instruments, auxquels il faut ajouter le « rabâb », le rebec et, plus tard, les pochettes. Il n'en sera plus ainsi pour la grande gigue de S. Virdung, dont la caisse comporte des « C » très prononcés. Enfin, avec la famille des violes, la nécessité d'une plus grande liberté pour le passage de l'archet sur 6 cordes modifie définitivement la facture instrumentale. Désormais fond et table seront construits à part, très échancrés, reliés par des → éclisses qui en suivent le mouvement.

ÉCHANGE, terme d'harmonie. La note d'é., étrangère à l'accord, se situe entre 2 sons identiques d'un accord stationnaire (ex. 1) ou répété (ex. 2), ou de 2 accords différents (ex. 3) à la distance d'un demi-ton (diatonique ou chromatique) ou d'un ton inférieur ou supérieur. Elle contribue à l'enrichissement mélodique ou rythmique d'une voix de caractère contrapuntique ou harmonique. En outre, le mouvement de presque tous les ornements usuels (mordant, trille, gruppetto) est fondé sur la note d'échange. Si elle apparaît simultanément dans plusieurs voix, l'ensemble des notes d'é. forme un accord d'é. qui, s'il est chromatique, est étranger à la tonalité et ne s'y réfère souvent pas par une fonction harmonique bien qu'il puisse ressembler par sa structure à un accord d' → emprunt très éloigné (ex. 4).

G. Fauré, 6e *Nocturne* op. 63.

et symétriques dans la ligne d'ensemble de l'ove dans lequel s'inscrit la caisse de résonance. Tant que les instr. à archet n'avaient qu'un nombre restreint de cordes, l'écartement de celles-ci ainsi que la courbure très prononcée du chevalet permettaient un jeu monodique sans risque de toucher plusieurs cordes à la fois. C'est le cas de la « lira » piriforme et monocorde en usage avant le IXe s., du « crwth » à 3 cordes à partir du XIe s., de la gigue anglaise, du « crwth »

ÉCHAPPÉE, son qui s'échappe de l'harmonie en succédant par degré conjoint à un son de l'accord et qui revient ensuite à la même harmonie (ex. 1) ou qui atteint l'accord suivant (ex. 2) par mouvement disjoint. Si l'é. fait partie de l'harmonie suivante, elle peut être considérée comme une → anticipation indirecte (voir l'art. ANTICIPATION, ex. 2). Elle peut également prendre la signification d'une →

broderie (ex. 3) ou d'une → note de passage interrompue (ex. 4).

W. A. Mozart, *Sonate* KV 457, *Adagio*,

G. Fauré, 7e *Nocturne*, op. 74.   J. Brahms, *Rhapsodie*, op. 119, nº 4.

ÉCHAPPEMENT, voir PIANO, § La mécanique.

ÉCHELLE (angl., scale; all., Tonleiter ou Skala; ital., scala; esp., escala), terme désignant l'ordre successif des sons dans un système mélodique donné, sans idée de tonique, d'organisation hiérarchisée ou de délimitation de tessiture. L'échelle ne doit pas être confondue avec le → mode (pour la difficile distinction entre é. et gamme, voir ce dernier mot). Selon le nombre de sons disponibles ainsi que leurs rapports entre eux, les é. sont différentes et doivent être précisées au moyen d'un adjectif approprié. D'après les recherches récentes (entre autres, C. Braïloïu, J. Chailley), il semble bien que la formation des é. musicales se soit faite de manière progressive par absorptions successives des sons consécutifs du → cycle des quintes. Il en résulte une hiérarchie des sons constitutifs d'une é. donnée, ceux-ci ayant une stabilité plus ou moins grande selon qu'ils sont plus ou moins éloignés du son générateur dans l'ordre des quintes consécutives :

On distingue ainsi l'é. ditonique, qui est la plus rudimentaire puisqu'elle est constituée uniquement par les sons 1 et 2. Puis vient l'é. tritonique, comprenant les sons 1, 2 et 3, qui, ces derniers replacés dans l'ordre successif des hauteurs, se présente ainsi :

Les sons de cette é. constituent les degrés fixes des → tétracordes de la théorie grecque antique. Ensuite, on a l'é. tétratonique, constituée des sons 1, 2, 3 et 4 :

En ajoutant le son 5, on obtient l'é. → pentatonique, qui est extrêmement fréquente et mérite un examen particulier. Le son 6 amène l'é. hexatonique :

Cette é. comprend le demi-ton, ignoré de l'é. pentatonique, mais se distingue de l'é. → heptatonique — la plus usuelle de nos jours — par l'absence du → triton. Les é. ainsi obtenues sont considérées comme étant naturelles. La constitution des é. ne se poursuit pas au-delà du son 7 car il n'y a nulle part d'é. octotonique. Quant à l'é. chromatique, elle a été obtenue différemment (voir l'art. CHROMATISME). Les é. pré-heptatoniques (ayant moins de 7 sons à l'octave) sont souvent considérées — mais à tort — comme défectives (voir l'art. GAMME DÉFECTIVE).

Les é. ci-dessus énumérées peuvent subir des déformations par → attraction des degrés faibles vers les degrés forts qui restent stables en vertu de l'organisation hiérarchique des sons. C'est ainsi que s'expliquent les trois genres de la mus. grecque antique (→ diatonique, → chromatique, → enharmonique), de même que les modes tsiganes ou les divers aspects du mode → mineur. Toutefois, certaines é. exotiques ne peuvent pas se ramener au principe des formations par quintes et doivent être considérées comme irrégulières. Les plus connues d'entre elles sont le → « slendro » de Bali — sorte d'é. pentatonique tempérée — et le → « pelog » de Java. Il en est de même pour la → gamme par tons.

Quand certaines structures mélodiques évoluent dans un ambitus restreint, caractérisé par une succession conjointe de sons ne correspondant pas au cycle des quintes, il faut bien les distinguer des échelles mentionnées plus haut. Ces dernières sont précisées grâce au suffixe « tonique »; les structures conjointes non conformes à ces é. sont désignées avec le suffixe « phonique ». Ainsi, si l'on a un système constant s'articulant sur les sons *do-ré-mi-fa-sol*, il s'agit d'une structure pentaphonique qui, en raison du demi-ton *mi-fa*, s'inscrit dans une é. hexatonique; alors qu'une structure *do-ré-fa-sol-la* correspond bien à l'é. pentatonique puisqu'elle résulte des 4 quintes successives *fa-do, do-sol, sol-ré* et *ré-la*.

Bibliographie — M. GANDILLOT, Essai sur la gamme, Paris 1906; M. EMMANUEL, Hist. de la langue musicale, 2 vol., Paris 1911, 2/1928; A.H. FOX-STRANGWAYS, Scales, *in* ML VII, 1926; A. AUDA, Les modes et les tons de la mus., Bruxelles 1930; du même, Les gammes musicales, Ixelles 1947; P.J. RICHARD, La gamme, Paris 1930; O. GOMBOSI, Studien zur Tonartenlehre des frühen Mittelalters, *in* AMl X, 1938; L.L.S. LLOYD, The Musical Scale, *in* MQ XXVIII, 1942; du même, The Myth of Equal-Stepped Scales, Londres 1943; A. DANIÉLOU, Introd. to the Study of Musical Scales, Londres 1943; C. BRAÏLOÏU, Sur une mélodie russe, *in* Mus. russe II, Paris, PUF, 1953; du même, La vie antérieure, *in* Encycl. de la Pléiade, Hist. de la mus. I, Paris, Gallimard, 1960; P. COLLAER, Zur Entwicklung der primitiven Skalenbildung, *in* Gravesaner Blätter II, 1956; W. WIORA, Älter als die Pentatonik, *in* Studia Memoriae B. Bartók Sacra, Budapest 1956; K. REINHARD, On the Problem of Pre-Pentatonic Scales, *in* Journal of the Intern. Folk Music Council X, 1958; J. CHAILLEY, Formation et transformation du langage musical, Paris, PUF, 1961; du même, Essai sur la composition des mélodies grégoriennes, *in* Scritti in onore di L. Ronga, Milan 1973; E. ÉMERY, La gamme et le langage musical, Paris, PUF, 1961; La résonance dans les échelles musicales, éd. par É. WEBER, Paris, CNRS, 1963.

S. GUT

ÉCHELLE GÉNÉRALE, voir Scala decemlinealis et Solmisation.

ÉCHIQUIER (ou encore eschiqüier, eschequier, eschaquier, escacherium, exaquier ; angl., checker ; all., Schachbrett ; esp., exaquier ou exaquir), instr. à cordes, apparemment muni d'un clavier, connu en France du XIVᵉ au XVᵉ s. mais sur lequel on ne sait rien de précis. Il est mentionné pour la première fois en 1360 : un Français, Jean Perrot, l'avait construit pour le roi d'Angleterre Édouard III, qui l'offrit au roi de France Jean II qu'il tenait prisonnier. G. de Machault le cite sous le nom d'eschaquier d'Angleterre dans sa *Prise d'Alexandrie* et dans un poème, *Li temps pastour*. Dans une lettre écrite en 1387 par le roi Jean Iᵉʳ d'Aragon au duc de Bourgogne Philippe le Hardi, il est décrit comme un « istrument semblant d'orguens qui sona ab cordes ». Selon C. Sachs, l'é. serait un clavecin primitif mais Fr.W. Galpin l'identifie au « dulce melos » (voir l'art. Dulcimer).

ÉCHO (angl., echo; all., Echo; ital. et esp., eco).
1. « Effet d'une onde acoustique qui parvient en un point donné, après réflexion, avec une intensité et un retard suffisants pour être perçue comme distincte de l'onde directe par un auditeur placé en ce point » (Afnor). Il y a é. si la répétition du son est nettement perçue. Cela n'est possible que si l'intervalle de temps séparant les sons est de plus de 1/25 de seconde pour la parole et de 1/10 pour la musique. Comme la vitesse du son est de l'ordre de 344 mètres/seconde il faut donc que la différence de chemin parcouru par l'onde directe et réfléchie soit supérieure à 14 m (parole) et 34 m (musique). Le mur de fond d'un auditorium non traité est un excellent générateur d'écho.

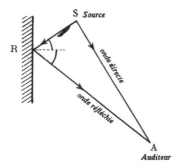

On aura é. si SRA — SA > 34 m.

Le phénomène de l'é. ne doit pas être confondu avec le phénomène de → réverbération. L'é. est une répétition indésirable du son original; la réverbération consiste bien en l'arrivée successive de plusieurs sons identiques au point d'écoute après de multiples réflexions, mais les intervalles de temps sont inférieurs au 1/10 de seconde. On ne distingue donc pas séparément le son direct du son réfléchi, et tout se passe comme si le son était prolongé, effet bénéfique dans certaines limites. — On appelle é. multiple une suite d'é. simples appelée encore é. musical (voir la suite de cet article).
2. Procédé de composition qui imite l'effet d'é. produit par la nature. Il consiste en la répétition

affaiblie d'un motif bref ou de la fin d'une phrase musicale. H. Isaac le premier aurait mis en musique un poème avec é. d'A. Poliziano (œuvre disparue). Dans la 2ᵈᵉ moitié du XVIᵉ s., l'é. devient un élément du style figuratif, en Italie d'abord, chez Sperandio Bertoldo (*Sper' in Dio*, 1561), L. Marenzio (*O tu che fra le selve*; *Dialogo a otto in riposta d'Ecco*, 1580), A. Gabrieli, O. Vecchi, L. Agostini (3 livres d'é., 1572, 1581, 1583), R. Del Mel; en Allemagne chez R. de Lassus (*O la, o che bon eccho*), J. Heugel, M. Frank, M. Praetorius; et en France chez Cl. Le Jeune. Dès les débuts de la mus. dramatique, il est utilisé par J. Peri (*Eco con due riposte*, 1589), G. Caccini, M. da Gagliano, Cl. Monteverdi (scène d'é. de l'*Orfeo*, acte V, 1607), puis il passe dans les opéras de l'école romaine (S. Landi, D. Mazzocchi, M. Rossi), vénitienne (P.Fr. Cavalli, A. Draghi), napolitaine (N. Jommelli, A. Scarlatti), et devient un effet courant dans l'opéra mythologique, soit que le livret s'inspire de l'histoire d'Orphée, de Daphné ou de Narcisse et Écho (P.Fr. Cavalli, A. Draghi, D. Scarlatti, Chr.W. Gluck), soit qu'il relève de la comédie pastorale. G. Carissimi en fait même usage dans son oratorio *Jephté*. On trouve également des pièces en é. dans les œuvres de H. Purcell, J.B. Lully et J.Ph. Rameau, et, plus près de nous, chez E. Humperdinck (*Hänsel u. Gretel*) et R. Strauss (*Ariane à Naxos*). Dès le début du XVIᵉ s., la mus. instrumentale pratique à son tour l'é., qui se laisse facilement réaliser à l'orgue par changement de clavier (H. Buchner, *Preambalum in ut*; J.P. Sweelinck, *Fantasien op de manier van eene echo*, et la plupart des organistes allemands et français des XVIIᵉ et XVIIIᵉ s.), mais également la mus. de chambre (A. Banchieri, *Fantasia in Eco*, 1603; B. Marini, *Sonata in Eco con 3 violini*, 1629; J.K.F. Fischer, 8ᵉ Suite du *Journal du Printemps*, 1695) et la mus. d'orchestre (A. Vivaldi, G.Fr. Haendel, J.Chr. Bach, K. Stamitz). J. Haydn a intitulé *Echo* un divertissement en 5 mouvements pour deux trios à cordes (1767), dépassé, dans la recherche de la curiosité, par Mozart, qui a écrit un *Notturno* KV 286 pour 4 orchestres (1777) où se produit un triple écho. De nos jours, P. Hindemith a écrit un *Écho* pour flûte et piano (1944) tandis que G. Migot fait emploi du procédé pour répéter p une idée ou un développement présentés d'abord f (p. ex. dans le 1ᵉʳ des *Quatre Nocturnes* pour piano, 1945-46).
3. L'un des claviers de l'orgue fr. classique, comportant un certain nombre de jeux présents sur les autres claviers mais avec une sonorité très assourdie.

Bibliographie — 2. Th. Kroyer, Dialog u. E. in der alten Chormusik, *in* Jb. Peters 1909; H. Engel, art. E. *in* MGG III, 1954.

ÉCHOS (grec), voir Octoéchos.

ÉCLISSES (angl., ribs ; all., Zargen ; ital., fasce), côtés de la caisse de résonance d'un instrument. La courbure de ces bandes, généralement en bois d'érable, s'obtient par un traitement spécial. Le bois, préalablement mouillé, est présenté au feu. Lorsque le mélange de chaleur et d'humidité qui en résulte lui a donné la souplesse voulue, on le courbe et on le fixe par de grosses vis à un moule qui reproduit les formes extérieures de l'instrument. Le séchage dans cette position permettra aux é. de conserver ces formes. Les é. sont renforcées à l'intérieur de la caisse par des contre-éclisses, petites bandes de toile à l'origine, puis de sapin ou de saule. Bien qu'elles participent à la vibration de la caisse, les é. ne jouent pas de rôle important dans la qualité de la sonorité.

ÉCOLE DE BERLIN (Berliner Schule). Les musiciens de la chapelle du roi de Prusse Frédéric II — J.J. Quantz, C.Ph.E. Bach, Fr. Benda, J.G. Graun, Chr. Nichelmann... — sont entrés dans l'histoire de la musique sous la dénomination d'École de Berlin (ou « Norddeutsche Schule » ; v. 1740-70). Leurs œuvres sont conditionnées jusque dans le détail par le goût musical de leur souverain, compositeur de talent lui-même. Dans le domaine instrumental, celui-ci prenait plaisir à l'écriture savante, aux formes baroques ainsi qu'à une mélodie enjouée et flatteuse. Il était par contre hostile aux effets dramatiques. Sous un tel règlement, la musique de ses subordonnés ne pouvait s'épanouir librement et resta plus attachée à la tradition que celle de l'École de Mannheim. Le centre de gravité de l'École de B. se situe dans les domaines de la mus. de chambre, de la composition pour clavier, du concerto et de la symphonie. A lui seul, Quantz écrivit quelque 300 concertos pour flûte et 200 sonates destinés au roi, œuvres solidement construites, répondant aux « goûts mêlés » et tenant compte des possibilités d'interprétation de Frédéric II. Mais les trios et les symphonies de chambre les plus importants sont dus à C.Ph.E. Bach. Ses œuvres se caractérisent par une plus grande recherche de l'expression et par un traitement attentif des motifs musicaux. Dans ses symphonies en 3 mouvements (sans menuet), il s'efforça d'unir l'écriture contrapuntique avec le style harmonique moderne. Une redondance archaïsante et une rythmique peu diversifiée créent un contraste curieux avec son harmonie et sa dynamique expressives. Malgré la variété des formes et de l'instrumentation, il ne lui fut pas accordé — guère plus qu'à J.J. Graun — d'écrire des œuvres durables. Ce style instrumental trouva un complément vocal dans la première école berlinoise du « Lied » (v. 1752-70), qu'illustrèrent également Chr.G. Krause, Fr.W. Marpurg outre les musiciens déjà cités. L'avocat Krause en donna le départ avec son opuscule *Von der musicalischen Poesie* (Berlin 1752), dans lequel il repoussait l'air d'opéra à l'italienne au profit du simple « Lied » strophique, selon le modèle des brunettes et airs à boire français, et préconisait l'union du poème et de la musique ainsi que l'expression des sentiments. A partir de 1753 parurent de nombreux recueils de ces modestes « Lieder » avec piano dont certains côtoient le dilettantisme, la plupart sur les textes des « anacréontiques » Friedrich von Hagedorn, Johann Wilhelm Ludwig Gleim, Johann Peter Uz, miroirs fidèles du « rococo » fridéricien. Là encore C.Ph.E. Bach se fit une place à part. Avec leur déclamation soignée, leur écriture pianistique travaillée et la profondeur des sentiments qu'ils expriment, ses *Gellert-Oden* (1758) s'élèvent de beaucoup au-dessus des œuvres sans prétention de son entourage. Écrits en partie sur des textes de Friedrich Gottlieb Klopstock pendant sa période hambourgeoise, ses « Lieder » spirituels destinés à un usage privé ouvrent la voie à la deuxième école berlinoise du « Lied » (v. 1780-1815), qui fut influencée essentiellement par les idées du classicisme. Des musiciens tels que J.A.P. Schulz, J. Fr. Reichardt et C.Fr. Zelter réclamèrent l'égalité des droits de la poésie et de la musique, l'exacte déclamation du texte et la prééminence de la forme strophique. L'influence du chant populaire nouvellement redécouvert favorisa leur tendance à l'expression populaire. Des poèmes importants de Matthias Claudius, de Goethe entre autres formèrent désormais la base des compositions. Reichardt réalisa un équilibre entre le style récitatif et le style de l' « arioso » (*Erlkönig, Heidenröslein*) et cisela la forme avec sensibilité, tandis que Schulz et Zelter parvenaient à l'expression populaire dans leurs meilleures pièces, à l' « apparence du connu », et préparaient l'expression des états d'âme par le « Lied » romantique.

Bibliographie — M. FRIEDLAENDER, *Das deutsche Lied im 18. Jh.*, 2 vol., Stuttgart et Berlin 1902 ; C. SACHS, *Musikgesch. der Stadt Berlin bis zum Jahre 1800*, Berlin 1908 ; G. FROTSCHER, *Die Ästhetik des Berliner Liedes*, *in* ZfMw VI, 1923-24 ; H. ULDALL, *Das Klavierkonzert der Berliner Schule*, Leipzig 1928 ; H.J. MOSER, *Das deutsche Lied seit Mozart*, 2 vol., Berlin et Zurich 1937 ; H.P. SCHMITZ, *Querflöte u. Querflötenspiel in Deutschland während des Barockzeitalters*, Kassel, BV, 1952 ; E.E. HELM, *Music at the Court of Frederick the Great*, Oklahoma, Univ. Press, 1960.

L. HOFFMANN-ERBRECHT

ÉCOLE DE BOLOGNE, école de mus. instrumentale dont l'apogée se situe dans la 2de moitié du XVIIe s. et les premières décennies du XVIIIe. L'un des foyers en devint la basilique S. Petronio avec la nomination de M. Cazzati comme maître de chapelle en 1657. Cazzati est l'auteur de nombreuses sonates, en particulier de sonates à trois, genre que cultive également son élève G.B. Vitali (1632-1692). De son côté, G. Torelli (1658-1705), joueur de « violetta » à la chapelle de S. Petronio, est l'un des créateurs du → « concerto grosso » dont A. Corelli fixera la forme, et le promoteur du → concerto de soliste. Succédèrent à Cazzati, G.P. Colonna, puis, durant 60 ans (1696-1756), G.A. Perti, qui laissa, comme ses prédécesseurs, une abondante œuvre spirituelle dans le style concertant et une centaine de cantates à voix seule ; il compta parmi ses élèves Torelli, Jacchini et le père Martini. La célèbre « Accademia Filarmonica » (fondée en 1666), dont furent membres les Bononcini père et fils, fut un autre pôle à la vie musicale. L'enseignement qu'y reçut A. Corelli de 1670 à 1675 fut déterminant pour la formation de son style. Citons encore parmi les représentants de l'É. de B. G.B. Tosi, P. Degli Antoni (1648-1720), G.B. Bassani (v. 1657-1716), violoniste et compositeur de sonates réputé, D. Gabrielli (v. 1659-1690) et T.A. Vitali (1663-1745).

Bibliographie (voir également l'art. BOLOGNE) — FR. VATIELLI, *La scuola musicale bolognese*, *in* Strenna storica bolognese I, 1928.

ÉCOLE DE BOURGOGNE, notion récente et controversée de l'histoire de la musique qui s'applique aux musiciens ayant vécu à la cour de Bourgogne, principalement sous les règnes de Philippe le Bon (1419-67) et de Charles le Téméraire (1467-77). Les principaux représentants en sont N. Grenon, G. Binchois, P. Fontaine, Hayne van Ghizeghem, J. Vide, R. Morton et A. Busnois, auxquels on ajoute parfois G. Dufay. Cette école perpétue au XVe s. l'art français de la → chanson, hérité de la vie courtoise du siècle précédent. Y confluent cependant des influences italiennes et anglaises ainsi que celles qui donneront naissance à l' → École franco-flamande. La brillante vie de société qui s'épanouit à cette époque autour de la cour de Dijon explique pour une part l'exceptionnelle beauté et le raffinement de la musique qui lui était destinée et que caractérise un style également partagé entre la recherche ornementale ou expressive et le goût des combinaisons contrapuntiques (imitations, canons, énigmes musicales). La musique de l'É. de Bourgogne contraste fortement avec le style maniéré de la fin de l'Ars Nova (voir l'art. ARS SUBTILIOR), représenté par Matteo da Perugia ou Jacob de Senleches, et forme le lien avec l'École franco-flamande, dont les premiers représentants seront G. Dufay et J. Ockeghem autour de 1440-50.

Bibliographie — W. GURLITT, Burgundische Chanson- u. deutsche Liedkunst des 15. Jh., in Kgr.-Ber. Basel 1924 ; H. BESSELER, Die Musik des Mittelalters u. der Renaissance, Potsdam 1931 ; du même, Bourdon u. Fauxbourdon, Leipzig 1950 ; du même, art. Burgund in MGG II, 1952 ; E. DANNEMANN, Die spätgotische Musiktradition in Frankreich u. Burgund, Strasbourg 1936 ; J. MARIX, Les musiciens de la cour de Bourgogne au xve s., Paris 1937 ; de la même, Hist. de la mus. et des musiciens de la cour de Bourgogne, Strasbourg 1939 ; CH. VAN DEN BORREN, Études sur le xve s. musical, Anvers 1941 ; FL. VAN DER MUEREN, É. bourguignonne, é. néerlandaise ou début de la Renaissance?, in RBMie XII, 1958 ; S. CLERCX, art. Burgundische Musik, in Riemann Musik-Lexikon, 12e éd., III Sachteil, Mayence, Schott, 1967.

ÉCOLE DE MANNHEIM (Mannheimer Schule).

La chapelle de Mannheim fut formée par l'Électeur palatin Karl Philipp, qui fixa sa résidence à Mannheim en 1720, et son successeur Karl Theodor (1743-1799). Elle réunissait des musiciens de diverses nationalités, notamment des Tchèques comme J.V. Stamitz (venu à Mannheim en 1741), Fr.X. Richter (1747), I. Holzbauer (1753), A. Fils (1754). Leur activité fut poursuivie par leurs disciples — Chr. Cannabich, Fr. Beck, E. Eichner, C.G. Toeschi, C.Ph. et A.Th. Stamitz, I. Fränzl, Fr. Danzi, W. et J.B. Cramer — jusqu'en 1778, où la Cour fut transférée à Munich. L'É. de M. tient une place importante dans le développement de la symphonie : J.V. Stamitz et ses disciples généralisèrent la division en 4 mouvements avec le menuet en troisième position ; ils contribuèrent également à l'introduction dans la forme sonate d'un second thème très individualisé. Mais ces innovations se pratiquaient à la même époque à Vienne, et c'est surtout dans le domaine du style instrumental que se situe l'originalité de l'école. Dans l'orchestre de Mannheim, considéré comme le meilleur de son temps, chaque instrumentiste était un virtuose (Burney le compare en 1772 à une « army of generals ») et la discipline de l'ensemble parfaite. Cette haute qualité technique permettait une richesse d'exécution exceptionnelle qui devait concourir au renforcement de l'expression. Dans le domaine de la dynamique, Stamitz utilise le crescendo, qui existait auparavant dans le répertoire des chanteurs ou dans le jeu instrumental soliste mais n'était que très rarement mentionné sur les partitions. L'originalité de Stamitz consiste à en faire un effet dynamique puissant, qui ne vise plus la mise en valeur d'une ligne mélodique mais auquel participe tout l'orchestre. Ce crescendo est indiqué avec précision, de même que les « terrace-dynamics » et les nombreuses oppositions de nuances. Cette dynamique reste souple : la notion de thème forte et de thème piano a disparu et, au cours d'une

œuvre, un même thème peut être affecté de signes de nuances et d'accentuation très divers, correspondant à un souci d'expression et de variété. Toujours dans un but expressif, Stamitz accorde une importance particulière à la mélodie, surtout dans la partie de 1er violon. Le contrepoint (jeu des imitations, emploi de la fugue) n'est utilisé que dans la mesure où il favorise l'expression. Le style des compositeurs de l'É. de M. comporte également des procédés d'écriture particuliers : arpèges ascendants, brisés ou non, parfois exécutés très rapidement en « groupes fusée », appoggiatures, formules syncopées, rythmes pointés, tremolos avec étincelles, etc., dont l'emploi excessif par les disciples de Stamitz contribua à former ce que L. Mozart désignait par « vermanirierter Mannheimer Goût ». Dans le domaine de l'orchestration, l'apport de l'É. de M. est important : la clarinette commence à être utilisée dans l'orchestre et les instr. à vent ne se limitent plus à la doublure des parties de violon ou au remplissage harmonique ; leur écriture est de plus en plus individualisée et ils interviennent parfois en solistes. De même, la pratique de la basse continue est abandonnée peu à peu et le 1er violon remplace le claveciniste pour la direction de l'orchestre. Bien que les œuvres des compositeurs de l'É. de M. soient actuellement peu éditées et peu jouées (pour les rééd. consulter les articles consacrés aux auteurs cités), on ne peut nier leur importance historique : parallèlement aux Viennois, les musiciens de Mannheim ont contribué à fixer la forme de la symphonie classique et ont créé un nouveau style instrumental qui fait d'eux les précurseurs de Beethoven.

Bibliographie (cf. également l'art. MANNHEIM) — H. RIEMANN, introd. à DTB III/1, 1902, et VIII/2, 1907 ; du même, Der Stil u. Manieren der Mannheimer, ibid. VII/2, 1906 ; du même, Die Entwicklung des modernen instrumentalen Stils um 1750, in Neue Musikzeitung XXVIII-XXIX, 1907 ; du même, Beethoven u. die Mannheimer, in Die Musik VII, 1908 ; A. HEUSS, Zum Thema « Mannheimer Vorhalt », in ZIMG IX, 1907-08 ; du même, Die Dynamik der Mannheimer Schule II, in ZfMw II, 1919-20 ; L. KAMIEŃSKI, Mannheim u. Italien, in SIMG X, 1908-09 ; R. SONDHEIMER, Die Sinfonien Fr. Becks, in ZfMw IV, 1921-22 ; du même, Die Theorie der Sinfonie im 18. Jh., Leipzig 1925 ; G. SCHMIDT, P. Ritter, ein Beitr. zur Mannheimer Musik-Gesch. (diss. Munich 1925) ; P. GRADENWITZ, Mid 18th Cent. Transformations of Style, in ML XVIII, 1937 ; du même, The Symphonies of J. Stamitz, in MR I, 1940 ; G. PESTELLI, Il camino stilistico di J. Stamitz, in Rassegna... di studi musicologici XXIV, Florence 1957 ; G. CROLL, Zur Vorgesch. der « Mannheimer », in Kgr.-Ber. Köln 1958, Kassel, BV, 1959 ; J.P. LARSEN, Zur Bedeutung der Mannheimer Schule, in Fs. G. Fellerer, Regensburg, Bosse, 1962 ; P. MECKLENBURG, Die Sinfonie der Mannheimer Schule (diss. Munich 1963) ; H.R. DÜRRENMATT, Die Durchführung bei Stamitz 1717-1757, Berne, Haupt, 1969 ; M. REISSINGER, Die Sinfonien E. Eichners 1740-1777 (diss. Francfort/M. 1970).

D. PATIER

ÉCOLE DE NOTRE-DAME,

école de polyphonistes parisiens, groupés principalement autour de la cathédrale Notre-Dame ; leur activité se situe dans le 3e tiers du xiie s. et la 1re moitié du xiiie s. Il convient de restreindre quelque peu la portée de cette notion qui a pris racine dans la terminologie usuelle de l'hist. de la musique. Sur la foi de passages souvent cités de l'Anonyme IV (COUSSEMAKER Scr. I, 342 a ; RECKOW I, 46), il était communément admis que Léonin, auteur du Magnus liber organi, avait été cantor à Notre-Dame de Paris et que Pérotin, l'arrangeur de ce cycle d'organa à deux voix destinés à la messe et aux vêpres, avait été l'un de ses successeurs. Pérotin était également considéré comme le véritable créateur du déchant à rythme modal et de la polyphonie à 3 ou 4 voix construite sur un → ténor liturgique. Jusqu'à présent, aucun document n'a pu attester avec exactitude leur existence. Par contre, il semble établi que la version originale du *Magnus liber* a vu le jour entre 1163 et 1182 et qu'elle était destinée à Notre-Dame (H. Husmann). Mais elle a dû très rapidement s'enrichir d'apports nouveaux, empruntés aux différentes églises parisiennes, au répertoire ou du moins à la technique d'autres écoles françaises et même insulaires. En même temps y furent introduites de nombreuses modifications stylistiques. C'est ainsi que les versions du *Magnus liber* conservées dans les mss. de l'École de Notre-Dame (W¹, W², F, Ma et différents fragments) correspondent à des versions légèrement divergentes du XIIIᵉ s. et participent nettement à plusieurs couches historiques : → organum non rythmé (organum à vocalises), → « copula » en partie soumise au rythme modal et déchant (voir DISCANTUS) entièrement rythmé. Le dernier stade offre surtout des → clausules (dont naîtra le → motet), des organa à 3 et 4 voix (triples et quadruples) et des → conduits d'un style nouveau. L'élément distinctif et commun à toutes ces formes est le rythme modal, indéniablement lié à la redécouverte des auteurs de l'Antiquité et à la renaissance parisienne ; c'est pour lui que se développa la notation carrée (→ notation mensuraliste). Pour conclure, il serait préférable de parler, plutôt que d'une école, d'une époque de Notre-Dame, qui se situe entre le style de St-Martial de Limoges et l'Ars Antiqua, c'est-à-dire entre 1160 et 1250 env., et dont le centre reste indiscutablement Notre-Dame de Paris.

Bibliographie — E. DE COUSSEMAKER, L'art harmonique aux XIIᵉ et XIIIᵉ s., Paris 1865 ; H. SCHMIDT, Die Organa der N.-D. Schule (diss. Vienne 1930) ; J. HANDSCHIN, Zur Leonin-Perotin-Frage, in ZfMw XIV, 1931-32 ; H. TISCHLER, New Historical Aspects of the Parisian Organa, in Speculum XXV, 1950 ; J. CHAILLEY, Hist. musicale du M.A., Paris, PUF, 1950, 2/1970 ; W.G. WAITE, The Abbreviation of the Magnus liber, in JAMS XIV, 1961 ; G. BIRKNER, N.-D.-Cantoren u.-Succentoren vom Ende des 10. bis zum Beginn des 14. Jh., in In Memoriam J. Handschin, Strasbourg, Heitz, 1962 ; H. HUSMANN, The Origin and Destination of the Magnus liber organi, in MQ LIX, 1963 ; du même, The Enlargement of the Magnus liber organi and the Paris Churches St-Germain-l'Auxerrois and Ste-Geneviève-du-Mont, in JAMS XVI, 1963 ; F. RECKOW, Der Musiktraktat des Anonymus 4, Wiesbaden, Fr. Steiner, 1967 (= AfMw IV-V, Beihefte) ; E.H. SANDERS, The Question of Perotins Œuvre and Dates, in Fs. W. Wiora, Kassel, BV, 1967 ; R. FLOTZINGER, Der Discantussatz im Magnus liber u. seiner Nachfolge, Vienne, Böhlau, 1969 ; cf. également bibliogr. des art. LÉONIN et PÉROTIN du tome II, Les Hommes et leurs œuvres.

R. FLOTZINGER

ÉCOLE FRANCO-FLAMANDE, importante école musicale née au cours du 2ᵉ quart du XVᵉ s. dans ce qui est actuellement le nord de la France, la Belgique et le sud de la Hollande — les Pays-Bas (Nederlanden) au sens le plus large, d'où le terme d'école néerlandaise (all., niederländische Schule) qui souvent la désigne — et dont le rayonnement s'est exercé sur toute l'Europe pendant plus de 150 ans. Bien que les musiciens qui l'illustrèrent appartiennent à deux groupes ethniques et linguistiques différents, en premier lieu un groupe français originaire du pays de Liège, du Hainaut principalement et de la Picardie, puis un groupe flamand appelé à prendre de plus en plus d'importance, son unité stylistique est fortement accusée. Elle peut être définie par l'attachement des musiciens à une polyphonie contrapuntique où toutes

les lignes ont un égal intérêt mélodique, par leur goût de la plénitude sonore (accord parfait), des fonctions harmoniques simples (rapports de quinte ou de quarte) et d'un rythme fluide, enfin par une inspiration essentiellement religieuse et liturgique. Les centres d'où partit ce style nouveau sont les maîtrises des cathédrales et des grandes églises à Lille, Tournai, Mons, Liège, Anvers, Gand, Bruges, etc., tout particulièrement la cathédrale de Cambrai, où G. Dufay reçut sa formation de 1409 à 1418 environ.

Au déclin du Moyen Age, caractérisé par des mouvements d'inspiration mystique tels que la « Devotio moderna », on doit à cette école le renouveau de la mus. religieuse dont témoigne la constitution d'un important répertoire liturgique resté jusqu'à nos jours l'un des modèles insurpassés de la prière musicale. La mise en musique de l'ordinaire de la messe devient l'une des tâches principales du compositeur : la → messe polyphonique unitaire écrite à 4, puis à 5 et 6 voix, d'abord sur → « cantus firmus » liturgique ou profane, puis, au XVIᵉ s. principalement, sous la forme de la messe → parodie, fondée soit sur un motet, soit sur une chanson. En même temps, le propre se voit revalorisé et s'enrichit d'une floraison de → motets, terme qui désigne désormais toute œuvre musicale polyphonique écrite sur un texte religieux en latin autre que ceux de l'ordinaire. Le style franco-flamand s'étend également à l'art profane, où il se trouve associé aux formes musicales de la vie de société, la → chanson en premier lieu, puis le → « Lied » et le → madrigal polyphonique et jusqu'à la musique d'orgue. Un texte en langue vulgaire est souvent le seul élément qui permette de différencier les compositions profanes des compositions religieuses, p. ex. chez J. Ockeghem, dans les chansons hautement contrapuntiques de la fin de la vie de Josquin des Prés ou dans nombre de productions des musiciens néerlandais de la 1ʳᵉ moitié du XVIᵉ s., qui s'opposent en cela au style proprement français de la chanson dite parisienne.

Il est peu d'époques de l'histoire de la musique qui aient suscité une telle floraison de musiciens de premier plan, d'où émergent les noms fameux entre tous de G. Dufay (v. 1400-1474), J. Ockeghem (v. 1425-1497), Josquin des Prés (v. 1440-1521 ?) et R. de Lassus (v. 1532-1594). La première période peut être considérée comme l'apogée de la polyphonie médiévale avec les complications de son écriture contrapuntique, sa vocalisation progressive des 4 voix, son flot mélodique incessamment renouvelé et le caractère « instrumental » de ses courbes mélodiques. Elle est représentée par G. Dufay, J. Regis, F. Caron, J. Ockeghem, A. Busnois et le théoricien J. Tinctoris (*Liber de arte contrapuncti*). L'influence de l'humanisme, avec lequel les musiciens franco-flamands entrent en contact en Italie, se fait sentir dès le 3ᵉ tiers du XVᵉ s. Avec Josquin des Prés et sa génération, la musique s'humanise par une expression plus sensible, souvent mélancolique ou douloureuse. La polyphonie s'allège et oppose en son sein des passages à 2 ou 3 voix à l'écriture ambiante à 4 voix, ou encore le groupe des voix élevées à celui des voix graves. La répétition s'introduit dans le flot mélodique sous la forme de l'→ « ostinato », du motif ou de la séquence, et l'→ imitation tend progressivement à remplacer tous les autres procédés contrapuntiques. Ces innovations naissent d'un souci nouveau, celui d'unir plus étroitement le texte et la musique. A cette période appartiennent Josquin des Prés, G. van Weerbeke (le plus italianisé de tous), L. Compère, J. Obrecht, H. Isaac, P. de La Rue, A. Brumel, A. de Févin, J. Mouton. Leur succèdent des musiciens moins attirés par les séductions de l'Italie, même s'ils y vécurent comme A. Willaert, et qui reviennent presque tous à un style plus compact dominé par le procédé de l'imitation, systématiquement employé. Ce sont A. Willaert, l'un des créateurs du madrigal italien, N. Gombert, Th. Créquillon, J. Clemens non Papa et J. Arcadelt. La dernière époque de l'École franco-flamande, qui s'étend sur la 2ᵈᵉ moitié du XVIᵉ s., correspond à la période la plus riche de la musique de la Renaissance qui voit s'affronter les tendances traditionnelles et les nouveautés issues des recherches humanistes (style vertical, chromatisme, figuralisme, polychoralité, etc.). Le plus grand maître de cette période — celle de la → « musica reservata » — est R. de Lassus, génie tourmenté qui laisse déjà pressentir le style baroque. Son œuvre immense est dominée tout entière par le souci d'illustrer le texte et de lui conférer un poids accru par de puissants accents dramatiques et une peinture des sentiments qui fait appel aux recherches les plus hardies dans le domaine du chromatisme et de l'expression. Dans l'œuvre de Cl. Le Jeune, le style polyphonique franco-flamand prend déjà le caractère de « stile antico » (*Dodécacorde*, p. ex.) tandis que C. de Rore et Ph. de Monte s'en tiennent plus étroitement à la tradition. En même temps que les musiciens français s'y rallient, quoique avec un souci original de clarté et de brièveté — c'est le cas de P. Certon, Cl. de Sermisy, J. Maillard, Cl. Goudimel — le style franco-flamand gagne les pays germaniques avec H. Finck, Th. Stoltzer, J. Walter, L. Senfl et L. Lechner. Puis il s'étend sur toute l'Europe avec Palestrina en Italie, Cr. de Morales et T.L. da Victoria en Espagne, J. Taverner, Chr. Tye et Th. Tallis en Angleterre. Mais cette dernière et brillante floraison ne résistera pas longtemps au style nouveau qui se prépare en Italie avec le → « stile rappresentativo » et qui va aboutir à l'époque dite de la basse continue ou de la monodie accompagnée, caractéristique de la période baroque. Seul aux Pays-Bas J.P. Sweelinck restera encore fidèle à l'écriture polyphonique sévère dans les 20 premières années du XVIIᵉ s. et, par l'entremise de ses nombreux élèves organistes, deviendra un maillon essentiel de la chaîne qui mène à la polyphonie de J.S. Bach. — Voir également l'art. BELGIQUE, en particulier § L'âge d'or de la polyphonie.

Bibliographie — E. VANDERSTRAETEN La mus. aux Pays-Bas av. le XIXᵉ s., 8 vol., Bruxelles 1867-88; A.W. AMBROS, Gesch. der Musik III, Breslau 1868, 3/1891, rééd. en facs. Hildesheim, Olms, 1967; H. BESSELER, Die Musik des Mittelalters u. der Renaissance, Potsdam 1931'; du même, Bourdon u. Fauxbourdon, Leipzig 1950; K.G. FELLERER, Gesch. der katholischen Kirchenmusik, Düsseldorf 1939, 2/1949, nouv. éd. Kassel, BV, 1973; A. PIRRO, Hist. de la mus. de la fin du XIVᵉ s. à la fin du XVIᵉ, Paris 1940; CH. VAN DEN BORREN, Études sur le XVᵉ s. musical, Anvers 1941; du même, Geschiedenis van de muziek in de Nederlanden, 2 vol., Amsterdam et Anvers 1949-51; E.E. LOWINSKY, Secret Chromatic Art in the Netherland Motets, New York 1946; S. CLERCX, Introd. à l'hist. de la mus. en Belgique, in RBMie V, 1951; G. REESE, Music in the Renaissance, New York, Norton, 1954, 2/1959; R. LENAERTS, Contribution à l'hist. de la mus. belge de la Renaissance, in RBMie IX, 1955; A. VAN DER LINDEN, Comment désigner la nationalité des artistes des provinces du Nord à l'époque de la Renaissance, in La Renaissance dans les provinces du Nord, éd.

par Fr. Lesure, Paris, CNRS, 1956; H.CHR. WOLF, Die Musik der alten Niederländer, Leipzig, VEB Br. & H., 1956; cf. également The New Oxford Hist. of Music, III Ars Nova and the Renaissance, 1300-1540, IV The Age of Humanism, 1540-1630, Londres, Oxford Univ. Press, 1960, 1968.

M. HONEGGER

ÉCOLE NAPOLITAINE (ital., scuola napoletana). Né à Florence, l'opéra italien, après s'être développé à Rome et à Venise, eut Naples pour centre principal au XVIIIᵉ s. Il n'y fut introduit qu'en 1651, avec l'*Incoronazione di Poppea* de Cl. Monteverdi. Pendant quelques années, l'opéra vénitien y fut en vogue, et c'est son empreinte que porte la première production locale (Fr. Provenzale, œuvres de jeunesse d'A. Scarlatti). Mais dès la fin du XVIIᵉ s., l'É. n. apporte une contribution originale qui influencera largement toute l'Europe jusqu'au milieu du XVIIIᵉ s. Les 4 célèbres conservatoires (« dei Poveri di Gesù Cristo », « di S. Maria di Loreto », « di S. Onofrio » et « della Pietà dei Turchini ») formèrent une pléiade de compositeurs, d'instrumentistes et de chanteurs. Les principaux représentants de l'É. n. — italiens et étrangers — y furent liés par leurs études ou par leur enseignement : Fr. Durante, N. Porpora, L. Vinci, Fr. Feo, L. Leo, N. Logroscino, J.A. Hasse, G.B. Pergolesi, G. Latilla, D. Pérez, D. Terradellas, N. Jommelli, T. Traetta, P. Anfossi, N. Piccinni, A. Sacchini, G.Fr. De Majo, G. Paisiello, D. Cimarosa. Nombreux furent ceux qui exercèrent ensuite leur activité à l'étranger : Pérez à Lisbonne, Piccinni et Sacchini à Paris, Paisiello et Traetta à St-Pétersbourg, Jommelli à Stuttgart, Porpora à Vienne, Dresde et Londres. En réalité, le terme d'É. n. a pris un sens très large; il désigne le type d'opéra qui se répandit au XVIIIᵉ s. sans se limiter à Naples. D'autre part, les Napolitains ne restreignirent pas leur activité au seul drame lyrique : leur production est également vaste dans le domaine de la mus. religieuse, de l'oratorio, de la cantate et de la mus. instrumentale.

A la naissance du mouvement napolitain on trouve la forte personnalité d'A. Scarlatti (1660-1725). Avec lui se fixent déjà les éléments typiques de l'opéra italien : symphonie d'ouverture en 3 mouvements (allegro - grave - presto); séparation claire entre récitatif et « aria »; prédilection pour la forme de l' « aria a da capo »; adoption du récitatif accompagné (« recitativo strumentato »); développement de l'orchestre. Il faut citer parmi ses meilleures œuvres *Mitridate Eupatore* (1707), *Il Tigrane* (1715), *La Griselda* (1721).

Dans l'opéra napolitain traditionnel, le → « bel canto » tient la première place et l'on ne se préoccupe pas de l'action (N. Porpora). La virtuosité du chant, confié aux castrats et aux cantatrices, et le faste de la mise en scène sont les véritables pôles d'attraction pour le public. On note une orientation différente chez les compositeurs de la période suivante (Jommelli, Traetta), qui se ressentent des réformes préconisées par Métastase et Chr.W. Gluck. Ils tendent vers un drame plus cohérent et plus organique dans son développement, plus approfondi dans sa substance humaine. — C'est dans le cadre de l'opéra napolitain que s'établit clairement la distinction entre l' → « opera seria », que définit la réforme entreprise par A. Zeno, et l' → « opera buffa », qui atteint une forme accomplie dès la 1ʳᵉ moitié du XVIIIᵉ s. Parmi les maîtres napolitains qui écrivirent dans ce genre, il faut citer particulièrement L. Vinci (*Le Zite 'n galera*, 1722), G.B. Pergolesi (*Lo frate 'nnamurato*, 1732; *Livietta e Tracollo*, 1734; *La Serva padrona*, 1733), N. Logroscino, N. Piccinni (*La Cecchina o la buona Figliola*, 1760), G. Paisiello (*La Serva padrona*, 1781; *Il Barbiere di Siviglia*, 1782; *La Nina pazza per amore*, 1789; *La bella Molinara*, 1798; D. Cimarosa (*Il Matrimonio segreto*, 1792; *Le Astuzie femminili*, 1794). C'est cet aspect du théâtre italien qui restera le plus vivant, par sa vivacité d'expression et par la richesse et le naturel de la mélodie.

Il faut encore signaler l'école d'orgue qui s'est épanouie au tournant du XVIe et du XVIIe s. Y appartiennent A. Valente, R. Rodio, J. de Macque, Sc. Stella, Fr. Lambardi et surtout Ascanio Maione († 1627) et G.M. Trabaci dont les compositions (toccatas, « intonazioni », préludes) marquent la transition du style des Gabrieli et de Cl. Merulo à celui de G. Frescobaldi.

Bibliographie — F. FLORIMO, La scuola musicale di Napoli e i suoi Conservatori, Naples 1880; E.J. DENT, A. Scarlatti, His Life and Works, Londres 1905, 2/ Londres, Arnold, 1960; A. DELLA CORTE, L'opera comica italiana del '700, Naples 1922; W. APEL, Neapolitan Links Between Cabezon and Frescobaldi, *in* MQ XXIV, 1938; B. CROCE, I Teatri di Napoli dal Rinascimento alla fine del s. XVIII, Bari 1947; G. TINTORI, L'opera napoletana, Milan, Ricordi, 1958; U. PROTA-GIURLEO, G.M. Trabaci e gli organisti della R. Cappella di Napoli, *in* L'Organo I, 1960; FR. DEGRADA, G.B. Pergolesi, contributo a un interpretazione critica (diss. Milan 1962-63); FR. DEGRADA, L'opera a Napoli nel '700, *in* Storia dell' Opera, Turin, Unione tipografico editrice torinese, 1975; cf. également l'art. NAPLES.

M. CAPPELLI

ÉCOLE ROMAINE (ital., scuola romana).

1. École musicale qui s'est développée vers le milieu du XVIe s. au sein de l'Église romaine. Celle-ci s'enorgueillissait alors de l'activité de chapelles musicales variées dont les plus importantes étaient la Chapelle Sixtine, la « Cappella Giulia » de St-Pierre-du-Vatican, la « Cappella Pia » de St-Jean-de-Latran et la « Cappella Liberiana » de Ste-Marie-Majeure. Parallèlement à la floraison novatrice de l'é. vénitienne, l'é. r. se distingua en produisant presque exclusivement des compositions destinées au service liturgique (messes, motets, psaumes, magnificat, répons, impropères, lamentations, offertoires, litanies) et en restant fidèle au style franco-flamand de la mus. « a cappella ». Son plus grand représentant fut G.P. da Palestrina (1525 ou 1526-1594), une des personnalités musicales les plus importantes de la fin de la Renaissance. La tradition polyphonique vocale culmine dans son œuvre. Poursuivant les expériences de C. Festa, chantre, « cantor » et « capellanus » de la Chapelle Sixtine de 1517 à sa mort, et de J. Arcadelt, au service de la « Cappella Giulia » depuis 1539 jusque vers 1552, Palestrina, dans ses motets et surtout dans ses nombreuses messes, sut marier à la perfection, en un style limpide, la technique contrapuntique héritée de l'école flamande et la douceur mélodique typique du style latin, créant des chefs-d'œuvre inspirés par un sens religieux profond. Pratiquement, toute son activité se déroula à Rome, où il fut d'abord « putto cantore » à la chapelle de Ste-Marie-Majeure. Puis il fut successivement maître de chapelle à St-Pierre (1550), St-Jean-de-Latran (1555), Ste-Marie-Majeure (1561) pour revenir enfin à la « Cappella Giulia ». A son école et à son style se formèrent F. et G.Fr. Anerio, Fr. Soriano, peut-

être le plus important de ses élèves, qui publia avec F. Anerio l'édition médicéenne du Graduel romain, R. Giovannelli, G.B. Nanino, G.M. Nanino, qui fut maître de chapelle à Ste-Marie-Majeure et à la Chapelle pontificale, connu en particulier pour avoir été le premier Italien à ouvrir une école de musique à Rome, Gr. Allegri. En dehors de Rome, des compositeurs se distinguèrent par leurs œuvres écrites dans le même style : V. Ruffo, maître de chapelle à la cathédrale de Milan de 1563 à 1573, G.M. Asola de Vérone, M.A. Ingegneri, maître de chapelle à la cathédrale de Crémone en 1581. Au XVIIe s. l'É. r. finit par subir l'influence de l'É. vénitienne. A cette période appartiennent P. Agostini, A.M. Abbatini, O. Benevoli, V. Mazzocchi. Ils enrichirent la polyphonie de nombreuses voix. Certains des maîtres romains cités plus haut contribuèrent au développement des activités qui se déroulaient dans les oratoires fondés par St Philippe Neri, où naquirent les premiers oratorios et les formes monodiques. Outre G. Animuccia, auteur de recueils de « laude », il faut citer G.Fr. Anerio (*Il Teatro armonico spirituale*).

2. École musicale localisée à Rome dans la 1re moitié du XVIIe s. et qui favorisa le développement de l'opéra. La *Rappresentazione di Anima e di Corpo* de E. de' Cavalieri, exécutée en 1600 par les oratoriens dans la chapelle annexe à la Chiesa Nuova, fit connaître à Rome le style récitatif introduit par la → « Camerata fiorentina ». Ce même style marqua ensuite, parmi d'autres œuvres, l'*Eumelio*, drame pastoral sur un sujet édifiant, composé par A. Agazzari et exécuté au Séminaire romain en 1606. Mais ce fut avec *La Morte d'Orfeo* de S. Landi, exécutée en 1619, que les caractères distinctifs de l'É. r. commencèrent à se préciser par rapport aux tentatives florentines : avant tout, le penchant pour un spectacle fastueux et varié, aussi bien dans la conception du texte que dans la musique. Le livret, tiré soit d'arguments mythologiques ou de poèmes épiques de la Renaissance, soit de l'histoire ancienne ou de l'histoire sacrée, montrait une prédilection pour la variété des situations et les contrastes entre les personnages. Les compositeurs devaient ressentir rapidement l'insuffisance du « recitar cantando » florentin pour retenir l'attention du public et tendirent à le couper par des « arie » dans lesquelles se condensaient les moments lyriques et par des chœurs qui renouaient avec la tradition du madrigal de la Renaissance. Ces conceptions sont exposées dans la préface de D. Mazzocchi à l'édition de *La Catena d'Adone* (1626) tirée de l'*Adone* de G.B. Marino. Le musicien y fait allusion à des « mezz'arie » « qui rompent l'ennui du récitatif » et dit ce qu'il doit à « l'ingénieuse étude des madrigaux ». L'intérêt de cette œuvre tient aussi au fait qu'elle fut représentée par des compagnies romaines itinérantes, constituant un des premiers exemples de l'exportation artistique qui prit une grande ampleur dans les décennies suivantes. Une étape importante est marquée par l'opéra *Sant' Alessio* de S. Landi, mis en scène au palais de Taddeo Barberini ai Giubbonari en 1631 et repris l'année suivante pour l'inauguration du Théâtre Barberini. Inspiré de la vie de St Alexis (XVe s.), c'est un drame fondé sur la psychologie du protagoniste principal et sur des personnages secondaires qui semblent tirés de la vie contemporaine. L'auteur du livret était G. Rospigliosi, qui devint cardinal, puis pape de

1667 à 1669 sous le nom de Clément IX et fut l'une des personnalités les plus singulières de l'É. romaine. On lui doit les livrets de quelques-uns des opéras les plus significatifs représentés au Théâtre Barberini : *Erminia sul Giordano*, tiré de la *Jérusalem délivrée* et mis en musique par M. Rossi (1633), ainsi que *Il Palazzo incantato d'Atlante*, tiré du *Roland furieux*, mis en musique par L. Rossi (1642) et célèbre pour sa mise en scène grandiose. Rospigliosi fut en outre le premier à écrire des livrets d' « opere buffe » : *Chi soffre speri*, musique de V. Mazzocchi et M. Marazzoli (représ. 1639), et *Dal male il bene*, mis en musique par A.M. Abbatini et par M. Marazzoli (représ. 1653). Le Théâtre Barberini cessa ses activités en 1643 après la mort du pape Urbain VIII, à cause de l'opposition farouche de son successeur Innocent X. Il rouvrit dix ans plus tard, lorsque les Barberini, qui avaient cherché refuge à l'étranger, rentrèrent à Rome. Mais dès 1657, il était définitivement fermé. C'est alors le déclin de l'É. r., dû pour une part aux divergences de vues des papes qui s'étaient succédé, pour une autre part au fait que prévalaient désormais partout les opéras de style « italien » et plus particulièrement vénitien.

Bibliographie — 1. K.G. FELLERER, Der Palestrinastil..., Augsbourg 1929; du même, Palestrina, Regensburg 1930, 2/ Düsseldorf, Schwann, 1960; R. CASIMIRI, « Disciplina Musicae » c « Maestri di cappella » dopo il Concilio di Trento nei maggiori istituti ecclesiastici di Roma, *in* Note d'Archivio 1935-43; du même, préface aux I-XV des Œuvres complètes de Palestrina, Rome 1939-42; H. LEICHTENTRITT, The Reform of Trent and its Effect on Music, *in* MQ XXX, 1944; E. PACCAGNELLA, Palestrina, il linguaggio melodico e armonico, Florence, Olschki, 1957; H. COATES et G. ABRAHAM, Latin Church Music in the Continent, VI The Perfection of the A Cappella Style, *in* New Oxford Hist. of Music IV, Londres, Oxford Univ. Press, 1968. — 2. A. ADEMOLLO, I teatri di Roma nel s. XVII, Rome 1888; R. ROLLAND, Hist. de l'opéra en Europe av. Lully et Scarlatti, Paris 1895, 2/1936; H. GOLDSCHMIDT, Studien zur Gesch. der italienischen Oper im 17. Jh., 2 vol., Leipzig 1901-04; H. PRUNIÈRES, L'opéra italien en France av. Lully, Paris 1913.

M. CAPPELLI et R. ALLORTO

ÉCOLE VÉNITIENNE (ital., scuola veneziana).

1. Connue dès le début du XVIᵉ s. pour l'édition musicale dont O. Petrucci fut le créateur, Venise vit se développer le milieu du siècle une école ayant comme centre la basilique St-Marc, où le Flamand A. Willaert fut maître de chapelle de 1527 à 1562; Willaert donna une impulsion décisive à la vie musicale par son activité de directeur, de compositeur et d'enseignant. S'étant affirmée parallèlement à une → École romaine traditionaliste qu'elle finit par influencer, l'É. v. occupa une place prééminente en Italie dans les recherches qui marquent la fin du style de la Renaissance et le début du baroque. Son rayonnement s'étendit au-delà des Alpes par l'intermédiaire de compositeurs comme J. Gallus, H.L. Hassler, M. Praetorius, H. Schütz, qui fut l'élève de G. Gabrieli. Grâce à une série de musiciens exceptionnels qui se succédèrent à St-Marc — maîtres de chapelle (C. de Rore, G. Zarlino, G. Croce) et organistes (J. Buus, A. Gabrieli, G. Parabosco, A. Padovano, V. Bell'Haver, Cl. Merulo, G. Guami, G. Gabrieli) — Venise laissa son empreinte novatrice aussi bien dans le domaine de la mus. religieuse et instrumentale que dans celui de la mus. profane. Les compositions vénitiennes se caractérisent par l'usage de la → polychoralité, la recherche de la couleur, le mélange des voix et des instruments

dans une musique somptueuse, riche en contrastes sonores. Cette esthétique atteint son expression accomplie dans l'œuvre d'A. et surtout de G. Gabrieli (*Sacrae Symphoniae*, 1597, 1615). Par ailleurs, le chromatisme et l'art de la modulation, dont usaient déjà A. Willaert et C. de Rore, favorisent le développement du madrigal expressif. On rappellera également la progression rapide de la technique de l'orgue et l'établissement de formes comme celles de la → « toccata », de la → « canzona » et de l' → « intonazione », grâce surtout à Cl. Merulo et aux Gabrieli. Dans le domaine de la théorie, une œuvre importante fut laissée par G. Zarlino (*Istituzioni harmoniche*, 1558) et N. Vicentino, tous deux élèves d'A. Willaert.

2. Durant la période baroque, Venise continua à être le centre d'expériences originales aussi bien dans le domaine lyrique que dans le domaine instrumental. En 1637 fut inauguré le Théâtre S. Cassiano (le premier théâtre ouvert au public, fait qui aura des répercussions sur le développement du drame lyrique) avec l'*Andromeda* du Romain Fr. Manelli. Mais si l'opéra fut importé de Rome, il connut à Venise un tournant décisif avec Cl. Monteverdi, nommé en 1613 maître de chapelle à St-Marc, où il resta en fonction jusqu'à sa mort (1643) : 30 années d'activité féconde durant lesquelles parurent les 6ᵉ, 7ᵉ et 8ᵉ livres de *Madrigaux* (1614, 1619, 1638), les *Scherzi musicali* (1632), la *Selva morale* (1640) ainsi que la *Messe à 4 voix* et les *Psaumes* (1650), enfin le 9ᵉ livre de *Madrigaux* (éd. posthume 1651). Avec lui s'effectue le passage de la polyphonie à la monodie accompagnée. Créateur du → « stile concitato » et d'un nouveau langage harmonique et instrumental, Monteverdi sait exprimer de façon inégalable les passions et les sentiments humains. En ce qui concerne le drame lyrique, nous sont parvenus de la période vénitienne *Il Ritorno di Ulisse* (1641) et l'*Incoronazione di Poppea* (1642), premier opéra historique, véritable chef-d'œuvre par la richesse de la mélodie, l'expression, la variété de la structure, le modernisme enfin de la conception théâtrale. Avec P.Fr. Cavalli et M.A. Cesti se développe chez l'un l'expression dramatique (*Egisto*, 1643; *Giasone*, 1649), chez l'autre la veine mélodique (*Orontea*, 1649; *Dori*, 1667) de l'opéra vénitien, qui atteint alors sa suprématie. Il se caractérise par la distinction de plus en plus nette entre l'air de forme close et le récitatif, le goût de la virtuosité vocale, l'usage d'épisodes instrumentaux tandis que le chœur perd de son importance par rapport à l'opéra romain. Les intrigues (historiques, pastorales, mythologiques ou allégoriques) sont très complexes, les personnages nombreux, les scènes variées et fastueuses. Citons encore parmi les représentants de ce style G. Legrenzi, C.Fr. Pollarolo, C. Pallavicini, P.A. Ziani et Fr.P. Sacrati. Parallèlement à l'art lyrique se développe avec P.Fr. Cavalli, M.A. Cesti et G. Legrenzi le style monodique dans les formes de l' → « aria » et de la → cantate.

3. De surcroît, Venise est liée au développement des formes instrumentales baroques, en particulier du concerto de soliste. Les premiers maîtres vénitiens avaient déjà apporté une contribution déterminante à la formation du style concertant : goût des contrastes de timbres, dialogue des voix, recherche d'une expressivité à la fois vocale et instrumentale (G. Gabrieli). Après les conquêtes de l' → École bolonaise et l'affirmation des personnalités de G. Torelli et A. Corelli, Venise redevient chef de file en matière instrumentale. A côté du → « concerto grosso » (A. Marcello, A. Vivaldi), le → concerto de soliste est cultivé et défini dans sa forme (allegro - andante - allegro). T. Albinoni fut l'un des créateurs du genre, auquel A. Vivaldi apporta la contribution la plus importante. Dans son immense production, pleine de lyrisme et de fantaisie, il faut retenir particulièrement l'op. 3 (*Estro armonico*), l'op. 4 (*La Stravaganza*), l'op. 8 (*Il Cimento dell' armonia e dell' invenzione*), l'op. 9 (*La Cetra*), l'op. 10. Citons enfin l'œuvre de G. Legrenzi, qui contribua à la stabilisation de la forme sonate, ainsi que, dans le domaine de la mus. pour clavecin, B. Marcello, D. Alberti et B. Galuppi.

Il faut encore noter l'importance des conservatoires vénitiens. Issus comme à Naples d'institutions d'assistance publique ainsi que leurs noms l'indiquent, ils bénéficièrent de la collaboration des plus grands maîtres et acquirent un renom européen. G. Legrenzi fut durant de nombreuses années directeur du Cons. « dei Mendicanti »; B. Galuppi, personnalité éminente dans la Venise du XVIIIᵉ s., à qui l'on doit le développement de l' → « opera buffa » (*Il Filosofo di campagna*, 1754), dirigea dans les dernières années de sa vie le Cons. « degli Incurabili », où J.A. Hasse avait déjà travaillé en qualité de maître de chapelle; A. Vivaldi exerça longtemps au Cons. « della Pietà ». C'est aussi à Venise qu'enseignèrent Fr. Gasparini, qui compta D. Scarlatti au nombre de ses élèves, et les Napolitains N.A. Porpora et N. Jommelli.

Bibliographie — C. VON WINTERFELD, G. Gabrieli u. sein Zeitalter, Berlin 1834, rééd. en facs. Hildesheim, Olms, 1965; H. PRUNIÈRES, Cavalli et l'opéra vénitien, Paris 1931; H. ENGEL, Das Instrumentalkonzert, Leipzig 1932; H.CHR. WOLFF, Die venezianische Oper in der 2. Hälfte des 17. Jh., Berlin 1937; A. CARAPETYAN, The Musica Nova of A. Willaert, *in* Journal of Renaissance and Baroque Music I, 1946; M. PINCHERLE, Vivaldi et la mus. instrumentale, Paris 1948; L. SCHRADE, Monteverdi, Creator of Modern Music, New York 1950; H.F. REDLICH, Cl. Monteverdi, Life and Work, Londres 1952; G.FR. MALIPIERO, Il Prete Rosso, Milan, Ricordi, 1958; E. KENTON, The Late Style of G. Gabrieli, *in* MQ XLVIII, 1962; W. KOLNEDER, A. Vivaldi, Leben u. Werk, Wiesbaden, Br. & H., 1965.

M. CAPPELLI

ÉCOLE VIENNOISE (Wiener Schule). **1. Au XVIIᵉ siècle.** A cette époque, le terme n'implique pas une stricte localisation géographique, mais un centre de rayonnement exerçant également son influence sur des compositeurs éloignés de Vienne. Des maîtres italiens tels que Giovanni Priuli, G. Valentini, A. Bertali, G.B. Buonamente, Pietro Francesco Verdina, Filippo Vismarri et P.A. Ziani introduisirent à la Cour impériale la mus. instrumentale vénitienne et l'illustrèrent d'œuvres représentatives, soit en trio, soit pour de nombreux instruments. C'est sur cette base, et en assimilant diverses influences stylistiques nationales (suite en variations, folklore) et internationales (École émilienne, pièces de danse françaises, variation anglaise, œuvres violonistiques allemandes), que s'élabora l'œuvre de J.H. Schmelzer (* v. 1620-21 à Scheibbs, Basse-Autriche), personnalité centrale de cette école. Il fut imité par son élève présumé, H.I. Fr. Biber, qui travailla, comme G. Muffat, à Salzbourg. La chapelle de l'évêque Charles de Liechtenstein-Castelcorn à Kremsier formait un autre centre ; ses archives constituent actuellement la source la plus

importante pour l'ensemble de l'école. S'y rattachaient également des compositeurs allemands, italiens et slaves tels que Johann Baptist Dolar (Tolar, milieu du XVIIᵉ s.), Johann Jacob Prinner (1624-1694), Johann Michael Zacher (v. 1649-1712), P.J. Vejvanovský, Augustin Kertzinger († 1678) et d'autres. Le domaine spécifique des Italiens fut la sonate d'église, à laquelle P.A. Ziani apporta d'importantes contributions. Les compositeurs autrichiens, par contre, participèrent d'une manière originale au développement de la suite. La forme qu'ils illustrèrent (« Aufzugssuite ») annonce le divertimento et constitue l'une des sources de la mus. instrumentale classique. Les intermèdes de ballet destinés à être introduits dans les opéras tiennent une large place dans l'œuvre de Schmelzer et d'autres compositeurs. Lui et Biber s'étaient fait connaître tout d'abord par leurs sonates pour violon, où ils pratiquaient la « scordatura », les doubles cordes et les pièces descriptives (*Sonates du Rosaire* de Biber, p. ex.). Virtuosité violonistique, art de la variation, éléments folkloriques et descriptifs se retrouvent dans les sonates en trio de l'École viennoise; pour le fond, elles ressortissent néanmoins à la tradition de l'Italie du Nord. Les œuvres pour de plus nombreux instruments sont encore largement dépendantes de la « canzone » vénitienne. On assiste dans la mus. pour clavier à une évolution semblable qui prend son point de départ chez J.J. Froberger et Wolfgang Ebner; elle est représentée par J.K. Kerll, A. Poglietti, F.T. Richter. La synthèse des styles nationaux, qui apparaît non seulement dans les œuvres mais aussi dans la formation de certains compositeurs (Froberger, Muffat), fut souvent érigée en programme et exerça une influence persistante sur l'idéal du XVIIIᵉ s. défini par Quantz comme un « style mêlé ». Cette évolution organique se poursuivit après 1700 à travers les œuvres de J.J. Fux, M.A. Ziani, A. Caldara, Gottlieb Muffat, G. Chr. Wagenseil, entre autres, pour aboutir finalement au préclassicisme et au classicisme viennois.

2. Au XXᵉ siècle. C'est en faisant allusion au classicisme viennois et en voulant voir dans le groupe viennois (1903-11) des élèves d'A. Schönberg les continuateurs d' « une tradition ancienne, valable et bien comprise », qu'on leur a donné le nom de 2ᵈᵉ École viennoise, d'École viennoise du XXᵉ s. ou d'École viennoise atonale. En firent partie A. Berg, A. von Webern, Erwin Stein (1885-1958), Karl Horwitz (1884-1925), Karl Linke (1884-1938), E. Wellesz entre autres, ainsi qu'une 2ᵉ génération formée d'élèves des précédents, H. Eisler, Th. W. Adorno, W. Reich, J. Rufer, H.E. Apostel, H. Jelinek, Erwin Ratz (* 1898)..., à l'exception du groupe réuni autour de J.M. Hauer. Plus qu'à toute autre époque, on peut parler ici d'école, qu'il s'agisse d'initiatives, de la personnalité centrale de Schönberg, de la disposition d'esprit démocratique de chacun ou de la communauté des conceptions dans le domaine artistique. C'est pourquoi les apports personnels des trois grands compositeurs de l'école, Schönberg, Berg et Webern (l'École viennoise dans son sens spécifique), sont aussi difficiles à délimiter que leur évolution individuelle est pleinement homogène et parallèle. Leurs traits communs les plus caractéristiques sont : une musique libérée des emprises de la littérature (musique à programme) et de la « Weltanschauung »

(R. Wagner), ainsi qu'un dépassement des fonctions harmoniques et de la tonalité (v. 1907-08) par une atonalité tout d'abord libre, puis soumise à la théorie dodécaphonique (1921-22). C'est dans les œuvres de Berg et de Webern que l'on trouve les sources de ces deux apports essentiels (technique sérielle ou périodes dodécaphoniques élaborées à partir d'une « harmonie complémentaire »), tandis que Schönberg apparaît plutôt comme l'élément de liaison. L'espoir qu'en dépit de la dissolution de l'ancienne tonalité la maîtrise des grandes formes pourrait être réalisée d'une manière absolue ne s'est pas confirmé d'une manière évidente ; malgré cela, les réflexions de l'École viennoise ont servi de point de départ à un important courant de l'évolution musicale après la 2de Guerre mondiale.

Bibliographie — 1. XVIIe s. : P. Nettl, Die Wiener Tanzkomposition in der 2. Hälfte des 17. Jh., in StMw VIII, 1921 ; du même, H.Fr. Biber von Bibern, ibid. XXIV, 1960 ; A. Moser, Gesch. des Violinspiels, Berlin 1923 ; F. Högler, Die Kirchensonaten in Kremsier (diss. Vienne 1926) ; A. Liess, Wiener Barockmusik, Vienne 1946 ; E. Schenk, Kleine Wiener Musikgesch., Vienne 1946 ; du même, Die ausseritalienische Triosonate, Cologne, A. Volk, 1970 ; Probleme der Schulbildungen in der Musik des 17. u. 18. Jh. im österr.-italienischen Raum (table ronde), in Kgr.-Ber. Salzburg 1964, Kassel, BV, 1966. — 2. XXe s. : A. Schönberg, par divers auteurs, Munich 1912 ; H.R. Fleischmann, Die Jungwiener Schule, in Neue Zs. für Musik LXXXIX, 1912 ; P. Stefan, Neue Musik in Wien, Leipzig 1921 ; R. Leibowitz, Schœnberg et son école, Paris 1947 ; E. Wellesz, Schönberg u. die Anfänge der Wiener Schule, in ÖMZ XV, 1960 ; Die Wiener Schule, ibid. XVI/6-7, 1961 ; Th.W. Adorno, Wien, in Quasi una Fantasia, Francfort/M., Suhrkamp, 1963.

Th. Antonicek et R. Flotzinger

ÉCOSSAISE, danse écossaise, à l'origine l'une des → « Country Dances », de rythme ternaire, et qui devint populaire dans les années 1700 avec une mesure à 2/4 ou 2/8 et un caractère animé. Sa période de floraison, entre 1800 et 1830 env., fait apparaître une forme composée de deux groupes répétés de 8 mesures. Ont écrit des écossaises : Johann Ludwig Böhner, J. Gelinek, A. Gyrowetz, Fr. Kuhlau, H. Marschner, puis Beethoven (6 Écossaises, Œuvres complètes, série 25, supplt 302), C.M. von Weber (6 Écossaises sans no d'op., 1802), Schubert (53 Écossaises, Œuvres complètes, séries 12 et 21) et Chopin (op. 72).

ÉCOUTE, attitude perceptive impliquant une focalisation de l'attention sur un « stimulus » acoustique. Le sujet percevant est soumis à une infinité de stimulations acoustiques non hiérarchisées qui, si elles répondent aux lois générales de la perception, sont entendues sans intervention active du sujet. L'opérateur humain récepteur de message réagit en lutte permanente contre le désordre de la nature (→ bruit). Il conforme une partie de l'univers à son intention et réalise son message par des relations d'ordre et d'équivalence à partir d'un répertoire de formes, de stéréotypes et de symboles acquis antérieurement. La confrontation du « stimulus » et du stéréotype lui permet de calculer le taux de corrélation, le pourcentage de points communs l'autorisant à porter un jugement. Sélection et analyse sont quasi instantanées (temps de présence) et excluent temporairement les « stimuli » marginaux. Le « stimulus » privilégié entre dans le champ de conscience de l'individu, qui prend conscience du réel, et détermine l'écoute. Cette connaissance s'effectue par référence aux connaissances antérieures, on peut imaginer l'importance de la mémoire et de l'apprentissage sur l'écoute.

ÉCURIE. Sous l'Ancien Régime ce terme désignait un département administratif, dirigé par le Grand Écuyer, qui comptait parmi son personnel des musiciens chargés des exécutions en plein air. Le corps de musique de l'É., organisé sous François Ier, comprenait au XVIIe s. des trompettes, tambours, grands hautbois, cornets, saqueboutes, hautbois et musettes du Poitou, auxquels s'ajoutaient parfois des violons. Les instrumentistes n'étaient en principe utilisés que dans des ensembles. Ils participaient, en tout ou partie, aux manifestations du temps de paix et du temps de guerre, aux fêtes extérieures (carrousels, chasses, voyages du roi et de la reine, entrées de souverain), ainsi qu'à toutes les cérémonies royales (naissance, baptême, mariage, sacre, funérailles). Quelques-uns prêtaient parfois leur concours à la musique de la Chambre — à l'occasion de bals, ballets, réceptions, représentations théâtrales — et à celle de la Chapelle. Des musiciens connus et estimés (M. de La Barre, N. Bernier, J. Lœillet, François Dieupart) en firent partie, certaines charges étant parfois longtemps assurées par les membres d'une même famille (Hotteterre, Chédeville, Philidor, Marchand).

Bibliographie — J. Écorcheville, Qq. documents sur la mus. de la Grande Écurie du roi, in SIMG X, 1900-01 ; H. Prunières, La mus. de la Chambre et de l'Écurie sous le règne de François Ier, in Année musicale, 1911 ; E. Borrel, Notes sur la mus. de la Grande Écurie de 1650 à 1789, in Revue des Études du XVIIe s., no 34, 1957.

ÉDIMBOURG (Edinburgh).

Bibliographie — D. Baptie, Musical Scotland, Past and Present. Being a Dict. of Scottish Musicians, Paisley 1894 ; D.F. Harris, St. Cecilia's Hall in the Niddry Wynd ; a Chapter in the Hist. of the Music of the Past in E., Édimbourg 1899 ; J. Waddell, Hist. of the E. Choral Union, Édimbourg 1941 ; H. Gal, Catal. of Mss., Printed Music and Books on Music up to 1850 in the Libr. of the Music Dpt of the Univ. of E., Reid Libr., Édimbourg 1941 ; H.G. Farmer, A Hist. of Music in Scotland, Londres 1947 ; M. Grierson, D. Fr. Tovey. A Biogr. Based on Letters, Londres, Oxford Univ. Press, 1952 ; S. Newman et P.F. Williams, The Russell Coll. and Other Early Keyboard Instr. in St. Cecilia's Hall, E., Édimbourg, Univ. Press, 1968 ; D. Johnson, Music and Society in Lowland Scotland in the 18th Cent., Londres, Oxford Univ. Press, 1972 ; C. Wilson, Scottish Opera. The First Ten Years, Londres, 1972.

ÉDITION MUSICALE (angl., music publishing ; all., Musikverlag). Depuis les débuts de l'imprimerie musicale, les éditeurs de musique ont joué un rôle décisif dans la diffusion et même dans le développement de la musique. Le premier d'entre eux, O. Petrucci, l'inventeur de la typographie musicale, personnifie le type de l'éditeur de musique de la Renaissance : il était à la fois imprimeur, éditeur et musicien. Grâce à ses activités d'éditeur (1501-11 à Venise, puis à Fossombrone), nous possédons aujourd'hui un « corpus » important de mus. française, néerlandaise et italienne de l'époque. En France, c'est P. Attaingnant qui inaugure une longue tradition d'éditeurs-imprimeurs de musique (son activité se situe entre 1527 et 1549). En Allemagne, P. Schöffer publie des recueils de musique à partir de 1512 ; aux Pays-Bas, T. Susato commence à imprimer en 1543, P. Phalèse en 1545. Dans toute l'Europe, la demande toujours croissante d'é. imprimée, soit de mus. sacrée, soit de mus. profane et instrumentale, se reflète dans la progression du nombre des éditeurs, français et autres.

Grâce aux privilèges royaux qui leur assuraient les droits exclusifs d'impression et de vente (système qui ne fut aboli qu'en 1790), et grâce à la supériorité graphique de leurs produits, ces maisons ont eu le monopole dans leur profession. L'ampleur de l'entreprise exigea vite que l'on sépare l'imprimerie de l'édition. En 1551 la célèbre maison d'A. Le Roy et R. Ballard commence son activité : des centaines de publications sortirent de ses presses dès le XVIᵉ s. Les Ballard, sans doute la dynastie la plus importante d'éditeurs de musique qui ait jamais existé, gardèrent le premier rang dans tout le XVIIᵉ s. et jusqu'au milieu du XVIIIᵉ s.

Les nouveautés techniques — comme la gravure, les procédés typographiques, la lithographie — ont eu une influence déterminante sur la forme de l'édition; elles permirent en outre une production infiniment plus intense, mieux adaptée aux exigences d'une écriture musicale qui devenait de plus en plus compliquée. Si la production du XVIIᵉ s. concernait en premier lieu la mus. vocale — qu'on se rappelle les recueils d'airs et de chansons, les madrigaux et motets, les partitions soignées des opéras de Lully —, celle du XVIIIᵉ s. reflète le goût prédominant de l'époque pour la mus. instrumentale, surtout la mus. de chambre. La gravure, procédé à la fois économique et satisfaisant, devient d'usage courant et universel; elle atteint en France une perfection inégalable. Suivant l'exemple des grandes maisons d'E. Roger (né à Caen en 1665), d'Amsterdam, et de J. Walsh, le célèbre éditeur de Londres (dès 1695), les éditeurs sortaient leurs publications sans indication de date : cette lacune, qui a été constante d'environ 1710 jusqu'à nos jours, pose des problèmes souvent difficiles pour la → bibliographie musicale. Au XVIIIᵉ s. s'établirent des conventions de collaboration entre éditeurs : on trouve des ouvrages publiés par plusieurs éditeurs en commun, et, sur le plan international, on constate une organisation de dépositaires, des échanges de planches entre maisons françaises, néerlandaises et anglaises. Plusieurs compositeurs publièrent leurs œuvres eux-mêmes : Clérambault, Couperin, Rameau...

Vers la fin du XVIIIᵉ s., les maisons autrichiennes et allemandes prennent de plus en plus d'importance : parmi les firmes devenues célèbres, en partie grâce à leurs rapports avec les grands compositeurs classiques et romantiques, citons A. André d'Offenbach (fondée en 1784), Artaria de Vienne (1770-1856), C.F. Peters de Leipzig (fondée en 1814), Schlesinger de Berlin (fondée en 1795), Schott de Mayence (fondée v. 1770), Simrock de Bonn (fondée v. 1790), etc. La maison Breitkopf & Haertel, de Leipzig (fondée en 1719), devient la plus importante du monde au XIXᵉ s., célèbre par ses éditions d'œuvres complètes (« Gesamtausgaben ») et par la publication de périodiques et de livres musicologiques. En Angleterre, la maison Novello (fondée en 1811) occupe une position prépondérante à cette époque; en Italie, Ricordi (fondée en 1807) se crée une réputation mondiale par la publication des opéras italiens; en Suisse, Naegeli de Zurich (fondée en 1792) et Rieter.Biedermann de Winterthur (fondée en 1834) jouent un rôle important; aux États-Unis, quelques maisons existent v. 1785 : la première d'une certaine importance est Ditson de Boston (fondée en 1835). Citons quelques éditeurs français des XVIIIᵉ et XIXᵉ s., avec les dates de leur activité : Ballard (1551-1763), Boivin (1722-1754), Choron (1805-1852), Cousineau (1767-1823), Des Lauriers (v. 1765-1799), Mlles Erard (v. 1798-1840), Farrenc (1819-1844), Foucault (1692-1720), Gaveaux (1793-1832), Imbault (v. 1785-1814), Janet et Cotelle (1810-1892), Leclair (1723-1767), Le Clerc (1713-1774), Magasin de musique (1794-1825), Meissonier (1812-1860), Nadermann (1777-1835), Pleyel (1795-1834), Richault (1805-1898), Schlesinger (1822-1856), Sieber (1763-1844), Mlle Vendôme (1744-1786). Parmi les éditeurs contemporains, citons : en France, Choudens, Costallat, Durand, Eschig, Hamelle, Heugel, Leduc, Lemoine, Salabert; en Allemagne, Bärenreiter, Breitkopf & Haertel, Peters, Schott; en Angleterre, Boosey and Hawkes; en Autriche, Universal; en Italie, Ricordi; aux USA, Schirmer.

L'étude des rapports entre les compositeurs et les éditeurs, du XVIᵉ au XXᵉ s., est une source féconde pour la sociologie musicale. Si les compositeurs travaillèrent d'abord sous la direction de l'Église ou des princes, ils recherchèrent de plus en plus la protection et les faveurs des grands éditeurs, qui, de leur côté, s'efforcèrent d'attirer les musiciens les plus populaires, les plus à la mode. Les relations de Haendel, Haydn, Mozart, Beethoven, Schubert avec leurs éditeurs nous sont connues par documents; elles ont fait l'objet d'études spéciales. Plus tard, les biographies et les correspondances de Chopin, Berlioz, Liszt, Wagner, Brahms, Debussy et autres, montrent jusqu'à quel point leur vie était influencée et souvent troublée par leurs rapports avec les éditeurs. Les archives, les catalogues, les autres publications des maisons d'é. sont de toutes époques sont des sources premières pour la bibliographie musicale et pour la musicologie. Conscientes de leur valeur publicitaire, plusieurs firmes fondèrent des périodiques qui ont fourni et fournissent encore des contributions permanentes à la critique et à la recherche musicales. — Depuis les origines du commerce musical, les éditeurs étaient aussi marchands de musique et souvent encore d'instruments. Pendant plusieurs siècles, la foire de Francfort fut tous les ans le grand centre international du marché des éditions musicales; les catalogues de cette foire constituent une documentation précieuse pour l'histoire de l'imprimerie spécialisée. La librairie musicale moderne se développe au XIXᵉ s., ainsi que la librairie musicale ancienne, qui en est devenue une branche particulière. Enfant de la recherche romantique des trésors et de l'esprit des temps passés, la librairie musicale ancienne devient, au XXᵉ s., une annexe de la recherche scientifique, signalant les éditions rares dans des catalogues établis avec soin. La formation de nombreuses bibliothèques musicales publiques, universitaires et privées, dans le monde entier, pendant à peu près une centaine d'années, a donné une fonction importante à la librairie musicale. L'une des plus anciennes maisons est Robert Legouix, à Paris, fondée en 1839; citons aussi la librairie musicale ancienne Leo Liepmannssohn, fondée à Paris en 1869 (transférée à Berlin en 1874, à Londres en 1936 par Otto Haas). On trouve la liste des libraires anciennes musicales dans le *Répertoire intern. de la librairie ancienne* (dernière éd. 1965). Les marchands de musique sont souvent organisés en syndicats ou autres organisations; en France, ils sont inscrits à la Chambre syndicale des éditeurs de musique.

Bibliographie — F. KIDSON, British Music Publishers, Printers and Engravers, Londres 1900; R. EITNER, Buch- u. Musikalienhändler, in MfM XXXVI, 1904, et XXXVII, 1905, Beilage; M. BRENET, La librairie musicale en France de 1653 à 1790..., in SIMG VIII, 1906-07; de la même, Les débuts de l'abonnement musical, in Le Mercure Musical II, 1906; G. CUCUEL, Qq. documents sur la librairie musicale au XVIIIe s., in SIMG XIII, 1911-12; du même, Notes sur qq. ... éditeurs et graveurs de mus. au XVIIIe s., ibid. XIV, 1912-13; P. BERTRAND, Les éditeurs de mus., Paris 1928; M. SCHUMANN, Zur Gesch. des deutschen Musikalienhandels... 1829-1929, Leipzig 1929; M. PINCHERLE, De la piraterie dans l'é. musicale aux env. de 1700, in RMie XVII, 1933; W.A. FISCHER, 150 Years of Music Publishing in the United States, Boston 1934; O.E. DEUTSCH, Music Publishers Numbers 1710-1900, Londres 1946, trad. all. Musikverlagsnummern, Berlin, Merseburger, 1961 (rév.); CL. SARTORI, Dizionario degli editori musicali italiani, Florence, Olschki, 1958; C. HOPKINSON, A Dict. of Parisian Music Publishers 1700-1950, Londres, l'Auteur, 1954; C. JOHANSSON, French Music Publishers Catal. of the 2d Half of the 18th Cent., Stockholm, Acad. royale de mus., 1955; A. WEINMANN, Wiener Musikverleger u. Musikalienhändler von Mozarts Zeit bis gegen 1860, in Österr. Akad. der Wiss., Philos.-hist. Klasse, Sitzungsbericht 230, 4, Vienne 1956; R. ELVERS, Altberliner Musikverleger, Berlin, Merseburger, 1961; R. SCHAAL, art. Musikverlag u. Musikalienhandel, in MGG IX, 1961; cf. également la bibliogr. des art. consacrés aux différents éditeurs de mus. dans les vol. I et II, Les Hommes et leurs œuvres.

A. ROSENTHAL

ÉDITION SCIENTIFIQUE, édition de musique d'une époque historique, scientifiquement établie et commentée, répondant d'une manière aussi adéquate que possible à la version originale considérée comme la plus authentique. Une édition en fac-similé peut garantir cette authenticité mais ne résout aucun des problèmes posés par la lecture d'un texte musical ancien. En général, celui-ci est transcrit en notation moderne ; cette opération musicale et musicologique soulève cependant de nombreuses difficultés. Les rapports entre la notation ancienne et sa réalisation sonore ne peuvent être précisés qu'indirectement et de manière incomplète par la transcription. Souvent même, le sens des signes musicaux anciens est changé par la notation moderne. Parmi les problèmes qui se posent à l'éditeur il faut mentionner : 1o la traduction des rapports rythmiques et métriques sans que la signification originale en soit modifiée ; 2o la réalisation d'une articulation et d'un phrasé plausibles après étude des manières de jouer anciennes (p. ex. le doigté, les coups d'archet) ; 3o les différences d'exécution des ornements selon les époques, les pays ou les auteurs ; 4o la restitution de passages dont l'improvisation est prévue par le compositeur. Réaliser une édition scientifique exige des études approfondies non seulement de la notation ancienne mais encore des particularités instrumentales (luth, guitare, p.ex.), de la science de la composition (p.ex. pour la réalisation de la basse continue et des ornements dans la musique des XVIIe et XVIIIe s.) et de documents annexes tels que la correspondance d'un compositeur. Il faut fournir les preuves de la plus grande authenticité d'une version, qu'il s'agisse d'un manuscrit (qui peut être une copie) ou d'une première édition (qui peut être une impression subreptice ou posthume). En général, toute édition scientifique est suivie d'un commentaire critique où l'éditeur rend compte des variantes de texte et motive ses choix et ses interprétations.

Les premières é. sc. furent publiées au milieu du XIXe s. (voir l'art. MONUMENTS). De nos jours, elles sont le produit d'une recherche musicologique très active. On distingue habituellement entre éditions monumentales et éditions fondées sur les sources

originales. Les premières contiennent souvent la production complète d'un compositeur ou la totalité d'une source particulière et sont avant tout destinées à un usage scientifique. Les secondes donnent également la notation originale, purifiée des adjonctions postérieures ; elles sont destinées à l'usage pratique. Les éditions qui comportent l'addition d'indications de tempo, de nuances, d'articulation ne sont pas considérées comme des éditions scientifiques. Par ailleurs, elles révèlent bien des traits de la manière d'exécution d'une certaine époque, comme p. ex. les éditions de K. Czerny et H. von Bülow des œuvres de J.S. Bach.

Bibliographie — THR. GEORGIADES, Musikalische Edition im Wandel des historischen Bewusstseins, Kassel, BV, 1971; voir également les différentes éditions scientifiques dont les préfaces et commentaires critiques donnent des exemples des problèmes qui s'y rapportent.

A. HELMER

ÉDITIONS MONUMENTALES, voir MONUMENTS.

ÉDUCATION MUSICALE. L'enseignement musical dispensé dans les écoles publiques françaises sous l'égide du ministère de l'Éducation nationale depuis que l'enseignement public est obligatoire et gratuit est désigné aujourd'hui de préférence par l'expression « éducation musicale » pour bien marquer la volonté de ne pas se confiner dans un pur apprentissage théorique et technique, mais de développer aussi le goût et la sensibilité des élèves et d'intégrer cette formation dans l'éducation générale. De nombreux textes officiels (programmes et instructions) donnent les principales directives pour cet enseignement. Elles sont pourtant déjà quelque peu dépassées par l'application largement répandue de méthodes nouvelles.

Premier degré. É c o l e s m a t e r n e l l e s . Depuis leur création en 1886, des textes officiels (1887, 1905 et 1921) prévoyaient des jeux et mouvements mêlés de chants, ainsi que des chants mimés. Actuellement, sous forme de jeux chantés, danses, exercices rythmiques, orchestre enfantin et auditions diverses, la musique est largement présente à la maternelle à travers toute la journée scolaire. Les maîtres bénéficient de stages pratiques de formation spécialisée organisés à leur usage. — É c o l e s p r i m a i r e s . Presque dès leur création, les programmes (1887) prévoyaient l'enseignement du chant et du solfège. Des instructions complémentaires plus récentes (1923, 1925, 1938, 1944 et 1945) orientent cet enseignement vers des méthodes plus vivantes en accentuant l'importance de la formation du goût. A la pratique du chant et du solfège s'ajoute l'audition commentée d'œuvres musicales. Un texte de 1947 préconise, en dehors d'une heure hebdomadaire d'é. m., deux heures d'activités dirigées où une place peut être réservée à la musique. Cet enseignement est donné en principe par l'instituteur. Mais dans certaines villes, notamment à Paris où il est rétabli depuis 1972, un corps de professeurs spéciaux est chargé de l'é. m. dans les classes des écoles primaires. Le certificat d'études primaires, qui sanctionne les études du premier degré, comporte une épreuve de chant. — É c o l e s n o r m a l e s , centres de formation professionnelle des instituteurs et institutrices. Le concours d'entrée ne comporte plus, comme autrefois, d'épreuve musicale. Mais en deux années de formation professionnelle, les futurs enseignants suivent obligatoirement un cours d'é. m. et des stages d'enseignement où ils sont conseillés par le professeur d'é. m. de l'établissement. Ils participent aussi aux activités d'une chorale scolaire ou de groupes instrumentaux. L'enseignement est assuré par un professeur titulaire du CAEM ou du CAPES é. musicale. A la sortie de l'École normale, les épreuves du certificat d'aptitude pédagogique comportent obligatoirement une leçon pratique d'é. m. dans une classe d'école primaire.

Second degré. 1er Cycle : CEG, CES (classes de la 6e à la 3e). Inscrit depuis sa création en 1880 au programme de l'enseignement secondaire féminin, apparaissant seulement à partir de 1938 dans les établissements masculins, l'enseignement musical dans les établissements secondaires a été réglé d'une manière uniforme en 1945. Une heure hebdomadaire d'é. m. est obligatoire en 6e, 5e, 4e et 3e, classes qui constituent actuellement le 1er cycle. La participation supplémentaire à la chorale scolaire est facultative. Des activités dirigées libres sont laissées à l'initiative du professeur. Par les instructions officielles de 1938 et de 1945, l'enseignement est orienté vers la pratique du chant choral, le solfège, une formation vocale et auditive élémentaire, mais aussi vers l'histoire de la musique et la connaissance des chefs-d'œuvre par des auditions commentées d'œuvres enregistrées. Le but à atteindre est avant tout la formation du goût, ainsi que l'acquisition d'un bagage élémentaire de culture musicale générale. Après la disparition, il y a quelques années, d'une épreuve facultative assez complète, aucune épreuve ne figure plus à l'examen du brevet d'études du premier cycle (BEPC) sanctionnant les études de ce premier cycle. — L'enseignement est prodigué par des professeurs certifiés d'é. m., titulaires du certificat d'aptitude à l'éducation musicale et à l'enseignement du chant choral (CAEM), décerné jusqu'en 1973 en deux degrés successifs, ou, à partir de 1973, selon le nouveau régime d'études universitaires, du certificat d'aptitude pédagogique à l'enseignement secondaire, mention é. musicale (CAPES). — 2d Cycle (lycées). A partir de la classe de seconde, une heure hebdomadaire facultative est prévue pour les élèves qui en manifestent le désir. Cette heure est destinée soit à parfaire leur culture musicale, soit à les préparer à une épreuve facultative de musique au baccalauréat. L'enseignement est habituellement assuré par le même professeur que dans le premier cycle. En 1967 a été créé un enseignement nouveau comportant trois heures hebdomadaires et préparant les épreuves musicales d'un baccalauréat A6 (option musique). De 1968 datent les classes à horaire aménagé des lycées musicaux, cycle complet du second degré qui, en liaison avec les conservatoires, prépare au baccalauréat de technicien-musique. — Dans l'enseignement technique, il doit y avoir théoriquement une é. m. analogue à celle du 2d degré. En fait, elle est encore très peu développée et le plus souvent absente des horaires. Dans une section spéciale, certains établissements sont pourtant habilités à préparer à un brevet de technicien - facture instrumentale.

Enseignement supérieur. Pendant longtemps, l'Université française ne disposait que de deux Instituts de musicologie, à Paris et à Strasbourg, ce qui constituait une carence flagrante en comparaison avec l'Allemagne ou les États-Unis. Mais en 1969 a été créé en Sorbonne, l'année suivante à Strasbourg, un enseignement d'é. m. destiné essentiellement à préparer le nouveau CAPES é. m., exemple suivi depuis par d'autres universités dont Tours, Poitiers, Aix-en-Provence et Lyon. Cette innovation a favorisé parallèlement un développement des études de musicologie. Par ailleurs, une agrégation d'é. m. et chant choral a été créée en 1974.

Activités parallèles. Le chant et la musique sont pratiqués également par les mouvements de jeunesse régis par le ministère de la Jeunesse et des Sports, qui organise, entre autres, des stages de formation d'animateurs. L'é. m. pour les différents degrés a trouvé sa place aussi dans les émissions de la radio scolaire. De nombreux organismes privés se sont donné pour mission une approche authentique et vivante de la musique : les Centres musicaux ruraux de France, la Ligue de l'enseignement, l'Union française des œuvres laïques d'éducation artistique (UFOLEA), l'Union française des éducateurs et animateurs musicaux, la Fédération nationale d'associations culturelles d'expansion musicale (FNACEM), la Fédération musicale populaire, les Musigrains, les Musicoliers, les Jeunesses musicales de France (JMF), A Cœur Joie (ACJ), Musique et Culture, Peuple et Culture, les Vacances musicales, etc.

L'Association des professeurs d'é. m. de l'Université (APEMU) et l'Association des professeurs de musicologie dans l'enseignement supérieur de l'Université (APMESU) s'emploient efficacement à promouvoir un enseignement rénové selon les méthodes nouvelles. — L'International Society for Music Education (ISME), fondée en 1953 sous l'égide de l'UNESCO, se propose de répandre et d'encourager l'é. m. dans le monde.

Bibliographie — H. VAILLANT, L'enseignement de la mus. dans l'éducation de la jeunesse, Paris 1904; É. JAQUES-DALCROZE, Le rythme, la mus. et l'éducation, Paris 1920, 2/1935; La mus. et nous, Genève 1945; K. ORFF, Orff-Schulwerk, Mayence 1930; M. CHEVAIS, É. m. de l'enfance, 4 vol., Paris 1937-48; E. WILLEMS, La préparation musicale des tout-petits, Lausanne s.d.; du même, L'oreille musicale, I La préparation auditive de l'enfant, Genève 1940, II La culture auditive, Genève 1946; du même, L'é. m. nouvelle, Lausanne 1947; du même, Les bases psychologiques de l'é. m., Bienne 2/1971; J. DOUEL, Essai de pédagogie musicale, Paris 1944; R. LOUCHEUR (éd.), L'enseignement du chant et l'é. m., Paris 1947; E. VAN DER ELST, Enseignement de la mus. aux enfants. Pour une nouvelle méthode, Bruxelles 1947; W. LARSON, Bibliogr. of Research Studies in Music Education (1932-1948), Chicago 1949; W. HOWARD, La mus. et l'enfant, Paris, PUF, 1952; G. LEBACQZ, L'éducation du goût musical, Namur 1952; R. PLANEL et LAROSE, Comment enseigner la mus., Paris 1953; P. PITTION, Pédagogie et pratique de la mus. et du chant, Paris, Magnard, 1955; du même, L'art d'apprendre, d'enseigner, de conduire la mus., Paris, Éd. Ouvrières, 1969; La mus. dans l'éducation, Paris, Unesco-Colin, 1955; J. WARD, La méthode Ward, Paris, Desclée, 1962; M. MARTENOT, Principes fondamentaux d'é. m., Paris, Magnard, 1967, 2/1970; J. RIBIÈRE-RAVERLAT, L'é. m. en Hongrie, Paris, Leduc, 1964; M. GAGNARD, L'initiation musicale des jeunes, Tournai, Casterman, 1971; cf. également L'Éducation musicale, revue mensuelle fondée en 1945 (3, rue des Écoles, 77590 - Bois-le-Roi), les diverses éditions scolaires d'é. m. ainsi que les fascicules sur l'é. m. dans les collections : Cahiers de l'école et la vie, Cahiers de pédagogie moderne, Carnets de pédagogie pratique, livrets pédagogiques, Paris, Éd. Bourrelier.

R. KOPFF

EFFET DE COPIE. Lorsqu'on a enregistré un signal trop intense sur une bande magnétique trop mince, il arrive que les particules magnétisées agissent sur la spire suivante ou précédente de la bobine. On entend alors faiblement le passage musical ou vocal à la manière d'un écho, avant ou après son arrivée réelle.

ÉGALES (Voix), indique, par opposition à voix → mixtes, qu'une composition est écrite soit pour des voix de femmes, soit pour des voix d'hommes. Dans un sens encore plus restreint, c'est l'indication qu'un seul type de voix — soprano — est utilisé pour les différentes parties.

ÉGALITÉ, qualité du toucher requise pour assurer la continuité du discours musical au piano. Elle exige une homogénéité parfaite dans l'attaque des 5 doigts. Si elle s'impose dans l'expression linéaire de la musique, elle n'est pas nécessairement utile à la réalisation des sonorités propres au piano.

ÉGUEULER, opération qui consiste à raccourcir un tuyau d'orgue de telle sorte que sa bouche soit plus haute par rapport à la longueur générale.

ÉGYPTE. L'importance de la musique, non seulement dans les pratiques cultuelles mais dans la vie quotidienne des anciens Égyptiens, est abondamment prouvée par la quantité de vestiges archéologiques qui s'ajoutent aux documents écrits. Le sol sec a livré des instruments en très bon état. Les musées archéologiques du Caire, de Berlin, du Louvre, le British Museum et le Metropolitan Museum en conservent maints spécimens. Les grands tombeaux ornés de sculptures et de peintures, les temples par leurs bas-reliefs, la statuaire et les objets d'art industriel (telles la très ancienne palette de schiste d'époque prédynastique ou les cuillers à fard du Nouvel Empire) nous montrent des instrumentistes en action. Dès l'époque la plus ancienne, l'Égypte pratique le culte de ses morts et les représente continuant dans l'au-delà leurs occupations de la vie terrestre en des scènes sculptées ou peintes sur les parois de leurs tombeaux. La danse et la musique y ont leur part. Par les inscriptions hiéroglyphiques on connaît, assez sommairement, les noms des instruments. D'autres documents ont livré un grand nombre de noms de musiciens, spécifiant leurs fonctions et les maîtres auxquels ils étaient attachés. Des personnages de rang princier participaient aux manifestations musicales du culte. Pour bien connaître la vie musicale des Égyptiens, sinon leur musique elle-même, qui n'a pas laissé de traces écrites, notre plus sûr moyen reste l'étude des instruments. Par elle nous apprécions ce que leur culture a d'original et dans quelle mesure elle a su assimiler les influences étrangères au cours des âges.

Les idiophones. Nés de la danse et du rythme, ils sont les plus anciens. Les bâtons entrechoqués apparaissent déjà sur les poteries préhistoriques. Ils ont la forme du boomerang ; parfois ils sont tenus dans une seule main et semblent réunis à la base, constituant ainsi une sorte de crotale primitif. De cette époque datent aussi des hochets en forme d'œuf, remplis de grenaille ou de petits coquillages. A l'âge thinite, les bâtons entrechoqués (30 cm env.) sont faits d'ivoire et sont ornés à leur extrémité supérieure d'une petite tête humaine ou animale sculptée. Ils sont percés, à l'autre bout, d'un trou où

devait passer un lien les réunissant en paires. Au Moyen Empire, certains d'entre eux auront l'aspect d'un avant-bras terminé par une main. L'emploi de ces bâtons de scansion dure jusqu'à la Basse Époque ; toutefois leur taille diminuera (8 cm) et ils auront alors plutôt l'aspect et le son de castagnettes. Celles-ci, généralement en bois, en forme de petites bottes, de pommes de pin, de grenades ou de vases à fard, apparaissent tardivement. Par contre les crotales en V, faits de bois évidé et dont le bord supérieur est légèrement renflé, existent dès le Nouvel Empire (relief 4 872 Musée du Caire) ; ils seront adoptés par les Grecs et les Étrusques. Ceux qui portent une cymbalette à l'extrémité supérieure des branches sont à la mode dans les premiers siècles de notre ère, non seulement en Égypte mais en Syrie (mosaïque du Musée de Hama), en Afrique du Nord (mosaïque de Carthage, BrM), sur des sarcophages romains (Rome, Musée des Thermes), etc. On ne sait exactement leur origine, qui pourrait être perse car on les voit plus tard sur des argenteries sassanides. Ils survivront à Byzance et les mss. du haut Moyen Age en offrent des images. Les Égyptiens furent à toutes les époques épris de rythme et de timbres variés : hochets en jonc ou en terre cuite zoomorphique, sonnailles, rhombes. La ménat, à laquelle C. Sachs a dénié la qualité d'instrument musical, mérite une mention cependant, car V. Loret nous cite un texte où le retour d'un grand personnage est fêté par « le son des mainit et des sistres ». Elle apparaît dans les scènes du Moyen et du Nouvel Empire et consiste en un assemblage de nombreux rangs de grosses perles formant une sorte de collier très abondant, prolongé par deux chaînettes reliées à une plaque quadrangulaire qui se rétrécit faiblement puis s'arrondit en disque ; cette partie est en bronze et C. Sachs a pensé qu'elle n'était que le contrepoids du collier. Or une scène d'un tombeau thébain montre des femmes qui brandissent alternativement le sistre d'une main et la ménat de l'autre (fig. 1). De plus, une plaque de ménat conservée au Louvre montre une légère usure de ses ornements, due probablement au choc des perles qui bruissaient entre elles. — Le sistre est le plus célèbre de ces idiophones. Il a trois formes, d'âges historiques divers. 1º Sur un relief de la VIe dynastie (Musée de Vienne), il se compose d'un manche droit, simple, surmonté d'une fourche ouverte au-dessus et qui a une lamelle verticale, probablement mobile, entre ses deux branches ; c'est la forme de l'instrument qui est aux mains d'un petit animal musicien figuré sur une plaque d'Ur. On sait que des contacts sporadiques ont eu lieu entre les Sumériens et les Égyptiens à une très haute époque ; ce sistre a pu être emprunté à Sumer. L'Anatolie a aussi utilisé, vers 2100, un instrument de bronze à cadre rectangulaire et à lamelles vibrantes, fabriqué sur le principe du sistre. 2º Une deuxième forme, typiquement et exclusivement égyptienne, évoque un petit édifice ou « naos ». Les parois en sont perforées latéralement par deux ou trois tiges métalliques à rondelles qui sont mobiles à l'intérieur de cette sorte de résonateur, disposé sur un manche. On en a une bonne représentation à Beni-Hassan dans une tombe de la XIIe dynastie, mais ce sistre existe déjà à Dendérah dès la VIe ou VIIe dynastie. Le manche porte des ornements variés, très souvent une tête de la déesse Hathor. Il est en bronze, en argent, en ivoire ; certains, votifs, sont

INSTRUMENTS DE MUSIQUE DE L'ÉGYPTE ANCIENNE
d'après les fresques et les reliefs des nécropoles

1. Jeu de la ménat.

*2. Tambour en barillet et harpes.
Époque saïte. XXVᵉ dynastie.*

*3. Tambourins ronds et tambourins
sur cadre rectangulaire.*

*4. Flûte et harpe. Saqqarah. Ancien Empire.
VIᵉ dynastie. Londres, British Museum..*

*5. Aulos double, luth et harpe.
Thèbes. Nouvel Empire. XVIIIᵉ dynastie.*

*6. Harpe et lyre.
Thèbes. Nouvel Empire.
XVIIIᵉ dynastie.*

7. Harpe de l'Ancien Empire.

*8. Harpe, dite d'épaule,
du Nouvel Empire.
Thèbes. XVIIIᵉ dynastie.*

en porcelaine émaillée (Louvre). 3º Le troisième modèle (fig. 1), plus tardif, datant du Nouvel Empire, est le plus connu, car il a émigré, en même temps que le culte d'Isis, en Grèce, à Pompéi et dans tout le monde soumis aux Romains. Il est entièrement en métal, fait d'une lame arrondie dans le haut et dont les extrémités se rapprochent en bas vers le manche. Dans des trous latéraux du cadre ainsi formé jouent des tringles, avec ou sans rondelles enfilées, qui produisent un tintement délicat. Il a connu une grande faveur. — Les cymbales en bronze, de 15 cm de diamètre env., ont un son plus brutal. Elles proviennent d'Asie et sont rarement représentées, sauf sur quelques terres cuites d'époque grecque. Cependant il en est une paire au British Museum (nᵒ 6 375) qui remonterait à 850 ; un lien passant par un trou central les réunit.

Les membranophones. La famille des tambours est assez peu représentée en Égypte ; les reliefs de l'Ancien Empire n'en offrent pas trace. Exceptionnellement, la tombe 183 de Beni-Hassan en a fourni un spécimen de grande taille (1 m), à caisse cylindrique, à deux peaux lacées, datant de la XIIᵉ dynastie (Musée du Caire). Mais ce n'est qu'au Nouvel Empire qu'ils sont un peu adoptés. Le culte d'Osiris ne les utilise pas ; ils interviennent dans certaines scènes militaires ou privées. Ils sont à deux peaux, joués à main nue et ont la forme de barillets. Souvent une courroie les suspend au cou du musicien (fig. 2). Les peaux sont maintenues et tendues par un lacis en réseau, ce qui peut indiquer une provenance africaine (nubienne selon H. Hickmann), car les tambours mésopotamiens sont cloués ou collés. Le musée de Berlin possède un spécimen de tambour sur vase d'argile. Ce type est l'ancêtre de la « darbukka » arabe. Une figuration de ce même instrument sur un relief thébain montre que le vase était conique et la peau collée (fig. 3). Un tambour plat sur cadre, dans une scène de la XXIIᵉ dynastie reproduite par V. Loret (*in* LAVIGNAC, Hist. I, p. 13), a un diamètre d'environ 75 cm et ressemble aux instruments hittites contemporains d'un relief de Karkhemish (Musée d'Ankara). Plus remarquable est le tambourin sur cadre rectangulaire aux côtés incurvés, dont la longueur devait atteindre 70 cm. Il existe à la XVIIIᵉ dynastie. Le tambourin rond est plus banal. Tous deux (fig. 3) viennent d'Asie. Le quadrangulaire existait en Perse, mais l'Égypte lui a donné une plus grande dimension et des côtés incurvés qui agissaient sur la tension de la peau.

Les aérophones. Une palette de schiste d'époque prédynastique nous fournit la première image d'une longue flûte de roseau jouée, selon C. Sachs, par un chasseur déguisé pour attirer du gibier. L'explication est ingénieuse mais peu sûre : il s'agit peut-être d'un déguisement magique, d'une cérémonie totémique ou tout simplement d'une de ces fables satiriques dont furent friands les Égyptiens des époques suivantes (voir le papyrus de Turin). Les scènes d'animaux musiciens existent aussi en Mésopotamie, en Élam et au Mitanni. Elles semblent témoigner d'un esprit caustique plutôt que religieux. La flûte simple figure aussi sur les reliefs de l'Ancien Empire dans de vrais concerts (fig. 4). De grande taille (plus d'un mètre, d'après l'échelle des personnages), elle est assez étroite, tenue en oblique, ce qui indique que l'embouchure était un simple biseau. Ces flûtes devaient avoir un son doux, un peu voilé et assez grave, car les trous, peu nombreux, sont percés très bas sur l'instrument. Un second modèle de flûte, plus court, est tenu à la hauteur de la bouche, droit devant le musicien, ce qui implique l'existence soit d'un bec, soit d'une anche. Enfin la flûte traversière apparaît sous les Ptolémées. — Une anche simple et battante, faite d'une languette incisée dans le roseau sur trois côtés et dont le bas est taillé en biseau, caractérise les clarinettes doubles, très populaires à partir de l'Ancien Empire et qui sont certainement autochtones. La première représentation figure sur un relief datant de 2700 (Musée du Caire). Les tuyaux jumeaux y sont réunis et percés de trous situés à la même hauteur. Un seul doigt du musicien peut les boucher simultanément et, les deux tubes n'étant pas exactement égaux acoustiquement, le son avait probablement un battement lui conférant une couleur douteuse et nasillarde. On s'en fait une idée par celui des « zummara » actuelles du monde arabe, qui sont les descendantes lointaines de cet instrument. — L'aulos fut importé d'Asie au Nouvel Empire (fig. 5). Le son y est produit par la pulsation d'une anche double dans chaque tuyau. Ceux-ci semblables, divergents et plus ou moins longs, descendant parfois jusqu'à mi-cuisse des joueuses, car en Égypte ce sont presque toujours des femmes qui s'en servent. Rien ne paraît cependant propre à l'Égypte dans cet instrument qui a eu sa plus grande vogue en Grèce. — La trompette, mieux connue depuis la trouvaille du bel instrument d'argent de la tombe de Toutankhamon, servait surtout à des usages militaires, bien que son invention fût attribuée à Osiris, dans le culte duquel elle devait probablement jouer un rôle. Musicalement, le son en était peu apprécié et il fut comparé par Plutarque au braiment de l'âne. On en a deux autres spécimens en bronze : celui du Louvre a un tube droit de 54 cm et un pavillon conique de 15 cm. La corne, dont on possède certains exemplaires en terre cuite, n'est jamais représentée. C'était un objet destiné probablement à des signaux. La flûte polycalame dite « de Pan » est introduite à l'époque gréco-romaine. — C'est sur le sol d'Égypte que naquit vers le début du IIIᵉ s. av. J.C. l'inventeur du plus prestigieux instr. à vent de l'Antiquité : Ctésibios, au nom grec, originaire d'Alexandrie. Il eut l'idée géniale de combiner une série de tuyaux musicaux dont le fonctionnement était commandé par un clavier, avec un réservoir à air tenu sous pression par un dispositif hydraulique où le poids de l'eau jouait le rôle de régulateur. On appela l'instrument → hydraule, et ce nom lui fut gardé même après que l'eau eut cessé d'y être employée. Son usage fut exclusivement profane, dans les jeux de cirque et les concours musicaux d'une part, dans la vie privée et impériale d'autre part, jusqu'à la fin de la civilisation antique.

Les cordophones. Dans la tombe d'un certain Harmosè, vivant à Thèbes vers 1490 av. J.C., fut découvert un luth parfaitement conservé, encore muni de ses cordes. C'est le plus ancien spécimen égyptien connu de cet instrument né en Asie. Conservé au Musée du Caire, il mesure 1,195 m de longueur. Sa caisse de résonance, ovale, en bois de cèdre, a 43 cm de long sur 11,5 cm de large et 8 cm de profondeur ; ses parois, très fines, ont seulement 3 mm par endroits. Elle est couverte d'une peau qui constitue la table supérieure et y fut fixée humide pour se tendre en séchant. En huit endroits où des fentes avaient été préparées, le manche la traverse. Il porte à sa partie terminale une pièce de bois triangulaire en relief, creusée de trois rainures où passaient les cordes de boyau. Celles-ci partaient d'un bouton en saillie qui forme l'extrémité du manche transperçant la caisse ; à leur autre bout, elles passaient sur un sillet, puis étaient prises sous un lacet de toile double enroulé six fois, noué et aux bouts pendants ; la longueur vibrante est de 97 cm. Chaque corde a son propre lien, mais elles passent toutes trois sous le premier. Pour consolider l'attache et peut-être accorder en tirant, un petit blochet où la corde se noue est pris dans la toile des lacets. Un menu plectre de bois poli est suspendu à un autre lien de 80 cm. Le manche est de section ronde (3 cm) ; il n'a pas de partie plate servant de touche et ne porte aucune ligne transversale. Parfois, dans certaines représentations, les luths en sont pourvus. On a voulu y voir des frettes et, en mesurant leur emplacement, reconstituer les intervalles des sons joués. Malheureusement, ces distances sont trop irrégulières ; de plus, elles ne se resserrent pas proportionnellement vers l'aigu, comme c'est le cas dans les instruments qui les utilisent ; on ne peut donc rien en conclure. D'autres types, à caisse plus ronde (fig. 5) ou en forme de demi-poire, sont attestés, tel celui d'une terre cuite du Nouvel Empire (BrM 5 114). Une fresque du musée de Turin en montre un à caisse rectangulaire à la base et qui s'amincit vers le manche : c'est déjà la forme de certains luths grecs. L'Égypte a donc sinon créé, du moins diversifié cet instrument. — Lorsqu'elle figure pour la première fois au XIXe s. sur une fresque de Beni-Hassan, aux mains d'un nomade syrien, la lyre est un objet étranger. Elle est rustique, rectangulaire, tout en bois et jouée avec un gros plectre. Quelques siècles plus tard, elle est complètement adoptée et montre des formes plus élaborées : elle est tantôt légère, élégante par ses bras gracieusement contournés, tantôt massive, à caisse rectangulaire avec un cordier en balcon où s'attachent jusqu'à 13 cordes (Musée de Berlin). Quelques traits de décoration animale sur les bras rappellent la Mésopotamie ; de même, l'arceau de fixation servant de cordier à une lyre du musée de Leyde a son parallèle ou son modèle dans la grande lyre babylonienne de la terre cuite d'Ishali (voir l'art. MÉSOPOTAMIE). Les dessins d'El-Amarna montrent des instruments de taille énorme. L'un d'entre eux semble manié par deux musiciens ; or des fouilles hittites, à Inandyk, ont exhumé un vase du XVIe s. dont la décoration montre un très grand instrument posé sur le sol et joué par deux musiciens vus de dos (Musée d'Ankara). Les rapports politiques et culturels assez suivis entre l'Égypte et le pays hittite auront amené ce type géant, si particulier par son jeu, jusqu'à la capitale d'Aménophis IV. On peut suivre aussi par les nombreuses représentations de la lyre une transformation progressive (fig. 6) vers un type nouveau : le joug d'attache tenu par des bras symétriques s'incline par le raccourcissement d'un des bras, créant un instrument à cordes inégales, dont les plus courtes (donc les plus aiguës) sont placées à l'inverse de leur position dans la lyre oblique sumérienne (voir l'art. MÉSOPOTAMIE). Cette nouvelle disposition des cordes implique un changement dans la technique de jeu. Par un courant de reflux, nous voyons ce type se répandre vers la Palestine (il figure sur les ivoires de Megiddo), la

Phénicie (patères de bronze et d'argent) et même l'Assyrie, où certains reliefs le montrent à côté du type symétrique traditionnel. — La harpe est de loin l'instrument favori de la pratique musicale égyptienne. Elle est constamment représentée et ses diverses formes attestent une recherche inlassable au cours des siècles. Fait remarquable, il s'agira toujours d'instruments pincés à la main ; jamais la forme à plectre n'est attestée en Égypte. La harpe y est toujours de la famille verticale, c.-à-d. qu'elle est tenue avec le bois — l'arc originaire — contre l'épaule du musicien, les cordes étant disposées verticalement ou légèrement en oblique, la plus longue vers l'extérieur. Ce n'est que par la disposition et le volume de la caisse de résonance que ce type de base se diversifiera. La préhistoire de la harpe nous échappe. Peut-être y a-t-il une unité d'origine des instruments suméro-élamites, qu'on trouve dès le IVe millénaire, et de ceux d'Égypte ? Lorsqu'on représente la harpe sur les reliefs de la IVe dynastie, elle a une caisse de résonance fixée à sa base et traversée par l'arc, ce qui est un trait archaïque rappelant l'arc musical primitif (fig. 7). L'instrument est de bonne taille, dépassant la tête de l'exécutant agenouillé ou accroupi ; sa courbure est peu prononcée. Comme à Sumer, les cordes ont des boutons d'arrêt, qu'il ne faut pas confondre avec des chevilles pivotantes. Le nombre n'en dépasse pas huit. Au Moyen Empire, une décoration abondante couvre les instruments. Certains d'entre eux portent au sommet du manche une jolie tête sculptée. Au Nouvel Empire, on voit apparaître d'énormes instruments ayant jusqu'à 18 cordes, que le musicien joue debout (fig. 5). La caisse s'amplifie et occupe la moitié inférieure de l'instrument. Elle porte non seulement des motifs peints, mais parfois une grande tête sculptée de pharaon. Une deuxième espèce est portative, posée sur un support, et son arc est plus profondément creusé. Une troisième catégorie, plus légère encore (fig. 8), est appelée par les musicologues harpe d'épaule, car elle est transportée sur l'épaule gauche du joueur. Celui-ci s'en sert non seulement dans cette position, mais aussi à demi descendue sur le bras, les cordes toujours placées vers l'avant, ce qui la range dans le type vertical. La caisse de résonance est assez allongée : celle d'un spécimen du Louvre dépasse 65 cm. Ses 4 cordes sont accrochées à un bâton engagé sous la peau qui devait couvrir la caisse ; des encoches y sont taillées pour éviter tout glissement. A partir du XVe s., l'Égypte adopte aussi la belle harpe angulaire verticale venant de Babylonie qui jouit d'une grande faveur, probablement en raison de la stabilité d'accord que permet sa structure angulaire. Le magnifique spécimen conservé au Louvre a été radiographié. On connaît donc la structure interne de sa caisse. Celle-ci se dressait verticalement contre la poitrine du musicien assis ; son extrémité inférieure, qui va en s'amincissant, était tenue entre les cuisses de l'exécutant. Le bâton d'attache inférieur des cordes transperce la caisse au-dessus de cette partie rétrécie et sort par-derrière de 10 cm pour équilibrer l'effort de la tension des cordes. Ce détail est une des caractéristiques qui, avec le rétrécissement de la partie inférieure, permet de distinguer la harpe angulaire verticale de l'horizontale à plectre, souvent confondues même par les spécialistes (notamment aux musées du Caire et de

Florence). Ces splendides instruments ont 21 cordes et parfois davantage. A une époque postérieure, le type ancien en arc vertical se creusera de plus en plus jusqu'à former un angle presque droit entre le manche et le résonateur (fig. 2), mais celui-ci reste placé à la base, dans une position inverse de celle de la harpe angulaire asiatique. On utilisera aussi des instruments arqués mais pour la flûte que pour la clarinette. Aucun tabouret (Oriental Inst. de Chicago).

Généralités. La terminologie des instruments est assez bien connue par les inscriptions hiéroglyphiques, mais elle reste très générale et désigne plutôt les familles que les variétés : p. ex., le mot « mat » est employé aussi bien pour la flûte que pour la clarinette. Aucun document jusqu'ici ne nous a livré de vestiges de la mus. théorique ou pratique. La tradition semble être restée purement orale. Dans une certaine mesure, elle a pu survivre dans la musique des tribus du haut Nil ou d'oasis isolées comme celle de Siwa. Certains chants satiriques, mettant en scène des animaux, nous le feraient volontiers admettre, car ils restent conformes à l'esprit des fables et des scènes représentées sur les papyrus et les ostraca. H. Hickmann en a fait l'enregistrement, tentative plus satisfaisante que les hypothèses avancées par lui dans ses nombreuses publications sur la chironomie et le jeu des instr. à cordes. Les opinions de C. Sachs (fondées sur les représentations de harpistes) à propos du pentatonisme de la mus. orientale ancienne sont à rejeter, de même que celles sur la polyphonie, car la simultanéité du jeu des deux mains du harpiste ne peut être prouvée. Sous l'influence du courant musical asiatique au Nouvel Empire, il est quasi certain que, si elle ne l'était pas antérieurement (?), la mus. égyptienne est devenue heptatonique et modale comme celle de Syrie et de Babylonie (voir l'art. Mésopotamie). Les allusions des auteurs grecs tardifs, notamment Dion Cassius, et l'étude des chants de Siwa le confirment. Cela n'empêche pas la survivance de très vieilles mélodies pentatoniques ou hexatoniques.

Bibliographie — V. Loret, art. Égypte in Lavignac Hist. I, 1913 ; C. Sachs, Die Musikinstrumente des alten Aegyptens, Berlin 1921 ; du même, The Hist. of Musical Instr., New York 1940 ; Br. Schiffer, Die Oase Siwa u. ihre Musik (diss. Berlin 1936) ; N.E. Scott, The Lute of the Singer Harmosè, in Bull. of the Metropolitan Museum, New York, janv. 1944 ; H. Hickmann, Catal. des instr. de mus. du Musée du Caire, Le Caire 1949 ; du même, Mus. pharaonique, Kehl, Heitz, 1956 ; du même, Aegypten, in Musikgesch. in Bildern II/1, Leipzig, VEB Deutscher Verlag für Musik, 1961 ; du même, Altaegyptische Musik, in Hdb. der Orientalistik I/4, Leyde, Brill, 1970 (avec bibliogr.) ; F. Behn, Musikleben in Altertum u. frühen Mittelalter, Stuttgart, Hiersemann, 1954 ; H. Hickmann et Ch. Gr. de Mecklembourg, Catal. d'enregistrements de mus. folklorique égyptienne, Strasbourg et Baden-Baden, Heitz, 1958 ; J. Perrot, L'orgue, de ses origines helléniques à la fin du XIIIe s., Paris, Picard, 1965, trad. angl., Londres, Oxford Univ. Press, 1971 ; M. Duchesne-Guillemin, Sur la typologie des harpes égyptiennes, in Chronique d'Égypte XLIV no 87, 1969.

M. Duchesne-Guillemin

EIS, nom allemand du *mi* dièse.

EISENACH.

Bibliographie — W. Nicolai, Die Wiederbelebung der Kurrende in E., in Bach-Jb. XI, 1914 ; O. Schröder, Das E.er Cantorenbuch, in ZfMw XIV, 1931-32 ; E.er Dokumente um S. Bach, éd. par C. Freyse, Leipzig 1933 ; Bach- u. Georgenkirchenchor zu E. feiern ihr 10jähriges Bestehen im Bachjahr 1935, Eisenach 1935 ; du même, E.s Beitr. zur Musikkultur, in 34. Deutsches Bachfest der Neuen Bachgesellschaft, Eisenach 1957 ; 100 Jahre Musikverein E. 1836-1936, Eisenach 1936 ; Bach in Thüringen, Berlin, Ev. Verlags-Anstalt, 1950 ; W. Braun, Th. Schuchardt u. die E.er Musikkultur im 17. Jh., in AfMw XV, 1958 ; Verzeichnis der Sammlung alter Musikinstr. im Bachhaus zu E., Leipzig, Br. & H., 4/1964 ; G. Kraft et E. Bock, Bach in E., Iéna, Wartburg-Verlag, 1967.

EISIS, nom allemand du *mi* double dièse.

EISTEDDFOD (pluriel, Eisteddfodau), mot gallois qui désigne de nos jours un concours-festival de musique. L'origine de l'E. (= rencontre d'érudits) remonte au VIIe s., époque où il est fait mention d'une rencontre entre bardes et musiciens à l'instigation du roi du pays de Galles, Cadwallader. L'E. actuel est né du désir qu'eurent les Gallois expatriés à Londres au XVIIIe s. de préserver leur langue natale et d'encourager son étude. C'est ainsi que devinrent populaires au XIXe s. des E. locaux, comprenant des concours de poésie (écrite et récitée sur des mètres traditionnels) et de chant (soliste et choral). Cependant, à côté de ce répertoire typique, la place réservée aux oratorios exprimait le profond non-conformisme religieux du peuple gallois. Bientôt fut organisé chaque été au mois d'août, dans l'une ou l'autre des villes du pays de Galles, un E. national dont le vainqueur était couronné premier barde (« chief bard »). Depuis 1947 a lieu chaque année en juillet à Llangollen, au nord du pays de Galles, un E. international de musique. C'est avant tout un festival de musique et de danses folkloriques, quoique les nombreux chœurs qui y participent ne se limitent pas au répertoire populaire. Les meilleurs ensembles, dans chaque genre, reçoivent des trophées et des prix en espèces. Les épreuves des concours ont lieu dans la journée, les soirées étant réservées à des concerts donnés par d'éminents artistes.

Bibliographie — T. Parry et T. Cynan, The E. of Wales, Liverpool 1951 ; J. Clapham, art. E. in MGG III, 1954 ; H.C. Colles et E. Blom, art. E. in Grove 5/1954.

EKPHONÉTIQUE (Notation), voir Notation, § 2.

ÉLAN, voir Hélan.

ÉLARGIR, ralentir le mouvement.

ÉLECTRO-ACOUSTIQUE, partie de la physique étudiant la transformation d'une onde acoustique en signaux électriques et réciproquement, en vue de l' → enregistrement, de la reproduction et de la transmission d'un phénomène acoustique par des méthodes électriques.

Bibliographie (cf. également l'art. Acoustique) — H.F. Olson, Musical Engineering, New York, McGraw-Hill, 1952 ; L. Beranek, Acoustics, New York, McGraw-Hill, 1954 ; P. Rouard, É.-a., Paris, Colin, 1960 ; R. Lehmann, Transducteurs électro- et mécano-acoustiques, Paris, Chiron, 1963 ; A. Didier, Physique appliquée à la reproduction des sons et des images, Paris, Masson, 1964 ; H Piraux, Dict. gén. d'acoustique et d'é.-a., Paris, Eyrolles, 1964 ; J.J. Matras, Acoustique et é.-a., Paris, Eyrolles, 1965 ; M. Jessel, Acoustique théorique, propagation et holophonie, Paris, Masson, 1973 ; cf. également les revues Le Haut-Parleur, Revue d'Acoustique, Revue du Son (France) ; Journal of the Acoustical Soc. of America ; Acustica (Allemagne).

ÉLECTRO-ACOUSTIQUE (Musique), voir Musique Concrète et Musique Électronique.

● **ÉLECTRONIQUE** (Musique). En 1913 deux ingénieurs, Meissner et Armstrong, imaginèrent le montage de la lampe triode en oscillatrice, c.-à-d. permettant à ce tube électronique de produire des oscillations, donc des sons. Un précurseur, Jörg Mager, envisagea immédiatement d'en tirer parti pour construire des instr. de musique et faire une musique non réalisable par les moyens traditionnels. Jörg Mager devait mourir en 1939, victime de la répression nazie contre « l'art dégénéré ». Il avait inventé plusieurs instruments dont le « Spherophon ». D'autres précurseurs orientèrent leurs recherches dans les deux voies qu'il avait indiquées. Parmi les inventeurs d'instruments, signalons : L. Thérémine, dont l'instrument porte le nom, Nicolas Obouhov et sa « croix sonore », et surtout M. Martenot, dont les → ondes sont à l'origine de nombreux chefs-d'œuvre. On peut considérer comme d'un intérêt restreint les multiples tentatives d'imitation d'autres instruments dont l'orgue dit électronique. C'est surtout après la dernière guerre, au Studio de m. é. de Cologne, sous la direction de H. Eimert, que l'école de m. é. se constitua réellement. Comme pour la mus. → concrète, il s'agit d'organiser et d'assembler des sons qui ne sont pas produits par les instr. traditionnels. Mais contrairement à celle-ci, qui prend les sons parmi ceux que la nature ou l'industrie humaine nous fournit, la m. é. les réalise d'une manière artificielle : les sons doivent être rigoureusement « synthétiques », véritablement « inouïs » dans la nature. Il faut donc retenir deux aspects dans la m. électronique. D'abord la synthèse de sons inouïs : pour cela, il peut être fait appel à de multiples appareils différents des instruments précités, depuis le → « Trautonium » de Fr. Trautwein, le « Melochord », inventés ensuite, en passant par les synthétiseurs comme celui de Harry Ferdinand Olson, pour aboutir enfin à l'ordinateur et aux programmes ambitieux de l'univ. d'Urbana (Ill., USA). En second lieu, l'organisation des sons, qui atteint un raffinement considérable puisque la composition peut aller jusqu'à contrôler l'évolution interne du phénomène sonore (K. Stockhausen). A partir de 1953, on assiste à une alliance entre les moyens concrets et les moyens purement électroniques, les musiciens pensant généralement que l'univers sonore à maîtriser ne doit souffrir d'aucune exclusive (Jörg Mager : « nous aurons devant nous tout l'océan des sons »). Depuis cette époque, on peut admettre que les mus. concrètes et les m. é. se sont réunies sous le titre général de mus. électro-acoustiques, qui sont sans doute appelées à de très vastes développements dans les années à venir.

Bibliographie — W. MEYER-EPPLER, Elektrische Klangerzeugung, Bonn 1949; H.F. OLSON, Musical Engineering, New York, McGraw Hill, 1952; K. STOCKHAUSEN, Une expérience électronique, *in* Domaine musical, 1953; A. MOLES, Les m. expérimentales, Genève, Kister, 1960; MATHEWS, PIERCE et GUTTMAN, Musical Sounds from Digital Computers, *in* Gravesaner Blätter 1961; J.CL. RISSET, Sur l'analyse, la synthèse et la perception des sons étudiés à l'aide de calculateurs électroniques, Orsay, Faculté des Sciences, 1963.

M. PHILIPPOT

ÉLECTROPHONE, appareil d'audition de → disques réunissant en une seule ébénisterie tous les éléments d'une → chaîne électro-acoustique : la → platine, les circuits électriques d'amplification (voir l'art. AMPLI-FICATEUR) et les → haut-parleurs. Dans les é. stéréophoniques, les haut-parleurs forment généralement le couvercle détachable ; ils sont, de plus, dissociables, afin qu'on puisse les éloigner l'un de l'autre à l'audition. La qualité d'un é. et son prix dépendent de la qualité des éléments constituants. Certains offrent les mêmes qualités qu'une très bonne chaîne à haute-fidélité. A partir de 1970, plusieurs constructeurs ont mis en vente sous le nom d'ensembles intégrés des é. combinés avec un récepteur de radio (« tuner »), utilisant le même amplificateur et les mêmes haut-parleurs. Enfin, depuis 1972, on trouve des é. et des ensembles intégrés comportant également un dispositif d'enregistrement magnétique sur → cassettes.

ÉLÉGIE (du grec, elegeïon). Le terme n'apparaît pas dans la littérature grecque avant la fin du Ve s., bien qu'on écrivît en mètres élégiaques depuis quelque trois siècles déjà. Ce mètre consiste en l'alternance d'hexamètres épiques dactyliques ($- \smile\smile - \smile\smile - \smile\smile - \smile - \smile - \smile\smile --$) et de pentamètres ($- \smile - \smile - \parallel - \smile - \smile -$) qui, à vrai dire, sont faits de deux demi-hexamètres (« hemiepé »). Contrairement à l'épopée, l'é. possède un caractère musical et semble se satisfaire d'un ambitus limité. L'étymologie populaire a rattaché ce mot à « e legeïn » (= crier hélas !) — dans l'Antiquité comme de nos jours, la poésie élégiaque a été liée à des thèmes mélancoliques — mais il est plus probable que son origine provient du nom d'un instr. à vent non connu de la langue grecque. L'é. grecque était traditionnellement accompagnée à l' → aulos, quoique cela ne fût pas une nécessité. Les premières é. devaient traiter de thèmes variés, souvent de nature personnelle, et étaient adressées à une ou plusieurs personnes précises : plaisirs du vin (Archiloque) et de l'amour (Mimnermus), considérations d'ordre militaire (Tyrtée), politique et moral (Solon), sagesse proverbiale (Théognis). Le caractère concis et unitaire du distique se prête tout particulièrement à de graves épitaphes pour les morts (on y retrouve la mélancolie traditionnelle du genre) ou à d'autres inscriptions, de même qu'aux épigrammes humoristiques et satiriques, qui abondent dans les anthologies plus tardives.

De l'é. l'époque moderne n'a retenu que le caractère mélancolique et en a fait le genre privilégié de l'expression des plaintes funèbres ou amoureuses. Du XVIIe s. proviennent diverses é. de J. Coperario (*Funeral Tears*, 1606) et de H. Purcell, mais c'est en Allemagne, au XVIIIe et au début du XIXe s. que le genre fut particulièrement apprécié par les poètes et les musiciens, parmi lesquels J.Fr. Reichardt, J.P.A. Schultz, J.R. Zumsteeg, Beethoven (*Elegischer Gesang*, op. 118, pour 4 voix et quatuor à cordes) et Fr. Schubert. Si les → tombeaux des luthistes et des clavecinistes français du XVIIe s. peuvent être rapprochés de l'é., c'est depuis le XIXe s. seulement que le terme sert de titre à des compositions purement instrumentales, dues à J.L. Dussek, F. Liszt, S. Heller, E. Grieg, G. Fauré, Fl. Schmitt, F. Busoni, A. Casella, E. Křenek ... Il faut également citer l'opéra *Elegie für junge Liebende*, écrit par H.W. Henze sur un livret de W.H. Auden et Ch. Kallman.

Bibliographie — C.M. BOWRA, Early Greek Elegists, Londres 1928; W. KAHL, art. E. *in* MGG III, 1954; D.A. CAMPBELL, *in*

26. ALLEMAGNE. *Début du XVIᵉ s. Mathias Grünewald : anges musiciens, détail d'un panneau du Retable d'Issenheim, 1512-1515. Peinture sur bois. A la différence des peintres de son temps, Grünewald représente de façon plutôt fantaisiste les violes alors en usage. Colmar, Musée Unterlinden.*

27. *FLANDRES. Fin du XVe s. Hans Memling : concert d'anges, panneau de g. du Christ bénissant entouré d'anges musiciens, vers 1480. Cette œuvre célèbre provient du monastère bénédictin de Santa Maria la Real de Najera, en Vieille-Castille, où elle décorait les volets d'un orgue. De g. à dr. : psaltérion, trompette marine, luth, saqueboute et bombarde. Peinture sur bois.*
Anvers, Musée Royal des Beaux-Arts.

28. Hans Memling : panneau de dr. du triptyque du Musée Royal des Beaux-Arts d'Anvers. De g. à dr. : trompette droite, saqueboute, orgue portatif, harpe, vièle. Memling a figuré avec une grande précision les instruments de musique du XVe s.

29. FLANDRES. Début du XVIe s. Le Concert dans l'œuf, copie d'après un original perdu de Jérôme Bosch. Entourés ou coiffés d'objets symboliques exprimant l'hérésie, la tromperie, l'érotisme, une dizaine de personnages chantent et jouent de divers instruments sous la direction d'un moine. Sur le livre de chœur, on peut lire le texte et la musique d'une chanson paillarde à quatre voix. De même que dans La Nef des fous *et* Le Char de foin, *Bosch donne à la musique une signification diabolique. Huile sur toile. Lille, Musée des Beaux-Arts.*

Journal of Hellenic Studies LXXXIV, 1964, pp. 63-68 (concerne la musique).

ÉLÉVATION. 1. Caractère de la ligne mélodique qui progresse vers l'aigu. — **2.** Augmentation du volume de la voix. — **3.** Partie de la messe où le prêtre élève l'hostie et le vin qu'il vient de consacrer. Bien que la liturgie interdise de chanter à ce moment, il était souvent toléré d'y faire entendre un motet au Saint-Sacrement ; par contre, l'orgue était appelé à s'y faire entendre couramment (voir les *Toccate per l'elevazione* des *Fiori musicali* de G. Frescobaldi). — **4.** Au XVIIe s. le terme d'é. désignait en France un motet à voix seule et accompagnement d'orgue ou d'instruments avec basse continue.

EMBOUCHER. 1. Appliquer les lèvres sur l'→ embouchure d'un instr. à vent. — **2.** Régler la disposition des lèvres et du biseau d'un tuyau d'orgue.

EMBOUCHURE (angl., mouthpiece ; all., Mundstück ; ital., bocchino ; esp., boquilla), bassinet de métal fixé à l'extrémité étroite du tube des instruments de cuivre. Elle comprend les bords, sur lesquels l'instrumentiste pose les lèvres — celles-ci jouant le rôle d'une anche vibrante —, le bassin, conique (cor,

bation au point A (voir l'art. MISE EN ONDES). — **2.** Le terme est souvent utilisé dans un sens plus large pour désigner le contenu informationnel de l'émission. Il s'applique alors à une partie d'un programme émis par la radio ou la télévision.

EMPFINDSAMKEIT ou **EMPFINDSAMER STIL** (all.), termes en usage dans la littérature musicologique pour désigner une période de l'histoire de la musique — allemande principalement — qui correspond au préclassicisme (entre 1740 et 1760 env.) et que caractérise une expression essentiellement sentimentale et touchante.

EMPRUNT. 1. Déviation passagère de l'harmonie dans une autre tonalité. Elle se fait souvent par un seul accord (accord d'e.), qui représente en général la fonction de dominante (ex. 1) de cette tonalité étrangère, plus rarement la fonction de sous-dominante (ex. 2). D'habitude, l'accord d'e. est intercalé immédiatement avant la tonique à laquelle il se rapporte et qui, elle-même, est un accord de la tonalité principale. Dans la mus. romantique surtout, l'accord d'e. est parfois une harmonie à laquelle se rapporte un accord d'e. encore plus éloigné de la tonalité principale (ex. 3).

Mozart, *Sonate* en *do* maj. pour piano, KV 330, 3e mouvement.

Fr. Chopin, *Mazurka* en *do* maj., op. 33 no 3.

trompe de chasse, bugle) ou curviligne (trompette, cornet à pistons, trombone, tuba), qui dépendent en partie le volume et le timbre des sons, enfin le grain, situé au centre et au fond du bassin. Les e. larges et évasées conviennent mieux au grave, les plus étroites à l'aigu. Le son est d'autant plus éclatant que les lèvres sont plus proches du grain. L'appui des lèvres sur l'e. varie selon la hauteur des sons.

ÉMISSION. 1. Résultat de la perturbation en un point A (émetteur) d'un milieu transmissif (air, gaz, etc.) par un mouvement vibratoire accidentel ou transportant une information intentionnelle. Cette perturbation engendre un champ acoustique ou électro-magnétique, qui se propage sous forme d'une onde acoustique ou électro-magnétique jusqu'au récepteur, où l'on peut observer un phénomène acoustique ou électrique en relation avec la pertur-

Par les sons étrangers et les rapports de dominante secondaires qu'ils introduisent dans la tonalité principale, les e. augmentent la tension harmonique. S'ils sont très fréquents, ils peuvent produire l'impression d'un changement continuel de tonalité et, par cela, contribuer à l'affaiblissement du sentiment tonal. — **2.** Dans son *Traité de l'harmonie* de 1722 (livre I, chap. VIII, art. 7e), J.Ph. Rameau appelle accord par e. l'accord de 7e diminuée qu'il fait dériver de l'accord de 7e de dominante en élevant la fondamentale de celui-ci d'un demi-ton :

3. A l'orgue, défaut (fuite de vent) qui fait sonner une note non souhaitée en même temps qu'une autre. — **4.** A l'orgue encore, procédé qui permet de jouer un jeu grâce à un autre clavier que son clavier normal. Il y

● Voir hors-texte entre pages 368 - 369.

avait peu d'e. dans l'orgue classique (trompette du grand orgue à la pédale ; cornet au récit). La transmission électrique les rend faciles et fréquents. On peut ainsi utiliser un bourdon 16' en quinte 10' 2/3 pour constituer un 32' acoustique.

ENCEINTE ACOUSTIQUE ou BAFFLE, boîte en bois ou en plâtre, de forme et de disposition interne variables, sur laquelle on place un haut-parleur pour éviter que le rayonnement de la surface arrière de la membrane n'interfère avec le rayonnement de la surface avant et ne produise des troubles acoustiques. Les baffles ont souvent une résonance propre grave qui déforme les basses, mais on sait actuellement en faire qui donnent toute satisfaction à l'usager. — Voir également l'art. HAUT-PARLEUR.

ENCHAÎNEMENT. 1. Terme d'harmonie : liaison entre les accords. Une partie importante des règles de l'harmonie classique se rapporte à l'e. des accords (conduite des voix, préparation et résolution des dissonances, succession des accords sur les différents degrés d'une tonalité et dans les modulations). — **2.** Succession ininterrompue de deux parties distinctes d'une œuvre (p. ex. deux mouvements d'une sonate, récitatif et air d'une cantate, ouverture et chœur initial d'un opéra). Enchaînez : ital. « attacca ».

ENCLUME (angl., anvil ; all., Amboss ; ital., incudine ; esp., bigornia), instr. à percussion constitué de barres de métal de longueurs différentes posées sur une caisse de résonance et frappées à l'aide d'un marteau de métal ou de bois dur. Son timbre évoque le son sec et aigu du marteau s'abattant sur l'e. du forgeron. Il a été utilisé dans les scènes descriptives de certains opéras : *Le Maçon* de D. Auber ; *Le Trouvère* de G. Verdi ; *L'Or du Rhin* de R. Wagner ; *Antigone* de C. Orff.

ENCYCLOPÉDIE, voir DICTIONNAIRE.

ENFANT DE CHŒUR, petit chanteur des → maîtrises ou psallettes des cathédrales, collégiales et églises, ainsi que des → chapelles royales ou princières. On nommait au Moyen Age les e. de ch. « melodi infantes », « pueri symphonici », « infantes paraphonistae », « pueri (ou clerici) chori in albis », « pueri albati », « aubés ». A la Chapelle royale de France, on les appelait petits chantres, pages de la musique ou enfants de la musique. Ces jeunes garçons étaient en général au nombre de 6, parfois 8, 10 ou même 12 comme à Notre-Dame de Paris à partir de 1550. Dirigés par le → maître de chapelle (ou maître de psallette, maître de musique, maître des enfants), ils se faisaient entendre au chœur lors de la célébration quotidienne de l'office divin. Ils étaient recrutés dès l'âge de 6 ou 7 ans et étaient ensuite entièrement pris en charge par les Chapitres, qui les nourrissaient, les habillaient, les logeaient et les formaient. On leur enseignait surtout la musique : solfège, chant grégorien, contrepoint, éléments de composition, jeu des instr. à cordes ou à clavier. D'autre part, un maître de latin et de grammaire assurait leur instruction générale et leur formation morale, liturgique et religieuse. Les e. de ch. devaient quitter la maîtrise lorsque leur voix venait à muer. Certains — les moins doués — étaient placés en apprentissage. D'autres embrassaient l'état ecclésiastique et poursuivaient des études de licence ou de doctorat en théologie, ce qui leur permettait d'obtenir par la suite un bénéfice ou un canonicat. D'autres enfin faisaient une carrière musicale à la ville ou à la Cour. On peut dire que la plupart des grands musiciens d'autrefois ont été e. de ch. d'une maîtrise dans leur jeunesse.

ENHARMONIE. La mus. grecque de l'Antiquité (voir l'art. GRÈCE) connaissait, en plus des genres diatonique et chromatique, un genre enharmonique, produit par une subdivision (en direction descendante) de la quarte juste en une tierce majeure et deux intervalles enharmoniques nommés « diesis », dont les rapports varient selon les théoriciens et l'époque. Archytas (420-360 av. J.C.) indique deux « diesis » de grandeur différente (36/35 et 28/27) ; Ératosthène (v. 275-195 av. J.C.) élargit légèrement la tierce majeure (19/15) et subdivise l'intervalle restant en deux « diesis » pratiquement égaux (39/38 et 40/39) ; Didyme (1er s. av. J.C.) retourne à la tierce majeure juste (5/4) et maintient l'égalité des « diesis » (31/30 et 32/31), qui correspondent ainsi au quart de ton. Tandis qu'Aristoxène (IVe s. av. J.C.) tenait l'e. pour une pure spéculation des mathématiciens, sans importance pour la mus. pratique, Plutarque (v. 48-123 ap. J.C.) se plaint, dans son *De musica*, que « ce plus beau des genres musicaux » soit tombé tellement dans l'oubli que la plupart de ses contemporains ont complètement perdu le goût des finesses enharmoniques. — Les recherches de la Renaissance dans le domaine de la mus. antique amenèrent plusieurs théoriciens et compositeurs à ranimer l'emploi du genre enharmonique. Dans son traité *L'antica musica ridotta alla moderna prattica* (1555), N. Vicentino donne des exemples de cadences et de compositions vocales enharmoniques. En outre, il fit construire un → « archicembalo » à 6 claviers et 132 touches, l'octave étant subdivisée en 31 intervalles, ainsi qu'un « arciorgano » à 126 touches. Ces inventions lui permirent de réaliser la mus. enharmonique sur les instr. à clavier. Même après l'introduction du → tempérament égal, G. Tartini revient, dans son *Trattato di musica secondo la vera scienza dell'armonia* (1754), au genre enharmonique en utilisant la 7e naturelle (7e harmonique), qu'il met en rapport avec la sixte majeure (21/20) et la 7e mineure (36/35). Avec la tierce majeure (5/4), il arrive à une quarte un peu trop grande, violant ainsi la règle immuable de la quarte juste des Grecs. Le tempérament égal, qui supprima toute différence acoustique entre demi-ton diatonique (rapport de fréquences 15/16) et demi-ton chromatique (24/25), détourna aussi pour un certain temps l'intérêt des musiciens de l'enharmonie. Toutefois, J.Ph. Rameau l'emploie pour des effets extraordinaires dans ses opéras (*Hippolyte et Aricie*, Trio des Parques ; *Les Indes galantes*, Tremblement de terre) et ses pièces de clavecin (*La Triomphante*, *L'Enharmonique*). Théoriquement, il fait la différence entre un genre diatonique-enharmonique, où deux demi-tons diatoniques descendants sont reliés par un intervalle enharmonique (125/128) (ex. a), et un genre chromatique-enharmonique, où deux demi-tons chromatiques ascendants sont reliés par le même intervalle enharmonique (ex. b) :

Puisque les deux demi-tons diatoniques ensemble excèdent aussi bien le ton mineur (9/10) que le ton majeur (8/9), le *la* ♭ devrait être légèrement plus haut que le *sol* ♯ pour que le ton *la-sol* soit juste. Les 2 demi-tons chromatiques, au contraire, ne correspondent pas tout à fait au ton *do-ré* ; c'est pourquoi, là aussi, il y aurait un léger haussement du *do* ♯ au *ré* ♭. Rameau, en raison du tempérament égal, précise (*Nouvelles Suites de pièces de clavecin avec des remarques sur les différents genres de musique*) : « Ce n'est pas de l'intervalle en particulier que naît l'impression que nous devons en recevoir, c'est uniquement de la modulation qui le constitue pour ce qu'il est. » Et il exige une interprétation attentive des passages enharmoniques : « Il faut que l'exécution y seconde l'intention de l'Auteur, en attendrissant le Toucher, et en suspendant de plus en plus les Coulez à mesure qu'on approche du trait saisissant. » L'intervalle enharmonique de Rameau (125/128), dérivé du système de Zarlino (gamme des physiciens), correspond à la différence entre trois tierces majeures et l'octave, tandis que le système de Pythagore définit l'intervalle enharmonique par la différence entre 12 quintes et 7 octaves (comma pythagoricien 524′288/531′441). — En vérité, le phénomène décrit et employé par Rameau n'a rien à voir avec le genre enharmonique de l'Antiquité mais constitue ce que la théorie appellera plus tard une modulation enharmonique. C'est surtout la musique du XIXᵉ s. qui a fait un large usage de cette possibilité offerte par le tempérament égal. Dans cette opération, un accord prend, par le changement enharmonique d'un ou de plusieurs de ses sons, une nouvelle fonction harmonique dans un ton souvent très éloigné de celui auquel il appartenait à l'origine (voir l'art. ALTÉRATION ; Fr. Schubert, *Sonate* pour piano op. 42, ex. musical). La notation de ces accords ne peut forcément reproduire qu'une seule de leurs deux fonctions ; parfois même, elle ne correspond théoriquement ni à l'une ni à l'autre puisque les compositeurs préfèrent dans certains cas employer une notation facile à déchiffrer plutôt qu'une image exacte du véritable sens des sons. Malgré cette tendance de la pratique à une certaine simplification, aucun des systèmes de notation voulant supprimer l'e. en introduisant un symbole unique pour sons enharmoniques (comme p. ex. *do* ♯ et *ré* ♭) n'a réussi à s'imposer. Cela n'est d'ailleurs pas regrettable si l'on considère que, même pour les instr. à clavier soumis au tempérament égal, une notation exacte de l'e. peut offrir un indice

précieux pour l'interprétation, comme le remarque Rameau. Cet argument n'est naturellement pas valable pour une musique rigoureusement atonale, où une notation enharmonique perd son sens.

Bibliographie — L. LALOY, Anciennes gammes enharmoniques, *in* Rev. de philologie XXIII, 1899 ; du même, Le genre enharmonique des Grecs, Paris 1900 ; H. PFROGNER, Zur Theorieauffassung der Enharmonik im Zeitalter Mozarts, *in* Kgr.-Ber. Wien 1956 ; M. VOGEL, Die Enharmonik der Griechen, 2 vol., Düsseldorf 1963.

M. FAVRE

ÉNIGME, voir DEVISE.

ENREGISTREMENT, ensemble de techniques servant à fixer les informations, et en particulier les signaux sonores, sur un support matériel en vue de leur conservation et de leur reproduction. L'e. peut être réalisé suivant trois procédés : mécanique, optique ou magnétique. Les différents systèmes d'e. utilisent tous un support qui défile devant le dispositif permettant de fixer les signaux sonores à conserver. Lors de la lecture, il suffit de faire défiler le support à une vitesse identique à celle de l'e. devant un dispositif de lecture transformant les signaux gravés sur la piste d'e. en signaux électriques, qui sont amplifiés et finalement transformés en ondes acoustiques par un haut-parleur. Le premier e. fut celui du → phonographe, inventé aux États-Unis en 1877 par Thomas Alva Edison : une palette mise en vibration par les ondes acoustiques était munie d'un stylet qui gravait un sillon plus ou moins profond sur un cylindre métallique en rotation ; peu après, Alexander Graham Bell substitua la cire au métal. Ce n'est qu'après l'apparition des microphones électriques, dont le premier fut inventé par Graham Bell en 1876 pour sa réalisation du téléphone, et des tubes électroniques amplificateurs, inventés par Lee De Forest en 1907, que les techniques de l'e. ont pris leur essor.

Enregistrement mécanique sur disque. Le support se présente sous la forme d'un → disque qui tourne à vitesse angulaire constante. L'information s'inscrit sur ce disque, appelé original, sous forme de sillons modulés horizontalement (gravure latérale), verticalement (gravure verticale) ou les deux à la fois (gravure stéréophonique). Le disque original subit une succession de traitements galvanoplastiques qui permettent d'obtenir finalement une matrice d'où l'on tire par pressage les disques moulés du commerce.

Enregistrement magnétique. Le support le plus généralement utilisé est une → bande magnétique formée d'un ruban plastique recouvert d'une couche ferromagnétique. Le dispositif de l'e. est constitué par une tête d'e. qui induit dans la bande un champ magnétique variable et modifie ainsi son état magnétique. A la lecture, les variations du flux magnétique créées par le passage de la bande devant une tête de lecture produisent aux bornes de cette tête une force électromotrice d'induction. Un avantage de l'e. magnétique est qu'il est possible, après utilisation, d'effacer au moyen d'une tête d'effacement l'information enregistrée sur le support, celui-ci pouvant ainsi resservir indéfiniment. Un autre avantage est la facilité des manipulations telles que → mixage, → montage, etc.

Enregistrement optique. Le support est ici un film photographique et le dispositif d'e. est constitué par un modulateur de lumière ou un oscillographe à miroir. L'e. de l'information est matérialisé, après développement du film, par une variation de la densité optique du support. A la lecture, le film défile entre une source lumineuse et une cellule photo-électrique. Les variations de la densité optique du support se traduisent par des variations du flux lumineux qui tombe sur la cellule ; elles sont ainsi transformées en signaux électriques.

L'avènement de l'e., par l'importance de ses répercussions esthétiques et sociologiques, a inauguré une nouvelle phase de l'histoire de l'art musical. 1º La distribution et la consommation des œuvres musicales se font et se feront de plus en plus par l'intermédiaire du disque et de la bande magnétique, ce qui a pour effet de conquérir à la musique un public toujours plus vaste et plus averti ; en particulier, la connaissance et la compréhension des musiques du passé, des mus. exotiques et populaires se sont répandues à une vitesse croissante, parallèlement aux moyens matériels de diffusion. L'expérience et la sensibilité musicales se sont ainsi considérablement élargies. L'amateur de musique — comme avant lui déjà le compositeur — ne pense plus que la mus. occidentale soit la seule valable et la mesure de toutes les autres. Le compositeur occidental a puisé dans les mus. extra-européennes et folkloriques un renouveau d'inspiration, et l'amateur est parvenu à les assimiler d'abord à travers la musique qui s'en inspirait avant de les goûter en elles-mêmes. Enfin la connaissance des styles musicaux du passé a suscité chez l'interprète l'abandon du subjectivisme romantique en faveur d'une interprétation « objective et historique ». — 2º Mais l'e. a aussi influencé directement l'esthétique de l'interprète : pour une bonne part il est à l'origine de ce style moderne d'interprétation où règnent la clarté, la précision et la plus haute perfection technique. Le microphone, ce verre grossissant qui dévoile les moindres détails d'un jeu, encourage et même exige une exécution irréprochable. Depuis 1920 l'art instrumental n'a cessé d'accroître ses ressources techniques et de se perfectionner. Le virtuose d'aujourd'hui accomplit des prouesses, et l'amateur de disques, collectionnant pour les comparer les différentes versions d'une même œuvre musicale, se passionne pour les problèmes d'interprétation. — 3º Et surtout l'e. a enrichi la notion de création musicale. La sonorité, matière évanescente, s'est trouvée fixée par l'enregistrement. Grâce à cette fixation, le compositeur, contraint jusque-là à manier la note abstraite, a conquis un pouvoir direct sur le matériau sonore concret. Dans la mus. électroacoustique, il est devenu — tel le peintre ou le sculpteur — le maître absolu de son œuvre, qu'il réalise lui-même sous forme enregistrée, libéré ainsi de toute dépendance à l'égard de l'interprète. L'e. est ici l'opération de base, qui capte le matériau sonore, que celui-ci soit produit par des générateurs (dans la mus. électronique) ou constitué par des sons naturels (dans la mus. concrète). Et c'est par des manipulations de l'e. qui peuvent recourir à des appareils (tels que → filtres, → modulateurs, etc.) ou à des opérations directes sur la bande magnétique elle-même (telles que fragmentation, inversion, permutation, accéléré ou ralenti, → montage) que

s'expriment les nouvelles techniques de composition. Ces manipulations élaborent le matériau dans toutes ses dimensions et offrent de nombreuses possibilités à sa « micro-structuration ». On distingue : les « transmutations », qui portent essentiellement sur la matière (contenu instantané), et les « transformations », qui portent sur la forme (évolution temporelle). Mais si une bande magnétique est lue à une vitesse différente de celle de l'e., les sons subissent une « transposition totale », qui fait varier parallèlement leur rythme et leur hauteur. Ces manipulations sont le signe manifeste de l'action immédiate sur la substance sonore concrète qu'autorise l'e. et qui constitue un mode entièrement nouveau de la création sonore.

Enregistrement d'amateur. De nombreux appareils du commerce permettent aux amateurs d'enregistrer eux-mêmes sur bande magnétique. La facilité du découpage et du collage autorise la composition de programmes personnels. Couplé avec une caméra, le magnétophone permet la sonorisation des films soit par l'e. des sons réels, soit par le montage d'illustrations musicales tirées de la discothèque. La copie sur bande magnétique d'œuvres enregistrées sur disques ou diffusées à la radio est interdite par la loi de 1957 sur la propriété littéraire et artistique, à moins d'être réservée à l'usage personnel ou familial. On peut donc copier soi-même des œuvres musicales d'après des disques ou d'après des émissions de radio, en vue d'illustrer la projection de films ou de diapositives. Mais on ne peut faire entendre cette copie hors du cercle familial sans s'exposer à des poursuites judiciaires. Il est de même interdit de faire des copies d'e. du commerce dans le simple dessein de s'en procurer un exemplaire à peu de frais. Lorsque les circonstances conduisent à utiliser publiquement des copies d'e. commerciaux, déclaration doit en être faite à la Société des Auteurs, Compositeurs et Éditeurs de Musique (SACEM), qui juge s'il y a lieu de percevoir un droit d'auteur.

Bibliographie — R.E.B. HICKMAN, L'e. magnétique, Paris, Dunod, 1958 ; J. RAPHE, Enregistreurs à disques, à fil, à ruban, microphones électriques et à ruban, Paris, Soc. parisienne d'édition, 1958 ; D.A. SNEL, E. magnétique du son, Paris, Dunod, 1961.

G. BRELET et R. LYON

ENSALADA (esp., = salade), composition polyphonique vocale propre à l'école espagnole, quoique des pièces analogues aient été fréquentes ailleurs (→ « quodlibet »). Comme en français, le terme désigne un mélange incohérent (le ballet de D. Milhaud, *Salade*, repose sur le même principe) et s'applique, dans la poétique espagnole, à une composition écrite sur différents mètres, ou bien à un poème dans lequel on mélange des vers ou des fragments connus d'auteurs différents. Cette dernière définition est exactement celle de l'e. musicale, qui consiste en la juxtaposition et la succession de mélodies différentes ayant chacune son texte propre, souvent aussi sa langue propre. Les e. connurent assez de faveur pour être transcrites par les vihuélistes. Les plus célèbres sont celles des deux Flecha, oncle et neveu, publiées à Prague en 1581 par Fray Mateo Flecha le Jeune. F. Pedrell a montré comment quelques mélodies populaires, encore chantées de nos jours, s'enchevêtrent dans ces compositions qui mélangent d'une manière cocasse l'espagnol, le latin et des formes dialectales de diverses régions.

Rééditions modernes — M. FLECHA, *Las Ensaladas*, éd. par H. Anglés, *in* Publicaciones del Departamento de Música de la Bibl. de Catalunya XVI, Barcelona 1954.

● **ENSEIGNEMENT MUSICAL.** Déjà dans l'Antiquité, chez les Grecs, l'e. m. occupait une place importante parmi les autres disciplines. Mais on distinguait nettement l'e. théorique, savant, de la pratique instrumentale et vocale acquise plus empiriquement par simple imitation. Il en était de même au Moyen Age, où l'étude théorique de la musique constituait l'un des quatre arts du → « quadrivium », la pratique instrumentale restant du domaine des jongleurs et ménestrels qui s'instruisaient dans les écoles de ménestrandie. L'époque carolingienne vit renaître l'intérêt pour un e. m. intensif. D'importantes → maîtrises, véritables pépinières de musiciens, furent alors attachées aux grandes cathédrales comme à de nombreuses cours princières. Jusqu'au XVIIIe s., la formation de la plupart des musiciens passait par ces maîtrises, où ils étaient successivement enfants de chœur, chantres ou instrumentistes, puis compositeurs, maîtres de chapelle ou cantors. La création de l'École royale de chant (1784) a précédé de peu celle du Conservatoire de Paris (1794). La Révolution ayant supprimé en 1791 toutes les maîtrises, on s'employa, au cours du XIXe s., à y suppléer par la création de nombreux → conservatoires nationaux ou municipaux. A Paris même s'y ajoutaient certaines institutions privées très réputées comme l'école Niedermeyer (1853) et la Schola Cantorum (1896). Aujourd'hui, à côté du Conservatoire National Supérieur de Musique, l'État subventionne, dans un but de décentralisation, les conservatoires nationaux de région institués dans les grandes villes de province, caractérisés par la création de classes à horaire aménagé (voir l'art. ÉDUCATION MUSICALE, § Second degré, 2d Cycle), et, dans les villes moins importantes, les écoles nationales de musique et les écoles municipales agréées. Tous ces établissements sont municipaux mais font l'objet d'un contrôle pédagogique assuré par les Inspecteurs de l'e. m. au ministère des Affaires culturelles. D'autre part, depuis la création de l'enseignement public en France, régi par le ministère de l'Éducation nationale, une formation musicale est également préconisée par les programmes et les instructions officielles des différents degrés. Cet enseignement est devenu aujourd'hui l' → « éducation musicale ». Voir également l'art. FRANCE, § Les institutions musicales.

ENSEMBLE, adv. et n. exprimant l'idée d'accord et de simultanéité. — 1. Mus. d'ensemble, syn. de mus. de chambre. — 2. E. vocal, e. instrumental, chœur ou orch. réunissant un nombre restreint d'exécutants. — 3. Dans la mus. dramatique, on appelle e. les passages où plusieurs solistes se réunissent pour chanter simultanément.

ENTÉ, voir ENTURE.

ENTONNER, commencer un chant. Dans la liturgie romaine, il appartient au célébrant de donner l' → intonation pour certaines parties de l'ordinaire de la messe (*Gloria, Credo*) ou des grandes heures, le chœur continuant le chant.

ENTRACTE, intermède instrumental joué devant le rideau fermé, entre les actes d'un opéra ou d'une pièce de théâtre, et parfois spécialement composé pour ce spectacle. La plus ancienne pièce du genre est celle que M. Locke écrivit pour *La Tempête* de Shakespeare. J.B. Lully et M.A. Charpentier composèrent des e. pour les pièces de Molière. On connaît tout particulièrement ceux que Beethoven écrivit pour *Egmont*, G. Bizet pour *Carmen*, A. Thomas pour *Mignon* et P. Mascagni pour *Cavalleria Rusticana*. — Voir également les art. INTERMÈDE et INTERMEZZO.

ENTRÉE (angl., entry; all., → Intrada; ital., intrada; esp., entrada). **1.** Au Moyen Age, entrée de personnages déguisés et masqués dans un → entremets. — **2.** Fête donnée dans une ville à l'occasion d'une e. royale, avec défilé et spectacle accompagnés de musique (e. d'Henri II à Saint-Germain, 1557). — **3.** Nom donné, au XVIIe s., aux diverses scènes du → ballet de cour. Chaque e. formait un tout par elle-même et se rattachait au sujet par un caractère commun sans avoir forcément un rapport avec ses voisines. Les trois e. du *Ballet des trois Ages* (1608) étaient commentées chacune par un chœur de Vincent. Par la suite, on appela aussi e. les divertissements intercalés dans les entractes de la comédie-ballet (Molière, *Les Fâcheux*, 1661), les divers actes du ballet (Lully, *Le Temple de la Paix*, 1685, 6 e.) et de l'opéra-ballet (A. Campra, *L'Europe galante*, 1697, 5 e.; J.Ph. Rameau, *Les Fêtes d'Hébé*, 1739, un prologue et 3 e.). — **4.** Dans la mus. vocale ou instrumentale, e. désigne, au début ou au cours d'une exécution, soit l'apparition du thème ou sujet — et parfois de ses imitations (canon, fugue, fugato) — soit l'intervention d'un soliste ou d'un groupe bien défini d'exécutants, choristes ou instrumentistes. — **5.** Premier morceau d'une suite, tenant lieu d'introduction, ouverture ou prélude (voir l'art. INTRADA). — **6.** Morceau d'orgue improvisé ou non qui accompagne à l'église l'arrivée des officiants. — **7.** Petit introït (e.) et grand introït (complément de l'offertoire), parties du rituel de la messe byzantine.

ENTREMETS, aux XIVe et XVe s., ballets (ou pantomimes) exécutés dans les cours de France et de Bourgogne durant les festins. Accompagnés de chœurs et d'instruments, ils comportaient des → entrées et des → machines, préfigurant ainsi le → ballet de cour (*Banquet du Faisan*, Lille 1454).

ENTURE, procédé de composition du XIIIe s., apparenté au procédé liturgique du → trope, consistant en l'interpolation dans les voix supérieures d'un motet — au « motetus » ou au « triplum » — des paroles et de la musique d'un refrain de ballade, de rondeau ou de chanson de trouvère. Adam de la Halle a cultivé le motet enté avec une prédilection particulière.

ENVOI. 1. Couplet terminant l'ancienne → ballade et qui constitue un hommage à la personne à laquelle la pièce est dédiée. Comme les trois strophes qui le précèdent, il se conclut par un vers servant de refrain. — **2.** Envois de Rome, œuvres que les pensionnaires de l'Académie de France étaient tenus d'envoyer chaque année.

ÉOLIEN, ton grec des néo-aristoxéniens, appliqué par erreur par Glarean à un 9e-10e mode (*la*). — Voir l'art. MODES ECCLÉSIASTIQUES, § 3.

ÉOLINE. 1. Jeu d'orgue à anches libres et résonateur étroit (XIXe s.). — **2.** Jeu d'orgue à bouche, étroit et fermé, importé d'Allemagne au XIXe s. et demeuré très rare.

● **ÉPINETTE** (angl., spinet ; all., Spinett ; ital., spinetta ; esp., espineta), instr. à cordes pincées et à clavier proche du → clavecin, dont il se distingue essentiellement par la disposition des cordes et des chevalets. Dans le clavecin, les cordes sont parallèles aux touches du clavier et dans leur prolongement. Dans l'é., elles sont perpendiculaires ou obliques par rapport aux touches. Il existe trois formes principales d'épinette : 1° rectangulaire (le clavier occupe une partie ou la totalité d'un grand côté) ; 2° pentagonale (le clavier est au milieu du grand côté) ; 3° à côté courbe (le clavier se trouve entre le grand côté et le côté courbe). Dans les deux premières formes, les deux chevalets, collés sur la table d'harmonie, transmettent les vibrations des cordes. Dans l'é. à côté courbe, un des chevalets, comme dans le clavecin, est collé sur le sommier ; l'autre, seul, transmet les vibrations. Beaucoup d'é. ont des cordes aussi longues que celles du clavecin et s'accordent à l'unisson du 8 pieds. D'autres, plus petites, sonnent à la quinte, à l'octave, etc. La facture des é. suit, dans le temps et selon les pays, les caractéristiques de la facture du clavecin. — Voir également l'art. VIRGINAL.

● **ÉPINETTE DES VOSGES,** instr. de musique populaire à cordes pincées, très en vogue au XVIIIe et au XIXe s. dans les Vosges, autour du Val-d'Ajol et de Gérardmer. L'é. des V. appartient à la grande famille des cithares primitives qui, depuis le Moyen Age, s'est répandue à travers l'Europe septentrionale et centrale : citons le « Scheitholt » allemand, que M. Praetorius décrit dans son *Syntagma musicum* en 1619, la « bûche de Flandre » ou « noordsche Balk » des Pays-Bas et des Flandres, la « hummel » suédoise et la « langeleik » norvégienne. Le « dulcimer des Appalaches » en est le prolongement sur le continent américain. Tous ont, semble-t-il, un ancêtre commun, le monocorde.

L'é. des V. est faite essentiellement d'une caisse de bois longue et étroite sur laquelle sont tendues des cordes partagées en deux groupes : une ou plusieurs cordes mélodiques au-dessus d'une touche à sillets, raccourcies au moyen d'un bâtonnet, d'une part, et l'autre un certain nombre de cordes d'accompagnement (bourdons) laissées libres. A l'origine on grattait l'ensemble des cordes du pouce de la main droite ; plus tard, on se servit d'un bec de plume en guise de plectre. L'instrument se présente sous deux aspects qui diffèrent sensiblement selon le lieu d'implantation. Dans le pays de Gérardmer, il atteint une longueur de 70 à 80 cm, est épais et large ; il possède en général

7 cordes (3 chanterelles accordées en *sol* et 4 bourdons accordés dans l'ordre *do, sol, mi, do*, le premier bourdon étant à l'unisson du *do* de la 3e case). Aux alentours du Val-d'Ajol, l'instrument est de dimension plus réduite et la facture est souvent plus élaborée ; il possède 5 cordes (2 chanterelles en *sol* et 3 bourdons *do, mi, sol*). Tous deux ont un clavier diatonique. Instrument traditionnel des réjouissances populaires jusqu'au siècle dernier, l'é. des V. connaît aujourd'hui un certain regain d'intérêt. Des groupes folkloriques des Vosges et de Lorraine font revivre sa sonorité grêle et sautillante qui animait les veillées et les fêtes d'autrefois.

Bibliographie — M. PRAETORIUS, Syntagma musicum, II De organographia, Wolfenbüttel 1618, 2/1619, rééd. en facs. par W. Gurlitt, Kassel, BV, 1958-59 ; E. VANDERSTRAETEN, De noordsche balk, Ypres 1868 ; J.C. BOERS, De hommel of noordsche balk, *in* TVer I, 1885 ; T. NORLIND, Systematik der Saiteninstr., I Gesch. der Zither, Stockholm 1936 ; S. WALIN, Die schwedische Hummel, Stockholm 1952 ; G.J. MICHEL, La fabrication de l'é. des V. à Fougerolles et au Val-d'Ajol du XVIIIe au XIXe s., *in* Mémoires de la Soc. d'Agriculture, Lettres, Sciences et Arts de la Hte-Saône, nouv. série I, 1968 ; du même, L'é. des V. au Val-d'Ajol au XIXe s., *in* Pays lorrain XXXIX, 1958 ; du même, L'é. des V., *in* Arts et traditions des Htes-Vosges, I Au pays des lacs, Gérardmer 1960 ; J. GROSSIER, L'é. des V. dans la vallée des lacs : autour de Gérardmer, *ibid.*, Gérardmer 1960 ; J. BRANDLMEIER, Hdb. der Zither, Munich, Süddeutscher Verlag, 1963 ; J.F. DUTERTRE, Accords élémentaires et claviers de l'é. des V. et du dulcimer, *in* Gigue, revue de Folk I, sept. 1972.

P.M. DALTROFF

ÉPIPHONUS, voir NEUME, § Neumes liquescents.

ÉPISÈME, voir NEUME, § Signes additionnels.

ÉPISODE. 1. Partie d'une composition non essentielle à la structure générale. Dans la → fugue, le terme est synonyme de → divertissement. Dans la forme sonate, l'introduction d'un nouveau thème (Beethoven, *3e Symphonie « Eroica »*, 1er mouvt, mes. 284 et ss.) ou de motifs non développés constitue autant d'é. situés à l'écart du véritable travail thématique. Dans un drame musical, c'est une scène ou une partie de scène pouvant former un tout mais non indispensable au déroulement de l'action principale. — **2.** L'un des événements, complet en lui-même, dont le tout constitue une histoire, un récit. Les oratorios de G. Migot sont divisés en é. structurés, respectant l'exigence de variété. Une forme musicale comme le → rondo est fondée sur la succession d'é., avec son alternance régulière du refrain, identique à lui-même, et des couplets constituant des é. variés. Le 3e mouvement de la *Sonate* pour violon et piano de C. Franck est construit comme une succession d'épisodes.

ÉPITHALAME (grec, epithalamion), chant exécuté par un chœur de jeunes gens et de jeunes filles après la cérémonie du mariage, devant la chambre nuptiale. En tant que genre poétique, il faut citer les é. de Sappho, réunis dans l'Antiquité en un recueil dont il subsiste des fragments. La 18e idylle de Théocrite est une imitation purement littéraire du chant rituel. — Voir également l'art. HYMEN.

ÉPITRE, l'une des trois lectures bibliques de l'avant-messe, cantillée par le sous-diacre, selon un récitatif très simplifié. La liturgie des premiers chrétiens avait

● **Voir hors-texte entre pages 368 - 369.**

hérité de plusieurs usages issus de la Synagogue, en particulier celui de lire l'Écriture dans les assemblées. A côté des lectures de l'Ancien Testament, les é. catholiques, les Actes des Apôtres et les Évangiles ont pris une place importante à la synaxe. Les premiers chrétiens, qui étaient en bon nombre des juifs convertis, conservèrent l'usage des deux lectures de l'Ancien Testament, la Loi et les Prophètes, et ajoutèrent juste avant l'Évangile la lecture des lettres apostoliques. Ainsi, une gradation quasi spontanée des diverses sortes de lecture, intercalées de chants de psaumes, constituait peu à peu l'avant-messe :

Ancien Testament — Épîtres catholiques — Évangile
(1 ou 2 lectures)   (Actes des Apôtres)

Tandis que plusieurs liturgies orientales conservaient 4 lectures, en Occident les diverses liturgies latines en réduisaient le nombre à 3 : au temps de St Léon († 461), Rome avait réduit les lectures à deux, é. et évangile. Mais on sait par le témoignage de St Justin martyr et par la disposition du chœur de l'église St-Clément à Rome, qui comporte 3 ambons, que Rome avait primitivement 3 lectures comme les autres liturgies latines. Le Missel romain a d'ailleurs longtemps gardé dans certaines messes de Carême le vestige de son usage primitif des 3 lectures (mercredi des Quatre-Temps de Carême, mercredi de la IVe semaine de Carême, mercredi saint et vendredi saint).

Le genre de la pièce de chant intercalaire fournit encore un argument instructif sur l'organisation primitive. Deux chants suivent actuellement l'é. alors qu'une seule pièce serait nécessaire. Mais le genre de ces chants varie en fonction de la source qui a fourni le texte de l'é. : une é. tirée du Nouveau Testament sera toujours suivie d'un → graduel et d'un → alleluia ou, au Temps pascal, de deux alleluias ; une lecture de l'Ancien Testament, en Carême ou aux Quatre-Temps, sera suivie d'un graduel ou d'un → trait. Cela s'explique par l'usage des 3 lectures qui, suivant les *Constitutions apostoliques* (IVe s.), étaient jadis séparées les unes des autres par une psalmodie responsoriale (voir l'art. CHANT RESPONSORIAL) :

A. En temps normal (dimanches et fêtes).
1. Ancien Testament 2. Nouv. Testament 3. Évangile
    Graduel   Alleluia

B. Dimanches de Carême.
1. Ancien Testament 2. Nouv. Testament 3. Évangile
    Graduel   Trait

C. Jours de semaine en Carême ou aux Quatre-Temps.
1. Ancien Testament 2. Ancien Testament 3. Évangile
    Graduel   Graduel

D. Au Temps pascal.
1. Actes des Apôtres 2. Épître apostolique 3. Évangile
   ou Apocalypse   Alleluia
   Alleluia

Au samedi des Quatre-Temps, les 4 autres lectures de l'Ancien Testament sont également suivies d'un graduel, la dernière d'un trait. Le passage de 3 lectures à 2 par suppression d'une d'entre elles (Ancien Testament le dimanche, Nouveau Testament la semaine) a amené un blocage des pièces de chant qui ne s'explique que par la suppression d'une des lectures.

Le choix de l'é. est fonction de la fête et parfois de l'église où jadis se célébrait la messe papale, la « station ». Au système de la « lectio continua », dont on relève encore la trace au vendredi saint dans les deux lectures sans titre, on a bientôt substitué des lectures en rapport avec la fête célébrée, mais aussi avec l'église stationale, surtout en Carême. Le choix de certaines lectures de la liturgie ambrosienne ou de certaines lectures de Carême ne s'explique que par une étude de l'histoire des églises où se déroulait la liturgie. L'histoire des variations du choix des lectures puise ses sources dans les anciens épistoliers ou dans les livres du Nouveau Testament suivis d'un « Comes », c.-à-d. d'une liste liturgique désignant les é. affectées aux différents dimanches et aux fêtes de l'année liturgique. Le plus ancien est le Comes de Wurtzbourg (VIIe s.), qui a gardé quelques leçons prophétiques. Il faut mentionner aussi le Comes d'Alcuin (début du IXe s.), qui a fait retour, à la Vigile et au jour de Noël, à l'ancien système des 3 lectures.

Dans les anciens épistoliers du rite romain, les é. ne sont pas notées mais seulement accentuées aux places où la voix doit quitter la teneur pour aborder la formule de cadence. Le récitatif de l'é. est noté sur lignes dans le Cantorinus romain imprimé au XVIe s. et dans les tonaires récents, manuscrits ou imprimés. Ce récitatif comporte une teneur de récitation — pour l'é. elle se tient sur *fa* ou sur *do* — encadrée par une formule d'intonation et par une formule de conclusion : cadence suspensive au milieu d'une période achevée par un ; ou par un ? (dans ce dernier cas, la mélodie est montante, alors que dans les cadences du style direct elle est tombante) ; cadence définitive en fin de période. La cadence terminale, sur les derniers mots de l'é., est un peu plus ornée et conclut définitivement le récitatif :

Fin de période :

Cadence terminale :

La tradition offre plusieurs variantes à ce schéma de principe (voir art. Epistel *in* MGG). A partir de la fin du XIIe s., certains missels français comportent pour le cycle de Noël (26-28 déc.) des é. farcies, c.-à-d. les péricopes liturgiques habituelles dont le texte biblique est « farci » (interpolé) de gloses ou commentaires en latin, parfois aussi en langue romane ou en vieux français. Les é. farcies sont généralement notées en entier : celles qui se chantaient en français seraient à étudier comme modèle de récitatif pour les lectures de la liturgie contemporaine faites en langue vernaculaire. A côté des é. farcies, il faut encore signaler le chant de la Sibylle, intégré dans un texte d'Isaïe, le jour de Noël, habituellement à l'office nocturne mais parfois encore à la messe.

Bibliographie — 1. W.H. FRERE, Studies in Early Roman Liturgy, III The Roman Epistle Lectionary, Oxford 1935 ; A. WILMART, Le lectionnaire d'Alcuin, in Ephemerides liturgicae LI, 1937 ; BR. STÄBLEIN et CHR. MAHRENHOLZ, art. Epistel in MGG III, 1954. — 2. Sur les é. farcies : E. MARTÈNE, De antiquis Ecclesiae ritibus, Anvers 1737, vol. I, col. 281-282, et vol. III, col. 99-100, 108 ; L. GAUTIER, Hist. de la poésie liturgique au M.A. Les tropes, Paris 1886, réèd. 1966 ; S. CORBIN, Essai sur la mus. rel. portugaise au M.A., Paris, Les Belles-Lettres, 1952 ; M. HUGLO, art. Farse in Grove, 6ᵉ éd. (en prép.).

M. HUGLO

ÉPITRITE, voir MÈTRE.

ÉPODE (grec, epodos), dans la poésie lyrique chorale grecque, partie qui, dans une ode, faisait suite aux → strophe et antistrophe ; le chœur s'arrêtait alors de danser pour chanter ce refrain. Cette structure est parfois appelée « triade de Stésichore », du nom du poète du VIᵉ s. av. J.C. à qui, dans l'Antiquité, on en attribua l'invention.

ÉQUALE ou AEQUALE (lat.), compositions écrites pour voix égales ou pour les mêmes instruments, en particulier les trombones. Beethoven en a écrit trois pour 4 trombones (1812) et A. Bruckner un pour 3 trombones (1847).

ÉQUIVOQUE, faculté que possède un accord d'appartenir à plusieurs tons, permettant ainsi la → modulation par notes communes.

ERFURT.

Bibliographie — A. PICK, E.er Theatervorstellungen in der guten alten Zeit, Hambourg 1899 ; J. RAUTENSTRAUCH, Luther u. die Pflege der kirchlichen Musik in Sachsen, Leipzig 1907 ; A. BECKER, Ein E.er Musiktraktat über gregorianische Musik, in AfMw I, 1918-19 ; F. BENARY, Zur Gesch. der Stadt u. der Univ. E. am Ausgang des Mittelalters, Gotha 1919 ; W.L. VON LÜTGENDORFF, Die Geigen u. Lautenmacher vom Mittelalter bis zur Gegenwart, Berlin 6/1922 ; E. NOACK, Die Bibl. der Michaeliskirche zu E., in AfMw VII, 1925 ; P. KALKHOFF, Humanismus u. Reformation in E. (1500-1530), Halle 1926 ; E.W. BÖHME, Die frühdeutsche Oper in Thüringen, Stadtroda 1931 ; Fs. zur Feier des 50jährigen Bestehens des E.er Kons. der Musik, Erfurt 1932 ; A. DREETZ, Aus E.s Musikgesch. 1750-1800, Leipzig 1932 ; J. HANDSCHIN, Erfordensia I, in AMl VI, 1934 ; H. EBERHARDT, Die ersten deutschen Musikfeste in Frankenhausen u. E. 1810, 1811, 1812 u. 1815, Iéna 1934 ; G. PIETZSCH, Zur Pflege der Musik an den deutschen Univ. bis zur Mitte des 16. Jh. : E., in AfMf VI, 1941 ; F. JOHN, J.S. Bachs E.er Vorfahren, in Bach in Thüringen, Berlin, Ev. Verlagsanstalt, 1950 ; G. HUMMEL, E.er Theaterleben im 18. Jh., Erfurt, Stolzenberg, 1956 ; S. ORTH, Neues über den Stammvater der « E.er Bache », J. Bach, in Mf IX, 1956.

ES, nom allemand du *mi* bémol.

ESES, nom allemand du *mi* double bémol.

ESPAGNE (España). L'histoire de la musique en Espagne est étroitement liée aux péripéties de l'histoire politique : sept invasions successives ont laissé leur empreinte sur la péninsule Ibérique. De la période la plus reculée, il ne nous reste, en fait de vestiges musicaux, que quelques gratteurs, mais les habitants de l'Espagne nous ont transmis, dans leurs peintures rupestres, le souvenir de leurs danses, sûrement magiques. Phéniciens, Grecs et Romains ont laissé plus de traces : poterie, statuaire, monuments et quelques débris d'instruments témoignent de leurs occupations musicales. Si les colonies carthaginoises ou helléniques sont restées périphériques, Rome établit fermement son domaine sur l'Hispania, qu'elle organisa en provinces, germes des royaumes indépendants futurs, reconnaissables de nos jours encore dans les juridictions épiscopales. L'Espagne bénéficia profondément de la culture romaine et donna à la métropole plusieurs empereurs — Trajan, Hadrien, Alexandre Sévère, Marc Aurèle et Dioclétien naquirent en Espagne ou sont issus de famille espagnole — ainsi que nombre de littérateurs, les deux Sénèque, Martial, Lucain, Quintilien en particulier.

Le Moyen Age. Au cours de la 1ʳᵉ partie de cette période, l'Espagne enfanta encore les plus grands poètes latins chrétiens : Prudence, Juvencus, Damase. Les envahisseurs barbares furent gagnés par la culture de l'Espagne romanisée, qui leur imposa une langue romane, et Séville devint, grâce à St Isidore (v. 570-636), l'un des foyers culturels les plus importants de l'Europe. La musique occupe une place de choix dans l'œuvre de cet évêque, le plus grand encyclopédiste du Moyen Age. C'est lui qui, dans ses traités, expose pour la première fois le produit de son expérience liturgique et pratique à côté du legs des théoriciens anciens. Après l'anéantissement de la dynastie wisigothique par la première invasion arabe (711), Cordoue s'érige bientôt en émirat indépendant et non seulement reçoit tout ce que l'Orient peut offrir de plus riche en matière culturelle mais exporte des formes poético-musicales jusqu'alors inconnues. C'est là qu'il faut chercher l'explication du nom de « musique andalouse » qu'on applique aujourd'hui encore à certaines formations d'Afrique du Nord.

La production la plus haute de cette 1ʳᵉ moitié du Moyen Age est la musique liturgique : de même que d'autres centres d'Italie et de France, l'Espagne élabore une liturgie propre, qu'on devrait appeler « hispanique » ou à la rigueur « wisigothique » et qu'on nomme à tort « mozarabe » (voir l'art. CHANT MOZARABE), du nom des chrétiens restés fidèles sous la domination musulmane (« mixti arabi ») ; le terme pourrait faire croire, à tort, à l'existence d'éléments arabes dans une création achevée avant l'entrée des Berbères. Cette liturgie est également appelée « tolédane », car son foyer se trouvait à Tolède. Elle fut adoptée dans toute l'Espagne par décision du VIᵉ Concile, tenu dans cette ville en 633. C'est la mieux conservée des liturgies occidentales pour ce qui regarde les textes ; ses manuscrits sont beaucoup plus nombreux, plus complets et plus riches que ceux de la liturgie gallicane. Elle comprenait de nombreuses pièces entre l'évangile et la préface, ainsi qu'un canon plus bref et qui variait chaque jour. Elle fut remplacée à la fin du XIᵉ s. par le rite romain. On dit qu'elle ne subsista qu'à Tolède et dans quelques églises qui l'abandonnèrent peu après. En réalité, l'histoire est beaucoup plus complexe. Le vocabulaire du rite hispanique se retrouve jusque chez des poètes du XIIIᵉ s. et même au-delà. Une étude récente des manuscrits mozarabes montre qu'ils continuèrent à être copiés jusqu'au XVᵉ s. et que l'on transcrivait parfois les mélodies hispaniques en neumes grégoriens. Cela est d'extrême importance, car les nombreux manuscrits notés, n'étant pas diastématiques, sont restés muets quant à leur contenu musical. A la lumière des faits signalés, il semble qu'ils pourraient livrer leurs secrets.

Pour ce qui est de la naissance de la lyrique romane, l'Espagne joua également un rôle de premier plan. Les théories s'affrontent entre l'école romaniste, qui voit dans la lyrique vulgaire un prolongement de la littérature latine et qui assigne une importance décisive à l'élément clérical, et l'arabiste, qui prétend que l'influence orientale aurait suscité cette littérature et les pratiques qu'elle reflète, tel l'amour courtois. Il semble que les deux écoles ne puissent tout expliquer et que chacune possède une part de vérité. Quoi qu'il en soit, le débat a changé de bases grâce à la découverte en 1948 par E.M. Stern des plus anciens textes poétiques de la Romania en dialecte mozarabe, utilisés comme refrains dans des poèmes arabes et hébraïques, qui sont antérieurs d'un siècle à Guillaume IX de Poitiers. Avec le recueil de *Cantigas* d'Alphonse X le Sage, rédigées pourtant en dialecte de Galice, la Castille nous offre le monument le plus important de la mus. religieuse non liturgique du Moyen Age, tandis que les chansons du troubadour galicien Martín Códax, retrouvées par hasard à l'intérieur d'une reliure en 1914, constituent le seul exemple de mus. profane parvenu jusqu'à nous. Encouragée sans doute par ses rapports avec Moissac et St-Martial de Limoges, la Catalogne, soumise dès l'époque de Charlemagne à l'influence française et tenue à l'écart des pratiques hispaniques, développe toutes les formes paraliturgiques conduisant au théâtre religieux : tropes et proses mènent à la « consueta », ébauche de drame liturgique, et à des célébrations encore vivantes de nos jours, tels le *Chant de la Sibylle* et le *Mystère marial* joué à Elche (Alicante). En outre, le *Llivre vermell* catalan nous a conservé des spécimens de danses sacrées.

En ce qui concerne la polyphonie, le *Codex Calixtinus*, sorte de manuel du pèlerinage à Saint-Jacques-de-Compostelle, nous a conservé une bonne vingtaine de compositions à 2 et 3 voix. Par contre, on n'a jamais prouvé l'existence d'une école qui aurait enseigné à Cordoue dès le XIe s. la pratique de la polyphonie. Un autre recueil important, le Ms. du couvent de Las Huelgas, à Burgos, montre le développement de la polyphonie conduisant à l'Ars Nova.

La Renaissance. On voit alors apparaître une école polyphonique typiquement espagnole. S'opposant aux complications contrapuntiques des maîtres franco-flamands contemporains, cette musique épouse avec souplesse le texte poétique dans une écriture presque homophone, assez voisine du style de « vaudeville » des psaumes huguenots. Mais cette simplicité cache parfois une réelle maîtrise, et telle mélodie se révèle être un canon à 3 voix pouvant se chanter aussi par mouvement rétrograde. La poésie comme la musique commencent à se rapprocher de la veine populaire ; les thèmes littéraires et les mélodies ressemblent étroitement aux exemples que l'organiste aveugle Fr. Salinas nous présente dans son traité *De musica* pour illustrer les agencements des pieds dans les vers classiques. Ces compositions sont pour la plupart lyriques, parfois religieuses, et offrent aussi les premiers spécimens de mus. théâtrale « moderne ». L'essor de la mus. espagnole, qui se manifeste au XVIe s., prend sa source dans les chapelles des cathédrales, ainsi que dans l'œuvre des premiers grands théoriciens, parmi lesquels il faut citer Bartolomé Ramos de Pareja, né v. 1440, professeur à Salamanque et à Bologne.

Le XVIe s. est vraiment l'âge d'or de la mus. espagnole. Dans le domaine de la mus. religieuse, Cr. de Morales (v. 1500-1553), Fr. Guerrero (1527 ou 1528-1599) et le théologien F. de las Infantas (1534-ap. 1601) caractérisent l'école andalouse, dont les élans étaient, au dire des contemporains italiens, « generati da sangue moro ». A l'autre extrême, T.L. de Victoria (v. 1550-1611) se rattache plutôt à l'École romaine et semble même avoir eu Palestrina pour maître au Collège germanique de Rome. S'il forme avec Guerrero et Morales le grand triumvirat de la mus. espagnole de son temps, il représente aussi avec Palestrina et Roland de Lassus l'un des trois plus grands noms de la polyphonie du XVIe s.

La mus. savante profane connaît elle aussi un essor considérable, reflété dans la production de quelques maîtres castillans et catalans : J. Vasquez (né v. 1520), M. Flecha le Vieux (1481-1553) et son homonyme et neveu (1530-1604), tous deux maîtres dans la composition d' → « ensaladas », Pedro Alberto Vila († 1582), J. Brudieu († 1591), ainsi que dans les nombreuses compositions anonymes du « Cancionero » dit d'Upsal — le seul exemplaire connu étant conservé dans la bibliothèque de cette université suédoise — publié à Venise en 1566, ou de celui de la bibliothèque des ducs de Medinaceli. Une place d'honneur dans le concert européen revient à deux écoles de mus. instrumentale : les vihuelistes (la → « vihuela » allie la technique du luth à une forme proche de celle de la guitare) et les organistes. De L. Milán (*Libro de música*, 1535) à E. Daza (*Libro de música... El Parnaso*, 1576) en passant par Narváez, Mudarra, Valderrábano, Pisador, Fuenllana, les premiers apportent deux nouveautés, l'art de la variation (→ « diferencias ») et la monodie lyrique avec accompagnement entièrement noté (→ « romances », → « villancicos »). De leur côté, les organistes se placent dès 1540 à la tête de la production européenne. Si une bonne partie de leurs compositions est malheureusement perdue, l'œuvre du musicien aveugle A. de Cabezón (v. 1500-1566) suffit à montrer le haut niveau artistique et technique atteint par cette école. Les vihuelistes se rattachant aux musiciens italiens de la cour aragonaise de Naples, et Cabezón, éveillant des échos certains chez les virginalistes pendant le voyage de noces de Philippe II en Angleterre, montrent de quelle manière l'école espagnole s'intègre dans l'univers musical de ce temps.

Le XVIIe siècle. Le siècle suivant est loin d'avoir le même lustre. Si la polyphonie religieuse reste vivante dans quatre écoles régionales (Catalogne, Valence, Aragon et Castille), si la polyphonie profane met à son actif les charmantes réussites du *Cancionero de la Sablonara* et si quelques maîtres brillent d'un éclat original, J. Pujol († 1626), Cererols (1618-1676), qui est la figure la plus en vue de l'école de Montserrat, J.B. Comes (1568-1643), les grandes figures à dimension universelle ne sont plus là. Deux événements sont à signaler : 1º avec l'œuvre de J.C. Amat et de G. Sanz, la guitare prend le relais de la vihuela qui disparaît ; 2º la mus. théâtrale se développe jusqu'à la création d'« opere in musica », à la manière des Italiens. Il ne subsiste que le 1er acte de *Celos aun del aire matan*, qui réunit les noms de Calderón de la Barca et du musicien Juan Hidalgo († 1685).

Le XVIIIe siècle. La période correspondant au classicisme viennois commence en Espagne après la fin de la guerre de Succession, qui amène un changement de dynastie et rattache la cour espagnole à celle de France et, par les mariages royaux, au climat artistique des cours italiennes. Certains musiciens espagnols triomphent en Europe en cultivant le style italien d'opéra : D. Terradellas (1713-1751), puis V. Martín y Soler, dit Martini le Spagnuolo (1754-1806), tandis que deux grands musiciens italiens, fixés en Espagne, se colorent d'hispanisme à un degré surprenant : D. Scarlatti, professeur de la princesse de Portugal devenue reine d'Espagne, et L. Boccherini, dont les quintettes pour cordes et guitare sont justement célèbres. Tandis que le style théâtral italien règne sur la scène « sérieuse », d'adorables intermèdes et de petites pièces commencent à se servir des mélismes propres à la mus. populaire, donnant naissance à la → « zarzuela », sorte d'opéra-comique. Ses principaux représentants sont S. Durón (1660-1716), A. Literes (v. 1675-1747), J. de Nebra (1702-1768), P. Esteve (v. 1734-1794), L. Misón († 1766), Bl. de Laserna (1751-1816) et surtout A. Rodríguez de Hita (1724-1787). C'est précisément à cette époque que la physionomie de l'Espagne populaire — usages, costumes, danses et chants — commence à prendre la tournure que nous lui connaissons.

Les XIXe et XXe siècles. Le romantisme présente, dans ses débuts, quelques musiciens de valeur qui se produisent surtout à l'étranger, comme les guitaristes D. Aguado et F. Sor et les compositeurs de mus. théâtrale J.Chr. de Arriaga, mort à 20 ans, et M. García, connu surtout comme chanteur et comme le père d'une famille de musiciens distingués, parmi lesquels la Malibran et Pauline Viardot, ses filles. Quelques instrumentistes de valeur, le guitariste Fr. Tárrega (1852-1909), le violoniste P. de Sarasate (1844-1908), encadrent, dans la 2de moitié de ce siècle, la recherche d'un style national qui s'accomplit surtout sur scène, soit dans l'opéra sérieux avec R. Carnicer (1789-1855) et son élève B. Saldoni (1807-1889), avec M. Soriano Fuertes (1817-1880) et surtout M.H. Eslava (1807-1878), soit dans la « zarzuela » avec Fr. A. Barbieri (1822-1894), figure très attachante de compositeur et d'érudit, pour aboutir avec F. Pedrell (1841-1922) à l'épanouissement d'une véritable école espagnole, fondée sur la mus. traditionnelle et étayée par de sérieuses études du passé artistique national. Il convient de citer en Catalogne J.A. Clavé (1824-1874), L. Millet (1867-1941), E. Morera (1865-1942) et A. Vives (1871-1932). La Castille est bien représentée par F. Olmeda (1865-1909). Enfin, avec I. Albéniz et E. Granados, l'Espagne retrouve sa splendeur d'autrefois, soutenue par M. de Falla et J. Turina auxquels il faut adjoindre O. Esplá et les Catalans M. Blancafort, F. Mompou et R. Gerhard. Plus jeunes, les frères E. et R. Halffter et leur neveu Cristobal, G. Pittaluga, S. Bacarisse, J. Bautista, J. Rodrigo constituent l'aile marchante de leur pays, à l'avant-garde de laquelle se situe L. de Pablo.

Le folklore et la musicologie. Le folklore est très diversifié et, en dehors du *Cancionero popular español* de Pedrell et, jusqu'à un certain point, du *Folk Music and Poetry of Spain and Portugal* de Kurt Schindler, il n'en existe pas d'anthologie générale. Si on laisse de côté les recueils purement poétiques, la mus. populaire a été recueillie par différents folkloristes régionaux : Santesteban, Gascue, Azkúe et le P. Donostia pour le Pays basque ; Millet, Cap-

many, Amades pour la Catalogne ; Calleja, Otaño, Córdova y Oña pour la province de Santander ; Torner pour les Asturies ; Mingote pour Saragosse ; Sampedro y Folgar pour la Galice ; Fernández Núñez pour León ; Olmeda pour Burgos ; Ledesma, Sánchez Fraile et García Matos pour l'Estrémadure ; García Matos, Romeu et Schneider pour la province de Madrid ; M. Palau pour Valence... — Après quelques essais où la fantaisie s'alliait à la légèreté (*Hist. de la mus. espagnole depuis l'arrivée des Phéniciens* de Soriano Fuertes, les *Éphémérides* de Saldoni), la fin du XIXe s. voit la constitution d'une véritable musicologie espagnole grâce aux travaux de Fr.A. Barbieri et de F. Pedrell, qui commencent comme de juste par la sauvegarde et la publication des anciens monuments musicaux. Les deux figures les plus importantes sont, de nos jours, Mgr H. Anglés, éminent médiéviste, et A. Salazar, esthéticien et critique averti, auteur de synthèses aussi solides que hardies. Parmi les représentants de la génération suivante, on doit citer J. Subirá, M. Querol, Jesús Bal y Gay, Robert Gerhard, E. Pujol... Grâce à la Bibliothèque centrale de la Diputación de Barcelone et au Consejo Superior de Investigaciones Científicas ont été publiées des collections monumentales qui embrassent tout le champ de l'histoire musicale espagnole.

Les institutions musicales actuelles. Les deux pôles de la vie artistique sont Madrid et Barcelone. Si la première jouit de sa situation centrale — géographique et juridique — la capitale de la Catalogne peut lui opposer une longue et glorieuse tradition, en particulier dans le domaine lyrique : Barcelone a été la première ville à monter les opéras de Wagner et son « Liceo » demeure la principale scène lyrique de la péninsule (l'Opéra de Madrid a été fermé en 1925 et ne fait plus office que de salle de concert). Barcelone est également le centre de la musicologie, illustrée par F. Pedrell et Mgr Anglés qui dirigea, depuis sa fondation, l'Institut espagnol de musicologie. Rappelons la richesse des collections de la Bibl. centrale de la Diputación et le rôle joué par Barcelone en matière d'imprimerie musicale. La ville est enfin le siège des principales sociétés d'avant-garde : « Círculo M. de Falla », fondé en 1947, relayé aujourd'hui par le groupe « Música abierta ». Les orchestres catalans (sous la direction de Lamote de Grignon, de P. Casals...), ceux de Madrid (dirigés par Fernández Arbós, Enrique Jordá, puis par Pérez Casas, Ataúlfo Argenta et Rafael Frühbeck de Burgos), comme ceux des principales villes (Valence, Bilbao), témoignent de l'activité artistique du pays. Parmi les festivals et les activités d'été, il faut citer la Semaine de mus. médiévale d'Estella (Navarre) et les cours d'interprétation de Saint-Jacques-de-Compostelle. Le chant choral est très cultivé en Catalogne et dans tout le Pays basque. Les sociétés les plus connues sont l'« Orfeó Catalá » de Barcelone et le « Coro Donostiarra » de Saint-Sébastien, cependant que la Chorale de Pampelune jouit également d'une solide réputation. — Le Conservatoire national se trouve à Madrid, mais toutes les villes importantes comptent des établissements similaires. Les Jeunesses Musicales sont actives dans tout le pays.

Parmi les interprètes espagnols, il faut citer en premier lieu les guitaristes. La grande école du XIXe s. se continue avec A. Segovia et nombre de virtuoses plus jeunes : Sainz de la Maza, Narciso

Yepes, les deux Tarragó (père et fille). Si l'Espagne ne possède pas à l'heure actuelle de violoniste comparable à P. de Sarasate, elle peut s'enorgueillir de quelques virtuoses exceptionnels comme les violoncellistes P. Casals († 1973) et C. Cassadó († 1966), et le harpiste Nicanor Zabaleta. Les chanteurs n'ont pas atteint les dimensions presque légendaires du ténor basque Julián Gayarre. Par contre, après Conchita Supervía, trop tôt disparue, la renommée des filles de García n'est pas loin d'être atteinte par des cantatrices comme Conchita Badía, Victoria de Los Ángeles, Monserrat Caballé, Teresa Berganza, Isabel Penagos, Ángeles Chamorro.

Bibliographie (voir également les art. BARCELONE et MADRID) — **1. Éditions monumentales et scientifiques. a)** Mus. savante : Lira sacro-hispana, éd. par H. ESLAVA, 10 vol., Madrid 1869 ; Hispaniae schola musica sacra, éd. par F. PEDRELL, 8 vol., Leipzig et Barcelone 1894-98 ; Teatro lírico esp. anterior al s. XIX, éd. par le même, 5 vol., La Coruña 1898 ; Publicacions del Departamento de Música de la Bibl. de Catalunya, éd. par H. ANGLÉS, J. SUBIRÁ et d'autres, 18 vol., Barcelone 1921-43 (Brudieu, Pujol, Cabanilles, Soler, Terradellas, Flecha, Ms. de Las Huelgas, Cantigas d'Alphonse le Sage, étude sur le cht mozarabe, anthologie de mus. pour orgue, etc.) ; Mestres de l'Escolania de Montserrat, éd. par D. PUJOL, Montserrat 1930-36 (Cererols, œuvres instr. de Casanoves, Lopez, Rodriguez, Vinyals, Viola) ; Monumentos de la mús. esp., 22 vol., Madrid et Barcelone, Consejo Superior de Investigaciones Científicas, Inst. Esp. de Musicología, 1941 et ss. (cancioneros, Morales, vihuelistes, Correa de Araujo, Cabezón). — **b)** Folklore : Cancionero musical popular esp., éd. par F. PEDRELL, 4 vol., Valls 1918-22, 2/ Barcelone, Boileau, s.d. ; E. LOPEZ CHAVARRI, Mús. popular esp., Barcelone, Labor, 1927, 2/1940 ; K. SCHINDLER, Folk Music and Poetry of Spain and Portugal, New York, Hispanic Inst. in the U.S., 1941 ; E. M[ARTÍNEZ] TORNER, La Canción tradicional esp., in Folklore y costumbres de España II, Barcelone, A. Martín, 1944 ; A. CAPMANY, El baile y la danza, ibid. — **2. Ouvr. bibliographiques :** F. PEDRELL, Los músicos esp. en sus libros, Barcelone 1888 ; H. SERÍS, Manual de bibliogr. de la literatura esp. I/2, Syracuse (N.Y.), Syracuse Univ., 1954 (pp. 545-561 et renvois, en part. Musique populaire, pp. 614-617) ; cf. également les catal. de bibliothèques : F. PEDRELL, Catal. de la Bibl. Musical de la Diputació de Barcelona, 2 vol., Barcelone 1908 ; H. ANGLÉS et J. SUBIRÁ, Catál. musical de la Bibl. Nacional de Madrid, 3 vol., Barcelone 1946-51. — **3. Études. a)** Ouvr. et art. généraux : R. MITJANA, art. Espagne, in Lavignac Hist. IV, 1920 ; H ANGLÉS, supplt sur la mus. esp. ajouté à la trad. esp. de J. WOLF, Hist. de la mús., Barcelone 1934 ; H. ANGLÉS, Catál. de la exposición histórica de la mús. esp. ..., Barcelone, Bibl. Central, 1941 ; G. CHASE, The Music of Spain, New York 1941, trad. esp. par J. Balsinde, Buenos Aires 1943 ; A. SALAZAR, La mús. de España, Buenos Aires, Espasa-Calpe, 1953 ; J. SUBIRÁ, Hist. de la mús. esp. e hispano-americana, Barcelone, Salvat, 1953 ; du même, La mus. esp., Paris, PUF, 1959 ; D. DEVOTO, chap. sur la mus. esp., in La musique, éd. par N. Dufourcq, 2 vol., Paris, Larousse, 1965. — **b)** Études particulières : H. COLLET, Le mysticisme musical esp. au XVIe s., Paris 1913 ; du même, L'essor de la mus. esp. au XXe s., Paris 1929 ; L. VILLALBA MUÑOZ, Últimos músicos esp. del s. XIX, Madrid 1914 (t. I seul publié) ; R. MITJANA, Estudios sobre algunos músicos esp. del s. XVI, Madrid 1918 ; R. VILLAR, Músicos esp., 2 vol., Madrid 1918-27 ; J. BR. TREND, L. Milán and the Vihuelistas, in Hispanic Notes and Monographs XI, Londres 1925 ; du même, The Music of the Spanish Hist. to 1600, Oxford 1926 ; du même, M. de Falla and Spanish Music, New York et Londres 1929 ; J. SUBIRÁ, La mús. en la casa de Alba, Madrid 1927 ; A. SALAZAR, La mús. contemporánea en España, Madrid 1930 ; H. ANGLÉS, La mús. a veus dels s. XIII-XIV, introd. à l'éd. du Códex musical de Las Huelgas I, Barcelone 1931 ; du même, La mús. a Catalunya fins al s. XIII, Barcelone 1935 ; du même, La mús. en la corte de los Reyes Católicos, introd. à l'éd. du Cancionero de Palacio, Madrid, Inst. Esp. de Musicología, 1941 ; du même, La mús. en la corte de Carlos V, Madrid, Inst. Esp. de Musicología, 1944 ; M.N. HAMILTON, Music in the 18th Cent. Spain, Urbana (Ill.) 1937 ; A. MARTÍNEZ OLMEDILLA, El maestro Barbieri y su tiempo, Madrid 1941 ; G. DIEGO et J. RODRIGO, Diez años de mús. en España, Madrid 1949 ; R. STEVENSON, Spanish Music in the Age of Columbus, La Haye, M. Nijhoff, 1960 ; du même, Spanish Cathedral Music in the Golden Age, Berkeley, Univ. of Calif. Press, 1961 ; M. VALLS GORINA, La mús. esp. después de M. de Falla, Madrid, Revista de Occidente, 1962 ; T. MARCO, Mús. esp. de vanguardia, Madrid, Guadarrama, 1970. — **4. Dictionnaires :** F. PEDRELL, Diccionario técnico de la mús., Barcelone 1894, plus. rééd. ; A.A. TORRELLAS et J. PAHISSA, Diccionario de la mús., 2 vol., Barcelone 1929(?)-30, rééd. par J. Pahissa et C. Lozano, 3 vol., Barcelone 1947-48 ; J. PENA et H. ANGLÉS, Diccionario de la mús. Labor, 2 vol., Barcelone, Labor, 1954 ; Enciclopedia Salvat de la mús., 4 vol., Barcelone, Salvat, 1967.

D. DEVOTO

ESPÈCE, voir CONTREPOINT.

ESPÈCES D'OCTAVE. A l'intérieur du Système parfait de la mus. grecque (voir l'art. SYSTEMA TELEÏON), on peut distinguer 7 types d'e. d'o. (« eïdê tou dia pasôn ») en prenant comme première note de chaque octave les degrés successifs de la gamme à partir de l'hypate des hypates (« hypate hypatôn ») jusqu'à la mèse, de telle sorte que chacune diffère des autres par l'agencement des intervalles qui la composent, contrairement aux → tons (« tonoï »), qui répètent la même gamme à des hauteurs différentes. Voici la liste des termes utilisés par les théoriciens post-aristoxéniens pour définir les e. d'o. et les hauteurs auxquelles elles correspondent aujourd'hui en théorie :

si^1 - si^2	mixolydien
do^2 - do^3	lydien
$ré^2$ - $ré^3$	phrygien
mi^2 - mi^3	dorien
fa^2 - fa^3	hypolydien
sol^2 - sol^3	hypophrygien
la^2 - la^3 (ou la^1 - la^2)	hypodorien

On a souvent identifié ces e. d'o. avec les harmonies (« harmoniaï ») classiques (voir l'art. SYSTEMA TELEÏON), qui ont reçu généralement des noms topiques chez Platon et d'autres écrivains, et sont susceptibles d'avoir eu entre elles des différences modales. Mais parmi les noms d'harmonies, certains (p. ex. ionien, syntonolydien) ont disparu dans la nomenclature des e. d'o., et la terminologie en « hypo » suggère une classification et une nomenclature précises résultant d'un système par la suite unifié, quel qu'ait pu être le caractère distinctif des anciennes harmonies.

ESQUIMAUX. La musique des Esquimaux (moins de 50 000, habitant les régions côtières de la Sibérie au Groenland), menacée par l'envahissement de la civilisation blanche qui a bouleversé leur mode de vie depuis la dernière guerre en raison de la nouvelle importance stratégique et économique des régions polaires, se maintient pourtant encore. Exclusivement vocale, monodique, elle accompagne la danse, le jeu de la balle, le « duel au tambour » (procédure judiciaire). Elle se combine, dans les jeux d'enfants et surtout dans les incantations magiques, avec des éléments étrangers ou propres à l'ensemble du continent américain.

L'instrument esquimau est le tambour sur cadre ou « krilaut » ; le rhombe, les cliquettes, l'appeau, rares, n'ont pas de fonction musicale. Le tambour — plat, à une peau, circulaire (ovale autour du Smith Sound) —, atteignant 1 m de diamètre au Canada, est plus petit dans d'autres régions. Muni d'un manche, il est tenu dans la main gauche, la droite frappant le cadre à l'aide d'une mailloche (Canada) ou d'une baguette flexible (Alaska). Le tambour accompagne le chant collectif ; en principe, il est manié par un danseur soliste, mais en Alaska plusieurs tambourinaires (5 ou 6) sont assis. — La danse d'homme, calme au Canada (« piherk »), plus violente à l'ouest (« aton »), ne permet qu'un déplacement limité ; la femme, en dansant, ne bouge que les bras et le torse. Les danses imitatives sont probablement récentes.

Les textes des chants, sur des sujets de toutes sortes, non sans recherches formelles d'ordre métrique, phonétique ou stylistique, restent souvent elliptiques et les vocalises *ya-ya-haiya-ya* en sont une partie constitutive importante. Un chant appartient à son inventeur ; c'est le « porteur de son âme-nom » (un Esquimau a plusieurs âmes). Le chant collectif, assez criard, est situé souvent dans l'aigu ; un homme seul chante d'une voix plutôt douce et grave. Le rythme est peu varié et les répétitions d'une même note abondent. De rares mélodies à deux notes sont un archaïsme ou résultent de la réduction d'une échelle plus riche.

Les mélodies reposent sur une note centrale, qui sert de finale, de principal point d'appui, de note de récitation (*sol* p. ex.). L'élan mélodique ascendant part de la seconde inférieure (*fa*). Le type le plus ancien et le plus fréquent offre pour chaque strophe un couplet reposant sur *fa* et dessinant diverses courbes convexes (surtout sur les degrés *fa-sol-la-do'*) ; puis un refrain centré sur *sol*, descendant par courbes concaves jusqu'à *ré*. Le refrain se chante sur *ya-ya*, tandis que le couplet a des paroles. On trouve diverses variantes : ainsi en mineur *ré* (*ré* ♭ ?)-*fa-sol-la* ♭ -*do'*/ *ré* ♭ ; ou bien, fréquemment, les notes fondamentales forment une tierce à la manière indienne. — A un moment donné, le style constitué en Alaska, influencé probablement par les Indiens (tierces, lignes descendantes, durées différenciées), s'est propagé vers le Groenland. Dans une deuxième étape, la musique en Alaska a emprunté la mélodique mongole à deux paliers : la cellule *ré'-do'*, avec toutes ses notes accessoires, s'ajoute à la base *sol-fa*, sans que l'ambitus élargi modifie le style des mélodies. La progression de ce style vers l'est fut arrêtée par l'établissement, dans la région du Coronation Gulf, des Esquimaux du cuivre. La musique de ceux-ci (usage des tierces ; le couplet consiste fréquemment en une seule montée mélodique, le refrain en une chute correspondante), mélangée à la musique locale, n'a pas trouvé son unité stylistique. Au Groenland, on a séparé depuis longtemps couplet et refrain de l'ancien type mélodique : ils forment dorénavant des strophes indépendantes, les anciens refrains ayant presque disparu. — En Alaska, on remarque actuellement de nets contrastes de mouvement (lent-vif). Par contre, les Esquimaux Caribous, à l'ouest de la baie d'Hudson, conservent le style ancien avec des raffinements particuliers dans l'architecture des mélodies et dans des effets d'hétérorythmie, connus aussi ailleurs, sauf en Alaska : tambour, chant et cris du danseur suivent des rythmes indépendants, tout en marquant chacun à sa manière les charnières de l'ensemble sonore. Chaque groupement esquimau a d'ailleurs élaboré une manière qui lui est propre.

La musique des Esquimaux est importante du fait de son style particulièrement archaïque et cohérent, seul exemple de style archaïque dont on puisse reconstituer l'histoire pour plus de mille ans. Elle intéresse les chercheurs depuis longtemps : H. Egede (1741), W.E. Parry (1824), Fr. Boas (1888), Chr. Krems (1ers phonogrammes, 1901-02), E. Thalbitzer (1900-01) et R. Stein (1902).

Bibliographie — Fr. Boas, The Central Eskimo, Washington 1888; W. Thalbitzer et Hj. Thuren, Melodies from East Greenland, *in* Meddelelser om Grønland XL, 1911; Hj. Thuren, On the Eskimo Music in Greenland, *ibid.*; Chr. Leden, Musik u. Tänze der grönländischen Eskimos..., *in* Zs. für Ethnologie XLIII, 1911; même, Über die Musik der Smith Sund Eskimos, Copenhague 1952; H.H. Roberts et D. Jenness, Eskimo Songs (Copper-Eskimos), Ottawa 1925; Z. Estreicher, Zur Polyrhythmik in der Musik der Eskimos, *in* RMS LXXXVII, 1947; du même, La polyphonie chez les Esquimaux, *in* Journal de la Soc. des Américanistes, nouv. série XXXVII, 1948; du même, Die Musik der Eskimos. Eine vergleichende Studie, *in* Anthropos XLV, 1950; du même, Cinq chants des Esquimaux Ahearmiut, *in* G. van den Steenhoven, Research Report on Caribou Eskimo Law, La Haye 1956; E. Groven, Eskimosmelodier fra Alaska [Oslo 1956]; P. Rousing Olsen, Dessins mélodiques dans les chants esquimaux du Groenland de l'Est, *in* Dansk Aarbog for Musikforskning III, 1963.

Z. Estreicher

ESTAMPIE (lat., stantipes ; occitan, estampida ; ital., istampita ; moyen haut all., stampenie), danse dont la vogue a été grande dans l'Europe courtoise du XIIe au XIVe s. Son nom proviendrait du germanique « stampjan » (= frapper). Le terme désigne aussi bien une mélodie à danser, sans paroles, qu'un genre spécial de poésie appelant également la danse. De nombreux textes soulignent le caractère aimable et rythmique de l'e., qu'on accompagnait du frappement des pieds ou du battement des mains. Elle était suffisamment prisée pour être donnée en concert, au château, mais son entrain impérieux semble avoir suscité tout un répertoire de jongleurs, voire de paysans. Deux définitions célèbres datent de la 1re moitié du XIVe s. : celle des *Leys d'Amors* et celle incluse dans la *Theoria* de Jean de Grouchy. Le premier texte dit que l'e. peut être accompagnée ou non de paroles, alors que Jean de Grouchy la déclare purement instrumentale. La plus ancienne « estampida » que nous possédions est dotée d'un texte littéraire qui correspond à ce que disent les *Leys* ; la Nature y est évoquée et il y est essentiellement question de l'amour et de la louange d'une Dame. Il s'agit de *Calenda maïa* (v. 1190) de Raimbaut de Vaqueiras. Il existe une pièce française qui en est plus ou moins inspirée, mais la « razo » affirme que le troubadour a improvisé ses vers au cours d'une réception sur un air de danse que venaient d'exécuter deux jongleurs venus de France et « qui plazia fort al Marqes et als cavaliers et a las dompnas ». Nous possédons aussi cinq pièces provençales, dépourvues de musique, mais dont le schéma strophique présente des vers courts ou à rimes internes fortement rythmées. Outre ces textes provençaux, 8 e. royales figurent au fo 163 du Chansonnier du Roi. Ce sont les premières notations instrumentales modernes que nous possédions. Elles sont constituées par 7 « puncta » ou incises musicales avec ouvert et clos, entre lesquelles s'insère un refrain noté intégralement la première fois, rappelé ensuite par son seul incipit. La mieux connue est la *Quarte estampie royale*. Le répertoire comporte encore 19 e. de langue d'oïl non notées, contenues dans un manuscrit français de la Bodleian Library d'Oxford. Après Paul Meyer, Th. Gérold a avancé qu'elles étaient seulement destinées à la récitation parlée à cause du strophique irrégulier ; mais cette assertion est sans fondement réel. En guise de rubrique, on y lit : « Vesci l'abécélaire des estampies », cependant qu'une miniature montre quatre jeunes filles frappant des mains. Évoquant également le printemps, elles s'adressent à une dame qui n'est pas nommée et expriment la déception de l'amant qui n'a pas connu le « joïr ». Écrites toujours en vers courts, leur forme est très variable. Ces textes sans musique infirment la proposition de Jean de Grouchy : « Le « stantipes » est une composition musicale sans texte ayant une progression mélodique difficile... et déterminé par des points... A cause de sa difficulté, il occupe extrêmement l'esprit de l'exécutant et celui de l'auditeur, et souvent il distrait l'esprit des riches de mauvaises pensées. Et je dis qu'il est déterminé par les points parce que la mesure précise que nous trouvons dans les « ductiae » lui fait défaut et que ce n'est que par les points qu'on peut le distinguer. Quant aux points, c'est une suite bien ordonnée de concordances qui, montant et descendant, font une mélodie. Il est formé de deux parties qui au commencement sont semblables entre elles, à la fin dissemblables, ce que l'on appelle généralement le clos et l'ouvert » (trad. in TH. GÉROLD, La mus. au M.A., Paris 1932).

Les points ou incises mélodiques sont donc de l'ordre de 6, 7 ou 8 et l'on peut supposer qu'ils servaient de schémas pour une improvisation. Des compositions adoptant cette technique, l'e. était la plus prisée, la plus difficile, permettant le plus la fantaisie dans la contrainte : la « ductia » ne comptait que 3 « puncta » et la note ou notule 4, parfois répétées. L'esprit de l'e. se retrouve dans certaines polyphonies et des points d'e. apparaissent entés çà et là sur des ténors de motets : par exemple dans le Manuscrit de Bamberg. Cinq se greffent sur le ténor *In seculum* et l'un d'eux, *In seculum viellatoris*, rappelle à propos que les vièles à arc sonnaient principalement les estampies.

Le schéma par vers courts et phrases musicales identiques a entraîné une certaine confusion entre e., → séquence, → lai ou notes chantées comme la célèbre *Note Martinet* : ces compositions appartiennent à la même famille. Mais un examen attentif montre vite les divergences. Jean de Grouchy ajoute que les règles des tonalités ecclésiastiques ne sont pas applicables aux pièces de ce type. Quant au rythme, que tout prouve avoir été fort accusé, il impose en premier lieu la ternarité, que confirment les pièces polyphoniques mesurées. Cette constatation suggère des extrapolations peut-être hasardeuses dans les répertoires apparentés : lais, « Reigenmotiv » des « Tanzleiche » (motif de ronde des lais allemands) comme ceux de Tannhäuser.

Au XXe s. G. Migot a réintroduit l'e. dans la musique comme une forme moins rigide que le rondeau (*Livre de divertissements français*, 1925 ; *Suite en concert* pour harpe et orch., 1926 ; *Le Rossignol en amour*, opéra de chambre, 1926). « Chaque strophe apporte une idée nouvelle ou un développement nouveau de l'idée, tout en conservant chacune les mêmes proportions, alors que c'est le refrain qui s'allonge à chacun de ses retours » (G. MIGOT, Lexique..., Paris 1947).

Bibliographie — P. AUBRY, E. et danses royales, in Mercure Musical 1906, tiré à part, Paris 1907 ; J. WOLF, Die Tänze des Mittelalters, in AfMw I, 1918-19 ; H.J. MOSER, Stantipes u. Ductia, in ZtMw II, 1919-20 ; J. HANDSCHIN, Über E. u. Sequenz, ibid. XII, 1929-30, et XIII, 1930-31 ; W.O. STRENG-RENKONEN, Les e. fr., in Les classiques fr. du M.A. LXV, Paris 1931 ; FR. GENNRICH, Grundriss einer Formenlehre des mittelalterlichen Liedes, Halle 1932, 2/Tübingen, Niemeyer, 1970 ; TH. GÉROLD, La mus. au M.A., Paris 1932 ; du même, Hist. de la mus. des origines à la fin du XIVe s., Paris 1936 ; L. HIBBERD, E. u. Stantipes, in Speculum XIX, 1944 ; H. WAGENAAR-NOLTHENIUS, E., stantipes, stampita (en prép.).

J. MAILLARD

ESTHÉTIQUE MUSICALE. L'e. est une discipline, en voie de constitution théorique, dont l'objet est le beau dans l'art. L'adjectif « esthétique » qualifie l'étude du phénomène de l'art, tandis qu'il faut réserver l'adjectif « artistique » pour qualifier ce phénomène lui-même et qu'il faut éviter d'employer l'adjectif « esthétique » dans le sens de « beau ». L'e. musicale est l'une des parties les plus anciennes de l'e. : l'étude théorique de la musique est en effet aussi vieille que la musique elle-même.

L'Antiquité grecque. La mus. grecque ne ressemblait nullement à ce que nous appelons aujourd'hui « musique » : c'est la langue grecque qui était musique, avec ses hauteurs, ses accents et son rythme que les instruments soulignaient (Thr. Georgiades, voir Bibliogr.). L'e. musicale, nommée également « musique », était l'étude non pas seulement de la musique propre à la langue grecque, mais de l'harmonie du monde au même titre que l'astronomie : toutes deux, comme aussi la géométrie et l'arithmétique, cherchaient dans le monde des rapports constants exprimables par des fractions rationnelles (O.J. Gombosi, voir Bibliogr.). J. Lohmann (*id.*) souligne le parallélisme, devenu pour nous aberrant, entre l'astronomie et la mus. grecques : dans les deux cas, les corps se meuvent dans trois dimensions. Dans l'astronomie de Ptolémée, les astres, placés sur des épicycles, a) vont en avant ou en arrière, b) se trouvent plus ou moins près d'un centre nommé Terre, c) se déplacent sur des orbites plus ou moins distantes de l'équateur céleste. De même les sons musicaux se déplacent a) vers le grave ou vers l'aigu, b) en s'éloignant ou en se rapprochant d'une fonction de référence, c) en constituant des modes plus ou moins distants de l'équateur musical qui est la mèse *la*.

L'e. antique est ainsi tout entière centrée sur la notion de nombre, qu'il ne faut toutefois pas entendre dans un sens moderne. Le nombre n'est pas un être de raison, ni une propriété magique du monde, même pas l'harmonie cachée de l'univers : il est au contraire l'harmonie de l'univers manifestée par la pensée de l'homme qui s'exprime dans le « logos ». En musique, Pythagore cherche cette harmonie à partir de la quinte (2/3), laquelle, multipliée par elle-même, engendre les sons de la gamme, tandis qu'Aristoxène de Tarente construit des tétracordes. Dans les deux cas, les nombres ne parviennent pas à refléter l'harmonie des sons : il y subsiste des différences irréductibles (« comma », « limma »). De façon analogue, l'arithmétique grecque ne parvient pas à rendre compte des irrationnelles (π, $\sqrt{2}$) à l'aide de fractions simples.

Si, pour l'Antiquité grecque classique, le nombre est l'harmonie manifestée du monde, il devient, à la fin de la période hellénistique, chez les Romains et au Moyen Age, le principe séparé de la mesure d'une harmonie qui n'est plus directement celle du monde mais celle des diverses imitations du monde : poétiques, musicales ou architecturales. Cette évolution transforme les modes grecs, qui étaient essentiellement statiques et représentatifs chacun pour soi d'un → « éthos », en structures opératoires dynamiques autorisant des modulations, et le chant grégorien a pu ainsi conquérir progressivement le *si* ♭ d'abord, puis la diaphonie, la polyphonie et déboucher, à la Renaissance, sur les sons diésés ou bémolisés et enfin sur l'harmonie moderne.

L'époque moderne. Le développement extraordinaire de la musique de 1500 à 1800 est celui d'un langage qui cherche son autonomie et trouve empiriquement ses lois. En revanche, les études théoriques de l'époque s'orientent vers la mécanique, entendue comme l'étude positive du mouvement des corps dans la nature, si bien qu'un certain divorce s'établit entre la musique qui se fait et suit ses voies propres, et l'e. m., ensemble de théories qui substitue à cette musique un objet d'étude autre, à savoir les propriétés physiques des sons et du milieu porteur des sons (l'air). Le problème de l'e. m. n'est plus alors d'exprimer l'harmonie du monde (Pythagore), ni de mesurer numériquement les œuvres où elle s'exprime (St Augustin), mais de mesurer les conditions dans lesquelles les sons, porteurs de musique, sont eux-mêmes portés physiquement par le milieu ambiant. Ces recherches (E. Émery, voir Bibliogr.) servent ainsi la cause de la physique et non pas de la musique; elles s'orientent vers la gamme (G. Zarlino), vers la → résonance harmonique (M. Mersenne, J.Ph. Rameau), enfin vers les lois mathématiques de toute résonance (théorie ondulatoire). C'est la voie ouverte à l'acoustique entendue comme la science exacte des sons (mais non pas de la musique) : elle se prolongera au XIXe s. en une théorie mathématique de la production du son (Jean-Baptiste Fourier), des harmoniques (H. von Helmholtz), du rapport logarithmique entre l'excitation et l'impression sonores (Gustav Theodor Fechner) et aboutit à l' → acoustique contemporaine (J. Jeans, voir Bibliogr.).

C'est en Angleterre que se dessine, au XVIIIe s., ce qu'on peut appeler une véritable e. m., dont l'objet est la musique et non pas les sons. Ce tournant capital peut être résumé comme suit. Jusqu'au XVIIe s., l'e. générale (et l'e. m., dans la mesure où elle n'était pas d'inspiration mécaniste) suivait l'idée d'Aristote selon laquelle l'art imite la nature, ce qui pouvait être entendu en deux sens : imitation de la nature créée (« natura naturata ») ou imitation du pouvoir créateur de la nature (« natura naturans »), l'artiste étant alors comme un dieu en petit. Or, le sensualisme philosophique du XVIIIe s. anglais introduit une idée nouvelle qui se substitue à celle d'imitation : l'art entendu comme l'expression visible de sentiments éprouvés (→ théorie des passions). En musique, la conséquence est de taille : car si, jusqu'en 1750 environ, le porteur de l' « affect » demeurait, en musique, le texte, explicite dans la mus. vocale, implicite dans la mus. de genre, comme cela est encore visible dans l'œuvre de Bach, dès cette date l'e. anglaise (K.H. Darenberg, voir Bibliogr.) conçoit que la musique même porte des « affects » indépendants des textes sous-jacents : c'est la voie ouverte à une mus. instrumentale pure qui ne doit son sens qu'à elle-même et qui exprime par elle-même le sentiment humain. Ainsi se légitime esthétiquement le genre symphonique.

Le XIXe siècle. Si le XIXe s. est, en musique, le siècle de la symphonie, il est, en e. générale et en philosophie, placé sous l'égide de I. Kant (1724-1804), l'auteur du premier véritable traité d'e., *Critique de la faculté de juger* (1790). L'affirmation centrale y est que l'art obéit à une législation distincte des législations propres, respectivement, à la connaissance rationnelle et à la vie morale : bien plus, l'art manifeste une rencontre de l'absolu (que nous ne sommes pas) et du relatif (où nous vivons),

dans une union assez mystérieuse de la raison (aux prétentions infinies) et de la sensibilité (limitée et conditionnée). Par conséquent, dès Kant, le monde de l'art humain non seulement acquiert une autonomie qui le différencie nettement des mondes de la connaissance scientifique et de la vie morale, mais encore constitue une hiérarchie des arts, fondée sur le principe de l'éloignement par rapport au monde prosaïque. Or la musique, qui manifeste le moins d'attaches avec la nature observable et avec les concepts théoriques de la raison raisonnante, devient, avec A. Schopenhauer, l'art suprême. En France, toutefois, ces aspects du kantisme ainsi que le romantisme qui en découle demeurent relativement ignorés, le positivisme d'Auguste Comte et surtout de Taine s'opposant aux prétentions d'une psychologie trop purement affective (A. Bazaillas, voir Bibliogr.). A l'aurore du XXe s., se dessinent donc un peu partout des réactions contre le sentimentalisme, né par affaiblissement du romantisme. En Allemagne, E. Hanslick défend un formalisme dont la réputation a été surfaite, et, en France, se prépare la réaction de l' « esthétisme ».

Le XXe siècle. L'esthétisme propre à la Ire moitié du XXe s. a trouvé son épanouissement dans la période de l'entre-deux-guerres. Il valorise dans l'œuvre d'art ce qu'elle dit positivement (par opposition à ce qu'elle « veut dire » et à son « message ») et valorise dans la création les problèmes techniques (le « comment » et le « faire ») par opposition aux valeurs expressives, lesquelles ne sont alors considérées que comme simples conséquences de la structure positive de l'œuvre faite. Déjà S. de Diaghilev disait de *La Valse* de Ravel qu'elle n'était point une valse mais le portrait d'une valse : elle replie toutes les valses possibles sur une valse unique dont le titre est fort justement précédé de l'article défini : « *La Valse* ». L'esthétisme a été soutenu philosophiquement par le néo-thomisme (J. Maritain), qui subordonne toute création à la rectitude de l'intelligence et d'elle seule, ainsi que par les théories de I. Stravinski, qui tire rigoureusement les conséquences de celles de Maritain et répudie en musique toute valeur d'expression et de sentiment. L'esthétisme conduit donc logiquement au formalisme, qui triomphe après la 2de Guerre mondiale. En effet, A. Schönberg avait posé des principes techniques de composition musicale destinés à devenir, dans son école, de plus en plus formels (R. Leibowitz, B. de Schloezer, voir Bibliogr.). Le nihilisme musical qui découle de ce formalisme musical a été dénoncé par Th.W. Adorno (voir Bibliogr.).

Ces tendances esthétisantes, formalisantes et nihilistes ont ceci en propre que des théories séparées y déterminent positivement les conditions de la création musicale empirique (G. Brelet, voir Bibliogr.). Contre elles s'est dessiné un grand courant d'e. m. dite « phénoménologique », né avant le siècle déjà. La « Gestalttheorie » avait en effet remarqué que la perception sonore est toujours globale et jamais analytique. Malheureusement, l'école de Husserl n'a pas tiré immédiatement les conséquences musicales de la phénoménologie et il a fallu attendre, en e. générale, Mikel Dufrenne (voir Bibliogr.) et, en e. m., E. Ansermet (*id.*). Ce dernier ne condamne pas, comme on le croit trop souvent, la mus. atonale, mais prétend qu'elle ne peut pas être « musique » au sens où toute musique a été musique jusqu'à elle : elle ne peut être que sonorités, mises dans un certain ordre. Ansermet répudie ainsi l'esthétisme au nom d'une éthique musicale : ce qui compte, dans la création musicale, pense-t-il, ce n'est pas comment l'œuvre est faite, mais la valeur humaine de ce qui a été créé. Bien plus, il répudie le formalisme : loin de se replier sur lui-même dans une perfection toute formelle, l'art nous ouvre à une vérité dont le contenu est la permanence et la transcendance des sentiments humains les plus fondamentaux. Dans la même ligne, Fr. Martin, dans une œuvre écrite considérable mais non encore réunie en un volume, défend une e. analogue, quoique née de préoccupations souvent très différentes. A la fin de ce siècle l'e. m. devient, chez J. Cl. Piguet (voir Bibliogr.), le modèle privilégié d'une e. générale, laquelle est à son tour le modèle d'une réforme de l'entendement destinée à libérer l'esprit humain des chaînes qui l'ont asservi aux seules méthodes causales propres à la connaissance physique du monde matériel.

Bibliographie — 1. L'Antiquité grecque : O.J. GOMBOSI, Tonarten u. Stimmungen der antiken Musik, Copenhague 1939; THR. GEORGIADES, Der griechische Rhythmus, Hambourg 1949; du même, Musik u. Sprache, Berlin, Springer, 1954; J. LOHMANN, Musikê u. Logos, Stuttgart, Musikwissenschaftliche Verlagsgesellschaft, 1970. — 2. L'époque moderne : J. JEANS, Science et mus., Paris 1939; K.H. DARENBERG, Mimesis (diss. Mayence 1952); E. ÉMERY, La gamme et le langage musical, Paris, PUF, 1961. — 3. Le XIXe s. : E. HANSLICK, Vom Musikalisch-Schönen, Leipzig 1854, 15/1922, trad. fr. sous le titre Du beau en musique, Paris 1877, 3/1893; A. BAZAILLAS, Mus. et inconscience, Paris 1908. — 4. Le XXe s. : A. SCHÖNBERG, Harmonielehre, Leipzig et Vienne, UE, 1911, 5/1960; J. MARITAIN, Art et scolastique, Paris 1935; I. STRAVINSKI, Poétique musicale, Paris 1945; G. BRELET, Esthétique et création musicale, Paris 1947; R. LEIBOWITZ, Introd. à la mus. de 12 sons, Paris 1949; TH.W. ADORNO, Philosophie der neuen Musik, Tübingen 1949, trad. fr. Paris, Gallimard, 1962; M. DUFRENNE, Phénoménologie de l'expérience esthétique, 2 vol., Paris, PUF, 1953; B. DE SCHLOEZER et M. SCRIABINE, Problèmes de la mus. moderne, Paris, Gallimard, 1959; E. ANSERMET, Les fondements de la mus. dans la conscience humaine, Neuchâtel, La Baconnière, 1961; du même et J. CL. PIGUET, Entretiens sur la mus., Neuchâtel, La Baconnière, 1963; du même, Écrits sur la mus., Neuchâtel, La Baconnière, 1971; FR. MARTIN et J. CL. PIGUET, Entretiens sur la mus., Neuchâtel, La Baconnière, 1967; J. CL. PIGUET, La connaissance de l'individuel et la logique du réalisme, Neuchâtel, La Baconnière, 1975.

J. CL. PIGUET

ESTRIBILLO (esp.), synonyme de → refrain dans son sens poétique autant que dans ses caractéristiques musicales. Dans la polyphonie classique, ce terme peut désigner le → « villancico » initial d'une composition, répété à la fin de chaque strophe.

ÉTATS-UNIS (United States of America). L'Amérique étant une nation d'immigrants, la seule musique véritablement américaine est celle des Indiens. Mais ce n'est qu'après plusieurs siècles que des ethnomusicologues commencèrent à s'intéresser aux modes et rythmes des mélodies précolombiennes. Les Espagnols introduisirent sur le continent américain les hymnes et les chants de l'église catholique. La mus. profane espagnole ne suivit que plus tard et laissa des traces dans les chansons populaires des anciennes possessions espagnoles en Amérique du Nord et du Sud. Les colons anglais arrivèrent en Amérique au cours du XVIIe s. et s'établirent sur la côte atlantique. Le premier livre édité en Amérique du Nord fut le *Bay Psalm Book*, imprimé en 1640. Sa 9e édition contenait 13 mélodies, sur lesquelles pouvaient être chantés les psaumes. L'arrivée, vers le milieu du XVIIIe s., d'un groupe de missionnaires germano-

phones qui s'établirent en Pennsylvanie et furent connus sous le nom de « Moravians » eut un grand retentissement culturel. Trois de leurs membres, Conrad Beissel (1690-1768), John Antes (1740-1811) et Johann Friedrich Peter (1746-1813), étaient des compositeurs notoires. Les Anglais Alexander Reinagle (1756-1809) et Benjamin Carr (1768-1831) émigrèrent en Amérique après la Révolution et se consacrèrent à la pratique, à la composition et à l'enseignement de la musique.

Le premier compositeur né en Amérique est Francis Hopkinson (1737-1791), l'un des signataires de la Déclaration d'Indépendance. Dans la préface de son recueil de pièces pour clavecin, publié à Philadelphie en 1788, il se déclare le « premier colon de naissance américaine qui ait produit une œuvre musicale ». Il y eut plusieurs amateurs de musique parmi les hommes d'État américains : on attribue à Benjamin Franklin l'invention de l'harmonica de verres ; Thomas Jefferson, le troisième président des États-Unis, était un fervent mélomane et jouait du violon et du clavecin. Plusieurs musiciens amateurs écrivirent des hymnes et enseignèrent le chant, notamment William Billings (1746-1800) de Boston, qui composa d'ingénieux « airs fugués ».

La naissance des institutions musicales. Le premier orchestre américain qui ait donné des concerts réguliers fut le « Pierian Sodality of Harvard University », constitué à Boston en 1808. La « Handel and Haydn Society » fut fondée à Boston en 1815 dans le but d'exécuter les œuvres chorales de Haendel, Haydn et autres compositeurs classiques. L'éducation musicale entra petit à petit dans le programme des écoles américaines. L'initiative en revient à L. Mason (1792-1872), fondateur de l'Académie de musique de Boston en 1832 et auteur de très nombreux chants sacrés. La société américaine du XIXe s. avait un goût marqué pour les entreprises grandioses. Phineas Taylor Barnum, le célèbre im, presario de cirque américain, fit venir aux États-Unis le chef d'orchestre Louis Antoine Jullien, qui donna une série de représentations très spectaculaires, certaines dans le style du *Fireman's Quadrille* (« Quadrille du pompier ») qui comprenait une simulation d'incendie. Pour célébrer la fin de la Guerre civile, deux fêtes anniversaires de la paix furent montées en 1869 et 1872. Cent pompiers de Boston furent engagés pour battre de véritables enclumes dans le chœur d'enclumes du *Trouvère* de Verdi qui fut donné lors d'un « concert monstre ». Le centenaire de l'Indépendance (1876) fut marqué par un concert de gala donné à Philadelphie sous la direction de Th. Thomas qui avait convaincu R. Wagner d'écrire pour cette circonstance une *Marche solennelle pour l'ouverture du Centenaire*. C'est animé du même souffle d'emphase et de grandiloquence qu'Anthony Philip Heinrich (1781-1861), né en Bohême, composa une *Grand American Chivalrous Symphony* et une *Grand National Heroic Fantasia* pour « orchestre puissant à 44 parties ». Autre figure américaine originale, Silas Gamaliel Pratt (1846-1916) composa des oratorios qui illustrent l'histoire américaine. William Henry (1813-1864), qui ne manqua pas d'éloquence pour inciter les compositeurs américains à écrire des opéras, est lui-même l'auteur d'un opéra, *Leonora*, imitation falote de Bellini et Donizetti. Parmi les champions de la musique « made in USA », George Frederick Bristow

(1825-1898) mérite une mention : son opéra *Rip van Winkle* et sa *Niagara Symphony* sont américains dans leur titre au moins. Mais la musique est un hybride du mélos italien et de l'harmonie allemande. Les œuvres de L.M. Gottschalk (1829-1869), pianiste natif de La Nouvelle-Orléans qui fit une brillante carrière en Europe et en Amérique, sont bien plus intéressantes : écrites la plupart pour le piano, elles sont relevées de rythmes hispano-américains. Gottschalk a également transcrit pour le piano des airs de son pays natal dans le style de la mus. de salon parisienne.

Au XIXe s. les Allemands détenaient le monopole de l'exécution, de l'édition et de l'éducation musicales, ainsi que de la facture instrumentale : le « Boston Symphony Orchestra » p. ex. eut à sa tête des chefs d'orchestre allemands depuis sa fondation (1881) jusqu'à l'arrestation de Karl Muck à la fin de la 1re Guerre mondiale. Muck eut comme successeurs les chefs français H. Rabaud et P. Monteux. Puis ce fut le Russe S. Koussevitzky qui régna à Boston pendant un quart de siècle, suivi par le Français Ch. Münch, l'Autrichien Erich Leinsdorf et l'Allemand William Steinberg. En 1972, c'est le chef d'orchestre japonais Seiji Ozawa qui devint directeur du « Boston Symphony ». Le « New York Philharmonic », fondé en 1842, compta parmi ses chefs G. Mahler et A. Toscanini. En 1958 il engagea un chef très brillant, L. Bernstein, qui fut le premier Américain à diriger cet orchestre et qui démissionna en 1969 avec le titre de « laureate conductor ». Le « Philadelphia Orchestra » acquit sa réputation sous la baguette du chef anglo-polonais L. Stokowski, auquel succéda le Hongrois Eugene Ormandy. La culture musicale à New York doit beaucoup à l'Allemand L. Damrosch ainsi qu'à ses deux fils, Frank et Walter, qui se consacrèrent à la direction et à l'enseignement. Th. Thomas, allemand lui aussi, constitua un orchestre symphonique à Chicago en 1891. Friedrich (Frederick) Stock, un altiste du « Chicago Symphony Orchestra », lui succéda à la tête de cette formation, suivi du Hongrois Fritz Reiner, du Tchèque Rafael Kubelik et de l'Anglo-Hongrois Sir Georg Solti. — La plupart des manufactures de pianos et des maisons d'édition musicale américaines furent fondées par des immigrants allemands. H. Steinweg s'établit à New York en 1848, américanisa son nom en Steinway et fonda la célèbre firme qui ne cesse de prospérer depuis plus d'un siècle. G. Schirmer, Carl Fischer et Arthur Schmidt fondèrent d'importantes maisons d'édition en 1861, 1872 et 1876. Parmi les éditeurs de musique nés en Amérique, citons Theodore Presser, de Philadelphie, qui établit sa maison en 1884.

Les chanteurs italiens apparurent sur la scène américaine du jour où l'opéra devint une grosse affaire. La première scène lyrique américaine, le « Metropolitan Opera House », fondé à New York en 1883, fit venir une brillante constellation de chanteurs italiens, parmi lesquels Caruso, Gigli, Pinza et Schipa. Fondé en 1944, le « New York City Opera », a donné plusieurs opéras modernes que le « Metropolitan » n'avait pas trouvés assez rentables pour être montés. La Nouvelle-Orléans avait sa propre compagnie lyrique, vouée dans l'ensemble au répertoire français. San Francisco invita des compagnies lyriques ambulantes jusqu'à la création sur place de la « San Francisco Opera Company » en 1923. La « Chicago

Grand Opera Company » connut une alternance de succès et d'échecs. En 1954 fut créé le « Lyric Opera of Chicago », destiné à un avenir plus prometteur. — Les activités musicales n'étant pas à la charge du gouvernement, l'existence des compagnies lyriques, des orchestres et des sociétés de mus. de chambre relèvent de la philanthropie. Elizabeth Sprague Coolidge fonda les « Coolidge Festivals », qui, depuis leur établissement à la « Library of Congress de Washington » en 1925, assurent des concerts annuels et commandent des œuvres nouvelles aux compositeurs. En 1937 S. Koussevitzky, chef du « Boston Symphony Orchestra », créa à Tanglewood, dans le Massachusetts, le « Berkshire Music Festival ».

Avant la 1re Guerre mondiale, les jeunes musiciens américains allaient se former en Allemagne, quoique leur pays ne manquât point d'excellentes écoles de musique. Fondé à Boston en 1865, le « New England Conservatory » ne cessa d'attirer de jeunes talents. En 1892 le « National Conservatory » de New York incita A. Dvořák à venir enseigner en Amérique. C'est là qu'il composa en 1893 sa célèbre *Symphonie du Nouveau Monde*. En 1920 Augustus Juilliard finança la fondation de la « Juilliard School of Music » à New York. En 1921 George Eastman, l'inventeur de l'appareil photographique Kodak, dota l'« Eastman School of Music » de Rochester (New York). Philadelphie vit en 1924 l'établissement du prestigieux « Curtis Institute of Music ». Disons enfin qu'aux États-Unis chaque collège, chaque université a son propre département de musique.

La recherche d'une identité nationale. Dans leur souci de créer un style d'écriture typiquement américain, les compositeurs se mirent à explorer la musique des premiers habitants du sol américain : les Indiens d'Amérique ont inspiré l'*Indian Suite* pour orchestre de E. MacDowell, ainsi que les opéras *Poia* d'Arthur Nevin et *Shanewis* de Ch. W. Cadman. Ils furent aussi fascinés par la musique noire (voir l'art. JAZZ). S. Foster (1826-1864), premier grand compositeur de mélodies, déclara vouloir devenir « le premier compositeur de chansons d'Éthiopie » (c'est ainsi qu'on appelait communément les chansons des Noirs). L'opéra *Porgy and Bess* de G. Gershwin (1898-1937) est de loin la meilleure œuvre inspirée par la vie des Noirs. Gershwin est également le créateur d'un genre qui se répandit sous le nom de « jazz symphonique » et dont la *Rhapsody in Blue* (1924) est une illustration. *Of Thee I sing*, satire politique, est la première opérette américaine qui ait remporté le prestigieux prix Pulitzer.

Longtemps avant Gershwin, les compositeurs américains avaient fait de l'opéra-comique un art original (« musicals »). Les opérettes de Victor Herbert (1859-1924), venu d'Irlande, connurent un énorme succès. *Showboat* de Jerome Kern (1885-1945) est toujours à l'affiche. *No No Nanette* de Vincent Youmans (1898-1946) est le premier opéra-comique américain qui ait rencontré un succès international. De Rudolf Friml (1879-1972), compositeur originaire de Prague établi en Amérique au début du siècle, deux opérettes au moins défient le temps : *The Firefly* et *Rose Marie*. I. Berlin, qui quitta la Russie dans son enfance, n'a jamais appris ni à lire ni à écrire la musique mais ses mélodies apparaissent dans les meilleurs spectacles de Broadway. Son chant patriotique *God Bless America* eut bientôt le statut d'un hymne national officieux.

Richard Rodgers (* 1902) dota le théâtre américain de deux très belles pièces musicales : *Oklahoma !* (1943) et *South Pacific* (1949). Parmi les autres auteurs de « musicals » de Broadway, citons George M. Cohan (1878-1942) dont la chanson *Over There* devint le chant patriotique du corps expéditionnaire américain en France pendant la 1re Guerre mondiale. Les spectacles de Broadway de C. Porter (1891-1964) sont plus élaborés — son *Kiss me Kate* est plus proche du grand opéra que de l'opérette — ainsi que ceux du Russe Vl. Dukelsky (1903-1969) — pseudonyme : Vernon Duke —, l'auteur de la chanson bien connue *April in Paris*. Immigrant allemand, K. Weill (1900-1950) importa non sans succès le « Singspiel » de l'Europe centrale ; son *Three Penny Opera* devint un classique du théâtre lyrique américain.

Le premier compositeur américain d'envergure internationale est E. MacDowell (1861-1908). Il acquit sa formation en Allemagne mais on retrouve dans sa musique l'esprit du folklore et des rythmes typiquement américains. Ses charmantes pièces pour piano sont empreintes du romantisme américain. Au tournant du siècle se constitua en Nouvelle-Angleterre un groupe considérable de compositeurs ayant tous été formés en Allemagne ; J.K. Paine (1839-1906) — le premier professeur de musique à l'Univ. de Harvard —, auteur d'une musique agréable d'inspiration romantique ; A. Foote (1853-1937), spécialiste de la mélodie lyrique dans le genre du « Lied » allemand ; G.W. Chadwick (1854-1931), qui écrivit d'excellentes pièces pour orchestre en dépit du curieux mélange des langages brahmsien, dvořakien et wagnérien dont il nourrit son style ; H. Parker (1863-1919), éminent compositeur de mus. chorale ; H. Hadley (1871-1937), qui écrivit un certain nombre de pièces dans un style oriental ; Frederick S. Converse (1871-1940), auteur de plusieurs symphonies et de jolies ouvertures ; D. Gr. Mason (1873-1943), habile symphoniste. Citons également trois femmes : Anny Mary Beach (Mrs. H. H. Beach, 1867-1944), la première Américaine à créer son propre *Concerto pour piano* ; Mabel Daniels (1878-1971), formée en Allemagne, spécialiste de l'écriture chorale ; Margaret Ruthven Lang, également formée en Allemagne, qui mourut en 1972 à l'âge de 104 ans. Edgar Stillman Kelley (1857-1944) écrivit beaucoup mais, malgré la solide formation qu'il acquit en Allemagne et l'emploi de sujets américains, sa musique ne présente plus aujourd'hui qu'un intérêt rétrospectif. Moins éphémères sont les œuvres de Arthur Shepherd (1880-1958). Son panorama musical *Horizons* a pour thème l'Ouest américain. Paradoxalement, l'autodidacte H. Fr. Gilbert (1868-1928), de Nouvelle-Angleterre, a laissé des pages plus mémorables que ses contemporains formés en Allemagne. John Powell (1882-1963) passe pour un régionaliste. Ses nombreuses pièces pour piano et ses quelques pages orchestrales empruntent des éléments de folklore de son pays natal, la Virginie.

Un compositeur se tint à l'écart de ce courant général, Ch. Ives (1874-1954), considéré depuis sa mort comme le plus grand compositeur américain du siècle. D'une qualité exceptionnelle, sa musique révèle un sens profond du mélos américain et annonce les techniques modernes. Écrite au début du siècle, elle contient en germe polytonalité, atonalité, polyrythmie, voire écriture aléatoire et utilisation expé-rimentale des quarts de ton. Presque toutes ses œuvres ont pour thème des sujets américains. Sa *Concord Sonata*, qui s'inspire des écrits des grands transcendantalistes de Concord (Massachusetts), est d'une difficulté telle qu'une génération passa avant que des pianistes n'osassent l'aborder. Son triptyque pour orchestre, *Three Places in New England*, peint l'Amérique éternelle, née dans la révolution nationale et mûrie dans la liberté. La partition est une véritable anthologie des procédés d'écriture modernes mais elle contient des éléments d'hymnes religieuses américaines, de ballades et d'airs populaires qu'Ives entendit dans son enfance en Nouvelle-Angleterre. Carl Ruggles (1876-1971), son contemporain, fut aussi un individualiste qui écrivit sans tenir compte des conventions ni des difficultés d'exécution. Son intérêt le portait plutôt vers les aspects mystiques de l'art en général. John Becker (1886-1961) travailla en collaboration étroite avec Ives et Ruggles. Sa musique, qui recherche la puissance sonore et les dissonances, n'est pas encore reconnue ni même découverte.

Les techniques et les idées nouvelles développées en France commencèrent à influencer les compositeurs américains désireux de se soustraire aux types d'expression musicale allemands. Parmi eux, E. B. Hill (1872-1960), Ch. M. Loeffler (1861-1935), Alsacien établi à Boston, Ch. T. Griffes (1884-1920), dont les pièces pour piano illustrent le mieux l'écriture moderne américaine inspirée de Debussy et de Ravel.

Les compositeurs américains face aux tendances du XXe siècle.

De nombreux compositeurs américains ont été attirés par l'aspect mécanisé de la vie moderne. En témoignent des œuvres comme *Skyscrapers* (« Gratte-ciel », 1926), ballet de J.A. Carpenter (1876-1951) ; la fantaisie symphonique écrite par Frederick Shepherd Converse en l'honneur des dix millions d'automobiles Ford ; *The Aeroplane*, pièce pour piano d'Emerson Whithorne (1884-1958), et surtout *Ballet mécanique* (1926) de G. Antheil (1900-1959), écrit pour 8 pianos, tambours et hélices d'avion. Le culte du primitivisme devint aussi une forme d'expression du modernisme américain. L'un des premiers à exprimer en musique ce besoin de fuir la civilisation actuelle fut Leo Ornstein (*1892), qui choqua le public avec sa *Wild Men's Dance* (« Danse des hommes sauvages ») pour piano.

Convaincu que l'expression de la vie moderne exige des moyens techniques nouveaux, H. Cowell (1897-1965) inventa des « tone clusters » qui se jouent avec les poignets et les avant-bras sur le clavier, ainsi que des effets de glissando obtenus en jouant directement sur les cordes du piano. J. Cage (*1912), qui étudia avec lui, inventa la technique du → piano préparé. On lui doit aussi l'utilisation du silence comme élément dynamique d'écriture ; en témoigne sa fameuse pièce *4 Minutes 33 Seconds*, qui porte l'indication provocatrice « Tacet, any instrument ». S'il est un compositeur qui sut exprimer les réalités de l'âge moderne, c'est E. Varèse (1883-1965), musicien franco-américain qui réalisa une synthèse de la logique cartésienne de son pays natal et de la technologie de son pays d'adoption. Il définit son objectif par l'expression « son organisé ». Peu lui importent les notions de consonance et de dissonance, de développement ou de variations thématiques. Seule est significative pour lui la succession logique des sons.

Arcana traduit en sonorités précises la recherche de la pierre philosophale ; *Hyperprism* et *Intégrales* suggèrent la rencontre dans une géométrie sonore des concepts mathématiques et sonores. *Ionisation* est écrite pour instruments de percussion à hauteur non déterminée et deux sirènes. *Déserts* est la première œuvre utilisant à la fois les sons électroniques d'une bande magnétique et les sons instrumentaux de l'orchestre. *Poème électronique*, écrit pour le Pavillon Philips à l'Exposition de Bruxelles en 1958, est le premier exemple de musique d'espace. Peu nombreux sont les compositeurs américains qui tentèrent d'égaler Varèse dans l'exploitation musicale des mathématiques : deux mouvements du *Symphonic Poem after Descartes* de John Vincent ont pour titre deux termes empruntés à la géométrie analytique, *Vortex* et *Folium*. Après les expériences de Varèse, la mus. électronique américaine s'est développée en marge de la composition musicale, grâce aux initiatives d'O. Luening (* 1900) et de Vladimir Ussachevsky (* 1911) (voir l'art. BANDE MAGNÉTIQUE). Le perfectionnement du Synthétiseur a permis aux compositeurs américains de faire de la « musique d'ordinateur » (« computer music »), notamment Milton Babbitt (* 1946), Charles Wuorinen (* 1938) et l'Argentino-Américain Mario Davidovsky (* 1934).

Avec le changement d'orientation de la vie musicale de l'Allemagne vers la France, toute une génération de jeunes compositeurs fit de Paris son berceau avec N. Boulanger comme nourrice. La « boulangerie » américaine comportait des personnalités telles que W. Piston, R. Harris, A. Copland et V. Thomson, appelées à établir définitivement le caractère national de la mus. américaine. W. Piston (* 1894) est un excellent symphoniste. Il use d'un langage tonal et d'une forme qui reste classique mais il sait varier les matériaux musicaux traditionnels et parvient à un style très personnel. R. Harris (* 1898) se présente comme un nationaliste. Les titres de ses symphonies font souvent allusion à des personnalités, notamment Abraham Lincoln, ou à des événements américains. Son écriture, verticale aussi bien qu'horizontale, repose sur un système modal personnel où chaque mode est lié à un état d'esprit bien précis, un « éthos ». Quand il emploie des chansons populaires américaines, il les soumet à un traitement rythmique, mélodique et harmonique qui leur confère une marque originale. A. Copland (* 1900) n'hésita pas à adopter dans son *Concerto pour piano* (1926) l'écriture rythmique dérivée du jazz, ce qui choqua le public de façon salutaire. Ses œuvres plus tardives s'inspirent de la vie américaine : les ballets *Billy the Kid*, *Rodeo* et *Appalachian Spring*, *El Salón Mexico*, partition pour orchestre écrite sur des airs mexicains, et *Lincoln Portrait* pour récitant et orchestre sont devenus extrêmement populaires. Sa mus. symphonique et de chambre est une exploration ingénieuse de la polyphonie moderne, usant parfois du dodécaphonisme. V. Thomson (* 1896) vécut de nombreuses années à Paris, où il acquit une manière unique de ciseler une composition musicale. Sur des livrets de Gertrude Stein il a écrit deux opéras, *Four Saints in Three Acts* et *The Mother of Us All*. D. Diamond (* 1915) a composé plusieurs symphonies dans un style néo-romantique très expansif. Il a écrit également d'heureuses pages de ballet et de nombreuses pièces de mus. de chambre avant d'utiliser le dodé-

caphonisme. M. Blitzstein (1905-1964) s'est fait connaître par de courts opéras, écrits dans le genre du théâtre prolétarien, parmi lesquels *The Cradle Will Rock* eut un succès considérable. La musique de John Vincent (* 1902) se caractérise par une inspiration romantique et une écriture classique, logique et cohérente. Il a su faire de son opéra bouffe en un acte *Primeval Void* (« Néant originel ») une fantaisie pleine d'imagination. Elie Siegmeister (* 1909) a suivi la tradition des folkloristes au début de sa carrière. Ses premières œuvres orchestrales dépeignent l'Amérique d'une région à l'autre. Dans ses 5 *Symphonies* et sa mus. de chambre, il manifeste un souci de construction et recherche des harmonies très audacieuses tandis que son opéra *The Plough and the Stars* (« La Charrue et les étoiles », 1963) est écrit dans un style dramatico-impressionniste. Joseph Wagner (1900-1974) a écrit des symphonies, de la mus. de chambre, des oratorios, des ballets et des opéras dans un style qui fait penser à la rhapsodie, en utilisant des harmonies très modernes et en faisant un libre usage des combinaisons polytonales. Bernard Rogers (1893-1968) a laissé de la mus. de chambre et des poèmes symphoniques très évocateurs. Arthur Berger (* 1912) a adopté un style d'écriture néo-classique mais use également de techniques sérielles.

Le néo-classicisme européen tenta fortement les compositeurs américains, qui l'utilisèrent de façons diverses. W. Riegger (1885-1961) suivit les principes formels de la mus. classique, tout en utilisant des techniques modernes qui affranchissent les dissonances. Ses symphonies sont des modèles de modernisme éclairé. R. Sessions (* 1896) est un maître de l'écriture polyphonique qui a souvent recours à la technique dodécaphonique. Ses 8 *Symphonies* illustrent au mieux le néo-classicisme américain. On peut voir dans les 9 *Symphonies* de W. Schuman (* 1910) des œuvres néo-classiques mais leur structure mélodique et leur élan rythmique en font des œuvres avant tout américaines. Ross Lee Finney (* 1906) doit sa réputation à sa mus. de chambre, écrite dans un style compact. Leo Sowerby (1895-1968) fut un maître de l'écriture baroque moderne. Q. Porter (1897-1966) suivit dans leurs grandes lignes les principes néo-baroques en s'aventurant souvent dans le domaine de la polytonalité. Dans les nombreuses œuvres pour orchestre et ensemble de chambre de P. Creston (* 1906), l'esprit rhapsodique de l'Amérique moderne se moule dans une forme très structurée. N. Dello Joio (* 1913) est aussi adroit dans l'écriture instrumentale que dans l'écriture vocale. Il a composé deux opéras sur le personnage de Jeanne d'Arc. Peter Mennin (* 1923), d'origine italienne comme Creston et Dello Joio, compte parmi les meilleurs symphonistes américains. Parmi les compositeurs qui poursuivent des tendances néo-classiques, il faut citer R. Thompson (* 1899), Halsey Stevens (* 1908), V. Persichetti (* 1915), George Rochberg (* 1918), L. Kirchner (* 1919), Benjamin Lees (* 1924) et Gunther Schuller (* 1925). A. Hovhaness (* 1911), d'origine arménienne, cultive le genre impressionniste.

La mus. moderne américaine n'est pas exempte d'un romantisme avoué : H. Hanson (* 1896) qualifia en toute sincérité sa *2e Symphonie* de « romantique ». L'un des rares compositeurs américains à avoir reçu une commande de la « Metropolitan Opera Company », il choisit un sujet américain, *Merry Mount* (1933). S. Barber (* 1910) est l'un des plus grands talents lyriques américains. Qu'il s'agisse de mus. symphonique ou de chambre, instrumentale (piano) ou vocale (opéra), ses lignes mélodiques sont toujours de fluides et naturelles cantilènes. Le « Metropolitan Opera » a monté deux de ses opéras, *Vanessa* et *Antony and Cleopatra*. Ernst Bacon (* 1898), Gardner Read (* 1913), Irving Fine (1914-1962), Ellis Kohs (* 1916) et Easley Blackwood (* 1933) font également preuve d'une inspiration lyrique ou rhapsodique. La mus. moderne américaine a une forte tendance à assimiler des éléments de cultures différentes mais nombreux sont les compositeurs qui échappent à cette loi. Le célèbre compositeur noir W. Gr. Still (* 1895) s'intéresse essentiellement aux réalités de sa race. En témoignent son *Afro-American Symphony* et son opéra *Troubled Island* qui a pour thème la révolte des Noirs dans l'île d'Haïti, alors que les œuvres d'Ulysses Kay (* 1912), autre compositeur noir, ne s'inspirent pas nécessairement de sujets raciaux. Louis Ballard (* 1931) s'est imposé comme un compositeur indien, de la tribu des Cherokee-Quapow; ses œuvres symphoniques et chorales sont inspirées par le folklore de ses ancêtres. Parmi les compositeurs européens qui cherchèrent refuge aux États-Unis, les plus illustres sont S. Rachmaninov, I. Stravinski et A. Schönberg, qui devinrent citoyens américains, ainsi que B. Bartók, qui passa les dernières années de sa vie aux États-Unis. Il y eut aussi les Viennois E. Toch, E. Křenek, E. Korngold et Ernst Kanitz, les Allemands Werner Josten, Erich Itor Kahn, K. Weill, Stefan Wolpe, Jan Meyerowitz et Gene Gutche, le Hongrois Eugen Zador, les Tchèques J. Weinberger et Paul Reif, les Russes L. Saminsky, Joseph Schillinger, le Suisse E. Bloch et l'Italien M. Castelnuovo-Tedesco. P. Hindemith vint également aux États-Unis et prit la nationalité américaine mais retourna en Europe quelques années avant sa mort. B. Martinu et D. Milhaud firent de longs séjours en Amérique. A. Tcherepnine partagea son temps entre la France et l'Amérique mais finit par s'établir à New York. Il resta fidèle dans ses œuvres à son romantisme russe traditionnel. N. Lopatnikov (* 1903) fit carrière en Europe et émigra peu avant la 2de Guerre mondiale aux États-Unis, où il continua à écrire dans le style qu'il avait choisi, un néo-classicisme éclairé. N. Nabokov (* 1903) joua un rôle international dans de nombreux domaines culturels mais garda sa nationalité aux États-Unis. G.C. Menotti (* 1911) est un cas unique dans la mus. américaine. Venu aux États-Unis dans sa jeunesse, il tint à garder sa nationalité italienne. Paradoxalement, ses opéras, écrits sur des livrets anglais de sa propre composition, rencontrèrent un succès inégalé sur la scène lyrique américaine. L'un des compositeurs américains dont l'importance est la plus significative est E. Carter (* 1908). Il a élaboré un système sériel qui englobe tous les paramètres de la composition musicale. Sa « modulation métrique » est un procédé original et particulièrement intéressant par lequel un rythme subsidiaire prend la place et le rôle de la cellule dominante initiale. Ses 3 *Quatuors à cordes* montrent bien son art d'amalgamer les techniques. Selon Stravinski, son *Double Concerto* pour clavecin, piano et 2 orchestres de chambre (1961) serait un vrai chef-d'œuvre américain.

L. Foss (* 1922) commença sa carrière comme pianiste puis se fit connaître comme chef d'orchestre. Compositeur, il inventa l'improvisation organisée, procédé qui consiste à laisser dans une composition donnée des passages indéterminés. L'influence de I. Xenakis est sensible dans son œuvre, bien qu'il ait également écrit plusieurs symphonies, concertos et autres pièces. Mais le compositeur américain le plus renommé est sans aucun doute L. Bernstein (* 1918) : son nom est à la fois celui d'un grand chef d'orchestre et celui d'un célèbre compositeur de « musicals » de Broadway parmi lesquels *West Side Story* (1957). Mais Bernstein est aussi l'auteur d'importantes partitions symphoniques, tel *The Age of Anxiety* pour piano et orchestre (1949) qui réalise une rencontre particulièrement heureuse des techniques modernes et du jazz. En 1971 parut son extraordinaire *Mass*, œuvre dramatique comprenant une action scénique et écrite sur des textes latins et anglais.

Les chercheurs. Toutes les tendances de l'avant-garde sont représentées aux États-Unis, où certaines d'entre elles ont pris naissance (voir les art. PIANO PRÉPARÉ et BANDE MAGNÉTIQUE). Harry Partch (1901-1974) construisit des instruments permettant d'utiliser une échelle musicale définie par 43 intervalles non tempérés et donna avec ces instruments des spectacles musicaux intéressants. Ses ballets, écrits pour la plupart sur des sujets américains, sont de divertissantes curiosités. L. Harrison (* 1917) est un compositeur novateur et un théoricien moderniste qui, comme Partch, fabrique ses propres instruments. Il faut encore citer Henry Brant (* 1913), Bernard Herrmann (* 1911), Jacob Druckman (* 1928). Percussionniste professionnel, Michael Colgrass (* 1932) a écrit plusieurs compositions résolument modernes. Né en Chine en 1923, Chou Wen-Chung, qui fut l'élève de Varèse, a créé un style qui est une rencontre heureuse entre des rythmes d'une subtilité presque calligraphique, empruntés à la culture musicale chinoise, et des structures finement équilibrées, caractéristiques des tendances actuelles aux États-Unis. Les esquisses instrumentales de Paul Chihara (* 1938), Américain d'ascendance japonaise, rappellent les anciens modes de la mus. de cour japonaise.

L'un des premiers Américains à utiliser une notation musicale picturale est Earle Brown (* 1926), dont les partitions présentent des figures géométriques. On lui doit aussi l'idée de la composition ouverte, exploitée en Europe par K. Stockhausen : les différents fragments d'une telle œuvre peuvent être joués dans n'importe quel ordre. La Monte Young (* 1935) va plus loin encore : ses matériaux sonores n'ont plus rien de spécifiquement musical, comme en témoigne son *Poem for Chairs, Tables and Benches*. *Ancient Voices of Children* (1970) de George Crumb (* 1929) a été reconnue comme l'une des œuvres les plus significatives de la mus. américaine moderne. Robert Erickson (* 1917), Salvatore Martirano (* 1927), Kenneth Gaburo (* 1927), Larry Austin (* 1930), Robert Ashley (* 1930), Alvin Lucier (* 1931), Morton Subotnick et Eric Salzman (* 1933), Roger Reynolds (* 1934), John Eaton et Gordon Mumma (* 1935), Stanley Lunetta et Robert Moran (* 1937), Lowell Cross (* 1938), Charles Boone (* 1939), Charles Dodge (* 1942), David Rosenboom (* 1947), tous contribuent de façons diverses au spectacle qu'offre l'avant-garde américaine. Il faut encore citer Nam June Paik (né en Corée en 1932), le Cubano-Américain A. de la Vega (* 1925) et le Bulgaro-Américain Henri Lazarof (* 1932).

Alors que la plupart des compositeurs de l'avant-garde cherchent naturellement à étourdir leur auditoire par l'amplification électrique des sons, d'autres cultivent un niveau sonore à la limite de l'audibilité, notamment Morton Feldman (* 1926), Christian Wolff (* 1934) et Harold Budd (* 1936). Paradoxalement, ils parviennent à leurs fins car le désir de saisir les sons émis sur scène soumet l'auditoire à une écoute totalement silencieuse. Terry Riley (* 1935) fait de la monotonie et de l'uniformité un principe stylistique. L'exécution de sa pièce orchestrale intitulée *In C* se prolonge jusqu'à ce que musiciens ou auditeurs ne supportent plus le retour incessant de gammes en *ut* majeur. Pauline Oliveros (* 1932) est une héritière du dadaïsme et du surréalisme. Les « sound-pieces » de Charles Amirkhanian (* 1945) utilisent des paroles en espéranto ou en d'autres langues artificielles.

Bibliographie — 1. **Ouvr. bibliographiques** : D.L. HIXON, Music in Early America ; a Bibliogr. of Music in Evans, Metuchen (New Jersey), Scarecrow, 1970. — 2. **Études** : O.G. SONNECK, Early Opera in America, New York 1915 ; H.D. COWELL (éd.), Amer. Composers on Amer. Music, Stanford Univ. (Calif.), 1932, 2/New York, Fr. Ungar, 1962 ; E.E. HIPSCHER, Amer. Opera and Its Composers, Philadelphie 1934 ; J.T. HOWARD, Our Amer. Music, New York, Crowell, 1946, 2/1965 (rév.) ; D. EWEN, Amer. Composers Today, New York, H.W. Wilson, 1949 ; du même, Complete Book of the Amer. Musical Theater, New York, H. Holt, 1958, 2/1970 ; G. CHASE, America's Music, New York, McGraw-Hill, 1955, 2/1960, trad. fr. Paris, Buchet-Chastel, 1957 ; P.H. LANG (éd.), 100 Years of Music in America, New York, Schirmer, 1961 ; A. GAUTIER, La mus. amér., *in* Coll. « Que sais-je ? », Paris, PUF, 1963, 2/1972 ; J. MATTFELD, A Handbook of Amer. Operatic Premieres 1731-1962, Detroit, Information Service, 1963 ; W.H. MELLERS, Music in a New Found Land : Themes and Developments in the Hist. of Amer. Music, Londres, Barrie & Rockliff, 1964, et New York, A. Knopf, 1965 ; N. SLONIMSKY, Music Since 1900, New York, Scribner, 4/1971 ; V. THOMSON, Amer. Music Since 1910, New York, H. Holt, 1971 ; H. WILEY HITCHCOCK, Music in the U.S., Eaglewood Cliffs (New Jersey), Prentice Hall, 1974.

N. SLONIMSKY

ÉTENDUE, distance comprise entre les deux sons extrêmes d'une voix, d'un instrument ou d'un chant. — Voir également l'art. AMBITUS.

ETHNOMUSICOLOGIE (angl., ethnomusicology ; all., vergleichende Musikwissenschaft, ou ethnologische Musikforschung ; ital. et esp., etnologia). Dans son acception la plus récente, l'e. est l'étude des activités et des formes musicales de toutes les cultures, à l'exception de la mus. savante occidentale ; elle englobe néanmoins le folklore européen. D'autres définitions plus restreintes en sont données parfois : « musicologie des civilisations dont l'étude constitue le domaine de l'ethnologie » ou « musicologie des musiques non écrites » (G. Rouget). Toutefois, elle ne se limite pas à « l'étude des cultures musicales originales de type archaïque de tous les peuples » (Cl. Marcel-Dubois) mais s'intéresse à des musiques pouvant présenter le même degré d'élaboration que la mus. savante occidentale et dotées de systèmes de notation. On insiste parfois sur le fait que l'e. étudie des musiques actuelles alors que la musicologie dépend de l'histoire de la musique, mais, dans le cas des musiques de haute culture, l'e. est, elle aussi, tributaire des sciences historiques. L'e. étudie le phénomène musical dans toute son extension mais, par souci d'objectivité, elle n'a pas encore abordé le domaine dans lequel elle puise ses critères et ses concepts : la mus. savante occidentale. Pourtant certains ethnomusicologues envisagent dès maintenant cette possibilité. Les limites de cette science étant encore imprécises, ce n'est que récemment que le terme d'e. a pris le pas sur celui d'ethnologie musicale, englobant les notions de musicologie comparée, de folklore musical ou de mus. populaire. Du fait de l'ampleur de son champ d'investigation, l'e. est partagée entre diverses tendances, les unes à peine distinctes de l'ethnologie, les autres relevant de la musicologie proprement dite. Ces tendances correspondent à peu près aux trois niveaux ou types de musiques suivants : 1° la musique dite primitive ou propre aux cultures dépourvues d'écriture ; 2° la mus. savante des civilisations de haute culture, appelée parfois mus. traditionnelle ; 3° la mus. folklorique propre aux hautes cultures et côtoyant en général des mus. savantes.

Les musiques dites primitives intéressent davantage l'ethnologie. La musique est un fait universel et commun à toutes les cultures, si primitives soient-elles ; elle est donc un sujet de réflexion pour le sociologue, le psychologue et l'anthropologue, d'autant plus que, dans les sociétés primitives, toutes les activités ou les événements de quelque importance sont accompagnés d'une musique appropriée. A ce niveau, la musique est encore chargée de significations symboliques, religieuses, magiques. Nécessité métaphysique liée à celle du verbe, la musique est aussi une nécessité vitale, intimement liée à la parole. Elle n'est jamais un art d'agrément mais est considérée comme indispensable à la société et réclame une participation très active de la plupart de ses membres. Ces aspects, quoique relevant plus spécialement de l'anthropologie, intéressent également le musicien soucieux de découvrir les fondements de la musique dans la conscience humaine. Pourtant, à ce niveau, la musique est souvent méprisée par les musicologues : certains d'entre eux ne veulent y voir qu'une sorte de pré-musique de peu d'intérêt, alors que l'étude de la protohistoire de la musique, entreprise notamment par C. Sachs (*The Rise of Music in the Ancient World, East and West*, 1943), C. Braïloïu (*Sur une mélodie russe*, 1953), W. Wiora (*Les 4 Ages de la musique*, 1963), est indispensable à la compréhension de la mus. occidentale, de sa structure mélodique et harmonique, de ses intervalles ou de ses échelles. A bien des égards, la musicologie est de plus en plus obligée de tenir compte des recherches ethnomusicologiques. L'association plus intime de ces deux disciplines permettra de remettre en question des notions telles que composition, écriture, histoire, consonance, rythme, etc.

En abordant la mus. savante des civilisations de haute culture extra-européennes, le musicologue est confronté avec des problèmes nouveaux. Le premier à avoir été l'objet d'une étude systématique est celui des intervalles. Chaque musique possède les siens propres, souvent très précis et très définis, même dans les cultures primitives. Dans les systèmes extra-européens, ces intervalles ne sont jamais tempérés, sauf cas influencés par l'Occident. Le tempérament est néanmoins connu depuis des siècles en Chine, où il n'a jamais été adopté, et en Thaïlande, où la gamme pentatonique est obtenue par une division de l'octave en 7 intervalles égaux. Certains systèmes reposent sur des théories mathématiques très anciennes (Chine, Inde, Proche-Orient), d'autres sont dépourvus de théorie, mais cette distinction est relative puisqu'en général c'est la pratique qui détermine la théorie. Ces systèmes sont structurés en échelles → tétratonique, → pentatonique ou → heptatonique dont l'étude a mis au jour des lois esthétiques ou des structures mélodiques universelles. Si l'harmonie proprement dite appartient à la mus. européenne, l'existence de la polyphonie ou du contrepoint n'est plus à prouver depuis les travaux de M. Schneider (*Geschichte der Mehrstimmigkeit*, 1934) ; elle est même la caractéristique essentielle de certaines musiques primitives ou de haute culture. — Le problème du rythme ne peut être abordé par un musicologue sans tenir compte des rythmes extra-européens ou folkloriques occidentaux. Certaines mélodies sont caractérisées par un rythme non mesuré, néanmoins latent ou intérieur, appelé rythme libre, alors que d'autres formes sont régies par des formules inconnues de la mus. classique, des mesures à 5 ou 7 temps ou les longs cycles rythmiques de deux fois 11 temps, de 36 ou 60 temps. Quant aux rythmes apparemment simples comme 3/2 ou 4/4, ils peuvent être divisés en de nombreuses formules différentes, témoignant d'une richesse dont la mus. classique est dépourvue. Les études sur le rythme ont été entreprises par C. Sachs (*Rhythm and Tempo*, 1953) et C. Brăiloïu (*Le giusto syllabique bichrone*, 1948 ; *Le rythme aksak*, 1951 ; *Le rythme enfantin*, 1956, etc.). Enfin, parmi les aspects essentiels qui caractérisent les musiques extra-européennes, il faut retenir leur caractère modal et l'extrême variété de ces modes, leur structure interne permettant l'improvisation dans des limites très rigoureuses. Aucune mus. traditionnelle n'utilise les notations mises au point depuis des siècles par les Chinois, les Indiens, les Turcs ou les Tibétains autrement que comme un aide-mémoire plus ou moins précis. Par contre, le rôle de la mémoire est prépondérant et contribue à l'élaboration d'un langage musical particulier, toujours renouvelé sur des bases presque immuables.

On peut considérer les recherches du père Amiot sur la mus. chinoise (1775) ou de G.A.Villoteau sur la mus. égyptienne (1816), ainsi que les réflexions de Fr.J. Fétis dans son *Résumé philosophique de l'histoire de la musique* (1832), comme les premiers pas de l'ethnomusicologie. Au xixe s. l'intérêt que les romantiques portaient au → folklore national suscita des travaux et des collectes de chansons populaires en divers pays d'Europe. Le pionnier de la musicologie comparée est sans doute l'Américain A. J. Ellis, qui entreprit la première étude scientifique dans ce domaine (*On the Musical Scales of Various Nations*, 1885), suivie de peu par une étude sur les chants d'une tribu indienne due à l'un des fondateurs de l'e., C. Stumpf. Cette nouvelle discipline allait connaître un essor appréciable grâce au phonographe, qui fut utilisé une première fois par l'Américain Walter Fewkes en 1890 et 4 ans plus tard par le Hongrois B. Vikar. A Paris, à l'Exposition universelle de 1900, le Dr Azoulay enregistrait des musiciens originaires des pays les plus divers. A Vienne en 1899, puis à Berlin en 1902, furent créées les premières archives de sonogrammes. A la même époque étaient publiés des ouvrages décisifs sur les origines et les fonctions de la musique. Il faut citer les œuvres de Karl Bücher (*Arbeit und Rhythmus*, 1896) et E.M. von Hornbostel. Les recherches de J. Combarieu (*La Musique et la magie*, 1908) et celles de l'Anglais Henry Balfour (*The Natural History of the Musical Bow*) vont dans le même sens que celles de l'école berlinoise. Il faut rattacher également à cette école Robert Lachmann (*Musik des Orients*, 1929) et C. Sachs (*Geist und Werden der Musikinstrumente*, 1929). Ces ouvrages ont fait date dans l'histoire de l'e. tout comme les documents recueillis par B. Bartók et son étude *Pourquoi et comment recueille-t-on la musique populaire ?* (1936). Vers 1930 l'e. reposait déjà sur des bases méthodologiques assez fermes pour qu'il soit possible de tirer parti de l'énorme masse de documents sonores conservés dans diverses phonothèques. Grâce aux travaux déjà anciens de O. Abraham et E.M. von Hornbostel et à ceux plus récents de B. Bartók, W. Heinitz et C. Brăiloïu, les méthodes d'investigation et de classification étaient fixées. Depuis 1928 l'emploi d'appareils de mesures à diagrammes facilitait l'analyse des documents sonores. D'excellentes études sur les musiques traditionnelles du Proche- et de l'Extrême-Orient ainsi que sur le folklore européen étaient déjà parues, dont certaines dans l'*Encyclopédie de la musique* de A. Lavignac et L. de La Laurencie (1912-25). Dès 1925 J. Kunst faisait part de ses recherches sur la mus. balinaise, H.G. Farmer et surtout R. d'Erlanger des leurs sur la mus. arabe.

Dans les recherches entreprises avant 1930, les descriptions de la musique elle-même dominaient nettement les autres approches. Après 1950 au contraire, les ethnomusicologues, américains notamment, issus de l'anthropologie, semblent attacher une égale importance à la musique et à sa place dans la société ; ils étudient particulièrement les instruments, le sens des paroles, les classifications locales et les genres musicaux, le rôle et le statut des musiciens, la fonction de la musique et ses rapports avec les autres activités culturelles, la musique comme activité créatrice. Dans ces conditions, les enquêtes sur le terrain sont devenues indispensables et l'e. de cabinet est en voie de disparition. Dans le but de pénétrer plus profondément le sens de la musique dans une culture particulière, une école américaine fondée par Mantle Hood préconise la « bi-musicalité », c.-à-d. l'étude pratique des musiques non européennes auprès de musiciens traditionnels. Un autre fait nouveau est l'étude des mus. savantes ou populaires entreprise par des musicologues originaires des cultures dont ces musiques font partie. Cette démarche pose un problème car ce n'est qu'en étudiant une culture étrangère à la sienne qu'on peut faire preuve d'une objectivité suffisante.

Devant la diversité des domaines qui s'offrent à l'e., il est possible et souhaitable qu'elle se spécialise à l'avenir en plusieurs disciplines. La seule différence entre mus. primitive et mus. savante des hautes cultures serait déjà un principe distinctif. Comme toutes les sciences jeunes, l'e. à ses débuts se prêtait aux vastes synthèses mais aujourd'hui l'e. ne peut plus progresser en ressassant des idées générales. Il lui faut au contraire se spécialiser davantage et s'allier à d'autres disciplines telles que la linguistique, l'acoustique, la psychologie, la sociologie ou l'histoire de la musique afin de découvrir peut-être, au-delà des différences, des éléments communs à tous les états du phénomène musical. — En France, l'e. occupe encore une place secondaire dans l'enseignement et la recherche. Elle n'est enseignée en général qu'à titre accessoire dans le cadre des études d'ethnologie générale ou de civilisation de l'Orient. La Sorbonne délivre un certificat d'e. dépendant de la licence de musicologie. L'Institut de Musicologie de l'Université de Paris IV patronne depuis quelques années un Centre d'études de mus. orientale qui a contribué à initier un public de plus en plus intéressé par la question. Les principales collections de phonogrammes sont, en France, celles du Musée Guimet, du Musée des Arts et Traditions populaires (48 000 documents originaux) et du Musée de l'Homme (20 000 documents). Ce dernier comporte un département d'e., divisé en 4 sections : collection d'instruments, archives, laboratoire, archives et publications d'enregistrements. Plusieurs missions d'e. ont été organisées par le Musée de l'Homme depuis 1945, en Afrique et en Amérique du Sud.

Bibliographie — C. STUMPF, Lieder der Bellakula Indianer, in VfMw II, 1886 ; du même, Die Anfänge der Musik, Leipzig 1911 ; E.M. VON HORNBOSTEL, Die Probleme der vergleichenden Mw., in ZIMG VII, 1905-06 ; du même, Melodie u. Skala, in Jb. Peters XX, 1913 ; du même, Das Berliner Phonogrammarchiv, in Zs. für vergleichende Mw. I, 1933 ; C. SACHS, Real-Lexikon der Musikinstr., Berlin 1913, réed. en facs. Hildesheim, Olms, 1962, et New York, Dover, 1963 ; du même, Geist u. Werden der Musikinstr., Berlin 1929, réed. en facs. Hilversum, Fr. Knuf, 1965 ; du même, Vergleichende Mw., Leipzig 1930 ; du même, Eine Weltgesch. des Tanzes, Berlin 1933, trad. fr. Paris 1938 ; du même, The Hist. of Musical Instr., New York 1940 ; du même, The Rise of Music in the Ancient World, New York 1943 ; du même, Rhythm and Tempo, New York, Norton, 1953 ; du même, The Wellsprings of Music, éd. par J. Kunst, La Haye, M. Nijhoff, 1962 ; R. LACH, Die vergleichende Mw., ihre Methoden u. Probleme, in Sitzungsberichte der Akad. der Wissenschaften in Wien, Phil.-hist. Klasse CC, 1924] ; R. LACHMANN, Musik des Orients, Breslau 1929 ; S. NADEL, The Origins of Music, in MQ XVI, 1930 ; B. BARTÓK, Die ungarische Volksmusik, Berlin 1925, trad. angl. Londres 1931 ; du même, Pourquoi et comment recueille-t-on la mus. populaire?, trad. par E. Lajti, Genève 1948 ; C. BRAÏLOÏU, Esquisse d'une méthode de folklore musical, in RMie XV, 1931 ; du même, Sur une mélodie russe, in La mus. russe II, éd. par P. Souvtchinsky, Paris, PUF, 1953 ; du même, Vie musicale d'un village, Paris, Inst. universitaire roumain Charles-Ier, 1960 ; M. SCHNEIDER, Gesch. der Mehrstimmigkeit I, Berlin 1934 ; du même, El origen de los animales-simbolos, Barcelone 1946 ; G. HERZOG, Research in Primitive and Folk Music in the U.S., Amer. Council of Learned Soc., Bull. no 24, Washington 1936 ; A. SCHAEFFNER, Origine des instr. de mus., Paris 1936, 2/Paris et La Haye, Mouton, 1968 ; W. DANCKERT, Das europäische Volkslied, Berlin 1939 ; FR. BOSE, Musikalische Völkerkunde, Zurich, Atlantis, 1953 ; M. HOOD, The Nuclear Theme as a Determinant of Patet in Javanese Music, Groningue et Djakarta 1954; du même, Training and Research Methods in E., in Ethnomusicology Newsletters no 11, 1957 ; BR. NETTL, Music in Primitive Culture, Cambridge (Mass.) 1956 ; du même, E., New York, The Free Press of Glencoe, et Londres, Collier-Macmillan, 1964 ; B. SZABOLCSI, Bausteine zu einer Gesch. der Melodie, Budapest, Corvina, 1956 ; Z. ESTREICHER, Une technique de transcription de la mus. exotique, Neuchâtel, Bibl. et Musée de la ville, 1957 ; M. KOLINSKI, E., its Problems and Methods, in Ethnomusicology Newsletters no 11, 1957 ; New Oxford Hist. of Music I, éd. par E. WELLESZ, Londres, Oxford Univ. Press, 1957 ; W. WIORA, Europäische Volksmusik u. Abendländische Tonkunst, Kassel, Hinnenthal, 1957 ; CL. MARCEL-DUBOIS et C. BRAÏLOÏU, L'e., in Précis de musicologie, éd. par J. Chailley, Paris, PUF, 1958 ; J. KUNST, E., 3/La Haye, M. Nijhoff, 1959 ; A. DANIÉLOU, Traité de musicologie comparée, Paris, Hermann, 1959 ; du même, Sémantique musicale, Paris, Hermann, 1967 ; du même et J. BRUNET, The Situation of Music and Musicians in Countries of the Orient, Florence, Olschki, 1971 ; A.P. MERRIAM, The Anthropology of Music, Evanston, Northwestern Univ. Press, 1964 ; du même, E., Discussion and Definition of the Field, in Ethnomusicology no 4, 1960 ; KL.P. WACHSMANN, Criteria for Acculturation, in Kgr.-Ber. New York 1961, Kassel, BV, 1961; G. ROUGET, L'enquête d'e., L'e., in Encycl. de la Pléiade, Ethnologie

générale, éd. par J. Poirier, Paris, Gallimard, 1968 ; L'enseignement de l'e. en France, in RMie LIX, 1973 ; cf. également la revue Ethnomusicology depuis 1953.

J. DURING

ÉTHOS (grec, = coutume, puis caractère, manière d'être). Dans la Grèce antique, les philosophes et les théoriciens de la musique étaient très soucieux de l'effet que pouvait avoir la musique sur le tempérament ou la « psyché » des individus et, par extension, sur la bonne marche de la société et de l'État. D'où la création de ce qu'on appelle la doctrine de l'é., destinée à régir l'esthétique et la pédagogie de la musique; d'où aussi la conviction que tel genre de musique pouvait exercer une influence temporaire, voire permanente, sur le tempérament des hommes soumis à son écoute. Ce lien particulier entre la musique et l'âme existait probablement dans la doctrine de la secte pythagoricienne, qui voyait dans l'âme humaine elle-même une sorte d' « harmonia ». Mais si, dès la période classique, l'é. prit de l'importance, ce fut sous l'influence du théoricien de la pédagogie Damon, ami et maître de Périclès, dont les préceptes apparaissent dans la *République* de Platon et, de façon sporadique, chez des auteurs plus tardifs, tels Philodème et Aristide Quintilien. On se demande encore si Damon est l'auteur du discours-pamphlet adressé à l'Aréopage et contenant ses préceptes. D'après Damon, un son musical en lui-même est l'expression de valeurs morales, telles la justice et la tempérance, et il crée chez l'homme les qualités correspondantes. On trouve dans cette conception la théorie, due à Platon et Aristote, de la « mimesis ». L'une des caractéristiques de son enseignement est l'interprétation en termes de morale des « harmoniaï » (voir l'art. SYSTEMA TELEÏON) de la mus. grecque — dorien = viril, mixolydien = plaintif etc.(c'est l'ordre de succession des intervalles composant les gammes qui a été, semble-t-il, considéré comme significatif) — et des rythmes poétiques de base, la régularité étant préférée à l'irrégularité. La curieuse hostilité à l'encontre de l' → « aulos », qui se distingue de la lyre par son origine étrangère, son étendue et son pouvoir émotionnel, est issue de cette doctrine. « Une perturbation dans les styles musicaux s'accompagne toujours de changements correspondants dans les institutions politiques les plus importantes. » C'est en vertu de ce principe fondamental que Platon recommande un contrôle et une censure de la musique dans sa République idéale. Dans sa *Politique*, Aristote adopte la doctrine de l'é., mais, s'il la considère avec autant de sévérité à la musique destinée à l'enseignement, il admet l'aspect cathartique des mélodies émotionnelles utilisées à des fins récréatives et répartit les « harmoniaï » en trois groupes d'ordre : éthique pratique et passionné. Après lui, les philosophes et les pédagogues continuèrent à établir un lien entre la musique et la morale, mais les principes hédonistes des Épicuriens, qui niaient tout aspect éthique inhérent au son à moins qu'il ne provienne d'associations subjectives, sont exprimés notamment dans les fragments qui nous restent du *De musica* de Philodème. Quant à l'*Adversus musicos* de Sextus Empiricus (IIe-IIIe s. ap. J.C.), c'est une diatribe visant à montrer l'absurdité de la doctrine de l'éthos. L'influence de Platon marqua cependant tout l'époque hellénistique et romaine, et, même au Moyen

Age, les théoriciens continuèrent à parler des modes dans les termes moralisants de l'Antiquité. Quoique les Temps modernes aient rarement accordé au problème des effets de la musique sur la morale l'importance qu'il a eue dans la Grèce antique, on peut citer l'ouvrage de C. Scott, *Music : its Secret Influence throughout the Ages* (Londres 1933, 5/1952), « La Musique : son influence secrète à travers les âges », qui porte le sous-titre de « Platon justifié » : l'auteur y exprime l'idée que les modifications du langage musical annoncent l'évolution sociale plutôt qu'elles ne la reflètent.

Bibliographie — H. ABERT, Die Lehre vom E., Leipzig 1899; H. KOLLER, Die Mimesis in der Antike, Berne 1954; E. MOUTSOPOULOS, La mus. dans l'œuvre de Platon, Paris, PUF, 1959; W.D. ANDERSON, E. and Education in Greek Music, Harvard Univ. Press, 1966.

E.K.BORTHWICK

ÉTOFFE, alliage fort en plomb et faible en étain (de 10 à 30 %), utilisé à l'époque classique pour les tuyaux des → jeux flûtés et des → cornets, et pour tous les pieds de tuyaux non en façade.

ÉTOUFFÉE, indication fréquente dans les parties d'instr. à percussion (timbales, cymbales, tam-tam), signifiant l'interruption du son aussitôt après le coup. Sur la harpe et la guitare, la corde est étouffée avec le plat de la main ou avec le doigt qui l'a pincée.

ÉTOUFFOIR (angl., damper; all., Dämpfer; ital., smorzatore; esp., apagador), partie du mécanisme du → piano qui, à l'instant où la pression du doigt se relâche sur la touche, étouffe les vibrations de la corde correspondante. La pédale de droite ou « pédale forte » a pour but de lever simultanément tous les é. afin que la sonorité persiste une fois les touches relevées et que d'autres cordes soient mises en vibrations par sympathie.

ÉTUDE (angl., study ; all., Etüde ; ital., studio), composition à but didactique, destinée généralement aux instr. à clavier. Elle est souvent consacrée à un problème technique et est écrite dans une forme variable, fréquemment simple. Bien qu'encore dépendante de l'orgue, la littérature ancienne pour clavier laisse deviner une évolution propre vers l'ornementation et la variation de thèmes de danses et de chansons. Dès ses débuts, elle servit aussi bien au concert qu'à l'étude ; ainsi l'art des virginalistes et des Espagnols, qui allient à l'invention technique la variété et la recherche de l'expression ; puis celui des clavecinistes français, dont les œuvres, inclinant vers la musique à programme, requièrent une manière de jouer et une forme d'expression nouvelles, et dont les principaux représentants, Fr. Couperin et J.Ph. Rameau, publient d'importants recueils didactiques. En Italie, il faut mentionner à partir du *Transilvano* de G. Diruta (1593) le rôle important joué par la toccata, que G. Frescobaldi et A. Scarlatti pratiquent également en y ajoutant à l'occasion quelques indications pédagogiques. B. Pasquini et D. Scarlatti fournissent au genre un apport remarquable d'œuvres de qualité, écrites pour la plupart en style libre, mais qui ne cherchent pas à être des écoles de vélocité. A partir des *Fundamenta* de Paumann (1452), les Allemands développent, à travers J.G. Froberger, J. Pachelbel, I.C.F. Fischer, J.H. Buttstedt et J. Kuhnau, un art personnel également orienté vers l'enseignement. Que J.S. Bach ait utilisé à des fins pédagogiques son *Clavier bien tempéré*, les *Inventions* et d'autres pièces isolées, est prouvé par les ébauches de ses œuvres qui se trouvent dans le petit recueil d'é. écrit pour W.Fr. Bach ; mais le titre, par ailleurs usuel, de « Clavierübung », é. pour le clavier, n'avait pas une signification strictement pédagogique. La méthode de Bach, qui consistait à faire suivre de petites pièces faciles, écrites selon le goût de l'époque, par des pièces d'une difficulté technique rapidement accrue, fut reprise par la plupart des recueils de pièces d'é. durant tout le XVIIIe s. ; c'est le cas des « Handstücke » de J.G. Türk et L. Mozart. Devenue forme indépendante, l'é. ne porte plus que rarement les titres de prélude, de fantaisie ou de caprice. Elle accompagne et reflète toute la grande période classique qui débute avec Beethoven et s'appuie sur les nouvelles possibilités du pianoforte. Sur le plan mélodique comme sur le plan technique, l'œuvre qui répond d'une manière presque idéale aux exigences du style classique est celle de J.B. Cramer, en particulier l'*Étude... en 42 exercices* (1804-10). Cramer devance ainsi le *Gradus ad Parnassum* (1817-26) de son maître M. Clementi, lequel marque une prédilection pour la forme de la suite, parfois même de la sonate, avec fugue et canon, mais ne néglige jamais le brio propre à son époque, chaque pièce étant pourvue d'un doigté minutieux. Ils sont suivis par D.G. Steibelt, A.E. Müller, L. Berger, J.N. Hummel, Fr. Kalkbrenner, K. Czerny, I. Moscheles et H.J. Bertini. Leurs é., souvent proches de la → pièce de caractère par le titre (p.ex. chez Cramer), sont généralement accessibles au musicien amateur, ne serait-ce que par leur contenu expressif. Encore appréciées de nos jours, elles suscitèrent des compositions de valeur chez S. Heller, Ernst Haberbier, A. Jensen, Theodor Kirchner, J. Weismann... R. Schumann (*Études symphoniques*) et J. Brahms (*Variations sur un thème de Paganini*) confirment les liens qui unissaient autrefois l'é. et la variation. A partir de 1830, date à laquelle commence l'influence du concerto de virtuose, se développe l'é. de concert, qui associe d'une manière indissoluble technique et exécution publique. Elle est illustrée tout d'abord par Liszt, par Chopin d'une manière plus intime, puis par S. Thalberg, A. von Henselt, Ch. Alkan et H. Litolff. Elle se caractérise par des successions inhabituelles d'accords, d'octaves et de gammes, des combinaisons rythmiques et des contrastes de registre inattendus, une inépuisable richesse de figures, une audacieuse technique de sauts et d'accords, un art subtil de l'attaque, une expressivité suggestive et une plénitude sonore qui rappelle l'orchestre. Qu'elle se meuve librement à la manière d'une rhapsodie ou qu'elle se trouve liée à un programme, l'é. est généralement influencée par des problèmes techniques, tout en restant soumise au style particulier d'un auteur, avec les élèves de Liszt, puis avec A. Rubinstein, F. Busoni (op. 16, 17), H. Pfitzner (op. 51), A. Scriabine (op. 8, 42, 65), B. Bartók (*Mikrokosmos*), K. Szymanowski (op. 4, 33), Cl. Debussy (*Douze Études*), G. Migot (*Le Zodiaque*, 12 études de concert ; *5 Études en forme de suite pour la main droite*), O. Messiaen

(4 *Études de rythme*). — En dépit des compositions de valeur dues entre autres à P. Rode, R. Kreutzer, Ch.A. de Bériot et O. Ševčík, c'est par l'intermédiaire des *Caprices* de Paganini que l'é. de violon a influencé Schumann (op. 10), Liszt (*Bravourstudien*) et Brahms. Ont écrit pour le violoncelle Justus Johann Friedrich Dotzauer, Fr.W.L. Grützmacher et A.J. Franchomme, entre autres ; pour l'orchestre, D. Milhaud, I. Stravinski, H.W. Henze et Fr. Martin. On pourra également trouver des études intéressantes dans les innombrables méthodes destinées aux divers instruments.

Bibliographie — E. GURK, Die Entwicklung der Klavieretüde von Mozart bis Liszt (diss. Vienne 1930) ; S. KASWINER, Die Unterrichtspraxis für Tasteninstrumente 1450-1750 (diss. Vienne 1930) ; G. MÜLLER, D. Steibelt, Leipzig 1933 ; R. HÄFNER, Die Entwicklung der Spieltechnik u. der Schul- u. Lehrwerke für Klavierinstrumente, Munich 1937 ; H.C.M. KLOPPENBURG, De ontwikkelingsgang van de piano methoden, Utrecht et Bruxelles 1951 ; P.F. GANZ, The Development of the E. for Pianoforte (diss. North Western Univ., Ill., 1960).

R. SIETZ

EUOUAE. Dans les tonaires et antiphonaires, ces 6 voyelles forment l'abréviation usuelle des dernières syllabes de la doxologie « Gloria Patri... et semper et in secula *se-cu-lo-rum*, *A-men* » (parfois « Seuouae » ou seulement « -uae »), c.-à-d. la deuxième syllabe du texte portant la teneur psalmodique (*sec-*) et celles sur lesquelles porte l'une des différences (ou cadences) mélodiques propres à chacun des 8 tons de la psalmodie grégorienne.

Bibliographie — M. HUGLO, Les tonaires, Paris, Heugel, 1971.

EUPHONE, jeu d'orgue à anches libres et résonateur conique de 16′, 8′ ou 4′, seul de son espèce à avoir eu quelque vogue au milieu du XIXe s. en France.

EUPHONIE (grec, euphonia), souci de rendre la prononciation douce et coulante en faisant succéder harmonieusement voyelles et consonnes. Ex., par e. on dit « vas-y » et non « va-y », « l'épée » et non « la épée ».

EUPHONIUM. 1. Instr. de musique à friction construit par E. Chladni en 1790 sur le principe de l' → harmonica de verres : des tubes de verre accordés entraient en vibration par le frottement des doigts humectés. Les vibrations des tubes étaient transmises à des bâtonnets d'acier, qui en amplifiaient la résonance. — **2.** Nom donné en Angleterre et en Allemagne à l'instrument le plus grave de la famille des → saxhorns, le saxhorn-tuba en *do* ou *si*♭. — **3.** Ancien nom de l' → ophicléide basse.

ÉVANGILE (du grec euangelion, = la bonne nouvelle). Dans toutes les liturgies orientales et occidentales, l'é. constitue la dernière des lectures de l'avant-messe ; il est préparé par les lectures de l'Ancien et du Nouveau Testament, et il est habituellement précédé de l' → alleluia (remplacé en Carême par un → trait) et parfois, dans certaines liturgies occidentales, par une → antienne « ante evangelium » ou par un → conduit. Ces chants sont destinés à accompagner la procession de l'é. : le diacre, portant l'évangéliaire

richement orné d'ivoire ou de gemmes et accompagné de clercs présentant l'encens et les luminaires, se rend solennellement à l'ambon, où il monte pour cantiller l'Évangile. A la messe papale, et ailleurs aussi à certains jours de fête (Pâques, fête de St Denys le 11 oct.), l'é. était lu en grec et en latin. A Rome, c'est un moine de Grottaferrata qui, selon le Cérémonial de 1582, chante en grec. Dans les pays slaves et dans certains pays d'Orient, on lit l'é. en deux langues, la langue liturgique et la langue vernaculaire.

A la proclamation du titre de l'é. par le diacre (*Sequentia sancti Evangelii...*), les fidèles, qui écoutent debout, répondent par l'acclamation *Gloria tibi Domine*, en usage en Orient et dans l'ancienne liturgie gallicane. La péricope lue ensuite est choisie depuis longtemps en fonction de la fête célébrée. Ce choix met en relief la fonction centralisatrice de l'é. dans la liturgie de la messe, car les lectures qui précèdent sont mises en relation avec l'é. du jour ; en outre, le texte des chants de l'office (antienne du *Benedictus* à laudes et antienne du *Magnificat* à vêpres) et celui des chants de la messe — notamment les chants qui encadrent l'é., c.-à-d. l' → offertoire et l' → alleluia, ainsi que la → communion — sont souvent tirés de l'é. du jour. Pour les dimanches ordinaires et pour les jours de semaine en Carême, ce choix n'est pas conditionné, comme pour les fêtes, par le calendrier liturgique. Il est possible qu'on ait primitivement observé la « lectio continua », suivant chaque évangéliste : à la fin du Carême, dans la liturgie romaine, subsistent des traces de lecture continue de l'é. selon St Jean. Mais en Carême, à Rome, le choix des lectures est fait généralement en fonction de l'église stationale. Pour les dimanches ordinaires, on a plutôt choisi les paraboles ou les miracles effectués au cours de la vie publique de Jésus-Christ, c.-à-d. des textes qui se placent hors du déroulement du temps liturgique. Le choix des péricopes à Rome remonte au moins au VIIe s. : on le trouve attesté par les « Capitulare Evangeliorum » ou listes de péricopes liturgiques annexées à la fin des quatre Évangiles (voir Bibliogr., Th. Klauser) ou encore dans les évangéliaires liturgiques, dont certains portent une notation neumatique ou quelquefois, notamment aux XIVe et XVe s., une notation sur lignes. L'é. n'est pas simplement lu mais cantillé suivant un récitatif ancien, très répandu, qui se trouve confiné dans l'espace d'une tierce mineure ou, suivant d'autres témoins, dans la tierce majeure : la teneur est encadrée par une intonation et par une formule de demi-cadence, en milieu de période, ou de cadence suspensive en fin de phrase. La dernière phrase de l'é. est conclue par une formule plus ornée qui constitue la cadence définitive. A ce récitatif d'une simplicité extrême on a ajouté des mélodies plus ornées contre lesquelles le concile de Grado (1296) devait prendre position, ne tolérant les mélodies ornées que pour la première fonction d'un diacre nouvellement ordonné et pour les deux généalogies. — Il subsiste en effet dans les manuscrits quantité de mélodies pour l'é. ou du moins pour certains é. : d'abord pour la généalogie du Christ selon St Matthieu, qui se chantait dans la nuit de Noël, et la généalogie selon St Luc, qui se lisait dans la nuit de l'Épiphanie mais qui était parfois reportée à la fin de la messe, le 6 janvier ; enfin pour la fête de la Dédicace ou pour les fêtes du cycle de Noël (26-

28 déc., 1er janv.). Une classification des mélodies des généalogies avec exemples à l'appui a été établie par Br. Stäblein (voir Bibliogr.). Ajoutons que les deux généalogies figurent encore dans plusieurs propres diocésains, tels que ceux de Rouen ou du Mans. Il faut enfin évoquer les généalogies à 3 voix et celle de Josquin des Prés, *Liber generationis Jesu Christi*, à 4 voix. — Au dimanche des Rameaux, on chante le récit de la Passion du Christ suivant Matthieu, et, durant la Semaine sainte, on lit les trois autres Passions, selon Marc, Luc et Jean. Ce récit très long était cantillé par un seul diacre, plus récemment par trois, suivant un récitatif très simple à trois teneurs : le récit des événements de la Passion, qui doit être mené d'une voix alerte, se fait dans le médium (*ut³*) ; les paroles prononcées par le Christ se lisent avec plus de lenteur, sur une teneur plus basse d'une quinte (*fa²*), tandis que les paroles proférées par les autres acteurs de la Passion (apôtres, juifs...) sont cantillées à la quarte supérieure du récit (*fa³*). Pour aider le diacre à passer d'un registre à l'autre, on marquait dans le texte, au début de chaque phrase, une lettre significative indiquant la hauteur relative de ce qui suit, soit la nature plus ou moins rapide du débit : ainsi le récit est indiqué soit par un *c* (« celeriter »), soit par un *m* (« mediocri voce »), soit parfois par *t* (« tractim ») ; les paroles du Christ par *t* (« tenete » ou « tarde », qui est souvent devenu une †, par un *a* (« augete ») ou par un *b* (« bassa voce ») ; enfin les paroles des apôtres ou des juifs par un *s* (« sursum ») ou par un *a* (« alta voce »). Ces lettres de récitatif, usuelles dès la fin du VIII° s., sont restées longtemps en usage et ont même parfois subsisté dans les missels imprimés jusqu'à nos jours. Cette dramatisation implicite devait ouvrir la voie à la → Passion en musique.

Lorsqu'elle ne maintenait pas tout simplement les récitatifs traditionnels, la Réforme luthérienne a utilisé diverses formules pour la cantillation de l'é. en langue vernaculaire (voir Hdb. der deutschen evangelischen Kirchenmusik I, Göttingen, Vandenhoeck & R., 1941). Les deux plus usitées ont été publiées par M. Luther dans sa *Deutsche Messe* (1526), l'une du 6° ton, due au réformateur lui-même, dans le corps de l'ouvrage ; l'autre, dont J. Walther pourrait être l'auteur, en annexe. L'importance liturgique de cette lecture a donné par la suite naissance à tout un ensemble de motets polyphoniques sur textes de l'é. destinés à alterner avec la cantillation du liturge (œuvres de H. Herpol, L. Paminger, J. Gallus, A. Raselius, S. Calvisius, Ph. Dulichius, C. Otto, Chr. Demantius, Th. Elsbeth, M. Vulpius, M. Franck...).

Bibliographie — TH. KLAUSER, Das römische Capitulare Evangeliorum. Texte u. Untersuchungen zu seiner ältesten Gesch., in Liturgische Quellen u. Forschungen XXVIII, Münster 1935 ; W. LIPPHARDT, Die Gesch. des mehrstimmigen Proprium Missae, Heidelberg, Kerle Verlag, 1950 ; A. JUNGMANN, Missarum sollemnia II, Paris, Aubier, 1952 ; BR. STÄBLEIN et CHR. MAHRENHOLZ, art. Evangelium in MGG III, 1954 ; DR. STÄDLIN, art. Passion, ibid. X, 1962.

M. HUGLO et M. HONEGGER

ÉVENTAIL, voir ORGUE, § B 3. L'éventail.

ÉVITÉE (Cadence), voir CADENCE.

ÉVREUX.

Bibliographie — TH. BONNIN et A. CHASSANT, Puy de mus. érigé à É. en l'honneur de Ste Cécile, Évreux 1837 ; A. CHASSANT, Les violoneurs et joueurs d'instr. à É. au temps passé, Évreux 1890 ; L. BATAILLON, La restauration des orgues de la cathédrale d'É. (1774-1786), in RMie XII, 1928, tiré à part Paris 1929 ; VL. FÉDOROV, art. É. in MGG III, 1954 ; A. MACHABEY, Notations médiévales des mss. d'Évreux, in Mélanges I. Franck, Sarrebruck, Annales Universitatis Saravisiensis VI, 1957.

EXÉCUTANT, terme désignant d'une manière générale le musicien en tant que producteur actif d'un processus sonore. Il en existe deux types : l'e. vocal — chanteur ou récitant —, qui possède son propre organe, et l'instrumentiste. Le terme s'applique également à celui qui dirige un ensemble, chœur ou orchestre. De nos jours, il peut être étendu en une certaine mesure au technicien (preneur de son), dont le rôle est déterminant pour la réalisation d'une œuvre enregistrée. Enfin, dans le domaine de la mus. électronique ou faisant appel à un matériau sonore enregistré, c'est le compositeur qui prend la fonction d'exécutant.

Tout comme l'art de la danse, du théâtre et du cinéma, la musique se déploie dans le temps. L'exécution est la phase indispensable à la réalisation des phénomènes acoustiques qui provoqueront les sensations auditives et émotionnelles chez l'auditeur. L'e. a donc une fonction créatrice. Dans les musiques non notées, il se laisse guider par la tradition avec ses coutumes et ses règles non codifiées. Dans la mus. savante, l'œuvre est conçue par un compositeur qui la fixe plus ou moins en détail à l'aide d'une notation. L'e. doit alors non seulement restituer le texte avec la précision et la perfection technique requises, mais le parachever par son → interprétation : tempo, phrasé, nuances avec toutes leurs colorations subtiles. Son travail peut aller plus loin puisque — selon les époques — une part plus ou moins grande est laissée à l' → improvisation (ornementation, cadences, réalisation de la basse chiffrée, etc.). Les procédés modernes d'enregistrement ont entraîné de profondes modifications dans le problème de l'exécution, qui n'est plus un moment fugitif. Le jeu des comparaisons provoque une véritable compétition entre les artistes. Les exigences qualitatives sont beaucoup plus sévères mais jouent trop souvent dans un sens purement technique. En particulier, les montages que permet la bande magnétique sacrifient la spontanéité et l'inspiration d'une exécution vivante à la rigueur et à la précision formelles.

EXÉCUTION, voir EXÉCUTANT.

EXERCICE. 1. (Du lat. exercitium ; angl., exercise ; all., Übungsstück ; ital., esercizio ; esp., ejercicio), pièce de caractère technique destinée à confronter l'élève musicien à une seule difficulté et consistant pour cette raison en la répétition mécanique d'une même formule, sans aucun souci esthétique (e. sur les gammes, les arpèges, les octaves, le staccato...). Dès que se développe la mus. instrumentale, apparaissent des ouvrages pédagogiques écrits pour les instr. à clavier ou le luth ; cependant le terme d'e. n'est pas encore utilisé. Ainsi les 24 pièces simples à deux parties du *Fundamentum organisandi* (1452) de K. Paumann sont-elles étudiées pour le perfectionnement technique de l'exécutant, tout comme plus tard les e. du *Transilvano* (1609) de G. Diruta donnés dans tous les modes ecclésiastiques. Ces pages didactiques se présentent alors la plupart du temps sous forme de préludes, « ricercari » ou « toccate ». Les « lessons » anglaises des XVIIᵉ et XVIIIᵉ s. n'impliquent pas toujours une intention pédagogique et désignent souvent les différentes pièces de la suite. La première édition des *Sonates* pour clavier de D. Scarlatti (1738) est intitulée « essercizi », alors que certaines autres de Fr. Durante sont qualifiées de « studi » à la même époque. En 1790 M. Clementi publie des *Préludes et Exercices dans tous les tons*. Au XIXᵉ s. se répand le titre → étude, qui s'applique rapidement à une composition dans laquelle le caractère technique n'oblitère en rien la beauté de la forme musicale, contrairement à l'e., qui demeure analytique et généralement a-musical. Parmi les plus célèbres recueils techniques de ce genre citons ceux de Charles Louis Hanon et C.M. Stamaty pour le piano, O. Sevčik pour le violon, G. Concone, Heinrich Panofka, N. Vaccai pour le chant.

2. Exercices d'élèves : concert d'élèves où ceux-ci s'accoutument à la mus. d'ensemble. Institués dès l'École Royale, les premiers eurent lieu en France en 1786 « pour éprouver les élèves et juger de leurs progrès ». Plus tard, l'art. 1 du règlement du Conservatoire (3 juil. 1796) prévoyait 6 e. annuels qui furent réduits deux ans plus tard aux concerts des lauréats.

Bibliographie — **1.** R. HAFNER, Die Entwicklung der Spieltechnik u. der Schul- u. Lehrwerke für Klavierinstr., Munich 1937.

EXOTISME. L'e. musical se voit illustré par toutes les particularités modales, rythmiques, mélodiques qui ne sont pas naturelles au pays ou qui, plus particulièrement, appartiennent à des civilisations extra-européennes. Généralement, le musicien ne recherche par là aucun effet d'exactitude mais vise à provoquer une sensation de dépaysement. L'e. musical s'est d'abord introduit dans le ballet et la mus. de danse ; ainsi l'*Orchésographie* de Th. Arbeau (1588) fait-elle référence à la moresque et à la canarie, qui se dansaient avec des sonnettes aux pieds : le dépaysement résidait alors davantage dans le costume que dans la partie musicale. La même remarque s'applique aux ballets de cour (p. ex. *Le Prince de la Chine*, 1605) et aux comédies-ballets de J.B. Lully : dans *Le Mariage forcé* (1664), l'entrée des Égyptiens est tonale et en rythmes pointés, tout comme la marche de la cérémonie des Turcs dans *Le Bourgeois Gentilhomme* (1670) où, lorsque le muphti chante avec les 12 Turcs et les 4 dervis, résonne un immanquable accord parfait. Au XVIIIᵉ s. on introduisit dans les armées européennes des bandes musicales destinées à rivaliser avec la musique des janissaires dont parlaient les voyageurs. C'est à cette époque-là que les rythmes sautillants et le tintamarre métallique des cymbales, triangles et chapeaux chinois devinrent symboles d'exotisme. Les œuvres à l'allure guerrière finirent alors par s'identifier avec le style → « alla turca ». Au début du XIXᵉ s., l'e. n'est pas encore authentique : ni H. Berlioz ni H. Reber ne donnent à la mélodie qu'ils intitulent *La Captive* une véritable couleur orientale ; seul le mouvement ondulant de leurs accompagnements évoque l'atmosphère voluptueuse du Levant. Dans *Le Désert* (1844) de F. David

figure une mélodie rapportée d'Égypte, authentification qui correspond au mouvement général des arts à la suite de la conquête de l'Algérie. Mais le véritable orientalisme ne s'instaure qu'avec G. Bizet, L. Delibes et C. Saint-Saëns, sans qu'il soit encore question de transcription ou d'imitation exactes : les éléments les plus communs de la transposition sont alors, outre les fréquents passages mélismatiques du chant, l'utilisation de modes autres que le mineur et le majeur (C. Saint-Saëns, *Mélodies persanes*, 1870), l'emploi de la seconde augmentée (G. Bizet, *Adieux de l'hôtesse arabe*, 1866) et la grande monotonie du rythme. Les Expositions universelles de 1867, 1878, 1889 et 1900 attirèrent encore davantage l'attention des compositeurs sur la vie coloniale, favorisant ainsi l'éclosion de l'e. musical. De nos jours, les découvertes de l' → ethnomusicologie permettent d'apprécier plus objectivement les caractéristiques des musiques extra-européennes que la bande magnétique restitue dans toute leur intégrité. D'autre part les musiques populaires d'Europe (Hongrie, Écosse, Roumanie, Espagne, etc.) ont révélé des traits que l'on attribuait autrefois exclusivement à d'autres civilisations : ce qui oblige aujourd'hui à parler d'un e. d'époque qui risque de se trouver de plus en plus démodé.

Bibliographie — H. QUITTARD, L'orientalisme musical. Saint-Saëns orientaliste, *in* RM VI, 1906 ; FR. NOSKE, Sur l'orientalisme dans la mélodie fr., *in* La mélodie fr. de Berlioz à Duparc, Paris, PUF, 1954.

D. PISTONE

EXPÉRIMENTALE (Musique). Bien que cette expression ait été beaucoup employée au cours des deux dernières décennies, son sens n'a jamais été clairement défini. Plutôt qu'un style ou un type de musique précis, elle semble désigner l'attitude de ceux qui recherchent, dans le phénomène musical, des explications de sa nature ou de sa genèse, ou encore des applications à son évolution constatée ou prévisible, ou enfin des formes nouvelles de son expression, soit à partir de ses matériaux (phénomènes sonores), soit à partir de l'organisation de ces derniers (méthodes nouvelles d'écriture ou de composition). Ce que l'on peut appeler expériences en musique englobe donc un nombre considérable d'activités : 1° recherches sur les matériaux (sons) aptes à être utilisés pour faire de la musique (mus. → concrète, → électronique, synthèse et analyse des sons par l'ordinateur ou autres machines, extension de l'acoustique musicale et de l'électro-acoustique) ; 2° recherches sur les techniques d'écriture musicale, applications de l'informatique à la musique, formalisation des règles des divers types d'écriture (harmonie, contrepoint, dodécaphonisme...) ; 3° recherches sur la composition musicale proprement dite, analyse du message musical, applications de la théorie de l'information ; 4° recherches avancées en analyse musicale et en musicologie, analyse des styles, transcriptions automatiques de tablatures, applications de méthodes mathématiques à l'analyse musicale ; 5° toutes sortes de manifestations musicales ayant un relatif caractère d'inédit et de nouveauté (mus. → aléatoires diverses, « happenings » musicaux, improvisations collectives, etc.). Dans un sens restrictif, on a parfois tendance à réserver l'expression m. aux diverses mus. → électro-acoustiques. Par abus de langage, il arrive aussi que des auditeurs ou des critiques appellent expérimentales l'ensemble des musiques qu'ils ne comprennent pas. Les recherches sur l'analyse et la synthèse des sons ont déjà donné lieu à de remarquables développements, d'un intérêt à la fois scientifique et musical (Mathews, Guttman, Jean-Claude Risset). La formalisation du langage musical a été exposée par Pierre Barbaud, les techniques nouvelles d'analyse par Wilhelm Fucks. Dans des domaines variés (sons, écriture et composition), les travaux de I. Xenakis sont importants. Commencées par Betty Shannon en 1950, les recherches sur l'esthétique musicale à partir de la théorie de l'information ont été le sujet d'une thèse d'Abraham Moles en 1958. Portant sur tous les aspects de la musique, le champ des recherches demeure très vaste.

Bibliographie — A. MOLES, Théorie de l'information et perception esthétique, Paris, Flammarion, 1958; du même, Les m. e., Genève, Kister, 1961; VL. USSACHEVSKY, The Process of Experimental Music, in Radio-Engineering 1959; I. XENAKIS, Mus. formelles, in RM n° spécial, 1963; N. LACHARTRE, Les mus. artificielles, Paris, Diagrammes du monde, 1969.

M. PHILIPPOT

EXPOSITION (angl., exposition; ital., esposizione; esp., exposición), partie initiale d'une fugue ou d'une composition musicale de forme sonate. Dans la → fugue, l'e. (all., Durchführung) comprend 4 entrées successives et alternées du sujet et de la réponse, quel que soit le nombre des voix, soit la présentation du sujet, la réponse à la quinte supérieure ou à la quarte inférieure, le retour du sujet au ton principal et de la réponse. A l'e. succède le divertissement, qui peut être suivi d'une → contre-exposition dans le ton principal. Dans la forme → sonate, l'e. (all., Themenaufstellung) est constituée par la présentation du premier thème au ton de la tonique, par le pont, de caractère modulant, et la présentation du second thème au ton de la dominante ou du relatif et de la coda. Le développement lui fait suite.

EXPRESSION (angl., expression; all., Ausdruck; ital., espressione; esp., expresión). **1.** Manière de rendre apparents les émotions et les sentiments déterminés dans la musique par la forme mélodique, harmonique ou rythmique d'une œuvre et par un ensemble de nuances qui ne sont pas toujours indiquées dans les partitions. Si les notes représentent le corps d'une œuvre, l'e. est ce qui lui insuffle la vie. Pour l'interprète, l'e. est rendue par le → « tempo », l' → agogique, la → dynamique, le → phrasé, les → accents, le → toucher, etc. A part quelques éléments de base, ces nuances de l'exécution ne sont pas explicitement liées au texte musical, et, comme elles ne sont pas toujours spécifiées, l'e. peut être considérée comme la part créatrice laissée à l'interprète, soliste ou chef d'orchestre (voir l'art. INTERPRÉTATION).

Jusqu'au XVIᵉ s. le problème d'une e. juste se posait peu, sans doute parce que celle-ci était impliquée dans les mouvements mélodiques, rythmiques et dans le texte littéraire. De l'absence totale d'indication de nuances, de la rigueur du contrepoint, de l'égalité d'intensité des instr. à clavier, on ne doit pas conclure à la sécheresse ni à la monotonie de la mus. ancienne; c'est dans le chant que la musique se chargeait de valeurs expressives. Dans les mélismes et les délicates tournures mélodiques du chant grégorien et des cantilènes médiévales, dans les chansons de Josquin

des Prés ou de R. de Lassus ainsi que chez les madrigalistes italiens, l'e., malgré la finesse des contrastes, a une place prépondérante. C'est d'ailleurs par son association au verbe que la musique développera son vocabulaire expressif. En serrant de près le mot à mot poétique, les madrigalistes italiens du XVIᵉ s. illustrent par des figures musicales le sens et l'e. du texte (voir l'art. FIGURALISME). Des procédés très simples deviennent usuels : on fait s'élever la mélodie lorsque le texte exprime l'ascension, ou le contraire; le choix du mode majeur ou mineur détermine la joie ou la douleur, etc. Mais en renonçant aux anciens modes, la musique perd une bonne part de ses moyens d'expression. Cette perte est compensée par l'attribution très discutable de caractères expressifs aux diverses tonalités : ainsi do min. n'exprime pas la même chose que do ♯ min., ni do ♯ min. la même nuance que ré ♭, ce qui, compte tenu des variations du diapason, remettrait beaucoup d'œuvres en question. Plus évidente en revanche est l'utilisation du → chromatisme et des puissants effets de l' → harmonie dans les passages dramatiques des premiers opéras italiens, qui s'inspirent en cela des madrigaux à plusieurs voix, et dans l'œuvre de J.S. Bach, qui exprime par ces procédés le trouble, le doute, l'égarement, la passion. L'accumulation des procédés artificiels et conventionnels sera critiquée au XVIIIᵉ s. et, par réaction, l'e. vocale se rapprochera le plus possible des inflexions naturelles du langage sans rien perdre en force. Après J.B. Lully et J.Ph. Rameau, J.J. Rousseau, Chr.W. Gluck et A.M.Grétry s'approcheront de la juste → déclamation, tandis qu'au XIXᵉ s. ce style d'e. vocale sera remis à l'honneur par R. Wagner pour la langue allemande et Cl. Debussy pour la langue française.

Dans la mus. instrumentale, beaucoup plus abstraite, le compositeur et l'interprète sont confrontés avec le problème de l'e. tant sur le plan de l' → esthétique musicale que sur celui de la réalisation, de l' → interprétation de l'œuvre. En l'opposant à la mus. vocale, on lui a reproché d'être un langage froid, inapte à exprimer les sentiments. Mais on peut objecter avec R. Wagner que la musique, au contraire, exprime l'inexprimable et qu'elle se suffit à elle-même. Néanmoins les compositeurs ont souvent cherché à motiver leurs créations en s'appuyant sur un programme littéraire, un argument qui dissimule leur intention véritable de faire de la « musique pure » (voir les art. POÈME SYMPHONIQUE et Musique à PROGRAMME), d'autres au contraire rejetant tout élément extramusical.

D'un point de vue plus concret, l'e. est tributaire d'un ensemble de nuances obéissant à des règles générales. L'accélération évoque une exaltation, une progression positive; le ralentissement exprime un relâchement de tension et convient bien, dans la mus. ancienne, aux conclusions. L'augmentation d'intensité (« crescendo ») ou le contraire (« diminuendo ») expriment les mêmes nuances et correspondent en général aux mouvements du dessin mélodique : les passages ascendants sont mieux rendus en « crescendo », les passages descendants en « diminuendo », sauf si le compositeur en a décidé autrement, ce qu'il est tenu alors de spécifier par les signes correspondants. Il est aussi très courant d'accentuer systématiquement tout élément se détachant du cours normal de la mélodie, du rythme et de l'harmonie; les dissonances ou les modulations gagnent en clarté lorsqu'elles sont appuyées mais les compositeurs sont libres de se soustraire à la règle générale, et la palette expressive s'enrichit de ce fait. Dans la mus. ancienne, les nuances expressives étaient légères et suivaient les inflexions de la mélodie. Chez J.S. Bach encore, les indications pour l'interprète sont extrêmement rares et se réduisent à quelques *fff* et *pp*. Pourtant ces signes étaient courants dès le début du XVIIe s., où le « stile concertato » et les fameux effets d'écho jouant sur les contrastes d'intensité étaient en vogue. Vers 1600 G. Gabrieli compose une *Sonate « pian e forte »* et A. Banchieri une *Fantaisie en écho*; en 1638 D. Mazzocchi pouvait écrire dans la préface de sa *Partitura de Madrigali* : « les lettres *f*, *p* et t pour forte, piano et trille sont désormais connues de tous ». Les signes lo et so pour « loud » et « soft » apparaissaient dans le *Musick's Monument* de Th. Mace en 1676, mais ce n'est qu'en 1739 que les signes modernes $<$ et $>$ pour « crescendo » et « diminuendo » furent employés par Fr.S. Geminiani (*Prime Sonate*), supplantant les signes de D. Mazzocchi, V pour « crescendo » (« messa di voce ») et C pour $< >$. Les indications de → « tempo » sont plus anciennes. Les premières apparaissent dans les œuvres de luth de L. Milán : « a piesa » (= vite), « a espacio » ou « a despacio » (= lent). G. Frescobaldi, dans les *Fiori Musicali*, introduit des expressions semblables et A. Banchieri utilise les termes « allegro », « adagio », « presto ». G. Caccini souligne certains effets dans ses œuvres, où apparaît un nouveau style de chant (*Nuove Musiche*, 1601), grâce aux expressions « esclamazione spirituosa », « senza misura », « quasi favellando ». Plus tard Fr. Couperin donnera le ton général d'une pièce par des « gravement sans lenteur », « légèrement », « gaiement », etc. Avec l' → École de Mannheim (1750), l'e., auparavant très liée à la ligne mélodique et à la structure de la composition, devient un élément autonome du langage musical. Les caractères expressifs sont exploités pour eux-mêmes et l'e. se superpose à la musique que ne suffisent plus à définir les nuances de l'interprétation. Les effets de contrastes, d'intensité, de « tempo », les longs « crescendos » et « diminuendos » → devenus essentiels à l'œuvre même seront repris avec bonheur par Mozart, Haydn et Beethoven. Avec les romantiques, la palette des nuances expressives s'enrichit d'un grand nombre d'éléments, et des indications de plus en plus abondantes guident l'interprète, dont l'aptitude à saisir le sens de l'œuvre se trouve quelque peu sous-estimée. A. Scriabine, R. Strauss, Cl. Debussy, A. Schönberg à leur tour useront abondamment des indications expressives (voir également l'art. EXPRESSIONNISME), ce qui ne veut pas dire que leur musique soit plus expressive, plus émouvante, mais dénote plutôt un souci de la précision et la crainte de voir les interprètes trahir leur message. Cette situation est comme transcendée dans la mus. contemporaine (K. Stockhausen, P. Boulez...), notamment par l'emploi de la série généralisée (voir l'art. Musique SÉRIELLE), qui n'utilise plus les signes expressifs en tant que chargés d'un contenu émotionnel, mais comme des éléments autonomes ayant même valeur que les hauteurs et les durées. Par une démarche différente, les anti-

romantiques du début du siècle s'étaient efforcés de renverser le vieux préjugé de la musique expressive. E. Satie tournait en dérision la prétentieuse nomenclature des caractères expressifs en préconisant des « corpulentus », « devenez pâle », tandis que Fr. Poulenc, I. Stravinski ou P. Hindemith spécifiaient le contenu inexpressif de leurs œuvres par des indications telles que « sans expression », « mit wenig Ausdruck ».

2. A l'orgue, possibilité d'assourdir les sons à volonté par une pédale, aujourd'hui basculante. Après des essais divers effectués à la fin du XVIIIe s. et au début du XIXe s., seule la → boîte expressive à volets mobiles a reçu une diffusion générale, en particulier pour le récit symphonique. L'e., qui semble opposée à la nature des sons de l'orgue, est rejetée par certains puristes d'esprit classique.

Bibliographie — **1.** M. Lussy, Traité de l'e. musicale, Paris 1874; Fr. von Hausegger, Die Musik als Ausdruck, Vienne 1885; L. Klages, Ausdrucksbewegung u. Gestaltungskraft, Leipzig 1913; du même, Grundlegung der Wissenschaft vom Ausdruck, Leipzig 1936; C.C. Pratt, The Meaning of Music, Londres 1931; E. Sorantin, The Problem of Musical E., Nashville (Tenn.) 1932; K. Bühler, Ausdruckstheorie, Iéna 1933; V. Basch, Essais d'esthétique, III Du pouvoir expressif de la mus., Paris 1934; G. Brelet, Le temps musical, 2 vol., Paris 1949; de la même, L'interprétation créatrice, 2 vol., Paris 1951; H. Besseler, Der Ausdruck der Individualität in der Musik, *in* Beitr. zur Mw. V, 1963; H.H. Eggebrecht, Musik als Tonsprache, *in* AfMw XVIII, 1961.

J. During et P. Hardouin

EXPRESSIONNISME, terme par lequel on désigne généralement une forme d'art mettant l'accent sur l'intensité de l'expression. Il correspond, au début du XXe s., à une école plus ou moins homogène de peintres, d'écrivains et de musiciens allemands et autrichiens, dont les œuvres semblent avoir cristallisé les tendances expressionnistes avec plus d'acuité. Le terme reste controversé : il constitue en effet une projection « a posteriori » sur des œuvres, dans le but de les éclairer.

A l'origine, les tendances expressionnistes caractérisent des peintres rassemblés dans des groupes comme « Die Brücke » à Dresde (1905-13), « Der Sturm » et « Die Aktion » à Berlin (1910) et « Der blaue Reiter » à Munich (1911-15), dont les représentants les plus significatifs sont Franz Marc, Oskar Kokoschka, Emil Nolde, Ernst Ludwig Kirchner, Erich Heckel et Karl Schmidt-Rottluff. En littérature, des tendances analogues s'expriment dans les écrits de Georg Trakl, Gottfried Benn, Franz Werfel, Walter Hasenclever, Georg Kaiser, Fritz von Unruh et Ernst Barlach. En musique, le terme a été adopté pour désigner surtout les œuvres d'A. Schönberg, A. Berg et A. Webern, mais certaines œuvres de G. Mahler, M. Reger, A. Scriabine ou P. Hindemith montrent, à l'état latent, des tendances similaires. Le sens typologique de l'attitude expressionniste s'exprime par la coexistence de plusieurs tendances. Son moteur principal est un subjectivisme exacerbé, caractérisé par une insatisfaction fondamentale à l'égard des normes établies, qui aboutira à une sorte de suractivation des forces dynamiques dans la musique. Tout ce qui violemment convulsif est mis en avant : les tensions incessantes, les atmosphères fiévreuses, l'attirance des forces irrationnelles (A. Scriabine, *Le Poème de l'extase*), l'expression des pulsions primitives et magiques (I. Stravinski, *Le Sacre du prin-*

temps) ainsi que l'attrait du morbide constituent les traits dominants de ces tendances (A. Berg, *Wozzeck, Lulu*). Musicalement, elles se signalent par « de fortes licences expressives qui guident le compositeur d'une manière générale » (A. Schönberg), puis par l'abandon de la tonalité, aboutissant, dans une première phase, au → total chromatique, notamment chez les trois Viennois. Elles s'expriment encore dans la prédilection pour des agrégats sonores comprenant jusqu'à 11 (*Erwartung*) ou 12 sons de l'échelle chromatique (A. Scriabine, *L'Acte préalable* ; A. Berg, *Altenberglieder*, op. 4), la négation de la hiérarchie des rapports sur laquelle était basée la mus. occidentale, une organisation musicale fondée sur l' → athématisme et l' → atonalité (J.M. Hauer), la préférence pour les grands intervalles disjoints (7ᵉ maj. et 9ᵉ min.), l'hyperlyrisme de la phrase mélodique, générateur d'une tension permanente, ainsi que l'emploi de grappes sonores (« clusters »), de batteries en trilles répétés servant de ponctuation dans une syntaxe formelle particulière (A. Scriabine). L'ambiguïté règne en maîtresse car l'abandon du dualisme tension-détente, des accords consonants et du sentiment tonal engendre un état de tension perpétuelle sans repos ni pôle d'attraction. Il se crée d'autre part une accoutumance lassante ayant pour résultat que l'ensemble ultrachromatique est perçu comme une masse amorphe et statique.

Dans sa seconde phase, l'attitude expressionniste est gouvernée par le désir de donner une cohésion à l'univers sonore : c'est la tendance à la réduction et à l'abstraction. Elle exprime un autre aspect de l'aspiration vers l'infini, du désir d'appréhender l'intérieur des choses par la recherche d'une intensité expressive extrême. Le jeu sonore ne s'explique qu'en fonction des éléments compositionnels qui le constituent et qui tendent à devenir le but essentiel. En fin de compte, c'est une nouvelle façon de penser la musique qu'exprime la tendance vers l'abstraction absolue. Elle entraînera Scriabine à rechercher un système musical synthétique, caractérisé par les relations symétriques que l' → accord mystique (*Prométhée*, op. 60) et les échelonnements synthétiques et symétriques entretiennent, en raison du nombre des notes communes, avec leurs différentes transpositions. Elle amènera J.M. Hauer à établir un système de « nomos » (1919), une combinaison hétéroclite de mélodies atonales faisant entendre inlassablement les 12 sons de l'échelle chromatique. Elle sera à l'origine du système dodécaphonique avec ses nouvelles règles, obligations et interdictions (voir l'art. DODÉCAPHONISME) qu'A. Schönberg mettra en place à partir de 1921 (*Suite*, op. 25). Le matériau sonore est désormais accepté comme un tout ; on peut tantôt l'horizontaliser, tantôt le verticaliser. Tandis que Schönberg se sert de la série dodécaphonique comme principe d'unité indivisible, généra-

teur de la thématique, et que Berg, pour des raisons d'expression dramatique, n'hésite pas à mélanger occasionnellement les séries dodécaphoniques avec des éléments de la tonalité, Webern tente de concrétiser dans ses œuvres une syntaxe musicale où tous les moyens d'écriture — les séries agencées symétriquement, les timbres (→ « Klangfarbenmelodie »), les attaques, les nuances et même les silences — sont organisés avec une discipline inflexible. Dans sa phase finale, au moment où prévalent les préoccupations formelles, l'e. aboutit à un formalisme rigoureux où la beauté d'une œuvre réside dans la perfection du pur jeu des formes.

Bibliographie (voir également les art. DODÉCAPHONISME et Musique SÉRIELLE). — D. ALALEONA, L'armonia modernissima, *in* RMI XVIII, 1911 ; W. KANDINSKY, Über die Formfrage, *in* Der blaue Reiter, Munich 1912 ; FR. MARC, Die « Wilden » Deutschlands, *ibid.* ; F. BUSONI, Entwurf einer neuen Aesthetik der Tonkunst, Leipzig 1916 ; E. STEINHARD, Bermerkungen zum E., *in* Die Musik, oct. 1922 ; J.M. HAUER, Vom Wesen des Musikalischen, Berlin 1923 ; E. BÜCKEN, Führer u. Probleme der neuen Musik, Cologne 1924 ; A. SCHÖNBERG, Gesinnung u. Erkenntnis, *in* 25 Jahre neue Musik. Jb. 1926 der Universal-Edition, Vienne 1926 ; du même, La composition à 12 sons, *in* Polyphonie IV, 1949 ; H. ERPF, Studien zur Harmonie- u. Klangtechnik der neueren Musik, Leipzig 1927 ; H. TIESSEN, Zur Gesch. der jüngsten Musik (1913-1928), Mayence 1928 ; H. FLEISCHER, La mus. contemporanea, Milan 1938 ; A. SALAZAR, Music in Our Time, New York 1946 ; G. LUKACS, Grösse u. Verfall des E., *in* Schicksalswende, Berlin 1948 ; TH.W. ADORNO, Philosophie der neuen Musik, Tübingen 1949 ; R. LEIBOWITZ, Le système dodécaphonique, *in* Polyphonie IV, 1949 ; du même, Introd. à la mus. des 12 sons, Paris 1949 ; H.U. ENGELMANN, Dodekaphonie u. Musikgesch., *in* Melos, oct. 1952 ; A. GOLÉA, Esthétique de la mus. contemp., Paris, PUF, 1954 ; L. ROGNONI, Espressionismo e dodecafonia, Turin, Einaudi, 1954 ; R.W. WIEDMAN, E. in Music, (diss. New York Univ. 1955) ; H. EIMERT, art. Hauer *in* MGG V, 1956 ; W. HOFMANN, art. Expressionismus, *ibid.* III, 1954 ; K.H. WOERNER, Neue Musik in der Entscheidung, Mayence, Schott, 1956 ; A. BERG, Écrits choisis, éd. par H. Pousseur, Monaco, Éd. du Rocher, 1957 ; R.L. HENDERSON, Schönberg and E., *in* MR XIX, 1958 ; A. HODEIR, La mus. depuis Debussy, Paris, PUF, 1961 ; P. COLLAER, La mus. moderne, Bruxelles, E. Meddens, 1963 ; P. BOULEZ, Penser la mus. aujourd'hui, Paris, Éd. Gonthier, 1964 ; du même, Relevés d'apprenti, Paris, Éd. du Seuil, 1966 ; P. KLEE, Théorie de l'art moderne, Genève, Éd. Gonthier, 1964 ; H.H. STUCKENSCHMIDT, La mus. du xxᵉ s., Paris, Hachette, 1969 ; M. KELKEL, Les esquisses musicales de l'Acte préalable de Scriabine, *in* RMie LVII, 1971 ; du même, A. Scriabine... l'ésotérisme et le langage mus. dans les dernières œuvres (diss. Univ. de Paris IV, 1974).

M. KELKEL

EXTENSION, procédé permettant d'utiliser des tuyaux d'orgue sur d'autres notes que celles de leur emploi normal, en particulier à l'octave. On obtient par ex. 3 jeux (16′, 8′, 4′) en prolongeant seulement de deux octaves le jeu de 16′. Acceptable au clavier de pédale, dans un emploi monodique, cette économie vide de sonorité les accords de la polyphonie.

EXTINCTION DES FEUX, sonnerie militaire exécutée au clairon, marquant le moment où toutes les lumières doivent être éteintes.

F

F. 1. (Angl. et all., = *fa*), cinquième lettre de l'alphabet qui, dans la notation alphabétique latine, servait à désigner le *fa* dans l'échelle générale ou gamme.

fr., ital., esp.	angl.	all.
fa ♭	F flat	Fes
fa ♭♭	F double flat	Feses
fa ♯	F sharp	Fis
fa ♯♯	F double sharp	Fisis

2. Abréviation pour → « forte » ; « fortissimo » = *ff* .

FA, quatrième syllabe de la → solmisation, servant à vocaliser la note autrefois désignée par la lettre F, toujours en usage dans les pays germaniques et anglo-saxons. Le *fa²* est désigné sur la portée par une → clef qui peut être placée sur la 3ᵉ, la 4ᵉ ou la 5ᵉ ligne.

FABERTHON (all.), voir Faux-bourdon.

FABURDON (angl.), voir Faux-bourdon.

FACTEUR. Le terme de f. a été substitué, au XVIIᵉ s., à celui de faiseur pour désigner les constructeurs d'instr. à clavier, de harpes et d'orgues. Après la Révolution, il fut appliqué aussi aux fabricants d'instr. à vent. Avant la Renaissance, il n'existait pas de corporation de f. ni de luthiers ; les amateurs ou les musiciens fabriquaient leurs propres instruments et les spécialistes étaient rattachés à un corps de métier apparenté, tels les faiseurs de trompes, qui rentraient dans la catégorie des forcetiers (chaudronniers). Néanmoins, dès la Renaissance, la lutherie et la facture instrumentale atteignirent un niveau remarquable tant par l'élégance des formes, la finesse de l'ornementation, la rareté des matériaux que par la qualité musicale. Après le XVIIᵉ s., on ne fit que perpétuer cet art en y apportant quelques trouvailles techniques et acoustiques qui firent évoluer les instruments. Sous Henri IV, les f. parisiens se groupèrent en une corporation de faiseurs d'instruments de musique dont les statuts étaient à peu près ceux des autres corporations d'art. En 1731, f. et luthiers sont réunis dans la même corporation, mais les catégories restent très distinctes : la lutherie est la plus florissante et la plus raffinée ; puis vient la facture d'orgues et de clavecins ; enfin celle des instr. à vent, nettement moins importante. Si les différentes catégories de fabricants étaient très distinctes les unes des autres, en revanche leur domaine empiétait sur celui des marquetiers, boisseliers, tabletiers, peintres, graveurs, etc., dans la mesure où les instruments étaient aussi des objets d'art. Les orfèvres réclamaient p. ex. l'exclusivité du travail de l'argent ou de l'or, les chaudronniers de celui du cuivre. Pendant quelque temps, tous les f. d'instruments furent classés sous le vocable de → luthiers et rentrèrent dans la catégorie professionnelle des éventaillistes et des tabletiers. Après 1791, les corporations ayant été dissoutes, chacun put exercer un métier à sa guise. La facture s'en ressentit et vit le nombre de ses artisans diminuer de moitié, si bien qu'en 1853 les f. se réunirent en une « Société des fabriquants de pianos » présidée par C. Pleyel, société qui groupa plus tard des fabricants d'autres instruments et à laquelle succédèrent une Chambre syndicale des instr. de musique, puis une Chambre syndicale des pianos et orgues, enfin une Chambre syndicale des facteurs d'instr. de musique (1, rue de Courcelles, 75008 Paris). Le XIXᵉ s. est une période de renouveau dans la fabrication des instruments, notamment en France où, malgré la dissolution des corporations, un bon niveau fut maintenu. Si la lutherie ne pouvait guère s'améliorer, la facture des instr. à vent se développa considérablement avec l'invention des clefs et des pistons qui donnèrent aux clarinettes, flûtes, cuivres, etc., leur physionomie moderne. Le luth et le clavecin furent abandonnés, ainsi que les anciens instr. à vent, mais les pianos, les harpes, les guitares et les orgues furent construits en grande série et sans cesse perfectionnés. En 1900, la France comptait 9 000 artisans dans le domaine des instruments, dont un tiers occupés à la facture des pianos ; de 1890 à 1899, on n'exporta pas moins de 50 000 pianos. Dans les dernières décennies, la facture et la lutherie d'art ont reculé devant la production semi-industrielle qui, grâce à des données scientifiques et à une technologie de pointe, réalise des instruments corrects à des prix compétitifs. La fabrication artisanale, dans ces conditions, ne peut plus survivre qu'en maintenant un niveau exceptionnel.

Bibliographie — C. Pierre, Les f. d'instr. de mus., les luthiers et la facture instrumentale, Paris 1893, rééd. en facs. Genève, Minkoff, 1971 ; E. Closson, La facture des instr. de mus. en Belgique, Bruxelles 1935 ; P. Loubet de Sceaury, Musiciens et facteurs d'instr. sous l'Ancien Régime, Paris 1949 ; Fr. Lesure, Les f. d'instr. de mus. à Paris au XVIᵉ s., *in* The Galpin Soc. Journal VII, 1954 ; cf. également les revues Zs. für Instrumentenbau 1899-1943, Instrumentenbau Zs. depuis 1946, et Das Musikinstrument depuis 1952.

J. During

FACTURE, voir FACTEUR.

FADO ou FADINHO (port.; du lat. fatum, = destin), chanson strophique portugaise d'origine urbaine, populaire depuis le début du XIXe s. Sa mélodie est formée de 8 mesures notées en 2/4 qui se décompose en deux parties symétriques. Le f. est accompagné à la guitare sur un rythme fortement syncopé et sert également à la danse.

Bibliographie — R. GALLOP, The F., in MQ XIX, 1933; du même, The Folk Music of Portugal, in ML XIV, 1933; F. LOPES GRAÇA, A mús. portuguesa, 2 vol., I Porto 1944, II Lisbonne 1959.

FAËNZA (Faenza).

Bibliographie — P. ZAMA, Opere musicali di G. Sarti possedute della Bibl. Comunale di F., Faenza 1933; CH. VAN DEN BORREN, Le Codex de J. Bonadies, musicien du XVe s., in Revue Belge d'Archéologie et d'Hist. de l'Art X, 1940; D. PLAMENAC, Keyboard Music of the 14th Cent. in Codex F. 117, in JAMS IV, 1951; du même, New Light on Codex F. 117, in Kgr.-Ber. Utrecht 1952, Amsterdam 1953; N. PIRROTTA, Note su un codice di antiche musiche per tastiera, in RMI LVI, 1954; M. KUGLER, Die Tastenmusik im Codex F., Tutzing, Schneider, 1972.

FAGOT (angl.), **FAGOTT** (all.), voir BASSON.

FA-LA-LA, voir les art. BALLETT et BALLETTO.

FALCON, voir SOPRANO.

FALSETTISTE (de l'ital. falsetto), chanteur qui chante en voix de → fausset.

FALSOBORDONE (ital., = → faux-bourdon), technique de composition employée dans le chant liturgique pour l'harmonisation note contre note de mélodies psalmodiques, Magnificat et autres, dont le style déclamatoire est maintenu dans la composition polyphonique. On en trouve les premiers exemples notés dans quelques manuscrits des XVe et XVIe s., mais il est admis qu'elle était déjà en usage auparavant. Dans ce style, deux œuvres de tout premier ordre, *In exitu Israel*, de l'Espagnol P. Oriola, et *Dixit Dominus* (éd. par E. Trumble, voir Bibliogr.); dans ces exemples à 4 voix, le « cantus firmus » se trouve à la voix supérieure et l'harmonisation respecte les rapports suivants : basse-ténor, quinte ou tierce; ténor-alto, quarte ou tierce; ténor-« cantus », octave ou sixte, selon un procédé déjà illustré par le théoricien Guilielmus Monachus à la fin du XVe s. dans le traité *De preceptis artis musice* (voir COUSSEMAKER Scr. III, XXIII). A la différence du → faux-bourdon, où les voix procèdent par accords de sixte parallèles, les accords se trouvent en position fondamentale dans le « falsobordone ». L'harmonisation en f. de certaines sections de chant grégorien alternant avec la monodie fut employée surtout pour les Vêpres, mais trouva aussi une application fréquente dans la composition des Passions. Les f. connurent une importante diffusion durant le XVIe s., surtout en Italie dans l'École romaine (*Lamentationes* de Palestrina p. ex.) et en Espagne.

Bibliographie — H. SCHÜTZ, préface à l'Auferstehungshistorie, 1623; PIE X, Motu proprio, 1903; M. BUKOFZER, Studies in Medieval and Renaissance Music, Londres, Dent, 1951; G. REESE, Music in the Renaissance, New York, Norton, 1954, 2/1959; E. TRUMBLE, Fauxbourdon. An Historical Survey, Brooklyn, Inst. of Mediaeval Music, 1959.

FANCY ou FANTASY (angl., = fantaisie), forme préférée des compositeurs de mus. de chambre des XVIe et XVIIe s. anglais. Correspondant au → « ricercare » ou à la → fantaisie des Italiens, c'était à l'origine une version instrumentale du → madrigal anglais. Dans les premiers exemples (v. 1520-80), qui présentent de longues et souples lignes tressées en polyphonie, le style n'est pas très révélateur d'une écriture spécifiquement instrumentale. Plus tard, R. Fayrfax, J. Taverner et Chr. Tye considèrent la f. comme une forme intégrant des épisodes opposés par leur tempo et leur texture; ainsi des passages homophoniques viennent contraster avec la polyphonie traditionnelle. La f. resta en vogue jusqu'à la fin du XVIIe s. malgré la concurrence du style d'inspiration française en faveur à la Cour du roi Charles II après 1660, face auquel elle commença à paraître démodée et sans attrait. J. Jenkins suivit la nouvelle mode en écrivant des « sonatas » qui toutefois ne diffèrent guère de la « fantasy ». Chez H. Purcell, la sonate baroque et la f. sont deux formes nettement distinctes.

Bibliographie — TH. MORLEY, A Plaine and Easie Introd. to Practicall Musicke, Londres 1597, rééd. en facs. par E.H. Fellowes, Londres 1937; rééd. par R.A. Harman et Th. Dart, Londres, Dent, 1952; TH. MACE, Musick's Monument, Londres 1676, rééd. en facs. par J. Jacquot, 2 vol., Paris, CNRS, 1958; E.H. MEYER, Die mehrstimmige Spielmusik des 17. Jh., Kassel 1934; D. STEVENS, Purcell's Art of Fantasia, in ML XXXIII, 1952; C. ARNOLD et M. JOHNSON, The English Fantasy Suite, in Proc. R. Mus. Assoc. LXXXII, 1955-56; TH. DART, The Printed Fantasies of O. Gibbons, in ML XXXVII, 1956; M. TILMOUTH, The Technique and Forms of Purcell's Sonatas, in ML XL, 1959; P. WILLETTS, Sir Nicholas le Strange and J. Jenkins, in ML XLII, 1961.

FANDANGO (esp.), danse andalouse attestée depuis le XVIIe s. Son nom a prêté à controverse : sans nier absolument une étymologie afro-cubaine (du mandingue « fanda », = festin, banquet), il semble plus probable qu'il se rattache au portugais → « fado », avec une désinence péjorative. De plus, le f. semble être né en Andalousie; il fut transporté de là aux colonies espagnoles, et son nom désigne partout une assemblée bruyante. L'évêque J.J. Peralta l'interdit, sous peine d'excommunication, dans un édit promulgué à Buenos Aires en 1743. Son mouvement est pourtant assez lent, à 6/8, mais il a pris un caractère plus allant, à 3/4 ♩ ♫♩. Le f. a été assez fréquent dans les pièces du XVIIIe s., et, dans le *Baile nuevo* de Juan Hidalgo (1721), le refrain répète : « Ahora sí, ahora sí, fandanguero, / ahora sí que te adoro y te quiero ». Il y a aussi un f. dans *Los Sopones* de Cañizares (1723) : « Me dice del fandanguillo, / ay, picarí, picarillo ! / mil finezas al són ». Ce terme de « fandanguillo » désigne aujourd'hui une variété propre à la province de Huelva. Le véritable f. est une danse chantée, qu'on peut entonner « por alto », dans un style brillant, ou « por bajo », dans le même rythme mais sans les ornements propres au style « alto ». Selon les provinces, il reçoit les noms de → « malagueña », « rondeña », « murciana » ou « granadina ». N. Rimski-Korsakov (*Capriccio espagnol*), I. Albéniz (*Iberia*), E. Granados (*Goyescas*), M. de Falla (*Le Tricorne*) ont écrit des f.; Gluck (*Don Juan*)

Ph. © Philippe Coqueux

ÉLECTRO-ACOUSTIQUE (Musique). Pierre Henry au pupitre
de mélange.

EMBOUCHURE. a. et b. Embouchures de trompettes; c. de trombones;
d. de cors.

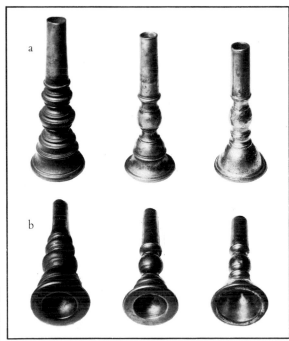

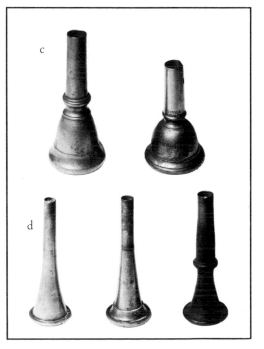

Fh. Jeanbor ©Fhcteb

En haut : Alfred Cortot (1877-1962) au piano, entouré d'un groupe d'élèves.

En bas : Roger Loewenguth dirigeant un orchestre de jeunes violoncellistes.

Nadia Boulanger (née en 1887) dirigeant une répétition.

ÉPINETTE, Italie, vers 1600. Londres, Victoria and Albert Museum.

ÉPINETTE DES VOSGES, France (Val d'Ajol), fin du XVIIIe s. Anonyme. Long. 595 mm. Le corps de l'instrument est en marquetterie. Londres, Horniman Museum.

FLÛTE À BEC en ivoire sculpté. France, époque Louis XVI. Long. 443 mm. Paris, Musée instrumental du Conservatoire National de Musique.

FLÛTE TRAVERSIÈRE. Paire de flûtes traversières démontées, dans leur étui, œuvre de Thomas Lot, Paris, vers 1770. Bois clair avec virolles d'ivoire. Londres, Horniman Museum.

et Mozart (*Les Noces de Figaro*, fin du 3e acte) ont utilisé librement une mélodie de f. instrumental.

Bibliographie — M. SCHNEIDER, art. F. *in* MGG III, 1954.

FANFARE (ital., fanfara). **1.** Bref morceau pour cuivres (cors ou trompettes) servant de signal d'ouverture à l'occasion de cérémonies, de chasses ou de batailles (voir l'art. COR). — **2.** Très tôt les compositeurs écrivirent des f. (*Tuba gallicalis*, fin XIVe s.) et en imitèrent le style aussi bien dans des œuvres vocales, telles que « caccie » (XIVe s.), fragments de messe (G. Dufay, *Gloria* « *ad modum tubae* ») ou chansons (Cl. Janequin, *Chantons, sonnons trompettes*), que dans des musiques à programme comme les batailles (Cl. Janequin, *La Guerre*). Puis on appela f. une pièce ou un passage d'œuvre symphonique ou dramatique joué sur des cuivres et évoquant les airs de chasse ou de guerre. On trouve des f. dans l'*Orfeo* de Cl. Monteverdi (toccata introductive), le *Te Deum* de J.B. Lully, *Hippolyte et Aricie* et *Castor et Pollux* de J. Ph. Rameau, *Fidelio* de Beethoven *Tannhäuser* et *Tristan et Isolde* de R. Wagner, *Les Troyens* de Berlioz, *Aïda* de Verdi, *Le Martyre de saint Sébastien* de Debussy, *La Péri* de P. Dukas (*Fanfare pour précéder la Péri*) et les *Homenajes* de M. de Falla (*Fanfare sur le nom d'Arbos*). — **3.** Orchestre de mus. militaire composé exclusivement d'instr. à vent de cuivre (trompettes, cornets, cors, trombones, bugles ou saxhorns ; s'y ajoutent parfois des saxophones) et d'instr. de percussion (cymbales, tambours). — **4.** En ethnomusicologie, on désigne du terme de f. un type de mélodie utilisant de préférence de grands intervalles (tierces, quartes, quintes).

FANTAISIE (angl., → fancy ; all., Fantasie ; ital. et esp., fantasia), pièce de mus. instrumentale dont la définition est imprécise car elle n'est pas soumise à de strictes règles formelles et se rapproche souvent de l'improvisation. Elle a son origine dans le développement des instr. à clavier (orgue et clavecin). Dès le XIIIe s., il devient possible de jouer simultanément les voix d'un motet ou d'une chanson sans que celles-ci soient chantées. Le manuscrit italien de Faënza (v. 1400) contient des arrangements de madrigaux et de chansons traités avec une si grande indépendance qu'il est parfois difficile (G. de Machault, *De toutes flours*) de reconnaître les modèles qui les ont inspirés, tant sont importantes les modifications suggérées par la technique de l'instrument. La f. proprement dite se développe en Europe au XVIe s. à côté d'autres formes déjà en usage, auxquelles elle s'apparente parfois, non sans quelque confusion : le → « ricercare », la → « toccata » et le → prélude. Écrite pour le luth ou le clavier, elle se confond souvent en Italie avec le « ricercare » de style contrapuntique ou le prélude quasi improvisé. Des récitatifs, des traits de virtuosité alternent souvent avec des passages en imitation. Francesco da Milano, le premier grand maître de la f. (1536), tient compte pour justifier le titre de la pièce qu'il compose du nombre des motifs et de la liberté avec laquelle ceux-ci sont développés. M. de Barberiis publie en 1549 des f. pour deux luths aux modulations hardies, dans lesquelles le superius affirme sa prépondérance. Vers la fin du siècle, A. Gabrieli, O. Vecchi et G. Gabrieli construisent généralement leurs f. sur un seul thème, modifié par ornementation, inversion

et autres procédés. Avant de disparaître en Italie, la f. conserve encore avec G. Frescobaldi le même caractère. En Espagne, la f. pour luth, « arpa », « vihuela » ou guitare se développe aussi de manière indécise. Les règles édictées par T. de Santa María dans son *Arte de tañer Fantasía* (1565) sont plus ou moins suivies par L. Milán, A. Mudarra, D. Pisador et M. de Fuenllana. L. Venegas de Henestrosa et surtout A. de Cabezón rapprochent le genre, l'un du « tiento », l'autre du « ricercare », deux formes qui, vers la fin du siècle, deviendront synonymes. En Angleterre, la → « fancy » pour un ensemble de violes apparaît d'abord dans les œuvres de W. Byrd ; à la différence du « ricercare », elle s'appuie sur des motifs originaux et non sur un « cantus firmus ». En France, les premières f. sont écrites pour le luth par A. de Rippe et G.P. Paladino, tous deux d'origine italienne, et par A. Le Roy. De la fin du siècle on connaît seulement deux f., composées par des organistes, celle de N. de La Grotte sur un madrigal de C. de Rore, *Anchor che col partire*, et celle, incomplète, de G. Costeley pour orgue ou épinette. Au XVIIe s. la f. s'épanouit en Angleterre avec G. Farnaby, G. Coperario, J. Bull, O. Gibbons, T. Tomkins, J. Jenkins, W. Lawes et Ch. Coleman. M. Locke, dont les suites, dans le *Consort of Four Parts* et le *Broken Consort* (1651), débutent par une f., et H. Purcell mènent avant son déclin le genre à son apogée. En France, la f. trouve sa forme, caractérisée par ses « fugues continues » et son absence de virtuosité, avec Cl. Le Jeune, E. Du Caurroy, Ch. Guillet, Ch. Raquet, E. Moulinié et L. Couperin. Nicolas Métru (?-v. 1670) et M. Marais publient des f. pour les violes. La f. est aussi pratiquée au début du siècle par des luthistes : A. Francisque (*Trésor d'Orphée*, 1600), le Bisontin J.B. Bésard (*Thesaurus Harmonicus*, 1603) et le Français émigré aux Pays-Bas N. Vallet (*Secretum Musarum*, 1615). Par la suite elle est, au luth comme au clavier, à peu près délaissée. Aux Pays-Bas, J.P. Sweelinck donne à la f. une forme composite, tandis qu'en Allemagne S. Scheidt est influencé par la « fancy » et le « ricercare » et que J.J. Froberger fait la synthèse des divers styles nationaux. Au XVIIIe s. la f. a totalement disparu en Italie, depuis la mort de Frescobaldi, au profit de la sonate et de la « sinfonia ». En France, S. de Brossard l'identifie au « capriccio ». En Allemagne, si Haendel n'a laissé qu'une f., J.S. Bach, par contre, en écrit quinze. Il traite le genre, pour l'orgue ou le clavecin, avec une totale liberté, en s'appuyant soit sur un thème unique (*Fantaisie* en *ut* min. BWV 562 pour orgue), soit sur deux thèmes (*Fantaisie* en *ut* min. BWV 906 pour clv.), ou bien en écartant tout élément thématique (*Fantaisie* en *sol* maj. BWV 572 pour orgue). Sa *Fantaisie chromatique* en *ré* min. BWV 903 pour clavecin et sa *Fantaisie* en *sol* min. BWV 542 pour orgue, qui servent l'une et l'autre de portique à une fugue, usent du style récitatif et ont le caractère d'une « toccata » rhapsodique très modulant. Après 1750 la f. subit nettement l'influence de la sonate et du rondo. Avec W.Fr. Bach elle se rapproche encore de la « toccata » ou bien s'apparente à un mouvement de sonate, en combinant parfois plus de deux thèmes de façon logique et équilibrée. Avec C.Ph.E. Bach elle prend souvent un caractère dramatique (*Fantaisie* en *ut* min. pour clavier), qui annonce le romantisme. Chez J.Chr. Bach, par contre, auteur d'une seule f., et qui contribue à l'évolution de l'École viennoise vers l'art classique, le genre disparaît. Les f. de Mozart — si l'on excepte la *Fantaisie* en *ut* min. pour piano KV 396, qui, malgré son caractère de prélude, a la forme sonate avec une reprise pure et simple de la 1re partie — ont plusieurs mouvements. La *Fantaisie* en *ut* min. KV 475, qui précède la *Sonate* KV 457, est d'une totale liberté et fait alterner selon les « tempi » lyrisme et virtuosité. La *Fantaisie* en *ut* maj. KV 394 précède une fugue. Quant à ses *Fantaisies pour orgue mécanique* KV 594 et 608, elles s'apparentent, la première à l'ouverture à la française, l'autre à l'ouverture italienne. Au XIXe s., malgré l'influence des formes classiques, le terme de f. devient de plus en plus arbitraire. Il désigne aussi bien des variations libres qu'une sonate irrégulière et ne répond plus à sa conception première. Beethoven affirme son indépendance à l'égard de la grande forme classique en sous-titrant ses deux *Sonates* op. 27 « quasi una fantasia ». Un même goût d'émancipation anime Fr. Schubert. Ses premières *Fantaisies à 4 mains* (1810, 1811, 1813), sa *Wanderer Fantasie* (1822), sa *Fantaisie à 4 mains* en *fa* min. (1828) et sa *Fantaisie* pour piano et violon en *ut* maj. constituent des cycles de 4 mouvements en forme de sonate libre. La fougueuse et passionnée *Fantaisie* en *fa* min. (1841) de Fr. Chopin semble bien réaliser le type idéal du genre à l'époque romantique mais a encore, étant donné l'agencement de ses thèmes, de vagues rapports avec la sonate. De cette contrainte la f. se libère rapidement et adopte n'importe quel plan ; d'où ses multiples aspects. Chez R. Schumann la *Fantaisie* en *ut* (1836) pour piano a plusieurs mouvements, dont un thème varié. Les *Phantasiestücke* (1837) réunissent des pièces indépendantes. La f. s'identifie au caprice (F. Mendelssohn, *Fantaisies ou Caprices* pour p., 1829), au poème symphonique pour piano (malgré son titre, la *Fantasia quasi una sonata*, 1837, inspirée à Liszt par une lecture de Dante ; ou les *Kreisleriana*, 1838, de Schumann, d'après un conte d'Hoffmann), à la rhapsodie (la *Fantaisie sur des airs populaires hongrois*, 1852, pour p. et orch., de Liszt, deviendra en 1864 la *14e Rhapsodie*), au lied en 3 parties (Chopin, *Fantaisie-Impromptu* en *do* ♯ min., v. 1834), à l'intermezzo (J. Brahms, *Fantasien* op. 116, 1893), enfin au pot-pourri, soit sur des airs d'opéras (Liszt, *Fantaisies* sur des *Robert le Diable* de Meyerbeer, 1831 ; *Lelio* de Berlioz, 1834 ; *Lucia de Lammermoor* de Donizetti, 1835-36 ; *Don Juan* de Mozart, 1841 ; *Rigoletto* de Verdi, 1851, etc.), soit sur des motifs populaires (Chopin, *Grande Fantaisie sur des airs nationaux polonais*, 1834 ; N. Rimski-Korsakov, *Fantaisie sur des thèmes serbes*, 1867 ; E. Lalo, *Fantaisie norvégienne*, 1878, pour vl. et orch. ; C. Saint-Saëns, *Africa*, f. pour p. et orch., 1891) ou exotiques (M. Balakirev, *Islamey*, f. orientale, 1869). Des œuvres d'orchestre comme la *Symphonie* en *ré* min. (1841-51), au caractère cyclique, de R. Schumann ou le poème symphonique *Une nuit sur le mont Chauve* de M. Moussorgski (1866-67) reçurent à l'origine le nom de fantaisie. Plus près de nous il faut citer les f. de Cl. Debussy (1889, p. et orch.), de G. Lekeu (*Fantaisie sur des airs populaires angevins* pour orch., 1892), C. Saint-Saëns (*Fantaisie* pour harpe, 1893), R. Vaughan Williams (*Fantaisie sur un thème de Tallis* pour orch à cordes, 1910), G. Fauré (*Fantaisie* pour p. et orch., 1918), D. Milhaud

(*Fantaisie pastorale* pour p. et orch., 1938), A. Jolivet (*Fantaisie-Caprice* pour fl. et p. ; *Fantaisie-Impromptu* pour saxophone, alto et p., 1953), G. Migot (*Fantaisies*, pour fl. et p., htb. et p., clar. et p., 1968). Aux XIXe et XXe s. l'esprit traditionnel s'est surtout maintenu dans la littérature d'orgue avec Liszt (*Fantaisie et fugue sur le choral « Ad nos, ad salutarem undam »*, 1850 ; *Fantaisie et fugue sur le nom de Bach*, 1855), C. Franck (*Fantaisie* en *la* maj., 1878), M. Reger (nombreuses *f.* sur des thèmes de choral, et f. et fugues), C. Saint-Saëns (*3 Fantaisies*, 1856, 1896, 1919), L. Boëllmann (*Fantaisie*, 1906), L. Vierne (*Pièces de fantaisie* groupées en 4 suites, 1926-27), Ch. Tournemire (*Fantaisie symphonique*, 1933) et J. Alain (*2 Fantaisies*, 1934, 1936). Dans la mus. contemporaine il semble que, sauf exception pour l'école dodécaphoniste (A. Schönberg, *Fantaisie* pour p. et vl., 1949), la f. subisse le sort des formes traditionnelles et qu'elle soit délaissée au profit de nouvelles structures sonores qui, pour l'instant, ignorent le passé. Essentiellement instrumentale, la f. fait rarement appel à la voix humaine (Beethoven, *Fantaisie* op. 80 pour p., orch. et chœur, 1808) ; elle l'utilise parfois à la manière d'un instrument (J. Alain, *Fantaisie* op. 57 pour chœur à 4 voix, à bouches fermées).

Bibliographie — H. QUITTARD, Mus. instrumentale jusqu'à Lully, *in* Lavignac Hist. III, 1913 ; A. PIRRO, Les clavecinistes, Paris 1924 ; du même, L'art des organistes, *in* Lavignac Techn. II, 1925 ; O. DEFFNER, Über die Entwicklung der F. für Tasteninstrument bis J.P. Sweelinck, Kiel 1928 ; L. DE LA LAURENCIE, Les luthistes, Paris 1928 ; H. MEYER, Die mehrstimmige Spielmusik des 17. Jh. in Nord- u. Mitteleuropa, Kassel 1934 ; E.T. FERRAND, Die Improvisation in der Musik, Zürich 1938 ; N. DUFOURCQ, La mus. d'orgue fr., Paris 1941 ; du même, Le livre de l'orgue fr. (1589-1789), IV La musique, Paris, Picard, 1972 ; M. REIMANN, Zur Deutung des Begriffs Fantasia, *in* AfMw X, 1953 ; D. LAUNAY, La f. en France jusqu'au milieu du XVIIe s., *in* Mus. instrumentale de la Renaissance, éd. par J. Jacquot, Paris, CNRS, 1955 ; R. MURPHY, F. et ricercare dans les premières tablatures de luth du XVIe s., *in* Le luth et sa mus., éd. par J. Jacquot, Paris, CNRS, 1958 ; G. THIBAULT, La mus. instrumentale au XVIe s. Italie - Allemagne - France, *in* Encycl. de la Pléiade, Hist. de la Mus. I, éd. par Roland-Manuel, Paris, Gallimard, 1960 ; J. BONFILS, Les F. instrumentales d'E. Le Caurroy, *in* Recherches II, Paris, Picard, 1961-62 ; A. COHEN, The F. for Instrumental Ensemble in 17th Cent. France, *in* MQ XLVIII, 1962 ; J.P. MULLER, La f. libre (diss. Univ. libre de Bruxelles, 1972).

A. VERCHALY

FANTASY (angl.), voir FANCY.

FARANDOLE, danse provençale d'origine phocéenne ou grecque. Un grand nombre de danseurs et de danseuses se tiennent par la main ; ils forment une très longue chaîne qui progresse en serpentant sous la conduite d'un ou plusieurs musiciens jouant du → galoubet d'une main et du → tambourin de l'autre. La f. est apparentée au branle et au cotillon. Son mouvement est assez modéré ; elle s'écrit à 6/8. Des évocations de la f. se trouvent dans *Mireille* de Ch. Gounod, *L'Arlésienne* de G. Bizet ; la *Suite* op. 91 pour flûte, violon, alto, violoncelle et harpe de V. d'Indy ; dans la *Suite provençale* et la *Suite française* de D. Milhaud et dans les *Danceries* pour violon et piano de Cl. Delvincourt.

FARCE, FARCITURE, voir TROPE.

FAUSSE NOTE, note qui contrevient à la justesse et qui résulte le plus souvent d'une erreur d'intonation due à la maladresse. Il arrive cependant que la f.n.

soit recherchée intentionnellement dans le but de produire un effet particulier :

la fo - rêt _____ et vous...

Cl. Debussy, *Pelléas et Mélisande*, acte II, sc. 3, réd. p. et cht p. 169; voir aussi p. 217, « je ris déjà comme un vieillard... ».

FAUSSE RELATION (angl., false relation; all., Querstand; ital., falsa relazione; esp., falsa relación). Certains auteurs désignent par f. r. tous les intervalles augmentés ou diminués, que leurs sons apparaissent simultanément ou successivement (J.J. Rousseau, *Dictionnaire*, 1767). L'intérêt des théoriciens se concentre cependant sur les f. r. qui résultent de la succession de deux sons en rapport de demi-ton chromatique (ou d'octave diminuée ou augmentée) ou de triton dans deux voix différentes, les intervalles altérés en succession mélodique dans la même voix étant tolérés en raison de leur faculté expressive (W.C. Printz, *Phrynis Mitilenaeus*, 1696). Au XVIIIᵉ s. les avis concernant les f. r., qui devaient être évitées étaient partagés. J.G. Walther (*Musicalisches Lexicon*, 1732) conseille à ce propos de suivre l'opinion des Français : « Évite qui voudra, ou plutôt qui pourra les f. relations ». La f. r. chromatique toutefois est interdite dans le contrepoint strict et n'est pas conseillée pour un style harmonique simple (ex. 1). Elle s'évite par le placement de la succession chromatique dans la même voix (ex. 2). Elle est tolérée

la succession du Vᵉ au IVᵉ degré, se place autant que possible dans les voix intérieures :

A partir du XIXᵉ s., avec l'emploi toujours plus fréquent de l'altération et des accords d'emprunt, les f. r. ne sont plus soumises à aucune restriction et deviennent même caractéristiques pour le style harmonique du romantisme.

FAUSSET (ital. et angl., falsetto ; all., Falsett ; esp., falsete), manière de chanter artificielle adoptée par les voix d'hommes — les ténors principalement — pour produire des sons aigus dits « de tête », hors de leur registre naturel. Elle s'obtient en empêchant la contraction normale des cordes vocales. Au passage du registre de poitrine à la voix de f., les sons deviennent subitement sourds et détimbrés mais ils retrouvent une sonorité claire, quoique de moindre ampleur, dépourvue de « vibrato », au fur et à mesure que la voix s'élève. La voix de f. possède un charme réel, fait de finesse et de pureté, lorsque le chanteur est entraîné à la pratiquer. Dans la mus. religieuse ancienne, qui n'exigeait ni grand volume sonore ni expression dramatique, les parties supérieures des messes et des motets étaient fréquemment chantées par des falsettistes avant que les → castrats ne viennent les supplanter au cours du XVIIᵉ s.

FAUX-BOURDON (angl., faburdon ; all., faberthon ; ital., falso bordone). **1.** Terme dont l'emploi remonte au début du XVᵉ s. et qui, dans le cadre d'une forme d'exécution musicale, se réfère à l'emplacement du → « cantus firmus » à la voix supérieure, soutenue par une voix médiane et une voix grave formant avec le chant des quartes et des sixtes parallèles :

Pro - - - - - pter ni - mi - am

Tenor
A faulx bourdon

Pro - - - - - pter ni - mi - am

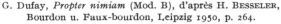

G. Dufay, *Propter nimiam* (Mod. B), d'après H. Besseler,
Bourdon u. Faux-bourdon, Leipzig 1950, p. 264.

si l'un des deux sons est une → broderie et qu'il est donc étranger à l'accord (ex. 3) :

(1)   (2)   (3)

Ex. 3 : J.S. Bach, *Invention* à 2 voix en *mi* maj.

La f. r. de triton, connue depuis la théorie médiévale sous le nom de « *mi* contra *fa* », est considérée comme une dureté qui, si elle ne peut être évitée comme dans

Seuls le « cantus » et le ténor sont notés, tandis que le contraténor doit être restitué sous forme d'une voix médiane située à la quarte inférieure du chant. Le plus ancien f. connu, la postcommunion de la *Missa Sancti Jacobi* (v. 1430) de G. Dufay, comporte une note : « Si trinum queras / a summo tolle figuras / et simul incipito / dyatessaronin subeondo ». On ne sait si le terme était employé au début pour désigner une seule voix ou l'ensemble de la pièce comme cela est attesté à la fin du XVᵉ s. (p. ex. chez Guilielmus Monachus, qui parle de « modus faulxbourdon »). Le f. continental est une musique composée (« res facta »), à l'opposé du « faburdon » anglais — procédé d'improvisation basé lui aussi sur un mouvement parallèle en tierces et en sixtes — dont le principe sonore semble être à l'origine de la création du faux-bourdon. Les premiers f. présentent des réminiscences d'une tradition contrapuntique sous l'aspect d'une conduite mélodique du « cantus » et du ténor relativement indépendante et d'un parallélisme des voix qui ne dépasse guère cinq notes consécutives (G. Dufay, *Vos qui secuti estis*). Cependant le f. « classique » s'écarte fondamentalement du contrepoint, tant au point de vue rythmique qu'au point de vue sonore, en ce qu'il abandonne l'individualisation des voix au profit de l'homophonie du « cantus », du ténor et du contraténor, qui créent de longues chaînes d'accords de sixte se résolvant en consonances d'octave et quinte sur les finales. Ce mouvement parallèle se relâche à la rigueur dans les zones cadentielles où apparaissent des syncopes et des dissonances (voir l'antienne de Magnificat *Propter nimiam caritatem*, in H. BESSELER, Bourdon u. Faux-bourdon, p. 264). Au cours de la 2ᵈᵉ moitié du XVᵉ s., la tendance à l'émancipation du parallélisme rigoureux s'affirme. On rencontre alors des pièces où l'ossature « cantus » - ténor est toujours construite en sixtes parallèles mais où le contraténor se meut en tierces et quintes sous le ténor, créant ainsi les conditions favorables à la formation d'une partie de basse dans le faux-bourdon. Cette structure s'élargira par la suite grâce à un contraténor « altus » se déplaçant en tierces et en quartes par rapport au « cantus » (*In exitu Israel*, in B. TROWELL, Faburden u. Faux-bourdon, p. 48). L'évolution ultérieure mènera au →« falsobordone », de structure également homophone mais libéré du parallélisme des voix et pourvu d'une voix grave, fondement de l'harmonie.

Le f. a trouvé son emploi principalement dans un art liturgique mineur (hymne, séquence, Magnificat), plus rarement dans des œuvres de plus vastes proportions (fragment de messe). Dans un cas comme dans l'autre, on l'utilisait volontiers comme élément de contraste. Dans ses hymnes, G. Dufay fait alterner de strophe en strophe l'exécution monodique et le faux-bourdon. Dans le *Magnificat octavi toni* (DTÖ VII, p. 174 et ss.), il oppose des passages en contrepoint à 2 ou 3 parties à d'autres écrits en faux-bourdon. Dans plusieurs pièces, un contraténor supplémentaire, écrit en contrepoint, laisse le choix entre une forme contrapuntique et une autre en faux-bourdon (G. Dufay, *Ave maris stella*, cf. Chw 49). Selon les sources conservées, la naissance et l'épanouissement du f. se situent dans un laps de temps de 35 à 40 années : la tradition débute aux environs de 1430 (BL), se poursuit jusqu'au milieu du siècle (Mod B, Tr. 87, Tr. 92, Em, Ao et FM) et survit pendant une quinzaine d'années au-delà (Tr. 88-90, Tr. 93). Jusqu'à présent 172 pièces en f. nous sont parvenues. La plupart sont dues à G. Dufay ; parmi les autres compositeurs il faut citer G. Binchois, J. Brassart et Jehan de Limbourg.

2. Au XVIᵉ s. le terme de « faberthon » se retrouve en Allemagne pour désigner un jeu d'orgue — fourniture d'octave et quinte — qui apparaît p. ex. dans la composition de l'orgue de la cathédrale de Fribourg-en-Brisgau construit en 1544-48 par Jörg Ebert.

3. Au XVIIᵉ s. f. désigne une figure de rhétorique musicale, caractérisée par le mouvement parallèle d'accords de sixte, qui sert fréquemment à représenter la « fausseté » (J. BURMEISTER, Musica poetica, p. 65).

L'origine et le sens du mot f., ainsi que les rapports qui lient le terme continental et le terme anglais « faburdon », également attesté depuis le début du XVᵉ s., restent sujets à controverse. Contre l'interprétation f. = fausse basse, désignant le contraténor comme la voix qui, par la rigueur de son parallélisme à la quarte, rend impossible l'existence d'une voix grave fondement de l'harmonie, écrite selon les règles du contrepoint (H. Besseler), il faut relever l'absence de tout témoignage interprétant le terme de → bourdon dans le sens de support de l'harmonie. La thèse selon laquelle f. serait une adaptation française du moyen anglais « faburdon » (= soutien de quarte, formé de la syllabe de solmisation *fa* et du moyen anglais « burdon » = soutien) et désignerait le contraténor, lié au cantus par l'intervalle de quarte, comme un « faux soutien » (R. von Ficker) n'est guère plus plausible en raison de la définition étroite du terme anglais : la syllabe de solmisation *fa* ne peut être identifiée à la quarte car le IVᵉ degré de l'hexacorde représente bien un lieu sonore fixe mais non l'intervalle de quarte. Si l'on considère le fait que — selon le témoignage du pseudo-Chilston (milieu du XVᵉ s.) — la pratique anglaise du « faburdon » se caractérise par un « cantus firmus » à la voix médiane, qu'accompagnent une voix grave à la tierce, désignée du terme de « faburdon », et une voix supérieure à la quarte, la thèse suivante semble accorder le mot et la chose : comme sont attestés les termes moyen anglais « burdon », signifiant voix grave qui tient le chant, et « fa », signifiant opposant, adversaire, et comme « faburdon » désigne une voix grave placée contre le « burdon », « fa-burdon » doit pouvoir être compris comme une voix grave accolée au « cantus » et représenterait ainsi l'équivalent anglais du mot latin « contratenor ». Cela ne constitue pas la preuve de l'adaptation du terme anglais au français et n'apporte aucune lumière sur le sens de faux-bourdon. Peut-être doit-on se ranger à l'avis de Guilielmus Monachus, qui donnait la première explication du terme aux environs de 1490. Selon lui, le f. est « faux » en ce que le « cantus firmus » n'est pas situé au ténor, comme il est d'usage dans l'écriture contrapuntique, mais à la voix supérieure : « iste enim modus communiter faulxbourdon appellatur, supranus enim ille reperitur per cantum firmum » (CSM IX, p. 39).

Bibliographie — J. TINCTORIS, De arte contrapuncti, in Coussemaker Scr. IV, 1876 ; GUILIELMUS MONACHUS, De preceptis artis musicae, éd. par A. Seay, in CSM XI, 1965 ; ADAM VON FULDA, De musica, in Gerbert Scr. III, 1784 ; FR. GAFFURIO, Practica musice, Milan 1496, réimpr. en facs. Farnborough, Gregg, 1967 ; G.M. LANFRANCO, Scintille di musica, Brescia 1533 ; A.P. COCLICO, Compendium musices, Nuremberg 1552, réimpr. en facs. Kassel, BV, 1954 ; G. ZARLINO, Istitutioni harmoniche, Venise 1558 ; J. BURMEISTER, Musica poetica, Rostock 1606, réimpr. en facs. Kassel, BV, 1955 ; M. PRAETORIUS, Syntagma musicum III, Wolfenbüttel 1619, réimpr. en facs. Kassel, BV, 1958 ; A. WERKMEISTER, Hypomnemata musica, Quedlinburg 1697, réimpr. en facs. Hildesheim, Olms, 1970 ; G. ADLER, Studie zur Gesch. der Harmonie, in Sitzungsbericht Wien XCVIII/3, 1881 ; M. BUKOFZER, Gesch. des englischen Diskants u. des F. ..., Strasbourg 1936 ; du même, F. Revisited, in MQ XXXVIII, 1952 ; THR. GEORGIADES, Englische Diskanttraktate aus der 1. Hälfte des 15. Jh., Munich 1937 ; J. HANDSCHIN, Aus der alten Musiktheorie, in AMl XIV-XV, 1942-43 ; du même, Eine umstrittene Stelle bei G. Monachus, in Kgr.-Ber. Basel 1949 ; H. BESSELER, Bourdon u. F., Leipzig 1950 ; du même, Tonalharmonik u. Vollklang, in AMl XXIV, 1952 ; du même, Das Neue in der Musik des 15. Jh., ibid. XXVI, 1954 ; du même, Das Ergebnis der Diskussion über F., ibid. XXIX, 1957 ; R. VON FICKER, Zur Schöpfungsgesch. des F., ibid. XXIII, 1951 ; du même, Epilog zum F., ibid. XXV, 1953 ; H. FLASDIECK, Frz. F. u. frühneuengl. faburden, ibid. ; du même, Elisabeth « F. » u. neuengl. Burden « Refrain », in Anglia LXXIV, nouv. série 62, 1956 ; N. WALLIN, Zur Deutung der Begriffe Faburden-F., in Kgr.-

Ber. Bamberg 1953 ; G. KIRCHNER, Frz. « F. » u. frühneuengl. faburden (H.M. Flasdieck). Epilog zum F. (R. von Ficker). Eine Erwiderung, in AMI XXVI, 1954 ; S. CLERCX, Aux origines du f., in RMie XI, 1957 ; G. SCHMIDT, Über den F. Ein Literaturbericht, in Jb. für Liturgik u. Hymnologie IV, 1958-59 ; B. TROWELL, Faburden u. F., in MD XIII, 1959 ; E. TRUMBLE, F. A Historical Survey, Brooklyn, Inst. of Mediaeval Music, 1959 ; du même, Authentic and Spurious Faburden, in RBMie XIV, 1960 ; FR. LL. HARRISON, Faburden in Practice, in MD XIII, 1959 ; R. DAMMANN, Der Musikbegriff im deutschen Barock, Cologne, A. Volk, 1967 ; M. VOGEL, Musica falsa u. falso bordone, in Fs. W. Wiora, Kassel, BV, 1967 ; A.B. SCOTT, The Beginnings of F., in JAMS XXIV, 1971 ; C. DAHLHAUS, Miszellen zur Musiktheorie des 15. Jh., in Jb. des Staatlichen Instituts für Musikforschung Preussischer Kulturbesitz 1970, Berlin 1971 ; D. HOFFMANN-AXTHELM, art. F. in Handwörterbuch der musikalischen Terminologie, éd. par H.H. Eggebrecht, Wiesbaden, Fr. Steiner, 1972 et suiv.

D. HOFFMANN-AXTHELM

FEINTE, ancien nom des altérations accidentelles, utilisé également pour désigner les touches noires du → clavier qui correspondent aux notes altérées. Autrefois les f. étaient blanches et les touches correspondant aux notes naturelles noires. — Voir également l'art. MUSICA FICTA.

FENÊTRE. 1. Nom donné à deux ouvertures placées à la paroi interne de la cavité du tympan, la f. ronde et la f. ovale, qui mettent en communication l'oreille moyenne et l'oreille interne. — Voir l'art. OREILLE. — **2.** Partie de la menuiserie du → buffet de l'orgue dans laquelle était ménagée une ouverture permettant d'y disposer le ou les claviers.

FERMATA (ital.), voir POINT D'ORGUE.

FERRARE (Ferrara).

Bibliographie — **1. Vie musicale et ouvr. généraux :** A. RAMAZZINI, I musici fiamminghi alla corte di F., in Archivio Storico Lombardo VI, 1879 ; L.F. VALDRIGHI, Cappelle, concerti e musici di Casa d'Este, in Atti e Memorie della Deputazione di Storia Patria per le provincie modenesi e parmensi, Modène 1884 ; A. SOLERTI, F. e la corte estense nella 2ª metà del s. XVI, Città di Castello 1891 ; M. BENNATI, Musicisti ferraresi, in Atti e Memorie della Deputazione ferrarese di Storia Patria XIII, Ferrare 1901 ; A. LAZZARI, La mus. alla corte dei duchi di F., Ferrare 1928 ; W. WEYLER, Documenten betreffende de muziekkapel aan het hof van F., in Vlaamsch Jaarboek voor Muziekgeschiedenis I, 1939. — **2. Théâtres et spectacles :** A. GENNARI, Il Teatro di F., cenni storici, Ferrare 1883 ; P. ANTOLINI, Notizie e documenti intorno al Teatro Comunale di F., in Atti e Memorie della Deputazione ferrarese di Storia Patria, Ferrare 1889. — **3. Enseignement :** C. RIGHINI, Il Liceo musicale « G. Frescobaldi », Florence 1941. — **4. Bibliothèques :** G. ANTONELLI, Documenti riguardanti i libri corali del Duomo di F., Bologne 1846 ; E. DAVIA et A. LOMBARDI, Catal. della mus. dei s. XVI-XVIII conservata nella Bibl. Comunale Ariostea di F., Ferrare 1903 ; Catal. delle opere musicali. Città di F. Bibl. Comunale, Parme 1917 ; R. HAAS, Die estensischen Musikalien, Regensburg 1927.

FES, nom allemand du *fa* bémol.

FESES, nom allemand du *fa* double bémol.

FESTIVAL (all., Festspiel, Musikfest), ensemble de manifestations musicales de caractère exceptionnel, tant par la qualité des artistes que par le cadre dans lequel elles se déroulent et l'intérêt des œuvres exécutées. La plupart des f. sont périodiques et annuels ; ils comprennent des concerts ou des représentations lyriques ou réunissent les deux. Quelques-uns se sont fait une spécialité de la musique d'un seul compositeur, tels les f. Bach de la Neue Bach-Gesellschaft (depuis 1901), ceux du Bach-Verein de Leipzig (1908-39), la « Bachwoche » d'Ansbach (1948-64), les f. Haendel donnés à Londres à l'abbaye de Westminster et au Panthéon (1784-91), au Crystal Palace (1857-1936), les f. Mozart organisés par la fondation internationale Mozarteum de Salzbourg (depuis 1877), les f. Beethoven de Bonn (depuis 1931), le f. de Bayreuth consacré aux drames de Wagner (depuis 1876), etc. D'autres sont consacrés à la mus. contemporaine et ont pour but d'informer les spécialistes et la critique musicale de l'état de la création dans le domaine de l'art des sons, tels le f. de Donaueschingen (depuis 1921), le f. de la SIMC (1923), organisé chaque fois dans une ville différente, ou de mettre un très large public en contact avec les recherches de l'avant-garde, comme les f. de Royan, de Metz, de La Rochelle.

L'origine des f. remonte aux → puys du Moyen Age et de la Renaissance, dont le plus célèbre est le puy d'Évreux (1570-1614), aux « Sängerkriege » des maîtres chanteurs ou aux « Eisteddfodau » des bardes du pays de Galles. Les premiers f. à porter ce titre datent du XVIIIe s. et sont originaires d'Angleterre : le « Festival of the Sons of the Clergy », qui se donna dans l'église St-Paul de Londres dès 1709, et les « Three Choirs Festivals », groupant les maîtrises des cathédrales de Gloucester, de Hereford et de Worcester, qui avaient lieu chaque année à tour de rôle dans l'une de ces trois villes. Au XIXe s. l'Angleterre a connu les f. de Norwich (1824) et de Leeds (1874). Depuis 1824 l'Allemagne a organisé de semblables manifestations avec la fondation du f. rhénan. Le f. de Bonn (1845) donné pour l'érection de la statue de Beethoven, demeure célèbre, ainsi que les f. organisés à Berlin (1901), Eisenach (1907) et Leipzig (1911) en l'honneur de J.S. Bach. Le f. de Bayreuth occupe une place particulière : il reste le seul exemple d'un f. créé par un compositeur pour interpréter ses créations personnelles dans un théâtre spécialement conçu à cet effet, inauguré en 1876 avec les représentations de *L'Anneau du Niebelung*. Pour ces représentations, Wagner a employé le terme de « Bühnenfestspiel » (f. scénique). Entre les deux Guerres mondiales et surtout depuis 1945, de nombreux f. ont vu le jour dans tous les pays. Il ne se passe pas d'année qui ne voie l'ouverture d'un nouveau f., principalement dans des villes ou des sites touristiques. L'accroissement de ces manifestations pose un problème de qualité. Souvent le terme de f. est appliqué à des manifestations de caractère mercantile, n'ayant plus le caractère exceptionnel qu'il requiert. Il existe une Assoc. européenne des f. de musique, dont le président est Denis de Rougemont.

Liste des principaux festivals (les dates, de l'année 1974, ne sont données qu'à titre purement indicatif) — **Allemagne :** Bayreuth (25 juil.-28 août) ; Berlin (7 sept.-3 oct.) ; Munich (12 juil.-4 août) ; Schwetzingen (mai-juin). — **Angleterre :** Aldenburgh (juin) ; Bath (21 mai-30 juin) ; Édimbourg (18 août-7 sept.) ; Glyndebourne (mai-août). — **Autriche :** Bregenz (19 juil.-20 août) ; Graz (5-25 oct.) ; Salzbourg (26 juil.-30 août) ; Vienne (25 mai-23 juin). — **Belgique :** F. de printemps à Anvers, Courtrai, Tongres (25 avr.-30 juin) ; F. d'été à Gand, Bruxelles-Louvain, Bruges, Malines (27 juil.-20 sept.). — **Danemark :** Copenhague (20 mai-5 juin). — **Espagne :** Barcelone (25 sept.-31 oct.) ; Grenade (26 juin-9 juil.) ; Santander (août). — **Finlande :** Helsinki (22 août-13 sept.). — **France :** Aix-en-Provence (10-31 juil.) ; Avignon (15 juil.-10 août) ; Besançon (5-15 sept.) ; Bordeaux (3-19 mai) ; Lyon (11 juin-9 juil.) ; Paris, f. du Marais (13 juin-13 juil.) ; Strasbourg (7-23 juin). — **Grèce :** Athènes (7 juil.-22 sept.). — **Hollande :** Amsterdam, Rotterdam, etc. (15 juin-6 juil.). — **Israël :** Jérusalem, Tel-Aviv, Césarée (13 juil.-20 août). — **Iran :** Persépolis (août-sept.). — **Italie :** Florence (mai-juin) ; Pérouse (20 sept.-4 oct.) ; Spolète (14 juin-7 juil.) ; Vérone (13 juil.-août). — **Japon :** Osaka (5-24 avril). — **Liban :** Baalbek (25 juil.-1er sept.). — **Norvège :** Bergen (22 mai-5 juin). — **Pologne :** F. intern. de mus. contemp. à Varsovie (21-29 sept.).

— **Suède** : Stockholm (15 mai-15 juin). — **Suisse** : Lucerne (14 août-6 sept.); Montreux-Vevey (30 août-1er oct.); Zurich (1er juin-3 juil.). — **Tchécoslovaquie** : Bratislava (5-20 oct.); Prague (12 mai-4 juin). — **Yougoslavie** : Dubrovnik (10 juil.-25 août); Zagreb (biennale, mai).

Bibliographie — J. Feschotte, Les hauts lieux de la mus. Paris 1949; N. Boyer, Petite hist. des f. en France, Paris 1955.

FESTSPIEL (all.), voir Festival.

FEUILLET D'ALBUM (all., Albumblatt), → pièce de caractère, généralement écrite pour le piano. Elle a pour origine l'habitude qu'avaient les compositeurs d'écrire quelques mesures dans l'album de leurs amis et mécènes et s'est développée au début du xixe s. en une pièce le plus souvent courte, répondant avant tout aux souhaits des dilettantes, tels *A Élise* de Beethoven et *Albumblatt* (D 844) de Schubert. Comme modèles du genre citons les *Albumblätter* et les *Bunteblätter* de Schumann. Parmi les innombrables recueils, qui portent également les noms de « Lose... », « Fliegende... » ou de « Zerstreute Blätter », parus jusqu'en 1914, il faut relever ceux de Theodor Kirchner (op. 7, 41, 49, 78, 80, 83), S. Heller (p. ex. op. 110 et 128), les 2 *Feuillets d'album* de F. Liszt, l'op. 28 de E. Grieg ainsi que les op. 36 et 44/1 de M. Reger. Fr. Poulenc a écrit lui aussi un recueil de *Feuillets d'album* (1933).

FIDÉLITÉ, HAUTE FIDÉLITÉ. Pour une reproduction sonore par bande magnétique ou disque, l'idéal serait de reconstituer exactement le phénomène original. Or, du fait des → bandes passantes des microphones et amplificateurs, du fait de l'inertie de la membrane des haut-parleurs, mais aussi du bruit de fond des canaux électroniques, il est évident qu'il s'agit d'un idéal inaccessible. Finalement, on appelle haute fidélité (angl., high fidelity ; abr., hi fi) l'absence d'infidélité criante. Des enregistrements qui sont relativement peu fidèles satisfont souvent les auditeurs, car la trop grande haute fidélité technologique conduit à mettre en relief des défauts très gênants, comme les « clicks » dus aux poussières sur les disques. La notion de f. a évolué depuis quelques décennies ; le problème est de satisfaire l'auditeur. La plupart des appareils sont largement réglables, et chacun peut modifier les séquences sonores selon son oreille particulière et selon son goût, sans se soucier de connaître le degré de f. par rapport à l'original, qu'il n'a généralement pas entendu.

FIELD-HOLLER (angl.), voir Work song.

FIFRE (de l'all. pfifer, = joueur de f. ou pfîfe), petite flûte traversière en bois, de perce cylindrique très étroite, comportant de 6 à 8 trous, en général sans clef. Elle existe en *si* ♭ et en *ré*. Son timbre aigu se marie bien avec celui du tambour, ce qui en a fait un instrument essentiellement militaire. Il fut sans doute introduit en France au xvie s. par les mercenaires suisses. Sous Louis XIV, il fut détrôné par le hautbois, et, au xixe s., on lui préféra le clairon. Sa sonorité criarde et un peu fausse l'a fait remplacer par la petite flûte, avec laquelle il ne doit pas être confondu.

FIGURALISME. Par ce terme on entend couramment, de nos jours, l'utilisation dans la composition musicale de groupes de notes ou → figures dont la disposition caractéristique et l'effet suggestif sont destinés à évoquer chez l'interprète et l'auditeur une image, un mouvement, un sentiment ou une idée exprimés par le texte qui est mis en musique ou qui inspire celle-ci. A ce titre, le f. est un des moyens de l' → expression musicale. Il a été constamment utilisé depuis la 2de moitié du xvie s. (L. Marenzio, C. Gesualdo, R. de Lassus, Cl. Le Jeune, Cl. Monteverdi, H. Schütz, J.S. Bach... jusqu'à Cl. Debussy) mais n'était pas inconnu des musiciens antérieurs (Josquin des Prés) ni même des créateurs du chant grégorien. L'origine de ce procédé coïncide avec l'époque où le mouvement humaniste, déclenché en Italie au xve s., préconisait une union plus étroite du texte et de la musique et constatait l'analogie qui existe entre le langage parlé et le langage musical. A la période baroque, la musique est traitée comme un véritable discours avec ses formules, ses images, ses figures de rhétorique, ses périodes et ses phrases dont la nécessité et la logique peuvent s'exprimer par des règles. Ce sont essentiellement les Allemands qui, au xviie s., ont donné une forme systématique et grammaticale (« Figurenlehre ») à ce qui était spontanéité chez les madrigalistes italiens du xvie s. Les théoriciens de la « musica poetica » répertorient les diverses figures musicales, les décrivent et les désignent à l'aide de termes empruntés à la rhétorique des Anciens. Parmi ces auteurs, il faut citer J. Burmeister (*Musica poetica*, 1606), J. Nucius (*Musices poeticae sive de compositione cantus praeceptiones*, 1613), J. Thuringius (*Opusculum bipartitum de primordiis musicis...*, 1624), Chr. Bernhard (v. 1648-49), J.G. Walther (*Praecepta der musicalischen Composition*, 1708; *Musicalisches Lexicon*, 1732) et J. Mattheson (*Der vollkommene Capellmeister*, 1739). Il convient de distinguer plusieurs types de figuralisme. La première manière de l'utiliser, la plus spontanée et la plus ancienne puisqu'elle est déjà connue des auteurs des monodies ecclésiastiques, est purement illustrative et permet de dépeindre un mot du texte, soit chargé d'une expression sensible, tels « miserere », « dolor », soit évoquant une qualité telle que la douceur, l'amertume, ou encore un mouvement ou l'idée de rapidité :

P. de L'Estocart, *Octonaires de la vanité du monde* I (1582), *Tu me seras tesmoin.*

P. de L'Estocart, *Octonaires... I,*
Mondain, si tu le sçais, di moy.

A. de Bertrand, *1er Livre des Amours de P. de Ronsard*
(1586), *Ce ris plus dous que l'œuvre d'un abeille.*

A cette catégorie appartiennent les figures qui servent à dépeindre les lieux élevés (ciel, sommet) ou inférieurs (enfer, gouffre) ainsi que l'idée d'ascension ou de chute, et celles, souvent moins caractérisées, qui permettent, au sein d'une écriture syllabique, de souligner par une vocalise un mot important ou expressif. Abondamment pratiquées par les madrigalistes italiens, ces diverses figures sont également désignées par le terme de madrigalismes. Une deuxième manière apparente la musique au langage en ce qu'elle l'unit étroitement à la → déclamation par la recherche de la vérité de l'expression dans ce qu'elle peut avoir de dramatique. Il faut citer ici tous les passages où la musique exprime par de brefs motifs fortement accentués, liés à de brusques silences, soit une exclamation, soit une apostrophe, soit encore une interrogation :

Le « stile rappresentativo » et la « seconda pratica », le style baroque en général sont partiellement issus de ces recherches expressives et ont fait fructifier les divers procédés du f. dans les multiples formes de la mus. dramatique ou religieuse (opéra, oratorio, cantate, récitatif). Avec l'apparition du rôle propre des instruments dialoguant avec les voix, la justification la plus complète est accordée au f. dans son effort pour faire de la musique un véritable langage. Désormais, l'orchestre sera le lieu privilégié où s'exprimeront les images, les mouvements et les idées du texte. Les f. constitueront même l'essentiel des symphonies descriptives telles que combats, orages, tremblements de terre, éruptions, si fréquents dans l'opéra et la tragédie lyrique (chez J.Ph. Rameau en particulier). Avec Fr. Schubert, le f. s'introduit, au début du XIXe s., dans l'accompagnement pianistique du « Lied », un genre de la mus. vocale qui avait

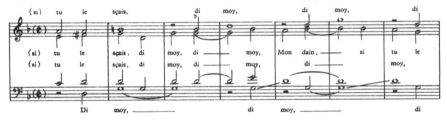

P. de L'Estocart, *Octonaires... I, Mondain, si tu le sçais, di moy.*

Une troisième manière d'utiliser le f. relève de la rhétorique pure ou du symbole. Le sens des figures n'y est pas toujours aussi évident que dans les exemples précédents. Il s'agit d'un art destiné aux connaisseurs et aux gens cultivés, d'une véritable → « musica reservata » lorsque, par des symboles qui peuvent rester cachés pour l'auditeur, p. ex. le dénigrement des notes pour illustrer l'obscurité, la musique s'efforce d'exprimer des figures de pensée telles que l'énumération, la gradation, l'antithèse ou encore de donner l'équivalent sonore d'une allégorie :

jusqu'alors sauvegardé son autonomie par rapport au style dramatique. Toutefois, cette innovation avait été préparée par la ballade de la fin du XVIIIe s., dont l'accompagnement était souvent traité de manière descriptive. Dans le « Lied » romantique de R. Schumann, J. Brahms et H. Wolf, et dans la mélodie française au moment où elle abandonne le ton de la romance, c.-à-d. avec les compositions de H. Duparc, G. Fauré, E. Chausson..., la richesse expressive de la partie d'accompagnement fait du piano un partenaire à plein titre de la voix. Né avec le rationalisme et lié à une conception essentiellement

P. de L'Estocart, *Octonaires... I, L'eau va viste en s'escoulant.*
La musique exprime clairement l'échelonnement des vitesses.

Cl. Le Jeune, *Octonaires de la vanité et inconstance du monde* (éd. posthume, 1606), 1ᵉʳ mode, 3ᵉ partie.
Les deux voix extrêmes utilisent le même thème, mais la voix inférieure en renverse les intervalles et monte tandis que la voix supérieure descend. C'est l'image du contraire.

Cl. Le Jeune, *Octonaires*..., 2ᵉ mode, 1ʳᵉ partie. De l'immatérialité du feu à la pesanteur de la terre, l'écriture passe d'une à deux, à trois, puis à quatre voix pour confronter les qualités des quatre éléments.

dramatique de l'œuvre musicale, l'emploi du f. s'éteindra avec eux dans la 2ᵈᵉ moitié du XXᵉ s. Imprégnant encore totalement l'œuvre de Cl. Debussy, Fl. Schmitt et A. Honegger, il est de moins en moins utilisé par les musiciens des tendances nouvelles. A l'opposé de l'exégèse finalement assez superficielle, souvent naïve et exclusivement matérielle du texte, ceux-ci se tournent vers une conception plus spiritualiste des rapports du texte et de la musique en cherchant une identification plus profonde avec l'essence cachée des choses, des idées et des symboles (G. Migot, A. Jolivet, O. Messiaen).

Bibliographie — A. SCHWEITZER, J.S. Bach, le musicien-poète, Leipzig 1905; A. PIRRO, L'esthétique de J.S. Bach, Paris 1907; A. SCHERING, Die Lehre von den musikalischen Figuren, *in* KmJb XXI, 1908; du même, Das Symbol in der Musik, éd. par W. Gurlitt, Leipzig 1941; H.H. UNGER, Die Beziehungen zwischen Musik u. Rhetorik im 16.-18. Jh., Wurtzbourg 1941; A. SCHMITZ, art. Figuren *in* MGG IV, 1955; J. CHAILLEY, Les Passions de J.S. Bach, Paris, PUF, 1963, cf. en particulier p. 444-446; H.H. EGGEBRECHT, art. Figuren *in* Riemann Musik-Lexikon III, 1967, ainsi que les notices relatives aux différentes figures de rhétorique.

M. HONEGGER

FIGURE (lat., figura, = forme). **1.** Forme que prend une valeur de durée, note ou silence, lorsqu'elle est exprimée au moyen de la notation musicale. — **2.** Par extension, le terme s'applique à un groupe homogène de plusieurs notes formant une unité bien caractérisée, soit mélodique, soit rythmique, qui représente l'un des éléments constitutifs de la phrase musicale. Syn. : motif, cellule. Par analogie avec l'art de la rhétorique, un certain nombre de théoriciens et de compositeurs du XVIᵉ au XVIIIᵉ s., allemands pour la plupart, ont élaboré une théorie de la composition musicale (« Figurenlehre ») fondée sur l'utilisation de f. auxquelles était attribué un sens symbolique. — Voir l'art. FIGURALISME.

FIGURÉE (Musique). 1. Locution issue du terme latin « figura » (= signe de note), employée depuis le XVᵉ s. pour désigner la mus. polyphonique (« musica figurata ») par opposition au plain-chant (« musica plana »). — **2.** Aux XVIIᵉ et XVIIIᵉ s., l'adjectif figuré s'applique à une technique de diminution fondée sur des motifs stéréotypés, de caractère schématique, tels qu'arpèges, passages, etc., qui s'employaient couramment dans l'accompagnement des chorals pour orgue (choral figuré). — **3.** Une basse figurée est une → basse chiffrée.

FILER UN SON (angl., to hold a note ; all., einen Ton halten ; ital., filare un suono), locution métaphorique qui s'est appliquée d'abord à une technique vocale pratiquée au XVIIIᵉ s. en Italie, puis au jeu de certains instruments (violon, alto, violoncelle, flûte, etc.). Elle signifie tenir un son sans reprendre son souffle ou sans changer d'archet. On peut filer un son soit en lui conservant tout au long la même intensité — c'est le cas généralement pour les instruments —, soit en faisant un crescendo et un descrescendo progressifs. — Voir l'art. MESSA DI VOCE.

FILEUSE (angl., spinning song, et spinning woman ; all., Spinnlied, et Spinnerin ; ital., filatrice ; esp., hiladora), type particulier de mouvement perpétuel, exécuté en legato et évoquant par son onduleuse rapidité le rouet des fileuses. Ce genre musical a en réalité des origines reculées, car la musique fut présente très tôt dans l'univers des femmes, qui chantaient en faisant des travaux d'aiguille ou en filant. De très anciens exemples apparaissent avec les chansons de toile de l'époque des trouvères (XIIᵉ-XIIIᵉ s.), sortes de complaintes où la femme pleure doucement ses peines d'amour. Il existe également de ces chansons intitulées f. dans nombre de recueils populaires : citons celle du bas Berry *L'autre jour je me promène* ou *Lo Fiolaire* d'Auvergne (*Ton qu'éré pitchounelo*). Des XVIIIᵉ et XIXᵉ s. nous viennent encore plusieurs chansonnettes et romances qui portent ce même titre, tels celle de Jean-Baptiste Dutartre, *Quand je file sur l'herbette* (1717), la romance de Xavier Désargus ou le duo de Henri Romagnesi, *File, file, jeune Lucile*. La musique y est généralement empreinte de mélancolie et de simplicité. Quant à la *Fileuse* de Fr. Couperin (2ᵉ *Livre de Pièces de clavecin*, XIIᵉ ordre), elle est écrite en croches à exécuter « naïvement ». C'est avec Fr. Schubert, auteur de *Gretchen am Spinnrade*, op. 2 (1814) et de *Die Spinnerin*, op. 118 nᵒ 6 (1816), que le procédé d'accompagnement devient imitatif. R. Schumann reste fidèle au « Lied » dans ce genre avec *Spinn, spinn, Mägdlein, spinn* (nᵒ 24 du *Lieder-Album für die Jugend*, op. 79, 1849) et *Die Spinnerin* (nᵒ 4 des *6 Gesänge*, op. 107, 1851).

Mais F. Mendelssohn transporte le procédé d'accompagnement dans la mus. instrumentale pure avec l'un de ses *Lieder ohne Worte* (n° 34, op. 67, *Spinnerlied*, 1843). C. Saint-Saëns reprendra cette technique à l'orchestre dans son poème symphonique *Le Rouet d'Omphale* (1871), tout comme G. Fauré dans *Pelléas et Mélisande*, op. 80 (1898). La plupart des f. écrites après 1850 pour piano sont des sortes d'études où l'interprète peut mettre en valeur sa vélocité ; elles figurent volontiers dans les albums dédiés aux enfants (J. Absil, A. Tansman). Ce motif d'accompagnement a même été introduit dans le drame et l'opéra où il se superpose généralement à un chœur de f. comme dans *Le Vaisseau fantôme* de R. Wagner (1843) et *Pénélope* de G. Fauré (1913). Laissant de côté la naïve imitation, G. Migot a fait revivre le caractère pathétique de la complainte dans sa f. *Il me l'a dit qu'à la moisson* (n° 2 des *Deux Chants* de Georges Ville, 1932).

FILM (Musique de f.). Dès les premiers temps du cinéma muet intervient un accompagnement musical. Couvrant le bruit des appareils de projection, un pianiste, ou un orchestre, essaie de suivre l'action qui se déroule sur l'écran en s'adaptant ce qu'il joue. On ira jusqu'à établir des catalogues d'« incidentaux » où seront répertoriés des morceaux propres à illustrer le « pathétique », le « drame », la « poursuite » ou la « promenade champêtre ». Pourtant certains cinéastes demandent des partitions originales à des compositeurs connus, à C. Saint-Saëns (*L'Assassinat du duc de Guise*, f. de Henri Lavedan, 1908), A. Honegger (*La Roue*, f. d'Abel Gance, 1923), E. Satie (*Entr'acte*, f. de René Clair, 1924). Quel que soit l'intérêt de ces compositions, elles n'établissent pas une véritable correspondance entre l'image et le son. Des recherches seront entreprises en ce sens mais l'avènement du cinéma sonore avec *Le Chanteur de jazz* (1927) remettra tout en question.

Après un temps de circonspection où la musique n'intervient que si l'action commande sa présence, la majeure partie des cinéastes retombent dans les errements de l'époque précédente en les aggravant encore. Tout au long de partitions volumineuses, des flots sonores envahissent inutilement les écrans pour répondre aux habitudes du public du « muet ». On abuse de la guitare, du jazz, des œuvres classiques ou d'avant-garde, selon les fantaisies commerciales de la mode. Cependant des metteurs en scène intelligents et des musiciens lucides vont réagir de façon vigoureuse. M. Jaubert est parmi les premiers compositeurs « sérieux » à consacrer une partie importante de son œuvre à la mus. de f. : *Quatorze Juillet* (René Clair, 1932), *Zéro de conduite* (Jean Vigo, 1933), *Drôle de drame* (Marcel Carné, 1937), *L'Atalante* surtout (Jean Vigo, 1934) — un modèle du genre selon certains — lui donnent une place éminente. Il faut placer à ses côtés le metteur en scène Jean Grémillon (1901-1959). Si Roland-Manuel a été son collaborateur musical (*Remorques*, 1939-41 ; *Lumière d'été*, 1942), il n'en a pas moins, compositeur lui-même, poursuivi des recherches sur les rapports entre la musique, le bruit et l'image, concrétisées par des réussites comme *Le 6 juin à l'aube* (1946) ou *André Masson et les quatre éléments* (1958). A. Honegger, L. Durey, J. Wiener, Y. Baudrier, entre autres,

apportent aussi une contribution toute de discrétion et d'efficacité à ces démarches ; les Allemands H. Eisler, K. Weill et P. Dessau, musiciens de B. Brecht, un style original, tandis que l'abondante et inégale production des Américains Max Steiner et Dimitri Tiomkin révèle pour le premier une participation continue à toutes les expériences musicales tentées depuis plus de 40 ans au cinéma, pour le second une faculté d'adaptation jamais prise en défaut. Musicien d'Orson Welles et d'Alfred Hitchcock, leur compatriote Bernard Hermann écrit des partitions où apparaît sa volonté d'intégrer la musique dans le film. Mentionnons enfin la collaboration du cinéaste Serge Mikhaïlovitch Eisenstein et du compositeur S. Prokofiev. *Alexandre Nevski* (1938) et *Ivan le Terrible* (1942-45) ne seraient pas de grandes œuvres cinématographiques si, selon les propos mêmes du metteur en scène, la musique n'y révélait pas « splendidement le mouvement intérieur du phénomène, et sa structure dynamique, dans laquelle s'incarnent l'émotion et la signification de l'événement ».

Après la 2de Guerre mondiale, le cinéma connaît un essor prodigieux qui le place au rang d'une véritable industrie. Les déchets musicaux deviennent considérables, mais les réussites continuent à se révéler et, tout en se situant dans le domaine de la recherche, elles se présentent aussi dans des pays où peu de réalisations avaient été accomplies. En Pologne, K. Serocki, Andrzej Markowski, T. Baird, Kr. Penderecki rejoignent Krzysztof Trzcinski Komeda, le musicien de Roman Polanski, pour créer une musique fonctionnelle mais toujours très personnelle. Au Japon, Akira Ifukube, Fumio Hayasaka, les musiciens de Mizoguchi et de Kurosawa, et Toshiro Mayuzumi usent des techniques musicales occidentales dans la mesure où elles leur permettent de s'exprimer eux-mêmes sans renier les apports de leurs traditions. En Tchécoslovaquie, Vaclav Trojan collabore avec l'un des maîtres du cinéma d'animation, Jiří Trnka, pour rechercher « une synthèse idéale des éléments plastiques et dynamiques qui composent un film » (Fr. Porcile). Ravi Shankar, le plus grand compositeur et interprète indien, offre à Satyajit Ray les commentaires sonores d'une musique écrite selon la tradition. En Italie, la puissance et le lyrisme de G. Petrassi, de Nino Rota, de R. Vlad et d'Ennio Morricone s'unissent à la précision rigoureuse de Giovanni Fusco, le musicien de Resnais, d'Antonioni et de Cottafavi. Si, aux États-Unis, Elmer Bernstein, V. Thomson, Leonard Rosenmann et Henry Mancini retrouvent le musicien de Robert Aldrich, Frank De Vol, quand il s'agit de se débarrasser des éternels poncifs du cinéma américain, les Canadiens Maurice Blackburn et Eldon Rathburn explorent de nouvelles possibilités musicales et l'Anglais Johnny Dankworth, le musicien de Losey, réussit souvent une parfaite adaptation de la musique au film. La discrétion caractérise le Belge A. Souris et le Suisse Louis Saguer, tandis que l'Allemand H.W. Henze met son talent de musicien dramatique au service du cinéma. La France présente un très large éventail de compositeurs, qui s'illustrent aussi bien dans le court métrage que dans la production de longue haleine, écrivant une musique très classique ou très avancée. Parmi leurs représentants les plus marquants, il faut citer M. Ohana, Henri Crolla, M. Le Roux,

G. Delerue, François de Roubaix, Bruno Gillet, Geneviève Martin, Diégo Masson, Avenir de Monfreid, Bernard Parmegiani et Charles Ravier.

Spécialité rigoureusement cinématographique, le f. d'animation doit d'abord aux travaux de Walt Disney, jalonnés entre autres par *Blanche-Neige et les Sept Nains* (1937-38), sur une musique de Frank Churchill, et surtout par *Fantasia* (1940), œuvre curieuse et discutable, sur des arrangements de L. Stokowsky. Plus intéressantes encore sont les réalisations de Vaclav Trojan pour les f. de marionnettes de Jiři Trnka : *Le Rossignol et l'empereur de Chine* (1948), *Le Prince Bajaja* (1950). Au Canada, Norman Mac Laren expérimente une musique synthétique dessinée sur la pellicule : *Neighbours* (1953), *Blinkity Blank* (1955, en collab. avec Maurice Blackburn). Élargissant les procédés employés, il ira jusqu'à dessiner des vibrations sur la piste sonore du f. ou à filmer des vibrations sélectionnées.

L'intérêt des f. consacrés aux chefs d'orchestre, virtuoses, chanteurs ou danseurs reste trop souvent fort limité. Il en est de même pour les biographies de musiciens : *Le Musicien errant* — W.Fr. Bach — (Traugott Müller, 1941) est une exception. L'opérette et le jazz filmés ont connu, eux aussi, de très rares réussites : *La Veuve joyeuse* (Ernst Lubitsch, 1934), *Jammin' the Blues* (Gjon Mili, 1943). Il faut citer à part *Chronique d'Anna Magdalena Bach* (Jean-Marie Staub, 1967), f. musical qui reste inclassable. — Lancé en 1927 par *Le Chanteur de jazz*, avec Al Jolson, le « musical », plus couramment appelé « comédie musicale », va connaître ses premiers maîtres avec le cinéaste-chorégraphe Buzby Berkeley et le chorégraphe-danseur Fred Astaire : à *Broadway Serenade* (1939) du premier correspond *The Story of Vernon and Irene Castle* du second, avec Ginger Rogers. L'après-guerre révèle deux metteurs en scène qui vont renouveler le genre. Vincente Minnelli tourne *An American in Paris* (1951), où Gene Kelly et Leslie Caron dansent sur une musique de G. Gershwin. Stanley Donen réalise *Un jour à New York* (1949), avec Gene Kelly, Frank Sinatra, Michael Kidd, Vera Ellen et Ann Miller ; la partition est de L. Bernstein et Roger Edens. En 1952 il donne le modèle du genre, *Singin' in the Rain*, où l'on retrouve Gene Kelly en compagnie de Debbie Reynolds, sur une musique de Nacio Herb Brown. Les années 50 marquent l'apogée de la comédie musicale et, si *West Side Story* (Robert Wise, 1961) ou *My Fair Lady* (George Cukor, 1964) offrent un incontestable intérêt, ce sont là des œuvres isolées, d'un genre pratiquement disparu. — Précisons enfin que, parallèlement au Festival de musique, a lieu depuis 1973, à Besançon, un Festival international du film musical et chorégraphique.

Bibliographie — M. Le Roux, La m. de f., *in* Panorama de l'art musical contemp., éd. par Cl. Samuel, Paris, Gallimard, 1962 ; H. Colpi, Défense et illustration de la mus. dans le f., Lyon, Serdoc, 1963 ; G. Charensol, Le cinéma, Paris, Larousse, 1966 ; Fr. Porcile, La mus. à l'écran, Paris, Éd. du Cerf, 1969.

M. Burgard

FILTRAGE, procédé qui a pour but de façonner le timbre d'un son par la suppression plus ou moins importante de certaines de ses composantes spectrales. Filtrer un son consiste à dépouiller le spectre sonore de tous les éléments qui appartiennent à une certaine bande, soit en haut de la gamme acoustique, soit en bas, soit dans certaines zones. Le son résultant ne comporte donc que les composantes du son original qui se trouvaient dans la bande passante du → filtre.

Bibliographie — A.A. Moles, Les musiques expérimentales, Paris, Zurich et Bruxelles, Éd. du Cercle d'Art contemporain, 1960 ; P. Schaeffer, Traité des objets musicaux, Paris, Éd. du Seuil, 1966.

FILTRES, appareils électroniques qui peuvent prendre des formes multiples selon le type de transformation spectrale désiré. On distingue en particulier le f. passe-bas, éliminant les composantes élevées du spectre sonore, le f. passe-haut, éliminant les composantes graves du spectre sonore, le f. passe-bande, qui ne garde qu'une « tranche » du spectre sonore. Aux f. passe-haut, passe-bas, passe-bande peuvent s'ajouter des f. polyphoniques (« f. de formant » dans le trautonium). Le → filtrage est l'une des manipulations du son qui constituent la technique de la mus. expérimentale.

FINALE. 1. Note terminale d'une pièce liturgique (*ré, mi, fa* ou *sol*) qui n'est la première note de l'octave modale que pour les modes authentes. On ne doit donc la confondre ni avec la première note de l'octave modale ni avec la teneur (voir l'art. Modes ecclésiastiques). — **2.** (Ital.), terme désignant la dernière partie d'une œuvre vocale, instrumentale ou orchestrale, quelquefois aussi un morceau séparé pouvant, par son caractère, servir de conclusion ou de sortie. Dans la mus. vocale (opéra classique, mus. dramatique), c'est la dernière partie d'un acte ou de l'ensemble de l'œuvre, réunissant le plus souvent tous les personnages dans un ensemble vocal ou un chœur final ou une combinaison des deux. Dans la mus. instrumentale, c'est le dernier des divers mouvements d'une sonate, d'une symphonie, d'un concerto, d'une suite ou d'une succession libre de pièces constituant un tout. Ce f. peut prendre les formes les plus diverses : danse vive, comme la gigue (suites anciennes), rondo ou forme sonate ou combinaison des deux (sonates, mus. de chambre ou symphonies classiques), thème varié (Beethoven, 3e *Symphonie*), fantaisie terminale (C.M. von Weber, *Variations*), passacaille (J. Brahms, 4e *Symphonie*), fugue (A. Bruckner, 8e *Symphonie*) ou chœur (Beethoven, 9e *Symphonie*). Le terme peut servir de titre à une pièce, comme dans les *6 Pièces* pour orgue ou dans *Prélude, Aria et Finale* de C. Franck. Le f. possède en général un caractère animé et brillant.

FINLANDE (Suomi). La préhistoire de la mus. finlandaise n'est pas connue. La plus ancienne mus. folklorique consiste en appels, incantations et chants de bergers. Le chant populaire narratif fait son apparition dans les chants primitifs de Laponie et de Carélie russe et dans les lamentations en usage chez les populations orthodoxes d'Ingrie et de Carélie. Cette tradition s'est maintenue intacte jusqu'au xxe s. Les anciens fragments runiques sont construits sur un pentacorde. Les chants populaires plus récents, notés par dizaines de milliers, sont de caractère lyrique et relèvent de la forme plus tardive en vers rimés.

Origines historiques. La mus. religieuse. La première croisade venue de Suède atteignit la Finlande vers 1150 et, avec le christianisme, apporta le chant grégorien au pays. Les plus anciennes traditions qui sont à l'origine de la mus. catholique finlandaise viennent du diocèse de Cologne. Cependant la forme mélodique ainsi que l'usage des neumes carrés romans montrent que les sources essentielles sont françaises. La liturgie du diocèse de Turku, établie vers 1330, était fondée sur la tradition dominicaine de Paris. Jusqu'au XVIe s., les centres de vie musicale furent les églises et leurs écoles, en particulier les institutions religieuses de Turku. Le chant occupait une place importante dans l'enseignement. C'est aux élèves qu'incombait la responsabilité du chant à l'église. Outre le chant grégorien, ils devaient exécuter des chants religieux extra-liturgiques, dont une édition imprimée, datant de l'époque de la Réforme, a été conservée : *Piae cantiones ecclesiasticae et scholasticae veterum episcoporum* (Greifswald 1582 ; nbr. rééd.). La première édition (74 chants) fut publiée par l'étudiant finlandais Theodoricus Petri Rutha. Le recueil fut édité par le recteur de l'école épiscopale de Turku, Jaakko Finne. Il renferme des chants médiévaux en latin. Leur version finlandaise (Rostock 1616) compte parmi les premières manifestations de la poésie nationale. La plupart des chants sont monodiques. Parmi ceux à plusieurs voix, il faut relever les rondeaux à 2 voix, qui se rattachent à la tradition de l'Ars Antiqua. Plus de la moitié des chants ont des origines éloignées, en France, en Angleterre, en Allemagne et en Bohême ; les plus anciens remontent au Xe s. Il apparaît clairement que les étudiants finlandais qui avaient fait leurs études dans les différentes universités du continent rapportèrent ces chants dans leur pays. Il est toutefois vraisemblable qu'un certain nombre d'entre eux sont de source finlandaise. A l'époque de la Réforme, l'ordinaire de la messe fut pourvu de textes en langue finlandaise tandis que les chants du propre étaient remplacés par des chorals luthériens importés d'Allemagne et de Suède. La mus. instrumentale et l'opéra étaient alors totalement inconnus en Finlande, cela étant probablement dû à l'absence de cour.

Le développement de la vie musicale à Turku. L'Université de Turku, créée en 1640, devint le centre d'une intense vie musicale ; les premières thèses sur la musique y furent écrites à la fin du XVIIe s. Mais le puissant essor de la vie musicale à la fin du XVIIIe s. ne fut pas tant influencé par les musiciens professionnels que par des personnalités de la vie publique qui s'intéressaient à la vie culturelle, entre autres Henrik Gabriel Porthan (1739-1804), le père de la recherche historique finlandaise et le premier à étudier le folklore national. En 1790 fut fondée à Turku la première société de musique de Finlande. Son orchestre de 20 musiciens comprenait essentiellement des professeurs de l'Université, des étudiants et des fonctionnaires. Au début de son activité (1790-1808), elle compta 900 membres, dont 70 musiciens actifs. Très tôt son importante bibliothèque (plus de 2 000 partitions) fit l'acquisition d'œuvres de Haydn, Mozart et Beethoven. La société comptait également des compositeurs parmi ses membres ; la plupart ne dépassèrent pas le niveau d'un amateur moyen, à l'exception d'Erik Tulindberg (1761-1814)

qui acquit une certaine réputation. Henrik Crusell (1775-1838), qui dans sa jeunesse quitta la Finlande pour la Suède, fut compositeur et clarinettiste virtuose. Ses concertos pour clarinette et ses quatuors atteignent le niveau des compositions de l'époque.

Le XIXe siècle. Plusieurs siècles durant, les guerres que la Finlande, sous domination suédoise, dut mener contre la Russie entravèrent le développement de la vie culturelle et détruisirent en grande partie les acquisitions antérieures. A la suite de la guerre de 1808-09, la Finlande fut séparée de la Suède et rattachée à la Russie. Les liens culturels qui unissaient le pays à la Suède ne furent pas rompus pour autant. Toujours au centre de la vie musicale, Turku fut un foyer plus varié que jamais. D'autres villes connurent également un certain développement des activités musicales. En 1827 Turku fut détruite par un incendie ; l'Université fut installée l'année suivante à Helsinki, la nouvelle capitale, qui devint le centre de la vie musicale. La Soc. académique de musique s'efforça de perpétuer les traditions de Turku. Fr. Pacius (1809-1891), élève de L. Spohr, devint à cette époque directeur de la musique à l'Université. Organisateur de la vie musicale, professeur, chef de chœur et d'orchestre, violoniste et compositeur, il exerça une influence décisive autour des années 1880. Le milieu du siècle vit s'accroître le nombre des compositeurs d'origine finlandaise. La plupart d'entre eux ne furent néanmoins que des amateurs, qui se contentèrent d'écrire une mus. vocale de peu d'envergure bien que profondément marquée par l'influence du romantisme allemand. Aksel Gabriel Ingelius (1822-1868) et Johan Filip von Schantz (1835-1865) s'efforcèrent de créer un style national. A Helsinki, les activités de concerts s'élargirent vers 1870 pour faire place régulièrement à des représentations d'opéras. En 1882 furent créés l'Institut de musique et l'Orchestre d'Helsinki, le premier par M. Wegelius (1846-1906), le second par R. Kajanus (1856-1933), qui acquit une réputation internationale de chef d'orchestre et fut également compositeur.

J. Sibelius (1865-1957). Erik Tawaststjerna, dont les études font autorité en Finlande, qualifie la première période de Sibelius de romantisme inspiré du Kalevala (poésie épique nationale). Du nationalisme de sa jeunesse, Sibelius s'éleva par la suite à un cosmopolitisme européen. Il fut l'un des derniers compositeurs romantiques et la tonalité resta pour lui un élément fondamental, exception faite de la crise qui marque la *4e Symphonie*. Sibelius a perpétué la tradition symphonique de Beethoven et de Brahms. Il sut néanmoins se montrer novateur en développant les techniques de transformation organique, déjà sensibles dans les poèmes symphoniques de Liszt, pour aboutir à une forme cohérente et logique. Dans ses dernières œuvres symphoniques, le déroulement musical est engendré par une continuelle métamorphose des motifs de base. Toute la musique de *Tapiola* (1926) est déterminée par un motif unique, régulateur, germe thématique abstrait échappant à la sensibilité. Dans l'œuvre symphonique de Sibelius, la forme résulte de la croissance organique du matériau de base.

Le XXe siècle. Bien que l'influence de la Carélie soit sensible dans ses premières œuvres, J. Sibelius n'est tributaire d'aucune forme de provincialisme. Les compositeurs qui se sont inspirés de la nature et des chants populaires de Finlande, tels que Erkki Melartin (1875-1937), S. Palmgren (1878-1951), Toïvo Kuula (1883-1918), le plus doué d'entre eux, et L. Madetoja (1887-1947), n'ont pas réussi à dépasser les limites de leur province. Y. Kilpinen (1892-1959) ne s'est pas intéressé aux tendances nouvelles ; il a écrit des « Lieder » dans l'esprit du romantisme allemand tardif. En 1918 Ernest Pingoud (1883-1942) introduisit en Finlande le mysticisme russe influencé par Scriabine. Sa manière d'user d'effets grotesques, unique à l'époque, fit sensation en Finlande. Väinö Raïtio (1891-1945) compte parmi les rares coloristes de la mus. finlandaise. Les premiers éléments véritablement modernes se trouvent dans les œuvres de maturité de A. Merikanto (1893-1958) sous forme de polyphonie en tonalité libre associée à des traits expressionnistes. Parmi leurs successeurs, il faut citer Uuno Klami (1900-1961), élève de Ravel ; Erik Bergman (* 1911), chef de file des compositeurs de mus. chorale ; Bengt Johansson (* 1914), essentiellement auteur de mus. chorale ; Einar Englund (* 1916), qui a implanté la mus. moderne en Finlande. Tauno Marttinen (* 1912) et Tauno Pylkkänen (* 1918) ont composé tous deux un certain nombre d'opéras, tandis que le plus important symphoniste est actuellement Joonas Kokkonen (* 1922). Son style est une synthèse personnelle du thématisme de B. Bartók, des techniques de transformation organique de Sibelius et de la polyphonie de J.S. Bach. Les œuvres de Einojuhani Rautavaara (* 1928) se rattachent au romantisme tardif par leurs éléments fondamentaux, mais font un usage expressionniste de la tonalité. Parmi les jeunes, Erkki Salmenhaara (* 1940) est un symphoniste marquant. Aulis Sallinen (* 1935) est un méditatif lyrique qui a entrepris d'utiliser le matériau tonal d'une manière personnelle. Usko Meriläinen (* 1930) et Paavo Heininen (* 1938) représentent la tendance « modérée » de l'école moderne, Kari Rydman (* 1936) et Henrik Otto Donner (* 1939) la tendance la plus radicale. Rydman a fait des essais de mus. concrète tandis que Donner se lance dans la recherche de nouveaux moyens d'expression. Pehr Henrik Nordgren (* 1944) est, parmi les plus jeunes, celui dont le talent semble le plus prometteur.

Les institutions musicales. Les plus importants orchestres symphoniques de Finlande se trouvent à Helsinki : l'Orch. symphonique de la ville (fondé en 1882) et l'Orch. radio-symphonique. Tampere (Tammerfors), Lahti, Oulu (Uleåborg), Kuopio et Jyväskylä disposent également d'un orchestre permanent. Le seul opéra, l'Opéra national, est installé à Helsinki, de même que le plus important conservatoire, l'Acad. Sibelius. De nos jours, le nombre des écoles régionales de mus. s'élève à 50 environ. Le pays compte trois chaires de musicologie : à l'Univ. d'Helsinki, à l'Univ. de Jyväskylä et à l'Acad. (suédoise) d'Åbo (Turku). Un Institut de musicologie fonctionne également à l'Univ. de Turku. Le centre de la recherche musicologique finlandaise se trouve à l'Univ. d'Helsinki, de même que l'unique studio de musique électronique du pays.

Bibliographie — **1. Ouvrages bibliographiques :** Catal. of Finnish Orchestral Works, Helsinki, TEOSTO (= Soc. des droits d'auteurs), 2/1961. — **2. Éditions monumentales :** Suomen kansan sävelmiä, « Mélodies pop. finnoises », 5 vol., éd. par I. KROHN, A. LAUNIS et A.O. VÄISÄNEN, Helsinki 1898-1933. — **3. Études :** I. KROHN, Über die Art der Entstehung der geistlichen Volksmelodien in F., in Journal de la Soc. finno-ougrienne XVI, 1899 ; du même, Die finnische Volksmusik, in Bericht aus dem Institut für Finnlandkunde IX, Greifswald 1935 ; du même, Merkmale der finnischen Volksmusik, in AMz LXV, 1938 ; du même, art. Finnland in MGG IV, 1955 ; A. LAUNIS, Über Art, Entstehung u. Verbreitung der estnisch-finnischen Runenmelodien, Helsinki 1910 ; T. HAAPANEN, Die musikwissenschaftliche Forschung in F., in AfMf IV, 1939 ; I. HANNIKAINEN, The Development of Finnish Music, Londres 1949 ; V. HELASVUO et F. SJÖBLOM, Sibelius and the Music of F., Helsinki 1952 ; N.E. RINGBOM, Die Musikforschung in F. seit 1940, in AMl XXXI, 1959 ; T. KARILA (éd.), Composers of F., Porvoo 1961 ; J. HORTON, Scandinavian Music : A Short Hist., Londres, Faber, 1963 ; T. MÄKINEN et S. NUMMI, Musica Fennica, Helsinki, Otava, 1965 (en fr., en angl. et en all.); F. ALA-KÖNNI, Mus. folklorique finlandaise, Vammala, Fonds culturel de Finlande, 1969 (en finlandais).

H.I. LAMPILA

FIORITURE (ital., fioritura ; de fiorire, = fleurir) ou fleurtis, ornement ajouté par les chanteurs à la ligne mélodique, dans le but de l'embellir. — Voir l'art. COLORATION.

FIS, nom allemand du *fa* dièse.

FISCORNO, instrument de la famille des cuivres, pourvu de pistons. Il appartient au groupe des bugles et est utilisé dans la → cobla, où il sert à accentuer dans le registre grave le rythme de la → sardane. Le rôle de soliste lui est confié parfois.

FISIS, nom allemand du *fa* double dièse.

FLABIOL ou FLAVIOL (catalan, fluviol), sorte de flûte à bec en ébène et en ivoire que l'on peut jouer d'une seule main. Sur les 7 trous, 3 sont munis de clés. Le fl. fait partie de la → cobla.

FLAGEOLET (angl. flageolet ; all., Flageolett ; ital., flagioletto ; esp., flajolé). **1.** Petite flûte à bec (canal formant la colonne d'air) percée de 4 trous sur l'avant et de 2 autres, destinés aux pouces, sur l'arrière, dont le premier est situé au-dessus des trous percés sur l'avant, le second entre les deux derniers. On connaît le fl. depuis le XVIe s. et le père Mersenne donne une description exhaustive de ses méthodes d'exécution. L'origine en est peut-être la flûte pastorale du nord de l'Espagne, où il est encore un instrument populaire ; en Catalogne notamment, le → « flabiol », avec ou sans clefs, est l'instrument de la sardane. En France, les fl. à clefs furent très usités tout au long du XIXe s. dans les quadrilles ou autres danses ; on finit par les construire selon le système de Th. Boehm, c.-à-d. avec des anneaux mobiles semblables à ceux de la clarinette. Un modèle français peu courant est le fl. sans clefs, monté entre deux tuyaux sans trous, faisant entendre un bourdon. Du XVIIe au XIXe s. on a fabriqué de très petits fl. (11 cm pour les plus petits) pour apprendre à chanter aux oiseaux en cage. Le nom de fl. fut également attribué à un type de flûte à 7 trous (6 sur l'avant et un sur l'arrière), avec ou sans clefs, destiné à des amateurs. L'Angleterre du début du XIXe s. a connu un fl. de ce genre, mais double : formé des deux tuyaux juxtaposés, il permettait de jouer en tierces parallèles. — **2.** Jeu d'orgue à bouche de 1′, de forte taille, dit aussi → sifflet au début du XVIIe s., destiné à imiter la flûte champêtre de ce nom (Poitou). Démodé en France dès 1660, il reparaît comme 2′ étroit au XIXe s., en provenance d'Angleterre.

FLAMENCO (esp., = flamant), adjectif appliqué en Andalousie, avec une nuance flatteuse, aux personnes gaillardes, surtout si leur type est apparenté à celui des gitans. Après avoir perdu les substantifs originaux « baile » et « cante » qu'il déterminait, ce terme s'applique aussi à la danse et au chant andalous d'origine gitane. La raison de cette appellation demeure mystérieuse. La caractérisation musicale du fl. n'est pas facile ; on le confond généralement avec le « cante jondo » (= chant profond), dont il n'est pas synonyme. Les connaisseurs réservent en effet cette dernière dénomination pour la partie la plus pure et la plus ancienne du répertoire. Le type le plus représentatif en est la « siguiriya gitana », forme spéciale de la → « seguidilla », avec un schéma métrique propre pour les couplets ; avec la « soleá », le « polo » et le « martinete », elle constitue le fonds du « cante jondo ». Le nom de « soleá » (= solitude) évoque assez bien le climat sombre et poignant de ce répertoire. Le fl. serait alors le terme réservé pour des danses et chants plus récents, plus extérieurs et moins intimement tragiques ; on pourrait distinguer les deux genres très voisins en disant qu'ils correspondent respectivement au drame et au spectacle. Les éléments musicaux du fl. sont extrêmement complexes. On s'est efforcé d'y retrouver les apports assez lointains des cultures successives qui se sont établies dans le sud de l'Espagne : arabes, juifs, gitans, tous de caractère oriental ; l'ornementation mélismatique du « cante jondo » s'y rattache sans doute. Les chants sont d'une grande liberté rythmique. Quelques-uns se passent d'accompagnement instrumental : les « saetas », seuls chants religieux du répertoire, entonnées au passage des processions pendant la semaine sainte ; les « carceleras » ou chants de prisonniers. D'autres s'épanchent librement sur un accompagnement (guitare, castagnettes, claquements de doigts, coups de talons et de pointes, très rarement quelques percussions) dont ils n'épousent le rythme que dans les pièces les plus mouvementées. Quoique très ancienne, comme en témoignent ses racines orientales, cette musique est restée pratiquement inconnue jusqu'à l'extrême fin du XVIIIe s. Les chapitres de son histoire peuvent se diviser ainsi : une période secrète, familiale, où l'on danse et l'on chante chez soi, pendant laquelle l'interpénétration du fl. et du chant andalou folklorique s'affermit (entre 1800 et 1840) ; vient ensuite, pour le restant du siècle, la période dite des « cafés de cante ». Elle voit l'apparition des chanteurs successifs qui se professionnalisent ; les formes austères du « cante jondo » perdent du terrain devant la prolifération des formes « à spectacle » (chant mêlé de danses). Le fl. reste néanmoins un art de soliste : jamais de duos ni de chœurs, rarement plus d'un danseur à la fois. Ce caractère s'accentue au XXe s. avec ce que l'on nomme l'étape théâtrale. Les véritables possesseurs de la tradition restent dans l'ombre plus que jamais, et le vieux « cante jondo » aurait couru le risque de disparaître sans l'initiative de Federico García Lorca et de M. de Falla qui organisèrent en 1922, à Grenade, le 1er

concours national de « cante jondo », avec la collaboration de différents artistes (A. Segovia, Zuloaga...) et la présentation des plus vénérables dépositaires de la tradition. Les formes typiques du fl. (avec d'innombrables variantes locales et quelques formes hybrides) sont, outre celles déjà mentionnées, les « cañas », « peteneras », « fandangos », « polos », « bulerías », « tonás », « serranas », « livianas », « tangos », etc.

Bibliographie — A. GONZÁLEZ CLIMENT, Flamencología, Madrid 1953 ; R. MOLINA et A. MAIRENA, Mundo y forma del cante flamenco, Madrid, Revista de Occidente, 1963.

D. DEVOTO

FLAT (angl.), voir MINEUR.

FLATTÉ ou FLATTEMENT, ornement qui se traduit par une légère ondulation de la voix. Il a été souvent confondu avec le port de voix, le pincé, le martèlement ou le balancement, mais il demande une interprétation très coulée, où l'on effleure à peine les sons. Il est surtout employé dans les airs tendres.

FLATTERZUNGE (all.), articulation propre aux instr. à vent, consistant en une succession de notes attaquées par la consonne *d* ou *t* et poursuivies sur des *r* répétés. Déjà utilisée occasionnellement dans des œuvres pour soliste avant 1850, introduite dans l'orchestre par R. Strauss, cette articulation produit l'un des effets les plus appréciés sur les instr. à vent. Selon les instruments et la tessiture, elle peut donner une impression d'étrangeté et de grotesque aussi bien que de gaieté et d'élégance. M. Ravel l'appelle « trémolo » ou « trémolo dental ».

FLAUTATO ou FLAUTANDO (ital., = flûté), termes employés dans le jeu des instr. à cordes pour indiquer que l'archet doit frotter les cordes sur la touche (all., am Griffbrett). Il en résulte un son proche de celui de la flûte.

FLAVIOL, voir FLABIOL.

FLEURTIS, voir FIORITURE.

FLEXE (lat., flexa). Dans la psalmodie chantée, la fl. est un repos intermédiaire au milieu du premier membre du verset d'un psaume lorsque celui-ci est trop long. Dans les livres imprimés, elle est désignée par une croix † (la médiante, par l'astérisque *). A cet endroit, la récitation sur la corde de la dominante s'infléchit d'un ton ou d'une tierce mineure, jamais d'un demi-ton, p. ex.

fa.........................fa ré   fa.........
Memoriam fecit mirabilium suorum † misericors et miserator Dominus : * escam dedit timentibus se. (Ps. 110 des Vêpres du dimanche).

D'après Jacques de Liège (*Speculum musicae* VI, c. 86, éd. R. Bragard, p. 249), ce seraient les dominicains qui auraient introduit cet usage de la fl. dans la psalmodie.

Bibliographie — M. Huglo, Les tonaires, Paris, Heugel (Soc. Fr. de Mie), 1971, p. 431.

FLONFLON, onomatopée (XVIIe s.) utilisée dans la langue familière pour désigner un refrain de chanson, une rengaine ou une musique vulgaire.

FLORENCE (Firenze).

Bibliographie — **1. Vie musicale ou ouvr. généraux :** L. Puliti, Cenni storici della vita del serenissimo Ferdinando dei Medici, *in* Atti dell' Accad. del Real Istituto Musicale di F., 1874 ; R. Gandolfi, Illustrazione di alcuni cimeli concernenti l'arte musicale in F., Florence 1892 ; du même, Accad. storica di mus. toscana, Florence 1893 ; du même, In onore di antichi musicisti fiorentini, *in* Rassegna Nazionale 1906 ; du même, La cappella musicale della corte di Toscana 1539-1859, *in* RMI XVI, 1909 ; J. Wolf, Fl. in der Musikgesch. des 14. Jh., *in* SIMG III, 1901-02 ; C. Lozzi, La mus. e specialmente il melodramma alla corte medicea, *in* RMI IX, 1902 ; A. Solerti, Mus., ballo e drammatica alla corte medicea dal 1600 al 1637, Florence 1905 ; L. Cellesi, Documenti per la storia musicale di F., *in* RMI XXXIV-XXXV, 1927-28 ; H. Martin, La Camerata du Comte Bardi et la mus. florentine du XVIe s., *in* RMie XIII-XIV, 1932-33 ; F. Fano, La camerata fiorentina, *in* Istituzioni e Monumenti dell'arte musicale Ital. IV, Milan, Ricordi, 1934 ; H. Kühner, Dokumentarisches zur Musikgesch. von Fl. im 14. u. 15. Jh. (diss. Munich, 1937) ; E. Sanesi, Maestri d'organo in S. Maria del Fiore (1430-1600), *in* Note d'Archivio, 1937 ; F. Ghisi, I canti carnascialeschi nelle fonti del xv e xvi s., Florence 1937 ; du même, Feste musicali della F. Medicea 1480-1589, Florence 1939 ; du même, Alle fonti della monodia, Milan 1940 ; du même, Ballet Entertainments in Pitti Palace, Fl. 1608-25, *in* MQ XXXV, 1949 ; du même, Un processionale inedito..., *in* RMI LV, 1953 ; B. Becherini, Un canto in panca fiorentino, Antonio di Guido, *in* RMI L, 1948 ; de la même, La mus. nelle Sacre rappresentazioni fiorentine, *in* RMI LIII, 1951 ; de la même, Mus. ital. a F. nel xv s., *in* RBMie VIII, 1954 ; N. Fortune, A Florentine Ms. and its Place in Italian Song, *in* AMl XXIII, 1951 ; Cl.V. Palisca, G. Mei, Mentor to the Florentine Camerata, *in* MQ XL, 1954 ; N. Pirrotta, Temperaments and Tendencies in the Florentine Camerata, *in* MQ XL, 1954 ; A. Seay, Fl. The City of Hothby and Ramos, *in* JAMS IX, 1956 ; du même, The 15th Cent. Cappella at S. Maria del Fiore in Fl., *in* JAMS XI, 1958 ; L. Parigi, Laurentiana : Lorenzo de Medici cultore della mus., Florence, Olschki, 1954 ; H. Nolthenius, Renaissance in Mei. Florentijns leven rond Fr. Landini, Utrecht et Anvers 1956 ; Fr. A. D'Accone, A Documentary Hist. of Music at the Florentine Cathedral and Baptistry in the 15th Cent. (diss. Harvard 1960) ; du même, The Singers of S. Giovanni in Fl. during the 15th Cent. *in* JAMS XIV, 1961 ; M. Fabbri, A. Scarlatti e il principe Ferdinando de Medici, Florence, Olschki, 1961 ; Les fêtes de la Renaissance I, Paris, CNRS, 1956. — **2. Théâtres et spectacles :** A. Ademollo, I primi fasti del Teatro di Via della Pergola in F. (1657-61), Milan 1885 ; U. Angeli, Notizie per la storia del Teatro a F. nel s. xvi, Modène 1891 ; G. Pavan, Saggio di cronistoria teatrale fiorentina. Serie cronol. delle opere rappresentate al Teatro degl' Immobili in Via della Pergola nei s. xvii e xviii, Milan 1901 ; G. Piccini, Storia aneddotica dei teatri fiorentini : I. Il Teatro della Pergola, Florence 1912 ; A. Bruno, Il Teatro Alfieri in F., *in* Rivista Teatrale Ital. 1914 ; G. Conti, I Teatri di F., *in* L'Illustratore Fiorentino XI, 1914 ; U. Mortini, La Real Accad. degli Immobili ed il suo Teatro « La Pergola » (1694-1925), Pise 1926 ; R. Lustig, Per la Cronistoria dell' antico teatro musicale : il Teatro della Villa Medicea in Pratolino, *in* RMI XXXVI, 1929. — **3. Enseignement :** A. Damerini, Il Cons. di mus. « L. Cherubini » di F., Florence 1941. — **4. Bibliothèques :** Catal. delle opere musicali. Città di F. Bibl. del Cons. di mus., Parme ; R.S. Hill, Music from the Coll. of Baron Horace de Landau, *in* The Libr. of Congress, Washington, Quarterly Journal of current acquisitions, oct. 1945-août 1946; L. Parigi, I disegni musicali del Cabinetto degli Uffizi, Florence, Olschki, 1951 ; M. Bernardi et A. Della Corte, Gli strumenti musicali nei dipinti della Galleria degli Uffizi, Turin, Unione Tipografico Editrice, 1952; B. Becherini, Catal. dei manoscritti musicali della Bibl. Naz. di F., Kassel, BV, 1959 ; de la même, I manoscritti e le stampe rare della Bibl. del Cons. « L. Cherubini » di F., *in* La Bibliofilia, LXVI, 1964.

FLOS (lat., plur. flores), terme employé au Moyen Age pour désigner les → ornements du chant. — Voir également l'art. COLORATION.

FLÜGEL (all., = aile), terme qui s'applique en allemand aux grands modèles de clavecin et de piano

dont la forme rappelle celle d'une aile. Il désigne aussi bien un piano demi-queue (longueur 1,40 m) qu'un grand piano de concert (de 2,40 à 2,90 m) et certains instr. anciens de même forme mais verticaux, comme le → clavicytherium.

FLÛTE (angl., flute ; all., Flöte ; ital., flauto ; esp., flauta). **1.** Le son des fl. est produit par l'impact du souffle sur une arête. La place de cette arête sur le tube de l'instrument détermine le type : fl. droite (arête sur la section du tube, qui est tenu verticalement), fl. oblique (arête sur la section chanfreinée du tube, qui est incliné vers le bas et de côté ; on souffle par un côté de la bouche), fl. à encoche (arête au fond d'une encoche taillée dans la section du tube, qui est tenu comme un hautbois), → fl. traversière (arête sur le bord d'un trou latéral du tube, qui est tenu parallèlement aux lèvres), → fl. à bec (le souffle parvient à l'arête par un canal), vases siffleurs (le corps de l'instrument n'est pas linéaire). La manipulation des trous percés sur le corps des fl. permet de produire des sons de hauteurs différentes.

Les origines des fl. sont connues grâce à des documents qui se présentent de la manière suivante : fl. droite (représentations chez les Sumériens et en Égypte au IIIe millénaire av. J.C. ; dispersion actuelle : Asie, Afrique), fl. oblique (représentations en Égypte dès le IIIe millénaire ; dispersion actuelle : Asie, Afrique, Europe, Amérique du Sud), fl. à encoche (dispersion actuelle : Pérou, Afrique centrale, Extrême-Orient), fl. traversière (apparition au IXe s. av. J.C. d'un signe chinois dont l'interprétation traditionnelle est expliquée au IIIe s. ap. J.C. par Kouo P'ou dans ses *Annotations au lexique Erh-Ya* ; représentations en Étrurie au IIe s. av. J.C.), fl. à bec (pièces préhistoriques nombreuses, dont la plus ancienne a été trouvée dans la grotte du Placard, en Charente, site magdalénien habité entre 14000 et 9500 av. J.C. ; la thèse de Brade citée en bibliogr. contredit les datations jusqu'ici admises), vases siffleurs (pièces préhistoriques nombreuses : phalanges de renne au paléolithique ; tradition chinoise comme pour la fl. traversière ; dispersion universelle comme pour la fl. à bec). On conserve quelques exemplaires préhistoriques de tibias de mouton percés de trous jouables comme fl. à bec et comme fl. traversières ; ces pièces appartiennent peut-être au néolithique mais ne sont pas encore datables avec certitude (en particulier la fl. de Corcelettes, pièce nº 25 854 du Musée d'Histoire à Berne). La fl. traversière pourrait provenir de la phalange de renne par l'intermédiaire de la traversière à trou central, instrument d'appel et de chasse universellement répandu. L'absence de la traversière chez les Sumériens, en Égypte pharaonique, en Grèce classique et en Amérique précolombienne indique qu'elle a été inventée en Asie et postérieurement à la roue. Dans les représentations étrusques, romaines et alexandrines (du IIe s. av. J.C. au IIe s. ap. J.C.), la fl. traversière est toujours tenue à droite, tandis que sur la plupart des représentations byzantines (XIe et XIIe s.) et asiatiques (Ier millénaire) elle est tenue à gauche. Il semble que la traversière ait eu une tradition préhistorique particulière en Europe et qu'elle ait subi une éclipse pendant l'antiquité. Comme les premières images occidentales, au Moyen Age, montrent des fl. tenues à gauche, on peut en déduire que la fl. traversière a été réintroduite en Europe occidentale vers le XIIe s. par l'intermédiaire de la culture byzantine.

Les types de fl. qui s'établirent dans la pratique de la musique occidentale sont la → fl. à bec et la → fl. traversière. La plus ancienne distinction verbale de la traversière apparaît en 1285, au vers 7255 de *Cleomades*, roman d'Adenet le Roi. Elle fut reprise quelquefois au XIVe s. (G. de Machault, Eustache Deschamps) mais, dans la pratique, le mot fl. désigna pendant longtemps les deux espèces. Les premiers emplois connus du terme et de ses dérivés dans les langues européennes rappellent le rayonnement de la littérature française à l'époque même de la floraison de l'École de Notre-Dame et, de ce fait, laissent penser à une influence de la mus. savante sur la diffusion des instruments : en vieux français, « flaute » (en 1165, dans le *Roman de Troie* de Benoît de Sainte-Maure) ; en moyen allemand, « floite » (av. 1190, dans *Moriz von Craon*) ; en provençal, « flaustel » (av. 1235, chez Delfin d'Alvernhe) ; en anglais, « flouter » (dans les rôles de taxations d'Henry III pour l'année 1225) ; en italien, « flauto » (à la fin du XIIIe s., chez Folgòre da San Giminiano) ; en catalan, « flaütes » (en 1328, dans la Chronique de Muntaner) ; en espagnol, « flauta » (en 1400, dans le *Libro de buen amor* de Juan Ruiz).

2. A l'orgue, nom donné, à l'origine, à tout tuyau à bouche ; il se trouve ensuite opposé au → principal. Le terme désigne des jeux à bouche de sonorité variée, en général précisée par un adjectif décrivant la forme (conique, bouchée, à cheminée), l'imitation d'un instrument (flûte à bec, flûte traversière, etc.), la nature du son (harmonique, octaviante, double, etc.), la sonorité (douce) ou encore son emploi (d'écho, de pédale).

Bibliographie — **1.** FR. BRÜCKER, Die Blasinstr. in der altfranzösischen Literatur, Giessen 1926 ; D. TREDER, Die Musikinstr. in den höfischen Epen der Blütezeit, Greifswald 1933 ; TH. GÉROLD, Hist. de la mus. des origines à la fin du XIVe s., Paris 1936 ; A. SCHAEFFNER, Origine des instr. de mus., Paris 1936 ; C. SACHS, The Hist. of Musical Instr., New York 1940 ; H. BESSELER et M. SCHNEIDER, Musikgesch. in Bildern, Leipzig, VEB Deutscher Verlag für Musik, 1961 et suiv. ; PH. BATE, The Fl., Londres, 1969 ; A. CHR. BRADE, Die Kernspaltflöten von Haithabu u. ihre musikaisch verwandten Formen in Mittel- u. Nordeuropa (diss. Göttingen 1971) ; R. MEYLAN, La fl., Lausanne, Payot, 1974 ; cf. également Galpin Soc. Journal, Londres 1948 et suiv.

R. MEYLAN et P. HARDOUIN

vant une même intonation. Cela est impossible sur la fl. à bec du fait de la forme fixe de la fente d'embouchure. Le contrôle des mécanismes de la bouche et du pharynx ainsi que la maîtrise du souffle sont des éléments de base indispensables pour obtenir une intonation irréprochable. On y ajoute le secours de certains doigtés (doigtés de forte et de piano). La fl. à bec fut au Moyen Age d'un usage courant dans la mus. populaire et parmi les ménestrels, puis elle gagna progressivement les musiciens de la cour et de la bourgeoisie. Des œuvres purement instrumentales des XVe et XVIe s. se dégage peu à peu un ensemble d'articulations graduées. Les œuvres didactiques de l'époque renvoient à de nombreuses nuances d'articulation, surtout dans le jeu « piqué ». Il est en effet exceptionnel à cette époque de rencontrer un véritable legato, que ce soit à la fl. à bec ou sur d'autres instruments. On trouve des indications particulièrement détaillées chez S. Ganassi (1535) qui, comme Ph. Jambe de Fer (1558), fait aussi allusion à la formation du son et à certaines particularités de doigté. A une époque où n'existaient pas encore de différences bien marquées dans le jeu des divers instruments, le flûtiste pouvait trouver toutes sortes de suggestions dans les ouvrages didactiques destinés aux instr. à cordes. Il en était de même des méthodes de chant, le jeu « chantant » étant considéré comme la manière idéale de jouer d'un instr. à vent.

M. Praetorius (*Syntagma musicum* III, 1619) relève huit tailles de fl. à bec (sol⁴, ré⁴, do⁴, sol³, do³, fa², si ♭¹, fa¹). Ces instruments se jouaient soit par famille (p. ex. quatuor avec A., T., T., B., ou A., A., T., B.), soit mêlés à d'autres instruments. Pour l'exécution d'une œuvre par la famille des fl. à bec, en particulier dans de vastes locaux, les documents contemporains recommandent l'emploi d'un cromorne ou d'un trombone pour la partie de basse. Aux XVIIe et XVIIIe s., c'est essentiellement la fl. alto en *fa* qui se dégage du groupe traditionnel des fl. à bec et se voit confier des rôles de soliste. A l'occasion, on peut encore rencontrer à la fin de l'époque baroque des parties solistes confiées à des fl. sop. en *do* et en *ré*. La technique de l'instrument s'améliore parallèlement à la modification de sa facture. Alors que l'ancien type de fl. à bec, de perce cylindrique, ne couvrait qu'environ une octave et demie, la fl. à bec baroque, de perce conique, possède une tessiture de deux octaves à deux octaves et demie. Exemple :

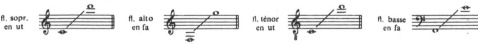

fl. sopr. en ut   fl. alto en fa   fl. ténor en ut   fl. basse en fa

Les fl. à bec sonnent une octave au-dessus de leur notation.

FLÛTE À BEC ou FLÛTE DOUCE (angl., recorder ; all., Blockflöte ; ital., flauto dolce ; esp., fiauto). Toutes les fl. se caractérisent essentiellement par un biseau qui divise le souffle. Sur la fl. à bec, le filet d'air est dirigé vers le biseau par l'intermédiaire d'une fente placée dans une embouchure en forme de bec. La largeur et la hauteur en sont donc déterminées par ce dispositif de forme fixe. Sur la → fl. traversière, les diverses positions des lèvres entraînent des modifications de l'angle sous lequel l'air vient frapper le biseau. De même, un changement intervenant dans la pression du souffle permet à l'instrumentiste de modifier la force et la couleur sonores tout en conser-

Le jeu est plus facile, l'expression plus directe que celle de la fl. Renaissance, le son plus flexible. Les méthodes anglaises de fl. à bec écrites au XVIIe s. sont avant tout des recueils de pièces et des introductions à une pratique musicale élémentaire. Elles n'abordent qu'accessoirement des problèmes particuliers à la technique de la fl. à bec (par ex. Richard Carr, *The Delightful Companion*, Londres 1686). Sur ce point, les *Principes de la fl. traversière ou fl. d'Allemagne, de la fl. à bec ou fl. douce et du hautbois* (1707) de J. Hotteterre présentent au contraire le plus grand intérêt. L'auteur y expose de multiples nuances d'articulation et développe dans les détails la technique du doigté. C'est encore J. Hotteterre qui propose à la fl. à bec un ensemble de pièces dans toutes les tonalités majeures et mineures avec *L'Art de préluder sur la fl. traversière, sur la fl. à bec, sur le hautbois...* (1719). Cette « haute école » de fl. à bec pose les fondements nécessaires à l'exécution des œuvres solistes de l'époque baroque, particulièrement exigeantes sur le plan de la virtuosité. La concurrence de la fl. traversière, dont l'importance ne cesse de croître, entraîne un relèvement du niveau technique de la fl. à bec. Une écriture à base de gammes rapides, l'utilisation de grands intervalles, des arpèges dans les mouvements rapides et un cantabile expressif dans les mouvements lents se retrouvent à cette époque aussi bien dans les œuvres pour fl. à bec que dans la musique pour fl. traversière ou violon. Après cette dernière période particulièrement florissante, la fl. à bec voit son importance décliner rapidement dans la 2ᵈᵉ moitié du XVIIIᵉ s. L'instrument, pratiqué selon J. Eisel (1738) « jusqu'au dégoût », finit par disparaître totalement de la vie musicale pour plus de 150 ans.

Ce n'est qu'au XXᵉ s. que s'est produit un extraordinaire renouveau de la fl. à bec, depuis que A. Dolmetsch (v. 1910) et Peter Harlan (v. 1920) ont remis à l'honneur la fabrication des fl. à bec en s'inspirant de modèles anciens. Cette facture est actuellement répandue dans le monde entier. Comme autrefois on y emploie différents bois et parfois l'ivoire. Il faut y ajouter depuis quelques années certains matériaux synthétiques. Le rôle important de la fl. à bec se situe d'une part au niveau de la pratique musicale des jeunes et de la mus. domestique. Des publications régulières (celles de l'American Recorder Society ; *Recorder and Music Magazine* en Angleterre) traitent de questions pédagogiques et de problèmes d'exécution qui ne s'adressent pas qu'à des professionnels. Mais la fl. à bec a également fait son entrée dans les salles de concert. De remarquables flûtistes, qui enseignent pour la plupart dans des conservatoires, se produisent dans de nombreux ensembles de mus. ancienne. Parmi ceux que nous propose le disque citons : Frans Brüggen (Hollande), René Clemencic (Autriche), Ferdinand Conrad (Allemagne), Carl Dolmetsch (Angleterre), Hans Martin Linde (Suisse) et Michel Sanvoisin (France). Dans le domaine de la musique d'avant-garde il faut relever le nom de Michael Vetter (Allemagne) pour les œuvres qu'il a inspirées et exécutées.

Bibliographie — S. VIRDUNG, Musica getutscht, Bâle 1511, rééd. en facs. par R. Eitner, *in* PGfM XI, 1882, et par L. Schrade, BVK, 1931 ; M. AGRICOLA, Musica instrumentalis deudsch, Wittenberg 1529, 4/1545, rééd. par R. Eitner, *in* PGfM XX, 1896 ; S. GANASSI, Opera intitulata Fontegara, Venise 1535, rééd. en facs. Milan 1934 ; rééd. en facs. par H. Peter avec trad. all. et angl., Berlin, Lienau, 1955 ; PH. JAMBE DE FER, Épitomé musical, Lyon 1556, rééd. en facs. par Fr. Lesure, *in* Ann. Mus. VI, 1958-63 ; M. PRAETORIUS, Syntagma musicum II et III, Wolfenbüttel 1618-20, rééd. en facs. par W. Gurlitt, BVK, 1958-59 ; J. HOTTETERRE, Principes de la fl. trav. ou fl. d'Allemagne, de la fl. à bec ou fl. douce..., Paris 1707, rééd. en facs. avec trad. all. par H.J. Hellwig, BVK, 1942, 2/1958 ; rééd. en facs. avec trad. angl. par D. Lasocki, Londres, Barrie & Rockliff, 1968 ; du même, L'art de préluder sur la fl. trav., sur la fl. à bec..., Paris 1719, rééd. en facs. par M. Sanvoisin, Paris, Zurfluh, 1966, et par D. Lasocki, Londres, Faber, 1968 ; J.CHR. WEIGL, Musikalisches Theatrum..., Nuremberg v. 1722, rééd. en facs. par A. Berner, BVK, 1961 ; P. PRELLEUR, The Modern Music Master, Londres 1731, rééd. en facs. par A. Hyatt King, BVK, 1965 ; J.FR.B.C. MAJER, Museum musicum, Schwäbisch-Hall 1732, 2/Nuremberg 1741, rééd. en facs. par H. Becker, BVK, 1954 ; CHR. WELCH, Lectures on the Recorder, Londres 1911, rééd. partielle Londres, Oxford Univ. Press, 1961 ; D. DEGEN, Zur Gesch. der Blockflöte in den germanischen Ländern, BVK, 1939, 2/1970 ;

H. PETER, Die Blockflöte u. ihre Spielweise in Vergangenheit u. Gegenwart, Berlin, Lienau, 1958 ; A. ROWLAND-JONES, Recorder Technique, Londres, Oxford Univ. Press, 1959 ; E. HUNT, The Recorder and its Music, Londres, Oxford Univ. Press, 1962 ; H. M. LINDE, Hdb. des Blockflötenspiels, Mayence, Schott, 1962, trad. angl. New York, Belwin Mills, 1970.

H. M. LINDE

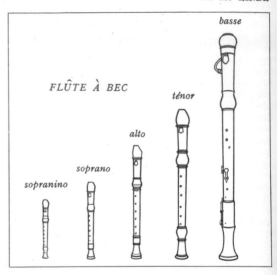

FLÛTE À BEC

basse

ténor

alto

soprano

sopranino

FLÛTE À BEC (Musique pour fl. à bec). Au Moyen Age et à la Renaissance, la fl. à bec se place au tout premier rang des « ogni sorti d'istromenti ». Elle fait partie des instruments usuels des ménestrels et des trouvères aussi bien que du monde sonore de l'Ars Antiqua et de l'Ars Nova. G. de Machault la décrit en ces termes : « fleustes dont droit joues quand tu fleustes ». L'iconographie présente entre autres des trios d'instruments aux timbres contrastants tels que fl. à bec - harpe - vièle, fl. à bec - luth - vièle, fl. à bec - positif - harpe. La fl. à bec appartient au groupe des « bas instruments » et sert essentiellement à la mus. de chambre. Lorsque voix et instruments sont associés, la fl. à bec peut être utilisée de différentes manières : elle peut a) doubler une partie vocale, éventuellement à l'octave ; b) doubler plusieurs parties vocales ; c) exécuter une ou plusieurs parties indépendantes ; d) toutes les voix peuvent être exécutées par l'ensemble des chanteurs et des instrumentistes. Du fait de sa remarquable mobilité, la fl. à bec se prête excellemment à l'exécution de diminutions de caractère brillant. De nombreux traités donnent des exemples de tels « passages » (entre autres, G. Lanfranco 1533, S. Ganassi 1535-42, D. Ortiz 1553), que l'on retrouve également dans les *Ricercari* de haute virtuosité de G. Bassano (1558) et Aurelio Virgiliano (fin du XVIᵉ s.). Au XVIᵉ s. le jeu par ensembles de fl. à bec est conforme à l'idéal de fusion des sonorités. Un motet à 40 voix de Striggio (1549) fut exécuté par deux ensembles vocaux à 8 voix, ainsi que par des chœurs à 8 voix de trombones, de violes et de fl. à bec accompagnés d'un luth basse et d'un clavecin. Le → « consort » de fl. à bec pour l'exécution de mus. de scène nous est connu par la littérature anglaise (Shakespeare, Milton). En outre, la fl. à bec a sa place dans différents ensembles d'instruments (voir la miniature de Mielich représentant la chapelle de la cour de Bavière au temps de R. de Lassus v. 1570). L'apparition de formes nouvelles comme l'opéra, l'oratorio, le concert spirituel et la cantate au début du XVIIᵉ s. ouvre à la fl. à bec un nouveau répertoire. Dans le célèbre orchestre de l'*Orfeo* de Monteverdi (1607), une « flautino alla vigesima seconda » joue un rôle encore relativement réduit. Par contre, dans les œuvres de Schütz, les parties obligées qui accompagnent le chant font jouer à la fl. à bec un rôle important en lui demandant de souligner l'expression. C'est ainsi que Schütz associe deux fl. à bec alto à la voix des bergers dans son *Historia von der Geburt Jesu Christi* (v. 1660) ou bien deux « flautini » (fl. à bec aiguës) dans un solo de basse dans le *Jubilate Deo* (*Symphoniae sacrae* I, 1629). Chez Purcell, les fl. à bec sont la plupart du temps groupées par deux dans divers anthems, odes et chants. D'une manière générale, c'est le son doux des fl. à bec ténor et alto que l'on retrouve partout pour caractériser l'expression de la douleur, de la douceur ou de la joie céleste, alors que les fl. à bec aiguës sont souvent réservées, comme chez Haendel plus tard, à la mus. de danse ou à l'imitation des chants d'oiseaux. Parmi les œuvres de mus. de chambre écrites pour la fl. à bec au XVIIᵉ s., il faut citer la *Sonada* d'un auteur anonyme (3 fl. à bec et b.c.), la *Sonatella* d'A. Bertali (5 fl. à bec et b.c.), la *Sonata* à 7 de J.H. Schmelzer (7 fl. à bec et b.c.) et la *Sonata pro tabula* de H.I.Fr. Biber (5 fl. à bec, 2 vl., 3 violes et b.c.). Le musicien hollandais J. van Eyck cultiva surtout le style brillant de la fl. à bec solo. Son recueil *Der Fluyten Lust-hof* (1646) renferme essentiellement des variations sur des chansons et des danses connues. Le recueil *The Division Flute* (1706) contient des exemples représentatifs de « Divisions upon a Ground » ainsi que des pièces pour fl. seule sans accompagnement. D'autres sonates pour une ou deux fl. à bec apparaissent en Angleterre dans la 1ʳᵉ moitié du XVIIIᵉ s., entre autres celles de J. Paisible, W. Corbett, G. Finger, D. Purcell, J. Lœillet, Ch. Dieupart, G.B. Bononcini, Fr. Barsanti, J.Chr. Pepusch. Pour la même formation, il faut relever en Allemagne les œuvres de J.E. Galliard, Johann Christian Schickhard, J.Chr. Petz, J.Chr. Schultze. Dans l'ensemble, la valeur de ces compositions ne dépasse pas une honnête moyenne, mais elles contribuent nettement à relever le niveau technique de l'instrument. En Italie, A. Vivaldi fournit un apport important à la mus. de chambre pour fl. à bec (2 *Sonates* pour fl. à bec et b.c. ; *Trio* pour fl. à bec, basson et b.c. ; *Trio* pour 2 fl. à bec et b.c. ; *Quatuor* pour fl. à bec, 2 vl. et b.c. ; 4 *Quintettes* pour fl. à bec, htb., vl., basson et b.c. et un *Quintette* pour fl. à bec, htb., 2 vl. et b.c.). Ces œuvres sont souvent très exigeantes sur le plan de la technique instrumentale (p. ex. le *Trio* pour fl. à bec, basson et b.c.). Citons encore les sonates avec b.c. d'A. Scarlatti, B. Marcello et G.B. Sammartini. Il existe une version contemporaine pour fl. à bec et b.c. de la célèbre *Follia* pour violon de Corelli, ainsi que de plusieurs de ses sonates pour 2 violons et b.c. et d'un concerto grosso (2 fl. à bec et b.c.). En France, la préférence marquée pour la fl. traversière se traduit par un nombre réduit d'œuvres originales pour fl. à bec. Il faut mentionner les suites et les sonates d'A. Danican-Philidor, de J. et L. Hotteterre, M. Corrette, J.Chr. Naudot et E.Ph. Chédeville. Comme instrument obligé accompagnant la voix, la fl. à bec apparaît dans des cantates de Th.A. Arne, W. Croft,

Ph.H. Erlebach, A. Scarlatti et J.Chr. Pepusch. Une série de concertos pour fl. à bec prouve la considération dont elle jouissait comme instr. concertant. En dehors des œuvres de Bach et de Telemann, citons les concertos pour une fl. à bec, cordes et b.c. d'A. Vivaldi (dont certains pour « ottavino » = fl. à bec sopranino) et de J.Chr. Graupner, pour deux fl. à bec, J.Chr. Petz, pour 4 fl. à bec, de J.D. Heinichen, le *Double concerto* pour fl. à bec et violon de J.G. Graun ainsi que le *Concerto* pour fl. à bec, 2 htb. en partie concertants, cordes et b.c. de Johann Christian Schickhard. Giuseppe Sammartini a laissé pour les « Fifth and Sixth-Flutes » (fl. sop. en *do* ou en *ré*), particulièrement appréciées en Angleterre, un remarquable *Concerto* dont le style galant, allié à une grande virtuosité, en fait une des meilleures compositions pour fl. à bec de l'époque. D'autres concertos pour fl. sop. sont l'œuvre de John Baston, Robert Woodcock et William Babell.

J.S. Bach a utilisé la fl. à bec, souvent par groupe de deux, dans plus de 20 cantates. Parmi les plus beaux exemples, il faut relever les « sinfonie » instrumentales des cantates 106, *Gottes Zeit ist die allerbeste Zeit* (2 fl. à bec, 2 violes de gambe et b.c.), et 152, *Tritt auf die Glaubensbahn* (fl. à bec, viole d'amour, viole de gambe et b.c.). Dans la *Passion selon saint Matthieu*, elle intervient avec son rôle traditionnel qui consiste à exprimer la douleur (récitatif de ténor « O Schmerz »). Là comme dans les *Concertos brandebourgeois* nᵒˢ 2 et 4 (ce dernier existe également comme *Concerto* en *fa* maj. pour clav., 2 fl. à bec et cordes), la fl. à bec se voit confier un rôle important sur le plan musical, mais souvent périlleux sur le plan technique. G.Fr. Haendel traite l'instrument d'une manière plus traditionnelle dans ses 7 *Sonates* (4 dans l'op. 1 ; 3 « *Fitzwilliam-Sonatas* »). Dans ces œuvres, l'intérêt est avant tout porté sur le cantabile, d'un style typiquement italien. C'est le cas également de ses deux *Sonates en trio* pour fl. à bec, vl. et b.c. (en *fa* maj. ; en *do* min.), et de ses airs et cantates avec fl. à bec obligée (en particulier la cantate *Nell dolce dell'oblio*, pour sop., fl. à bec et b.c.). G.Ph. Telemann ne se contente pas d'utiliser à fond toutes les possibilités techniques et expressives de la fl. à bec, il porte aussi à son sommet la littérature ancienne pour cet instrument. Ses sonates pour une ou deux fl. à bec et b.c., ses sonates en trio, ses quatuors de formations diverses, parfois inhabituelles (*Sonate en trio* pour fl. à bec, cor et b.c. ; *Quatuor* pour fl. à bec, 2 fl. trav. et b.c. ; *Sonate en trio* pour fl. à bec, viole de gambe et b.c.), exigent de l'instrumentiste une absolue maîtrise technique. La *Suite* en *la* min. pour fl. à bec, cordes et b.c., les *Doubles Concertos* pour fl. à bec et fl. trav., fl. à bec et viole de gambe, fl. à bec et basson comptent parmi les compositions les plus attachantes du répertoire de la fl. à bec. Comme Bach et Haendel, Telemann emploie également cet instrument en parties obligées accompagnant le chant (*Harmonischer Gottesdienst*) et, ainsi que Haendel le fait à l'occasion (*Concerto grosso* op. 3/1), comme instr. d'orchestre (*Suites pour orch.*).

Après un silence de plus de 150 ans, il faut attendre le XXᵉ s. pour retrouver une littérature originale pour fl. à bec. En tant qu'instrument « sérieux », elle a d'abord dû faire « un détour par les jardins d'enfants et les écoles » (P. Hindemith). A côté d'une mus. populaire très éclectique sont apparues progressivement des compositions de valeur et de moyenne difficulté. Elles font appel à tous les membres de la famille de la fl. à bec en les combinant parfois à d'autres instruments (aux instr. Orff p. ex.). Des impulsions essentielles ont été données sur ce plan par les compositions souvent très riches de P. Hindemith, H. Badings, G. Bialas, B. Britten, W. Fortner, E. Křenek, P.R. Fricker, H. Genzmer, K. Marx, M. Tippett, Z. Kodály. Dans le difficile répertoire de la mus. de chambre et du concerto, citons les œuvres pour fl. à bec solo de H. Bornefeld, H. Chemin-Petit, S. Reda, des sonates pour fl. à bec sop. ou alto avec clavecin ou piano de L. Berkeley, C. Bresgen, Adrian Bonsel, Paul Höffer, M. Flothuis, G. Migot, Hans Ulrich Staeps, Hans Martin Linde. Parmi les diverses formations de mus. de chambre avec fl. à bec, on rencontre les ensembles : fl. à bec - trio à cordes (M. Seiber), fl. à bec - guitare (G. Klebe), fl. à bec - luth (J.N. David), fl. à bec - fl. trav. - htb. - vl. - vlc. - clv. (Kl. Huber), 5 fl. à bec - 2 vl. - clar. - vlc. (B. Martinů), fl. à bec - fl. trav. - clv. (Hans Martin Linde). A l'occasion, la fl. à bec est également utilisée comme instr. soliste avec orch. (A. Cooke, G. Jacob, R. Kelterborn, Erich Sehlbach) ou comme instr. d'orchestre (B. Britten, H.W. Henze). De nombreuses compositions, écrites à partir de 1960, exigent une technique de jeu entièrement nouvelle. Les œuvres pour fl. à bec solo (en partie avec bande magnétique ou micro de contact) de L. Berio, Silvano Bussotti, Rob du Bois, Dieter Schönbach, Will Eisma, Louis Andriessen, Werner Heider requièrent des effets sonores raffinés, de nouvelles couleurs de son et des techniques spéciales d'attaque. Michaei Vetter donne dans *Il Flauto dolce ed acerbo* (Celle 1968) les éléments techniques nécessaires à l'exécution de telles œuvres.

A côté de nombreuses méthodes de fl. à bec conçue comme instr. éducatif, sont parus des ouvrages didactiques et des études qui visent à un haut niveau artistique. Citons *Flauto dolce* de Dahlström-Cederlöf (Helsinki 1966), *Hohe Schule des Blockflötenspiels* de Linde - Höffer von Winterfeld (Kassel 1956), *Die Kunst des Blockflötenspiels* (Mayence 1958 et New York 1970) et *Sopranflötenschule für Fortgeschrittene* (Mayence 1960) de Hans Martin Linde, ainsi que les cahiers d'études : *5 Études voor vingerveiligheid* de Frans Brüggen (Amsterdam 1957), *8 Melodische Studien* de Johannes Colette (Amsterdam 1958), *Neuzeitliche Übungstücke* et *Quartett-Übung* de Hans Martin Linde (Mayence 1958 et 1963), et *Das tägliche Pensum* de Hans Ulrich Staeps (Vienne 1957).

Bibliographie—**1. Ouvrages généraux :** H. PETER, Die Blockflöte u. ihre Spielweise in Vergangenheit u. Gegenwart, Berlin, Lienau, 1953 ; E. HUNT, The Recorder and its Music, Londres, Oxford Univ. Press, 1962, H. M. LINDE, Hdb. des Blockflötenspiels, Mayence, Schott, 1962, et New York, Belwin Mills, 1970. — **2. Catalogues :** L. HÖFFER VON WINTERFELD et H. KUNZ, Hdb. der Blockflöten-Literatur, Berlin et Wiesbaden, Bote & Bock, 1959 ; H. ALKER, Blockflöten-Bibliogr., Bildes-Schriften n° 27, Vienne, Universitätsbibl. Wien, 1960.

H. M. LINDE

FLÛTE DE PAN (grec, → syrinx; lat., pandurina; angl., pandean pipes ou panpipes; all., Panflöte ou Panpfeife; ital., flauto di Pan; esp., flauta de Pan), instr. à vent primitif, formé d'un assemblage de tuyaux sur l'orifice supérieur desquels les lèvres de l'exécutant se posent selon un ordre que détermine le glissement latéral de l'instrument. La fl. de P. existe sur tous les continents; son origine remonte à la plus haute antiquité. On attribue traditionnellement son invention au dieu des bergers d'Arcadie et elle est restée le moyen d'expression par excellence des bergers roumains (« naï ») ou chinois. Elle est représentée au tympan du portail royal de Chartres (XIIᵉ s.). Une des fl. de P. les plus anciennes, en stéatite vert pâle, est d'origine péruvienne (→ « antara »). Les Indiens en façonnent encore en terre cuite. Quoique existant aussi en bois sous forme de plaque percée de trous d'inégale profondeur, ces fl. sont le plus souvent en sureau ou en roseaux assemblés par longueur décroissante, de manière à former une suite de tuyaux fermés à leur extrémité inférieure au niveau d'un nœud. Si celui-ci présente un défaut, on le bouche à la cire, qui en permet éventuellement l'accord. Il arrive même que l'on y introduise un caillou pour le réglage final de hauteur. Le nombre de tuyaux varie entre 8 et 25. Au Pérou, on en trouve jusqu'à 33. Ces tuyaux sont généralement rangés par ordre diatonique; il existe des fl. de P. comportant une seconde série de roseaux sonnant à l'octave supérieure. L'instrument est mélodique, chaque roseau ne donne qu'un son plus ou moins intense selon la pression de l'air dont la lame se brise sur le bord supérieur du tuyau. Le musicien déplace l'instrument devant sa bouche et, s'il est habile, arrive à des moyens d'expression très émouvants, à des modulations de timbre inimitables.

Bibliographie — J. TREGENNA, The Pipes of Pan, Londres 1926.

FLÛTE DOUCE, voir FLÛTE À BEC.

FLÛTÉS (Jeux), voir JEUX FLÛTÉS.

FLÛTET, petite flûte analogue au → galoubet, qui se joue au Pays basque et dans la région pyrénéenne avec accompagnement de tambourin.

FLÛTE TRAVERSIÈRE (angl., German flute ; all., Querflöte ; ital., flauto traverso). D'après la manière dont on les tient en jouant, on distingue, dans la famille des fl., les fl. droites, les fl. trav., les fl. à bec et les fl.-vase. Le tuyau de la fl. trav. est bouché à son extrémité supérieure par du bois ou du liège. Une ouverture latérale pratiquée sur le tuyau sert à produire le son. L'instrumentiste émet un filet d'air, de forme proportionnée au pincement plus ou moins énergique de ses lèvres, qui peut être dirigé sous des angles d'attaque différents sur l'arête de l'embouchure. Le son produit à ce niveau met en vibration la colonne d'air du tuyau de la flûte. La fréquence de ces vibrations dépend de la longueur acoustique du tuyau. Cette longueur peut être modifiée par la disposition, la taille et la forme des trous, ainsi que par leur ouverture et fermeture. La pression et la rapidité du souffle influent sur la hauteur du son et sur le timbre. C'est sur une utilisation habile de ces données que repose la faculté d'octavier, caractéristique de la fl. dans le groupe des bois.

● Voir hors-texte entre pages 368 - 369.

La fl. trav. compte parmi les plus anciens instruments de l'humanité (voir l'art. FLÛTE) mais seuls ont été conservés les instruments faits d'un matériau qui a pu résister au temps : pierre, os, argile. Elle arriva probablement en Europe par l'intermédiaire de Byzance et des pays slaves ; le premier témoignage iconographique en Europe figure dans l'*Hortus deliciarum* de l'abbesse Herrade de Landsberg (2ᵈᵉ moitié du XIIᵉ s.). La fl. trav. cylindrique (lat. pipa, moyen haut all. pfife) est, au Moyen Age, d'un usage courant parmi les joueurs d'instruments, appelés également « fistulatores ». On la trouve aussi bien dans les cours que dans les cercles de la bourgeoisie citadine ; elle est souvent combinée au tambourin, auquel cas il est nécessaire d'avoir recours à deux instrumentistes, contrairement à ce qui se passe avec le → galoubet et le tambourin, joués par un seul homme. Les fl. appartiennent aux « bas » instruments et sont souvent associées à la voix. Alors que la famille des → fl. à bec s'est développée jusqu'à 8 instruments de tailles différentes, on ne connaît que peu de formes variées parmi les fl. trav. (trois chez Agricola, 1528-45 ; deux chez Ph. Jambe de Fer, 1556 ; trois chez Mersenne, 1636). Les premières indications concernant la technique de la fl. trav., y compris les indications pour octavier et celles concernant l'embouchure, sont données par Ph. Jambe de Fer. Mais les méthodes détaillées sont assez rares comparées au nombre de celles qui se rapportent à la fl. à bec. Toutes se réfèrent à l'exemple du chant. Jusqu'au XVIIIᵉ s., le terme « flûte » désigne principalement la fl. à bec, tandis qu'on ajoute pour la fl. trav. les qualificatifs « traversière », « allemande », etc. Ce n'est qu'au début du XVIIIᵉ s. que la fl. trav. se voit assigner une fonction propre et rapidement très importante. Une perce inversement conique (auparavant cylindrique), la division du tuyau, auparavant en une seule pièce, en trois parties (tête, corps et patte), une clef pour le 7ᵉ trou de la patte (auparavant 6 trous et pas de clef) sont les caractéristiques essentielles du nouveau type de fl. trav. qui se répand à Paris à partir de 1650 environ. Pour rendre possible le jeu dans des tons variés, la partie centrale de l'instrument est divisée vers 1720 en deux parties dont la moitié supérieure peut être remplacée par d'autres segments de différentes longueurs (jusqu'à 6). Une vis d'accord en liège permet d'apporter des corrections à l'accord d'ensemble. Les intervalles de demi-ton sont réalisés au moyen de → doigtés fourchus qui, selon la tonalité, entraînent une certaine inégalité dans la gamme du fait de leur sonorité plus faible. Cette absence d'uniformité entre les sons confère à la fl. trav. baroque un charme particulier qui a exercé un grand attrait jusqu'au XIXᵉ s.

D'innombrables compositions mettent en évidence le rôle de la fl. trav. à la fin de la période baroque. D'excellents flûtistes, parmi lesquels de nombreux compositeurs de valeur, ont contribué à son immense diffusion (en France : J. et L. Hotteterre, M. Blavet, M. de La Barre, P.G. Buffardin ; en Angleterre : J. Lœillet, J. Paisible, Carl Friedrich Weidemann, Joseph Tacet ; en Allemagne : J.J. Quantz, J.Chr. Denner, réputé également comme facteur d'instr., et Johann Georg Tromlitz). Les progrès accomplis dans le domaine de la technique sont sensibles à travers les œuvres didactiques de Hotteterre (1707), Quantz (1752) et Tromlitz (1786 et 1791). Y sont aussi nettement dessinées les différences entre les styles nationaux, qui s'expriment en particulier à travers les indications d'articulation et de dynamique. Pour répondre aux problèmes d'intonation de la fl. à une clef, on y ajoute progressivement de nouvelles clefs ; ce sont d'abord un *sol* ♯, puis un *fa* et un *si* ♭. Les clefs de *do* et *do* ♯, mises au point entre autres par Pichard Gedney à Londres (1769), permettant d'étendre le registre grave. La tessiture de la fl. s'étend peu à peu dans l'aigu ; chez Hotteterre, elle va du *ré*³ au *sol*⁵ ; chez Quantz s'y ajoute le *la*⁵ et chez Franz Anton Schlegel (1788) elle s'étend jusqu'au *do*⁶. Les grands virtuoses des années 1800, K. Fürstenau, Charles Nicholson, L. Drouet, J.L. Tulou et Fr. Devienne, préféraient le type baroque traditionnel, pourvu cependant d'un nombre de clefs pouvant aller jusqu'à huit, et souvent de trous agrandis. Le solo de fl. dans l'*Orphée* de Gluck (*Danse des esprits bienheureux*) est un bon exemple de l'utilisation appropriée de cette fl. baroque à plusieurs clefs. A l'opposé, la musique pour fl. de Mozart est encore issue tout entière de la manière propre à la fl. trav. à une seule clef (tons à dièses). Le matériau de la fl. restait encore le bois, éventuellement le verre (Claude Laurent, Paris v. 1810) et l'ivoire. La fl. conique de Th. Boehm (1832) fut certainement le pas le plus décisif accompli sur la voie de toute la facture moderne des bois. D'après Boehm lui-même, c'est la sonorité puissante du flûtiste anglais Nicholson qui lui donna l'idée de renouveler la facture de la flûte. Ses recherches pour une sonorité plus pleine et plus égale amenèrent Boehm à construire en 1847 un fl. trav. cylindrique (diamètre 19 mm sur env. 67 cm de longueur), qu'il pourvut d'un ingénieux système de clefs facilitant la vélocité des doigtés. L'embouchure, autrefois ronde, voire ovale, prit alors une forme légèrement rectangulaire aux angles arrondis (10 × 12 mm). Boehm utilisa d'abord l'argent, puis le bois, enfin le bois associé à une tête métallique. Peu à peu, la fl. Boehm évinça la fl. baroque et les autres types qui avaient succédé à cette dernière (Meyer, Schwedler, Schwedler-Kruspe, etc.). Un grand nombre de flûtistes renommés, de J.G. Wunderlich (* 1755) à Carl Joachim Andersen († 1909), continuèrent à préférer le type ancien (Fr. Devienne, J.L. Tulou, Adolph Terschack, Fr. Doppler, L. Drouet, Jules Auguste Demerssemann, Ernesto Kœhler). De nos jours, la fl. Boehm est assurément l'un des instruments préférés des musiciens. Si la facture en a été perfectionnée, elle repose néanmoins toujours sur les principes de Boehm. Son perfectionnement a entraîné également un son et des nuances d'articulation plus raffinés. Aux attaques traditionnelles (coup de langue simple, double et triple) se sont ajoutés progressivement le → « Flatterzunge » et d'autres effets de bruitage. Plus récemment, sons harmoniques et glissandi ont été introduits dans la mus. moderne pour fl. et y jouent un rôle important. Les matériaux les plus employés actuellement dans la facture de la fl. sont avant tout l'argent, puis l'or, le platine, occasionnellement le bois. A côté de la fl. ordinaire,

on utilise toujours la fl. piccolo,

effet   notation

des fl. basses en *do* et en *ré* ♭, des fl. alto en *mi* ♭, *fa* ou *sol*, des fl. en *la*, *si* ♭ et *ré* ♭, des fl. tierce en *mi* ♭.

FLÛTE PICCOLO XXᵉ s.

FLÛTE TRAVERSIÈRE XXᵉ s.

clefs

embouchure

Parmi les flûtistes les plus connus de nos jours, citons : en France, Jean-Pierre Rampal, Maxence Larrieu, Michel Debost, Christian Lardé ; en Allemagne, Aurèle Nicolet, Karl Heinz Zöller, Kurt Redel ; en Suisse, André Jaunet, André Pépin, Joseph et Charles Joseph Bopp, Peter Lukas Graf ; en Italie, Severino Gazzeloni, Gastone Tassinari ; en Hollande, Frans Vester ; aux USA, Julius Baker, Samuel Baron et Elaine Shaffer. Se consacrent à la pratique des fl. anciennes, entre autres : Betty Bang (USA), Frans Brüggen (Hollande), Günther Hoeller (Allemagne), Hans Martin Linde (Suisse), Leopold Stasny (Autriche) et Michel Debost (France).

Bibliographie — M. AGRICOLA, Musica instrumentalis deudsch; Wittenberg 1529, 4/1545, rééd. par R. Eitner, *in* PGfM XX, 1896 ; S. GANASSI, Opera intitulata Fontegara, Venise 1535, rééd. en facs. Milan 1934 ; rééd. en facs. par H. Peter avec trad. all. et angl., Berlin, Lienau, 1955 ; PH. JAMBE DE FER, Épitomé musical, Lyon 1556, rééd. en facs. par Fr. Lesure, *in* Ann. Mus. VI, 1958-63 ; M. PRAETORIUS, Syntagma musicum, II De Organographia, Wolfenbüttel 1618, 2/1619, rééd. par R. Eitner, *in* PGfM XII, 1884 ; rééd. en facs. par W. Gurlitt, Kassel, BV, 1958-59 ; M. MERSENNE, Harmonie universelle, Paris 1636, rééd. en facs. par Fr. Lesure, 3 vol., Paris, CNRS, 1963 ; J. HOTTETERRE, Principes de la fl. trav. ou fl. d'Allemagne..., Paris 1707, rééd. en facs. avec trad. all. par H.J. Hellwig, Kassel, BV, 1942, 2/1958 ; rééd. en facs. avec trad. angl. par D. Lasocki, Londres, Barrie & Rockliff, 1968 ; J.J. QUANTZ, Versuch einer Anleitung die Fl. trav. zu spielen, Berlin 1752, rééd. en facs. (éd. de 1789) par H. P. Schmitz, Kassel, BV, 1953 ; TH. BOEHM, Die Flöte u. das Flötenspiel, Munich 1871 ; P. TAFFANEL et L. FLEURY, La fl., *in* Lavignac Techn. III, 1925 ; L. DE LORENZO, My Complete Story of the Fl., New York, Citadel, 1951 ; A. GIRARD, Hist. et richesse de la fl., Paris, Gründ, 1953 ; G. MÜLLER, Die Kunst des Flötenspiels, Leipzig, Pro Musica Verlag, 1954 ; H. P. SCHMITZ, Querflöte u. Querflötenspiel in Deutschland während des Barockzeitalters, Kassel, BV, 1958 ; A. BAINES, Woodwind. Instr. and their Hist., Londres, Faber, 1957, 3/1967 ; W. RICHTER, Die Griffweise der Flöte, Kassel, BV, 1967 ; R.S. ROCKSTRO, A Treatise on the Construction, the Hist. and the Practice of the Fl. ..., Londres, Musica Rara, 1967.

H. M. LINDE

FLÛTE TRAVERSIÈRE (Musique pour fl. trav.). Comparée à la fl. à bec, la fl. trav. remplit, durant le Moyen Age et la Renaissance, un rôle plutôt secondaire. On ne cite que relativement peu d'exemples de son utilisation dans le concert pour instruments et voix ou pour instruments seuls. Parmi les représentations iconographiques les plus connues figure un trio formé d'une chanteuse, d'une flûtiste et d'une luthiste exécutant une chanson (le Maître des demi-figures, v. 1530). L'existence d'ensembles de flûtes est attestée de manière occasionnelle seulement. Dans l'Intermède II de la musique pour les noces de Côme Iᵉʳ de Médicis (1539) apparaissent 3 fl. trav. sans doute de même tessiture, associées à 3 luths dans l'exécution d'un madrigal. Un air de cour d'Henry le Jeune (1636) pour quatuor de fl. trav. (sop., alto, ténor, basse) est mentionné par M. Mersenne; il fait néanmoins figure d'exception comparé au quatuor de fl. à bec, d'un usage très courant. Une des premières parties de fl. trav., indiquée comme telle de la main même du compositeur, se trouve dans le *Psaume 113* de H. Schütz. Dans l'ensemble, le rôle de la fl. trav., qui prendra une exceptionnelle importance par la suite, n'est pas encore sensible autour des années 1600. Sa sonorité douce l'exclut du groupe des instruments employés par les ménestriers. Après 1650 elle réussit à s'introduire progressivement dans l'orchestre d'opéra (J.B. Lully, 1677 ; R. Keiser, 1693); elle y fera encore longtemps partie des instr. concertants et sera utilisée surtout comme instr. obligé dans les airs. C'est en France, où se produisirent aussi les premiers flûtistes de renom, qu'il faut chercher les débuts d'une véritable littérature pour flûte. Tous les flûtistes de l'époque écrivirent pour leur instrument. M. de La Barre est le représentant d'un style typiquement français dans ses *Sonates* pour fl. et b.c. et ses *Duos* pour 2 flûtes. J. Hotteterre le Romain publia en 1708 la première composition importante pour fl. solo (*Ecos*) ainsi que de belles *Suites* pour fl. et b.c. Fr. Couperin (*Concerts royaux*) et J.Ph. Rameau (*Pièces de clavecin en concert*) donnent à la fl. la possibilité de remplacer le violon. Cette même possibilité d'échange entre fl. et instr. mélodiques se retrouve dans toute la littérature « champêtre » (*Sonates* avec b.c. de E.Ph. Chédeville, de M. Corrette, de L. de Caix d'Hervelois). J.M. Leclair, pour l'exécution de ses œuvres, indique au choix la fl. ou le violon (*Sonates* pour fl. ou vl. avec b.c., *2ᵉ Récréation en musique* pour 2 fl. ou vl. et b.c.) de même que la fl. ou le hautbois (*Concerto* en *do* maj. pour fl. ou htb., cordes et b.c.). Cependant, il atteint déjà dans la *2ᵉ Récréation* à un style particulièrement approprié à la flûte. M. Blavet continue à développer cette écriture spécifique dans ses *Sonates* avec b.c., qu'il annota lui-même de respirations en vue de l'édition, et dans le brillant *Concerto* en *la* min., qui retient l'attention par sa remarquable utilisation des gammes et par son habile technique des grands intervalles. Ce sont surtout des particularités d'instrumentation que présentent les *Concerts* pour 3 fl. et b.c. de M. Corrette et les *Concerts* pour 5 fl. de J. Bodin de Boismortier. La virtuosité est encore développée par A. Mahault (*Sonates* avec b.c.). L.G. Guillemain (*Sonates en quatuor ou Conversations galantes et amusantes entre une fl. trav., un vl., une basse de viole et un vlc.*, 1743, 1756), A.M. Grétry (*Concerto* en *do* maj.), J. Touchemoulin (*Concerto* en *la* maj.) et Fr. Devienne, auteur de sonates, de duos, de trios et quatuors avec fl. d'où la beauté mélodique n'est jamais absente.

En Italie apparaît également une abondante littérature pour la flûte. Les 6 *Sonates* pour fl., cordes et b.c. d'A. Scarlatti appartiennent encore aux œuvres qui ne sont pas spécifiquement écrites pour la flûte. Par contre, A. Vivaldi a apporté à la mus. pour fl. des éléments nouveaux dans ses compositions pour diverses formations de mus. de chambre et dans ses concertos. Dans de nombreux cas, il rejette l'emploi stéréotypé de figures mélodiques issues d'un doigté commode et introduit les tonalités bémolisées, qui exigeaient du flûtiste de son temps une remarquable habileté (*Concertos* pour fl. de l'op. 10). N. Porpora et G.B. Pergolèse vont plus loin encore dans leurs concertos en y introduisant aussi bien des gammes que des motifs caractéristiques et en mettant l'accent sur la beauté du son. Parmi les auteurs de sonates avec b.c., citons G.B. Bononcini, P.A. Locatelli, C. Tessarini et Fr. M. Veracini. On doit à G.M. Cambini, J. Jommelli, A. Lotti, G.B. Sammartini et Giovanni Schiatti des sonates en trio pour 2 fl. (ou fl. et vl., ou fl. et htb.) et b.c. Il faut rattacher au style italien les œuvres de J. Lœillet (de Londres), qui vécut en Angleterre, ainsi que celles de J. Stanley. Plus rares sont les quatuors avec fl., cordes et b.c. (Fr. Mancini, G.B. Sammartini). Mentionnons en particulier la forme du quatuor avec fl. sans b.c., qui prend naissance dans les premières années du classicisme et qui est illustrée par les œuvres de L. Boccherini, T. Giordani et G. Paisiello.

Alors que les 6 *Sonates* pour fl. de G.Fr. Haendel (trois de l'op. 1 et les 3 *Sonates* « de Halle ») se cantonnent encore dans les limites techniques traditionnelles, les œuvres de J.S. Bach s'engagent sur des voies nouvelles et représentent un sommet de la littérature pour flûte. Ont été conservées : les *Sonates* avec clv. obligé (en *si* min. BWV 1030, et en *la* maj. BWV 1032 ; les *Sonates* en *sol* min. et en *mi* ♭ maj. ne sont sans doute pas de Bach), les *Sonates* avec b.c. (en *mi* min. BWV 1034 et en *mi* maj. BWV 1035 ; la *Sonate* en *do* maj. est également d'attribution douteuse), la *Partita* pour fl. seule en *la* min. (BWV 1013), les *Sonates en trio* avec vl. (en *do* min., de l'*Offrande musicale*, BWV 1079, et en *sol* maj., cette dernière d'attribution douteuse), une *Sonate en trio* pour 2 fl. et b.c. (en *sol* maj. BWV 1039). La fl. apparaît comme instr. soliste avec un ensemble de cordes dans la *Suite* en *si* min. (BWV 1067), dans le trio du 5e *Concerto brandebourgeois* (BWV 1050) ainsi que dans le triple *Concerto* en *la* min. (BWV 1044). En dehors de ces œuvres, Bach a attribué à la fl. de belles parties obligées dans sa mus. d'église. La cantate *Non sà che sia dolore* (BWV 209) constitue un joyau de la mus. baroque pour fl. avec sa sinfonia semblable à un concerto et ses deux grands airs avec fl. obligée. Bach exige de la fl. trav. baroque une haute performance technique et expressive sans jamais dépasser pour autant les limites de l'instrument. Font exception la *Partita* pour fl. seule, qui pose de sérieux problèmes de souffle, ainsi que la *Sonate en trio* de l'*Offrande musicale*, écrite, pour le flûtiste de cette époque, dans une tonalité extrêmement défavorable.

La musique de G.Ph. Telemann se révèle remarquablement adaptée aux possibilités de la flûte. Le compositeur non seulement use de dessins mélodiques d'exécution aisée et d'une technique des grands intervalles éprouvée mais sait tirer parti du caractère affectueux et « insinuant » (Eisel, 1732) de la sonorité de la fl. dans des pièces intitulées « Ondeggiando », « Cunando » ou « Con tenerezza » (*Sonates méthodiques* pour fl. et b.c.). Ses œuvres vont des fantaisies pour fl. seule aux concertos pour une ou deux fl., au double *Concerto* pour fl. à bec et fl. trav., au triple *Concerto* pour fl. trav., htb. d'amour et viole d'amour, en passant par les sonates pour une et deux fl. avec ou sans b.c., les sonates en trio de formation variée, les quatuors (*Quatuors* parisiens pour fl., vl., viole de gambe ou vlc. et b.c.), et les parties obligées dans les cantates (*Harmonischer Gottesdienst*).

Des sonates et des œuvres de mus. de chambre sont dues d'autre part à Fr. Benda, J.A. Hasse, J. Mattheson, J.L. Krebs, J.Ph. Kirnberger, J.J. Quantz, Frédéric II de Prusse. Pour illustrer les diverses formations, citons les ensembles : fl., basson et b.c. (Fr.W. Zachow), fl., 2 cors et b.c. (Sebastian Bodinus), fl., luth et b.c. (J.Fr. Daube), fl., viole d'amour et b.c. (Chr. Graupner), 3 fl. sans b.c. (J.J. Quantz), 2 fl., 2 htb. et 2 bassons (Pierre Prowo). Le genre du concerto s'enrichit d'œuvres de J.Fr. Fasch (*Doubles Concertos* pour fl. et htb.), J.J. Quantz, J.A. Hasse, Frédéric II. Un nouveau style se dessine dans les concertos de l'École de Mannheim (Chr. Cannabich, Fr. Danzi, A. Fils, Fr.A. Rosetti, C.Ph. Stamitz).

Parmi les fils de Bach, ce sont essentiellement Wilhelm Friedemann, avec d'audacieux *Duos* pour 2 fl. et une *Sonate en trio* (2 fl. et b.c.), et Carl Philipp Emanuel (*Sonates* avec b.c. et clv. obligé, *Sonate en trio*, *Quatuor* et *Quintette*) qui développent le style de leur illustre père et l'élargissent sur le plan technique. J.Chr. Friedrich Bach et J.Chr. Bach se situent au seuil du classicisme avec des *Sonates* pour fl. et clv. obligé aussi plaisantes qu'expressives et des *Quatuors*, voire des *Quintettes*, avec flûte. Le style nouveau prend forme peu à peu à travers les concertos de C.Fr. Abel, L. Boccherini, D. Cimarosa (2 fl. et orch.), Chr.W. Gluck, M. Haydn, L. Hofmann (son *Concerto* en *ré* maj. fut longtemps attribué à J. Haydn) et A. Salieri (fl., htb. et orch.). Les œuvres de Mozart forment le sommet de la littérature classique pour fl. (*Concertos* en *sol* maj. KV 313 et en *ré* maj. KV 314 ; *Concerto* pour fl. et harpe en *do* maj. KV 299 ; *Andante* en *do* maj. KV 315 et *Rondo* en *ré* maj. KV 184 Anhang). Malgré la prétendue aversion du maître pour la fl., il a tiré, là comme dans les *Quatuors* avec fl. (en *ré* maj. KV 285 ; en *sol* maj. KV 285 a ; en *do* maj. KV 171 Anhang ; en *la* maj. KV 298), le plus grand parti des multiples possibilités de l'instrument. Ses *Sonates* pour clavecin obligé avec accompagnement de violon ou de fl. (KV 10 à 15) sont de touchants exemples des dons d'un enfant prodige (écrites en 1764). La *Sonate* en *sol* maj. de J. Haydn comporte deux mouvements de virtuosité et un mouvement central expressif. La *Sonate* en *si* ♭ maj. de Beethoven présente tous les caractères d'une œuvre de jeunesse : on y pressent le grand compositeur mais certaines longueurs ne peuvent être niées. Par contre, la *Sérénade* op. 25 (fl., vl., alto) est une œuvre de maturité dont on possède également une version pour fl. et piano (op. 41). On doit encore à ce compositeur un *Trio* en *sol* maj. (fl., basson et b.c.) ainsi que 2 séries de *Variations*, op. 105 et 107, pour fl. et piano. L'*Introduction, Thème et Variations* de Schubert sur « *Trochne Blumen* » pour fl. et piano (op. 160) est encore de nos jours le cheval de bataille de tous les flûtistes. Du même compositeur citons également un beau *Quatuor* (fl., alto, vlc., guitare) inspiré d'un *Trio* de W. Matiegka (fl., alto et guitare). Dans l'ensemble, le champ d'action de la fl. trav. au XIXᵉ s. va de l'instr. soliste à l'instr. d'orchestre. Le fait qu'à la même époque mus. symphonique (Beethoven, Mendelssohn, Berlioz, Bruckner, Brahms, Dvořák) et mus. d'opéra (Weber, Donizetti, Bizet) ont offert à la fl. de belles possibilités de s'exprimer est venu contrebalancer l'indigence en œuvres de mus. de chambre et en concertos. Parmi les compositeurs de valeur ayant écrit pour la fl., il faut citer A. Reicha (sonates, quatuors, quintettes), J.N. Hummel (sonates), Fr. Kuhlau (sonates, fantaisies), C.M. von Weber (*Trio* pour fl., vlc. et p., op. 63 ; *Romance et Sicilienne* avec orch., op. 47 ; une *Sonate*), G. Rossini (*Quatuor* pour instr. à vent), C. Reinecke (sonates, concerto), G. Fauré (*Fantaisie* pour fl. et p., op. 79), M. Reger (*Sérénades* pour fl., vl., alto, op. 77 a et 141 a), C. Saint-Saëns (*Romance*, op. 37 ; *Odelette* avec orch., op. 162). Il convient aussi de mentionner l'apparition d'une littérature originale d'études, parmi lesquelles les pièces de A.B. Fürstenau ont une valeur musicale certaine (cf. également L. Drouet, A. Hugot, Kaspar Kummer, J.L. Tulou).

Dans la musique moderne et contemporaine, l'importance de la fl., et par là même du nombre d'œuvres solistes pour cet instrument, s'est rapidement accrue. Son répertoire va de l'œuvre pour fl. seule (Debussy, *Syrinx* ; A. Honegger, *Danse de la chèvre* ; J. Ibert, *Pièce pour fl. seule* ; E. Varèse, *Density 21.5* ; Ch. Kœchlin, *3 Sonatines* ; G. Migot, *1ʳᵉ Suite, 2ᵉ Suite « Ève et le serpent »*, *Le Mariage des oiseaux* ; A. Jolivet, *5 Incantations, Pour que l'image devienne symbole, Ascèses* ; P. Hindemith, *8 Stücke* ; E. Křenek, *Flötenstück neunphasig* ; J.N. David, *Sonate*, op. 31/1) aux œuvres de mus. de chambre de formation très éclectique (en partie avec fl. piccolo ou fl. alto), en passant par les œuvres avec piano (Ch. Kœchlin, A. Roussel, D. Milhaud, Fr. Poulenc, G. Migot, A. Jolivet, F. Busoni, W. Fortner). Pour la mus. de chambre, citons les ensembles fl. et vl. (G. Migot), fl. et harpe (A. Jolivet), fl. et guitare (J. Ibert, G. Migot), fl. et orgue (Fr. Martin), fl., vl. et p. (G. Migot), fl., clar. et p. (M. Emmanuel), fl., vlc. et p. (B. Martinů), fl., chant et harpe (G. Migot), fl., vlc. et harpe (G. Migot), fl., basson et harpe (A. Jolivet), fl., vl., vlc. et harpe (G. Migot), fl., vl., alto, vlc. et harpe (Debussy, Roussel, V. d'Indy, Ch. Kœchlin, A. Jolivet), fl., htb., clar. et basson (G.Fr. Malipiero, H. Villa-Lobos), fl., htb., clar., basson et cor (A. Schönberg, M. Seiber, S. Barber, G. Migot, H. Badings). Ont écrit pour fl. et orch. J. Ibert, A. Jolivet, Fr. Martin, E. Křenek, G. Bialas, Diether de la Motte, Gunther Schuller, G. Petrassi, M. Flothuis, T. Baird, A. Copland.

La *Sonatine* pour fl. et p. de P. Boulez (1946) est à l'origine d'un style qui fait appel à des sonorités inhabituelles et requiert, en même temps qu'une absolue maîtrise de la technique de l'instrument, des dons pour l'improvisation et une imagination développée des couleurs sonores. Ce langage nouveau est le matériau dont se servent Kl. Huber, K.H. Stockhausen, Silvano Bussotti, Włodzimierz Kotonsky, Br. Maderna et Y. Matsudaira.

Inspirées pour la plupart par de célèbres virtuoses, les études contemporaines pour fl. sont dues, entre autres, à Marcel Bitsch, H. Gagnebin, G. Bialas et H. Genzmer. Parmi les méthodes de fl. trav. les plus appréciées de nos jours, citons : *Enseignement complet de la fl.* de Marcel Moyse, la *Méthode de fl.* de Taffanel-Gaubert et la *Flötenlehre* de H.P. Schmitz.

Bibliographie — Catal. de mus. pour fl. : W. ALTMANN, Kammermusik-Katalog, Leipzig 1931 ; D.C. MILLER, Catal. of Books and Literary Material relating to the Fl...., Cleveland 1935 ; FR. VESTER Fl. Repertoire Catal., Londres, Musica Rara, 1967 (ouvrage actuellement le plus complet) ; W. JONES, The Literature of Transverse Fl. in the 17th and 18th Cent. (Diss. North Western Univ., Evanston, Ill., s.d.).

H. M. LINDE

FLUVIOL, voir FLABIOL.

FOCALISATION. Lorsqu'une salle comporte des plafonds voûtés, les rayons acoustiques sont quelquefois concentrés en des points définis où l'on entend très fort les sons émis par une source située ailleurs. Si l'énergie acoustique est concentrée en un point, elle est nécessairement diluée ailleurs ; à d'autres places on entend très mal. En acoustique des salles, on essaie donc d'éviter la focalisation.

FOLÍA (esp., = folie). **1.** Ce terme désigne, ainsi que ses dérivés « foliada » « folijones », « folión », n'importe quelle danse vive et bruyante, ou une réunion animée. Mais il s'applique plus particulièrement à une danse d'origine portugaise, bruyante et animée elle aussi, très courante en Espagne et qui, au début du XVIIᵉ s., gagna toute l'Europe. L'étymologie consacrée fait dériver son nom de celui de la folie ; L. de Freitas Branco le rattache à des mots spécifiquement portugais, « foliar » et « foliáo » (en esp. ancien « folixar », = se réjouir). Si cette interprétation semble exacte, la confusion avec « folie » paraît assez ancienne : Lope de Vega demande déjà aux musiciens, dans *La hermosa Ester*, de chanter « al tono de la locura », c.-à-d. sur la mélodie de la folie (sens littéral). En tant que danse théâtrale, la f. semble avoir joui d'une grande faveur, car elle figure dans des pièces de Gil Vicente, Sánchez de Badajoz (3 fois au moins) et, au siècle suivant, dans celles de Lope de Vega (son *Peribáñez* et *La Villana de Getafe* mentionnent aussi « las folías »), Tirso de Molina (*La Ninfa del cielo*), Luis Vélez de Guevara (*Los Novios de Hornachuelos*)... La description de Sebastián Covarrubias (*Tesoro de la lengua* castellana, 1611) la présente comme une sorte de danse mimée, avec beaucoup de personnages et parmi eux des garçons travestis portés sur les épaules de chenapans, figurant sans doute des géantes. Dans son traité de chorégraphie, Esquivel Navarro s'étend sur les longues révérences et sur les « vueltas » particulières de cette danse, dont les mélodies sont nombreuses. Fr. Salinas en donne deux dans son traité *De musica* (1577) ; l'une d'entre elles se trouve dans le Cancionero musical de Palacio, qui en renferme d'autres apparentées. Le Cancionero de la Sablonara, au début du XVIIᵉ s., en donne trois différentes ; enfin un ms. de l'Escurial (v. 1650) conserve la mélodie des f. qu'on retrouvera chez les guitaristes de la fin du siècle — Ruiz de Ribayas (1672), G. Sanz, *Instrucción de música...* (1674) —

et qui, grâce à Corelli et à de nombreux autres musiciens, deviendra par antonomase « les Folies d'Espagne ». Mais, en quittant la Péninsule, la f. s'assagit, tout comme la sarabande et la passacaille à laquelle elle va s'apparenter, jusqu'à n'être plus que le prétexte (en 16 mesures à 3/4 ou même à 3/2) à des variations instrumentales. On voit alors cette danse, à laquelle on prête des origines rituelles (cérémonies rattachées à la fécondation) et qu'on veut considérer comme cousine de la moresque, devenir une simple basse obstinée. Elle continuera à être dansée — le traité de chorégraphie de Gottfried Taubert (*Rechtschaffener Tanzmeister*, Leipzig 1717) en fait foi — mais sa mélodie est déjà figée : c'est celle employée par Corelli. De la fin du XVIIᵉ au milieu du XVIIIᵉ s., elle servira de thème à Vivaldi, Pergolèse, Keiser, Scarlatti, Pasquini, J.S. Bach, Cabanilles... En France, la f. se retrouvera chez Lully, D'Anglebert, Marin Marais, jusqu'à Grétry. C'est en France aussi qu'elle retrouvera vie avec *L'Hôtellerie portugaise* (1798) de Cherubini, qui emprunte le thème de Corelli. Liszt l'emploiera à son tour dans sa *Rhapsodie espagnole* (1863). Plus près de nous, il figure dans l'opéra *Mascarade* de C. Nielsen (1906, danse de Magdelone), et S. Rachmaninov le reprend dans ses *Variations sur un thème de Corelli* (1932). — **2.** Le nom de f. s'applique également à de courtes poésies. Il devient alors synonyme de → « copla » ou chanson populaire lyrique : « A cantar folías, madre, / ninguno me ha de ganar... » signifie simplement : « je connais plus de chansons que personne » (« copla » anonyme recueillie par Segarra). — **3.** On donne enfin le nom de f., de nos jours, à une danse populaire des Canaries, celle-là même que les dramaturges J. et S. Álvarez Quintero ont choisie pour caractériser cet archipel dans leur pièce *Isidrín o las cuarenta y nueve provincias*, « Le petit Isidore ou les 49 provinces ».

Bibliographie — A. MOSER, Zur Genesis der Folies d'Espagne, in AfMw I, 1918-19 ; O. GOMBOSI, Zur Frühgesch. der F., in AMI VIII, 1936 ; du même, The Cultural and Folkloristic Background of the F., in Papers of the Amer. Musicological Soc. IV, 1940 ; du même, art. F. in MGG IV, 1955 ; J. WARD, The F., in Kgr.-Ber. Utrecht 1952.

D. DEVOTO

FOLKLORE, terme d'origine anglaise s'appliquant à la littérature, aux usages et aux traditions populaires. Dans la mesure où le f. équivaut à la musique populaire et notamment à la chanson, l'intérêt qu'on lui a porté est bien antérieur au XIXᵉ s. où il fut remis à l'honneur par les romantiques. Au début du XVIIIᵉ s., des recueils de → chansons populaires étaient déjà édités en France par Ballard, et, au milieu de ce siècle, l'Angleterre et l'Allemagne découvraient leur patrimoine traditionnel, tant littéraire que musical. Plus tard, des recherches méthodiques furent entreprises en Allemagne, sous l'impulsion de J.G. Herder puis des frères Jakob et Wilhelm Grimm. D'autres pays suivirent ce mouvement. En 1852 le gouvernement français encouragea les recherches dans ce domaine, sans toutefois les coordonner ; en une vingtaine d'années, une grande quantité de chansons furent rassemblées par des historiens, des musicologues ou des collecteurs bénévoles.

Définition du champ d'investigation. Si, à l'origine, toutes les musiques de tradition orale étaient indistinctement appelées mus. folkloriques, très vite il fallut distinguer le f. occidental des mus. exotiques et extra-européennes, complètement étrangères à notre système classique. Bien que l'étude du f. relève de l' → ethnomusicologie, elle constitue, au sein de cette discipline, une branche particulière, limitée conventionnellement aux traditions populaires d'Europe, d'Amérique du Nord et d'Amérique latine. Les définitions de la mus. folklorique sont très variées et sujettes à discussion. Pour B. Bartók, elle correspond uniquement à la mus. campagnarde, mais, pour certains, elle désigne n'importe quel type de mus. caractéristique d'une région, d'un groupe ou d'une ethnie, aussi bien ruraux qu'urbains. Des définitions plus spécifiques sont parfois données : le terme de f. s'applique à des compositions anonymes, à des mélodies anciennes transmises par voie orale, de caractère relativement simple et ne se référant pas à un système et à une théorie consciemment élaborés. Ces critères sont souvent vérifiés mais ne suffisent pas à définir la mus. folklorique. Son domaine n'est donc pas délimité de façon rigoureuse. En dehors des traditions savantes des peuples de haute culture, toute forme musicale entre théoriquement dans la catégorie du folklore. Il convient pourtant de distinguer deux types nettement différenciés : la mus. primitive et la mus. folklorique proprement dite. La première catégorie n'englobe pas forcément des formes moins élaborées que la seconde mais concerne les musiques des cultures primitives, ignorant l'écriture. La mus. folklorique proprement dite, au contraire, existe dans les sociétés de haute culture et côtoie la mus. urbaine, savante et artistique, dont elle partage les caractéristiques essentielles. A l'intérieur de la mus. folklorique, il faut encore distinguer les traditions apparentées à la mus. occidentale et celles qui relèvent des cultures extra-européennes. Alors que l'ethnomusicologue s'intéresse à toutes les formes en général, le folkloriste se limite aux mus. populaires apparentées au système occidental et appartenant à sa propre culture.

Le problème de la création dans le folklore. Si cette définition est suffisante pour la majorité des chercheurs, elle est encore trop générale pour les puristes qui n'étudient que les chansons populaires élaborées en dehors de tout emprunt délibéré à la musique et à la littérature cultivée. Il ne suffit pas qu'une mélodie soit chantée par le peuple pour être traditionnelle, encore faut-il que celui-ci en soit le créateur. Le processus de création a suscité certaines théories plus ou moins complémentaires. Les frères Grimm considéraient le f. comme la création de l'esprit collectif (« Volksgeist ») ; leur opposition entre la poésie de nature et la poésie d'art correspond, malgré son idéalisme, à une distinction essentielle entre le populaire et le littéraire. Le défaut de cette interprétation est de ne tenir aucun compte de la part de création individuelle, qui est loin d'être inexistante. Selon une autre théorie, les éléments du f. ont leur origine dans la culture développée et raffinée des sociétés urbaines et sont intégrés par la suite par les classes populaires pour devenir des éléments culturels de niveau inférieur (« abgesunkenes Kulturgut »). Bien que vérifiée dans certains cas, cette théorie, soutenue par Hans Neumann et John Meier, nie à tort toute créativité individuelle et collective. Selon Fr.M. Boehme, un des pionniers de la recherche sur le f., la véritable tradition populaire remonterait à un temps où la mus. savante se confondait avec elle. Par la suite, les artistes de formation savante composèrent des pièces imitant le style populaire (« volkstümliche Lieder »). Enfin seuls ces chants subsistèrent et le pur f. d'essence populaire disparut.

Le problème de l'authenticité et de la tradition. Comme il n'est pas toujours possible de déterminer l'authenticité ou l'ancienneté d'une mélodie populaire, la plupart des folkloristes s'intéressent sans discrimination à toutes les formes populaires, voire même aux chansons à la mode. Pourtant, dans l'étude du f. français, ce problème a été particulièrement approfondi et, grâce aux travaux de J. Tiersot et P. Coirault sur l'histoire et la formation de la chanson française, certains critères ont été mis en évidence. Il est admis que les cas de création spontanée et collective sont très rares et que l'origine d'une chanson populaire est toujours une création individuelle très définie. Dans la plupart des cas, cependant, la chanson n'atteint sa forme ultime qu'au terme d'une longue transformation. La version originale, appelée archétype, donne naissance à une multitude de variantes; répétées et transmises au fil des âges, elles prennent peu à peu l'empreinte du génie populaire. Parmi toutes les versions différant d'une région à l'autre, d'un interprète ou d'une interprétation à l'autre, il en existe une qui est considérée comme la forme type, la version achevée et complète de l'originale. Alors que l'archétype est rarement identifiable, on peut découvrir la forme type en mettant en œuvre tant l'analyse musicale que l'analyse linguistique. Pourtant, la forme type n'existe pas toujours, soit qu'elle ait été perdue, soit que, malgré une lente transformation, la chanson n'ait pas trouvé sa forme achevée. Cette transformation sélective accomplie inconsciemment par le peuple est ce qu'on appelle la tradition.

Bien que par nature la tradition s'oppose à la culture, la mus. populaire est, depuis deux siècles au moins, soumise à des processus d'acculturation tant sur le plan mélodique que sur le plan littéraire. Dès le début du XVIIIe s., les collecteurs et éditeurs arrangeaient les chansons selon le goût cultivé et écartaient ou altéraient les mélodies trop étrangères au style savant par leur couleur tonale, leurs rythmes irréguliers ou leur structure asymétrique. Sous l'influence de la civilisation urbaine, ce style s'imposa progressivement dans les campagnes par l'intermédiaire de la chanson populaire non traditionnelle. Selon P. Coirault, le pur f. français, né au bas Moyen Age et florissant au XVIe s., entame son déclin à la fin du XVIIIe s. Ce qui nous reste de ce patrimoine considérable n'est qu'une infime partie, peut-être la moins intéressante et la moins originale; durant le romantisme, aucune chanson n'a vu le jour et, au cours du XIXe s., la plupart ont été oubliées.

Si la décadence de la tradition est en partie imputable à l'influence de la mus. savante, en revanche sa conservation et son regain de faveur sont dus pour une bonne part à l'intérêt que lui ont témoigné les compositeurs. A l'époque de la Renaissance, la mus. classique entretenait des rapports féconds avec le f. mais c'est surtout au XIXe s. qu'elle y trouva une source d'inspiration. Parfois le compositeur se borne à harmoniser ou orchestrer les mélodies populaires, parfois il les transforme et les adapte au style classique. Mais le plus souvent, il compose en s'inspirant des thèmes, des rythmes et des styles folkloriques de sa propre culture ou de traditions étrangères. Dans tous les pays d'Europe, les musiciens savants s'exprimèrent à travers leur mus. traditionnelle. Citons la Russie (N. Rimski-Korsakov, M. Moussorgski), l'Espagne (I. Albéniz, M. de Falla), la Roumanie (G. Enescu), la Hongrie (F. Liszt, B. Bartók, Z. Kodály), la Tchécoslovaquie (B. Smetana, A. Dvořák), le Danemark (N.W. Gade), l'Angleterre (R. Vaughan Williams, B. Britten), les États-Unis (E. Mac Dowell, A. Copland, G. Gershwin), la France (V. d'Indy, J. Canteloube, M. Emmanuel, D. Milhaud).

Les caractéristiques musicales. Chaque mus. régionale ou nationale a ses propres caractéristiques, parmi lesquelles on peut citer la couleur modale, l'absence de chromatisme, l'évolution mélodique par degrés conjoints et sur un petit ambitus, le tritonisme et le tétratonisme (dans les chansons enfantines), le pentatonisme (dans le folklore américain notamment). Les rythmes composés (5, 7 ou 10 temps) sont très fréquents en Europe centrale et, lorsqu'il n'est pas lié à la danse, le rythme est toujours en rapport étroit avec le texte et la structure de la langue. L'hétérophonie, très fréquente dans la mus. primitive, se trouve parfois dans le folklore européen, soit dans le parallélisme des voix (tierces ou sixtes), soit sous forme de bourdon, soit sous une forme plus élaborée. Bien qu'en Europe les instruments soient moins répandus que les voix, la mus. instrumentale est très développée en Europe centrale ou en Amérique. En plus des aérophones et des cordophones, le folkloriste est tenu de ne pas négliger les instruments les plus rudimentaires tels que sifflets, racloirs, rhombes, dont l'intérêt réside essentiellement dans leur signification culturelle.

L'étude du folklore. Face au problème de l'oubli des traditions populaires, les premiers folkloristes s'attachèrent d'abord à la constitution de collections, puis à l'étude des formes et de leurs origines. Par la suite, les efforts se sont portés sur les rapports entre la musique et la culture, et l'école actuelle se préoccupe surtout de la signification du fait musical ainsi que de son évolution. Un type d'approche surtout répandu en ethnomusicologie étudie de façon globale et exhaustive la vie musicale d'une société donnée. Les monographies consacrées aux valeurs esthétiques, aux comportements musicaux, aux différents genres, à la pensée musicale présentent un intérêt considérable pour l'anthropologue. La pratique de la musique dans le f. est un événement privilégié impliquant une certaine attitude et un type particulier de rapport ou de participation du public. En tenant compte des composantes symboliques, sociales, économiques et psychologiques ainsi que du style, certains musicologues ont abouti à des classifications des genres indépendamment de tout aspect formel tel que l'échelle ou le rythme. Les fonctions musicales sont très diversifiées dans le f., mais la musique d'art étant elle-même sa propre fin s'y rencontre rarement. Plus fréquentes sont les musiques reliées à des occupations, au travail ou aux événements, ainsi que les chants lyriques, religieux ou enfantins. Selon B. Bartók, les fonctions ne sont pas marquées à l'origine par un type musical particulier. Au commencement du développement du f., le répertoire est homogène, ainsi que le style. Puis des différenciations sont introduites dans certaines catégories de chants. Enfin le style se dégage de la fonction dans la mesure où les circonstances auxquelles il était lié se raréfient ou se transforment.

Les rapports entre la musique et les autres systèmes de communication, notamment la parole, constituent un champ d'investigation encore en friche mais dans lequel on voit l'avenir de l'ethnomusicologie. Les relations avec le langage peuvent être envisagées de façon générale ou spécifique. Comme la musique, la langue est formée de rythmes et de hauteurs; aussi ses aspects mélodique et rythmique (l'accentuation des mots, l'accent, les variations d'intensité dans les phrases) déterminent des traits stylistiques ou du moins y correspondent. D'un point de vue plus spécifique, le sens d'un poème chanté est parfois en rapport étroit avec la musique, surtout dans les morceaux à programme par exemple. Mais les relations les plus fréquentes entre un texte et un air sont de type structurel et concernent soit la forme générale et l'alternance des séquences, soit les accentuations, les hauteurs et les durées.

Devant l'ampleur de leur champ d'investigation, les folkloristes ont mis en œuvre des méthodes de recherche particulières. De façon générale, le collecteur doit aborder l'enquête sans préjugés et sans parti pris, afin de ne rien négliger, car les données apparemment insignifiantes sont parfois les plus utiles. Dans les transcriptions, il faut noter non pas ce qu'entend l'oreille, qui est conditionnée par sa formation, mais ce qui est réellement chanté ou joué. Faute de sincérité, une bonne part des collections de chansons populaires sont inutilisables pour la recherche. Les meilleures notations restent celles de la mus. occidentale agrémentée de signes conventionnels, mais des analyses plus fines sont réalisées par des appareils tels que le stroboscope, pour la mesure des intervalles, et l'oscillographe, pour la transcription et le déchiffrage des messages sonores complexes. Les méthodes d'enquête doivent tenir compte de l'aspect humain, aussi le folkloriste est-il tenu de connaître au préalable les usages et les pratiques musicales de la société étudiée afin d'entretenir des relations fructueuses avec les informateurs. Cela est d'autant plus nécessaire que l'enquête, en plus de la récolte musicale, doit rassembler le maximum d'informations paramusicales. A cette fin, des questionnaires types ont été établis, portant sur tous les niveaux du phénomène musical. Dans les enregistrements, le chercheur doit recueillir dans la mesure du possible plusieurs versions d'un même air et l'enregistrer au moins deux fois avec le même interprète à quelque temps d'intervalle. Cette méthode est indispensable pour étudier les variantes et les traits caractéristiques d'une mélodie. Les enregistrements se font de préférence sur un magnétophone à bande, de manipulation simple, dont la vitesse de défilement est de 19 cm/s ou éventuellement de 9,5 cm/s. Les films sont rarement utilisés, mais leur intérêt est loin d'être négligeable dans certaines occasions où la musique accompagne une fête, une danse ou un rite. Enfin le classement et la conservation des documents sonores sont un aspect important de la recherche folklorique.

Bibliographie — J. TIERSOT, Hist. de la chanson pop. en France, Paris 1889; du même, La chanson pop. et les écrivains romantiques, Paris 1931; B. BARTÓK, Die ungarische Volksmusik, Berlin 1925, trad. angl., Londres 1931; du même, Pourquoi et comment recueille-t-on la mus. populaire?, Genève 1948; P. COIRAULT, Recherches sur notre ancienne chanson pop. traditionnelle, 5 fasc., s.l.n.d. [1927-33]; du même, Notre chanson folklorique, Paris 1941; du même, Formation de nos chansons folkloriques, 4 vol., Paris, Éd. du Scarabée, 1953-63; C. BRAÏLOÏU, Esquisse d'une méthode de f. musical, Paris 1931; du même, Le f. musical, in Musica aeterna, Zurich 1948, et in Encycl. de la mus. II, éd. par Fr. Michel, Paris, Fasquelle, 1959; du même, Vie musicale d'un village, Paris, Inst. univ. roumain Charles-Ier, 1960; G. HERZOG, Speech-Melody and Primitive Music, in MQ XX, 1934; du même, Research in Primitive and Folk Music in the US, in Amer. Council of Learned Soc., Bull. n° 24, 1936; art. Song, in Funk and Wagnall's Standard Dict. of F., Mythology and Legend, éd. par M. Leach et J. Fried, New York 1949-50; R.H. LOWIE, The Hist. of Ethnological Theory, New York 1937; W. DANCKERT, Das europäische Volkslied, Berlin 1939; B.H. BRANSAN, The Interdependence of Ballad Tunes and Texts, in Western Folklore III, 1944; du même, On the Union of Words and Music in the Child Ballad, ibid. XI, 1952; A. SCHAEFFNER, Mus. populaire et art musical, in Journal de Psychologie janv.-juin 1951; FR. BOSE, Musikalische Völkerkunde, Zurich, Atlantis, 1953; W. WIORA, Europäischer Volksgesang, Cologne, A. Volk, 1953; AUTEURS DIVERS, art. Folk Music in Grove 5/1954; CL. MARCEL-DUBOIS et M.M. ANDRAL, Mus. populaire vocale de l'île de Batz, Paris, PUF, 1954; J. KUNST, Ethnomusicology, 3/La Haye, M. Nijhoff, 1959; A. LOMAX, Folk Song Style, in Amer. Anthropologist LXI, 1959; du même, Song Structure and Social Structure, in Ethnology I, 1962; Z. KODÁLY, Die ungarische Volksmusik, Budapest, Corvina, 1960; BR. NETTL, An Introd. to Folk Music in the US, Detroit, Wayne State Univ. Press, 1962; du même, Folk and Traditional Music of the Western Continents, Eaglewood Cliffs (N.J.) 1965; W. BRIGHT, Language and Music : Areas for Cooperation, in Ethnomusicology VII, 1963.

J. DURING

FONCTION TONALE, voir HARMONIE, § 3. L'harmonie tonale.

FONDAMENTALE (all., Grundton), son le plus grave d'un accord à l'état de non-renversement, c'est-à-dire en position normale. — Voir l'art. ACCORD.

FONDAMENTALE (Basse), voir BASSE FONDAMENTALE.

FONDS (angl., foundation stops ; all., Grundstimmen ; ital. et esp., fondo), ensemble des jeux à bouche de l'orgue (16′, 8′, 4′ et 2′), fournitures exclues. Ils comprennent les principaux ou montres, les gambes, les flûtes et les bourdons, constituant ainsi la base de la sonorité de l'instrument.

FORLANE, danse populaire italienne, originaire du Frioul (dont les habitants se nomment les Frioulans ou Forlans). Réservée aux bals populaires et aux divertissements des gondoliers vénitiens, la f. devient, à la fin du XVIIe s., une danse de cour très appréciée. A l'origine, c'est une danse modérée de mesure binaire :

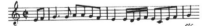

P. Phalèse, *Ballo forlano « L'Arboscello »*, Anvers 1583.

Au XVIIe s. elle trouve ses caractères définitifs : mouvement rapide, mesure à 6/4 ou 6/8 avec anacrouse initiale et répétitions mélodiques :

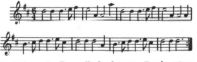

L. Pécourt, *Recueil de dances*, Paris 1700.

La f. apparaît en France dès le début du XVIIIe s. dans la suite instrumentale (L. Pécourt, *Recueil de dances*, 1700) et la mus. de théâtre (A. Campra, *L'Europe galante*, 1697). L'Allemagne lui réserve également une place importante dans la suite (J.S. Bach, *Ouverture en ut maj.*, BWV 1066 ; J.Ph. Kirnberger, *Recueil d'airs de danse caractéristiques*, 1777). Abandonnée à l'époque romantique, la f. connaît une nouvelle faveur au XXe s. (E. Chausson, *Quelques danses*, 1896 ; M. Ravel, *Le Tombeau de Couperin*, 1917) mais, malgré le discrédit jeté sur le tango, elle ne réussit pas à s'imposer comme produit de remplacement parmi les danses de salon.

Bibliographie — UNGARELLI, Le vecchie danze italiane, Rome 1894 ; P. NETTL, Notes sur la f., *in* RM XIV, 1933 ; du même, art. Forlana *in* MGG IV, 1955 ; J BARIL, Dict. de danse, Paris, Éd. du Seuil, 1964 ; G. REICHERT, Der Tanz, Cologne, A. Volk, 1965 ; K.H. TAUBERT, Höfische Tänze, ihre Gesch. u. Choreographie, Mayence, Schott, 1968.

FORMANT, concept dégagé en 1889 en Allemagne par L. Hermann, désignant l'un des éléments constitutifs essentiels du son. Tous les oscillateurs à résonance amortie et à plusieurs degrés de liberté (les instr. de musique, la voix) produisent, lorsqu'ils sont mis en vibration, un son complexe composé d'un son fondamental et de vibrations annexes, les harmoniques. La qualité du → timbre dépend de la forme du résonateur acoustique (la cavité buccale, la caisse de résonance) car la forme favorise la production de certains harmoniques au détriment d'autres, une partie de l'énergie résultant du mouvement de l'air étant amortie par frottement ou par viscosité. Les fréquences de résonance peuvent être observées grâce au sonographe, dont le sonogramme (la représentation de toutes les fréquences) comporte un spectre de résonance se décomposant en une série de plusieurs raies spectrales (généralement trois) dont les distances maximales et minimales (les crêtes et les vallées) constituent les formants. Une voyelle, p. ex., est composée de deux f. placés dans une même zone. D'une manière générale, on différencie deux sortes de f. : 1o les f. fixes, qui ne changent presque pas lorsqu'on modifie la hauteur du son fondamental (p. ex. les voyelles); 2o les f. mobiles, qui suivent les modifications du son fondamental (les instr. de musique). Le premier f. se caractérise par des fréquences déterminées, le second par une ordonnance précise d'harmoniques privilégiés. Par analogie, les compositeurs actuels emploient ce concept pour déterminer la disposition des sons en agrégats et l'appliquent aussi aux durées (f. rythmique). L'intervalle de durée 3 : 5 correspond alors à l'intervalle harmonique 3 : 5 (K. Stockhausen). P. Boulez désigne par f. d'une œuvre les possibilités de choix qui s'offrent au musicien quant à la mise en ordre et à la suppression de certaines structures sur différents parcours. Dans sa *3e Sonate* pour piano, les structures elles-mêmes restent cependant inchangées. Pour Boulez, le concept de f. exerce les fonctions du phrasé, nécessaire à l'interdépendance de structures différentes.

Bibliographie — L. HERMANN, Phonophotographische Untersuchungen, *in* Pflügers Archiv XLV, 1889, XLVII, 1890, LIII, 1892, LVIII, 1894; C. STUMPF, Die Struktur der Vokale, Berlin 1918; E. SCHUMANN, Die Physik der Klangfarben, Berlin 1929; W. MEYER-EPPLER, Die dreifache Tonhöhenqualität, Bonn, Verlag J. Schmidt-Görg, 1957; du même, Grundlagen u. Anwendungen der

Informationstheorie, Berlin, Springer, 1959; F. TRENDELENBURG, Einführung in die Akustik, Berlin, Göttingen, et Heidelberg, Springer, 1961; A.D. FOKKER, Wherefore, and Why? Questions Relating New Music, *in* Die Reihe no 8, Vienne, UE, 1962; B. MALMBERG, Structural Linguistics and Human Communication, Berlin, Springer, 1962; P. BOULEZ, Penser la mus. aujourd'hui, Paris, Gonthier, 1963; A. DIDIER, Le point de vue des physiciens, *in* La résonance dans les échelles musicales, Paris, CNRS, 1963; A. MOLES et B. VALLANCIEN, Communications et langages, Paris, Gauthier-Villars, 1963; des mêmes, Phonétique et phonation, Paris, Masson, 1966; U. DIBELIUS, Moderne Musik 1945-1965, Munich, R. Piper & Co, 1966; A. MOLES et C. ZELTMANN, La communication, Paris, Centre d'étude et de promotion de la lecture, 1971.

M. KELKEL

FORME. C'est «l'unité dans la diversité» (H. Riemann). Le concept de f. est sujet à relativité de trois manières. 1o Selon la métaphysique du beau de Plotin, qui pénétrera l'esthétique des XVIIIe et XIXe s. grâce à Anthony Shaftesbury et à Johann Joachim Winckelmann, la f. («eïdos») est médiatrice entre l'idée («idéa») et la structure externe («morphé») ; elle est d'une part f. intérieure («endon eïdos»), d'autre part f. extérieure. 2o Le concept de f. dépend de la nature des éléments qui lui sont donnés pour base («upokeïmenon», «subjectum») : matériau sonore, thème («subjectum»), sentiment, état d'âme ou sujet. Que ce soit un thème et la f. en sera la réalisation. Si c'est un sujet, la f. apparaîtra comme une « description par les sons ». 3o Relative enfin est la catégorie aristotélicienne de la forme. Le son isolé est une f. de la matière en vibration (I. Kant), la ligne mélodique une f. des sons, l'ensemble de la mélodie une f. des lignes. Mais de ces éléments relatifs et de ces f. se dégagent néanmoins, selon Aristote, certains degrés dans la mesure où ils constituent un accomplissement, un but («télos»). Ainsi la mélodie tout entière a une finalité plus marquée que la simple ligne ou que le son. Dans la théorie de l'art jusqu'au XVIIIe s., on considérait comme une « fin », c.-à-d. comme une f. au sens achevé, plutôt le genre que l'œuvre isolée. Ce n'est que depuis le XIXe s. que l'on a admis peu à peu que l'œuvre isolée a sa qualité propre et ne doit pas être jugée selon les critères d'un genre. Il découle du changement intervenu dans la détermination de la finalité que le concept de f. est limité d'un côté par celui du genre et de l'autre par celui de la structure de l'œuvre. La théorie des f. musicales, qui apparut à la fin du XVIIIe s., occupe une position peu précise entre deux objectifs : celui de définir les critères formels propres à chaque genre (au motet, à l'air d'opéra ou à la sonate), et celui, plus modeste, de ne dégager que des schèmes dont le seul but est de permettre, en les détachant, la description des f. particulières.

Les catégories sur lesquelles repose l'esthétique de la f. — proportion et symétrie, unité dans la diversité, harmonie des contrastes et accord des différentes parties («congruentia», «convenientia», «consonantia partium») — ont été développées jusqu'au XIXe s. dans l'esthétique générale ou philosophie du beau; l'essai de E. Hanslick sur l'esthétique de la f. musicale porte encore le titre de *Vom Musikalisch-Schönen* (1854). Dans une → esthétique plus récente qui renonce au concept du beau, ces différents éléments — forme intérieure et extérieure, principe structurant et structure externe — sont parfois dissociés en « façon » (all., Formung) et « forme ». La façon est interprétée sous l'angle psychologique ou métaphysique comme phénomène de création du compositeur — le XVIᵉ s. déjà considérait le poète comme un second dieu (« alter deus », Jules Scaliger) —, sous l'angle ontologique comme volonté d'une loi de structure inhérente aux sons (A. Halm), ou bien, dans un contexte historico-philosophique, dans les rapports entre les sons (Th. Adorno). Les éléments constitutifs de la f. musicale sont la hauteur, la durée, l'intensité et la couleur ; certains auteurs (E.M. von Hornbostel, J. Handschin) contestent que la parenté des sons (consonance) soit considérée comme l'un d'entre eux. Les catégories formelles élémentaires sont la relation, la mesure et le niveau. Les sons sont tout d'abord en relation entre eux : plus aigus, plus graves (diastématie, du grec diastema, = intervalle), plus longs, plus brefs, plus forts, plus faibles. Ils apparaissent ensuite, par référence à une qualité moyenne, comme aigus-graves, longs-brefs, forts-faibles. Enfin ces structures relationnelles sont transposables, c.-à-d. que des hauteurs de sons relatives peuvent être placées dans une autre position, des durées relatives dans un autre « tempo » et des intensités relatives dans une autre dynamique. Il est vrai que « tempo » et mouvement échappent à toute définition spécifique. Dans les danses, le « tempo » est déterminé par la durée de l'unité de temps, et le mouvement par la mesure et l'accentuation. Le remplissage rythmique apparaît comme secondaire ; un menuet écrit en doubles croches n'est pas plus rapide qu'un menuet en noires. Par contre, dans les chants mélismatiques aux rythmes irrationnels, p. ex. les complaintes funèbres primitives, « tempo » et mouvement coïncident avec les durées réelles : les sons prolongés sont « lents » et les sons brefs « rapides ».

Les moments formels de la musique, au sens étroit du terme, c.-à-d. la structure, la gradation de l'importance et la mise en valeur de « certains points forts » (Fr. Brenn), ne sont en général pas liés à un substrat unique (hauteur, durée, intensité) mais au contraire fondés sur l'interaction des facteurs élémentaires. L'unité rythmique d'un groupe de mesures et l'homogénéité harmonique d'une suite d'accords peuvent se soutenir mutuellement ou se recouper ; dans le premier cas seulement, il y aura césure. Il ne dépend pas seulement de sa position que le 1ᵉʳ ou le 2ᵈ temps d'une phrase paraisse « accentué », mais également de son contenu mélodique et harmonique (H. Riemann).

Les fonctions formelles se rapportent à des systèmes ou à des modèles. Une phrase mélodique remplit une fonction introductive ou conclusive par référence à un système (p. ex. l'ordre des degrés d'une tonalité) ou à un modèle (p. ex. la psalmodie). Les délimitations entre systèmes de référence et modèles sont parfois fluctuantes. Avec ses fonctions, la tonalité harmonique est un système de référence ; cependant, la règle qui veut que la sous-dominante précède la dominante et ne la suive pas s'appuie sur le modèle de la cadence tonique/sous-dominante/dominante/tonique.

Les éléments déterminants de la f. musicale considérée comme « unité dans la diversité » sont la répétition, la transformation (variation), la différenciation et le contraste. « L'unité est une nécessité absolue pour toute f., y compris la f. musicale ; mais son action esthétique ne trouve à s'épanouir pleinement qu'à travers l'opposition, le contraste et le conflit. L'unité dans sa forme spécifiquement musicale nous apparaît dans l'accord consonant, dans les caractéristiques d'une tonalité, la persistance d'un type de mesure, d'un rythme, dans le retour de motifs rythmiques et mélodiques, la formation et le retour de thèmes caractéristiques. Le contraste et le conflit apparaissent dans les changements d'harmonies, la dissonance, la modulation, les changements de rythmes et de motifs, l'opposition de thèmes contrastés » (H. Riemann).

On distingue également f. par addition et f. par développement, c.-à-d. f. logiques et f. plastiques (J. Handschin). Il faut entendre ces notions dans le sens donné par Max Weber : comme des définitions d'idéaux types ; une f. exclusivement « logique », dépourvue d'éléments « plastiques », est presque inconcevable. Dans les f. d'une logique primaire telles que certains mouvements de sonates de Beethoven, la cohésion musicale repose sur une « variation par développement » (A. Schönberg) de thèmes et de motifs ; une seconde pensée ne s'oppose pas à la première comme une couleur complémentaire, mais elle est amenée par « une déduction contrastante (A. Schmitz). Dans les formes plastiques, le rondo p. ex., l'accent est porté sur les éléments « tectoniques » et « architectoniques » (Fr. Blume), sur la symétrie, la proportion, la structure claire et la différence entre parties principales et parties de transition. Un contraste complémentaire apparaît comme une contreposition et non comme le renversement d'une pensée en son contraire.

La théorie des formes (all., *Formenlehre*). Au sens habituel du terme, c'est la représentation systématique des types de structures musicales, de groupement de parties thématiques et non thématiques, et de disposition des tonalités. Les périodes ou phrases musicales isolées, dont la structure fait l'objet de l'étude mélodique et de la métrique musicale, y sont considérées « a priori » comme un tout. La théorie des f. est née au XVIIIᵉ s. lorsque, la mus. instrumentale devenant indépendante, la f. se mit à faire problème. Après les essais de J. Mattheson (1739) et de J.A. Scheibe (*Critischer Musicus*, 1739), J. Riepel (1752) et H.Chr. Koch développèrent une théorie des f. conçue comme un élargissement de l'enseignement de la construction des périodes. « La f. dépend en partie de la présence d'un certain nombre de périodes essentielles, en partie de la tonalité dans laquelle l'une ou l'autre de ces périodes est introduite, mais en partie aussi du moment où l'une ou l'autre partie essentielle est répétée » (Koch, II, p. 103). A.B. Marx voyait dans la division en 3 parties — exposition du thème, développement avec modulations et réexposition — un postulat de la f. musicale dominant aussi bien dans les mouvements de danse que dans la fugue et la sonate. S'opposant à cette conception structurale de la f., H. Riemann mettait l'accent sur l'unité thématique, sur « la différenciation entre les parties de développement, qui constituent en quelque sorte la charpente, et les interpolations » (*Grosse Kompositionslehre* I, p. 425). Ces approches différentes de l'étude des f. sont esthétiquement motivées. Si la f. n'est tenue que pour « une partie mécanique de la réalisation » (Koch), il suffit de la décrire comme une syntaxe, le « contenu », la « modification du sentiment » entraînant l'unité interne. Mais si l'on considère que ce sont les thèmes musicaux et non les états émotionnels qui constituent le « contenu » de la mus. « absolue », tout l'accent sera porté sur le développement thématique. Ayant établi que l'enseignement de la construction des périodes, préliminaire à l'étude des formes, est inadéquat pour la fugue, A. Halm en conclut que fugue et sonate s'opposent comme « deux cultures de la musique ». La tentative pour développer une étude des f. à partir de l'antithèse lied - contrepoint (H. Leichtentritt, J. Müller-Blattau) apparaît comme une extension du contraste fugue-sonate. Dans les f. contrapuntiques, technique de composition et f. sont liées. Pourtant, il n'est pas certain qu'au XVIe s. le motet en imitations puisse faire l'objet d'une étude de f. bien que chaque motet pris isolément ait une forme. En effet, pour devenir matière à enseignement, une théorie de la f. doit généraliser, et la généralisation n'est pas toujours possible. Dans la sonate classique (avec de sérieuses réserves), il est possible de généraliser la f. mais non la technique de composition; dans le motet en imitation, c'est l'inverse. D'autre part, on ne peut utiliser pleinement des catégories formelles telles qu'exposition, développement, réexposition, coda, continuation et transition, préparation, digression, tension et résolution, sans prendre en considération des normes compositionnelles et stylistiques, ce qui entraîne rapidement à laisser l'étude des f. se développer en analyse musicale(E. Ratz) ou en typologie historique (tentatives chez H. Leichtentritt).

Les noms des différents genres musicaux ne dépendent pas en général de la f. mais de la destination de l'œuvre pour les voix ou pour les instruments (cantate, sonate), de la formation et du nombre des parties (quatuor à cordes), de la technique d'écriture (fugue), du texte (messe), de la fonction d'une œuvre (prélude) ou du lieu de son exécution (« sonata da chiesa »). Les désignations lied, fugue, concerto ou sonate, qui attribuent une f. précise à un genre défini par d'autres critères, prêtent par conséquent à malentendu; tous les « Lieder » ne suivent pas la f. lied (ABA). De la diversité des f. qui ont vu le jour depuis le XVIIIe s., en partie par interaction de la mus. vocale et instrumentale, la théorie a dégagé quelques types. De la simple succession ABC... sont issues, par répétition ou par reprise de certaines parties, la forme lied en 3 parties (ABA), la f. → « Bar » (AAB, 2 « Stollen », et l' « Abgesang ») et la f. « Bar » inversée (ABB). La f. « Bar » à reprise est une extension de la f. « Bar » (AABA). Le petit rondo se distingue de la f. lied en 3 parties (ABA) par une subdivision et une séparation plus marquées des parties (ABA = aba/cdc/aba; p. ex. menuet avec trio). C'est la disposition des tonalités qui distingue le grand rondo de la f. utilisée dans le concerto. Dans la f. rondo ABACA (DA ou BA), le refrain A revient toujours dans la tonalité principale; dans la f. concerto ABACA (DA ou BA), il est transposé, p. ex. selon le schéma tonique - dominante - relatif - tonique, et les épisodes (B, C, D), parties de solo ou de concertino, rendent possibles par leurs modulations les passages entre les tonalités du refrain. Le type principal de l'air à « da capo » du début du XVIIIe s. est voisin de la f. concerto :

voix		a	a'		b		a	a'
instruments	A	A	A				A	A	A
tonalités		T	D	T	relatif		T	D	T

Parmi les antécédents de la sonate classique, il faut compter, outre le concerto, une f. en 2 parties, du début du XVIIIe s., appelée f. sonate embryonnaire par H. Riemann et f. suite par Robert Sondheimer. Les deux parties reposent sur le même matériau thématique; la première module à la dominante, la seconde revient à la tonique, souvent par l'intermédiaire du relatif ou de la sous-dominante.

La pratique qui consiste à représenter les f. par des lettres de l'alphabet s'appuie sur l'identité (AA), la similitude (AA') et la différence (AB); mais il manque jusqu'à ce jour un inventaire suffisamment nuancé de la catégorie différence ainsi qu'une systématique des possibilités qui existent entre les extrêmes de l'indépendance totale et du contraste complémentaire. Pour être significatifs, les schémas formels doivent être interprétés d'une manière adaptée aussi bien aux conditions stylistiques et compositionnelles qu'à la longueur relative et absolue des parties et des formes. Une étude des f. qui ne tiendrait pas compte de la structure des unités dont elle décrit la disposition et la relation serait vide et abstraite. La formation de périodes peut être fondée sur la succession de phrases mélodiques de caractère lied ou la transformation de formules mélodiques issues de la psalmodie, sur le groupement d' « ordines » rythmiques (« organa » de l'École de Notre-Dame), le choix d'un type rythmique (passage d'un mouvement lent à un mouvement rapide et retour au premier), le prolongement d'une partie introductive par des développements (type de développement du baroque tardif), ou bien sur l'achèvement d'une partie introductive ouverte par une partie conclusive (période classique). Et il n'est pas indifférent que le moule de la f. suite ou de la f. sonate embryonnaire soit rempli par une partie introductive et des développements ou par une série de phrases plus courtes, refermées sur elles-mêmes.

La théorie des f., qui est apparue au XVIIIe s. comme théorie de la mus. instrumentale, décrit tout d'abord l'identité, la similitude ou la différence des périodes mélodiques. Mais les relations mélodiques ne sont pas la seule possibilité de concrétiser la f. musicale en tant que rythme d'ordre supérieur. La disposition des registres dans les mélodies grégoriennes et les chansons du Moyen Age, la division des voix du chœur et l'alternance entre parties polyphoniques et homophones dans les motets du XVIe s., l'opposition de mouvements rythmiquement contrastés dans la sonate et la « canzone » instrumentale du début du XVIIe s. sont, en tant que principes formels, d'une importance presque égale à celle de la répétition, de la variation et du contraste mélodiques.

Dans une f., la longueur relative des différentes parties n'a pas seulement une valeur esthétique mais peut aussi être critère de classification. Dans la strophe chantée du Moyen Age — la f. « Bar » (AAB) — l' « Abgesang » (B) ne doit pas être plus court que le « Stollen » (A). Une strophe dans laquelle deux vers d'une même longueur mélodique sont suivis d'un vers plus court ne peut être considérée comme une strophe lyrique. La signification de la longueur absolue d'une f. est controversée : ainsi lorsqu'on parle de f. « Bar » pour un passage d'un drame musical de R. Wagner qui s'étend sur des centaines de mesures (A. Lorenz).

Les f. fragmentaires peuvent être regroupées en f. de plus grande envergure, les mouvements en cycles. Ces grandes f. sont p. ex. le double « cursus » de nombreuses séquences, l'enchaînement des « soli », ensembles et chœurs en un finale d'opéra, et aussi la sonate lorsque ses différentes parties, thème principal et secondaire, développement et réexposition, représentent les mouvements types du cycle sonate (Fr. Schubert, *Wanderer Phantasie*; F. Liszt, *Sonate* en *si* min.). Les principaux types de f. cyclique sont la messe polyphonique avec « cantus firmus » et motif de tête, et la cantate; dans la mus. instrumentale, la « partita », la suite et la sonate à plusieurs mouvements. Si l'on classe les cycles d'après les rapports de « tempo » des différents mouvements, on peut opposer à la « sonata da chiesa » de la fin du XVIIᵉ s. (lent - vif - lent - vif) la sonate classique (vif - lent - vif - vif), à la « sinfonia » d'opéra et au concerto du début du XVIIIᵉ s. (vif - lent - vif) l'ouverture à la française (lent - vif - lent).

Il n'est pas toujours possible de différencier nettement les f. d'après leur mode d'exécution. On peut considérer que la pratique qui consiste à reprendre l'antienne à la fin des versets et non après chaque verset est une transformation soit de la f., soit du mode d'exécution. C'est souvent un problème de savoir si les reprises dans les mouvements de sonates et de symphonies sont un événement essentiel ou accidentel. Certaines f. qui, au moment de leur apparition, étaient liées à des pratiques d'exécution (alternance de deux demi-chœurs dans la séquence, ou du soliste et du chœur dans le rondeau et le virelai) ont été par la suite détachées de leur origine. La répétition progressive aabbcc... a été reportée de la séquence à la mus. instrumentale de soliste (estampie), et les f. qui reflètent l'association soliste et chœur ont également été utilisées pour la chanson de soliste avec accompagnement instrumental (G. de Machault).

Bibliographie — **1. La forme :** H. ERPF, Der Begriff der musikalischen Form, Leipzig 1914; B. ASSAFIEV, La f. musicale en tant que processus, Moscou 1930, vol. II L'intonation, Moscou 1947 (en russe); K. WESTPHAL, Der Begriff der musikalischen Form in der Wiener Klassik, Leipzig 1935; G. BRELET, Esthétique et création musicale, Paris 1947; de la même, Le temps musical, 2 vol., Paris 1949; FR. BRENN, Form in der Musik, Fribourg (Suisse) 1953; G. NESTLER, Die Form in der Musik, Fribourg-en-Br., et Zurich, Atlantis, 1954. — **2. La théorie des formes** (voir également l'art. COMPOSITION) : V. D'INDY avec le concours d'A. Sérieyx, Cours de composition musicale, 4 vol., I-III, Paris 1903-33, IV éd. par G. de Lioncourt, Paris 1950; M. EMMANUEL, Hist. de la langue musicale, Paris 1911, 2/1928; H. LEICHTENTRITT, Musikalische Formenlehre, Leipzig 1911, 5/1952, trad. angl. augm. Cambridge (Mass.) et Londres 1951; R. STÖHR, Musikalische Formenlehre, Leipzig 1911, rééd. par H. Gál et A. Orel sous le titre Formenlehre der Musik, Leipzig 1933, 2/1954; A. HALM, Von zwei Kulturen der Musik, Munich 1913, 3/Stuttgart 1947; A. LORENZ, Das Geheimnis der Form bei R. Wagner, 4 vol., Berlin 1924-33; K. BLESSINGER, Grundzüge der musikalischen Formenlehre, Stuttgart 1926; W.R. SPALDING, Manuel d'analyse musicale, Paris 1927; FR. GENNRICH, Grundriss einer Formenlehre des mittelalterlichen Liedes, Halle 1932; R. NOATZSCH, Praktische Formenlehre der Klaviermusik, Leipzig 1932; E.J. DENT, Binary and Ternary Form, in ML XVII, 1936; A. CŒUROY, La mus. et ses f., Paris 1951; A. HODEIR, Les f. de la mus., Paris 1951; E. RATZ, Einführung in die musikalische Formenlehre, Vienne 1951; H. DEGEN, Hdb. der Formenlehre, Regensburg, Bosse, 1957; L. STEIN, Structure and Style, Evanston (Ill.), Summy, 1962. — Cf. également FR. BLUME et J. MÜLLER-BLATTAU, art. Form in MGG IV, 1955.

C. DAHLHAUS

FORMULE. 1. Dans la → psalmodie, dessin ou inflexion de quelques notes qui marque le début (intonation), le milieu (médiante) et la fin (différence) du récitatif mélodique appliqué à chaque verset du texte. — **2.** Procédé d'ornementation, d'accompagnement ou de composition stéréotypé, utilisé d'abondance jusqu'à devenir un « lieu commun » dans un style déterminé. Certains types de cadence, certaines successions harmoniques, la → basse d'Alberti en sont des exemples pour la période classique.

FORTE (ital., = fort). **1.** Nuance d'intensité exprimée par la lettre f. Elle comporte un superlatif, « fortissimo » ou même « fortississimo », exprimé par $f\!f$ ou $f\!f\!f$. — **2.** Au piano, la pédale de droite est dite pédale « forte »; elle libère les cordes de la pression des étouffoirs, leur permettant ainsi de résonner librement.

FORTE-PIANO, voir PIANOFORTE.

FORTISSIMO (ital.; abréviation FF ou $f\!f$), superlatif de « forte » signifiant très fort.

FOUET (angl., rod; all., Rute; ital., frusta; esp., látigo), instr. à percussion constitué par deux lames de bois réunies à une extrémité par une charnière. Lorsqu'on les entrechoque brusquement, il reproduit le claquement caractéristique du fouet. M. Ravel l'a utilisé dans son *Concerto en sol* pour piano et orchestre.

FOURCHETTE, partie du mécanisme de la → harpe qui sert à modifier d'un demi-ton l'accord des cordes.

FOURNITURE (angl., mixture; all., Mixtur; ital. ripieno; esp., lleno), terme de facture d'orgue désignant, au Moyen Age, l'ensemble des tuyaux à l'exception des deux → principaux. Dans l'orgue à jeux décomposés du XVIᵉ s., il s'applique à la partie du → plenum qui reste quand on a retiré les fonds; elle est composée de rangs d'octaves et de quintes aiguës, incomplets et surtout à reprises. Dans l'orgue classique, f. désigne une → mixture à deux reprises d'octave, abandonnée au cours du XVIIIᵉ s. au profit de sortes de → cymbales graves, dites plutôt → pleins-jeux. Le nom a presque disparu au XIXᵉ s. pour s'appliquer à nouveau à des mixtures diverses cymbalisantes dans l'orgue néo-classique.

FOX-TROT (angl., = trot du renard), danse binaire apparue en 1912 chez les Noirs américains, où elle fut primitivement une danse animalière. Syncopé, assez proche du → « ragtime », le f.-tr., aux périodes régulières de 8 mesures, est devenu très populaire après la 1ʳᵉ Guerre mondiale, et son influence sur la genèse et l'évolution du → « jazz » est considérable. Le f.-tr. se danse en trois figures dans lesquelles les couples exécutent successivement la marche, les pas courus, puis les pas glissés à droite et à gauche, analogues à ceux du « two-step ». Il existe des figures accessoires dont la plus connue est le changement de pied. Le f.-tr. a donné naissance au « slow-fox » (abr., « slow »), d'un tempo plus lent, comme le « fox de Prague », au → « black-bottom », au → « charleston » et au → « blues ». Les plus célèbres de ses mélodies sont *Tea for two, Dinah, Sweet Georgia Brown* et *Body and Soul.* De grands compositeurs n'ont pas dédaigné de s'y intéresser : c'est ainsi que M. Ravel a inclu un f.-tr. dans *L'Enfant et les sortilèges* (1920).

Bibliographie — G.A. MASSON, La philosophie du f.-tr., *in* Revue mondiale II, 1920 ; A. HOÉRÉE, Le jazz, *in* RM VII/4, 1927.

FRAGMENTS, spectacles composites formés de pièces célèbres empruntées à des ballets, à des opéras et à des compositeurs différents, et représentés à Paris, à l'Acad. Royale de Musique, tout au long du XVIIIᵉ s. On connaît aussi des *Fragments de Lully* (1702), de *Nouveaux Fragments de Lully* (1711), des *Fragments de Mouret* (1742) et *Télémaque* ou les *Fragments des Modernes,* 5 actes empruntés à des opéras de P. Collasse, M. Desmarest, M.A. Charpentier, M. Marais, J.F. Rebel et A. Campra (voir *Sentiment d'un harmoniphile sur différents ouvrages de musique*, 1756, pp. 136-138).

FRANCE. Le Moyen Age. Le plain-chant. Les chants de l'Église sont les plus anciens témoins de ce que fut la musique en Gaule. La liturgie gallicane fleurit chez les Francs jusqu'à ce que les souverains carolingiens (Pépin, puis son fils Charlemagne) aient, pour des raisons politiques et dans le but de réunir leurs sujets au sein d'une communauté spirituelle, imposé les chants romains, dont le pape Grégoire Iᵉʳ avait, au VIᵉ s., unifié le répertoire. Cette décision mettait du même coup un terme à l'évolution de la liturgie locale (voir l'art. CHANT GALLICAN) en tant que musique vivante. Néanmoins, la France tient une place importante dans l'histoire de la mus. religieuse occidentale, comme l'attestent les écrits d'Alcuin, d'Aurélien de Réomé, de Rémy d'Auxerre, d'Odon de Cluny ou de Guy de Charlieu. Nous savons que Pépin avait reçu un orgue du « basileus » de Byzance, que le roi Robert le Pieux était compositeur et qu'Abélard travailla à un livre d'hymnes et nous a laissé 6 chants spirituels. Il semble bien qu'on doive aux moines de Jumièges les premiers de ces → tropes qui devaient donner une vie nouvelle à la mus. religieuse et engendrer les → séquences qui s'épanouirent à la fin du XIᵉ s. à l'abbaye de St-Martial de Limoges, pour atteindre leur apogée avec le poète Adam de Saint-Victor. Le centre de St-Martial, en même temps qu'on y érigeait l'une des plus belles basiliques romanes de France, jetait la semence de tout ce qui allait faire au siècle suivant la grandeur de l'école parisienne.

La musique profane. Il est beaucoup plus difficile encore de saisir les débuts de la mus. profane, qui n'a laissé aucune trace. Nous ne savons pas quelle était la musique des Gaulois en dehors de l'Église, non plus que nous ne pouvons évaluer quel a été dans ce domaine l'apport des Barbares. Les chroniques nous relatent qu'à la cour des princes francs on chantait au son de la cithare ou de la harpe, mais aucun texte musical n'a survécu. De l'époque carolingienne, un manuscrit du Xᵉ s. (Paris, BN lat. 1154) nous a conservé, notée en neumes, la musique de plusieurs chants à la mémoire des héros francs (sur la mort de Charlemagne, sur celle d'Erich von Friaul, etc.). La tradition de ces chants latins sur des événements politiques se continuera aussi bien dans la mus. monodique (deux → « planctus » sur la mort de Philippe Auguste et un → conduit pour le couronnement de Louis VIII en 1223) que dans la mus. polyphonique avec le répertoire de l' → École de Notre-Dame. On a aussi conservé la mise en musique des poèmes d'Horace et de Virgile destinés à l'enseignement. Mais tout cela concerne les textes latins. Bien plus révélatrice de l'âme d'un peuple est la musique qu'il applique à des textes en langue vernaculaire. A partir du XIᵉ s. devaient justement se développer en France deux genres que l'on peut qualifier de nationaux : la → chanson de geste, dont la musique n'est pas conservée, et la → « canso » des → troubadours en langue d'oc, qui naît dans le sud de la France et ne disparaîtra qu'avec la croisade des albigeois, au début du XIIIᵉ s. L'art des troubadours se transportera alors dans le nord (pays de langue d'oïl) avec les → trouvères. Les manuscrits nous ont transmis plus de 1 600 de ces chansons. Ce genre, qui fleurit durant l'âge de la chevalerie, offre un reflet de la vie sociale et politique d'alors, depuis le raffinement de la chanson d'amour jusqu'à la chanson de croisade et à la chanson religieuse de Gautier de Coinci. A la fin du XIIIᵉ s., l'art aristocratique des trouvères disparaît au profit d'un art plus bourgeois, très florissant dans certaines villes comme Arras, où une sorte d'académie (puy) était déjà très active : Adam de la Halle y fait représenter vers 1275 son *Jeu de Robin et de Marion.* Mais alors la monodie disparaît, au moins dans la mus. savante. Elle se perpétue certainement dans un art folklorique dont il est malheureusement impossible de saisir l'existence avec certitude, mais dont les manuscrits monodiques plus tardifs (Paris, BN fr. 9646 et 12744) conservent probablement beaucoup de traces. Désormais, c'est à la polyphonie que, en France comme dans toute l'Europe occidentale, la musique va confier son destin.

La polyphonie du XIIᵉ au XVᵉ s. En cette période qu'on a pu appeler la « Renaissance du XIIᵉ s. », la France a été le centre principal de la pensée occidentale, et, en même temps que l'art gothique y affirmait dès ses débuts la plus grande maîtrise, la musique y enrichissait son langage. Les premiers monuments français polyphoniques nous sont fournis au Xᵉ s. par quelques manuscrits (Chartres, Laon et Fleury) qui contiennent des exemples de → diaphonie. Un manuscrit de St-Martial de Limoges (Paris, BN lat. 1120) nous a laissé aussi un → « discantus ». C'est également dans un manuscrit de St-Martial (Paris, BN lat. 1139), copié vers la fin du XIᵉ s., que nous trouvons le premier exemple connu de → motet, tandis que l' → « organum » apparaît dans un manuscrit de Saint-Maur des Fossés (Paris, BN lat. 12596). Vers le milieu du XIIᵉ s., le foyer de la culture musicale se transporte à Paris, à l'abbaye de St-Victor et surtout à l'église Beatae Mariae Virginis; celle-ci sera bientôt remplacée par l'église Notre-Dame, d'où tirera son nom cette → École de Notre-Dame qui fleurira jusqu'à la fin du XIIIᵉ s. avec maître Albert, Léonin et surtout Pérotin, dont les « organa » à 4 voix marquent une date importante dans l'évolution de la polyphonie. Le motet va subir aussi un développement extraordinaire. Religieux ou profane, écrit à 2, 3 et 4 voix sur des textes latins et français (comme nous en conserve le Ms. de Montpellier du XIIIᵉ s.), le contrepoint y atteint une sorte d'apogée et l'influence de ce style se fera sentir au-delà des frontières de France (Ms. de Las Huelgas). La mus. profane prend alors le pas sur la mus. religieuse et, après le siècle de haute pensée spirituelle de St Louis, l'art devient plus concret. Les → rondeaux à 3 voix d'Adam de la Halle et la musique du *Roman de Fauvel* constituent dans ce genre une étape importante de l'histoire de l'harmonie médiévale. Au XIVe s. l' → « Ars Nova », ainsi nommée par Ph. de Vitry (mais déjà pressenti par Pierre de la Croix à la fin du XIIIe s.) et illustrée par lui dans quelques motets, enrichit la musique par des recherches de rythme (→ isorythmie) et l'emploi plus fréquent des altérations. Ce style nouveau devait trouver en France un illustrateur de génie en la personne de G. de Machault, dont on a conservé un nombre considérable de compositions. Sa *Messe*, qui marque déjà un effort vers l'unité, n'est cependant pas la seule de ce genre en France, où la messe de Toulouse et celle de Besançon offrent des modèles précoces et frustes de ce que sera plus tard la messe parodie. Ses 98 → chansons et ses 19 → lais sont des modèles d'un art profane où commence à s'introduire la sensibilité. Mais à la fin du siècle, la musique se perd dans des complexités rythmiques et contrapuntiques qui la mènent à une impasse, et les contemporains représentés dans le Ms. de Chantilly (nº 1047) marquent l'efflorescence finale de l'Ars Nova française (voir l'art. ARS SUBTILIOR). Malgré les désastres de la guerre de Cent Ans, la France conserve une vie musicale active sous le gouvernement des derniers Valois : Jean le Bon aimait la vie d'apparat, mais Charles V surtout se plaît à la vie sédentaire et fastueuse dans des châteaux qu'il ne cesse d'embellir, et son fils Charles VI gaspillera l'argent du royaume dans des fêtes ininterrompues. Cependant, dans l'État de Bourgogne qui s'était développé sous la direction éclairée des descendants du roi de France, règne au XVe s. une prospérité qui permet à Philippe le Bon puis à Charles le Téméraire d'entretenir à Dijon une vie artistique plus active que chez le roi lui-même dont le domaine ne cesse d'être menacé. C'est ce qui justifie l'appellation d' → École bourguignonne généralement accordée à l'école du XVe s., en dépit du fait que nulle idée nationale n'a jamais soutenu cet État flamand-bourguignon qui vivra la plus grande partie de son histoire d'une culture essentiellement française. Il n'y a pas de style bourguignon et, dans toute cette Europe occidentale, la musique tend à s'internationaliser, comme le reflètent les chansonniers manuscrits du XVe s., dont le répertoire n'est plus national comme ceux de l'âge précédent. Les musiciens ne sont attachés à aucun pays; devenus laïques, ils voyagent avec leur protecteur. Quelle nationalité accorder à des artistes qui, commençant leur carrière chez Amédée de Savoie, René de Lorraine ou Charles de Bourbon, vont ensuite chez le pape pour terminer leur vie à la cour de Philippe le Bon, à Cambrai ou à Tours? Si beaucoup d'entre eux vivent en Bourgogne, comme G. Binchois, la plupart aussi sont passés par Paris, comme N. Grenon, R. de Loqueville et G. Dufay, et toute la mus. profane est alors de langue française. Il semblerait donc injuste d'amputer complètement l'histoire musicale française de musiciens qui lui doivent tant, bien qu'ils ne représentent plus un style essentiellement français et que la France ait alors perdu dans le

monde musical la suprématie qu'elle avait gardée durant tout le Moyen Age. Il est bien évident qu'un apport nouveau (qui vient sans doute d'Angleterre avec J. Dunstable) contribue à tirer la musique des excès de l'Ars Nova et que la capitale culturelle de la musique est maintenant Dijon. C'est pour cette raison qu'il semble justifié d'accorder le nom d' → École franco-flamande à celle de l'âge suivant, celle de J. Ockeghem, J. Obrecht et Josquin des Prés, marquant ainsi que la France joue encore un rôle dans la formation de ces musiciens du Nord. Cependant il faudra attendre le siècle suivant pour que se manifestent dans le domaine musical les conséquences de la politique centralisatrice (et par là même nationale) de Louis XI et pour que l'on puisse de nouveau parler d'une mus. française proprement dite. Certes, le théâtre religieux, qui s'était développé à partir des tropes, était toujours très populaire, et les mystères, comme la *Passion* d'Arnoul Gréban, étaient encore souvent représentés; mais il ne reste aucune trace de leur musique (voir l'art. DRAME LITURGIQUE).

La Renaissance. Le XVIe s. marque pour la France l'avènement d'un monde nouveau qui va transformer le visage de la musique. L'unité politique est maintenant faite et l'autorité royale solidement établie. C'est la Cour qui sera toujours l'arbitre suprême, dont le goût devient celui de la France entière, et les mouvements importants prennent naissance à Paris. Cependant la bourgeoisie constitue une puissante classe nouvelle qui va, au début du siècle, imposer aussi son goût en matière de musique et orienter les compositeurs vers le genre profane. Dans le domaine des idées, le fait essentiel est certainement la rencontre avec la civilisation italienne, qui a transformé la vie musicale du pays. C'est aussi l'Italie qui a détourné les esprits de la pensée médiévale et qui conduit la France vers l'Antiquité païenne, et c'est par l'intermédiaire de Marsile Ficin que l'humanisme néo-platonicien va se manifester dans la musique à la fin du siècle. Enfin la France du XVIe s. va être le théâtre de luttes religieuses acharnées qui donneront naissance au mouvement de la Contre-Réforme, lequel colorera toute l'esthétique musicale du règne d'Henri II et de ceux de ses successeurs. A toutes ces notions il convient d'ajouter la tendance alors générale à la formation de l'idée de nationalité, qui va permettre à la musique du XVIe s. français de manifester avec éclat l'originalité du tempérament national.

Il est bien difficile de trouver la trace d'études musicales dans les universités françaises du XVIe s.; il semble que l'enseignement de cet art ait été surtout affaire de maîtres privés et se soit pratiqué dans la famille. La musique s'introduit maintenant — grâce aussi à l'imprimerie — dans la vie quotidienne de tous, mais c'est chez le roi qu'elle a le plus d'éclat. François Ier multiplie les fêtes somptueuses et les spectacles. Il va instaurer à la Cour un ordre nouveau; à côté des chantres de la Chapelle, il crée en 1535 un corps de mus. vocale attaché à sa maison et comprenant deux sections, la → Chambre et l' → Écurie, dont l'organisation subsistera, à peu près inchangée, jusqu'à la Révolution. Les instrumentistes italiens y occupent la première place et il faudra attendre Henri IV pour en voir diminuer le nombre. C'est avec ce roi aussi que sera créé en 1592 le poste de surintendant de la musique de la Chambre, acte qui inaugure l'ère des musiciens de cour.

Au début du siècle, c'est la → chanson qui va devenir le genre où s'exprimeront les idées et les goûts de ces bourgeois réalistes, bien différents de l'aristocrate amoureux platonique de la chanson du xve s. Jamais plus qu'à cette époque les classes de la société n'ont été aussi mêlées; les éléments populaires se retrouvent nombreux dans la chanson, genre qui veut plaire non seulement aux esprits les plus subtils mais « à toute âme pour rude et grossière qu'elle soit ». Les sujets d'inspiration sont nouveaux et reflètent l'esprit de la Renaissance. Les musiciens (Cl. Janequin, P. Certon, Cl. de Sermisy, J. Maillard, Cl. Goudimel...) rejettent la technique savante des Flamands pour en revenir aux valeurs les plus pures du peuple : clarté, intelligence et esprit qui dissimule l'émotion. L'élément verbal commande au musical, et ainsi s'ouvre la voie que préférera toujours la mus. française. Vers le milieu du siècle, l'influence italienne se marque dans la chanson, qui s'imprègne de chromatisme et perd alors son caractère primitif. Elle commence d'ailleurs à être concurrencée par la forme toute différente de l' → air, qui va lui ravir sa popularité. Le premier recueil de chansons françaises sort chez P. Attaingnant en 1528, et, jusqu'en 1552, cet imprimeur ne publie pas moins de 50 recueils qui totalisent environ 1 500 chansons, dues pour la plupart à des compositeurs français. La production de J. Moderne à Lyon atteint 300 chansons, tandis que N. Du Chemin en publiera 693 entre 1549 et 1576 et qu'A. Le Roy et R. Ballard assureront la continuation du genre jusqu'à la fin du siècle. A côté de cette production profane massive, la mus. religieuse reste très en arrière et les successeurs de Josquin en France semblent peu dignes de son enseignement. Le style de la chanson pénètre la messe et le motet, en donnant toute l'importance à la compréhension des paroles au détriment de la science de l'écriture. La publication des premières œuvres de R. de Lassus (1564) va éclipser l'activité de l'école française, dont A. de Bertrand, G. Boni, Cl. Le Jeune et J. Mauduit suffisent cependant à attester la haute qualité.

Les esprits cultivés ne pouvaient se satisfaire de la chanson du début du siècle et réclamaient un retour à l'attitude des Anciens. Cette révolution fut accomplie par le poète A. de Baïf, qui fonda, avec le musicien J. Thibaut de Courville, l'Académie de poésie et de musique dont le roi signe en 1571 les lettres patentes. Sur les vers « mesurés » de Baïf, les compositeurs vont rythmer leur musique, donnant ainsi naissance à cette → musique mesurée à l'antique que Cl. Le Jeune a le plus brillamment illustrée et qui eut la plus grande influence sur le développement de la mus. française. Il s'agit là d'un mouvement artistique très important qui n'a pas eu d'équivalent dans les autres nations. Cependant la Réforme, elle aussi, allait s'élever contre l'esprit des « chansons folles », que répudiera à sa suite la Contre-Réforme. Tous les musiciens (P. Certon, L. Bourgeois, D. Lupi, Cl. Goudimel, Ph. Jambe de Fer, J. Arcadelt, J. Servin, Cl. Le Jeune, P. de L'Estocart...), réformés aussi bien que catholiques, illustrent ce que l'on nomme le → psautier huguenot. C'est alors aussi que naît le genre de la chanson spirituelle dont la plus célèbre, Suzanne un jour, n'a pas été mise en musique moins de 65 fois.

Aucune chanson profane n'avait remporté un tel succès. Cette attitude de dévotion devait mener la Contre-Réforme au mysticisme intensément catholique du xviie s.

L'époque classique. xviie et xviiie siècle. Durant tout le xviie s. et jusqu'à la Régence, la vie musicale française va, plus encore qu'à la période précédente, être centralisée à la Cour, où le roi attire tout ce qui peut contribuer à rehausser l'éclat de son règne. Avec Louis XIV, cette centralisation monarchique prend la forme d'une véritable dictature artistique en faveur du style classique : on a pu dire que toutes les manifestations de l'esprit avaient été ainsi « royalisées ». Il est bien vrai que rarement dans l'histoire de France les relations entre la politique et la musique avaient été aussi ouvertement affirmées que durant la monarchie absolue. D'autre part, pendant ces deux siècles, les mus. italienne et française seront périodiquement confrontées, donnant lieu à des querelles incessamment renouvelées, fécondes en réactions esthétiques.

La prédominance d'un élément mondain dans l'art a consacré la vogue des petits genres, auxquels appartiennent les deux formes essentielles de la mus. profane, l' → air de cour et le → ballet de cour. Celui-ci est le divertissement favori à la Cour, le roi lui-même y prend part avec ses courtisans : Louis XIII compose le ballet de La Merlaizon; les naissances illustres comme les victoires du souverain (la prise de La Rochelle p.ex.) sont prétextes à faire représenter un ballet. Tous les musiciens ayant une charge à la Cour y participent, mais aucun d'eux n'innove. Il faudra attendre Lully pour que ce genre gagne le titre de véritable œuvre d'art. Les compositeurs français, rejetant les complexités polyphoniques de l'âge précédent aussi bien que les innovations du style italien, s'en tiennent, sous l'influence de la mus. mesurée, au genre précieux et peu expressif de l'air de cour, qui devait prendre plus tard le nom d'air sérieux. Opposé à ce genre aristocratique, l' → air à boire perpétuait dans les classes moyennes l'esprit gaillard du xvie s. Les nombreuses publications de tous ces genres que fit durant un siècle l'imprimeur Ballard suffisent à démontrer la faveur dont ils jouissaient.

Cependant, cette élégance compassée, cette « timidité », selon la formule de Mersenne, qui retient les Français de céder à l'audace expressive, à l'émotion intense caractérisant alors la mus. italienne, ne satisfaisaient pas tous les auditeurs. Certains esprits se tournent dès lors vers l'Italie, comme le prouvent la correspondance qu'échange le père Mersenne avec G.B. Doni (Paris, BN nouv. acq. fr. 6204-6205) et aussi le fameux libelle du violiste A. Maugars qui attire l'attention des Français sur la mus. italienne, inaugurant ainsi le premier acte de cette querelle qui allait durer plus d'un siècle (Response faite à un curieux sur le sentiment de la musique d'Italie, Paris 1639). Depuis longtemps déjà, les musiciens italiens venaient nombreux en France et Catherine de Médicis n'avait pas manqué d'appeler quelques-uns de ses plus glorieux compatriotes, comme G. Caccini ou le poète O. Rinuccini. Mais en 1643, la France, qui est livrée à l'influence de Mazarin, va se trouver confrontée malgré elle avec une invasion massive de musique et d'artistes italiens, inaugurée brillamment d'abord par une représentation de la Finta pazza

30. FRANCE. Fin du XV s. ou début du XVI* s. La Dame de Rohan à l'orgue
ou Le Concert ou L'Air de cour. Détail d'une tapisserie "mille-fleurs" provenant
des ateliers des bords de Loire. Un page actionne la soufflerie de l'orgue positif qui
accompagne le chanteur. Angers, Musée des Tapisseries.*

31, 32. ITALIE. XVIe s. Le Concert champêtre, *peinture anonyme.* Le quatuor
se compose d'une épinette, d'un luth, d'une flûte à bec et d'une basse de viole. C'est le
type même du concert instrumental que les amateurs de la Renaissance se donnent
en privé, dans quelque jardin seigneurial. Dans le même esprit, le concert vocal
représente l'interprétation d'une œuvre polyphonique à quatre voix.

33. ALLEMAGNE. XVIᵉ s. Hans Müelich : Roland de Lassus et la chapelle musicale du duc de Bavière, miniature du Livre de Psaumes de Roland de Lassus, exécuté pour le duc de Bavière Albert II. Vers 1565-1570. Munich, Bayerische Staatsbibliothek.

(1645), puis surtout de l'*Orfeo* de L. Rossi (1647). En ce sens, le Premier ministre — qui était un musicien averti — peut être considéré comme l'un des créateurs de l'opéra français. Malgré la courte réaction de la Fronde, malgré la résistance du public parisien à des spectacles trop étrangers à sa sensibilité native, malgré la cabale anti-italienne qui s'affirmera à la mort de Mazarin (1661), l'influence de l'opéra italien sur la mus. française n'en sera pas moins une chose acquise. Fort curieusement, c'est un Italien, J.B. Lully, qui va mener la réaction et donner enfin à la France un art digne de son passé. Il suffit de suivre la carrière de cet homme habile pour établir du même coup l'évolution de la musique en France. Participant d'abord au ballet de cour, il s'inclinera ensuite devant la priorité qui fut toujours accordée en France à la littérature en créant avec Molière le genre de la → comédie-ballet, qui fera place à son tour à l' → opéra-ballet et à l' → opéra. Et cet opéra apparaîtra à tous comme l'expression du génie de la race, plus intellectuel que sensible, obéissant à cette raison qui était pour Boileau le critère de la beauté dans l'art.

Jusqu'à la mort de Lully (1687), aucune œuvre italianisante ne peut être jouée; ce n'est qu'en 1698 que M.A. Charpentier fait représenter sa *Médée*. A. Campra et A.C. Destouches restent dans les limites d'un progressisme assez modéré pour être accepté mais qui annonce les innovations de J.Ph. Rameau. Celui-ci, dont les hardiesses avaient d'abord été repoussées (Querelle des lullistes et des ramistes), est reconnu comme l'un des plus grands musiciens d'Europe après le triomphe de *Platée* (1749) pour voir de nouveau son impopularité grandir jusqu'à sa mort (1764). Ce génie isolé — parce qu'en désaccord avec les aspirations nouvelles de son époque — présente le cas unique d'un musicien aussi grand compositeur que théoricien : il est en cela le dernier représentant de ce siècle où la pratique de l'art n'excluait pas le contrôle de la raison. Il déclare lui-même combien il avait été « éclairé par la méthode de Descartes », alors que cette attitude intellectuelle n'était plus aussi en faveur, puisque, dès les dernières années du règne de Louis XIV, on voit se dessiner un mouvement de réaction contre l'esprit classique, et un idéal nouveau, différent de celui de Lully, se préciser. C'est une époque où l'on désire moins satisfaire la raison que plaire aux sens. L'abbé Fr. Raguenet, en 1702, provoque la première querelle de l'italianisme, à laquelle riposte J. Lecerf de La Viéville, ferme tenant du style classique. La mus. italienne correspondait admirablement aux aspirations de ce début du XVIIIe s. où la sensibilité française va faire son entrée dans les arts. Les philosophes, à leur tour, vont exercer leur influence sur l'histoire musicale, et leur rôle ne saurait être mésestimé. Après les représentations de *La Serva padrona* de G.B Pergolèse par les Bouffons italiens (1752), J.J. Rousseau, D. Diderot et les Encyclopédistes se font les ennemis acharnés du style classique et réclament un opéra sur le modèle de l'Italie. La première conséquence de cette polémique (→ Querelle des Bouffons) devait être l'apparition de l' → opéra-comique, dont *Le Devin du village* de Rousseau était le premier exemple. E.R. Duni, Fr.A. Philidor, P.A. Monsigny et A.M. Grétry continuent dans cette voie, et la carrière de ce dernier franchira sans encombre les bouleversements politiques de la Révolution et de l'Empire. D'autre part, lorsqu'en 1774 un autre étranger, Chr.W. Gluck, apparaît sur la scène française, fort curieusement c'est lui qui va exécuter toutes les réformes attendues et préparées depuis 20 ans par les Encyclopédistes. Son art, humain, qui « retourne à la nature », fait de lui l'instrument de la révolution dramatique que ceux-ci désiraient. Mais il s'agit alors d'un art international, « propre à toutes les nations », au-dessus de la mode et des querelles, animé de l'esprit libre du XVIIIe s. Cependant les italianisants lui opposent N. Piccinni, créant ainsi dans ce pays combatif une nouvelle querelle que devaient éteindre et le départ de Gluck et la Révolution.

A l'écart de ces mouvements d'idées, la mus. religieuse se développait traditionnellement mais non sans grandeur. Si, au début du XVIIe s., la polyphonie vocale trouve encore des adeptes (E. Du Caurroy, J. Mauduit, N. Formé, E. Moulinié), l'écriture à basse continue et le style concertant ne s'en imposent pas moins peu à peu, surtout dans le → motet : jusqu'à la fin du siècle tout au moins, la messe sera plus volontiers écrite « a cappella ». A partir du dernier tiers du siècle, les musiciens de Louis XIV édifient des motets appropriés à la dévotion d'apparat de la cour de Versailles (où la chapelle avait été inaugurée en 1682), grandes compositions pour chœur, soli et orchestre. Cependant il suffira à Fr. Couperin des moyens les plus simples (une ou deux voix et basse continue à l'orgue) pour atteindre dans ses trois *Leçons de ténèbres* (v. 1712) aux accents les plus émouvants. Cette école, qu'on a pu appeler « versaillaise », a réalisé en musique l'idéal classique du Grand Siècle, tout en se prolongeant sous le règne de Louis XV, groupant les plus grands noms de la musique, de J.B. Lully, M.R. Delalande et A. Campra jusqu'à Fr. Couperin et J.Ph. Rameau.

Enfin, dans le domaine de la mus. instrumentale, le répertoire du luth s'enrichit de formes nouvelles (tombeaux, chaconnes, suites de danses), grâce surtout aux deux Gaultier dont le plus jeune, Denys, allait inspirer toute une génération nouvelle de luthistes. En même temps s'établissait le règne de l'air à voix seule avec accompagnement au luth. Dès 1603 le *Thesaurus harmonicus* réuni par J.B. Besard contenait déjà des airs de cour avec luth; entre 1620 et 1630, les recueils de ce genre allaient se multiplier. L'école de clavecin, brillamment inaugurée par J. Champion de Chambonnières, de l'enseignement duquel se réclameront tous ses successeurs, aboutit à l'art raffiné de Fr. Couperin, classique de J.Fr. d'Andrieu, fortement imagé de J.Ph. Rameau. L'orgue trouve en J. Titelouze l'un des plus grands maîtres de la polyphonie construite sur le plain-chant; mais cet art trop complexe ne fera pas école, et ses successeurs préféreront les ingéniosités de la registration et un style orné sorti tout droit de celui du clavecin et bien peu convenable à l'orgue (G.G. Nivers, L. Marchand, L.Cl. Daquin). La sonate (Fr. Couperin, J.F. Rebel), le concerto (J.P. Guignon, J.M. Leclair) donnent au violon son rôle primordial, et J.B. de Boismortier publie en 1727 des concertos pour 5 flûtes. Enfin, malgré l'opposition des « philosophes », qui ne reconnaissent à la mus. pure aucune beauté, la musique pour ensembles instrumentaux se constitue, inaugurée en 1753 par les premières → symphonies de Fr.J. Gossec, exécutées chez le fermier général A. de La Pouplinière, qui offrait alors en sa maison d'excellents concerts privés. L'art vocal subissait lui aussi bien des transformations; c'est du XVIIᵉ s. que datent les premières manifestations du chant individuel professionnel. Jusqu'alors, la science du chant n'avait pas atteint en France le haut degré de l'école italienne, dont le style orné n'était pas apprécié; mais la vogue de l'air de cour et la création d'un opéra national avaient multiplié le nombre des bons chanteurs. Alors qu'en Italie, dès le XVIᵉ s., les méthodes de chant abondent, le père Mersenne est le premier théoricien français qui traite de cet art (*Quaestiones in Genesim*, 1623, *Harmonie universelle*, 1636). Plus tard, B. de Bacilly publie lui aussi des *Remarques curieuses sur l'art de bien chanter* (1668), fondées sur les principes du chanteur M. Lambert qui peut être considéré comme le premier professeur de chant en France et qui enseignait une méthode inspirée par les deux écoles, la française et l'italienne. Il tenait chez lui une véritable académie de chant; il est l'un de ces compositeurs virtuoses qui réunissaient les amateurs pour faire entendre leurs œuvres, lançant ainsi la mode des concerts, très en vogue alors à Paris. Chambonnières avait de la même façon créé le groupe des Honnestes Curieux. D'autre part, en 1769, débute à l'hôtel de Soubise le Concert des amateurs, véritable organisme de concerts publics qui groupait des éléments jeunes et progressistes, s'opposant à l'esprit conservateur du Concert Spirituel, créé en 1725 aux Tuileries et qui avait eu jusqu'alors le privilège de l'organisation des auditions publiques.

La Révolution et le XIXᵉ siècle. La Révolution allait évidemment donner un tout autre ton. Bien que les dirigeants aient compris que la musique était le plus utile de tous les arts par son action directe sur les masses, il faut reconnaître que cette période n'a laissé que des monuments musicaux médiocres. Les musiciens sont « engagés » et travaillent « plutôt en citoyens qu'en artistes » (Tonnard). La musique ne se pratique plus maintenant dans les églises ou les salons, mais sur les places publiques ou au théâtre; elle est devenue un art social selon la conception de Condorcet et de Mirabeau. Fr.J. Gossec s'affirme comme le plus actif de ces musiciens qui veulent créer un art neuf pour des temps nouveaux, et, à travers ses hymnes de circonstance, on peut suivre toute l'histoire des cérémonies révolutionnaires (fêtes de la Fédération ou de l'Être suprême, transfert de cendres au Panthéon, etc.). Après lui, E.N. Méhul, J.Fr. Le Sueur, Ch.S. Catel, Cl.J. Rouget de l'Isle continuèrent à alimenter les fêtes nationales de leurs chants adaptés aux masses populaires. D'autre part, le genre national de l' → opéra-comique continuait sa carrière avec N.M. d'Alayrac, H.M. Berton, Fr. Devienne et le vieux A.M. Grétry. C'est aussi l'époque où la Convention transforme l'ancienne École royale de chant et de déclamation (fondée en 1784) en Institut national de musique (1793) qui deviendra le Conservatoire national de musique et de déclamation. Napoléon protège les musiciens italiens, G. Paisiello, F. Paer et G. Spontini, qui triomphent à la scène, sans cependant écarter systématiquement les anciens: en 1807 le *Joseph* de Méhul obtient le 2ᵈ prix à l'un des concours décennaux organisés par l'empereur. La vogue de la → romance, qui avait commencé dès 1780, se poursuit jusqu'à la Restauration, durant

laquelle l'opéra-comique, avec *Le Pré-aux-Clercs* de L.J.F. Hérold et surtout *La Dame blanche* de Fr.A. Boieldieu, continue de triompher. L'opéra romantique, inauguré en France avec *La Muette de Portici* de Fr. Auber (1828) et le *Guillaume Tell* de G. Rossini (1829), s'incarne avant tout dans les opéras à grand spectacle de l'Allemand G. Meyerbeer, dont la puissance était alors incontestée. Pour la troisième fois, un étranger allait marquer son influence décisive sur l'opéra français. Son exemple sera suivi par certains de ses contemporains qui sacrifient trop souvent au style pompeux (J.Fr.E. Halévy, *La Juive*). Il est vrai que les fadaises d'A. Adam ne réhabilitent pas mieux le genre à nos yeux. Le théâtre absorbe si totalement les compositeurs que bien peu d'entre eux se consacrent à la mus. religieuse (A. Boëly, L. Niedermeyer) ou à la mus. de chambre (N.H. Reber, A. Reicha, P. Baillot, G. Onslow); on ne peut pas dire qu'ils y aient gagné grande gloire. Il est vrai que la mus. instrumentale avait encore en France bien des ennemis, puisque Stendhal, dont on peut penser que les idées reflètent le goût de l'homme cultivé du moment, rejette le genre instrumental « qui a perdu la musique ». A ce propos, il rallume une fois encore cette querelle italienne dont ce sera le dernier feu. Heureusement, il y eut Berlioz. Il est le personnage marquant — le seul grand — du romantisme musical français, car cette attitude correspondait à sa nature essentielle. Il ne fut guère compris de son temps, à cause, dit-il lui-même, de « l'antagonisme existant entre mon sentiment musical et celui du gros public parisien » toujours plus attiré vers « le petit sentier où trottinent les faiseurs d'opéras-comiques ». Berlioz, lui, a préféré les voies triomphales: l'opéra et surtout la symphonie. Dans ce domaine, avec sa *Symphonie fantastique* (1830), il a inauguré d'un même coup en France la mus. à programme et la grande musique d'orchestre. Ses trouvailles rythmiques, ses nouveautés harmoniques, les réussites de son orchestration auraient dû lui susciter des disciples. Cependant, il reste un isolé (si l'on excepte le Hongrois F. Liszt), et, de nos jours encore, il est à la fois « universellement connu et tenacement méconnu » (D. Milhaud). Comme Rameau, il eut le goût d'écrire: son *Traité d'instrumentation* (1844) n'a rien perdu de sa valeur et ses œuvres littéraires (*Mémoires, Correspondance, Ouvrages du critique*) suffiraient à sa gloire. Il était donc grand temps de redresser le goût musical en France et, dans le dernier tiers du siècle, toute une pléiade de musiciens va s'y employer avec plus ou moins de bonheur. Évidemment, la majorité du public restait fidèle au théâtre; mais ce n'est pas dans ce domaine que la musique va faire un pas décisif. Si le *Faust* de Ch. Gounod (1859) représente une tentative louable de s'éloigner à la fois des rodomontades de G. Meyerbeer et des « gargouillades » italiennes, le compositeur n'a pas réussi cependant à traduire en musique le drame philosophique du poète allemand, dont il ne retient que l'anecdote. Néanmoins Gounod a su émouvoir une grande partie de ses contemporains, et, à ce titre, son art représente, comme le dit Debussy, « un moment de la sensibilité française ». La *Carmen* de G. Bizet (1875) est considérée comme le chef-d'œuvre du genre, mais c'est un exemple isolé qui n'eut d'ailleurs aucun succès. Malgré l'abondance de la production, les opéras et opéras-comiques ne dépassent pas le stade du théâtre en musique, où l'équilibre est toujours rompu au profit du théâtre; si tous ces compositeurs (J. Massenet, L. Delibes, E. Lalo) ont le sens de la scène, leur musique se tient trop souvent dans les limites d'un hédonisme peu aventureux. Dans le domaine de la musique pure, la partie restait encore à gagner. En 1879 C. Saint-Saëns constate avec amertume qu'il y a encore en France, « dans certains milieux, un préjugé contre les concerts et la musique instrumentale ». Pour lutter contre cet état d'esprit, il avait, en 1871, fondé avec R. Bussine la Société nationale de musique, où, sous la devise « Ars gallica », on devait exécuter les œuvres de chambre et d'orchestre de compositeurs français vivants. D'autre part, avec ses symphonies, C. Saint-Saëns prêchait d'exemple et continuait à entraîner les Français vers les formes instrumentales. C. Franck allait lui aussi exercer une influence décisive, par ses œuvres d'abord, par son action sur les jeunes à la Société nationale, dont il peut être considéré comme le véritable chef, enfin par son enseignement au Conservatoire, où il fut le maître direct de nombreux musiciens qui devaient devenir célèbres, auxquels il redonna le goût de la musique sérieuse avec la connaissance du contrepoint et le retour aux œuvres de Bach. Il avait réuni autour de lui les musiciens les plus doués de la jeune génération : parmi ceux-ci, V. d'Indy, le plus actif, fonda avec Ch. Bordes et A. Guilmant la Schola Cantorum (1896), où, jusqu'à sa mort, il perpétua l'enseignement de son maître dans sa classe de composition restée célèbre. Les temps étaient devenus propices à l'éclosion d'une génération nouvelle tournée vers les formes sérieuses de la musique. Des talents très divers se révèlent, parmi lesquels V. d'Indy lui-même, E. Chabrier, P. Dukas, E. Chausson, H. Duparc (créateur de la mélodie moderne en France) et surtout G. Fauré sont à signaler. On ne saurait passer sous silence l'influence de Wagner, qui, par actions et réactions, a été décisive. La révélation de ses œuvres, due surtout à Ch. Lamoureux dans des concerts inaugurés en 1882, a transformé le goût des Français, et la fondation, en 1885, de la *Revue wagnérienne* dit assez que cette influence s'étendait à tous les domaines de l'art. C. Franck était resté en dehors du mouvement, et C. Saint-Saëns, qui n'aimait pas les chapelles, s'était élevé contre la « religion wagnérienne ». C'est l'époque héroïque où l'on se rendait à Bayreuth en un pèlerinage (A. Lavignac, E. Chabrier, Cl. Debussy lui-même); des drames lyriques comme *Gwendoline* (E. Chabrier, 1886), *Sigurd* (E. Reyer, 1884), plus tard *Le Rêve* (A. Bruneau, 1891), *Fervaal* (V. d'Indy, 1898) ou *Louise* (G. Charpentier, 1900), participent par certains côtés de l'esthétique wagnérienne. Il y eut aussi, parmi ces admirateurs, des hommes dont la personnalité était assez puissante pour résister dans leurs œuvres à l'influence de leur idole. C'est ainsi que, malgré des débuts placés sous le signe d'une grâce facile, G. Fauré se voue tout entier à la mus. de chambre dans ce qu'elle a de plus élevé, ainsi qu'à l'art intimiste et raffiné de la mélodie. Ses dernières œuvres (*11e* - *13e Nocturne, 11e - 13e Barcarolle, 2e Sonate* pour violon et piano, *2 Sonates* pour violoncelle et piano, *2e Quintette, Trio, Quatuor à cordes*) indiqueront la voie d'un style dépouillé cherchant à exprimer les valeurs essentielles. Mais il y eut

surtout Cl. Debussy. S'il n'échappe pas plus que ses contemporains à la maladie wagnérienne — les *Cinq Poèmes de Baudelaire*, 1890, en sont la preuve — il amorce avec le *Prélude à l'après-midi d'un faune* (1894) la révolte organisée sur la victoire de laquelle va s'ouvrir l'époque suivante.

N. Bridgman

Le XXᵉ siècle. Au début du xxᵉ s., on se trouve ainsi en présence de deux écoles : l'ancienne, constituée par les disciples du « cloître franckiste », selon l'expression de M. Ravel, H. Duparc, silencieux depuis plusieurs années, E. Chausson († 1899), P. de Bréville, G. Pierné, G. Ropartz, A. Magnard, Ch. Tournemire, D. de Séverac..., dont V. d'Indy est le chef de file, et la nouvelle, dont le principal initiateur est sans conteste Cl. Debussy. Celle-ci oppose à l'art étudié, « volontaire », des émules de la Schola un art qui fait plus confiance à l'intuition et qui s'applique à percevoir jusqu'aux moindres manifestations extérieures. Le siècle s'était ouvert par le triomphe de *Pelléas et Mélisande*, dont la 1re représentation (1902) est une date importante de la musique en France. Ce succès, consacré par le public contre la critique réticente, disait assez le besoin qu'avait alors l'amateur français d'un art mieux adapté à sa sensibilité que les contrefaçons de l'école wagnérienne. La sobriété musicale, l'orchestre volontairement allégé, le récitatif nuancé sur le débit de la parole, la retenue dans l'expression des passions, tout cela s'opposait à l'art puissant de Wagner. Cependant Debussy n'en reste pas moins un isolé, malgré l'influence qu'il exerça sur A. Caplet, ce qui semblerait donner raison à ses adversaires qui accusaient son esthétique inquiétante de mener à une impasse. Il trouve un continuateur en la personne de M. Ravel, qui sut découvrir « au fond de l'impasse une porte largement ouverte sur une campagne splendide et toute neuve » et qui défendra lui aussi les traditions françaises séculaires de clarté et de mesure. A côté de lui, il faut citer Fl. Schmitt, dont l'œuvre imposante unit un esprit classique — souvent caustique — à une expression fougueuse et, par son caractère novateur, annonce sur bien des points la musique de l'après-guerre. La guerre de 1914-18 apporte de profondes modifications. Chez un homme comme A. Roussel, elle fortifie l'abandon des séductions de l'impressionnisme au profit d'un style contrapuntique rigoureux qui reste en France avec les œuvres de M. Emmanuel et Ch. Kœchlin, deux des témoignages les plus convaincants du néo-classicisme. La nouvelle génération, animée par l'esthétique révolutionnaire de J. Cocteau, rejette à la fois les boursouflures du romantisme et les raffinements trop subtils de l'impressionnisme, et c'est ainsi que se forme en 1918 le groupe des « Six » (A. Honegger, D. Milhaud, G. Auric, G. Tailleferre, L. Durey, Fr. Poulenc; voir l'art. GROUPE DES SIX du vol. I, Les Hommes et leurs œuvres), unis plutôt par le refus de certains principes que par l'affirmation d'une esthétique commune; car ces Six rassemblent des talents très divers, parmi lesquels se détachent Honegger, à la fois le plus indépendant et le plus classique, et Milhaud, le plus fécond et le plus généreusement inspiré. *Le Coq et l'Arlequin* de Cocteau (1918) peut être considéré comme le manifeste de la jeune école qui trouve, d'autre part, en E. Satie un animateur dont le non-conformisme et l'ironie mordante, délibérément opposés à l'exhibitionnisme complaisant du post-romantisme, correspondaient à leurs aspirations. Parallèlement, en 1923, quatre jeunes artistes menés par H. Sauguet se groupent autour de Satie et constituent l' « École d'Arcueil ». C'est l'époque où domine incontestablement I. Stravinski, qui vivait alors à Paris et dont *Le Sacre du printemps* avait révolutionné le monde musical dès 1913, époque où l'on s'enthousiasme pour les rythmes nouveaux et libres du jazz — Milhaud écrit en 1920 un *Shimmy* pour « jazz-band », *Caramel mou*, et le *Concerto pour la main gauche* de Ravel contient bien des effets de « jazz ». On pratique un style dépouillé, on s'inspire de l'humour de Chabrier et des cocasseries de Satie, on cherche à « choquer le bourgeois ». Par ailleurs, A. Schönberg et ses émules pénètrent en France, où le « Triton », société de mus. de chambre fondée en 1933 par P.O. Ferroud, contribue activement à faire connaître leurs œuvres. C'est en protestation contre l'abstraction en musique que se constitue en 1936 le groupe « Jeune-France » (Y. Baudrier, A. Jolivet, Daniel-Lesur et O. Messiaen), qui se propose de revenir au lyrisme et à l'humanisation dans l'art. Le plus célèbre d'entre eux, O. Messiaen, a compris la nécessité de renouveler le langage musical : il a réussi dans ce domaine une révolution féconde en enrichissant les éléments du rythme, qui avaient été si longtemps oubliés. Bien qu'elle ·n'ait pas été sans influencer le groupe « Jeune-France », il y a lieu de placer à part l'œuvre monumentale de G. Migot, qui marque l'apparition d'un art vocal régénéré et qui, seule de son genre, maintient au plus haut niveau l'idéal de la mus. de chambre. Avec des compositions très personnelles, constamment poétiques, G. Migot se fait le champion d'une conception linéaire de la musique aboutissant à un style polyphonique neuf, dégagé de toute réminiscence historique, et avec H. Dutilleux (*1916), plus jeune d'une génération, prouve que l'humanisme reste une donnée essentielle de la mus. française.

Si la 2ᵈᵉ Guerre mondiale ne constitue pas, à proprement parler, une coupure dans l'évolution musicale en France, elle consacre, cependant, une rupture avec les habitudes esthétiques de l'entre-deux-guerres. De nouvelles tendances, teintées de radicalisme, vont se faire jour, s'affirmer. En 1947 le groupe « Zodiaque », dont M. Ohana (*1914) est le représentant le plus significatif, réagit également contre le néo-romantisme et l'intellectualisme, cependant que le mouvement sériel, défendu avec fougue et compétence par R. Leibowitz, gagne du terrain. Au Conservatoire de Paris, O. Messiaen dispense un enseignement esthétique très ouvert qui fait une large place aux œuvres de l'École de Vienne. Enfin l'œuvre d'E. Varèse, qui avait influencé A. Jolivet, est reconnue en son exemple impressionne les jeunes musiciens. Une forte personnalité va faire la synthèse de tous ces courants : P. Boulez (*1925). Préoccupé par les recherches au plan du rythme d'O. Messiaen, Boulez, des *Sonates* pour piano aux deux *Livres de structures*, du *Marteau sans maître* à *Pli selon pli* ou au *Livre pour cordes*, fait éclater la notion de sérialité et fonde ses recherches sur la théorie de l'œuvre ouverte, l'œuvre n'étant rien d'autre qu'une « poétique de la pensée sérielle ». Dans l'orbite de P. Boulez, autour des activités du Domaine musical dont il fut le fondateur, G. Amy (*1936), J.Cl. Éloy (*1938), Michel Fano (*1929), Betsy Jolas (*1926), Jean-Pierre Guézec (1934-1971), Alain Louvier

(*1945), Paul Méfano (*1937), Patrice Mestral (*1945) expérimentent, taraudent l'univers des sons à la recherche de signes, de moyens d'écriture nouveaux.

Si l'influence de Boulez a été déterminante pour la mus. contemporaine en France, celle de I. Xenakis (*1922) n'est pas moins importante. Xenakis, qui a reçu une double formation de musicien et de scientifique (architecture, mathématique), n'est pas un musicien sériel, il n'est pas un prophète des recherches concrètes ou électro-acoustiques, il ne pratique pas le collage ; il est un indépendant, un chercheur. Dans ses œuvres, de la mus. → stochastique à la période de métamusique, Xenakis veut participer au jeu des forces cosmiques. Sa musique a le goût du mystère et l'âcre saveur de l'aventure totale. — Dans une perspective aussi radicale mais bien différente dans les termes et les moyens, J. Barraqué (1928-1973), André Boucourechliev (*1925), Cl. Ballif (*1924) apportent des réponses originales aux problèmes suscités par la composition musicale aujourd'hui. J. Barraqué n'a, au fond, travaillé qu'à une seule œuvre, *La Mort de Virgile*, et s'est façonné un langage puissant, rugueux, à la mesure de son projet. Boucourechliev, à travers ses *Archipels* (I-IV), explore les horizons poétiques de la musique semi-aléatoire. Quant à Cl. Ballif, il tente de retrouver un souffle humaniste en s'appuyant sur la tradition de la mus. française, du Moyen Age à Berlioz. Il convient également de noter que des compositeurs tels que Ch. Chaynes (*1925), M. Constant (*1925), A. Tisné (*1932), J. Charpentier (*1933)..., tout en étant très au fait des techniques sonores de pointe, se déclarent plus volontiers attirés par le pouvoir expressif d'une œuvre que par les recherches théoriques consacrées à l'élaboration d'un langage. Enfin, parallèlement aux musiciens qui exploitent les ressources sonores les plus élargies des instruments traditionnels, s'est développé depuis 1948, à la suite de P. Schaeffer (*1910) et de ses recherches sur la mus. concrète, le mouvement qui va aboutir au développement de la mus. électro-acoustique. Avec le grand imagier sonore qu'est P. Henry (*1927), M. Philippot (*1925), Luc Ferrari (*1929), François Bayle (*1932), François Bernard Mâche (*1935), Guy Reibel (*1937), Bernard Parmegiani (*1927)... inventent, coordonnent par des manipulations techniques un univers sonore inouï qui arrache à la machine des moyens expressifs certains et les pouvoirs d'une étrange poésie.

N. BRIDGMAN et M. PINCHARD

Les institutions musicales actuelles. É c o l e s   d e
m u s i q u e . Les 400 maîtrises qui, avant 1789, assumaient la formation musicale des enfants et recevaient une subvention globale de 20 millions de francs d'alors, ne survécurent pas à la Révolution. Du projet élaboré en 1795 par B. Sarrette, seul fut réalisé le Conservatoire National de Musique mais non les 55 écoles qui eussent dû être réparties à travers le territoire. Dès lors, l'enseignement musical, quasi inexistant dans les écoles d'État, dépendit, pour la masse des enfants, de l'initiative des villes ou, pour une fraction aisée de la population, de l'existence de professeurs privés. Les villes développèrent donc, un peu au hasard, des Écoles de musique dont la charge financière leur incombait presque totalement. Certaines furent ensuite classées « nationales » (24 en 1884, 36 en 1914). Le problème de l'unification des

niveaux et du contrôle technique de l'enseignement musical fut sérieusement pris en considération une première fois avec le projet établi en 1954 par Amable Massis pour la Direction générale des Arts et Lettres, dépendant alors du ministère de l'Éducation nationale. Ce texte décidait de classer les Écoles nationales de musique en 3 catégories et spécifiait quelles disciplines devaient être enseignées dans chaque type d'école. Dans les écoles classées, l'État prenait en charge 51 % du traitement du directeur et l'enseignement des cours supérieurs selon le système de l'heure-année, dans la mesure des crédits disponibles. En 1958, existaient, outre le Conservatoire National Supérieur de Paris, 48 Écoles nationales dont 22 en 1re, 8 en 2e et 12 en 3e catégorie. Depuis 1948, les directeurs et les professeurs étaient recrutés par concours local en présence de l'inspecteur général de la musique. L'ensemble de ces écoles comptait 23 000 élèves formés par 1 200 professeurs. Un deuxième pas plus décisif fut accompli en mai 1966 lorsqu'au sein du nouveau ministère des Affaires culturelles fut créée une Direction de la musique, confiée à M. Landowski, qui reçut pour mission d'élaborer et de mettre en application un Plan de 10 ans pour le développement de la musique en France. Pour la première fois la quasi-totalité des problèmes de la musique avait été étudiée d'une manière cohérente.

Les Écoles de musique comprennent actuellement (1976) : 1° Le Conservatoire National Supérieur (CNSM), entièrement à la charge de l'État, avec 3 cycles d'études : préparatoire, supérieur, de perfectionnement. — 2° 18 Conservatoires nationaux de région (CNR) avec deux sections : a) l'enseignement traditionnel, qui mène les enfants du début des études à la fin du « préparatoire supérieur ». A la sortie, ils accèdent en principe au Cons. supérieur de Paris. b) Les classes à horaires aménagés, qui, recrutant des enfants déjà « initiés » en maternelle et en cours préparatoire, couvrent tout le cycle primaire et le 1er cycle secondaire jusqu'à la 3e inclusivement. Grâce à des horaires scolaires comprimés et à des effectifs réduits (de 10 à 24 élèves), les musiciens peuvent]bénéficier à égalité d'un enseignement général et musical. Cette filière est prolongée par le 2e cycle F 11, qui mène au baccalauréat de technicien-musique, créé en 1972, et qui, dès les premières sessions (1973, 1974), a compté 80 % de candidats reçus. — 3° 39 Écoles nationales de musique (ENM). D'abord tenues au seul enseignement traditionnel, celles-ci, de plus en plus nombreuses, ouvrent des classes à horaires aménagés. — 4° 16 Écoles de musique agréées du 2^d degré : cycle traditionnel, avec subvention. — 5° 23 Écoles de musique agréées du 1er degré, celles-ci sans subvention. — Le Plan prévoyait pour 1979 quatre CNSM, 27 CNR, 45 ENM et 72 Écoles agréées. Avec les chiffres actuels, on compte en France une population scolaire musicale de plus de 60 000 élèves. Directeurs et professeurs sont recrutés par les villes — leurs employeurs — parmi les titulaires du Certificat d'aptitude délivré sur concours à l'échelon national par le secrétariat d'État à la Culture et homologué par le ministère de l'Intérieur. Ce processus a grandement contribué à placer au plus haut niveau les cadres pédagogiques et à unifier l'enseignement à travers le pays.

De nombreuses Écoles municipales non contrôlées par l'État se créent sans cesse dans les régions à forte densité de population. Pour les départements circumparisiens se sont formées des Unions départementales qui ont pour but d'unifier les programmes et les niveaux. Le cas des conservatoires « d'arrondissement » de Paris est spécial puisqu'il s'agit là d'associations régies selon la loi de 1901. Il faut également citer certaines écoles privées comme l'École normale de musique, la Schola Cantorum, l'École César-Franck, le Conservatoire international de musique à Paris. — Pour la musique dans l'enseignement public, voir l'art. ÉDUCATION MUSICALE.

Diffusion de la musique. Un certain nombre d'associations musicales sont liées à l'État par une convention qui leur fait obligation de rechercher de nouveaux publics, de pratiquer des prix de places « populaires » et de promouvoir la mus. contemporaine. Quelque 300 000 auditeurs sont touchés chaque année par ces formations qui vont du groupe de solistes (Trio Nordmann; Quatuors Bernède, Lœwenguth, Parrenin, Quintette à vent de Paris; Octuor de Paris; Les Percussions de Strasbourg) à l'orchestre de chambre classique (Ensembles instrumentaux de France, de Provence; Orch. de chambre de Rouen, de Toulouse, Andrée Colson, Paul Kuentz, Jean-François Paillard) et à l'ensemble de musique contemporaine (Ars Nova, dir. M. Constant; Ensemble de mus. contemporaine de Konstantin Simonovitch; Musique vivante, dir. Diégo Masson; Pupitre 14 d'Amiens). Les orchestres symphoniques sont en voie de réorganisation depuis 1967 et ont été recréés à partir de formations antérieures, au passé souvent glorieux. Ce sont : 1° un orchestre de prestige, l'Orchestre de Paris (issu de l'Orch. de la Soc. des concerts du Conservatoire), créé en oct. 1967 par Ch. Münch, puis dirigé successivement par H. von Karajan, sir Georg Solti et Daniel Barenboïm; 2° cinq orchestres symphoniques régionaux de type A (de 100 à 120 musiciens), ayant une triple mission symphonique, lyrique et d'animation : les Orchestres Rhône-Alpes à Lyon (dir. Serge Baudo), des pays de la Loire à Nantes et à Angers (dir. Pierre Dervaux), l'Orchestre philharmonique de Strasbourg (dir. Alain Lombard), l'Orchestre d'Aquitaine à Bordeaux (dir. Roberto Benzi) et l'Orchestre Midi-Pyrénées à Toulouse (dir. Michel Plasson); 3° d'autres phalanges d'importance variée, de type B (60 musiciens) ou C (de 18 à 25 musiciens), existent encore à Chambéry, Grenoble, Mulhouse, Nice, Strasbourg et Lille, ces trois dernières issues de l'ex-ORTF et en voie de réorganisation. La radio, en pleine mutation, entretient une seconde formation de prestige, l'Orchestre national de France.

Dans le domaine du chant choral, l'État subventionne plusieurs fédérations regroupant plus de 1 000 chorales dont le mouvement « A Cœur Joie », fondé par C. Geoffray, particulièrement dynamique par la jeunesse de son recrutement et de ses cadres (Choralies de Vaison-la-Romaine). Une aide est accordée à certaines grandes chorales de valeur exceptionnelle (Chœur national, dir. Jacques Grimbert; Maîtrise G.-Fauré, de Marseille, dir. Marie-Thérèse Farré-Fizio, p. ex.) et à quelques maîtrises héritières d'une longue tradition (Paris, Reims, Rouen, Strasbourg). L'aide de l'État va également à la Confédération musicale de France, qui réunit plus de 6 000 sociétés de musique populaire comptant environ 600 000 membres.

Parmi les quelque 80 festivals subventionnés, il faut citer ceux d'Aix-en-Provence (10-31 juil.), d'Avignon (15 juil.-10 août), de Besançon (5-15 sept.). de Bordeaux (3-19 mai), de Lyon (11 juin-9 juil.), du Marais à Paris (12 juin-13 juil.) et le doyen des festivals français, celui de Strasbourg (7-23 juin), qui présentent dans des cadres exceptionnels des manifestations de la plus haute qualité.

L'art lyrique est rattaché depuis mai 1969 à la Direction de la musique, dont la première tâche a été la réorganisation des théâtres lyriques nationaux. Celle-ci comprend l'Opéra de Paris, à vocation internationale (dir. R. Liebermann), et l'Opéra-Studio (dir. Louis Erlo), dont le but est d'être un atelier de formation lyrique pour les jeunes chanteurs mais également pour les cadres artistiques, techniques et administratifs. En province, des associations intercommunales permettent de réduire les charges des villes et de multiplier les représentations en créant des opéras régionaux tels que les Opéras de Lyon (dir. Louis Erlo), du Rhin à Strasbourg, Colmar et Mulhouse (dir. Alain Lombard), et d'Aquitaine à Bordeaux. D'autres scènes importantes se trouvent à Avignon, Marseille, Metz, Nancy, Nantes, Nice, Rouen, Toulouse, Lille et Tours.

O. Alain

Bibliographie (éd. à Paris sauf mention spéciale) — Cf. également les art. Aix-en-Provence, Amiens, Angers, Angoulême, Annecy, Arles, Arras, Avignon, Beaune, Beauvais, Besançon, Bordeaux, Bourges, Caen, Cambrai, Chartres, Clermont-Ferrand, Cluny, Dijon, Évreux, Grenoble, Langres, Le Mans, Lille, Limoges, Lyon, Marseille, Metz, Nancy, Nantes, Narbonne, Nice, Nîmes, Paris, Reims, Saint-Quentin, Sens, Solesmes, Strasbourg, Toul, Toulouse, Tours, Troyes, Valenciennes, Versailles. — 1. Ouvrages bibliographiques : M. Vogeleis, Quellen u. Bausteine zu einer Gesch. der Musik u. des Theaters im Elsass, 500-1800, Strasbourg 1911 ; La mus. fr. du M.A. à la Révolution, catal. de l'exposition à la B.N. publ. par É. Dacier, P. 1934 ; Fr. Lesure et G. Thibault, Bibliogr. des éd. musicales publ. par N. Du Chemin 1549-1576, in Ann. Mus. I, 1953, supplts ibid. IV, 1956, et VI, 1963 ; des mêmes, Bibliogr. des éd. d'A. Le Roy et R. Ballard, 1551-1598, P., Heugel (Soc. Fr. de Mie), 1955 ; D. Heartz, P. Attaingnant, Royal Printer of Music, Berkeley et Los Angeles, Univ. of California Press, 1969 ; S.Fr. Pogue, J. Moderne, Lyons Music Printer of the 16th Cent., Genève, Droz, 1969 ; M. Lang, Bibliogr. de l'hist. de la mus. en Alsace, in La mus. en Alsace, hier et aujourd'hui, Strasbourg, Istra, 1970. — 2. Éditions monumentales (anthologies seulement) : Chefs-d'œuvre de l'opéra fr. (coll. Michaelis), éd. par J.B. Weckerlin, Th. de Lajarte, A. Guilmant, V. d'Indy..., 38 vol., P. 1880-1902 ; Les Maîtres musiciens de la Renaissance fr., éd. par H. Expert, 23 vol., P. 1894-1908 ; Monuments de la mus. fr. au temps de la Renaissance, éd. par le même, 10 vol., P. 1924-29 ; 21 Suites d'orch. du XVIIe s. fr., publ. par J. Écorcheville, 3 vol., P. 1906 ; Cent motets du XIIIe s., éd. par P. Aubry, 1908 ; Publications de la Soc. Fr. de Mie), I Monuments de la mus. ancienne, 21 vol., II Documents et catal., 14 vol., III Études, 3 vol., IV Divers, 2 vol., P. 1925 et suiv. ; Treize livres de motets publ. par P. Attaingnant, 1534-35, éd. par A. Smijers et Tillman Merritt, P. puis Monaco, L'Oiseau-Lyre, 1934-63 ; Le Ms. de Montpellier, éd. par Y. Rokseth, P. 1935-39 ; Die drei- u. vierstimmigen N.-D.-Organa, éd. par H. Husmann, in PäM XI, Leipzig 1940 ; French Secular Music of the Late 14th Cent. éd. par W. Apel, Cambridge (Mass.), Mediaeval Acad. of America, 1950 ; Anthol. dès chants pop. fr., éd. par J. Canteloube, 4 vol., P., Durand, 1951 ; Polyphonic Music in the XIVth Cent., éd. par L. Schrade et Fr. Ll. Harrison, Monaco, L'Oiseau-Lyre, 1956 et suiv. ; Le Chœur des Muses, les luthistes, publ. sous la dir. de J. Jacquot, CNRS, 1961 et suiv. ; Le Pupitre, publ. sous la dir. de Fr. Lesure, Heugel, 1967 et suiv. ; French Secular Compositions of the 14th Cent., éd. par W. Apel et S.N. Rosenberg, in CMM 53, 3 vol., Amer. Inst. of Musicology, 1970-72. — 3. Études. a) Ouvr. généraux : M. Brenet, Notes sur l'hist. du luth en France, P. 1899, rééd. en facs. Genève, Minkoff, 1973 ; de la même, Mus. et musiciens de la vieille France, P. 1911 ; de la même, Les musiciens de la Ste-Chapelle du Palais, P. 1910, rééd. en facs. Genève, Minkoff, 1973 ; N. Dufourcq, Esquisse d'une hist. de l'orgue en France du XIIIe à la fin du XVIIIe s., P. 1935 ; du même, La mus. pour orgue de J. Titelouze J. Alain, P. 1941 ; du même, La mus. fr., P. 1949, 2/P., Picard, 1970 (rév.) ; J. Gaudefroy-Demombynes, Hist. de la mus. fr., P. 1946 ; P. Lalo, De Rameau

à Ravel, P. 1947 ; La mus. relig. fr. de ses origines à nos jours, RM n° spécial, P., Richard-Masse, 1953-54 ; Aspects inédits de l'art instrumental en France des origines à nos jours, RM n° spécial, P., Richard-Masse, 1955 ; S. Corbin, J. Chailley, N. Bridgman, R. Girardon, G. Ferchault et Cl. Rostand, art. Frankreich in MGG IV, 1955 (avec bibliogr.) ; H. Barraud, La France et la mus. occidentale, P., Gallimard, 1956 ; La mus. en Alsace hier et aujourd'hui, Strasbourg, Istra, 1970. — b) Esthétique : M. de Vainco, Du goût musical en France, in Revue et Gazette musicale de Paris XIII, 1846 ; L. de La Laurencie, Le goût musical en France, P. 1905, rééd. en facs. Genève, Minkoff, 1970 ; J. Écorcheville, De Lulli à Rameau, 1690-1730, P. 1906, rééd. en facs. Genève, Minkoff, 1970 ; P. Lasserre, L'esprit de la mus. fr. de Rameau à l'invasion wagnérienne, P. 1917 ; G. Migot, J.Ph. Rameau et le génie de la mus. fr., P. 1930 ; E. Borrel, L'interprétation de la mus. fr. de Lully à la Révolution, P. 1934 ; B. Gavoty, Les Français sont-ils musiciens ?, P. 1950 ; L'interprétation de la mus. fr. aux XVIIe et XVIIIe s., éd. par É. Weber, Paris, CNRS, 1974. — c) Moyen Age et Renaissance : H. Besseler, Die Musik des Mittelalters u. der Renaissance, Potsdam 1931 ; Fr. Gennrich, Grundriss einer Formenlehre des mittelalterlichen Liedes, Halle 1932 ; Th. Gérold, La mus. au M.A., P. 1932 ; du même, Hist. de la mus. des origines à la fin du XIVe s., P. 1936 ; E. Dannemann, Die spätgotische Musiktradition in Frankreich u. Burgund vor dem Auftreten Dufays, Strasbourg 1936 ; J. Marix, Hist. de la mus. et des musiciens de la cour de Bourgogne sous le règne de Philippe le Bon, Strasbourg 1939, rééd. en facs. Genève, Minkoff, 1972 ; A. Pirro, Hist. de la mus. de la fin du XIVe s. à la fin du XVIe, P. 1940 ; G. Reese, Music in the Middle Ages, New York 1940 ; du même, Music in the Renaissance, New York, Norton, 1954, 2/1959 ; Y. Rokseth, La mus. d'orgue au XVe et au début du XVIe s., P. 1940 ; Fr. A. Yates, The French Acad. of the 16th Cent., Londres 1947 ; J. Chailley, Hist. musicale du M.A., P., PUF, 1950 ; du même, La mus. médiévale, P. 1951 ; du même, L'école musicale de St-Martial de Limoges jusqu'à la fin du XIe s., Les Livres essentiels, 1960 ; Fr. Lesure, Musicians and Poets of the French Renaissance, New York 1955 ; D. Heartz, Sources and Forms of the French Instrumental Dance in the 16th Cent. (diss. Harvard 1957) ; H. Mayer Brown, Music in the French Secular Theater, 1400-1550, Cambridge (Mass.), Harvard Univ. Press, 1963 ; cf. également les art. École de Notre-Dame, Ars Antiqua, Ars Nova, Ars Subtilior, École de Bourgogne, École franco-flamande, Renaissance. — d) XVIIe et XVIIIe s. : M. Brenet, Les concerts en France sous l'Ancien Régime, P. 1900 ; C. Pierre, La mus. des fêtes et cérémonies de la Révolution fr., P. 1908 ; du même, Le Concert spirituel, P., Heugel (Soc. Fr. de Mie), 1975 ; J. Tiersot, Les fêtes et les chants de la Révolution fr., P. 1908 ; G. Cucuel, La Pouplinière et la mus. de ch. au XVIIIe s., P. 1913, rééd. en facs. Genève, Minkoff, 1971 ; du même, Les créateurs de l'op.-com., P. 1914 ; H. Prunières, L'opéra ital. en France av. Lully, P. 1913 ; du même, Le ballet de cour en France, P. 1914 ; Th. Gérold, L'art du chant en France au XVIIe s., Strasbourg 1921, rééd. en facs. Genève, Minkoff, 1971 ; L. de La Laurencie, L'école fr. de violon de Lully à Viotti, 3 vol., P. 1922-24, rééd. en facs. Genève, Minkoff, 1971 ; J. Gaudefroy-Demombynes, Les jugements all. sur la mus. fr. au XVIIIe s., P. 1941 ; J.Fr. Paillard, La mus. fr. classique, P., PUF, 1960 ; Recherches sur la mus. fr. classique, éd. par N. Dufourcq, 10 vol., P., Picard 1960 et suiv. ; Du Daval, La mus. en France au XVIIIe s., Payot 1961 ; B.S. Brook, La symphonie fr. dans la seconde moitié du XVIIIe s., 3 vol., P., Inst. de Musicologie, 1962 ; R. Anthony, French Baroque Music from Beaujoyeulx to Rameau, Londres, Batsford, 1973 ; Fr. Lesure, L'opéra classique fr., in Iconographie musicale I, Genève, Minkoff, 1973 ; D. Tunley, The 18th Cent. French Cantata, Londres, Dobson, 1974 ; cf. également les art. Baroque, Classicisme. — e) XIXe et XXe s. : R. Rolland, Musiciens d'aujourd'hui, P. 1914 ; J. Tiersot, Un demi-siècle de mus. fr.... 1870-1917, P. 1918, 2/1924 ; É. Vuillermoz, Mus. d'aujourd'hui, P. 1923 ; O. Séré, 50 Ans de mus. fr., 2 vol., P. 1925 ; A. Cortot, La mus. fr. de piano, 3 vol., P. 1930, dern. éd. 1948 ; R. Dumesnil, La mus. contemp. en France, 2 vol., P. 1930, 2/1949 ; du même, La mus. romantique en France, P. 1945 ; du même, La mus. en France entre les deux guerres 1919-1939, Genève 1946 ; H. Eckart, Die Musikanschauung der französischen Romantik, Kassel 1935 ; H. Gougelot, La romance fr. sous la Révolution et l'Empire, Melun 1937-38 ; P. Landormy, La mus. fr., 3 vol., P. 1943-44, 2/1948 ; G. Samazeuilh, Musiciens de mon temps, P. 1947 ; P. Dukas, Les écrits de P.D. sur la mus., P. 1948 ; M. Cooper, French Music from the Death of Berlioz to the Death of Fauré, Londres 1951 ; R. Mooser, L'impressionnisme fr. (peinture, littérature, mus.), Genève 1952 ; Cl. Rostand, La mus. fr. contemp., P. 1952 ; G. Favre, La mus. fr. de piano av. 1830, P. 1953 ; Th. Marix-Spire, Les romantiques et la musique. Le cas G. Sand, P., Nouv. Éd. latines, 1954 ; Fr. Noske, La mélodie fr. de Berlioz à Duparc, P., PUF, 1954 ; P. Collaer, La mus. moderne, P. et Bruxelles, Elsevier, 1955 ; U. Bäcker, Frankreichs Moderne von Cl. Debussy bis P. Boulez, Regensburg, Bosse, 1962 ; J. Roy, Mus. fr. Présences contemp., P., Nouv. Éd. Debresse, 1962 ; U. Eckart-Bäcker, Frankreichs Musik zwischen Romantik u. Moderne, Regensburg, Bosse, 1965 ; cf. également les art. Impressionnisme. — f) La chanson populaire :

J. TIERSOT, Hist. de la chanson pop. en France, P. 1889; du même, Les types mélodiques dans la chanson pop. fr., in Revue des traditions pop. IX, 1894; du même, La chanson pop. et les écrivains romantiques, P. 1931; A. GASTOUÉ, Le cantique pop. en France, Lyon 1924; P. COIRAULT, Notre chanson folklorique, P. 1942; du même, Formation de nos chansons folkloriques, 4 vol., P., Éd. du Scarabée, 1953-63; H. DAVENSON, Le livre des chansons ou Introd. à la chanson pop., Neuchâtel 1946, 2/P., Club des libraires de France, 1958; CL. MARCEL-DUBOIS, Mus. pop., chap. 6 de l'art. Française (Musique), in Encycl. de la mus. II, éd. par Fr. Michel, P., Fasquelle, 1959; cf. également l'art. FOLKLORE. — 4. Encyclopédies et dictionnaires : FR.J. FÉTIS, Biogr. universelle des musiciens, 8 vol., 2/P. 1874-89, supplt éd. par A. Pougin, 2 vol., P. 1878-80; A. LAVIGNAC et L. DE LA LAURENCIE, Encycl. de la mus. et dict. du Conservatoire, 1re série Hist. de la mus., 5 vol., 2e série Technique de la mus., 6 vol., P. 1913-31; H. RIEMANN, Dict. de mus., 3e éd. publ. sous la dir. d'A. Schaeffner, P. 1931; Larousse de la mus., éd. par N. DUFOURCQ, 2 vol., P. 1957; Encycl. de la mus., éd. par FR. MICHEL, 3 vol., P., Fasquelle, 1958-61; CL. ROSTAND, Dict. de la mus. contemp., P., Larousse, 1969; Dict. de la mus., I-II Les Hommes et leurs œuvres, éd. par M. HONEGGER, 2 vol., P., Bordas, 1970.

FRANCFORT-SUR-LE-MAIN (Frankfurt am Main).

Bibliographie — 1. Vie musicale et ouvr. généraux : E. PASQUÉ, Fr.er Musik- u. Theatergesch., Fr. 1872; C. VALENTIN, Gesch. der Musik in Fr. vom Anfange des 14. bis zum Anfange des 18. Jh., Fr. 1906; H. DECHENT, Kirchengesch. von Fr. seit der Reformation, Fr. 1913; F. BOTHE et B. MÜLLER, Gesch. der Stadt Fr. a.M. in Wort u. Bild, 2 vol., Fr. 1913-16; P. EPSTEIN, Aus Fr.er Ratsakten des 17. Jh., in ZfMw V, 1922-23; du même, Die Fr.er Kapellmusik zur Zeit J.A. Herbsts, in AfMw VI, 1924; R. MEISSNER, G.Ph. Telemanns Fr.er Kirchenkantaten (diss. Francfort 1929); B. WOLF, Pflege der Tonkunst in Fr., in Die Stadt Goethes, Fr. 1932; TH. PEINE, Der Orgelbau in Fr. a.M. u. Umgebung von den Anfängen bis zur Gegenwart (diss. Francfort 1957). — 2. Les théâtres lyriques : A.H.E. VON OVEN, Das erste städtische Theater zu Fr. a.M. 1751-1872, Fr. 1872; E. MENTZEL, Gesch. der Schauspielkunst in Fr. a.M., Fr. 1882; A. BING, Rückblicke auf die Gesch. des Fr.er Staddtheaters, Fr. 1892; F. MAMROTH, Aus der Fr.er Theaterchronik 1889-1907, Berlin 1908; O. BACHER, Fr.s musikalische Bühnengesch. im 18. Jh. : I Die Zeit der Wandertruppen 1700-86, in Archiv für Fr.s Gesch. u. Kunst IV/1, 1925; du même, Die Gesch. der Fr.er Oper im 18. Jh., Fr. 1926; du même, Mozarts Opern im Fr. des 18. Jh., in Mozart-Jb. III, 1929; 50 Jahre Oper-haus Fr. a.M., 1880-1930, Fr. 1930; R.A. MOHR, Fr.er Theaterleben im 18. Jh., Fr. 1940; W. SAURE, Die Gesch. der Fr.er Oper von 1792 bis 1880 (diss. Cologne 1959); H. REBER et H. HEYM, Das Fr.er Opernhaus, 1880-1944, Fr., Kettenhof-Verlag, 1969. — 3. Les concerts et les chœurs : C. ISRAEL, Fr.er Concert-Chronik von 1730-80, in Neujahrsblatt des Vereins für Gesch. ... zu Fr., 1874; Sängerchor des Lehrergesangvereins zu Fr. 1878-1903, Fr. 1903; I. KNORR, Fs. zur Feier des 100jährigen Bestehens der Fr.er Museumsgesellschaft, Fr. 1908; G. DESSOFF, Dessoff'scher Frauenchor, Fr. 1917; C.H. MÜLLER, Fr. u. der deutsche Männergesang 1813-71, Fr. 1925; W. FLUHRER, Der Fr.er Liederkranz 1828-1928, Fr. 1928; H. DE BARY, Museum. Gesch. der Museumsgesellschaft zu Fr., Fr. 1937; Das «Museum», 150 Jahre Fr.er Konzertleben 1808-1958, Fr., Kramer, 1958; F. STICHTENOTH, Der Fr.er Cäcilien-Verein, 1818-1968, Fr., Kramer, 1968. — 4. L'enseignement : H. HANAU, Fr.er Hoch's Cons. zu Fr. a.M., Fr. 1903; Staatliche Hochschule für Musik Fr. a.M., Fr. 1927. — 5. Les bibliothèques et les musées : C. ISRAEL, Die musikalischen Schätze der Gymnasialbibl. u. der Peterskirche zu Fr. a.M., Fr. 1872; A. GOEHLER, Verzeichnis der in den Fr.er u. Leipziger Messkatalogen der Jahre 1564-1759 angezeigten Musikalien, Leipzig 1902; S. SÜSS, Kirchliche Musikhss. des 17. u. 18. Jh., éd. par P. EPSTEIN, 1926; du même, Katal. der Musikinstr. im Historischen Museum der Stadt Fr. a.M., Fr. 1927; Gassenhawerlin u. Reutterliedlin Fr. a.M., éd. en facs. par H.J. MOSER, Augsbourg 1927. — 6. Les imprimeurs et les éditeurs : H. LINDLAR, C.F. Peters Musik-Verlag, Zeittafel zur Verlagsgesch., 1800-1867-1967, Fr. et Londres, Peters, 1967; E.L. BERZ, Die Notendrucker u. ihre Verleger in Fr. a.M. von den Anfängen bis etwa 1630, Kassel, BV, 1970.

FRANCULUS, voir NEUME, § Neumes d'ornement.

FRAPPÉ (ou « thesis »), abaissement de la main qui marque le temps fort de la → mesure.

FREDON, nom donné, à la fin du Moyen Age, à la valeur de note la plus brève, au XVIe s. la semi-fuse (♭), qui servait à orner ou colorer une mélodie. Par extension le terme en est venu à désigner un ornement mélodique fait de notes rapides et légères que J.J. Rousseau identifie à la roulade. Fredonner signifiait ainsi ajouter des fr. à une mélodie. De nos jours fredonner a pris le sens de chantonner ou chanter à mi-voix sans articuler les paroles.

FREE JAZZ, voir JAZZ.

FREIN HARMONIQUE, rouleau disposé devant la lèvre inférieure de certains tuyaux d'orgue à bouche, surtout étroits, pour faciliter leur attaque (XIXe s.).

FRÉQUENCE. Un corps vibrant périodiquement produit un son de hauteur définie. Le nombre de vibrations par seconde est la fr. du phénomène vibratoire considéré. Cette fr. est mesurée en → hertz (Hz).

FRESTEL ou FRETEL, terme médiéval désignant une → flûte de Pan.

FRETTES, ou sillets, ou touches (angl., frets ; all., Bünde; ital., tasti; esp., trastes), fines cordes, simples ou doubles, entourant le manche de certains instr. à cordes (luth, guitare, violes, balalaïka, banjo, etc.), ou petites tiges de bois, d'ivoire ou de cuivre, incrustées dans le manche de l'instrument (guitare) ou sur le haut de sa table (fr. aiguës du luth, de la guitare). Les unes sont mobiles, cordes de boyau (parfois de nylon) nouées autour du manche des luths et des violes ; leur mobilité permet de perfectionner l'accord de l'instrument. Les autres sont fixes. L'épaisseur des fr. va décroissant de la première à la dernière. Placées de demi-ton en demi-ton, elles sont en nombre variable suivant les instruments : 7 ou 8 pour les violes, 9 et plus pour les luths, jusqu'à 17 et plus pour les guitares, théorbes, chitarrones. Chaque fr. était placée à 1/18 de la longueur de la corde vibrante. A l'avènement du tempérament égal, cette manière d'entoucher les instruments dut être abandonnée pour tempérer la touche sur la base de 12 demi-tons égaux. C'est cette difficulté d'accord qui, entre autres raisons, explique qu'au XVIIIe s. l'école allemande abandonna l'usage des fr. pour les violes, afin de permettre une plus grande justesse avec le clavecin. Mais les luths, les violes, la guitare sont des instruments polyphoniques, dont la littérature est libre de tout accompagnement. Le jeu des pièces polyphoniques, la réalisation des accords exigent un doigté tel que les fr. sont indispensables pour la justesse. Aussi leur suppression sur les violes entraîna du même coup l'abandon du caractère essentiel de ces instruments et ramena leur littérature à une écriture horizontale, semblable à celle du violoncelle. De même, supprimer les fr. du luth ou de la guitare eût été supprimer les instruments.

Bibliographie — P. TRICHET, Traité des instr. de mus., ms., v. 1640, éd. par Fr. Lesure, in Ann. Mus. III-IV, 1955-56, tiré à part Neuilly-s.-S., Soc. de mus. d'autrefois, 1957; M. MERSENNE, L'Harmonie universelle, Paris 1636-37, rééd. par Fr. Lesure, Paris, CNRS, 1963; P. GARNAULT, Hist. et influence du tempérament, Nice 1929.

FRIBOURG (Freiburg im Üchtland, Suisse).

Bibliographie — P. WAGNER, Das Dreikönigsspiel zu Fr. in der Schweiz, in Fr.er Geschichtsblätter X, 1903 ; A. GEERING, Die Vokalmusik in der Schweiz zur Zeit der Reformation, in SJbMw VII, 1933 ; du même, H. Herpol u. M. Barbarini Lupus, in Fs. K. Nef, Zurich 1933 ; K.G. FELLERER, Mittelalterliches Musikleben der Stadt Fr. im Uechtland, Regensburg 1935 ; du même, Die Mariensequenzen im Fr.er Prosarium, in Fs. A. Schering, Berlin 1935 ; R.A. MOOSER, Aloys Mooser, facteur d'orgues à Fr., in Nouv. Étrennes fribourgeoises LXVIII, 1935 ; J. KELLER, La vie musicale à Fr. de 1750 à 1843, in Archives de la Soc. d'hist. du canton de Fr. XV, 1941 ; H. HARTMANN, Aperçu sur la mus. à Fr. au XXᵉ s., in RMS LXXXIX, 1949 ; G. ZWICK, Les proses en usage à l'église de St-Nicolas à Fr. jusqu'au XVIIIᵉ s., 2 vol., Fribourg 1950 ; du même, art. Fr. in MGG IV, 1955 ; du même, La vie intellectuelle et artistique, in Fribourg - Freiburg 1157-1481, Fribourg 1957 ; H. BESSELER, Neue Dokumente zum Leben u. Schaffen Dufays, in AfMw IX, 1952 ; Nᵒ spécial des Feuilles Musicales IX, 1956, nᵒ 8 ; J. STENZL, Osterfeiern aus den Diözesen Basel u. Lausanne, in KmJb LV, 1971.

FRIBOURG-EN-BRISGAU (Freiburg im Breisgau).

Bibliographie — J.B. TRENKLE, Fr.s gesellschaftliche, theatralische u. musikalische Institute, Fribourg 1856 ; du même, Über süddeutsche geistliche Schulcomödien, in Fr.er Diözesanarchiv II, 1866 ; W. SCHLANG, 50 Jahre heimatlicher Gesangspflege, Fribourg 1904 ; du même u. O. VON MAURER, Das Fr.er Theater, Fribourg 1910 ; M. VOGELEIS, Quellen u. Bausteine zu einer Gesch. der Musik u. des Theaters im Elsass, Strasbourg 1911 ; R. BIRNSCHEIN, Gesch. der Städtischen Orchester Fr., Fribourg 1912 ; W. MERIAN, Die Tabulaturen des Organisten H. Kotter, Leipzig 1916 ; O. HOERTH, Fr. u. die Musik, Fribourg 1923 ; F. KEMPF, Das neue grosse Orgelwerk im Fr.er Münster, Fribourg 1929 ; W. MICHAEL, Die Anfänge des Theaters in Fr., in Zs. der Gesellschaft zur Beförderung der Gesch.... von Fr. XLV, 1934 ; G. VON GRAEVENITZ, Musik in Fr, Fribourg 1938 ; H. WACHTEL, Die liturgische Musikpflege im Kloster Adelhausen, in Fr.er Diözesanarchiv LXVI, 1938 ; G. PIETZSCH, Zur Pflege der Musik an den deutschen Univ. bis zur Mitte des 16. Jh., in AfMf VI, 1941 ; H. SCHNEIDER, Die Adelhausener Hss. zu Fr., in Fr.er Diözesanarchiv LXIX, 1950 ; R. HAMMERSTEIN, Die Musik am Fr.er Münster, in AfMw IX, 1952 ; K.W. GÜMPEL, Die Musiktraktate Conrads von Zabern, Mayence u. Wiesbaden, Steiner, 1956 ; G. SEIFERT, Die Choralhss. des Predigerklosters zu Fr. um 1500 (diss. Fribourg 1956) ; C. WINTER, Das Orgelwerk des Fr.er Münsters, Fribourg, Christophorus-Verlag 1965 ; A. HARTER-BÖHM, Zur Musikgesch. der Stadt Fr. um 1500, Fribourg, Wagner, 1968 ; Das Deutsche Volksliedarchiv Fr., Fribourg, Rombach, 4/1970.

FRICASSÉE (dérivé d'un terme culinaire et peut-être aussi de fricasser = briser ou mettre en pièces), genre poétique et musical du XVIᵉ s., formé par le mélange simultané de fragments hétérogènes d'origine profane et souvent de caractère populaire. C'est l'équivalent français du → quodlibet. Le terme semble avoir été employé pour la première fois en musique dans les recueils parisiens de P. Attaingnant pour désigner deux pièces à 4 voix, publiées anonymement, *Auprès de vous* (in RISM 1531¹, réimpr. à Anvers par Susato, in RISM 1552⁸) et *A l'aventure* (in RISM 1536⁵.) On l'emploie aussi à Lyon : la *Fricassée* de H. Fresneau (in RISM 1538¹⁷) et la *Fricassée des cris de Paris* de J. Servin. Fr. Lesure en signale une dernière, par D. Caignet (Paris 1597). Ces pièces peuvent contenir de 50 à 100 fragments de 4 ou 5 notes, différents dans chaque voix, tirés de débuts ou de milieux de superius ou autres voix de chansons gaies par Sermisy, Janequin..., souvent anonymes. Une voix entière préexistante sert parfois de superius ou de bassus, tandis que des fragments minimes sont distribués parmi les autres voix. Certains textes ne se retrouvent que dans des sources littéraires ; d'autres pourraient dériver de la monodie populaire et nous aider à la reconstruire, mais les citations ne sont pas forcément exactes et ne repro-

duisent peut-être pas toujours ce que l'on chantait à l'époque dans les rues.

Bibliographie — FR. LESURE, Anth. de la chanson parisienne au XVIᵉ s., Monaco, L'Oiseau-Lyre, 1952 ; du même, art. Chanson (1ʳᵉ moitié du XVIᵉ s.), in MGG II, 1952 ; du même, Éléments pop. dans la chanson fr. au début du XVIᵉ s., in Mus. et poésie au XVIᵉ s., Paris, CNRS, 1954 ; K. GUDEWILL, Ursprünge u. nationale Aspekte des Quodlibets, in Report of the 8th Congress (IMS) New York 1961, 2 vol., New York, BV, 1961-62 ; H.M. BROWN, Music in the French Secular Theater, 1400-1550, Cambridge (Mass.), Harvard Univ. Press, 1963 ; J. HAAR (éd.), Chanson and Madrigal, Cambridge (Mass.), Harvard Univ. Press, 1964 ; M.R. MANIATES, Mannerist Composition in Franco-Flemish Polyphony, in MQ LII, 1966.

FROTTEMENT. 1. Action de l'archet sur la corde. — **2.** Rencontre dissonante de deux notes situées à distance de seconde, majeure ou mineure.

FROTTOLA (ital., du latin médiéval « frocta », = assortiment et amas d'éléments divers), forme poético-musicale florissante en Italie pendant les dernières décennies du XVᵉ s. et les premières années du XVIᵉ. Le terme a un double sens : outre la fr. proprement dite, appelée aussi « barzelletta », il désigne toute une série d'autres formes nées à la même époque et présentant des mètres littéraires divers mais un style musical commun. La fr. typique a la forme d'une ballade classique, avec une reprise (« ripresa ») de 4 vers et une ou plusieurs stances de 6 ou 8 vers, subdivisées en « mutazione » et « volta », après chaque stance, la reprise est régulièrement répétée, entièrement ou par moitié. Schéma métrique le plus commun : xyyx (ou xyxy) / ab.ab.bccx (ou byyx ; ou bx) + xyyx (ou xyxy). Les vers sont le plus souvent des octosyllabes mais il existe également un type de fr. composée de septénaires avec strophes de 4 vers. La mise en musique peut se faire pour la seule reprise, et alors les stances sont également chantées sur la même musique, ou bien deux thèmes musicaux différents peuvent se présenter pour la reprise et pour la stance. Les autres mètres littéraires comprennent : le → « strambotto » ; l' « oda », composition strophique formée d'une série de quatrains, dont les trois premiers vers sont des septénaires et le dernier un vers de longueur variable. Les vers internes de chaque strophe riment entre eux, le dernier, au contraire, s'enchaîne avec le premier de la strophe suivante (schéma abbc / cdde...). La musique est composée uniquement pour la 1ʳᵉ strophe, elle s'adapte ensuite aux strophes suivantes. Il existe des formes plus nobles, au point de vue littéraire : le « capitolo » ou tercet, constitué par une suite de tercets d'hendécasyllabes selon le schéma des rimes aba / bcb / cdc... ; le sonnet, composé de 14 hendécasyllabes groupés en deux quatrains plus deux tercets ; enfin le type le plus noble de tous, la « canzone », qui par l'ampleur et la variété de ses schémas métriques provoque un relâchement de la stéréotypie constructive rigide, typique du style de la « frottola ». Pour cette raison, elle est assez rare et l'augmentation de sa présence dans les recueils du XVIᵉ s. coïncide avec un tournant décisif dans le style de la fr., le commencement de l'évolution qui, à travers l'élévation du ton tant littéraire que musical des compositions, débouchera sur la création du → madrigal. Il faut signaler enfin, dans les recueils de fr., la présence de « pilote », de → « quodlibets » et de vers latins, tirés soit de la poésie classique (Virgile, Horace, Ovide), soit

de la poésie humaniste, et mis en musique dans le style de la « frottola ».

Les thèmes traités sont le plus souvent des thèmes d'amour, parfois aussi moraux, d'autres fois de simples échos de rengaines populaires. La musique est strictement fonction des schémas métriques. Elle apparaît rarement composée expressément pour un texte déterminé. En général elle est entièrement détachée du contenu poétique, parfois elle constitue un schéma mélodique qu'on peut adapter à tour de rôle à des poésies différentes, comme on le déduit des mentions « aer de capituli » ou « modo de dir sonetti », placées en tête de quelques compositions. Quant au style, la fr. se présente, dans sa maturité, comme une composition à 4 voix procédant d'une écriture nettement verticale. La voix supérieure a la prééminence absolue en ce sens que la ligne mélodique lui est confiée. La basse est conçue en fonction de la mélodie dont elle forme le support harmonique. Les voix moyennes ont une fonction de remplissage ; dans les compositions de style plus achevé leur marche présente une certaine continuité mélodique, mais il s'agit d'un faux contrepoint, susceptible d'être réduit à des accords. Le lien structural avec le texte poétique et le verticalisme harmonique du discours musical, nettement ponctué par des cadences, déterminent une carrure rythmique précise des phrases ainsi qu'une architecture faite d'une succession de périodes bien distinctes, disposées symétriquement. Le style de la ligne mélodique est conditionné par la prosodie du texte poétique : il est essentiellement syllabique, déclamé (parfois sous forme de récitatif) sur des modèles rythmiques plus ou moins stéréotypés. L'ensemble de ces caractéristiques suggère un style d'exécution monodique pour une voix seule avec accompagnement instrumental, confirmé par de nombreux témoignages iconographiques et littéraires (Baldassar Castiglione, *Cortegiano*, livre II, 14) et par les nombreuses réductions de fr. pour chant et luth.

La fr. tire ses origines de la musique improvisée qui alimenta la vie musicale italienne du XVe s. après le déclin de l'Ars Nova. Dans la 2de moitié du siècle, les formes de cet art populaire attirèrent l'intérêt des cercles d'humanistes gravitant autour des cours les plus raffinées et parvinrent ainsi à pénétrer le rituel de la vie de cour. L'aire de diffusion de la fr. comprend quelques-unes des cours les plus splendides de l'Italie du Centre et du Nord : Milan, Ferrare, Urbino et spécialement Mantoue où, grâce au patronage d'Isabelle d'Este, la floraison de la fr. fut particulièrement intense. Parmi les musiciens, très nombreux mais dont certains ne sont connus que par leur nom, il faut citer les plus fameux : B. Tromboncino, M. Cara, M. Pesenti, Francesco d'Ana, Giovanni Lullino, Niccolò Pifaro, Giovan Battista Zesso, G. Fogliano. Parmi les rimeurs, le plus célèbre fut Serafino dell'Aquila ; à côté de lui, Antonio Tebaldeo, Panfilo Sasso, Vincenzo Calmeta, Olimpo da Sassoferrato. Quelques aristocrates, tels Galeotto Del Carretto, Gaspare Visconti, Veronica Gambara, fournirent également des rimes pour les musiques des « frottole ».

Dans l'histoire de la Renaissance musicale italienne la fr. a une importance capitale. Pour le courant souterrain de la musique improvisée, émerger et se fixer dans les sources manuscrites et imprimées signifiait entre autres se hausser à la dignité « littéraire » de

langages et de formes impromptus et contribuer ainsi à la formation d'une langue musicale italienne. L'art franco-flamand dominant influa profondément sur ce processus, mais la langue qui s'élabora maintint et développa des qualités propres, entièrement distinctes de celles de la langue « internationale » des pays d'outre-monts. Pour cette raison les expériences musicales que l'on désigne du nom générique de fr. constituent les prémices indispensables des formes d'expression les plus typiques du Cinquecento musical italien : le madrigal, la monodie accompagnée, le fait de réciter en chantant.

Rééditions modernes — O. Petrucci. Fr., Buch I u. IV, éd. par R. SCHWARTZ, in PäM VIII, Leipzig 1935 ; A. Antico : Canzoni, Sonetti, Strambotti et Fr., Libro 3º, éd. par A. EINSTEIN, in Smith College Music Archives IV, Northampton 1941 ; Le fr. nell' edizione principe di O. Petrucci. Tomo I, Libri I-III, éd. par G. CESARI et R. MONTEROSSO, in Instituta et Monumenta I, Crémone, Athenaeum Cremonense, 1954 ; R. GIAZOTTO, Onde musicali nella corrente poetica di Serafino dell' Aquila, in Musurgia nova, Milan, Ricordi, 1959 (contient la transcr. du Ms. 55 de la Bibl. Trivulziana de Milan) ; Le fr. per canto e liuto intabulate da F. Bossinensis, éd. par B. DISERTORI, in Istituzioni e Monumenti dell'arte musicale italiana, 2e Série III, Milan, Ricordi, 1964 ; d'autres pièces sont rééd. dans les ouvrages cités en bibliographie (cf. Torrefranca, Rubsamen, Einstein, Gallico).

Bibliographie (cf. également les art. CANTO CARNASCIALESCO, GIUSTINIANA, STRAMBOTTO, VILLOTA) — R. SCHWARTZ, Die Fr. im 15. Jh., in VfMw II, 1886 ; G. CESARI, Musica e musicisti alla corte sforzesca, in RMI XXIX, 1922 ; A. PIRRO, Les fr. et la mus. instrumentale, in RMie III, 1922 ; KN. JEPPESEN, Die mehrstimmige italienische Laude um 1500, Leipzig et Copenhague 1935 ; du même, Die italienische Orgelmusik am Anfang des Cinquecento, Copenhague, W. Hansen, 1943, 2/1960 ; du même, La fr. Bemerkungen zur Bibliogr. der ältesten weltlichen Notendrucke in Italien, Copenhague, Munksgaard, 1968 ; F. TORREFRANCA, Il segreto del Quattrocento, Milan 1939 ; W.H. RUBSAMEN, Literary Sources of Secular Music in Italy (ca. 1500), Berkeley 1943 ; du même, art. Fr. in MGG IV, 1955 ; du même, From Fr. to Madrigal : the Changing Pattern of Secular Italian Vocal Music, in Chanson and Madrigal, éd. par J. Haar, Cambridge (Mass.), Harvard Univ. Press, 1964 ; H. ROSENBERG, Fr. u. deutsches Lied um 1500 : in Stilvergleich, in AMl XVIII-XIX, 1946-47 ; A. EINSTEIN, The Ital. Madrigal, 3 vol., Princeton, Univ. Press, 1949 ; du même, La transition de la fr. au madrigal, in Mus. et poésie au XVIe s., Paris, CNRS, 1954 ; B. DISERTORI, La fr. nella storia della musica, in Le fr. nell'edizione principe di O. Petrucci (cf. Rééditions modernes) ; CL. GALLICO, Un canzoniere musicale italiano del Cinquecento, Florence, Olschki, 1961 ; du même, Un libro di poesie per musica dell'epoca di Isabella d'Este, Mantoue 1961 ; du même, Fr., in La musica, Encicl. storica, Turin, Unione tipografico-editrice torinese, 1966 ; L. PANNELLA, Le composizioni profane di una raccolta fiorentina del Cinquecento, in Rivista Ital. di Musicologia III, 1968 ; W. OSTHOFF, Theatergesang u. darstellende Musik in der italienischen Renaissance, Tutzing, Schneider, 1969 ; N. PIRROTTA, Li due Orfei. Studi sul teatro e la mus. del Rinascimento, Turin, Éd. de la RAI, 1969.

R. DI BENEDETTO

FUGA (ital.), terme employé depuis le XIVe s. (Johannes de Muris) pour désigner la forme contrapuntique du → canon (voir également les art. CACCIA et CHACE). Ce n'est qu'au début du XVIIe s. qu'il a pris le sens de pièce en style fugué ou → « canzone » et enfin celui de → fugue.

FUGARA, jeu d'orgue à bouche, assez étroit, proche de la → gambe, emprunté au XIXe s. à la facture allemande qui l'avait inventé au XVIIe s. pour imiter la flûte champêtre hongroise.

FUGATO (ital.), passage en style fugué non astreint à la construction rigoureuse de la → fugue, limité généralement à une exposition de fugue, éventuellement à une série d'entrées en imitation d'un même motif mélodique. Le f. se rencontre parfois au cours d'un développement de symphonie, de sonate ou de quatuor.

FUGHETTA (ital., diminutif de fuga), petite → fugue.

FUGUE (lat., ital. et esp., fuga; angl., fugue; all., Fuge), la plus développée et la plus organisée de toutes les formes polyphoniques. Ses caractéristiques principales sont : 1º le nombre constant de voix réelles, totalement équivalentes; 2º le monothématisme; 3º les entrées de voix successives selon des principes d'imitation stricts, alternant avec des divertissements contrapuntiques plus libres; 4º dans le cadre d'une forme dynamique unique, la f. tout entière se présente comme une grande cadence harmonique.

Principe et structure. La f. ne suit pas un schéma rigoureux. Il convient plutôt de la considérer comme le principe générateur d'une forme polyphonique qui obéit à la fois à des lois linéaires et à des lois harmoniques. Si l'on peut en décrire la structure théorique, il n'est guère possible de donner une valeur normative à un type quelconque de fugue. En règle générale, la f. est monothématique. Un thème fugué, le sujet, fournit les éléments du développement de toute la composition, empreinte par conséquent d'une très grande unité. Le nombre des voix varie entre 2 et 5, le plus souvent 3 ou 4. Le thème fugué est, en général, une mélodie brève, nettement profilée, dépourvue d'arrondi symétrique et tonalement univoque. Il est d'abord présenté par une voix pour être repris successivement par les autres voix. La première présentation du thème, normalement sans aucun accompagnement, est appelée sujet ou « dux » (= conducteur); la seconde, dans une voix proche, s'appelle la réponse ou « comes » (= accompagnateur) et apparaît soit à la quinte supérieure, soit à la quarte inférieure. Cette réponse peut être une transposition stricte du sujet, auquel cas on parle d'une réponse réelle :

Ce changement mélodique, appelé mutation, est dû à des raisons harmoniques. Pour maintenir la tonalité, malgré le décalage d'une quinte de la réponse, il faut procéder à un échange des fonctions de tonique et de dominante entre sujet et réponse. Cela peut être formulé dans une règle de mutation qui dit que si le thème en « dux » fait un mouvement vers la dominante, il doit faire en « comes » le mouvement correspondant vers la tonique (à un saut d'une quinte vers le haut correspond alors un saut d'une quarte). Autre principe de mutation : si le thème en « dux » commence sur la quinte du ton principal, l'entrée en « comes » doit commencer par la tonique :

J.S. Bach, *Le Clavier bien tempéré* II, fugue nº 2.

Un troisième de type de mutation est illustré par l'exemple suivant :

J.S. Bach, *Le Clavier bien tempéré* I, fugue nº 7.

On y voit en « dux » une modulation au ton de la dominante. Par conséquent, en « comes », le thème

J.S. Bach, *Le Clavier bien tempéré* I, fugue nº 1.

L'exemple suivant montre une réponse tonale. La correspondance des intervalles n'est pas exacte entre sujet et réponse; le saut de quinte du sujet correspond à un saut de quarte de la réponse :

doit moduler à la tonique pour que le ton de la présentation du sujet soit maintenu. La troisième entrée du thème doit être faite dans le ton principal, en l'occurrence *mi* ♭ min.; elle se trouve donc être iden-

J.S. Bach, *Le Clavier bien tempéré* II, fugue nº 7.

tique à la première. Les changements qui en résultent sont généralement présentés de façon à respecter autant que possible les intervalles typiques du thème.

Quand la réponse intervient à une seconde voix, la première, une fois la présentation du sujet terminée, continue par une ligne de contrepoint qui découle organiquement du sujet et qui accompagne donc la réponse. Ce développement du thème comporte souvent un motif particulier qui, lorsqu'il est exploité à travers toute la f. en accompagnant le thème sous une forme plus ou moins invariable, est appelé contre-sujet. Le motif dynamique du contre-sujet pénètre souvent dans d'autres parties libres de la fugue. La première présentation du thème, au début de la f., là où les entrées sont successives et où, par conséquent, la composition s'élargit à toutes les voix, est appelée exposition. L'ordre des entrées peut varier : alto, soprano, basse, ténor ; ou basse, ténor, alto, soprano ou inversement dans une f. à 4 voix. La première exposition est généralement complète, alors que les expositions suivantes, appelées également développements, peuvent être incomplètes, c.-à-d. excluant une ou plusieurs voix. En règle générale, chaque développement conserve son ton particulier et, constituant une partie nettement délimitée, aboutit à une cadence plus ou moins marquée.

Entre les développements, les voix (ou certaines d'entre elles) sont continuées dans un jeu polyphonique plus libre dont les éléments sont souvent dérivés du sujet ou du contre-sujet. Ces parties s'appellent divertissements. Vu la nature de la technique de composition linéaire, les parties de développement et les divertissements s'interpénètrent souvent discrètement. Il arrive d'autre part que le sujet

induire en erreur. Il arrive que le divertissement donne lieu à des intrications contrapuntiques poussées. La modulation étant souvent liée à un sentiment de progression, il n'est pas rare que le point culminant d'un passage se situe dans le divertissement. Le développement qui y fait suite peut alors avoir la fonction de détente. Les transitions entre les divertissements et le thème fugué peuvent s'étudier avec profit dans les f. de J.S. Bach.

Les entrées du thème peuvent avoir lieu à des intervalles considérablement plus courts que dans l'exposition. C'est la strette :

J.S. Bach, *Le Clavier bien tempéré* I, fugue n° 1, mesures 7-8.

Les strettes sont généralement soigneusement préparées et mises en œuvre. Elles constituent le point culminant d'une intensification progressive de l'écriture polyphonique et du travail thématique, ce qui assigne leur place naturelle vers la fin de la fugue. Dans certains cas, lorsque le thème est conçu de manière à s'adapter particulièrement bien à la strette, toute la f. est empreinte du thème ; les divertissements ont alors une importance réduite. Dans l'exemple précédent, la première strette vient immédiatement après l'exposition. Toute la composition est, à partir de là, une succession d'épisodes de strette plus ou moins denses, culminant vers le milieu de la fugue :

J.S. Bach, *Le Clavier bien tempéré* I, fugue n° 1, mesures 14-18.

apparaisse occasionnellement dans les divertissements, ce qui explique que la limite entre un divertissement et une exposition incomplète soit dans certains cas difficile à établir. Le rôle du divertissement est d'apporter une variation du processus polyphonique

Les procédés contrapuntiques du renversement, de l'augmentation et de la diminution trouvent une place de choix dans la forme fuguée. L'exemple suivant montre comment J.S. Bach, dès l'exposition, utilise le thème à la fois en strette et par renversement :

J.S. Bach, *Le Clavier bien tempéré* II, fugue n° 3, mesures 1-3.

et, le plus souvent, de conduire le déroulement vers un nouveau ton apparenté au ton principal. Si l'on se libère d'un formalisme schématique, il n'est pas faux de considérer les divertissements comme des processus dynamiques et les développements comme des processus statiques. Considérer les divertissements exclusivement comme « quelque chose qui se passe entre » — sous-entendu « les parties essentielles », à savoir le thème fugué proprement dit — peut

L'exemple suivant (a) présente le thème fugué dans la première mesure, puis (b) son traitement dans les mesures 14-15 : voix supérieure = état original ; voix intermédiaires = augmentation ; voix de basse = renversement.

a)

J.S. Bach, *Le Clavier bien tempéré* II, fugue n° 2.
a) mesures 1-2; b) mesures 14-15.

Les f. de grande dimension sont généralement terminées par une coda, qui se joue souvent sur une tenue assez longue de la dominante ou de la tonique du ton principal, nommée pédale. La succession des développements et des divertissements d'une f. s'inscrit dans une unité formelle grâce à l'homogénéité des éléments thématiques et à la forme harmonique globale. Les limites harmoniques sont en général assez étroites. Ce n'est qu'exceptionnellement (chez M. Reger et des compositeurs ultérieurs) qu'elles s'étendent au-delà des tons de la dominante, de la sous-dominante et de leurs tons relatifs. Le premier développement a normalement un plan fondé sur la dominante; par la suite, il s'établit un circuit à travers le ton relatif de la tonique, le ton de la dominante, le ton relatif de la sous-dominante et le ton relatif de la dominante, parfois avec des développements qui intercalent le ton principal. Dans la coda ou la cadence finale, le ton de la sous-dominante est, le plus souvent, abordé de nouveau.

L'analyse schématique qui suit rend compte de la planification et de la forme harmonique globale de la f. en *do* min. du *Clavier bien tempéré* I de J.S. Bach. Exposition avec deux entrées du sujet, *do* min.; 1er divertissement (éléments du sujet); 3e entrée du sujet, *do* min.; 2e divertissement (éléments du sujet), modulation en *mi* ♭ maj.; 1er développement, *mi* ♭ maj.; 3e divertissement (éléments du contre-sujet), modulation en *do* min.; 2e développement, *sol* min.; 4e divertissement (éléments du thème), modulation en *do* min.; 3e développement, *do* min.; 5e divertissement (éléments du thème); 4e développement, *do* min.; cadence et brève coda au-dessus d'une pédale de tonique. La réduction du processus harmonique à une « grande cadence » donne donc *do* min. - *mi* ♭ maj. - *sol* min. - *do* min. ou, exprimé en fonctions harmoniques, T - relatif - D - T. L'exemple cité ne doit en aucun cas être considéré comme une f. normale; rien de tel n'existe. Les surprises qu'offre cette f. (p. ex. le divertissement intercalé entre les deuxième et troisième entrées du sujet dans l'exposition, la modulation du 3e divertissement pour retrouver le ton de *do* min. immédiatement suivi d'un développement en *sol* min.) peuvent donc être considérées comme tout à fait normales et non comme des déviations d'un principe formel strict. Le paradoxe de la f., que l'on désigne d'habitude comme la plus stricte de toutes les formes, semble être que sa réalisation implique la fantaisie imaginative, le caprice et la fuite devant la régularité.

Divers types de fugues. Pour conserver l'unité de la f., un contrepoint — parfois plusieurs — est souvent maintenu d'une manière plus ou moins stricte à travers toute la composition, de telle façon que le sujet ainsi que sa réponse soient sans cesse accompagnés par le même contre-sujet. Celui-ci doit alors pouvoir apparaître en contrepoint double à

l'octave, à la douzième ou à la dixième, c.-à.-d. fonctionner à la fois comme voix supérieure et inférieure par rapport au sujet. Si un tel contre-sujet, élaboré de façon conséquente, contraste fortement avec le sujet au point qu'on le ressent comme un sujet particulier, il y a lieu de parler d'une double fugue. Si deux ou plusieurs contrepoints sont traités suivant les mêmes principes, il en résulte des triples ou quadruples fugues. Dans les f. de ce type, bi- ou polythématiques, il arrive que chacun des sujets soit d'abord développé individuellement, après quoi ils sont réunis en double f., etc. Selon ce schéma, une double f. se compose de trois parties : f. sur le thème I, f. sur le thème II, f. sur les deux thèmes. Ce type se distingue par conséquent du type où le contre-sujet, traité comme un thème, apparaît simultanément avec le sujet dès la première exposition. Une f. brève, comportant généralement peu de voix avec peu de développements, s'appelle « fughetta ». On appelle « fugato » des passages polyphoniques en imitation, incorporés dans des contextes non polyphoniques, p. ex. des quatuors à cordes, des symphonies ou autres, mais qui ne sont pas développés comme de vraies fugues. D'autres types de f., plus spéciaux, sont la f. par augmentation, avec la réponse présentant des valeurs de notes respectivement plus longues et plus courtes par rapport au sujet, la fugue par inversion (« fuga al rovescio »), dans laquelle la réponse décrit le mouvement inverse du sujet, et la f. à miroirs, qui reproduit un ou plusieurs développements dans une « image reflétée ». Les plus beaux exemples de ces sortes de f. se trouvent dans *L'Art de la fugue* de J.S. Bach.

Historique. Le terme → « fuga » a été utilisé dès le début du XIVe s. par Johannes de Muris pour désigner des phrases strictement imitées (→ « caccia », → « chace »); il se retrouve chez O. von Wolkenstein au début du XVe s. pour désigner le → canon. Chez J. Ockeghem, J. Obrecht et d'autres compositeurs néerlandais de la 2de moitié du XVe s., le terme apparaît également pour désigner des phrases librement imitées. La f., au sens communément admis, ne s'est pourtant pas développée à partir de ces formes. Elle remonte aux œuvres instrumentales du XVIe s. qui correspondent au type du motet devenu classique au cours des XVe et XVIe s. — en particulier au → « ricercare » instrumental. Vocale au départ, cette forme était bâtie sur des suites d'expositions en imitation construites sur autant de sujets différents. Lorsqu'elle fut privée de paroles, étant adaptée aux instruments, elle fut obligée de se chercher un nouveau type d'unité sur une base proprement musicale, ce qu'elle put faire en premier lieu par une concentration thématique. Cette évolution, commencée dans la 2de moitié du XVIe s., s'est déroulée jusqu'aux premières décennies du XVIIIe s., aboutissant à l'élaboration de la f. monothématique.

Dans l'évolution du « ricercare », on peut déceler des tendances qui annoncent directement la fugue. Cela concerne à la fois le « ricercare » polythématique, où le nombre de thèmes diminue alors que leur traitement polyphonique s'élargit, et le « ricercare » monothématique. Dans l'histoire de la f., trois importants précurseurs sont à signaler, les trois maîtres organistes J.P. Sweelinck, J. Titelouze et G. Frescobaldi, qui, chacun à sa manière, recherchaient l'unité et la concentration thématique. D'une manière générale, c'est dans le domaine de la mus. d'orgue que l'on peut le plus aisément suivre l'évolution de la fugue. Mais dans le courant du xviiie s., le style fugué pénètre dans bien d'autres domaines, vocaux (chœurs fugués des cantates et oratorios) et instrumentaux (l'ouverture à la française, certains mouvements de suites et les mouvements allègres de la mus. de chambre et d'orchestre du baroque). Il n'existe encore aucun travail exhaustif, fondé sur l'étude de l'évolution de la f. jusqu'à son point culminant, constitué par l'œuvre de J.S. Bach. La maîtrise de Bach dans le domaine de la f. se manifeste sur tous les plans, tant en ce qui concerne le profil thématique que l'unité de la forme et l'équilibre, inégalé, entre les aspects linéaire et harmonique. On a cru voir, en outre, dans les f. de Bach un symbole musical de la conception autoritaire de la vie et de l'art du baroque culminant et finissant; on lui a opposé, d'une manière un peu étroite et schématique, le classicisme de Vienne et la forme sonate de caractère dramatique, fondée sur le dualisme thématique. Les principaux monuments de la f. chez Bach sont *Le Clavier bien tempéré* (2 vol., 1722 et 1744), ses f. pour orgue et sa dernière grande œuvre, *L'Art de la fugue* (1749-50), mais il a utilisé la f. dans bien d'autres contextes, notamment dans des compositions vocales où le principe architectural de la f. sert des buts de symbolique tonale aussi bien que des buts dramatiques. Chez Bach comme chez Haendel, la f. s'affirme à côté du motet comme la plus efficace des formes polyphoniques vocales. Après Bach, la f. a été cultivée avec des buts et des contenus divers, par les classiques viennois, surtout Beethoven (dernières sonates pour piano, *Grande Fugue* pour quatuor à cordes op. 133), et plus tard par tous les compositeurs romantiques tardifs et modernes parmi lesquels il faut citer C. Franck (*Prélude, Choral et Fugue* pour piano), C. Saint-Saëns (6 *Préludes et Fugues* pour orgue op. 99 et 109; 6 *Fugues* pour piano, op. 161), M. Reger (op. 46, 54, 57, 81, 86, 96, 99, 100, 109, 127, 131, 132, 141), M. Ravel (*Le Tombeau de Couperin* pour piano, 2e pièce), I. Stravinski (*Symphonie de psaumes*, 2e mouvt), B. Bartók (*Musique pour instr. à cordes, percussion et célesta*, 1er mouvt), P. Hindemith (*Ludus tonalis* pour piano), G. Migot (*Le Capricorne*, 12e étude du *Zodiaque* pour piano; *Sonate fuguée* pour orgue, « *Un aspect de mon Art de la fugue* »), D. Chostakovitch (*24 Préludes et Fugues* pour piano)...

Bibliographie — 1. Traités pédagogiques et systématiques : Fr.W. Marpurg, Abhandlungen von der Fuge, 2 vol., Berlin 1753-54, 2/Leipzig 1806; J.P. Kirnberger, Gedanken über die verschiedenen Lehrarten in der Komposition als Vorbereitung zur Fugenkenntnis, Berlin 1782; Fr.J. Fétis, Traité du contrepoint et de la f., Paris 1824, 2/1846; C.T. Weinlig, Theoretisch-praktische Anleitung zur Fuge, 2 vol., Leipzig 1852; H. Riemann, Katechismus der Fugen-Komposition, Leipzig 1890, 3/1914; E. Prout, F., Londres 1891, 4/1900; du même, Fugal Analysis, Londres 1892; Th. Dubois, Traité de contrepoint et de f., Paris 1901; A. Gédalge, Traité de la f., Paris, Énoch, 1904; Ch.H. Kitson, Studies in F., Londres 1909; du même, Elements of Fugal Construction, Londres 1929; I. Knorr, Lehrbuch der Fugenkomposition, Leipzig 1911; Ch. Koechlin, Étude sur l'écriture de la f. d'école, Paris 1933; M. Dupré, Cours complet de f., Paris, Leduc, 1938. — **2. Études :** J. Müller-Blattau, Grundzüge einer Gesch. der Fuge, Königsberg 1923, 3/Kassel, BV, 1963; M. Zulauf, Zur Frage der Quintbeantwortung bei J.S. Bach, in ZfMw VI, 1923-24; F. Deutsch, Die Fugenarbeit in den Werken Beethovens, in StMw XIV, 1926; W. Wesely, Die Entwicklung der Fuge bis Bach (diss. Prague 1928); E.P. Schwarz, Die Entstehung u. Entwicklung der Themenbeantwortung in der Fuge von J.S. Bach (diss. Vienne 1932); G. Oldroyd, The Technique and Spirit of F., Londres 1948; A. Ghislanzoni, La genesi storica della fuga, in RMI XLVIII, 1946-48, nouv. éd. Storia della fuga, Milan 1952; du même, Arte e tecnica della fuga, Rome 1953; G.M. Leonhardt, The Art of F., Bach's Last Harpsichord Work, La Haye, M. Nijhoff, 1952; U. Unger, Die Klavierfuge im 20. Jh., Regensburg, Bosse, 1956. A. Adrio, Die Fuge, Cologne, A. Volk, 1960; J.S. Bach, L'Art de la f., éd. par M. Bitsch, Paris, Durand, 1967; J. Chailley, L'ordre des morceaux dans l'Art de la F., in RMie LIII, 1967.

A. Mellnäs

FUNDAMENTUM (lat.; all., Fundamentbuch), titre s'appliquant, au xve s., à un ensemble de pièces pour orgue rassemblées dans un but didactique. Elles consistent en une série de formules et de pièces à 2 ou 3 voix, de quelques temps ou quelques mesures de durée, destinées à initier l'apprenti organiste à l'un des aspects essentiels de sa fonction liturgique, l'improvisation sur le chant grégorien de versets polyphoniques alternant avec le chant monodique du chœur liturgique (voir l'art. Alternance). Ces modèles offrent de très nombreux exemples de cadences (« clausulae ») ainsi que de polyphonies à 2 ou 3 voix, avec un dessus plus ou moins orné, fondées sur une ligne ascendante (« ascensus ») ou descendante (« descensus ») du ténor jouant le rôle de « cantus firmus ». La difficulté y est progressive : « ascensus » et « descensus simplex », c.-à-d. par degrés conjoints; « ascensus » et « descensus per tertias », « per quartas », « per quintas », etc. ; points d'orgue (« redeuntes ») ; pièces de plus longue durée servant de modèles de composition. C. Paumann a laissé 4 *Fundamenta* dont deux sont inclus dans le Buxheimer Orgelbuch qui renferme 3 autres f. issus vraisemblablement du cercle de ses élèves. Du xvie s. nous est parvenu un f. de H. Buchner qui contient l'essentiel de son œuvre théorique, didactique et musicale, mais, dans les tablatures d'orgue et de luth, le terme désigne désormais une simple table donnant uniquement les éléments de la lecture et de l'interprétation de la musique.

Éditions modernes — C. Paesler, Das Fundamentbuch von H. von Constanz [H. Buchner], in VfMw V, 1889; Locheimer Liederbuch, éd. en facs. par K. Ameln, Berlin 1925; Das Buxheimer Orgelbuch, éd. en facs. par B.A. Wallner, Kassel, BV, 1955; éd. en notation moderne par la même, in EDM XXXVII-XXXIX, Kassel, BV, 1958-59.

Bibliographie — W. Apel, Gesch. der Orgel- u. Klaviermusik bis 1700, Kassel, BV, 1967, trad. angl. Bloomington, Indiana Univ. Press, 1972.

FURIANT, danse populaire tchèque rapide et ardente, notée à 3/4 mais dont le rythme caractéristique fait alterner deux mesures en rythme binaire syncopé et deux mesures en rythme ternaire :

A. Dvořák a utilisé cette danse à plusieurs reprises, entre autres dans *Dumka et furiant* op. 12, 2 *Furiants* op. 42 pour piano, ainsi que B. Smetana dans *La Fiancée vendue* et dans ses *Danses tchèques*. Dans sa *Klavierschule* (1789), D.G. Türk avait déjà donné un exemple de *Furie* mais un lien avec le f. n'est pas établi.

FUSE (lat., fusa), dans la notation mensuraliste des xve et xvie s., valeur de note brève ♪ ou ♪

égale à la moitié d'une semi-minime. Également appelée crochue, elle a donné naissance à la croche actuelle.

FUSÉE, figure mélodique de caractère ornemental en forme de gamme ascendante ou descendante très rapide.

FÛT, voir BUFFET.

FUTURISME, mouvement artistique de tendance extrémiste suscité au début du XXᵉ s. par l'Italien Filippo Tommaso Marinetti. Luigi Russolo en fut la personnalité musicale la plus marquante. — Voir l'art. BRUIT.

G

G. 1. (Angl. et all., = *sol*), septième lettre de l'alphabet, qui, dans la notation alphabétique latine, servait à désigner le *sol* dans l'échelle générale ou gamme.

fr., ital., esp.	angl.	all.
sol ♭	G flat	Ges
sol ♭♭	G double flat	Geses
sol ♯	G sharp	Gis
sol ♯♯ ×	G double sharp	Gisis

2. Abréviation pour gauche (m.g., = main gauche).

GAGAKU (japonais, = musique élégante), désigne la mus. de cour la plus ancienne du Japon. Conservée à la Cour impériale et dans quelques sanctuaires, sa forme actuelle correspond au style établi vers le XIᵉ s. Le répertoire qui nous est parvenu se divise en quatre catégories : 1° musique pour ensemble instrumental, « kangen » ; 2° mus. de danse, « bugaku » ; 3° chants et 4° mus. rituelle du Shintô.

1. Le « kangen » (= cordes et vents) est un ensemble comprenant trois sortes d'instr. à vent (flûte traversière, hautbois, orgue à bouche), deux sortes d'instr. à cordes (luth et cithare ; un ou plusieurs de chacun) et trois sortes d'instr. à percussion (tambour, gong et grosse caisse ; un de chacun). Le hautbois (« hichiriki ») joue la mélodie doublée par la flûte à quelques variantes près, alors que l'orgue à bouche (→ « shô ») donne une harmonie composée de 11 accords de 5 ou 6 notes dont la plus grave double la mélodie en ses points les plus importants. Le luth (→ « biwa ») et la cithare (→ « koto » ou « sô ») arpègent des accords mais, contrairement à l'orgue à bouche, c'est la note supérieure de chacun d'eux qui double les notes essentielles de la mélodie, selon le style d'accompagnement normal de la monodie occidentale. Le « kangen » offre donc le seul exemple au monde d'une mélodie soutenue par deux accompagnements harmoniques indépendants. Le tambour (« kakko »), qui mène le reste de l'ensemble, marque chaque temps et chaque mesure dans un accelerando caractéristique, alors que le gong (« shôko ») et la grosse caisse (« taïko ») ponctuent une mesure sur deux ou davantage.

2. Le « bugaku », qui accompagne la danse, se divise en deux catégories bien distinctes : la danse de gauche ou « tôgaku » (musique T'ang chinoise) et la danse de droite ou « koma-gaku » (musique « koglio » de Corée). La première, qui ne comprend pas d'instr.

à cordes, est jouée par les « ryûteki » (flûte), « hichiriki » (hautbois), « shô » (orgue à bouche), « kakko » (tambour tonneau), « shôko » (gong) et « dadaïko » (énorme tambour) ; la seconde par les « komabue » (flûte étroite), « hichiriki », « san-no-tsuzumi » (grand tambour, voir l'art. TSUZUMI), « shôko » et « dadaïko ».

On classe le répertoire du « kangen » et du « bugaku » en grandes, moyennes et petites pièces. Les grandes pièces comprennent trois mouvements, de rapidité croissante : « jo », qui fait office de prélude, « ha », qui correspond au développement, et « kyû » au finale. Chaque mouvement se joue dans un accelerando progressif, mais le tempo général demeure assez lent, partant du lento pour aboutir à l'allegretto. Le « jo » offre un style d'exécution très particulier : c'est une sorte de canon libre. Le premier orgue à bouche attaque, suivi du deuxième puis du troisième. Interviennent ensuite à tour de rôle les 3 hautbois puis les 3 flûtes. L'attaque de chaque instrument n'étant pas fixée, il en résulte un curieux chaos sonore. Trois instr. à percussion ponctuent des rythmes libres. Le « jo » est joué pour l'entrée en scène des danseurs. Parmi les pièces plus courtes, citons les « chôshi » et les « ranjô », qui accompagnent l'entrée et la sortie des danseurs, exécutés par les seules flûtes dans le même style de canon libre que le « jo ». (Pour le système musical, voir l'art. JAPON, § Théorie.) Le rythme, dans sa conception, est analogue à celui de la mus. occidentale, le ternaire en moins. A noter l'usage des mesures à 2 + 3 et 2 + 4, non considérées comme mesures à 5 et 6 temps.

3. Le concert « gagaku » comprend, outre des pièces instrumentales, des chants appelés « saïbara » et « rôei ». Les « saïbara » (= chants équestres) ont été composés à l'époque Heïan sur des chants populaires contemporains. Les six pièces qui nous sont parvenues furent retrouvées à l'époque Meïji. Elles sont accompagnées par les « ryûteki », « hichiriki », « shô », « biwa » et « koto ». Le chanteur marque en outre la mesure à l'aide d'une claquette de bois (« shakubyôshi »). — Les « rôei » (= psalmodies) sont des poèmes japonais et chinois tirés des deux recueils *Wakan Rôei Shû* et *Shinsen Rôei Shû*. Quatorze pièces ont été retrouvées à l'époque Meïji. Elles sont accompagnées par un « ryûteki », un « hichiriki » et un « shô » auquel est confiée la mélodie.

4. La mus. rituelle du Shintô impérial est totalement différente des trois genres précédents. Elle a son origine dans la mus. indigène. Le style d'exécution actuel fut établi au début de l'époque Heïan. On peut y retrouver la trace d'une légère influence du « kangen », du « bugaku » et du « saïbara », notamment dans l'emploi du « hichiriki ». Elle comprend les chants et danses du « kagura » (= musique des dieux). Le terme désigne également de nos jours le « kagura » populaire, « sato-kagura » (= « kagura » de campagne) ou « o-kagura », par opposition au « mi-kagura » ou « kagura » de cour, exécuté en présence de l'Empereur le 15 décembre et dans certaines autres occasions. La cérémonie intégrale durait les quelques jours nécessaires à l'exécution des nombreux chants, dont certains étaient accompagnés de danses. L'ensemble instrumental qui accompagne les chants comprend le « kagura-bue » (flûte), le « hichiriki » et le « wagon » (cithare) ainsi que deux « shakubyôshi » (claquettes) dont joue le chanteur principal de chacun des deux chœurs. Il faut encore citer les danses « yamato-uta », « kume-uta » et « azuma-asobi », exécutées par 4 à 6 danseurs et accompagnées par un ensemble semblable à celui du « kagura ». — Voir également l'art. JAPON, § La basse Antiquité, et § Les instr. de musique.

Bibliographie — E. HARICH-SCHNEIDER, The Rhythmical Patterns of G. and Bugaku, Leyde, Brill, 1954 ; H. ECKARDT, Das Kokonchomonshu des Tachibana Narisue als musikalische Quelle, Wiesbaden, Harrassowitz, 1956 ; R. GARFIAS, G., New York, Theatre Arts Books, 1959 ; M. TOGI, G., Tokyo, Weatherhill, 1971.

S. KISHIBE

GAILLARDE (angl., galliard ; all., Galliarde ; ital., gagliarda ; esp., gallarda), danse rapide connue en Europe entre le XVIe et le XVIIIe s. Son origine est obscure : pour certains il s'agit d'une danse française, pour d'autres ce serait une ancienne danse italienne datant du XVe s., arrivée en France sous le nom de « romane » ou « romanesque », la → *Romanesca* étant effectivement une variété de gaillarde. Les premiers exemples se rencontrent chez P. Attaingnant (*6 Gaillardes et 6 pavanes*, Paris 1529 ; *14 Gaillardes, 9 pavanes*, Paris 1531) et A. Rotta (*Intabolatura de lauto*, 1546). Selon Th. Arbeau (*Orchésographie*, Langres 1589), la g. est appelée ainsi « parce qu'il faut être gaillard et dispos pour la dancer... les jeunes hommes de votre aage sont plus aptes à les dancer que les vieillards comme moy ». L'auteur déplore qu'on ne la danse plus avec discrétion comme avant mais « tumultuairement ». De mesure ternaire (6/8 ou 3/4), la g. se danse sur 5 pas selon le schéma rythmique suivant :

Elle se rapproche donc beaucoup du → tourdion, avec la différence que celui-ci « se danse bas et par terre, d'une mesure légère et concitée », alors que la g. « se danse hault, d'une mesure plus lente et pesante » (Th. Arbeau, ouvr. cité). La « lyonnaise » est une variété de g. dont la chorégraphie diffère légèrement. Traditionnellement, la phrase musicale s'organise en reprises de 4 ou 8 mesures d'une grande simplicité rythmique. Dès l'origine de la suite instrumentale, la g. s'enchaîne à la → pavane en gardant avec elle un rapport thématique :

Fitzwilliam Virginal Book I, J. Bull, *Pavana* no XXXIV.

Fitzwilliam Virginal Book I, J. Bull, *Galiarda to the Pavana*, no XXXIV.

Son style devient vite très différencié suivant les écoles et fournit, en particulier chez les virginalistes, des pièces à variations d'une haute virtuosité (*Fitzwilliam Virginal Book* I, g. no XLVI de J. Bull, g. no LXVII de P. Philips...). Les variétés observées pour la pavane se retrouvent au niveau de la g. qui la complète : *Galiarda-passamezzo* (ibid., no LXXVII de P. Philips), *Galiarda dolorosa* (ibid., no LXXXI de P. Philips). Les luthistes et clavecinistes français pratiquent un style beaucoup plus clair, exprimant généralement des sentiments joyeux :

D. Gaultier, *La Rhétorique des dieux*, *Gaillarde* no 47.

L'école allemande du début du XVIIe s. donne également quelques exemples de ce style chez M. Praetorius, J.H. Schein et M. Franck. La mus. de théâtre fait aussi appel à la g., tout particulièrement pour le ballet de cour (Lully, *Ballet des Planètes*, v. 1662, g. à 5). La g. disparaît au début du XVIIIe s., le couple pavane-g. étant remplacé par allemande-courante.

Bibliographie — TH. ARBEAU, Orchésographie, Langres 1589, rééd. par L. Fonta, Paris 1888 ; T. NORLIND, Zur Gesch. der Suite in SIMG VII, 1905-06 ; K. NEF, Gesch. der Sinfonie u. Suite, Leipzig 1921 ; C. SACHS, Eine Weltgesch. des Tanzes, Berlin 1933, trad. fr. Paris 1938 ; E.H. MEYER, art. Galliarde in MGG IV, 1955 ; J. BARIL Dict. de danse, Paris, Éd. du Seuil, 1964 ; H. BECK, Die Suite Cologne, A. Volk, 1964 ; G. REICHERT, Der Tanz, Cologne, A. Volk, 1965.

M.CL. BELTRANDO-PATIER

GAITA (esp.), nom de la → cornemuse typique de Galice et des Asturies. Elle se compose d'un « ronco » (en *si* ♭[1], *do*[2] ou *ré*[2]), d'un « ronquillo », qui donne la quinte sur l'octave du « ronco », et d'un « punteiro » ou tube mélodique. Le « ronco » est un tuyau à anche double, les deux autres sont des clarinettes.

Bibliographie — V. COBAS PAZOS, La g. gallega, Saint-Jacques-de-Compostelle 1955.

GALANT (Style), voir STYLE GALANT.

GALLICAN, voir CHANT GALLICAN.

GALLI-MARIÉ, voir MEZZO-SOPRANO.

GALOP, danse qui fut particulièrement en vogue à Paris entre 1820 et 1875, et dont le rythme est imité de celui d'un g. de cheval : 2/4 , etc. ou 2/4 . Elle se dansait par couple, à la manière d'une polka rapide, avec de nombreux changements de pas et des sauts. Parmi les compositeurs de cette époque qui écrivirent des g., citons J. Strauss père (plus de 30 g.) et fils, Joseph et Eduard Strauss, H. Marschner, A. Adam, K. Czerny, F. Liszt (*Grand Galop chromatique*, 1838; *Galop du bal*, v. 1880). Le g. s'introduisit également dans l'opéra (*Gustave III* de D. Auber, 1833). J. Offenbach en a laissé une parodie célèbre dans le *Galop infernal* d'*Orphée aux enfers* (1858). En dehors de la danse qui porte ce nom, le g. du cheval a été imité en musique, entre autres par H. Berlioz dans la *Course à l'abîme* de *La Damnation de Faust*.

GALOUBET ou FLÛTET

GALOUBET ou FLÛTET (ancien fr., flaihutel, flageol; basque, chirula, → txistu; moyen haut all., holre, holler; all., Schwegel, Einhandflöte; esp., flabiol, flaviol). **1.** L'étymologie de ce nom est obscure; selon certains, il viendrait du provençal « gal », = gai, et « aubet », = petit hautbois; selon d'autres, il viendrait du verbe provençal « galaubar », = jouer magnifiquement. C'est une petite flûte à bec, en buis ou en ébène, répandue depuis le IXe s. dans l'Europe de l'Ouest et surtout en Provence. Elle ne comporte que 3 trous, dont un sur la face antérieure pour le pouce. Elle est tenue par les lèvres, l'annulaire et le petit doigt de la main gauche et se joue avec les trois autres doigts tandis que la main droite frappe en général un → tambourin. M. Praetorius (1618) décrit l'instrument en 3 grandeurs : dessus, ténor et basse (en forme de S). De nos jours, il couvre deux octaves du *ré⁴* au *ré⁶*. Grâce à sa faculté de quintoyer et d'octavier, il donne tous les sons de la gamme. C'est au son aigu et perçant du g. accompagné du tambourin que se danse la → farandole. — **2.** Jeu d'orgue soliste (XIXe s., rare) composé le plus souvent de deux rangs de tuyaux à bouche aigus imitant le son de l'instr. à vent.

Bibliographie — **1.** Fr. VIDAL, Lou tambourin..., Aix et Avignon 1864.

GALVANOPLASTIE

GALVANOPLASTIE, dépôt par électrolyse d'une couche de métal sur la surface d'un objet rendu conducteur du courant électrique. L'électrolyse se réalise en milieu liquide. Si l'on dissout un sel métallique dans l'eau, on obtient un bain électrolysable ou électrolyte. Lorsqu'un courant continu circule au sein de l'électrolyte entre deux bornes (ou électrodes), les constituants du sel métallique se portent respectivement sur l'une et l'autre électrode : le métal sur l'électrode de sortie ou cathode, l'acide sur l'électrode d'entrée ou anode. On place sur la cathode l'objet à recouvrir de métal. Quant à l'anode, elle est faite d'un bloc de même métal : l'acide qui s'y porte l'attaque et reconstitue le sel dissous. Tout se passe donc comme si l'électrolyse prélevait du métal de l'anode pour le transporter sur la cathode. La g. est une étape importante de la fabrication des disques (voir l'art. MATRICE) : des opérations successives de g. permettent d'obtenir, à partir de la cire malléable, une matrice au nickel-chrome capable de mouler le disque par pressage à chaud.

GAMBE, abrév. de → viole de gambe. — **1.** Employé seul, sans précision, ce terme désigne la basse de viole.

Très fréquent en Italie, il était peu commun en France. On a coutume d'appeler les joueurs de viole du nom de violistes, exception faite de l'Allemagne, où l'on parle couramment de gambistes, joueurs de gambe. — **2.** Jeu d'orgue à bouche, cylindrique, étroit, de 16', 8' ou 4', apparu dès le XVIIe s. dans l'orgue allemand, où toute une école, avec J.S. (G. Silbermann), l'a construit en flûte conique. Il fut introduit en France au milieu du XIXe s. pour donner à l'orgue des sonorités se rapprochant de celles du quatuor des cordes (on dit aussi violoncelle, violon, viole). La g. sert de soutien à la → voix céleste.

GAMELAN

GAMELAN (javanais, de « gamel », = frapper), terme définissant un ensemble instrumental composé en majeure partie de métallophones. Le g. existe à Java, Sunda, Bali, Lombok, Martapura (Sud-Bornéo), Sumatra et en Malaisie. Mais il est toujours d'origine javanaise ou balinaise. En Malaisie, il n'en reste qu'un exemplaire, chez le sultan de Trengganu ; il offre la particularité d'être composé d'instruments de type javanais mais accordé sur la gamme siamo-khmère. Bien que le terme de g. y soit inconnu, on peut rapprocher ce type d'orchestre des ensembles → « pinpeat », « pinphat » et « piphat » du Cambodge, du Laos et de la Thaïlande, qui sont cependant des ensembles de moindre ampleur. A Java et à Sunda, certains g., ceux des « kraton » en particulier, sont sacrés et dits « pusaka » et possèdent souvent une histoire glorieuse. Ainsi les g. « sekati », qui auraient servi, au XVe s., à attirer la population encore hindoue à l'Islam en étant utilisés les jours saints sur le parvis des mosquées. Les plus anciens g. de Java sont, outre les « sekati », les « munggang » et « tjarabalen » (voir à l'art. INDONÉSIE la structure habituelle des g.). A Bali, le g. prend le nom de → gong et s'appelle, selon sa composition, « gong gédé », « gong angklung », « gong semar pegulingan », etc. Le jeu du g. se situe au plus haut niveau de l'art musical universel. — Voir également les art. CAMBODGE et INDONÉSIE.

GAMMA

GAMMA (Γ), troisième lettre de l'alphabet grec, qui, au Moyen Age et jusqu'au XVIe s., désignait le *sol¹*, le son le plus grave de l'échelle générale. Point de départ de la → main guidonienne et du premier hexacorde par bécarre (Γ *ut*, gamma *ut*), elle a donné naissance au terme de → gamme, qui désigne l'échelle générale. La lettre appartient à la série des clefs, mais son emploi comme telle a complètement disparu.

GAMME

GAMME (angl., scale ; all., Tonleiter ou Skala ; ital., scala ; esp., escala ou gama), terme issu de la lettre grecque « gamma » (Γ) désignant le *sol¹*, note la plus grave de l'échelle générale pour les théoriciens du Moyen Age. Si la distinction entre g. et échelle d'un côté et → mode de l'autre est aisée, il n'en est pas de même entre gamme et → échelle. En effet, la terminologie reste ici imprécise et fluctuante. Tout au plus peut-on avancer que l'échelle est illimitée dans sa tessiture — n'ayant ni commencement ni fin — alors que la g. est en général considérée dans un ambitus d'octave, encore que certains théoriciens n'acceptent pas cette limitation. Comme il s'agit dans les deux cas des mêmes sons se reproduisant à l'octave, cette distinction n'entraîne qu'exceptionnellement (dans certaines échelles exotiques) une conséquence pratique.

Par contre, quelques rares théoriciens (A. Sérieyx, Edmond Costère) donnent le nom de g. à des successions de sons aux intervalles inégaux, tandis qu'ils réservent celui d'échelle à des successions égales : échelles chromatiques, par tons, par tierces mineures et tierces majeures. Cette distinction peut logiquement se justifier mais elle a contre elle de n'être adoptée ni par l'ensemble des théoriciens ni par l'usage des musiciens. Dans la pratique, les deux termes sont interchangeables, avec une prédilection des musicologues pour échelle et un emploi quasi généralisé du mot g. par les musiciens. Remarquons enfin que la langue allemande ne fait aucune différence entre les deux termes, les mots « Tonleiter » et « Skala » étant interchangeables. Quant à l'anglais, il n'utilise dans les deux cas que le même mot « scale ». Certaines associations sont consacrées par l'usage : g. majeure, g. mineure, g. pentatonique, g. chromatique, g. par tons; encore que dans les trois derniers cas le mot échelle soit également fréquent pour signifier la même chose. Il faut toutefois rappeler que les expressions g. majeure et g. mineure sont des abréviations de g. diatonique du mode majeur et g. diatonique du mode mineur. Elles sont à éviter et il est bien préférable de parler de mode majeur ou mineur. Quant à la g. ou échelle correspondante, elle est dans les deux cas → heptatonique.

Bibliographie — Voir l'art. ÉCHELLE.

GAMME DÉFECTIVE, dénomination habituelle d'une g. ayant moins de 7 sons. Le terme défectif, bien que consacré par l'usage, est fâcheux car il laisse supposer que l'on avait à l'origine une g. → heptatonique à laquelle on a retranché par la suite deux degrés. C'est exactement le contraire qui s'est passé historiquement. Chaque g. constitue un tout organique complet et doit être considérée en elle-même. — Voir l'art. ÉCHELLE.

GAMME PAR TONS (angl., whole-tone scale ; all., Ganztonleiter). Elle résulte de la division de l'octave en 6 parties égales, qui donne une succession de tons entiers tempérés. Aussi n'est-elle point sans analogie avec la gamme chromatique (voir l'art. CHROMATISME) qui provient de la division de l'octave par 12 : il suffit de sauter un demi-ton sur deux de cette dernière gamme pour obtenir la première. Toutes deux sont caractérisées par une succession d'intervalles égaux. Au point de vue de la notation orthographique, il faut à un endroit quelconque introduire une tierce diminuée, qui, par → enharmonie, est égale au ton tempéré. En outre, la g. par tons ne peut avoir qu'une seule transposition, à distance de demi-ton. Aussi O. Messiaen l'a-t-il cataloguée comme premier mode à transposition limitée. Les deux aspects de cette g. ont la singularité de n'avoir aucune note commune entre eux :

La g. par tons a deux particularités remarquables. D'abord, elle est anhémitonique, c.-à-d. qu'elle n'a pas de demi-ton. Ensuite, son intervalle caractéristique est le → triton tempéré, soit la demi-octave. En effet, sur chaque degré de cette g. on peut former un triton. Il en résulte un phénomène de tension continue qui, harmoniquement, est renforcé par l'accumulation possible de tritons et d'accords de quinte augmentée dans des agrégats diversement altérés (voir l'art. HARMONIE, § III B). Cette tension généralisée compense l'absence d'une → attraction liée au demi-ton et arrive même à donner l'impression d'une attraction sous-entendue qui ne trouve jamais son point de chute (ex. do-fa ♯ → si ♭-ré-sol ♯). Une telle situation finit par émousser la force expressive de la tension. Par ailleurs, l'impossibilité d'obtenir des situations de détente en retournant à des consonances stables de quintes et de quartes empêche les effets de contraste et engendre vite une certaine monotonie. La g. par tons n'a aucune tonique préférentielle et présente une forme particulière d' → atonalité. Elle est de nature entièrement artificielle et résulte de spéculations intellectuelles dans des civilisations musicalement évoluées.

Historiquement, la g. par tons apparaît curieusement dans *Une plaisanterie musicale* (1787) de Mozart, avec l'intention de pasticher un violoniste jouant faux, donc sans aucune signification musicale. Puis on la trouve à l'état fragmentaire dans *Edward* (1818) de K. Loewe (*sol-fa-mi ♭-ré ♭-do-♭*) et à plusieurs reprises complètement déployée chez Fr. Schubert, en particulier dans l'*Octuor* op. 166 (1824). F. Liszt (dès 1835) et M. Glinka (1842) s'en emparent à leur tour. Mais c'est Liszt qui, le premier, l'harmonise avec les notes de l'échelle (*Pensée des morts*, au plus tard 1852). Ce principe est repris vers 1870 par les Russes (A. Borodine, 1867 ; A. Dargomyjski, 1869 ; Vl. Rébikov), puis par les Français (Ernest Fanelli, 1883 ; A. Bruneau, 1891 ; Cl. Debussy, P. Dukas) et enfin par les Allemands et les Italiens (A. Schönberg, 1903 ; R. Strauss, 1905 ; G. Puccini, F. Busoni...). Après avoir connu une extraordinaire vogue au début du siècle, en particulier grâce à Debussy, la g. par tons est de nouveau délaissée et date terriblement. Les possibilités limitées qu'elle contient semblent avoir été épuisées. — Inconnue du folklore et des civilisations primitives, la g. par tons n'apparaît guère en ethnomusicologie que dans certains morceaux de → gamelans balinais.

Bibliographie — K.PH. BERNET-KEMPERS, Ganztonreihen bei Schubert, *in* Fs. J. Smits van Waesberghe, Amsterdam, Inst. voor Middeleeuwse Muziekwetenschap, 1963 ; S. GUT, F. Liszt, Les éléments du langage musical, chap. 7, Paris, Klincksieck, 1974 ; cf. également l'art. HARMONIE.

S. GUT

GASSENHAUER (all. ; de Gasse, = rue, et hauen, = aller), terme désignant en Allemagne, au XVIe s., les chansons, les danses et les sérénades chantées ou jouées par les rues. Les *Gassenhawerlin und Reutterliedlin* publiés en 1535 par l'éditeur Chr. Egenolff renferment cependant des pièces plus relevées de H. Isaac, P. Hofhaimer et L. Senfl (éd. en facs. par H.J. Moser, Augsbourg et Cologne 1927). De nos jours, le terme a un caractère nettement péjoratif et s'applique aux chansons de caractère vulgaire qui courent par les rues.

GAVOTTE, danse française datant de la fin du XVIᵉ s. L'origine provinciale est attestée par l'étymologie (danse des gavots ou habitants de Gap). Pour Th. Arbeau (*Orchésographie*, Langres 1589), la g. dérive du → branle double et conserve avec lui une évidente parenté rythmique. Écrite en 2/4 ou 4/4, avec ou sans anacrouse, elle est construite par reprises de 4 ou 8 mesures et se danse avec de petits sauts et une grande variété de figures : « jeu du baiser », « du bouquet », etc. Au XVIIᵉ s. la g. prend place dans la suite instrumentale (A. Francisque, *Trésor d'Orphée*, 1600), très appréciée par les luthistes et les clavecinistes. Le ballet de cour et l'opéra empruntent souvent son rythme (Lully, *Xerxès*, g. à 5, 1660). Au XVIIIᵉ s. on la trouve parfois écrite en « musette » (voir l'art. MUSETTE, ex. 1, J.S. Bach, *Gavotte II* de la *3ᵉ Suite anglaise*), ou très simplement en partie mélodique parallèle :

Fr. Couperin, *26ᵉ Ordre, Gavotte.*

Une autre tendance, beaucoup plus élaborée, fait usage de la variation ou de doubles d'une grande difficulté technique (J.Ph. Rameau, *Gavotte variée*). Au XIXᵉ s. la g. est encore une danse de salon ; sous Guillaume II, à Berlin, on lance diverses variantes appelées g. de Vestris, militaire, de la marquise, Marly, Psyché, du Rhin, Savoja, des Pages, Marousia, Kaiserin, des Princes, etc. Le XIXᵉ et le XXᵉ s. restent séduits par la simplicité et l'élégance de la g., que l'on retrouve chez H.F. von Herzogenberg (*Gavotte* pour piano, op. 25) ou Prokofiev (*4 Gavottes* pour piano).

Bibliographie — TH. ARBEAU, Orchésographie, Langres 1589, rééd. par L. Fonta, Paris 1888 ; C. SACHS, Eine Weltgesch. des Tanzes, Berlin 1933, trad. fr. Paris 1938 ; CL. MARCEL-DUBOIS, art. G. in MGG IV, 1955 ; J. BARIL, Dict. de Danse, Paris, Éd. du Seuil, 1964 ; G. REICHERT, Der Tanz, Cologne, A. Volk, 1965.

GEMSHORN (all.), voir COR DE CHAMOIS.

GÉNÉRALE. 1. Batterie de tambour ou sonnerie de clairon exécutée pour rassembler les troupes. — **2.** Répétition générale d'une pièce, c.-à-d. celle qui précède la première exécution publique.

GÉNÉRATEUR, appareil permettant la production d'un son. Il faut distinguer les g. naturels, tels que les instr. de musique et la voix, et les g. artificiels, auxquels s'applique plus particulièrement le vocable de générateur. Les plus fréquemment employés sont : 1º le g. « bruit blanc », simple amplificateur qui collecte sur son circuit d'entrée l'agitation anarchique des électrons dans une résistance et livre toutes les fréquences possibles de l'échelle acoustique ; 2º le g. de sons sinusoïdaux, constitué par divers types d'oscillateurs (en particulier à battements) ; 3º le g. à relaxation, amplificateurs dont la sortie est directement connectée à l'entrée, qui fournissent des spectres stationnaires très riches en harmoniques ; 4º les g. de timbres, qui fournissent un spectre de raies stable très complexe et permettent parfois de le modifier en cours de génération ; 5º les instr. électroniques proprement dits (tels que « Melochord » de Bode, → « Trautonium » de Fr. Trautwein, « Mixtur-Trautonium » d'Oskar Sala, etc.), utilisés principalement en Allemagne non seulement comme instr. de musique, mais surtout comme sources de matériau sonore pour la mus. électronique, matériau qui devra subir les mêmes préparations et montages qu'en mus. concrète.

Bibliographie — A. MOLES, Les mus. expérimentales, Paris, Zurich et Bruxelles, Éd. du Cercle d'Art contemporain, 1960.

GÉNERO CHICO (loc. esp. de la fin du XIXᵉ s., = « petit genre »), désigne une composition dramatique typiquement espagnole, intermédiaire entre la → « zarzuela grande » (3 actes ou plus) et le « género infimo ». Il s'agit de courtes pièces sentimentales ou satiriques, proches de la revue et du → « sainete ». Elles sont pleines de vivacité, d'esprit et de fraîcheur d'inspiration. Dès le milieu du XIXᵉ s., Fr.A. Barbieri, M. Fernández Caballero et J. Gaztambide composaient des zarzuelas en un acte, mais le g. ch. se généralisa avec F. Chueca, qui remporta les plus vifs succès avec *La Canción de la Lola* (créat. 1880) et *La gran vía* (créat. 1886). Le chef-d'œuvre du genre est *La verbena de la Paloma* (créat. 1894) de T. Bretón. Parmi les principaux auteurs de g.ch., il faut citer R. Chapi, Tomás Lopez Torregrosa, J. Valverde, A. Vives et E. Serrano.

Bibliographie — M. ZURITA, Hist. del g. ch., Madrid 1920 ; M. MUÑOZ, Hist. de la zarzuela esp. y del g. ch., Madrid 1946 ; J. DELEITO Y PIÑUELA, Origen y apogeo del g. ch., Madrid 1949 ; V. RUIZ ALBÉNIZ, Teatro Apolo. Historial, anecdotario, y estampas madrileñas de su tiempo (1873-1929), Madrid s.d.

GÊNES (Genova).

Bibliographie — 1. Vie musicale et ouvr. généraux : F. PODESTA, Gli organisti del Comune de G., in Giornale Storico e Letterario della Liguria, 1908 ; M. PEDEMONTE, L'ambiente musicale genovese nel settecento, ibid. 1940/1 ; R. GIAZOTTO, La mus. a G. nella vita pubblica e privata dal XIII al XVIII s., Gênes, Soc. Industrie Grafiche, 1951. — 2. Théâtres lyriques et spectacles : Tavola cronol. di tutti li drammi o sia opere in musica recitati alli Teatri detti del Falcone e da Sant' Agostino da cento anni... 1670 al 1771, Gênes 1771-72 ; Annuario dei Teatri di G. dal 1828 al 1844, Gênes 1844-45 ; G.B. VALLEBONA, Il Teatro Carlo Felice. Cronistoria di un secolo (1828-1928), Gênes 1928 ; R. GIAZOTTO, Il melodramma a G. nei s. XVII e XVIII, Gênes 1941. — 3. Enseignement : P. MONTANI, Il Cons. « N. Paganini », in RMI XXXVI, 1929. — 4. Bibliothèques : Catal. delle opere musicali. Città di G. Real Bibl. Universitaria, Parme 1929 ; S. PINTACUDA, G. Bibl. dell' Istituto Musicale « N. Paganini ». Catal. del fondo antico, Milan, Istituto Editoriale Ital., 1966.

GENÈVE.

Bibliographie — 1. Vie musicale et ouvr. généraux : E. CHAPONNIÈRE, La soc. de cht sacré à G. ..., Genève 1904 ; FR. CHOISY, La mus. à G. au XIXᵉ s., Genève 1914 ; F. PROKESCH et W. AESCHLIMANN, L'évolution de la mus. à G., in Almanach du Vieux G. 1936 ; Werke Genfer Komponisten, in RMS LXXIX, 1939 ; H. BRUNET-LECOMTE, Jaques-Dalcroze, sa vie, son œuvre, Genève et Paris, Jeheber, 1950 ; C. TAPPOLET, Fragments d'une hist. de la mus. à G., in RMS XCIII-XCV, XCVIII, 1953-55, 1958 ; du même, La mus. à G. au XIXᵉ et au XXᵉ s., in L'hist. de G. de 1798 à 1931, Genève, Jullien, 1956 ; W. TAPPOLET, art. Genf in MGG IV, 1955 ; J. STENZL, Das Dreikönigsfest in der Genfer Kathedrale..., in AfMw XXV, 1960 ; P. PIDOUX, Le psautier huguenot, 2 vol., Bâle, BV, 1962 ; du même, A. Brumel à G. (1486-92), in RMie L, 1964 ; du même, J.K. Weiss. Ein Beitr. zur Musikgesch. Genfs im 18. Jh., in Fs. K.G. Fellerer, Regensburg, Bosse, 1962 ; H. HUSMANN, Zur Gesch.

der Messliturgie von Sitten u. über ihren Zusammenhang mit den Liturgien von Einsiedeln, Lausanne u. Genf, *in* AfMw XXII, 1965; Fr. Martin, E. Jaques-Dalcroze..., Neuchâtel, La Baconnière, 1965; R.A. Mooser, *Deux violonistes genevois : G. Fritz, Chr. Haensel,* Genève, Slatkine, 1968; Orch. de la Suisse romande 1918-1968, Genève, Kundig, 1968. — **2. Théâtres et spectacles :** U. Kunz-Aubert, *Le th. à Genève au XVIIIe s.,* in Nos centenaires, Genève 1926; W. Aeschlimann, Hist. du th. de G. Des origines à 1844, *in Almanach du Vieux G.* 1934. — **3. Enseignement :** W. Tappolet, *La musicologie à G.,* in RMS LXX, 1930; du même La mus. au Collège de G., *in* Bull. de la Soc. suisse de musicologie I-II, 1934-35; H. Bochet, *Le Cons. de mus. de G.* Son hist. de 1836 à 1935, Genève 1935; R. Jeandin, Le Cons. de mus. de G. 1935-60, Genève 1960. — **4. Musées :** R. Chavannes, Catal. descriptif des instr. de mus. à cordes frottées ou pincées du Musée d'Art et d'Hist., *in* Genava IX, 1931; J. Haldenwang, Le Musée des instr. anciens de mus., *in* Musée de G. IV, nouv. série 33, 1963.

GENOUILLÈRES (angl., knee pedal, ou knee lever; all., Kniehebel), courroie attachée aux genoux de l'exécutant et servant à actionner les mécanismes de chaque jeu sur certains clavecins du XVIIIe s. Jean-Antoine Berger, le Sieur de Virbès et P. Taskin

à plusieurs, en frappant vivement les talons et en faisant des pas très rapides. Mais le succès de la g. fut de courte durée. Dès 1768 J.J. Rousseau précise dans son *Dictionnaire :* « Ces airs sont entièrement passés de mode; on n'en fait plus du tout en Italie et l'on n'en fait plus guère en France. » A l'origine, la g. se présente soit en mesure binaire (¢), soit en mesure ternaire (6/4 ou 6/8). Dans le *Fitzwilliam Virginal Book,* l'équilibre est réalisé entre les g. à ¢ et celles à 6/4 ou 12/4.

W. Byrd, *A Gigg (Fitzwilliam Virginal Book* [CLXXXI]).

G. Farnaby, *A Gigge (Fitzwilliam Virginal Book* [CCLXVII]).

construisirent des instruments à genouillères. Des pianoforte et des pianos en furent également pourvus. Par la suite, les g. furent parfois remplacées par des boutons manuels avant d'être définitivement abandonnées au profit des pédales. On appelle aussi g. les petits volets mus par le genou et actionnant le grand jeu et l'expression sur les → harmoniums.

GES, nom allemand du *sol* bémol.

GESÄTZ (all.), voir Bar.

GESES, nom allemand du *sol* double bémol.

GIGUE (de l'angl. → jig ou jigg, instr. de musique servant à faire danser; all., Gigue ou Gique; ital. et

Dans la mus. française, la mesure binaire l'emporte le plus souvent sur la mesure ternaire. *La Rhétorique des dieux* de D. Gaultier, v. 1652, ne comporte, par ex. qu'une g. à 6/8 pour plusieurs en ¢. L'anacrouse initiale n'est pas encore adoptée, surtout dans le cas des g. binaires. Le style de la g. mettra donc un certain temps à se fixer, et l'ambiguïté de mesure, en particulier, subsistera assez longtemps dans la mus. française puisque J.H. d'Anglebert écrira indifféremment à 12/8, 3/2 et 3/4 (*Pièces de clavecin,* 1689). Le caractère de la danse, à l'origine, est simple et rustique. On la traite souvent en une courte mélodie soutenue par une basse. La forme générale est brève et consiste en une juxtaposition de deux reprises ou plus. On la confond parfois, en Angleterre, avec le «toy», courte pièce de structure embryonnaire et de rythme indécis (6/4 ou ¢) :

G. Farnaby, *A Toye (Fitzwilliam Virginal Book* [CCLXX]).

esp., giga), danse populaire d'origine anglaise ou irlandaise. En français, le verbe giguer signifie, au XVe s., gambader. A. Dauzat signale la possibilité d'un rapport avec le terme français gigue, ancien instr. à cordes (ancien haut all., giga; all., Geige). La g. s'est développée en Angleterre et en Écosse à l'époque élisabéthaine. Elle fut introduite en France sous le règne de Louis XIV, à l'occasion du séjour des souverains anglais. On la danse en solo ou

C'est en France qu'apparaissent l'écriture fuguée de la g. (dès J. Champion de Chambonnières, *Pièces de clavecin,* 1670) et les titres descriptifs (D. Gaultier, *La Rhétorique des dieux,* v. 1652, g. « La Solitude », g. « Le Tocsin »). A la fin du XVIIe s., la g. entre dans le cadre de la suite comme pièce conclusive (déjà chez J.J. Froberger dans les 24 suites posthumes, éd. 1693). Elle adopte alors le plan binaire des pièces de la suite : une partie allant de la tonique à la dominante, suivie de sa reprise, et une seconde partie, également reprise, allant de la dominante à la tonique sans réexposition finale du thème. Deux types de g. coexistent alors : le type français (Chambonnières, Froberger, J.S. Bach), de mouvement modéré, caractérisé par son écriture fuguée et la présence du sujet, renversé au début de la seconde partie :

J.S. Bach, *Suite française n° 1, Gigue.*

et le type italien, non fugué, beaucoup plus rapide, d'une écriture assez rudimentaire (A. Corelli, D. Zipoli). J.S. Bach emploie parfois un type mixte comprenant une entrée fuguée de deux voix seulement dans un mouvement très rapide.

J.S. Bach, *Suite française n° 6, Gigue.*

Après un siècle de silence, on retrouve la g. dans les suites et les sonatines de l'époque contemporaine (M. Reger, *Suite n° 2 en ré min.* pour vlc. seul, op. 131 c; M. Emmanuel, *Sonatine n° 5* pour p.; A. Schönberg, *Suite* pour p., op. 25, *Suite* pour cordes, op. 35; D. Milhaud, *Le Carnaval de Londres* pour orchestre, g. 1 et 2).

Bibliographie — T. NORLIND, Zur Gesch. der Suite, *in* SIMG VIII, 1905-06; K. NEF, Gesch. der Sinfonie u. Suite, Leipzig 1921; W. DANCKERT, Gesch. der G., Leipzig 1924; C. SACHS, Eine Weltgesch. des Tanzes, Berlin 1933, trad. fr. Hist. de la danse, Paris 1938; P. NETTL, The Story of Dance Music, New York 1947; G. FEDER, art. G. *in* MGG V, 1956; J. BARIL, Dict. de danse, Paris, Éd. du Seuil, 1964; G. REICHERT, Der Tanz, Cologne, A. Volk, 1965.

M.Cl. BELTRANDO-PATIER

GIS, nom allemand du *sol* dièse.

GISIS, nom allemand du *sol* double dièse.

GIUSTINIANA (ital.). Par ce terme on entend, au XVe s., une chanson en dialecte vénitien, à argument amoureux, en stances de 8 vers et à 3 voix, mais d'un style essentiellement monodique. Son nom fut forgé sur celui du patricien vénitien L. Giustiniani, auteur d'un grand nombre de compositions de ce genre. Au XVIe s., la g., surtout à 3 voix, est pratiquement assimilée à la → « villanella », dont elle se distingue par l'emploi du dialecte vénitien au lieu du dialecte napolitain : d'où également le nom de « veneziana » attribué à cette forme poético-musicale.

Bibliographie — O. BARONCELLI, Le canzonette di L. Giustinian, Forli 1907; B. FENINGSTEIN, L. Giustinian, Halle 1909; G. BILLANOVICH, Per l'edizione critica delle canzonette di L. Giustinian, *in*

Giornale storico della letteratura ital. CX, 1937; A. EINSTEIN, The Greghesca and the Justiniana of the 16th Cent., *in* Journal of Renaissance and Baroque Music I, 1946-47; W.H. RUBSAMEN, The Justiniane or Viniziane of the 15th Cent., *in* AMl XXIX, 1957.

GIUSTO (ital., = juste), abréviation de « tempo giusto » signifiant un mouvement modéré et régulier.

GLAS (angl., knell, passing bell; all., Totenglocke, Totengeläute), sonnerie de cloches faite de coups lents et répétés pour annoncer un décès ou tout autre événement malheureux. Elle a été imitée en musique par H. Berlioz dans le *Convoi funèbre* de *Roméo et Juliette* et M. Ravel dans *Le Gibet* de *Gaspard de la Nuit*, entre autres.

GLEE (angl.), pièce anglaise en vogue aux XVIIIe et XIXe s., écrite pour 3 voix solistes (ou plus) « a cappella ». Quoique le terme signifie joie, rire ou entrain, un gl. (chanson polyphonique) peut être soit enjoué, soit sérieux, puisque, en anglais moderne, ce mot correspond à deux termes anglo-saxons différents : « glíw » ou « gléo ». Plutôt homophonique que polyphonique, ignorant la diversité mélodique et les développements polyphoniques au profit d'une simple ligne mélodique, le gl. peut être considéré comme le descendant au XVIIIe s. du madrigal anglais du XVIe s. Cette musique, dont la fonction est essentiellement sociale, s'adresse avant tout à des amateurs adroits. Elle maintint une tradition anglaise à une époque où bien des compositeurs adoptaient les styles venus du Continent avec Haendel, Haydn et plusieurs de ses contemporains, ainsi qu'un groupe de disciples de Beethoven. Parmi les nombreux gl. écrits entre 1750 et 1825, beaucoup méritent attention, notamment ceux de Th. Attwood, Jonathan Battishill, J.W. Callcott, W. Horsley, Richard Stevens, Reginald Spofforth, les deux S. Webbe, senior et junior.

Bibliographie — W. GARDINER, Music and Friends, Londres 1853; R. NETTEL, The Englishman makes Music, Londres 1952.

GLISSANDO (ital., = en glissant; abrév. gliss.), technique d'exécution qui consiste à réaliser un intervalle en glissant rapidement sur tous les sons intermédiaires. Elle se pratique aussi bien dans le chant que dans le jeu de divers instruments à clavier (clavecin, piano), à cordes frottées (violon, etc.) ou pincées (harpe). Utilisée au clavecin dès le XVIIIe s. (Christophe Moyreau, *Pièces de clavecin... Œuvre Ier*, s.d.), elle fut également utilisée par Mozart en 1778 pour des intervalles de sixte dans les *Variations sur « Lison dormait »* pour piano, KV 264, puis par Beethoven pour des intervalles d'octave (*Concerto pour piano* en *do* maj.; dernier mouvt de la *Sonate pour piano*, op. 53), par C.M. von Weber (*Konzertstück* op. 79), M. Ravel *(Miroirs)* et B. Bartók (*Sonate pour 2 pianos et percussion*), entre autres. Sur le piano, le gl. s'effectue par un rapide glissement de l'ongle du pouce ou du 3e doigt sur les touches. Au violon, où il faut se garder de le confondre avec le → « portamento », le gl. consiste en une rapide succession de très petits déplacements de la main gauche. Depuis Beethoven, qui note encore tous les degrés intermédiaires, il n'est plus indiqué que par l'abréviation usuelle. Kr. Penderecki a fondé son *Thrène « A la mémoire des victimes d'Hiroshima »*, pour cordes, sur des sonorités de glissando. Dans sa *Musique pour cordes, percussion et célesta* et dans sa *Sonate pour 2 pianos et percussion*, B. Bartók exige le gl. de la part des timbales à pédales.

GLOCKENSPIEL (all.), voir JEU DE TIMBRES.

GLORIA IN EXCELSIS. Le Gl. est un legs de la liturgie de l'Église primitive; il peut remonter, en certains de ses éléments, au IIe s. C'est une hymne commune aux liturgies d'Orient et d'Occident, qui en firent un usage différent. Les grecs le nomment « grande doxologie » par opposition à la « petite », le *Gloria Patri*, les latins l'« hymne angélique ». Par sa forme littéraire, il n'est pas sans rappeler certaines doxologies pauliniennes ou celles que l'on rencontre dans les écrits des Pères apostoliques. On connaît trois rédactions principales : la rédaction occidentale correspond substantiellement au texte grec de la liturgie byzantine ; il semble aujourd'hui démontré que le texte grec du Codex Alexandrinus de la Bible (H.B. SWETE, The Old Testament in Greek, Cambridge 4/1912, t. III, p. 832), qui est la base de cette recension, est préférable au texte syrien de la liturgie nestorienne et au texte grec du 7e livre des *Constitutions apostoliques*.

L'hymne est composée de trois éléments : la citation de Luc 2,14 (le chant des anges célébrant la venue sur terre du Rédempteur) sert d'introduction ; suit une partie laudative, qui se termine par une doxologie trinitaire ; enfin une partie de style déprécatif s'adresse au Christ. Dans le Codex Alexandrinus, la partie laudative se termine par la mention de l'Esprit-Saint, qui paraît être une addition, car le texte archaïque ne mentionnait probablement que le Père et le Fils. Dans la version latine, la mention de l'Esprit-Saint est rejetée tout à la fin de l'hymne, après la partie christologique déprécative. Le plan présente donc de grandes analogies avec celui du *Te Deum*. Le document latin le plus ancien contenant le texte du Gl. est l'Antiphonaire de Bangor, retranscrit vers 690. Les deux parties principales s'y trouvent bien distinguées puisqu'on dit l'Amen entre la partie laudative et la partie christologique déprécative (F.E. WARREN, The Antiphonary of Bangor, H. Bradshaw Soc. no 8, Londres 1892, pp. 76-77 : tableau comparatif des différentes versions latines ; les variantes sont assez nombreuses, mais d'importance minime). La recension conservée dans l'usage liturgique figure pour la première fois dans le psautier de l'abbé Wolfcoz de Saint-Gall (IXe s.).

A l'origine, le Gl. fut une hymne de l'aurore ; le Codex Alexandrinus de la Bible le place sur le même rang que les cantiques de l'Écriture utilisés à l'office du matin. Le *De virginitate* du pseudo-St Athanase, écrit au milieu du IVe s., demande de le chanter le matin avec le Cantique des Trois enfants (*in* MIGNE, Patr. gr. XXVIII, col. 276). Les dimanches et fêtes, il clôturait l'office des Laudes dans les monastères de Provence gouvernés par St Césaire (S. Cesarii recapitulatio Regulae, éd. par G. MORIN, Bonn 1933, p. 24). Milan connut longtemps un usage analogue, que l'on retrouve dans la liturgie celtique (P. CAGIN, Te Deum ou Illatio ?, Solesmes 1906, p. 119). Le Gl. servit également à manifester la joie et la reconnaissance à Dieu en certaines circonstances heureuses de la vie publique (St Grégoire de Tours en témoigne, *De Gloria confessorum* I, 63, *in* MIGNE, Patr. lat. LXXI, col. 762 ; *De Miraculis sancti Martini* II, 25, *ibid.*, col. 953). Selon une notice légendaire du *Liber Pontificalis*, l'introduction du Gl. à la messe du jour de Noël serait due au pape Télesphore († 154). Il semble que la première allusion sérieuse à son existence dans la liturgie de la messe de Noël remonte à St Léon († 461) (*Sermo 6 de Nativ.*, voir MIGNE, Patr. lat. LIV, col. 212). En tout cas, vers 530, époque de la rédaction du *Liber Pontificalis*, l'usage en est bien attesté, et l'on sait que le pape Symmaque († 514) en avait étendu l'usage aux dimanches et fêtes des martyrs chaque fois que la messe était célébrée par le pape ou un évêque (éd. DUCHESNE, t. I, p. 263). Selon l'*Ordo Romanus I* du VIIe s., un simple prêtre ne pouvait l'entonner que le jour de Pâques ; même précision dans le *Sacramentaire grégorien* (éd. H. LIETZMANN, Münster 1921, no 1). Dès la fin du XIe s., ces restrictions ont disparu ou sont en voie de disparaître, et la multiplication des célébrations festives fait que le Gl. devient un élément habituel de la messe, sauf en Carême. La récente réforme liturgique a réduit son emploi aux dimanches (en dehors de l'Avent et du Carême), aux solennités (au nombre de 10) et aux fêtes (au nombre de 23), ainsi qu'aux jours de l'octave de Noël et de Pâques.

Le nouveau *Missel romain* (1970) précise que le Gl. sera chanté soit par l'assemblée, soit par celle-ci alternant avec la schola, soit par la schola. Primitivement, le Gl. était un chant de l'assemblée ou plus exactement un chant du Pontife auquel l'assemblée et le « chorus » se joignaient. La présence de l'évêque détermine en effet si le Gl. est chanté à la messe ou non : « Et dicit Sacerdos Gl. in excelsis Deo », précise le Ms. de Rheinau, VIIIe-IXe s. (D.R.J. HESBERT, Antiphonale Missarum sextuplex, no 79 b). En fait, le Gl. devint un chant de spécialistes, d'où le développement que prirent les mélodies. Comme les autres chants de l'ordinaire, le Gl. a été parfois pourvu de tropes : Cl. Blume a édité une cinquantaine de textes différents, négligeant tous ceux qui n'avaient pas une forme poétique (Cl. BLUME et H.M. BANNISTER, Tropen des Missale, *in* Analecta Hymnica Medii Aevi XLVII, Leipzig 1905, pp. 217-299). Depuis la réforme liturgique de Pie V (1570), les tropes sont exclus de la liturgie. La plus ancienne mélodie grégorienne du Gl. est celle du Gl. XV de l'Édition Vaticane ; c'est une sorte de déclamation dont chaque phrase se termine par une cadence identique. Le Gl. ambrosien est bâti de la même manière mais il intègre plusieurs → « jubilus » au milieu de phrases mélodiques. Quant au Gl. mozarabe archaïque, il se range aussi dans la catégorie des récitatifs primitifs, qu'il orne d'un mélisme gracieux sur la finale. La transcription du Gl. en langue grecque que l'on rencontre dans une trentaine de manuscrits latins de l'*Antiphonale Missarum* semble attester que le Gl. du jour de Noël fut assez couramment chanté dans sa langue originelle. La mélodie de l'« Hymnus angelicus secundum Grecos » fut emprunté aux byzantins dans le 2e tiers du XIXe s., semble-t-il ; le Gl. XIV de l'Édition Vaticane en est une adaptation simplifiée. Après le IXe s., les Gl. du répertoire grégorien se multiplient ; l'Édition Vaticane n'est nullement exhaustive ; pour les chants de l'ordinaire, elle s'est appliquée à présenter une sélection, car toutes les compositions sont loin d'avoir le souffle des admirables Gl. II, III et III ad libitum.

Bibliographie — P. WAGNER, Einführung in die gregorianischen Melodien..., I Ursprung u. Entwicklung..., Fribourg 1895, 3/Leipzig 1911 et 1921, réimpr., Hildesheim, Olms, 1962, éd. fr. Tournai 1907 ; A. GASTOUÉ, La grande doxologie. Étude critique, *in* Revue de l'Orient chrétien IV, 1899 ; CL. BLUME, Der Engelhymnus « Gl. in excelsis », *in* Stimmen aus Maria-Laach LXXIII, 1907 ; P. LEBRETON, La forme primitive du Gl. in excelsis. Prière au Christ ou prière à Dieu le Père ?, *in* Recherches de Sciences religieuses XIII, 1924 ; M. BUSTY, Un' antica melodia ambrosiana del Gl., *in* Ambrosius II, 1926 ; G. PRADO, Una nueva recensión del himno « Gloria in excelsis », *in* Ephemerides liturgicae XLVI, 1932 ; du même, Gl. mozarabe, *in* Revue Grégorienne XVIII, 1933 ; D. J. FROGER, Les chants de la Messe aux VIIIe-IXe s., *ibid.* XXVI, 1947 ; W. STAPELMANN, Der Hymnus Angelicus Gesch. u. Erklärung des Gl., Heidelberg 1948 ; D. B. CAPELLE, Le texte du « Gl. in excelsis », *in* Revue d'Hist. ecclésiastique XLIV, 1949 ; M. HUGLO, La mélodie grecque du Gl. in excelsis, *in* Revue Grégorienne XXIX, 1950 ; P. PAULIN, Léon IX et le Gl., *in* Caecilia, 1950, nos 4 et 5 ; D.J. GAILLARD, *in* Catholicisme V, 1952, col. 56-58 ; D. BOSSE, Untersuchung einstimmiger Melodien zum Gl. in excelsis (diss. Erlangen 1954) ; P. STAQUET, Les mélodies du Gl., *in* Musica Sacra LVI, 1955 ; BR. STÄBLEIN, art. Gl. *in* MGG V, 1956.

G. OURY

GLOSA (esp., = glose, explication), désigne à la fois une sorte de vocalise, un style d'exécution libre et très orné de la voix supérieure de certains préludes courts ou interludes liturgiques, ainsi qu'une improvisation libre et très ornée sur un thème donné. Dans les recueils de mus. espagnole pour orgue ou vihuela des XVIe et XVIIe s., gl. est aussi synonyme de → « diferencia », → « tiento », → « ricercare », et adaptation libre d'une autre œuvre. A. de Cabezón, Francisco Fernández Palero, M. de Fuenllana, A. de Mudarra, L. de Narváez, D. Ortiz, D. Pisador, E. de Valderrábano ont écrit des glosas.

Bibliographie — D. ORTIZ, Tratado de gl., Rome 1553, éd. en facs. avec trad. all. par Max Schneider, Berlin 1913, 3/BVK, 1961.

GLOTTE, voir PHONATION.

GLYCONIQUE, voir MÈTRE.

GOLIARDS ou VAGANTES (du lat. vagari, = errer), clercs auteurs de poèmes profanes en latin, mêlé parfois de langue vernaculaire. Qualifiés aux XIIe et XIIIe s. de « discipuli Goliae », ils tirent sans doute leur dénomination de Goliath, associé par analogie à « gola », « gula ». On a voulu les assimiler aux clercs « vagi » — en rupture de ban — qui parcourent l'Europe médiévale. Certains sont lettrés ; détachés des universités, ils sont souvent associés, dans les textes, aux jongleurs laïques. Dans un répertoire fréquemment anonyme apparaissent les noms d'Hugues d'Orléans, dit Primas, de Gautier de Châtillon, de Pierre de Blois, de l' « Archipoeta » et de Philippe le Chancelier. Notée vers 1230, la collection la plus variée de pièces lyriques internationales, les *Carmina Burana* (Munich, Staatsbibl., Ms lat. 4660), présente, à côté de chansons d'amour et de jeux liturgiques, des poèmes satiriques, chansons à boire, chants de « gueule » et chansons de jeux (notamment un « officium lusorum » parodique).

La poésie latine des g. apparaît sous des formes variées : vers métriques d'abord, comme l'hexamètre léonin, à rime interne et coupe penthémimère ; puis rythmiques, comme le vers goliardique de 13 syllabes, en vogue dès le XIIe s. :

« Ánni párte flóridá / caélo púrióre »

soit 7 syllabes avec cadence proparoxytone à la coupe du vers + 6 syllabes avec cadence paroxytone à la fin du vers. Les notations musicales, généralement en neumes non diastématiques et souvent très fragmentaires, doivent être confrontées à des exemplaires plus lisibles. Ainsi W. Lipphardt a-t-il pu, par l'intermédiaire de sources diastématiques (mss. aquitains) ou sur lignes (École de Notre-Dame), déchiffrer et transcrire une vingtaine de mélodies des *Carmina Burana*. Les « contrafacta » sont précieux et sans aucun doute nombreux.

Éditions — J.A. SCHMELLER, Carmina Burana, Stuttgart 1847, 4/Breslau 1904 ; W. MEYER, Fragmenta Burana, Berlin 1901 ; A. HILKA et O. SCHUMANN, Carmina Burana, 2 vol., Heidelberg 1930-41, vol. III, Melodien, éd. par W. LIPPHARDT, en prép. ; K. STRECKER, Die Cambridger Lieder, Berlin 1926 ; K. LANGOSCH, Vagantendichtung, Francfort/M. et Hambourg, Fischer Bücherei, 1963 ; B. BISCHOFF, Carmina Burana, éd. en facs. des Mss. Clm 4660 et Clm 4660a, Brooklyn, Inst. of Mediaeval Music, 1967.

Bibliographie — O. SCHUMANN, Die deutschen Strophen der Carmina Burana, *in* Germanisch-romanische Monatsschrift XIV, 1926 ; H. SPANKE, Der Codex Buranus als Liederbuch, *in* ZfMw XIII, 1930-31 ; O. DOBIACHE-ROJDESTVENSKY, Les poésies des G. ..., Paris 1931 ; W. LIPPHARDT, Unbekannte Weisen zu den Carmina Burana, *in* AfMw XII, 1955 ; du même, Einige unbekannte Weisen zu den Carmina Burana aus der 2. Hälfte des 12. Jh., *in* Fs. H. Besseler, Leipzig, VEB Deutscher Verlag für Musik, 1961.

GONG, disque de métal à rebord courbé vers l'intérieur et dont le centre est souvent muni d'un bulbe. Ce disque est généralement légèrement bombé. Il est frappé d'une mailloche sur l'extérieur. Il peut être suspendu (g. des montagnards d'Indochine, « gong ageng » javanais, etc.), tenu en main (« kempli » balinais), posé horizontalement sur un cadre en bois ou sur des cordes tendues (« kong thom » khmer, « bonang » et « kenong » javanais, « terompong » et « réong » balinais). Pour abaisser la tonalité d'un g., le fondeur lime le bulbe ; pour en élever la tonalité, il lime la surface du plat du gong. Le g. est en principe en bronze ou dans un alliage où le bronze domine. Pour embellir le timbre de certains g., Balinais et Javanais y ajoutent de l'or. Le g. est probablement originaire de l'Asie du Sud-Est ou du sud de la Chine et est en usage depuis l'Antiquité. Il est attesté dans l'iconographie des monuments antiques khmers et javanais. Les minorités montagnardes de la Chaîne

Annamitique ont poussé l'art du g. à sa plus haute perfection ; on y trouve des ensembles de 3, 9, 13, 15 ou 17 g. frappés chacun par un joueur. Ils sont frappés au poing sur la face extérieure lorsqu'il y a un bulbe, sur la face intérieure de l'instrument lorsqu'il est plat. Il semblerait que les civilisations de haute culture de l'Asie du Sud-Est aient adapté ces g. en en faisant des jeux horizontaux sur cadre circulaire ou rectiligne. C'est le cas des « kong vong » et « kong thom » du Cambodge, du Laos, de la Thaïlande et de la Birmanie, ainsi que des « bonang » javanais dont certains sont aussi sur cadre courbe comme ceux du Cambodge (« gamelan », « tjarabalen » du kraton de Surakarta). Les g. peuvent être de dimensions variées, allant de plus d'un mètre de diamètre avec certains « gong ageng » de Java central jusqu'à environ 20 cm (Cambodge, Bali). Les grands centres de forge en Asie du Sud-Est sont à Oudong (Cambodge), où venaient autrefois s'approvisionner les montagnards, Bogor et Semarang à Java et Klungkung à Bali. Au cours de l'histoire, certains g. ont servi de butin de guerre, de tribut, parfois de cadeaux royaux ; c'est le cas p. ex. des g. du sultan de Kelantan (Malaisie), offerts il y a plus d'un siècle par le roi du Cambodge. A cause de la rareté et du coût du métal, les fondeurs se font de moins en moins nombreux. Dépositaires de traditions familiales souvent très anciennes, ils conservent jalousement leurs secrets de fabrication complexes et les formules magiques sans lesquelles ils ne pourraient donner à leurs g. le timbre si difficile à obtenir. Les g. ne furent utilisés en Occident qu'à partir de la fin du XVIIIᵉ s. mais ils entrent de plus en plus fréquemment dans les orchestrations des compositeurs contemporains. — Voir également les art. CAMBODGE, INDONÉSIE, GAMELAN et PINPEAT.

GOPAK (russe), voir HOPAK.

GOSPEL SONG (angl.), voir NEGRO SPIRITUAL.

GRADUEL. 1. Répons qui se chante entre deux lectures de l'avant-messe : après celle de l'Épître. Le nom viendrait — suivant l'explication reçue — de l'usage qui voulait que le soliste exécute ce chant sur les degrés (lat. « gradus ») de l'ambon où se lisait l'Évangile. Selon certains liturgistes, le nom viendrait plutôt du terme « psaumes graduels » ou « cantiques des degrés » (Ps. 119 à 133) d'où le répons gr. aurait été primitivement tiré. Quoi qu'il en soit, les livres notés intitulent la pièce R (« responsorium ») plus souvent que RG (« responsorium graduale »). Le gr. est issu de l'ancien → chant responsorial et il était exécuté jadis par un soliste qui débitait le psaume verset par verset entre lesquels l'assistance insérait la « responsa ». A Rome, cet usage subsistait encore au temps de St Léon, mais il semble qu'après lui le répons, aussi bien à l'office qu'à la messe, soit devenu une pièce ornée. Depuis le concile romain de 595, le gr. n'est plus exécuté par le diacre, comme au temps de St Jérôme, mais par un soliste, qui deviendra bientôt un virtuose de la « Schola cantorum ». Cependant l'ornementation mélodique s'est faite aux dépens du texte, qui se réduit désormais à un seul verset du psaume, à l'exception de certains gr., tel celui de Pâques, qui comptent deux ou plusieurs versets. En

principe, le gr. devrait se chanter comme un répons de l'office, c.-à-d. qu'on devrait reprendre la première partie ou corps du répons après le verset. Ce mode d'exécution est expressément indiqué par certains manuscrits pour le gr. du 24 juin, *Priusquam te formarem*, où cette reprise est d'ailleurs imposée par le sens du texte.

Le chant du gr., très orné, a toujours été réservé aux spécialistes : il ne s'improvise pas. Aux IXᵉ et Xᵉ s., gr. et alleluia étaient souvent copiés dans un recueil de forme allongée, dont la couverture était faite de plaques d'ivoire sculptées : le → « cantatorium ». Le gr. n'est pas composé avec l'absence de règles propre à l'improvisation spontanée. Il comprend habituellement un → timbre musical centonisé au moyen de formules d'intonation, de récitation et de cadence qui s'adaptent suivant des règles précises aux différents textes de graduels. Habituellement, la partie répons du gr. est écrite dans la tessiture grave d'un mode, tandis que le verset se développe à l'aigu : aussi, dans le tonaire de St-Bénigne de Dijon (Montpellier, Faculté de Médecine H 159 = Paléogr. Mus. VII-VIII), les gr. sont classés en protus (mode de *ré*), deutérus (*mi*), etc., sans être assignés au type authente ou plagal de ce mode. Sur 109 gr. qui appartiennent au fonds primitif de l'*Antiphonale missarum* grégorien (*Haec dies*, avec ses 6 versets, n'a été compté que pour 1), on relève la répartition suivante : mode de *ré* (protus), 35 pièces dont 18 du type *Justus ut palma* (ou *Requiem*, qui vient du rituel), modèle du genre responsorial de la messe en raison de la souplesse d'adaptation de ses formules aux différents textes (voir Paléogr. Mus. II-III ; H. Husmann). Ce type de gr. a souvent été comparé au « psalmellus » ambrosien analogue (H. Hucke, Br. Stäblein), mais il faut reconnaître que l'exubérance des vocalises ambrosiennes fait mieux ressortir l'équilibre du genre mélismatique grégorien. Mode de *mi* (deutérus) : un même timbre pour 13 textes. Noter que les parties récitatives de ces gr. doivent être ramenées du *si* (Éd. Vaticane) au *si* (voir Études Grég. I, 1954, p. 34 et ss.). En mode de *fa* (tritus), 44 versets de gr. sont construits sur le même schéma (il y a davantage de variations de la formule type pour le répons). En mode de *sol* (tétrardus), qui compte 16 pièces, la composition est moins formulaire que dans les autres modes. La présence de grandes vocalises dans les versets de répons devait fatalement attirer les compositeurs de prosules, tout comme les répons de l'office : cependant, ce genre de tropes n'a pas connu autant de succès que dans les autres parties de la messe (voir Analecta hymnica XLIX, p. 211 et ss. ; Br. Stäblein). — L'ordre des gr. au cours de l'année liturgique est presque partout le même et n'a pas varié. Il faut cependant remarquer que pour les dimanches ordinaires après la Pentecôte, la série des gr. présente dans les plus anciens manuscrits 4 types différents (R.J. HESBERT, Antiphonale Missarum sextuplex, Bruxelles 1935, p. LXXVI). En outre, d'autres variétés sont apparues par la suite, notamment à Lyon et dans la vallée du Rhône jusqu'en Provence.

D'après l'Ordinaire chartrain du XIIIᵉ s., on chantait avec → organum à la cathédrale de Chartres le gr. des grandes fêtes : *Omnes de Saba* (Épiphanie) *Timete Dominum* (Toussaint), etc. Cet organum était sans doute improvisé. De l' → École de Notre-Dame de Paris il subsiste quelques gr. « organisés » : la mélodie liturgique, traitée en valeurs longues, forme la partie de ténor, sur laquelle les « organistes » brodent des vocalises interminables. Ainsi, l'intonation du gr. de Noël, *Viderunt*, attribuée à Pérotin, compte 167 mesures dans l'édition d'H. Husmann. Au temps de l'Ars Nova, on s'intéressait davantage à l'ordinaire qu'au propre de la messe. Aux XVe et XVIe s., des compositeurs tels que G. Dufay et R. de Lassus ont écrit quelques motets polyphoniques sur le texte des gr. des grandes fêtes (notamment *Haec dies*). Comme composition d'ensemble, il faut citer les *Gradualia* (1605-07) de W. Byrd.

2. Livre qui contient les chants exécutés au cours de la messe, y compris ceux de l' → ordinaire et du → kyriale. Ce terme est récent. A l'origine, les chants réservés au soliste étaient transcrits dans le → « cantatorium » et ceux du chœur dans l' « antiphonarium missae » (voir l'art. ANTIPHONAIRE). On les groupa ensuite dans l' « antiphonarium missae », que l'on appela « liber gradualis ». L'histoire de ce livre se confond avec celle du chant grégorien. Les éditions imprimées à partir de la Médicéenne (1614 et 1615) témoignent d'une décadence qui alla en s'accentuant à mesure que paraissaient de nouvelles éditions publiées dans divers pays d'Europe. Au XIXe s. un mouvement se dessina en faveur d'un retour à la pureté des mélodies grégoriennes. Des tentatives comme celle du père L. Lambillotte (1857), de Th. Nisard (1848 et 1858), de l'édition de Malines (1848), ne pouvaient aboutir. Sous l'impulsion de Dom Pr. Guéranger, abbé de Solesmes, une équipe de moines entreprit de rechercher les manuscrits et de les étudier scientifiquement. L'édition du *Liber Gradualis* de Dom J. Pothier, publiée en 1883, marque le début de la restauration grégorienne. Malgré de nombreuses difficultés suscitées par l'éditeur Pustet, de Ratisbonne, qui jouissait d'un quasi-monopole de l'impression des livres de chant et reproduisait la Médicéenne, les bénédictins purent continuer l'œuvre de restauration. Dom A. Mocquereau publia en 1895 une nouvelle édition du *Liber Gradualis* et en 1903 le *Liber Usualis Missae*, révision du *Liber Gradualis* de Dom J. Pothier. Une édition officielle, dite Édition Vaticane, œuvre de Dom Pothier, fut publiée en 1907 sous le titre *Graduale sacrosanctae Romanae Ecclesiae*. L'étude critique des manuscrits se poursuit.

Bibliographie — 1. O. STRUNK, Some Motets of the 16th Cent., *in* Papers read at the Intern. Congress of Musicology New York 1939, New York 1944 ; J. FROGER, Les chants de la messe au VIIIe et au IXe s., *in* Revue Grég. XXVI-XXVII, 1947-48 ; W. LIPPHARDT, Die Gesch. des mehrstimmigen Proprium Missae, Heidelberg 1950 ; J.A. JUNGMANN, Missarum sollemnia II, Paris, Aubier, 1952 ; H. HUCKE, Graduale, *in* Ephemerides Liturgicae XLIX, 1955 ; du même, Die gregorianischen Gradualweisen des 2. Tons u. ihre ambrosianischen Parallelen, *in* AfMw XIII, 1956 ; H. HUSMANN, Justus ut palma, *in* RBMie X, 1956 ; BR. STÄBLEIN, art. Graduale *in* MGG V, 1956. — 2. V. LEROQUAIS, Les sacramentaires et missels manuscrits des bibl. publiques de France, 4 vol., Mâcon 1924 ; J.A. JUNGMANN, La liturgie de l'Église romaine, Paris, Casterman, 1957 ; Le chant liturgique après Vatican II, Paris, Fleurus, 1965 ; P. COMBES, Hist. de la restauration du cht grég. d'après des documents inédits, Solesmes 1969 ; Coll. La Maison-Dieu, n° 84 La messe paroissiale en 1965, n° 100 La nouvelle liturgie de la messe, n° 103 Le nouveau missel romain, Paris, Éd. du Cerf.

M. HUGLO et M. COCHERIL

GRAIN, partie la plus étroite de l' → embouchure d'un instr. à vent, située au centre et au fond du bassin.

GRAMOPHONE, voir PHONOGRAPHE.

GRAND CHŒUR. 1. Terme désignant, au XVIIe s., le chœur de « tutti », par opposition au chœur des solistes. — **2.** A l'orgue, nom donné, à l'époque romantique, au clavier de → bombardes. — **3.** Registration utilisant toute la puissance de l'orgue (syn. de → tutti).

GRANDE-BRETAGNE (Great Britain). Quoique les premiers témoignages importants de la mus. britannique ne remontent qu'au XIIe s., certaines chansons populaires anglaises tirent leur origine des rites de fertilisation datant de l'époque préchrétienne, la transmission orale en ayant toutefois corrompu la musique aussi bien que le texte. Quelques documents isolés sont tout ce qui concerne les activités musicales de la Grande-Bretagne prénormande. Une école de chant fut fondée en 627 pour répondre aux besoins de la cathédrale d'York ; en 650 l'abbé de Wearmouth, au nord-est de l'Angleterre, fit venir un chantre de la « Schola cantorum » de Rome pour qu'il enseigne à ses moines la musique du rite romain. Le chant grégorien devint obligatoire en Angleterre après le Synode de Whitby (664). Au IXe s., suivant vraisemblablement la tradition lyrique des bardes, le poète Caedmon chantait des récits bibliques. Des variantes du rite romain apparurent en Angleterre médiévale ; le Sarum (Salisbury), en particulier, devint très courant dans l'ensemble des îles Britanniques. Comme bon nombre de variantes locales du Missel et du Bréviaire, le rite Sarum était moins austère, dans sa musique comme dans son texte, que la liturgie romaine, et regorgeait d'hymnes et de séquences.

Le Moyen Age. Dans sa *Descriptio Cambriae* (v. 1150), Giraldus Cambrensis mentionne une coutume galloise qu'il trouve surprenante, le → « gymel » ou chant doublé parallèlement à la tierce ou à la sixte, à des intervalles qui, à cette époque, n'étaient pas tolérés par les compositeurs des premiers « organa ». Cette tradition galloise, apparemment instinctive, semble avoir persisté sous une forme affaiblie dans certaines régions d'Angleterre et d'Écosse.

Les développements de l'art musical dus aux musiciens de St-Martial de Limoges et aux compositeurs de l'École de Notre-Dame à Paris ne tardèrent pas à gagner l'Angleterre. Un manuscrit du XIIIe s. appartenant à la cathédrale de Worcester contient des œuvres de Léonin et de Pérotin, ainsi que des compositions similaires dues selon toute apparence à des compositeurs locaux. Les principaux facteurs de l'évolution musicale tout au long du Moyen Age furent néanmoins la Chapelle royale anglaise et le développement, en Angleterre comme en Écosse, d'institutions musicales liées aux cathédrales et aux monastères.

Au début du XVe s., Henri V (1413-1423) avait à son service 27 chapelains et clercs, et il lui fallait former de petits chanteurs afin de pourvoir les chapelles qu'il possédait en Angleterre et en Normandie. Les musiciens qui l'accompagnèrent à Troyes pour la signature du traité de 1421 impressionnèrent fort les cours de France et de Bourgogne. Le Manuscrit d'Old Hall, recueil de messes et de motets écrits par des compositeurs de la Chapelle royale sous le règne d'Henri V, contient des œuvres de John Burrell, John Cooke, Thomas Damett, Nicholas Sturgeon et

John Pyamour... — L'œuvre de J. Dunstable († 1453), dont la majeure partie fut retrouvée à la fin du XIXᵉ s. grâce à des manuscrits du nord de l'Italie, représente le premier sommet atteint par la mus. anglaise. Dunstable enrichit la musique d'une expression lyrique et fit un libre usage d'éléments harmoniques inhabituels comme l'accord de quarte-et-sixte, préférant toujours, quand il avait le choix, la beauté sonore à la rigueur académique. Dans *Le Champion des Dames* (1437), Martin le Franc célèbre l'adresse avec laquelle G. Dufay et G. Binchois ont su exploiter le style de Dunstable.

La mus. d'église en Écosse est, tout au long du Moyen Age, essentiellement représentée par le livre de musique de Dunkeld et l'Antiphonaire de Scone. Ces ouvrages contiennent le peu de mus. écossaise qui ait survécu à la Réforme. Quoiqu'il ne subsiste aucun témoignage explicite de maîtrises liées aux cathédrales et monastères écossais, on peut penser, d'après les statuts des cathédrales et la musique qui nous reste de cette époque — ses compositeurs étaient manifestement tous familiarisés avec les styles du Continent —, que les réalisations musicales furent d'un niveau élevé.

La Renaissance. Au XVᵉ s. la musique en Angleterre bénéficia encore davantage de la protection royale. Les rois Édouard IV (1461-1483) et Richard III (1483-1485) augmentèrent les effectifs de la Chapelle royale ainsi que le nombre de leurs ménestrels personnels. Henri VIII (1509-1547), compositeur, poète, instrumentiste et chanteur, réduisit le nombre des trompettes et des tambours de cérémonie pour les remplacer par des musiciens de chambre, venus pour certains du Continent. La mus. profane à la Cour se composait essentiellement de chants homophoniques (d'ordinaire à 3 parties) et de brèves pièces instrumentales dont le style se distinguait peu du style vocal. Les ouvrages d'église de cette période présentent une plus grande richesse stylistique. J. Taverner et Chr. Tye, auteurs de messes écrites sur un « cantus firmus » profane (« *Westron Wynd* », chant populaire d'une richesse exceptionnelle), furent formés à l'école de la polyphonie franco-flamande mais leur carrière fut ruinée par la Réforme en Angleterre.

L' « âge d'or » élisabéthain. Le développement considérable de l'activité musicale sous le règne d'Élisabeth Iʳᵉ (1558-1603) accompagne le grand épanouissement de la poésie dramatique et lyrique anglaise. Tout au long de cette période, la musique est en étroite relation avec la poésie. Le style polyphonique reste, en Angleterre, au niveau des chefs-d'œuvre de la Renaissance, alors que, dans le reste de l'Europe, il se fond peu à peu dans le style baroque.

Élisabeth modifia *The Book of Common Prayer*, qui contient la liturgie de la Nouvelle Église d'Angleterre, dans le sens d'un compromis entre extrémistes catholiques et protestants. Elle maintint les institutions musicales liées aux cathédrales, de telle sorte que les compositeurs n'eurent pas à affronter un changement de style musical trop brutal. Th. Tallis (v. 1505-1585), l'un des plus grands maîtres de cette époque, dont le motet *Spem in alium* pour 40 voix réelles est l'un des monuments de l'ère polyphonique, fit ses débuts dans le chœur de l'abbaye de Waltham, dans l'Essex, puis, après la dissolution des monastères (1536-1539), chanta dans le chœur de la cathédrale de Canterbury et devint enfin gentilhomme de la Chapelle royale

(v. 1542), où il resta jusqu'à sa mort, écrivant de la musique pour le rite anglican dans le style qui fut le sien toute sa vie. La première musique écrite pour le culte anglican, œuvre de J. Merbecke (v. 1510-1585), se présentait sans accompagnement et sans harmonisation, dans un style de plain-chant modernisé, chaque note ayant une valeur précise et chaque syllabe n'acceptant qu'une seule note ; toutefois, malgré le peu de goût des autorités anglicanes pour une musique empêchant la compréhension des paroles, l'austérité de Merbecke ne devint pas la norme.

La polyphonie élisabéthaine garde un caractère anglais en utilisant de fausses relations et des excentricités harmoniques semblables à celles exploitées par les compositeurs de la période précédente pour leur valeur expressive. La façon dont elle traite le texte littéraire respecte à la fois la valeur musicale et la valeur rythmique des mots. Le madrigal anglais et les formes plus humbles comme le → « ballett » et la → « canzonette » sont l'exemple d'une alliance particulièrement réussie entre le style vocal importé d'Italie et la nouvelle poésie lyrique anglaise. La formule de W. Byrd (1543-1623) décrivant ses « ayres » comme « modelés à la vie des mots » peut s'appliquer à l'ensemble de la production vocale, considérable, écrite entre 1571 — date de la publication des *Songs for 3, 4 and 5 voyces* de Th. Whythorne (1528-1596), qui marquent le début de l'ère du madrigal élisabéthain — et la mort de Th. Tomkins (1572-1656), qui en a marqué la fin tardive. Dans *The Triumphs of Oriana*, anthologie de madrigaux écrite en l'honneur de la reine et éditée en 1603, se trouve une œuvre à 6 voix de Th. Weelkes (v. 1576-1623), *As Vesta was from Latmos hill descending* : les thèmes naissent du souci d'illustrer des mots désignant des mouvements ascendants et descendants, ou d'exprimer des images comme celle d'un rassemblement de foule, « d'abord deux par deux, puis trois par trois ».

L' → « ayre » pour voix seule avec accompagnement de luth, dont la vogue commence avec le *First Book of Ayres* de J. Dowland en 1597 et disparaît en 1622, exprime de la même façon le sens du poème qui lui sert d'argument. Les chansons pour voix seule de W. Byrd sont écrites dans un style entièrement madrigalesque avec accompagnement d'un → « consort » de cordes ; en revanche la chanson au luth, dont la mélodie a souvent un attrait aussi immédat que la chanson populaire, reste très soucieuse de suivre les implications des paroles et de les traduire en musique. Dans les « ayres » de J. Daniel et J. Dowland, la voix s'empare souvent d'une mélodie qui ne connaît ni répétitions ni strophes ; elle est soutenue par un accompagnement polyphonique confié au luth, où se trouve condensée toute la complexité polyphonique du madrigal.

Luthiste virtuose au service de Christian IV de Danemark de 1598 à 1606, J. Dowland compose pour son instrument, selon la forme des danses courantes ou de la « fancy », des pièces aussi inoubliables que ses œuvres vocales. Virtuose du clavier de réputation européenne, J. Bull écrit des pièces très brillantes pour son instrument, en utilisant souvent, comme Byrd, la forme primitive de la variation où, à chaque reprise du thème, l'ornementation se fait plus riche. La fantaisie et l' → *In Nomine* conviennent aussi bien au clavier qu'au « consort » de cordes ou cordes et vents mélangés. Alors que les formes de la mus. de clavier sont déterminées par l'instrument, la musique pour « consort » doit s'affranchir du style vocal ; les premiers compositeurs tiennent beaucoup à présenter leurs œuvres comme « se prêtant aux voix comme aux violes ». Parmi les recueils d'œuvres pour cordes publiés en 1597 et 1599 par A. Holborne († 1602) et son frère William, certaines, comme chez Th. Morley (1557?-1603?) et Ph. Rosseter (1568?-1623), semblent avoir été destinées au théâtre.

Aucune de ces pièces ne fut écrite pour des occasions ou des interprètes précis. Presque tous les grands compositeurs furent membres de la Chapelle royale. Leur adhésion leur assurait prestige et salaire sans exiger en retour de compositions nouvelles. La mus. élisabéthaine était destinée au grand public et l'atteignait par les publications. Des faits faciles à vérifier révèlent à cette époque un niveau remarquable de la vie musicale. Entre 1560 et 1600, on publia plus de 120 manuels à l'usage des chanteurs amateurs. Le plus célèbre d'entre eux, *A Plaine and Easie Introduction to Practicall Musick* de Th. Morley, se présente sous forme de dialogues entre un professeur et un élève adulte, socialement défavorisé pour ne pas savoir tenir une partie dans les madrigaux chantés après dîner. La plupart des œuvres de Byrd, y compris des messes, des motets en latin et des *Gradualia*, furent imprimées en vue d'un usage privé puisqu'elles ne pouvaient être chantées à l'église. L'« ayre » pour luth a survécu en grande partie grâce aux publications ; le *Third and Last Booke of Ayres* (1603) de J. Dowland fut vendu à 1 000 exemplaires, en dépit de la complexité technique des accompagnements. On pouvait se procurer de la musique imprimée pour « consort » dès le tournant des xvi⁰ et xvii⁰ s., et, vers 1612, parut « la première musique jamais imprimée pour le virginal », *Parthenia*, un recueil d'œuvres de W. Byrd, J. Bull et O. Gibbons, entre autres.

Cette musique contient peu de signes annonciateurs du déclin de la polyphonie et de l'approche du style baroque. Malgré le développement du « verse anthem » (voir l'art. ANTHEM) en une forme dialoguée entre la voix soliste et son accompagnement propre (d'ordinaire des cordes) d'une part, et le chœur complet soutenu par l'orgue d'autre part, on ne trouve pas de contraste de structures (homophonie contre polyphonie) qui ferait penser au baroque. La mélodie déclamée des chansons de J. Dowland ne ressemble en rien au récitatif. Le seul facteur de nouveauté à la fin de l'ère élisabéthaine est le développement du → masque, analogue au ballet de cour, alliant paroles, chant, danse et spectacle scénique à effets. Divertissement préféré de la cour de Jacques I⁰ʳ (1603-1625), ce genre est illustré par Th. Campian (1567-1620), dont les masques maintiennent le style élisabéthain traditionnel, J. Coperario (v. 1575-1626) qui, en italianisant son nom (Cooper), manifeste sa volonté d'adhérer au nouveau style italien, A. Ferrabosco le Jeune (1575-1628), N. Lanier (1588-1666), issu d'une famille de musiciens français établis en Angleterre, et H. Lawes, dont la musique, dans ses chansons comme dans ses masques, subit l'influence de la monodie italienne.

Commonwealth et Restauration. La période du Commonwealth (1649-1660) et l'interruption temporaire de la monarchie abolirent les institutions musicales liées à l'église et mirent le théâtre hors la loi. De nombreuses orgues quittèrent les églises pour devenir la propriété de taverniers qui aménagèrent des salles de musique pour divertir leurs clients. Charles II (1660-1685), qui monta sur le trône après son exil en France, encouragea ses musiciens à adopter les styles français et italien. Dès la reconstitution de la Chapelle royale, parallèle à celle des chœurs des cathédrales, et la réorganisation de son ensemble personnel, il envoya certains de ses musiciens faire des études à l'étranger : notamment P. Humfrey (1647-1674) et J. Banister (1630?-1679), chef des « 24 violons » créés pour faire concurrence à l'orchestre de Lully. L'« anthem » fut le genre le plus affecté par ses tentatives de modernisation. Il devint une courte cantate baroque avec accompagnement orchestral, comprenant des passages pour voix seule dans le style de l'« arioso » et faisant alterner des parties opposées par leur style, leur structure et leur intensité. — Retrouvant avec ses droits un public plus riche mais moins important, le théâtre intégra le masque afin d'enrober l'action dramatique d'un commentaire musical ambitieux. Chaque acte se terminait dans un style tenant de l'opéra autant que du théâtre, qui aurait pu devenir un style d'opéra spécifiquement anglais. — Les compositeurs de mus. instrumentale s'appliquèrent à concilier la fantaisie traditionnelle avec la nouvelle sonate en trio. Les *Sonates pour 2 violons et une basse avec basse continue* publiées par J. Jenkins (1592-1678) en 1660 et ses fantaisies à 5 parties ne diffèrent que par de menus détails. Quant à H. Purcell (1659-1695), il composa à la fois des fantaisies traditionnelles et de véritables sonates en trio. Le madrigal et les formes qui s'y rattachent furent abandonnés pour le → « catch », apprécié en fonction de l'effet souvent comique — parfois obscène — produit par l'enchevêtrement des voix. Mais le déclin de la pratique musicale domestique est dû en partie à l'apparition du concert public inventé par J. Banister en 1672. Les concerts rapportaient tant que ce furent des musiciens qui dotèrent Londres de sa première véritable salle de concert à la fin des années 70.

La nouvelle Chapelle royale produisit de nombreux musiciens parmi lesquels J. Blow (1649-1708), J. Clarke (v. 1673-1707) et H. Purcell. *Venus and Adonis* de J. Blow est l'une des premières œuvres indiquant l'orientation du véritable opéra anglais, en ce sens qu'elle renonce au récitatif « secco » en faveur d'un « arioso » de forme libre. Mais c'est la figure de Purcell qui domine tous ses contemporains ; sa musique, particulièrement expressive, se renouvelle constamment et se révèle, sur le plan technique, à la fois solide et audacieuse. Ses odes, écrites pour des cérémonies officielles ou publiques, développent un style choral dense mais souple qui rappelle la polyphonie massive du passé. Quand il utilise un texte, il respecte toujours le rythme de la langue. Son emploi des fausses relations et ses hardiesses dans l'écriture à plusieurs parties produisent des dissonances très piquantes. Son *Didon et Énée* (1690 ?) est l'un des opéras anglais les plus remarquables : le livret choisi lui permet d'éviter le récitatif au profit d'une musique d'une expression mélodique constante. Ses masques et ses → « semi-operas » — destinés à être insérés dans les pièces de théâtre de cette époque — sont de la même valeur, et ses innombrables chansons vont de la plus sensible à la plus enthousiaste. Chez Purcell, la richesse inventive de la mélodie s'accorde à la rigidité des formes dans lesquelles elle se coule. C'est ainsi qu'il put écrire à partir d'une basse contrainte ses pages les plus mélancoliques, les plus éloquentes et les plus solennelles.

Le XVIIIᵉ siècle. Après la mort de Purcell, la tradition anglaise se maintint dans des opéras sans prétention qui étaient parfois entièrement chantés, parfois entrecoupés de dialogues parlés et parfois composés de chansons populaires dotées de nouvelles paroles (→ « ballad operas »). Celle de la mus. d'église anglaise fut poursuivie par M. Greene (1695-1755), W. Boyce (1710-1779) et S. Wesley (1766-1837) — neveu du réformateur religieux — et son fils, Samuel Sebastian (1810-1876). Le « catch » fut remplacé par le → « glee », chant à plusieurs voix d'hommes, négligé au XXᵉ s. Cette charmante mus. de société compte parmi ses auteurs J.W. Callcott (1766-1821), W. Horsley (1774-1858), Richard Stevens (1757-1837) et les deux S. Webbe, père (1740?-1816) et fils (1770-1843).

Les concerts londoniens du début du siècle étaient assurés par des musiciens locaux dont le répertoire comprenait des concertos baroques, notamment ceux de Corelli et de Haendel — qui, pour plaire au public anglais, modela son style sur celui de Corelli — ainsi que des ouvertures d'opéras et d'oratorios de Haendel et d'autres compositeurs, souvent des Anglais. Telle fut la formule des concerts assurés par les semi-amateurs des « Music Clubs » de province pendant une bonne partie du siècle. Arrivé en Angleterre en 1762, J.Chr. Bach se tourna, avec C.Fr. Abel, vers les concerts londoniens qu'il estima plus rentables. Son succès éveilla l'intérêt du public pour les symphonies et concertos préclassiques, de sorte que la mus. de concert devint finalement l'apanage des instrumentistes et compositeurs étrangers. Les « concerti grossi » de Ch. Avison (v. 1710-1770), J. Stanley (1713-1786) et Richard (?) Mudge sont des œuvres pleines d'invention, de liberté et de conviction.

G.Fr. Haendel, dont l'influence sur la mus. anglaise dura longtemps après sa mort, arriva en Angleterre en 1712 pour répondre à la soif d'opéras italiens d'un certain public aristocratique. Quelques compositeurs avaient déjà essayé d'adapter cette forme aux paroles et au style anglais, notamment Th. Clayton (* v. 1670) dont l'*Arsinoe, Queen of Cyprus* (qu'il décrit comme « un opéra dans le style italien, entièrement chanté ») eut quelque succès, en dépit de l'opposition irréductible des Anglais au récitatif à l'italienne, tandis que sa *Rosamund*, écrite sur un livret de Joseph Addison, fut un échec complet. Haendel, qui composait dans le style italien sur des livrets italiens, devint directeur d'une nouvelle institution : l'Académie royale de musique, qui débuta en 1720 et fut dissoute 8 années plus tard. Jusqu'en 1740 il fut son propre impresario et se battit contre des rivaux ayant souvent de gros atouts financiers pour conserver à ses opéras un public peu nombreux mais d'un niveau social très élevé. Las de ses échecs, il se tourna enfin vers l'oratorio anglais, forme qu'il créa en gardant les éléments fondamentaux de l'opéra du XVIIIᵉ s. et en supprimant ce qu'il y avait de plus artificiel dans ses conventions baroques. Les drames qu'il tira des récits les plus connus de l'Ancien Testament (*Le Messie* est son oratorio le moins typique en ce sens qu'il est une méditation et non un drame) lui assurèrent un public nombreux, d'un niveau social moyen, qui n'aimait pas

l'opéra. J. A. Hasse, J. Chr. Bach et Chr. W. Gluck, parmi d'autres, travaillèrent également à Londres, mais il était difficile d'y vivre de l'opéra. — Quelques chansons sont tout ce qu'on a retenu de la mus. de théâtre anglaise de Th. Arne (1710-1778), Ch. Dibdin (1745-1814), W. Shield (1748-1829)... Arne eut assez d'ambition pour tenter, avec son *Artaxerxes*, de rétablir l'opéra à l'italienne sur texte anglais mais la plupart de ses œuvres, comme celles des autres compositeurs de théâtre, font place à des dialogues parlés. Si toutes ces œuvres sont aujourd'hui oubliées, bon nombre d'entre elles ont, à défaut d'ambition, beaucoup de charme et d'élégance.

Vers la fin du XVIIIᵉ s., la mus. anglaise était tributaire des modèles du Continent ; l'adaptation libre d'opéras français ou italiens, pratiquée par des compositeurs comme H. Bishop (1786-1855), détourna les musiciens du théâtre. Haendel éclipsa les compositeurs de mus. chorale, et le succès des concerts de J.Chr. Bach fut suivi de celui, plus éblouissant encore, de J. Haydn entre 1791 et 1795. La Société philharmonique (actuellement Royal Philharmonic Society), fondée en 1813, est due à des musiciens anglais et continentaux partageant la même admiration pour Beethoven. Les musiciens anglais finirent ainsi par croire que la voie du salut se trouvait dans l'imitation des grands maîtres du Continent. Certains érudits, tel Ch. Burney (*General History of Music*, 1776-89), eurent tendance à dénigrer Byrd, Tallis et Purcell par rapport aux compositeurs étrangers de la 2ᵈᵉ moitié du XVIIIᵉ s., si bien que la mus. anglaise se mit à nourrir un complexe d'infériorité presque incurable.

Le XIXᵉ siècle. Décrire l'Angleterre du XIXᵉ s. comme le « pays sans musique » est assez injuste. La pratique du concert se maintint et de nouvelles institutions musicales se développèrent. L'Académie royale de musique, premier conservatoire britannique, ouvrit ses portes en 1822. La Nouvelle Société philharmonique fut fondée en 1851 en réaction contre le conservatisme musical et la sélection sociale pratiqués par la Société philharmonique de Londres. Dans toutes les zones industrielles, des sociétés chorales se développèrent à l'instigation des employeurs et souvent des autorités locales, qui y voyaient le moyen d'élever le niveau de la classe ouvrière. Ces sociétés eurent le même enthousiasme que la classe dirigeante pour les oratorios de Haendel et de Mendelssohn, de Spohr et de Gounod, de telle sorte que la musique en Angleterre fut bientôt très étroitement liée au courant de réforme morale. Les ensembles de cuivres furent encouragés par les employeurs et devinrent très populaires. — La Société philharmonique de Liverpool fut fondée en 1840. En 1849 les Gentlemen's Concerts de Manchester — dont l'origine remontait à plus d'un siècle — choisirent pour chef le pianiste allemand Ch. Hallé. Ami de Berlioz et de Liszt, il forma en 1858 l'orchestre entièrement professionnel qui porte son nom. L'Orchestre Hallé donna des concerts réguliers à Manchester ainsi qu'à Bradford et à Sheffield, et fut en fait l'orchestre des Concerts philharmoniques de Liverpool jusqu'à la 2ᵈᵉ Guerre mondiale. — L'aptitude des Gallois à chanter et la richesse de leur mus. populaire encouragèrent la création de chorales au sein des populations qui affluaient dans la zone industrielle au sud du Pays de Galles. Les → « Eisteddfoddau » — concours de musique et de poésie traditionnels — prirent une place de plus en plus grande dans la vie des ouvriers. — En Écosse, où, depuis le XVIIIe s., les concerts étaient chose courante à Édimbourg et Glasgow, furent fondés en 1803 les Concerts Reid. La Gentlemen's Musical Society de Glasgow, qui existait déjà en 1780, devint en 1799 les Gentlemen's Subscription Concerts. La Choral Union de Glasgow fut constituée en 1843 et son orchestre en 1884. En 1891 fut créé l'Orchestre écossais — aujourd'hui Orchestre national écossais.

Les compositeurs gallois s'efforcèrent d'écrire pour les chœurs de leur pays et leur musique se développa en vase clos. Les Écossais étendirent leur cercle d'activité en Angleterre, où les compositions britanniques avaient plus de chance de succès. La première apparition de Mendelssohn à Londres, en 1829, et la première exécution de son oratorio *Paulus* (1836) donnèrent à la mus. britannique une nouvelle orientation en accord avec les préjugés sociaux de l'ère victorienne. Les compositeurs qui ne suivirent pas l'exemple de Mendelssohn — celui-ci était avant tout pour le public britannique l'auteur de *Paulus*, d'*Elias* et du *Lobgesang* — travaillèrent davantage en Europe que dans leur pays natal. M. Balfe (1808-1870) se fit connaître en Italie avant de pouvoir attirer l'attention de ses compatriotes. Henry Hugh Pierson (1815-1873) s'installa définitivement en Allemagne, où il composa pour les théâtres.

L'activité des sociétés chorales et la conviction que le compositeur se devait de contribuer à l'édification morale limitèrent le choix des sujets. A l'aise dans la mélodie lyrique et l'écriture académique, les musiciens étaient cependant rarement qualifiés pour aborder l'épopée biblique ou la méditation religieuse. Le compositeur le plus important du début de l'ère victorienne fut W. S. Bennett (1816-1875). Il étudia à Leipzig sous la protection de Mendelssohn et sa musique suscita l'enthousiasme de Schumann. Après 1856 le pédagogue et le chef d'orchestre l'emportèrent sur le compositeur. D'un charme contenu, ses œuvres sont étonnamment conservatrices quant à leur harmonie et leur orchestration. Des compositeurs postérieurs, nettement conservateurs, tel G.A. Macfarren, furent éclipsés par le succès populaire de Ch. Gounod, qui vécut en Angleterre de 1871 à 1875 et orienta la musique de la fin de l'ère victorienne vers la sentimentalité.

Les opérettes de A. Sullivan (1842-1900), écrites sur des livrets de W.S. Gilbert, témoignent d'une sensibilité plus sincère que la plupart des œuvres de la même période. Chez lui, l'invention mélodique, l'élégance de la vitalité rythmique et orchestrale ainsi que le don de la parodie sont liés au sens de l'effet théâtral, mais ses oratorios, écrits pour les grands chœurs de Londres et ceux de province, souffrent de cette idée reçue du XIXe s. selon laquelle il suffisait que la mus. religieuse soit techniquement correcte et inspirée de Haendel.

Le renouveau musical anglais. Vers la fin du XIXe s., l'intérêt des publics anglais s'était étendu à d'autres perspectives, importées par des musiciens comme H. Richter et G. Henschel. Un intérêt croissant pour le folklore poussa Cecil Sharp (1859-1924) à entreprendre la première collection scientifique des chansons populaires anglaises et finit par influencer les créateurs du début du XXe s. La musique de H. Parry (1852-1918) et Ch.V. Stanford (1852-1924)

offre des perspectives plus larges que celle de leurs prédécesseurs. Ils exercèrent tous deux une grande influence par leur enseignement au Collège royal de musique (créé à Londres en 1883 en réaction contre le conservatisme de l'Acad. royale de musique). En 1893 Ch. Hallé fonda le Collège royal de musique de Manchester, où l'enseignement profita de sa largesse d'esprit. L'apparition de nouveaux compositeurs reconnus au-delà des frontières délivra les Anglais de leur complexe d'infériorité.

E. Elgar (1857-1934) composa de la mus. de salon plaisante et des œuvres chorales vigoureuses pour les festivals de province, jusqu'au jour où ses *Enigma Variations* (1899) remportèrent un succès spontané à Londres. Dès lors et jusqu'en 1918, il produisit une série de chefs-d'œuvre : 2 *Symphonies*, des *Concertos* pour violon et pour violoncelle, 3 grands oratorios et de nombreuses œuvres orchestrales. Influencé par le romantisme finissant, Elgar sut se forger une écriture personnelle dont il usa avec une impressionnante science de l'orchestration. — La musique de Fr. Delius (1862-1934) n'a d'autre raison que l'expression de l'émotion, souvent une extase panthéiste. Quoique *The Mass of Life* (1904-05) pour solistes, chœur et orch., écrite sur des passages de *Ainsi parlait Zarathustra* de Nietzsche, atteigne une ampleur monumentale, toute la puissance de Delius réside dans le lyrisme de sa mélodie et d'une harmonie qui en est le prolongement chromatique. — L'œuvre de R. Vaughan Williams (1872-1958) est marquée surtout par la chanson populaire et par la musique de l'époque Tudor : témoin sa *Messe en sol* pour chœur à 8 voix, qui se rattache à cette tradition mais avec une grande liberté harmonique. Ses œuvres postérieures peuvent être d'une expression si directe qu'elle en devient presque brutale. Sa production, très abondante, comprend des opéras, des oratorios, 9 *Symphonies*, des *Concertos* et de la musique de tous les genres, souvent destinée à des amateurs. — G. Holst (1874-1934) rompit de façon décisive avec les styles conventionnels du Continent pour développer une écriture très personnelle. Fondée sur le folklore anglais et sur un sens aigu du rythme verbal, elle tend à suivre les implications logiques des lois harmoniques jusqu'à l'âpre dissonance. Le nom de Holst demeure lié à une suite, *The Planets*, et à une œuvre chorale, *The Hymn of Jesus*, où se mêlent le plain-chant, des lignes contrapuntiques en discorde et d'étranges rythmes de danse asymétriques. — La diversité de production caractéristique de ces compositeurs se retrouve dans les œuvres de Fr. Bridge (1879-1941) et de J. Ireland (1879-1960). Le premier écrivit dans tous les genres, à l'exception de la mus. vocale ; les mélodies et les œuvres pour piano d'Ireland sont d'une qualité et d'une originalité exceptionnelles. A. Bliss (* 1891) fut l'un des premiers en Angleterre à accepter les œuvres de Stravinski et de ses contemporains après la 1re Guerre mondiale mais il retomba mollement dans un romantisme expressif.

W. Walton (* 1902) se fit connaître à l'âge de 20 ans comme l'auteur de *Façade*, divertissement consistant à l'origine en une lecture rythmée de poèmes d'Edith Sitwell, accompagnée par un petit groupe instrumental. La musique, pleine d'esprit, parfois de nostalgie, se présente comme une série de parodies de danses très diverses (nationales, traditionnelles ou issues des dancings des années 20). Elle s'est popularisée sous la forme d'un ballet pour grand orchestre. Dans ses *Concertos* pour alto, pour violon et pour violoncelle, ses deux *Symphonies*, dans une œuvre chorale, *Belshazzar's Feast*, et dans ses opéras *Troilus and Cressida* et *The Bear*, Walton se montre enclin à une douceur romantique sans craindre les audaces. Issues d'une plume élégante, prompte à l'esprit comme à la colère, voire à la férocité, ses mélodies sont d'une richesse inépuisable. Ses œuvres plus récentes offrent une grande intensité rythmique et le souci de faire revivre des formes traditionnelles. — L'œuvre de M. Tippett (* 1905) est le fruit d'une lente maturation. Deux *Quatuors à cordes* d'une grande complexité rythmique précèdent son *Concerto* pour double orch. à cordes (1939), sa première œuvre maîtresse. Dans son oratorio *A Child of Our Time* (1941), il atteint à des effets puissants avec une grande simplicité de moyens. Son œuvre comprend en outre des opéras, 3 *Symphonies*, 2 intéressantes *Sonates* pour piano et une partition chorale, *The Vision of St. Augustine*. — Confiée à des ensembles de formation réduite et très originale, la musique que B. Britten (* 1913) écrivit avant l'âge de 20 ans révèle une sûreté technique remarquable. Dans les cycles de mélodies qu'il composa dans les années 40, il sut maîtriser la diction poétique non seulement de l'anglais (*Our Hunting Fathers* et *On this Island*) mais aussi du français (*Les Illuminations*, poèmes de Rimbaud) et de l'italien (*Seven Sonnets of Michelangelo*). Sa *Sérénade* pour ténor, cor et cordes témoigne de son adresse à écrire de très belles lignes vocales et à manier un vocabulaire harmonique aboutissant parfois à une synthèse du système diatonique et du sérialisme. Des œuvres orchestrales (*Concertos* pour piano et pour violon, *Variations on a Theme by Fr. Bridge*, *Sinfonia da Requiem*, etc.) ainsi que 2 *Quatuors à cordes* précèdent son premier opéra *Peter Grimes* (1945). Créateur de l'opéra moderne anglais, l'éventail de ses ouvrages dans ce genre va de l'opéra de chambre aux partitions importantes avec chœur et grand orchestre, en passant par deux opéras pour solistes adultes et enfants et trois autres écrits dans le style du « nô » et destinés à l'église. C'est peut-être quand il utilise un texte que Britten réussit le mieux : sa *Spring Symphony* et son *War Requiem* ont un impact immédiat sur le public. Les premiers compositeurs anglais qui adoptèrent le système dodécaphonique furent E. Lutyens (* 1906) et H. Searle (* 1915). La musique de Lutyens, raffinée, est sage et contenue. L'œuvre de Searle — un spécialiste de Liszt — est au contraire très émotive et romantique. P. R. Fricker (* 1920), élève de M. Seiber, adapte dans 2 *Symphonies*, des œuvres pour piano et de mus. de chambre des procédés sériels à une écriture influencée par B. Bartók. M. Arnold (* 1921) a beaucoup écrit : des *Concertos* pour différents instruments, des suites de danses et 8 *Symphonies*, toutes empreintes d'un grand élan rythmique et d'un sens profond de l'orchestre. Sa musique adopte un style et une expression populaires dans le souci d'une communication directe avec l'auditoire. — Avec cette même préoccupation, M. Williamson (* 1931), compositeur prolifique d'origine australienne, a écrit des mélodies, de la musique pour orgue, de la mus. d'église catholique, des pièces pour enfants, de la mus. d'orchestre et des opéras

(*Our Man in Havana*, *The Violins of St. Jacques* et *The Dream Play* de Strindberg) sur des livrets originaux. Plus traditionnel, Nicholas Maw (* 1935) fit bénéficier l'opéra (*The Rising of the Moon*) de ses dons mélodiques révélés dans *Nocturne* pour voix et orchestre. La musique de Gordon Crosse (* 1937) est plus complexe ; sans perdre en intensité émotive, elle se simplifie parfois pour se rendre accessible aux chœurs d'enfants (*Meet my Folks*) ou d'amateurs adultes (*Changes*, cantate) ; ses opéras, *Purgatory* (d'après W. B. Yeats) et *By the Grace of Todd*, ont rencontré quelque succès. — Élève de P. Boulez et excellent pianiste de jazz, R.R. Bennett (* 1936) a écrit pour les enfants des pièces pour piano et un opéra *All the King's Men*. Ses autres opéras, *The Ledge* et *The Mines of Sulphur*, sont rudes, denses, extrêmement dissonants mais d'un effet théâtral certain. Dans ses œuvres récentes (une *Symphonie*, des *Concertos* pour piano et pour alto), son style, plus détendu, est d'un attrait plus immédiat.

Certains compositeurs sont difficiles à classer. Presque entièrement oublié, Havergal Brian (1876-1973) passa, en plus de 30 *Symphonies* et nombre d'opéras, d'une expansivité plus que mahlérienne à une concision et une sévérité extrêmes. La musique de A. Rawsthorne (1905-1972) est toujours lucide et réfléchie, mais semble n'avoir jamais cherché à dépasser les limites de sa sensibilité. Celle d'E. Maconchie (* 1907) — en particulier sa mus. de chambre — est intéressante, d'un abord facile, de même que celle de Th. Musgrave (* 1928), qui sait maîtriser le grand orchestre et s'intéresse aux formes traditionnelles. E. Rubbra (* 1901) se tient à l'écart des tendances et des tâtonnements stylistiques actuels. Ses œuvres chorales et orchestrales sont très éloquentes, baignées de couleurs discrètes mais heureuses, et empreintes de mysticisme. Dans ses 8 *Symphonies* il parvient à une réconciliation, souvent réussie, des formes symphoniques avec un mode d'expression instinctivement polyphonique. — A. Bush (* 1900) n'a pas encore trouvé de publics qui soient d'accord avec sa musique. Il était déjà un professeur influent quand ses premières œuvres révélèrent une écriture moderne sans contrainte. Partisan de nombreuses thèses du réalisme socialiste, il entreprit après la 2ᵈᵉ Guerre mondiale de simplifier son style pour servir ses convictions idéologiques. Si elle comprend des opéras qui ont une signification politique et qui furent représentés en Allemagne de l'Est, son œuvre relève toujours d'une écriture puissante, capable de gagner un public non initié ou indifférent aux doctrines de Bush.

Les trois compositeurs les plus représentatifs de la mus. d'avant-garde firent leurs études ensemble au Collège royal de musique de Manchester. Durant le temps qu'il enseigna à la Cirencester Grammar School, Peter Maxwell Davis (* 1934) écrivit pour ses élèves une musique fraîche et expressive, dans un style simplifié. Influencé par la mus. du Moyen Age et de la Renaissance, il en utilisa les éléments stylistiques pour en faire des parodies où ils voisinent avec le fox-trot des années 20. Son opéra *Taverner* est une exploration de l'écriture musicale et de la technique théâtrale expressionniste. A. Goehr (* 1932) est un personnage moins excentrique dont les œuvres sont dictées par une logique qui déçoit rarement. Son opéra *Arden must die* fut créé à Hambourg. Harrison

Birtwistle (* 1934) est le plus éloigné de toute convention, bien qu'on retrouve chez lui quelque chose de l'intemporalité caractéristique d'O. Messiaen. Son œuvre semble souvent rechercher des effets originaux plutôt qu'une écriture réfléchie et cohérente. — Roger Smalley (* 1943) se fit connaître avec sa *Mass for 16 solo voices*. Il est devenu le principal illustrateur en Angleterre des théories de K. Stockhausen. — John Tavener (* 1944) recherche une expression directe dans un style qui est une synthèse de procédés de l'avant-garde, de mélodies d'hymnes victoriennes, de formules de la musique pop, ainsi que d'éléments de la mus. populaire comme les comptines. Tim Souster s'occupe presque exclusivement de mus. électronique tandis que Cornelius Cardew suit l'enseignement de J. Cage.

Depuis la 2de Guerre mondiale s'est développé au sein du peuple gallois, parallèlement à la Welsh National Opera Company, un intérêt musical débordant le cadre du folklore traditionnel. Le seul orchestre ayant une activité régulière est toujours la BBC Welsh Orchestra, qui joue également en dehors des studios d'enregistrement. Grace Williams (* 1906), Daniel Jones (* 1912) — auteur d'un opéra, de nombreuses œuvres chorales et de symphonies — et A. Hoddinott (* 1929) ont écrit une musique pleine de vie qui va au-delà du langage traditionnel gallois.

Les institutions musicales actuelles. La BBC entretient le BBC Symphony Orchestra de Londres et des orchestres similaires dans chaque centre de province (Manchester, Cardiff et Glasgow), ainsi que l'Academy of the BBC, petit ensemble destiné à permettre à de jeunes instrumentistes professionnels d'acquérir l'expérience de l'orchestre. A Londres jouent le BBC Symphony Orchestra (dir. P. Boulez), le London Symphony Orchestra (dir. André Previn), le London Philharmonic Orchestra (dir. Bernard Haitink), le New Philharmonia Orchestra et le Royal Philharmonic Orchestra (dir. Rudolf Kempe †). Des concerts de mus. de chambre réguliers sont assurés par l'English Chamber Orchestra, le Philomusica of London, les London Mozart Players (dir. Harry Blech) et l'Academy of St. Martin in the Fields (dir. Neville Marriner). Le London Sinfonietta (dir. David Atherton) est spécialisé dans les œuvres nouvelles et complexes. — En province, le Hallé Orchestra (dir. James Loughran) et le Royal Liverpool Philharmonic Orchestra (dir. Sir Charles Groves) ont un grand rayonnement autour de leur point d'attache. De même, le City of Birmingham Symphony Orchestra (dir. Louis Frémaux) donne de nombreux concerts en dehors de sa ville d'origine, tandis que le Bournemouth Symphony Orchestra et le Bournemouth Sinfonietta qui en est issu se font entendre dans tout le sud-ouest de l'Angleterre. Le Northern Sinfonietta, ensemble approprié à l'exécution des symphonies de Haydn et de Mozart, a pour centre d'activité Newcastle mais il joue dans tout le nord-est du pays. Le Scottish National Orchestra, (dir. Alexander Gibson) joue régulièrement à Édimbourg et à Glasgow mais se déplace aussi dans les plus grandes villes d'Écosse.

Les opéras sont donnés à Londres par la Royal Opera Company (dir. musicale Colin Davis) au Covent Garden Theatre, où l'on peut entendre les opéras du répertoire avec des distributions internationales. L'English National Opera Company (dir. musicale Charles Mackerras) joue également les œuvres du répertoire, en anglais, au Coliseum Theatre. Il y a une saison d'opéra d'été à Glyndebourne, dans le Sussex (dir. musicale John Pritchard), avec, là aussi, la contribution d'artistes internationaux. Le Scottish Opera (dir. musicale Alexander Gibson) organise des saisons d'été à Édimbourg, à Glasgow et dans les principales villes d'Écosse, suivi dans son exemple par le Welsh National Opera Company.

Parmi les ensembles de chambre établis à Londres mais qu'on entend dans tout le pays, citons le Melos Ensemble, le Vesuvius Ensemble et les Fires of London (dir. Peter Maxwell Davies), ce dernier spécialisé dans les créations de l'avant-garde. L'Amadeus String Quartet et l'Allegri String Quartet sont tous deux connus au-delà des frontières. Divers groupes sont spécialisés dans la musique du passé, comme le Monteverdi Choir and Orchestra (dir. John Eliot Gardiner), le H. Schütz Choir of London (dir. Roger Norrington) et le Deller Consort (dir. Alfred Deller). L'Academia Monteverdiana (dir. D. Stevens) organise des concerts à Londres en été et des sessions musicologiques à New York en hiver. Parmi les chefs qui ne sont pas liés à un orchestre, il faut citer Sir Adrian Boult (* 1889), qui créa le BBC Symphony Orchestra.

Les études musicologiques se font sous la responsabilité de la British Musical Association. Les universités assurant des cours menant à des diplômes en musique sont celles d'Oxford, Cambridge, Londres, Durham, Manchester, Sheffield, Southampton, Birmingham et York, l'University College of Wales et les universités d'Édimbourg et de Glasgow. La plupart des universités peuvent décerner des doctorats à la fin des études de musicologie et les universités écossaises offrent des diplômes de pratique instrumentale. — Un enseignement de conservatoire est dispensé par la Royal Academy of Music, le Royal College of Music, la Guildhall School of Music and Drama et la Trinity School of Music (Londres) ainsi que par le Royal Manchester College of Music et la Royal Scottish Academy of Music de Glasgow. Il existe des conservatoires préparatoires pour enfants particulièrement doués : la Yehudi Menuhin School, à Stoke d'Abernon dans le Surrey, qui forme des pianistes et des instrumentistes à cordes, et la Chetham's School of Music, à Manchester, qui offre un très grand choix de disciplines.

Bibliographie (cf. également les art. BIRMINGHAM, CAMBRIDGE, ÉDIMBOURG, LIVERPOOL, LONDRES, MANCHESTER et OXFORD) — 1. Ouvrages bibliographiques : D. BAPTIE, Musical Scotland... a Dict. of Scottish Musicians, Paisley 1894 ; A. DEAKIN, Outline of Musical Bibliogr. A Catal. of Early Music printed and... produced in the British Isles, 6 vol., Londres 1899 ; W. FRERE, Bibl. Musico-Liturgica. A Descriptive Handlist of the musical... liturgical Mss. of the M.A. preserved in the Libraries of Great Britain and Ireland, 2 vol., Nashdom Abbey 1920-22 ; E. BLOM, A General Index to Modern Musical Literature in the English Language..., Londres 1927 ; C.L. DAY et E.B. MORRIS, English Song Books, 1651-1702. A Bibliogr. ..., Londres 1946 ; M. DEAN-SMITH, A Guide to English Folk-Song Coll., 1822-1952, with an index..., Liverpool, Univ. Press, 1954 ; P.A. SCHOLES, A List of Books About Music in the English Language..., Londres, Oxford Univ. Press, 1959. — 2. Éditions monumentales (anthol. seulement) : W. CHAPPELL, Popular Music of the Olden Times, éd. rév. par H.E. Wooldridge, 2 vol., Londres 1893 ; Early English Harmony, éd. par H.E. WOOLDRIDGE, 2 vol., Londres 1897-1913 ; English Madrigal School, éd. par E. FELLOWES, 36 vol., Londres, Stainer & B., 1913-24 ; The English School of Lutenist Song Writers, éd. par le même, 2 séries, 32 vol., Londres, Stainer & B., 1920-32 ; Tudor Church Music, éd. par le même et autres, 10 vol., Londres, Oxford Univ. Press, 1923-29, supplt 1948 ; Worcester Medieval Harmony of the 13th and 14th

Cent., éd. par A. Hughes, Nashdom Abbey, Plainsong and Medieval Music Soc., 1928 ; The Old St. Andrews Music Book, éd. par J.H. Baxter, Londres 1931 ; The Old Hall Ms., éd. par A. Ramsbotham, 3 vol., Nashdom Abbey, Plainsong and Medieval Music Soc., 1933-38 ; Musica Britannica, Londres, Stainer & B., 1951 et suiv. — **3. Études. a)** Ouvr. généraux : P.A. Scholes, An Introd. to British Music, Manchester 1918 ; H. Davey, A Hist. of English Music, Londres 1924 ; Sir W.H. Hadow, English Music, Londres 1931 ; E. Blom, Music in England, Harmondsworth 1947 ; R. de Candé, Pte hist. de la mus. angl., Paris, Larousse, 1952 ; R. Nettel, The Englishman Makes Music, Londres 1952 ; E. Walker, A Hist. of Music in England, éd. rév. par J.A. Westrup, Londres, Oxford Univ. Press, 1952, 2/1966 ; E. Mackerness, A Social Hist. of English Music, Londres, Routledge & Kegan Paul, 1964 ; J. Michon et J. Maillard, La mus. angl., Paris, A. Colin, 1970. — **b)** Périodes diverses : Fr. Hueffer, Half a Cent. of Music in England, 1837-87, Londres 1889 ; F.J. Crowest, The Story of British Music from the Earliest Times to the Tudor Period, Londres 1896 ; J.A. Fuller-Maitland, English Music in the 19th Cent., Londres 1902 ; H.C. de Lafontaine, The King's Music, Londres 1909 ; Ch. van den Borren, Les origines de la mus. de clavier en Angleterre, Bruxelles 1912 ; E.W. Naylor, Shakespeare and Music, Londres 1931 ; H.G. Farmer, Music in Medieval Scotland, Londres 1931 ; P.A. Scholes, The Puritans and Music in England and New England, Londres 1934 ; G. Bontoux, La chanson en Angleterre au temps d'Élisabeth, Oxford 1936 ; A.L. Bacharach, British Music of our Time, Harmondsworth 1946 ; M. Cooper, Les musiciens angl. d'aujourd'hui, Paris, Plon, 1952 ; A. Frank, Modern British Composers, Londres, Dobson, 1953 ; W. Woodfill, The Musicians in English Soc., Princeton, Univ. Press, 1953 ; J.H. Long, Shakespeare's Use of Music..., Gainesville, Florida Univ. Press, 1955 ; Fr. Ll. Harrison, Music in Medieval Britain, Londres, Routledge & Kegan Paul, 1958 ; J. Wilson (éd.), R. North on Music, Londres, Novello, 1959 ; J.E. Stevens, Music and Poetry in the Early Tudor Court, Londres, Methuen, 1961 ; Ph. Hartnoll (éd.), Shakespeare in Music, Londres, Macmillan, 1964 ; Fr. Howes, The English Musical Renaissance, Londres, Oxford Univ. Press, 1968 ; S. Sadie, Concert Life in 18th Cent. England, in Proc. R. Mus. Assoc. LXXXIV, 1958-59. — **c)** Le folklore : J.S. Blackie, Scottish Song..., Édimbourg 1889 ; F. Kidson et M. Neal, English Folk Song and Dance, Cambridge 1915 ; J. Graham, A Cent. of Welsh Music, Londres 1923 ; W.S. Gwynn Williams, Welsh National Music and Song, Londres 1933 ; C. Sharp, English Folk Song..., Londres, Methuen, 3/1954 ; R. Nettel, 7 Cent. of Popular Song, Londres, Phoenix, 1954 ; du même, Sing a Song of England..., Londres, Phoenix, 1954 ; A.L. Lloyd, English Folk Song, Londres, Lawrence & Wishart, 1967. — **d)** La mus. religieuse : J. Lane, Scottish Church Music, Édimbourg 1891 ; J.S. Bumpus, A Hist. of English Cathedral Music 1549-1889, 2 vol., Londres 1908 ; H.W. Parry, 13 Cent. of English Church Music, Londres 1946 ; K.H. MacDermott, The Old Church Gallery, Londres 1948 ; D. Stevens, Tudor Church Music, Londres, Faber, 1961 ; N. Boston, A Musical Hist. of Norwich Cathedral, Norwich 1963 ; Chr. Dearnley, English Church Music 1650-1750, Londres, H. Jenkins, 1967 ; A. Hutchings, Church Music in the 19th Cent., Londres, H. Jenkins, 1967 ; P. Le Huray, Music and the Reformation in England, Londres, H. Jenkins, 1967 ; E. Routley, 20th Cent. Church Music, Londres, H. Jenkins, 1967. — **e)** La mus. théâtrale : C. Forsyth, Music and Nationalism. A Study of English Opera, Londres 1911 ; E.J. Dent, The Foundations of English Opera, Cambridge 1928 ; E.W. White, The Rise of the English Opera, Londres 1951 ; R. Fiske, English Theatre Music in the 18th Cent., Londres, Oxford Univ. Press, 1973. — **4. Dictionnaires et encyclopédies :** J. Pulver, A Dict. of Old English Music and Musical Instr., Londres 1923 ; du même, A Dict. of Old English Music, Londres 1927 ; P.A. Scholes, Concise Oxford Dict. of Music, Londres, Oxford Univ. Press, 1952 ; Sir G. Grove, Dict. of Music and Musicians, 5ᵉ éd. par E. Blom, 9 vol., Londres, Macmillan, 1954, supplt 1961, 6ᵉ éd. par S. Sadie (en prép.) ; P.A. Scholes, Oxford Companion to Music, Londres, Oxford Univ. Press, 9/1955, rév. 1960 ; M. Cooper (éd.), Concise Encycl. of Music and Musicians, Londres, Hutchinson, 1958 ; E. Blom, Everyman's Dict. of Music, 4ᵉ éd. par J.A. Westrup, Londres, Dent, 1962 ; W. Cobbett, Cyclopedic Survey of Chamber Music, 2 vol., Londres, Oxford Univ. Press, 1962 ; A. Jacobs, A New Dict. of Music, Londres, Cassell, 1962.

H. Raynor

GRANDES, nom donné en Auvergne à certains chants de plein air servant à exciter l'attelage de bœufs lors des labours. Ce sont des chants dépourvus de paroles, à la mélodie très large, exécutés sur de simples onomatopées (voir J. Canteloube, Anth. des chants pop. français II, Paris, Durand, 1951, pp. 124-126).

GRAND JEU, registration classique comprenant la batterie d'anches et les cornets et excluant le → plein jeu. Elle servait surtout dans les → dialogues. Le gr. j. a été supplanté à l'époque romantique par le → tutti.

GRAND ORGUE. 1. Ensemble des jeux du clavier principal d'un orgue qui en comporte plusieurs. — **2.** Orgue principal d'une église qui possède en outre un orgue de chœur.

GRAPPE SONORE (angl., tone-cluster ou cluster ; all., Tontraube), combinaison sonore comprenant un minimum de 3 notes, formant généralement des intervalles de seconde majeure et mineure, attaqués simultanément au piano soit avec la main à plat, soit avec le poing, soit avec l'avant-bras ou le coude. De tels agrégats furent utilisés occasionnellement par Debussy, Scriabine et Ravel, mais l'invention du terme « tone-cluster » et son étude systématique reviennent à l'Américain H. Cowell, qui lui consacra dès 1919 un travail important publié en 1930 (voir Bibliogr.). Cowell distingue plusieurs genres de gr. s. : de petits « clusters », composés de quelques notes ; de grands « clusters », comprenant un grand nombre de notes, obtenus par addition ou soustraction de gr. ; puis des « clusters » fixes et mobiles ; enfin des « clusters » en harmoniques, qu'on obtient en appuyant légèrement sur les touches supérieures du piano tout en attaquant des notes ou des « clusters » dans le grave. Selon Cowell, la gr. s. constitue un phénomène sonore unique qu'il faut traiter comme s'il s'agissait d'une seule note. Depuis 1950, les compositeurs ont intégré les gr.s. dans l'écriture orchestrale en employant soit des glissades de « clusters », soit des « clusters » fixes, composés d'un grand nombre de quarts de ton superposés, ou en faisant se mouvoir des parties de « clusters » en mouvement descendant ou ascendant, ou encore en superposant progressivement plusieurs « clusters » de demi-tons et quarts de ton. A mi-chemin entre l'accord et le bruit, la gr. s. est un élément important de la syntaxe musicale contemporaine.

Bibliographie — H. Cowell, New Musical Resources, New York 1930; du même, Mein Weg zu den Clustern, in Melos 1973/5; P. Boulez, Penser la mus. aujourd'hui, Paris, Éd. Gonthier, 1963; M. Kagel, Ton-Cluster Anschläge, Übergänge, in Die Reihe V, Vienne, UE, 1959; U. Dibelius, Moderne Musik 1945-1965, Munich, Piper & Co, 1966; H.H. Stuckenschmidt, La mus. du XXᵉ s., Paris, Hachette, 1969; H. Oesch, H. Cowell, Pionier u. Aussenseiter der Neuen Musik, in Melos 1973/5.

GRAVE. 1. Adj. désignant les sons à fréquence lente placés au bas de l'échelle musicale et de l'étendue d'une voix ou d'un instrument. Contraire : aigu. — **2.** Depuis le XVIIᵉ s., le terme qualifie le caractère et le tempo d'une œuvre d'allure sérieuse, solennelle ou méditative et de mouvement lent ou modéré. Il s'applique en particulier aux introductions lentes (entrée, « intrada ») et aux deux parties extrêmes de l'ouverture à la française. Beethoven a utilisé ce terme dans le dernier mouvement de son 16ᵉ Quatuor op. 135; on le trouve également employé comme titre d'une œuvre musicale (G. Migot, Grave pour violon et piano, 1965).

GAMELAN. Le "gender", un des métallophones du gamelan balinais traditionnel. Il est constitué de lames de bronze reposant sur des cordes tendues entre les extrémités d'un cadre de bois. Des résonateurs en tiges de bambou pendent au-dessous de ces lames, qui sont frappées à l'aide d'un petit maillet.

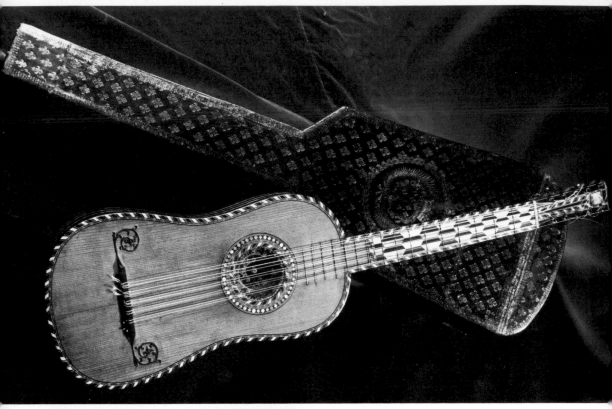

Guitare de Jean Voboam, Paris, 1687, faite pour Mlle de Nantes, fille de Louis XIV et de Mme de Montespan. Étui en maroquin rouge aux armes. Paris, Musée instrumental du Conservatoire National de Musique.

Andrés Segovia (né en 1894) lors d'un récital. Il a été le principal artisan de la renaissance de la guitare au XXe s.

Ph. © Jacques Devillers

Le guitariste brésilien Turibio Santos (né en 1943).

Gitans jouant de la guitare. Un "capotasto" est visible
sur le manche de la guitare de gauche.

Ph. © Sabine Weiss · Rapho

Harpe de Nadermann père, dite de Marie-Antoinette, Paris, fin du XVIIIe s. Haut. 1,60 m. Paris, Musée instrumental du Conservatoire National de Musique.

La harpiste Martine Géliot (née en 1949).

GRAVICEMBALO (ital.), nom donné au → clavecin au XVIIe s. C'est peut-être une corruption de « clavicembalo », à moins que le terme n'ait désigné, à l'origine, un type plus grand de clavecin destiné à l'accompagnement dans les orchestres. Il aurait possédé alors un registre grave de 16 pieds. B. Cristofori donna le nom de « gr. con il piano e il forte » à son premier → pianoforte.

GRAVURE, voir ORGUE, § B 2. Le sommier. — Voir également l'art. SILLON.

GRAZ.

Bibliographie — F. BISCHOFF, Beitr. zur Gesch. der Musikpflege in Steiermark, in Mitteilungen des historischen Vereines für Steiermark XXXVII, 1889 ; du même, Zur Gesch. des Theaters in Gr. (1574-1775), ibid. XL, 1892 ; du même, Chronik des Steiermärkischen Musikvereins, Graz 1890 ; A. J. HEY, Das Mingottische Dezennium in Gr. (1736-46), ein Beitr. zur Gesch. der Oper in Gr. (diss. Munich 1923) ; A. EINSTEIN, Italienische Musik u. ital. Musiker am Kaiserhof u. an den erzherzöglichen Höfen in Innsbruck u. Gr., in StMw XXI, 1934 ; R. ALLINGER, Studien zur steirischen Musikgesch. im 16. u. 17. Jh. (diss. Vienne 1937) ; H. FEDERHOFER, Niederländische u. italienische Musiker der Grazer Hofkapelle Karls II. (1564-90), in DTÖ XC, 1954 ; du même, Musikleben in der Steiermark, in Die Steiermark, Land, Leute, Leistung, Graz, Steiermärkische Landesregierung, 1956, 2/1971 ; du même, art. Gr. in MGG V, 1956 ; du même, Musikpflege u. Musiker am Grazer Habsburgerhof der Erzherzöge Karl u. Ferdinand... (1564-1619), Mayence, Schott, 1967 ; H. KAUFFMANN, Eine bürgerliche Musikgesellschaft, 150 Jahre Musikverein für Steiermark, Graz, Styria, 1965 ; 40 Jahre Steirischer Tonkünstlerbund, Graz, Akad. Druck- u. Verlagsanstalt, 1967 ; Musik in der Steiermark, in ÖMZ XXV/10, 1970.

GRAZIOSO (ital., = gracieux), terme employé comme indication du caractère aimable d'un morceau.

GRÈCE (Hellas). **A. L'Antiquité.** Un personnage des *Deïpnosophistes* d'Athénée fait remarquer que « dans l'ensemble, l'ancienne sagesse des Grecs semble avoir été surtout consacrée à la musique ». Dès l'Antiquité, la musique était par définition l'art auquel présidaient les Muses. Dans son sens le plus large, ce mot pouvait être appliqué à toute forme de culture artistique. Dans son sens le plus restreint, il embrassait non seulement la mélodie vocale ou instrumentale, mais l'ensemble formé par le texte verbal, le schéma métrique, la musique (au sens actuel) et, fréquemment, les pas de la danse, qui, surtout dans la mus. chorale, faisaient partie intégrante de l'exécution. Il était normal que le poète écrive sa propre musique ; il se peut même qu'il ait arrangé la chorégraphie. Quand les voix étaient accompagnées, la musique, dans la période classique au moins, restait normalement homophonique ; les solos instrumentaux étaient peu importants. La mus. instrumentale concertante, qui paraît avoir existé dans d'autres civilisations anciennes, n'apparut pas, en fait, avant la période romaine.

Les premiers témoignages concernant l'exécution musicale se trouvent chez Homère. Les chanteurs épiques professionnels comme les bardes de *L'Odyssée*, Phémios et Démodocos, qui demandent leur inspiration aux Muses et se flattent d'avoir le même statut social que le devin, le médecin et le constructeur de bateaux, sont munis d'une lyre de forme compliquée (→ phorminx). Ils sont représentés en train de chanter des épisodes des histoires héroïques ainsi que des

pièces de divertissement plus légères, comme l'épisode concernant Arès et Aphrodite (*Odyssée* 8). Cependant l'aspect purement musical de la poésie épique ne fut probablement jamais au premier plan et ressemblait au style largement déclamatoire des futurs rhapsodes. On trouve des descriptions d'exécutions vocales et instrumentales dans des scènes de *L'Iliade* et de *L'Odyssée*. Les Grecs chantent le beau → péan à Apollon (*Iliade* 1) ; le bouclier d'Achille représente des scènes où le chant nuptial est accompagné par la → lyre et l' → aulos (*Iliade* 18) ; les femmes troyennes chantent une complainte sur le corps d'Hector : l'une commence et les autres reprennent le refrain (*Iliade* 24) ; dans *L'Iliade* (16), il est question d'un chœur de vierges chantant pour Artémis ; dans *L'Odyssée* (8), Démodocos accompagne diverses danses mimées, genre caractéristique de la danse grecque à une époque plus tardive. Dans ces passages apparaissent les premiers exemples des genres poétiques courants de l'époque classique illustrés par tous les grands poètes-musiciens (→ péan, → hymne, → thrène, → parthénie, → hyporchème). Outre la musique de culte et de divertissement, *L'Odyssée* mentionne la musique dans le domaine de la magie et de la thérapeutique : par un chant, les fils d'Autolycos arrêtent le flot de sang jaillissant de la plaie d'Ulysse (*Odyssée* 19). Les mythes d'Orphée et d'Amphion, qui construisit les murs de Thèbes, sont une autre preuve des pouvoirs magiques attribués à l'art musical.

Les héros de *L'Iliade*, Achille et Pâris, sont tous deux représentés comme des joueurs de → cithare, mais sous les murs de Troie les Grecs perçoivent le son de l' → aulos et de la → syrinx. Deux mythes musicaux, qui auront une grande portée dans l'avenir, montrent un élément d'hostilité surprenant entre les instr. à cordes consacrés en Grèce européenne au culte d'Apollon et les instr. à vent utilisés en Grèce asiatique dans les cultes orgiaques populaires. Dans le mythe de l'invention de l'aulos, Athéna, déesse de la Sagesse, rejette l'instrument qu'elle avait découvert ; Marsyas va le ramasser mais, dans la compétition présidée par les Muses qui l'opposera à Apollon, c'est le dieu joueur de → lyre des Hellènes qui battra la satyre joueur d'aulos des Phrygiens. En fait, il se peut que les deux types d'instruments aient pénétré la Grèce, venant de l'Est, quoique la légende affirme que la lyre soit l'invention d'Hermès qui la fabriqua à partir d'une carapace de tortue et qui la transmit à Apollon. Outre ces principaux instruments et leurs variantes — « barbitos », « pectis », etc. —, les Grecs connaissaient la flûte pastorale simple (→ « syrinx »), la trompette (→ « salpinx ») dont on ne se servait que pour la guerre, les rites sacrés et les concours, et divers instr. à percussion, utilisés surtout dans les rites orgiaques, tels les tambours à main ou tambours à grelots (« tympana »), les → cymbales et les → castagnettes (→ crotales). Dans la période hellénistique, l'invention de l'orgue hydraulique (→ hydraule) fut attribuée à un Grec d'Alexandrie, Ctésibios.

Aucun des deux grands noms qui marquèrent au VIIe s. av. J.C. les débuts de la musique pour vent et pour cordes — le Phrygien Olympos, dont les « airs sacrés » sont cités avec beaucoup de respect par Aristote dans son introduction du terme « catharsis », et le Lesbien Terpandre — n'était originaire de

Grèce européenne, mais Terpandre, qui fut un innovateur important dans le domaine du → nome, participa à des concours grecs comme les « Carneïa » de Sparte. Parmi les premiers compositeurs lyriques, Alcman écrivit lui aussi pour les chœurs de Sparte. Dans les îles de la mer Égée et en Ionie continentale s'épanouit la poésie lyrique et élégiaque (voir les art. ÉLÉGIE et MÉLOS), soit dans la spontanéité du style très personnel de Sappho et d'Alcée, soit dans le cercle de la cour des tyrans avec Ibycos et Anacréon. C'est à Stésichore, originaire de Grande-Grèce, qu'on attribue la structure triadique (→ strophe, → antistrophe, → épode) utilisée dans la poésie chorale ultérieure, tandis qu'Archiloque de Paros (détail dans Plutarque, *De musica*, chap. XXVIII) renouvela les formes poétiques, métriques et musicales. Le fait d'inclure des concours musicaux et poétiques dans les jeux nationaux grecs élargit considérablement le champ d'activité des compositeurs et des instrumentistes. Le chant accompagné à l'aulos et à la cithare ainsi que les solos sur ces instruments y trouvaient également place. Pour les jeux Pythiques de 586, Sacadas d'Argos, compositeur de → nomes aulodiques, écrivit une célèbre pièce de « musique à programme » décrivant le combat d'Apollon et de Python. Les poètes des deux siècles suivants furent très féconds dans les genres déjà mentionnés, en particulier Pindare et ses contemporains qui composèrent de longues et belles odes de victoire (épinicies) pour les vainqueurs des épreuves athlétiques et musicales. Le poète-musicien trouvait alors un débouché pour ses compositions dans un nombre croissant de villes continentales et, tout en continuant à se prétendre inspiré des dieux comme le voulait la tradition, il était de plus en plus conscient d'exercer une activité professionnelle. Le compositeur Lasos d'Hermione, personnalité marquante de la fin du VIᵉ s., s'intéressa à la théorie ainsi qu'à la technique instrumentale. Il était célèbre pour l'organisation de concours dithyrambiques lorsqu'il s'installa à Athènes. Simonide y déploya également son talent de poète commémoratif dans la période qui suivit les guerres médiques.

A Athènes, un ensemble très complexe de schémas métriques et musicaux fut élaboré pour les chœurs de la tragédie, et, puisant dans le répertoire des styles musicaux créés par les premiers lyriques, tous les compositeurs participèrent intensément au développement de la musique. *Les Perses* d'Eschyle comprennent une partie chorale qui a dû évoquer la musique funèbre de l'Est, tandis que *L'Orestie* contient de longues odes de structure symphonique complexe. Sophocle se serait servi du style du → dithyrambe et des mélodies phrygiennes. Euripide et Agathon auraient été influencés par les innovations (extensions de l'étendue mélodique, modulations, emploi de la gamme chromatique, abandon des règles trop sévères régissant l'accompagnement musical en fonction du schéma syllabique et métrique du texte, etc.) d'une jeune école de musiciens connus surtout pour leurs dithyrambes et leurs nomes citharodiques. Les plus fameux d'entre eux furent Mélanippidès, Phrynis, Cinésias et Timothée, pris à partie dans un remarquable fragment (145) du poète comique Phérécrate, qui représenta la musique sous les traits d'une femme attaquée et avilie par les musiciens d'avant-garde. Dans ses *Thesmophories*, Aristophane raille en des termes non moins méprisants Agathon l'efféminé, qui « fléchit ses strophes » dans le soleil (les « kampaï » ou inflexions de la musique contemporaine étaient bien connues) et compose des « sentiers de fourmis » (terme décrivant par une synesthésie les méandres des airs chromatiques en vogue). Aristophane, habile parodiste des tragédiens, présente, dans *Les Grenouilles*, un concours poétique entre Eschyle le démodé, qui l'emporte cependant, et Euripide l'innovateur ; brillant compositeur lyrique lui-même, il en profite pour attaquer le style musical des deux poètes. Ses comédies renferment des passages qui conservent le style de chansons populaires de l'époque, tels l'hymne phallique des *Acharniens*, les chants d'amour de *L'Assemblée des femmes* et des citations de vers de « scolia », chansons à boire qu'on exécutait aux « Symposia » d'Athènes. A ces banquets, tout citoyen athénien devait être en mesure de chanter et, si nécessaire, de s'accompagner lui-même à la lyre ; ainsi le voulait la tradition, car la musique était considérée comme un élément essentiel de l'éducation du jeune éphèbe. Une bonne part de l'ensemble des citoyens avait d'ailleurs acquis une expérience du chant dans les divers chœurs des Dionysies et autres fêtes locales. S'ils ne jouaient ni ne chantaient eux-mêmes, la musique ne manquait pas pour autant ; des professionnels étaient alors chargés de les divertir. En témoigne la joueuse d'aulos qu'on retrouve partout : dans les représentations de scènes de banquet, sur les vases attiques, et en littérature, où on y fait fréquemment allusion. On mêlait même la musique à des exercices gymnastiques ou athlétiques dans les palestres.

Parmi les musiciens professionnels de renom, nombreux étaient ceux qui, comme Timothée, étaient originaires d'Asie Mineure. Les nouveautés musicales qu'ils introduisirent à la fin du Vᵉ s. ne manquèrent pas d'inquiéter ceux que la désastreuse guerre du Péloponnèse avait laissés sans aucune illusion et qui se tournaient avec nostalgie vers la musique classique de Simonide et d'Eschyle, vers une époque dont la stabilité politique et la culture civique avaient permis l'épanouissement des gloires de l'Athènes de Périclès. On trouve des échos très nets dans les écrits des philosophes du IVᵉ s., particulièrement chez Platon et Aristote. Dans *La République*, Platon recommande une réglementation sévère de la musique, équivalant à une censure, à cause de l'influence corruptrice que peut avoir la mauvaise musique sur les mœurs et des risques de détérioration qu'elle représente pour la vie politique et sociale. Placées dans la bouche de Socrate, ces opinions sont attribuées à Damon l'Athénien, ami et conseiller de Périclès, personnage d'une importance considérable dans les cercles pédagogiques et politiques de la 2ᵈᵉ moitié du Vᵉ s. Une génération auparavant, le poète Pratinas avait exprimé son hostilité à l'égard de l'aulos et de sa musique dans une tirade contre « ce jaseur qui use de la salive à gâcher la mélodie et le rythme », pour ensuite en montrer le contraste avec sa propre musique dorienne. Platon lui aussi rejette cet instrument, en faveur de la lyre d'Apollon qu'il choisit pour son État idéal. Cependant, les nombreuses notes, la large étendue tonale de l'aulos semblent avoir été imitées à la cithare par l'adjonction de cordes (on raconte souvent que Timothée se vit solennellement privé des cordes délictueuses par les autorités conservatrices de Sparte) et par des innovations dans la manière de la jouer. Platon témoigne également de son ressentiment à l'égard de la musique vulgaire et criarde (imitation de roues et de poulies, de bêlements de moutons et de chants d'oiseaux) jouée par des virtuoses désireux de faire étalage de leur adresse. L'effroi provoqué par l'influence orientale sur la mus. grecque est à l'origine d'une longue tradition faite de sévères interprétations morales de l' → « éthos » de la musique, c.-à-d. du trait de caractère qu'elle représente et de l'effet qu'elle produit sur l'état émotionnel de l'auditeur ou de l'exécutant. Cette tradition se manifeste chez un grand nombre d'écrivains, depuis Platon et Aristote jusqu'à Plutarque et Aristide Quintilien. Fait particulièrement remarquable, on attribua des qualités morales spécifiques aux « harmonies » de la musique (voir l'art. SYSTEMA TELEÏON) : Platon rejette l'ionien et certaines variantes du lydien à cause de leur caractère plaintif, efféminé ou trop jovial, et ne retient que le dorien, qui représente le courage, ainsi que le phrygien, qui représente la sobriété. Dans son dernier ouvrage, Les Lois, où il revient à la question de l'enseignement musical, il exprime toujours le même mépris pour la musique adulée des masses et le même désir de voir placer toute exécution musicale sous le contrôle de l'État.

L'intérêt des philosophes pour la musique remonte, au-delà de Platon, à Pythagore, à qui on attribue les premières découvertes relatives aux fondements mathématiques des intervalles musicaux, à la construction des gammes, à l'âme humaine considérée comme une « harmonie », à la croyance que l'univers était lui-même régi par les nombres, qui créent les concordances en musique. Cette dernière opinion est à l'origine de la croyance mystique à la « musique des sphères », immortalisée par le mythe de la fin de La République. L'idée que la santé physique et spirituelle est tributaire d'un juste accord entre les parties influença bon nombre d'auteurs — philosophes ou médecins — et certains écrivains témoignèrent par la suite d'une foi exagérée en la thérapeutique musicale, dont ils attribuèrent l'invention à Pythagore lui-même. C'est dans La République et le Timée que Platon développe les théories pythagoriciennes mathématiques et cosmiques relatives à la musique ; le Timée notamment exerça une influence considérable sur des philosophes tels que Plutarque (Ier s. ap. J.C.) et des mathématiciens tels que Théon de Smyrne (IIe s. ap. J.C.). A l'instar des platoniciens, Aristote et l'école péripatéticienne attribuaient à la musique le pouvoir d'illustrer les caractères et croyaient aux effets des mélodies. Contrairement à Platon, qui rejetait entièrement la musique plaintive de la tragédie, Aristote, dont on trouve des propos sur la musique dans la Poétique, le 8e livre de sa Politique, entre autres, admet la nécessité de la musique pour les loisirs et la détente, et va jusqu'à reconnaître une valeur « cathartique » à certaines musiques religieuses émotives. Dans ses propos sur les « harmonies », il se livre à une certaine critique des idées de Platon. Plusieurs musicographes de l'Antiquité souscrivirent par la suite à sa doctrine de l' « éthos ». Elle fut toutefois attaquée par les épicuriens et les sceptiques à cause de sa nature subjective et irrationnelle. Parmi les théoriciens qui s'occupèrent d'éléments techniques tels que les intervalles ou les gammes, une nette distinction s'établit entre les stricts représentants de l'école pythagoricienne, d'une part — connus aussi sous le nom de « kanonikoï » à cause de l'emploi qu'ils faisaient du « kanon » ou monocorde dans leurs expériences acoustiques — qui s'intéressaient surtout aux rapports mathématiques, et les « harmonikoï », d'autre part, qui, dans une certaine mesure, ne tenaient pas compte des problèmes mathématiques (impossibilité de déterminer de façon exacte demi-tons et quarts de tons) et qui étaient critiqués par leurs antagonistes pour « préférer l'oreille à l'intelligence » dans le jugement de la musique. Parmi les mathématiciens de la première catégorie, il faut citer un contemporain de Platon, Archytas, auquel on doit la définition au moyen de rapports numériques des trois genres musicaux : diatonique, chromatique, enharmonique (voir l'art. SYSTEMA TELEÏON).

Un élève d'Aristote, Aristoxène de Tarente, dont nous possédons une partie importante des Harmoniques, reste le premier grand auteur offrant une théorie musicale ordonnée ; il s'attaque à l'incohérence propre aux harmonistes qui le précédèrent. Des fragments de ses Éléments de la rythmique ont été retrouvés et l'on connaît les titres de plusieurs autres de ses ouvrages spécialisés, tant dans le domaine de la théorie que dans celui de l'organologie. On conserve également : d'Euclide la Sectio canonis, sur les intervalles musicaux ; du pseudo-Aristote les livres 11 et 19 des Problemata, sur les gammes, l'acoustique et divers problèmes d'exécution ; attribué à Plutarque, le De musica, recueil contenant de nombreux et importants éléments aristoxéniens en matière de théorie et d'histoire de la musique. Dans ses vastes ouvrages, Plutarque fait preuve par ailleurs d'une connaissance approfondie de la musique et se montre un critique sévère de la musique de théâtre contemporaine, tombée dans la médiocrité. Citons encore des manuels de Nicomaque, Cléonide, Gaudence et Théon de Smyrne (IIe s. ap. J.C.) qui illustrent les théories de Pythagore et d'Aristoxène ; les Harmoniques de Ptolémée à la même époque et leur commentaire par Porphyre au siècle suivant ; le De musica (3 livres) d'Aristide Quintilien (IIIe s. ap. J.C. ?), source unique pour la connaissance de certains éléments plus anciens (p. ex. les gammes dont il est question dans La République de Platon, auxquelles il prétend se référer, et des citations prêtées à Damon et ses compagnons), qui reste le plus fourni de nos traités anciens ; les manuels d'Alypius, le principal informateur en matière de notation musicale, et de Bacchios l'Ancien (IVe s. ap. J.C. ?) ; un traité anonyme sur la musique publié par Fr. Bellermann, dans lequel on trouve une intéressante terminologie relative au rythme et à la mélodie. Les ouvrages en latin de Boèce et de Martianus Capella sont également fondés sur la théorie musicale grecque. Parmi les ouvrages non techniques importants, il faut relever les fragments du De musica de Philodème (Ier s. av. J.C.), l'Adversus musicos de Sextus Empiricus (IIe s. ap. J.C.), l'un et l'autre détracteurs de la théorie de l' « éthos » ; enfin les Deïpnosophistes d'Athénée (surtout les livres IV et XIV), qui contiennent beaucoup d'éléments historiques relatifs aux instruments et au développement des formes musicales ainsi que de nombreuses anecdotes concernant les musiciens.

Ce dernier ouvrage nous livre l'arrière-plan culturel de l'Alexandrie hellénistique et de la Rome impériale et, comme son docte auteur (v. 200 ap. J.C.) retient beaucoup d'éléments du passé, cette chronologie synoptique de l'histoire musicale grecque rend brièvement compte du cours des événements depuis la fin de la période classique. Les compositeurs d'avant-garde tels que Timothée étaient inévitablement devenus des classiques. On représentait encore les tragédies anciennes et on en écrivait de nouvelles. La musique de scène avait une importance assez grande pour que, dans des comptes rendus de représentations, il soit autant question de l'accompagnateur à l'aulos que du compositeur. Mais l'ancien poème lyrique choral était en déclin, comme le prouve l'absence de toute partie lyrique dans la comédie grecque tardive. Les textes indiquent alors simplement « chorou » : à cet endroit devait se placer une sorte d'entracte (chant et danse ou même solo instrumental) sans aucun rapport avec la pièce. Des corporations de musiciens, comprenant des poètes, des acteurs, des chanteurs et des instrumentistes, se formèrent, prenant eux-mêmes le nom de « technitae » (artistes) de Dionysos, précurseurs des « collegia » musicaux de Rome. Plus tard on se prit à cultiver les pantomimes, les spectacles du genre ballet ou les récitals de cithare et autres instruments, donnés par des artistes qui se faisaient aduler et exigeaient d'importantes rémunérations ; les chanteurs, alors souvent appelés « tragoïdoï », pouvaient inclure dans leur répertoire de concert des extraits d'œuvres classiques auxquels on avait éventuellement adapté une musique nouvelle. C'est de cette période post-classique que proviennent les exemples de mus. grecque que nous possédons ; la plupart ont été retrouvés sur pierre ou sur papyrus au cours des cent dernières années.

Les fragments musicaux. Dans sa *Musurgia universalis* (1650), A. Kircher publia une mélodie supposée ancienne pour le début de la première ode pythique de Pindare. On a parfois soutenu son authenticité, mais elle est considérée actuellement comme un faux. En plus des brefs extraits mélodiques cités dans l'Anonyme de Bellermann, on connaît depuis longtemps 4 mélodies notées, dont l'authenticité a également été contestée mais avec moins de raisons. Ce sont : 1° et 2° un *Hymne à la Muse*, qui est probablement une combinaison de deux pièces distinctes ; 3° un *Hymne à Némésis* attribué à Mésomède, musicien de cour du temps d'Hadrien ; 4° un *Hymne au Soleil*, de style semblable au précédent. Au cours des cent dernières années, notre connaissance de la mus. grecque s'est enrichie par l'apport de textes notés sur pierre et sur papyrus. — Les papyrus : 1° un passage (vers 338-344) d'un chœur de l'*Oreste* d'Euripide sur un papyrus de 200 av. J.C. (autrefois daté de 100 ap. J.C. ; voir E. TURNER, *in* Journal of Hellenic Studies LXXVI, 1956, pp. 95-96) : qu'il s'agisse de la musique originale de la tragédie est sujet à controverse et ne peut être prouvé ; Denys d'Halicarnasse semble y avoir encore eu accès ; 2° un court fragment d'un papyrus de Zénon d'env. 250 av. J.C. (*in* Journal of Hellenic Studies LI, 1931) ; 3° six fragments, de dates diverses à l'intérieur de la période ptolémaïque, appartenant à la Bibl. nationale autrichienne (*in* Wiener Studien LXXV, 1962) ; 4° cinq courtes pièces de genres

divers sur un papyrus de Berlin d'env. 150 ap. J.C., dont la plus longue est constituée par 12 vers d'un péan ; 5° deux textes tragiques fragmentaires du IIᵉ s. ap. J.C. (*in* Symbolae Osloenses XXXI, 1955) ; 6° un papyrus d'Oxyrhynchos de la même date, contenant des vers d'une monodie d'un genre non précisé (publ. *in* Oxyrhynchus Papyri XXV, 1959) ; 7° un fragment, de tragédie apparemment, sur un papyrus du Michigan de date similaire (*in* Journal of Egyptian Archeology LI, 1965). — Toutefois les pièces les plus intéressantes sont celles qu'on connaît par leur inscription sur une pierre : 1° et 2°, les deux *Hymnes delphiques* du IIᵉ s. av. J.C., le second — un péan —, et peut-être aussi le premier, dû à un Athénien, Liménius. Ce sont les pièces les plus substantielles que nous possédions. 3° L'*Épitaphe de Seïkilos*, chant bref mais complet de la même époque, gravé sur une pierre tombale à Aïdin en Turquie. Enfin il faudrait mentionner une hymne chrétienne d'un papyrus d'Oxyrhynchos du IIIᵉ s. ap. J.C. (*in* Oxyrhynchus Papyri XV, 1922). — Voir l'art. NOTATION, § 1.

E.K. BORTHWICK

B. La musique byzantine. Elle englobe généralement la musique de l'Empire byzantin (330-1453) et, après elle, la mus. d'église post-byzantine et néo-grecque. L'élément essentiel de la mus. byzantine est la mus. vocale destinée à l'Église. Elle nous a été transmise par des centaines de manuscrits, les plus anciens datant du Xᵉ s., et constitue l'élément de base de la recherche musicologique. Par contre, il ne s'est pratiquement rien conservé de la mus. profane, y compris la musique « officielle » exécutée en présence de l'empereur à l'Hippodrome, à la Cour ou lors de diverses cérémonies. C'est ainsi que le célèbre livre de cérémonies de l'empereur Constantin VII Porphyrogénète (913-959), s'il renferme de nombreux textes de chants de cour ainsi que des indications pour leur exécution, ne contient aucune notation des mélodies. Il faut attendre certains manuscrits des XIVᵉ et XVᵉ s. (Athènes 2458, Athènes 2061, Pantokratoros 214) pour y trouver les plus anciennes mélodies connues d'acclamation (*Polychronia* et *Euphemeseis*) en l'honneur de l'empereur, le « basileus », de sa famille et de hauts dignitaires de l'Église. La mus. populaire d'époque post-byzantine est représentée par les mélodies de 13 chansons conservées dans le Codex Iviron 1203 (XVIIᵉ s.). Mus. d'église et mus. profane étaient d'autant plus distinctes dans l'Empire byzantin que, selon toute apparence, l'usage des instruments était prohibé dans les églises. Par contre, ils jouaient un rôle important dans la musique officielle ; l'orgue principalement (« organum »), que l'on trouve mentionné à plusieurs reprises comme une merveille technique, faisait partie des signes distinctifs de la puissance impériale. La mus. d'église byzantine est fondamentalement monodique. Il serait plus exact de dire que, contrairement à la mus. occidentale, elle n'a pas évolué vers la polyphonie. Certains faits prouvent néanmoins qu'une technique organale primitive, semblable à l'« ison » pratiqué dans le chant choral néo-grec, existait déjà à Byzance. — Voir également l'art. CHANT BYZANTIN.

C. FLOROS

C. La Grèce moderne — Le chant populaire. Les premières manifestations d'une mus. populaire grecque sont les chants dits « akritika », qui, du VIᵉ au Xᵉ s., fleurirent en Asie Mineure, dans les régions de la Cappadoce et du Pont où vivaient les « Akrites », peuple de guerriers qui veillaient aux frontières de l'Empire byzantin et dont le mode de vie donna naissance à des légendes héroïques. C'est ainsi qu'apparurent de nombreux chants épiques ayant pour personnage central Digenis Akritas. Cette production poético-musicale s'étendit des côtes de l'Asie Mineure à Chypre, à l'île de Crète et de là au reste de la Grande-Grèce et aux autres régions balkaniques. Après la chute de Byzance et la prise de Constantinople par les Turcs, quatre siècles d'occupation rendirent impossible tout développement intellectuel et artistique. Seule la tradition religieuse, avec son dogmatisme absolu, put préserver un tant soit peu la mus. byzantine (voir l'art. CHANT BYZANTIN). L'épanouisssement du chant populaire coïncide avec l'apparition des premières luttes contre les Turcs et atteint son apogée dans les années qui précèdent la révolution de 1821.

Les chants populaires grecs se divisent, selon leur structure, en deux groupes principaux : certains relèvent d'un type à mètre libre ou psalmodique (chants de table, klephtiques, historiques, etc.), d'autres d'un type à mètre défini. Le trait caractéristique des formes de style libre, nées de l'improvisation, est que l'élément important n'y est pas forcément le thème mais plutôt les ornements placés autour des noyaux mélodiques.

Les chants et les danses du type rythmique accentué ou à mètre défini présentent une exceptionnelle ornementation rythmique. On y trouve les anciennes formes rythmiques fondées sur le groupe de deux durées ($- \cup$), identiques au rythme de la prosodie grecque antique et qui correspondent chacune à une syllabe du texte poétique. Bien que la langue grecque moderne utilise, comme la plupart des langues européennes, des syllabes accentuées et non accentuées, la mus. populaire grecque a conservé, grâce à la tradition orale, l'ancien rythme prosodique. C'est pourquoi les formes rythmiques non mesurées, les formes hétérogènes, etc., posent souvent des problèmes insolubles à ceux qui essaient de couler le chant populaire grec dans les moules de la métrique occidentale. Le « kalamatianós », l'une des danses cycliques les plus répandues, est fondé sur l'une de ces formes rythmiques « anormales ». Il suit le schéma $- \cup \cup$ (rythme à 7 temps premiers) et peut se transcrire approximativement de cette manière :

Une autre danse, le « tsakónikos », sur un rythme à 5 temps, utilise le schéma métrique c'est-à-dire l'alternance. Dans toutes les formes métriques, l'accentuation est équivalente pour chaque temps.

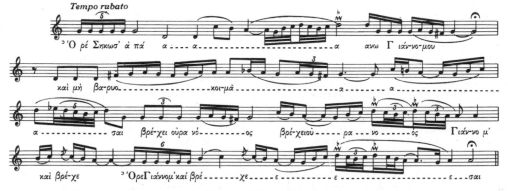

Ex. extrait de D. MAZARAKI, La clarinette populaire en Grèce, Athènes, Institut Fr., 1959, p. 128.

Ex. extrait de D. MAZARAKI, ouvr. cité, p. 101.

437

On retrouve de semblables différences dans le matériau mélodique transmis par la tradition à la mus. populaire grecque. Le système tonal à gammes tempérées en usage en Occident diffère du système grec, qui utilise, selon le genre, des gammes diatoniques, chromatiques ou mixtes, composées de 8 notes mais aussi de 5 et de 4 (systèmes pentacordal et tétracordal). Les gammes chromatiques sont formées de deux tétracordes chromatiques, les gammes mixtes d'un tétracorde ou d'un pentacorde chromatique et d'un autre diatonique.

Gamme octacorde diatonique :

ré mi fa sol ̣ la si do ré ̣
tétracorde   aigu
de base

Pentacordes diatoniques :

̣sol la si♭ do ̄ré ̣ mi fa sol ̣ ̄la si do ré mi ̣
grave   fondamental   aigu

Pentacordes chromatiques :

̣sol la♭ si do ̄ré ̣mi♭ fa♯ sol ̣la si♭ do♯ ré mi ̣
grave   fondamental   aigu

Ainsi, dans le genre diatonique comme dans le genre chromatique, les intervalles entre les notes conjointes sont souvent différents de ceux qu'utilise la musique européenne. Parmi les modes diatoniques de ré, mi, do et fa sur lesquels sont fondés de nombreux chants populaires, seul le mode de fa correspond au mode majeur occidental. Dans le genre diatonique, le chant populaire fait usage de « tons » (intervalles) majeurs, mineurs et minimes. Le « ton » majeur est approximativement identique au ton de la mus. occidentale ; le « ton » mineur est nettement plus large que notre demi-ton tandis que le « ton minime » ne l'est que légèrement. Dans le genre chromatique on distingue, en dehors de la seconde augmentée, des secondes super-augmentées, des « tons » supermajeurs (plus petits toutefois que la seconde augmentée) et des demi-tons diminués. Leur transcription dans le système de notation européen ne peut donner lieu qu'à une traduction approximative. En dehors des modes diatoniques et chromatiques, il existe également des chants fondés sur des échelles pentatoniques anhémitoniques. Tous les chants populaires sont monodiques. Seuls ceux de certaines régions du nord de l'Épire présentent d'étranges combinaisons vocales. Fondés sur les échelles pentatoniques anhémitoniques, ils associent à certaines variations de rythmes l'indépendance des voix et utilisent souvent une pédale harmonique.

L'École des îles Ioniennes. Dans les sept îles de la mer Ionienne, l'occupation vénitienne influença la musique pendant plus de 500 ans. Ce n'est qu'après la défaite de Venise devant les Français que les idées de la Révolution française se répandirent et provoquèrent un renouveau intellectuel dans tous les domaines de la pensée, des lettres et des arts. Le peuple ionien devint ainsi le pionnier de la renaissance grecque. Nicholas Mantzaros (1795-1872) est considéré comme le père de la mus. ionienne. Sur les couplets de l'*Hymne à la liberté* du grand poète national Dionysios Solomos, il écrivit une musique simple, inspirée de motifs populaires. Parmi ses contemporains, il faut citer tout particulièrement Paul Karer (1829-1896), pionnier de l'École grecque moderne. Dans le domaine de la mus. populaire

prédomine la « cantada » (de l'ital. « canto »), sorte de chant improvisé à 3 ou 4 voix.

L'École nationale. Dans les dernières années du XIXᵉ s. se dessine une tendance à donner un rôle prédominant au langage du peuple. Liée aux mouvements modernistes et aux élans de renouveau qui animent les lettres et les arts, elle correspond à l'approfondissement du développement intellectuel du pays. Les promoteurs de cette école sont M. Kalomiris (1883-1962), M. Varvoglis (1885-1967), E. Riadis (1880-1935), ainsi que D. Lavrangas (1864-1941) et Georges Lambelet (1875-1945), tous deux originaires des îles Ioniennes. Cette première génération de musiciens a laissé des œuvres représentatives dans le domaine de la mus. vocale, tandis que Kalomiris, avec son *Protomastoras*, a ouvert la voie à l'opéra national. Sa *Suite romaine* et sa *Symphonie de Leventias* utilisent les techniques sérielles, tout comme *Sainte Barbara* et *Festival* de Varvoglis, la *Suite grecque* de Lavrangas et *Festival* de Lambelet. Les œuvres de D. Levidis (1886-1951), Georges Sklavos (* 1888), Alexandre Kontis (1890-1965), P. Petridis (* 1892), G. Poniridis (* 1892) et A. Nezeritis (* 1897) ne dépassent pas les limites de l'École nationale, mais il convient de faire une place à part à D. Mitropoulos (1896-1960). Parmi la génération suivante, certains musiciens demeurent plus ou moins liés aux traditions de l'École grecque : A. Evanghelatos (* 1903), Solon Michaïlidis (* 1905), L. Zoras (* 1905), Constantin Kidoniátis (* 1908), Georges Kazassoglou (* 1910), Georges Platon (* 1910), Georges Georgiadis (* 1912), Alexandre Xenos (* 1912), Menelaos Pallantios (* 1914), Aristote Koudourof (1897-1969), Jean Konstantinides (* 1903), cependant que Théodore Kariotakis (* 1903), N. Skalkotas (1904-1949), élève de Schönberg, Charilée Perpessas (* 1904), Basile Papadémétriou (* 1905), Dimitri Dragatakis (* 1914), Jean Papanoïanou (* 1910), Jean Argiros (* 1917) et Alexis Laïnas (* 1922) se sont orientés vers des techniques plus avancées. Beaucoup de jeunes compositeurs d'aujourd'hui suivent les développements les plus poussés du langage musical. Citons I. Xenakis (* 1921), Jacques Chaliassa (* 1921), Georges Sissiliano (* 1922), Argiri Kounadi (* 1924), Jean Christou (1926-1970), Michel Adami (* 1929), Stéphane Gazoulea (* 1931), Théodore Antoniou (* 1935). Mikis Theodorakis (* 1925) et Manos Hadzidakis (* 1925) sont plutôt connus pour leur contribution au genre de la chanson de variétés.

Les institutions musicales. La fondation en 1871 du Conservatoire d'Athènes a marqué une étape importante dans le développement artistique du pays. La plupart des personnalités musicales grecques y ont enseigné. Le Conservatoire grec, le Conservatoire national et le Conservatoire d'État de Salonique, créés par la suite, ont joué un rôle similaire. L'ancien orch. symphonique du Cons. d'Athènes, qui a fonctionné jusqu'en 1940, a donné naissance à la fin de l'année 1942 à l'actuel Orchestre national d'Athènes. A la même époque ont été fondés l'orch. de l'Opéra national, l'orch. de la Radio ainsi que l'orch. symphonique de la Grèce du Nord (Salonique). Après de nombreuses péripéties, le « Melodrama » grec a été reconnu comme Opéra d'État et s'est installé à Athènes. Dans le domaine de la mus. populaire, il faut souligner l'action des Archives du folklore musical, de l'Association pour l'expansion de la musique nationale et celle du département musical du Centre de recherches sur le folklore grec (Acad. d'Athènes).

Bibliographie — **A. L'Antiquité. a)** Musicographes anciens : ARISTOXÈNE, ARISTIDE QUINTILIEN et les auteurs des traités plus courts cités ci-dessus, éd. par M. Meibom, *in* Antiquae musicae auctores septem, 2 vol., Amsterdam 1652 ; ces derniers seuls par C. von Jan, *in* Musici scriptores graeci, Leipzig 1895, supplt 1899, réimpr. Hildesheim, Olms, 1962 ; ARISTOXÈNE, Harmoniques, éd. avec trad. angl. par H.S. Macran, Oxford 1902, et avec trad. ital. par R. Da Rios, 2 vol., Rome 1954 ; ARISTOTE, Problemata, éd. avec trad. fr. par Fr.A. Gevaert et J.C. Vollgraff, Gand 1899-1903 ; PLUTARQUE, De musica, éd. avec trad. fr. par H. Weil et Th. Reinach, Paris 1900, et par Fr. Lasserre, Olten et Lausanne 1954 ; PHILODÈME, De musica, éd. par J. Kemke, Leipzig 1884, et avec trad. en néerl. par D.A. van Krevelen (diss. Amsterdam 1939) ; SEXTUS EMPIRICUS, Adversus musicos, éd. par J. Mau, Leipzig, Teubner, 1954 ; PTOLÉMÉE, Harmoniques, éd. par I. Düring, Göteborg 1930, avec trad. all. Göteborg 1934 ; PORPHYRE, Commentaires..., éd. par le même, Göteborg 1932 ; ARISTIDE QUINTILIEN, De musica, éd. par R.P. Winnington-Ingram, Leipzig, Teubner, 1963 ; ANONYME, De musica, éd. par Fr. Bellermann, Berlin 1841, et avec trad. all. par D. Najock, Göttingen 1972 ; cf. également R. BROWNING, A Byzantine Treatise on Tragedy, *in* Geras : Studies presented to G. Thomson, éd. par L. Varcl et R.F. Willetts, Prague 1963. — **b)** Fragments musicaux : en plus des publications mentionnées ci-dessus, cf. C. VON JAN, Musici scriptores graeci, Leipzig 1895-99, et TH. REINACH, La mus. grecque, Paris 1926, qui contiennent les pièces connues de leur temps ; cf. également J.F. MOUNTFORD, *in* POWELL et BARBER, New Chapters in Greek Literature, 2ᵉ série Oxford 1929 ; E. MARTIN, Trois documents de mus. grecque, Paris 1953 ; E. PÖHLMANN, Griechische Musikfragmente, Nuremberg, Carl, 1960 ; du même, Denkmäler altgriechische Musik, Nuremberg, Carl, 1970. — **c)** Ouvrages bibliographiques : cf. C. BURSIAN, Jahresberichte über die Fortschritte der klassischen Altertumswissenschaft CXCIII, 1923, et CCXLVI, 1935 ; cf. également R.P. WINNINGTON-INGRAM, *in* Lustrum III, 1958. — **d)** Études : FR.A. GEVAERT, Hist. et théorie de la mus. de l'Antiquité, Gand 1875-81, réimpr. Hildesheim, Olms, 1966 ; A. ROSSBACH et R. WESTPHAL, Theorie der musischen Künste der Hellenen, 3 vol., Leipzig 1885-89 ; H. ABERT, Die Lehre vom Ethos in der griechischen Musik, Leipzig 1899 ; L. LALOY, Aristoxène de Tarente et la mus. de l'Antiquité, Paris 1904 ; C. SACHS, Die griechische Instrumentalnotenschrift, *in* ZfMw VI, 1923-24 ; du même, Die griechische Gesangsnotenschrift, *ibid.* VII, 1924-25 ; TH. REINACH, La mus. grecque, Paris 1926 ; H. HUCHZERMEYER, Aulos u. Kithara in der griechischen Musik (diss. Münster 1931), Emsdetten 1931 ; P. BOYANCÉ, Le culte des Muses chez les philosophes grecs, Paris 1937 ; G. REESE, Music in the Middle Ages (chap. II), New York 1940, trad. ital., Florence, Sansoni, 1960 ; C. SACHS, The Rise of Music in the Ancient World, New York 1943, trad. all. Berlin, Akademie-Verlag, 1968 ; M. WEGNER, Das Musikleben der Griechen, Berlin 1949 ; du même, Griechenland, *in* Musikgesch. in Bildern II/4, éd. par H. Besseler, Leipzig, VEB Deutscher Verlag für Musik, 1963 ; H. POTIRON, La notation grecque et Boèce, Petite hist. de la notation antique, Paris 1951 ; R.P. WINNINGTON-INGRAM, art. Greek Music (Ancient), *in* Grove 5/1954 ; du même, art. Music, *in* Oxford Classical Dict., Londres, Oxford Univ. Press, 2/1970 ; H.I. MARROU, Hist. de l'éducation dans l'Antiquité, Paris, Éd. du Seuil, 3/1955 ; M.I. HENDERSON, Ancient Greek Music, *in* New Oxford Hist. of Music, Vol. I, Londres, Oxford Univ. Press ; W.D. ANDERSON, Ethos and Education in Greek Music, Harvard Univ. Press, 1966 ; cf. également la biblogr. de l'art. SYSTEMA TELEÏON. — **B. La mus. byzantine** : voir l'art. CHANT BYZANTIN. — **C. La Grèce moderne. 1. Éditions musicales** : L.A. BOURGAULT-DUCOUDRAY, 30 Mélodies pop. de la Grèce et d'Orient, Paris 1876 (en fr.); H. PERNOT, Mélodies pop. grecques de l'île de Chio, Paris 1903 (en fr.); G. PACHTIKOS, 260 Chants pop. grecs, Athènes 1905; K. PSACHOS, 50 Chants pop. du Péloponnèse et de Crète, Athènes 1930; M. MERLIER, Chants de Roumélie, Athènes 1931; G. LAMBELET, La mus. pop. grecque, Athènes 1934 (en fr.); S. BAUD-BOVY, Chants du Dodécanèse, 2 vol., Athènes 1935-38; SP. PERISTERIS, Chants pop. de l'Épire et de Morée, Athènes 1958; P. KABAKOPOULOS, Musique et chants pop. de Thrace, Athènes, Assoc. d'études thraces, 1956; S. TH. SOFRONIADIS, Sinossos de Cappadoce et ses chants pop., Athènes 1958 ; 52 Mélodies grecques pour cht et p., éd. par A. Chianis, Vienne, UE, 1960; S. CHIANIS, Folk Songs of Mantineia, Berkeley et Los Angeles, Univ. of California Press, 1965 (en angl.); G. SPYRIDAKIS et SP. PERISTERIS, Chants pop. grecs, Acad. d'Athènes 1970. — **2. Études** (en grec, sauf mention spéciale): K.I. SFAKIANAKIS, Les rythmes grecs, *in* Philiki Eteria, Athènes 1924; S. BAUD-BOVY, La chanson pop. grecque du Dodécanèse, I Les textes, Paris 1936 (en fr.); du même, Études sur la chanson cleftique, Paris 1958 (en fr.); S. MICHAELIDES, The Neo-Hellenic Folk Music, Limassol 1948; du même, art. Folk Music (Greek), *in* Grove 5/1954 (en angl.); THR. GEORGIADES, Der griechische Rhythmus, Hambourg 1949 (en all.); E. MOUTSOPOULOS, Rythmes et danses grecs et bulgares, Athènes, Archives du folklore, 1957; G.I. CHATZIDAKIS, Mus. de Crète, Athènes 1958; SP. MOTSENIGOS, La nouv. mus. grecque, Athènes 1958; SP. PERISTERIS, Les chants pop. de Dropulis (Grèce du Nord), Athènes, Archives du folklore, 1955-57; du même, Le rythme à 6 temps premiers dans les chants pop. grecs, Athènes, Archives du folklore, 1959; D. MAZARAKI, La clar. pop. en Grèce, Athènes 1959; de la même, Interprétation musicale des chants pop. du couvent Ibiron, Athènes 1967; M. MERLIER, La chanson pop. grecque, *in* AMl XXXII, 1960 (en fr.); PH. ANOGIANAKIS, La mus. dans la Grèce moderne, supplt à l'Hist. de la mus. de K. Nef, Athènes 1960; B. PAPADÉMÉTRIOU, La mus. des 7 îles, Athènes 1964; du même, L'hist. de la culture musicale néogrecque, Athènes 1967; D. STRATOU, Danses pop. grecques, Athènes 1966; S. CHIANIS, Aspects of Melodic Ornamentation of Central Greece, Los Angeles, Univ. of California Press, 1966 (en angl.).

E.K. BORTHWICK, C. FLOROS et B. PAPADÉMÉTRIOU

GREGHESCA (ital.), pièce polyphonique de caractère léger, apparentée à la → « villanella » et à la → « giustiniana », qui se chantait à Venise au cours de la 2ᵈᵉ moitié du XVIᵉ s. Les textes, burlesques et parodiques, sont écrits dans un curieux mélange de dialectes vénitien, dalmate, istrien et de grec par le poète Antonio Molino. Les gr. étaient destinées à servir d'intermèdes dans les comédies. Seuls deux recueils nous sont parvenus, *Il primo libro delle Greghesche* à 4-8 voix (Venise 1564), avec des pièces de V. Bell'Haver, A. Gabrieli, G. Guami, Cl. Merulo, A. Padovano, C. Porta, C. de Rore, G. Wert, A. Willaert, et les *Greghesche et Justiniane* à 3 voix d'A. Gabrieli (Venise 1571).

Bibliographie — A. EINSTEIN, The Gr. and the Giustiniana of the 16th Cent., *in* Journal of Renaissance and Baroque Music I, 1946.

GRÉGORIEN, voir CHANT GRÉGORIEN.

GRELOTS (angl., jingle bells; all., Schellen; ital., sonagli; esp., cascabeles), boules de métal creuses et ajourées, en cuivre généralement, dans lesquelles se trouve insérée une petite bille de métal qui ébranle la paroi et la fait résonner au moindre mouvement. Ils gardent une valeur magique dans de nombreux actes et cérémonies des peuplades primitives. Dès la plus haute antiquité, ils accompagnèrent la danse ; de nos jours, ils constituent principalement un accessoire du harnais des chevaux de trait après avoir garni le bonnet des fous dans les mascarades et le chapeau chinois dans les orchestres de plein air.

GRENOBLE.

Bibliographie — A. LAGIER et P. BAFFERT, Les orgues de l'église St-Louis de Gr., anciennement de la basilique de St-Antoine de Viennois, Grenoble 1903; G. HELBIG, La très curieuse hist. du grand orgue de St-Louis de Gr., *in* RM XI, 1930; L. ROYER, Les musiciens et la mus. à l'ancienne collégiale St-André de Gr., du XVᵉ au XVIIIᵉ s., Paris 1939; J. BIARD, L'orgue de la collégiale et la paroisse St-André de Gr., Grenoble 1950.

GROSSE CAISSE (angl., bass drum; all., grosse Trommel; ital., gran cassa; esp., bombo), → tambour de grande taille frappé avec une → mailloche à tête de liège ou de feutre, donnant un son puissant et de hauteur indéterminée. Au Moyen Âge, la gr. c., appelée bedon ou bedondaine, était portée à dos d'homme et jouée par un exécutant placé derrière. Instrument indispensable des → fanfares, on la porte de nos jours attachée autour du cou. Elle est souvent agrémentée d'une paire de → cymbales dont l'une, tenue par la main, frappe l'autre, fixée à la caisse. A l'orchestre, la gr. c. est posée sur un chevalet. Elle fut introduite au XVIIIᵉ s. pour évoquer les turqueries et est utilisée le plus souvent dans des œuvres descriptives (Gluck, *Le Pèlerinage de La Mecque ;* Mozart, *L'Enlèvement au sérail ;* Beethoven, *La Bataille de Vittoria ;* Berlioz, *Marche hongroise*).

GROUND BASS ou GROUND (angl. ; ground = fondement), terme désignant une basse répétée invariablement (comme celle d'une → chaconne, quoique le rythme n'en soit pas nécessairement le même), pouvant servir d'armature à une œuvre. Le gr.b. peut être harmonique (voir le → « pes » de 4 accords répétés de la rote de Reading *Sumer is icumen in* qui soutient un canon à 4 parties) ou mélodique (voir le motif chromatique descendant sur lequel H. Purcell, dans *Didon et Énée,* bâtit la complainte de Didon *When I am laid in earth*). Le gr.b. était un élément favori de l'écriture de H. Purcell.

Bibliographie — TH. MACE, Musick's Monument, Londres 1676, réed. en facs. par J. Jacquot, 2 vol., Paris, CNRS, 1958 ; H. RIEMANN, Basso ostinato u. basso quasi ostinato, *in* Fs. R. von Liliencron, Leipzig 1910 ; CH. VAN DEN BORREN, Les origines de la mus. de clavier en Angleterre, Bruxelles 1912, trad. angl. Londres 1913 ; R. GRESS, Die Entwicklung der Klaviervariation von A. Gabrieli bis zu J.S. Bach, Kassel 1929 ; L. NOWAK, Grundzüge einer Gesch. des Basso ostinato, Vienne 1932 ; W.H. SHAW, J. Blow's Use of the Gr. *in* MQ XXIV, 1938 ; W. GREENHOUSE ALLT, The Treatment of Gr., *in* Proc. R. Mus. Assoc. LXXII-LXXIII, 1945-46 ; E.H. MEYER, English Chamber Music, Londres 1946, 2/1951, trad. all. Die Kammermusik Alt-Englands, Leipzig, VEB Br. & H., 1958 ; H.M. MILLER, H. Purcell and the Gr., *in* ML XXIX, 1948 ; E. APFEL, Ostinato u. Kompositionstechnik bei den englischen Virginalisten, *in* AfMw XIX-XX, 1962-63.

GRUPPETTO (ital. ; fr., → doublé, tour de gosier ou tour de gorge ; angl., turn ; all., Doppelschlag ; esp., grupeto), ornement mélodique en usage depuis le XVIᵉ s. et constitué par un petit groupe rapide de 3 ou 4 notes. La note principale s'y trouve entourée de ses notes conjointes supérieure et inférieure. Le gr. débute en général par la note supérieure. Il est indiqué par le signe ∞ :

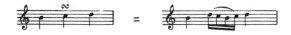

S'il commence par la note inférieure, il est dit renversé et s'indique, à la fin du XVIIIᵉ s., par les signes ∞ *ou*: ⧢

Il existe différentes manières d'exécuter le gr. selon que le signe conventionnel est placé au-dessus de la note — en ce cas, il en monnaye la durée totale comme ci-dessus — ou entre deux notes :

La rapidité avec laquelle on l'exécute dépend alors du caractère général de la pièce, de son mouvement et du bon goût de l'interprète. C.Ph.E. Bach, dans son *Versuch über die wahre Art das Clavier zu spielen* (1753), et D.G. Türk, dans sa *Clavierschule* (1789), donnent à ce sujet des indications précises en fonction du tempo. Vers la fin du XVIIIᵉ s. et au XIXᵉ s., le gr. est souvent rédigé et écrit en petites notes :

L. van Beethoven, *5ᵉ Symphonie*, 1ᵉʳ mouvt, mes. 268.

avant d'être définitivement intégré à la ligne mélodique. Sous ce dernier aspect, on le trouve fréquemment employé par R. Wagner avec une forte valeur expressive :

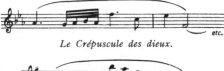

Le Crépuscule des dieux.

Tristan et Isolde.

GUAJIRA (de guajiro, nom donné aux paysans cubains de race blanche), chanson et danse populaires rurales cubaines dont l'origine est controversée (andalouse ou proprement cubaine), caractérisées par l'alternance du rythme à 6/8 et à 3/4 et des modes mineur et majeur. Elle est accompagnée à la guitare.

GUARACHA, chanson populaire cubaine, vraisemblablement d'ascendance espagnole, dont l'origine réside dans une succession de quatrains chantés en alternance par un chœur et un soliste. Actuellement, la g. se compose de deux parties : une introduction et une partie rapide. Le texte est généralement de caractère équivoque. Comme beaucoup de danses populaires espagnoles, son rythme fait alterner les mesures à 6/8 et à 3/4.

GUARANÍA, ballade paraguayenne en mouvement de valse lente et en mode mineur, créée par José Asunción Flores vers 1925 et devenue populaire.

GUIDE-MAINS, appareil composé d'une barre fixée sur le devant du clavier du piano, à une hauteur convenable pour maintenir en bonne place les poignets des exécutants et empêcher ceux-ci de jouer du coude. Simplification du → chiroplaste de J.B. Logier popularisé par P.J.G. Zimmermann, le g.-m. fut perfectionné par Fr.W.M. Kalkbrenner. F. Liszt en recommandait l'usage à ses élèves (A. Boissier, Liszt pédagogue, Paris 1928). Mais il apparut au xixᵉ s. bien d'autres systèmes destinés à étendre, assouplir ou immobiliser les mains des pianistes : les bagues de plomb de Henri Lemoine, le dactylion de Henri Herz (encore nommé « souricière »), le « velocemano » de Faivre, le chirogymnaste de Casimir Martin ou le clavier déliateur de Joseph Grégoir.

GUIDON (lat., custos), signe placé à la fin d'une portée pour indiquer la hauteur de la première note de la portée suivante. D'abord employé dans les manuscrits de chant grégorien, le g. s'est maintenu jusqu'au début du xviiᵉ s. dans les parties séparées de la mus. polyphonique.

GUIMBARDE (angl., Jew's-harp; all., Maultrommel ou Brummeisen; ital., spassapensieri; esp., birimbao), instr. de musique très ancien et très répandu, au rôle longtemps magique, et dont les étonnantes possibilités polyphoniques, pour qui sait vraiment s'en servir, sont masquées à première vue par l'apparente simplicité de facture. La g. consiste en une lame vibrante d'épaisseur inégale, actuellement en acier, mais souvent faite d'un autre matériau, bambou, voire argent, dont la densité joue un rôle non négligeable. Cette lame, l'excitateur, est pliée à angle presque droit ; l'une de ses extrémités est fixée avec le plus grand soin dans un cadre de fer forgé artisanalement, comme la languette elle-même. Le cadre a de 4 à 12 cm de long et adopte des formes diverses selon qu'il provient d'une corporation de maîtres facteurs de Mölln (Haute-Autriche), d'Afghanistan ou de Formose. Il consiste en une tige de fer de section carrée, de 3 mm environ d'épaisseur, courbée de manière à former une boucle qui se tient dans la main gauche et dont les extrémités parallèles et losangées prennent appui contre les mâchoires entrouvertes, en touchant les incisives : d'où, probablement, le nom de « jaw's harp » en anglais (« jaw », = mâchoire), équivalent de « Mundharpe » au Danemark. La lame est mise en vibration par l'index droit et émet un son fondamental dont on peut varier le timbre grâce au souffle. Ce son est d'autant plus grave que la lame est moins rigide, mais elle émet alors une série de partiels plus considérable. L'élément le plus intéressant est le résonateur complexe, formé par les mâchoires, les lèvres, la langue et le pharynx qui peuvent constituer 3 ou 4 cavités distinctes, dont la mobilité savante, contrôlée par les muscles d'un exécutant habile, permet d'obtenir une polyphonie à 3 ou même 4 voix superposées, utilisant en l'amplifiant « une série de sons assimilable à une série harmonique et où les partiels impairs prédominent ». Le son de la lame sert de bourdon et le résultat sonore n'est pas sans rappeler le son de certains instruments de l'Inde ou celui de la vielle à roue. — La g. a longtemps été considérée comme un jouet ou un instrument sans importance. Cependant elle connut son heure de gloire. J. Albrechtsberger lui a consacré un *Concertino* avec mandora, 2 violons et basse, en *ré* maj. (1769), idée intéressante car rien ne sonne mieux avec la g. qu'un instr. à cordes pincées. D'autres tentatives ont été faites avec deux ou plusieurs g. afin de compléter l'échelle sonore obtenue : Heinrich Scheibler de Krefeld inventa ainsi l' « aura » en 1816, en assemblant

jusqu'à 20 guimbardes. Les concerts publics étaient alors chose courante. A l'heure actuelle, la g. connaît un regain de faveur par le film, où l'on exploite sa séduction mystérieuse (Ingmar Bergman p. ex.), et aussi par des enregistrements de plus en plus nombreux (John Wright). Cet instrument curieux, cité en Chine dès le xiiᵉ s., répandu dans la plupart des pays mais particulièrement en Asie et en Afrique du Sud à partir du xivᵉ s. — en Europe, la plus ancienne trouvaille provient du château de Tannenberg en Hesse, détruit à la même époque — a intrigué bien des savants, physiciens ou organologues, entre autres S. Virdung, M. Praetorius, M. Mersenne, J.J. Rousseau, F. Savart... Sa fabrication artisanale à la forge, qui atteint quelques millions d'exemplaires par an, se maintient à 500 000 exemplaires en Autriche, en Norvège, en Sicile et en Italie, d'où on les exporte.

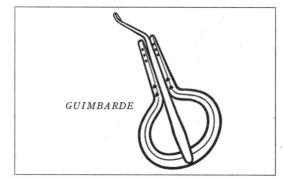

GUIMBARDE

Bibliographie — M. Heyman, La g., *in* RM IV, 1923; H. Bouasse, Tuyaux et résonateurs, Paris 1929; K. Klier, Volkstümliche Musikinstr. in den Alpen, Kassel, BV, 1956; W.D. Scheepers, De Mondharp, *in* Mens en Melodie XII, 1957; E. Leipp, Étude acoustique de la g., *in* Acustica XIII, 1963; du même, *in* Revue du son nº 126, oct. 1963.

E. Bubert

GUITARE (du grec kithara, mais sans rapport ● direct avec l'instrument grec ; angl., gittern, guitar ; all., Gitarre; ital., chitarra ; esp., guitarra, vihuela), instr. à cordes pincées, à caisse de résonance ovale légèrement étranglée en son milieu ; le fond et la table, plats, sont réunis par des éclisses. La table est percée en son milieu d'une ouverture (rosette ornée du xvᵉ au xviiiᵉ s.). La préhistoire de la g. n'est connue que d'une manière approximative ; certains instruments dérivés, utilisés de nos jours en Afrique du Nord, semblent avoir été suscités par le → luth moderne d'Europe et ne pas être autochtones. Les instruments de l'Antiquité ne présentent qu'en partie les caractères qui distinguent la g. du luth ; ainsi la g. de l'Égypte pharaonique montre un début d'étranglement des bords de la caisse de résonance, ce qui ne la désigne pas d'office comme un instr. à archet. Au début du Moyen Age, il faut admettre une influence persane et arabe, amenant l'implantation de la g. en Espagne au viiiᵉ s. Mais l'instrument n'apparaît de façon certaine dans la mus. occidentale qu'au xiiiᵉ s., par l'intermédiaire du → tanbûr », de forme ovale, à caisse de résonance bombée, originaire du Proche-Orient. Dans l'iconographie, la « guitarra morisca » est représentée pour la première fois dans les miniatures des *Cantigas de Santa María* d'Alphonse X le Sage (2de moitié du XIIe s.), comme un instrument à long manche terminé par un chevillier de forme plate et arrondie, dans lequel les chevilles sont fixées verticalement. On y trouve également représentée la « guitarra latina » (« ladina »), qui, en tant qu'instrument autochtone, se rapproche déjà davantage de la g. moderne par la barre transversale qui tient les cordes, l'étranglement plus marqué des côtés et la suppression de deux ouvertures latérales dans le corps de l'instrument. Cette g. est qualifiée par J. Tinctoris (1484) d'« Hispanorum invento ». J. Bermudo classe en 1555 la g. espagnole comme un type d'instrument plus petit que la → « vihuela ». A partir de 1530 environ, l'Espagne est concurrencée par l'Italie et la France. On utilise de préférence des cordes métalliques pincées sans plectre. La terminologie devient de plus en plus variée : « qîtara », « guitarrá morisca », « morache », « enmorache », « saracenica », « vihuela de peñola », « quintara », « quitaria », « quinterne », « ghiterna », « lutina », « chitarra spagnuola », etc. L'instrument de la Renaissance portait un chevillier légèrement recourbé vers l'arrière, avec chevilles au dos. Jusqu'au milieu du XVe s., il fut tendu de 4 cordes et barré de 4 sillets, puis de 4 cordes doubles (chœurs) accordées comme suit :

ou parfois un ton au-dessus. L'accord plus aigu, *fa²* - *si ♭²* - *ré³* - *sol³*, était également usité. Vers 1550 on ajouta un 5e chœur — la vihuela comptait déjà 5 à 7 cordes — puis au XVIIIe s. un 6e chœur, alors que le luth avait augmenté sensiblement le nombre de ses cordes dès 1600. En 1677 Lucas Ruiz de Ribayaz préconisait l'accord *la¹* - *ré²* - *sol²* - *si²* - *mi³* (en partie à l'octave, en partie à l'unisson), qui dénotait une certaine parenté avec celui du luth. Durant les deux siècles où se forma le répertoire classique (XVIe-XVIIIe s.), on distinguait deux manières de jouer de la g. : « punteado » (essentiellement monodique) et « rasgueado » (par accords, sans arpéger lentement). C'est pourquoi la tablature de g. est une superposition de tablature de luth et de signes spécifiques de la guitare. — Voir également l'art. TABLATURE.

GUITARE début XIXe s.

Bibliographie (voir également l'art. LUTH) — J. BERMUDO, Declaración de instrumentos musicales, Osuna 1555, rééd. en facs. par S. Kastner, Kassel, BV, 1957 ; M. MERSENNE, Harmonie universelle, Paris 1636, rééd. en facs. par Fr. Lesure, 3 vol., Paris, CNRS, 1963 ; J.Fr.B.C. MAJER, Museum Musicum, Schwäbisch-Hall 1732, rééd. en facs. par H. Becker, Kassel, BV, 1954 ; P. MINGUET Y YROL, Reglas y advertencías generales para tañer la g., tiple y vandola, Madrid 1754 ; K. GEIRINGER, Der Instrumentenname Guiterne u. die mittelalterlichen Bezeichnungen der G. ..., in AfMw VI, 1923-24 ; M.R. BRONDI, Il liuto e la chitarra, in RMI XXXII, 1925, tiré à part Turin 1926 ; E. PUJOL, La g., in Lavignac Hist. III, 1925 ; J. ZUTH, Hdb. der Laute u. G., Vienne 1926-28 ; H. HICKMANN, Ein unbekanntes ägyptisches Saiteninstr. aus koptischer Zeit, in Mf III, 1950 ; E. PUJOL, Les ressources instrumentales et leur rôle dans la mus. pour vihuela et pour g. au XVIe et au XVIIe s., in La mus. instrumentale de la Renaissance, Paris, CNRS, 1955 ; H. HICKMANN et W. BOETTICHER, art. Gitarre in MGG V, 1956.

W. BOETTICHER

GUITARE (Musique pour g.). Le répertoire espagnol de la g. est, à l'origine, étroitement apparenté à celui de la « vihuela » quand il n'est pas identique. La plus ancienne source imprimée est due à L. Milán (1535), dont les pièces témoignent du niveau élevé atteint par les interludes figuratifs libres et les fins, par rapport au jeu par accords dans le style de la danse. Il faut ensuite citer L. de Narváez (1538), A. de Mudarra (1546), J. Bermudo et le chapitre *De las guitarras* de sa *Declaración...*, où la technique de jeu est poussée jusqu'au 10e sillet ; puis A. de Valderrábano (1547), D. Pisador (1552), M. de Fuenllana (1554), F.T. de Santa María (1565), E. Daza (1576) et Fray Luiz de San Martino (1re éd. 1639, perdue). Cette floraison espagnole, limitée au XVIe s., présente un répertoire de « seguidillas », « romances », fantaisies, « villancicos », « sonetos » et de danses. De bonne heure apparurent certaines normes didactiques, d'où les fréquentes indications « difícil » ou « fácil » ; on précisa également s'il s'agissait de l'arrangement d'une pièce vocale (« música compuesta », « composturas », etc.). Pour ce qui est du toucher, on trouve d'amples renseignements dans le traité que renferme la tablature de L. Venegas de Hinestrosa (1557). Le « Nachtanz » (« proportio tripla ») et la technique du « double » (« fantasía de redobles ») comptent parmi les formes les plus anciennes. Les tablatures de g. espagnole plus tardives (G. Sanz, 1674, 1697 ; Francisco Guerau, 1694) reprennent déjà la technique guitaristique française. La production purement espagnole et portugaise prend fin en 1627 avec Luis de Briceño. A côté de tablatures italiennes pour le luth, M. de Barberiis (1549) se consacre également à la guitare. Viennent ensuite des publications italiennes et françaises en grand nombre : A. Le Roy (1551, 1555, etc.), Gr. Brayssing (1553), P. Phalèse (1570), Gerolamo Montesardo (1606, 1612), J. H. Kapsberger (1619, etc.), G. Stefani (1618, etc.), Girolamo Marinoni (1614), Paolo d'Aragona (1616), Orazio Giaccio (1618, etc.), S. Landi (1620), Giovanni Ambrosio Colonna (1620, etc.). Jusqu'aux recueils les plus tardifs (entre autres, Fr. Campion, 1705 ; Francisco Santiago de Murcia, v. 1714 ; J.Fr. B.C. Majer, 1732 ; Pablo Minguet y Yrol, v. 1752), on voit se succéder de nombreuses publications (catal. établi par W. Boetticher *in* MGG V, 1956, art. Gitarre, et complété par le même *in* RISM VII, 1972), parmi lesquelles il faut citer celles de Benedetto Sanseverino, Pietro Millioni, A. Trombetti, A.M. Bartolotti, Antonio Carbonchi, Fr. Corbetta (1639, etc.), qui fut également un virtuose international de la guitare, et les *Trois Livres de guitare* de R. de Visée (1682, 1686, 1689). La pratique anglaise de la « gittern » se développa surtout entre 1590 et 1630. En Allemagne, la g., appelée selon M. Praetorius (1619) « Quinterna », ne jouit pas d'une grande estime. D'après les manuscrits, elle n'atteignit une certaine notoriété dans les cours qu'à la fin du XVIIIᵉ s., par l'intermédiaire des virtuoses italiens. L'usage des tablatures disparut après 1800. Les tablatures manuscrites pour la g. sont bien moins nombreuses que celles de luth ; en ce qui concerne les débuts de cet instrument, les sources font presque totalement défaut. Parmi les plus importantes, il faut citer (catal. complet établi par W. Boetticher *in* RISM VII, 1972) : Amsterdam, La Haye (notation « en sténographie » d'Isabelle de Langenhove), Augsbourg, Berlin (Mus. Ms. 40 082, 40 142), Florence (Bibl. Riccardiana), Munich (Bayerische Staatsbibl.), Pérouse (Bibl. Comunale), Regensburg (Bibl. Proske), Bruxelles (Bibl. Royale), Metten (Stiftsbibl.), Madrid (Bibl. Nacional).

Contrairement à celle du luth, la pratique de la g. prit un nouvel essor durant la période classique, ce qui est également attesté par les nombreuses méthodes instrumentales (Heinrich Christian Bergmann, 1802 ; Michael von Schack, 1805 ; Johann Traugott Lehmann, 1806, etc.). F. Carulli, venu de Naples à Paris, fut, avec F. Sor et Fr. Tárrega, le plus remarquable virtuose de cette époque. Paganini fut également un excellent guitariste et transposa sur le violon des effets propres à la g., comme le fit par la suite R. Schumann dans sa *2ᵉ Sonate* pour violon, op. 121. Se firent aussi apprécier du public des virtuoses polonais (Bobrowicz, Horetzki) et russes (Andreas Ossipovitch Sichra, Michaïl Timofejevitch Wyssozki). Si L. Boccherini a introduit la g. dans 12 quintettes, elle ne tient qu'une place réduite dans l'œuvre de Beethoven et de Schubert ; de nombreux arrangements d'accompagnement se sont révélés apocryphes. L'opéra romantique utilise à l'occasion les effets particuliers de l'instrument pour accompagner une mélodie (C.M. von Weber, L. Spohr, A.M. Grétry, E. Auber) ; H. Berlioz, dans son *Grand Traité d'instrumentation*, en loue la sonorité piquante. Pour l'époque vériste, la g. présente également l'intérêt d'une couleur sonore particulière ; il en sera de même chez Verdi (*Falstaff*) et plus tard chez G. Mahler (*7ᵉ Symphonie*). Influencé par l'Espagne voisine, l'impressionnisme français opère un retour à la g. dans l'écriture du piano (Cl. Debussy, M. Ravel); ce n'est pas un hasard si l'*Hommage à Debussy* (Paris 1922) de M. de Falla a donné à cet instrument un nouvel essor. Depuis, des interprètes de grand talent se sont imposés au public : Miguel Llobet, A. Segovia, E. Pujol... Une nouvelle école de g. s'est formée en Amérique du Sud autour de Domingo Prat. En Allemagne, la renaissance depuis 1910 de la musique ancienne pour luth, alimentée par l'enthousiasme de la « Jugendbewegung », a remis la g. en vedette ; mais cela n'a été souvent que pour servir de substitut impropre au luth ancien, comme le faisait déjà remarquer avec justesse Adolf Koczirz dans une critique de rééditions (voir ZIMG VII, 1906, p. 363). La g. moderne comporte un important répertoire, alimenté par de nombreux compositeurs, interprètes ou non, parmi lesquels il faut citer A. Roussel (*Segovia*), A. Schönberg (*Serenade* pour baryton et 7 instr. dont une g. et une mandoline),

J. Turina, M. Ponce, H. Villa-Lobos (12 *Études*, 6 *Préludes, Choros*), Fr. Martin, G. Migot (3 *Sonates* : pour g., pour 2 g., pour fl. et g.), M. Castelnuovo-Tedesco (de nbr. œuvres parmi lesquelles 24 *Capricci di Goya, Les Guitares bien tempérées* pour 2 g., un *Quintette* pour cordes et g., une *Serenata* avec orch., 3 *Concertos* avec orch., dont un pour 2 g.), A. Tansman, C. Chavez, J. Rodrigo (*Concierto de Aranjuez* pour g. et orch.), A. Jolivet (2 *Études de concert, Sérénade* pour 2 g.), M. Ohana (*Tiento, Concerto* pour g. et orch.), Agustín Barríos, Leo Brouwer...

Rééditions — Cf. art. Gitarre *in* MGG V, 1956 ; Fr. CAMPION, 20 Pièces, éd. par L. Baille, Paris, Senart, 1933 ; L. DE NARVÁEZ, *Los seys libros del Delphin*, éd. par E. Pujol, *in* MMEsp III, 1945 ; A. MUDARRA, *Tres libros de música en cifra*, éd. par le même, *ibid.* VII, 1949 ; Hispaniae Citharae ars viva, éd. par le même, Mayence, Schott, 1955 ; R. DE VISÉE, Œuvres complètes, éd. par R.W. Strizich, Paris, Heugel, 1969.

Bibliographie (cf. également art. LUTH, TABLATURE et VIHUELA). — O. CHILESOTTI, Capricci armonici sopra la chitarra..., Rome 1881 ; du même, Fr. Corbetta, guittarista, *in* Gazetta Musicale di Milano XL,IV, 1888 ; du même, La chitarra francese..., *in* RMI XIV, 1907 ; du même, Canzonette del Seicento con la chitarra, *ibid.* XVI, 1909 ; G. MORPHY, Les luthistes espagnols, 2 vol., Leipzig 1902 ; J. ZUTH, S. Molitor u. die Wiener Gitarristik (diss. Vienne 1920) ; du même, Hdb. der Laute u. G., Vienne 1926-28 ; A. KOCZIRZ, Zur Gesch. der G. in Frankreich vor 1500 bis 1750, *in* Zs. der Arbeitsgemeinschaft zur Pflege des G.spiels I, Vienne 1921-22 ; du même, Die Fantasien des M. de Barberiis für die 7-saitige G. (1549), *in* ZfMw IV, 1921-22 ; du même, G.-Kompositionen in M. de Fuenllanas « Orphenica Lyra », *in* AfMw IV, 1923 ; du même, Eine G.- u. Lautenhandschrift..., *ibid.* VIII, 1926 ; du même, Eine G.tabulatur des... O. Clementi, *in* Mélanges La Laurencie, Paris 1933 ; du même, Die G. im deutschen Musikleben um 1700, *in* Muse des Saitenspiels XVI, Bad Honnef 1934 ; H. SOMMER, Laute u. G., Berlin 1922 ; M.R. BRONDI, Il liuto e la chitarra, *in* RMI XXXII, 1925, tiré à part Turin 1927 ; E. PUJOL, La g., *in* Lavignac Hist. III, 1925 ; J.B. TREND, L. Milan and the Vihuelistas, Oxford 1925 ; S.N. CONTRERAS, La g., sus antecedentes..., Buenos Aires 1927 ; A. RISCHEL, Zur Gesch. der G. in Dänemark, *in* Die Gitarre XII, 1930 ; D. FRYKLUND, Bidrag till gitarristiken, *in* STMf XIII, 1931 ; H. NEEMANN, Laute- u. G.handschriften in Kopenhagen, *in* AMl IV, 1932 ; R. MUÑOZ, Hist. de la guitarra, Buenos Aires 1933 ; W. APEL, Early Spanish Music for Lute and Keyboard Instr., *in* MQ XX, 1934 ; D. PRAT, Diccionario biogr. ... de guitarras, guitarristas..., Buenos Aires 1934 ; F. ANDORRA, La chitarra, Milan 1936 ; M. GIORDANO, Contributo allo studio della chitarra, Milan 1936 ; O. GOMBOSI, Ad vocem cithara, citharista, *in* AMl IX, 1937 ; J. BAL Y GAY, M. de Fuenllana and the Transcriptions of Spanish Lute Music, *ibid.* XI, 1939 ; S. BLOCH, Lute Music, its Notation, Technical Problems in Relation to the G., *in* The Guitar Review IX, New York 1949 ; Fr. LESURE, La g. en France, *in* MD IV, 1950 ; E. PUJOL, Significación de J.C. Amat, *in* Ann. Mus. V, 1950 ; du même, Les ressources instrumentales et leur rôle dans la mus. pour vihuela et pour g. au XVIᵉ et au XVIIᵉ s., *in* La mus. instrumentale de la Renaissance, Paris, CNRS, 1955 ; F. BUEK, Die G. u. ihre Meister, 3/Berlin 1952 ; J WARD, The Vihuela da mano and its Music, 1536-1576 (diss. Univ. New York 1953) ; PH.J. BONE, The G. and Mandolin, 2/Londres 1954 ; A.P. SHARPE, The Story of the Spanish G., Londres 1954 ; W. BOETTICHER, art. Gitarre in MGG V, 1956 ; T. USHER, The Spanish G. in the 19th and 20th Cent., *in* The Galpin Soc. Journal IX, 1956 ; D. DEVOTO, Poésie et mus. dans l'œuvre des vihuelistes, *in* Ann. Mus. IV, Paris 1956 ; J. KLIMA, Ausgewählte Werke aus einer Ausseer G. tabulatur (= Musik Alter Meister X, éd. par H. Federhofer, Graz 1958 (introd.) ; R. SAINZ DE LA MAZA, Mús. de laúd, vihuela y g. del Renacimiento al Barroco, Madrid 1958 ; R. KEITH, The G. Cult in the Courts of Louis XI and Charles II, *in* JAMS XII, 1959 ; D. HEARTZ, Parisian Music Publishing under Henry II : à propos of four recently discovered G.-books, *in* MQ XLVI, 1960 ; du même, An Elizabethan Tutor for the G., *in* The Galpin Soc. Journal XVI, 1963 ; J. DE AZPIAZU, The G. and Guitarists from the Beginning to the Present Day, Londres 1960 ; K. RASMUSSEN, N. Diesels guitarkompositioner, *in* Dansk Aarbog for Musikforskning, Copenhague 1963 ; D. DEVOTO, De la Zarabanda à la Sarabande, *in* Recherches VI, Paris, Picard, 1966 ; S. MURPHY, 17th Cent. Guitar Music, *in* The Galpin Soc. Journal XXI, 1968 ; R HUDSON, The Development... from Guitar Music in the 17th Cent., *in* MD XXIV, 1970.

W. BOETTICHER

GUITARE D'AMOUR, voir ARPEGGIONE.

GUITARE DÉCACORDE, voir DÉCACORDE.

GUITARE-VIOLONCELLE, voir ARPEGGIONE.

GUITERNE ou QUINTERNE (angl., ghittern; ital., quintaria), instr. à cordes pincées, de dimensions plus réduites que la guitare, tendu de 4 chœurs de cordes ou bien de 5, 6 ou 7 cordes (dans ce cas : 5 cordes et une chanterelle double) pincées par les doigts ou par un plectre d'ivoire. Les g. coexistent avec les mandoles et les guitares entre les XIIIe et XVIe s. Par la forme de sa caisse, le fond parfois plat, la présence d'une rose centrale qui a remplacé plusieurs petites ouvertures pratiquées dans la table de résonance à la manière de celles de la « vihuela da mano », la g. s'apparente à la → guitare (M. Mersenne). Cependant, il arrive aussi qu'elle soit d'aspect piriforme, à fond galbé fait d'un assemblage de côtes comme celui du luth. Mais surtout, le chevillier, gracieusement courbé vers l'avant, s'achève par une sculpture animale (musée de Cluny) ou une volute telle que la montre le graveur Tobias Stimmer vers la fin du XVIe s. Par ces aspects, la g. ressemble à la « mandola » de S. Virdung (1511). J. Tinctoris, en 1487, situe l'origine de cet instrument en pays catalan.

Bibliographie — K. GEIRINGER, Der Instrumentenname Quinterne, in AfMw VI, 1924.

GUSHÉH, voir IRAN.

GUSLAR (serbo-croate), chanteur aveugle qui exécutait les poèmes épiques serbes en s'accompagnant sur les → gusle, instr. devenu le symbole de la lutte pour la liberté en face de l'envahisseur turc. Les mélismes et les trilles des gusle, mêlés à la voix vibrante du g., donnent à l'exécution un caractère expressif impossible à noter, car le rythme est subordonné aux paroles et la hauteur des cinq sons utilisés ne correspond pas à notre échelle tempérée.

GUSLE (serbo-croate, pluriel), instr. populaire de Serbie et du Monténégro. Taillées dans un seul bloc de bois (l'érable étant le meilleur), les g. ont la forme d'une poire évidée dans la partie large. La cavité est recouverte d'une peau. Les g., utilisées pour accompagner les poèmes épiques nationaux, n'ont qu'une corde, en crin de cheval, accordée selon la voix de l'exécutant. Le manche ne possède pas de touche : les doigts effleurent seulement la corde, qui produit les sons harmoniques. On tient les g. entre les genoux et on en joue à l'aide d'un archet primitif, fait de même bois que l'instrument, dont la mèche est en crins.

Bibliographie (en serbo-croate sauf mention spéciale) — F. KUHAČ, Description et hist. des g., in Rad nº 38, Zagreb 1877 ; V. KARAKAŠEVIĆ, G. et guslars, in Annales de Matica srbska, Novi Sad 1899 ; M. MURKO, G. et tamburice à deux cordes, in Recueil de Bulić, Zagreb 1924 ; du même, A la recherche de l'épopée nationale serbo-croate I, Zagreb 1951 ; K. MANOJLOVIĆ, G. et guslars, in Muzika, Belgrade 1928 ; M. MILOJEVIĆ, La mus. des g., ibid., 1929 ; G. BECKING, Der musikalische Bau des Montenegrinischen Volks-

epos, in Archives Néerlandaises de phonétique expérimentale VIII-IX, Amsterdam 1933 (en all.); W. WÜNSCH, Die Geigentechnik der südslavischen Guslaren, Brno 1934 (en all.); B. RUSIČ, Guslar Apostol de Prilep, Belgrade 1940 ; S. PAŠĆAN-KOJANOV, Le développement historique des instr. à archet, Belgrade 1956.

GUSLI (russe), type de cithare populaire qui se pose horizontalement. Sans rapport avec les « gusle » serbes, le g. s'est développé chez le peuple russe à partir d'un psaltérion qui compte parmi les plus anciens d'Europe, comme son parent finlandais, le → « kantele ». Ses 5 cordes pincées se sont multipliées jusqu'à couvrir 4 octaves diatoniques à la fin du Moyen Age. Elles sont soit en métal (laiton), soit en boyau, tendues au-dessus d'une table de résonance en érable et non en résineux, qui adopte la forme polygonale (variable) ou l'aspect ovoïde de la caisse, qu'elle dépasse pourtant souvent considérablement.

Bibliographie — A.S. FAMINTZINE, G., un instr. de mus. populaire russe, St-Pétersbourg 1890 (en russe).

GYMEL (angl., ; du lat. gemellus, = jumeau), forme polyphonique primitive propre à la mus. vocale britannique : la mélodie est doublée parallèlement à la tierce ou à la sixte inférieure. Quoiqu'il n'existe pas d'exemples notés d'une telle polyphonie, apparemment instinctive et antérieure au développement de l'organum primitif, l'usage du g. est décrit par quelques-uns des premiers historiens et commentateurs de l'Angleterre prénormande. Giraldus Cambrensis (v. 1150) en fait mention dans sa Descriptio Cambriae. Quoique ses origines soient mystérieuses, on pense que le g. dut se développer au sein du peuple gallois avant d'être adopté par le reste des îles Britanniques, à une époque où, en Europe, la tierce n'était pas reconnue comme une consonance parfaite. Le fait que des œuvres comme l'Hymne à St Magnus (voir A. DAVISON et W. APEL, Historical Anth. of Music I, Cambridge (Mass.), Harvard Univ. Press, 1964, nº 25e), presque entièrement composée de tierces parallèles, aient été chantées au XIIe s. dans les îles Orkney, où la population scandinave était prédominante, permit à certains d'entre les premiers théoriciens d'attribuer le g. aux Norrois qui envahirent les îles Britanniques. Ce furent des compositeurs britanniques qui, principalement en Angleterre, utilisèrent au XIIe s. les tierces parallèles du « gymel ». Des théoriciens britanniques consacrèrent cette pratique : dans l'Anonyme IV (XIIIe s. ; voir COUSSEMAKER Scr. I, Paris 1864), il est décrit que les tierces et les sixtes étaient considérées dans l'ouest de l'Angleterre comme les intervalles les plus harmonieux. A la fin du Moyen Age, Guglielmus Monachus (De praeceptis artibus musicae) décrit le g. comme une forme de → faux-bourdon à deux voix. D'autres sources de la fin du Moyen Age définissent le mot g. comme un faux-bourdon anglais.

Bibliographie — M. BUKOFZER, The G., the Earliest Form of English Polyphony, in ML XVI, 1935 ; du même, Gesch. des englischen Diskants u. des Fauxbourdons nach den theoretischen Quellen, Strasbourg 1936 ; du même, Music in the M.A., New York 1940 ; FR. LL. HARRISON, Music in Medieval Britain, Londres, Routledge & Kegan Paul, 1958, 2/1963 ; E. TRUMBLE, Fauxbourdon. An Historical Survey, Brooklyn, Inst. of Medieval Music, 1959.

H

H (all., = *si* naturel), huitième lettre de l'alphabet, qui, depuis le XVIᵉ s., désigne en pays germaniques le *si* naturel à la place de B « quadratum » (♮ assimilé à H par les typographes).

fr., ital., esp.	angl.	all.
si ♭	B flat	B
si ♭♭	B double flat	Heses
si ♯	B sharp	His
si ♯♯×	B double sharp	Hisis

HABANERA, danse cubaine de rythme binaire, qui gagna tout le continent européen vers la fin du siècle dernier. Connue dans son pays d'origine sous le nom de « contredanse créole », elle semble issue de la transformation des éléments européens sous l'influence indéniable des rythmes africains enracinés dans l'île. Sans être aussi syncopée que certaines musiques afro-américaines des États-Unis ou du Brésil, elle possède un schéma métrique d'une élasticité bien caractéristique : ♪♪ ♪ ♪♪. Après quelques compositeurs cubains (Ignacio Cervantes, créateur du genre), elle a tenté plusieurs musiciens espagnols (Albéniz et M. de Falla en premier lieu) et surtout français (Chabrier, Saint-Saëns, R. Laparra, Debussy, Ravel, L. Aubert). La h. de *Carmen* est fondée sur une composition de S. Iradier, *El arreglito*, « L'arrangement ».

HALLE.

Bibliographie — H. MUND, Historische Nachrichten über die Kirchenorgeln in H., Leipzig 1908 ; H. ABERT, Gesch. der R. Franz-Singakad. zu H. 1833-1908, Halle 1908 ; H. GLENEWINKEL, D.G. Türk nebst einem Überblick über das Hallische Musikleben seiner Zeit (diss. Halle 1909) ; C. ZEHLER, W.Fr. Bach u. seine Hallische Wirksamkeit, *in* Bach-Jb. VII, 1910 ; U. SCHWETSCHKE, 100 Jahre Bergkonzerte, Halle 1910 ; W. PREIBISCH, Hallisches Musikbüchlein, Halle 1912 ; B. WEISSENBORN, H.s Anteil an der deutschen Händelpflege, *in* Hallisches Händelfest 1922, Halle 1922 ; F. FLÖSSNER, Beitr. zur Reichardt-Forschung (diss. Francfort/M. 1928) ; M. FALLER, J.Fr. Reichardt u. die Anfänge der musikalischen Journalistik, Kassel 1929 ; R. HÜNICKEN, S. Scheidt, ein althallischer Musikus, Halle 1934 ; W. SERAUKY, Musikgesch. der Stadt H., 2 vol., Halle, Berlin 1935-43 ; du même, H.s Opernpflege in der Vergangenheit, *in* Fs. zur 50-Jahrfeier des Stadttheaters H., Halle 1936 ; du même, H.s Händelpflege 1933-1938, *in* G.Fr. Händel u. seine Zeit, Halle 1938 ; R. BRÄUTIGAM, Althallische Musiker, Halle 1936 ; G.E. HEDLER, D.G. Türk, 1750-1813, Leipzig 1936 ; H. als Musikstadt, Halle, Rat der Stadt, 1954 ; W. SIEGMUND-SCHULTZE, II.s Beitr. zur Musikgesch., Halle, M.-Luther-Univ., 1961 ; Traditionen u. Aufgaben der Hallischen Mw., Wissenschaftliche Zs. der M.-Luther-Univ. H.-Wittenberg, Sonderband, 1963 ; W. RACKWITZ, Die Hallische Händel-Renaissance von 1859 bis 1952, Halle 1963 ; W. STÜVEN, Orgeln u. Orgelbauer im hallischen Land vor 1800, Wiesbaden, Br. & H., 1964.

HALLING, danse masculine, populaire en Norvège. Elle est écrite à 2/4, plus rarement à 6/8, et s'exécute dans un mouvement vigoureux et rapide. Un homme tient au milieu de la pièce un chapeau sur une longue perche tandis que quelques danseurs s'efforcent de le faire tomber. Le h. se joue sur la → « hardingfele ». O. Bull et E. Grieg ont écrit des h., le second dans ses *Pièces lyriques*.

HAMBOURG (Hamburg).

Bibliographie (éd. à Hambourg, sauf mention spéciale) — **1. Ouvrages généraux :** J. SITTARD, Gesch. des Musik- u. Concertwesens in H. vom 14. Jh. bis auf die Gegenwart, Altona 1890 ; Die Musik H.s im Zeitalter Seb. Bachs, H. 1921 ; H. MIESNER, Ph.E. Bach in H., Leipzig 1929 ; W. HÖHNE, 100 Jahre Musiker-Organisation in H., H. 1931 ; L. KRÜGER, Die Hamburgische Musikorganisation im 17. Jh., Strasbourg 1933 ; K. STEPHENSON, J. Brahms, Heimatbekenntnis an seine H.er Verwandten, H. 1933, 2/1948 ; du même, A. Romberg, ein Beitr. zur Hamburgischen Musikgesch., H. 1938 ; du même, Musikalisches Biedermeier in H., *in* Beitr. zur Hamburgischen Musikgesch., H., Musikwissenschaftliches Inst. der Univ., 1956 ; H. FUNCK, Beitr. zur Altonaer Musikgesch., *in* Altonaische Zs. für Gesch. u. Heimatkunde VI, 1937 ; H. BECKER, Die frühe Hamburgische Tagespresse als musikgeschichtliche Quelle, *in* Beitr. zur Hamburgischen Musikgesch., H., Musikwissenschaftliches Inst. der Univ., 1956. — **2. La mus. religieuse. a)** K.G.P. GRÄDENER, Bach u. die H.er Bachgesellschaft, H. 1856 ; M. SEIFFERT, S. Bachs Bewerbung um die Organistenstelle an St. Jakobi in H. 1720, *in* AfMw III, 1921 ; H. LEICHSENRING, Hamburgische Kirchenmusik im Reformationszeitalter (diss. Berlin 1922) ; P. RUBARTH, V. Lübeck, ein Beitr. zur Gesch. norddeutscher Kirchenmusik im 17. u. 18. Jh., *in* AfMw VI, 1924 ; H. HÖRNER, G. Ph. Telemanns Passionsmusiken, Borna et Leipzig 1933 ; G. ELGNOWSKI, Geistliche Musik im alten H., H. 1961 — **b)** Les orgues : TH. CORTUM, Die Orgelwerke der ev.-lutherischen Kirche im Hamburgischen Staate, Kassel 1928 ; K. MEHRKENS, Die Schnitger-Orgel der Hauptkirche St. Jacobi in H., Kassel 1930 ; L. KRÜGER, J. Kortkamps Organistenchronik, eine Quelle zur Hamburgischen Musikgesch. des 17. Jh., *in* Zs. des Vereins für Hamburgische Gesch. XXXIII, 1933. — **3. Les théâtres lyriques :** J. SCHÜTZE, Hamburgische Theatergesch., H. 1794 ; L. WOLLRABE, Chronologie sämtlicher H.er Bühnen, nebst Angabe der meisten Schauspieler, Sänger, Tänzer u. Musiker, H. 1847 ; E.O. LINDNER, Die erste stehende deutsche Oper, Berlin 1855 ; FR. CHRYSANDER, Die H.er Oper, *in* AmZ XII-XV, 1877-80 ; L. MEINARDUS, Rückblicke auf die Anfänge der Deutschen Oper in H., H. 1878 ; H. UHDE, Das Stadt-Theater in H. 1827-77, Stuttgart 1879 ; J. SITTARD, Musik u. Theater in H. um die Jahrhundertwende 1800, H. 1900 ; W. KLEEFELD, Das Orchester der H.er Oper 1678-1738, *in* SIMG I, 1899-1900 ; G. OTTZENN, Telemann als Opernkomponist, ein Beitr. zur Gesch. der H.er Oper, Berlin 1902 ; O. WEDDIGEN, Gesch. der Theater Deutschlands, 2 vol., Berlin 1906 ; P.A. MERBACH, Das Repertoire der H.er Oper von 1718 bis 1750, *in* AfMw VI, 1924, et VII, 1925 (avec E.H. MÜLLER) ; A.W. BARTMUSS, Die H.er Barockoper u. ihre Bedeutung für die Entwicklung der deutschen Dichtung u. der deutschen Bühne (diss. Iéna 1925) ; H. CHEVALLEY, 100 Jahre H.er Stadt-Theater, H. 1927 ; K. STEPHENSON, Mozarts Meisteropern im aufklärerischen H., *in* Imprimatur VIII, 1938 ; du même, Hamburgische Oper zwischen Barock u. Romantik, H. 1948 ; H. FREUND et W. REINKING, Musikalisches Theater in H., H. 1938 ; W. SCHULZE, Die Quellen der H.er Oper 1678-1738, H. 1938 ; Hamburgische Staatsoper 1955, H., Christians, 1955 ; H.CHR. WOLFF, Die Barockoper in H. (1678-1738), 2 vol., Wolfenbüttel, Möseler, 1957 ; P. MÖHRING, Von Ackermann bis Ziegel

Theater in H., H., Christians, 1970. — **4. Orchestres et chœurs :** A. Bieber, 50 Jahre Euthymia-Erinnerungen, H. 1901 ; H. Helms, Die Entwicklung der Volkskonzerte in H., H. 1910 ; K. Stephenson, 100 Jahre Philharmonische Gesellschaft in H., H.1928 ; M. Kirschstein, 25 Jahre Volkskonzerte in H., H. 1929 ; F. Bernitt, 50 Jahre H.er Lehrer-Gesangverein, H. 1936 ; F. Bertram, Chronik der H.er Liedertafel von 1823, H. 1938 ; H. Grunicke, H. von Bü ow u. das Hamburgische Musikleben, in Hamburger Jb. für Theater u. Musik, H. 1941. — **5. L'enseignement :** H.F. Micheelsen, Die Kirchenmusikschule der Hamburgischen Landeskirche, in MuK XI, 1939 ; Staatliche Hochschule für Musik in H. 1950-1960, H., Staatl. Hochschule für Musik, 1960. — **6. Bibliothèques et musées :** J. Geffcken, Die hamburgischen niedersächsischen Gesangbücher des 16. Jh., H. 1857 ; H. Schröder, Museum für Hamburgische Gesch. Verzeichnis der Sammlung alter Musikinstr., H. 1930. — **7. Les facteurs d'instruments :** H. Nirrnheim, Zur Gesch. des Instrumentenbaus in H., in Mitteilungen des Vereins für Hamburgische Gesch. XIX-XXI, 1898-1901.

HANOVRE (Hannover).

Bibliographie — **1. Vie musicale et ouvr. généraux :** A. Pfahl, Theater u. Musik, in Die königliche Haupt- u. Residenzstadt H., Hanovre 1913 ; Th.W. Werner, A. Crappius, ein Beitr. zur H.schen Kantorengesch., in AfMw V, 1923 ; Th. Abbetmeyer, Zur Gesch. der Musik am Hofe in H. vor A. Steffani 1636-1689 (diss. Göttingen 1931) ; H. Sievers, Die Musik in H., Hanovre, Sponholtz, 1961. — **2. Les théâtres lyriques :** H. Müller, Das königliche Hoftheater zu H., Hanovre 1884 ; G. Fischer, Opern u. Concerte im Hoftheater zu H. bis 1866, Hanovre et Leipzig 1899, 2/1903 sous le titre Musik in H. ; F. Ebel, Das ehemalige Schloss-Opernhaus in H., in Denkmalspflege XVI, 1914 ; B. Heyn, Wanderkomödianten des 18. Jh. in H., Hildesheim 1925 ; E. Rosendahl, Gesch. der Hoftheater in H. u. Braunschweig, Hanovre 1927 ; K. Bauer, 75 Jahre Opernhaus H. (1852-1927), Hanovre 1927 ; H. Rahlfs, Die städtischen Bühnen zu H. u. ihre Vorläufer, Hanovre 1928 ; Weihe des Hauses, Wiedereröffnung des Opernhauses in H. 1950, Hanovre 1950 ; Landestheater H., 100 Jahre Opernhaus (1852-1952), Hanovre, Städtischer Verkehrsamt, 1952 ; G. Vorkamp, Das französische Hoftheater in H. (diss. Göttingen 1957). — **3. Orchestres et chœurs :** C. Falke et A. Schröder, Fs. der neuen Liedertafel H. 1850-1925, Hanovre 1925 ; E. Rodewald et W. Torge, Fs. zur Feier des 75jährigen Bestehens des H.schen Männergesangvereins, Hanovre 1926 ; Fs. für die Hundertjahrfeier der Vereinigten Norddeutschen Liedertafeln in H. 1931, Hanovre 1931 ; W. Menke, 75 Jahre H.scher Schlosskirchenchor, Hildburghausen 1932 ; Th.W. Werner, Hauptstadt H. 300 Jahre. Von der Hofkapelle zum Opernhausorchester, Hanovre 1937 ; H. Schrewe et F. Schmidt, Das H.sche Hof- u. Opernorchester u. seine Mitglieder, in Hannoversche Geschichtsblätter, nouv. série XI, 1957. — **4. Enseignement et bibliothèques :** Th.W. Werner, Die Musikhss. des Kestnerschen Nachlasses im Stadtarchiv zu H., in Hannoversche Geschichtsblätter XXII, 1919 ; Städtischen Konservatorium zu H., Bericht 1919-26, Hanovre 1926.

HARD BOP (angl.), voir Jazz.

HARDINGFELE ou HARDANGERFELE (norvégien), instr. populaire le plus répandu en Norvège, de forme apparentée à celle du violon, habituellement orné de riches incrustations d'or ou de nacre. Le plus ancien spécimen connu porte la signature « Ole Jonsen Jaastad 1651 », tandis que la première mention lexicographique remonte à 1646. Un ouvrage de J. Mattheson, *Das unterirdische Klippenkoncert in Norwegen* (Hambourg 1740), contient la première partition imprimée destinée à cet instrument. Les plus anciennes h. (av. 1850) étaient plus étroites et bien moins découpées que les instruments récents ; elles comportaient un nombre variable de cordes sympathiques qui fut fixé ultérieurement à quatre. L'instrument se distingue encore du violon par un chevalet plus élevé et moins courbe. L'accord se fait une tierce mineure ou une seconde majeure au-dessus du violon. On connaît plus de 20 accords différents ; les instrumentistes

doués en maîtrisent de 10 à 15. L'accord normal se fait sur la^2 - $ré^3$ - la^3 - mi^4 et, pour les cordes sympathiques, sur $ré^3$ - mi^3 - $fa\sharp^3$ - la^3. La h. est utilisée au sud-est et à l'ouest de la Norvège pour l'exécution de danses typiques nommées « gangar », « springar » et « halling », connues sous la dénomination générale de « slått ». De nombreux concours et festivals ont maintenu vivantes les traditions qui se rattachent à la pratique de cet instrument.

Bibliographie — **1. Éditions monumentales :** Norsk Folkemusikk, I Hardingfeleslåttar, 8 vol., Oslo, Universitetsforlaget, 1958 et suiv. — **2. Études :** E. Groven, Om hardingfeleslåttene, in Norsk Musikkgrasknings Årbok 1954-55, Oslo, Tanum, 1956 ; O. Gurvin, The Harding Fiddle, in Studia Musicologica Norvegica I, Oslo, Universitetsforlaget, 1968 ; R. Sevaag, Geige u. Geigenmusik in Norwegen, in Geige u. Geigenmusik in Europa. Bericht über das 1. Seminar für europäische Musikethnologie, St. Pölten 1971 (= Schriften zur Volksmusik III, éd. par W. Deutsch), Vienne, 1972.

HARMONÉON ou ACCORDÉON DE CONCERT. Créé par Pierre Monichon en 1948 pour répondre à deux nécessités, l'une technique, l'autre culturelle, il a été réalisé à Paris par Busato. Le but technique était de surmonter les lacunes fondamentales de l' → accordéon populaire (deux claviers différents l'enfermant dans le système tonal) en offrant un instrument à deux claviers identiques, capable d'aborder tous les styles d'écriture : mélodique, contrapuntique, fugué, harmonique, dodécaphonique. Sa conception, avec la suppression totale des accords, en fait un modèle original, recherché par les musiciens les plus difficiles. Instrument de soliste par excellence, l'h. a sa place au milieu de l'orchestre symphonique. Il s'associe aisément avec la harpe, le piano, les cordes, les vents, la voix (qu'il peut soutenir avec une extrême discrétion). Son étendue est celle du piano ; l'empan d'une main moyenne y atteint deux octaves ou plus. Chaque clavier ayant à peu près la moitié des notes de l'autre, cela permet, par recouvrement, des combinaisons sonores, des unissons, des intervalles inusités. Le but culturel concerne l'enseignement et la qualité de la musique abordée. L'h. amène les musiciens qui le touchent à une manière de penser plus élevée, les préparant à l'analyse et à l'interprétation des chefs-d'œuvre de la mus. classique. Il apporte en plus un nouveau moyen d'expression aux compositeurs contemporains, qui, par lui, découvrent le principe de l'anche libre métallique. Dès 1950 une école est formée — l'école de Paris — qui ne cesse de s'étendre. En 1959 l'h. est présenté au Conservatoire de Paris, lors du premier récital donné par Alain Abbott en présence des professeurs de cet établissement. Grand Prix de Rome en 1968, Alain Abbott s'est imposé comme le chef de cette école. Actuellement l'h. est fabriqué par Maugein, de Tulle. — De nombreux compositeurs ont écrit directement pour lui : Pierre Revel, J.J. Werner, Michel Merlet, M. Landowski, J.M. Damase, H. Sauguet, T. Aubin, P.M. Dubois, Roger Tessier, Y. Desportes, J. Castérède, Alain Abbott, Enyss Djémil, Gérard Meunier, A. Weber parmi beaucoup d'autres. De nombreuses écoles nationales de musique lui ont ouvert une classe.

Bibliographie — Cf. l'art. Accordéon.

HARMONIA (grec), voir Systema teleïon.

HARMONICA. 1. Petit instr. à anches libres métalliques rangées dans une boîte cloisonnée, plate et de longueur variable. On en joue à la façon de la flûte de Pan, en soufflant ou en aspirant dans les orifices correspondant aux lamelles, d'où son nom d'h. à bouche (all., Mundharmonika). Plutôt destiné à la musique enfantine ou populaire, il peut être cependant amené à un remarquable degré de virtuosité. — **2.** Variété de petit xylophone ou → claquebois destiné aux enfants. On l'appelle également h. de bois. — **3.** Instr. à lames d'acier mises en vibration par une pression des doigts aussitôt relâchés. Il est analogue au « zanza », très répandu en Afrique noire. Son nom exact, h. métallique, a également servi à désigner l'accordéon.

HARMONICA DE VERRES (angl., glass harmonica; all., Glasharmonika), instr. autophone composé d'une série de coupes de verre ou de cristal qu'on met en vibration par une friction des doigts humides sur leur bord. On l'accorde en remplissant plus ou moins les coupes d'eau. Relégué de nos jours parmi les spectacles forains, l'h. de v. connut une grande vogue à la fin du XVIIIe s., où l'on appréciait ses sonorités éthérées. Gluck en joua lui-même en se faisant accompagner par un orchestre, et, en 1791, Mozart composa pour un virtuose de l'h. de v. un petit quintette intitulé *Adagio et Rondo* (KV 617) avec flûte, hautbois, alto et violoncelle. J.G. Naumann, Beethoven et jusqu'à R. Strauss dans *La Femme sans ombre* ont écrit pour cet instrument, que l'on a cherché à perfectionner par l'emploi d'un archet, d'un clavier, de touches et d'un cylindre rotatif. On en jouait aussi en frappant les verres avec de petits maillets de bois tendre, mais le → célesta supplanta cette technique.

Bibliographie — C.F. POHL, Zur Gesch. der Glasharmonika, Vienne 1862; du même, Cursory Notices on the Origin and Hist. of the Glass Harmonica, Londres 1862; A. HYATT KING, The Musical Glasses and Glass Harmonica, *in* Proc. R. Mus. Assoc. LXXII, 1946; BR. HOFFMANN, Glasharmonika u. Glasharfe, *in* Musica IV, 1950, et *in* RMS XCI, 1951; du même, art. Glasharmonika, *in* MGG V, 1956.

HARMONIE (en grec, harmonia, = arrangement, ajustement). Ce mot a considérablement changé de sens au cours des temps et recouvre toujours plusieurs significations. De nos jours, en musique, l'h. s'oppose à la mélodie (déroulement linéaire dans le temps de sons l'un après l'autre) en affirmant l'aspect spatial vertical résultant de l'émission simultanée des sons. Il n'y a d'h. qu'à partir du moment où l'accord est perçu comme entité globale et non comme un assemblage d'intervalles (voir les art. ACCORD et CONSONANCE, DISSONANCE, § I, 5). L'expression h. d'intervalles est impropre et relève du → contrepoint et de la → polyphonie.

1. L'harmonie de la Renaissance. C'est avec l'acceptation de la tierce naturelle (rapport 4/5) permettant l'emploi consonant de trois sons simultanés que l'h. apparaît, soit vers la fin du XVe s. A ce moment, seuls les → accords parfaits majeurs et mineurs avec leur 1er renversement sont utilisés. L'admission de la nouvelle proportion 4/5 entraîne un passage du → système pythagoricien au → système zarlinien, c.-à-d. d'un système dynamique aux tierces larges et aux demi-tons serrés à un système statique

aux tierces basses et aux demi-tons larges (voir l'art. INTERVALLE). Il en résulte harmoniquement une sensation de repos perpétuel, qui est heureusement contrariée et équilibrée par le déroulement des lignes horizontales. Si l'accord naît des rencontres verticales occasionnées par les superpositions mélodiques (ce qui suppose une perception fugitive et fuyante), il est tout autant, de par le système employé, une réalité en soi qui s'impose de plus en plus au cours du XVIe s. et qui est savourée comme un élément de repos non dépendant de ce qui précède et de ce qui suit. C'est en ce sens que, de Josquin des Prés à Gabrieli et à J. Mauduit, on peut parler d'un merveilleux équilibre réalisé entre le contrepoint horizontal et l'h. verticale : résultat de la rencontre d'un système dynamique imprimant son élan à la ligne mélodique avec un système statique favorisant l'immobilisme de l'accord parfait. Palestrina illustre bien ce stade de l'écriture musicale.

En cette période de transition entre la modalité grégorienne et la tonalité classique, la notion de degré l'emporte sur celle de → fonction et explique l'emploi des « degrés faibles ». Toutefois les basses affirment de plus en plus les sauts de quarte et de quinte propres aux formules de → cadences, favorisant ainsi certains degrés. Les → modulations n'obéissent pas à une logique du langage et gardent beaucoup d'imprévu ; toutefois, elles restent en général confinées aux tons voisins. Ce n'est qu'avec le → chromatisme que les audaces apparaissent. Le premier chromatisme, celui de l'Ars Nova et de ses successeurs, était un phénomène de consonance d'intervalle et d' → attraction qui n'était pas recherché et résultait des mutations et ajustages entraînés par la marche des parties. Celui de la Renaissance est le premier chromatisme véritable, en ce sens qu'il est voulu; très vite (2de moitié du XVIe siècle), il est employé à des fins expressives, surtout pour traduire la douleur et le désir ardent. Dans ce cas, les enchaînements peuvent se faire à des tonalités très différentes, afin de surprendre et d'étonner. C. Gesualdo a poussé à son extrême limite cette technique, à laquelle les madrigalistes italiens et Cl. Le Jeune n'hésitent pas à recourir. On remarquera que les enchaînements d'accords parfaits à l'état fondamental par sauts de tierces (ascendants ou descendants) à la basse sont les plus fréquents. En général, chaque note est harmonisée.

M.A. Ingegneri, *Plange quasi Virgo*
(souvent attribué, à tort, à Palestrina).

C. Gesualdo, *Madrigali VI*, début de
Moro lasso al mio duolo.

A la même époque, les premières marches d'harmonie, même modulantes, apparaissent :

Cl. Le Jeune, *Brunelette, ioliette*, extrait du *Printemps*.

2. L'époque de la → basse continue (1600-1750).

C'est essentiellement une époque de transition. L'importance accordée à la basse ainsi que la pratique du → chiffrage favorisent l'analyse verticale et l'identification des accords. Petit à petit, on prend conscience que certains accords ne paraissent différents que par leur disposition et, sans que le mot soit prononcé, la notion de renversement apparaît (A. Werckmeister, 1687 ; M. de Saint-Lambert, 1702 ; Godfrey Keller, 1707). Les modes anciens tombent en désuétude et sont remplacés par le majeur et le mineur. La règle d'octave (voir l'art. BASSE CONTINUE) témoigne déjà d'un instinct très sûr de la succession organisée des accords.

Si l'h. du XVIᵉ s. était essentiellement consonante — à base d'accords parfaits — les diverses septièmes deviennent de plus en plus fréquentes au siècle suivant, mais toujours en préparant la dissonance, grâce au procédé déjà ancien du → retard. C'est à tort que Cl. Monteverdi passe pour être le premier à attaquer la 7ᵉ de dominante sans préparation. Cet accord reste encore longtemps préparé ; mais il est possible — et on oublie de le signaler — de préparer la basse au lieu de la septième. Ce qui importe, c'est d'éviter l'audition simultanée de l'intervalle dissonant. Ce n'est que dans la 2ᵈᵉ moitié du siècle que l'accord de 7ᵉ de dominante peut être attaqué directement, bien que le fait reste rare jusqu'au début du XVIIIᵉ s. et que les marches de 7ᵉˢ de dominante soient exceptionnelles. — La 7ᵉ diminuée — pour autant qu'elle ne résulte pas de → notes de passage ou d' → appoggiatures — ne se risque, timidement, que vers la fin du siècle. Il en est de même pour la 7ᵉ de sensible, avec cette remarque importante que c'est la pseudo-7ᵉ de sensible (en réalité la 7ᵉ du IIᵉ degré en mineur) qui apparaît la première. Elle est plusieurs fois attaquée directement vers la fin du XVIIᵉ s., alors que la véritable 7ᵉ de sensible n'est guère utilisée avant le milieu du XVIIIᵉ s. On n'attire jamais l'attention sur ce phénomène et pourtant il pourrait permettre des

troublant que les deux accords symétriques de 7ᵉ de dominante (selon la dénomination dualiste).

aient été les premiers accords dissonants à être attaqués sans préparation ? — L'accord de 5ᵗᵉ augmentée, d'emploi exceptionnel à l'époque de la Renaissance, devient plus fréquent au siècle suivant, où l'on relève même, chez H. Purcell (1691), une succession de deux accords de 5ᵗᵉ augmentée, ce qui paraît bien être alors sans précédent et restera un fait unique jusqu'au XIXᵉ s.

H. Purcell, *King Arthur*, acte III, 1ᵉʳ chœur.

Les mêmes observations s'appliquent à l'accord de 6ᵗᵉ augmentée, qui, toutefois, n'est jamais pratiqué en successions. Enfin, il faut signaler l'apparition d'un accord qui devait connaître une grande fortune : celui de la → sixte napolitaine. G. Carissimi et M.A. Cesti sont parmi les premiers à l'utiliser :

M.A. Cesti, *La Dori*, acte II, scène 6.

Le chromatisme, hérité des madrigalistes italiens du siècle précédent, continue à avoir ses fervents, qui l'utilisent occasionnellement dans un but expressif : Cl. Monteverdi au début du siècle et H. Purcell à la fin en sont les grands maîtres. On soulignera également l'intensité expressive obtenue par H. Schütz avec trois puis quatre enchaînements modulants par mouvements successifs de tierces à la basse, audace qui ne sera reprise que par les romantiques.

H. Schütz, *Weib, was weinest Du?*

hypothèses originales. Par exemple, il est curieux que H. Riemann ne l'ait point invoqué pour renforcer sa thèse du → dualisme. En effet, l'accord *si-ré-fa-la* en *la* min. est interprété dans l'optique dualiste comme *la-fa-ré-si* descendant, véritable 7ᵉ de dominante du mode de *mi* descendant. N'est-il point

Les modulations continuent à rester très libres mais l'introduction de la 7ᵉ de dominante dans les formules cadentielles accentue l'empreinte tonale. En somme, tous les éléments qui vont servir de matériaux au siècle suivant sont déjà là : ils n'attendent plus que d'être organisés et structurés.

3. L'harmonie tonale (XVIIIᵉ et XIXᵉ s.). L'h. renaissante, reposant sur le système zarlinien, était essentiellement statique. Celle du XVIIᵉ s., en introduisant la 7ᵉ de dominante ainsi que les divers accords comprenant une quarte augmentée, réintroduit un élément de dynamisme et finit par rendre le système zarlinien impraticable. Pendant tout le XVIIᵉ s., les théoriciens se sont penchés sur ce problème en proposant de nombreuses formules de tempérament dont aucune ne se révéla vraiment concluante. La seule issue acceptable fut le → tempérament égal, qui s'imposera progressivement au cours du XVIIIᵉ s. et reste le seul en usage de nos jours. Du même coup, tous les intervalles, octave exceptée, sont déformés

siècle précédent, mais ils se précisent dans leur utilisation et l'on peut en établir facilement la classification (voir le tableau I). Voici leurs principales caractéristiques : 1º Les accords parfaits et leurs renversements. Ce sont des accords déjà anciens, qui représentent l'h. consonante donnant une sensation de repos. — 2º Les accords de 7ᵉ avec quinte diminuée (triton). Ce sont des accords nouveaux, considérés comme dissonants, mais dont la dissonance n'a pas besoin d'être préparée, bien qu'elle doive être résolue. Ils introduisent un élément de tension et d'instabilité qui est essentiellement dû au triton (voir l'art. CONSONANCE, § I, 6). Faute d'une meilleure dénomination, on peut les classer dans l'h. dissonante

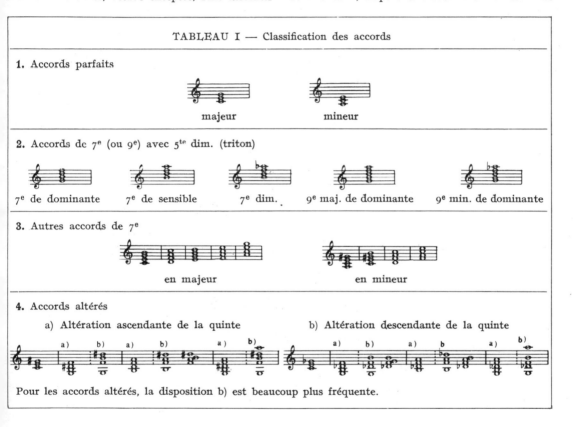

mais restent acceptables en raison de la faible différence qui en résulte et de la tolérance de l'oreille. L'égalité des 12 demi-tons rend possible l' → enharmonie et illimitée la transposition. Les avantages sont considérables mais l'émoussement de l'instinct de justesse qui en découle est très perceptible de nos jours.

La date de naissance de l'h. tonale pourrait bien être 1722, qui voit paraître simultanément le *Clavier bien tempéré* (1ᵉʳ recueil) de J.S. Bach et le *Traité de l'harmonie réduite à ses principes naturels* de J.Ph. Rameau. Ce dernier, grâce à ses nombreux écrits, est le premier à poser les éléments essentiels d'une théorie harmonique véritable.

Classification des accords. Les accords en usage au XVIIIᵉ s. sont sensiblement les mêmes qu'au

naturelle (malgré les réserves concernant l'accord de 7ᵉ diminuée). Dans cette catégorie se trouve également le seul accord nouveau que l'h. romantique ajoutera : celui de 9ᵉ de dominante sous sa double présentation majeure et mineure. Cet accord permettra aux théoriciens du XIXᵉ s. de rattacher à un tronc commun les accords de 7ᵉ de sensible et de 7ᵉ diminuée ; de même que l'accord de 5ᵗᵉ diminuée, parent pauvre de l'h., se trouve englobé et expliqué par l'accord de 7ᵉ de dominante. — 3º Les autres accords de septième. Devant être préparés et résolus, ils forment l'h. dissonante artificielle. — 4º Les accords altérés. Il y a enfin plusieurs accords qui peuvent subir une déformation. Nous avons déjà rencontré au XVIIᵉ s. les accords de 5ᵗᵉ et de 6ᵗᵉ augmentées. D'autres s'ajoutent aux XVIIIᵉ et XIXᵉ s. Mais une analyse d'ensemble permet de constater qu'il n'y a qu'une seule altération harmonique véritable : celle de la quinte. Elle peut être ascendante ou descendante et ne s'applique qu'à l'h. consonante ou dissonante naturelle (catégories 1 et 2). L'altération est d'origine mélodique (appoggiature, note de passage), mais bien vite les compositeurs en remarquent le résultat vertical : expression forte, tension accrue. Cela est dû au fait que toute altération de la quinte forme un groupe de 5te augmentée ou un triton avec une autre note de l'accord (4te augmentée ou 5te diminuée) ou les deux. Par exemple :

sol-si-ré # *-fa* = 1 triton *si-fa* + 1 accord de 5te augm. *sol-si-ré* # . On a ainsi un ensemble d'accords permettant des situations consonantes de repos (catégorie 1), dissonantes avec tension (cat. 2 et 4) ou dissonantes sans tension (cat. 3). Aussi est-il facile de comprendre que l'un des buts essentiels de l'h. tonale (ou classique) sera de faire alterner les éléments de détente et de tension, et que de la variété de leur dosage naîtra la variété du langage harmonique.

Le phénomène de tension. Celui-ci résulte de deux facteurs : 1° groupe 3^{ce} maj. + 5te augm.; 2° triton. Les raisons de ce phénomène n'ont jamais été mises en lumière mais elles s'imposent comme une réalité à tout musicien ayant une formation harmonique. Il semble bien que la tension soit

intimement liée à la tierce, élément affectif et, selon Hans Kayser, élément sexuel. Cette propriété expliquerait que la tierce n'accepte d'être complétée que par son complément : 3^{ce} maj. + 3^{ce} min. ou le contraire. La superposition de deux tierces de même nature crée un phénomène de tension explosive : 3^{ce} maj. + 3^{ce} maj. = accord de 5te augm.; 3^{ce} min. + 3^{ce} min. = accord de 5te dim., soit le triton. La tierce est le seul intervalle qui, en adjonction à lui-même, provoque ce phénomène :

Accord parfait majeur	Accord parfait mineur	Accord de quinte augmentée	Accord de quinte diminuée

Les causes de la tension ainsi définies, on peut attribuer des coefficients de tension en fixant le coefficient 1 pour chaque triton ou accord de 5te augmentée :

TABLEAU II — Dénomination	Coefficient de tension
Accord parfait maj. ou min.	0
Accord de 5te augmentée	1
Accords de 7e de dom., 7e sensible et 9e maj. de dominante	1
Accords de 7e de dom. altérés, 7e diminuée et 9e min. de dom.	2
Accord de 9e maj. de dom. altéré	3

L'analyse harmonique peut ainsi être fortement facilitée. On remarque également que tout accord stable est au coefficient 0, ce qui ne veut pas dire

qu'il doit être automatiquement consonant. Notre tableau ne comprend que les accords usuels à l'époque classique. Mais les mêmes critères peuvent s'appliquer à tous les autres accords. Ainsi, *do-mi-sol-si* est dissonant mais au coefficient 0, donc stable : le degré de tension d'un accord est indépendant de son degré dissonantique (voir l'art. STABILITÉ).

Les règles de → résolution des accords de tension sont simples. Il y a la résolution naturelle : descente de la 7e par mouvement conjoint et montée de la sensible vers la tonique ; puis la résolution exceptionnelle, qui procède en général par immobilité des notes à résoudre ou par leur progression en sens inverse de leur attirance :

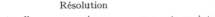

Résolution

naturelle   en sens inverse   par note maintenue

Dans ce jeu subtil des résolutions, l'accord de 7e diminuée occupe une place à part puisque, grâce au tempérament égal, il divise l'octave en 4 intervalles égaux (3^{ces} mineures) qui peuvent s'interpréter enharmoniquement et permettre de passer directement aux tons les plus éloignés :

de :   La .... à   Fa# .... à   Mi♭ .... à   Ut

C'est ce qui explique que l'accord de 7e diminuée va servir de ferment dans l'h. classique et être le premier artisan de la dissolution tonale.

Pour résumer, disons que l'h. classique représente le 3e stade de l'évolution polyphonique : 1er stade, polyphonie médiévale, fondée sur le système pythagoricien de dynamisme expansif avec priorité de l'élément mélodique ; 2e stade, polyphonie renaissante, fondée sur le système zarlinien statique avec équilibre de l'h. d'accords parfaits et du contrepoint mélodique ;

3e stade, polyphonie harmonique classique (puis romantique), fondée sur le système tempéré permettant la réintroduction d'un dynamisme différent de celui du Moyen Age, en ce sens qu'il est centripète et fondé sur la cohésion harmonique :

Moyen Age   XVIIIe s.

ou

Le primat passe à la conception verticale, ce qui fit dire à J.Ph. Rameau que la mélodie naissait de l'harmonie.

Les fonctions tonales. Indépendamment du vocabulaire, la grande innovation harmonique du XVIIIe s. est l'organisation logique des enchaînements d'accords. Celle-ci devient possible grâce aux notions de → basse fondamentale et de renversement. L'accord de 3 sons, placé sur le Iᵉʳ degré, s'appelle accord de → tonique ; il est le plus important, celui d'où l'on part et où l'on revient. L'accord placé sur le Vᵉ degré s'appelle accord de dominante. Il est en général complété par la 7ᵉ ; ce qui lui confère ce caractère de tension et d'instabilité que nous avons signalé plus haut. L'accord du IVᵉ degré s'appelle accord de sous-dominante et, pour Rameau, doit être complété par une 6ᵗᵉ majeure dite 6ᵗᵉ ajoutée. Ces 3 accords sont en rapport de quinte entre eux et sont les seuls à avoir une fonction tonale. Les degrés qu'ils occupent sont dits pour cette raison les bons degrés. Par opposition, les autres degrés sont dits degrés faibles. En vertu d'une loi d'attraction vers le grave — inscrite dans la progression des harmoniques — le passage à la dominante représente un état de

Harmonie uniquement à base d'accords parfaits d'un côté et h. utilisant les ressources des accords dissonants, des enchaînements chromatiques et des retards-appoggiatures expressifs de l'autre. Mais J.S. Bach savait aller encore beaucoup plus loin dans le domaine du chromatisme et de l'utilisation de la dissonance (*Fantaisie chromatique*, *Crucifixus* de la *Messe en si*). Rameau non plus ne recule pas devant des chromatismes expressifs ou des modulations audacieuses (*Trio des Parques* dans *Hippolyte et Aricie*). La richesse harmonique alliant chromatisme et dissonance, tout en préservant la souplesse et l'indépendance des voix, a été la caractéristique de l'art de J.S. Bach. Peu de successeurs en ont recueilli l'héritage, si ce n'est parmi les plus grands. Ainsi Mozart, dans le début du *Quatuor à cordes* KV 465 (1785), fait montre d'une étonnante maîtrise alliée à une forte capacité d'invention (nous mettons entre parenthèses les notes étrangères) :

tension et celui à la sous-dominante un état de relâchement :

Ainsi, aux tensions et détentes inhérentes aux accords utilisés s'en ajoutent d'autres qui résultent des parcours tonaux effectués. Pour faciliter l'analyse de ceux-ci, on inventa la présentation en cercle fermé du → cycle des quintes (voir l'art. TONALITÉ), figure pratique bien que critiquable en raison du recouvrement approximatif des 7 octaves par les 12 quintes (voir l'art. INTERVALLE).

L'harmonie des compositeurs. Aucun musicien n'a plus que J.S. Bach exploité les possibilités qu'offrait l'h. dans la 1ʳᵉ moitié du XVIIIᵉ s. Pour bien souligner le chemin parcouru depuis la Renaissance, rien n'est plus instructif que de comparer la même mélodie harmonisée par H.L. Hassler en 1601 et par J.S. Bach en 1729 :

Le XIXᵉ s. ne se distingue pas fondamentalement du XVIIIᵉ. Toutefois, des symptômes annonciateurs de crises prochaines apparaissent. Les modulations se font de plus en plus fréquentes, ainsi que le chromatisme. Les accords altérés — principalement limités, au XVIIIᵉ s., à la 5ᵗᵉ et à la 6ᵗᵉ augmentées — se généralisent, affaiblissant le sens des fonctions tonales. Ces phénomènes sont encore modérés chez Schubert, Schumann et Chopin. Avec Liszt et Wagner, ils atteignent déjà une sorte de paroxysme et conduisent l'h. à une crise. L'un des procédés favoris de ces deux derniers compositeurs est de hausser d'un cran le degré de tension des enchaînements. Reportons-nous au tableau II. Le principe classique habituel est : tension 1 → tension 0 ; celui de Liszt et Wagner est souvent : tension 2 (parfois 3) → tension 1. Et dans ce nouveau contexte, l'accord de tension 1 prend psychologiquement le caractère d'un accord de détente. Dans le domaine des modulations, les enchaînements à la tierce sont de plus en plus fréquents et

H.L. Hassler, *Mein G'müt ist mir verwirret*.
Voir l'harmonisation de J.S. Bach à la page suivante.

J.S. Bach, *Wenn ich einmal soll scheiden (Passion selon St Matthieu).*

peuvent être considérés comme caractéristiques de l'époque romantique :

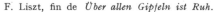

F. Liszt, fin de *Über allen Gipfeln ist Ruh.*

Vers la fin du XIXe s., une réaction se dessine. Il y a d'abord un retour aux modes anciens. Timidement esquissée par Chopin, beaucoup plus nettement par Liszt, la modalité sera surtout l'apanage des Russes et des Français. Elle réintroduira les degrés faibles, réhabilitera les enchaînements prohibés et retrouvera les cadences du Moyen Age. Puis il y a l'emploi de la → gamme par tons, harmonisée pour la première fois avec les notes de l'échelle par Liszt (*Pensée des morts*, 1847-52) avant d'être adoptée par les Russes (A. Dargomyjski, A. Borodine), puis par les Français (Cl. Debussy). — L'époque tonale touche à sa fin, les fonctions habituelles s'estompent et l'on remarque même chez certains une volonté d'éviter tout accord de tension. Cl. Debussy illustre bien cette période de transition.

4. L'harmonie au XXe siècle. L'opposition entre consonance et dissonance est supprimée. Le règne de l'h. verticale est battu en brèche par le retour en force des lignes mélodiques. Les structures à base de quartes et de quintes remplacent les traditionnelles accumulations de tierces et tendent à réintroduire la notion médiévale d'intervalle au détriment de celle d'accord. La polyharmonie, la → bitonalité et la → polytonalité font irruption et trouvent de chauds partisans en I. Stravinski et D. Milhaud. Les superpositions verticales, toujours plus importantes, aboutissent à une saturation de l'espace tempéré avec les → accords de douze sons (J. Huré, A. Scriabine, A. Berg). Des modes exotiques ou inventés sont introduits afin de permettre des enchaînements inhabituels (O. Messiaen, A. Jolivet). — Les théories contemporaines concernant l'h. actuelle sont fort divergentes. Pour plusieurs, l'h. est une donnée historique qui a cessé d'être un élément vivant et fécondant de l'organisation sonore. D'autres ne désespèrent pas de trouver des moyens de rénovation permettant de conserver une discipline d'écriture prestigieuse et qui a permis l'éclosion de tant de chefs-d'œuvre.

Bibliographie — G. ZARLINO, Istitutioni harmoniche, Venise 1558 ; du même, Dimostrationi harmoniche, Venise 1571 ; J. PH. RAMEAU, Traité de l'h. réduite à ses principes naturels, Paris 1722; du même, Génération harmonique, Paris 1737 ; du même, Démonstration du principe de l'h., Paris 1750 ; G.A. SORGE, Compendium harmonicum, Lobenstein 1760 ; G. TARTINI, Trattato di mus., Padoue 1754 ; du même, Dei principi dell'armonia, Padoue 1764 ; FR.W. MARPURG, Anfangsgründe der theoretischen Musik, Leipzig 1757 ; J.PH. KIRNBERGER, Die Kunst des reinen Satzes in der Musik, Berlin 1771-79 ; G. WEBER, Versuch einer geordneten Theorie der Tonsetzkunst, Mayence 1817-21 ; FR.J. FÉTIS, Traité complet de la théorie et de la pratique de l'h., Paris 1844, 12/1879 ; S. SECHTER, Die Grundsätze der musikalischen Komposition, Vienne 1853-54 ; M. HAUPTMANN, Die Natur der Harmonik u. der Metrik, Leipzig 1853, 2/1873 ; H. RIEMANN, Musikalische Syntaxis, Leipzig 1877 ; FR.A. GEVAERT, Traité d'h. théorique et pratique, Paris 1905 ; L. THUILLE, H.lehre, Stuttgart 1907 ; A. SCHÖNBERG, H.lehre, Vienne 1911 ; du même, Structural Functions of H., Londres, Williams-Norgate, 1954 ; R. LENORMAND, Étude sur l'h. moderne, Paris 1913 ; A. VON OETTINGEN, Das duale H.system, Leipzig 1913 ; E. KURTH, Romantische Harmonik u. ihre Krise in Wagners Tristan, Berne 1920 ; M. EMMANUEL, Hist. de la langue musicale, Paris 1923 ; L. CHEVAILLIER, Les théories harmoniques, *in* Lavignac Techn. I, 1925 ; CH. KŒCHLIN, Évolution de l'h., *ibid.*; du même, Traité de l'h., 3 vol., Paris, Eschig, 1927-30 ; S. KARG-ELERT, Polaristische Klang- u. Tonalitätslehre, Leipzig 1931 ; M. DUPRÉ, Cours d'h. analytique, 2 vol., Paris, Leduc, 1936 ; P. HINDEMITH, Unterweisung im Tonsatz, Mayence 1937-40 ; O. MESSIAEN, Technique de mon langage musical, Paris, Leduc, 1944 ; W. PISTON, Harmony, New York 1944 ; J. HANDSCHIN, Der Toncharakter, Zurich 1948 ; H. KAYSER, Lehrbuch der Harmonik, Bâle, Benno Schwabe, 1950 ; J. CHAILLEY, Traité historique d'analyse musicale, Paris, Leduc, 1951 ; du même, Expliquer l'h. ?, Lausanne, Éd. Rencontre, 1967 ; F. REUTER, Praktische Harmonik des 20. Jh.s, Halle, Mitteldeutscher Verlag, 1952 ; E. COSTÈRE, Lois et styles des h., Paris, PUF, 1954; du même, Mort ou transfiguration de l'h., Paris, PUF, 1962 ; A. MACHABEY, Genèse de la tonalité, Paris, Richard Masse, 1955 ; M. SHIRLAW, The Theory of H., 2/Dekalb, B. Coar, 1955 ; R. SIOHAN, Horizons sonores, Paris, Flammarion, 1956 ; M. BITSCH, Précis d'h., Paris, Leduc, 1957 ; A. DOMMEL-DIÉNY, l'h. tonale, Neuchâtel, Delachaux & Niestlé, 2/1963 ; H. PISCHNER, Die H.lehre J. Ph. Rameaus, Leipzig, VEB Br. & H., 1963 ; O. ALAIN, L'h., Paris, PUF., 1965 ; C. DALHAUS, Untersuchung über die Entstehung der harmonischen Tonalität, Kassel, BV, 1967 ; S. GUT, La tierce harmonique dans la mus. occidentale, Paris, Heugel, 1969 ; du même, Les bases théoriques de l'organisation des sons chez Hindemith, *in* Revue Mus. de Suisse Romande XXVI/2, 1973, et *in* Hommage à P. Hindemith, Morges, Éd. du Cervin, 1973.

S. GUT

HARMONIE, voir VIELLE À ROUE.

HARMONIE (Musique d'), orchestre civil ou militaire composé d'instr. à vent, bois et cuivres, et d'instr. à percussion, auxquels s'ajoutent parfois les contrebasses à cordes. Le terme d'h. s'applique également à la section des vents d'un orchestre symphonique.

HARMONIQUES, voir Sons harmoniques.

HARMONISATION. 1. Réalisation des → accords susceptibles d'accompagner une mélodie déterminée et qui lui donnent sa dimension harmonique. — **2.** Opération permettant de donner au tuyau d'orgue achevé la sonorité et le timbre exacts qu'il doit avoir. Elle revient à un ouvrier spécialisé appelé harmoniste. De la qualité de son travail dépendent celle de l'instrument ainsi que sa personnalité. L'opération, commencée en atelier, ne peut s'achever que sur place pour tenir compte de tous les paramètres définitifs.

HARMONISER, voir Harmonisation.

HARMONISTE. 1. Musicien versé dans la pratique de l' → harmonie. — **2.** Dans la facture d'orgue, celui qui harmonise les jeux.

HARMONIUM, instr. à anches libres, à soufflerie et à clavier. On peut considérer la → régale du XVIe s., sans tuyaux et à anches battantes, comme un lointain ancêtre de l'h., mais ce n'est guère avant la fin du XVIIIe s. que se font jour les recherches qui, au siècle suivant, lui donneront naissance. Certains facteurs s'efforcent de pallier la fixité du son de l'orgue et imaginent des dispositifs permettant la nuanciation. A cet effet, G. J. Grenié construit en 1810 un « orgue expressif » combinant le tuyau et l'anche libre : instrument plus proche, à vrai dire, de l'orgue que de l'h., l'une des caractéristiques de ce dernier étant l'absence de tuyaux, ce qui le différencie fondamentalement de l'orgue et le rapproche bien plutôt de l'accordéon. Aussi semble-t-il plus exact de faire débuter l'histoire de l'h. avec le « poïkilorgue » de D. Cavaillé-Coll (1834), sur lequel L. Lefébure-Wély se produisit en public. En 1838 Napoléon Fourneaux réalise un instrument à deux rangs d'anches, soit deux registres, et, en 1842, A. Fr. Debain conçoit l'h. proprement dit. Celui-ci comprend désormais un nombre variable de registres (de 16, 8 ou 4 pieds), répartis sur un clavier (éventuellement deux) et coupés en deux demi-registres chacun, un pour les aigus et l'autre pour les graves, de sorte que chaque main peut jouer avec une registration différente. L'air s'accumule à l'intérieur d'un réservoir alimenté par deux soufflets qu'actionnent alternativement les pieds de l'instrumentiste. Par le moyen du registre de l'expression, le réservoir peut être mis hors circuit, ce qui relie directement les soufflets à l'anche, d'où un dosage plus subtil de l'intensité sonore. Un raffinement supplémentaire consiste dans les deux → genouillères mobiles que V. Mustel a introduites en 1853 sous le nom de double expression et qui rendent possible une nuanciation distincte des aigus et des graves. Parmi les mécanismes divers qui perfectionneront l'h., mentionnons entre autres la percussion (marteaux frappant l'anche au moment où l'on abaisse la touche), le prolongement (dispositif maintenant abaissées à volonté une ou plusieurs touches), le métaphone, modifiant le timbre de certains jeux,

le « forte » expressif, etc. Il existe enfin des h. à deux claviers et pédalier, dont la soufflerie est alimentée par un moteur électrique. Il convient de rattacher à l'h. l'orgue américain (« cottage organ »), mis au point en France vers 1835 mais diffusé ensuite par une firme américaine.

L'h. n'est jamais parvenu à s'imposer en tant qu'instrument de concert, malgré les efforts déployés en ce sens par A. Mustel, S. Karg-Elert et d'autres. Son usage le plus courant est celui d'un succédané à bon marché de l'orgue pour l'accompagnement du service religieux (ou, le cas échéant, au sein d'un orchestre de théâtre, usage admis par R. Strauss dans son traité d'orchestration). L'h. a connu une grande faveur dans les salons, soit en solo, soit comme instrument de remplissage dans des orchestres légers. Son répertoire, datant en majeure partie de la fin du XIXe et du début du XXe s., reflète ces deux destinations : il englobe d'une part des recueils liturgiques à usage pratique (L'Organiste de C. Franck; Les Heures mystiques de L. Boëllmann; les 2 vol. des Albums grégoriens d'E. Gigout; Au pied de l'autel de G. Ropartz), d'autre part une grande quantité de transcriptions, pots-pourris et pièces de caractère conçus pour le salon. Certains compositeurs se sont intéressés à l'h. et l'ont employé dans des œuvres de mus. de chambre. Citons de C. Saint-Saëns les Six Duos, la Barcarolle pour violon, violoncelle, h. et piano; d'A. Dvořák les Bagatelles op. 47 pour deux violons, violoncelle et h.; de nombreuses pièces de S. Karg-Elert et notamment ses duos pour h. et piano. Dans sa Petite Messe solennelle, G. Rossini a allié piano et h. pour l'accompagnement des parties vocales. L'h. sert d'instrument d'étude aux acousticiens en raison de la stabilité de son accord.

Bibliographie — V. Mustel, L'orgue expressif ou l'h., 2 vol., Paris 1903; L. Hartmann, Das H., Leipzig 1913; A. Mustel, L'orgue-h., in Lavignac Techn. II, 1925; A. Berner, art. H. in MGG V, 1956.

J. VIRET

HARPE (angl., harp; all., Harfe; ital. et esp., ● arpa), instr. à cordes pincées, de forme triangulaire, muni de cordes à vide d'inégale longueur. Les premières h. en date ne correspondent pas cependant à cette définition. Vers le IIIe millénaire av. J.C., les h. représentées sur des sceaux ou des plaques votives sumériennes montrent un instrument en forme d'arc, muni d'un nombre variable de cordes. Cette h. arquée, toujours en usage en Afrique noire, a subi au cours des siècles, et grâce aux nombreuses civilisations qui l'ont pratiquée, des perfectionnements qui aboutissent à la h. occidentale actuelle, d'invention relativement récente.

Les Égyptiens connaissaient deux sortes de h. : arquée et angulaire. Dès l'Ancien Empire (v. 2700 av. J.C.), la h. arquée augmente de proportions, atteignant de 1,50 m à 2 m de hauteur. Le nombre de cordes va croissant : de 5 à 7, il passera à 10 et 14 sous le Nouvel Empire (1580-1085 av. J.C.). A l'époque saïte, les Égyptiens importent, manifestement d'Assyrie (voir l'art. Mésopotamie), des h. angulaires formées de deux parties distinctes : caisse de résonance et joug de fixation reliés solidement entre eux par des liens. Ces premières h. angulaires étaient tenues indifféremment verticalement ou horizontalement par les Assyriens. D'Assyrie et d'Égypte, la h. angulaire se répand dans le Proche-Orient ; en Perse, en Asie Mineure, chez les Hébreux, qui utilisent après l'Exode un instrument qu'en l'absence d'iconographie on pense être semblable aux h. égyptiennes. Les Syro-Phéniciens perfectionnent à nouveau la h. angulaire en fermant le triangle par une colonne, dans le but de consolider l'instrument. La h. se propage ensuite à travers les îles Égéennes jusqu'en Grèce, tandis qu'à Rome elle est importée d'Assyrie ou d'Égypte. — Voir également les art. Égypte et Mésopotamie.

En Orient, l'Inde connaît dès le IIe s. av. J.C. une h. arquée et au XVIIe s. une h. angulaire, toutes deux disparues, tandis qu'en Birmanie subsiste une h. arquée à 13 cordes qui fait toujours partie de l'orchestre. En Amérique latine, la h. a été apportée par la civilisation espagnole. Bien qu'elle soit restée sans perfectionnements notables, elle y connaît un succès grandissant.

L'Occident n'a connu que la h. angulaire d'importation orientale, à l'exception des Ostiaks (extrême est de l'Europe), qui jouent d'une h. arquée. Citée dès le VIe s. par Venance Fortunat, la h. ne devient d'un usage courant qu'à partir des VIIIe ou IXe s., dans les pays celtiques, puis au nord de l'Europe. Son plein épanouissement se situe aux XIVe et XVe s. Le nombre des cordes est variable et le restera jusqu'au XVIIIe s. Cependant Guillaume de Machault précise dans le *Dit de la harpe* que l'instrument est muni de 25 cordes. Le Moyen Age occidental n'a guère modifié l'instrument des Syro-Phéniciens, et sa ligne, immuablement diatonique, commence au XVIe s. à lui faire perdre la faveur des musiciens. A ce moment, des luthiers, sans doute irlandais, imaginent de munir la h. d'une double rangée de cordes, accordées selon l'échelle chromatique. V. Galilei a décrit avec minutie l'un de ces instruments qui comportait 58 cordes (*Dialogo della musica antica e della moderna*, 1581), mais leur taille reste très variable (M. Mersenne, *Harmonie universelle*, 1636). Devant le succès remporté par ce premier essai de h. chromatique, des luthiers ajoutent, au XVIIe s., une troisième rangée de cordes. Celles-ci sont placées en quinconce afin de permettre un accès facile aux doigts de l'exécutant. Les premier et troisième rangs de cordes sont diatoniques, le rang du milieu (20) étant réservé aux cordes chromatiques. A l'exception de l'Espagne, tous les pays d'Europe adoptèrent la h. double ou triple.

En 1660 des facteurs tyroliens imaginent de fixer à la console des crochets qui, actionnés à la main, tiraient la corde, la haussant d'un demi-ton. Ce système modifiait le son d'une seule note, sans que les répliques d'octave soient altérées. Mais en 1697, un luthier bavarois, G. Hochbrucker, construit la première h. dont les altérations sont obtenues grâce à des pédales placées de chaque côté du socle de l'instrument. Perfectionnée par son inventeur en 1720, cette h. comporte alors 7 pédales, correspondant aux 7 notes de la gamme. Elle est accordée soit en *mi* ♭, soit en *si* ♭.

La harpe moderne. Sans abandonner la forme triangulaire, la h. d'Hochbrucker avait pris des proportions assez volumineuses (1,40 m de hauteur et 35 cordes env.). Ses différentes parties sont définies par des termes qui n'ont pas varié : le corps sonore, table et caisse de résonance ; la console, en forme de col de cygne, qui reçoit le mécanisme et les chevilles d'accord ; la colonne, réunissant le corps sonore à la console, à l'intérieur de laquelle passent des tiges d'acier qui relient les pédales au mécanisme ; le socle (ou cuvette), sur lequel se rejoignent le corps sonore et la colonne. Ce socle est creux. Il est percé en sa partie postérieure de créneaux à crans qui permettent d'accrocher les pédales. Le mécanisme de ces premières h. comportait un crochet, placé sur la console, qui, actionné depuis les pédales, tirait la corde pour la hausser d'un demi-ton. Introduite tardivement en France (1749), c'est cependant dans ce pays que la h. à pédales connut son apogée et que des luthiers cherchèrent à la perfectionner. Salomon eut l'idée de faire décorer les h., qui étaient jusqu'alors de bois de couleur brune. Parmi diverses inventions plus ou moins heureuses, les Cousineau père et fils remplacèrent les crochets, qui avaient pour inconvénient de faire sortir les notes altérées du plan initial, par des sillets mobiles (ou béquilles) qui pinçaient la corde et la raccourcissaient sans lui faire subir de mouvement latéral. En 1786 J.H. Nadermann munit la h. de volets d'expression rectangulaires, ouverts dans la partie postérieure de la caisse de résonance et commandés par une huitième pédale placée tout d'abord à gauche, puis au centre du socle. Les h. furent munies de ces volets jusqu'au début du XXe s.

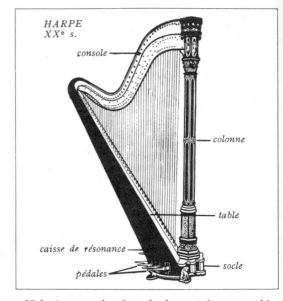

HARPE
XXe s.

console

colonne

table

caisse de résonance

pédales

socle

Malgré ces recherches, la h. restait encore bien imparfaite. Chaque pédale ne pouvait altérer sa note correspondante que d'un demi-ton, limitant les possibilités musicales de l'instrument. S. Érard entreprit à son tour de la perfectionner. A Londres, en 1794, il prit un brevet pour un système à fourchettes, qui présentait la première amélioration valable d'altération des cordes : un disque de cuivre, placé parallèlement à la console et muni de deux boutons en saillie entre lesquels passe la corde, pivote sur lui-même, imprimant à la corde une torsion qui la hausse d'un demi-ton sans la casser ni la faire sortir du plan vertical. En 1800 Érard construit un premier modèle de h. dit à double mouvement, qu'il ne jugea pas assez satisfaisant pour le livrer au public. En 1811 il présente, toujours à Londres, la h. qui à quelques modifications près est toujours en usage actuellement. Instrument à son fixe, la h. d'Érard renferme 27 gammes ou échelles diatoniques complètes, alors que celle de Hochbrucker n'en comportait que 13.

Les pédales, munies chacune de 3 crans, actionnent deux systèmes de fourchettes, placés sur une ligne verticale. Lorsque la pédale est au cran supérieur, la corde passe à vide entre les boutons en saillie (♭). Accrochée au cran intermédiaire, la pédale imprime au disque inférieur une révolution partielle qui, se répercutant sur le disque supérieur, produit le premier demi-ton (♮). La continuation de ce mouvement, quand la pédale est accrochée au cran inférieur, donne le second demi-ton (♯). La h. est montée de 47 cordes de calibres différents, 36 sont en boyau de mouton, les 11 dernières au grave sont en maillechort ou en cuivre, filées sur acier.

Divers luthiers essayèrent, sans succès, de modifier le mécanisme inventé par Érard. Les quelques perfectionnements qui ont été apportés à l'instrument sont peu importants et ne changent en rien le principe même de la h. à double mouvement. En 1896 G. Lyon présenta une h. chromatique à double rangée de cordes, croisées en leur partie médiane. Le succès de cet instrument fut de courte durée : il disparut à la mort de son inventeur. Les principaux constructeurs de h. sont : Érard (Paris), Obermayer (près de Munich), Löffler (Wiesbaden) Victor Salvi (Gênes), Rasnoexport (Moscou), Stanislas Cérvenka (Prague), auxquels il faut ajouter des luthiers spécialisés dans la fabrication des h. celtiques : Smith et Morley (Londres), Martin (Paris), Jujiya (Tokyo).

La technique de la harpe. Durant des millénaires, elle a peu varié. Les harpistes égyptiens jouaient des deux mains en employant seulement le pouce, le médius et le majeur. Cependant la h. horizontale assyrienne se jouait à l'aide d'un plectre tenu par la main droite, tandis que la gauche servait à étouffer les cordes qui ne devaient pas entrer en vibration. L'usage du plectre se retrouve en Bretagne au XIIe s., pour se transformer chez les harpistes irlandais, qui jouaient avec leurs ongles, laissant pousser ceux-ci de façon démesurée afin d'en former des espèces de grattoirs. Cette vieille technique tend à disparaître dans les pays celtiques mais subsiste toujours en Amérique latine. Au Moyen Age occidental, on employait toujours les trois doigts précités. Cependant, vers 1600, les Irlandais commencent à employer 8 doigts, tandis que Monteverdi écrit pour son *Orfeo* (1607) une brillante partie de h. qui ne nécessite que 3 doigts de chaque main. C'est au XVIIIe s. que les écoles allemande et française posent avec Chr. Hochbrucker, J.B. Krumpholz, Fr. Petrini et les Cousineau les véritables bases de la technique de la h. moderne, qu'E. Parish-Alvars améliorera au milieu du XIXe s. On joue actuellement avec les quatre premiers doigts de chaque main, l'auriculaire, trop petit pour atteindre le plan des cordes, étant exclu. La h. repose sur l'épaule droite de l'instrumentiste.

Les harmoniques, indiqués par un o placé au-dessus de la note à jouer, résonnent à l'octave supérieure et s'obtiennent en séparant la corde par un sillet artificiel, constitué par la paume de la main gauche ou la phalangine de la main droite. On peut obtenir à la main gauche des tierces, des accords parfaits en harmoniques ainsi qu'une double octave. La main droite ne peut produire qu'un seul harmonique. Les sons « en guitare » sont obtenus en pinçant la corde près de la table de résonance. Les sons étouffés sont exécutés soit avec le pouce gauche, la main étant posée à plat sur les cordes, soit avec l'index droit, la phalangette faisant office d'étouffoir. Le « sdrucciolando » ou « glissando » s'obtient en glissant un ou plusieurs doigts sur les cordes, après avoir accroché la combinaison de pédales requise par l'harmonie. Le « glissando » peut aussi être exécuté avec l'ongle, ce qui lui confère une sonorité métallique.

Bibliographie — J. BERMUDO, Declaración de instrumentos musicales, Osuna 1555, rééd. en facs. par S. Kastner, Kassel, BV, 1957 ; M. PRAETORIUS, Syntagma musicum, II De Organographia, Wolfenbüttel 1618, 2/1619 ; rééd. par R. Eitner, in PGfM XII, 1884 ; en facs. par W. Gurlitt, Kassel, BV, 1958-59 ; M. MERSENNE, Harmonie universelle, Paris 1636, rééd. en facs. par Fr. Lesure, Paris, CNRS, 1963 ; Baron de PRONY, Rapport sur une nouv. h. de l'invention de S. Érard, Paris 1815 ; FR.J. FÉTIS, Notes biogr. sur S. Érard, Paris 1831 ; C. PIERRE, Les facteurs d'instr. de mus., Paris 1893 ; H. PANUM, Harfen u. Lyra im alten Nordeuropa, in SIMG VII, 1905-06 ; F. JONSSON, Das Harfenspiel des Nordens in der alten Zeit, ibid. IX, 1907-08 ; FR.W. GALPIN, Old English Instr. of Music, Londres 1910, dern. éd. Londres, Methuen, 1965 ; du même, The Sumerian H. of Ur, in ML X, 1929 ; M. PINCHERLE, A. BLONDEL, A. HASSELMANS et G. LYON, in Lavignac Techn. III, 1925 ; R. VANNES, Dict. Universel des luthiers, Paris 1932 ; 2e éd. en 2 vol., Bruxelles, Les Amis de la Musique, 1951, 1959 ; H.J. ZINGEL, H. u. Harfenspiel vom Beginn des 16.bis 2.Drittel des 18.Jh., Halle 1932 ; TH. GÉROLD, Hist. de la mus. des origines à la fin du XIVe s., Paris 1936 ; A. SCHAEFFNER, L'origine des instr. de mus., Paris 1936 ; M. DUCHESNE-GUILLEMIN, La h. en Asie occidentale ancienne, in Revue d'Assyriologie XXXIV, 1937 ; CL. MARCEL-DUBOIS, Les instr. de l'Inde ancienne, Paris 1941 ; G. BEAUMONT, La h. irlandaise, Paris 1941 ; H. HICKMANN, div. art. in Miscellanea musicologica, Annales du Service des antiquités de l'Égypte XLVIII, 1948, L, 1950, et LIII, 1953 ; du même, Le jeu de la h. dans l'Égypte ancienne, in Diatriba Lexa, Arch. orientalni XX, Prague 1952, en all. in Mf V, 1952 ; du même, Les h. de l'Égypte pharaonique. Essai d'une nouv. classification, in Bull. de l'Inst. d'Égypte XXXV, 1954 ; R. RENSCH, The H., New York 1950 ; H. HICKMANN et J. ZINGEL, art. Harfe in MGG V, 1956 ; W. STAUDER, Die Harfen u. Leiern der Sumerer, Francfort/M., Goethe-Universität, 1957 ; E. A. BOWLES, La hiérarchie des instr. de mus. dans l'Europe féodale, in RMie XLII, 1958 ; A.N. SCHIRINZI, L'arpa, storia di un antico strumento, Milan, Carish, 1961 ; G. et M.FR. RACHET, Dict. de la civilisation égyptienne, Paris, Larousse, 1968 ; J. RIMMER, The Irish Harp, Cork, Mercier Press, 1969 ; H. CHARNASSÉ et FR. VERNILLAT, Les instr. à cordes pincées, Paris, PUF, 1970.

FR. VERNILLAT

HARPE (Musique pour h.). Il faut recourir à l'iconographie et considérer la position des mains pour avoir une opinion, très schématique, de l'emploi de la h. dans l'Antiquité et au Moyen Age. H. Hickmann a remarqué que les harpistes égyptiens jouaient des intervalles de quarte, de quinte ou d'octave. C'est ce que l'on observe aussi dans les documents iconographiques médiévaux. Au XVIe s., en Espagne, on écrit indifféremment pour clavier, h. ou vihuela (A. de Cabezón, *Obras de música para tecla, arpa y vihuela*, 1578). En France, en Italie, en Angleterre, on assimile également la h. aux instruments à clavier. Dans les ensembles instrumentaux où elle est mentionnée, elle n'exécute qu'une partie intermédiaire, la mélodie étant confiée aux instruments ou au continuo. C'est en Italie, avec l'apparition de l' « arpa doppia », que l'on trouve le premier essai d'une littérature instrumentale spécifique. L'*Orfeo* de Monteverdi (1607) offre l'exemple du premier solo écrit par un compositeur conscient des ressources de l'instrument. Au XVIIe s. la h. végète. La notation consiste en une simple basse continue, dont la réalisation dépend de la virtuosité de l'interprète. C'est avec l'invention des pédales, due au luthier bavarois G. Hochbrucker, que se développe une littérature conçue pour l'instrument. Cependant, les compositeurs et les exécutants continueront à confondre la h. et le clavecin; ils commettront la même erreur au XIXe s., en écrivant indifféremment pour h. ou pianoforte. Chr. Hochbrucker est le premier à faire la différence entre un instrument joué de deux mains parallèles (harpe) et ceux joués de deux mains divergentes (claviers). Il tente d'augmenter la puissance sonore par de courts arpèges sur l'octave et la dixième, soutenus par de larges basses. Parfois la dixième est à la basse elle-même. Hochbrucker n'emploie la basse d'Alberti que dans les mouvements lents, afin que la vibration de la corde ait le temps de s'atténuer avant le retour du doigt sur celle-ci. Pour la même raison, l'ornementation est absente des mouvements rapides. Avec J.B. Krumpholtz apparaissent les harmoniques, ainsi que l'emploi judicieux des homophones, tandis que Fr. Petrini s'essaie aux premiers « glissandi ». Au XIXe s. la technique de la h. atteint son apogée avec E. Parish-Alvars, qui l'enrichit de nombreux effets sonores : trilles sur des homophones, sons « en guitare » (près de la table de résonance), sons étouffés, accords d'harmoniques et « glissandi » employant de subtiles combinaisons de pédales. A notre époque, C. Salzedo, M. Grandjany et surtout M. Tournier ont poursuivi la recherche de nouvelles sonorités : combinaisons de glissés, d'harmoniques et de « sons en guitare », accords glissés, glissés de pédales (déjà employés par Parish-Alvars), « glissandi » doubles, triples, parallèles ou se croisant. Et toujours l'emploi des homophones, qui sont l'une des caractéristiques de la harpe.

La première œuvre écrite pour h. semble bien être le « solo » en forme de sonate composé à Berlin v. 1750 par C.Ph.E. Bach pour Petrini (le père). Chr. Hochbrucker, Patouart, Johann Karl Gustav Wernich, J.B. Krumpholtz, Fr. Petrini, J.G. Cousineau publient des sonates ou des pièces pour h. seule. Mais la formule qui semble remporter le plus grand succès est la sonate pour h. et violon ou avec accompagnement de violon. Outre les compositeurs précédemment cités, elle a tenté J. Baur, L. Boccherini, Philippe Jacques Meyer, R. Kreutzer, L. Spohr, A. Prati, J. Schobert et Jean Baptiste Cardon. La h. est associée en trio avec le violon (ou la flûte) et une basse par J. Baur, J.B. Krumpholtz, J. Kohault, Fr.J.F. Hérold, J.M. Molter, J.W. Hertel et J. Haydn, dont le trio a été perdu. L'association h.-clavecin a tenté Philippe Jacques Meyer, L.Ch. Ragué et surtout J. Baur qui, dans 6 Sonates avec accompagnement chantant de clavecin, a très bien su différencier l'écriture des deux instruments. Citons aussi les œuvres de Fr.A. Rössler, Fr.A. Hoffmeister, Fr. Benda, J.A. Amon, L. Cherubini, G. Paesiello, J.G. Naumann, J.Fr. Reichardt, J. Vanhal, Fr.W. Rust, A. Gyrowetz, B. Asioli, F. Paer. Dès la fin du XVIIIe s., J.B. Krumpholtz puis Fr. Petrini marient le timbre de la h. à des sonorités diverses : une flûte, 2 violons, 2 cors et une basse. Ils nous proposent aussi des duos de h. avec accompagnement d'une flûte, d'un violon et de 2 cors (J.B. Krumpholtz), d'un violon et d'une basse (Fr. Petrini). La 1re moitié du XIXe s. n'offre qu'une littérature sans grand intérêt : Fr.J. Nadermann publie 7 Sonates progressives

pour h. dans le style du siècle précédent. Avec J.L. Duport, il associe la h. au violoncelle, puis au cor, formule qui tentera des musiciens mineurs : J. B. Bédard, G.G. Ferrari, A.C. Prumier, J.A. Vernier. On note aussi quelques essais peu concluants de duos pour h. et pianoforte, d'A. Boieldieu et de J.L. Dussek en particulier. Les grands solistes composent surtout des œuvres de pure virtuosité, comportant des variations de bravoure sur les motifs d'opéras en vogue, mode à laquelle E. Parish-Alvars a beaucoup sacrifié. Il reste de lui Sérénade et Mandoline, qui sont encore au répertoire des harpistes contemporains. Les qualités musicales des 40 Études de R.N.Ch. Bochsa et des 48 Études de François Joseph Dizi leur font dépasser le stade de la musique didactique. Parmi les harpistes qui ont composé pour leur instrument, il faut citer M.P. Dalvimare, Marie-Martin Marcel de Marin, Karl Oberthür, John Balsir Chatterton, Th. Labarre, F. Godefroid, Fr. Stockhausen, Franz Poenitz, Wilhelm Posse, Albert Heinrich Zabel, J. Thomas, Edmund Schuecker, Johannes Snoer, Alfred Kastner, Hanuš Trneček, Luigi Maurizio Tedeschi, Ricardo Ruta, A. Hasselmans, H. Renié, M. Tournier, M. Grandjany, C. Salzedo, Freddy Alberti.

Depuis le renouveau de l'écriture instrumentale amené par Debussy (Danse sacrée, Danse profane, 1903, h. et cordes) et Ravel (Introduction et allegro, 1906, h., fl., clar. et quatuor à cordes), nombreux sont les compositeurs qui ont enrichi le répertoire de la h. d'œuvres remarquables : G. Fauré (Impromptu et Une châtelaine en sa tour), A. Roussel (Impromptu), A. Caplet (2 Divertissements), J. Ibert (6 Pièces), V. Mortari (Sonatina prodigio et 3 Studi galanti), P. Hindemith (Sonate), R. Bernier, A. Casella (Sonate), J.M. Damase, P. Glanville-Hicks (Sonate), G. Migot (Sonate luthée, 3 Petites Prières, 3 Nocturnes et des Préludes pour la h. celtique), S. Golestan (Ballade roumaine), G. Tailleferre (Sonate), Pierrick Houdy (Sonate)...

Innombrables sont les œuvres de mus. de chambre dans lesquelles la h. est associée à divers instruments pour créer de subtils équilibres de timbres. Là encore les Français ouvrent la voie : Debussy écrit une Sonate (1916) pour flûte, alto et h., formule reprise par A. Bax (Elegiac Trio), noyau d'un quintette composé d'une flûte, d'un trio à cordes et de la h., formation pour laquelle écriront des musiciens aussi divers qu'A. Roussel (Sérénade), V. d'Indy (Suite), G. Ropartz (Prélude, marine et chanson), G. Pierné (Voyage au Pays du Tendre et Variations libres et finale), J. Françaix (Quintette), Fl. Schmitt (Suite en rocaille), R. Malipiero (Sonata a 5), L. Lajtha (2 Quintettes), A. Jolivet (Chant de Linos), Daniel-Lesur (Suite médiévale), Ch. Kœchlin (2e Quintette), J.M. Damase (Quintette), S. Nigg (Quintette). D'autres formations ont été utilisées par E.T.A. Hofmann (Quintette, h. et quatuor à cordes, 1807), puis par A. Bax (Nonet; Sonate, alto et h.), A. Caplet (Conte fantastique, h. et quatuor à cordes), G. Migot, dont l'écriture polylinéaire s'accommode parfaitement de l'écriture polylinéaire s'accommode parfaitement d'ensembles instrumentaux qui individualisent chaque voix (Quatuor, fl., vl., clar. et h.; 1er Livre de divertissements français, fl., clar. et h.; Concert et Trio, fl., vlc. et h.), L. Lajtha (2 Trios, fl., vlc. et h.), R. Bernier (Sonate à 2, fl. et h.; Trio, fl., vlc. et h.), A. Jolivet (Pastorales de Noël, fl., basson et h.; Alla

Rustica, fl. et h.), Ch. Kœchlin (*Sonate à 7*, htb. principal, fl., h. et quatuor à cordes), P. Le Flem (*Dionysos*, fl., h. et ondes Martenot), J.M. Damase (*Sonatine*, h. et p.; *Trio*, fl., h. et vlc.)... La h. a été fréquemment associée à la voix par R. Schumann (*Drei Gesänge* op. 95, cht et h.), J. Brahms (*4 Gesänge für Frauenchor* op. 17, avec accomp. de 2 cors et h.), A. Caplet (*Le Miroir de Jésus*), G. Migot (*2 Stèles de V. Segalen*, cht, h., célesta, cb., tam-tam et cymbales; *Reposoir noble, grave et pur*, cht., fl. et h.; plus. mélodies pour cht et h.), M. de Falla (*Psyché*, sop., fl., alto, vlc. et h.), P. Hindemith (*The Harp that once thro Tara's halls*, chœur, h. et cordes), B. Britten (*A Ceremony of Carols*, chœur à 3 v. et h.), Daniel-Lesur (*Le Cantique des colonnes*, vers. originale pour chœur de f. et 2 h.)..

La h. a été souvent employée comme instrument soliste accompagné par l'orchestre. Au XVIIIᵉ s. par Haendel (*Concerto* pour h. ou orgue, 1735), G.Chr. Wagenseil (*2 Concerti* pour clv. ou h., v. 1750), J.Chr. Bach (*6 Concerti* pour h. ou clv., 1763), J.G. Albrechtsberger, C. Ditters von Dittersdorf, E. Eichner, J.B. Krumpholtz, Fr. Petrini, J.B. Schenk, Adolph von Münchhausen, W.A. Mozart (*Concerto* pour fl. et h., KV 299, 1777), J.D. Hermann, J.G. Cousineau, V. Schacht. Au XIXᵉ s. par Fr.J. Nadermann, A. Boieldieu (*Concerto*, 1803), L. Spohr (*2 Symphonies concertantes* pour h., vl. et orch.), N.Ch. Bochsa (*5 Concertos, 2 Symphonies concertantes*), E. Parish-Alvars (*Concertino, 3 Grands concerti, Concerto pour 2 h.*), Karl Oberthür (*Concertino, Loreley, Orpheus, Concertstück*), C. Reinecke, J. Thomas, Albert Zabel, M. Bruch, Francis Thomé (*Légende*), Ferdinand Hummel, Vincenzo Ferroni (*Fantasia eolica*). Au XXᵉ s., par C. Saint-Saëns (*Morceau de concert*), Th. Dubois (*Fantaisie*), Ch.M. Widor (*Choral et variations*), Cl. Debussy (*2 Danses*), G. Pierné (*Concertstück*), Alfred Holy (*Légende*), H. Busser (*Pièce de concert*), M. Ravel (*Introduction et allegro*), E. Dohnányi, D.E. Inghelbrecht (*Ballade dans le goût irlandais*), H. Villa-Lobos, Fr. Martin (*Petite Symphonie concertante* pour h., clv., p. et 2 orch. à cordes), G. Migot (*Suite en concert*), D. Milhaud (*Concerto*), G. Tailleferre (*Concertino*), W. Piston, P. Hindemith (*Concerto* pour les bois, h. et orch.), M. Castelnuovo-Tedesco, V. Thomson, H. Genzmer, E. Křenek, Nikolaï Berezovski, F. Farkas, A. Jolivet (*Concerto*), P. Creston (*Poème*), J.M. Damase (*Concertino*), Pierre Gabaye (*Mylou*), Roger-Roger (*Concerto-Jazz*).

Bibliographie — F. Lliurat, Cabezón. Obras de música para ecla, arpa y vihuela, *in* SIM nov. 1910; H.J. Zingel, Harfe u. Harfenspiel vom Beginn des 16. bis ins 2. Drittel des 18. Jh., Halle 1932; du même, Zur Gesch. des Harfenkonzerts, *in* ZfMw XVII, 1935; du même, Studien zur Gesch. des Harfenspiels in klassischer romantischer Zeit, *in* AfMf II, 1937; du même, Die Einführung der Harfe in das romantische Orchester, *in* Mf II, 1949; du même, Die Harfe in der Musik unserer Zeit, *in* Fs. M. Schneider, Leipzig, Deutscher Verlag für Musik, 1955; du même, art. Harfenmusik *in* MGG V, 1956; M. Scimeca, L'arpa nella storia, Bari 1938; E. Heinrich, Die Harfe in der Kammermusik des 20. Jh., *in* Deutsches Jb. der Mw. X (= Jb. Peters LVII), 1965; Fr. Vernillat, La littérature de la h. au XVIIIᵉ s., *in* Recherches IX, Paris, Picard, 1969; H. Charnassé et Fr. Vernillat, Les instr. à cordes pincées, Paris, PUF, 1970.

Fr. Vernillat

HARPE CELTIQUE. Sa forme rappelle celle de la h. de concert : elle comprend une caisse de résonance reliée à la console par une colonne. Dans la console sont placées 30 chevilles, qui correspondent aux 30 cordes fixées à l'autre extrémité au milieu de la table (partie supérieure de la caisse). L'instrument est accordé diatoniquement; l'étendue est donc de 4 octaves et une note, du *sol¹* au *la⁵*. Sous chaque cheville est placée une palette qui, par rotation, permet d'élever chaque corde d'un demi-ton. Les anciens harpeurs accordaient leur instrument en *sol*; on peut l'accorder aussi en *mi ♭*, comme la h. à simple mouvement, ou en *do*. De nos jours, les cordes sont en boyau, souvent en nylon. Dans le grave, les 4 ou 6 dernières cordes sont en métal filé.

La h. irlandaise est un instrument médiéval qui a survécu jusqu'à la fin du XVIIIᵉ s. Ses cordes étaient de métal (laiton et acier) et sa caisse de résonance creusée d'un seul bloc dans du bois de saule. Son existence en Irlande est attestée par l'iconographie depuis le IXᵉ s. (Psautier de Folchard, Ms. irlandais de Saint-Gall). L'instrument, la beauté de son timbre et l'habileté des harpeurs sont cités dès le XIIᵉ s. par Giraldus Cambrensis, puis par V. Galilei (1581) et M. Praetorius (1618). La h. reposait sur l'épaule gauche; on en jouait avec les ongles, la main gauche touchant les aigus et la droite les basses. Jusqu'au XVIᵉ s., les harpeurs jouirent d'une haute considération et d'une situation sociale enviable. Par la suite, les Anglais les persécutèrent en tant que représentants de la résistance irlandaise. Le déclin de la noblesse autochtone qui les protégeait et les entretenait fit d'eux, peu à peu, des ménestrels ambulants. Parallèlement, on note une décadence de leur art, qui, de savamment raffiné, devient peu à peu populaire. La vieille technique consistant à jouer avec les ongles se perd au XVIIIᵉ s. et les derniers harpeurs jouent avec la pulpe du doigt. L'instrument disparaît au début du XIXᵉ s. avec Arthur O'Neill, dernier harpeur, qui donne, dans ses Mémoires, des détails pittoresques sur ses collègues contemporains et passés. Il existe dans les musées de Dublin et de Belfast plusieurs spécimens bien conservés de ces instruments, notamment la h. dite « de Brian Boru » (XIIIᵉ s.), à Trinity College. A partir de la fin du XIXᵉ s. se dessine la renaissance d'un instrument qui ne sera plus celui à cordes de métal mais la h. à cordes de boyau, d'origine galloise, connue aujourd'hui sous le nom de h. celtique.

L'ancienne musique de l'instrument médiéval nous est pratiquement inconnue. A partir du XVIIᵉ s., divers témoignages attestent l'emploi de la h. irlandaise, en soliste dans le répertoire du luth, et dans des ensembles d'instruments pour la réalisation de la basse. Le répertoire actuel de la h. c. est constitué par la mus. traditionnelle d'Irlande, d'Écosse, du pays de Galles, relevée par des collecteurs depuis la fin du XVIIIᵉ s. Le plus célèbre d'entre eux fut l'Irlandais Edward Bunting (1773-1843), qui, en 1792, à Belfast, réunit les quelque 12 vieux harpeurs encore existants; un seul d'entre eux, Denis Hempson (1695-1807), âgé alors de 96 ans, jouait encore avec les ongles et, semble-t-il, dans le style de la h. irlandaise médiévale. Bunting nota leur répertoire, qu'il publia en trois volumes, précédés de copieuses préfaces où il rapporte tout ce qu'il a pu recueillir sur la h. irlandaise, son jeu et ses virtuoses. Un travail analogue a été fait en Écosse et au pays de Galles. — La h. celtique se prête parfaitement à l'interprétation de la mus. médiévale, renaissante, baroque (répertoire du luth et du clavecin), et sa sonorité intéresse de nombreux compositeurs contemporains (G. Migot, A. Tchérepnine, M. Kelkel, A. Weber, Aubert Lemeland, Marc Carles).

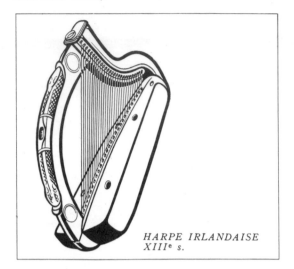

*HARPE IRLANDAISE
XIIIe s.*

Bibliographie — GIRALDUS CAMBRENSIS, Topographia Hibernica (1187), in Œuvres complètes, éd. par J.S. Brewer, J.F. Dimrock et G.F. Warner, Londres 1861-91, vol. V; V. GALILEI, Dialogo della musica antica e della moderna, Florence 1581, rééd. en facs. Rome 1934; éd. abrégée par F. Fano, Milan 1947; trad. angl. abrégée in O. STRUNK, Source Readings in Music Hist., New York 1950; M. PRAETORIUS, Syntagma musicum, II De organographia, Wolfenbüttel 1618, 2/1619, rééd. en facs. par W. Gurlitt, Kassel, BV, 1958-59; E. BUNTING, A General Coll. of Ancient Irish Music..., Londres 1796; du même, A General Coll. of the Ancient Music of Ireland..., Londres 1809; du même, A General Coll. of the Ancient Music of Ireland... arranged for pianoforte... and voice..., Dublin 1840; D.J. O'SULLIVAN, Carolan, The Life Times and Music of an Irish Harper, Londres, Routledge & Kegan Paul, 1958; J. RIMMER, The Irish Harp, Cork, Mercier Press, 1969; E. LEIPP et D. MÉGEVAND, La h.c., in Bull. du G.A.M. no 73, 1974.

R. CHENUT

HARPE ÉOLIENNE (angl., aeolian harp; all., Äolsharfe; ital., arpa eolia; arpa eólica), instr. à cordes qui résonne sous l'action du vent, sans aucune intervention manuelle. Dès les temps les plus reculés, il semble bien, d'après des passages de poèmes épiques, notamment celtiques, que l'observation ait été faite d'instr. à cordes émettant spontanément des sons, phénomène alors attribué à des êtres surnaturels ou à quelque action magique. Lorsque l'esprit humain cessa de se tourner vers le merveilleux, la h. é. continua de susciter la curiosité et l'on s'efforça d'en expliquer le fonctionnement. A. Kircher (*Musurgia universalis*, 1650) est le premier savant qui en fit une étude systématique et qui en construisit un spécimen, dont il donne toutes les caractéristiques. Dès les débuts du préromantisme, la vogue de la h. é. fut grande en Allemagne et en Grande-Bretagne. Par ses sons évanescents, elle allait de pair avec le mysticisme alors à la mode et le goût pour une littérature poétique dont Ossian était l'un des auteurs les plus admirés. Des facteurs renommés, tels Longman et Broderip en Angleterre, I. Pleyel en France, vendirent couramment de ces instruments.

La h. é. est une cithare dont le corps de résonance est constitué d'une caisse longue et étroite sur laquelle sont tendues les cordes, le plus souvent au nombre de six. L'instrument peut être placé dans une habitation, près d'une porte ou d'une fenêtre entrebâillée, ou en plein air. L'action du vent est facilitée si les cordes sont relativement longues, fines et peu tendues; lorsqu'elles sont ébranlées, elles font entendre non pas leur son fondamental mais les harmoniques de celui-ci, propriété à rapprocher de celle de la trompette marine. Mais la h. é. embrasse une étendue bien plus considérable, les sons suraigus se dégageant très facilement. La musique produite consiste en une succession de sons mélodiques et d'agrégats harmoniques, soumis à d'incessantes fluctuations, en hauteur comme en intensité, avec toutes sortes de transitions insensibles ou d'arrêts brusques et même des variations rythmiques selon les caprices du vent.

Bibliographie — A. KIRCHER, Musurgia universalis II, livre IX, Rome 1650; G. KASTNER, La h. d'Éole et la mus. cosmique, Paris 1856.

HARPE GALLOISE, voir HARPE CELTIQUE.

HARPE IRLANDAISE, voir HARPE CELTIQUE.

HARPE-LUTH (angl., harp lute), instrument hybride, inventé à Londres vers 1798 par Edward Light. Il empruntait au luth la forme de sa caisse de résonance et comportait 12 cordes. En 1897 G. Lyon mit au point une h.-l. destinée à réaliser, faute de luthiste, les parties composées par R. Wagner dans *Les Maîtres chanteurs* pour évoquer le luth exigé par le texte. L'instrument se joue comme une petite harpe.

HARPE-LYRE ou HARPOLYRE, sorte de grande → lyre-guitare inventée par M. Salomon en 1827, qui comportait 21 cordes tendues sur 3 manches dont le principal, placé au milieu, était en tout point semblable à celui de la guitare. L'existence de cet instrument fut éphémère.

HARPSICHORD (angl.), voir CLAVECIN.

HAUSSE, voir ARCHET.

HAUT, adj. employé pour caractériser la partie aiguë de l'échelle sonore ou de l'étendue d'un instrument (le haut du clavier), ou le fait de jouer ou chanter légèrement au-dessus du diapason normal. Au Moyen Age, les hauts instruments étaient ceux qu'une sonorité forte désignait plus particulièrement à l'exécution de la musique en plein air.

HAUTBOIS (angl., all., ital., esp., oboe). **1.** Instr. à vent à → anche double, de perce conique. Son étendue est la suivante :

Son ancêtre est la → chalemie des xvᵉ et xvıᵉ s., instrument apparenté au « zurnâ » turc, qui prit le nom de h. dans le courant du xvıᵉ s. D'après les descriptions de M. Praetorius (« Schalmey ») et du père Mersenne (« hautbois »), la chalemie était faite d'une seule pièce et avait une sonorité puissante. Vers 1660 apparut en France, construit par J. Hotteterre et J. Philidor, membres de la Grande Écurie du roi, un instrument plus doux et plus facile à contrôler, qu'il devint possible d'associer aux violons et qui fut adopté avant la fin du xvııᵉ s. dans les autres pays. C'est la première forme du h. actuel : composé de trois pièces (corps du haut, corps du bas et pavillon), en buis joliment façonné et décoré d'ivoire, avec deux clefs, pour le *do³* et le *mi ♭ ³*, il se caractérise par des trous plus petits que ceux de la chalemie et une perce conique qui s'élargit progressivement d'un cran à chaque jointure. L'anche, beaucoup moins large que précédemment, l'était cependant plus que de nos jours et la sonorité était plus dense et moins incisive. La réduction du calibre au xvıııᵉ s. permit d'obtenir dès l'époque de J.S. Bach un instrument très raffiné et, à l'époque de Mozart, d'augmenter l'étendue jusqu'au *fa⁵* sans ajouter de clefs. Nombreux sont aujourd'hui les ateliers qui, pour répondre à la demande croissante des artistes, fabriquent des copies de h. du xvıııᵉ s. pour l'exécution de la musique de cette époque.

Antoine Sallantin, premier professeur de h. au Conservatoire, et Auguste Gustave Vogt ajoutèrent deux nouvelles clefs à l'instrument et utilisèrent une anche de dimension moderne (reproduite dans la *Méthode raisonnée pour le hautbois* de Fr.J. Garnier [v. 1800]). A la suite de l'augmentation du nombre des clefs sur la clarinette, les facteurs de Dresde et de Vienne dotèrent le h. dans les années 1820 d'un mécanisme semblable (10 clefs ou plus), ce qui permit de supprimer quelques doigtés fourchus et d'exécuter des morceaux difficiles dans toutes les tonalités. A la même époque, le facteur Guillaume Triébert, venu d'Allemagne, fonda à Paris l'atelier où lui-même, en collaboration avec le hautboïste Henri Brod, puis son fils Frédéric Triébert réalisèrent une longue série de modifications — suppression des crans dans le tuyau, addition d'un mécanisme complet de clefs et d'anneaux — qui, avec les perfectionnements apportés par François Lorée, aboutirent en 1882 au « système du Conservatoire ». A part les anneaux, le h. de 1882 possède presque toutes les caractéristiques du h. moderne. La dernière modification, effectuée en 1906 par Adolphe Lucien Lorée et Georges Gillet, consista à remplacer les anneaux par des plateaux perforés qui facilitèrent l'exécution de certains trilles. Le h. de Lorée et Triébert a été adopté dans tous les pays du monde, sauf en Autriche où on utilise le h. de Hermann Zuleger. Résultant d'une évolution différente, il a conservé plus de caractéristiques de l'époque classique, p. ex., dans l'aigu, un champ de liberté du volume utile à l'expression, difficile à obtenir sur le h. français. Un mécanisme fondé sur les principes dits de Th. Boehm fut introduit à Paris par Louis Auguste Buffet en 1844 et fabriqué lui aussi par Triébert mais avec un succès très limité. — Voir également les art. COR ANGLAIS ET TAILLE DES HAUTBOIS, HAUTBOIS BARYTON et HECKELPHONE.

2. A l'orgue, jeu soliste à anche battante, résonateur à cône et pavillon. Il existe dans l'orgue anglais dès la fin du xvııᵉ s. et en France à partir de 1740 environ. Au xvıᵉ s., ce terme désigne une registration du → « ripieno » riche en mixtures aiguës.

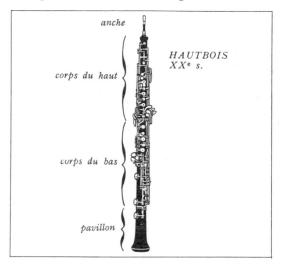

anche

HAUTBOIS XXᵉ s.

corps du haut

corps du bas

pavillon

Bibliographie — **1.** E. THOINAN, Les Hotteterre et les Chédeville, Paris 1894 ; L. DECHLER et B. RAHM, Die Oboe u. die ihr verwandten Instr., Leipzig 1914 ; M. BLEUZET, H., *in* Lavignac Techn. III ; 1927 ; A. BRIDET, Aperçu historique du h., Lyon 1927 ; E. HALFPENNY, The English 2- and 3- Keyed Hautboy, *in* The Galpin Soc. Journal II, 1949 ; du même, A 17th Cent. Tutor for the Hautboy, *in* ML XXX, 1949 ; du même, The Tenor Hoboy, *in* The Galpin Soc. Journal V, 1952 ; du même, The French Hauboy, *ibid.* VI, 1953, et VIII, 1955 ; J.MARX, The Tone of the Baroque Oboe, *ibid.* IV, 1951, et V, 1952 ; P. BATE, The Oboe, Londres, Benn, 1956 ; A. BAINES, Woodwind Instr. and their Hist., Londres, Faber, 1957 ; W. STAUDER, H. HICKMANN et H. BECKER, art. Oboe *in* MGG IX, 1961.

A. BAINES et P. HARDOUIN

HAUTBOIS (Musique pour h.). Création française attribuée à J. Hotteterre, ainsi qu'il est généralement admis, le h. apparaît pour la première fois à l'orchestre dans *L'Amour malade* de J.B. Lully, en 1657; dès la fin du siècle, il en est membre permanent. Sa littérature de soliste, qu'il partage au début le plus souvent avec la flûte ou le violon, se forme dès cette époque avec les sonates de J. Hotteterre, J. Philidor et E.Ph. Chédeville. M.R. Delalande l'utilise fréquemment en soliste, ainsi que Fr. Couperin dans ses *Concerts royaux* et ses *Goûts réunis*. Les *Concertos* op. 21, 24 et 30 de J. Bodin de Boismortier lui sont destinés, concurremment à la flûte ou au violon, ainsi que les 6 *Sonates en trio* de son op. 28 (2 h. et basse continue), et il trouve place dans son *Concerto à 5 parties*, op. 37. Les concertos de M. Corrette et J.Chr. Naudot l'intègrent également à leur appareil soliste. J.M. Leclair lui destine « ad libitum » l'un de ses *Concertos de violon*, l'op. 7 nº 3. En Italie, des instrumentistes de choix, les Besozzi — dont la longue dynastie s'étendra jusqu'en 1816 et régnera sur l'instrument tant à Turin ou à Naples qu'à Dresde ou à Versailles — le consacrent dès la fin du xvııᵉ s. (*Sonates* de A. Besozzi ; *Concertos* et *24 Sonates* pour 2 h., 2 cors et basson de C. Besozzi). Les maîtres du baroque se tournent aussi vers lui :

ainsi T. Albinoni avec quatre des 12 *Concertos* de son op. 7 et huit des 12 de son op. 9 (les 4 autres étant pour 2 h.); A. Marcello avec ses 6 *Concertos (La Cetra)*; A. Vivaldi avec ses 11 *Concertos* pour h. solo, 2 pour 2 h., un pour 2 h. et 2 clarinettes (?) et une *Sonate*. En Allemagne, concurremment à l'emploi fréquent qu'il en fait dans ses cantates (ainsi que du h. d'amour et du cor anglais ou « corno da caccia »), J.S. Bach lui confie l'une des 4 parties solistes de son 2ᵉ *Concerto brandebourgeois* ainsi que de la version en *ré* min. pour h. et violon du *Concerto en ut* pour 2 claviers. G.Fr. Haendel, de son côté, écrit 16 *Sonates* pour 2 violons ou h. ou flûte et basse continue et lui consacre en propre 3 *Concertos* ainsi que 6 *Sonates* (2 h. et basse continue). De G.Ph. Telemann on citera 6 *Concertos*, un *Concerto* pour flûte et h., 3 *Concertos* pour flûte, h. d'amour et viole d'amour, un *Concerto* pour flûte, h. et violon, un *Concerto* pour h. d'amour, une *Suite* pour 2 h. et cordes ainsi que diverses *Sonates*. L'époque galante et préclassique ne le néglige pas : J.Chr. Bach lui consacre 2 *Concertos*, J.Chr. Fischer 9, sans parler de ceux des Stamitz ou de leurs œuvres de mus. de chambre comportant un h. (*Quatuor en fa* de C. Stamitz pour violon, h., cor et violoncelle). Il faut y joindre les *Concertos* de C. Ditters von Dittersdorf, d'E. Eichner, de D. Cimarosa, de G. Sammartini (5 *Concertos* op. 2). Bien que moins généreuse à son égard, l'époque classique lui octroie un certain nombre d'œuvres dont le *Concerto* attribué à J. Haydn (douteux) et celui de Mozart. De Mozart encore, une *Symphonie concertante* pour h., clarinette, cor, basson et orchestre, un *Quintette* pour h., clarinette, cor, basson et piano ainsi que l'admirable *Quatuor en fa* maj. pour h. et cordes, où l'instrument connaît un emploi surprenant si l'on songe à sa précarité mécanique d'alors. De son côté, Beethoven l'utilise dans ses œuvres de mus. de chambre (*Octuor* op. 103, *Rondino* op. 146, *Quintette* op. 16 pour h., clarinette, cor, basson et piano) et lui consacre en propre un *Trio* pour 2 h. et cor anglais (variations sur « *La ci darem la mano* ». A l'époque romantique, l'instrument subira une éclipse en tant que soliste, d'autant moins explicable qu'il connaît alors une ère de perfectionnements décisifs. Si les maîtres du temps lui témoignent une visible prédilection comme soliste d'orchestre à côté de la clarinette et du cor (ainsi que du cor anglais), si les instrumentistes lui dédient une quantité d'œuvres (variations, pastorales, pièces orientales, etc.) exploitant ses possibilités nouvelles, seul R. Schumann lui consacre 3 *Romances* (h. et piano). La *Sonate* op. 166 pour h. et piano (1921) de C. Saint-Saëns marque le début de sa renaissance comme instrument soliste. De nombreux concertos, concertinos et œuvres pour h. et orchestre vont apparaître, parmi lesquels ceux de R. Vaughan Williams, G. Jacob, Rutland Boughton, M. Arnold, E. Goossens, William Alwyn, R. Strauss, B. Martinů, M. Castelnuovo-Tedesco, E. Wolff-Ferrari, D. Milhaud, H. Tomasi, Jacques Murgier, J. Ibert (*Symphonie concertante*). Parmi les sonates, sonatines, suites ou pièces diverses pour h. et piano, mentionnons celles de Marcel Bitsch, Roger Boutry, P. de Bréville, J. Castérède, Y. Desportes, P.M. Dubois, H. Dutilleux, P. Hindemith, A. Jolivet, Ch. Kœchlin, H. Martelli, G. Migot (*Sonate à danser « La Malouve »*), Fr. Poulenc, M. Ohana. Son répertoire moderne comporte égale-

ment des œuvres pour h. seul (B. Britten, *6 Métamorphoses d'Ovide*; H. Tomasi, *Variations en forme de sonatine*; Franken, *Sonate*), pour 2 h. (G. Migot, *Pastorale*), pour h. et cordes (quintettes d'A. Bliss, de Francis de Bourguignon; *Fantaisie* de B. Britten, *Fantasy Quartett* de E.J. Moeran, *Divertimento* de P. Mieg) ou pour diverses combinaisons (A. Jolivet, *Suite liturgique* pour voix, h., violoncelle et harpe; J. Holbrooke, *Nocturne* pour h., violon, alto et piano; K. Stockhausen, *Kreuzspiel* pour h., clarinette, piano et percussion), ainsi que de très nombreux quintettes à vent où le h., membre permanent de l'ensemble, joue parfois un rôle prépondérant (A. Jolivet, *Sérénade* pour quintette à vent avec h. principal) et divers quatuors d'anches (G. Migot, *3 Pastorales*; P.M. Dubois; G. Massias). Parmi la littérature didactique, citons les méthodes de Bleuzet, Gillet, Barret et Brod, Sellner... Les études de Ferling, Luft, Lamorlette ainsi que les études d'orchestre de Wagner, Rothwell et Janraud *(Vade-mecum du hautboïste)* constituent les pièces maîtresses du répertoire de base en ce domaine.

G. GOURDET

HAUTBOIS BARYTON, instr. à vent et à anche double qui sonne à l'octave grave du → hautbois. Il fut construit expérimentalement au XVIIIᵉ s. par quelques facteurs, tel Charles Bizey à Paris, et au siècle suivant par Guillaume Triébert avec un pavillon piriforme dirigé vers le haut. Il a été pratiquement ignoré par les compositeurs. — Voir l'art. HECKELPHONE.

HAUTBOIS D'AMOUR (all., Liebesoboe; ital., oboe d'amore; esp., oboe de amor), espèce allemande de h. au pavillon piriforme, dont l'étendue est inférieure d'une tierce mineure à celle du h. ordinaire. Inventé vers 1719, il a été utilisé dans les concertos et les œuvres chorales jusque vers 1760. On l'a remis en usage de nos jours, construit selon le système de François Lorée, pour les œuvres de J.S. Bach qui l'utilisait fréquemment. A la suite de cela, quelques compositeurs du XXᵉ s., dont R. Strauss (*Sinfonia domestica*) et M. Ravel (*Boléro*), l'ont inclus à l'occasion dans leurs œuvres orchestrales.

HAUTBOIS DE CHASSE, voir COR ANGLAIS ET TAILLE DES HAUTBOIS.

HAUTE-CONTRE, dans la mus. vocale des XVIᵉ et XVIIᵉ s., voix d'alto masculin chantée par la plus élevée des voix de ténor. De nos jours, cette partie est fréquemment tenue par une voix de femme grave, ce qui assourdit considérablement la sonorité de l'ensemble.

HAUTE FIDÉLITÉ, voir FIDÉLITÉ.

HAUTEUR. La h. d'un son est liée à sa → fréquence c.-à-d. au nombre de vibrations par seconde du corps sonore. En fait, l'expérience montre que la sensation de h. donnée par des sons de fréquence égale dépend encore de leur → timbre, de leur → intensité, de leur h. absolue, du contexte où ils se trouvent, etc.

En théorie, une octave est obtenue en doublant la fréquence d'un son; mais on vérifie que si on accorde les octaves d'un piano par doublement cumulatif des fréquences, l'instrument sonne faux; les accordeurs, harmonistes d'orgue, facteurs d'instruments et musiciens le savent très bien et les recherches des psycho-physiologues n'ont fait que confirmer leur pratique.

HAUT-PARLEUR (angl., loud-speaker; all., Lautsprecher), dernier terme de la chaîne de reproduction électro-acoustique, organe qui convertit la modulation du courant en vibrations de l'air, perceptibles par l'oreille humaine. Dans la quasi-totalité des systèmes, cette conversion tire parti de la mobilité d'une bobine sensible aux variations du champ magnétique d'un électro-aimant qui l'entoure : ici, le courant modulé par le flux musical ; là, un mouvement vibratoire qui en est l'image. Ce mouvement est amplifié par la membrane du h.-p., assujettie à la bobine mobile. Généralement de carton, cette membrane a la forme d'un tronc de cône à base circulaire ou elliptique. Une précaution est nécessaire à l'efficacité du h.-p. ; elle consiste à empêcher les vibrations émises par l'arrière du cône d'interférer avec celles de l'avant, qui sont celles que l'on veut entendre. Cela s'obtient en fixant le h.-p. à l'intérieur d'une boîte, sur une fenêtre ouverte vers l'extérieur. Cette boîte s'appelle baffle ou, mieux, → enceinte acoustique. De nombreux aménagements brevetés permettent de tirer de cette boîte diverses améliorations acoustiques choisies dans le sens d'une meilleure musicalité. La réunion, dans une même enceinte acoustique, de h.-p. de grandeurs différentes permet de mieux rendre l'étendue des sons musicaux. Un h.-p. plus grand (« boomer ») favorise les basses ; très petit (« tweeter »), il favorise les aigus. L'audition en → stéréophonie utilise deux enceintes acoustiques identiques, disposées symétriquement face à l'auditeur. La quadriphonie ajoute, derrière l'auditeur, une paire d'enceintes symétriques des précédentes. La rigueur que la théorie acoustique exige dans la symétrie des enceintes lors de l'audition stéréophonique ou quadriphonique est très largement tempérée dans la pratique domestique, où les enceintes acoustiques sont installées dans une pièce également occupée par des meubles, des fenêtres, des rideaux, des tableaux, etc. En 1974 sont apparues sur le marché des enceintes dites « asservies », aboutissement de recherches de laboratoire tendant à annuler, ou tout au moins à compenser, un certain nombre de réactions engendrées, à l'intérieur des enceintes, par les h.-p. en vibration. Ces réactions, agissant à leur tour sur la membrane des h.-p., nuisent à la fidélité musicale. Cela est vrai aussi pour les réactions des membranes de h.-p. à tous les bruits ambiants : on peut considérer que ces membranes se comportent comme des microphones et envoient dans le circuit des modulations « à contrecourant ». Les dispositifs d'asservissement varient d'une firme à l'autre; ils consistent toujours en circuits électroniques installés à l'intérieur des enceintes.

Bibliographie — Cf. les périodiques Son-Magazine, Hi-Fi Stéréo, La Revue du son.

HECKELPHONE, espèce de → hautbois basse inventé par W. Heckel à Biebrich-am-Rhein en 1904.

Il est fait en érable avec une perce large et un pavillon piriforme dirigé vers le bas. R. Strauss l'utilise à bon escient dans *Salomé* et *Elektra*, mais son usage ne s'est pas répandu et l'atelier en construit peu aujourd'hui. Sa note fondamentale est le *la¹*. Il s'écrit à l'octave supérieure.

Bibliographie — Voir l'art. COR ANGLAIS.

HEIDELBERG.

Bibliographie — F. WALTER, Gesch. des Theaters u. der Musik am Kurpfälzischen Hofe, Leipzig 1898; W. MALER, Gesch. des Bach-Vereins in H. (1885-1910), Heidelberg 1910; F. STEIN, Zur Gesch. der Musik in H. (diss. Heidelberg 1912), 2e éd. sous le titre Gesch. des Musikwesens in H. bis zum Ende des 18. Jh., Heidelberg 1921; F. BASER, Das musikalische H. seit den Kurfürsten, Heidelberg 1934; E. LORENZ, Zehnjahresfeier der Städtischen Singschule zu H., in Die Musikpflege VIII, 1937-38; J.TH. KRUG, Quellen u. Studien zur oberrheinischen Choralgesch., I Die Choralhss. der Univ.-Bibl. H., Fribourg-en-Br. 1937; C.PH. REINHARDT, Die H.er Liedmeister des 16. Jh., Kassel 1939; G. PIETZSCH, Zur Pflege der Musik an den deutschen Univ. bis zur Mitte des 16. Jh. : H., in AfMf V, 1940; du même, Quellen u. Forschungen zur Gesch. der Musik am Kurpfälzischen Hof zu H. bis 1622, Wiesbaden, Steiner, 1963; H. KRETZER, Heidelberger Musiktage 1948, in Melos XV, 1948; S. HERMELINK, Ein Musikalienverzeichnis der H.er Hofkapelle aus dem Jahre 1544, in Ottheinrich, Heidelberg 1956; O. RIEMER, Chorklang im Zeitgeist, eine Studie zum 75 jährigen Bestehen des H.er Bach-Vereins, Heidelberg, Bach-Verein, 1960.

HÉLAN, agrément en usage dans la mus. vocale française du XVIIIe s., apparenté à une → aspiration un peu violente selon M. L'Affilard, à un → accent selon Du Pont, et que M.P. de Montéclair identifie au → sanglot.

HÉLICON, tuba contrebasse, instr. à vent en cuivre de grandes dimensions, utilisé principalement dans les mus. militaires, et dont le nom provient de son enroulement circulaire. Le sousaphone est une variété de cet instrument, pourvu d'un énorme pavillon amovible.

HÉMIOLE (du grec hemiolios, = un et demi; lat., hemiolia, hemiola, → sesquialtera). 1. Dans la notation mensuraliste des XVe et XVIe s., groupe de 3 notes rendues imparfaites par le procédé du → « color », égal en durée à un groupe de 2 notes identiques parfaites :

De tels changements de rythme se rencontrent fréquemment dans l'œuvre de G. Dufay, de G. Binchois et de leurs contemporains. On les trouve encore à la période baroque, où ils caractérisent le rythme de la → courante. La → sardane également est fondée sur l'emploi de l'hémiole. — 2. Dans la terminologie médiévale, h. désigne encore la quinte juste (ou « diapente ») qu'exprime le rapport 3 : 2.

Bibliographie — M.B. COLLINS, The Performance of Coloration, Sesquialtera and Hemiola (1450-1750), in JAMS XVII, 1964.

HEPTATONIQUE (du grec hepta, = sept), terme utilisé pour désigner une gamme ou → échelle comportant 7 sons à l'octave. La succession h. naturelle s'obtient en ordonnant les sons des 6 premières quintes du → cycle des quintes :

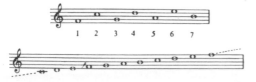

Chacun des degrés de cette échelle — la plus usuelle de nos jours — peut être pris comme point de départ, c.-à-d. comme → tonique. On obtient ainsi à chaque fois un → mode correspondant différent dont l'ensemble nous est familier sous la dénomination de → modes ecclésiastiques. Depuis le XVIIᵉ s., le mode → majeur a pris une place toute-puissante mais cela ne doit pas faire oublier qu'il n'est qu'une possibilité h. parmi d'autres.

Historiquement, l'échelle h. vient après l'échelle hexatonique. Celle-ci avait fait apparaître pour la première fois le → demi-ton, qui, en système pythagoricien, est très serré et provoque un phénomène d'attraction. Le nouveau son de l'h. introduit non seulement un deuxième demi-ton (permettant une deuxième possibilité d'attraction) mais surtout un nouvel intervalle : le → triton (« diabolus in musica »). Du même coup, le phénomène d'attraction est décuplé par un phénomène de tension qui ne prendra toute sa signification qu'en notion verticale d' → harmonie (§ III B). En monodie, on évite souvent le triton, d'où l'alternance si fréquente du *si* ♮ et du *si* ♭ dans les modes grégoriens amenant les pratiques de muances d' → hexacordes et de → solmisation. — L'échelle h. naturelle peut subir des déformations dues à l' → attraction des degrés faibles vers les degrés forts (voir l'art. ÉCHELLE). Le mode → mineur harmonique en est l'exemple le plus connu actuellement. Mais les diverses échelles tsiganes, arabes, indiennes et autres s'expliquent par le même phénomène. Il s'agit alors d'échelles h. déformées.

Bibliographie — Voir l'art. ÉCHELLE.

HERMÉNEUTIQUE, terme emprunté à l'exégèse des textes sacrés et appliqué à l'interprétation des écrits et des opinions des auteurs de l'Antiquité. Il fut introduit à la fin du XIXᵉ s. dans l'esthétique musicale par H. Kretzschmar. L'h. reprend les thèmes de la → théorie des passions mais utilise une méthodologie plus scientifique, élaborée notamment par A. Schering. A.B. Marx avait déjà jeté les bases de l'h. en recherchant, dans une étude sur Beethoven (1859), les éléments dramatiques ou passionnels exprimés dans son œuvre. Cette tendance esthétique considère la musique comme l'expression des états d'âme et des émotions ; elle rejoint la fonction descriptive de la poésie mais son langage est moins clair, quoique plus profond et plus émouvant. L'h. tient compte de la biographie des compositeurs, dont les œuvres — étant la traduction musicale d'une situation affective, psychologique ou d'un programme poétique — sont censées refléter les grandes phases.

Bibliographie — H. KRETZSCHMAR, Anregungen zur Förderung musikalischer H., *in* Jb. Peters IX, 1902 ; du même, Neue Anregungen.., *ibid.* XII, 1905 ; A. SCHERING, Zur Grundlegung der musikalischen H., *in* Zs. für Ästhetik u. allgemeinen Kunstwiss.

IX, 1914 ; N.E. RINGBOM, Über die Deutbarkeit der Tonkunst, Helsinki, et Wiesbaden, Br. & H., 1955 ; W. GERSTENBERG, art. H. *in* MGG VI, 1957.

HERTZ (abr., Hz), unité de fréquence adoptée par tous les acousticiens, sauf quelques spécialistes anglo-saxons qui conservent le terme de cycle-seconde. Quand une corde vibre 440 fois par seconde, c.-à-d. fait 440 aller et retour par seconde, elle produit un *la*³ de 440 Hz. Il convient absolument d'éviter l'ancienne dénomination de vibration simple : on disait naguère que la corde vibrait à 880 vibrations simples/seconde, ce qui a provoqué de nombreuses confusions d'octave.

HESES, nom allemand du *si* double bémol.

HÉTÉROPHONIE (du grec heteros, = autre, et phônê, = voix), terme employé par Platon (*Lois* VII, 812 d.-e) pour indiquer la différence des sons qu'émet la lyre lorsqu'elle double la voix en introduisant des variantes de son cru. En 1901 C. Stumpf a repris ce terme — et les ethnomusicologues l'ont imité — pour désigner une forme particulière de l'exécution musicale, fréquente dans les cultures primitives ou extra-européennes, dans laquelle une même mélodie est présentée simultanément par plusieurs exécutants avec des variantes improvisées qui vont de la simple nuance d'intonation à des versions mélodiques divergentes et à des mélismes plus ou moins étendus. Il en résulte une apparence de polyphonie de caractère irrationnel, sans commune mesure avec le contrepoint, ainsi que des rencontres de sons étrangères aux règles de la consonance. L'h. présente des aspects très différents selon les peuples qui la pratiquent (Chine, Japon, Corée, Thaïlande, Vietnam, Indonésie). On en trouvera deux exemples particulièrement riches à l'art. GRÈCE, § C. La Grèce moderne.

Bibliographie — G. ADLER, Über H., *in* Jb. Peters XV, 1908 ; M. SCHNEIDER, Gesch. der Mehrstimmigkeit I, Berlin 1934.

HEURES. L' → office canonial est divisé en h., appelées indifféremment h. canoniales ou h. liturgiques. On distingue les h. de la nuit et celles du jour. L'office de nuit comprend les → matines, appelées aussi vigiles dans certains ordres monastiques comme les cisterciens, et les → laudes. En fait, celles-ci ont retrouvé depuis peu leur véritable place au début de la journée. Jusqu'alors elles étaient jointes aux matines et se chantaient dans la nuit. Les petites h. du jour correspondent aux anciennes h. solaires des Romains : → prime ou 1ʳᵉ heure ; → tierce ou 3ᵉ heure ; → sexte ou 6ᵉ heure ; → none ou 9ᵉ heure. L'office des → vêpres ou du lucernaire se chante en fin de journée, et celui de → complies, le soir avant le coucher. Laudes et vêpres sont aujourd'hui les grandes h. de la journée, parfois solennisées. Les petites h. et complies ne le sont jamais. Les matines ou vigiles peuvent aussi être solennisées. — L'origine des h. est très ancienne. Tierce, sexte et none apparaissent en Syrie au milieu du IVᵉ s., laudes vers 370. Prime apparaît au début du VIᵉ s. dans les règles de St Césaire d'Arles et de St Benoît. La règle de St Benoît fournit le premier schéma d'une organisation systématique des h., mais il ne s'agit que d'une codification de ce qui existait déjà. La récente réforme liturgique a supprimé prime pour le rite romain, ramené les petites h. à une seule et considérablement réduit les autres.

HEXACORDE (du grec heks, = six, et khordê, = corde; lat., hexachordum), succession conjointe de 6 degrés diatoniques formant entre eux deux intervalles de seconde majeure, un de seconde mineure (au centre) et deux de seconde majeure (soit ton, ton, 1/2 ton, ton, ton). Décrite pour la 1re fois au XIe s. par Guy d'Arezzo *(Micrologus de musica)*, elle a été utilisée par lui dans un but pédagogique : montrer que chaque son de la gamme se réfère à une succession de sons supérieurs et inférieurs qui lui sont propres, et permettre à l'élève d'identifier avec exactitude la place de la seconde mineure (voir l'art. GUY D'AREZZO du vol. I, Les Hommes et leurs œuvres).

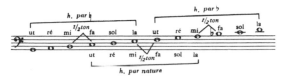

Diverses œuvres vocales ont été construites sur l'h. ou sur ses notes arbitrairement disposées, p. ex. les messes « *La sol fa ré mi* », « *Ercules dux Ferrariae* », « *L'homme armé super voces musicales* » de Josquin des Prés, « *Ut ré mi fa sol la* » de Palestrina, ainsi que de très nombreuses œuvres instrumentales, fantaisies ou « ricercari » des XVIe et XVIIe s. — Voir l'art. SOLMISATION.

HEXATONIQUE, voir ÉCHELLE.

HIRMOS (du grec heïreïn, = aligner, assembler). Dans la poésie et la mus. d'église byzantines, le terme désigne un type de strophe métrique et musicale. Chacune des neuf odes qui forment le → canon est construite sur un hirmos. Les différentes strophes (voir l'art. TROPAIRE) qui constituent les éléments de chaque ode adoptent la structure métrique et musicale de l'hirmos. Les hirmoï du canon ont été consignés dans des manuscrits appelés « heïrmologia », dont de nombreux exemplaires neumés sont été conservés à partir du Xe s. Le style de l'h. se caractérise essentiellement par son syllabisme (voir l'art. CHANT BYZANTIN). Jusqu'au XIIIe s. les mélodies présentent généralement une unité de style ; par la suite on assiste sur le plan musical à une profonde transformation de l'h., aboutissant à la formation d'un style « récitatif ».

Bibliographie — Cf. l'art CANON, § 2.

HIS, nom allemand du *si* dièse.

HISIS, nom allemand du *si* double dièse.

HISTOIRE DE LA MUSIQUE. Le fait d'avoir une histoire, c.-à-d. de s'exprimer à l'aide de formes en constante évolution offrant une succession continue de musique nouvelle, est inhérent au concept occidental de la musique, caractérisée par son origine grecque et en conséquence par l'opposition théorie-pratique. Considérée dans ce contexte historique, la musique est un événement propre à l'Occident. Aux antipodes se place toute la structure sonore préhistorique (prémusicale), quasi primitive, ou bien celle qui n'a pas encore subi l'influence européenne, qui ne distingue pas théorie et pratique et qui se caractérise par une relative absence d'historicité. La relation entre ces deux pôles est à sens unique : les rencontres entre le primitif et l'artifice se soldent toujours par un acquis pour ce dernier, soit que la mus. occidentale et son histoire en deviennent plus fécondes, soit qu'il y ait colonisation par la mus. européenne dont l'artifice s'installe à côté de la tradition indigène, la pénètre, menace son originalité et son existence même. Il est vrai qu'en Europe on parle aujourd'hui de mus. primitives : mus. esquimaude, noire, africaine, etc., et de leur histoire — la mus. chinoise constitue un problème particulier — mais c'est d'une manière souvent irréfléchie, en l'absence de termes propres à exprimer les particularités culturelles, et dans une optique généralement limitée d'Européen. Il est possible de concevoir une h. universelle de la m. si l'on envisage « la diffusion de la mélodie et de l'harmonie occidentales dans le monde entier » (A. Wiora), mais elle doit rester problématique là où l'originalité d'un univers sonore étranger est méconnue en faveur d'âges de l'h. universelle de la m. et adaptée au concept de musique, concept fondamentalement théorique, artificiel et historique dans la terminologie et dans l'écriture musicales.

L'h. de la m., dans laquelle la succession ininterrompue des nouveautés représente en même temps la continuité de la tradition et qui se déroule essentiellement depuis les XIIe-XIIIe s. comme une histoire de la → composition, s'accompagne d'un continuel retour au passé. Ce phénomène a lui-même une histoire ; il évolue avec la manière dont la tradition agit sur l'h. de la musique.

La littérature musicale médiévale (ainsi que le dialogue *Péri mousikès* transmis de la basse Antiquité sous le nom de Plutarque) rappelle le passé à la manière des chroniques universelles : elle relate l'origine biblique (Jubal et Tubalcaïn, Genèse 4, 21 ; p. ex. Isidore, *Etymologiae* III, 16, 1) ou grecque de la musique (mythologie, légende de Pythagore ; p. ex. Guy d'Arezzo, *Micrologus*, COUSSEMAKER Scr. IV, 229), les découvertes plus tardives, les traditions bibliques ou légendaires sur les effets de la musique et les travaux de ceux dont l'autorité est reconnue (Pères de l'Église, Grégoire Ier, Guy d'Arezzo, Francon de Cologne). Le rappel du passé est au service d'une visée existentielle, de la conservation et de la transmission d'un savoir, de la louange et de la justification de la musique, mais il n'est pas encore placé sous le signe de la redécouverte. Cela correspond au caractère propre de l'h. médiévale de la m., dans laquelle la tradition exerçait encore une action par elle-même, donc d'une manière inconsciente. A partir de l'époque carolingienne, les fondements hérités de l'Antiquité grecque s'épanouirent dans la musique du Moyen Age en une pratique musicale totalement neuve (c.-à-d. accompagnée de réflexion théorique) qui se caractérise par l'apparition de la polyphonie (→ organum), de la notation modale indiquant clairement hauteurs et durées, et de la composition de musique à plusieurs voix; historiquement, cela se traduit par la séquence, le trope, l'organum, le déchant, le contrepoint, la clausule, le motet, la chanson, l' → Ars Antiqua et l' → Ars Nova. Cependant toutes ces innovations ne s'appuyaient pas seulement sur des principes musicaux qui établissaient la tradition par leur épanouissement (p. ex. relation entre son et échelle; structuration issue du langage en début, milieu et fin), mais également sur la valeur constante des théoriciens (comme le montre p. ex. la tradition de Boèce et de la *Musica enchiriadis*) et la permanence du chant grégorien. Les formes nouvelles de la musique furent alors pratiquées dans tous les centres musicaux tandis que les anciennes sombraient dans l'oubli. Le passé toutefois était partie intégrante et agissante de la nouveauté : « les étapes précédentes étaient implicitement renfermées dans la musique nouvelle » (Thr. Georgiades).

C'est à l'humanisme et à la → Renaissance de la fin du XVe et du XVIe s. que l'on doit d'avoir une première fois redécouvert le passé, grâce à l'intérêt pour la théorie musicale du haut Moyen Age (en particulier par un retour à Boèce et à Guy d'Arezzo) et pour la musique et la théorie musicale de l'Antiquité grecque (Fr. Gaffurio, Glarean, N. Vicentino, G. Mei, V. Galilei, Cl. Le Jeune et l'Acad. de poésie et de musique). Il est vrai que, dans la → « Camerata fiorentina », le fait de se réclamer de la → « musica antica » servait aussi de justification, de matière à discussions polémiques et à plaidoyers pour une musique nouvelle opposée à la « musica moderna » alors en vigueur. Mais en réfléchissant sur l'Antiquité considérée par rapport à la pratique contemporaine, on visait, dans un effort de recherche, à dépasser la tradition, et, pour la première fois, on posait consciemment les bases d'un comportement nouveau face à l'h. de la m., d'une prise de conscience de la tradition et d'une redécouverte de la mus. ancienne. C'est de cette démarche que sont sorties la division du devenir musical en périodes (Antiquité, Moyen Age et Temps modernes) et la conception évolutive distinguant formation, épanouissement et décadence.

Cependant, à côté de ce nouveau style de musique, également appelé « seconda pratica », qui est caractérisé par la monodie, la basse continue, un traitement nouveau de la dissonance et qui s'est matérialisé dans le madrigal, le concerto, l'opéra, l'oratorio, le récitatif et l'air, le « style ancien » ne perdit pas son efficacité au XVIIe s., soit qu'il ait été de rigueur pour la mus. d'église ou pour certains genres (messe, motet), soit qu'il ait servi de base à l'enseignement (H. Schütz, J.J. Fux encore au XVIIIe s.) ou qu'il ait d'une manière générale imprégné tous les styles. C'est pourquoi, jusqu'à l'époque de J.S. Bach, la littérature concernant la mus. ancienne n'est pas encore placée sous le signe d'une redécouverte mais maintient le caractère d'une « musica historica ». Celle-ci « relate l'origine et la première découverte de la musique..., son succès et ses progrès, ainsi que les noms des plus célèbres auteurs » (J.G. Walther, 1732). Elle consiste en un assemblage de fragments de sources; son but est la glorification de la musique et de l'état de musicien, l'illustration par des exemples de « l'utilité de la musique » (pour l'âme, la vertu, la santé, la réjouissance, etc.) et de son ascension jusqu'à son actuelle perfection. Parmi les lieux communs de

la « description historique » figurent notamment la démonstration que « dans le Nouveau Testament, les Pères de l'Église n'ont pas rejeté la mus. instrumentale » (M. Praetorius, *Syntagma musicum* I, p. 135 et ss.) et le débat sur la finalité de la musique (W.C. Printz, *Von der Music Endzweck*, chap. XIV). A cette « musica historica » (ou « musica historia ») se rattachent : la 2e partie des *Exercitationes musicae duae* (1600) de S. Calvisius parlant « de Initio et Progressu Musices » vus sous l'angle de la théorie musicale; le *Syntagma musicum* I (1615) de M. Praetorius, dont la 1re partie traite « Von der Geistlichen- und Kirchen-Music... vorzeiten wie auch noch jtzunder » (jusqu'à la Réforme) et dont la 2de partie donne « eine Historische Beschreibung der Alten Politischen und Weltlichen Music »; également la *Historische Beschreibung...* (1690) de W.C. Printz, dont les 12 chapitres (*Von Denen Berühmtesten Musicis* du XVIIe s.) constituent avec le *Musicalisches Lexicon* (1732) de J.G. Walther et la *Grundlage einer Ehren-Pforte* (1740) de J. Mattheson les sources des écrits postérieurs sur l'h. de la musique.

C'est au Siècle des lumières qu'apparut, en France tout d'abord, une littérature musicale qui faisait appel aux sources, à la philologie, à l'histoire et à la critique. Elle fut suscitée en partie par la querelle entre partisans de la mus. française et partisans de la mus. italienne (Fr. Raguenet, 1702 et 1705; J.L. Le Cerf de la Viéville, 1704 et suiv.; également P. Bourdelot, P. et J. Bonnet, 1715) et en partie pour servir, en ce qui concernait la musique, à la Querelle des Anciens et des Modernes (P.J. Burette, 1729). L'*Essai d'une histoire de la musique* de Ph.J. Caffiaux (3 vol., 1757, ms.), qui va jusqu'en 1754, fait appel uniquement à la littérature musicale, présentée d'une façon approfondie, et se rattache à la savante tradition bénédictine. Résultat d'une recherche systématique à la lumière du renouveau scientifique, l'*Essai sur la musique ancienne et moderne* (1780) de J.B. de Laborde est une étude encyclopédique de l'h. de la musique. En Italie, le père G.B. Martini tira, par la méthode critique, des sources de sa riche bibliothèque une *Storia della musica* dont les 3 volumes imprimés (1757-81) ne vont cependant pas au-delà de la mus. ancienne. En Allemagne, M. Gerbert, guidé par son intérêt pour la mus. d'église, fournit avec son *De cantu et musica sacra...* (1774) un riche matériel à l'h. de la m. sacrée et avec ses *Scriptores...* (1784) une source de premier ordre pour l'étude de la théorie musicale du Moyen Age. En Angleterre, le juriste J. Hawkins publia en 1776 *A General History... of Music* qui donne une quantité d'informations jusqu'alors inconnues, en particulier grâce à la reproduction de fragments de textes, et quelque 150 compositions anciennes, et qui, par contre, fait preuve de scepticisme devant les compositions modernes. Ces dernières donnent précisément une valeur particulière à l'ouvrage de Ch. Burney, *A General History of Music...* (I, 1776), dont le 4e vol. (1789) est consacré à la musique du XVIIIe s., que Burney avait étudiée durant ses voyages en Europe (1770 et 1772). Sa foi dans le progrès et sa prise de conscience de la condition du musicien l'amènent à se montrer sceptique devant cet intérêt exclusif pour la musique de l'Antiquité. Il divise clairement l'h. de la m. en périodes, écoles et sujets, et s'efforce de la présenter comme une partie

34. FLANDRES. XVIᵉ s. Détail de l'une des "tapisseries de Florence", dite des
ambassadeurs polonais : réception offerte aux ambassadeurs polonais en présence
de Catherine de Médicis. Tapisserie de Bruxelles, 1582-1584.
Florence, Musée des Offices.

36. **FLANDRES.** XVIᵉ s. *Martin de Vos* : Apollon et les Muses, *vers 1580. Ce petit panneau de chêne (44,5 × 63,5 cm) formait à l'origine le couvercle d'un virginal. Autour d'Apollon jouant de la lyre, on reconnaît Euterpe, qui joue du virginal, Polymnie du cistre, Clio de la trompette, Érato du luth; d'autres muses jouent de la viole, du tambourin, du cornet ou chantent, tandis que Terpsichore joue de la harpe. Bruxelles, Musées Royaux des Beaux-Arts.*

35. *ITALIE.* XVIᵉ s. *Titien (Tiziano Vecellio)* : Le Concert champêtre, *détail. Vers 1510-1511. Attribué traditionnellement à Giorgione. Paris, Musée du Louvre.*

37. *ITALIE. XVI*e *s. Véronèse (Paolo Caliari, dit)* : Les Noces de Cana, 1563.
Détail central : groupe de musiciens. Le peintre s'est représenté jouant de la viole,
en compagnie de son frère Benedetto, de Titien, de Tintoret, de Jacopo Bassano
et de Palladio, également figurés en musiciens. Paris, Musée du Louvre.

d'un ensemble culturel. Mais sa définition de la musique comme un « luxe innocent » ne renferme pas encore les germes d'une conception plus profonde. C'est cette dernière que donnera J.N. Forkel dans son *Versuch einer Metaphysik der Tonkunst*, qui introduit le 1er volume de son *Allgemeine Geschichte der Musik* (1788 ; le 2d vol. va jusqu'au XVIe s. ; le 3e vol., non publié, devait comprendre une *Specialgeschichte der deutschen Musik*). Ses principales idées portent la marque du préromantisme : visée historique universelle et idée d'évolution organique vue à travers l'école historique de Göttingen et les idées de J.G. Herder sur le développement, la relativité culturelle et la valeur intrinsèque des faits historiques. Il n'en reste pas moins que l'œuvre de Forkel est encore conçue, selon les idées du « Siècle des lumières », comme une histoire de la « formation de la musique par étapes, depuis ses débuts jusqu'à son plus haut degré de perfection » (Introduction, § 1). Les événements sont jugés sous l'angle du progrès, compte tenu d'un critère établi naturellement à partir d'une sorte d'enseignement issu de la nature de l'art et de l'homme et, historiquement, à partir de la musique du XVIIIe s. (celle de J.S. Bach, J. Haydn et C. Ditters von Dittersdorf). Forkel est essentiellement motivé par son intérêt pour la « vraie musique », par la découverte des « raisons du déclin actuel » de la mus. d'église et le « perfectionnement » de celle-ci (Introduction au vol. II) et par l'éloge de la mus. allemande du XVIIIe s. Dans sa monographie sur J.S. Bach (1802, destinée tout d'abord à servir de conclusion à sa *Geschichte der Musik*), qui se distingue par un retour méthodique aux sources et qui a contribué à préparer la redécouverte du cantor, Forkel fait l'éloge du compositeur comme du « premier classique qui ait jamais été, et peut-être l'unique qui sera jamais », et comme d'un « Allemand ». Des 50 volumes d'une *Geschichte der Musik in Denkmäler* projetée en collaboration avec J. Sonnleithner, seul le 1er fut mené à bien (les planches en furent détruites en 1805).

Dans les années 1830-40, l'intérêt pour l'h. de la m. se manifeste avec la véhémence d'un problème existentiel. De même que, dans la composition, l'unité classique entre structure et signification s'effondrait dans l'antithèse forme et contenu (les formes sont généralement historiques), ainsi l'ère nouvelle qui s'ouvre à partir de 1830 environ se caractérise par une « rupture de mémoire » (Thr. Georgiades) qui entraîne une opposition entre passé et présent et qui exige, à la place du processus spontané de la tradition, l'assimilation de l'histoire par la réflexion. Le XIXe s. ne peut parvenir « à saisir la substance de la musique que dans l'ensemble de la musique historiquement perceptible » (Thr. Georgiades). Parmi les manifestations de ce nouvel intérêt pour l'h. de la m., il faut relever le renouveau de la mus. ancienne (dès 1791, à la « Singakademie » de Berlin ; en 1829, exécution de la *Passion selon St Matthieu* de J.S. Bach, la création de concerts historiques privés (G.B. van Swieten, R.G. Kiesewetter) ou publics (Fr.J. Fétis, 1832-33), des rééditions pratiques de mus. ancienne (Chr.C.G. Tucher, 1827 ; J.Fr. Rochlitz à partir de 1837 ; S.W. Dehn, 1838 ; P. Alfieri à partir de 1840 ; prince de la Moskova à partir de 1843), la fondation de sociétés pour susciter ou encourager les recherches historiques (Bachgesellschaft, 1850 ; Deutsche Händel-

Gesellschaft, 1856), bientôt suivie par l'édition de monuments (Allemagne : *Musica sacra*, éd. par Fr. Commer à partir de 1839 ; Angleterre : *Publications...*, à partir de 1840 ; Italie : *Raccolta...* éd. par P. Alfieri à partir de 1841) et d'œuvres complètes (Haendel à partir de 1843 ; J.S. Bach à partir de 1851), ainsi que le développement scientifique de l'édition et de la pratique musicales qui en découlent. Chez les compositeurs, cette situation nouvelle se traduit par l'imitation stylistique de l'ancienne musique « a cappella » (E.T.A. Hoffmann, 1808 ; Caspar Ett) et surtout par un débat conscient avec les techniques et les formes de la mus. ancienne (F. Mendelssohn, 6 *Préludes et fugues* pour piano op. 35, 1832-37 ; L. Spohr, *Historische Symphonie im Styl und Geschmack vier verschiedener Zeitabschnitte*, « Symphonie historique dans le style et le goût de 4 périodes différentes », op. 116, 1839 ; R. Schumann, 6 *Fugues sur le nom de BACH*, op. 60, 1845 ; puis J. Brahms, 4e *Symphonie* op. 98, 4e mouvt, *Passacaglia*, 1884-85 ; M. Reger, *Konzert im alten Stil*, op. 123, 1912 ; A. Berg, *Wozzeck*, 1914-21 ; I. Stravinski, *Pulcinella*, 1919 ; P. Hindemith, *Ludus tonalis*, 1942).

Parmi les raisons qui ont suscité une étude historique de la musique, il faut citer avant tout le problème posé par la « véritable musique d'église », auquel A.F. Thibaut répond dans *Über Reinheit der Tonkunst* (1825) en se référant à « l'humilité religieuse, l'enthousiasme et la noblesse avec lesquels les grands maîtres d'autrefois ouvrent si souvent le ciel à l'homme sublime » (éd. 1907, p. 46). Du côté catholique (cécilianisme), cette question a mené en particulier aux travaux du cercle réformiste de Regensburg (C. Proske, Johann Georg Mettenleiter, J. Schrems, Fr.X. Haberl), aux recherches sur le chant grégorien menées par les bénédictins de Solesmes (dom Pr. Guéranger, dom J. Pothier, dom A. Mocquereau ; *Paléographie musicale*) et à la restauration du chant grégorien au début du XXe s. (Édition vaticane). Du côté protestant, le désir de renouveler la mus. d'église a animé les travaux de Chr.C.G. Tucher (1840), C. von Winterfeld (*Der evangelische Kirchengesang*, 1843-47) et Ph. Spitta (*J.S. Bach*, 1873-80) et a débouché au XXe s. sur un mouvement de recherches historiques consacrées à l'orgue et à la mus. d'église en général.

En liaison avec la restauration de la mus. d'église, il faut également citer la monographie de G. Baini (1828) consacrée à Palestrina. Elle a eu des précédents, entre autres les travaux de John Mainwaring (Haendel, 1760), J. Hawkins (Corelli, 1777), J.A.Hiller (*Lebensbeschreibungen...*, 1784), J.N. Forkel (Bach, 1802), Georg Nikolaus Nissen (Mozart, 1828-29). Mais la véritable monographie historique en tant que genre de l'h. de la m. devait apparaître au XIXe s. avec la vénération des héros du classicisme viennois et des maîtres du baroque, et s'appuyer sur les méthodes de recherche développées par la philologie classique. Elle eut pour créateur O. Jahn (Mozart, à partir de 1856) et fut pratiquée ensuite par K.Fr. Chrysander (Haendel, à partir de 1858), A.W. Thayer (Beethoven, 1866), Ph. Spitta (Bach, 1873-80), C.F. Pohl (Haydn, 1878-82).

Conséquence des exigences croissantes de la soif de connaître, la recherche se tourna de plus en plus vers des sujets limités. Commencée au XVIIIe s., l'étude musicale des peuples connut un nouvel essor, en particulier grâce à R.G. Kiesewetter (1842) et à Fr.J. Fétis (1867), pour déboucher sur l' → ethnomusicologie au début du xxᵉ s.; de nouvelles bases furent fournies à la compréhension de la mus. de l'Antiquité grecque (August Böckh, 1811; R. Westphal, à partir de 1854; K. von Jan, 1895); la mus. médiévale devint l'objet de recherches particulières fondées sur l'h. de la notation (J.G.H. Bellermann) et l'édition des ouvrages théoriques (Ch. Coussemaker, *Scriptores*, 1864-76; J.A.L. de Lafage, *Essais de diphtérographie musicale*, 1864); l'étude du chant grégorien (J.L.F. Danjou, Th. Nisard, Fr.A. Gevaert) et du cantique protestant (Peter Mortimer, C. von Winterfeld, K.E.Ph. Wackernagel, J. Zahn) fut intensifiée. Les réalisations des écoles nationales de composition furent mises en évidence à la suite des travaux méthodiques et remarquablement documentés de Kiesewetter et de Fétis sur les mérites des Néerlandais (tous deux publiés en 1829), travaux qui prenaient résolument le contrepied de la thèse italianisante sur les origines de la mus. moderne; de même, C.von Winterfeld contribua par son ouvrage *J. Gabrieli und sein Zeitalter* (1834) à la redécouverte de Schütz. De plus en plus nombreuses furent les publications consacrées à des villes, des pays, des écoles, des genres et des formes ainsi que les monographies sur des instruments, leur technique et leur littérature (Karl Friedrich Weitzmann, J.W. von Wasielewski, A.G. Ritter). La recherche dans toutes ces branches fut à nouveau intensifiée et approfondie vers 1900, grâce à une approche et à une interprétation plus méthodiques et plus minutieuses des sources pratiques et théoriques, particulièrement en ce qui concerne la notation (J. Wolf), le chant grégorien (G. Jacobsthal, P. Wagner), la monodie et la polyphonie médiévales (P. Aubry, J.B. Beck, Fr. Ludwig), l'h. de la théorie musicale (H. Riemann) et des instruments (C. Sachs, à partir de 1913). L'esprit de recherche entreprit d'explorer et de délimiter le vaste domaine de l'h. de la musique dans des travaux de grande envergure. Parallèlement on repensa les fondements de l'h. de la m.; ainsi Fétis, dans le *Résumé philosophique de l'histoire de la musique* qui introduisait sa *Biographie universelle* (1837-44), et H. Riemann, par sa conception de l'h. de la musique. Alors que Fétis rejette l'idée d'un progrès constant dans la musique pour ne retenir que les transformations de principes musicaux, Riemann voit l'h. de la m. comme un développement progressif, comme un processus tendant à mettre en évidence ses lois naturelles. Un problème essentiel se trouve ainsi posé à l'h. de la m. du xxᵉ s.

Au xixᵉ et au début du xxᵉ s., les études fragmentaires furent rassemblées en ouvrages de synthèse, en particulier par Kiesewetter (1834), Fétis (1869-76), qui remonte jusqu'au xvᵉ s., A.W. Ambros (à partir de 1862), qui va jusqu'au début du baroque italien, et H. Riemann (*Handbuch der Musikgeschichte*, à partir de 1904). Dans son ouvrage de base, dont la meilleure partie est consacrée à la Renaissance (vol. III, 1868), A.W. Ambros envisage l'h. de la m. sous l'angle d'une étude de civilisation, tenant compte de « l'art contemporain, des événements politiques et sociaux » (1862, p. xiv), « pour la percevoir comme l'expression d'un seul et même courant spirituel » (*Bunte Blätter...*, 1872, p. xi). Cette interprétation, préparée déjà par C. von Win-

terfeld, fut reprise et approfondie par Ph. Spitta, H. Kretzschmar et A. Schering. A l'opposé, H. Riemann porta à son plus haut degré de perfection une h. de la m. orientée vers un système autonome de valeurs musicales et une analyse formelle et technique.

C'est en s'appuyant sur cette conception analytique que l'h. de la m., au début du xxᵉ s., devint une h. des styles (H. Riemann, G. Adler, 1911; Wilhelm Fischer, 1915), des formes et des genres (H. Kretzschmar, *Handbücher...*, à partir de 1905). C'est avec insistance que W. Gurlitt réclame en 1918-19 la synthèse de la forme et du contenu, de l'étude critique du style et de la signification spirituelle. Sa conception, inspirée de Wilhelm Dilthey, d'une « h. de la m. considérée comme science de la civilisation » confirme la place de la musique dans la spiritualité, l'individualité et la subjectivité de l'homme (du peuple, de l'époque) et entraîne ainsi à mieux connaître et à consolider les notions d'historicité et de particularité, d'originalité, de relativité historique et géographique de toute pensée, découverte et conception musicales.

Après 1918 et à nouveau après 1945, les problèmes posés par la transformation totale des principes et des concepts musicaux donnent une nouvelle impulsion à l'h. de la musique. L'effort se porte de plus en plus sur l'exploration des sources pratiques et théoriques publiées pour la première fois ou rééditées en éditions critiques (de plus en plus sous forme de monuments nationaux ou régionaux, de catalogues et de répertoires d'œuvres). Et tandis que se poursuivent avec assiduité la réflexion sur les fondements historiques de la musique, la collecte et le classement des sujets dans des manuels (G. Adler, 1924; E. Bücken, à partir de 1927; auparavant déjà *The Oxford History of Music* à partir de 1901, et l'*Encyclopédie...* d'abord rédigée par A. Lavignac à partir de 1913), une soif de connaissance de plus en plus intense pousse à pénétrer, en particulier par la publication d'articles, tous les détails de la matière musicale et à explorer, d'une façon parfois contestable, jusqu'aux domaines les plus éloignés de l'histoire locale et des œuvres mineures. Des ouvrages consacrés à une période précise (Moyen Age par H. Besseler en 1931 et par G. Reese en 1940; époque baroque par J. Haas en 1928 et par M. Bukofzer en 1947), à des genres (Y. Rokseth en 1930 et Gotthold Frotscher en 1935 sur la mus. d'orgue; L. de La Laurencie en 1922 sur la littérature pour violon; Eduard Reeser en 1939 et William S. Newmann à partir de 1959 sur la sonate; A. Einstein en 1949 sur le madrigal), à des compositeurs ou à des questions précises font la synthèse des recherches fragmentaires. Après 1945, J. Handschin réunit dans un ouvrage d'ensemble (*Geschichte der Musik im Überblick*, 1948) recherches et jugements personnels. Un désir de plus en plus marqué de mettre le matériau scientifique à la disposition du public grâce aux études de sources, aux bibliographies, aux lexiques et aux encyclopédies entraîne l'apparition de publications remarquables (*Die Musik in Geschichte und Gegenwart*, éd. par Fr. Blume, 1949 et suivantes).

A nouveau se pose pour l'h. de la m. la nécessité d'une « analyse explicative », mais, de nos jours, par la voie plus rigoureuse de l'interprétation qui, dominant la recherche stylistique à but normatif et soulignant l'originalité de l'œuvre, inhérente à l'ensemble de ses caractères, transcende l'h. de la m. en une h. des signifiants musicaux. Elle devient ainsi la partie la plus importante de la → musicologie, en continuelle liaison avec ses fondements systématiques et en pleine conscience de la problématique que soulève la rencontre de la musique, de l'ethnologie et de l'histoire universelle.

Principales histoires de la musique — **Jusqu'en 1825 :** S. CALVISIUS, Exercitationes musicae duae, Leipzig 1600, rééd. avec Exercitatio musica tertia, Leipzig 1609 sous le titre Exercitationes musicae tres, Leipzig 1611 ; M. PRAETORIUS, Syntagma musicum I, Wittenberg 1615, rééd. en facs. par W. Gurlitt, Kassel, BV, 1958-59 ; W.C. PRINTZ, Historische Beschreibung der Edelen Sing- u. Kling-Kunst, Dresde 1690, rééd. en facs. par O. Wessely, Graz, Akad. Druck- u. Verlagsanstalt, 1964 ; P. BOURDELOT, P. et J. BONNET, H. de la m. et de ses effets depuis son origine... jusqu'à présent, Paris 1715, rééd. en facs. Genève, Minkoff, 1969 ; P.J. BURETTE, Dissertation, où l'on fait voir que les merveilleux effets, attribués à la Musique des Anciens, ne prouvent point qu'elle fust aussi parfaite que la nôtre, Paris 1729 ; G.B. MARTINI, Storia della musica, 3 vol., Bologne 1757-81 ; CH.H. DE BLAINVILLE, Hist. générale, critique et philologique de la mus., Paris 1767, rééd. en facs. Genève, Minkoff, 1972 ; M. GERBERT, De cantu et musica sacra..., 2 vol., St. Blasien 1774 ; J. HAWKINS, A General Hist. of the Science and Practice of Music, 5 vol., Londres 1776, rééd. en 2 vol. par Ch.L. Cudworth, New York et Londres, Dover, 1963 ; CH. BURNEY, A General Hist. of Music..., 4 vol., Londres 1776-89, rééd. en 2 vol. par F. Mercer, New York et Londres 1935, et en 4 vol. Baden-Baden, Heitz, 1958 ; J.B. DE LABORDE, Essai sur la mus. ancienne et moderne, 4 vol., Paris 1780, 2 vol. de suppits Paris 1781 ; J.N. FORKEL, Allgemeine Gesch. der Musik, 2 vol., Leipzig 1788-1801 ; TH. BUSBY, A General Hist. of Music... Condensed from the Works of Hawkins and Burney, 2 vol., Londres 1819. — **De 1825 à 1900 :** R.G. KIESEWETTER, Die Verdienste der Niederlaender um die Tonkunst, et FR.J. FÉTIS, Mémoire sur la question : « Quels ont été les mérites des Néerlandais dans la mus. ...? », in Verhandelingen over de vraag..., Amsterdam 1829 ; R.G. KIESEWETTER, Gesch. der europäisch-abendländischen... Musik, Leipzig 1834, 2/1846 ; C. VON WINTERFELD, J. Gabrieli u. sein Zeitalter, 3 vol., Berlin 1834, rééd. en facs. Hildesheim, Olms, 1965 ; du même, Der evangelische Kirchengesang..., 3 vol., Leipzig 1843-47 ; FR.J. FÉTIS, Résumé philosophique de l'h. de la m., in Biogr. universelle des musiciens I, Bruxelles, Mayence et Paris 1835 ; du même, H. générale de la m., 5 vol., Paris 1869-76 ; J.A. DE LAFAGE, H. générale de la m. et de la danse, 2 vol., Paris 1844 ; A.W. AMBROS, Gesch. der Musik, 5 vol., Breslau et Leipzig 1862-82, plus. rééd. ; H. RIEMANN, Katechismus [Abriss] der Musikgesch., 2 vol., Leipzig 1888, 7/1918. — **Depuis 1900 :** H. RIEMANN, Gesch. der Musik seit Beethoven, Berlin 1901 ; du même, Hdb. der Musikgesch., 5 vol., Leipzig 1904-13, plus. rééd. ; du même, Kleines Hdb. der Musikgesch., Leipzig 1908, 9/1952 ; The Oxford Hist. of Music, éd. par W.H. HADOW, 6 vol., Oxford 1901-05, rééd. en 8 vol., Londres 1929-38 ; Kleine Handbücher der Musikgesch. nach Gattungen, éd. par H. KRETZSCHMAR, 14 vol., Leipzig 1905-22 ; Encycl. de la mus. et dict. du Conservatoire, éd. par A. LAVIGNAC et L. DE LA LAURENCIE, I H. de la m., 5 vol., Paris 1913-22 ; J. COMBARIEU, H. de la m., 3 vol., Paris 1913-19, rééd. en 5 vol. par R. Dumesnil, Paris 1946-60 ; A. SCHERING, Tabellen zur Musikgesch., Leipzig 1914, 5/Wiesbaden, Br. & H., 1962 ; A. EINSTEIN, Gesch. der Musik, Berlin et Leipzig 1918, 2/Zurich et Stuttgart 1953 ; K. NEF, Einführung in die Musikgesch., Bâle 1920, 2/1930, trad. fr. par Y. Rokseth, H. de la m., Paris 1925, 3/Lausanne 1944 ; Hdb. der Musikgesch., éd. par G. ADLER, Francfort/M. 1924, 2e éd. en 2 vol., Berlin 1930, 2/Tutzing, Schneider, 1961 ; Hdb. der Musikwiss. éd. par E. BÜCKEN, 13 vol., Potsdam 1927-34 ; H. PRUNIÈRES, Nouv. h. de la m., 2 vol., Paris 1934-36 ; A. DELLA CORTE et G. PANNAIN, Storia della musica, 4 vol., Turin 1936, 4/1964 en 3 vol. ; G. KINSKY, Gesch. der Musik in Bildern, Leipzig 1929, trad. fr. par H. Prunières, Album musical, Paris 1930 ; TH. GÉROLD, H. de la m. des origines à la fin du XIVe s., Paris 1936 ; A. PIRRO, H. de la m. de la fin du XIVe s. à la fin du XVIe s., Paris 1940 ; FR. ABBIATI, Storia della musica, 5 vol., Milan 1939-46 ; (Norton Hist. of Music), New York, Norton, 1940 et suiv. : C. SACHS, The Rise of Music in the Ancient World... (1943), G. REESE, Music in the M.A. (1940), du même, Music in the Renaissance (1954, 2/1959), M.F. BUKOFZER, Music in the Baroque Era (1947), A. EINSTEIN, Music in the Romantic Era (1947) ; La mus. des origines à nos jours, éd. par N. DUFOURCQ, Paris 1946 ; J. HANDSCHIN, Musikgesch. im Überblick, Lucerne 1948, 2e éd. par Br. et H. Stäblein, Lucerne et Stuttgart, Räber, 1964 ; The New Oxford Hist. of Music, éd. par J.A. WESTRUP et collab., Londres, Oxford Univ. Press, 1954 et suiv. ; Encycl. de la Pléiade, H. de la m., éd. par ROLAND-MANUEL, 2 vol., Paris, Gallimard, 1960-63 ; Musikgesch. in Bildern, éd. par H. BESSELER et M. SCHNEIDER, Leipzig, VEB Deutscher Verlag für Musik, 1962 et suiv. ; La mus. : les hommes, les instruments, les œuvres, éd. par N. DUFOURCQ, 2 vol., Paris,

Larousse, 1965 ; J. CHAILLEY, Cours d'h. de la m., Paris, Leduc, 1967 et suiv.

Collections d'exemples musicaux — H. RIEMANN, Musikgesch. in Beispielen, Leipzig 1912, 4/1929 ; A. EINSTEIN, Beispielsammlung zu älterer Musikgesch., Berlin et Leipzig 1917 ; A. SCHERING, Gesch. der Musik in Beispielen, Leipzig 1931, 2/1954 (rév.) ; A. TH. DAVISON et W. APEL, Historical Anthol. of Music., 2 vol., Cambridge (Mass.), Harvard Univ. Press, 1947-50, dern. éd. 1964 ; Das Musikwerk, Eine Beispielsammlung zur Musikgesch., éd. par K.G. FELLERER, Cologne, A. Volk, 1951 et suivantes.

Bibliographie — H. KRETZSCHMAR, Kurze Betrachtungen über den Zweck, die Entwicklung u. die nächsten Zukunftsaufgaben der Musikhistorie, in Jb. Peters XIV, 1907 ; W. GURLITT, H. Riemann u. die Musikgesch., in ZfMw I, 1918-19 ; du même, Fr.J. Fétis u. seine Rolle in der Gesch. der Musikwiss., in Kgr.-Ber. Liège 1930 ; G. ADLER, Methode der Musikgesch., Leipzig 1919 ; E. HEGAR, Die Anfänge der Neueren Musikgeschichtsschreibung um 1770 bei Gerbert, Burney u. Hawkins, Strasbourg 1932 ; W.D. ALLEN, Philosophies of Music Hist. A Study of General Hist. of Music, Londres 1939, 2/New York, Dover, et Londres, Constable, 1962 ; J.A. WESTRUP, An Introd. to Music Hist., Londres, Hutchinson, et New York, Longmans, 1955 ; Précis de musicologie, éd. par J. CHAILLEY, Paris, PUF, 1958 ; K. VON FISCHER et H.H. EGGEBRECHT, The Concept of the « New » in Music from the Ars nova to the Present, in Kgr.-Ber. New York 1961, Kassel, BV, 1962.

H. H. EGGEBRECHT

HISTORIA (lat.). **1.** Terme de liturgie utilisé au Moyen Age pour désigner les antiennes et les répons de l'office qui relataient, à l'origine, la vie du saint dont on célébrait la fête. — **2.** Synonyme d'Évangile dans la Réforme luthérienne, ce terme a servi de titre à de nombreuses compositions liturgiques mettant en musique des épisodes de la vie et de la passion du Christ, p. ex. *H. von der Geburt Jesu Christi* ou *Weihnachtshistorie* (H. Schütz) ; *H. des Leidens u. Sterbens...* ou *Passionshistorie, Auferstehungshistorie* ou *Osterhistorie* (A. Scandello, H. Schütz, Th. Selle). G. Carissimi et M.A. Charpentier ont désigné de ce terme certains de leurs oratorios écrits sur des thèmes tirés de l'Ancien Testament. — Voir les art. PASSION et ORATORIO.

Bibliographie — W. BLANKENBURG, art. H. in MGG VI, 1957.

HOCHET (angl., rattle ; all., Rassel ; ital., raganella ; esp., carraca), idiophone composé d'un réceptacle dans lequel sont enfermés de petits éléments durs (cailloux, graines, etc.). Quand on l'agite, les éléments heurtent les parois du réceptacle et le font résonner en produisant un bruit de frottement dont on peut contrôler l'intensité et le rythme. Dans certains h., les corps percutants sont à l'extérieur, fixés sur une armature mobile, et frottent les parois externes du réceptacle. Une variété de ce genre est le → sistre, dépourvu de caisse de résonance ; une autre, recouverte de peau, est un intermédiaire entre le tambour et le hochet. Les variétés de h., de sistre, de → grelot et de sonnailles sont innombrables (voir également l'art. MARACA). Le plus souvent, le corps sonore est fait d'une calebasse, d'une noix de coco, d'un œuf d'oiseau, de terre, d'osier ou de métal. La forme est généralement sphérique ou cylindrique, munie d'un manche-poignée. Les h. comptent parmi les plus anciens instruments : connus dès le néolithique, ils ont été utilisés par les civilisations de l'Indus, les Égyptiens, les Grecs et ont toujours revêtu une grande valeur symbolique et magique. Ils sont liés à la danse en raison de leur caractère rythmique et du mouvement nécessaire à leur mise en action, et associés, dans les cultures archaïques, aux rites de guérison et aux cérémonies religieuses.

Bibliographie — A. SCHAEFFNER, Origine des instr. de mus., Paris 1936, 2/Paris et La Haye, Mouton, 1968.

HOLLANDE, voir PAYS-BAS.

HOMOPHONE. 1. Qui appartient à l' → homophonie ou qui sonne à l'unisson des autres parties. — **2.** La → harpe possède la faculté de hausser ou de baisser d'un demi-ton chacune des notes de la gamme diatonique de *do* majeur de telle sorte que 9 sons de la gamme chromatique possèdent leur synonyme ou homophone. Les notes *ré, sol* et *la* n'ont pas d'homophones.

HOMOPHONIE (du grec homos, = semblable, et phônê, = voix). **1.** Chez les Anciens, ce terme désignait une musique exécutée à l'octave, à la double octave ou à l'unisson. Le chant grégorien, l'art des trouveurs et le chant populaire relèvent de l'homophonie. Ce sens a prévalu jusqu'au XVIII⁰ s. (J.G. Walther, *Musicalisches Lexicon*). Par extension, le terme s'applique à une musique où toutes les voix obéissent au même rythme, c.-à-d. à une pièce où le chant principal est simplement harmonisé en accords, note contre note. Il est alors préférable d'employer le mot → homorythmie. — **2.** Le terme caractérise également des accords composés des mêmes sons mais écrits différemment (→ enharmonie) :

HOMORYTHMIE, terme désignant l'identité rythmique des différentes voix d'une œuvre polyphonique. Les pièces du XVI⁰ s. écrites en style de → vaudeville, la → musique mesurée à l'antique et l'harmonisation des chorals protestants sont essentiellement fondées sur l'homorythmie.

HONGRIE (Magyarország). Composé de 7 tribus lorsqu'il fit la conquête de son pays actuel (fin IX⁰ s.), le peuple hongrois remonte à une double origine ethnique : finno-ougrienne et altaïque à prédominance turke. Une fois installés dans le bassin danubien, les Hongrois, nomades et cavaliers, recevront diverses influences, dues aux peuples avec lesquels ils cohabiteront, et, après une courte période marquée par des incursions successives dirigées vers l'ouest et le sud de l'Europe, finiront par être évangélisés et formeront pendant de longs siècles le rempart oriental d'une Europe chrétienne. La langue, facteur principal de la civilisation hongroise, est restée essentiellement finno-ougrienne malgré ses emprunts turcs, slaves, germaniques ou autres et sa structuration latine élaborée par les clercs du Moyen Age.

Moyen Age. Les textes musicaux conservés relèvent sans exception de la mus. d'église. Ils sont contenus dans des « codices » écrits à l'usage de monastères, florissants dès le XI⁰ s., ou de prêtres séculiers, comme l'Antiphonaire de Graz récemment découvert. Les textes sont en latin, du moins au début, avec des passages isolés en hongrois. Le premier poème hongrois connu, une complainte de la Sainte Vierge, est l'adaptation d'une poésie chantée en latin de Geoffroy de Breteuil. Le *Speculum musicae* de Jacques de Liège (XIV⁰ s.) et les notes musicales de l'archevêque Szalkai (XV⁰ s.) laissent deviner une pratique musicale très poussée dans les couvents, liée à un enseignement méthodique du chant grégorien. Les premiers pas vers une création originale sont franchis avec l'hymne *Gauda felix Hungaria*, dont la monodie a été composée vers la fin du XIV⁰ s. par un dominicain de Kassa (Haute-Hongrie). Au début du XVI⁰ s. apparaissent les premières adaptations hongroises des chants liturgiques (Codex Nádor) et, presque en même temps, le premier fragment noté d'un chant profane.

Seuls des témoignages indirects nous renseignent sur l'état de la mus. profane au Moyen Age. Le règne de Béla III (fin du XII⁰ s.) marque l'apogée de la présence française en Hongrie. Sous le règne de son fils Imre se place la visite du troubadour Peire Vidal. A l'époque des Anjou (XIV⁰ s.), la cour de Buda accueillera les ménestrels allemands (Suchenwirt, Mügeln, Teichner) sous Sigismond de Luxembourg, des « Minnesänger » et des maîtres chanteurs (O. von Wolkenstein, M. Behaim) pour aboutir, dans la 2ᵈᵉ moitié du XV⁰ s., à la magnificence du roi Mathias Corvin (1458-1490). La cour de Hongrie est alors l'un des centres politiques et culturels de l'Europe. D'excellents musiciens italiens, français et allemands (Stefano de Salerne, J. Barbireau, J. Stokem...) se produisent à Buda. La mus. vocale retient le plus l'intérêt par ses attaches ancestrales et sa tradition orale. Les témoignages des premiers « Gestae Hungarorum » connus, celui d'un anonyme (« P. dictus magister », clerc du roi Béla III; v. 1200) et celui de Kézai (fin XIII⁰ s.), sont particulièrement importants. Le premier, qui parle avec dédain des chanteurs populaires tout en les citant, révèle involontairement le partage de la culture hongroise en un domaine écrit et un domaine oral. Or seul ce dernier représente la continuité des traditions ancestrales, dont les traces ne se retrouvent aujourd'hui que dans le folklore. La question des chants épiques reste ainsi l'un des problèmes essentiels de la mus. hongroise au Moyen Age. Le terme le plus ancien pour désigner le chanteur est « regös », de même souche que « révül » (tomber en extase), ce qui serait une preuve de l'origine chamanique de ces chants. D'après Galeotto, historien du roi Mathias Corvin, on entendait à la table de ce dernier des chants épiques exaltant le courage des héros des guerres turques. C'est à peu près de cette époque que datent les paroles des premiers chants épiques connus.

Folklore musical. On qualifie de populaires, en Hongrie, l'ensemble des musiques transmises oralement d'une génération à l'autre, sans sortir de la classe paysanne qui, par son relatif isolement, a été la seule conservatrice des traditions. Le folklore musical hongrois n'est pas seulement riche et varié, il forme également un système cohérent. Les mélodies populaires se classent en trois catégories : 1) le style ancien, caractérisé par une structure strophique de 4 vers (segments) isométriques, par la coexistence de rythmes « parlando » et « giusto » (mouvement de danse), par la présence d'une échelle pentatonique sans demi-ton — du moins dans les tournures mélodiques les plus typiques — ainsi que par une structure mélodique descendante, allant de la reprise exacte des deux premiers segments une quinte plus bas à un dessin mélodique plus libre mais où la note finale du dernier segment est toujours plus basse que celle du premier :

Mélodie de style ancien, extraite de Z. Kodály, *A magyar népzene*, Budapest 3/1969.

2) le style récent, où la structure strophique, toujours aussi nette, est également composée, dans la plupart des cas, de 4 segments isométriques ; le rythme de danse y est prédominant, mais le « parlando » n'est pas exclu pour autant ; les tournures pentatoniques sont toujours présentes dans une échelle plus étendue et mixte ; enfin, une structure mélodique « architecturale » remplace la structure descendante du style ancien :

Mélodie de style récent, extraite de Z. Kodály, ouvr. cité.

3) un groupe mixte, réunissant toutes les mélodies qui ne rentrent pas dans les deux premières catégories. Ajoutons que les quatre principaux dialectes musicaux (Transdanubie ; Haute-Hongrie et Slovaquie ; Grande Plaine ; Transylvanie et îlots sicules de Bucovine et Moldavie) ont leurs procédés propres dans l'échelle utilisée (tierce et septième « neutres » en Transdanubie, p. ex.) et dans la fréquence de certaines formules préférentielles, mais pas dans les traits généraux de la typologie précitée. Les mélodies de type 1 et 2 forment la partie idiomatique du folklore musical hongrois. Le groupe mixte réunit toutes les mélodies empruntées aux folklores étrangers ou à la mus. savante d'époques différentes, mélodies qui pour une raison quelconque n'ont pas été assimilées aux deux premiers groupes. Il s'y trouve encore d'autres genres : des « kolomeïkas » (période rythmique carrée avec cadence féminine), qui se retrouvent dans certaines « ungarescas » des XVIe et XVIIe s., et les danses qui en sont issues (danses des hajdú-s, de porchers). On y trouve enfin des textes qui, par

leurs paroles ou par leur mélodie, conservent des vestiges du monde disparu des rites. Les chants rituels et leur survivance se séparent du reste assez nettement des autres chants folkloriques. Ils accompagnent : a) les jeux et les rondes d'enfants; b) les rites calendaires et jours « mémorables »; c) des rites de circonstance (fiançailles, noces, funérailles); d) certains travaux collectifs. Quant aux mélodies idiomatiques, elles seraient, de l'avis des musicologues, de souche eurasienne (de prédominance altaïque). Le matériel des chants « circonstanciels » est plus hétérogène. Les mélodies enfantines sont fondées pour la plupart sur une échelle hexacordale dont les traces se retrouvent chez les peuples indo-européens et finno-ougriens. Liés aux rites calendaires il existe des chants de « regös » (même terme que les plus anciens chants épiques présumés) avec des éléments finno-ougriens; le type mélodique des lamentations funéraires (sorte de « maqâm » avec arrêt successif sur deux notes voisines) présente des parentés avec certains chants rituels des Ougriens de Sibérie et même avec la formule mélodique du *Kalevala* finno-carélien. A côté de ces éléments ancestraux altaïques ou ouraliens, le folklore hongrois a encore conservé les traces d'influences européennes plus récentes : cantiques, ballades, danses occidentales.

Du XVIe au XVIIIe siècle. La destinée du pays changea brusquement en 1526 avec la défaite de Mohács et la mort du roi Lajos II, qui marque le début de longues luttes internes entre partisans et adversaires des rois autrichiens. L'année 1541, date de la prise de Buda par les troupes de Soliman le Magnifique, est aussi celle de la division du pays en trois : régions contrôlées par les Turcs ; reste du royaume sous la domination des Habsbourg ; Transylvanie, principauté indépendante sous protectorat turc. Cette division se maintiendra jusqu'en 1718 (Paix de Passarovici). En 1553 l'imprimeur Hoffgreff de Kolozsvár (Transylvanie, l'actuel Cluj) publie un recueil de poésies chantées et l'année suivante la *Chronique* de S. Tinódi, composée de chants historiques, aboutissement de traditions épiques orales des époques précédentes. Seules les mélodies et les paroles en ont été publiées. Elles font preuve, surtout chez Tinódi, d'un souci de synthèse très poussé : éléments hongrois et étrangers, populaires et savants s'y trouvent réunis en un équilibre parfait. Plusieurs d'entre elles ont été retrouvées dans le folklore, ce qui prouve leur popularité. Un autre genre épique pratiqué à cette époque est celui des « belles histoires » (széphistóriák), sortes de contes de fées ou histoires moralisantes avec éléments fantastiques. La mus. instrumentale, surtout celle de luth, est représentée au XVIe s. par des maîtres de réputation internationale : le Transylvain V. Bakfark et les frères Neusiedler de Sopron. L'« ungaresca » fait son apparition dans les recueils de danses occidentaux (J. Paix, W. Heckel, P. Phalèse, B. Schmid) et en Pologne (Jean de Lublin). Sa vogue subsistera encore au XVIIe s.

A la même époque, les réformes luthérienne, calviniste et unitaire venant de l'ouest et du nord pénètrent en Hongrie et transforment rapidement la vie spirituelle et intellectuelle. Vers la fin du XVIe s., la Hongrie est un pays à prédominance protestante. Le premier Graduel protestant d'István Gálszécsi paraît en 1536 à Cracovie, ville où avait été publié en 1518 l'*Epithoma utriusque musices* d'I. Monetarius, ouvrage théorique consacré à la musique. Les premiers recueils de chants protestants (G. Huszár, P. Bornemisssza) contiennent encore beaucoup d'éléments issus du chant grégorien, à côté de mélodies empruntées aux luthériens allemands, de cantiques populaires et de paraphrases libres sur des textes bibliques. La première musique imprimée en Hongrie (1548), un recueil d'odes scolaires de J. Honterus, a été conçue dans l'esprit de la Réforme. Le Psautier entier sera traduit en hongrois, adapté aux mélodies françaises du Psautier huguenot, et publié en 1607 par Albert Szenczi Molnár. Le « Vieux Graduel » (1636) de J. Keserüi Dajka et József Geleji Katona est révélateur de la conception protestante en matière musicale. Du côté catholique, un revirement important s'opère au début du XVIIe s. : les chants populaires non admis jusqu'alors sont désormais officiellement propagés dans le recueil *Cantus catholici* (Nagyszombat 1651 ; éd. en langue slovaque en 1655), plusieurs fois réédité et suivi de recueils analogues. Sur le plan musical, l'Église catholique adapte à ses propres fins les méthodes des protestants, non sans résultats puisque la Hongrie redeviendra en majorité catholique.

Parmi les chants profanes, les « fleurettes » (chants d'amour) jouissent d'une vogue particulièrement durable. Leur origine remonte au Moyen Age, mais les plus anciens textes connus ont été notés vers la fin du XVIIe s. Leur importance réelle ne peut être appréciée qu'à la lumière de la poésie lyrique du XVIe s., en particulier des œuvres du poète et humaniste Bálint Balassi (1554-1594), écrites sur des mélodies connues d'origine italienne, allemande, turque, polonaise, serbo-croate, etc.

La période qui suit la perte de l'indépendance est marquée par l'absence d'une cour royale et d'une bourgeoisie citadine de culture hongroise. Leur rôle est tenu par les résidences seigneuriales, dont l'importance va grandissant pendant trois siècles. A la fin du XVIe s., on trouve à la Cour des Bátori des musiciens italiens de grande renommée (G. Diruta, Pietro Busto...), à celle de Gábor Bethlen des Allemands, des Italiens, des Français et des Espagnols ; les Rákóczi, princes durant quatre générations, seront tout aussi mélomanes. En Hongrie habsbourgeoise, les Esterházy et d'autres entretiennent chacun une chapelle permanente dont la composition est intéressante : à côté des instruments de la mus. savante, les fifres turcs, appelés plus tard « tárogató », y jouent un rôle assez grand. Quatre manuscrits importants de la fin du XVIIe s., le Codex Kájoni de Transylvanie, le Codex Vietórisz (Hongrie septentrionale), la tablature de Löcse (Hongrie septentrionale) et le Recueil Stark (Hongrie occidentale), nous permettent de connaître la musique de ces résidences. Les trois premiers sont écrits en tablature d'orgue, le dernier en notation moderne. Provenant de trois régions différentes, ils contiennent cependant des pièces analogues : danses hongroises ou autres, fleurettes et mélodies chantées, toutes harmonisées pour le virginal, à part quelques pièces pour trompette seule du Codex Vietórisz. Les danses hongroises accusent une parenté rythmique avec l'« ungaresca ». Un autre témoignage est fourni par les compositions religieuses de J. Kájoni et par l'*Harmonia caelestis* (comp. 1703), recueil de concerts spirituels du palatin Pál Esterházy. Les villes situées à l'abri des invasions turques présentent une civilisation dominée par la culture allemande, dont l'influence sera renforcée par les immigrations du XVIIIe s. ; ses séquelles seront encore sensibles au début du XXe s. C'est ce milieu qui a formé et accueilli des musiciens aussi éminents que A. Rauch, J. Wohlmut à Sopron, János Spielenberg à Löcse, S. Capricornus (Bockshorn) et J. Kusser (père de J.S. Cousser) à Pozsony. L'histoire de Pozsony (actuellement Bratislava), ville de Heinrich Klein, J. N. Hummel, Victor von Herzfeld et de la famille Erkel, ville d'adoption de Liszt, Dohnányi et Bartók à un moment de leur vie, mériterait à elle seule une monographie. Développement des orchestres résidentiels, immigration et musicale originale dans certaines villes, ces phénomènes accusent vers la fin du XVIIIe s. une nette convergence et auront leur part dans la formation de la nation hongroise. C'est à la même époque que J. Haydn, maître de chapelle des princes Esterházy, passe une trentaine d'années en Hongrie ; son frère, Michael, suivi de K. Ditters von Dittersdorf, occupe les mêmes fonctions chez l'évêque de Nagyvárad, ainsi que J.G. Albrechtsberger à Györ.

C'est la petite noblesse protestante qui joue, au XVIIIe s., le rôle de classe moyenne, sur une étendue régionale assez restreinte. A Debrecen, le jeune G. Maróthy est à l'origine du renouveau de l'enseignement de la musique au collège calviniste. Les chorales de cet établissement et de celui de Sárospatak exercent une grande influence sur toute la région ; leur fonction se prolonge bien au-delà de la vie scolaire et du culte. L'étude de leur répertoire révèle la pénétration en Hongrie d'un nombre considérable de chants occidentaux. Avec ceux qui ont été créés à leur image, ils forment la base du rococo hongrois, caractérisé par une nouvelle alliance entre la poésie et la musique, par la pénétration de la poésie métrique occidentale, par le goût de la nature et par un intérêt accru pour la langue du peuple. C'est aussi l'époque des recueils manuscrits de chants plus ou moins traditionnels, notés pour leur rareté ou pour leur audience générale : les « melodiarium », très nombreux entre 1750 et 1850. Le plus connu est celui d'Adam Pálóczi Horváth (1813), l'une des principales sources de l'héritage musical des siècles précédents. Le rococo musical sera suivi par le classicisme viennois, dont la présence en Hongrie se manifeste sans doute dans le style nouveau du folklore musical.

L'époque du « verbunkos ». Les rapports hungaro-turcs des XVIe et XVIIe s. sont encore mal connus. Un certain nombre de Tsiganes d'origine sud-asiatique ont joué un rôle important dans la mus. hongroise, soit comme compositeurs (J. Bihari, Pista Dankó), soit comme virtuoses ou animateurs ; il faut citer surtout les violonistes et les cymbalistes, depuis Mihály Barna et Panna Cinka au XVIIe s., jusqu'à A. Rácz et Béla Radics. La mus. instrumentale du XVIIIe s. n'est connue que par quelques recueils peu représentatifs. Les uns prolongent le style du siècle précédent (recueil de Suzanne Lányi), d'autres contiennent quelques éléments d'une pratique musicale en pleine évolution (recueil Linnus) dont l'aboutissement sera le style désigné aujourd'hui par le nom de → « verbunkos », sorte de mus. de danse de caractère instrumental, dont les origines inconnues se placent au XVIIIe s.

Vers 1790 une troupe théâtrale se produisit à Buda ; sa direction musicale était assurée par Lavotta puis par Csermák. C'est là que fut représenté *Le Prince Pikko et Jutka Perzsi*, drame mêlé de musique (perdue) de József Chudy. La première musique connue dans ce genre est celle de *György Cserni* de Gábor Róthkrepf (1812) qui, sous le nom de Mátray, sera l'un des promoteurs de la musique et de la musicologie en Hongrie. Le premier théâtre permanent est créé à Kolozsvár au début du XIXᵉ s. C'est là que les deux opéras hongrois de J. Ruzitska sont représentés en 1822 ; le premier, *La Fuite de Béla*, connut un succès durable dans tout le pays. Le style « verbunkos » y est mêlé aux procédés conventionnels de l'opéra. A Pest, le Théâtre allemand ouvre ses portes en 1812 ; on y joue des opéras allemands, italiens et français.

L'avènement du style « verbunkos » accompagne la naissance de l'art théâtral. Les premières compositions (œuvres de János Babnik, Ferdinand Kauer, Joseph Bengraf...) paraissent à partir de 1790 et jouissent rapidement d'une audience nationale. Les ensembles tsiganes en sont les principaux colporteurs. Vers 1800 le nouveau style connaîtra son premier apogée avec J. Bihari, J. Lavotta et A. Csermák. Dans leur écriture, les éléments d'origines variées s'unissent en un équilibre parfait sous l'influence stimulante du classicisme viennois. Mais cette influence n'est pas unilatérale puisqu'on trouve chez Haydn, Mozart, Beethoven, Schubert, plus tard chez Wagner, Brahms et certains compositeurs occidentaux tels que Sarasate, Bizet, Massenet, Delibes, Messager et Ravel, des éléments hongrois issus du « verbunkos ». A la période romantique, le « verbunkos » atteindra son apothéose comme l'un des principaux facteurs de l'unité nationale. C'est aussi l'époque de la centralisation. Pest devient la capitale intellectuelle du pays. Elle est dotée d'un Théâtre national (1837) où sont représentés des opéras hongrois (œuvres de F. Erkel, M. Rózsavölgyi, András Bartay, Fr. et K. Doppler, plus tard de M. Mosonyi, György Császár, Károly Huber...) et étrangers, d'une École de musique fondée en 1840 grâce à la générosité de Liszt et dirigée par Mátray, de chorales ; elle a des facteurs d'instruments et des éditeurs. C'est à Veszprém que paraît vers 1830 le plus grand recueil de « verbunkos », celui d'Ignác Ruzitska, suivi vers 1840 de recueils analogues publiés à Pest, ville où se fixera M. Rózsavölgyi, le maître du « verbunkos » dans cette deuxième période. C'est également de là que partent à la conquête du pays, et même de l'étranger, des danses hongroises issues du « verbunkos » et créées par des chorégraphes professionnels à l'usage du peuple (→ csárdás ; csárda = auberge). Cette époque de grande effervescence aboutira à la Révolution nationale de 1848 et à la guerre d'indépendance contre l'Autriche (1848-49). Pendant la période de répression qui suit, le « verbunkos » maintient ses positions et prend pied dans la mus. symphonique (Liszt, M. Mosonyi). Cette époque est marquée par l'apogée des « chants hongrois » (mélodies à prétention populaire), œuvres de Béni Egressy, József Szerdahelyi, Kálmán Simonffy, Elemér Szentirmay, Pista Dankó, Elek Erkel, József Dóczy, L. Serly et d'autres, qui, dans un contexte sociologique différent, sont toujours à la mode.

La dernière période du siècle commence en 1867, année qui marque la naissance de la double monarchie austro-hongroise. L'art à tendance nationale accuse alors un net recul. Les meilleurs compositeurs de cette fin de siècle, élèves de Liszt, M. Mosonyi ou Fr. R. Volkmann pour la plupart, sont dominés par l'esthétique et l'écriture wagnériennes : Ö. Mihalovich, Károly Aggházy, Géza Zichy, Károly Szabados, Árpád Szendy, ainsi que Ödön Farkas et J. Hubay, les plus connus. Le « verbunkos » disparaît peu à peu et se trouve relégué dans des régions périphériques ou dans des genres aussi conventionnels que l'opérette viennoise, illustrée par des compositeurs hongrois de renommée internationale (E. Kálmán, Fr. Lehár). Seuls Sándor Bertha à Paris et Ede Poldini en Suisse continuent à travailler dans l'esprit de Mosonyi et créent une mus. hongroise et européenne à la fois. Mosonyi meurt en 1870 ; ses contemporains ne sont guère écoutés. Liszt lui-même se trouve isolé à la fin de sa vie. Phénomène paradoxal, c'est à l'époque où les Hongrois émigrent par centaines de milliers vers le Nouveau Monde que la Hongrie sera dotée des institutions musicales les plus prestigieuses, comme l'Académie de musique de Budapest, fondée en 1875 sous la présidence de Liszt, et l'Opéra de Budapest, inauguré en 1883. A partir de 1886, l'Académie est dirigée par Ö. Mihalovich dont le mandat sera marqué par la grande expansion de l'école hongroise de piano (Árpád Szendy, István Thomán, élèves de Liszt) et de violon (J. Hubay, J. Joachim, C. Flesch, Leopold Auer, Franz von Vecsey, J. Szigeti, Emil Telmányi, Ede Zathureczky, André Gertler...).

Époque contemporaine. Le grand renouveau du début du XXᵉ s. est dû à B. Bartók et à Z. Kodály. Leur importance historique est d'avoir rétabli la continuité de la mus. hongroise et de l'avoir mise définitivement au diapason de l'Europe. Profitant des expériences de Béla Vikár, ils entreprennent l'un et l'autre la collecte systématique de la mus. populaire de leur pays, en établissent les caractères et la typologie et en tirent les conclusions esthétiques et pédagogiques. Leurs recherches prendront plus tard une orientation historique pour Kodály, comparative pour Bartók. Aux côtés des deux promoteurs, L. Lajtha s'affirme comme le troisième grand, dans les mêmes domaines que ses deux aînés, alors que A. Molnár, Aladár Tóth et B. Szabolcsi s'occupent avant tout des bases théoriques de ce qu'il convient d'appeler désormais la nouvelle école hongroise. Elle s'appuie principalement sur Kodály, dont la personnalité domine la mus. hongroise pendant plus d'un demi-siècle. La génération des disciples comprend des compositeurs (Jenő Ádám, Lajos Bárdos, Ferenc Szabó, F. Farkas, Pál Kadosa, Zoltán Horusitzky, Jenő Gaál, István Szelényi, János Viski, György Ránki, S. Veress, Gábor Darvas, András Mihály, Rudolf Maros, Rezső Sugár, István Sárközi, E. Szervánszky, P. Járdányi) ainsi que des pédagogues, musicologues et ethnomusicologues (Jenő Ádám, B. Szabolcsi, Lajos Bárdos, Ervin Major, Benjamin Rajeczky, György Kerényi, S. Veress, Jenő Vécsey, Imre et Sándor Csenki). Ceux qui ont terminé leurs études sous la direction d'un disciple (András Szöllösy, Erzsébet Szönyi, Sándor Szokolay) s'intègrent également à cette école dont le rayonnement est considérable grâce à ceux qui se sont fixés à l'étranger tels que T. Serly, M. Rózsa et

A. Doráti (USA), M. Seiber (Angleterre), T. Har-
sányi et Georges Sebastian (France), G. Frid (Pays-
Bas), André Gertler (Belgique), ainsi que les musicologues O. Gombosi, George Herzog et P.H. Lang
(USA). L'épanouissement de l'école de Kodály, qui
débute dès les années 1930 par le renouveau du
chant choral, s'accentuera après 1945 par la mise au
point d'un système d'éducation musicale fondé sur
une méthode active et unifiée qui jouit aujourd'hui
d'une grande autorité internationale. Cela est également valable pour les sciences musicales et ethnomusicologiques, domaine où la Hongrie occupe une
place importante en Europe grâce à d'éminents spécialistes (D. Bartha, Ferenc Bónis, Kálmán Csomasz-
Tóth, János Demény, László Eösze, Zoltán Falvy,
Zoltán Gárdonyi, János Kárpáti, István Kecskemeti,
György Kroó, Dezsö Legány, Ernö Lendvai, Gábor
Lukö, János Maróthy, György Martin, László Som-
fay, Péter Szöke, András Szöllösy, József Ujfalussy,
Péter Várnai, Lajos Vargyas, László Vikár...). Depuis
quelques années, de jeunes compositeurs tels que
Attila Bozay, Zsolt Durkó, György Kurtág, György
Láng, Kamilló Lendvai, Emil Petrovics..., ont
réussi à s'affirmer et dotent leur pays d'une musique
d'avant-garde où, pour la première fois depuis un
demi-siècle, l'héritage musical de Kodály fait
place à des tendances plus récentes et plus
cosmopolites.

Bibliographie (éd. à Budapest et en hongr., sauf mention
spéciale) — 1. Éditions monumentales : Corpus Musicae Popularis
Hungaricae, éd. par B. Bartók et Z. Kodály, 5 vol., B., Acad. des
Sciences, 1951 et suiv. (« Répertoire
des anciennes mélodies hongr. »), 2 vol., B., Acad. des Sciences,
1958, 1970 ; Monumenta Hungaricae Musica, B., Acad. des Sciences,
et Graz, Akademische Druck- u. Verlagsanstalt, 1963. — 2. Études :
Musicologia Hungarica, B. 1934-36, puis B., Acad. des Sciences,
et Kassel, BV, 1967 et suiv. (« Zenetudományi tanulmányok » (« Études
musicologiques »), éd. par B. Szabolcsi et D. Bartha, 10 vol., B.,
Acad. des Sciences, 1953-62 ; Studia Memoria B. Bartók Sacra, B.,
Acad. des Sciences, et Londres, Boosey & H., 1958 (en fr., angl. et
all.) ; J. Vigué et J. Gergely, La mus. hongr., Paris, PUF, 1959
(en fr.) ; Magyar zenetudomány (« Musicologie hongr. »), éd. par
F. Bónis, Musica, 1959 et suiv. ; Liszt-Bartók (Actes du 2e Con-
grès intern. de musicologie de Budapest), B., Acad. des Sciences,
1963 (en fr., angl., all. et russe) ; Z. Kodály Octogenario Sacrum,
B., Acad. des Sciences, 1962 (en fr., angl., all., esp. et russe) ; Folk
Music Research in Hungary, B., Acad. des Sciences, 1964 (en angl.) ;
S. Erdely, Methods and Principles of Hungarian Ethnomusicology,
La Haye, Mouton, 1965 (en angl.) ; B. Rajeczky, B. Szabolcsi,
Z. Gárdonyi et I. Fabian, art. Ungarn in MGG XIII, 1966 (en
all.) ; L. Vargyas, Researches into the Medieval Hist. of Folk Bal-
lad, B., Acad. des Sciences, 1967 (en angl.) ; J. Ribière-Raverlat,
L'éducation musicale en Hongrie, Paris, Leduc, 1967 (en fr.) ;
B. Szabolcsi Septuagenario, B., Acad. des Sciences, 1969 ; B. Sárosi,
Die Volksmusikinstrumente Ungarns, Leipzig, Deutscher Verlag für
Musik, 1967 ; J. Manga, Mus. et instr. pop. des Hongrois, B,
Corvina, 1971 ; E. Szönyi, La méthode Kodály, Paris, Leduc (en
fr., en prép.) ; cf. également les revues Études Finno-Ougriennes,
Paris, depuis 1964, Studia Musicologica Acad. Scientiarum Hun-
garicae, B., Acad. des Sciences, 1961 et suiv., ainsi que les actes
des congrès intern. des Finno-Ougriens (Budapest 1960, Helsinki
1965, Tallinn 1970) ; J. Gergely, B. Bartók. compositeur
hongr. (Thèse Strasbourg 1975). — 3. Dictionnaires : Zenei
Lexikon, éd. par B. Szabolcsi et A. Tóth, B. 1930 ; nouv. éd. par
D. Bartha, 3 vol., B., Musica, 1965. — Cf. également l'art.
Budapest.

J. Gergely

HOPAK (ukrainien). Avec le « kozatchok », le « tré-
pak » et le « metelitsa », le h. compte parmi les danses
populaires ukrainiennes les plus répandues. Ces danses
sont exécutées, dans leur forme originelle ou stylisée,
aussi bien à la campagne qu'à la ville, dans le cercle
familial, au cours de fêtes populaires ainsi qu'au

théâtre. Le h. est une danse rapide et acrobatique
à 2/4 qui s'exécute en solo ou en groupe.

Mélodie de h. ukrainien.

Un « gopak », graphie et prononciation russes du
mot h., figure dans le finale de la *Foire de Sorotchintsy*
de M. Moussorgski. Dans le dernier mouvement de
la 7e *Symphonie* de Beethoven, on peut entendre distinctement les rythmes et les tournures propres aux
danses populaires ukrainiennes.

Bibliographie (en ukrainien) — A.I. Houmeniuk, Les danses
pop. ukrainiennes, Kiev, Acad. Ukrainienne, 1962 ; V.M. Verkho-
vynets, La théorie de la danse pop. ukrainienne, Kiev, Éd. d'État
d'art et de mus., 1963.

HOQUET (lat., [h]oketus, [h]ochetus ; de l'arabe
al-qat', = couper, selon H. Husmann), terme médiéval servant à désigner un type de composition où
deux (ou plusieurs) voix sont parsemées de silences,
de telle sorte que l'une se tait lorsque l'autre se fait
entendre et vice versa (« truncatio » ; voir Francon de
Cologne in Coussemaker Scr. I, 134) :

Extrait d'un motet de la fin du XIIIe s. — Voir AMl XLII,
1970.

Hoquet *A l'entrade d'avril*, tiré du *Speculum musicae* de
Jacques de Liège. Voir AfMw XI, 1954, et MQ LV, 1969.

Selon W.E. Dalglish il y a lieu de distinguer 3 sortes
de hoquet. 1° Le h. occasionnel. Il apparaît au milieu
ou — fréquemment à l'Ars Nova — à la fin d'œuvres
ou de parties d'œuvres musicales, rarement au début.
De telles parties en h. prennent une place importante
dans la → « caccia » du XIVe s. 2° Le h. indépendant.
Une composition entière peut présenter la structure
du h. du début à la fin. Les œuvres de ce type ne
comportent pas de texte et sont construites sur un
ténor liturgique préexistant ; 8 h. proviennent de

l'Ars Antiqua tandis que le sommet du genre, le célèbre h. *David* de G. de Machault, date du milieu du XIVᵉ s. 3º Le h.-variation. Les parties en h. d'une composition peuvent être, par opposition à la 1ʳᵉ sorte, des variations ou paraphrases d'autres parties non en h. de la même œuvre. Le h.-variation existe dans des motets de la fin de l'Ars Antiqua et dans un fragment de messe, le *Credo* de Pennard, du Ms. d'Old Hall (II, 241).

Bibliographie — COUSSEMAKER Scr. I, p. 134 (Francon de Cologne); *ibid.* I, p. 281 (Lambertus); *ibid.* I, p. 248 et ss. (W. Odington); *ibid.* II, pp. 394, 401, 429 (Jacques de Liège); *ibid.* IV, p. 296 (Pseudo-Tunstede); E. ROHLOFF, Der Musiktraktat des Johannes de Grocheo, Leipzig 1943, pp. 57 et ss., 87 et ss.; M. SCHNEIDER, Der H., *in* ZfMw XI, 1928-29; H. HUSMANN, Der H. « A l'entrée d'avril », *in* AfMw XI, 1954; du même, Die Etymologie von « h. » u. der arabische Einfluss in der gotischen Musik, *in* Romanisches Jb. VII, 1955-56; W.E. DALGLISH, The H. in Medieval Polyphony, *in* MQ LV, 1969; E.H. SANDERS, The Medieval H. in Practice and Theory, *in* MQ LX, 1974.

HORN (angl. et all.), voir COR.

HORNPIPE (angl.).
1. Instr. à vent et à anche simple fait à partir d'une corne d'animal. Un même joueur peut sonner d'un ou de deux instruments simultanément. Le h. peut également servir de tuyau sonore à la cornemuse. Le « Pibcorn » du Pays de Galles lui est apparenté. — 2. Danse anglaise mentionnée dès le XIIIᵉ s. Son nom provient apparemment de l'instrument qui en jouait la musique. A l'origine, c'était une danse paysanne plutôt qu'une danse de cour ou de ville. Le premier compositeur connu qui en utilisa le rythme est Hugh Alston (v. 1480-1522). Il s'agissait alors d'une danse à 3 temps, peut-être individuelle. H. Purcell écrivit de nombreux h., et le dernier mouvement du *Concerto grosso* op. 6 nº 12 de Haendel en est un. Puis, toujours au XVIIIᵉ s., le h. devint une danse binaire (J. II Ravenscroft). Quoiqu'il s'agit d'une danse de théâtre, il fut particulièrement pratiqué dans la marine, vraisemblablement parce qu'il nécessitait peu de place comme danse individuelle et pouvait ainsi se danser sur un bateau.

Bibliographie — 1. H. BALFOUR, The Old British Pibcorn or Hornpipe and its Affinities, *in* Journal of the R. Anthropological Inst. of Great Britain and Ireland XX, 1891; A. BAINES, Bagpipes, Oxford, Pitt-Rivers Museum, 1960.

HOSANNA
(hébreu, = sauve donc), cri d'acclamation qui fut poussé par les enfants lors de l'entrée messianique du Christ à Jérusalem (Matth. 21,9; Marc 11,10; Jean 12,13), le dimanche qui précéda sa mort. Le mot a été commenté par les écrivains ecclésiastiques et il devait tout naturellement entrer dans la liturgie du dimanche des Rameaux soit comme ekphonèse à la fin des grandes antiennes gallicanes (*Cum appropinquaret, Ante sex dies,* etc.), soit comme pièce individuelle au début de l'avant-messe de la bénédiction des Rameaux : l'architecture de cette antienne est exactement la même que celle de l'Épitaphe de Seïkilos ou chanson de Tralles du 1ᵉʳ s. de notre ère (H. POTIRON, Les modes grecs antiques, Tournai 1950, p. 53). Cette acclamation revient deux fois dans le *Sanctus* de la messe et elle a naturellement été tropée comme s'il s'agissait d'une pièce individuelle (Anal. Hymn. 47, pp. 344-369).

HOT-INTONATION (angl.), voir JAZZ.

HOUPPEMENT,
défaut sonore du jeu de l'orgue (inégalité du son) produit par l'irrégularité de la pression du vent.

HUITIÈME DE SOUPIR
(angl., demisemiquaver rest, ou -pause; all., Zweiunddreissigstel-Pause; ital., pausa di biscroma; esp., silencio de fusa), signe graphique (𝄾) qui représente un silence d'une durée équivalente à celle de la triple croche (♪).

HUIT-PIEDS,
jeux d'orgue dont les tuyaux qui font entendre le do^1 mesurent théoriquement 8 pieds de longueur, soit 2,6 m. Ce sont les jeux qui permettent d'entendre les notes à leur hauteur réelle. Dans ce sens, le terme est également employé au clavecin. Le quatre-pieds fait entendre les sons notés une octave au-dessus, le deux-pieds deux octaves au-dessus de leur hauteur réelle, tandis que le seize-pieds et le trente-deux pieds les font entendre respectivement une et deux octaves au-dessous.

HUMANISME, voir RENAISSANCE.

HUMMEL, voir ÉPINETTE DES VOSGES.

HUMORESQUE,
terme utilisé pour la première fois par R. Schumann (op. 20) pour désigner une → pièce de caractère inspirée par une idée poétique, et que distinguent les relations secrètes entre les thèmes ainsi qu'un mélange de rêverie et d'humour à la manière de Jean-Paul. Les successeurs de Schumann, Theodor Kirchner (op. 48), S. Heller (op. 64), Fr. Kiel (op. 42 et 59), qui écrivirent pour le piano, donnèrent au genre un caractère plus enjoué et plus dansant. E. Grieg (op. 6 et 19) et A. Dvořák (op. 106) penchèrent plutôt vers le folklore, tandis que E. Dohnányi tentait de réunir plusieurs pièces sous forme de suite. Dans le genre, c'est en définitive M. Reger qui s'est imposé avec des pièces ironiques et burlesques (op. 20, 25, 26, 32, etc.).

HURDY-GURDY (angl.), voir VIELLE À ROUE.

HYDRAULE ou ORGUE HYDRAULIQUE
(du grec hydraulis, formé de hydór = eau, et de aulos = chalumeau, tuyau), instrument complexe inventé vraisemblablement par Ctésibios d'Alexandrie (IIIᵉ s. av. J.C.). L'air sous pression était fourni à des tuyaux d' → aulos par des pompes et un réservoir stabilisateur. Ces deux mécanismes sont clairement décrits par Héron d'Alexandrie (v. 120 av. J.C.) et par Vitruve (*De architectura* X, 8; v. 14 av. J.C.). Les pompes étaient des cylindres alésés en bronze avec piston et soupapes; le réservoir, une cuve de cuivre renforcé étanche, remplie partiellement d'eau et contenant un « pnigée » (= hotte de cheminée), sorte d'entonnoir (ou de demi-sphère) renversé, dans lequel l'air était refoulé avant de s'échapper vers les tuyaux, jusqu'à ce que la pression souhaitée fût atteinte. Quand l'accès aux tuyaux était ouvert pour le jeu, la pression était maintenue par une arrivée d'air constante des pompes. En cas de forte pression,

la durée du jeu était réduite (sonneries). Au-dessus du « pnigée », le → sommier était à glissières (« plinthides ») par notes, mues par une touche à bascule et rappelées par un ressort. La partie sonore décrite par Héron était faite d'auloï (tuyaux à anche et long résonateur cylindrique).

L'h. de Ctésibios aurait été employé pour des danses dans le temple d'Arsinoé à Alexandrie. A Rome il fit carrière au cirque pour ponctuer, avec les trompettes et les cors, le déroulement des spectacles. Plusieurs mosaïques représentent de semblables orchestres. D'après l'iconographie — sarcophage de St Maximin ; médaillons contorniates ; lampes dont l'une, à Carthage, donnerait sur les tuyaux de nouveaux détails — le nombre des tuyaux serait allé croissant, formant plusieurs rangs (3 ou 4) de 13 à 18 notes, jouables séparément grâce à des robinets de gravure au sommier. Le premier rang en façade, était fait de tuyaux ouverts à bouche ; les autres, plus courts et moins réguliers, pouvaient être bouchés ou à anche (avec rasette d'accord intérieur ?). A Byzance, l'h. continua à servir au cirque mais participa également aux sonneries des déplacements impériaux. C'est un instrument destiné à cet usage, le premier orgue du nouvel Occident, que Constantin V fit parvenir à Pépin le Bref en 757 (type confirmé par le texte arabe dit « lettre à Muristos »). Bélisaire employa un instrument à forte pression et peu de tuyaux pour donner des signaux militaires. C'est probablement à ce type qu'appartenait l'instrument introduit au Temple de Jérusalem sous le nom de « Magréphah » (= râteau sacré, par calembour avec le grec).

Sous l'Empire romain, la soufflerie à eau vit parfois remplacer ses pompes par des soufflets de forgeron. Les petits instruments répandus dans tout l'empire n'avaient que des tuyaux à bouche, nécessitant peu de pression, et ne comportaient plus de stabilisateur à eau ; l'air était insufflé directement au sommier. Les restes d'un de ces instruments, appelés plus spécialement « hydra », ont été retrouvés carbonisés dans les fouilles d'Aquincum près de Budapest. Ils constituent le document essentiel pour la connaissance de ce type, mais les interprétations de la soufflerie, les restitutions faites par copie ou réparation sont sujettes à caution. C'est un orgue semblable, sans rangs de tuyaux séparables, que dut construire le prêtre Georges, un Byzantin de Venise, pour Louis le Pieux en 826.

Les tuyaux de l'orgue antique sont trop mal connus pour qu'on puisse en inférer quoi que ce soit sur les notes, les gammes et la musique utilisées. De nombreux essais de reconstitution de l'h. ont été tentés, souvent avec une grande fantaisie.

Bibliographie — CH. MACLEAN, The Principle of the Hydraulic Organ, in SIMG VI, 1904-05 ; H. DEGERING, Die Orgel, ihre Erfindung u. ihre Gesch. bis zur Karolingerzeit, Münster 1905 ; H.G. FARMER, The Organ of the Ancients from Eastern Sources, Londres 1931 ; L. NAGY, L'orgue d'Aquincum, Budapest 1933 (en hongr. avec résumé all.) ; W.W. HYDE, The Recent Discovery of an Inscribed Water-Organ at Budapest, in Transactions and Proceedings of the Amer. Philological Assoc. LXIX, 1938 ; TH. SCHNEIDER, Organum hydraulicum, in Mf VII, 1954 ; J. PERROT, L'orgue de ses origines hellénistiques à la fin du XIIIe s., Paris, Picard, 1965 ; P. HARDOUIN, De l'orgue de Pépin à l'orgue médiéval, in RMie LII, 1966 ; W. WALCKER-MAYER, Die römische Orgel von Aquincum, Stuttgart, Musikwiss. Verlagsgesellschaft, 1970 (compte rendu par J. PERROT, in RMie LVII, 1971).

P. HARDOUIN

HYMEN (grec, hymenaïos), chant exécuté pendant la procession qui accompagnait le couple de jeunes mariés jusqu'à sa demeure. Le nom se créa à partir du chant traditionnel « Hymen, hymenaee », etc. A un stade plus avancé, ce cri fut incarné et désigna la figure du beau jeune homme qu'on rencontre dans la littérature et les arts à propos du cérémonial du mariage. — Voir également l'art. ÉPITHALAME.

HYMNAIRE, livre liturgique qui contient les → hymnes de l'→ office divin. Dans la tradition manuscrite, on le trouve soit isolé, soit joint à des prosaires et à des séquentiaires, soit encore en appendice du → psautier. Dans les livres modernes, les hymnes sont imprimées avec l'office auquel elles appartiennent. L'h., livre liturgique, apparaît tardivement. Les hymnes des féries constituent le noyau de l'h. auquel se sont jointes les hymnes du temps, celles du propre et du commun des saints. Quant aux collections, on distingue celles des ordres religieux, cisterciens, dominicains, franciscains, et celle de l'ancien usage gallican remontant au IXe s. Ce très riche répertoire, une fois fixé, n'a guère varié jusqu'au XVIe s.

HYMNE (grec, hymnos ; lat., hymnus, substantif masculin ; en fr., substantif féminin [seulement au sens religieux] ; angl., hymn ; all., Hymnus ; ital., inno ; esp., himno ; chant lyrique en vers, à la rigueur en prose, composé à la louange d'une divinité. En français, h. est masculin au sens profane. — Voir l'art. HYMNE NATIONAL.

I. Dans l'Antiquité. Le terme, d'étymologie douteuse, désignait dans la poésie grecque un chant choral de louange écrit en l'honneur d'un dieu. Tous les grands poètes lyriques ont cultivé ce genre, dont les exemples abondent dans les chœurs de la tragédie attique. De l'Antiquité plus récente, on a conservé de larges extraits de deux h. notés à Apollon (le second est en fait un → péan), découverts lors de fouilles à Delphes (voir l'art. GRÈCE). Les h. que l'on dit « homériques » (écrits en vers hexamètres) décrivent les exploits d'un dieu auquel on s'adresse souvent en accumulant les titres qui lui sont donnés dans son culte ; ils ont été imités dans la tradition purement littéraire de la poésie hellénistique. Normalement l'h. était écrit en mètres lyriques. L'h. « klétique » était particulièrement courant. On y demandait au dieu de quitter soit l'Olympe, soit les divers centres de son culte où il était censé résider, pour venir rendre visite à ses adorateurs. Dans la période de la Rome impériale, on rassembla les h. cultuels attribués à Orphée, et des papyrus gréco-égyptiens tardifs ont livré un certain nombre d'h. incantatoires qui appartiennent au monde de la magie et de la superstition.

II. Dans l'église byzantine. Le nom d'h. est donné à tout chant de louange dans la mus. et la poésie d'église byzantines. Il convient de distinguer deux catégories d'hymnes. La première comprend les poèmes religieux qui ne sont pas du domaine de la liturgie. Il s'agit de poésies savantes qui utilisent souvent des mètres antiques. Aux premiers temps du christianisme, les plus éminents représentants de ce genre furent Clément d'Alexandrie († av. 215), Grégoire de Nazianze (v. 330-v. 390) et Synésios de Cyrène (370-413). Une seconde catégorie comprend les h. qui entrent dans la liturgie et dont la plupart sont des « kontakia » (voir l'art. KONTAKION). L'h. la plus célèbre de l'église grecque est l'h. acathiste, dont le nom même indique qu'elle doit être exécutée debout. Elle comprend un « prooïmion » et 24 « oïkoï » réunis par deux vers de refrain et un acrostiche alphabétique. Les « oïkoï » développent le thème de l'Annonciation, tandis que le « prooïmion » est un chant de victoire. La composition de cette h. a été attribuée aux patriarches de Constantinople Sergios (610-638), Germanos († 733), Photios (v. 820-ap. 886) et, récemment, au mélode Romanos († ap. 555). Il en existe une traduction latine, qui date du IXe s. Les plus anciennes sources musicales de l'h. acathiste se trouvent dans les manuscrits du XIIIe s.

III. Dans l'église latine. L'h. est un élément cultuel commun aux anciennes religions d'Orient, aux religions judaïque (Psaumes 64,2 et 136,3) ou chrétienne. Les judéo-chrétiens non seulement chantaient les Psaumes mais, à l'invitation de l'Apôtre, célébraient le Christ dans des h. (Coloss. 3,16 ; Éphés. 5,19). Bien plus, certains passages des épîtres de St Paul (Coloss. 1,15 et ss. ; Éphés. 5,14 ; Phil. 2,6, etc.) ou encore de l'Apocalypse (p. ex. 15,3) sont considérés comme des fragments d'h. protochrétiennes qui, à l'instar des Psaumes, ne sont pas soumises à un rythme verbal strict. En l'an 112, Pline le Jeune, gouverneur de Bithynie, signale dans un rapport à Trajan que les chrétiens de sa province chantent à l'aurore une h. au Christ, considéré par eux comme un dieu. On a vu parfois dans cette mention l'acte de naissance de l'h. du matin, le *Gloria in excelsis*, qui se chantait primitivement à l'office de l'aurore et qui s'adresse en grande partie au Christ, fils de Dieu. Cependant, il pourrait tout aussi bien s'agir d'h. christologiques du genre de celles que l'on a pu retrouver dans les papyrus : dans les collections de la Bibl. Bodmer à Genève, on a retrouvé des fragments d'h. liturgiques du IIIe s. (Papyrus Bodmer X-XII, publ. par M. TESTUZ, Cologny-Genève, Bibl. Bodmer, 1959) ; le papyrus XXI, qui ne compte que 6 vers, est une h. pour la vigile pascale dont l'auteur serait Méliton de Sardes (selon O. PERLER, Ein Hymnus zur Ostervigil..., Fribourg, Universitätsverlag, 1960). Enfin, un papyrus du IVe s. a livré une h. à la Vierge (éd. par R. ROCA-PUIG, Barcelone, Assoc. de Bibliofilos, 1965). Dans les premiers écrits chrétiens en grec, on relève également des h. christologiques : dans la Didaché, dans l'épître de Clément aux Corinthiens et enfin dans les Constitutions apostoliques du IVe s. (voir Dict. d'Archéologie chrétienne et de liturgie, art. Hymnes). Une de celles-ci (VII, 48) fut traduite en latin dès le VIe s., l'h. *Te decet laus* affectée à l'office nocturne du dimanche (*Regula monasteriorum*, chap. XI). Mais la tradition musicale de cette h. est partagée entre 4 versions mélodiques différentes, connues par des manuscrits plus récents que ceux qui nous ont transmis le texte (voir M. HUGLO, in Jb. für Hymnologie u. Liturgik XII, 1967, pp. 111-116). L'h. du soir, *Phôs ilaron*, n'est pas moins ancienne, puisqu'elle est mentionnée par St Basile († 379), mais elle ne fut traduite en latin qu'au XIIIe ou au XIVe s. (voir A. TRIPOLITIS, in Vigiliae Christianae XXIV, 1970, pp. 189-196).

La plus ancienne h. occidentale est donc le → *Te Deum*. L'auteur en serait Nicetas de Remesiana ou St Hilaire de Poitiers († 366). Cet évêque est encore l'auteur de 3 h. métriques (voir Anal. Hymn. 50, p. 4) qui n'ont connu aucune audience dans la liturgie. En fait, le véritable point de départ de l'h. liturgique est marqué par St Ambroise de Milan († 397) qui a composé pour le cycle annuel des fêtes une dizaine d'h. de mètre ïambique, comptant habituellement 8 strophes. Au témoignage de St Augustin, elles connurent un immense succès dès leur lancement. Leur perfection formelle, souvent imitée par la suite, leur a conféré un titre à l'admiration tel que le terme d'« ambrosianus » était devenu dès le VIe s. le synonyme d'h. liturgique. Si St Ambroise est reconnu par la critique comme auteur des textes, quelle est sa part dans la composition mélodique ? La table thématique des mélodies d'h. ambrosiennes (M. HUGLO et E. MONETA-CAGLIO, Fonti e paleografia del Canto ambrosiano, in Archivio ambrosiano VII, 1956, pp. 99-101) permet de constater une fixité absolue des timbres mélodiques par rapport aux textes, alors que dans les hymnaires médiévaux un même timbre mélodique peut se transporter d'une h. à une autre à condition qu'elle soit de même mètre. Ce transfert des mélodies s'est produit plus d'une fois pour les h. ambrosiennes lors de leur exportation vers les églises étrangères de Gaule et de Germanie. Pour les h. de Maximianus, rédigées aux VIe-VIIe s. (voir Anal. Hymn. 52, p. IX), on a repris dans quelques cas un timbre existant mais on en a composé de nouveaux : l'un d'eux, de structure pentatonique, est construit sur le schéma AABA. Sa composition pourrait bien remonter à la même époque que les textes. Ainsi, sauf dans le cas de l'h. *Splendor paternae gloriae*, qui comporte deux mélodies (une d'été, une d'hiver), on peut accorder une forte présomption en faveur de la très haute antiquité de l'hymnodie ambrosienne, tout en réservant la question insoluble de la part de St Ambroise dans la composition des timbres mélodiques. Ainsi, les h. de St Ambroise ont constitué les assises de l'hymnaire du → chant ambrosien et de la plupart des hymnaires occidentaux, du moins dans les églises qui n'excluaient pas a priori des textes composés par les poètes chrétiens au profit exclusif des pièces d'origine scripturaire. A ce propos, il faut évoquer les prescriptions du IVe concile provincial de Tolède, en 633 (can. 13, in J.D. MANSI, Ecclesiae Occidentalis monumenta juris antiquissima, Oxford 1899-1939, vol. X, p. 623), à l'encontre des h. considérées comme « composition humaine », et il faut rappeler que l'église romaine n'a pas admis les h. dans son « cursus » avant le XIIe s., époque où les liturgies romano-franques faisaient retour à leur point de départ, riches d'amplifications reçues des anciennes liturgies autochtones.

A la différence des formes liturgiques usuelles en prose (→ antiennes, → répons), qui sont généralement anonymes parce que tirées de la Bible pour la plupart, l'h. est une composition personnelle dont l'auteur est très souvent identifié : 1° parce qu'elle a été parfois extraite par les compilateurs d'hymnaires d'ouvrages d'ensemble d'une authenticité certaine, tels le *Cathemerinon* et le *Peristephanon* de Prudence († 405) qui ont fourni aux diverses liturgies latines une vingtaine de pièces, ou le *Carmen paschale* de Sedulius ou enfin les œuvres de Paulin de Nole ; 2° parce que le nom fourni par la suscription des hymnaires peut aisément être contrôlé par des citations anciennes, par des mentions de biographes ou de chroniqueurs, ou confirmé par la critique textuelle. C'est ainsi que les noms de poètes chrétiens célèbres se sont inscrits à la suite de celui de St Ambroise dans les hymnaires des diverses liturgies et que ces compositions signées se retrouvent au titre de patrimoine commun dans la plupart des anciens hymnaires : hymnaire du rite hispanique ou mozarabe, hymnaire gallican, hymnaire provençal ou de Lérins, hymnaire irlandais, etc. — L'ancienne liturgie d'Espagne possédait un hymnaire très riche (Anal. Hymn. 16 et 27 ; voir J. Szöverffy, Iberian Hymnody, in Classical Folia XXIV, 1970, pp. 187-253, et XXV, 1971, pp. 9-136), mais pour les mélodies on ne possède que fort peu d'éléments à cause de la suppression du → chant mozarabe avant l'adoption de la portée musicale en Espagne : une mélodie hispanique pour une h. à la Croix a survécu à la réforme grégorienne de 1086 (voir M. Huglo, in Revue Grég. XXVIII, 1949, p. 194). — L'hymnodie de l'ancienne liturgie gallicane (voir l'art. Chant gallican) est connue par deux hymnaires antérieurs à la réforme grégorienne de la fin du VIIIe s. : plusieurs mélodies des hymnaires médiévaux pourraient bien provenir de cette antique tradition gallicane (voir le tableau de l'art. Gallican rite in Grove, 6/à paraître). — Aux hymnographes italiens du Ve s. s'ajoutent les noms de Venance Fortunat († 600), évêque de Poitiers, compositeur des h. à la Croix (Anal. Hymn. 50, p. 70), et celui d'Eugène de Tolède († 658), qui tous deux ont fourni quelques pièces à l'hymnaire hispanique.

Aux Ve et VIe s. la métrique classique, fondée sur la quantité, avait fait place au rythme accentuel qui a pour principe le retour à places fixes de l'accent tonique du mot latin. A l'époque carolingienne, dont Bède le Vénérable († 735), auteur d'un traité de métrique et de plusieurs h. (ibid. p. 98), peut être considéré comme l'un des devanciers immédiats, l'étude des auteurs latins suscite des préférences dans le retour aux mètres classiques (hexamètres, ïambes) et à la strophe sapphique : p. ex. l'h. de St Jean-Baptiste, Ut queant laxis de Paul Diacre (ibid. p. 120), qui devait fournir, après changement de la mélodie originale, le nom des notes de la gamme (voir C.A. Moberg, in AfMw XVI, 1959, pp. 187-206). Il faut mentionner à cette même époque l'apparition des → « versus », qui ne sont autres que des h. à refrain chantées en procession : dans certains « versus », le refrain se chante suivant la même mélodie que les autres strophes (p. ex. Pange lingua de Venance Fortunat pour le vendredi saint), tandis que dans d'autres, le refrain a une mélodie distincte de celle des strophes (p. ex. Gloria laus des Rameaux). Le plus souvent, les « versus » carolingiens ont été extraits des poètes chrétiens anciens (p. ex. Salve festa dies de Pâques, tiré des œuvres de Venance Fortunat ; Anal. Hymn. 50, p. 77 et ss.) ou même contemporains (Gloria laus de Théodulfe d'Orléans, † 821 ; « versus » Omnipotentem de Walafrid Strabon pour le samedi des Quatre-Temps de septembre au Graduel, ibid., p. 169). L'abbaye de Saint-Gall s'est signalée par la composition de « versus » de procession attribués à Ratpert (ibid., p. 235 et ss.), à Waltram (ibid., p. 244 et ss.) et à Hartmann (ibid., p. 250 et ss.) ; Rhaban Maur († 856) est à rapprocher de ce groupe (ibid., p. 181).

Durant tout le reste du Moyen Age, il est peu d'écrivains connus qui n'aient composé une ou plusieurs h. (voir Anal. Hymn. 43 et 52), dont l'audience est souvent assez réduite. Ainsi, Alcuin († 804) a composé deux h. liturgiques pour St Vaast (Anal. Hymn. 50, p. 153), qui n'ont trouvé qu'une dispersion assez limitée. Les h. d'Odon de Cluny († 942) en l'honneur de St Martin (ibid., p. 264) et celles de St Odilon († 1048), second successeur du précédent (ibid., p. 297), n'ont guère dépassé le milieu clunisien. Par contre, les h. de St Pierre Damien († 1072), en particulier celles du Petit office de la Vierge qui figurent notées à la fin d'un ancien graduel clunisien (Paris, BN, Ms lat. 1087), ont connu une audience plus large (Anal. Hymn. 48, pp. 29-87 ; voir O.J. Blum, in Traditio XII, 1956, pp. 87-148 ; et M. Lokrantz, Opera poetica di S. Pier Dam., diss. Stockholm 1964). Même remarque pour les h. de Fulbert de Chartres († 1028), qui a composé pour Complies, pour le Carême et pour quelques autres fêtes du Temporal diverses pièces qu'on retrouve encore parfois dans les hymnaires imprimés (Anal. Hymn. 50, p. 280 et ss.). — Au début du XIIe s., Anselme du Bec puis de Cantorbéry († 1109) a été rayé par les critiques de la liste des hymnographes, tandis que l'abbé de Cluny, Pierre le Vénérable († 1156) y demeure en raison de ses quelques h. et surtout de ses séquences (Anal. Hymn. 48, p. 233 et ss.). Abélard s'est fait remarquer par la composition d'un hymnaire complet, l'hymnaire du Paraclet (ibid., pp. 162-223), et par ses 6 « planctus » élégiaques (ibid., pp. 223-232). — Les Cisterciens, fondés par St Bernard († 1153), adoptent un hymnaire très sobre dont textes et mélodies sont empruntés principalement à l'hymnaire de Milan, tandis que les autres ordres produisent nombre de compositions, ne serait-ce que pour les saints de leur famille religieuse. Au XIIIe s. le dominicain St Thomas d'Aquin passe pour le compositeur des h. de l'office du St Sacrement, inspirées de modèles anciens, alors qu'à la même époque le prêtre milanais Origo Scaccabarozzi († 1293) compose des pièces nouvelles sur les anciens thèmes mélodiques ambrosiens (Anal. Hymn. 14 b, p. 163 et ss.). A la fin du Moyen Age, on remarque surtout les h. composées pour le bréviaire des Brigittines et les compositions attribuées à Thomas a Kempis (Anal. Hymn. 48, p. 475 et ss.), auteur présumé de l'Imitation de Jésus-Christ. — L'hymnaire du bréviaire romain, qui avait résisté à une tentative malheureuse d'hymnaire « mythologique » due à l'essai de Zaccharie Ferreri, évêque de Guardia sous Clément VII († 1534), est remanié dans sa forme littéraire par le pape Urbain VIII (Maffeo Barberini) et par quatre jésuites humanistes : « quod non fecerunt Barbari... auderunt Barberini ». L'hymnaire traditionnel subsista heureusement dans les ordres monastiques et à la basilique vaticane. A la fin de ce même XVIIe s. apparaissent en France les bréviaires néo-gallicans, qui devaient se multiplier jusqu'à la Révolution : en 1789, 90 diocèses sur 130 avaient adopté un nouveau bréviaire dont les h. avaient pour auteurs les frères Claude et Jean-Baptiste Santeul... et bien d'autres (J. Szöverffy, Die Annalen der lateinischen Hymnendichtung II, p. 446, note 157).

La musique. Les plus anciens hymnaires ne portent que rarement des neumes (p. ex. celui de St-Séverin de Naples ; textes reproduits in Anal. Hymn. 14a) car les h. sont les mélodies du répertoire liturgique les plus faciles à retenir. Les premiers hymnaires notés datent de la fin du XIᵉ et du début du XIIᵉ s. : hymnaire de Moissac, à la Bibl. Vaticane (Rossi 205 : voir Anal. Hymn. 2), hymnaire d'Huesca (voir B. MORAGAS, *in* Liturgica I, Montserrat 1956, pp. 277-293), tous deux avec notation aquitaine ; hymnaire de Nevers, noté sur lignes (Paris, BN, nouv. acq. lat. 1235 : voir Monumenta Monodica Medii Aevi I, éd. par BR. STÄBLEIN) ; hymnaire alémanique, à notation alphabétique (Einsiedeln 366, éd. par B. EBEL, voir Bibliogr.). Au XIIIᵉ s. les psautiers hymnaires notés sont beaucoup plus nombreux (Mss. de Cambrai, Évreux, Klosterneuburg, Paris, Saint-Omer, Troyes, Worcester, etc.). Enfin, aux XIVᵉ et XVᵉ s., dans les hymnaires manuscrits, puis, au XVIᵉ s., dans les imprimés, on relève des notations proportionnelles sur certaines h. pour lesquelles la mesure à trois temps paraît évidente.

La comparaison des mélodies de tous ces hymnaires est une opération si complexe que l'éditeur des h. dans les Monumenta Monodica Medii Aevi I (1956), Br. Stäblein, a dû se contenter d'éditer des collections, c.-à-d. la succession des mélodies d'h. telles qu'elles se présentent dans les hymnaires. On peut faire certaines remarques sur les mélodies telles qu'elles ont été restituées dans l'Antiphonaire monastique de 1934, résultante sérieuse de l'ensemble de la tradition manuscrite. Le schéma des h. est très varié ; il va du parallélisme des motifs (ABAB = 6 %) à la répétition d'une même cellule mélodique dans la strophe à des places différentes : soit sur les deux vers impairs (ABAC = 3 %), soit sur les deux vers pairs (ABCB = 4 %), soit sur le vers initial et le final (ABCA = 15 %), soit sur les deux vers centraux (ABBC = 4 %), soit sur les deux initiaux (2 %), soit enfin sur les deux terminaux (1 %). On relève encore la répétition de la même cellule mélodique sur trois vers d'une même strophe avec une variation au 2ᵉ vers (ABAA = 1 %) ou au 3ᵉ (AABA = 7 %) ; cette dernière forme, que l'on a déjà rencontrée dans l'hymnodie ambrosienne, est un procédé de composition que l'on retrouve dans les h. syriaques, dont les origines remontent jusqu'à St Ephrem (voir A. DE MALLEUX, *in* Le Muséon LXXXV, 1972, pp. 171-199). Cependant, le schéma mélodique le plus répandu est celui d'une mélodie à 4 membres différents (ABCD = 26 %), le reste des pièces analysées se réduisant à des schémas plus complexes, du fait de l'inégalité du nombre des syllabes dans les vers (p. ex. AB C D A pour la strophe sapphique), ou étant reléguées dans les « divers ». — La question du rythme et de la mesure ne saurait être dissociée de celle de la mélodie : la réponse diffère suivant que l'on a affaire à une mélodie syllabique, voire à peine ornée, ou à une mélodie chargée de neumes sur chaque syllabe. En général, les variantes interviennent dans le sens de la simplification, l'allègement des neumes favorisant une exécution à 3 temps : parfois, à partir du XIVᵉ s. notamment, cette exécution ternaire est indiquée dans la notation par combinaison de « virga », « punctum » et losanges.

L'h. était destinée plus que d'autres pièces au traitement polyphonique : un des premiers traités d'organum, la *Musica enchiriadis*, prend en exemple une strophe d'h. (GERBERT Scr. I, pp. 169-170). Dans l'École de Notre-Dame de Paris, on a parfois chanté les h. à deux (p. ex. *Ave maris stella*) ou à trois voix

(*Iste Confessor* du Ms. de l'Arsenal, éd. par A. GASTOUÉ, *in* Études franciscaines XVI, 1906, pp. 210-213). Dans les principaux manuscrits de l'Ars Nova, on relève quelques h. (voir G. HAYDON, *in* Fs. Br. Stäblein, Kassel, BV, 1967, pp. 79-91), de même que dans le processionnal de Ste-Marie-des-Anges à Florence, conservé à la Fabrica del Duomo. Ce sont ces mêmes « versus » de la semaine sainte qui seront harmonisés par Palestrina. Auparavant, les polyphonistes de l'École franco-flamande avaient ceint les 2 ou 3 parties accompagnant la teneur grégorienne, d'autant plus faciles à traiter que leur exécution était mesurée : à cet égard, il faudrait mentionner les œuvres de mus. religieuses dues à J. Dunstable, G. Dufay, R. de Lassus et tous ceux qui les ont suivis jusqu'à l'époque contemporaine. Alors que le Moyen Age n'avait connu que des compositions isolées, on constitue dès le XVᵉ s. des recueils d'h. à plusieurs voix, notamment au Mont-Cassin et à Rome (R. GERBER, voir Bibliogr.), recueils qui servaient à une époque où, à Vêpres, l'office était solennisé par l'usage du faux-bourdon (sur les usages italiens, voir T.R. WARD *in* MD XXVI, 1972, pp. 161-188).

Pour obtenir une vue complète de l'histoire de l'h., il faudrait examiner les rapports entre mélodies de l'hymnaire et chanson populaire. Si la « cantio » ou h. extra-liturgique à sujet religieux peut être considérée comme l'ancêtre de la chanson et surtout du noël (Anal. Hymn. 20 ; 1, 15, 17, 21, 33, 45, 46), il faut bien admettre que des mélodies liturgiques sont passées de l'église à sa périphérie : le noël *Conditor fut le non pareil* a emprunté les éléments de son texte et sa mélodie à 6/8 aux livres de chœur du XVIIᵉ s. De même, une des mélodies de l'*Ave maris stella* a servi de modèle au chant provençal *Reis glorios* (BR. STÄBLEIN, *in* Miscelánea H. Anglés, Barcelone, Consejo Superior de Investigaciones Científicas, 1961, pp. 889-894). C'est là un phénomène fréquent, que l'on avait déjà observé à propos de l'*O Maria deu maire* limousin tiré lui aussi de l'*Ave maris stella*, et que l'on retrouvera dans ces h. nationaux empruntant leur mélodie au *Tantum ergo* polyphonique de J. Haydn (F. GRASBERGER, Die Hymnen Österreichs, Tutzing, Schneider, 1968). Inversement, certains rythmes de danse populaire ont été tardivement imposés à des h. par le truchement de la chanson folklorique : ainsi l'*O filii et filiae* de Pâques avec son refrain *Alleluia* (A. GASTOUÉ, *in* Tribune de St-Gervais, 1907, p. 83 ; cf. l'Ami du Clergé, 1950, pp. 125-128).

Au siècle dernier, on chantait encore au salut du St Sacrement l'*O salutaris* adapté à une romance sans paroles de F. Mendelssohn. Il faut encore rappeler le cas des mélodies d'h. liturgiques passées au → Psautier huguenot, dont la traduction en strophes due aux poètes humanistes de la Réforme pouvait sans difficultés s'adapter sous les mélodies de l'hymnaire traditionnel. Enfin, le → choral allemand a emprunté lui aussi plus d'une mélodie à l'hymnaire. J.S. Bach en a harmonisé quelques-unes, p. ex. dans la cantate *Nun komm der Heiden Heiland* (v. 1740), l'hymne *Veni, Redemptor gentium* ; pour les autres périodes de l'année liturgique, Bach a souvent pris l'hymnaire comme point de départ de ses compositions (A. BONNET, *in* Revue Grég. XXXVII, 1958 et suiv.).

Bibliographie — **1. L'Antiquité.** Cf. la bibliogr. de l'art. GRÈCE. — **2. L'église byzantine.** K. KRUMBACHER, Gesch. der Byzantinischen

Literatur, Munich 2/1897 ; E. WELLESZ, The Akathistos Hymn, *in* Monumenta Musicae Byzantinae, Transcripta IX, Copenhague 1957 ; G.G. MEERSSEMAN, Der Hymnos Akathistos im Abendland, 2 vol., Fribourg (Suisse), Universitätsverlag, 1958-60 ; H.G. BECK, Kirche u. theologische Literatur im byzantinischen Reich, Munich, l'Auteur, 1959. — **3. L'église latine. a)** Les textes. On n'a retenu ici que les ouvr. généraux qui contiennent la littérature concernant le sujet et les répertoires : CL. BLUME et G.M.DREVES, Analecta Hymnica Medii Aevi, vol. 2 (1888), 4, 11, 12, 14, 16, 19, 22, 23, 27, 41, 43, 50-52 (1909) ; U. CHEVALIER, Repertorium hymnologicum, 4 vol., Louvain 1892-1920 ; H. LECLERCQ, art. Hymnes, *in* Dict. d'Archéologie chrétienne et de liturgie VI/2, Paris 1925 ; P. RADO, « Repertorium hymnologicum » des mss. de Hongrie, Budapest 1945 ; H. WALTHER, Initia carminum ac versum Medii Aevi posterioris latinorum. Alphabetisches Verzeichnis der Versanfänge mittellateinischer Dichtungen, Göttingen, Vandenhoeck & R., 1959 ; J. SZÖVERFFY, L'hymnologie médiévale, recherches et méthodes, *in* Cahiers de civilisation médiévale IV, Poitiers 1961 ; du même, Die Annalen der lateinischen Hymnendichtung, I Die lateinischen Hymnen bis zum Ende des 11. Jh., II Die lateinischen Hymnen vom Ende des 11. Jh. bis zum Ausgang des Mittelalters, 2 vol., Berlin, E. Schmidt, 1964-65 ; J. JULIAN, A Dict. of Hymnology, New York, Dover, 1967 ; cf. également Jb. für Liturgik u. Hymnology depuis 1955. — **b)** La musique en général : E. GARBAGNATI, Gli inni del Breviario ambrosiano, Milan 1897 ; K. WEINMANN, Hymnarium parisiense. Das Hymnar der Zisterzienserabtei Pairis im Elsass, Regensburg 1904 ; B. EBEL, Das älteste alemanische Hymnar mit Noten. Kodex 366 Einsiedeln, Einsiedeln 1930 ; C.A. MOBERG, Die liturgischen Hymnen in Schweden, I Quellen u. Texte, Copenhague, Munksgaard, 1947, II Melodien, éd. par I. Milveden, en prép. ; B. RAJECZKY, Melodiarum Hungariae Medii Aevi, I Hymni et Sequentiae, Budapest 1956 ; BR. STÄBLEIN, Monumenta Monodica Medii Aevi, I Hymnen, Kassel, BV, 1956 ; du même, art. Hymnus, *in* MGG VI, 1957 ; The English Hymnal with Tunes, Londres, Oxford Univ. Press, 14/1963 ; R. GERBER, Zur Gesch. des mehrstimmigen Hymnus, Kassel, BV, 1965 ; PL. MITTLER, Melodieuntersuchung zu den dorischen Hymnen der lateinischen Liturgie im Mittelalter, Siegburg, Republica Verlag, 1965 ; E. PARKS, The Hymns and Hymn Tunes Found in the English Metrical Psalter, New York, Coleman Ross Co., 1966.

E.K. BORTHWICK, C. FLOROS et M. HUGLO

HYMNE NATIONAL (angl., national anthem; all., Nationalhymne; ital., inno nazionale; esp., himno nacional), chant qui symbolise un pays dans les cérémonies officielles. La majorité des h. n. sont nés au XIXᵉ s., souvent en période de révolution, à moins que leur choix n'ait fait l'objet d'un concours comme au Pérou en 1821 ou en Hongrie en 1842, tandis que l'Espagne de 1870, à l'issue d'une compétition musicale de ce genre, refusait les 447 chants proposés. Généralement, texte et musique sont dus à des auteurs différents et les paroles sont antérieures à la mélodie. La *Bayamesa* cubaine, pour laquelle Pedro Figueredo écrivit d'abord la musique puis deux strophes de texte poétique, constitue une exception sur ce point. Amour de la patrie et poésie héroïque ne suffisent cependant pas toujours à faire naître des partitions de valeur ; en fait, les h. n. sont en général l'œuvre de musiciens locaux. Pauvres en modulations, elles offrent souvent des rythmes de marche. A l'exception du chant national japonais, au pentatonique typique, de l'hymne australien, qui est issu d'une vieille mélodie écossaise, ainsi que du *Hatikvah* israélien, qui a été adapté d'un air populaire de Moldavie, ils proviennent assez rarement du folklore. Il est arrivé toutefois que des compositeurs célèbres aient utilisé ces thèmes nationaux sous forme d'emprunts pour suggérer à l'auditeur les pays qu'ils symbolisent : ainsi connaît-on bien les citations de la *Marseillaise* faites par P.I. Tchaïkovski dans son *Ouverture solennelle 1812* ou par R. Schumann dans *Zwei Grenadiere* et *Faschingsschwank aus Wien*, celles du *God save the King* faites par Beethoven dans *Wellingtons Sieg* ou par Haendel dans son *Occasional*

Oratorio et celle de l'hymne américain faite par G. Puccini dans *Madame Butterfly*.

Principaux hymnes nationaux :

Allemagne de l'Est. *Auferstanden aus Ruinen,* mus. de H. Eisler (1949) :

Allemagne de l'Ouest. *Deutschland über alles*, texte de H. von Hofmannsthal, même mus. que l'ancien h. n. autrichien :

Argentine. Texte de Vicente Lopez y Planes mis en musique par le Catalan Blas Perera en 1813.

Australie. *Waltzing Matilda* de Andrew Barton Paterson.

Autriche. On chante depuis 1946 *Land der Berge,* texte de P. Preradovic, mus. attribuée parfois à Haydn (1797), d'autres fois à Mozart (KV 623) :

Belgique. La mus. de la *Brabançonne* est due à François van Campenhout :

Brésil. Texte *Ouviram do Ypiranga as magens placida* dû à Joaquini Osorio Duque Estrada, et mus. de Francesco Manoel da Silva (1831).

Canada. *O Canada*, texte fr. d'Adolphe B. Routhier, texte angl. de R. Stanley Weir et mus. de C. Lavallée (1880) :

Chine. *San Min Chu I*, texte de Sun Yat-Sen et mus. de Ch'eng Moa-Yun :

Danemark. *Kong Christian stod ved hojen mast,* texte de Johannes Ewald, mus. de J.P.E. Hartmann (extrait de *Die Fischer*, 1778).

Espagne. *Marche royale* (1770), texte de J. Maria y Pemartin, mus. due à un musicien allemand :

États-Unis. *The Star-spangled banner* (1814), texte de Fr. Scott Key sur l'air de *To Anacreon in heaven* chanté à l'Anacreontic Society de Londres et dû à J. St. Smith (1750-1836) :

Finlande. *Maamme* (1848), texte de Johan Ludvig Runeberg et mus. de Fr. Pacius.

France. Le capitaine C.J. Rouget de Lisle écrivit en avr. 1792, lors de la déclaration de guerre contre l'Autriche et sur la demande du baron de Dietrich, les 6 strophes et la mélodie d'un *Chant de guerre pour l'armée du Rhin* qui, chanté par les volontaires de Marseille entrant dans Paris en juil. 1792, devint la *Marseillaise*. En 1795 (26 messidor an III), un décret de la Convention l'érigea en h. national. Éclipsé au moment de l'Empire et de la Restauration, celui-ci redevint en 1879 le symbole de la patrie :

Grande-Bretagne. L'origine française du *God save the King* (ou *God save the Queen*) se trouve affirmée dans le mémoire apocryphe de la duchesse de Perth (1831), qui veut que cet air ait été composé originellement par Lully pour Louis XIV. Dans la querelle sur les origines de cet hymne, on signale souvent que J. Bull écrivit un *God save the King* mais il n'offre aucun point de ressemblance avec celui qui nous occupe et qui s'apparenterait bien davantage au *Largo* de la 6e *Sonate* de H. Purcell (1683). Selon Fr. Chrysander, l'auteur du chant national anglais serait H. Carey, qui l'aurait écrit en 1740 :

Israël. *Hatikvah*, texte de Naftali Hers Imber, mus. adaptée d'un chant folklorique de Moldavie par Samuel Cohen vers 1888 :

Italie. *Fratelli d'Italia* (1847), texte de Goffredo Mameli, mus. de Michele Novaro :

Japon. *Kimi-ga-yo*, texte issu du *Kokin-Waka Shu* (IXe s.), mus. de Hayashi Hironokami (1880) :

Norvège. Deux chants nationaux : *Ja vi elsker dette landet* de R. Nordraak (1859) et *Sonner of Norge det aeld-gamle Rige* de Christian Blom.

Pays-Bas. *Wilhelmus van Nassowe ben ich van Duytschen bloet*, texte de Ph. Marnix van St. Aldegonde sur une mélodie anonyme retrouvée dans une tablature de luth du XVIIe s. :

Suède. *Du gamla, du fria, du fjällhöje Nord*, texte de Richard Dybek sur une mélodie entendue dans le centre du pays (fin XIXe s.).

Suisse. *Trittst im Morgenrot daher* de Leonhard Widmer, trad. fr. de Charles Chatelanat, *Sur nos monts quand le soleil*, mus. de J. Zwyssig (1841), a remplacé le *Rufst du, mein Vaterland*, trad. fr. *O monts indépendants*, chanté sur la mus. de l'h.n. anglais :

URSS. *Sojus neruschimyi respublik svobodnych*, texte de Sergei Mikhalkov, mus. de Aleksander Vassiliévitch Aleksandrov (1943) :

Bibliographie — 1. Sur les divers h.n. : J.A. LENOIR DE LAFAGE, Des chants patriotiques, *in* Gazette Musicale de Paris XV, 1848; A. POUGIN, L'h. n. grec, *in* Le Ménestrel LXVIII, 1897; J.P. SOUSA, National, Patriotic and Typical Airs of all Lands, New York 1900; W.H. CUMMINGS, God save the King..., Londres 1902; E. BOHN, Die Nationalhymnen der europäischen Völker, Breslau 1908; J. VINSON, L'hymne protestataire indien, *in* RM IX, 1909; R. MICHELS, Die Soziologie des Nationalliedes, *in* Archiv für Sozialwissenschaft u. Sozialpolitik LV, 1926; S.A. ROUSSEAU, Les chants nationaux de tous les pays, Paris 1930; E.A. MAGINTY, The National Anthem (God save the King), *in* Musical Times LXXIII, 1932; P.A. SCHOLES, God save the King..., Londres 1942; Himnos nacionales de las repúblicas americanas, Washington 1949; P. NETTL, National Anthems, New York, Storm, 1952; D.R. WADELING, art. National Anthems *in* Grove 5/1954; L.H. CORRÉA DE AZEVEDO, Le chant de la liberté. Compositeurs de l'Amérique latine à l'heure de l'indépendance, Paris, Centre de recherches de l'Inst. hispanique, 1966; A. WEINMANN, Ein Streit mit untauglichen Mitteln. Zur Frage der Autorschaft der österreichischen Bundeshymne, *in* Fs. K. Vötterle, Kassel, BV, 1968; F. GRASBERGER, Zur österreichischen Bundeshymne, *in* ÖMZ XXIII/10, 1968; E. MULLER, Völker hört die Signale, *in* Musikschule XXII/6, 1971. — 2. Sur la Marseillaise : C. PIERRE, La M., comparaison des différentes versions, Paris 1887; J. TIERSOT, Hist. de la M., Paris 1915; R. BRANCOUR, La M. et le Chant du départ, Paris 1916; L. FIAUX, La M., son hist. dans l'hist. des Français depuis 1792, Paris 1918; Vl. HELFERT, Contributo alla storia della M., *in* RIM XXIX, 1922; E. ISTEL, Die M., eine deutsche Melodie?, *in* Die Musik XVII, 1925; J.D. FRYKLUND, Dans les pays scandinaves, Hälsingborg 1936; du même, La M. en Allemagne, Hälsingborg 1936; H. WENDEL, Die M., Biogr. einer Hymne, Zürich 1936; Naissance et destin du chant de gloire. La M., Paris 1942; G. DE FROICOURT, Grétry, R. de Lisle et la M., Liège 1945; FR. CHAILLEY, La M., étude critique sur ses origines, *in* Annales historiques de la Révolution fr. XXXII/3, 1960; J. KLINGENBECK, I. Pleyel u. die M., *in* StMw XXIV, 1960; Y. BESSIÈRES, Prolégomènes à une étude de la M., Montauban, J. Forestier, 1962; A. GEHRI, C'est une Bâloise qui fit la première orchestration de la M., *in* Revue Musicale de Suisse romande XX/5, 1967; M. MAURON, La M., Paris, Perrin, [1968].

D. PISTONE

HYMNODIE (du grec, = chant d'hymnes [aspect de l'exécution chantée]). De nos jours, pour les éditeurs d' → hymnes anciennes, le terme recouvre un groupe d'hymnes constituant un ensemble, une collection dont l'auteur ou la répartition géographique sont bien déterminés : p. ex. « Hymnodia hiberno-celtica » (Anal. Hymn. 51 b), h. ambrosienne. L'exécution est naturellement précédée de la composition, qui a deux aspects : d'abord versification, puis composition mélodique ou adoption d'une mélodie déjà existante. Dans l'Antiquité, non seulement le « mousicos » devait connaître les lois de la composition mélodique (« melopoeïa ») mais il devait aussi pratiquer l'art de versifier (voir Aristide Quintilien ; Boèce, *De institutione musica* I, 34, etc.). Il semble qu'en Occident on ait dissocié les deux tâches, si bien que l'historien n'est jamais certain de la part apportée par un hymnographe, dont la personnalité et les capacités sont connues par ailleurs, dans la composition d'une mélodie appliquée à une hymne nouvelle.

HYMNOGRAPHIE BYZANTINE, voir CHANT BYZANTIN.

HYMNOLOGIE. Il n'existe pas à ce jour de définition couramment acceptée de l'h. conçue comme une science. Sous ce terme on devrait pouvoir comprendre la science du chant religieux d'assemblée, chant monodique en règle générale, qu'il faut distinguer des autres formes du chant liturgique — du chant grégorien en particulier — même si les limites en sont mouvantes. Se référant essentiellement au culte chrétien, l'h. est une science théologique qui relève de la théologie pratique, plus précisément de la liturgie. Elle a pour tâche d'étudier la nature et le rôle du chant d'assemblée et de le repenser constamment. « Science située entre les disciplines » (M. Jenny), son domaine s'étend à la philologie et à la musicologie et englobe l'art poétique et l'étude des mélodies sans restriction linguistique, ethnologique ou confessionnelle. Cette largeur de vues est exigée non seulement par l'évolution historique du chant d'église mais aussi par l'ouverture œcuménique qui, de nos jours, atteint tous les domaines religieux. L'h. doit donc être une science historique autant que systématique dont la fonction est de servir dans le présent et dans l'avenir à partir de ses positions théologiques. En 1959 a été fondé le Cercle international d'Études hymnologiques, dont le « Jahrbuch für Liturgik und Hymnologie » est l'organe.

Bibliographie — J.C. WETZEL, Hymnopoeographia oder Historische Lebensbeschreibung der berühmtesten Liederdichter, 4 vol., Herrenstadt 1719-28 ; B.F. SCHMIEDER, H. oder die Tugenden u. Fehler der verschiedenen Arten geistlicher Lieder, Halle 1789 ; J.P. LANGE, Die kirchliche H. oder die Lehre vom Kirchengesang,</br>

2 vol., Zurich 1843 ; C.G.A. VON WINTERFELD, Das deutsche Kirchenlied... bis zu Anfang des 17. Jh., 5 vol., Leipzig 1864-77, rééd. en facs., Hildesheim, Olms, 1967 ; CHR. PALMER, Evangelische H., Stuttgart 1865 ; E.E. KOCH, Gesch. des Kirchenliedes u. Kirchengesangs... der deutschen evangelischen Kirche, 8 vol., Stuttgart 1866-77, rééd. en facs., Hildesheim, Olms, 1972 ; F. BOVET, Hist. du psautier des églises réformées, Neuchâtel et Paris 1872 ; O. DOUEN, Cl. Marot et le psautier huguenot, 2 vol., Paris 1878-79 ; W. BÄUMKER (éd.), Das katholische deutsche Kirchenlied in seinen Singweisen 4 vol., Fribourg 1883-1911, rééd. en facs., Hildesheim, Olms, 1962 ; Blätter für H. I-VIII, éd. par A. FISCHER et J. LINKE, Gotha 1883-94, rééd. en facs., Hildesheim, Olms, 1971 ; S. KÜMMERLE, Encyklopädie der evangelischen Kirchenmusik, 4 vol., Gütersloh 1888-95 rééd. en facs., Hildesheim, Olms, 1972 ; J. ZAHN (éd.), Die Melodien des deutschen evangelischen Kirchenliedes..., 6 vol., Gütersloh 1889-93, rééd. en facs., Hildesheim, Olms, 1963 ; J. JULIAN, Dict of H. forth the Origin and Hist. of Christian Hymns..., 2 vol. Londres 1892-97, réimpr. 1957 ; H. EXPERT, Le Psautier huguenot du XVIe s., Paris 1902 ; A. FISCHER et W. TÜMPEL, Das deutsche evangelische Kirchenlied des 17. Jh., 6 vol., Gütersloh 1904-16 rééd. en facs., Hildesheim, Olms, 1964 ; Hdb. zum ev. Kirchengesangbuch, Göttingen, Vandenhoeck & R., 1953 et suiv. ; Jb. für Liturgik u. H., Kassel, J. Stauda-Verlag, 1955 et suiv. ; BR. STÄBLEIN et W. BLANKENBURG, art. Gemeindegesang in MGG IV, 1955 W.J. GEPPERT, art. Kirchenlied, in Reallexikon der deutschen Literaturgesch. I, 2/1958 ; Auteurs divers, art. Gesangbuch, in Religion in Gesch. u. Gegenwart II, 3/1958, art. Kirchenlied, ibid III, 3/1959, art. Kirchenlied in MGG VIII, 1960 ; W. BLANKENBURG Der gottesdienstliche Liedgesang der Gemeinde, in Leiturgia IV Kassel 1961 ; P. PIDOUX et S.J. LENSELINK, Le Psautier huguenot I Les mélodies, II Documents et bibliogr., Bâle, BV, 1962, III Les psaumes de Cl. Marot, Assen et Bâle, BV, 1969 ; M. JENNY, H. als theologische Disziplin, in Reformation n° 9, 1966 ; O. BRODDE, H. in Die evangelische Kirchenmusik, Regensburg, Bosse, 1967 ; art Hymnos, in Theologisches Wörterbuch zum Neuen Testament VIII/7-8, Stuttgart, W. Kohlhammer, 1967 ; CHR. ALBRECHT Einführung in die H., Berlin, Evangelische Verlagsanstalt, 1973.

HYPATE, voir SYSTEMA TELEÏON.

HYPER (grec, = au-dessus), préfixe accolé à la désignation topique du 7e mode, indiquant que le mode hypermixolydien se trouve un ton au-dessus. — Voir l'art. MODES ECCLÉSIASTIQUES, § 3.

HYPO (grec, = au-dessous), préfixe accolé à la désignation topique d'un ton ou d'un mode, indiquant qu'il se trouve une quarte au-dessous du ton ou du mode à désignation simple. — Voir l'art. MODES ECCLÉSIASTIQUES, § 3.

HYPORCHÈME (grec, hyporchema), chant choral qu'accompagnait une danse mimétique vigoureuse destinée à l'illustrer. Originaire de Crète, il aurait pénétré en Grèce continentale avec Thaletas. Pindare et les autres grands poètes lyriques ont écrit dans ce genre dont on trouve également des exemples dans la tragédie attique.

I

IAMBE, voir MÈTRE.

IASTIEN, ancien nom d'un → ton grec dont l'identification n'est pas sûre.

ICTUS (lat.). **1.** Le terme d'i. figure dans les textes d'Horace, d'Ovide, d'Aristide Quintilien relatifs à la métrique, laquelle, dans la musique gréco-latine, fait partie intégrante de la théorie générale : l' « ictus pollicis » est le geste de percussion, donné par le dirigeant, qui concerne à la fois la vue et l'ouïe des chanteurs. Dans l'orchestique, le frappé de l'i. est renforcé par l'usage du → « scabellum » manœuvré par le pied. Au Moyen Age, le terme ne reparaît pas dans les écrits des théoriciens latins, à la différence d' → « arsis » (élan) et de « thésis » (retombée). Cependant, l'usage de la conduite d'un groupe de chanteurs au moyen de la baguette marquant par percussion l'alternance du frappé et du levé du rythme a subsisté depuis l'Antiquité jusqu'à la Renaissance (→ « tactus »), en passant par le Moyen Age (*Commemoratio brevis de psalmis...*, xᵉ s., *in* GERBERT Scr. I, p. 228).
2. Terme usuel de rythmique selon la méthode de Solesmes, désignant le point de départ d'une cellule rythmique élémentaire binaire ou ternaire. Dans les éditions rythmiques, l'i. est indiqué par un petit trait vertical sous la note carrée, mais sa place n'est pas toujours fixée dans l'écriture : elle est en effet prédéterminée en fonction de l'accentuation du mot latin, en fonction de la constitution des groupes neumatiques comportant une note longue, ou encore parfois en fonction de la modalité (notes constitutives de la construction modale). Dans la direction des chanteurs par le geste (→ chironomie), l'i. coïncide avec le point inférieur de la courbe tracée en l'air par la main du dirigeant, que la courbe indique l'élan ou la retombée. Dans le *Liber usualis*, publié en 1903 par dom A. Mocquereau, l'i. apparaît pour la première fois sous forme d'un petit trait horizontal attaché à la partie supérieure de la note carrée ou losangée, puis il fut remplacé par un petit trait vertical distinct de la note et placé sous elle. La matérialisation de l'i. dans la notation suscita des réactions très vives de la part de musiciens tels que Ch. Bordes, qui appelle l'i. un « guide-âne », et des controverses avec les spécialistes (P. Wagner et la plupart des musicologues allemands). C'est sur cette question des signes rythmiques que dom Mocquereau s'est écarté du restaurateur des *Mélodies grégoriennes*, dom J. Pothier, et de ses disciples.

Bibliographie — Dom A. MOCQUEREAU, Le nombre musical grégorien, 2 vol., Tournai 1908-25; G. WILLE, Musica romana, Amsterdam, G. Schippers, 1967.

IDIOMÈLE (du grec byzantin, = qui possède sa mélodie propre). Ce terme figure souvent au début des → stichères ou autres pièces de chant byzantin pour désigner les compositions entièrement originales, c.-à-d. celles dont le texte et la mélodie sont dus à un seul auteur-compositeur. I. (comme « automèle ») s'oppose donc aux termes désignant les chants qui empruntent leur mélodie à d'autres pièces de coupe littéraire identique.

Bibliographie — L. CLUGNET, Dict. grec-fr. des noms liturgiques en usage dans l'Église grecque, Paris 1895, rééd. Londres, Variorum Reprints, 1971.

IDIOPHONE, tout instr. de musique dont le matériau qui le constitue peut entrer en vibration. L'émission du son peut être produite par entrechoquement, comme les claquettes, par percussion à l'aide d'un corps étranger, comme le xylophone, par pincement, comme les guimbardes, par friction, comme l'harmonica de verres, ou par l'action d'un courant d'air. On classe parfois ces instruments d'après la forme du son qu'ils émettent : de hauteur déterminée ou de hauteur indéterminée, mais ces notions semblent plutôt subjectives. — Voir également l'art. ORGANOLOGIE.

IMITATION (angl., imitation; all., Nachahmung; ital., imitazione; esp., imitación), reprise d'un fragment mélodique ou d'une mélodie entière, exposée dans une voix (antécédent), dans une autre (conséquent). L'i. est stricte ou libre. Dans le premier cas, elle reprend exactement les intervalles et le rythme de la partie imitée; dans le second, interviennent certains changements mélodiques ou rythmiques qui ne doivent cependant pas empêcher l'auditeur de reconnaître l'imitation. Elle peut durer sans interruption pendant toute une composition ou pendant un long passage (→ canon), se rapporter strictement au seul sujet d'une composition polyphonique (→ fugue) ou n'apparaître qu'occasionnellement. Elle débute soit par le même son que la voix précédente ou à l'octave supérieure ou inférieure, soit à tout autre intervalle. L'ancienne théorie faisait la différence entre l'i. à l'unisson, à l'octave, à la quinte ou à la quarte, appelée « fuga », et l'i. proprement dite à la seconde, à la tierce, à la sixte ou à la septième. L'i. en mouvement contraire ou, beaucoup plus rare, l'i. en mouvement rétrograde, de même que l'i. augmentée ou l'i. diminuée (prolongation ou raccourcissement proportionnels des valeurs de notes), constituent des cas spéciaux :

J.S. Bach, *L'Art de la fugue*, début du Contrepoint VI, i. diminuée et en mouvement contraire.

L'origine de l'i. se ramène à une pratique relativement simple de la polyphonie, observée dans la musique de plusieurs peuples primitifs et qui semble dérivée du chant alterné et de l'hétérophonie. Au cours de l'histoire de la polyphonie occidentale, l'i. apparaît pour la première fois au XIIIe s., aussi bien dans la mus. sacrée de l'École de Notre-Dame de Paris (conduits, « organa ») que dans la musique d'influence populaire (canon *Sumer is icumen in*). Ce n'est toutefois qu'à partir du XVe s. qu'elle se généralise en tant que principe de composition. Étant d'abord typique pour le style polyphonique vocal (messe, motet, madrigal) et instrumental (« ricercare », fantaisie, « canzone »), elle s'emploie également, d'une manière moins systématique, dans les styles de tendance homophone jusqu'à la mus. contemporaine.

IMITATIVE (Musique), voir DESCRIPTIVE (Musique).

IMPARFAITE (Cadence), voir CADENCE.

IMPÉDANCE. Lorsqu'on veut faire entrer un courant continu dans un appareil électrique, il rencontre une certaine résistance, variable selon les circuits électriques contenus dans l'appareil. Si on applique au même appareil un courant alternatif et non une force continue, la résistance électrique de l'appareil n'est plus la même ; elle prend alors le nom d'impédance. L'i. est donc la résistance pour un courant alternatif. Si l'on veut relier l'un à l'autre des appareils électroniques (p. ex. un microphone à un magnétophone), il faut que les i. des deux appareils soient adaptées (i. de sortie du microphone, traduisant la « force » que ce microphone peut vaincre à sa sortie ; i. d'entrée de l'amplificateur, traduisant la « force » qu'il peut supporter). Si les i. sont mal adaptées, ou bien l'ensemble ne fonctionne pas, ou bien l'un des composants est détruit. Les i. sont toujours indiquées sur les appareils électroniques, sur leur mode d'emploi ou leur fiche technique.

IMPERFECTION. Dans l'ancienne notation mensuraliste, l'i. caractérisait la division binaire des notes par opposition à la → perfection, qui s'appliquait à la division ternaire.

IMPRESARIO (ital., de impresa, = entreprise ; angl., manager ; esp., empresario), organisateur de spectacles et de représentations théâtrales ou lyriques, personne chargée des intérêts artistiques et financiers d'un artiste musicien, d'un acteur, d'un orchestre ou d'une troupe théâtrale.

IMPRESSIONNISME. Selon la tradition, c'est Louis Leroy qui, dans un article paru le 23 avr. 1874 dans *Le Charivari*, aurait forgé ce néologisme méprisant, s'inspirant de la toile de Claude Monet *Impression, Soleil levant*, exposée cette année-là. En réalité, le mot serait né avant 1860 dans l'entourage de ce même peintre, selon le témoignage d'Antonin Proust. Dès cette époque, en effet, les artistes voulaient faire de la peinture un art de plein air, subjectif, où la couleur l'emporterait sur la ligne. Auguste Renoir, Édouard Manet, Edgar Degas, Camille Pissarro, Alfred Sisley... partageaient ces idées. Venu du vocabulaire de la peinture, le terme s'introduisit dans la critique musicale vers 1887. Ce sont surtout les œuvres de Cl. Debussy (*Printemps*, *Prélude à l'après-midi d'un faune*, *Nocturnes* pour orchestre, *Reflets dans l'eau*...) qui furent qualifiées d'impressionnistes. Or, s'il réfuta toujours le vocable, on sait quelle importance ce compositeur attachait au mot « impression ». M. Croche précise même : « Veuillez vous en tenir au mot impression auquel je tiens pour ce qu'il me laisse la liberté de garder mon émotion de toute esthétique parasite. » En fait, les musiciens impressionnistes se rapprochent souvent des peintres de cette même école, leur empruntant des titres caractéristiques (*Brouillards*, *La Mer*...), exprimant des intentions identiques et faisant usage dans leur style de techniques quelquefois assez voisines. C'est bien aussi la sensation subjective qui préoccupait Debussy puisqu'il écrivait à P. Lalo : « Si j'ai mal transcrit ce qu'elle (la mer) m'a dicté, cela ne regarde pas plus l'un que l'autre ». Vont être à l'honneur la liberté de la forme et de la phrase, un flou harmonique qui fait penser au « sfumato » des peintres de l'époque et les nuances les plus délicates. Du point de vue technique, les impressionnistes ont su tirer parti des stades les plus avancés de l'évolution du langage : accords de 9e, de 11e, de 13e, seconde ajoutée à un accord (M. Ravel, *Oiseaux tristes*), accords parallèles, modes anciens, chromatisme, etc. On classe généralement parmi les impressionnistes, et pour certaines de leurs œuvres sinon toutes, outre Cl. Debussy, Fr. Delius, E. Satie, A. Roussel, Fl. Schmitt, J.M. Déodat de Séverac, P. Dukas, M. Ravel, L. Aubert, A. Caplet, O. Respighi, C. Scott, Roland-Manuel. Mais le qualificatif a pu être attribué à certains ouvrages beaucoup plus anciens, tels les madrigaux de C. Gesualdo aux effets de surprise harmonique, à certaines pages de Fr. Chopin, de F. Liszt, de M. Moussorgski — dont Debussy disait, dans *Monsieur Croche*, à propos de *Chambre d'enfants*, qu'il procédait par « petites touches successives » —, d'E. Grieg (*Quatuors à cordes*). Aujourd'hui, on peut déceler un « néo-impressionnisme » chez P. Boulez, K. Penderecki.

Bibliographie — W. DANCKERT, Liszt als Vorläufer des musikalischen I., *in* MK XXI, 1928-29; du même, Das Wesen des musikal. ischen I., *in* Deutsche Vierteljahrsschrift für Literaturwiss. u. Geistesgesch. VII, 1929; H.F. KOLSCH, Der I. bei Debussy (diss. Cologne 1937); H.G. SCHULZ, Musikalischer I. u. impressionistischer Klavierstil, Wurtzbourg 1938; R. MOSER, L'i. fr. (peinture, littérature, mus.), Genève 1952; H. ALBRECHT, art. I. *in* MGG VI, 1957; E. KROHER, I. in der Musik, Leipzig, VEB Br. & H., 1957.

D. PISTONE

IMPROMPTU. Utilisé parfois avec le sens d'improvisation, l'i. désigne une → pièce de caractère, généralement écrite pour le piano, dépourvue de signes distinctifs précis. Elle est issue de certaines œuvres de J.V. Voříšek (op. 7) et de H. Marschner (op. 22 et 23) et s'est développée à travers les œuvres de la maturité de Schubert, les op. 90 et 142, qui groupent entre autres un mouvement de sonate, un « Lied ohne Worte » et des variations ainsi que des pièces d'une certaine importance, clairement structurées. L'op. 5 de Schumann est une suite de pièces variées, fantaisistes ou parfois fuguées, sur une basse en forme de passacaille, à la manière des *Variations sur l'Eroica* de Beethoven. Apparentés aux *Études* et aux *Nocturnes*, les 4 *Impromptus* de Chopin, d'un caractère proche du divertissement, ont trouvé un écho entre autres chez M. Reger (op. 32) et dans les 6 *Impromptus* de G. Fauré. A. Jensen réunit dans l'op. 20 quatre œuvres proches de la sonate par leur disposition et leur structure. On doit à F. Hiller *50 kurze Impromptus, zum Präludieren*, op. 123, et à Liszt, outre une composition d'essence mélodique. la *Valse-Impromptu* de caractère brillant.

IMPROPÈRES, groupe de versets chantés le Vendredi saint au cours de l'adoration de la croix. Dieu s'y plaint de ne recevoir en retour de ses bienfaits qu'ingratitude et insultes (« improperia »). Le mot latin « improperium » figure au Ps. 68, et le passage de ce psaume où le psalmiste se plaint d'avoir « le cœur brisé par l'insulte » se chante justement après le récit de la Passion, à l'offertoire du dimanche des Rameaux. Les versets des i. se divisent en deux groupes : 1° Les grands i., qui alternent avec le *Trisagion*, en grec et en latin : *Popule meus*... V.[1] *Quia eduxi te de terra | Aegypti... Agios o Theos...* V.[2] *Quia eduxi te per desertum... Agios o Theos...* V.[3] *Quid ultra debui facere tibi... Agios o Theos*, etc. Ces versets, inspirés de l'Écriture, sont probablement d'origine gallicane (A. Gastoué). Ils n'appartiennent pas au Graduel grégorien primitif (R.J. Hesbert) et ne sont pas prescrits par les *Ordines romani* (éd. par M. Andrieu, t. III : Ord. 24, 27-29, 32). Ils pénètrent peu à peu dans la tradition du graduel (tableau *in* AMl XXXV, 1963, p. 66). 2° Les petits i., sortes de versets psalmodiques dont la teneur est sur le *mi* (teneur inhabituelle en grégorien), alternant avec la reprise de *Popule meus*... Ces versets sont d'origine italienne. — Palestrina, F. Anerio et Victoria ont composé des i. dans le style des motets polyphoniques.

Bibliographie — H. Leclercq, art. I. *in* Dict. d'archéologie chrétienne et de liturgie VII, Paris s.d. ; R.J. Hesbert, Antiphonale Missarum sextuplex, Bruxelles 1935, p. LIX et 97 ; L. Brou, Les I. du Vendredi saint, *in* Revue Grég. XX-XXII, 1935-37 ; A. Gastoué, Le chant gallican, *in* Revue d'Hist. ecclés. XLI-XLIII, 1937-39, tiré à part Grenoble 1939 ; W. Lipphardt, Die Gesch. des mehrstimmigen Proprium Missae, Heidelberg 1950.

IMPROVISATION (de l'ital. improvvisare dérivé de improvviso, = imprévu). Le propre de l'i. est d'englober en un acte unique et spontané création et exécution. Ce n'est qu'en Occident et à une date relativement récente que l'emprise croissante du texte écrit a nettement dissocié ces deux fonctions. Les civilisations musicales extra-européennes maintiennent toutes, entre l'une et l'autre, un lien étroit et constant entretenu par la pratique de l'improvisation. Cette dernière peut s'effectuer selon des processus variant à l'infini, aussi bien quant aux formes que quant au degré de liberté laissé au musicien : l'art de l'i. s'étend de la création instantanée, affranchie de toute consigne préalable, jusqu'à l'adjonction de quelques ornements à un texte entièrement rédigé et, à la limite, rejoint l' → interprétation pure et simple.

Bien que le rôle de l'i. ne se laisse pas toujours aisément distinguer des données léguées par la tradition, ce sont, semble-t-il, les musiques modales du Proche- et du Moyen-Orient ainsi que de l'Afrique du Nord qui lui ménagent la place la plus large. Le → « râga » indien, le → « dastgah » iranien, le → « maqâm » arabe ou turc — dénominations multiples s'appliquant à une même réalité, celle du mode au sens large — ne sont pas autre chose que des cadres destinés à l'improvisation. Ceux-ci consistent avant tout en un système de degrés et d'intervalles strictement hiérarchisés, donnant lieu à certaines tournures caractéristiques. Ces particularités de structure confèrent au mode un climat expressif particulier, un « éthos » : en développant durant un laps de temps plus ou moins long l' « image mentale » (A. Daniélou) statique que constitue le mode, le musicien crée peu à peu ce climat expressif et le communique à ses auditeurs ; en cela même résident la raison d'être et le but de son art.

Le Moyen Age. L'i. a joué un rôle important dans l'élaboration du répertoire grégorien. Ce rôle a pu vraisemblablement se manifester en suivant deux voies distinctes : 1° les exubérantes vocalises, les « jubili » des pièces mélismatiques et notamment de l' « alleluia » ; 2° l'adjonction d'ornements mélodiques à de simples récitatifs « recto tono », lesquels, se chargeant peu à peu de neumes, ont abouti à ces « stratifications d'ornements » (S. Corbin) que nous connaissons. Avec l'apparition de la polyphonie, un nouveau champ d'application va s'ouvrir à l'improvisation. Le traité *Musica enchiriadis* d'Ogier (IXᵉ s.), charte de naissance de la polyphonie en Occident, ne présente nullement celle-ci comme une invention nouvelle. La technique de → diaphonie ou « organum » qui y est décrite correspond plus probablement à une manière de chanter déjà répandue à cette époque. La polyphonie demeure l'apanage de l'i. durant toute la première période de son histoire : quelques théoriciens en font état, mais les premières pièces polyphoniques notées ne datent guère que du XIᵉ s. (« organa » de Winchester, Saint-Jacques-de-Compostelle, Saint-Martial de Limoges, Paris). Elles témoignent du stade d'évolution atteint par la polyphonie improvisée : émancipation d'abord mélodique (déchant par mouvement contraire), puis rythmique (organum mélismatique ou vocalisé). Le rapide développement de l'écriture à plusieurs parties ne va aucunement détrôner l'usage du contrepoint improvisé, lequel connaîtra une faveur prononcée jusqu'à la fin du XVIᵉ s. parallèlement à la polyphonie écrite. Durant tout le Moyen Age, le terme de → contrepoint (« contrapunctus ») désignera par excellence le contrepoint improvisé (appelé aussi « cantus supra librum », puis, dès le XVIᵉ s., « contrapunctus ex mente »), tandis que la composition écrite se dénommait « res facta ». La pratique du contrepoint improvisé est expressément mentionnée par les théoriciens à partir du XIIIᵉ s. (Élie Salomon) ; cependant, une nette distinction entre les deux espèces ne se trouve que dans le *Tractatus de contrapuncto* de Prosdocimus de Beldemandis (1412). Un peu plus tard, le *Liber de arte contrapuncti* de J. Tinctoris (1477) nous renseigne avec précision à leur sujet : les règles essentielles sont communes, la différence principale résidant dans le fait que le contrepoint improvisé observe seulement la relation individuelle de chacune des voix au « cantus firmus » donné (un chanteur ne peut en effet connaître à l'avance ce que feront entendre les autres), alors que la polyphonie écrite doit envisager la totalité des relations de parties prises deux à deux. Le contrepoint improvisé admet par conséquent nombre de licences (parallélismes, dissonances) prohibées en polyphonie écrite.

Un déchant improvisé se développe en Angleterre dès le XIIIᵉ s. sous le nom de → gymel, d'abord à deux puis également à trois parties. Les règles en sont simples : le début et la fin de chaque membre de phrase s'effectuent sur des consonances parfaites, unisson, quinte ou octave, lesquelles encadrent une succession parallèle de consonances imparfaites, tierces et sixtes. L'Allemagne, tard venue à la polyphonie, n'ignore pas au XVIᵉ s. l'i. contrapuntique dénommée → « sortisatio »; elle manifeste toutefois certaines réticences à l'égard d'une technique jugée vulgaire en raison des rudesses de style qu'elle s'autorise, et cantonnée plus ou moins, pour cette raison, au domaine de la mus. populaire.

Quelques-uns des plus anciens documents notés de mus. d'orgue (Codex Faënza, v. 1400) nous transmettent les témoignages écrits d'une technique née de l'i., similaire à celle qu'enseignent un peu plus tard les « fundamenta » de C. Paumann et H. Buchner. Dès le début du XVIᵉ s., les règlements des concours d'organistes attestent le haut niveau qu'atteignent ceux-ci en la matière, et, au siècle suivant, le père Mersenne vante leur habileté à produire « toutes sortes de canons ou de fugues à l'improviste ».

Le XVIᵉ siècle. A cette époque, le contrepoint improvisé connaît une vogue sans précédent, dont témoignent les nombreux théoriciens, italiens surtout, qui en traitent jusqu'au milieu du siècle suivant : P. Aaron, V. Lusitano, N. Vincentino, G. Zarlino, G.M. Artusi, O. Tigrini, L. Zacconi, A. Petit Coclico, H. Finck, S. Calvisius, A. Kircher... Ces derniers enseignent non seulement l'i. d'un contrepoint sur « cantus firmus » selon la méthode traditionnelle, mais également la réalisation de canons et imitations divers, soit de forme libre (« di fantasia »), soit sur thème liturgique, de même que l'adjonction d'une voix supplémentaire à une polyphonie à deux voix écrites. Toutes ces techniques étaient familières aux choristes professionnels de l'époque. Le règlement de la chapelle papale rédigé en 1545 par Paul III requiert expressément des choristes l'aptitude à improviser en contrepoint sur les mélodies de plain-chant; cette tradition s'est maintenue longtemps : G. Baini s'en fait encore le témoin au XIXᵉ s. En Italie, la « frottola », très en vogue vers la fin du XVᵉ s. et au début du siècle suivant, se caractérise par une allure simple et spontanée, liée à son origine improvisée. Maint poète-musicien y excelle, chantant en s'accompagnant du luth, notamment Serafino Aquilano (1466-1500), le plus fameux d'entre eux.

L'i. participe d'une manière essentielle à l'émancipation de l'art instrumental au XVIᵉ s., et cela dans chacune des trois voies qu'elle emprunte : transcriptions, danses, formes autonomes. Avant de conquérir un style et des formes qui lui soient propres, l'instrument demeure étroitement tributaire des genres vocaux : aussi se borne-t-il le plus souvent, au début, à reprendre des polyphonies vocales, profanes ou religieuses, en les ornementant de formules plus ou moins développées, de manière soit à prolonger un son trop court (luth), soit à mettre en valeur l'agilité technique de l'instrumentiste. Ces formules, appelées diminutions ou coloratures, se répandent sous forme écrite en d'innombrables tablatures et jusque dans les genres libres eux-mêmes. Par ailleurs, un grand nombre de traités spécialisés, à l'usage des exécutants, codifie tout un répertoire de formules passe-partout que l'on peut mémoriser afin de les utiliser à sa guise pour « monnayer » une note longue de la partition (S. Ganassi, D. Ortiz, Girolamo Dalla Casa, G.L. Conforti, G.B. Bovicelli...). L'ornementation improvisée ne concerne pas seulement la mus. instrumentale mais également le chant, sans qu'il soit possible d'établir une filiation entre l'une et l'autre catégorie. Les traités ignorent toute discrimination, et les formules qu'ils préconisent sont censées s'appliquer indifféremment à l'instrument et à la voix, à l'exécution solistique comme aux ensembles. Chacune des parties polyphoniques se prête à l'ornementation mais au premier chef les parties aiguës, à raison d'une seule à la fois.

Dans le domaine de la mus. de danse, la pratique de l'i. donne naissance à un procédé fécond par ses prolongements : celui du « basso ostinato » (voir l'art. BASSE CONTRAINTE). Les premiers « bassi ostinati » ne sont autres, en effet, que des schémas harmoniques très simples se prêtant à une figuration rythmique et mélodique variée au cours des répétitions plus ou moins nombreuses exigées par les danses auxquelles ils sont associés. Ainsi se cristallisent peu à peu de véritables basses passe-partout (→ « passamezzo antico » et « moderno », → « romanesca », → « folía »), que chacun reprend à sa guise et qui envahiront rapidement la musique écrite. C'est encore dans la pratique de l'i. que les premières formes instrumentales autonomes plongent leurs racines : « ricercare », « toccata », « tastar de corde », fantaisie, intonation, etc. Ces dénominations diverses qualifient, au début du XVIᵉ s., un style encore primitif où se combinent tant bien que mal deux procédés d'écriture principaux : enchaînements d'accords plaqués, d'une part, et figuration rapide d'essence décorative, d'autre part. L'absolue liberté d'allure propre à ces pièces atteste leur origine improvisée, conformément à maint témoignage contemporain : la fonction première d'un « ricercare » ou d'une « toccata » consiste en une simple mise en condition de l'exécutant et de l'auditeur avant l'interprétation d'une pièce écrite. L'introduction du style en imitations conférera au « ricercare », dès la 2ᵈᵉ moitié du XVIᵉ s., un aspect plus rigoureux et plus construit mais la « toccata » conservera toujours quelque chose de sa liberté originelle. Quant à la variation, elle découle directement, elle aussi, de l'i. par la double voie de l' → ornementation et du « basso ostinato ».

L'âge baroque (1600-1750). Il marque l'avènement de la monodie accompagnée et de la → basse chiffrée réalisée au clavecin ou à l'orgue. Le développement du chant soliste suscite un nouvel essor de l'ornementation improvisée durant toute cette période : cela n'ira pas sans provoquer, en Italie surtout, certains abus de la part des chanteurs d'opéras, qui y verront souvent prétexte à faire étalage de pure virtuosité, à grand renfort de fioritures, roulades, passages et « fermate » divers. L'ornementation improvisée devient une règle également dans le domaine instrumental : pour les mouvements modérés ou lents de style italien en particulier, le compositeur ne note d'ordinaire qu'un simple canevas mélodique qu'il incombe à l'exécutant de broder au gré de sa fantaisie et de ses possibilités techniques. Le style français exige au contraire la stricte observance, par l'interprète, des agréments notés à l'aide de signes conventionnels ou, le cas échéant, ajoutés en fonction de règles précises. Par ailleurs, l'usage voulait que l'exécutant, au lieu de rejouer telle quelle une partie répétée, l'enrichît d'ornements improvisés afin d'en renouveler l'intérêt. Cette exigence s'applique spécialement aux reprises des « arie da capo » et c'est d'elle aussi que procède le → double des airs de cour français du début du XVIIᵉ s., ou, un peu plus tard, des suites de danses. — Les → cadences constituent un endroit privilégié pour l'ornementation solistique. Chez les chanteurs, la coutume s'était établie de bonne heure d'embellir par un trait de bravoure l'accord cadentiel de dominante, puis, plus tard, celui de quarte-et-sixte qui le prépare. La mus. instrumentale adopte cet usage et, dès 1750, le concerto en fera une règle : vers la fin d'un mouvement, l'orchestre se tait, laissant toute latitude au soliste pour déployer les ressources de son art au cours d'une fantaisie brillante, souvent modulante et longuement développée, construite sur les thèmes et motifs du mouvement. Certains compositeurs comme Mozart ont écrit des cadences pour leurs propres concertos, mais sans les imposer.

Au même titre que l'ornementation et les cadences, la réalisation de la basse chiffrée, généralement au clavecin ou à l'orgue, requiert de l'instrumentiste une aptitude à l'improvisation. A partir du schéma harmonique suggéré par le chiffrage de la basse, la disposition des accords ainsi que l'adjonction de notes ou de figures ornementales sont laissées à sa discrétion, compte tenu des conditions variables d'une exécution à l'autre : c'est précisément en cette souplesse d'adaptation que réside l'avantage du système. Au début du XVIIIᵉ s. les clavecinistes napolitains (Fr. Durante, G. Greco...) introduisent l'usage du → « partimento », basse chiffrée indépendante destinée à servir de canevas pour une i. en style homophone, voire fugué. B. Pasquini publie même, selon cette technique, une sonate en trois mouvements pour 2 clavecins. L'i. contrapuntique libre n'est plus guère cultivée, dès le XVIIᵉ s., que par les organistes, tradition qui se prolongera jusqu'à nos jours.

Le XIXᵉ siècle.

Il marque une nette décadence de l'i., processus qui aboutira à sa quasi-disparition de la pratique musicale savante, l'orgue excepté. Phénomène complémentaire, la notation tend de manière générale, dès le romantisme, à une précision sans cesse croissante jusqu'à la débauche de nuances et d'indications diverses caractérisant mainte partition vers la fin du siècle. Le remplissage de la basse chiffrée n'avait déjà plus cours depuis l'adoption du style galant vers 1750, sinon comme exercice d'école. Quant à l'ornementation improvisée, elle tombe progressivement en désuétude à partir de Gluck, et

Rossini lui porte le coup de grâce vers 1815. Beethoven enfin mettra un terme à l'i. des cadences en prescrivant expressément au pianiste, dans son 5ᵉ Concerto, de s'en tenir au texte écrit. A sa suite, la cadence de concerto sera entièrement rédigée par le compositeur, quand elle ne disparaîtra pas totalement. Les anciennes habitudes n'en laisseront pas moins des traces sporadiques : Chopin prend plaisir à ornementer au piano ses propres mazurkas ou nocturnes, F. Liszt se révèle incapable, nous dit-on, d'interpréter une œuvre quelconque sans y ajouter la sien, et l'on conserve l'étonnante cadence dont, en 1859, P. Viardot affublait l'un des airs d'Orphée de Gluck, suscitant ainsi l'admiration de Berlioz.

L'i. pianistique se maintient toutefois, durant la 1ʳᵉ moitié du XIXᵉ s., comme une genre à part. Beethoven met encore le meilleur de lui-même dans des i. fameuses, dont son disciple K. Czerny nous fournit un aperçu par son traité d'i. publié en 1836. Depuis Beethoven, cependant, l'i. pianistique cède de plus en plus à la facilité et, dans ses manifestations publiques, devient un exercice brillant et superficiel, un divertissement de société auquel on se livre à la fin d'un récital. Liszt, notamment, déchaîne l'enthousiasme par ses paraphrases improvisées sur des airs d'opéras en vogue, dont une abondante série de spécimens écrits permet de se faire une idée.

La période moderne. Les organistes sont seuls à avoir maintenu vivante la pratique de l'i. jusqu'à l'heure actuelle : les exigences de la liturgie les y incitent, vu la durée variable des interventions qui leur sont confiées. Nombre de grands organistes, en France surtout, cultivent l'i. pour elle-même et l'intègrent à leurs programmes de concerts. Au siècle passé, C. Franck, C. Saint-Saëns et A. Bruckner se sont taillé à ce titre une grande réputation. On peut en dire autant, de nos jours, de L. Vierne, Ch. Tournemire, M. Dupré, A. Marchal, J. Langlais, G. Litaize, O. Messiaen et d'autres.

Il convient de signaler l'importance primordiale que revêt l'i. dans la pratique du → jazz, sous forme solistique ou collective. On y retrouve en leur principe les techniques traditionnelles telles que « basso ostinato » (les « chorus » successifs, répétition d'un même schéma mélodico-harmonique), ornementation mélodique à partir d'un thème donné, contrepoint dans les ensembles, cadences solistiques (« breaks »).

L'i. est largement préconisée par les initiateurs des méthodes actives d'éducation musicale (É. Jaques-Dalcroze, Edgar Willems, M. Martenot...), qui y voient le moyen de coordonner les diverses facultés, sensorielles, émotionnelles, intellectuelles, mises en jeu par la pratique musicale. A ce titre, l'i. apparaît comme le complément naturel de l'enseignement musical usuel, unissant l'apprentissage instrumental et les disciplines théoriques. Elle se révèle, de plus, indispensable à une restitution vivante de la musique ancienne, laquelle ne peut être que défigurée par un respect excessif du texte écrit. De toute manière, la place croissante accordée à l'i. dans l'enseignement musical ne manquera pas de porter ses fruits ; elle constitue le meilleur antidote à l'intellectualisme, écueil majeur auquel s'est toujours achoppée la mus. occidentale, aujourd'hui plus que jamais.

Bibliographie — M. DUPRÉ, Traité d'i. à l'orgue, Paris, A. Leduc, 1925 ; du même, Exercices préparatoires à l'i., Paris, A. Leduc, 1937 ; A. EPPING et H. TAUSCHER, Einführung in die I. am Klavier,

Berlin 1932; É. Jaques-Dalcroze, L'i. au piano, in Le Rythme n° 34, Genève 1932; du même, L'i. musicale, in RM XIV, 1933; H. Keller, Schule der Choral-I., Leipzig 1939; E. Ferand, Die I. in der Musik, Zurich 1939; du même, Die I. in Beispielen aus 9 Jahrhunderten abendländischer Musik, Cologne, A. Volk, 1956; du même, art. I. in MGG VII, 1957, et in Encycl. de la mus. II, éd. par Fr. Michel, Paris, Fasquelle, 1959; A. Epping, ABC der I., Berlin 1954.

J. VIRET

INCANTATION (du lat. incantare, = faire des chants magiques). Cette notion nous reporte aux origines obscures et confondues de la musique et de la poésie, lorsque le son émis était investi d'un pouvoir surnaturel sous son double aspect verbal et musical. La pratique de l'i. se retrouve, aujourd'hui encore, chez tous les peuples primitifs. Elle consiste en la récitation d'une formule rituelle léguée par la tradition et censée provoquer certains résultats bénéfiques (guérison des maladies, fécondité des troupeaux, chute de pluie, etc.) ou maléfiques (stérilité, envoûtement, mort, etc.). Le rythme et les intervalles mélodiques se joignent aux syllabes de la formule et sont censés renforcer leur efficacité magique, au même titre que les gestes ou mimiques de celui qui les prononce. La racine étymologique du mot est d'ailleurs « chant », ce qui démontre l'importance de l'élément musical. On peut en rapprocher les termes voisins « enchantement » et « charme » (du lat. carmen, = chant, poème, formule magique), qui illustrent eux aussi l'association primitive de la musique et de la magie. De cette association nombre de textes antiques se font l'écho, ne serait-ce que, dans la Bible, le premier livre de Samuel (chap. 16), où l'on voit David jouer de la harpe pour délivrer Saül du mauvais esprit. De telles croyances se sont maintenues même en pays civilisés : au XVIIe s. le père A. Kircher reproduit la mélodie susceptible, selon lui, de guérir la piqûre de la tarentule. — La quête d'horizons musicaux renouvelés propre à notre siècle ne pouvait que faire ressurgir l'i. comme source d'inspiration. Citons à cet égard maintes œuvres d'A. Jolivet, notamment ses 5 Incantations pour flûte seule, son Incantation pour violon seul, ses 5 Danses rituelles; les Cants magics et les Charmes pour piano de F. Mompou; l'Incantation pour la mort d'un jeune Spartiate de P. Capdevielle. Mais, dans la mesure où la répétition plus ou moins obsessionnelle d'un motif mélodique ou rythmique simple réalise un effet de nature incantatoire, une grande quantité d'œuvres modernes procèdent peu ou prou de l'i., le modèle du genre demeurant Le Sacre du printemps d'I. Stravinski.

INCIPIT (lat., = commence). A l'époque où les manuscrits étaient copiés à longues lignes, sans initiales importantes, le début d'un nouvel ouvrage était signalé par ce mot. Dans les leçons de l'office, le mot se chante comme le reste du titre : « Incipit liber Genesis » (à la Septuagésime) ; « Incipit Oratio Jeremiae prophetae » (Ténèbres du Samedi saint). Le terme s'applique couramment aux premiers mots d'un texte littéraire ou au début d'une phrase musicale. Le ténor des motets du XIIIe et du XIVe s. est souvent désigné par un incipit.

INCISE, unité rythmique de quelques notes, analogue au motif. Ce terme est utilisé surtout par la théorie

grégorienne de Solesmes comme subdivision intermédiaire entre le rythme élémentaire et le membre de phrase. D'autres théoriciens l'adoptent également, tel M. Lussy, qui le définit comme un tronçon de rythme.

INDE. Historique. L'Inde est un continent où les civilisations les plus diverses se sont rencontrées. Le système social hindou, qui se refuse à l'assimilation des peuples les uns par les autres ou à la synthèse des cultures, a permis à la plupart des populations de maintenir leurs coutumes, leur langue, leurs caractères ethniques, leur musique, même lorsque ces populations vivent en étroit contact les unes avec les autres. La musique dans l'Inde se présente comme une mosaïque où les éléments les plus divers se trouvent juxtaposés, où les diverses périodes de l'histoire restent toujours présentes, formant une sorte de musée des divers âges de l'humanité. Cela semble être un phénomène unique car partout ailleurs les conquérants ont réussi à oblitérer les populations antérieures, sinon physiquement, du moins sur le plan culturel. Pour comprendre la musique de l'Inde il est donc important d'avoir un aperçu des diverses civilisations qui ont successivement joué un rôle prédominant et auxquelles correspondent des familles linguistiques et musicales distinctes. La mus. savante de l'Inde sous ses deux formes principales, celle du Nord ou hindoustanie et celle du Sud ou karnatique, ne peut être comprise si on l'isole de ses sources, et on ne peut non plus ignorer la musique, aujourd'hui considérée comme populaire, qui représente les survivances des autres civilisations.

Nous trouvons dans l'Inde trois couches culturelles principales correspondant à des familles linguistiques, ethniques et musicales entièrement distinctes. La plus ancienne est constituée par les Mundas, apparentés à certaines populations du Cambodge, du Laos et de l'Australie, qui survivent en tribus dispersées dans les forêts de l'Inde centrale et orientale. — La deuxième famille est appelée dravidienne, parle des langues agglutinatives et est localisée dans le sud de l'Inde, bien que des îlots se rencontrent dans toute l'Inde et jusqu'au Belouchistan, à la frontière de l'Iran. La culture de ce groupe est, croit-on, apparentée aux anciennes civilisations de Sumer, de la Crète minoenne et de l'Égypte des premières dynasties. Les survivances hors de l'Inde sont difficiles à discerner sauf, peut-être, chez les Peuhls sahariens, qui appartiennent à la même famille linguistique. La musique dravidienne présente des caractères très distincts de celle des autres parties de l'Inde, bien qu'une acculturation relativement tardive en ait ramené les formes savantes dans le cadre du système musical indo-aryen. Des différences importantes subsistent toutefois, surtout dans les questions de style. — La troisième famille, l'indo-aryenne, a un système musical qui s'apparente à celui de la Grèce ancienne et de la Perse. On en attribue l'origine aux Aryens védiques, mais il a certainement subi des influences scythes, parthes et perses. C'est ce système qui a donné naissance à la grande musique hindoustanie, pour laquelle les plus anciens ouvrages théoriques en langue sanskrite remontent au IIIe s. avant notre ère.

● Voir hors-texte entre pages 748 - 749; 908 - 909, Sarangi; 972 - 973, Vînâ.

La théorie. La mus. savante hindoustanie et dravidienne est de forme modale, c.-à-d. fondée sur des gammes diverses, établies par rapport à un son fixe, invariable, maintenu en bourdon pendant toute l'exécution. Ce n'est pas le cas pour la musique munda ni pour la mus. populaire du sud de l'Inde. La méthode de développement dans la mus. modale est l'improvisation dans le cadre d'une série de styles et de formes préétablis. Ce que l'on peut appeler la conscience modale, c.-à-d. la présence constante dans la mémoire de chacune des notes de la gamme choisie avec ses caractéristiques, le sentiment qui lui est attribué et l'intervalle exact qu'elle forme avec la tonique, représente une structure verticale qui est immédiatement désorganisée dès qu'une mélodie fixe, une forme horizontale intervient. Le musicien risque alors d'introduire des sons extérieurs au mode et d'en détruire le climat émotif.

Dans l'Inde, les modes sont appelés « râga », un mot qui signifie étymologiquement « ce qui plaît » et que l'on peut très bien traduire par « état émotionnel ». Le but de la mus. indienne est de créer un climat émotif qui agit sur l'auditoire et non pas des structures ou ce que nous appelons des compositions.

L e s   i n t e r v a l l e s. Les gammes des « râga » sont construites sur la base d'une division de l'octave en 22 intervalles inégaux appelés « shruti ». Ceux-ci sont groupés selon 12 régions de l'octave (correspondant aux 12 demi-tons de la mus. occidentale). Toutefois dans certaines régions il y aura plusieurs positions des notes, plus ou moins hautes, auxquelles sont attribuées des significations distinctes. Ainsi la tierce harmonique $5/4$ est considérée comme douce, paisible, alors que la tierce pythagoricienne $81/64$, plus haute, obtenue par une succession de quintes, a un caractère agressif et brillant. Ces deux tierces sont séparées par un intervalle d'un comma ($81/80$). La première sera utilisée dans des modes de la nuit, de tendresse, la seconde dans des modes virils, guerriers, entreprenants. Il existe également plusieurs secondes, tierces, sixtes ou septièmes mineures, deux sixtes majeures, etc. La tonique, la quarte, la quinte et la seconde majeure sont invariables.

L a   n o t a t i o n. La notation et le solfège se font sur la base de syllabes représentant les 7 notes principales de la gamme. Les variantes sont considérées comme des accidents de ces notes, comme dans la mus. occidentale. Ce système remonte à une très haute antiquité. Nous possédons des notations datant du Ve s. avant l'ère chrétienne. Il a été suggéré que l'idée de donner aux notes des noms monosyllabiques en Europe est venue de l'Inde. Les notes sont appelées et notées *sa ri ga ma pa dha et ni*, qui sont les premières syllabes de leurs noms, « shadja », « rishabha », « gandhara », « madhyama », « panchama », « dhaivata » et « nishada ». Comme pour le solfège occidental, les accidents sont indiqués à la clef, c.-à-d. par une indication de la gamme modale. Ces gammes ayant souvent évolué au cours des âges, l'interprétation des anciennes notations est rendue très difficile, même pour les nombreuses mélodies notées dans le *Sangita ratnakara* de Sharngadeva (XIIe s.). Nous ne savons interpréter les notations qu'à partir du XVIe s. et, là encore, il faut bien connaître l'origine culturelle d'un texte. Des modes fondamentaux comme « bhairavi » ou « todi » correspondent aujourd'hui encore à des gammes entièrement différentes dans le nord et le sud de l'Inde.

Les « r â g a ». Comme les modes de la mus. grecque, les « râga » de l'Inde sont des échelles modales, des gammes qui paraissent adaptées à l'expression d'un état d'âme particulier et sont censées avoir une action psychologique sur les auditeurs. Ces échelles peuvent avoir un caractère complexe, différer dans la série ascendante et la série descendante, comporter des accents, des attaques, des ornements particuliers pour certaines notes. Il existe des notes accentuées et des notes axiales qui servent de centre aux figures mélodiques. Chaque mode a, en plus de la tonique toujours présente en bourdon, deux notes caractéristiques toujours appuyées, situées chacune dans l'un et l'autre des tétracordes qui divisent l'octave. Ces deux notes axiales sont appelées « vadi » (= sonnante) et « samvadi » (= co-sonnante). Cet ensemble d'éléments fait du « râga » une entité assez complexe ; un long entraînement est nécessaire au musicien pour en maîtriser les subtilités, en respecter entièrement les règles et en exprimer pleinement les nuances dans une improvisation, surtout dans les parties brillantes et rapides. Le « râga » représente un état d'âme ; pour faciliter la tâche du musicien, un sentiment analogue est décrit dans des poèmes et des peintures évoquant des états émotionnels semblables. Les miniatures représentant le sentiment des « râga » occupent une place très importante dans la peinture indienne. En fait, près des deux tiers des miniatures se trouvant dans les musées proviennent de « râgamâlâ », séries qui représentent les différents « râga ». Les poèmes sont beaucoup plus anciens que les peintures existantes. Comme exemple de poèmes nous pouvons citer : *Vibhâsa* (mode de l'aurore). « Vibhâsa a le teint clair, un visage charmant. Fier comme le cri du coq à l'aurore, son rire secoue les boucles sur son front. Vêtu de blanc, il est gracieux comme le dieu de l'Amour lui-même. » (Râga kalpa druma).

(Les losanges indiquent les notes élevées d'un comma).

Yavanapuri Todi. « Todi la Grecque est une robuste étrangère. Richement vêtue, elle porte ses cheveux en bandeaux sur son front. Ses boucles d'oreilles en pierres rares serties d'or ont la forme de fleurs. Languide, elle joue du luth habilement, au matin, buvant du vin de raisin et laissant voir ses formes attrayantes et ses membres très blancs. » (Râga mâlâ.)

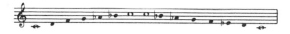

Le nombre des « râga » théoriquement possibles est considérable (plusieurs milliers). Un bon musicien arrive à en connaître parfaitement deux ou trois cents. Les « râga » sont groupés selon des gammes modales types dont ils sont considérés comme des variantes. L'ancien système envisageait 21 de ces gammes types appelées « mûrchhanâ ». Aujourd'hui on préfère dans le nord de l'Inde utiliser 10 types de modes appelés « thâta » et dans le sud 72 « melakarta ».

Les « thâta » correspondent approximativement aux modes grecs, aux « dastgah-s » persans, aux « maqâmât » arabes. Les « thâta » et « melakarta » ne tiennent pas compte des « shruti » ou microtons. Les « thâta » sont :

Bhairava : *do ré ♭ mi fa sol la ♭ si do*
Bhairavî : *do ré ♭ mi ♭ fa sol la ♭ si ♭ do*
Kâfî : *do ré mi ♭ fa sol la si ♭ do*
Todî : *do ré ♭ mi ♭ fa ♯ sol la ♭ si do*
Shrî : *do ré ♭ mi fa ♯ sol la ♭ si do*
Khammâja : *do ré mi fa sol la si ♭ do*
Asâvarî : *do ré mi ♭ fa sol la ♭ si ♭ do*
Bilâval : *do ré mi fa sol la si do*
Kalyâna : *do ré mi fa ♯ sol la si do*
Pûravî : *do ré ♭ mi fa ♯ sol la si do*

Les plus utilisés des « melakarta » karnatiques sont :

Hanumatodi : *do ré ♭ mi ♭ fa sol la ♭ si ♭ do*
Mayamalavagaula : *do ré ♭ mi fa sol la ♭ si ♭ do*
Chakravahani : *do ré ♭ mi ♭ fa sol la ♭ si ♭ do*
Nata-bhairavî : *do ré mi ♭ fa sol la ♭ si ♭ do*
Karaharapriya : *do ré mi ♭ fa sol la si ♭ do*
Harikambodhi : *do ré mi fa sol la si ♭ do*
Shankarabharana : *do ré mi fa sol la si ♭ si do*
Chalanata : *do mi ♭ mi fa sol si ♭ si do*
Shubhapantuvarâli : *do ré ♭ mi fa sol la ♭ si do*
Gamanapriya : *do ré ♭ mi fa ♯ sol la si do*
Mechakalyani : *do ré mi fa fa ♯ sol la si do*

Les rythmes (« tâla »). L'Inde possède, sans comparaison possible, le système rythmique le plus élaboré du monde. Les rythmes ont pour bases des périodes rythmiques assez longues permettant des variations complexes, des contretemps, des ornements rythmiques sans altérer l'action psychologique du sentiment rythmique. Analysée selon la conception indienne, une valse viennoise est un rythme à 24 temps car il faut 8 mesures avec des temps forts, des temps faibles, des accents, d'éventuels silences pour créer le sentiment entraînant du mouvement de valse. Il existe un système de solfège rythmique très particulier à l'Inde. Chaque façon de frapper un tambour, sur le rebord, au centre, avec le bout des doigts, le plat de la main, de la main gauche ou droite ou des deux mains, légèrement ou avec force, etc., est représentée par un monosyllabe distinct. Le musicien apprend par cœur des variations complexes et peut même s'y exercer mentalement. Il peut aussi transcrire les variations qu'il invente. Il arrive ainsi à développer des compositions rythmiques d'une grande subtilité. Parmi les cadres rythmiques les plus utilisés, nous pouvons mentionner :

Chautâla (4 frappes, 12 temps, 6 divisions)

Rythme de base (thékâ)

dhâ dhâ | din tâ | ki ta dhâ | din tâ | ki ta ta ka | ga di ga na

Tîntâla (3 frappes, 8 temps, 4 divisions)

Rythme de base

dhâ dhâ dhine dhâ | dhâ dhine dhine dhâ | dhâ tine tine tâ | tâ dhine dhine dhâ

Jhampa tâla (3 frappes, 10 temps, 4 divisions)

Rythme de base

dhâ gué | dhâ gué dine | tâ gué | dhâ gué dine

Rûpaka (3 frappes, 7 temps, 3 divisions)

Rythme de base

dhine dhâ trik | dhine dhine | dhâ trik

Eka tâla (4 frappes, 12 temps, 6 divisions)

Rythme de base

dhine dhine | dha gi tri ka | tû nâ kat tâ | dhine tri ka | dhine nâ

Dhamâr tâla (3 frappes, 14 temps, 4 divisions)

Rythme de base

kadh ~ ghé ta dhi ta | dhâ _ | gat ti ta | ti tâ tâ

kâ dhé té | dhé té | dhâ _ | ga di na | di na | tâ _

(ou, parfois, 3 frappes, 14 temps, 6 divisions)

Les instruments. Les instr. de musique de l'Inde sont divisés en 4 catégories : instr. à cordes (« tata »), instr. à vent (« sushira »), tambours (« avanaddha ») et percussions (« ghana »). Il en existe de très nombreuses variétés, utilisées dans la mus. savante et populaire. Les instruments du Nord et du Sud sont différents. Nous ne pouvons décrire que les principaux.

1. Les instr. à cordes. La « vînâ » du Nord. La « vînâ » du nord de l'Inde, appelée parfois « bîna » depuis l'époque musulmane, est le plus ancien des luths à frettes indiens. Elle est faite d'un bambou sous lequel sont fixés à l'aide de tubes de métal deux résonateurs sphériques faits de courges séchées. Le bambou lui-même étant un résonateur, l'expression « cithare à bâton » employée parfois pour décrire la « vînâ » semble incorrecte. Les plus anciens exemples n'ont qu'un seul résonateur. Un instrument similaire à 3 résonateurs est appelé « kinnara » par Abul Fazl. Vingt-deux touches (12 par l'octave) sont montées sur le bambou avec de la cire. L'instrument a 7 cordes, 4 sur le dessus, 2 en acier et 2 en cuivre, accordées en tonique, quinte, octave et quarte, et 3 en acier sur les côtés donnant la tonique et ses 2 octaves. Ces cordes se jouent avec des onglets d'acier fixés sur l'index, le médium et le petit doigt de la main droite. Cet instrument, représenté sur de nombreuses peintures des XVᵉ et XVIᵉ s., est encore en usage aujourd'hui. La « vînâ » est considérée comme l'instrument le plus noble et le plus difficile. Elle se joue portée en travers de la poitrine, une gourde reposant sur l'épaule gauche, l'autre sur le genou droit. — **La « vînâ » du Sud.** L'autre type de « vînâ » classique a la forme d'une très longue mandoline. Son large manche portant des frettes est embouti dans un résonateur hémisphérique en bois. Un petit résonateur fait d'une courge est fixé en haut du manche. Cette « vînâ », aujourd'hui caractéristique de la musique du sud de l'Inde, est un instrument hybride, moins ancien que l'autre « vînâ ». Il se joue horizontalement, posé par terre ou supporté par un genou. L'arrangement des cordes et des touches est similaire à celui de la « vînâ » du Nord. — De nombreux instruments dérivés de ces deux types sont mentionnés dans les textes anciens. Beaucoup existent encore, mais les noms ayant souvent changé et les formes légèrement évolué il n'est pas toujours possible de les identifier. — **Le « gottuvâdyam »** est une « vînâ » du sud de l'Inde ne comportant pas de touches. Une pièce de bois tenue par la main gauche et glissant sur la corde permet de régler la partie vibrante. Un instrument similaire dans le Nord est appelé « vichitra vînâ ». — **Le « sitâr »** est l'instrument le plus commun aujourd'hui. Sa forme actuelle s'est fixée vers le XVIIᵉ s., bien que l'invention en soit attribuée à Amir Khusru au XVᵉ s. Le « sitâr » est fait d'une caisse de résonance hémisphérique montée sur un très long manche sur lequel sont fixées, dans des glissières, des touches mobiles. Il y a seulement 9 touches par octave. Quatre cordes en acier et en cuivre placées au-dessus des frettes passent sur un pont d'ivoire au milieu de la caisse. Ces cordes sont accordées sur la tonique, la quinte, l'octave et la quarte. Elles servent pour le développement mélodique. Deux cordes additionnelles sur le côté donnent la tonique et son octave et servent aux variations rythmiques. Les cordes se jouent avec un plectre tenu entre le pouce et l'index ou avec un onglet de

métal. Le chevalet est dessiné pour donner des harmoniques extrêmement riches, qui rendent le son assez mince du « sitâr » souvent peu agréable aux oreilles étrangères. Une vingtaine de cordes de résonance sont parfois placées sous les touches. L'instrument est alors appelé « surbahâr ». Le mot « sitâr » est dérivé du persan mais l'instrument est très différent du « setâr » iranien. Il semble probable qu'à la cour moghole on ait persanisé l'ancien nom de cet instrument appelé auparavant « chitravîna ». — **Le « sarode »** est le plus sonore et l'un des plus beaux instruments de l'Inde. Sa caisse de résonance, hémisphérique, est recouverte d'une membrane qui porte le chevalet. Le manche, presque aussi large que la caisse de résonance, va en se rétrécissant légèrement jusqu'aux chevilles. Il est recouvert d'une plaque de métal très lisse qui sert de touche. On obtient les glissandos en descendant le long de la corde et non pas en la tirant de côté comme sur la « vînâ » ou le « sitâr ». Cet instrument a 4 cordes mélodiques et de nombreuses cordes de résonance. Le « sarode » se joue, comme la « vînâ » et le « sitâr », avec des onglets de fil d'acier. — **La « sarangî »** est le principal instr. à archet de l'Inde. Elle est formée d'une caisse de résonance massive, surmontée d'un large manche. Le chevalet repose sur une peau tendue. Trois ou quatre cordes en boyau se jouent avec un archet court en forme d'arc. Treize cordes de résonance en métal sont placées sous les cordes principales. Il existe des « sarangî » de diverses tailles, certaines assez larges. Cet instrument sert surtout à accompagner le chant et possède une très belle sonorité et une grande qualité expressive. Le nom de « sarangî » est probablement dérivé de l'ancien « sâranga vînâ » des ouvrages sanskrits. — **Le « sura-srinagâra »** est un instrument à 8 cordes qui se joue avec un plectre. Les cordes sont en métal et accordées *do do sol do mi do ré sol* mais l'accord des cordes *mi* et *ré* varie selon les « râga ». Un certain nombre de cordes sympathiques sont placées sous les autres. La forme ressemble un peu à celle du « rabâb » arabe. La caisse, plus allongée que celle du « sitâr », est formée d'un double résonateur hémisphérique. Le manche s'élargit en une grande table d'harmonie recouverte de métal. Deux frettes au haut du manche augmentent beaucoup son registre. C'est un instrument au son doux et grave rappelant un peu le pizzicato de violoncelle. Il est aujourd'hui assez rare. — **La « tânpûrâ »** est parfois appelée « tamburî » si elle est de petite taille. Cet instrument est la base inévitable de l'accompagnement du chant dans l'Inde. Il sert aussi à accompagner les autres instr. à cordes. Formé d'une caisse de résonance hémisphérique et d'un long manche portant à son extrémité 4 chevilles, il ressemble extérieurement au « sitâr » mais n'a pas de touches. Ses 4 cordes d'acier et de cuivre jouées l'une après l'autre donnent la tonique et son octave, la quinte et son octave. Elles passent à travers les trous dans un montant près des chevilles. Le chevalet, fait de bois ou d'ivoire, est placé au centre du couvercle de la caisse arrondie. Ce chevalet est plat et incurvé de manière à donner des harmoniques très forts, certains parfois plus forts que la note fondamentale de la corde. Un fil de soie placé entre les cordes et le chevalet accentue sa sonorité confuse, qui rappelle le bruit d'un essaim d'abeilles. Cet instrument n'a aucun rôle mélodique et donne seulement une sorte d'accord de fond qui sert de pédale de tonique et quinte pour le développement modal. La clarté de certains harmoniques aide aussi les musiciens à chanter juste. On a suggéré que cet instrument pourrait être dérivé de l'ancien « tumburu vînâ » mais son nom vient certainement du sens ancien du mot « tâna », qui veut dire ton. C'est en effet l'instrument qui donne le ton. — L'« e s r a j », qui sert à accompagner le chant, surtout au Bengale, est un instrument hybride assez particulier. Le large manche, qui ressemble à celui du « sitâr », est fait de bois et porte des frettes. Le résonateur est très petit et recouvert d'une membrane qui supporte le chevalet. Les cordes sont en métal mais cet instrument se joue avec un archet. Le son en est assez nasillard et n'a rien des qualités de la « sarangî ». L'accord est *do sol do fa* comme pour la « vînâ ». — L e « s v a r a - m a n d a l a » ou dulcimer indien ressemble au « qânûn » iranien. C'est une sorte de harpe horizontale montée sur une caisse de résonance plate sur laquelle sont tendues un grand nombre de cordes, généralement 36. Les anciens textes parlent d'un « svara-mandala » de 100 cordes, le « shat-tantri ». Le nom ancien semble, d'après la tradition, avoir été « katyâyana vînâ ». Les cordes sont fixées à des chevilles de métal, que l'on accorde avec une clef car la tension en est très forte. Il se joue avec des plectres de fil d'acier fixés au bout des doigts. Un rouleau de métal se posant sur les cordes permet d'exécuter des glissandos et des ornements très complexes. C'est un instrument aux sonorités douces mais qui, en raison de sa difficulté et de son prix, est aujourd'hui assez rare. Importé par les Tsiganes indiens en Europe, il y devint le cymbalum mais il reste par sa technique très différent du cymbalum ou du « santûr » persan, qui ont des cordes croisées et se jouent avec des marteaux. — La harpe ancienne en croissant de lune n'existe plus aujourd'hui dans l'Inde mais est toujours utilisée en Birmanie.

2. Les instr. à vent. Il existe un assez grand nombre de flûtes traversières ou droites, petites ou grandes, avec ou sans embouchure, faites de bambou, de cuivre ou d'argent. Les noms usuels des principales sont « muralî », « vamsha » et « bansuri », mais ces termes sont parfois employés les uns pour les autres. — L a « m u r a l î » est la flûte traversière classique de l'Inde, faite d'un tuyau de bambou. Elle est percée de 6 trous, outre le trou d'embouchure. Sa longueur est généralement de 35 à 40 cm. Elle se fait aussi en cuivre et en argent. C'est la flûte jouée par le dieu Krishna dans toutes ses représentations anciennes ou modernes. — L e « v a m s h a » est une flûte droite sans embouchure, un simple tuyau de bambou ouvert aux deux bouts. Les lèvres soufflent sur le bord du tuyau. Cette flûte est parfois très longue et a un son grave, doux et mystérieux, presque comme celui d'une voix d'homme qui psalmodie. On la fait dans des bambous sans nœuds qui se trouvent dans les régions de l'Assam et de Manipur. Elle a 6 trous et parfois un 7e au-dessous. En couvrant à demi les trous, de bons instrumentistes arrivent à changer les intervalles et à dessiner des ornements délicats et précis. — « B a n s u r i » est le nom donné au flageolet de bambou à embouchure de sifflet. Cette flûte est généralement de petite taille. Elle est percée de 7 trous et d'un 8e au-dessous. Les « bansuri » se

font en bambou mais aussi en cuivre ou en argent. — Dans l'Himalaya on trouve des flûtes doubles formées d'un « bansuri » auquel est accolée une flûte de taille identique mais sans trous qui donne la tonique en bourdon. — L e « s h a h n â î » ou hautbois de l'Inde est un instrument admirable par sa sonorité, sa délicatesse et ses nuances. Il est fait d'un corps de bois percé de trous allant en s'évasant. A l'extrémité large est fixé un pavillon de cuivre dans laquelle s'introduit un mince tuyau auquel sont fixées par un fil de soie deux lamelles de roseau. Ces anches se mettent dans la bouche et sont très difficiles à contrôler. C'est pourquoi dans l'orchestre de « shahnâî » on trouve toujours deux solistes qui se relaient dès que l'un est en difficulté, chacun portant suspendu à son instrument un jeu d'anches de secours. Un troisième instrument appelé « sour » (« svara ») donne la tonique. Le « sour » est pareil au « shahnâî » mais n'a pas de trous pour les notes. Le « shahnâî » se joue généralement dehors, à la porte des palais, des temples, des maisons, chaque fois qu'il y a une fête ou une cérémonie. Le terme vient du persan « nay ». L'ancien « nay » sumérien se référait au même instrument. Le nom proprement indien est « mukha vînâ » (« vînâ » à bouche). — Trompes et trompettes ne sont plus utilisées que dans des formes rituelles ou populaires.

3. Les tambours. L e « m r i d a n g a » est le tambour classique de l'Inde, à deux faces horizontales, fait d'un long cylindre de bois creux renflé au tiers environ de la longueur. Une peau est tendue sur chaque extrémité. Le terme signifie « membre de terre » et indique qu'à l'origine ce tambour était en terre cuite. Son nom apparaît dans le *Rig Veda* (5, 33, 6) dès le IIe millénaire av. J.C. — L e « p a k h â v a j » est un très gros « mridanga », qui se trouve dans le nord de l'Inde, surtout au Bengale. C'est un tambour grave et sonore mais permettant les variations les plus délicates. Il servait autrefois d'accompagnement pour la musique noble, la « vînâ » en particulier, mais tend à être remplacé aujourd'hui par les « tablâ ». Les chanteurs de « dhrupad » sont toujours accompagnés au « pakhâvaj ». — L e « t a b l â » est une division en deux du « mridanga ». Il est formé d'un petit tambour droit à une face ou « tablâ » et d'une petite timbale appelée « bâyâ » (gauche). Autour de la peau qui recouvre le « tablâ » est fixée une corde de cuir tressé, sous laquelle sont glissées les lanières de cuir assurant la tension. Cela permet une parfaite égalité dans l'accord des différentes parties de la peau et une sonorité superbe. La tension est réglée, comme dans le « mridanga », par des rouleaux de bois passés sous les lanières que l'on frappe avec un marteau. Le centre du « tablâ » est chargé d'une large pastille de farine mêlée de poix qui assure la pureté de la note. Le « tablâ », placé debout par terre, se frappe de la main droite, soit avec la paume, soit avec le poignet, soit avec un ou deux doigts allongés, soit avec le bout des doigts sur le rebord, sur la peau ou sur la pastille centrale, permettant une très grande variété de frappes. En même temps le « bâyâ », plus grave et dont l'accord est moins précis, se frappe avec le poignet ou la paume de la main gauche et donne la cadence du rythme. Une pastille plus petite que celle du « tablâ » est placée près du rebord. La tension de la peau du « bâyâ » est assurée par des cordelettes. De petits anneaux de cuivre permettent d'ajuster la tension. — Le «dhol» et le «dholak» (petit «dhol») sont des tambours horizontaux populaires, à deux faces, de taille moyenne. Le «dhol» est fait d'un cylindre de bois creusé. Les peaux sur les deux faces sont attachées par des lanières de cuir dont la tension est assurée par des nœuds à glissière et une courroie circulaire entourant le corps du tambour. Le son du «dholak» est un son neutre et non pas une note précise comme celle du «mridanga» ou du «tablâ». Son système d'accord n'a donc pas besoin d'être aussi complexe. — Le «khol» est un tambour populaire en forme de double cône, beaucoup plus renflé que le «mridanga». Il est le plus souvent de très grande taille. Le système d'attache des deux peaux est plus simple et fait de cordelettes ou de lanières droites. Les peaux ne portent pas de pastilles et leur son n'est pas précis. Ce tambour est utilisé de la même manière que le «dholak». Il est surtout employé dans l'est de l'Inde et est l'instrument qui accompagne la danse des tribus primitives, particulièrement les Santals. — Les «khurdak» sont une paire de très petites timbales qui servent à accompagner les danses de certaines populations et des basses castes du nord de l'Inde et de l'Inde centrale. — Le «douggi» est une toute petite timbale au son très sec, qui sert surtout pour l'accompagnement rythmique de l'orchestre de «shahnâî». — Le «damaru» est un petit tambour en forme de sablier. C'est le tambour sacré dont le dieu Shiva se servit lorsqu'il créa le monde par sa danse cosmique. Les plus gros types de «damaru» que l'on rencontre encore dans l'Himalaya se jouent sur une seule face. Aux plus petits on attache par des cordelettes deux perles de plomb qui frappent les deux faces quand on agite adroitement l'instrument. Originellement le «damaru» était fait de deux crânes humains. On rencontre encore cette forme au Tibet. — Le «chand» et le «duff» sont des tambourins utilisés surtout par les nomades. — La «nâgarâ» est un ancien tambour de guerre. C'est une large timbale faite de bandes de cuivre, de bronze ou de fer rivées ensemble. Le diamètre varie de 80 cm à 1 mètre. La peau est tendue par des lanières de cuir entrelacées. La «nâgarâ» est frappée avec des bâtons incurvés. Le son est très fort et porte très loin. Ce tambour est utilisé surtout dans les temples mais aussi pour les danses populaires, qu'il entoure d'un vacarme assourdissant.

4. Les instr. à percussion. Le «tâla» est le gong indien, fait d'une simple plaque ronde et épaisse de cuivre ou de bronze légèrement renflée au centre. On le frappe avec un bâton recouvert de cuir ou d'étoffe. C'est un instrument essentiel de tous les rituels, qu'ils aient lieu dans des temples ou dans des maisons particulières. — Le «jhâlra» est une paire de cymbales de taille moyenne. Elles ont un son vibrant qui se continue longtemps. Elles sont généralement reliées ensemble par une cordelette passée dans leur centre. — Le «jhâng» («jhângâ» ou «kharjhari») est une paire de cymbales ressemblant au «jhâlra» mais plus grandes et plus légères. Elles servent dans les temples et pour l'accompagnement de la danse. — Les «tâli» sont de toutes petites cymbales au son cristallin très perçant. Le musicien en tient une dans chaque main. C'est l'instrument dirigeant dans tous les orchestres accompa-

gnant la danse. Les «tâli» sont faites en cuivre ou en argent, parfois aussi dans un alliage d'étain. — Les «karatâla» ou «chittikâ» sont des pièces de bois dur d'environ 15 cm, attachées ensemble mais se mouvant librement. On les tient dans une main et on les fait se frapper comme des castagnettes. Quelquefois des anneaux sont fixés aux côtés. On peut alors y glisser le pouce et l'annulaire, ce qui donne un meilleur contrôle du rythme. De petites cymbales sont fixées dans le bois et des grelots attachés aux extrémités. Cet instrument sert surtout à l'accompagnement des chants religieux («bhajana-s») et aux chants et danses des moines errants. — Le «ghatam» est une simple cruche de terre sur laquelle on frappe avec les doigts. Certains joueurs de tambour arrivent sur ce simple instrument à produire des variations rythmiques très subtiles et très variées. Il sert parfois d'accompagnement pour la grande mus. vocale ou instrumentale du sud de l'Inde. — La «ghantâ» est une cloche que l'on frappe généralement avec un bâton recouvert d'étoffe. On rencontre aussi des «ghantâ» avec un battant. Les cloches jouent un rôle très important dans les cérémonies religieuses. Il y en a de toutes tailles. — Les «ghunghura» sont de petites clochettes ou grelots que l'on attache sur des bandes d'étoffe fixées aux chevilles des danseurs. — Les «nûpura» sont des anneaux d'argent creux remplis de petits morceaux de métal qui résonnent au moindre mouvement. Ils sont employés parfois par les danseuses au lieu de «ghunghura». — Le «jâla-târanga» est un très ancien instrument fait de bols de porcelaine de tailles diverses dont on ajuste l'accord en les remplissant plus ou moins d'eau. Le musicien les dispose en demi-cercle et s'accroupit au centre. Il frappe les bols avec des baguettes. On remplace parfois les bols d'eau par de petits tambours, mais, sous cette forme, cet instrument ne semble pas être ancien dans l'Inde. Il est surtout employé en Birmanie.

La musique vocale. La base de tout le système musical de l'Inde est la mus. vocale. La voix est utilisée comme un instrument, le plus adaptable de tous. Les paroles ne jouent qu'un rôle très secondaire, généralement quelques mots répétés indéfiniment. La mus. vocale est classée selon des styles qui sont très différents les uns des autres. Les principaux sont dans le Nord le «dhrupad», le «khyal», le «dhamar», la «thumri», le «tarana» et le «ghazal». Dans le Sud on emploie surtout les «kriti», poèmes chantés, composés par les grands musiciens qui réformèrent la musique du Sud au XVIIIe et au début du XIXe s., le plus célèbre étant Tyagaraja. — Le développement d'un «râga» commence toujours par un «âlâp», long prélude sans rythme déterminé, de tempo lent, dans lequel le musicien a toute latitude pour exposer les subtilités du mode et exprimer toutes les nuances du sentiment. L'«âlâp» est suivi de variations rythmées dans des styles divers où s'expriment l'habileté technique et la virtuosité de l'exécutant. Ces variations sont accompagnées généralement par un tambour, «tablâ», «mridanga» ou «pakhâvaj». Le «râga» se termine par un finale rapide et brillant, souvent une joute entre l'instrument, la voix et le tambour. Pour la mus. vocale, un instrument à archet — habituellement une «sarangî» — et une «tânpûrâ» donnant la tonique accompagnent le chanteur, reprenant après lui les figures mélodiques qu'il improvise.

Bibliographie — P. SAMBAMOORTHY, South Indian Music, 5 vol., Madras, The Indian Music Publishing House, 1951-56; du même, A Dict. of South Indian Music and Musicians, 2 vol., Madras Univ., 1952-59; O. GOSVAMI, The Story of Indian Music, Bombay 1957; A. DANIÉLOU, Traité de musicologie comparée, Paris, Hermann, 1959; du même, La mus. des Puranas, Pondichéry, Inst. fr. d'Indologie, 1959; du même, Le Gîtâlamkara, Pondichéry, Inst. fr. d'Indologie, 1960; du même, The Ragas of Northern Indian Music, Londres, Barrie & Rockliff, 1968; Swami PRAJNANANDA, The Historical Development of Indian Music, Londres 1960; T.V. SUBBA RAO, Studies in Indian Music, Londres, Asia Publishing House, [1963]; B. CH. DEVA, Psychoacoustics of Music and Speech, Madras 1967; N. GHOSH, Fundamentals of Raga and Tala with a new System of Notation, Bombay 1968; W. KAUFMANN, The Ragas of North India, Bloomington, Indiana Univ. Press, 1969; K.S. KOTHARI, Indian Folk Musical Instr., with 59 half-tone Illustrations, Delhi 1969; K. VATSYAYAN, Classical Indian Dance in Literature and the Arts with 155 half-tone Illustrations, Delhi 1969; P. SINHA, An Approach to the Study of Indian Music, Calcutta, Indian Publications, 1970; N.A. JAIRAZBHOY, The Ragas of North Indian Music, Londres, Faber, 1971; E. ROSENTHAL, The Story of Indian Music and its Instr., with 19 Illustrations, New Delhi, Oriental Books Reprint Co. Book Publishers, 1971; R.R. AYYANGAR, A Hist. of South Indian (Carnatic) Music : from Vedic Time to the Present, s.l. 1972; V.H. DESHPANDE, Indian Musical Traditions, s.l. 1972.

A. DANIÉLOU

INDICE, chiffre dont on affecte les noms des notes pour en indiquer l'emplacement parmi les différentes octaves qui constituent l'échelle sonore pratique. Il existe différentes manières d'identifier les octaves, entre lesquelles il n'a pas été possible de parvenir à une entente internationale jusqu'à présent. L'usage français, qui remonte à Fr.A. Gevaert et qui est adopté dans cet ouvrage, est le suivant :

taines îles. Il semble qu'ils connaissaient les gongs, les tambours, les flûtes en bambou, les orgues à bouche et peut-être les vièles. Cette puissante civilisation a laissé une empreinte telle que les arts des civilisations de haute culture comme celles de Java ou de Bali ne peuvent s'expliquer que par l'importance de ce vieux fonds, autochtone sans doute à l'origine, p. ex. le « wayang kulit » (théâtre d'ombres), les cérémonies magiques et certaines danses masquées. Ce fonds austronésien permet aussi d'entrevoir une parenté lointaine dans toutes les musiques de l'Asie du Sud-Est, malgré les bouleversements culturels de l'histoire. Les îles de la Sonde connurent au début de l'ère chrétienne les influences de l'Inde et de la Chine, puis plus tard les influences arabes et islamiques, auxquelles vinrent s'ajouter peu après celles des Portugais puis des Hollandais. Il en est résulté une très grande variété d'arts musicaux dont certains sont parmi les plus élaborés du monde.

1. Les principales îles de la Sonde. S u m a t r a a surtout tiré son originalité de la place prépondérante de l'islam. Aussi trouve-t-on dans le nord (Atjeh) tambours et hautbois « serunaï » et une merveilleuse école de chant coranique. Dans le sud, on trouve les → gongs et les tambours qui accompagnent le théâtre chanté et parlé du Randaï, ainsi que des flûtes et des luths. Un tambour horizontal à deux membranes, le « rebana », sert à accompagner les récits de contes musulmans. Les peuplades du centre de l'île, Bataks et Ménangkabau entre autres, utilisent essentiellement des tambours, des flûtes, un luth bicorde et des gongs de différentes tailles. Une christiani-

Au-dessous de la 1re octave, on emploie en descendant les chiffres - 1, - 2. Les autres manières de désigner les octaves, en usage dans les pays anglo-saxons et germaniques, sont les suivantes :

sation rapide leur a bientôt fait perdre leurs traditions. La vogue musicale actuelle consiste en groupes de chanteurs Bataks qui, dans leur langue, chantent des mélodies de type sud-américain. — B o r n é o

● INDONÉSIE. L'Indonésie est une entité politique regroupant plus de 3 500 îles, chacune d'elles ayant sa propre culture — souvent même plusieurs —, ses langages, son histoire, ses traditions artistiques. C'est dire qu'il n'existe aucune unité culturelle en Indonésie et qu'il est nécessaire de présenter les traditions musicales des plus grandes îles. — Durant la période préhistorique, les îles de la Sonde abritaient les peuplades austronésiennes qui ont laissé les célèbres tambours de bronze qu'on trouve du Laos à Bali. Leur musique devait être variée si l'on en juge par les groupements primitifs des montagnards de cer-

regroupe de nombreuses ethnies. Outre les flûtes et les tambours communs à toutes les peuplades de l'île, les Dayaks connaissent un orgue à bouche à 6 tuyaux (5 tubes mélodiques et un bourdon) montés sur calebasse, le « klédi », et un grand luth bicorde. Les régions côtières sont habitées à l'ouest et au nord par les Malais et les Chinois, au sud par les Javanais installés là lorsque les sultanats de Bandjarmasin et Martapura faisaient partie de l'Empire javanais. On y joue encore de très beaux → « gamelan » de type javanais. — S u l a w e s i (les Célèbes). Le sud de cette grande île est habité par les Bugis,

● **Voir hors-texte entre pages 432 - 433, Gamelan.**

célèbres pour leurs poèmes chantés. Les chanteurs s'accompagnent eux-mêmes d'une vièle bicorde ou d'une cithare sur corps allongé à deux cordes, « katjapi ». Dans le centre de l'île, les Toradjas utilisent des vièles monocordes à caisse de résonance en noix de coco, des flûtes diverses et surtout une sorte de hautbois végétal dont l'anche est percée dans une section de tige de riz ; le pavillon, très ouvert, est fait d'une feuille de bananier enroulée sur elle-même. Leurs chants funèbres polyphoniques sont remarquables. Le nord de l'île, christianisé, a perdu ses traditions. — Les Moluques. Islamisées, les populations utilisent des gongs et des instruments simplifiés de « gamelan » dont on trouve l'équivalent dans les îles du sud des Philippines, à Sarawak et Brunéi (Ouest-Bornéo). On y trouve aussi les vièles monocordes et les cithares en bambou. — Les îles de l'Est. — Lombok conserve sur sa côte ouest les traditions balinaises et sur sa moitié est des traditions islamiques. Timor a conservé des traditions musicales importantes au centre de l'île chez les populations Bunaks dont les chœurs sont parmi les plus beaux de l'Indonésie. Florès est musicalement très riche. Les nombreuses tribus possèdent de très beaux instruments tels que les cithares en bambou, les flûtes de Pan, les vièles monocordes, des xylophones et des gongs. Mais surtout on y chante à 3 et 4 voix dans des chœurs qui peuvent réunir comme à Timor une centaine de chanteurs.

2. Java. L'histoire. Des traditions musicales existaient à Java avant l'arrivée des commerçants indiens par qui bouddhisme et hindouisme se répandirent dans les principales îles. Les peuples austronésiens connaissaient déjà les gongs, cithares et flûtes, toujours en usage chez les minorités ethniques de certaines îles. Ainsi est-ce grâce aux échanges commerciaux que Java, Bali et Sumatra deviendront le théâtre de nombreux grands royaumes successifs. Le puissant empire Çrivijaya alterna avec le royaume des Çailandra (778-864) au cours duquel fut érigé le plus grand monument bouddhique du monde, Borobudur. De nombreux royaumes hindo-javanais se succédèrent, comme celui de Padjajaran (Java Ouest), qui conserva son propre système politique et sa propre culture jusqu'au XVe s., ou Mataram, petite principauté de Java méridional, qui fut un centre culturel très actif. Au centre de ces royaumes, le « kraton », palais et cour des rois et des princes hindo-javanais, connaissait une vie culturelle intense et rayonnante. Le dernier grand empire hindou, celui de Modjapahit, dans l'est de Java, eut des cours fastueuses. Quelques « gamelan » provenant de cet empire sont encore en usage chez les sultans de Java ou sont précieusement conservés dans les musées et les studios de la Radio indonésienne. Le déclin de Modjapahit au milieu du XVe s. est dû à l'instauration dans le centre et l'ouest de Java de principautés musulmanes qui conquirent bientôt l'est et provoquèrent vers 1520 la chute de ce dernier royaume hindo-javanais. — De l'époque hindoue on a mis au jour de nombreux gongs et instr. de bronze. On peut voir sur les bas-reliefs de Borobudur de nombreux instruments et ensembles (tambours, gongs, cithares, flûtes) ; sur les monuments datant de Modjapahit, on trouve surtout des instruments proches de ceux qui sont encore en usage dans les « gamelan » contemporains. L'implantation de l'islam allait ralentir les

activités musicales et chorégraphiques, en particulier dans le peuple, mais les « kraton » conservèrent toujours des traditions extrêmement vivantes. En outre le fonds hindouiste des Javanais ne fut jamais complètement supplanté par l'éthique musulmane. Les nouveaux princes musulmans durent même mettre dans les mosquées des « gamelan » pour y attirer les Javanais. En 1613 les divers États de Java passèrent dans les mains du sultan Agung, qui étendit son empire jusqu'à Bornéo et développa autour de lui la danse, le théâtre et la sculpture décorative. Les Hollandais réussirent peu à peu à démanteler cet empire pour créer, sous la férule de trois autres familles princières, différents sultanats où les princes s'empresseront de créer leur propre style artistique. Aujourd'hui on distingue encore deux styles musicaux et chorégraphiques principaux dans le centre de Java : le style de Jogjakarta et le style de Surakarta. Ce dernier reste le plus répandu et le plus apprécié des Javanais. Avec l'affaiblissement du rôle des sultans, les arts connurent un certain déclin jusqu'à ce que le peuple revienne aux sources en redécouvrant leur art auprès des « kraton », devenus de véritables centres culturels traditionnels. Le « kraton » de Jogjakarta possède encore 15 « gamelan » et près de 70 musiciens et choristes tandis que celui de Surakarta abrite une trentaine de « gamelan ». Deux autres palais ont conservé une vie musicale importante : le Pakualaman, à Jogjakarta, et le Mangkuncgaran, à Surakarta. Les studios de la Radio indonésienne, installés dans toutes les grandes villes, possèdent des « gamelan » de grande valeur et propagent la mus. traditionnelle. Les studios de Surabaya (Java Est) utilisent même des « gamelan » datant de Modjapahit. Dans la population, les « gamelan » sont joués pour toutes les cérémonies privées (naissance, mariage, etc.), les fêtes de village et les cérémonies agraires ou officielles. Il existe à Java plus de 5 000 ensembles artistiques, comprenant des danses, des théâtres d'ombres, des théâtres dansés, etc.

Les instruments. La musique de Java se caractérise surtout par des ensembles de métallophones appelés → « gamelan », dont les types sont très variés en fonction de leur usage. Un « gamelan » possède généralement des « bonang », rangées simples ou doubles de petits gongs bulbés horizontaux (« bonang panembung », « bonang barung », « bonang panerus » selon leur hauteur). Ces instruments ornent la ligne mélodique principale donnée par les « saron », composés de lames métalliques posées sur une caisse de résonance en bois. Il y a trois formes principales de « saron » selon leur hauteur : « saron slentem », « saron barung », « saron panerus ». Les « gender » sont composés de lames suspendues par des liens au-dessus de tubes de résonance généralement en bambou (« slentem », « demung », « gender barung », « gender panerus »). Avec le « rebab » et le « suling », le « gender » accompagne la voix du « dalang » et des chanteurs solistes, dont ils ornent la ligne mélodique. Le « gambang kayu » est un xylophone à lames de bois ou de bambou ; il orne ou paraphrase la mélodie. Les → gongs suspendus sont très nombreux et ont chacun un rôle bien déterminé. Il y a la série des « gong ageng », les grands gongs qui ponctuent et séparent de longues phrases mélodiques. Les « gongs suwukan » (une à deux octaves au-dessus des précédents) et les « kempul » servent aux subdivisions de la ponctuation ainsi que les « kenong », gros gongs bulbés horizontaux. Chaque unité de « kenong », dite « kenongan », est elle-même divisée par les battements de « ketuk », petits gongs bulbés horizontaux. Les tambours « kendang » sont les instruments dirigeants de l'orchestre, indiquant les variations de tempi ; ils sont de plusieurs types selon les « gamelan » (« kendang gending », « kendang chiblon », « ketipung », « bedug »). Dans les compositions vocales, le « gamelan » se trouve agrémenté d'un « rebab », vièle à pique bicorde, d'une flûte « suling » et d'une cithare à 13 doubles cordes « tjelempung ».

La théorie. La mus. javanaise connaît deux échelles, l'une heptatonique, → « pelog », à grands et petits intervalles, l'autre pentatonique, → « slendro », à intervalles presque égaux. Cependant les « gamelan » ayant généralement leur propre accord, il est difficile d'en définir une échelle type. Les compositions jouées sur le système « slendro » sont toujours à structure pentatonique. Sur chacun de ces deux systèmes se greffent trois modes, les → « patet », correspondant à une des trois parties de la nuit du théâtre d'ombres, « wayang kulit ». Le premier « patet » correspond à la représentation du « wayang kulit » de 21 h à 24 h, le second « patet », de 1 h à 3 h, et le troisième « patet » de 3 h à 5 h. Les « patet » sont ainsi liés : « slendro nem » et « pelog lima », puis « slendro sanga » et « pelog nem », enfin « slendro manjuro » et « pelog barang ». Les gammes des trois « patet » sont séparées par l'intervalle de quinte. Cet intervalle permet aux musiciens de reconnaître immédiatement le mode utilisé dans la mélodie dite « gending ». La structure du « gending » est fondée aussi sur la ponctuation donnée par les instruments colotomiques tels que la série des gongs suspendus, les « kenong », les « ketuk » et les « kendang ». Chaque coup de « gong ageng » correspond à un certain nombre de « keteg », unité de mesure. Chaque unité de gong ou « gongan » correspond à 16, 32, 64 ou 128 « keteg », que subdivisent le « kempul » et les « kenong » (un « gongan » correspond généralement à quatre « kenongan » ou unités de « kenong », elles-mêmes divisées en unités de « ketuk »). Le nombre d'unités de « kenong » et de « ketuk » indique la forme du morceau. Dans le cadre du « gending ageng », grande composition avec voix, on entend d'abord le « bebuka », introduction vocale exposant le « patet », puis le « merong », mouvement plus rapide, enfin le « munggah », sorte de grand développement lent. Dans les « gending » plus brefs, les formes les plus employées sont le « ketawang » et le « ladrang », qui se définissent selon le rapport entre les unités de « kenong », de « kempul » et de « ketuk ». Les compositions vocales comprennent des parties de solistes, hommes ou femmes, qui chantent une ligne mélodique libre dans un « patet » donné, et une partie chorale, « gerongan » pour les hommes et « pesinden » pour les femmes, qui, à l'unisson, suit d'assez près la ligne mélodique du « gamelan ». Généralement les « gending » avec voix sont utilisés pour accompagner les diverses formes de théâtre et les danses. Les musiciens javanais chantent et jouent essentiellement de mémoire. Divers types de notation ont été créés au siècle dernier, servant seulement d'aide-mémoire tant pour la ligne mélodique que pour les rythmes.

3. Sunda. Dans l'ouest de Java, le royaume de Padjajaran a connu jusqu'au XVᵉ s. une vie politique indépendante. Un art qui lui est propre s'y est développé et maintenu jusqu'à nos jours. Deux ensembles sont caractéristiques du pays Sunda : le « katjapi-suling », ensemble instrumental composé d'une flûte de bambou à 6 trous, d'une cithare à 18 cordes, « katjapi », et d'une plus petite à 15 cordes, « rintjik ». L'autre ensemble est le « gamelan degung », composé de 5 à 7 instruments dont un « bonang » de deux rangées de 7 petits gongs disposées à angle droit, appelé « kolenang degung », un ou deux « saron », un ensemble de trois « kendang », deux grands gongs suspendus, « goong », et surtout un « jengglong degung », ensemble de 6 gongs bulbés suspendus. Le « gamelan degung » s'adjoint aussi parfois une flûte à 4 trous, « suling degung », et un « ketuk ». Les grands centres musicaux sundanais sont Bogor, Bandung, Sumedang et autrefois Tjiribon. Les « tembang sunda » sont des poèmes sundanais chantés selon une métrique bien définie et accompagnée par le « katjapi-suling ». Le « tembangsunda » se divise en trois parties : « papantunan » et « djemplong », joués en « pelog », et « rantjag », joué en « pelog », « madenda », « slendro » ou « sorog », les « patet » sundanais. Les poèmes sont composés selon des systèmes de « padalisan » (agencement de vers) comprenant une organisation traditionnelle des « suku-kata », voyelles de terminaison des vers qui décident du style des « lagu-lagu », les chants du « tembang ». Le « gamelan sunda » est une autre forme de « gamelan » de type javanais, mais accordé selon des échelles et jouant les « patet » propres à Sunda. Signalons enfin comme caractéristiques de l'ouest de Java le « tarawangsa », vièle monocorde, et les ensembles d'« angklung », instr. en bambou qui, agités par des musiciens, donnent une seule note chacun. Un orchestre d'« angklung » peut compter jusqu'à 60 instruments accordés sur l'échelle « slendro ».

4. Bali. L'histoire. L'île minuscule de Bali, à l'extrême est de Java, est particulièrement originale. Sa musique et ses danses ont captivé de nombreux artistes et musiciens occidentaux. Bien que les instruments soient à peu près semblables à ceux de Java, les « gamelan » (appelés à Bali des « gong ») ont une structure et des timbres différents, et les compositions ont un style propre à la culture balinaise. — Bali a connu au cours de son histoire des périodes d'indépendance et des périodes de sujétion aux empires javanais. Il semble que jusqu'au XVᵉ s. Bali et Java aient eu une culture aux dominantes semblables. Lors de l'implantation de l'islam à Java et la retraite à Bali des derniers princes de Modjapahit au XVᵉ s., ceux-ci amenèrent avec eux leur cour de poètes et de musiciens et s'amalgamèrent aux Balinais. De là est né un art musical qui s'est développé jusqu'à nos jours. L'hindouisme a été un des facteurs principaux de la conservation des arts, car l'art balinais est essentiellement religieux. Les musiciens sont groupés dans des clubs, les « bandjar », centres habituels de l'activité culturelle des villages.

Les instruments. Ceux du → « gamelan » courant sont en majeure partie des métallophones du type « gender » dont l'étendue peut atteindre 5 octaves. Ce sont les « gender pemugal », « kantil », « djublag », « tjalung » et « djegog », deux instruments du type « bonang », le « réong », joué par deux ou quatre musiciens, et le « terompong », pour la mus. religieuse dite « lelambatan » ; des → gongs suspendus : « gong kempul », « kemong » pour la ponctuation musicale ; des instruments mélodiques, le → « rabâb », vièle à 2 cordes, et diverses flûtes « suling ». Enfin plusieurs sortes de tambours, les « kendang ». Les ensembles instrumentaux sont variés : les plus anciens sont le « gambuh », composé de 4 à 6 grandes flûtes, « suling gambuh », d'un « rabâb » et d'instr. à percussion ; le « gender wayang », composé de 4 « gender » seulement et accompagnant un théâtre archaïque, le « wayang wong », et le théâtre d'ombres « wayang kulit ». Parmi les orchestres sacrés, le « gong gédé » est celui qui se rapproche le plus des « gamelan » anciens javanais. Signalons aussi les « gong saron », « gambang » (avec des xylophones) et les « gong selunding » parmi les orchestres archaïques. L'ensemble le plus admirable est le « gong semar pegulingan », ancien orchestre de cour malheureusement en voie de disparition. Deux très anciens spécimens de cet ensemble sont accordés sur une gamme heptatonique. Le « gong angklung » et le « gong kletengan » sont accordés sur une gamme tétratonique. Sur cette même gamme on joue le « genggong » (ensemble de guimbardes). Dans les années vingt, un nouveau style se développa à Bali, le « kebyar », sorte de composante entre le « gong gédé » et le « semar pegulingan ». Il n'existe pas aujourd'hui à Bali de village sans « gong kebyar ». Le style de cet orchestre est marqué par de brusques changements de tempi, par des sonorités étincelantes et des contrastes marqués, tant dans les ornementations que dans la dynamique. Un imposant ensemble vocal appelé « ketjak » et composé de 7 voix est devenu célèbre auprès des Occidentaux. Créé en 1928 par le peintre Walter Spies pour les touristes, à partir de chants rituels anciens, il a enthousiasmé les visiteurs mais reste une « fabrication » artificielle, peu appréciée des Balinais.

La théorie. La mus. balinaise est apprise dès le plus jeune âge par imitation et répétition. Elle est donc très pauvre en termes techniques et le musicien balinais ignore la théorie. Chaque ensemble a une échelle qui lui est propre, car il n'y a pas d'échelle type. Les échelles sont de 4, 5 ou 7 intervalles, mais les compositions, excepté dans les orchestres tétratoniques, sont toujours pentatoniques. Malgré les variantes d'accords, les échelles balinaises sont fondées sur les deux systèmes → « pelog » et → « slendro », bien que ces notions soient inconnues des Balinais. Sur ces deux échelles se greffent des systèmes modaux pentatoniques spécifiques à Bali : « tembung », « selisir », « baro », « lebeng » et « sunarèn », dont la note du début de chaque gamme est prise sur l'échelle heptatonique du « gambuh » : « ding », « dong », « dang », « deng », « dung », « dang », « dong ». En fait, chaque genre musical balinais possède sa propre gamme et sa propre théorie. Il n'est pas rare qu'un village, surtout chez ceux qui n'ont point souffert du tourisme, possède une dizaine ou plus d'ensembles instrumentaux différents.

Bibliographie — J. KUNST, Music in Java, 2 vol., La Haye 1949, 2/La Haye, M. Nijhoff, 1973 ; E. SCHLAGER, Bali, in Encycl. de la Pléiade, Hist. de la mus. I, éd. par Roland-Manuel, Paris, Gallimard, 1960 ; FR.A. WAGNER, Indonesien, Baden-Baden, Holle, 1965, trad. fr. Paris, Albin Michel, 1961 ; M. COVARRUBIAS, Island of Bali, New York 1965 ; C. McPHEE, Music in Bali, Newhaven (Conn.), Yale Univ. Press, 1966 ; R.M.A. KOESOEMADINATA, Ilmu Seni Raras, Djakarta, Éd. Pradnjaparamita, 1969 (en indonésien).

J. BRUNET

INÉGALES (Notes), voir NOTES INÉGALES.

INFLEXION, changement de niveau sonore dans le chant ou la parole. Les i. jouent un rôle important dans les récitations liturgiques « recto tono » telles que psalmodie, oraisons, lectures : les débuts et fins de phrases ainsi que les ponctuations intermédiaires donnent lieu à des i. ascendantes ou descendantes, c.-à-d. à des écarts momentanés par rapport à la corde de récitation ou degré-pivot de celle-ci.

INFRA-SON, son dont la fréquence sort de l'aire audible. Les i. peuvent cependant être perçus, soit par voie tactile, soit, peut-être, par une vésicule spécialisée de l'oreille interne ; ils peuvent provoquer des vertiges ou autres phénomènes particuliers.

IN NOMINE (lat.), forme instrumentale relevant de la fantaisie (voir l'art. FANCY) mais exempte des épisodes en contraste qui en sont la caractéristique essentielle. Son nom provient de ce qu'elle se manifeste comme développement instrumental d'une antienne de plain-chant prise comme « cantus firmus » et commençant par les mots In nomine Domini dans le Benedictus de la messe Gloria tibi Trinitas de J. Taverner (v. 1495-1545). Cette forme resta en vigueur pendant plusieurs années et inspira un grand nombre de compositeurs, de Chr. Tye à H. Purcell.

Bibliographie — E.H. MEYER, Die mehrstimmige Spielmusik des 17. Jh. ..., Kassel 1934 ; du même, The I.N. ..., in ML XVII, 1936 ; du même, English Chamber Music, Londres 1946, 2/1951, trad. all. Die Kammermusik Alt-Englands, Leipzig, VEB Br. & H., 1958 ; G. REESE, The Origin of the English I.N., in JAMS II, 1949 ; R. DONINGTON et TH. DART, The Origin of the I.N., in ML XXX, 1949 ; D. STEVENS, The Mulliner Book. A Commentary, Londres, Stainer & Bell, 1952 ; du même, Les sources de l'I.N., in La mus. instrumentale de la Renaissance, éd. par J. Jacquot, Paris, CNRS, 1955.

INNSBRUCK.

Bibliographie — F. WALDNER, Nachrichten über die Musikpflege am Hofe zu I., in MfM XXIX-XXX, 1897-98, Beilage, et XXXVI, 1904 ; du même, Zwei Inventarien aus dem 16. u. 17. Jh. über hinterlassene Musikinstrumente u. Musikalien am Innsbrucker Hofe, in StMw IV, 1917 ; G. GRUBER, Das deutsche Lied in der Innsbrucker Hofkapelle des Erzherzogs Ferdinand (1567-95), (diss. Vienne 1928) ; R. FICKER, Das Musikleben in I., Innsbruck 1929 ; A. EINSTEIN, Italienische Musik u. ital. Musiker am Kaiserhof u. an den erzherzoglichen Höfen in I. u. Graz, in StMw XXI, 1934 ; W. SENN, Tiroler Instrumentalmusik im 18. Jh., in DTÖ LXXXVI, 1949 ; du même, Musik u. Theater am Hof zu I., Innsbruck, Österr. Verlagsanstalt, 1954 ; du même, art. I. in MGG VI, 1957 ; du même, Maximilian u. die Musik, in Catal. de l'exposition Maximilien Ier, Innsbruck 1969 ; Musik im Tirol, in ÖMZ XXV/11, 1970.

INSPIRATION. 1. Phénomène de la pénétration de l'air dans l'appareil respiratoire. Il constitue la première phase de la respiration, la seconde étant l'expiration ou expulsion de l'air. Dans le chant et dans le jeu des instr. à vent, la qualité de l'inspiration conditionne en partie la qualité du son et les possibilités d'expression. — **2.** Faculté d'idéation qui, associée à une certaine somme de connaissances, permet à l'artiste de faire œuvre créatrice. Elle est fondamentalement différente de l' → improvisation, création spontanée et éphémère, en ce qu'elle est indissociable d'une longue maturation spirituelle.

INSTABILITÉ, voir STABILITÉ.

INSTRUMENTATION, voir ORCHESTRATION.

INSTRUMENT DE MUSIQUE. Chaque fois que des changements notables surviennent dans l'évolution de la mus. instrumentale, les théoriciens s'arrêtent à des questions de définitions. En une période de stabilité musicale comme celle que vivaient P.Trichet et le père Mersenne, seule leur importait la matière à étudier : les i. de m. de leur temps. Ils ne jugeaient pas opportun d'en chercher une définition. A notre époque de transformations et de recherches, un essai de compréhension de l'i. de m. peut aider à éliminer certains préjugés et à préciser quelques notions.

Le point de vue musical. Une définition longtemps conservée par tradition ou par routine, telle que « appareil propre à produire des sons musicaux », s'insère dans une conception purement savante de la musique, limitée à l'Europe occidentale, dans un style bien déterminé, destiné à procurer ce « plaisir de l'oreille » sur lequel il est bien difficile de faire l'unanimité. Quant au terme d' « appareil », il impose l'idée d'un assemblage de pièces diverses, ce qui conduirait à ne pas considérer comme de véritables i. ceux dont la structure est simple et homogène : blocs de bois, lithophones, conques marines, flûtes d'une seule pièce, etc. Il paraît donc nécessaire de rechercher ce que peuvent nous apporter les données sonores.

Le point de vue acoustique. « Tout corps sonore utilisé par le compositeur est un i. de musique. » Cette définition, due à H. Berlioz, est beaucoup plus intéressante que la précédente, en ce qu'elle introduit la notion de corps sonore, qui peut être ou non un « appareil », et celle du son considéré en lui-même puisqu'il ne devient musique que dans la mesure où il est mis en œuvre. En outre, cette définition fait place à la création musicale. Mais ce qui réduit sa portée, c'est le fait que Berlioz s'intéresse au seul point de vue du compositeur, reflétant ainsi l'opinion romantique qui plaçait le créateur — le génie par excellence — au sommet de sa hiérarchie des valeurs. Berlioz ne tient pas compte de l'interprète, dont la part est pourtant primordiale en matière instrumentale.

Une distinction souvent tentée entre le son dit « musical » et le son « brut », autrement dit le « bruit », peut-elle apporter un élément appréciable de définition de l'instrument ? L'analyse acoustique traditionnelle considère depuis les XVIIIe et XIXe s. que le son « musical » est celui dont on peut déterminer notamment les caractères de hauteur et de timbre. Cette conception se justifiait à l'intérieur « d'un système précis, dont les normes, mi-naturelles, mi-culturelles, délimitaient très précisément la frontière entre son et bruit, et sélectionnaient un matériau pour la musique » (K.H. Glützenbaum et G.W. Blumenzweig, propos cités et traduits par M. CHION, in Étapes 72, no 23, Paris 1972). Aujourd'hui, devant la pluralité des systèmes mettant en jeu la presque « totalité des sons possibles », cette frontière est devenue de plus en plus floue. « Ce n'est donc pas la nature du son qui distingue la musique du bruit, mais l'usage qu'en fait le compositeur » (P. BILLARD, in Encyclopaedia Universalis XI, Paris 1968, art. Musique), ce qui nous ramène à une version moderne de la définition berliozienne.

Dans un son émis par un i. traditionnel, il est possible de déterminer et de mesurer, outre les éléments habituels de timbre, de hauteur, etc., l' → attaque même de ce son. Si parfait soit-il de qualité, le son est toujours accompagné d'une sorte de bruit parasite. Il ressort d'expériences fondées sur cette analyse que, privé de cette attaque et de ce bruit, le son perd non seulement tout son pouvoir attractif mais encore ce qui fait sa personnalité, et devient méconnaissable, quel que soit l'i. employé pour l'expérience. Par ailleurs, une investigation sérieuse de l'i. complet demanderait une analyse acoustique de chacun de ses éléments pris isolément, suivie d'un essai de synthèse. Or, la nature même de l'i. fait qu'il n'est rien sans un musicien qui le fasse sonner et qui lui fasse rendre toutes ses possibilités. Plus un i. paraît simple, plus nombreux sont les éléments variables qui interviennent dans sa sonorité, se combinent etnre eux et en compliquant l'analyse, tels que présence de pièces interchangeables à adapter (anches, embouchures, archets...), différences de technique d'un musicien à l'autre (tenue de souffle, façon de poser les doigts, de passer un archet, etc.), habileté plus ou moins grande de l'exécutant à faire « sortir » certaines fréquences, etc. Pour ces différentes raisons, les conclusions sont très hasardeuses qui ont trait à la sonorité réelle, authentique des i. pour lesquels il n'existe pas de point de référence, tels ceux qui ont été mis au jour lors de fouilles archéologiques, ceux qui sont arrivés de pays éloignés sans être accompagnés d'enregistrements effectués sur le terrain et ceux qui ne sont plus utilisés de nos jours. Dans tous ces cas, l'on ne peut guère procéder que par des approximations. Si l'analyse dont nous avons parlé donne d'excellentes images du phénomène sonore, elle ne permet pas la connaissance absolue de l'i. de musique.

Le point de vue pratique. Dès 1946 A. Schaeffner avait dégagé le côté « objet usuel, outil » de l'instrument (in La Musique des origines à nos jours, éd. par N. DUFOURCQ, Paris 1946). L'outil du musicien a la même importance fonctionnelle que celui du menuisier. Il est construit pour émettre des sons comme le rabot pour amincir et aplanir le bois; comme celui-ci, il a des services bien précis à rendre. Dans ce but, il peut être soit un objet entièrement construit à cet effet, soit un objet naturel, d'abord choisi puis préparé, modifié, travaillé. Il n'y a pas moins d'esprit d'observation, de curiosité et de recherche dans le second cas que dans le premier. Riche d'enseignement est la démarche qui a conduit un musicien soit à nettoyer, creuser, polir, percer de trous un tibia pour en faire une flûte à bec ou une flûte traversière — les fouilles préhistoriques ont mis au jour des témoins de quelque 8 000 ans d'âge —, soit à marteler un bidon d'essence hors d'usage pour en faire une percussion accordée d'une façon bien précise, comme cela se pratique en Amérique du Sud, soit à appliquer la technique de la fabrication des pieds de meuble par tournage à l'exécution des i. à vent (flûtes, hautbois...) vers le milieu du XVIIIe s. Cette observation permet de saisir combien était artificielle la ségrégation qui a si longtemps existé entre i. savants et i. ethniques. Celle-ci provenait d'une conception musicologique : le mode de production du son, qui forme la base de la classification actuelle,

Le "King" Oliver's Creole Jazz Band : ci-dessus, à Chicago, en 1918;
ci-dessous, à San Francisco, en 1921. Joe Oliver, dit "King" Oliver, est à la
trompette, de même que Louis Armstrong. Parmi les membres de l'orchestre
figurent Johnny Dodds, clarinette, et "Baby" Dodds, son frère, batterie.
La Nouvelle-Orléans, New Orleans Jazz Museum.

Sidney Bechet (1893 ou 1897-1959), clarinettiste et saxophoniste, l'un des plus grands
représentants du style Nouvelle-Orléans.

Le clarinettiste Benny Goodman (né en 1909). ▼

▲
"Dizzy" Gillespie (né en 1917), trompette,
l'un des créateurs du style be-bop à partir
de 1943.

Page ci-contre : Lionel Hampton (né en 1913),
virtuose de la batterie, vibraphoniste, pianiste.

JAZZ "Duke" Ellington (1899-1974), pianiste, compositeur, arrangeur et chef d'orchestre. Avec Louis Armstrong, sans doute la plus grande personnalité du monde du jazz.

The Modern Jazz Quartet, formation constituée en 1951 par des ex-membres de l'orchestre de "Dizzy" Gillespie et dissoute en 1974. Milt Jackson, vibraphone; John Lewis, piano; Connie Kay, batterie; Percy Heath, contrebasse.

n'était pas toujours pris en considération, même après les travaux de C. Sachs. On peut aussi comprendre la raison de certaines « bizarreries » instrumentales considérées à tort comme gratuites et qui résultent de ce même esprit de recherche.

A l'idée d'objet construit ou préparé pour émettre des sons il est important d'ajouter celle qui en est inséparable, de manipulation par un musicien. L'outil doit être construit de telle sorte que celui qui s'en sert puisse en contrôler parfaitement les sons dans le moment même où ils sont émis. C'est une question non de précision matérielle, comme celle d'un mécanisme d'horlogerie, mais d'adéquation au résultat à obtenir.

Selon les temps et les pays, l'i. est le fruit de recherches plus ou moins poussées; les exigences du langage musical et celles des musiciens lui font accomplir des étapes — le mot de « progrès » est évité à dessein — dans l'évolution du matériel instrumental. Parfois survient comme par miracle un équilibre entre une forme musicale et son « instrumentarium ». Pendant un temps, compositeurs, interprètes et artisans se prêtent une aide mutuelle et portent la musique à un degré de maturité inconnu auparavant : en Europe occidentale, p. ex., un tel équilibre se trouva réalisé pendant les deux siècles d'existence du hautbois dit baroque, qui, jusque dans la 1re moitié du XIXe s., demeura identique dans sa structure, même pourvu de clefs supplémentaires. Puis les conditions musicales changent. L'i., considéré au stade précédent de son évolution comme parfaitement adéquat, passe soudain pour faux, difficile à jouer, trop ou pas assez sonore, insuffisant en étendue, vulgaire de timbre, toutes appréciations purement subjectives mais révélatrices. Il faut alors commencer une autre recherche instrumentale.

Si, par nature, l'i. n'est qu'un outil producteur de sons, il est, par l'usage qui en est fait, un moyen d'expression à des niveaux divers et se trouve ainsi témoigner de toutes les civilisations. Il n'a pas à être décrit en termes d'objet d'art, car son importance première n'est pas là. Certes, les collections publiques et privées conservent des spécimens dont l'aspect égale celui d'un objet d'art des plus raffinés. Ce type d'i. exerce même un attrait tout particulier. Mais l'aspect de l'i. doit toujours faire songer à la fonction. Une forme inhabituelle peut être le résultat de recherches acoustiques. Dans la décoration qui peut sembler d'un exotisme étrange ou savoureux, interviennent des éléments émotionnels, symboliques, magiques. Parfois, la décoration a pour but de magnifier un accessoire indispensable, de souligner une structure ou de perfectionner une pièce essentielle. Rares sont les ornements purement gratuits, sinon dans des i. qui ont terminé leur carrière active et qui, de ce fait, perdent leur véritable signification. Parfois, le décor représente une marque extérieure de puissance, de richesse : une chapelle princière ou papale ne fournira ses musiciens que chez les facteurs les plus réputés; la collection particulière de quelque grand de ce monde contiendra même des i. injouables, destinés dès leur fabrication au seul plaisir des yeux — déchéance due à un excès de raffinement! A l'opposé de cette conception figurent les appareils actuels, dont l'aspect extérieur est négligeable, qui ont été mis au point pour l'étendue théoriquement

illimitée de leurs possibilités sonores : les i. utilisés dans la mus. électro-acoustique. Ils représentent des moyens par lesquels le compositeur pense pouvoir s'exprimer directement, avec une précision totale, sans que son œuvre ait à subir les imperfections de l'interprète. Certes, les difficultés sont évitées. « Seulement, perdue la difficulté, morte la saveur » (M. Chion). — Une dernière question retiendra notre attention : les i. mécaniques ou automatiques (voir l'art. Musique MÉCANIQUE) peuvent-ils être considérés comme de véritables i. de musique ? S'ils ne répondent pas aux critères que nous avons essayé d'établir, ne doit-on pas les ranger au nombre des « curiosités » ou des amusements ? Ce sont, dans une certaine mesure, des moyens d'expression, mais ils relèvent d'un autre besoin : celui de conserver une trace impérissable d'un moment considéré comme parfait ou important du développement de la musique. En outre, ils révèlent ce goût permanent de l'homme pour tout ce qui fonctionne sans intervention apparente, les « machineries » porteuses de féerie et de merveilleux. On peut y voir aussi l'éternel rêve de copier la nature, de l'égaler en donnant une sorte de vie à des objets inanimés, bref de rivaliser avec le Créateur lui-même. — Voir également les art. MUSÉES INSTRUMENTAUX et ORGANOLOGIE.

Bibliographie — H. BERLIOZ, Gd traité d'instrumentation et d'orchestration modernes, Paris 1843, 2/1855; J. COMBARIEU, La mus. et la magie, Paris 1909; du même, Hist. de la mus. I, chap. IV, La lutherie magique, Paris 1913, 2/1920; C. SACHS, Reallexikon der Musikinstr., Berlin 1913, rééd. en facs. Hildesheim, Olms, 1964, et New York, Dover, 1963; du même, Hdb. der Musikinstr., Leipzig 1920; du même, Geist u. Werden der Musikinstr., Berlin 1929; du même, La signification, la tâche et la technique muséographique des coll. d'i. de m., in Mouseion XXVII-XXVIII, Paris 1934; du même, The Hist. of Musical Instr., New York 1940; A. SCHAEFFNER, Origine des i. de m., Paris 1936, 2/Paris et La Haye, Mouton, 1968; du même, Genèse des i. de m., in Encycl. de la Pléiade, Hist. de la mus. I, éd. par Roland-Manuel, Paris, Gallimard, 1960; R. WRIGHT, Dict. des i. de m. Étude de lexicologie, Londres 1941; A. BAINES (éd.), Musical Instr. Through the Ages, Londres, Penguin Books, 1961; du même, European and Amer. Musical Instr., Londres, Batsford, 1966; R. DONINGTON, The I. of M., Londres, Methuen, 3/1962; Fr.Ll. HARRISON et J. RIMMER, European Musical Instr., Londres, Studio Vista, 1964; S. MARCUSE, Musical Instr. A Comprehensive Dict., New York, Doubleday, 1964; A. BERNER, J.H. VAN DER MEER et G. THIBAULT, Preservation and Restoration of Musical Instr. Provisional Recommandations, Londres, Evelyn, Adams & Maclay, I.C.O.M., 1967; R. BRAGARD et F.J. DE HEN, Les i. de m. dans l'art et l'hist., Paris, Soc. fr. du livre, 1967; A. BUCHNER, Les i. de m. pop., Paris, Gründ, 1969; J. JENKINS (éd.), Ethnic Musical Instr. : Conservation and Identification, Londres, Evelyn, Adams & Maclay, I.C.O.M., 1967; E. WINTERNITZ, Les plus beaux i. de m. du monde occidental, Paris, Arthaud, 1971; M. CHION, 20 Années de mus. électro-acoustique, in Étapes 72, n° 17, Paris, Service de la recherche de l'ORTF, 1972; A. KENDALL, The World of Musical Instr., Londres, New York, Sydney et Toronto, Hamlyn, 1972; W. STAUDER, Alte Musikinstr., Braunschweig, Klinkhardt & Biermann, 1973; voir également l'art. ORGANOLOGIE.

J. BRAN-RICCI

INSTRUMENT TRANSPOSITEUR.

Un instrument est dit transpositeur lorsque, à la lecture de la note *ut*, il fait entendre une autre note correspondant à sa fondamentale naturelle. Ainsi un instrument sera dit en *ut*, *si* ♭ ou *fa*, etc., suivant que sa fondamentale naturelle sera *ut*, ou *si* ♭, ou *fa*, etc. Cette convention vient du fait que certains instr. à vent (trompettes et cors en particulier) ne pouvaient sonner que dans leur gamme naturelle et, pour cette raison, n'étaient employés que dans des pièces unitonales. Pour remédier à cela, on eut l'idée de modifier la longueur du corps sonore de l'instrument afin d'en baisser ou élever la hauteur. L'instrumentiste, pour faciliter sa tâche, continua à considérer son instrument en *ut*, conservant le même doigté pour tous les représentants d'une même famille. Avec les progrès de la facture moderne, cette convention est devenue anachronique, et certains musiciens contemporains, comme A. Schönberg, S. Prokofiev, A. Honegger, ont totalement abandonné le principe de la transposition pour écrire directement les sons tels que l'oreille les perçoit. En effet, les problèmes de lecture posés par les i. tr. sont relativement compliqués puisqu'il faut, pour lire les notes réelles, transposer de la différence entre *ut* et la note entendue comme fondamentale naturelle. A titre d'exemple, si une clarinette en *la* joue les notes suivantes (Mozart, *Rondo pour un Quintette en la maj.*, KV. Anh. 88, 581[a]) :

elle fait entendre :

Pour lire sur la partition les notes entendues, il convient donc de substituer à la clé de *sol* la clé d'*ut* 1re ligne, en ayant soin d'ajouter mentalement les trois altérations ascendantes qui correspondent à cette transposition. De la même manière, pour obtenir :

avec le même instrument, il faut écrire :

Les i. tr. les plus couramment utilisés dans l'orchestre symphonique sont le cor anglais (en *fa*), la clarinette (en *si* ♭ ou en *la*), la clarinette basse (en *si* ♭ ou en *la*), le cor (en *ré*, en *mi* ♭ ou en *fa*) et la trompette (en *si* ♭, en *ré*, en *mi* ♭ ou en *fa*) et le cornet (en *si* ♭ ou en *la*).

Bibliographie — LAVIGNAC Techn. III, 1927 ; J. CHAILLEY et H. CHALLAN, Théorie complète de la mus., 2 vol., Paris, Leduc, 1951 ; E. LINDENBERG, Comment lire une partition d'orch., Paris, Heugel, 1952.

INTEGER VALOR (lat., = valeur non altérée), dans la notation mensuraliste des XVe et XVIe s., locution qui s'applique à la durée normale d'une note, par opposition à la durée augmentée ou diminuée par le moyen des → proportions.

INTENSITÉ. La sensation d'i., comme celle de hauteur, est liée à des variables nombreuses, en particulier au contexte du son considéré. Un même son paraît plus intense après un pianissimo qu'après un fortissimo. Si l'i. physique est facile à définir et à mesurer (voir l'art. DÉCIBEL), il n'en est pas de même pour l'i. perçue par l'homme.

INTERFÉRENCES. Lorsque deux forces sont en présence dans un même système, elles réagissent l'une sur l'autre. Si elles sont de même grandeur et de sens opposé, elles s'annulent. Lorsqu'il s'agit de vibrations complexes, le phénomène devient très compliqué ; les ondes interfèrent, ce que l'on peut actuellement montrer sans difficulté en utilisant des cuves à rides remplies d'eau, ou de la lumière polarisée lorsqu'il s'agit d'une plaque en Plexiglas p. ex. Les i. sonores créent toujours un trouble, plus ou moins gênant lorsqu'il s'agit de musique.

INTERLIGNE, espace compris entre deux lignes horizontales de la → portée. La portée usuelle de 5 lignes comprend 4 i., comptés de bas en haut.

INTERLUDE (all., Zwischenspiel ; ital. et esp., interludio), pièce musicale insérée entre deux parties d'un tout. On désigne ainsi en particulier les brèves interventions solistiques de l'orgue entre deux versets d'un psaume, deux phrases ou deux strophes d'une hymne ou d'un choral. Bien que ces interventions aient été le plus souvent improvisées, certains recueils contenant des i. ont été édités, surtout depuis le XIXe s. L'un des plus anciens est celui de D. Purcell (posthume, 1718), intitulé *The Psalms Set full for the Organ or Harpsichord... as also with their Interludes of great variety*. Dans *Pelléas et Mélisande* (1893-1902), Cl. Debussy a placé des i. d'orchestre entre les scènes ; certains d'entre eux ont été développés au dernier moment pour permettre les changements de décors que nécessitent les nombreux tableaux de l'œuvre. M. Ravel a écrit pour chœur « a cappella » l'un des i. de son ballet *Daphnis et Chloé* (1909-11).

INTERMÈDE. 1. Divertissement accessoire — chant (soli et chœur), scène mimée ou chantée, ballet, cérémonie — intercalé dans ou entre les actes d'un spectacle. Les origines en sont très anciennes. Dans la chrétienté médiévale, les mystères et le drame de la Passion, souvent très longs, sont entrecoupés soit de psaumes, motets ou chants populaires, soit de scènes de diablerie ou d'apparitions célestes accompagnées de mus. vocale et instrumentale. Au XVIe s., sous l'influence des « intermezzi » italiens (voir l'art. INTERMEZZO), les fêtes (entremets, entrées de souverains, joutes, tournois) et les comédies comportent des intermèdes. Dans la comédie de J.A. de Baïf, traduite du *Miles gloriosus* de Plaute, *Le Brave* (1567), des chants sont « récités entre les actes ». Chaque acte de la pastorale de N. de Montreux, *Arimène*, représentée au château de Nantes en 1576, est séparé du suivant par un i. mythologique agrémenté de musique. A partir du XVIIe s. on place aussi des i. au cours de l'action dans les pièces à machines, les pastorales, les tragédies et les comédies. Dans l'*Andromède* (1650) de P. Corneille, outre les airs et chœurs, Ch. d'Assoucy fait intervenir la musique non seulement dans les changements de décors, mais aussi durant les interventions de machines. Molière qualifie les divertissements de ses comédies-ballets mis en musique par Lully de « manières d'intermèdes » (préface des *Fâcheux*, 1661). Dans les tragédies de Racine *Esther* (1689) et *Athalie* (1691), les scènes chantées, notamment celles qui terminent les actes, sont de véritables intermèdes. Au XVIIIe s., après la représentation de *La Serva padrona* (1752), la mode italienne trouve peu d'adeptes. Dans la décennie qui suit, les i. représentés à l'Acad. Royale de Musique sont presque tous italiens et traduits en français. J.J. Rousseau sous-titre i. son *Devin du village* (1752) mais, malgré son admiration pour l'art d'outre-monts, critique dans son *Dictionnaire* (1773) le procédé qui consiste à « tirailler le spectateur en sens contraire, et d'une manière très opposée au goût et à la raison ». Comme la plupart des musiciens de son temps, J.Ph. Rameau situe ses i. au cours de l'action, même s'il s'agit d'une comédie-ballet (*La Princesse de Navarre*, comédie de Voltaire, 1745). Par la suite, le qualificatif d'i. n'apparaît qu'exceptionnellement, au début de la période prérévolutionnaire, pour désigner un spectacle « mêlé de chants et de danses » (*La Fête de village* de Fr.J. Gossec, 1778). De nos jours, i. désigne toute scène d'opéra ou de ballet qui interrompt ou ralentit l'action sans en rompre l'unité. — 2. Morceau de mus. instrumentale joué au théâtre à rideau ouvert ou fermé.

Bibliographie — L. DE LA LAURENCIE, Les créateurs de l'opéra français, Paris 1930 ; TH. GÉROLD, La mus. des origines au XIVe s., Paris 1936 ; R. LEBÈGUE, Les représentations dramatiques à la cour des Valois, in LES FÊTES de la Renaissance I, éd. par J. Jacquot, Paris, CNRS, 1956 ; I. MAMCZARZ, Les i. comiques italiens au XVIIIe s. en France et en Italie, Paris, CNRS, 1972.

A. VERCHALY

INTERMEDIO (ital.), voir INTERMEZZO.

INTERMEZZO (ital. ; plur. intermezzi). **1.** Interlude musical placé entre les actes d'une pièce ou d'un opéra, accompagné ou non du chant et de la danse ; connu également sous le nom d' → intermède en français et d' « intermedio » en italien. En Italie, au XVIe s., il était souvent lié aux représentations de pièces classiques — en particulier aux comédies de Plaute et de Térence — ainsi qu'à leur imitation savante en italien. Les i. les plus rudimentaires sont de simples madrigaux chantés avant, après et entre les actes d'une pièce. On en trouve des exemples plus complexes dans le cadre des festivités organisées pour la célébration de mariages royaux ou d'autres occasions de réjouissance. Au mariage de Cosme Ier de Médicis avec Éléonore de Tolède à Florence en 1539, il y eut au programme des festivités une pièce d'Antonio Landi, *Il commodo*, avec des « intermedii » conçus par Giovambattista Strozzi et mis en musique par Fr. Corteccia ; la musique comprenait du chant pour voix seule, avec divers accompagnements, ainsi que du chant concertant accompagné et non accompagné. L'instrumentation des i. était souvent complexe ainsi qu'en témoignent des descriptions de l'époque, comme celle du scénario des intermèdes joués au mariage de François de Médicis avec Jeanne d'Autriche à Florence en 1565, et dont la musique est l'œuvre de Fr. Corteccia et d'A. Striggio. D'ordinaire, les instruments n'avaient pas leur place sur scène. Parmi les « intermedii » de ce genre qui nous sont parvenus, les plus élaborés sont ceux qui furent composés pour *La Pellegrina*, comédie représentée au mariage de Ferdinand de Médicis avec Christine de Lorraine à Florence en 1589. La partie musicale

(14 livrets séparés imprimés à Venise en 1591) est essentiellement l'œuvre de L. Marenzio et Cr. Malvezzi ; elle comprend en outre deux pièces d'E. de' Cavalieri et quatre pièces de J. Peri, G. Caccini, G. de' Bardi et Vittoria Archilei respectivement. On y trouve des « sinfonie » instrumentales et des madrigaux polyphoniques de 3 à 30 voix (*O fortunato giorno* à 30 v. de Cr. Malvezzi présente toutefois des doublures dans les passages en « tutti »). Les plus impressionnants de ces madrigaux sont ceux des 2e et 3e « intermedii », composés entièrement par L. Marenzio. Il y a également quelques solos intéressants d'Archilei, Peri et Cavalieri, dont la ligne vocale ornée est doublée, sous sa forme simple, par l'accompagnement instrumental ; citons enfin une monodie de Caccini, *Io che dal ciel cader*, écrite — dans la version qui a survécu — pour voix et basse continue. Cependant, d'après les descriptions données dans le 9e fascicule, il est clair que les solos d'Archilei, Peri et Cavalieri étaient à l'origine accompagnés par un ou plusieurs instruments à cordes pincées, peu susceptibles d'avoir doublé la ligne vocale.

L'i. survécut dans le cadre de l'opéra. E. de' Cavalieri suggéra la séparation des trois actes de sa *Rappresentazione di anima e di corpo* (1600) par des « intermedii ». Un siècle plus tard, cette pratique donna naissance à l' → « opera buffa », dont l'exemple le plus fameux, mais en aucun cas le premier, est *La Serva padrona* de Pergolèse, jouée pour la première fois à Naples le 28 août 1733 entre les actes de l' → « opera seria » *Il Prigionier superbo* du même compositeur. Ce petit chef-d'œuvre se sépara bientôt de son complément tragique et fut donné seul à Paris le 2 août 1752, puis, dans une version française, *La Servante maîtresse*, le 14 août 1754. Sous cette forme, avec un dialogue parlé à la place du récitatif, il s'apparenta à l' → opéra-comique de la même façon qu'en Italie il avait été un facteur décisif du développement de l' « opera buffa ».

2. Le terme sert également à désigner un mouvement de liaison dans une œuvre instrumentale plus longue. On trouve ainsi des i. dans des œuvres de forme cyclique, p. ex. dans la *Sonate* op. 5 et dans les *Ballades* op. 10 de J. Brahms, ainsi que dans le *Carnaval de Vienne* et le *Concerto pour piano* de R. Schumann. Le 4e mouvement du *Concerto pour orchestre* de B. Bartók est un *Intermezzo interotto*. C'est encore une → pièce de piano, généralement destinée au piano. Elle est illustrée pour la première fois par l'op. 4 (1832) de R. Schumann. Aux 17 *Intermezzi* (op. 74, 116-119) de J. Brahms, œuvres tardives dans l'ensemble, où se succèdent avec art des monologues d'une poésie intériorisée, s'opposent les amples recueils de Chr. Sinding (op. 65, 72), pleins de tempérament et de puissance, dont les limites sont encore dépassées par l'op. 45 de M. Reger (no 1 p. ex.).

Bibliographie — 1. F. GHISI, Feste musicali della Firenze Medicea, 1480-1589, Florence 1939 ; J. JACQUOT (éd.), Les fêtes de la Renaissance I, Paris, CNRS, 1956 ; R.L. WEAVER, 16th Cent. Instrumentation, in MQ XLVII, 1961 ; D.P. WALKER, Les fêtes du mariage de Ferdinand de Médicis et de Christine de Lorraine, Florence 1589, I Mus. des intermèdes de « La Pellegrina », CNRS, 1963 ; D.J. GROUT, A Short Hist. of Opera, New York, Columbia Univ. Press, 2/1965 ; E.J. DENT, Music and Drama, rév. par Fr.W. Sternfeld, in New Oxford Hist. of Music IV, Londres, Oxford Univ. Press, 1968 ; I. MAMCZARZ, Les intermèdes comiques italiens au XVIIIe s. en France et en Italie, Paris, CNRS, 1972.

J. CALDWELL et R. SIETZ

INTERPRÉTATION, INTERPRÈTE. L'i. d'une œuvre musicale consiste, à partir du texte écrit fourni par le compositeur, à restituer non seulement la matérialité sonore des signes graphiques, mais aussi et surtout la pensée vivante, formelle et expressive qui s'y trouve virtuellement contenue. La question peut être envisagée selon deux perspectives distinctes : 1º une perspective musicologique ou historique visant à définir l'optique particulière selon laquelle était conçu et utilisé le document noté à une époque et en un lieu déterminés; 2º une perspective esthétique s'efforçant de mettre en lumière et de préciser, dans la généralité, les conditions mêmes de l'i. ainsi que l'attitude personnelle de l'interprète face à l'œuvre.

Le point de vue historique. Au Moyen Age, la notion même d'i. paraît anachronique, vu le caractère relativement impersonnel que revêt alors la composition musicale. La notation, inventée vraisemblablement au IXᵉ s., ne se perfectionne que peu à peu, au prix de subtilités graphiques dont la complexité et la rigidité empêchent une intervention personnelle de l'interprète. Le maniérisme rythmique de l'Ars Nova, notamment, atteste un rationalisme et une tendance à l'abstraction révélateurs d'une musique élaborée pour le papier beaucoup plus qu'en fonction des contingences concrètes de l'exécution. La marge de liberté accordée à l'interprète se réduit alors au choix des moyens vocaux ou instrumentaux aptes à rendre chacune des parties de la polyphonie, toutes les combinaisons et substitutions étant admises en ce domaine. Quant aux altérations sous-entendues de la → « musica ficta », elles ressortissent à des règles strictes bien plutôt qu'à la fantaisie des exécutants.

L'avènement de l'interprète, au sens complet du terme, se situe à l'époque de l'humanisme et de la Renaissance et découle du courant d'individualisme engendré par ces deux mouvements complémentaires. L'apparition de la monodie accompagnée, aux alentours de l'an 1600, détermine celle du soliste, chanteur ou instrumentiste, qui polarisera l'essentiel de l'intérêt au lieu de se fondre dans un ensemble comme un élément parmi d'autres. Le langage musical se veut désormais le véhicule de sentiments et d'émotions divers que l'exécutant se devra de communiquer aux auditeurs (c'est en cela que réside la → « seconda pratica » de Cl. Monteverdi). La notation se simplifie, devient plus claire, plus immédiatement lisible. Le rôle de l'interprète croît en proportion de ces facteurs nouveaux, et la liberté dont il dispose à l'égard du texte écrit atteint des limites dont on a peine à se faire une idée aujourd'hui. Loin n'attendre de lui une reproduction exacte de la partition, on l'investit d'une fonction créatrice consistant à suppléer, par des adjonctions improvisées, aux lacunes intentionnelles de la notation. Souvent, en effet, celle-ci présente l'aspect d'un canevas plus ou moins schématique destiné à être brodé par l'interprète au gré de son imagination ainsi que de son aisance technique. Durant toute l'ère baroque et, à un moindre degré, jusqu'au classicisme, l'i. inclut donc une large part d' → improvisation : → ornementation, → cadences et → points d'orgue, réalisation de la → basse chiffrée. Fréquemment, compositeur et interprète coïncident en une seule et même personne : Haendel rédige sommairement la partie solistique de ses concertos pour orgue, se réservant de la développer complètement lors de l'exécution; il en va de même des concertos pour piano de Mozart. L'interprète dispose de tous les droits vis-à-vis de l'œuvre et la traite comme s'il s'agissait de sa création propre, l'adaptant ou la modifiant à sa guise. De leur côté, les compositeurs prévoient volontiers plusieurs dispositions possibles, admettent la suppression ou l'adjonction de certains instruments, le remplacement de tel instrument par tel autre. Font exception un Fr. Couperin ou un J.S. Bach, qui notent avec précision leur pensée musicale et prohibent de telles licences.

Avec le romantisme, la composition devient une carrière en soi et l'œuvre une création longuement pensée et mûrie, de caractère hautement personnel. Les ressources sonores et expressives des instruments comme de la voix sont exploitées à fond : au lieu de regarder le texte noté comme sa propriété, l'interprète se met à son service et adopte dès ce moment l'allure du → virtuose, exclusivement exécutant et rompu à toutes les difficultés techniques au prix d'un travail acharné. Le compositeur fixe ses intentions par écrit avec la plus grande minutie, de sorte que toute modification apportée à l'œuvre par l'interprète serait dès lors considérée comme sacrilège : il incombe désormais à celui-ci de s'identifier totalement au dessein expressif du compositeur, afin de le restituer fidèlement tant dans la forme que dans l'esprit.

Le point de vue esthétique. Il s'agit ici de définir les droits et les devoirs de l'interprète face à l'œuvre interprétée. Les problèmes ainsi posés naissent du caractère particulier, parfois ambigu, propre à la relation qui s'instaure entre le compositeur et l'interprète par le truchement de la partition. Il serait tentant de poser comme critère unique et absolu la fidélité aux intentions du compositeur, intentions censées émaner directement de son texte. Mais une telle fidélité irait à l'encontre des habitudes anciennes et ne tiendrait pas compte d'un facteur essentiel, à savoir la subjectivité de l'interprète, que celui-ci ne peut ni ne doit chercher à masquer. On ne saurait, en effet, assimiler l'interprète à un automate passif et son i. à l'imitation d'un modèle idéal fixé une fois pour toutes. De ce fait, le souhait formulé par I. Stravinski (*Chroniques de ma vie*) d'établir lui-même une tradition immuable grâce au disque pour l'i. de ses œuvres apparaît fatalement voué à l'échec, ainsi d'ailleurs que le constate le compositeur lui-même. Pour demeurer vivante, l'i. musicale doit pouvoir préserver, dans tous les cas, une part de spontanéité tirant parti du champ d'indétermination que laisse subsister même le texte le plus soigneusement mis au point. C'est à la faveur de ce champ d'indétermination que se font jour le tempérament personnel de l'interprète, son sens artistique, sa musicalité. De la sorte, une même œuvre supportera plusieurs traductions différentes, chacune d'entre elles correspondant à un éclairage adéquat et complémentaire de l'œuvre en question (comparer les i. d'une symphonie identique par A. Toscanini et W. Furtwängler).

Autant que la personnalité de l'interprète lui-même, la mentalité générale d'une époque influe sur le style d'i. : les chefs-d'œuvre subissent le contrecoup des siècles successifs qu'ils traversent, dans la mesure où leur i. participe aux fluctuations du goût. Le style d'un Paderewski, d'un Caruso, d'un Kreisler se révèle périmé au regard des normes actuelles, mais tout laisse à prévoir que celles-ci tomberont à leur tour en désuétude pour être remplacées par d'autres, également éphémères.

Il existe cependant des limites assignées à la spontanéité interprétative. L'authenticité stylistique représente une exigence non moins réelle de l'interprétation. Cette exigence a trait surtout aux i. de musique ancienne, en raison de la notation schématique qui caractérise cette dernière. D'où la discipline appelée en allemand « Aufführungspraxis », dont le but est de permettre à l'exécutant une lecture correcte des textes anciens grâce à la connaissance des conventions graphiques auxquelles ceux-ci recourent. Les textes postérieurs à 1800 environ peuvent, quant à eux, se lire sans préparation préalable, ce qui ne signifie pas qu'ils ne posent aucun problème de style et d'expression : au contraire, la richesse et la complexité progressive du langage réclament alors de l'interprète une intelligence musicale accrue.

Il importe en conclusion de rappeler que nulle « Aufführungspraxis », aussi détaillée soit-elle, ne suppléera à un manque de musicalité naturelle de la part de l'interprète : quel que soit le style de l'œuvre qu'il exécute, seul un instinct musical authentique — qualité nécessaire sinon suffisante — lui livrera accès à l' « au-delà des notes », à l' « esprit vivifiant » contenu en puissance dans le signe inerte de la partition.

Bibliographie — M. LUSSY, Traité de l'expression musicale, Paris 1874 ; R. HAAS, Aufführungspraxis der Musik, Potsdam 1931 ; A. SCHERING, Aufführungspraxis alter Musik, Leipzig 1931 ; E. BOREL, L'i. de la m. française, Paris 1934 ; G. BRELET, L'i. créatrice, 2 vol., Paris, PUF, 1951 ; TH. DART, The I. of Music, Londres 1954 ; J. CHAILLEY, 40 000 ans de mus., Paris, Plon, 1955 ; du même, La mus. et le signe, Lausanne, Éd. Rencontre, 1967 ; A. DOMMEL-DIÉNY, De l'analyse harmonique à l'i., Neuchâtel, Delachaux et Niestlé, 1958 ; M. PINCHERLE, art. I. in Encycl. de la mus. II, éd. par Fr. Michel, Paris, Fasquelle, 1959 ; R. DONINGTON, The I. of Early Music, Londres, Faber, 1963, 2/1965 (augm.) ; A. GEOFFROY-DECHAUME, Les « secrets » de la mus. ancienne, Paris, Fasquelle, 1964 ; L'i. de la mus. fr. aux XVII⁰ et XVIII⁰ s., éd. par É. WEBER, Paris, CNRS, 1974.

J. VIRET

INTERVALLE, distance qui sépare deux sons émis soit simultanément (i. harmonique), soit l'un après l'autre (i. mélodique). Elle peut se définir par une fraction déterminée par le rapport des fréquences de deux vibrations. Ex. : $440/220 = 2$; $440/330 = 1,5$, etc. Les i. musicaux sous forme de fraction ou de nombre fractionnaire ne sont pas parlants pour un musicien car la sensation d'i. est logarithmique, comme la sensation de rapports d'intensité. Lorsque ces rapports de fréquence sont simples, le musicien connaît leur signification musicale pour l'avoir apprise : $440/220 = 2/1$ = une octave ; $440/330 = 4/3$ = une quarte, etc. Mais dans les cas intermédiaires, il est plus simple de prendre le → logarithme du quotient de la fraction et de le multiplier par mille. On trouve ainsi, exprimé en → savarts, l'i. entre deux fréquences quelconques. Il suffit alors de se rappeler que, en système tempéré, l'octave comporte 300 savarts (nombre arrondi), le ton 50 savarts, le demi-ton 25 savarts, etc. L'i. entre deux sons se lit directement et sans calculs sur la règle à calcul que tout musicien devrait savoir utiliser. — La dénomination des i. se fait numériquement par rapport à l'échelle heptatonique diatonique en donnant le chiffre 1 au son grave. On obtient : 1 — unisson, 2 = seconde,

3 = tierce, 4 = quarte, 5 = quinte, 6 = sixte, 7 = septième, 8 = octave. Ces i. sont dits simples, alors que ceux qui dépassent l'octave sont dits redoublés. Pour retrouver l'i. simple correspondant, il suffit de retrancher le chiffre 7. Ainsi la dixième (10) est le redoublement de $10 - 7 = 3$, soit de la tierce. Toutefois, l'i. de neuvième ne peut être considéré comme le redoublement de celui de seconde que s'il fait partie d'un → accord de neuvième car, dans ce cas, il comprend les sons intermédiaires constitutifs de cet accord. Il en va de même pour les onzièmes et les treizièmes. Le renversement d'un i. est son complément au sein de l'octave : *mi - do* est le renversement de *do - mi*. De nos jours on préfère parler dans ce cas, et à juste titre, d'i. complémentaire ou différentiel : unisson - octave, seconde - septième, tierce - sixte, quarte - quinte. Pour trouver le renversement d'un i., il suffit de savoir que la somme est toujours égale à 9.

Les i. de même nom ne sont pas forcément égaux. Cela dépend de leur nature. A l'état normal, l'octave, la quinte et la quarte sont justes ; les autres i. sont majeurs ou mineurs. L'i. mineur a un demi-ton chromatique de moins que le même i. majeur. En outre, tous les i. peuvent être augmentés (un demi-ton chromatique de plus que l'i. juste ou majeur correspondant) et diminués (un demi-ton chromatique de moins que l'i. juste ou mineur correspondant).

Un i. peut se mesurer qualitativement, selon son degré de → consonance ou de dissonance ; ou bien quantitativement. Dans la Grèce antique et au Moyen Age, on procédait par des rapports de nombres correspondant à la division de la corde (voir l'art. MONOCORDE). Depuis, on préfère donner les rapports de fréquences, qui sont exactement l'inverse des premiers (quinte = $2/3$ ou $3/2$). De nos jours on utilise également les mesures logarithmiques, qui sont plus simples à manipuler. La mesure d'un même i. varie selon les systèmes utilisés et ceux-ci sont innombrables. Aussi est-il préférable de prendre comme référence le tableau des → sons harmoniques, qui fournit une base physique scientifique universelle. Les i. qui en résultent devraient être dénommés i. naturels. C'est par rapport à eux que l'on comparera les mesures des i. dans les trois grands systèmes qui ont eu successivement la suprématie dans la musique européenne : celui de Pythagore, celui de Zarlino et celui du tempérament égal (voir les art. SYSTÈME PYTHAGORICIEN, ... ZARLINIEN, ... TEMPÉRÉ).

L ' o c t a v e (en grec, diapason). Elle a la même valeur dans tous les systèmes et représente une unité de mesure universelle.

L a q u i n t e naturelle (en grec, diapente). Elle est la même dans les systèmes de Pythagore et de Zarlino et très légèrement inférieure dans le système tempéré (2 cents).

L a t i e r c e naturelle majeure (en grec, ditonus) se retrouve identique dans le système zarlinien, où elle provient de la → division harmonique de la quinte. Elle est sensiblement plus grande dans le système de Pythagore puisqu'elle résulte de l'addition de 4 quintes naturelles avec le retrait de deux octaves ; ou bien — ce qui revient au même — de l'addition de deux tons majeurs : $9/8 \times 9/8 = 81/64$. D'où le nom de « ditonus » (= deux tons entiers) utilisé pendant tout le Moyen Age pour désigner la tierce majeure pythagoricienne. Cette tierce trop grande et ne correspondant pas à des rapports simples a un caractère dynamique expansif qui lui confère un état d'instabilité cherchant à se résoudre sur la quinte :

La différence entre la tierce pythagoricienne et la tierce naturelle s'appelle → comma syntonique ; sa mesure est 81/64 : 5/4 = 81/80. La tierce tempérée a une valeur intermédiaire entre les deux autres tierces.

La septième naturelle est nettement inférieure à la septième mineure (de même valeur) de Pythagore et de Zarlino. Sa différence s'aggrave encore avec la septième mineure tempérée.

La quarte augmentée — appelée usuellement triton (= trois tons entiers) — tire sa particularité du fait qu'elle est le seul i. de son espèce dans la gamme heptatonique. Le triton zarlinien est le plus petit, tandis que le triton naturel est le plus grand.

goricienne est sensiblement plus petite : différence entre la quarte naturelle et le « ditonus » (tierce majeure pythagoricienne), prenant le nom de « limma » (= reste) : 4/3 × 64/81 = 256/243. L'i. tempéré prend une valeur intermédiaire.

Le demi-ton chromatique ne se retrouve pas dans le tableau des harmoniques ; c'est essentiellement un intervalle complémentaire : différence entre le ton (seconde majeure) et le demi-ton diatonique (seconde mineure). Dans le système pythagoricien, le demi-ton chromatique a toujours la même valeur et s'obtient en déduisant le « limma » (demi-ton diatonique pythagoricien) du ton majeur : 9/8 × 243/256 = 2187/2048. Il est sensiblement plus grand que le « limma » et prend le nom d' « apotomé » (= amputation). La différence entre l' « apotomé » et le « limma » est dite « comma » pythagoricien et s'exprime par le rapport 531441/524288, soit 23,5 cents, approximativement la neuvième partie du ton majeur. Voici la division pythagoricienne du ton exprimée en cents (arrondis) :

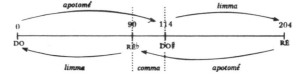

C'est ce qui explique sa propension à se résoudre sur l'i. de sixte :

On ne signale jamais la très proche parenté du triton naturel et de celui de Pythagore, pourtant essentielle pour comprendre que c'est dans le système de Pythagore que le triton conserve au maximum ses particularités. Dans le système tempéré, le triton partage l'octave en deux moitiés strictement égales, ce qui lui confère chez certains compositeurs à partir de la fin du XIXe s. une importance particulière. Cet i. est le seul de l'échelle heptatonique diatonique à posséder une force attractive aussi explosive ; pour cette raison, il devint l'élément essentiel des phénomènes de tensions harmoniques du XVIIe au début du XXe s. Au Moyen Age, le triton était interdit et son éviction posait de difficiles problèmes, d'où son nom de « diabolus in musica ».

La seconde majeure naturelle se retrouve dans le système de Pythagore Le système de Zarlino connaît deux sortes de secondes majeures, qui correspondent à la division harmonique de la tierce majeure : le ton majeur (9/8) et le ton mineur (10/9) ; seul le ton majeur est identique à la seconde majeure naturelle. La seconde majeure tempérée est légèrement inférieure au ton majeur. Rappelons que le mot ton est identique à celui de seconde majeure. Pour les théoriciens de la Grèce antique et du Moyen Age, il résultait de la différence entre la quinte et la quarte, soit 3/2 × 3/4 = 9/8, ce qui est la valeur du ton majeur.

La seconde mineure naturelle — ou demi-ton diatonique majeur — se retrouve dans le système de Zarlino : différence entre la quarte naturelle et la tierce naturelle. La seconde mineure pytha-

Dans le système zarlinien, du fait des deux valeurs différentes de la seconde majeure, il y a deux sortes de demi-tons chromatiques : 1° ton majeur — 1/2 ton diatonique, soit 9/8 × 15/16 = 135/128 ; 2° ton mineur — 1/2 ton diatonique, soit 10/9 × 15/16 = 150/144 = 25/24. Cette dernière valeur est la plus fréquente et est considérée comme le demi-ton chromatique normal de ce système car elle résulte également de la différence entre la tierce majeure et la tierce mineure : 5/4 × 5/6 = 25/24. Voici exprimées en cents ces différentes valeurs ($ré^1$ = ton mineur, $ré^2$ = ton majeur) :

$$\overset{\displaystyle 134 = 27/25}{\underset{\displaystyle 92 = 135/128}{\begin{array}{ccccc} 0 & 70 & 112 & 182 & 204 \\ DO & DO\,\sharp & R\acute{E}\,\flat & R\acute{E}^{I} & R\acute{E}^{2} \\ & \frac{25}{24} & \frac{16}{15} & \frac{10}{9} & \frac{9}{8} \end{array}}}$$

L'i. différentiel do ♯ - $ré^2$ = 134 cents (rapport 27/25) est plus grand que le demi-ton diatonique naturel (16/15) et ne doit pas être confondu avec lui. On remarquera que, dans tous les cas, le demi-ton chromatique est plus petit que le demi-ton diatonique, à l'inverse de ce qui se passe dans le système pythagoricien.

Bibliographie — B. RAMOS DE PAREJA, Musica practica, Bologne 1482 ; G. ZARLINO, Dimostrationi harmoniche, Venise 1571 ; FR. SALINAS, De musica, libri septem, Salamanque 1577 ; J. LIPPIUS, Synopsis musicae novae omnino verae atque Methodicae universae, Strasbourg 1612 ; R. DESCARTES, Compendium musicae (1618), Utrecht 1650 ; J. SAUVEUR, Principes d'acoustique et de mus., ou Système général des i. des sons, Paris 1700 ; J. PH. RAMEAU, Traité de l'harmonie, Paris 1722 ; du même, Démonstration du principe de l'harmonie, Paris 1750 ; G.A. SORGE, Genealogia allegorica intervallorum octavae diatono-chromaticae, Francfort/M. 1741 ; G. TARTINI, Trattato di musica, Padoue 1754 ; FR.W. MARPURG, Anfangsgründe der theoretischen Musik, Leipzig 1757 ; J. D'ALEMBERT, Éléments de musique, 2/Lyon 1762 ; C.L. RÖLLIG, Versuch einer musikalischen Intervallenlehre, Leipzig 1789 ; F. VON DRIEBERG, Die mathematische Intervallenlehre der Griechen, Berlin 1818 ; M.W. DROBISCH, Über die mathematische Bestimmung der musikalischen Intervalle, Metrik, Leipzig 1853, 2/1873 ; H. VON HELMHOLTZ, Die Lehre von den Tonempfindungen, Braunschweig 1863 ; J.G.H. BELLERMANN, Die Grösse der intervallischen I. als Grundlage der Harmonie, Berlin 1873 ; H. RIEMANN, Gesch. der Musiktheorie, Leipzig 1898, 2/Berlin 1921 ; A. VON OETTINGEN, Das duale Harmoniesystem, Leipzig 1913 ; A. SÉRIEYX, Cours de grammaire musicale, Paris 1925 ; P. HINDEMITH, Unterweisung im Tonsatz, Mayence 2/1940 ; R. BOBITT, The Physical Basis of Intervallic Quality and its Application to the Problem of Dissonance, in Journal of Music Theory III, 1959 ; J. CHAILLEY, Formation et transformation du langage musical, I I. et échelles, Paris, CDU, 1961 ; S. GUT, La tierce harmonique dans la mus. occidentale, Paris, Heugel, 1970 ; du même, La notion de consonance chez les théoriciens du M.A., in Studia Musicologica XVI, 1974.

S. GUT

Tableau des i. de l'échelle heptatonique diatonique dans les différents systèmes avec leurs valeurs exprimées d'abord en rapports de fréquences, ensuite en cents. Les valeurs tempérées sont irrationnelles et arrondies à 4 décimales.

— **3.** On appelle également i., dans l'ordinaire de la messe, les premiers mots du *Gloria* et du *Credo* chantés par l'officiant seul, le chœur entonnant sur « Et in terra pax » pour le *Gloria* et sur « Patrem omnipotentem » pour le *Credo*. Cet usage a été régulièrement repris dans les messes polyphoniques anciennes et modernes. — Voir également l'art. INTONAZIONE. — **4.** Dans la théorie de l'i. exposée par B. Assafiev, ce terme désigne la totalité des formes de développement d'un style musical. C'est l'élément fondamental d'une pensée qui ne considère pas les phénomènes musicaux comme étant statiques mais en perpétuelle évolution.

INTONAZIONE (ital., = intonation), terme adopté par les compositeurs italiens du XVIe s., en particulier par A. et G. Gabrieli, pour désigner une pièce d'orgue destinée à servir de prélude et à donner le ton à un chant liturgique.

INTERVALLE		Pythagore	Zarlino	S. tempéré	S. harmon.
2de mineure		256/243 90	16/15 112	1,0594 100	16/15 112
2de majeure	ton majeur	9/8 204	9/8 204	1,1224 200	9/8 204
	ton mineur		10/9 182		10/9 182
3ce mineure		32/27 294	6/5 316	1,1892 300	6/5 316
3ce majeure		81/64 408	5/4 386	1,2599 400	5/4 386
4te juste		4/3 498	4/3 498	1,3348 500	4/3 498
4te augmentée		729/512 612	45/32 590	1,4142 600	10/7 617
5te diminuée		1024/729 588	64/45 610	1,4142 600	7/5 583
5te juste		3/2 702	3/2 702	1,4983 700	3/2 702
6te mineure		128/81 792	8/5 814	1,5874 800	8/5 814
6te majeure		27/16 906	5/3 884	1,6818 900	5/3 884
7e mineure		16/9 996	16/9 996	1,7818 1000	7/4 969
7e majeure		243/128 1110	15/8 1088	1,8877 1100	15/8 1088
8ve		2 1200	2 1200	2 1200	2 1200

INTONATION. 1. L'i. d'un son joué ou chanté se rapporte à la hauteur à laquelle ce son est émis : elle sera dite juste si cette hauteur est exacte, fausse dans le cas contraire. — **2.** Dans le chant grégorien, l'i. constitue la partie initiale de la → psalmodie : elle consiste en une brève montée de la voix jusqu'à la teneur ou corde récitative, et trouve son pendant dans la terminaison, descente conclusive sur un degré grave. Pour les psaumes, l'i. ne se chante qu'au premier verset, les versets suivants commençant immédiatement sur la teneur. Pour les cantiques *(Magnificat* et *Benedictus)*, l'i. se répète à chaque verset.

INTRADA (de l'ital. entrata), pièce instrumentale destinée originellement à accompagner une entrée solennelle ou un cortège et répandue surtout en Allemagne au XVIIe s. Le prototype du genre est fourni par les sonneries de trompette du XVIe s., dénommées « Aufzug » ou « Signal », que conservent divers recueils contemporains : motifs très simples, caractérisés par des rythmes carrés, toujours binaires, et par de fréquentes répétitions de notes. Ces caractéristiques se retrouvent dans les premières i. polyphoniques apparaissant dès la fin du siècle. Écrites à 4, 5 ou 6 voix (ou réduites en tablature de clavier) en un style à prépondérance verticale, elles s'accommodent de dispositions instrumentales variées et se prêtent à un usage domestique. Cependant la forme se diversifie, d'autres types se font jour : outre son allure martiale primitive, l'i. peut adopter celle de la → pavane, avec une écriture plus contrapuntique, ou celle d'une danse plus animée, avec une mélodie d'essence populaire. Parmi les principaux auteurs d'i., citons A. Orologio (*Intradae 5 et 6 v. ...*, 1597), H.L. Hassler (*Lustgarten neuer teutscher Gesäng...*, 1601), M. Franck (4 recueils publiés entre 1603 et 1627), V. Haussmann (*Neue Intrade* à 5 et 6 voix pour les violes, 1604).

Intrada à 5

M. Franck, *Newer Pavanen, Galliarden und Intraden*, 1603.

L'i. figure également dans des recueils de danses et, le cas échéant, remplace la pavane comme introduction d'une gaillarde ou d'une courante (P. Peuerl, *Neue Paduanen, Intrada, Täntz und Galliarda mit 4 Stimmen*, 1611), mais il ne semble pas qu'elle doive être assimilée à une danse véritable. L'équivalent français de l'i. est l' → entrée, qui, dans un spectacle dansé, ballet ou opéra, accompagne l'arrivée en scène des personnages. Elle adopte généralement un rythme majestueux de pavane, allemande ou marche. En Angleterre, l' « entry » affecte souvent un rythme pointé qui la rapproche de l'i. allemande originelle.

L'i. en style de fanfare peut servir de pièce introductive à une œuvre de grande dimension, opéra ou oratorio. Cet usage est propre principalement à l'Italie (*Toccata* de l'*Orfeo* de Cl. Monteverdi). Au XVIIIᵉ s. l'i. pourra revêtir la coupe de la « sinfonia » ou de l'ouverture à la française. Mozart nomme encore i. les introductions instrumentales de ses opéras *Bastien et Bastienne* et *Apollon et Hyacinthe*, sans que celles-ci aient un rapport réel avec l'i. authentique. Au XXᵉ s. certains compositeurs allemands renouent avec la tradition de l'i., p. ex. P. Hindemith dans la fanfare initiale de sa cantate *Apparebit repentina dies*.

Bibliographie — M. REIMANN, Materialien zu einer Definition der I., in MÍ X, 1957.

INTRODUCTION (all., Einleitung; ital., introduzione), court fragment musical, de forme libre, le plus souvent de rythme lent et majestueux, placé au début d'une œuvre vocale pour préparer l'entrée de la partie chantée (« Lied », mélodie, air, cantate, acte ou scène d'opéra) ou d'une œuvre instrumentale pour attirer l'attention de l'auditeur, par contraste, sur l'entrée du premier thème principal (sonate, symphonie, toute œuvre de mus. de chambre écrite dans la forme sonate, divertissement, ouverture, cycle de variations, suite de danses, ballet, etc.). Dans le théâtre lyrique, la première scène chantée au lever du rideau sert parfois d'i. (Mozart, *Don Juan*, *La Flûte enchantée*) ; dans la mus. de ballet, l'i. permet aux danseurs de se mettre en place pour le premier numéro. Termes synonymes : entrée, « intrada », intonation, prélude, préambule, prologue, ouverture (voir ces mots).

INTROÏT (lat.). L'i. ou « antiphona ad introïtum » est le premier des 5 chants du → propre de la messe : il accompagne l'entrée du célébrant et du clergé accédant à l'autel. Autrefois, le psaume d'i. était chanté en entier et l' → antienne était reprise entre chaque verset du psaume. On terminait par le *Gloria Patri*, suivi d'une dernière reprise de l'antienne. Dans le rite ambrosien, l'antienne d'entrée (« ingressa ») ne comporte aucune psalmodie.

La plus ancienne attestation de l'i., à Rome, se trouve dans la notice du pape Célestin (422-432), citée par le *Liber Pontificalis* (éd. L. DUCHESNE I, 1886, p. 230) : « constituit ut psalmi David... » (« il prescrivit avant le St Sacrifice le chant antiphoné des 150 psaumes de David, usage qui auparavant n'existait pas »). Suivant L. Duchesne et A. Jungmann, l'usage de l'i. ne saurait remonter au début du Vᵉ s. ; il aurait seulement commencé un siècle plus tard, à l'époque de la rédaction de la notice du pape Célestin. L'antienne *Ecce advenit* est d'ailleurs citée intégralement par le *Liber Pontificalis* (éd. L. DUCHESNE I, 1886, p. 198), à propos de la visite du pape Vigile (537-555) à Constantinople. Ce texte de composition ecclésiastique, non tiré de l'Écriture, sert d'i. à l'Épiphanie dans le Graduel grégorien. D'après les *Ordines Romani* des VIIIᵉ-IXᵉ s. (éd. M. ANDRIEU, II Les textes, Gembloux 1948), le chant d'i. s'exécutait ainsi : 1º au signal du pontife, la schola commence l'antienne d'i.; 2º un soliste exécute le psaume et, entre chaque verset, on reprend l'antienne (suivant A. Jungmann, à Rome on ne reprenait pas l'antienne entre chaque verset ; la reprise serait un usage gallican) ; 3º au signal du pontife, interruption de la psalmodie et chant du *Gloria Patri* ; 4º verset de répétition (« versus ad repetendum ») ; 5º dernière reprise de l'antienne par le chœur.

Le → ton psalmodique d'i. est un ton psalmodique orné et non un ton simple comme à l'office (voir règles d'adaptation dans l'art. cité d'E. Cardine). La part importante de la psalmodie dans le chant d'entrée a parfois influencé la composition de l'antienne elle-même. Les formules de la psalmodie se retrouvent souvent dans l'antienne, en particulier à l'intonation (*Ego autem cum justitia*, 1ᵉʳ ton ; *In nomine Domini*, 3ᵉ ton ; *Domine refugium*, 5ᵉ ton ; *Viri Galilaei, Ne derelinquas me*, 7ᵉ ton) ou dans les récitations plus ou moins ornées sur le même degré que la psalmodie elle-même (*Ecce advenit, Oculi mei, Da pacem*, etc.). Les formules de cadence sont adaptées suivant les lois du → « cursus », comme dans la psalmodie d'i. elle-même. La plupart des i. sont composés librement, c.-à-d. que le compositeur emploie les formules habituelles d'intonation et de cadences propres à chaque mode, formules identiques à celles des antiennes de communion ou à celles des répons nocturnes. Il les relie entre elles soit par des récitations ornées, soit par des passages où l'inspiration et l'invention créatrice ont une part à jouer. Le choix du mode n'est pas imposé, comme dans le chant byzantin, pour une période liturgique donnée, mais reste entièrement libre. Sur 147 i. appartenant au fonds primitif du Graduel grégorien, on relève 48 antiennes en protus (*ré*), 46 en deuterus (*mi*), 22 en tritus (*fa*) et enfin 31 en tetrardus *(sol)*. Pour 14 i., on constate dans la tradition une certaine hésitation dans le choix du sous-classement entre authente ou plagal qui détermine le ton psalmodique.

L'i. est un chant d'introduction : néanmoins, aux Xe et XIe s., on a composé des tropes pour « introduire » l'introït. Les → tropes ont un certain caractère festif, car on n'en a jamais composé pour le Carême mais seulement aux grandes fêtes du temporal et du sanctoral. On distingue les tropes d'introduction, qui préludent à l'i. (Analecta hymnica 49, pp. 24-44), et les tropes d'interpolation, qui s'insèrent entre les incises de l'antienne comme des gloses *(ibid.,* pp. 45-164). Les tropes sont versifiés ou en prose (éd. intégrale en préparation à l'Univ. de Stockholm, dir. R. Jonsson). Au point de vue musical, la mélodie des tropes est évidemment du même mode que l'i. qu'ils introduisent ou qu'ils développent. L'i., chant d'entrée, n'a pas servi de thème aux compositeurs de polyphonie avant le XVe s., alors que le graduel ou l'alleluia étaient déjà traités par les compositeurs de l'École de Notre-Dame dès le XIIIe s.

Bibliographie — Paléogr. Mus. III, 1891, pp. 20-24; P. WAGNER, Einführung in die gregorianischen Melodien I, Leipzig 1910; P. FERRETTI, Esthétique grégorienne, Tournai 1938; E. CARDINE, La psalmodie des i., *in* Revue Grég. XXVI, 1947; J. FROGER, Les chants de la messe aux VIIIe-IXe s., *ibid.*; W. LIPPHARDT, Gesch. des mehrstimmigen Proprium Missae, Heidelberg 1950; J.A. JUNGMANN, Missarum sollemnia, 3 vol., Vienne, Herder, 1948, 6/1962, trad. fr. Paris, Aubier, 1952; BR. STÄBLEIN, art. Introitus *in* MGG VI, 1957; M. HUGLO, Les tonaires, Paris, Heugel (Soc. Fr. de Mie), 1971.

M. HUGLO

INVENTION (ital., invenzione; esp., invención), terme qui désigne, dans son sens le plus général, les éléments d'une composition qui ne font pas partie du métier appris ni des règles ou conventions d'un style, mais qui sont issus de l'imagination créatrice du compositeur. Ce sont eux en premier lieu qui rendent une œuvre personnelle, unique. Dès sa première apparition parmi les titres d'œuvres musicales, le terme n'a jamais eu une signification bien définie. Les Ier et 2^d livres des *Inventions musicales* de *M.Cl. Janequin*, édités par N. Du Chemin en 1555, contiennent exclusivement des chansons descriptives (*La Guerre, La Bataille de Metz, Le Chant des oiseaux, La Prise de Boulogne,* etc.) qui, en partie, avaient déjà été publiées antérieurement par d'autres éditeurs. Ce titre veut donc probablement relever que Janequin est, sinon l'inventeur, du moins le premier représentant important de la chanson descriptive. « Di nova inventione », ajouté au titre du Ier livre des *Concerti ecclesiastici* (1602) de L. Viadana, précise la nouveauté du style concertant avec basse continue pour le genre de la mus. sacrée. Les *Nuove Invenzioni di balli* (1604) de C. Negri contiennent trois traités sur la danse qui présentent de nouveaux pas. Dans le titre de la collection des *Sonate, symphonie, canzoni, pass'emezzi, baletti, corenti, gagliarde e ritornelli a 1-6 v. ... con altre curiose e moderne invenzioni* (1629) de B. Marini, les adjectifs font ressortir et le caractère insolite et la nouveauté de certaines pièces qui n'appartiennent à aucune des formes énumérées auparavant. La même liaison entre les mots « inventions » et « curieuses » se retrouve chez G.B. Vitali : *Artifici musicali ne quali si contengono canoni in diverse maniere, contrapunti doppi,*

invenzioni curiose, capritii, e sonate (1689). Mais tandis que la collection de Marini, à part les danses, est composée de pièces en style concertant (« moderne ») et se rattache par cela aux 10 *Invenzioni a violino solo* (1712) de Fr.A. Bonporti, genre de sonates de chambre avec une certaine tendance à la virtuosité, les *Artifici musicali* se révèlent, par leur écriture contrapuntique et par leur disposition d'après les difficultés techniques, comme une œuvre didactique destinée non seulement à l'interprète mais aussi au futur compositeur. Par ces intentions elle s'apparente étroitement aux i. de J.S. Bach, dont le but didactique ressort clairement de l'introduction au manuscrit définitif de 1723 : « Guide sincère, destiné aux amateurs du clavier, mais plus particulièrement aux personnes désireuses de se livrer à l'enseignement, par lequel est montrée une manière claire non seulement d'apprendre à jouer distinctement à 2 voix mais aussi, en progressant peu à peu, d'opérer correctement et couramment à 3 parties obligées; et tout à la fois, non seulement d'obtenir de bonnes inventions mais encore de bien les développer, et surtout d'acquérir un jeu chantant et en outre un fort avant-goût de l'art de la composition. » Quant à l'écriture, les i. de Bach emploient l'imitation, soit en se rapprochant du canon (n°s 2 et 8) ou de la fugue (n° 15) ou du mouvement de sonate (n° 6), soit en développant plus librement une seule idée principale (n°s 1, 3, 4, 7, 13, 14) ou en exposant et développant simultanément deux idées en contrepoint double (n°s 5, 9, 11, 12). Tandis que dans leur première version, contenue dans le *Clavierbüchlein für Friedemann Bach* (1720), l'ordre des pièces, alors nommées « Praeambula » (préludes), semble s'orienter d'après leur difficulté, conformément au plan d'étude de toute la collection (toutes les i. à une seule idée précèdent le groupe de celles en contrepoint double), la version définitive adopte l'ordre d'après les tonalités, comme les 2 volumes du *Clavier bien tempéré,* avec la différence que les i. n'embrassent pas les 24 tonalités majeures et mineures mais se limitent à 15, laissant de côté celles dont, à l'époque, on se servait le moins (ré ♭ maj. et min., mi ♭ min., fa ♯ maj. et min., la ♭ maj. et min., si ♭ min., si maj.). Pour les études pianistiques, les i. de Bach sont une préparation indispensable aux *Symphonies* à 3 voix contenues dans le même manuscrit (appelées fantaisies dans la Ire version et i. à 3 voix dans nombre d'éditions des XIXe et XXe s., suivant la dénomination utilisée dans une copie de J.N. Forkel, premier biographe de Bach) ainsi qu'au *Clavier bien tempéré*. Le type de l'i. à 2 voix se retrouve chez Bach lui-même dans plusieurs préludes du *Clavier bien tempéré* (vol. I, n° 13; vol. II, n°s 2, 6, 8, 10, 20, 24), dans les « duetti » de la 3e partie de la *Clavierübung* et dans plusieurs préludes de choral pour orgue. Le terme, en tant que dénomination d'un genre de composition, semble avoir été repris seulement au XXe s. soit, d'après l'exemple de Bach, pour désigner une courte pièce polyphonique (W. Fortner, H. Reutter, A. Tcherepnine), soit, dans son premier sens, pour relever la nouveauté du genre (les six i. du dernier acte de *Wozzeck* d'A. Berg : i. sur un thème, sur un son, sur un rythme, sur un accord, sur une tonalité, sur un mouvement régulier de croches).

M. FAVRE

INVERSION, voir Renversement.

INVITATOIRE. Le psaume i. est le Ps. 94, qui se chante chaque jour à l'office nocturne pour inviter les fidèles à louer Dieu. La Règle de St Benoît (chap. IX) fait chanter chaque jour l'i., avec antienne, avant le Iᵉʳ nocturne. L'ancien office romain comportait également l'i., sauf à l'Épiphanie (où le Ps. 94 fait partie intégrante de la psalmodie) et aux trois derniers jours de la Semaine sainte. Dans les antiphonaires, la mélodie du psaume i. est entièrement notée, et, dans quelques-uns, les mélodies sont rangées suivant l'ordre numérique des tons grégoriens. L'alternance des versets du psaume i. avec l'antienne est considérée comme un vestige de → chant responsorial.

Bibliographie — Br. Stäblein, art. Invitatorium *in* MGG VI, 1957; R.J. Hesbert, Corpus antiphonalium Officii III, Rome, Herder, 1968, nᵒˢ 1 001-1 186; M. Huglo, Les tonaires, Paris, Heugel (Soc. Fr. de Mie), 1971.

IONIEN, terme utilisé par Glarean pour désigner un 11ᵉ-12ᵉ mode *(ut)*. — Voir l'art. Modes ecclésiastiques, § 3.

IRAN (Perse). **L'histoire.** La disparition des bibliothèques au cours des grandes invasions grecques (300 av. J.C.), arabes (milieu du VIIᵉ s.), mongoles (XIIIᵉ-XVᵉ s.), d'une part, et l'absence d'une notation musicale, d'autre part, nous laissent dans une ignorance quasi totale de l'histoire de la mus. iranienne. Les écrits d'Hérodote et de Xénophon ainsi que les Gatha-s de l'*Avesta* témoignent toutefois du rôle important que la mus. instrumentale et la mus. vocale jouaient dans la vie sociale, culturelle et religieuse. Nos premières connaissances remontent à la période sassanide (226-641), dont la musique constitue la base de la mus. iranienne musulmane et des musiques du monde musulman. Dans la fameuse secte religieuse de Mazdak, l'un des quatre personnages représentant les forces spirituelles était le musicien, debout devant Dieu sous les traits de Khosroès Iᵉʳ. Parmi les maîtres de la musique de cette époque, il faut citer Râmtin, Bâmshad, Nakissa, Âzâdvaré-tchangui, Sarkash et Bârbad, célèbres chanteurs et compositeurs de la cour de Khosroès II Parviz. Les systèmes attribués à Bârbad sont composés de 7 « khosravâni » (= attribué au roi), de 30 « lahn » (formes de modulations) et de 360 « dastan » (systèmes) correspondant aux 7 jours de la semaine, 30 jours du mois et 360 jours de l'année. Ces chants exaltaient la grandeur des monarques et les hauts faits des héros, décrivaient les fêtes saisonnières et la beauté de la nature ou traduisaient les sentiments du cœur humain. Dans le livre de Manoutchéri et dans ceux d'autres écrivains persans, on les rencontre souvent sans pouvoir en déceler la forme ni le genre.

A l'époque des invasions arabes, la Perse avait atteint un niveau de civilisation supérieur à celui de ses nouveaux conquérants, qui y trouvèrent une culture musicale bien plus avancée et des instruments plus perfectionnés que les leurs. La mus. persane fut bientôt diffusée par les musiciens et les chanteurs qui s'expatrièrent dans les villes arabes, où ils furent traités avec bienveillance. Grâce à de grands artistes persans ou d'origine persane comme Ibrahimé-mousseli, son fils Ishâgh et son petit-fils Hâmid, Bagdad devint le centre du bon goût sous le règne des Abbassides, à tel point que la mus. arabe qui se répandit jusqu'en Espagne est pour la plus grande part de la mus. persane. Dans le *Moroudj-ez-zahab* (« Les Prairies d'or ») de Mas'oudi, dans les 21 volumes du *Kitab al Aghâni* (« Le Livre des chansons ») d'Abol-faradjé esfahâni et dans d'autres œuvres en prose et en vers persans et arabes, on peut trouver les noms et les biographies des artistes persans qui ont contribué au développement et à l'évolution de la musique du monde musulman et à la création de la civilisation islamique. Mais l'interprétation exotérique par les « mollâh-s » (prêtres musulmans) des concepts tels que « contes frivoles » et « idolâtrie », interdits par le Coran, priva la musique, la peinture et la sculpture figurative de la puissante protection religieuse que connut la civilisation occidentale. La musique ne resta admise que pour les mariages, pour certaines cérémonies et processions, pour la récitation modulée et rythmée du Coran et pour l' « Azân », l'appel à la prière chanté par le « mûazzen » du haut du minaret, cinq fois entre le lever et le coucher du soleil. A partir de l'Islam, la mus. persane fut ainsi réduite à la monodie et ne fut pratiquée qu'en secret par les gens de goût et les poètes, d'ailleurs bien traités par les princes et les gouverneurs des provinces. Loin du centre politique de l'Islam, ceux-ci cherchaient en effet à gagner peu à peu de l'indépendance. On vit donc réapparaître la musique à la Cour et dans la vie privée des rois et des princes et croître le nombre des poètes de renom qui, comme Roudaki, étaient à la fois chanteurs, instrumentistes et compositeurs. Malgré les prescriptions religieuses, d'autres musiciens continuèrent à jouer et à enseigner en secret. Peut-être est-ce là une des raisons qui firent aimer les instruments à la sonorité confidentielle, tel le → « setâr », et pratiquer exclusivement la monodie. Mais de ce côté du moins, la musique s'enrichit et s'affina. Toute l'ingéniosité du théoricien, toute la sensibilité de l'artiste portèrent sur la mélodie, qui utilisait des intervalles extrêmement ténus et que l'on variait par l'usage de fioritures. Cet art subtil servit aussi à accompagner les chanteurs récitant les œuvres des grands poètes Hafiz, Mowlavi, Sa'adi; les hautes idées philosophiques qu'elles expriment donnèrent à la mus. persane son caractère métaphysique. Selon la tradition, des chapitres importants étaient consacrés à la théorie musicale dans les traités de philosophie qui rattachaient la musique aux sciences. Dès le Xᵉ s., Al-Fârâbî et Avicenne étudièrent les phénomènes acoustiques et jetèrent les bases d'une théorie de la musique en usage dans les pays musulmans. Par la suite, des savants comme Safî-yod-dîn, Abd-al-Qâdir, Ibn Gaibî, Mahmoud-Chirazi codifièrent l'ensemble de ces règles. Les théories qu'ils exposent s'adaptent mieux à la mus. persane qu'à celle en faveur chez les Arabes et dans les autres pays islamiques, du fait qu'elles reposent sur les traditions persanes. Citons p. ex. l'échelle fixée par Safî-yod-dîn et admise depuis le XIIIᵉ s. par tout le monde musulman : il s'agit de l'échelle utilisée dans la tablature du → « tanbûr » originaire du Khorassan, province située à l'ouest de l'Iran, instrument qui paraît être l'ancêtre du « setâr » actuel.

M. Barkechli

Au début du XIXe s., la mus. iranienne, qui périclitait depuis un siècle, fut complètement transformée. Des anciens systèmes qui étaient passés dans la mus. arabo-turque on ne conserva que les noms, qui désignèrent en général de nouveaux modes. Ainsi la mus. iranienne connut un nouvel essor et se détacha très nettement de la mus. arabo-turque, tant par ses intervalles et ses modes que par ses formes et ses instruments.

Les intervalles. Ils ont été l'objet de maintes controverses. La notion abstraite de quart de ton prévaut dans les notations en raison de sa commodité. Le signe ᵖ (« koron ») désigne le 1/4 de ton inférieur, le ♯ (« sori ») le 1/4 de ton supérieur. Si la théorie officielle désigne par ces signes un quart de ton exact, dans la pratique il n'en a jamais été ainsi. Par exemple, l'intervalle *ré mi* ᵖ, qui, officiellement, vaut 37,5 savarts, varie en réalité entre 32 et 36 savarts selon les modes. Non seulement il n'existe pas de 1/4 de ton proprement dit, mais certains intervalles sont flottants. Ainsi, la seconde mineure se mesure en 18, 19, 22 ou 26 savarts selon le mode, et la seconde majeure en 51 ou 56 savarts. Indépendamment des variations minimes mais essentielles des intervalles, les échelles iraniennes s'expriment avec 17 sons de base à l'octave, représentés par les 17 ligatures du → « târ » et du → « setâr ». Les ligatures sont mobiles, ce qui permet d'ajuster les sons à la hauteur exigée par le mode. En partant de la première corde *do* on a :

sont des dérivés de « shur », alors que « nava » et « segah » n'ont de commun avec « shur » que l'échelle. Les « dastghah-s mahur » et « rast-pandjgah » ont la même échelle et la même note témoin ; ils ne se différencient que par leur structure interne. Les « dastgah-s tchahargah » et « segah » ont sensiblement la même structure interne et les mêmes « gushéh-s » mais leurs échelles sont très différentes. Le « dastgah homayun » a un dérivé, « avaz-e-bayate esfahan » (note témoin sur le IVe degré). La sensible *si* est alors légèrement abaissée. On considère parfois « shushtari » comme un « avaz » indépendant mais en général on l'intègre à « homayun » au titre de grand « gushéh », de même qu'on intègre « kord » à « shur ».

Les systèmes modaux et le « radif ». Chacun des 12 ou 14 « dastgah-s » ou « avaz-s » constitue un système modal autonome, comprenant entre 15 et 50 séquences modales appelées « gushéh-s », les unes très brèves, les autres plus importantes, d'autres enfin ayant presque valeur de système modal (tels « kord » ou « shushtari »). Les « gushéh-s » d'introduction définissent le caractère général du système ainsi que son échelle et sa structure, puis les suivants développent certains aspects du « dastgah » en mettant en valeur d'autres degrés selon un ordre généralement ascendant. Souvent on introduit des modulations affectant l'échelle initiale. Par exemple, dans « mahur », on passe à l'échelle de « shur » puis à celle de « homayun » avant de revenir dans le mode initial.

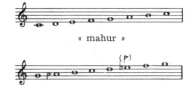

Les échelles. Elles sont au nombre de quatre, appartenant aux systèmes modaux : « shur », « mahur », « tchahargah », « homayun ».

Certains « gushéh-s » appartiennent à des « dastgah-s » différents et même à des échelles différentes.

L'ensemble des « dastgah-s » et de leurs « gushéh-s »,

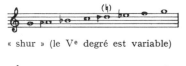

« shur » (le Ve degré est variable)

« mahur »

« tchahargah »

« homayun » (le VIe degré est variable)

On peut également citer l'échelle de « mokhalef-segah », analogue à celle d'« homayun » à condition d'abaisser le IIIe degré d'un ᵖ. Sur ces échelles sont construits les 12 ou 14 systèmes modaux (« dastgah-s » ou « avaz-s ») ainsi que les quelque 300 figures modales (« gushéh-s ») qui, réparties dans chacun des 12 systèmes, composent un ensemble appelé « radif ».

L'échelle du « dastgah shur » est la base des systèmes suivants : « avaz-e-abu ata » : note témoin sur le IVe degré (avec *ré* ♮) ; « avaz-e-bayate tork » : note témoin sur le IIIe degré (avec *ré* ♮) ; « avaz-e-afshari » : note témoin sur le IVe degré (avec *ré* variable) ; « avaz-e-dashti » : note témoin sur le Ve degré (*ré* variable) ; « avaz-e-bayat-e-kord » : note témoin sur sur le Ve degré (*ré* ♮) ; « dastgah-e-nava » : note témoin sur le IVe degré (avec *ré* ♮) ; « dastgah-e-segah » : note témoin sur le IIe degré (avec *ré* ᵖ).

Seuls les « avaz-s » sont des systèmes secondaires ; « tork », « abu-ata », « afshari », « dashti » et « kord »

rangés selon un ordre traditionnel rigoureux, constitue le « radif », base de la mus. savante. Les « radif-s » ont été élaborés au XIXe s., mais le patrimoine musical est beaucoup plus ancien. Quelques maîtres mirent en ordre et arrangèrent les « gushéh-s » en corpus destinés parfois à un instrument particulier, le « radif » le plus orthodoxe étant celui destiné au → « târ » et au → « setâr ». Chaque grand maître jouait son « radif » en y mettant une touche personnelle et le transmettait à ses élèves oralement. De nos jours il existe encore trois ou quatre « radif-s » authentiques et quelques arrangements simplifiés dus à des musiciens contemporains.

L'étude du « radif » est indispensable à la formation traditionnelle ; elle implique non seulement la connaissance des « gushéh-s » mais aussi la compréhension, plus intuitive que théorique, des lois qui le régissent. Il y a donc une science du « radif » et de ses secrets, qui implique une assimilation sans laquelle les facultés créatrices ne peuvent s'exprimer de façon traditionnelle. Si beaucoup de mélodies ont été perdues, c'est que la notation musicale n'a été introduite qu'au début du siècle et rend imparfaitement les subtilités du « radif ».

L'exécution et les genres. Dans l'exécution traditionnelle, on ne sort pas du « dastgah » initial, dont on choisit un certain nombre de « gushéh-s » ou même la totalité. Ce choix est libre ainsi que l'adjonction de pièces rythmées (indépendantes du « radif »), le plus souvent au début ou à la fin. Toutefois, la succession des « gushéh-s » (ainsi que leur liaison) doit être harmonieuse ; c'est pourquoi elle est régie par un ordre rigoureux. L'art le plus raffiné est l'exécution dans le style du « radif », et, comme presque tous les « gushéh-s » sont de rythme libre quoique défini, il est exclu de les jouer en ensemble. La mus. iranienne est donc par essence un art de soliste.

Parallèlement au « radif », il existe un répertoire considérable d'airs rythmés qui, eux, se prêtent bien à l'exécution en ensemble à l'unisson. Certains sont, à l'origine, des airs de danse au rythme assez vif à 6/8 ou 3/4 (« reng-s », « shahr-ashub-s »), d'autres des préambules au rythme lent, à 4/4 ou 2/4 (« pish daramad-s »). Il existe aussi des « tasnif-s », poèmes chantés, accompagnés par un instrument ou un ensemble sur un rythme lent en général (3/2, 6/4). D'autres pièces rythmées sont destinées à l'instrument soliste : « tchahar-mezrab-s », très rapides en 6/8, et « zarbi-s » en 2/4. Ces pièces s'intègrent parfaitement à l'exécution du « radif », dont elles suivent les mêmes règles mais avec plus de liberté. Elles sont en général jouées avant ou après les parties de rythme libre ; elles sont toutes susceptibles d'accompagnement rythmique au → « zarb » et sont jouées en solo aussi bien qu'en ensemble, à l'exception du « tchahar-mezrab ». Malgré les diverses combinaisons possibles d'instruments et la liberté dont disposent les musiciens pour arranger leur programme, on ne distingue pas de genres particuliers dans la mus. traditionnelle. Autrefois, on ne dépassait jamais le nombre de 4 ou 5 solistes dans un ensemble, mais, de nos jours, des orchestres de 20 musiciens jouent parfois sur partition des airs traditionnels. Un style nouveau est apparu dans la mus. classique, influencé par la mus. de divertissement (« motrebi ») et la mus. occidentale. Il convient de le distinguer de la forme traditionnelle qui se maintient dans les cercles privés de musiciens, en général non professionnels. Ce qui apparaît spontanément dans les réunions ou les concerts publics est l'exécution d'un « dastgah » sous la forme suivante : « pish daramad » (ensemble), solo, chant libre accompagné par un instrument, « tasnif » (chant et ensemble), « reng » (ensemble instrumental). Cette forme n'a pas de nom particulier mais elle était sans doute en faveur à la Cour et se prête bien au concert public. Mais pour les connaisseurs, les formes les plus profondes restent le solo instrumental et le chant, dont l'association avec la poésie multiplie la force expressive. Un programme d'ensemble dure de 15 à 40 minutes environ par mode, alors que le solo instrumental excède rarement une demi-heure en raison de l'effort de concentration exigé. L'exécution en soliste obéit aux règles du « radif » et laisse une part à l'improvisation. Le simple choix des « gushéh-s » est déjà un apport personnel ; ils peuvent être légèrement modifiés, abrégés, allongés,

rythmés, ornés de façon différente, ou fondus entre eux par de brèves liaisons. Il est possible à l'interprète de créer spontanément une mélodie sur un rythme précis et rapide (« tchahar-mezrab » ou « zarbi ») mais cela est plus difficile dans le cas du « reng » ou du « pish daramad ». Le plus rare est l'invention de « gushéh-s » de rythme libre, qui n'est le fait que des grands maîtres. Un musicien de talent peut se permettre aussi d'improviser en partant d'un « dastgah » et en faisant des incursions dans tous les autres avant de revenir à son point de départ. Une autre forme particulière est l'accompagnement d'un chant de rythme libre sur un instrument. Pendant les pauses très fréquentes ménagées par le chant, on reproduit avec parfois beaucoup de précision la séquence précédente et on introduit brièvement la suivante, qui est aussitôt suivie par l'instrumentiste dans la mesure de ses moyens. Il en résulte donc des moments de polyphonie, accidentels toutefois puisque la mus. iranienne est exclusivement monodique.

Aspects esthétiques. L'étude du « radif » implique également l'assimilation d'un style et d'une technique caractérisés par un art de l'ornementation très élaboré et aussi difficile à saisir qu'à exécuter. Pour le musicien traditionnel, cet aspect prévaut sur l'aspect purement mélodique. Les ornements ne sont pas considérés comme se surajoutant à la mélodie mais comme faisant partie intégrante de celle-ci ; souvent la mélodie naît d'un toucher savant, d'une formule rythmique concise, d'une allusion, répétés et développés au gré de l'interprète. La mus. iranienne traditionnelle se caractérise par une profusion d'ornements sur une ligne mélodique simple, évoluant dans un ambitus restreint, ce qui lui confère une concentration, une intensité et une tension particulières, d'autant que le registre aigu est le plus utilisé. Ces aspects dominent dans le chant, dont la technique très raffinée a servi de modèle à l'ornementation instrumentale. Le chant est considéré comme l'expression la plus complète puisqu'il associe la poésie et la musique dans un rapport étroit, surtout sur le plan de la scansion. Les poèmes choisis soulignent particulièrement la tendance générale de la mus. iranienne, fortement imprégnée d'un sentiment nostalgique, méditatif et mystique.

La musique populaire. Son importance est considérable dans la culture iranienne. La mus. savante en forme parfois la base (l'inverse est aussi vrai) mais elle s'est développée dans chaque région d'une manière originale sous l'influence des cultures persane, turque, afghane ou kurde. Ses formes sont donc très variées. On peut distinguer 4 types : la musique de « motrebi », de « zurkhanéh », de « taziéh » et la mus. folklorique proprement dite. La forme « motrebi » équivaut à la musique citadine de divertissement. Ses rythmes et son caractère la différencient de la mus. savante mais elle suit le « radif » de façon simplifiée, si bien qu'elle est parfois confondue avec la mus. savante, dont elle utilise tous les instruments à l'exception du « setâr ». La musique de « zurkhanéh » accompagne le rituel des athlètes (« pehlevan-s ») s'exerçant aux arts chevaleresques de l'ancienne Perse. Elle se chante en « tchahargah » et « shur », accompagnée par un grand → « zarb » très sonore, en terre cuite. La musique de « taziéh » est une tradition religieuse très élaborée du XIXᵉ s. Le

« taziéh » correspond aux mystères du Moyen Age occidental; le chant y tient une grande place, accompagné par des tambours, cymbales, clarinettes et trompettes droites (« karna »). Tous les instruments de la mus. savante, sauf le « setâr » et le → « santûr », sont joués dans la mus. populaire. Les systèmes dominants sont « segah », « shur », « homayun », « dashti », mais certaines échelles, empruntées à la mus. turque ou afghane, sont inconnues de la mus. savante. De plus, chaque région utilise ses propres instruments. Au nord la flûte traversière, à l'ouest le « tchogur », → « tanbûr » à 3 triples cordes, le « balaban », hautbois à grande anche double et au son grave, le « dozaleh », double flûte à anche vibrante en roseau, ainsi que le → « târ » caucasien à 11 cordes. Au Baloutchistan (sud-est), on joue le « qeïtchak », viole de forme massive, et le → « rabâb », luth au corps oblong, au manche court et à la table d'harmonie en peau comme le « qeïtchak ». Au Khorassan (nord-est), l'instrument le plus répandu est le « dotar » ou « tanbûr » à 2 ou 3 cordes pincées. Le hautbois « zurnâ », toujours accompagné du tambour à baguette « dohol », ainsi que le tambour sur cadre « daïréh » sont répandus dans tout l'Iran. Le chant tient également une grande place dans la mus. populaire, sous forme de chansons ou de longues ballades parfois de rythme libre, accompagnées du « tchogur ». Les danses sont souvent rapides sur des rythmes à 3/8 ou 6/8. La musique accompagne certaines activités de la vie quotidienne et est présente dans les fêtes familiales ou annuelles.

Bibliographie — F. GLADWIN, An Essay on Persian Music, in New Asiatic Miscellany I, Londres 1789; H.G. FARMER, The Old Persian Musical Modes, in Journal of the R. Asiatic Soc., 1926; du même, An Outline Hist. of Persian Music and Musical Theory, in A Survey of Persian Art III, éd. par A.U. Pope, Londres et New York 1939; M. BARKECHLI, La mus. iranienne, in Encycl. de la Pléiade, Hist. de la mus. I, éd. par Roland-Manuel, Paris, Gallimard, 1960; M. BARKECHLI et M. MA'RUFI, La mus. traditionnelle de l'Iran..., Téhéran, Ministère des Beaux-Arts, 1963; E. GERSON-KIWI, The Persian Doctrine of Dastgah-Composition, Tel-Aviv 1963; K. KHATSCHI, Der Dastgah, Regensburg, Bosse, 1963; E. ZONIS, Contemporary Art Music in Persia, in MQ LI, 1965; N. CARON et D. SAFVATE, Iran. Les traditions musicales, Paris, Buchet-Chastel, 1966; PAKDAMAN, La situation du musicien dans la société iranienne, in Normes et valeurs de l'Islam, éd. par Berque, Paris, Payot, 1966; E. WILKENS, Künstler u. Amateure im persischen Santurspiel, Regensburg, Bosse, 1967; M. MASSUDIEH, Awaz-e-Sur, Regensburg, Bosse, 1968; BR. NETTL, Attitudes Towards Persian Music in Teheran, 1969, in MQ LVI, 1970; du même et B. FOLTIN, Darâmad of Chahargah. A Study in the Performance Practice of Persian Music, Detroit, Monographs in Musicology, 1972.

J. DURING

IRLANDE (Eire). L'histoire de la musique en Irlande est une histoire complexe, peut-être unique. Au Moyen Age, les Irlandais jouissaient, en matière de mus. traditionnelle — mus. de harpe en particulier (voir l'art. HARPE CELTIQUE) —, d'une supériorité reconnue, même de la part de critiques hostiles comme Giraldus Cambrensis, qui arriva dans le pays à la fin du XIIe s. avec les envahisseurs normands. Malheureusement, cette musique n'a guère été notée, et la connaissance que nous en avons se limite à un corpus abondant mais dont les éléments, recueillis à partir de 1780 seulement et datant d'époques très différentes, sont bien difficiles à démêler. Il s'agit essentiellement d'une tradition de chant monodique. Le grand essor de la polyphonie au Moyen Age ne semble guère avoir touché l'Irlande, et en aucune manière sa tradition gaélique.

La musique populaire traditionnelle. Non seulement le fonds gaélique a résisté aux vicissitudes de l'histoire du fait qu'il se transmettait surtout oralement, mais il a gardé ses qualités essentielles intactes jusqu'à nos jours malgré de profondes transformations. Il se compose d'une très grande quantité de chants monodiques et de musique pour un instrument, recueillie depuis 1800 par les soins de savants comme George Petrie et Edward Bunting. Dans sa forme la plus élaborée, la ligne mélodique présente une ornementation très riche; elle a probablement de lointaines origines communes avec des styles indo-européens plus anciens, notamment la mus. classique indienne. La pulsation, la mesure et l'harmonie sont supplantées par une ornementation très soignée de la ligne avec un phrasé extrêmement subtil. Les genres sont variés : chansons d'amour, de guerre, lamentations; chansons à boire, chants nuptiaux, etc. La mus. instrumentale de danse fit son apparition sous l'influence italienne et sous celle de la musique des immigrants anglais et écossais, toutes deux sensibles dans les appuis fortement marqués et les formes harmoniques plus simples et plus nettes. Mais la musique garde des motifs irlandais caractéristiques dans les échelles qu'elle utilise — notamment les échelles pentatoniques — avec une mélodie où les intervalles jouent un rôle important. L'immense popularité de la mus. de danse irlandaise s'est maintenue jusqu'à nos jours et ne semble pas devoir décroître. Elle fait appel à des combinaisons instrumentales très variées, souvent sous l'influence de traditions étrangères, et son interprétation donne lieu à bien des controverses.

La musique savante. C'est à la fin du XVIIe s., avec l'implantation de villes coloniales anglaises — Dublin en tout premier lieu —, que la tradition occidentale de mus. savante pénétra en Irlande. En fait, Dublin devint pour quelque temps, au XVIIIe s., l'un des principaux centres musicaux de l'Europe occidentale. La ville attira des musiciens étrangers de renom comme Fr. Geminiani, connut la première exécution du *Messie* de Haendel en 1742 et forma d'importants compositeurs autochtones. La suppression du Parlement indépendant d'Irlande en 1800 marqua le début du déclin de la vie culturelle de Dublin et du rôle de l'Irlande dans l'Europe musicale. Pendant plus d'un siècle pourtant, les musiciens amateurs comblèrent le vide ainsi créé. Le réveil musical anglais qui commença vers 1880 eut des répercussions sur la vie musicale irlandaise : les professionnels retrouvèrent peu à peu un niveau élevé, et des compositeurs comme Ch. V. Stanford et H. Harty surent allier une couleur irlandaise caractéristique aux tendances symphoniques européennes de l'époque.

Après l'établissement d'un État indépendant (1922), ayant sous sa juridiction 26 des 32 comtés du pays, le développement de la culture musicale professionnelle s'accéléra. La mus. militaire atteignit un bon niveau dans les années 20 et 30, qui virent naître des orchestres de qualité dans l'armée et la police. La radio créa en 1926 un petit orchestre, qui se développa pour prendre le nom d'Orchestre symphonique de Radio Eireann (RTE) et obtint son statut définitif en 1946. Peu après fut créé un orchestre radiophonique de mus. légère. Le développement de l'orchestre, surtout depuis 1962, a entraîné l'apparition d'une très active école de composition.

Au cours des 10 dernières années, des partitions irlandaises ont été largement diffusées en Europe et en Amérique. Parmi les principaux compositeurs contemporains, on peut citer Sean O'Riada, musicien de grand talent qui mourut prématurément en 1971, à l'âge de 40 ans, Br. Boydell, Seoirse Bodley, Aloys Fleischmann, John Kinsella, James Wilson, Archibald Potter et Gerard Victory.

Les institutions musicales. Le développement de la musique a été fortement lié à la radio et à la télévision (établie en 1962). L'Orchestre symphonique de la RTE présente régulièrement ses « Public and Invitation Concerts » à Dublin et effectue de fréquentes tournées en province, à Cork et à Limerick. Il est à l'origine d'une importante et toujours croissante activité de mus. de chambre (The New Irish Chamber Orchestra). La RTE entretient également un quatuor à cordes et un chœur (les RTE Singers).

La mus. vocale et plus particulièrement l'opéra ont été, depuis le milieu du XVIIIe s., l'objet d'une passion dominante en Irlande. A Dublin, on put fréquemment, même pendant la période de déclin du XIXe s., assister à d'excellents spectacles lyriques. De nombreux opéras européens y furent donnés à leurs débuts et une longue lignée de chanteurs célèbres s'y produisit, depuis Michael Kelly (l'ami de Mozart) en passant par Foley (Foli), Ledwige (Ludwig) et Joseph O'Mara jusqu'aux grands John McCormick et Margaret Burke-Sheridan. A la fin du XIXe et au début du XXe s., quelques bonnes troupes irlandaises, comme les « Moody Manners » et la troupe d'O'Mara, s'ajoutèrent aux tournées des troupes anglaises dont entre autres celle de Carl Rosa. De nos jours, Dublin connaît deux saisons annuelles, qui totalisent environ six semaines, organisées par la Soc. dublinoise du grand opéra; on y interprète non seulement le répertoire courant, mais aussi, à l'occasion, des œuvres modernes, y compris des opéras irlandais. La saison d'octobre (Wexford Season), qui jouit d'une réputation éminente, présente souvent des œuvres classiques moins connues, dans une mise en scène remarquable pour un petit théâtre. En province, hormis les visites de la troupe de Dublin en saison à Cork, l'activité théâtrale est en grande partie le fait de bonnes troupes d'amateurs. La Compagnie nationale irlandaise d'opéra donne des représentations dans les petites villes, avec des acteurs exclusivement irlandais et une bonne mise en scène. Quant à la création nationale dans le domaine lyrique, elle s'est développée avec l'opéra télévisé *Patrick* d'Archibald Potter, le *Twelfth Night* de James Wilson, représenté à Wexford et à Dublin, et avec les œuvres de Gerard Victory *Music hath Mischief* et *Chatterton*, exécutées à Dublin et à Paris.

L'éducation musicale dépend en grande partie des facultés de musique des principales universités : à Dublin, Trinity College et University College; à Cork, University College. La formation instrumentale et vocale est assurée à Dublin par la Royal Irish Acad. of Music et le Dublin College of Music, en province par les Écoles de musique de Cork et de Limerick.

L'Irlande du Nord (Ulster). L'une des principales difficultés de la vie culturelle irlandaise se trouve être la division politique assez arbitraire du pays. C'est ne Irlande du Nord que se trouve en effet la deuxième ville du pays, Belfast, et la situation naturellement complémentaire des deux capitales — Dublin et Belfast —, qui devrait constituer une base d'échanges et de coopération, n'a pu, pour des raisons politiques, être mise à profit. Deux orchestres sont installés à Belfast depuis quelques années : l'Orchestre d'Ulster (env. 40 musiciens), placé sous l'égide du Conseil des arts d'Irlande du Nord, qui effectue continuellement des tournées en province, et l'Orchestre d'Irlande du Nord de la BBC, formation radiophonique de taille moyenne qui donne elle aussi des concerts publics. Il faut également signaler, à Belfast, la Faculté de musique de Queen's University.

Bibliographie — W.H. GRATTAN FLOOD, A Hist. of Irish Music, Dublin 1895, 3/1913; A.G. FLEISCHMANN, Music in Ireland, Cork, Univ. Press, 1952; du même, art. Irlandaise (Musique), in Encycl. de la Musique II, éd. par Fr. Michel, Paris, Fasquelle, 1959; S. O'BOYLE, art. Irische Musik in MGG VI, 1957; D.J. O'SULLIVAN, Songs of the Irish, Dublin, Browne & Nolan, 1960; du même, Irish Folk Music and Song, Dublin, Three Candles Press, 1961.

G. VICTORY

ISOCHRONE (du grec isos, = égal, et khronos, = temps), qui est de même durée. Se dit d'un rythme dont les battements se reproduisent à intervalles égaux.

ISORYTHMIE, terme créé par Fr. Ludwig pour désigner un principe de construction du → motet, aux XIVe et XVe s. principalement. Le fondement de l'i. est la mélodie du ténor, qui peut être répétée à plusieurs reprises au cours du développement d'une œuvre (→ « color »), ainsi qu'une série de durées (→ « talea ») formant une cellule rythmique plus ou moins étendue, les longueurs respectives du « color » et de la « talea » ne se recouvrant pas nécessairement. Les « taleae » déterminent la structure du motet et, dans les œuvres de G. de Machault comme dans celles de Ph. de Vitry, correspondent à la forme strophique du texte des voix supérieures. On parle d'isopériodicité (H. Besseler, J. Handschin) lorsque le ténor (également le contraténor dans les œuvres à 4 voix) est le seul qui soit déterminé par la structure « color / talea », par opposition à l'i. de toutes les voix (W. Apel parle alors de motet pan-isorythmique). Dans les œuvres intégralement construites selon l'i., les voix supérieures correspondent rythmiquement dans les différents fragments déterminés par les « taleae ». La construction en strophes et en « taleae » est soulignée par le → hoquet, les diminutions du ténor et la formation de périodes dans les œuvres de G. de Machault et de ses successeurs de l' → Ars Subtilior tout comme elle l'était dans les œuvres isopériodiques de Ph. de Vitry; au début du XVe s. s'y ajoutent les changements de mesure et du nombre des voix (J. Dunstable, *Veni sancte*). L'i. a débuté sous l'aspect de l'isopériodicité dans les motets de la fin de l'Ars Antiqua et s'est développée par degrés successifs jusqu'à G. de Machault, chez les musiciens de l'Ars Subtilior enfin jusqu'aux premières œuvres de G. Dufay; on la trouve exceptionnellement au XVIe s. (A. Willaert). Au XXe s., dans les dernières œuvres d'A. Webern et chez W. Lutosławski p. ex., on rencontre à nouveau des structures isorythmiques.

Bibliographie — FR. LUDWIG, compte rendu de J. Wolf, Gesch. der Mensuralnotation, in SIMG VI, 1904-05 ; du même, Die isorhythmischen Motette, in G. Adler, Hdb. der Musikgesch. I, Berlin

2/1930 ; H. Besseler, Die Motette von Franko von Köln bis Ph. de Vitry, in AfMw VIII, 1926 ; J. Handschin, Musikgesch. im Überblick, Lucerne, Raeber 1948, 2/1964 ; R. Dammann, Spätformen der isorhythmischen Motette im 16. Jh., in AfMw X, 1953 ; W. Apel, Remarks about the Isorhythmic Motet, in Les Colloques de Wégimont II-1955, Paris, Les Belles-Lettres, 1959 ; G. Reichert, Das Verhältnis zwischen musikalischer u. textlicher Struktur der Motetten Machauts, in AfMw XIII, 1956 ; U. Günther, The 14th Cent. Motet and its Development, in MD XII, 1958 ; E. Apfel, Studien zur Satztechnik der mittelalterlichen englischen Musik, 2 vol., Heidelberg, C. Winter, 1959 ; du même, Zur Entstehung des realen 4st. Satzes in England, in AfMw XVII, 1960 ; H.H. Eggebrecht, Machauts Motette Nr. 9, in AfMw XIX-XX, 1962-63, et XXV, 1968 ; D. Harbinson, Isorhythmic Technique in the Early Motet, in ML XLVII, 1966 ; H. Kühn, Die Harmonik der Ars Nova, Munich, Katzbichler, 1973 ; S. Thiele, Zeitstrukturen in den Motetten des Ph. de Vitry u. ihre Bedeutung für zeitgenössisches Komponieren, in NZfM CXXXV, 1974.

ISRAËL. C'est dans l'Ancien Testament qu'il faut chercher les premiers documents sur la mus. hébraïque dans l'Antiquité. Contrairement à la mus. chinoise, hindoue ou grecque, celle d'Israël ne s'est conservée dans aucun traité, aucune mélodie notée, aucune peinture ou aucun relief. L'archéologie moderne a relancé les recherches en mettant au jour un certain nombre d'instr. de musique, entre autres les lyres royales d'Ur, les trompettes de la tombe de Toutankhamon, les auloï de Grèce, et un nombre important de petits instruments utilisés en Palestine ancienne (crécelles, cloches, flûtes en os, un cor en ivoire et un en coquillage). En dehors de ces documents, tout ce qui concerne la mus. hébraïque ancienne doit être déduit des traditions populaires encore vivantes au Moyen-Orient. Les sources musicales données par la Bible sont maigres, sans liens chronologiques ni géographiques. On y trouve mention de quelques formes de culte, d'instr. de musique, et on y relève quelques allusions au chant liturgique et aux danses rituelles. Certains textes de chants figurent même dans les livres de l'Ancien Testament : les chants de Lamech (Gen. 4, 23-24), du puits (No. 21, 17-18), de la mer Rouge (Ex. 15, 2-18), de Debora (Juges 5) et les Lamentations de David (2 Sam. 1, 19-27).

Les instr. de musique dans la Bible. Une première mention de la musique dans la Genèse (4,21) fait déjà état de deux catégories d'instr., à cordes et à anche, et précise que Jubal était le père de tous ceux qui jouent du « kinnor » (instr. à cordes du type lyre) et de l'« ugab » (instr. à vent apparenté au pipeau). De plus, le nom propre « Jubal » semble désigner une troisième catégorie d'instruments, à savoir les cornes de bélier (« yobel » ou « shofar », également « qeren » ou « zakhar »). Dans les livres plus récents de l'Ancien Testament, ces trois groupes sont associés à trois catégories sociales : 1. les prêtres (« cohanim »), qui avaient le privilège de sonner du cor et de la trompette ; 2. les musiciens du Temple (lévites), qui jouaient de la lyre et de la harpe (« kinnor » et « nebel ») ; 3. le peuple (Israël), qui se servait de chalumeaux et de flûtes (« ugab », « halil »). Ces trois familles étaient complétées par des gongs et des cymbales en bronze (« zilzal ») et par des cloches (« pa'amon »), instruments au pouvoir magique dont l'usage était un attribut exclusif des plus hautes autorités du Temple (Ex. 28, 33-35 ; 1 Chr. 16, 5). Le tambour biblique (« toph »), mentionné dans Gen. 31,27, est souvent associé à des assemblées de femmes et à leurs danses rituelles (Juges 11, 34). Il semble que les femmes aient pratiqué des formes particulières de chant antiphonal (Juges 5, 11 ; 11,

40). Seul le « shofar » a survécu jusqu'à nos jours dans le culte juif (Nouvel An et Expiation). Primitivement lié au sacrifice d'Isaac (Gen. 22, 13), il symbolise sa rédemption par l'apparition du bélier, souvenir perpétué par le son de la corne de cet animal. Son pouvoir magique est à l'arrière-plan des événements du mont Sinaï (Ex. 19, 6-19), de la chute des murs de Jéricho (Jos. 6, 4-20), du combat de Gédéon (Juges 7, 16) et de la procession de l'arche d'alliance (2 Sam. 6). S'opposant à la rudimentaire corne de bélier, une paire de fines trompettes d'argent (« hazozra ») fait son apparition dans Nombres 10, 1-10 et prend une certaine importance dans les cultes solennels du Temple sous la monarchie (2 Chr. 5, 12-13).

Les instr. à cordes. Le « kinnor » biblique n'est ni une harpe ni un violon, mais une lyre, d'origine assyrienne, de forme trapézoïdale irrégulière. Il devint, sous les rois, le principal instrument du Temple et se répandit vers le nord, à travers les provinces syriennes, jusqu'en territoire grec où il donna naissance à la lyre apollinienne et à la cithare. Un instrument très voisin, la harpe courbe (« nebel »), s'étendit vers le sud jusqu'à l'Égypte et vers l'est jusqu'en Asie centrale et orientale. Une lyre appelée « asor » (= dix) et qui est mentionnée dans Ps. 33, 2, Ps. 92, 4 et Ps. 144, 9, est sans doute le « Psalterium decacordum » qui figure dans la lettre de St Jérôme à Dardanus.

Les instr. à vent en bambou. Comme les flûtes et les chalumeaux en bambou ou en roseau, ils sont issus des civilisations nomades et rurales d'Asie occidentale, où ils sont toujours utilisés, apparemment sans modifications notoires de formes ni de matériaux. On en connaît trois dénominations en hébreu : « ugab » pour la période nomade, « halil » pour la période des rois et des prophètes, et « abub » pour la période talmudique post-biblique. Malheureusement, les sources littéraires ne permettent pas une classification plus précise selon les types flûte, clarinette ou hautbois. Mais on peut affirmer, en s'appuyant sur les découvertes archéologiques, que ces trois types d'instruments ont été réellement en usage.

Instruments en os ou en argile. L'os et l'argile sont les matériaux de base d'un grand nombre de sifflets et de crécelles. Les spécimens de sifflets en argile qui ont été retrouvés montrent que les plus anciennes formes vont de l'instrument à trou central (ou bouche) — parfois de forme anthropomorphique — aux structures déjà plus mélo-acoustiques de tuyaux simples ou doubles pourvus de deux ou plusieurs trous pour les doigts. Quelques détails tels que la forme conique ou cylindrique du tuyau, l'embouchure entaillée ou en forme de cloche, la distribution des trous et l'échelle des sons qui en résulte peuvent servir à l'établissement de points communs entre ces instruments et les pratiques musicales plus tardives. Sous ce rapport, il faut mentionner les noms post-bibliques donnés en Orient à l'orgue : le « magrepha » ou l' → hydraule, selon le traité talmudique 'Arakhin (10-11), ainsi que la « sumponya » (cornemuse ou flûte de Pan ?) du Livre de Daniel (3, 5/10/15).

La liturgie musicale. Durant la période prémonarchique, les lieux de culte étaient constitués par les nombreux autels d'offrandes et de sacrifices établis au sommet des montagnes et administrés par des groupes de prophètes issus du peuple, comme le rapporte 1 Sam. 10, 5-6. Il est intéressant de remarquer l'emploi des instr. de musique (harpe, tambour, lyre, flûte) comme moyen de vision prophétique, conformément à une conception juive. Une profonde modification intervient dans l'histoire de la mus. liturgique israélite avec l'unification du culte opérée par le Temple de Salomon à Jérusalem (v. 962-922 av. J.C.). La centralisation de tous les actes du rituel demandait une réglementation minutieuse du service divin célébré par les prêtres (« cohanim ») et assuré sur le plan musical par les musiciens du Temple (lévites). Un élément nouveau et important apparaît avec le caractère professionnel de ces musiciens, qui exigeait une formation très poussée, donnée dans l'enceinte du Temple par des académies spéciales. Dans la magnificence de ses chœurs et de ses orchestres, la mus. liturgique hébraïque atteignit une rare perfection artistique qui sera constamment rappelée et révérée par la suite dans le judaïsme comme dans le christianisme (voir 2 Chr. 15, 17-24 et 16, 4-43). Avec le déclin du Temple de Salomon, la pompe de ses orchestres régressa peu à peu et fut finalement remplacée par la voix humaine, seul véritable « instrument » de la prière. Un grand tournant s'opéra dans les esprits durant l'exil babylonien (587-538 av. J.C.) et la période du second Temple (détruit en 70 ap. J.C.), qui suivit le retour d'exil. Sous l'impulsion d'Ézéchiel, de Néhémie et d'Ezra le scribe, de nouvelles forces spirituelles furent mises en œuvre ; le pouvoir de la Bible commença à se faire sentir, s'opposant aux sacrifices d'animaux pratiqués dans le passé. La prière, l'étude et la méditation de la Parole écrite et immuable développèrent un sens aigu du commentaire et de l'analyse des textes. L'introduction par Ezra de lectures publiques et hebdomadaires de l'Écriture sainte fut un événement de grande signification : la lecture à haute voix, parfois devant un auditoire nombreux, conduisit à une stylisation mélodique des phrases sous forme de récitatif, de chant ou de → cantillation. Là se trouve la source du système élaboré de l'accentuation massorétique qui se développa entre 500 et 900 ap. J.C., dans certaines écoles rabbiniques de Palestine, de Bagdad et de Tibériade. La cantillation biblique, avec sa notation en signes ekphonétiques et en neumes, fut certainement le plus grand héritage musical que le judaïsme, dans sa dispersion même, transmit à l'Occident encore à son éveil. Les esthétiques mélodiques de chant liturgique ne se développèrent certainement pas à l'intérieur du Temple, mais loin de lui et même à l'encontre de son esprit théocratique, dans les petites assemblées ou « synagogues », qui allaient devenir les nouveaux centres de culte de la forme spirituialiste du judaïsme, dans son antagonisme croissant à l'égard du service du Temple. C'est dans ces synagogues que s'opéra le passage définitif du sacrifice à la prière, c.-à-d. à des → heures de prières comprenant des commentaires de textes, des psaumes, des supplications et des bénédictions ; schéma qui depuis est resté la base des cultes tant juifs que chrétiens. Les formes de chant se développèrent dans trois directions : la psalmodie, la leçon et la prière. Le chant litanique des Psaumes était une conséquence de leur forme littéraire, variation en demi-vers parallèles autour d'un thème poétique. Ainsi la déclamation mélodique suivait-elle un simple sehéma monotonique qui autorisait les petits ornements aux points syntaxiques les plus

importants, c.-à-d. au début, au milieu et à la fin du vers. Ces ornements étaient indiqués par trois signes ekphonétiques : ascendants, descendants et circonflexes. Ce système se perpétua dans le chant byzantin primitif et dans le chant grégorien.

Psaume 92 (91), 1-3 (Yémen). Coll. E. Gerson-Kiwi. M. 1 364. Schéma :

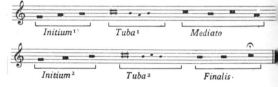

Des livres en prose la leçon scripturaire nécessitait un système d'accentuation plus élaboré, capable d'unir à lui seul la ponctuation syntaxique et une formule mélodique précise, une sorte de moyen mnémotechnique permettant de lire la plupart des 24 livres de la Bible. Naturellement, des dialectes mélodiques se développèrent avec la dispersion des communautés juives de par le monde, en Asie (Yémen, Irak, Iran, Syrie, Turquie), autour du bassin de la Méditerranée (Juifs séphardites d'Orient), en Europe orientale et occidentale (Juifs ashkenazi). Il n'y a jamais eu de tentative pour canoniser les livres de prières et leurs mélodies, non plus que les innombrables variantes de la cantillation biblique. C'est sans doute grâce à un antique système d'éducation religieuse qu'a pu se perpétuer cette infinie variété de styles de lecture et de prières. On apprend tout d'abord au jeune enfant à mémoriser la suite des neumes avec leurs mélodies syntaxiques, puis, dans un second temps, à adapter le texte actuel de la Bible à la musique. La réalisation de ces lectures bibliques était d'ordinaire confiée à des représentants non professionnels de la communauté. Cette participation, en principe générale — à l'exclusion des femmes —, semble prouver une connaissance très répandue du vaste répertoire de la Bible, du Talmud et des prières, de ses intonations et de ses fonctions liturgiques : répertoire qui a contribué d'une manière efficace à assurer la continuité de la tradition liturgique. Cependant, avec la recherche croissante d'un chant artistique, le « ḥazan » ou chantre s'est progressivement imposé comme un soliste, exécutant les mélodies richement ornées des prières et y mêlant des improvisations à caractère extatique héritées de l'Orient.

E. GERSON-KIWI

La musique de la diaspora. Par la forme et le style, elle se distingue essentiellement de l'art pratiqué dans l'État judaïque et dans son sanctuaire. Le passage du culte sacrificiel à la prière avait complètement écarté les instr. de musique de la liturgie. Le chant représente désormais l'unique expression de la mus. religieuse et se fonde sur des formes simples, favorables à l'exécution collective. L'évolution artistique proprement dite se limitera au chant soliste, conçu sur le modèle des structures mélodiques orientales et, comme elles, non fixé par la notation. Par la suite, les formes et les moyens d'expression seront empruntés aux civilisations d'accueil de l'Est ou de l'Ouest, principalement en ce qui concerne le chant des hymnes, mais leur domaine propre se situera hors de la synagogue, dans la mus. populaire qui emploie également les instruments.

Quelques formes archaïques du chant religieux se sont maintenues à travers les siècles grâce à une tradition exclusivement orale. La première de ces formes vocales élémentaires est la psalmodie, une figure mélodique qui s'adapte étroitement à la structure du vers psalmique selon le schéma : intonation, corde récitative (ou teneur I), médiante-intonation, corde récitative (ou teneur II), cadence finale, principe formel repris par toutes les églises en même temps que le livre des Psaumes :

La mélodie du premier verset se répète ainsi tout au long du psaume. Dans l'usage synagogal, cette structure rigide est assouplie le plus souvent par des variations, des modifications de la corde récitative, etc. — Une deuxième forme élémentaire est constituée par les tons de récitation des 21 livres en prose de l'Ancien Testament. La mélodie servant à la lecture ressembla d'abord à la psalmodie avec adjonction d'une ou deux cadences. A l'époque de la Mišna (avant 200 ap. J.C.), elle constituait déjà l'objet de l'enseignement scolaire et était apprise au moyen de mouvements chironomiques. Comme la psalmodie, cette méthode s'est maintenue dans les communautés italiennes et yéménites entre autres. — Une troisième forme se manifeste dans les modes caractéristiques de certaines prières principales et d'importants passages de la liturgie. Le mode synagogal (« nusaḥ hat'fila » ; en yiddish « šteiger ») comprend d'abord une échelle sonore caractéristique, un simple tétracorde, une combinaison de tétracordes qui se recoupent ou une échelle d'une octave ou plus ; à cela s'ajoute un ensemble de motifs caractéristiques.

De ces deux éléments dépend la définition d'un passage liturgique déterminé ; à ce point de vue, le mode synagogal ressemble à la structure et à l'« éthos » des → « maqâmât » et des → « râga ». — La présence de ces trois formes de base dans toutes les communautés juives, même les plus éloignées, ainsi que de phénomènes parallèles dans le chant de toutes les églises, indique une origine très lointaine que l'on peut fixer aux premiers siècles de notre ère.

Au cours de la 2ᵈᵉ moitié du Iᵉʳ millénaire se développèrent des systèmes de signes de lecture notés

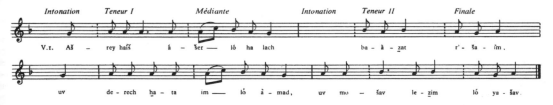

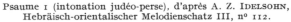

Psaume 1 (intonation judéo-perse), d'après A. Z. IDELSOHN,
Hebräisch-orientalischer Melodienschatz III, nᵒ 112.

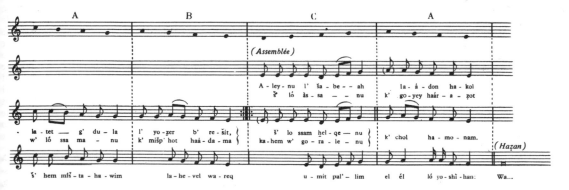

« Nusah » séphardite pour les fêtes de la pénitence (Bordeaux ; mais également courant en Italie, en Israël et à Bagdad). D'après S. FOY, Chants hébraïques... dans Bordeaux..., Bordeaux 1929.

(« taàmey miqrá ») divisant le texte biblique en groupes sémantiques. Le système accentuel tibérien (Xᵉ s.), partout accepté, se transforma en une chaîne de motifs mélodiques là où on l'appliqua avec rigueur.

Gen. 21,17

Wa - yiš - mà é - lo - him ét qol ha - na - àr, wa - yi - qrá ma - làch é - lo - him él ha gar mín ha-šu - na - yin, wa - yó mer lah mah lach ha - gar, àl ti r' - í , kí ša - mà é - lo - him él qol ha-na - àr ba - á - šer hú - šam.

Lecture de la Bible d'après le système accentuel tibérien aškenasi. D'après S. NAUMBOURG, Chants relig. des Israélites, Paris, 1847-57.

Bien que les 25 signes accentuels soient toujours identiques, leurs motifs mélodiques sont différents dans la lecture du Pentateuque, des Prophètes ou des hagiographes ; de même les mélodies des motifs diffèrent considérablement les unes des autres (tétra-cordal, pentatonique) selon les cercles traditionnels issus de la diaspora au Xe s. — Entre 500 et 1000, d'importants cycles d'hymnes furent intégrés à l'ordre des prières. Leur introduction officielle dans la liturgie est liée à la restriction de la liberté d'enseignement et de prière sous Justinien Ier (décret de 553). Dans les hymnes de cette période se poursuit le « rythme libre » des poésies bibliques ; s'y ajoutent l'assonance, l'emploi de l'acrostiche et la structure strophique sans qu'une influence durable sur la forme musicale puisse être observée à partir de la tradition mélodique actuelle. La forme musicale ne cesse d'être fondée sur la variation « psalmodique » continue de la première phrase. Cependant, le désir des communautés de pouvoir disposer d'un répertoire d'hymnes constamment renouvelé et leur exigence d'exécution vocale plus soignée entraînèrent les synagogues à engager un chantre professionnel (« ḥazan »). C'est à ce personnage qu'est dû le style de soliste richement varié et orné du chant synagogal. Dès le XIe s. apparurent des dynasties et des écoles de chantres qui contribuèrent à affirmer les traditions musicales locales.

Une nouvelle époque de la mus. juive débute vers 950-1000. La libre participation à la civilisation de l'Islam ouvrit des voies nouvelles à la culture et à l'art musical des Juifs. L'adoption du mètre quantitatif dans la poésie hébraïque constitua une nouveauté

décisive, tout comme son développement triomphal à l'« âge d'or » de la poésie judéo-andalouse : en même temps que les textes métriques, la mélodie métrique (« laḥan »), construite d'une manière cyclique à l'aide de phrases de même longueur, fit son entrée dans le chant synagogal. L'emploi de vers et de strophes d'origine étrangère (en arabe « muwašaḥ » ; en esp. « villancico ») entraîna fréquemment l'emprunt de mélodies étrangères. C'est de cette époque que date le dualisme des formes musicales (traditionnelles et contemporaines) qui allait désormais enrichir le chant synagogal mais aussi constituer l'un de ses problèmes majeurs. — Un autre signe d'intégration dans les civilisations d'accueil est l'étude de la théorie musicale (« hochmat hamusiqa ») par des érudits juifs, d'abord dans des sources arabes, puis dans des sources latines et italiennes. Mais les crises continuelles de la vie dans la diaspora empêchèrent tout effort continu, et l'étude des problèmes de théorie musicale dut être sans cesse recommencée. — Aux XIIe et XIIIe s., les bases idéologiques de l'exercice musical des Juifs se consolidèrent en trois tendances dont l'action s'est fait sentir jusqu'à nos jours : 1º la musique de caractère purement éthique, qui place l'intériorisation avant la perfection esthétique et qui est soumise aux prescriptions religieuses ; 2º la musique représentant une part essentielle de la formation et de l'éducation profanes ; 3º enfin le chant considéré comme le facteur d'une expérience mystique, l'expression de l'amour de Dieu et le symbole d'idées cachées. A la suite de cette dernière tendance les longues vocalises furent introduites dans le chant soliste de la synagogue, dans l'intention de créer des associations d'idées mystiques avec certains mots (« kawanot ») et d'étendre leur portée dans le flot renouvelé des idées.

a)

(Ah) A - ley - nu (Ah) l' ša - be - - aḥ la - á - don ha - kol.

b)

A - ley - nu l' ša - be - - - - - ah (Ah) etc.

Chant soliste influencé par des idées mystiques. a) Tradition de Francfort/M. (d'après S. SCHEUERMANN, 1912) ; b) tradition lituanienne à Jérusalem (d'après J. NEEMAN, 1963).
Pendant la vocalise, en a) fanfares en imitation des sons du « shofar », en b) méditation sur la chute de Jéricho.

La pression incessante et les expulsions fortifièrent les courants mystiques dans les communautés juives de la diaspora. Les kabbalistes de Safad, en Galilée, exercèrent une forte influence à partir des XVIe et XVIIe s. Leurs idées entraînèrent l'utilisation de la mus. instrumentale pour l'accueil joyeux du sabbat dans de nombreuses communautés. Ils contribuèrent également à la propagation d'une masse d'hymnes de caractère populaire, souvent conçus comme des contrefactures d'anciens chants espagnols ou de chants turcs, provençaux ou allemands. — A la même époque, et dans le mouvement de la Renaissance italienne, fut tentée une intégration du chant synagogal dans la mus. savante européenne (chœurs synagogaux de S. Rossi, imprimés à Venise en 1622). En Orient se produisit également une certaine assimilation du système, apparentée à la tradition juive, des « maqâmât » et de sa théorie éthique. — Vers 1700 la tendance à l'adoption des formes vocales européennes se développa sur des bases d'abord purement empiriques. L'improvisation, courante dans le chant soliste, emprunta certains ornements et traits formels de la musique du baroque tardif et aboutit ainsi à une forme brillante quoique stylistiquement hybride. Une tendance encore indécise vers le majeur-mineur et vers une construction périodique s'introduisit progressivement et se mêla d'une manière singulière au principe traditionnel de la variation. Les vocalises agitées y perdirent leur arrière-plan mystique pour devenir un procédé.

de toute vie religieuse et s'exprime souvent en rythmes inspirés de la danse. Comme ses mélodies sont ou symbole ou expression éminemment personnelle, les conventions esthétiques de l'Occident ne s'y appliquent pas. Au sein d'une construction mélodique périodique demeurée populaire, des motifs se développent — parfois même une mélodie exaltée — dont l'origine et l'aboutissement semblent se situer au niveau de la psychologie.
L'influence du chant hassidique rayonna en particulier sur le chant synagogal de l'Europe de l'Est. — Les Juifs d'Europe centrale et occidentale cherchèrent de leur côté à s'intégrer à la société éclairée de leur temps et adaptèrent toujours plus leur musique aux modèles occidentaux. Ces tendances furent d'abord limitées à une mince couche, celle de la société supérieure à laquelle appartenaient les familles de Mendelssohn et de Meyerbeer ; seule l'organisation consistoriale des communautés juives, due à Napoléon, leur permit de s'épanouir. Dans le royaume de Hanovre, une réforme de l'ordre du culte et de sa musique instaura le chant de chorals en langue allemande et leur accompagnement à l'orgue. En 1822 le chant choral à quatre voix fut introduit à Paris à la nouvelle synagogue (non réformée). Alors que la réforme la

Chant soliste influencé par le style baroque : Aaron Dov Ber (1738-1821), d'après A. Z. IDELSOHN, ouvr. cité, VI, n° 377. Le motif initial est traditionnel.

A partir du milieu du XVIIIe s., le chant judaïque reçut de nouvelles impulsions de deux directions qui tendaient, chacune à sa manière, à briser le cadre devenu insupportable du ghetto. Le mouvement néo-mystique du hassidisme en Europe de l'Est s'écarte alors du monde et se tourne tout entier vers les valeurs intérieures. La mélodie vocale sans texte se place au centre de sa recherche de l'élan de l'âme et devient l'expression d'une expérience qui ne peut être saisie avec les mots.

plus poussée devait rester limitée à quelques communautés (situées de nos jours aux USA principalement), on tenta de créer un équilibre entre la tradition musicale et les formes européennes sous la devise d'un « culte ordonné ». La direction en fut prise par la communauté de Vienne, où le « ḥazan » et compositeur S. Sulzer (1804-1890) créa un chœur modèle à quatre voix ; son œuvre Šir Ziyon fut largement répandue avant même d'être imprimée. Samuel Naumbourg (1817-1880) à Paris, Lazare-Louis Lewandowski (1823-1894) à Berlin et de nombreux compositeurs de moindre envergure travaillèrent dans le même sens. Contrairement à la réforme, ces chantres-compositeurs eurent une attitude positive

Le chant se poursuit par des variations de A et B. Chant hassidique sans paroles (« nigun »). Rav Chnéour Zalman (1745-1813), de Liadi (d'après J. STUTCHEVSKI, 1944).

Comme la mystique ancienne, le hassidisme situe l'amour, la joie et l'enthousiasme comme le portique

face aux mélodies traditionnelles et les interprétèrent selon l'esprit de leur temps, en les rapprochant autant que possible du majeur-mineur, en réduisant fortement leurs mélismes luxuriants et en les ordonnant en un système de périodes et de mesures régulières. Les chants de la communauté et du chœur furent largement recomposés, presque toujours dans le goût romantique, en adoptant souvent un pâle style dévot (au sens judaïque traditionnel). Ici et là on essaya d'adapter aux formes occidentales le chant en trio, autrefois improvisé, du « hazan » et de ses acolytes, « singer » et « basse ». — En Europe de l'Est, le chant soliste (« ḥazanut ») se développa en une forme d'art brillante et originale : à la fois improvisée et liée à la tradition, fortement attachée à l'émotion et à l'expression. Y dominent encore le « rythme libre » du vieux chant judaïque, sa manière de développer par la variation, sa construction au moyen d'une accumulation de brèves cellules motiviques constamment renouvelées. Un chœur de garçons et d'hommes est entraîné à l'accompagnement improvisé, se charge des passages réservés à des solistes et imite les sonorités des instruments. S'y ajoutèrent vers la fin du XIXe s. l'influence de S. Sulzer mais également celle de Rossini et du « bel canto ». L'évolution générale allait vers la virtuosité, avec un emploi déconcertant de tous les moyens techniques de la voix travaillée. Des tournées de concert valurent une célébrité internationale aux « ḥazan » d'Europe de l'Est, ainsi que des engagements en Angleterre et aux USA, où leur style se poursuit toujours. — Le XIXe s. entier se consacra à la recherche du trésor mélodique traditionnel et à sa publication. Vers la fin de cette époque commença l'étude scientifique de la musique hébraïque, qui devrait être l'une des caractéristiques du XXe s.

H. AVENARY

L'époque contemporaine et le renouveau. La mus. savante en Israël actuel est le produit exclusif du XXe s. Elle commence à fleurir timidement vers les années 30, dans un milieu de pionniers venus des quatre coins du monde rebâtir un pays quasi désertique. La création des centres urbains, l'installation des premières écoles de musique (1910-20), la fondation du premier opéra (1923), du Cons. de musique de Jérusalem (1933) et les deux événements déterminants intervenus en 1936 — l'inauguration d'une station de radio avec un département de musique et plus tard un orchestre national, ainsi que la fondation du Palestine Orchestra (maintenant Israel Philharmony Orchestra) par le célèbre violoniste Bronislav Huberman — encouragent la venue de musiciens de valeur et stimulent la création. La vie musicale s'intensifie dès lors et les occasions de créer offertes aux compositeurs israéliens se multiplient. Parmi les nombreux événements devenus partie intégrante de la vie musicale du pays, il faut mentionner le Festival d'Ein Gev, le Festival de danse populaire de Dalia, le Festival d'Israël, la « Zimriya », rencontre internationale de chœurs tous les trois ans, et le Concours international de harpe. D'autres entreprises touchent plus directement la mus. savante. A la première maison d'édition de mus. israélienne, The Israel Music Publications (IMP), fondée en 1950, vient se joindre en 1961 l'Israel Music Institute (IMI), créé par le Conseil de la Culture et des Arts. En 1968, celui-ci a fondé à Tel-Aviv le Centre de mus. israélienne dont le but est de rassembler toutes les œuvres israéliennes publiées ou manuscrites, accompagnées de leur enregistrement sur bande magnétique ou sur disque. Depuis 1960 l'Assoc. des compositeurs israéliens organise en décembre des semaines de mus. israélienne

au cours desquelles ont lieu plusieurs concerts publics ou radiodiffusés. En 1968 se tient pour la première fois, dans le cadre du Festival d'Israël, le « Composer Workshop ». Cette manifestation, devenue annuelle, se déroule en trois étapes : a) une répétition ordinaire d'œuvres en 1re audition, b) une répétition publique avec débat sur les œuvres choisies, c) un concert avec le concours de l'orch. de la Radio et de l'ensemble de chambre fondé par Gary Bertini en 1965.

Les premières générations de compositeurs israéliens se composaient exclusivement d'émigrés venus avec un important bagage spirituel et artistique des différents pays européens. La variété des styles savants importés s'affronta immédiatement avec la pluralité des traditions folkloriques des communautés venant de tous les coins de la Terre. Ayant acquis une reconnaissance internationale, la production musicale s'est accrue en moins de 40 ans d'une façon considérable sans toutefois perdre quoi que ce soit de sa diversité. Elle a su parcourir en raccourci toute l'évolution du XXe s. depuis le post-romantisme jusqu'aux « musical happenings ». Au milieu de ce mouvement se sont fait jour différentes tentatives pour créer un art typiquement israélien par le recours aux monodies folkloriques, à la langue hébraïque renouvelée et aux textes bibliques. Dans la première phase de l'histoire de la mus. israélienne, un certain nombre de compositeurs profondément impressionnés par la rencontre avec le monde inépuisable des traditions musicales orientales s'employèrent à créer un style spécifique, s'inspirant des monodies, des rythmes et des formes que ces traditions leur offraient. En même temps, d'autres compositeurs restaient attachés à la mus. savante juive d'Europe orientale, s'inspirant du folklore de cette partie de la diaspora (J. Stoutchevski, Yoël Engel, Ytzhaq Edel, Kaminsky). Les représentants de la première tendance (P. Ben-Haïm, A.U. Boscovitch, M. Avidom, K. Salmon, M. Lavry...), partisans de l'école dite méditerranéenne, assimilent et expriment chacun à leur manière les influences reçues des Yéménites, des Séphardites et des Arabes. Le style post-impressionniste et certain néo-primitivisme caractérisent la création musicale de cette école entre 1940 et 1950. Dans une seconde phase, la mus. israélienne tend vers l'expressionnisme; tout en continuant à puiser aux sources folkloriques, elle s'exprime de façon plus subtile en adoptant des techniques nouvelles. L'un des représentants les plus marquants de cette évolution est Ö. Partos qui, après avoir adhéré à l'école méditerranéenne, se tourne vers l'école de Bartók-Kodály et finit par créer une synthèse entre un dodécaphonisme modéré et la technique du « maqâm » arabe. A.U. Boscovitch a parcouru un chemin semblable. Par contre, M. Seter va chercher dans la polyphonie médiévale et le style imitatif l'élément original de son langage. Parmi les rares compositeurs de la génération nouvelle qui continuent à avoir recours d'une façon ou d'une autre aux traditions orales, citons Ben Zion Orgad, Abel Erlich, Haïm Alexandre, Ami Ma'yani et Yehezqel Braun. Par ailleurs, certains compositeurs ont rejeté systématiquement toute idée de nationalisme et se sont détournés du recours aux traditions vivantes. Ils se sont employés à exprimer la renaissance du peuple plutôt par le choix des sujets (Bible, histoire juive ancienne ou contemporaine) que par des recherches de synthèse dans le domaine du langage musical. Parmi eux, E.W. Sternberg, Abraham Daus (tendance néo-romantique), Hanoh Ya'aqobi (école de P. Hindemith) et J. Tal qui, après avoir été longtemps fidèle au style expressionniste, s'est tourné le premier en Israël vers la mus. électronique. Sont attirés par les différentes recherches de la mus. expérimentale : Noam Sheriff, Yehoshuah Lakner, Itzhaq Sadaï, Zvi Avni, Sergiu Natra, Ram Da-Oz, Yehuda Yanay, Asher Ben Yohanan, André Hajdu... Mais à l'heure actuelle, la diversité des styles et des écoles reste la principale caractéristique de la mus. savante en Israël ; celle-ci reflète la pluralité ethnique de la nation qui constitue sa force et sa richesse.

A. SHILOAH

Éditions musicales — S. ROSSI, Hashirim Asher Lish'lomo, Venise 1623, rééd. par F. Rikko, New York, Mercury Music Corp., 1967 ; S. SULZER, Schir Zion, 2 vol., Vienne 1839-65 ; S. NAUMBOURG, Chants religieux des Israélites, 3 vol., Paris 1847-57 ; A. BAER, Baal T'fillah oder Der practische Vorbeter, Göteborg et Leipzig 1877 et suiv. ; J.S. et M. CRÉMIEU, Zemiroth... de l'ancien comtat Venaissin, Aix-en-Provence 1887 ; F. CONSOLO, Libro dei canti d'Israele, Florence 1892 ; S. DAVID, Musique... dans les temples consistoriaux de Paris, Paris 1895 ; A.Z. IDELSOHN, Hebräisch-orientalischer Melodienschatz, 10 vol., Leipzig 1914-32 ; S. FOY, Chants hébraïques... dans Bordeaux, Bordeaux 1929 ; G. EPHROS, Cantorial Anth., 5 vol., New York, Bloch Publ. Co., 1929-57 ; S. ZALMANOV, Sefer Nigunim... Hasidey Habad, 2 vol., Brooklyn, Nichoah, 1948-57 ; CH. VINAVER, Anth. of Jewish Music, New York, E.B. Marks, 1955 ; O. CAMHI, Liturgie séphardite, Londres, Fédération Séphardite Mondiale, 1959 ; M.J. BENHAROCHE-BARALIA, Chants hébraïques... dans... Bayonne, Biarritz, Assoc. Zadoc Kahn, 1961 ; E. GERSON-KIWI, The Legacy of Jewish Music through the Ages, Jérusalem, National Council of Culture & Art, 1963 ; E. WERNER, Hebräische Musik, Cologne, A. Volk, 1963 ; E. PIATELLI, Canti liturgici ebraici di rito italiano, Rome, De Santis, 1967.

Bibliographie — 1. Israël biblique : R. LACHMANN, Jewish Cantillation and Song in the Isle of Djerba, Jérusalem 1940 ; E. WERNER, The Sacred Bridge. The Interdependency of Liturgy and Music in Synagogue and Church during the first Millenium, New York, Columbia Univ. Press, 1959 ; du même, The Genesis of the Liturgical Sanctus, in Essays presented to E. Wellesz, éd. par J. Westrup, Oxford, Clarendon Press, 1966 ; C. SACHS, The Rise of Music in the Ancient World — East and West, New York 1943 ; du même, The Commonwealth of Art, New York 1946 ; A. HERZOG, Renanot-Song Sheets for Sacred Music, Jérusalem 1952 et suiv. ; H. AVENARY, Formal Structure of Psalms and Canticles in Early Jewish and Christian Chant, in MD VII, 1953 ; du même, Magic, Symbolism and Allegory in Old-Hebrew Sound Instr., in Collectanea Historiae Musicae II, Florence, Olschki, 1956 ; du même et E. GERSON-KIWI, art. Jüdische Musik in MGG VII, 1958 ; du même, Hieronymus' Epistel über die Musikinstr. u. ihre altöstlichen Quellen, in Anuario Mus. XVI, 1961 ; du même, Studies in the Hebrew, Syrian and Greek Liturgical Recitative, Tel-Aviv 1963 ; du même, « Flutes for a Bride or a Dead Man » : The Symbolism of the Flute, in Orbis Musicae I, Univ. de Tel-Aviv 1971 ; du même, Jewish Music (Hist.), in Encyclopaedia Judaica, Jérusalem 1971 ; K.H. KRAELING et L. MOWRY, Music in the Bible, in New Oxford Hist. of Music I, Londres, Oxford Univ. Press, 1957 ; E. GERSON-KIWI, La mus. [dans la Bible], in Dict. de la Bible V Supplt, Paris 1957 ; de la même, Synthesis and Symbiosis of Styles in Jewish-Oriental Music, in Atti del Congresso... Palermo 1954, Palerme 1959 ; de la même, Halleluia and Jubilus in Hebrew Oriental Chant, in Fs. H. Besseler, Leipzig, VEB Deutscher Verlag für Musik, 1961 ; de la même, « Justus ut palma ». Stufen hebräischer Psalmodien in mündlicher Überlieferung, in Fs. Br. Stäblein, Kassel, BV, 1967 ; de la même, Orient-Okzident-Beziehungen : Asiatische Tonsysteme in ihrer Formung, in Deutsches Volkslied-Hdb., Munich, W. Fink, 1971 ; A.W. BINDER, Biblical Chant, New York 1960 ; S. CORBIN, L'Église à la conquête de sa mus., Paris, Gallimard, 1960 ; B. BAYER, The Material Relics of Music in Ancient Palestine and its Environs, Tel-Aviv 1963 ; de la même, The Biblical Nebel, in Yuval I, Jérusalem 1968 ; G. BIRKNER, Psaume hébraïque et séquence latine, in Journal of the Intern. Folk Music Council XVI, Londres 1964 ; A. SENDREY, Music in Ancient Israel, Londres, Vision Univ. Press, 1969. — 2. La diaspora. a) Ouvr. généraux : A.Z. IDELSOHN, Jewish Music in its Historical Development, New York 1929, 2/1944 ; A. SENDREY, Bibliogr. of Jewish Music, New York 1951 ; du même, The Music of the Jews

in the Diaspora, New York, Philosophical Libr., 1970 ; E. WERNER, Jewish Music, in Grove 5/1954 ; du même, The Music of Post-Biblical Judaism, in New Oxford Hist. of Music, Londres, Oxford Univ. Press, 1957 ; H. AVENARY, art. Jüdische Musik, in MGG VII, 1958 ; du même, art. Jewish Music, in Encycl. Judaica XII, Jérusalem 1971 ; I. ADLER, art. Mus. juive, in Encycl. de la mus. II, éd. par Fr. Michel, Paris, Fasquelle, 1959 ; du même, Hist. de la mus. relig. juive, in Encycl. des mus. sacrées I, éd. par J. Porte, Paris, Labergerie, 1968 ; L. ALGAZI, La mus. juive, in Encycl. de la Pléiade, Hist. de la mus. I, éd. par Roland-Manuel, Paris, Gallimard, 1960 ; du même, Substance je la mus. synagogale, in Encycl. des mus. sacrées I, voir ci-dessus ; P. GRADENWITZ, Die Musikgesch. Israels, Kassel, BV, 1961 (cf. I. ADLER, in RMie XLVIII, 1962) ; E. GERSON-KIWI, Musica ebraica, in La Musica II/1, éd. par G. Gatti, Turin, Unione Tipografico Editrice..., 1965 ; de la même, Hebrew Music, in New Catholic Encycl. X, New York, McGraw Hill, 1967 ; A. WEISSER, Bibliogr. of Publications and other Sources on Jewish Music, New York, National Jewish Music Council, 1969 ; A. SHILOAH, Mus. hébraïque, in Encyclopedia Universalis II, éd. par H. Hadt, Paris, Soc. anon. de l'Encycl. Universalis, 1972. — b) Études particulières : H.G. FARMER, Maimonides on Listening to Music, in Journal of the R. Asiatic Soc. 1933, tiré à part Bearsden 1941 ; du même, Sa'adyah Gaon on the Influence of Music, Londres 1943 ; H. SHMUELI, « Higgajon Bechinnor »... des J. Moscato, Tel-Aviv 1953 ; I. ADLER, La pratique musicale savante dans qq. communautés juives, 2 vol., Paris, Mouton & Co., 1966 ; A.L. RINGER, S. Sulzer, J. Mainzer and the Romantic A Cappella Movement, in Studia Musicologica II, 1969 ; H. AVENARY, Hebrew Hymn Tunes ; Rise and Development of a Musical Tradition, Tel-Aviv, Israel Music Institute, 1971 ; A. HAJDU et J. MAZOR, The Musical Tradition of Hasidism, in Encycl. Judaica VII, Jérusalem 1971 ; cf. également les revues Tatzlil, Haïfa, depuis 1962, et Yuval, Jérusalem, depuis 1968. — 3. Israël au XXᵉ s. : P. GRADENWITZ, ouvr. cité ; A.U. BOSKOWITCH, La mus. israélienne contemp. et les traditions ethniques, in Journal of the Intern. Folk Music Council XVI, 1964 ; A.L. RINGER, Musical Composition in Modern I., in MQ LI, 1965.

E. GERSON-KIWI, H. AVENARY et A. SHILOAH

ISTESSO TEMPO (ou l'istesso tempo ; ital., = le même mouvement), locution employée lorsqu'il y a changement de mesure, pour indiquer que la valeur absolue des notes ou de la mesure complète ne change pas. Par ex., si l'on passe d'une mesure à 2/4 à une mesure à 6/8, ♩ = ♩.; d'une mesure à 2/4 à une mesure à 3/4, ♩ = ♩ ; ou encore 4/4 ○ = 3/4 ♩.

ITALIE (Italia). **L'Antiquité.** Ni texte ni traité de la mus. romaine antique ne nous sont parvenus, mais de très nombreux témoignages littéraires nous informent de l'importance qu'avait la musique dans la vie quotidienne. Elle faisait partie intégrante des cérémonies religieuses : citons en particulier le très ancien *Carmen fratrum Arvalium* et la danse rituelle presque aussi ancienne que les prêtres saliens exécutaient au mois de mars en procession à travers la ville, au son de la → « tibia », homologue latin de l'aulos grec. Il faut reconnaître dans ces chants le courant autochtone de l'expression musicale romaine, comme dans les chansons de table entonnées, selon le témoignage de Caton l'Ancien (Cicéron, *Tusculanes* IV, 3), durant les banquets au son de la « lyra » ou de la « tibia » pour célébrer les exploits des hommes illustres ; comme aussi dans les lamentations funèbres des pleureuses et dans le répertoire des chansons populaires, dont la richesse et la vivacité transparaissent encore dans quelques passages de la poésie savante (Virgile, *Géorgiques* I, 293 ; Horace, *Satires* I, 5, 15). De même, la mus. militaire dut conserver un caractère franchement romain ; on y employait les instr. à vent en métal : le → « cornu » (ce dernier sera utilisé plus tard au théâtre), le → « lituus », la « buccina » (→ buccin), la → « tuba ».

Cependant, il est permis de supposer que, dès l'origine, la mus. grecque exerça une forte influence à travers la culture profondément hellénisée des Étrusques, puis par l'intermédiaire des colonies grecques de l'Italie méridionale. Après la conquête du Bassin méditerranéen, le processus d'hellénisation ne fit que s'intensifier ; il concerna avant tout la musique destinée au théâtre. L'adaptation latine des formes dramatiques grecques, commencée au IIIe s. avec Livio Andronico, supplanta rapidement les expressions dramatiques indigènes comme le « fescennino » et la « satura ». Aussi bien dans la tragédie que dans la comédie « palliata » (adaptation latine de la « comédie nouvelle » grecque), la récitation des dialogues (« diverbia ») alternait avec le chant de passages lyriques (« cantica ») accompagnés par la → « tibia ». La « palliata » ayant disparu après la mort de Térence, la musique joua un rôle important dans le mime et davantage encore dans la pantomime de l'époque impériale, où l'action, entièrement dansée, n'était plus accompagnée par un chanteur et un instrumentiste isolés, mais par un chœur nombreux et un ensemble instrumental très varié (« tibiae », « cornua », « lyrae »), au rythme du → « scabellum », instr. à percussion en bois muni de plaques métalliques, actionné par les pieds des exécutants. Les religions à mystères importées d'Orient furent également un véhicule très efficace de la culture hellénistique. Leurs cérémonies se déroulaient au son de l'aulos phrygien et d'autres instruments exotiques (sistre égyptien, « tympana », crotales, cymbales).

La théorie musicale ne semble pas avoir eu la moindre autonomie vis-à-vis de la Grèce. Bien que la musique fît partie des études et fût l'objet d'un profond intérêt, il faut attendre la fin du IVe s. pour trouver les premiers apports importants d'écrivains latins à la théorie musicale, avec les œuvres de St Augustin (De musica), de M. Capella (De nuptiis Mercuri et Philologiae) et surtout — le déclin de la Rome impériale étant déjà consommé — avec la grandiose synthèse élaborée par Boèce.

Le Moyen Age. L'histoire de la mus. italienne médiévale coïncide pratiquement avec celle du chant liturgique, presque jusqu'à la fin du XIIIe s. Le Liber pontificalis ainsi que d'autres sources romaines nous renseignent sur l'activité des papes qui, de la 2de moitié du IVe s. à Grégoire le Grand et à ses successeurs, travaillèrent à la construction du grandiose édifice de la liturgie romaine (voir les art. CHANT VIEUX-ROMAIN et CHANT GRÉGORIEN). C'est aussi à la 2de moitié du IVe s. que l'on fait remonter l'origine du chant milanais (voir CHANT AMBROSIEN), précisément à l'œuvre de St Ambroise auquel on attribue la paternité des hymnes latines chrétiennes. A ces deux répertoires s'ajoute celui du chant bénéventain, expression d'un autre centre de la spiritualité chrétienne, le monastère du Mont-Cassin. Selon Br. Stäblein, les chants vieux-romain, ambrosien et bénéventain présentent entre eux des affinités qui légitiment la thèse de leur unité stylistique : le caractère dominant en est la richesse luxuriante de la ligne mélodique qui procède par petits intervalles, presque sans solution de continuité. A partir du VIIe s., l'action plus résolue des papes pour réaliser l'unité liturgico-musicale de l'Église occidentale eut pour conséquence une réforme, attribuée par une tradition immémoriale à Grégoire le Grand, mais que les travaux récents tendent toujours plus à dissocier de l'œuvre de ce pontife. De toute façon, le chant grégorien, qui deviendra en peu de temps la

langue officielle de l'Église d'Occident, présente, face aux anciens répertoires, une ligne mélodique plus sobre, une définition plus claire de la modalité, un équilibre plus rationnel entre passages mélismatiques et passages syllabiques, en somme une marque plus « classique » et « romaine ». Pourtant il reste des traces de l'ancien style dans les compositions qui viennent enrichir le répertoire liturgique, même après la réforme grégorienne, dans l'ordinaire de la messe et dans l'office, surtout celui des saints, objets de cultes locaux.

Après le XIe s., l'Italie, avec un certain retard par rapport à la France et aux pays germaniques, apporte à son tour sa contribution à l'histoire du trope, de la séquence et du drame liturgique : le Dies irae, le Stabat Mater, les drames de Cividale del Friuli en sont des témoignages célèbres. Par contre, il est très difficile de reconstituer avant le XIIIe s. l'histoire de la mus. profane. Sa vitalité est attestée par la richesse des courants qui l'alimentaient : la culture cléricale scolastique, celle des jongleurs, celle du peuple. Les quelques documents qui nous sont parvenus ne concernent que le premier aspect (le prétendu Canto delle scolte modenesi, le chant processionnel O Roma nobilis, le Planctus de obitu Karoli, etc.). Pour le répertoire des jongleurs et du peuple, seuls les textes littéraires nous sont restés. Des nombreux troubadours qui subirent l'influence de la culture provençale dans les cours et les villes de l'Italie septentrionale et à la cour de Frédéric II en Sicile, il ne nous est parvenu aucun témoignage.

Ce n'est qu'entre le XIIIe et le XIVe s. que l'obscurité enveloppant une grande partie du Moyen Age musical italien se dissipe enfin avec l'apparition de la → « lauda » spirituelle, puis avec celle de l' → Ars Nova. Dans la « lauda », de multiples expériences, aussi bien sacrées que profanes, se fondent sous l'influence du renouveau spirituel entraîné par la piété franciscaine qui anima l'Italie centrale au cours de la 2de moitié du XIIIe s. Avec l'Ars Nova, nous assistons à l'épanouissement subit de la polyphonie sur un terrain jusqu'alors dominé par le chant monodique. En fait, l'usage de la polyphonie, même s'il avait été limité à un petit nombre de centres et à des cercles restreints, n'était pas inconnu, comme le prouvent quelques rares vestiges et des témoignages indirects. Il existe aussi des textes latins entonnés en polyphonie dans le répertoire des laudes ; celui-ci offre, par ailleurs, dans sa partie la plus récente, une évolution nette du style syllabique original vers les lignes aux riches mélismes, typiques de la nouvelle polyphonie. Enfin, celle-ci ne fait qu'affirmer l'orientation tonale claire du chant monodique ; sa définition est désormais confiée au ténor « porteur d'harmonies ». Selon N. Pirrotta, l'Ars Nova italienne reflète le goût et la sensibilité de milieux étroitement liés à la culture universitaire : Padoue, à laquelle ramènent les noms des théoriciens Marchetto et Antonio da Tempo, et Bologne, patrie de Jacopo, le plus célèbre compositeur de la 1re période de l'Ars Nova, qui culminera avec la personnalité complexe de Fr. Landini, l'organiste florentin aveugle, maître de la → « ballata » polyphonique. La mort de Landini (1397) marque l'amorce du déclin d'un art qui s'épuise rapidement sous l'influence du maniérisme français (voir l'art. TRECENTO).

La Renaissance. On a longtemps cherché à savoir

pourquoi, vers 1430, une obscurité épaisse tombe à nouveau, pour 50 ans environ, sur la mus. italienne. Il faut, pour le comprendre, renverser les données traditionnelles de la question, c.-à-d. considérer non ces années de silence, mais bien l'Ars Nova elle-même comme une exception, en tant qu'expression de quelques cercles intellectuels restreints. Suivant l'image de Pirrotta, l'Ars Nova n'est que la partie visible de l'iceberg sous laquelle se trouve immergée la réalité bien plus massive de la mus. improvisée et par conséquent non notée : voilà pourquoi, après cette parenthèse, la veine musicale italienne, loin de tarir, recommence à se répandre dans ce qui avait constitué, durant des siècles, son expression la plus authentique. Les faits attestant une vie musicale florissante ne manquent pas : documents relatifs aux fêtes publiques et aux solennités des villes et des cours ; nombre des musiciens improvisateurs, le plus célèbre étant L. Giustiniani, créateur de la forme poético-musicale du même nom ; enfin la marque indéniable que laissait sur les compositeurs d'outremonts leur séjour en Italie. Lorsque, vers la fin du siècle, la mus. italienne réapparaît dans les manuscrits, puis peu après dans les imprimés, ce phénomène doit être relié au fait que les poètes — passé la fièvre humaniste du début du xve s. — retournaient à la langue vulgaire et à ses formes poétiques simples et immédiates : « bargellete », → « frottole », → « ballate », → « strambotti », « rispetti ». C'est avec ce répertoire que débutent maintenant les B. Tromboncino, M. Cara, Francesco d'Ana... Introduit dans les cours, il devient un moyen de communication sociale très important. Deux cours excellent dans ce domaine : celle des Gonzague, à Mantoue, dominée par la personnalité d'Isabelle d'Este, et celle des Médicis, à Florence, où figurent parmi les amateurs d'art populaire le grand Ange Politien et Laurent le Magnifique lui-même. Cependant de très importantes contributions arrivent également des autres capitales : Venise, Rome, Naples, Milan, Urbino, etc. En passant à la cour, les formes populaires perdaient certainement de plus en plus leur expression élémentaire et immédiate, ouverte à la libre fantaisie de l'improvisation. Le raffinement progressif de la musique et du texte littéraire entraînera vers 1530 la naissance du → madrigal, où s'interpénètrent deux mondes séparés jusque-là, voire franchement opposés : la science contrapuntique rigoureuse du Nord, d'une part ; de l'autre, la souplesse mélodique, la plasticité formelle et la sensualité harmonique du Sud. Par ailleurs, la veine populaire est loin de tarir. Parallèlement au madrigal naissent d'autres formes : la → « canzon villanesca », dénommée ensuite → « villanella alla napoletana », originaire du Sud et très vite répandue dans toute la Péninsule, ainsi que les → « canzonette », → « balletti » → « villotte », etc. Ces formes aussi subiront un processus rapide de sophistication en devenant la contrepartie caricaturale, mais non moins affectée, de l'intellectualisme madrigalesque : le « madrigale drammatico » d'O. Vecchi, A. Banchieri... en constitue le point culminant. Toutefois, certains traits originaux resteront intacts : la verticalité harmonique, la carrure rythmique, la symétrie des phrases. Ces pièces joueront ainsi un rôle de premier plan, vers la fin du siècle, dans la crise de l'« ars perfecta » contrapuntique et dans l'instauration d'un nouveau langage harmonique tonal.

Rome et Venise sont, de par une antique tradition, les capitales du xvie s. musical italien. L' → École romaine eut en C. Festa le premier compositeur capable de rivaliser avec les Franco-Flamands et donna à la Renaissance italienne son plus grand musicien, Palestrina. Elle a été marquée par la présence de l'Église et par les décisions du Concile de Trente. C'est ainsi que le développement de la mus. instrumentale fut freiné de façon décisive, tandis que celui de la polyphonie vocale était favorisé suivant un idéal d'équilibre et de sobriété classique auquel l'impératif tridentin de l'intelligibilité du texte n'est pas étranger. Les audaces expérimentales purent au contraire être cultivées librement par l' → École vénitienne, sur laquelle ne pesaient pas d'hypothèques contre-réformistes. On suit dans l'œuvre de ses plus grands musiciens (A. Willaert, C. de Rore, les deux Gabrieli) l'évolution qui, à travers le chromatisme, la recherche de la couleur et d'effets sonores, la réduction des unités de mesure, conduit de l'écriture polyphonique vocale classique au style concertant et au baroque. A côté de Venise, poste avancé de l'expérimentation musicale, nous trouvons la cour d'Este à Ferrare, point de rencontre de génies musicaux (J. de Wert, L. Luzzaschi) et poétiques (T. Tasso), d'une sensibilité tourmentée, bien éloignée du limpide équilibre renaissant. Le prestige de la culture raffinée de Ferrare influença beaucoup d'autres centres italiens : la cour de Mantoue, théâtre, après 1590, de l'activité de Monteverdi, était attaché par des liens étroits à celle de Ferrare. Le plus grand polyphoniste napolitain, C. Gesualdo di Venosa, et les musiciens de son cercle entretinrent avec aussi des rapports étroits avec Ferrare. Dans ce raccourci panoramique, une place spéciale revient à Florence, non seulement à cause de sa contribution à l'histoire du madrigal (Ph. Verdelot), mais aussi parce que le long processus d'incubation de l'opéra, répandu dans toute l'Italie, eut en la ville des Médicis son foyer privilégié. Cela grâce au concours du mécénat princier (cf. les intermèdes de 1589 pour les noces de Ferdinand Ier) et à l'intérêt avec lequel les intellectuels et les artistes s'attachèrent à résoudre le problème le plus aigu de l'époque : la libération du langage musical des entraves de la polyphonie, la recherche d'une expression plus ductile et plus vive, à l'image des passions de l'âme.

Toutefois le mythe de la → Camerata florentine en tant que cénacle de musiciens et de théoriciens qui, poursuivant l'impossible tentative de ressusciter la mus. grecque antique, auraient inventé le nouveau langage, tend à disparaître devant les travaux les plus récents. En réalité on peut trouver les présages de l'avènement du style monodique et de l'opéra tout au long de la Renaissance : habitude très répandue de réduire à une seule voix les compositions polyphoniques tout en confiant les autres à des tablatures instrumentales ; introduction de compositions vocales dans les comédies dans un but réaliste ; prépondérance sans cesse accrue des intermèdes dans les spectacles ; et surtout climat délicieusement musical de la « favola pastorale », qui doit être reconnue comme la matrice authentique de l'opéra. Tout cela dans le cadre d'une tendance générale à accentuer de plus en plus le dramatisme du langage musical.

Le développement de la mus. instrumentale contribua lui aussi à ce processus dans lequel l'Italie a la prééminence absolue. Peu à peu, les tablatures pour luth et instr. à clavier tirées de compositions polyphoniques donnent naissance à une littérature autonome, dont les premiers grands représentants sont les luthistes Fr. Spinacino et Francesco da Milano, et les organistes M.A. et G. Cavazzoni, puis A. Padovano, Cl. Merulo et les Gabrieli ; c'est la naissance des formes instrumentales, les unes calquées sur la danse (pavane, « gagliarda », « saltarello », « passamezzo ») et sur la polyphonie vocale (→ « canzone »), les autres issues de façon autonome de la technique instrumentale (→ « fantasia », → « toccata », → « ricercare »). La musique pour ensemble de cordes et de vents reçoit elle aussi, dans la 2ᵈᵉ moitié du siècle, une impulsion décisive, spécialement dans la région de Venise, grâce à l'œuvre de A. Padovano, Fl. Maschera et surtout G. Gabrieli qui, dans ce domaine encore, s'impose comme un des promoteurs du tournant stylistique entre la Renaissance et le Baroque. Au développement de la musique fait pendant celui des instruments : d'illustres dynasties d'organiers apparaissent — les Antegnati de Brescia — tandis que, entre la cité lombarde et Crémone — siège de la dynastie des Amati —, les luthiers mettent au point le violon, qui dominera l'époque baroque.

Le baroque. L'opéra, l'oratorio, la cantate sont les formes principales dans lesquelles s'incarne le nouveau langage musical. L' → opéra, qui vit le jour à Florence avec la représentation au Palais Pitti de l'*Euridice* d'O. Rinuccini et de J. Corsi le 6 oct. 1600, ne trouva pas le terrain le plus favorable dans sa ville natale mais tout d'abord à la cour de Mantoue, grâce au génie de Monteverdi qui, dans l'*Orfeo* (1607), porta le style « rappresentativo » à un degré de puissance dramatique inconnu des Florentins, puis à Rome et à Venise qui conservèrent au XVIIᵉ s. le rôle de capitales de la mus. italienne. A Rome, le genre fut surtout encouragé par le mécénat des Barberini pour évincer les spectacles indécents de la « Commedia dell'arte ». Il s'ensuivit une évolution qui, avec l'introduction de sujets autres que les intrigues mythologiques et pastorales (sujets épiques, romanesques, hagiographiques), l'augmentation du nombre des personnages, la plus grande complexité de l'action, mena vers une comédie musicale où s'amalgamaient les éléments moralisants et comiques, classiques et populaires, fabuleux et réalistes. Bien qu'importé de Rome (Fr. Manelli, *Andromeda*, 1637), l'opéra se développa à Venise dans un sens tout différent, car il était représenté non dans des salles aristocratiques, mais dans des théâtres publics. Il accueillit en conséquence le goût du merveilleux et du fantastique, évoluant vers l'« opera concerto » sans se préoccuper de cohérence dramatique.

La → cantate, pendant de l'opéra dans le domaine de la mus. de chambre, connut un développement parallèle. On peut déjà en voir l'embryon dans l'œuvre des monodistes florentins (G. Caccini, *Nuove Musiche*); en quelques décennies — il faut noter encore une fois le rôle décisif de Monteverdi — elle acquit sa forme achevée avec les chefs-d'œuvre de L. Rossi, G. Carissimi, A. Cesti, A. Stradella. L' → oratorio ne s'épanouit que plus tard : à partir de la « lauda » et du motet dialogués, il lui fallut un siècle environ pour se constituer en tant que forme dramatico-musicale pleinement autonome (Carissimi, puis Stradella). Dans le domaine de la mus. sacrée, la polyphonie vocale classique est encore cultivée,

surtout à Rome, mais elle subit l'influence du goût baroque (*Festmesse* à 53 v. d'O. Benevoli pour la consécration de la cathédrale de Salzbourg, 1628). Par ailleurs, c'est le style concertant qui a la préférence ; il donne ses fruits les plus remarquables avec Monteverdi.

La mus. instrumentale pour clavier trouve dans l'œuvre de G. Frescobaldi une admirable somme des expériences les plus vivantes de la Renaissance. Par contre, la mus. pour instr. à cordes resta longtemps à un stade expérimental : ce n'est que durant la 2ᵈᵉ moitié du siècle que les formes typiques de la → « sonata da chiesa », de la → « sonata da camera » et du → concerto se cristallisèrent. Deux villes jouèrent un rôle décisif : Venise, avec B. Marini et G. Legrenzi, et Bologne, avec M. Cazzati, G.B. Vitali, G. Torelli et surtout A. Corelli, qui porta à leur perfection les formes classiques du baroque instrumental italien, la « sonata a tre » et le « concerto grosso ».

Une discipline formelle toujours plus rigoureuse entraîna parallèlement la définition de plus en plus solide de la tonalité : évolution qui s'insère parfaitement dans le climat de la réaction contre le goût baroque dont l'« Arcadia » se fit le pionnier. Parmi les « pastori » de cette Académie figurent non seulement Corelli, mais encore A. Scarlatti. Chez ce dernier — E.J. Dent admire la sévérité « digne de Palladio » de ses architectures — la mus. vocale (opéras, cantates, oratorios) trouve des constructions stables qui ne se modifieront pratiquement plus durant presque tout le XVIIIᵉ s. En outre, l'esprit classique marque nettement, dans le livret d'opéra, la séparation des styles réalisée par A. Zeno. L'élimination des passages comiques du drame historico-mythologique favorisa le développement de l' → « opera buffa », que les philosophes devaient exalter plus tard dans leur polémique contre l' → « opera seria » pour sa vérité et sa fidélité à la nature. Ce besoin, typique du XVIIIᵉ s., d'une expression claire et naturelle trouva sa réalisation parfaite dans → l'École napolitaine. Née au cours de la 2ᵈᵉ moitié du XVIIᵉ s. avec Fr. Provenzale, elle se développa avec les générations qui suivirent A. Scarlatti : L. Leo, L. Vinci, G.B. Pergolesi, J.A. Hasse, N. Jomelli, N. Porpora. Parallèlement, dans le domaine de la mus. instrumentale, une solide cohérence tonale et une symétrie formelle rationnelle caractérisent l'œuvre d'A. Vivaldi à qui l'on doit la classique division tripartite du concerto en « allegro » - « adagio » - « allegro », tandis que le langage de G. Tartini adhère aux lois de la « Nature », conformément à un programme.

La période classique. Si l'âge d'or viennois constitue l'apogée du style classique, on peut dire que celui-ci était déjà profondément enraciné en Italie au milieu du XVIIIᵉ s., mais qu'il donna ses fruits les plus magnifiques hors du pays. On sait, en effet, combien les œuvres de Haydn et de Mozart sont nourries de sève italienne : non seulement la mus. vocale, où l'influence de l'École napolitaine fut prépondérante — elle connaît alors une troisième et dernière floraison éblouissante avec N. Piccinni, G. Paisiello, A. Sacchini, D. Cimarosa — mais également la mus. instrumentale. Rappelons la contribution de G.B. Sammartini à la formation de la symphonie moderne, puis le développement de la littérature galante (sonates), dont les maîtres furent G.B. Platti, G.M. Rutini, P.D. Paradisi. Pourtant apparaissent à cette époque, avec l'exil volontaire des plus grands compositeurs italiens, les premiers signes de l'éclipse que subira la mus. instrumentale au siècle suivant ; et cela, paradoxalement, au moment même où elle atteignait une fois encore un sommet avec L. Boccherini.

Le romantisme. Il faut peut-être rechercher les raisons de l'hégémonie écrasante qu'exerça l'opéra sur la vie musicale italienne durant la 1re moitié du XIXe s. dans la physionomie particulière du romantisme italien, qui demeure étranger au caractère excessif comme aux impulsions nihilistes de la culture nordique. Plutôt que de rompre avec le rationalisme du XVIIIe s., il en développa les thèmes les plus positifs dans un rapport plus vivant avec la réalité et se présenta, pour cette raison, comme essentiellement démocratique. C'est donc dans l'opéra qu'il trouva le moyen expressif satisfaisant son exigence fondamentale : atténuer la séparation — très nette en Italie — entre la culture de masse et celle des élites grâce à une forme d'art qui permette à de larges couches de la population de participer au ferment novateur animant toute l'Europe. En effet, si les idées nouvelles deviennent populaires, c'est bien à travers les livrets qui vulgarisent les drames de Schiller, Byron, Hugo... et c'est dans l'opéra que l'élan unitaire du « Risorgimento » trouve sa principale expression. Le caractère de culture de masse de l'opéra est confirmé par les chiffres : à côté du quatuor des « grands » — Rossini, Bellini, Donizetti, Verdi — on trouve une foule d'auteurs secondaires comme G. Mercadante, G. Pacini, N. Vaccai, L. et F. Ricci, qui doivent travailler sans relâche pour satisfaire les demandes incessantes du marché. Dans cette perspective, il ne faut pas s'étonner si, au cours de la 2de moitié du siècle, après l'épuisement de l'idéologie du « Risorgimento », la culture romantique entre en crise à peine à ouvrir de nouvelles voies à la musique. Tandis que Verdi demeure longtemps silencieux, les tentatives de la « scapigliatura » milanaise pour moderniser et sortir de l'étroitesse provinciale la culture musicale se révèlent stériles. Il n'y eut pas non plus de renouvellement authentique avec l'avènement des compositeurs de la « jeune école », marqués par le naturalisme du XIXe s. finissant : à l'exception de G. Puccini, ils restèrent prisonniers d'un horizon trop limité (voir l'art. VÉRISME). Pourtant, au cours de cette même période, le panorama de la vie musicale italienne s'étend : après la réalisation de l'unité nationale, les nouvelles conditions sociales favorisent une ample diffusion du goût pour la mus. instrumentale. Dans les villes importantes, des sociétés de concerts se créent, des orchestres se forment, cependant que des virtuoses compositeurs (G. Sgambati, G. Martucci) font connaître au public les œuvres de la grande époque classico-romantique — de Mozart à Brahms — dont ils suivent eux-mêmes fidèlement les traces dans leurs propres compositions.

Le XXe siècle. Cette activité, qui donna dans l'ensemble des résultats modestes sur le plan créateur, eut toutefois le grand mérite de réduire considérablement le décalage qui avait fini par se former entre la culture musicale de la Péninsule et celle de l'Europe. L'Italie pouvait désormais participer au mouvement général de rénovation du langage et de l'expression. En outre, la recherche musicologique commençait à redécouvrir des aspects complètement oubliés de la mus. ancienne : la polyphonie vocale de la Renaissance, la mus. instrumentale des époques baroque et clas-

sique. Elle offrait ainsi aux musiciens une nouvelle source d'inspiration. La pleine adhésion aux problèmes de l'actualité et la découverte du passé national constituent les « deux âmes du renouveau musical italien » (M. Mila) : synthèse d'éléments opposés, particulièrement évidente dans l'œuvre d'A. Casella qui présente de grandes affinités avec les courants objectivistes et néo-classiques dominant la mus. européenne au cours des années 1920-40. L'esprit du passé nourrit aussi le langage des autres maîtres appartenant à la génération des années 80, I. Pizzetti et G.Fr. Malipiero. Le chant grégorien a marqué la vocalité sévère de Pizzetti, le baroque vénitien les fantasmagories tourmentées du discours très personnel de Malipiero. Le langage de la nouvelle école reste fondamentalement diatonique jusqu'à la 2de Guerre mondiale. Le premier, L. Dallapiccola s'ouvre progressivement au dodécaphonisme, dont il finit par adopter les méthodes de composition mais avec une recherche expressive totalement différente de celle des Viennois. L'après-guerre voit naître une intense activité pour remédier à la stagnation imposée par le régime fasciste. Deux camps s'opposent : les tenants du chromatisme intégral et ceux du diatonisme qui a ses champions les plus valables en G.F. Ghedini et G. Petrassi, son cadet. Pourtant, Petrassi lui-même se rapproche beaucoup, dans les années 50, des positions dodécaphoniques : signe de l'usure de cette dichotomie et de son dépassement vers une nouvelle problématique beaucoup plus révolutionnaire. L'Italie participe activement à cette 2e phase de l'avant-gardisme musical, encore en plein développement avec L. Nono (* 1924), L. Berio (* 1925), Aldo Clementi (* 1925), Franco Evangelisti (* 1926), Franco Donatoni (* 1927), Domenico Guaccero (* 1927), Sylvano Bussotti (* 1931), Mario Bertoncini (* 1932), Giovanni Carlo Ballola (* 1932), N. Castiglioni (* 1932), Giacomo Manzoni (* 1932)...

Le folklore. L'absence jusqu'au XIXe s. d'une véritable culture de masse ainsi que le caractère agricole de l'économie italienne jusqu'à la 2de Guerre mondiale ont favorisé la conservation d'un patrimoine folklorique ancien, riche et varié, sérieusement menacé pourtant dans les dernières décennies par le harcèlement de la civilisation industrielle. L'une des premières théories du chant populaire italien, élaborée par Costantino Nigra, distinguait une zone gallo-celtique (l'ancienne Gaule Cisalpine), ayant pour expression typique la chanson épique lyrique, et une zone plus proprement méditerranéenne, domaine au contraire du chant lyrique monostrophique (« strambotto », « rispetto », « stornello »). Ce schéma, qui n'est pas arbitraire mais simplifié à l'excès, a été enrichi peu à peu par l'observation d'autres formes poético-musicales : tout d'abord le chant religieux des régions du centre (Abruzzes et surtout Ombrie), puis les chansons à répétitions, les chants de travail, les berceuses, les lamentations funèbres, les chants et les danses exécutés durant les rites du cycle annuel : carnaval, printemps, moisson, etc. Parmi ces derniers, les « maggi » de l'Italie centrale, soit sous forme de chant lyrique propitiatoire, soit sous forme de représentation dramatique (Apennins tosco-émiliens), présentent un intérêt particulier. D'un point de vue plus purement musical, le chant soliste avec émission aiguë et stridente prévaut dans les plaines du Nord, tandis que dans les régions montagneuses (Apennins et Alpes), le chant choral est largement répandu. Par ailleurs il subsiste encore des formes très complexes de polyphonie archaïque : la « tasgia », en Sardaigne (où la clarinette double déjà utilisée dans l'Égypte antique existe toujours sous la forme des → « launeddas »), et le « trallalero », en Ligurie, tous deux à 5 voix ; tandis que sur le versant adriatique (Marches et Ombrie), on pratique une polyphonie à 2 voix, fondée sur des intervalles dissonants, dite « canto a vatoccu ». Le folklore s'enrichit d'autre part de l'apport des nombreuses colonies albanaises établies dans l'Italie méridionale.

Les institutions musicales actuelles. La Radio-Télévision (R.A.I.) avec ses centres de Rome, Milan, Turin et Naples, dotés chacun d'un orchestre, les opéras des villes principales (la Scala de Milan, le San Carlo de Naples, l'Opéra de Rome, la Fenice de Venise, le Massimo de Palerme, le Communale de Florence et celui de Bologne), enfin l'Acad. nationale Ste-Cécile sont les foyers les plus importants de la vie musicale. A l'activité régulière des théâtres et des concerts s'ajoutent divers festivals importants : le Mai musical florentin, le Festival des deux mondes à Spolète, le Festival international de mus. contemporaine à Venise, la « Sagra musicale umbra » (Fête musicale d'Ombrie), l'« Autunno musicale napoletano ». En dehors de celles qui émanent directement de la R.A.I., ces activités et celles de centres moins importants sont soutenues par de larges subventions de l'État. L'absence d'une éducation musicale de base fait encore obstacle à une large diffusion de la musique, mais de nouvelles perspectives s'ouvrent aux jeunes générations : depuis 10 ans environ, l'éducation musicale a été rendue obligatoire au moins pendant un an dans les écoles, tandis qu'en quelques années le nombre des Conservatoires est passé de 14 à 31, sans que le problème urgent d'une réforme de la formation professionnelle ait été affronté concrètement. La recherche musicologique, laissée longtemps à l'initiative privée, commence à s'implanter dans les universités.

Parmi les pionniers de la musicologie, il faut citer : O. Chilesotti (1848-1916) ; L. Torchi (1858-1920) ; Guido Gasperini (1865-1942), fondateur de l'Assoc. des musicologues italiens, qui publia entre 1909 et 1941 un *Catalogo delle opere musicali... esistenti nelle biblioteche e negli archivi pubblici e privati d'Italia* ; G. Cesari (1870-1934) et Giacomo Benvenuti (1885-1943), tous deux spécialistes de la Renaissance italienne ; F. Torrefranca (1883-1955) ; A. Della Corte (1883-1968) ; Alfredo Bonnacorsi (* 1887), travaux sur l'Ars Nova italienne, la mus. instrumentale des XVIIe et XVIIIe s., Rossini, la mus. populaire toscane ; Guido Pannain (* 1891), la mus. napolitaine du XVIe au XIXe s., l'opéra italien au XIXe s. ; G.M. Gatti (* 1892). Dans les générations suivantes, U. Sesini (1899-1945) ; F. Ghisi (* 1901) ; Luigi Ronga (* 1901), essais de critique et d'esthétique musicales ; Guglielmo Barblan (* 1906), mus. instrumentale du XVIIIe s., Donizetti, l'opéra romantique italien ; Anna Mondolfi (* 1907), mus. napolitaine des XVIIe et XVIIIe s. ; N. Pirrotta (* 1908) ; Giuseppe Vecchi (* 1912), Moyen Age ; Cl. Sartori (* 1913), qui dirige l'« Ufficio per la ricerca e schedatura dei fondi musicali italiani » (Bureau pour la recherche et la mise en fiches des fonds musicaux italiens) à la Bibl. nationale Braidense de Milan ; Luigi Rognoni (* 1913), l'expres-

sionnisme et l'École viennoise ; Emilia Zanetti (* 1915), XVIIIe s., A. Casella ; Giampiero Tintori (* 1921), mus. médiévale, baroque et contemporaine ; Raffaello Monterosso (* 1925), paléographie et mus. médiévale. Dans le domaine de la critique musicale, on rappellera les noms de Giulio Confalonieri (* 1896), Franco Abbiati (* 1898), Alfredo Parente (* 1905), Massimo Mila (* 1910), Fedele D'Amico (* 1912), R. Vlad (* 1919), Mario Bortolotto (* 1927). Il convient de noter enfin la contribution des nouvelles générations à la recherche musicologique et à la critique musicale : Claudio Gallico (* 1929), mus. italienne renaissante et baroque, opéra italien du XIXe s. ; Alberto Basso (* 1931), Renaissance italienne, J.S. Bach ; Franco Alberto Gallo (* 1932), paléographie, mus. médiévale ; Pier Luigi Petrobelli (* 1932), Tartini, mus. vénitienne, opéra italien du XIXe s. ; Giovanni Carli Ballola (* 1932), Beethoven, l'opéra romantique italien ; Adriano Cavicchi (* 1934), l'École émilienne, la vie musicale ferraraise ; Agostino Ziino (* 1937), Moyen Age ; Oscar Mischiati (* 1936), répertoire et facture de l'orgue baroque ; Giorgio Pestelli (* 1938), D. Scarlatti et les clavecinistes italiens du XVIIIe s. Enfin des études ethnomusicologiques sont menées par Giorgio Nataletti (* 1907), fondateur et directeur du « Centro Nazionale di Studi per la Musica Popolare » à Rome, Diego Carpitella (* 1924), Roberto Leydi (1928) et Pietro Sassu (* 1939).

Parmi les interprètes qui contribuent le plus brillamment au renom de l'école italienne, citons les chefs d'orchestre Francesco Molinari Pradelli (* 1911), Carlo Maria Giulini (* 1914), Claudio Abbado (* 1933), Riccardo Muti (* 1941) ; les soprani Renata Tebaldi (* 1922), Maria Callas (* 1923), Virginia Zeani (* 1928), Renata Scotto (* 1934), les mezzo-soprani Fiorenza Cossotto (* 1935) et Bianca Maria Casoni, les ténors Mario Del Monaco (* 1915), Giuseppe Di Stefano (* 1921), Gianni Raimondi (1923), Carlo Bergonzi (1924), Luciano Pavarotti, le baryton Piero Cappuccilli, les basses Sesto Bruscantini (* 1919), Mario Petri (* 1922), Cesare Siepi (* 1923), Paolo Montarsolo (* 1925), Ruggero Raimondi, les pianistes Arturo Benedetti Michelangeli (* 1920), Franco Mannino (* 1924), Dino Ciani (* 1941), Maurizio Pollini (* 1942), Michele Campanella (* 1947) ; les organistes Fernando Germani (* 1906), Giuseppe Zanaboni (* 1926), L.F. Tagliavini (* 1929), musicologue également ; le claveciniste Ruggero Gerlin (* 1899) ; les violonistes Aldo Ferraresi (* 1906) et Salvatore Accardo (* 1941), le violiste Bruno Giuranna (* 1933), le contrebassiste Franco Petracchi ; les flûtistes Severino Gazzelloni (* 1919) et Giorgio Zagnoni (* 1947), le corniste Domenico Ceccarossi (* 1910) ; enfin les ensembles instrumentaux de « I Musici », du « Quartetto italiano », de « I Virtuosi di Roma ».

Bibliographie (cf. également les art. ASSISE, BERGAME, BOLOGNE, BRESCIA, CRÉMONE, FAËNZA, FERRARE, FLORENCE, GÊNES, LUCQUES, MANTOUE, MILAN, MODÈNE, NAPLES, NOVERRE, PADOUE, PALERME, PARME, PAVIE, PISE, PISTOIA, PLAISANCE, ROME, SIENNE, TRENTE, TRÉVISE, TRIESTE, TURIN, VICENCE, VENISE, VÉRONE) — **1. Éditions monumentales** : Raccolta di mus. sacra, 6 vol., Rome 1841-46 ; Biblioteca di rarità musicali, éd. par O. CHILESOTTI, 9 vol., Milan 1883-1915 ; L'arte musicale in Italia... dal s. XIV al XVIII, éd. par L. TORCHI, 7 vol., Milan, Ricordi, 1897-1907, 2/1968 ; I classici della mus. ital., éd. par G. FR. MALIPIERO, C. PERINELLO, I. PIZZETTI, F.B. PRATELLA, sous la dir. de G. D'ANNUNZIO, 36 vol., Milan 1919-21 ; Istituzioni et Monumenti dell' arte musicale ital., Milan, Ricordi, 1re série, 6 vol., 1931-39, 2e série, 1957 et suiv. ; Capolavori polifonici del s. XVI, éd. par B. SOMMA, Rome 1939 et suiv. ; Polifonia vocale sacra e profana del s. XVII, éd. par B. SOMMA puis L. BIANCHI, Rome, De Santis, 1940 et suiv.; Musiche vocali e strumentali sacre e profane dei s. XVII-XIX, éd. par les mêmes, Rome, De Santis, 1941 et suiv.: I classici musicali ital., éd. par G. BENVENUTI, 15 vol., Milan 1941-43; Pubblicazioni dell' Istituto ital. per la storia della mus., Rome 1941 et suiv.; Monumenta polyphoniae S. Ecclesiae Romanae, éd. par L. FEININGER, Rome 1947 et suiv.; Monumenta liturgicae polychoralis S. Ecclesiae Romanae, éd. par le même, Rome 1950 et suiv.; Maestri bolognesi, éd. par la Bibl. du Cons. G.B. Martini, Bologne 1953 et suiv.; The Music of 14th Cent. Italy, éd. par N. PIRROTTA, Amer. Inst. of Musicology, 1954 et suiv.; Instituta et Monumenta, éd. par la Bibl. Governativa et par la Scuola universitaria di paleografia musicale de Cremone, Crémone 1954 et suiv.; Classici ital. di mus., éd. par A. BONACCORSI, Rome, Del Turco, 1957 et suiv.; Archivium musices metropolitanum mediolanense, éd. par L. MIGLIAVACCA avec la collab. de A. CICERI et E. CONSONNI, Milan, Veneranda Fabbrica del Duomo, 1958 et suiv.; Monumenti di mus. ital., éd. par O. MISCHIATI, G. SCARPAT, F.L. TAGLIAVINI, Brescia, L'Organo, et Kassel, BV, 1961 et suiv.; Collana di musiche veneziane ined. o rare, éd. par la Fondazione Cini, Milan, Ricordi, 1962 et suiv.; Antiquae Musicae Italicae Bibl. : Monumenta, Bologne, Forni, 1962 et suiv.; Monumenti musicali mantovani, éd. par CL. GALLICO, Mantoue, Istituto Carlo D'Arco, et Kassel, BV, 1965; Musiche rinascimentali siciliane, éd. par P.E. CARAPEZZA, Rome, De Santis, 1970 et suiv.. — **2. Ouvrages bibliographiques** : P. LICHTENTAL, Dizionario e bibliogr. della mus., 4 vol., Milan 1826, trad. fr. augm. par D. MONDO, Paris 1839; E. VOGEL, Bibl. der gedruckten weltlichen Vokalmusik Italiens aus den Jahren 1500-1700, 2 vol., Berlin 1892, réimpr. avec des adjonctions de A. EINSTEIN, Hildesheim, Olms, 1962, voir également plus loin H. HILMAR et L. BIANCONI; G. et C. SALVIOLI, Bibliogr. universale del teatro drammatico ital. I, Venise 1903; G. BUSTICO, Bibliogr. delle storie e cronistorie dei teatri ital., Domodossola 1913, 2/Milan 1929; CL. SARTORI, Bibliogr. della mus. strumentale ital. stampata in Italia fino al 1700, 2 vol., Florence, Olschki, 1952-68; D. CARPITELLA, Rassegna bibliogr. degli studi di etnomusicologia in Italia dal 1945 a oggi, in AMI XXXII, 1960; A. CIONI, Bibliogr. delle sacre rappresentazioni, Florence, Sansoni, 1961; Bibliotheca musicae, coll. de bibliogr. et de catal., dir. par CL. SARTORI, Milan, Istituto Editoriale Italiano, 1962 et suiv.; P. TOSCHI, Guida allo studio delle tradizioni popolari, Turin, Boringhieri, 1962; Bibliogr. der Aufsätze zur Musik in aussermusikalischen italienischen Zs., in Analecta musicologica I, 1963 et suiv.; V.L. HAGOPIAN, Italian Ars Nova Music. A Bibliogr. Guide to Modern Editions and Related Literature, Berkeley et Los Angeles, Univ. of California Press, 1964; H.M. BROWN, Instrumental Music Printed before 1600. A Bibliogr., Cambridge (Mass.), The Medieval Acad. of America, 1965; FR. DEGRADA, Indici della RMI XXXVI-LVII, 1929-1955, Florence, Olschki, 1966; du même, Indici della Rass. mus. XXIII-XXXII, 1953-62, e dei Quaderni della Rass. mus. 1-3, 1964-65, Florence, Olschki, 1968; H. HILMAR, Ergänzungen zu E. Vogels « Bibliothek... », in Analecta musicologica IV, 1967; KN. JEPPESEN, La frottola. Bermerkungen zur Bibliogr. der ältesten weltlichen Notendrucke in Italien, Copenhague, Munksgaard, 1968; L. BIANCONI, Weitere Ergänzungen zu E. Vogels « Bibliothek... », in Analecta musicologica IX, 1970. — **3. Études particulières** : F. ALGAROTTI, Saggio sopra l'opera in musica, Venise s.d. [1754]; CH. BURNEY, The Present State of Music in France and Italy, Londres 1771; S. ARTEAGA, Le rivoluzioni del teatro musicale ital. ..., Venise 1775; F. KASTNER, Musikbestand von Neapel, in Caecilia IV, 1829; W. GARDINER, Sights in Italy, with Some Account of the Present State of Music..., Londres 1847; F. CAFFI, Storia della mus. sacra nella già Cappella ducale di S. Marco in Venezia dal 1318 al 1792, Venise 1854-55, 2/Milan 1931; CH. DE BROSSES, Le Président de Brosses en Italie. Lettres familières..., Paris 1858; X. VAN ELEWYCK, De l'état actuel de la mus. en Italie, Louvain 1875; G. SALVIOLI, I teatri musicali a Venezia nel s. XVII, Milan 1878; A. D'ANCONA, La poesia popolare ital., Livourne 1878, 2/1906; F. FLORIMO, La scuola musicale di Napoli, 4 vol., Naples 1880-82; G. MASUTTO, Della mus. strumentale italiana in Italia, 3 vol., Venise 1887-89; E. MOTTA, Musici alla corte degli Sforza, Milan 1887; FR. HABERL, Die römische Schola cantorum u. die päpstlichen Kapellsänger bis zur Mitte des 16. Jh., in VfMw III, 1887; A. ADEMOLLO, I teatri di Roma nel s. XVII, Rome 1888; C. NIGRA, Canti popolari del Piemonte, Turin 1888, 2/Turin, Einaudi, 1957; A. BERTOLOTTI, Musici alla corte dei Gonzaga in Mantova dal s. XV al XVIII, Milan 1890; T. WIEL, I teatri musicali italiani del Settecento, Venise 1897; L. TORCHI, La mus. strumentale italiana nei s. XVI, XVII et XVIII, in RMI IV-VII, 1897-1900; H. GOLDSCHMIDT, Studien zur Gesch. der italienischen Oper im 17. Jh., Leipzig 1901, réimpr. Hildesheim, Olms, 1967; A. SOLERTI, Gli albori del melodramma, Palerme et Milan 1904-05; A. GASTOUÉ, Les origines du chant romain, Paris 1907; F. NOVATI, Contributo alla storia della lirica musicale ital. popolare e popolareggiante dei s. XV, XVI e XVII, in Miscellanea R. Renier, Turin 1912; F. CELENTANO, La mus. presso i romani, Rome 1913; G. PANNAIN, Le origini della scuola napoletana, Naples 1914; CH. VAN DEN BORREN, A. Scarlatti et l'esthétique de l'opéra napolitain, Paris et Bruxelles 1921; V. DE BARTHOLOMAEIS, Origini della poesia drammatica ital., Bologne 1924, 2/Turin, Einaudi

Intern., 1952; F. VATIELLI, Arte e vita musicale a Bologna, Bologne 1927; G. COCCHIARA et F. BALILLA PRATELLA, L'anima del popolo italiano nei suoi canti, Milan 1929; F. TORREFRANCA, Le origini ital. del Romanticismo musicale, Turin 1930; du même, Il segreto del Quattrocento, Milan 1939; H. PRUNIÈRES, Cavalli et l'opéra vénitien au XVIIe s., Paris 1931; KN. JEPPESEN, Die mehrstimmige italienische Lauda um 1500, Leipzig et Copenhague 1935; du même, Die italienische Orgelmusik am Anfang des Cinquecento, Copenhague, W. Hansen, 1943, 2/1960; F. LIUZZI, La lauda e i primordi della melodia ital., 2 vol., Rome 1935; A. DELLA CORTE et G. PANNAIN, Storia della mus., 2 vol., Turin, Unione tipografico-editrice, 1936, 4/1964 (en 3 vol.); H. CHR. WOLFF, Die venezianische Oper der 2. Hälfte des 17. Jh., Berlin 1937; M. BARBI, Poesia popolare ital. Studi e proposte, Florence 1939; F. BALILLA PRATELLA, Primo documentario per la storia dell'etnofonia in Italia, 2 vol., Udine 1941; F. ABBIATI, Storia della mus., 5 vol., Milan 1941-46, 2/Milan, Garzanti, 1967-68 (en 4 vol.); O. TIBY, La mus. in Grecia e a Roma, Florence 1942; W.H. RUBSAMEN, Literary Sources of Secular Music in Italy (ca 1500), Berkeley 1943; E. LI GOTTI, La poesia musicale ital. del s. XIV, Palerme 1944; D. ALALEONA, Storia dell'oratorio musicale in Italia, Milan 1945; N. PIRROTTA, Per l'origine e la storia della caccia e del madrigale trecentesco, in RMI XLVIII, 1946; du même, Ars nova e stil nuovo, in Rivista Ital. di Musicologia I, 1966; du même, Li due Orfei, da Poliziano a Monteverdi. Studi sul teatro e la mus. del Rinascimento..., Turin, Ed. RAI, 1969; M. PINCHERLE, A. Vivaldi et la mus. instrumentale, 2 vol., Paris 1948; du même, Corelli et son temps, Paris, Plon, 1954; A. EINSTEIN, The Italian Madrigal, 3 vol., Princeton, Univ. Press, 1949; R. GIAZOTTO, La mus. a Genova nella vita pubblica e privata dal XIII al XVIII s., Gênes, Soc. Industrie Grafiche, 1951; BR. STÄBLEIN, Zur Entstehung der gregorianischen Melodien, in KmJb XXXV, 1951; U. PROTA-GIURLEO, Breve storia del teatro di corte e della mus. a Napoli nei s. XVII-XVIII, in Il teatro di corte del Palazzo Reale di Napoli, Naples, Arte tipografica, 1952; W.T. WORSTHORNE, Venetian Opera in the 17th Cent., Oxford, Clarendon Press, 1954; G. VECCHI, Uffici drammatici padovani, in Bibl. dell' Archivium Romanicum I/41, Florence 1954; G. BRONZINI, La canzone epico-lirica nell' Italia meridionale, Rome, Signorelli, 1956; K. VON FISCHER, Studien zur Musik des italienischen Trecento u. frühen Quattrocento, Berne, Haupt, 1956; du même, On the Technique, Origin and Evolution of Italian Trecento Music, in MQ XLVII, 1961; R. LUNELLI, Der Orgelbau in Italien..., Mayence, Rheingold-Verlag, 1956; du même, La mus. nel Trentino dal XV al XVIII s., 2 vol., Trente, V.D.T.T. 1967; Art. Italien in MGG VI, 1957; A. FAVARA, Corpus di musiche popolari siciliane, 2 vol., Palerme, Accad. di Scienze, Lettere e Arte, 1957; Centro Nazionale di Studi di Musica Popolare, Roma. Studi e ricerche 1948-60, Rome s.d.; F. DE FILIPPIS et R. ARNESE, Cronache del S. Carlo 1737-1960, 2 vol., Naples, Politica popolare, 1961-63; CL. GALLICO, Un libro di poesie per mus. dell' epoca di Isabella d'Este, Mantoue, Boll. Storico Mantovano, 1961; L'Ars nova ital. del Trecento I-III. Convegni internazionali, Certaldo, Centro di Studi sull'Ars Nova ital., 1962-70; Analecta musicologica. Studien zur italienisch-deutschen Musikgesch., Cologne et Graz, puis Vienne, 1963 et suiv.; M. LAGHEZZA RICAGNI, Studi sul canto lirico monostrofico popolare ital., Florence, Olschki, 1963; M. MILA, Breve storia della mus., 2/Turin, Einaudi, 1963; N. BRIDGMAN, La vie musicale au Quattrocento et jusqu'à la naissance du madrigal, Paris, Gallimard, 1964; Chanson and Madrigal 1480-1530, éd. par J. HAAR, Cambridge (Mass.), Harvard Univ. Press, 1964; G. FLEISCHHAUER, Etrurien u. Rom, in Musikgesch. in Bildern II/5, Leipzig, VEB Deutscher Verlag für Musik, 1964; C. GATTI, Il Teatro alla Scala nella storia e nell'arte, 2 vol., Milan, Ricordi, 1964; M. BORTOLOTTO, The New Music in Italy, in MQ LI, 1965; du même, Fase seconda. Studi sulla nuova mus..., Turin, Einaudi, 1969, J. RACEK, Stilprobleme der italienischen Monodie..., Prague, Státni Ped. Nakl., 1965; A. RONCAGLIA, Le origini, in Storia della Letteratura ital. I, éd. par E. Cecchi et N. Sapegno, Milan, Garzanti, 1965; Due secoli di vita musicale : storia del Teatro Comunale di Bologna, éd. par L. TREZZINI, 2 vol., Bologne, Alfa, 1966; La Rassegna musicale. Antologia, éd. par L. PESTALOZZA, Milan, Feltrinelli, 1966; R. STROHM, Neue Quellen zur liturgischen Mehrstimmigkeit des Mittelalters in Italien, in Rivista Ital. di Musicologia I, 1966; R. ALLORTO, Il consumo musicale in Italia, in RMI nouv. série I-II, 1967-68; R. FLOTZINGER, Die Gagliarda italiana, in AMI XXXIX, 1967; R. LEYDI, Venti anni di ricerche sulla mus. popolare in Italia, in RMI nouv. série I, 1967; L. PINZAUTI, Il Maggio musicale fiorentino dalla prima alla trentesima edizione, Florence, Vallecchi, 1967; V. RAVIZZA, Das Instrumentalensemble von 1400-1500 in Italien (diss. Berne 1967); R. SCHENDA Der italienische Bänkelsang heute, in Zs. für Volkskunde LXIII, 1967; E.H. SMITHER, The Latin Dramatic Dialogue and the Nascent Oratorio, in JAMS XX, 1967; G. WEISS, Zur Rolle Italiens im frühen Tropenschaffen..., in Fs. Br. Stäblein, Kassel, BV, 1967; G. WILLE, Musica Romana. Die Bedeutung der Musik im Leben der Römer, Amsterdam, Schippers, 1967; M. TH. BOUQUET, Mus. et musiciens à Turin de 1648 à 1775, Turin, Accad. delle Scienze, 1968; A. MASCAGNI, L'insegnamento della mus. in Italia, in RMI nouv. série II-III, 1968-69; New Looks at Italian

Opera. Essays in Honour of D.J. Grout, éd. par W.W. Austin, Ithaca (N.Y.), Cornell Univ. Press, 1968 ; Studies in Music Hist. Essays for O. Strunk, éd. par H. Powers, Princeton 1968 ; P. Sassu, La Gobbula sassarese nella tradizione orale e scritta, Rome, Archivio Etnico Linguistico Musicale, 1968 ; A.A. Abert, Die Barockoper. Ein Bericht über die Forschung seit 1945, in AMl XLI, 1969 ; L. Bianchi, Carissimi, Stradella, Scarlatti e l'oratorio musicale, Rome, De Santis, 1969 ; Congresso intern... Cl. Monteverdi e il suo Tempo, éd. par R. Monterosso, Venise, Mantoue et Crémone, Comitato per le celebrazioni nazionali del IV Centenario, 1969 ; B.R. Hanning, The Influence of Humanist Thought and Italian Renaissance Poetry on the Formation of Opera (diss. Yale Univ. 1969) ; T.D. Mace, P. Bembo and the Literary Origin of the Italian Madrigal, in MQ LV, 1969 ; W. Osthoff, Theatergesang u. darstellende Musik in der italienischen Renaissance, 2 vol., Tutzing, Schneider, 1969 ; R. Pagano, La vita musicale a Palermo e nella Sicilia del Seicento, in RMI nouv. série III, 1969 ; E. Selfridge, Venetian Instrumental Ensemble Music in the 17th Cent. (diss. Oxford 1969) ; F. Testi, La mus. ital. nel Medioevo e nel Rinascimento, 2 vol., Milan, Bramante, 1969 ; du même, La mus. ital. nel Scicento : il melodramma, Milan, Bramante, 1970 ; R.L. Weaver, Opera in Florence 1646-1731, in Haydon Fs., Chapell Hill, Univ. of North Carolina Press, 1969 ; Th. Culley, Jesuits and Music. A Study of the Musicians Connected with the German College in Rome During the 17th Cent., Saint-Louis et Rome, Jesuite Historical Institute, 1970 ; B. Friedland, Italy's Ottocento. Notes from the Musical Underground, in MQ LVI, 1970 ; R. Hudson, The Concept of Mode in Italian Guitar Music During the 1st Half of the 17th Cent., in AMI XLII, 1970 ; W.F. Kümmel, Zum Tempo in der italienischen Mensuralmusik des 15. Jh., ibid. ; A. Moderini, La notazione neumatica di Nonantola, Crémone, Athenaeum Cremonense, 1970. — **4. Encyclopédies et dictionnaires :** C. Schmidl, Dizionario universale dei musicisti, 2 vol., Milan 1887-89, 2/1926-29, supplt 1938 ; A. Della Corte et G.M. Gatti, Dizionario di mus., Turin 1925, 5/Turin, Paravia, 1956 ; U. Manferrari, Dizionario universale delle opere melodrammatiche, 3 vol., Florence, Sansoni, 1954-55 ; Enciclopedia dello spettacolo, éd. par S. D'Amico, 9 vol., Florence et Rome, Le Maschere, 1954-62, supplt 1966 ; Cl. Sartori, Dizionario degli editori musicali ital., Florence, Olschki, 1958 ; Dizionario Ricordi della mus. et dei musicisti, éd. par le même, Milan, Ricordi, 1959 ; Dizionario biografico degli italiani, Rome, Istituto della Encicl. ital., 1960 et suiv. ; Enciclopedia della mus., éd. sous la dir. de Cl. Sartori, 4 vol., Milan, Ricordi, 1963-64 ; Le grandi voci. Dizionario critico-biografico dei cantanti, éd. par R. Celletti, Rome, Istituto per la collaborazione culturale, 1964 ; La musica, éd. par A. Basso, dir. G.M. Gatti, I Enciclopedia storica, 4 vol., II Dizionario, 2 vol., Turin, Unione tipografico-editrice, 1966-71 ; M.E. Cosenza, Biographical and Bibliographical Dict. of the Italian Printers and Foreign Printers in Italy from the Introd. of the Art of Printing into Italy to 1800, Boston (Mass.), G.K. Hall & Co., 1968 ; C. Carfagna et M. Gangi, Dizionario chitarristico ital., Ancône, Berbem, 1968.

R. Di Benedetto

ITE, MISSA EST (lat., = allez, c'est le renvoi), l'une des monitions confiées au diacre au cours de la liturgie. Jadis, après l'évangile, le diacre renvoyait les catéchumènes, qui ne pouvaient assister au sacrifice de la messe. A la fin de celle-ci, il congédiait les fidèles en leur disant « Allez, c'est le renvoi » (en Gaule, on disait « Missa acta est »). L'I., dans l'usage traditionnel, s'employait seulement quand on avait chanté le *Gloria* (donc pas en Carême) : sa mélodie est celle du *Kyrie* du début de la messe, sauf au temps pascal où le renvoi est suivi de deux alleluias et comporte de ce fait une mélodie propre. La Messe de Tournai (XIIIᵉ-XIVᵉ s.) se termine par un I. en forme de motet à 3 voix (*Se grasse n'est a mon maintien contraire* / *Cum venerint miseri degentes* / *Ite, missa est*). La Messe Notre-Dame de G. de Machault comporte également un *Ite, missa est* à 4 voix.

Bibliographie — J.A. Jungmann, Missarum sollemnia III, Paris, Aubier, 1954.

J

JAM SESSION (angl.), voir Jazz.

JAPON (Nippon). Lié à l'Asie de l'Est par sa situation géographique et soumis à l'influence de la Chine par les circonstances historiques, le Japon possède cependant une culture originale très différente de celle de la Chine, en particulier dans le domaine musical. Depuis les temps les plus anciens, il a su conserver tous les genres principaux de cet art, notamment la mus. de cour du VIIIe s. où se retrouvent de nombreux vestiges d'autres musiques orientales. On peut diviser l'histoire de la mus. japonaise en cinq périodes principales : 1º la haute Antiquité et la mus. indigène (jusqu'au VIe s.) ; 2º la basse Antiquité (VIIe-Xe s.) ; 3º le haut Moyen Age (XIe-XVIe s.) ; 4º le bas Moyen Age (XVIIe s.-1867) ; 5º les Temps modernes (depuis 1868). Chaque période correspond à un stade de développement social : système primitif de la tribu, société tribale organisée sous le contrôle d'un gouvernement, société féodale sous la domination d'un puissant suzerain (« shôgunat »), société capitaliste industrielle puis socialisme.

La haute Antiquité. Dès le début de l'âge de la pierre, les Japonais ont dû avoir une musique aborigène très primitive, analogue à celle d'autres peuples agricoles de l'est ou du sud-est de l'Asie, influencés par le chamanisme de l'Extrême-Orient septentrional, l'Aïnu. Des statuettes d'argile (« haniwa ») trouvées dans des tombes des Ve et VIe s. de notre ère, ainsi que des sources très anciennes (*Kojiki*, = Chronologie d'anciens événements, et *Nihonshoki*, = Annales japonaises), nous révèlent l'usage de la longue cithare à 5 cordes (→ « koto »), de la flûte sphérique en pierre (« fue »), du tambour à caisse cylindrique (→ « tsuzumi »), de la cloche (« suzu »), de la crécelle (« suzu ») et de la cloche de bronze (« nuride »).

La basse Antiquité. Cette période est marquée par la pénétration des musiques venues du continent, de la Corée puis de la Chine. L'époque Asuka (592-628) voit l'introduction du bouddhisme, suivie de celle des danses rituelles avec masques (« gigaku ») originaires de la Chine du Sud et enseignées par le Coréen Mimashi qui se fixa à la Cour impériale en 613. Le temple Hôryû-ji, le plus vieil édifice de bois du monde, conserve encore quelques-uns de ces masques. A l'époque Nara (710-793), nom de la capitale d'alors, pénétra la mus. de cour chinoise de la dynastie T'ang, elle-même influencée par les musiques de l'Inde, de la Perse et de l'Asie centrale. Un ministère de la Musique, « Gagaku-ryô », fut créé sous l'empereur Mommu (697-707). On appelait → « ga-

gaku » (en chinois « ya-yüer ») la mus. rituelle chinoise liée au confucianisme ; elle assimila la mus. rituelle japonaise liée au shintoïsme. Le « gagaku » englobe la mus. de cour chinoise (« tôgaku » ou musique T'ang), la musique des trois royaumes coréens (« komagaku »), le « yamato-gaku » (musique indigène), le « rin'yûgaku » (= musique de Lin-yi, l'actuel Sud-Vietnam) ou mus. de l'Inde qui se répandit vers l'est à travers l'Asie centrale jusqu'en Chine. La musique « gagaku » était pratiquée non seulement à la Cour mais aussi dans les temples bouddhistes. Il faut citer à ce propos la cérémonie pour l'érection de la statue colossale du Bouddha (752) dans le temple Tôdaï-ji. Les 75 instruments qui furent utilisés en cette circonstance sont conservés dans le trésor impérial de Shô-sô-in à Nara : 6 sortes de cithares, 3 sortes de luths, harpes angulaires, flûtes droites, flûtes traversières, flûtes de Pan, 2 sortes d'orgues à bouche, 2 sortes de tambourins-sabliers, carillons de gongs. A l'époque Heïan (794-1191) — dont le nom est celui de la nouvelle capitale (Kyoto actuelle) —, la musique « gagaku » gagna la faveur des aristocrates et des fonctionnaires musicaux, qui continuèrent à la pratiquer. Parallèlement, il faut noter l'introduction de la psalmodie bouddhiste « shômyô », originaire de l'Inde, par l'intermédiaire de la Chine.

Le haut Moyen Age. Il se divise en deux périodes qui portent le nom des capitales respectives : l'époque Kamakura (1192-1337), durant laquelle la famille Genji établit le premier gouvernement féodal (« shôgunat ») ; l'époque Muromachi (1338-1573), qui vit l'instauration d'un « shôgunat » par la famille Ashikaga. La classe guerrière des « samouraï » commença à exercer une grande influence dans les cercles culturels. Deux nouveaux genres musicaux véritablement nationaux apparurent alors : le « heïke-biwa », au cours de la première période ; le → « nô », au cours de la seconde. Le « heïke-biwa » est une sorte de psalmodie narrative de la célèbre épopée *Heïke-monogatari* ; les chanteurs itinérants s'accompagnaient d'un → « biwa », luth court à 4 cordes. Le → « nô » fut créé par Kan'ami (1333-1384) et par son fils Zeami (1363-1443) sous le mécénat du « shôgun » Ashikaga Yoshimitsu. Le genre représente l'union parfaite des arts : littérature, théâtre, musique, danse et arts plastiques ; il peut être considéré comme la plus haute manifestation artistique japonaise.

Le bas Moyen Age. Il comprend l'époque Momoyama (1574-1602) et l'époque Edo (1603-1867), toutes deux de type féodal. C'est à l'époque Edo que le « shôgunat » domina réellement le pays. Un esprit nationaliste supplanta peu à peu la tendance polyculturelle des périodes précédentes. Alors que la musique du haut Moyen Age était sous la tutelle des « samouraï » et des prêtres bouddhistes, c'est au sein de la bourgeoisie marchande que se développèrent par la suite trois nouveaux genres musicaux. 1º La mus. de → « koto » est le premier témoignage du chant accompagné par un instrument, en l'occurrence une longue cithare tendue de 13 cordes de soie. Le créateur du genre, Yatsuhashi (1614-1684), originaire de Kyoto, était un aveugle, comme ses successeurs. 2º Le → « shakuhachi » est une flûte droite en bambou à 5 trous, qui a son origine dans la flûte droite chinoise « hsiao ». A l'époque Muromachi, il était court (33 cm env.) et portait le nom de « hitoyogiri », mais à l'époque Edo il atteignit sa longueur actuelle (50 cm env.). Utilisé par les prêtres bouddhistes itinérants, il devint ensuite un instr. de soliste. A la fin de l'époque Edo on l'adjoignit au « koto » et au « shamisen » pour former la musique d'ensemble appelée « sankyoku » (= trois instruments). 3º Le → « shamisen », sorte de banjo à 3 cordes ou luth à long manche joué avec un plectre, a son origine dans le « san-hsien » chinois. Il fut introduit au Japon, via les îles Okinawa ou Ryûkyû. Après d'importantes modifications, cet instrument, qui ne servait qu'à l'accompagnement, connut une grande faveur. Sa technique subtile, la finesse et la délicatesse de ses nuances suscitèrent la création de nombreuses écoles de musique : on y pratiquait la musique narrative utilisée dans le théâtre → Kabuki et dans le théâtre de marionnettes → Bunraku, ainsi que le chant lyrique utilisé dans la musique « jiuta-koto » et dans la danse Kabuki. Il faut aussi mentionner le « kokyû », dont l'origine est encore une fois chinoise. C'est un luth à 3 ou 4 cordes, qu'on joue avec un archet fait d'une tige longue et mince. Seul instrument à cordes frottées du Japon, son emploi était rare. On l'utilisait dans l'ensemble « koto » et « shamisen », où il fut supplanté par le « shakuhachi ». Il ne fut alors plus utilisé qu'occasionnellement dans le théâtre de marionnettes Bunraku et dans l'ensemble « sankyoku ».

La période moderne. La restauration de l'empereur Meiji (1868) marque une ère de modernisation. Le Japon s'ouvre à la civilisation et aux méthodes industrielles occidentales. La culture japonaise traditionnelle tend alors à se démoder. Dans les conservatoires (Académie impériale Ueno, 1887) et dans les écoles de musique enseignent des maîtres formés à la seule musique occidentale, qui se développe rapidement dans le pays. Des interprètes et des compositeurs japonais vont étudier en Europe et en Amérique. — Toutes les grandes villes possèdent des orchestres symphoniques (orchestre N.H.K. appartenant à la Radio à Tokyo). La majeure partie des émissions musicales de la télévision (8 chaînes à Tokyo) est consacrée à la mus. occidentale, mus. classique et mus. de variétés. La mus. traditionnelle existe cependant encore dans le souvenir du public ; chants et musique folkloriques restent une réalité très vivante du Japon actuel.

Les instruments de musique. En ce qui concerne le matériau, les Japonais ont usé avec prédilection du bambou pour les tuyaux et de la soie pour les cordes. Ils n'ont jamais eu d'instr. de cuivre. En dépit de la simplicité de leur facture et de leur mécanique, les instruments japonais permettent des subtilités de jeu très fines, en particulier grâce à l'usage du bruit

comme élément important du timbre. Quoique leur origine soit généralement continentale (Chine, Corée, Inde et Perse), ils ont subi des modifications importantes pour s'adapter au goût japonais.

Les cordophones. Le Japon n'a jamais connu la lyre. La harpe angulaire, venue d'Asie occidentale, ne fut utilisée que dans l'Antiquité. La cithare longue ou → « koto », une cithare plus petite ou « kin », le luth court ou → « biwa » et le → « shamisen », les plus caractéristiques de ces instruments, furent au contraire très appréciés.

Les aérophones. Les différents types de flûtes en sont les représentants les plus importants. Les instr. à anche battante ou libre n'ont eu de succès que dans la musique « gagaku ». Quant à la trompette et au cor, ils n'ont jamais été utilisés que pour des signaux. Le matériau préféré était le bambou ; on n'a utilisé le métal que pour l'anche libre de l'orgue à bouche du « gagaku ». Le coquillage était utilisé pour la trompette-coquillage, et la corne pour le cor de chasse. — Il y avait trois sortes de flûtes traversières (longueur, de 36 à 41 cm) — « ryûteki », « koma-bue », « kagura-bue », dans la musique « gagaku » — et une flûte droite, → « shakuhachi ». Dans le « nô », on n'utilise qu'une flûte traversière, « nô-kan » ; elle fut adoptée également par l'ensemble du théâtre Kabuki, celui du théâtre de marionnettes Bunraku et pour divers spectacles folkloriques. — Pour la fabrication des flûtes anciennes, le tube de bambou fumé était débité en fines lamelles dans le sens de la longueur. L'extérieur, plus résistant, était alors tourné vers l'intérieur ; ce procédé avait pour but de rendre le timbre plus dur. D'autre part, pour obtenir un système musical spécifique, on insérait entre l'embouchure et le premier trou un second tube, plus mince. Le tube principal était coupé au niveau des deux extrémités de cette partie intermédiaire. Enfin, la tête de la flûte était faite d'un morceau de bambou indépendant. L'instrument se présentait donc comme un assemblage de plusieurs pièces. Le « shino-bue », par contre, était fait d'un simple tube de bambou (de 31 à 51 cm de long). Son usage était courant dans les théâtres Kabuki, Bunraku et dans divers ensembles folkloriques. — Le « ryûteki », avec ses 7 trous, donne : *ré²*, *ré* ♯², *mi²*, *fa* ♯², *sol²*, *la²*, *si* ♭², *ré³* ; le « koma-bue », avec 6 trous, donne : *ré* ♯², *fa* ♯², *sol²*, *la²*, *si* ♭², *do* ♯³, *mi³* ; le « kagura-bue », avec 6 trous, donne : *la¹*, *ré²*, *mi²*, *fa²*, *sol²*, *la²*, *do³* ; le « nô-kan », à 7 trous, donne : *do* ♯², *ré* ♯², *mi²*, *fa* ♯², *sol* ♯², *la* ♯², *do³*, *ré* ♯³. Mais intervalles et hauteurs absolues ne sont pas très précis. Sur le « nô-kan », le changement d'intonation, qui est délicat, passe avant la justesse de la ligne mélodique. — Le hautbois, « hichiriki », utilisé dans la musique gagaku, est le seul instr. à anche double battante. Faite de roseau, celle-ci est fixée à l'extrémité d'un tube de bambou d'environ 18 cm de long. Les 9 trous (7 devant et 2 derrière) donnent les notes : *ré²*, *ré* ♯², *mi²*, *fa* ♯², *sol²*, *la²*, *si* ♭², *ré³*. — Il faut encore mentionner dans cette catégorie l'orgue à bouche → « shô », également utilisé dans la musique gagaku.

Les membranophones doivent être classés selon la forme du corps (cylindrique, en forme de sablier ou de bol, cadre), le nombre de membranes (une ou deux), la taille de celles-ci (supérieure, inférieure ou égale à celle du diamètre du corps), la technique du jeu (instrument frappé avec la main, avec une baguette, ou avec les deux, joué en frottant la membrane, etc.). On trouve au Japon la plupart des combinaisons possibles entre ces différents éléments. — Le tambour cylindrique, « taïko », comporte deux types principaux : un tambour à deux membranes, de diamètre égal à celui du corps, frappé sur une membrane avec deux baguettes ; un énorme tambour de 130 cm de diamètre, utilisé dans le théâtre → Kabuki. Le tambour-sablier → « tsuzumi » n'est utilisé que dans l'ensemble du → « nô ». Le « ko-tsuzumi », plus petit que le précédent, s'unit au « shamisen » ; c'est dans le jeu de ces deux instruments qu'apparaît de la manière la plus caractéristique le goût japonais pour les recherches de timbres. L e s i d i o p h o n e s. La plupart des types sont représentés au Japon : crécelles, claquettes, raclettes, gongs, cloches, etc. Certains ont une origine locale, d'autres, comme la cloche et le gong, sont venus de Chine. On peut voir ici encore l'intérêt porté par les Japonais à la finesse du timbre. La claquette appelée « hyôshigi », qu'on emploie dans le théâtre Kabuki comme signal d'ouverture et de fermeture du rideau, en est un exemple. L'instrument est composé de deux barres de chêne longues de 24 cm, larges de 4,5 cm et 3,9 cm. Le son aigu et clair, qui s'accompagne du beau « sawari » (son traînant), a été conçu en rapport avec la scène, large et haute, qui lui sert de caisse de résonance.

La théorie. A travers les fluctuations stylistiques, les caractères essentiels de la mus. traditionnelle japonaise demeurent l'homophonie, le système musical, la mélodie, le rythme libre et l'importance du timbre. — L ' h o m o p h o n i e. A l'exception de l'ensemble instrumental « gagaku », la mus. japonaise tend vers les sommets de l'art monophonique. Plutôt que le côté harmonique, elle a cultivé les petits intervalles, le rythme libre, les nuances de timbres, domaines dans lesquels elle surpasse la mus. occidentale. — L e s y s t è m e m u s i c a l est différent pour chacun des trois genres principaux : « gagaku », « nô » et musique pour « koto », « shamisen » et « shakuhachi ». Le système musical du « gagaku », importé de Chine sous la dynastie T'ang, repose théoriquement sur 3 éléments : les 12 sons (semblables à ceux de la mus. chinoise et du système pythagoricien), 2 gammes principales et 6 tonalités. — Les deux gammes font partie des 7 gammes chinoises basées sur l'échelle fondamentale *do, ré, mi, fa ♯, sol, la, si*, et ont pour tonique *mi* et *la*. Sur les 6 tonalités, 3 reproduisent la gamme de *mi* à partir des toniques *ré, sol* et *mi* ; les 3 autres reproduisent la gamme de *la* à partir des toniques *mi, la, si*. Dès la période Heïan, la musique s'adapta au goût japonais en intégrant la gamme pentatonique. Le système musical de la fin du Moyen Age (époque Edo), qui vit le développement de la musique pour « koto », « shamisen » et « shakuhachi », était dominé par deux modes principaux, « in » et « yô ». Le premier est représenté par une échelle à 5 sons avec demi-ton : *mi, fa, la, si, ré, mi* en montant et *mi, do, si, la, fa, mi* en descendant. Ce mode est employé dans la mus. savante alors que le mode « yô » est assez courant dans la mus. populaire. Le mode « yô » est représenté par une échelle à 5 sons sans demi ton : *mi, fa ♯, la, si, ré, mi* en montant et *mi, do ♯, si, la, fa ♯, mi* en descendant (avec quelques variantes). C'est dans le → « nô » qu'on trouve le système le plus particulier.

La gamme, qui n'est pas de type occidental, repose sur 6 notes structurelles fondamentales entre lesquelles se placent des notes secondaires. La mélodie révèle une structure tétracordale et pentacordale. — L a m é l o d i e est souvent conçue comme un agencement de structures mélodiques. Les exemples caractéristiques se trouvent dans la mus. vocale narrative : « nô », « heïke-biwa » et « gidayû ». — L e r y t h m e l i b r e. A côté du rythme mesuré, mécanique, tel qu'on le trouve communément dans la mus. occidentale après le Moyen Age, le rythme libre, qu'on ne peut plier à une répartition égale de pulsations, tient une place importante dans la mus. japonaise. C'est dans le → « nô », dans la musique pour « shakuhachi » solo et dans les chants folkloriques qu'on trouve le plus fréquemment le rythme libre. — L e t i m b r e. La mus. japonaise offre une variété de timbres plus limitée que la mus. occidentale : cordes en soie grattées, instr. à vent de bambou. Toutefois, à l'intérieur d'un même type d'instrument, on trouve une variété de timbres reposant sur des nuances plus fines que celles qui existent entre les diverses familles instrumentales de l'Occident. Il y a, par exemple, plus de 10 sortes de « shamisen », ne présentant que de légères différences liées au style de la musique exécutée ; 5 sortes de flûtes traversières en bambou, qui se distinguent uniquement par leur timbre. Il est important de savoir reconnaître ces différences subtiles si l'on veut jouer et apprécier cette musique. Le timbre doit aussi sa finesse au fait que le bruit qui accompagne le son musical en constitue un élément important ; cette utilisation du bruit s'explique par le goût qu'ont les Japonais pour les sons naturels.

Bibliographie — F.T. PIGGOTT, The Music and Musical Instr. of Japan, Londres 1893, 3/1970 ; CH. LEROUX, La mus. classique japonaise, Paris 1910 ; N. PERI, Essai sur les gammes japonaises, Paris 1934 ; R.A. WATERMAN et collab., Bibliogr. of Asiatic Music, in Notes V-VIII, 1947-50 ; T. KOMIYA, Japanese Music and Drama in the Meiji Era, Tokyo, Obunsha, 1956 ; H. ECKARDT, art. Japanische Musik in MGG VI, 1957 ; E. HARICH-SCHNEIDER, art. Japonaise (Musique), in Encycl. de la mus. II, éd. par Fr. Michel, Paris, Fasquelle, 1959 ; W.P. MALM, Japanese Music and Musical Instr., Tokyo et Rutland (Vermont), Tuttle, 1959 ; E. MAY, The Influence of the Meiji Period on Japanese Children's Music, Los Angeles, Univ. of California Press, 1963 ; R. HATTORI, Traditional Folk Songs of Japan, Tokyo, Ongaku-no-Tomo ; 1966 ; S. KISHIBE, The Traditional Music of Japan, Tokyo, Japan Cultural Soc., 1966 ; P. LANDY, Mus. du Japon, Paris, Buchet-Chastel, 1970.

S. KISHIBE

JARABE, danse nationale du Mexique, inspirée des → « zapateados » andalous. Pendant la période des luttes pour l'indépendance, le j. a été adopté par les patriotes et transformé en chanson de guerre, avec paroles satiriques à l'adresse des Espagnols. Il présente une succession de mesures à 6/8 et à 3/4, caractéristique des danses et chansons populaires de presque tous les pays américains de langue espagnole.

JAVA, voir INDONÉSIE.

JAZZ, musique du XXᵉ s., d'origine afro-américaine, ● qui s'est répandue sur toute la surface du globe. L'étymologie du terme n'est pas entièrement éclaircie. Il s'agit d'un emprunt anglo-américain au patois franco-américain, et dépourvu à l'origine de tout sens musical (substantif : rapidité, enthousiasme, véhémence, exagération, coït, etc. ; verbe : accélérer, exciter, chasser, être extraordinaire, copuler, etc.). Ce n'est que vers 1915 que le terme se voit appliqué au « jazz » par les Blancs, définissant ainsi par son effet un phénomène qui leur était étranger. L'étiquette « jazz » correspond à l'interprétation « blanche » d'une musique « noire ».

Généralités. La cristallisation du j. et ses critères distinctifs résultent d'un processus d'acculturation. Plus exactement, le j. est le produit du mélange en terre nord-américaine des cultures musicales de l'Afrique de l'Ouest et de l'Europe. C'est principalement dans le sud des États-Unis que les différentes sphères se sont interpénétrées, aboutissant à des résultats variés selon les régions. Le port de La Nouvelle-Orléans a imposé sa marque et joué un rôle de réflecteur par son importance économique, sa situation comme carrefour et son mélange de races (ibéro-, franco-, anglo- et afro-américaines). En raison de la transformation permanente de cette musique qui déborda très rapidement son cadre d'origine, la question de son identité se pose si l'on veut rendre compte de l'unité d'un phénomène qui s'est répandu sur toute la Terre en cercles concentriques. Comme le processus d'acculturation s'est déroulé en dehors de tout système de notation et que l'expression spontanée est restée un élément constitutif de l'évolution, le j. peut être défini comme un équilibre instable où se mêlent l'acculturation afro-américaine, euro-américaine et avant tout l'expression spontanée non écrite. Les composantes d'une telle singularité sont à chercher en tout temps dans un ensemble spécifique produit par la génération sonore et mélodique, la formation d'accords, de rythmes et d'éléments architectoniques en dialogue permanent avec les origines.

L e   r y t h m e. A des accents rythmiques périodiques, pour ainsi dire métronomiques (« beat »), se superposent de minimes déplacements d'accents (« off-beat ») aboutissant à une stratification complexe (« swing »). Cette façon de concevoir le rythme ne peut être rationalisée ni, par conséquent, être fixée par écrit. Les éléments de la corrélation sont d'origine européenne (« beat ») et africaine (« off-beat »).

L'i n t o n a t i o n. La méthode de production des sons instrumentaux ne repose sur aucune règle esthétique ni sur aucune standardisation, mais uniquement sur des intentions individuelles. Leurs caractéristiques sont le défaut de justesse (« dirty tones »), les sons « poussés », les glissandos, les dégradations dynamiques — selon les traditions africaines, un idéal d'intonation percussif avec mélodie en « staccato » (« hot-intonation » ; « hot », déformation phonétique du français « haut ») qui a conduit, dans les débuts du j., au choix d'instruments adéquats (voir l'art. BAND). L'intonation « hot » caractérise une sorte de mise en tablature au cours de laquelle une mélodie immanente, issue de la parole et teintée d'africanisme, est appliquée à des instruments européens, la proximité de la parole, du caractère vocal ou instrumental restant toutefois sensible, ne serait-ce qu'à grands traits.

L'i m p r o v i s a t i o n. C'est le propre de la musique de j. : les enregistrements sonores captent un déroulement musical unique. Mais selon les traditions africaines, le j. est également une musique d'ensemble déterminée par des structures de dialogue (voir l'art. CALL-AND-RESPONSE PATTERN). Une matrice de régulation est nécessaire pour qu'il se réalise. L'improvisation de j. spécifique est liée à des moules (« chorus », = mélodie de base et par conséquent élément de l'unité formelle) s'ajoutant les uns aux autres, tandis qu'une hétérophonie à variantes d'origine africaine entre en symbiose avec le système harmonique européen.

L'histoire. Dans les deux dernières décennies du XIX⁰ s., diverses traditions musicales afro-américaines se mêlèrent, à La Nouvelle-Orléans, à des musiques fonctionnelles euro-américaines (principalement d'origine latine) pour former ce que l'on appelle le jazz. Leurs représentants étaient des ensembles afro-américains issus d'ensembles de cuivres (« marching bands »). Leur répertoire formait un large éventail allant de la marche au → « blues » en passant par le → « ragtime » et prenait forme selon les règles du « chorus » improvisé en groupe et de la « structure d'appel et de réponse » (voir l'art. CALL-AND-RESPONSE PATTERN). — A ce stade d'évolution, le j. est désigné par les termes de « New Orleans Jazz ». Ses principaux représentants sont L. Armstrong, S. Bechet, Buddy Bolden, Baby Dodds, Johnny Dodds, Bunk Johnson, Freddie Keppard, Jelly Roll Morton, Jimmy Noone, King Oliver, Kid Ory. — L'entrée en guerre des États-Unis en 1917 fit de La Nouvelle-Orléans une ville de garnison et entraîna la même année la fermeture du quartier de plaisirs de Storyville, lieu de prédilection de la musique « noire ». Par ces mesures, dont l'effet avait été préparé par l'immigration afro-américaine dans les agglomérations industrielles, le centre de gravité du j. se transporta vers le nord, principalement à Chicago. C'est là que le « New Orleans Jazz » s'adjoignit des traits de virtuosité, que la pratique collective s'effaça devant une suite de solos et que se développa l' → « arrangement » dans un but d'aménagement et de structuration des pièces.

Dès La Nouvelle-Orléans la population blanche avait pu se familiariser avec le jazz. Le résultat fut une série d'essais d'adaptation en deux épisodes : 1⁰ le « Dixieland Jazz », dans les deux premières décennies du XX⁰ s., à La Nouvelle-Orléans ; 2⁰ le « Chicago Jazz », à Chicago, vers les années 20. Le « Dixieland Jazz » (« Dixieland », = États du Sud) valut au j. ses premières manchettes. C'est à lui sont dus en 1917 les premiers enregistrements sur disque (« Original Dixieland Jazz Band »), alors que les musiciens noirs de La Nouvelle-Orléans ne prirent la relève que dans les années 20 (à partir de 1923 avec plus d'ampleur). Cette version « blanche » du j. interprétait l' « off-beat » comme une syncope et déplaçait le « beat » binaire du temps fort vers le temps faible, tandis que la « structure d'appel et de réponse » était transformée en polyphonie sur des bases harmoniques. Une génération plus tard, de jeunes enthousiastes s'efforçaient, à Chicago, d'adapter le jazz. — Les ensembles euro-américains les plus importants sont, à La Nouvelle-Orléans, l' « Original Dixieland Jazz Band » et les « New Orleans Rhythm Kings » ; parmi les « Chicagoans » (H. Panassié), celui qui compte le plus est L.B. « Bix » Beiderbecke.

L'immigration « noire » dans les centres industriels du nord des États-Unis, la diffusion du j., sa pénétration dans les couches sociales « blanches » et la dialectique de l'action et de la réaction qui s'ensuivit sont des phénomènes complémentaires qui accélérèrent l'acculturation. Sur cet arrière-plan naquit au milieu des années 20 le « big band », version orchestrale du j. qui représentera presque exclusivement pendant les années 30 et au début des années 40. Sans les procédés d'organisation de la musique d'ensemble européenne (voir l'art. ARRANGEMENT) qui ont favorisé la percée de l'harmonie fonctionnelle dans le j., cette musique n'aurait pas vu le jour. Du point de vue rythmique, l'évolution aboutit à un équilibre dans une mesure à 4/4 régulièrement accentuée, à un « balancement » qui, à ce stade d'évolution, donne à la musique le même nom que les particularités rythmiques du j., le « swing ». Sous cette étiquette, le j. exerce un rayonnement exceptionnel quoique marqué d'une façon unilatérale par la notion de plus en plus envahissante de musique fonctionnelle. Aux centres déjà mentionnés s'ajoutent alors New York et Kansas City. Le « Kansas City Jazz » assimile des traditions du Sud-Ouest — le → « blues », le → « boogie-woogie » et le → « riff » — qui n'ont subi aucune influence franco-espagnole. — Les ensembles qui ont marqué l'évolution sont les « big bands » de Fletcher Henderson (1923 et suiv.), E. « Duke » Ellington (1926 et suiv.) et W. «Count» Basie (1935 et suiv.), ainsi que ceux de Jimmy Lunceford (1927 et suiv.), B. Goodman (1934 et suiv.) et Woody Herman (1944 et suiv.). De cette phase date l'importance d'une « jam session », bien qu'elle ait été connue à La Nouvelle-Orléans et à Chicago comme un moyen de pratiquer la musique en toute liberté ; elle constitue également un forum expérimental en créant un domaine situé à l'écart des impératifs commerciaux.

Dans les années 41-45 apparaît une musique qui se dresse avec véhémence contre l'ancienne. Elle est nommée du terme « dadaïste » de « be-bop », vraisemblablement une onomatopée désignant le triton (« flatted fifth ») si important dans cette musique. Le perfectionnisme collectif du « big band » et les conditions économiques issues de la 2de Guerre mondiale mettent en question le j. orchestral. Ces raisons ajoutées à la naissance d'un nationalisme noir aux États-Unis permettent de comprendre pourquoi de jeunes musiciens afro-américains de « big band » inventèrent à New York (Harlem), littéralement d'une nuit à l'autre (« jam sessions »), une musique révoltée contre l'imitation et la commercialisation : improvisation par principe, tonalité élargie, introduction du substrat harmonique dans les couches improvisées, enjambement des césures issues du « chorus », tempos frénétiques (« beat » en croches), phrases rompues, « beat » marqué principalement par la contrebasse, à la batterie déplacement des fonctions principales vers les cymbales avec accents désorientant le rythme au tambour, interventions du piano moins abondantes, le petit groupe tenant lieu d'idéal (formation en quintette avec 2 instr. à vent dans la section mélodique ; voir l'art. BAND), exécution du thème à l'unisson au début et à la fin. — Les représentants les plus importants de ce style sont Kenny Clarke, J. « Dizzie » Gillespie, Charlie Mingus, Th. Monk, Ch. Parker, Bud Powell, Max Roach.

Dans les années 50 — l'Europe s'est jointe à l'évolution — le domaine du j. s'ouvre comme un éventail : le « be-bop » survit, en se transformant par des rythmes plus fortement accentués et une importante influence du « blues », dans ce que l'on nomme le « hard bop ». Des musiciens afro-américains originaires des centres industriels (Detroit, Philadelphie) en sont les représentants, en particulier le quintette Clifford Brown — Max Roach et les « Jazz Messengers » d'Art Blakey. Le centre en est New York. Par ailleurs un assagissement se produit dès la fin des années 40 dans ce que l'on nomme le « cool jazz » : caractère lié de la mélodie et éloignement de l'intonation « hot », admission de nombreux instruments d'orchestre dans le j., forte influence de la tradition musicale européenne (dont les procédés contrapuntiques du style baroque), harmonie européenne traditionnelle et développement parallèle des tendances harmoniques du « be-bop ». — Deux centres se forment, l'un sur la côte est des États-Unis (Lennie Tristano Sextet, Capitol Orchestra, Modern Jazz Quartet, M. Davis Quintet), l'autre sur la côte ouest, représenté presque exclusivement par des musiciens blancs (« West Coast Jazz » : Lighthouse All Stars, Dave Brubeck Quartet, Gerry Mulligan Quartet, Jimmy Giuffre Trio).

Vers 1960 se produisent d'importants changements qui donnent désormais son empreinte au jazz. Quoique formule creuse, le terme de « free jazz » (Ornette Coleman) qui le caractérise est cependant parlant. Pour la première fois le « free jazz » renonce au « beat » continu. Il renonce également à la notion de hauteur des sons basée sur la tonalité traditionnelle, car, grâce à l'électronique, des éléments de bruit s'introduisent parmi les sons de la gamme. L'organisation formelle en subit les conséquences : le jeu « chorus » n'est plus possible sur de telles bases. Au lieu d'une improvisation liée à des moules, au lieu d'une structure par addition, apparaît une spontanéité qui se réduit plus que jamais à une sensibilité communicative. Le fait que le j. ait pris depuis les années 50 des dimensions universelles toujours plus affirmées entraîne comme conséquence l'assimilation de phénomènes issus de la tradition musicale européenne ainsi que de toutes les cultures musicales existantes, tandis que, par le canal du « rock », des dérivés du « blues » (« rhythm & blues ») retrouvent le chemin du jazz. Les frontières avec la musique européenne (post-sérielle !) deviennent fluides. — Karlhanns Berger, Don Cherry, Ornette Coleman, J. Coltrane, Eric Dolphy, Cecil Taylor sont d'importants témoins du « free jazz ».

Le caractère hermétique du j., toujours plus accusé depuis le « be-bop », et l'étude de ses composantes et de son histoire, qui débute dans les années 40, ont conduit vers cette époque à une renaissance des styles anciens (« Dixieland revival »). Avec la poursuite de l'évolution, qui ne s'est pas arrêtée au « be-bop », et l'activité simultanée de plusieurs générations de musiciens, il s'est formé également un courant principal (« mainstream », St. Dance) dans lequel les éléments les plus divers trouvent leur place sans atteindre à un relief accusé. La vision rétrospective a donné naissance à des termes généraux s'appliquant à des moments de l'évolution du j., ainsi le « two-beat jazz » pour la phase ancienne (jusqu'à la fin des années 20), le « traditional jazz » pour la totalité de l'évolution avant le « be-bop », et le « modern jazz » pour la musique postérieure à cette césure, tous ces termes se référant à des critères rythmiques.

L'influence. Parmi ceux qui les premiers ont

attiré l'attention sur le j., on trouve des compositeurs issus de la tradition musicale européenne qui ont subi son influence dans leur propre création. Chez chacun d'eux les motifs d'intérêt ont varié, de même que le degré de l'utilisation, d'autant plus que le j. présente des caractères différents selon les stades d'évolution — des éléments précurseurs du j. ont exercé leur fascination sur Cl. Debussy. L'éventail des rencontres avec le j. va de l'utilisation d'une certaine atmosphère jusqu'à des essais résolus pour parvenir à une synthèse véritable entre deux modes d'existence de la musique : le troisième courant (« third stream ») de Gunther Schuller. Les résultats en sont variables, car ils dépendent de la conception musicale et de l'idée de la composition que chacun se fait. Témoignent de l'ampleur de tels contacts les compositeurs G. Antheil, A. Copland, G. Gershwin, P. Hindemith, D. Milhaud, M. Ravel, Gunther Schuller, M. Seiber, I. Stravinski, B.A. Zimmermann.

Bibliographie — E. ANSERMET, Sur un orchestre nègre, in La Revue Romande III, 1919 ; A. CŒUROY et A. SCHAEFFNER, La mus. moderne, II Le j., Paris 1926 ; E.M. VON HORNBOSTEL, Ethnologisches zu J., in Melos VI, 1927 ; H. PANASSIÉ, Le j. hot, Paris 1934 ; du même, The Real J., New York 1942, 2/New York et Londres, Barnes & Yoseloff, 1960, trad. fr. La véritable mus. de j., Paris 1946, 2/Paris, Laffont, 1952 ; H. ASBURY, The French Quarter, New York 1936 ; CH. DELAUNAY, Hot Discography, Paris 1936 ; du même, New Hot Discography. The Standard Directory of Recorded J., éd. par W.E. Schaap et G. Avakian, New York 1948, plus rééd. ; W. SARGEANT, J. — Hot and Hybrid, New York 1938, 2/1946 ; F. RAMSEY et CH.E. SMITH (éd.), Jazzmen, New York 1939, plus. rééd., trad. fr. Paris 1949 ; M.J. HERSKOVITS, The Myth of the Negro Past, New York 1941 ; R. GOFFIN, La Nouvelle-Orléans, capitale du j., New York 1946 ; du même, Nouv. hist. du j., Paris 1948 ; R. BLESH, Shining Trumpets. A Hist. of J., New York 1946, 2/New York, Knopf, 1958 ; J. SYPNIEWSKI (= SLAWE), Ein Problem der Gegenwarts-Musik : J. unter besonderer Berücksichtigung des symphonischen J. G. Gershwin (diss. Zurich 1947) ; du même (J. SLAWE), Einführung in die J.musik, Bâle 1948 ; R.A. WATERMAN, « Hot » Rhythm in Negro Music, in JAMS I, 1948 ; A. LOMAX (éd.), Mister Jelly Roll : The Fortune of J.R. Morton, New Orleans Creole and « Inventor of J. », New York 1950, plus. rééd. et trad. trad. fr. Paris, Flammarion, 1964 ; L. MALSON, Les maîtres du j., Paris, PUF, 1952 ; J.E. BERENDT, Das J.buch. Entwicklung u. Bedeutung der J.musik, Francfort/M. et Hambourg, Fischer-Bücherei, 1953, 3/1968, plus. trad. ; A. HODEIR, Hommes et problèmes du j., suivi de la religion du j., Paris, Flammarion, 1954, plus. trad., trad. angl. augm. J. : Its Evolution and Essence, New York, Grove, 1956 ; du même, Toward J., New York, Grove, 1962 ; du même, Les mondes du j., Paris, Union générale d'éditions, 1970, ed. Grove, 1970 ; A.P. MERRIAM et R.J. BENFORD, A Bibliogr. of J., Philadelphie, The Amer. Folklore Soc., 1954 ; A.P. MERRIAM et F.H. GARNER, J. - the Word, in Ethnomusicology XII, 1968 ; TH.W. ADORNO, Prismen. Kulturkritik u. Gesellschaft, Francfort/M., Suhrkamp, 1955 ; du même, Moments musicaux, Francfort/M., Suhrkamp, 1964 ; G. CHASE, America's Music, New York, McGraw-Hill, 1955, 2/1966, plus. trad. ; O. KEEPNEWS et B. GRAUER (éd.), A Pictorial Hist. of J. People and Places from New Orleans to Modern J., New York, Crown, 1955, 2/1966, plus. trad. ; N. SHAPIRO et N. HENTOFF (éd.), Hear Mc Talkin' to Ya. The Story of J. as Told by the Men Who Made It, New York, Rinehart, 1955, plus. rééd. et trad. ; L. FEATHER, The Encyclopedia of J., New York, Horizon, 1955, 2/1960 ; du même, The Encyclopedia Yearbook of J., New York, Horizon, 1956, plus. rééd. ; du même, The New Yearbook of J., New York, Horizon, 1958, plus. rééd. ; Down Beat Music. Annual Yearbook, Chicago, Maher, 1956 et suiv. ; M.W. STEARNS, The Story of J., New York, Oxford Univ. Press, 1956, plus. rééd. et trad. ; S. LONGSTREET et A.M. DAUER, Knaurs J. Lexikon, Munich et Zurich, Knaur, 1957, plus. rééd. ; A.M. DAUER, Der J. Seine Ursprünge u. seine Entwicklung, Kassel, Röth, 1958 ; du même, J. — die magische Musik. Ein heitfaden durch den J., Bremen, Schünemann, 1961 ; du même, Improvisation. Zur Technik der spontanen Gestaltung im J., in Jazzforschung I, 1969 ; A. FRANCIS, J., Paris, Éd. du Seuil, 1958 ; F. NEWTON, The Jazz Scene, Londres, MacGibbon & Kee, 1959, plus. rééd. et trad., trad. fr. Paris, Flammarion, 1966 ; H. RAUHE, Musikerziehung durch J., Wolfenbüttel et Zurich, Möseler, 1962 ; G. SCHULLER, Sonny Rollins and Thematic Improvising, in J. Panorama, éd. par M. Williams, New York, Crowell-Collier, 1962 ; du même, Early J. : Its Roots and Musical Development, New York, Oxford Univ. Press, 1968 ; L. JONES, Blues People : Negro Music in White America, New York, Morrow, 1963, plus. rééd. et trad. ; du même, Black Music, New York, Morrow, 1967, plus. rééd., trad. fr. Paris, Buchet-Chastel, 1969 ; A. ASRIEL, J. Analysen u. Aspekte, Berlin, Lied der Zeit, 1966 ; A. ROSE et E. SOUCHON, New Orleans : A Family Album, Baton Rouge, Louisiana State Univ. Press, 1967 ; FR. TENOT et PH. CARLS, Dict. du j., Paris et Kehl, Larousse, 1967 ; B. RUSSO, J. Composition and Orchestration, Chicago, Univ. Press, 1968 ; A.J. McCARTHY et autres, J. on Record. A Critical Guide to the First 50 Years : 1917-1967, Londres, Hanover, 1969 ; C.G. HERZOG ZU MECKLENBURG, Intern. J. Bibliogr. J. Books from 1919 to 1968, Strasbourg et Baden-Baden, Heitz, 1969 ; du même, 1970 Supplt to Intern. J. bibliogr. and Intern. Drum and Percussion Bibliogr., Graz et Vienne, UE, 1971 ; W. ROGGEMAN, Free en andere j.essays, 's Gravenhage et Rotterdam, Nijgh & Van Ditmar, 1969 ; C. BOHLÄNDER et K.H.HOLLER, Reclams J.führer, Stuttgart, Reclam, 1970 ; E. BORNEMAN, Black Light and White Shadow. Notes for a Hist. of Amer. Negro Music, in Jazzforschung II, 1970 ; J. HUNKEMÖLLER, Analytische Untersuchungen zur Kontinuität des Big-Band-J., ibid. ; du même, I. Strawinskys J.-Porträt, in AfMw XXIX, 1972 ; E. JOST, Zur Musik O. Colemans, in Jazzforschung II, 1970 ; J.F. SZWED, Black America, New York, Basic, 1970 ; J. RUBLOWSKY, Black Music in America, New York, Basic, 1971 ; cf. également la revue Jazzforschung / Jazzresearch, Vienne, UE, 1969 et suiv.

J. HUNKEMÖLLER

JETÉ ou RICOCHET (ital., gettato), dans le jeu de violon, effet basé sur l'élasticité de l'archet. Il consiste à jeter celui-ci sur la corde, au tiers supérieur de sa longueur environ, et à le laisser rebondir à chaque note de deux à six fois pour chaque coup d'archet, parfois plus selon les possibilités de l'interprète. Cet effet s'exécute aussi bien dans la douceur que dans la force. Il est semblable au → « spiccato » et au → sautillé et s'indique par des points placés au-dessus des notes qu'enferme une liaison :

JEU. 1. Exécution ou manière d'exécuter de la musique sur un instrument. — **2.** J. d'orgue, voir l'art. ORGUE, § B 4. — **3.** Terme désignant, au Moyen Age, une représentation théâtrale religieuse, également appelée → drame liturgique (*Jeu d'Adam et d'Ève, Jeu de St Nicolas, Jeu de Ste Agnès*), puis une pièce dramatique profane, mêlée ou non de musique (Adam de la Halle, *Jeu de la Feuillée, Jeu de Robin et Marion*).

JEU DE TIERCE, registration classique dans l'orgue français, faite des → fonds 8′ et 4′, du → nasard, de la → quarte ou → doublette, de la → tierce ou parfois du → larigot, appelée d'abord « cornet tout du long du clavier » (M. Mersenne). On l'utilise pour des récits de dessus, de taille ou de basse, pour des parties de trios et de quatuors (fugues) et pour les duos dont la basse est confiée au gros jeu de tierce qui comporte en outre le bourdon 16′ et, éventuellement, la tierce 3′ 1/5.

JEU DE TIMBRES. Ce terme désigne plusieurs instruments d'apparences fort diverses, tous conçus cependant sur le principe de lames d'acier de dimensions variables, mises en vibration par le choc d'un marteau soit tenu à la main, soit mû par l'intermédiaire d'un clavier. Dans le premier cas, il prend également le nom de carillon à lames d'acier, d' « orchestra bells » (angl.), de « Glockenspiel » ou « Stabglockenspiel » (all.), de « campanelli » (ital.). Les instr. d'orchestre de ce type, disposés à la manière d'un → xylophone, offrent en général une étendue de deux octaves et demie, généralement notée de *sol*³ à *do*⁶ ou de *sol*² à *do*⁵, mais sonnant une ou plusieurs octaves au-dessus de la note écrite. A l'usage des formations de mus. militaire, on construit des instruments similaires disposés sur un bâti en forme de lyre, porté à l'extrémité d'une hampe de drapeau que le musicien soutient au moyen d'un baudrier lors des défilés. Ils prennent le nom de lyre militaire ou carillon à lames portable. L'étendue de la lyre est au maximum de deux octaves chromatiques, écrites de *si* ♭ à *si* ♭ (armée française), sonnant deux octaves au-dessus de la notation. Dans le second cas (instr. à clavier), il prend généralement le nom de carillon à clavier ou, même dans les partitions françaises, de « Glockenspiel ». Les orchestrateurs allemands précisent souvent la nature de l'instrument par l'utilisation du terme « Klaviaturglockenspiel ». Le j. de t. ou carillon à clavier offre en général une étendue de 3 octaves, de *do*³ à *do*⁶, entendue une ou deux octaves au-dessus de la notation. Sous le nom de → célesta, les facteurs V. et A. Mustel, en 1866, perfectionnèrent l'instr. à clavier, lui conférant une étendue de 5 octaves, de *do*¹ à *do*⁶, entendue à l'octave supérieure. Sous ce nouvel aspect, l'instrument revêt une sonorité moins éclatante que le carillon d'orchestre traditionnel, dont certains orchestrateurs raffinés le distinguent (M. Ravel, *Tzigane*). Sous le nom de → Clavitimbre, les ateliers parisiens Mustel ont présenté en 1958 un nouveau perfectionnement du j. de t. : un instrument dans lequel les lames d'acier sont accompagnées de résonateurs tubulaires qui augmentent singulièrement la sonorité et permettent de soutenir la puissance de l'orchestre moderne. Les exemples les plus célèbres d'utilisation des j. de t. (à clavier) sont — outre les innombrables partitions romantiques et modernes — l'oratorio *Saül* de G.Fr. Haendel et *La Flûte enchantée* de Mozart.

Bibliographie — R. WRIGHT, Dict. des instr. de musique, Londres 1941; W. PAPE, Instrumenten Hdb., Cologne, Gerig, 1971.

JEU LITURGIQUE, voir DRAME LITURGIQUE.

JEU-PARTI (en provençal, partimen ou joc-partit), genre lyrique propre aux trouveurs des XIIᵉ et XIIIᵉ s., aspect particulier de la → « tenso ». « Partir un jeu » c'est partager entre deux poètes deux solutions possibles d'un débat ; mais à la différence de la « tenso », dans laquelle les sujets abordés étaient divers, le j.-p. traite presque exclusivement de casuistique amoureuse. Dans la « tenso » le débat se développe librement, alors que dans le j.-p. « l'un des partenaires propose à l'autre une question dilemmatique et, celui-ci ayant fait son choix, soutient lui-même le parti de l'alternative resté disponible » (A. Lângfors).

Dans son aspect classique, le j.-p. est une pièce lyrique de 6 couplets, suivis de deux envois, sur une mélodie généralement empruntée : plusieurs j.-p. ont d'ailleurs été transmis avec des mélodies différentes. On a soutenu que le j.-p. était une improvisation, mais il est à peu près assuré que les partenaires préparaient à l'avance ce débat, ce que confirment certaines structures assez complexes. Il n'est pas certain, dit Lângfors, que les juges nommés dans les envois aient prononcé un jugement réel : « C'était

plutôt une manière d'hommage rendu à des personnes de marque ». La technique du j.-p. semble exclure toute sincérité et n'être qu'un divertissement rhétorique, puisque le même poète soutient des points de vue opposés d'un jeu à l'autre. En fait, la discussion consisterait plutôt en l'imbrication de deux monologues, chaque poète ne se préoccupant que de développer son idée, sans tenir compte des arguments de son partenaire.

Les maîtres du « partimen » sont les troubadours Guiraut Riquier, Simon Doria, Aimeric de Peguilhan, Guionet, Lanfranc Cigala, Raimbaut de Vaqueiras, Albertet de Sisteron, Maria de Ventadour, Sordel de Goïto... — Les deux tiers des j.-p. de langue d'oïl connus ont été composés dans la zone d'influence du puy d'Arras. Parmi les auteurs illustres de j.-p. français, on note Thibaut IV de Champagne, Jehan Bretel, Jehan de Grivelier, Lambert Ferri, Adam de la Halle, Guillaume le Vinier, Gillebert de Berneville. Charles d'Anjou, le roi d'Aragon et les ducs de Bretagne et de Brabant ont participé plus ou moins à ces jeux en tant que juges ou partenaires. — Le « geteiltez Spil », forme germanique du j.-p., est une variété de « Spruch » qui a peu tenté les « Minnesänger ». On note principalement le débat du Cœur et du Corps, j.-p. fictif d'Hartmann von Aue dans son premier *Büchlein*, la controverse Amour-Beauté chez Reinmar von Brennenberg, ou l'opposition entre « wip » et « frouwe » (Femme et Dame) qui mit en lice Frauenlob, Regenbogen et Rumcsland. — La tradition populaire connaît parfois la technique du j.-p. ou de la « tenso » : p. ex. chez les Corses, les Gitans d'Andalousie ou les Esquimaux.

Bibliographie — Cf. art. TENSO ; A. LÅNGFORS, Recueil général des j.-p. fr., 2 vol., Paris 1926 ; TH. GÉROLD, La mus. au M.A. Paris 1932 ; J. BOUTIÈRE et A.H. SCHUTZ, Biogr. des troubadours, Toulouse, Privat, et Paris, Didier, 1950, 2/1964 (augm., avec le concours d'I.M. CLUZEL) ; A. MORET, Les débuts du lyrisme en Allemagne, Lille, Bibl. univ., 1951 ; M. UNGUREANU, Société et littérature bourgeoises d'Arras aux XIIᵉ et XIIIᵉ s., in Mémoires de la Commission des Monuments hist. du Pas-de-Calais VIII, Arras 1955 ; J. MAILLARD, Anth. des chants de trouvères, Paris, Zurfluh, 1967.

J. MAILLARD

JEUX D'ORGUE, voir ORGUE, § B 4.

JEUX FLÛTÉS, jeux d'orgue à bouche, ouverts ou bouchés (→ bourdon ; → flûtes ; composants du → jeu de tierce, du jeu de → cornet ; jeux féminins de la nomenclature allemande), de taille supérieure aux → principaux.

JEUX HARMONIQUES, jeux d'orgue dont les tuyaux ont une longueur double de la normale : → flûtes qui octavient (flûte harmonique et flûte octaviante) par surpression ou grâce à un trou à mi-longueur ; jeux d' → anches à résonateur double (→ trompettes, → clairons).

JEUX ONDULANTS, jeux d'orgue composés de deux rangs semblables, légèrement discordés, pour donner un effet de tremblement (→ voix céleste, → unda maris, → piffaro, → vox humana).

JIG (ou jigg, = gigue), mot anglais venant de « to jig », danser en sautillant. Il désigne une danse populaire de caractère grotesque exécutée en Irlande et en Angleterre au XVIᵉ s. La → gigue classique en est une forme évoluée. « Jig » (ou gigue) désigne également un instr. à cordes rustique, de la famille des vièles.

JODLER ou **JODEL** (all. ; « jodeln » = chanter un « Jodler »), type particulier de mus. vocale à caractère populaire, pratiqué dans les régions alpines. Des phénomènes similaires se rencontrent dans de nombreuses régions d'Europe, dans le Caucase, chez les Pygmées et les aborigènes d'Afrique, en Mélanésie et en Polynésie, ainsi qu'en Chine et en Inde orientale (à rapprocher de l'extension de la polyphonie vocale). Le J. est un chant sans texte, plus exactement un chant exécuté sur certaines syllabes dépourvues de sens. Il se caractérise par de fréquents changements de registre de la part du chanteur, qui passe, généralement sans marquer d'arrêt, de la voix de poitrine à la voix de tête (fausset), s'appuyant le plus souvent sur les grands intervalles fournis par la résonance ou sur des accords brisés (majeurs). Ces caractéristiques sont à rapprocher de la tendance à une polyphonie primitive (canon, croisement des voix). Les « Juchzer » et « Juchschreie », également dépourvus de texte, se distinguent du J. par leur brièveté, l'absence du changement de registre et, pour les derniers, par le caractère indéterminé des intervalles. L'origine et l'évolution du J. ne sont pas encore suffisamment connues, mais on peut affirmer que ceux qui le pratiquaient à l'origine appartenaient à des populations agricoles de régime matriarcal, ainsi qu'à des races méditerranéennes ou apparentées (W. Sichardt) ; que le J. constituait un moyen privilégié pour communiquer sur de longues distances (fréquences favorables, spectre des harmoniques) ; que les syllabes du J. étaient destinées à faciliter l'intonation (W. Graf) ; que, sous l'effet des changements de civilisation, de la tradition, des modifications de structure et de finalité, ces éléments n'ont pas seulement abouti à des formes transformées ou apparemment nouvelles, mais qu'ils se sont également trouvés liés (p. ex. sous forme de refrain) à des genres voisins (chanson populaire, → « Schnaderhüpfl », → « Ländler », → ranz des vaches, appel, etc.). Il reste à établir dans quelle mesure on peut relier au J. le chant que les anciens Pères de l'Église désignent par « Jubilare sine verbis ».

Éditions — A. Werle, Almrausch, Graz 1884 ; J. Pommer, J. u. Juchzer, Vienne 1889-1906 ; H. Commenda, 25 Oberösterr. Volkslieder u. J., Linz 1920-25 ; Österr. Volkslied-Unternehmen. Kleine Quellenausgaben, vol. 3, 4, 6 et 8, Vienne et Leipzig, Österr. Bundesverlag, 1926-35 ; H. Derschmidt, Unsere J., Karlsbad, Hohler, 1934 ; M. Haager, Das J.buch, Graz, Styria, 1936 ; H. Gielge, Klingende Berge, Vienne 1937 ; G. Kotek, Volkslieder u. J. um den Schneeberg u. Semmering in Niederdonau, Vienne et Leipzig, UE, 1944.

Bibliographie — A. Tobler, Kühreihen oder Kühreigen, Jodel u. Jodellied, Zurich 1890 ; W. Sichardt, Der alpenländische J. u. der Ursprung des Jodelns, Berlin 1939 ; W. Wiora, Zur Frühgesch. der Musik in den Alpenländern, Bâle 1949 ; du même, Jubilare sine verbis, in In Memoriam J. Handschin, Strasbourg, Heitz, 1962 ; H. Gielge, Sprachliche u. musikalische Gesetzmässigkeit bei der Anwendung von J.silben, in Jb. des österr. Volksliedwerkes X, 1961 ; W. Graf, Zu den J.theorien, in Journal of the Intern. Folk Music Council XIII, 1961 ; du même, Naturwissenschaftliche Gedanken über das Jodeln, die phonetische Bedeutung der J. silben, in Schriften des Vereins zur Verbreitung naturwissenschaftlicher Kenntnisse in Wien CV, 1965 ; W. Senn, « Jodeln », ein Beitr. zur

Entstehung u. Verbreitung des Wortes, mundartliche Bezeichnungen, in Jb. des österr. Volksliedwerkes XI, 1962.

R. Flotzinger

JONGLEUR (du lat. joculares ou joculator, = joueur, amuseur ; ancien fr., jogleor ; provençal, juglar ou joglar ; ital., giullari ou giocolatore ; angl., juggler ; all., Spielmann, pluriel Spieleute), musicien, mime, bouffon, bateleur ambulant, héritier d'une double tradition : d'une part, celle des « éthélontes » de Thèbes, des « phlyaciens » de Grande-Grèce auxquels succédèrent le « mimus » et l'« histrio » romains, puis le « joculator » de la Basse Époque ; d'autre part, celle des « scopas » francs. La grande période des j. se situe du XIᵉ au XIVᵉ s. Le terme recouvre une multitude de talents variés ainsi que toute une hiérarchie sociale, depuis le ménestrel de langue d'oïl jusqu'au misérable bateleur traînant de ville en ville quelque animal savant.

La confusion s'est opérée très vite entre troubadour, trouvère, ménestrel et jongleur. Les deux premiers termes ne désignent pas un état social, mais le seul fait de composer, de « trouver » des poésies de caractère généralement lyrique ; cependant de nombreux troubadours se firent « juglars » (Cercamon, Marcabru, Arnaut Daniel, Gaucelm Faidit...). Certains trouvères furent plutôt ménestrels, titulaires d'un poste privilégié auprès d'un seigneur auquel ils servaient fréquemment de conseiller, d'ambassadeur privé ou d'interprète dans le cas où ce seigneur était lui-même trouvère (Blondel de Nesles au service de Richard Cœur de Lion, Adam de la Halle au service du comte d'Artois). Le j. de langue d'oïl représente donc un état social plus humble quoique variable en dignité. Turbulents et souvent indiscrets, les j. furent interdits à la Cour de Philippe Auguste, mais St Louis les autorisa à reparaître à Paris. Richard de Cornouailles vit danser à la Cour de Frédéric II de Hohenstaufen en 1241 des jongleresses sarrasines qui évoluaient sur d'énormes ballons en chantant et en frappant des cymbales ; en 1306 il y avait une foule de j. aux fêtes de la Pentecôte à Westminster pour l'adoubement du Prince Édouard. Froissart dit le plaisir que prenait Gaston Phoebus, comte de Foix, aux assemblées de jongleurs.

Dans certaines villes comme Arras, les j. jouissaient d'une véritable franchise, et des faits miraculeux sont souvent à l'origine de leurs confréries (Confrérie de Notre-Dame des Ardents à Arras v. 1190). Dès le XIIIᵉ s. existait à Paris, non loin du Châtelet, une rue aux j., véritable centre corporatif ramassé au XIVᵉ s. autour de la paroisse de St-Julien-des-Ménétriers. Le premier règlement connu de cette corporation date de 1321. Par ailleurs, Arras possède un très précieux Nécrologe des j. de la ville, couvrant près de deux siècles (1194-1361). D'autres centres d'études et de perfectionnement se trouvaient à Reims, Bourg-en-Bresse, Toulouse, Narbonne, etc. La coutume entraînait l'élection régulière de rois des jongleurs. Cet usage de couronner le meilleur se retrouve dans les → puys (prince du puy). En 1296 Philippe le Bel nomme Jean Charmillon roi des j. de Troyes.

Ces j. ne nous sont souvent connus que par un diminutif ou un sobriquet (Papiol, Pistoleta, Comunal...). En Allemagne, ceux des « Minnesänger » qui embras-

● Voir hors-texte entre pages 80 - 81, ph. 11.

sèrent la profession de j. sont surtout des gnomiques dont le nom peut indiquer la région d'origine (Hermann der Damen), ou bien reflète la qualité (Rudolf der Schreiber) ou le don (Regenbogen). Rares sont ceux qui obtinrent la situation enviée et stable de ménestrel de cour. Walther von der Vogelweide connut lui-même, en dépit de son génie, l'existence errante des j., bien que certains mécènes puissants l'aient protégé.

Bibliographie — Abbé DE LA RUE, Essai hist. sur les bardes, les j. et les trouvères normands et anglo-normands, 3 vol., Caen 1834; J.G. KASTNER, Parémiologie musicale de la langue fr. (art. j.), Paris 1866; E. FREMOND, J. u. menestrels (diss. Halle 1883); F. WITTHOEFT, Sirventes joglaresc: ein Blick auf das altfranzösische Spielmannsleben, in Ausgaben u. Abhandlungen LXXXVIII, Marburg 1891; W. HERTZ, Spielmannsbuch, 2e éd., Stuttgart 1900; TH. HAMPE, Die fahrenden Leute in der Vergangenheit, Leipzig 1902; M. BRUCHET, Le château de Ripaille, Paris 1907; G. BONIFACIO, Giullari e uomini di Corte nell'200, Naples 1907; A. WALLNER, Herren u. Spielleute im Heidelberger Codex, in PAUL et BRAUNE, Beitr. zur Gesch. der deutschen Sprache u. Literatur XXXIII, 1908; E. FARAL, Les j. en France au M.A., Paris, Champion, 1909, 2/1964; A. MÖNCKEBERG, Die Stellung der Spielleute im Mittelalter (diss. Fribourg-en-Br. 1910); M. UNGUREANU, Société et littérature bourgeoise d'Arras aux XIIe et XIIIe s., in Mémoires de la Commission des Monuments hist. du Pas-de-Calais VIII, Arras 1955; J. MAILLARD, Coutumes musicales au M.A..., in Cahiers de Civilisation Médiévale II, Poitiers 1959; R. BERGER, Le Nécrologe de la Confrérie des j. et bourgeois d'Arras, in Mémoires de la Commission départementale des Monuments hist. du Pas-de-Calais XI et XIII, Arras 1963-70.

J. MAILLARD

JOROPO, danse populaire du Venezuela dont la formule rythmique révèle son origine espagnole : alternance ou superposition de mesures à 6/8 et à 3/4.

JOTA, danse ou chant populaire esp. de rythme ternaire rapide, qui s'exécute en couple, les bras levés, sans que les danseurs se touchent. La j. est typiquement aragonaise, mais elle est également pratiquée en Navarre, dans les provinces de Valence, Murcie, Alicante et Santander, aux Baléares, aux Canaries et même en Castille, en León et dans la Manche. On a prétendu qu'elle aurait été inventée par le Maure valencien Aben Jot, réfugié à Calatayud au XIIe s. En réalité, elle n'est guère antérieure au XVIIIe s. et n'est en aucune façon d'origine arabe. Comme le → « fandango », elle pourrait provenir de l'ancienne danse appelée « canario ». Parmi les différentes j., il faut citer la j. aragonesa pura, la j. libre, la j. de Utebo, la j. del albañil, la j. de Cariñena, la j. Fiera de Fuentes, la j. de Aben Jot, la j. de Aragón. Agustín Pérez Soriano, Justo Blasco, Ruperto Ruiz de Velasco et Santiago Lapuente ont publié des collections de j. tandis que R. Chapí, Cr. Oudrid, M. Fernández Caballero, T. Bretón, I. Albéniz, E. Granados, M. de Falla et C. del Campo en ont écrit. Quelques compositeurs étrangers se sont également inspirés de la j., ainsi M.I. Glinka, F. Liszt, Fr. Gevaert, E. Chabrier et R. Laparra.

Bibliographie — B. FOZ, Vida de P. Saputo, Saragosse 1844; G. GARCÍA-ARISTA Y RIVERA, La j. aragonesa, Saragosse 1919; J.J. JIMÉNEZ DE ARAGÓN (pseud. de D. Sangornín), Cancionero aragonés. Canciones de j. antiguas y populares en Aragón, Saragosse 1925; M. ARNAUDAS LARRODÉ, Colección de cantos populares de la provincia de Teruel, Saragosse 1927; A. MINGOTE, Cancionero musical de la provincia de Zaragoza, Saragosse 1950, 2/1967; A. BELTRÁN, La j. aragonesa : factores etnológicos para su conocimiento, Saragosse 1960; D. GALÁN BERGUA, El libro de la j. aragonesa, Saragosse 1966; J. MENÉNDEZ DE ESTEBAN, Carácter y personalidad de la j., Pampelune, Diputación Foral de Navarra, 1974.

JUBILUS (du verbe lat. « jubilare » employé par Varron au Ier s. av. J.C. pour désigner les cris de joie sans paroles poussés par les paysans), substantif, masculin ou neutre, n'appartenant pas au latin classique mais au latin des chrétiens. On le rencontre notamment chez Vigile de Trente (IVe s.) et chez St Hilaire dans le commentaire du psaume qui emploie le verbe « jubilare » (Ps. 65 ; cf. Ps. 46 et 99). C'est St Augustin qui a le plus éloquemment expliqué le terme dans ses *Enarrations sur les Psaumes,* ainsi à propos du Ps. 99 : « Celui qui jubile ne prononce pas de mots mais un son joyeux sans mots ». Il est curieux de rencontrer comme un écho à ces commentaires dans les deux offertoires *Jubilate Deo* des dimanches après l'Épiphanie, dans lesquels l'invitation « jubilate » de la réexposition a pris une extension inhabituelle sur la syllabe *-la.* Mais c'est surtout dans l' → alleluia que le j. sans paroles s'est épanoui. Il a pris des proportions démesurées dans les « melodiae secundae » (ou répétition de l'alleluia après le verset) de la liturgie milanaise et dans les « sequelae » ou queues de l'alleluia des anciens tropaires-prosaires, vocalises de plusieurs lignes qui constituent la source musicale des proses. Cependant, le terme j., repris par la préface du Graduel vatican, à côté de son équivalent « neuma », n'est pour ainsi dire jamais employé par les textes liturgiques médiévaux, qui ne connaissent que le terme de « neuma ». Quant au « jubilus rythmicus » attribué à St Bernard, le terme désigne ici non une pièce de chant, mais un « rythme » composé sur le nom de Jésus dont la mélodie ne fut écrite que plus tard (A. WILMART, Le « jubilus » dit de St Bernard, Rome 1944).

Bibliographie — A. GASTOUÉ, art. J. in Dict. d'Archéologie chrétienne et de liturgie VII/2, Paris 1927; A.W. ROETZER, Des heiligen Augustinus Schriften als Liturgiegeschichtliche Quelle, Munich 1929; TH. GÉROLD, Les Pères de l'Église et la musique, Paris 1931; G. STEFANI, L'espressione vocale e musicale nella liturgia, Turin, Elle Di Ci, 1967.

M. HUGLO

JUCHSCHREI (all.), voir JODLER.

JUCHZER (all.), voir JODLER.

JUIVE (Musique), voir ISRAËL.

JUSTESSE. La notion de j. est, dans l'esprit des musiciens, presque toujours vague et imprécise ; ce qui explique les avis parfois contradictoires. Théoriquement, avec l'adoption généralisée du système également tempéré depuis la fin du XVIIIe s. (voir l'art. TEMPÉRAMENT), seuls les sons correspondant à la division de l'octave en 12 parties égales (voir l'art. CHROMATISME) sont considérés comme étant justes. Pratiquement, il n'y a que les exécutants d'instruments à sons fixes (orgue, piano, xylophone, etc.) qui respectent ce principe. Les exécutants ayant la possibilité de former eux-mêmes leurs sons (tout particulièrement dans le domaine du chant et des instr. à cordes) prennent en général des libertés avec le tempérament égal. Il est ainsi fréquent de hausser la → sensible pour la rapprocher de la tonique avec un demi-ton très serré. Les violonistes utilisent ce procédé pour donner, disent-ils, du brillant et de l'expression. Ainsi la notion de j. expressive subissant les lois de l' → attraction mélodique du → système pythagoricien vient se superposer à celle de j. tempérée. De fait, il n'y a pas de j. absolue mais une adaptation instinctive constante pour concilier les impératifs divergents d'un ordre mélodique horizontal conforme au → cycle des quintes et d'un ordre harmonique vertical obéissant aux lois qui régissent le phénomène des → sons harmoniques. La j. tempérée — de même que le système correspondant — n'est qu'une solution de compromis (→ système acoustique).

Bibliographie — Voir les art. ATTRACTION, CHROMATISME, CONSONANCE, ÉCHELLE, HARMONIE, INTERVALLE, SYSTÈME ACOUSTIQUE.

K

KABUKI (japonais), de « kabuku », = jouer selon la coutume et dans les costumes des alentours du xvᵉ et du xvıᵉ s. Cette coutume donnait lieu à un spectacle appelé K., où vinrent se fondre par la suite chant, théâtre et danse. Le K., drame dansé dont la mode remonte à 1600, fut créé par une artiste chamaniste nommée Okuni. Il n'était joué que par des femmes, d'où la désignation de « on'na Kabuki » (K. de femmes). Interdit par le gouvernement, il fut remplacé par le « wakashu Kabuki » (K. de jeunes gens), d'un style plus complexe qui subit l'influence du → « nô » ; de beaux adolescents y prirent la place des actrices. Dès le xvıııᵉ s. le genre commença à recueillir la faveur populaire, en particulier celle des marchands des villes telles que Kamigata ou Edo. Son union avec le théâtre de marionnettes « ningyô jôruri », l'actuel → Bunraku, contribua dans une grande mesure à son développement. Le répertoire réintégra petit à petit le drame dansé, accompagné du → « shamisen ».

Le théâtre K., à quelques nuances près, s'est conservé jusqu'à nos jours dans sa plus pure tradition. La construction de la scène est demeurée la même : une grande scène tournante au centre, flanquée d'une (ou deux) avant-scène appelée « hana-michi » (= chemin des fleurs) qui se fraye un passage au milieu du public près du mur gauche (ou à droite et à gauche) ; cette avant-scène a pour origine le passage couvert de la scène « nô ». — Les acteurs — des hommes exclusivement — sont spécialisés dans un rôle, comme dans l'opéra chinois : rôle principal, masculin et féminin (« tate-yaku »), second rôle (« waki-yaku »), rôle comique (« dôke-yaku »), féminin (« on'na-gata ») rôle de l'ennemi (« kataki-yaku »)... A l'image de la société féodale, les acteurs sont répartis en classes, de la plus haute (« tate-yaku ») à la plus basse (« hayaku »), et se transmettent leur spécialité de père en fils durant plusieurs générations. L'une des plus longues dynasties a été celle d'Ichikawa Danjurô I-XI (1660-1965).

Le drame (« kyôgen »), où l'élément symbolique joue un rôle primordial, était autrefois très long : prélude (« jomaku »), 1ᵉʳ acte (« ichi-banme »), intermède (« nakamaku »), 2ᵉ acte (« ni-banme ») et dernier acte (« ôgiri »). La représentation, qui commençait à 11 h du matin, durait une journée. Nombre de drames sont issus du théâtre de marionnettes → Bunraku. Ils se divisent eux aussi en deux catégories : sujets historiques en 5 actes et pièces en 3 actes mettant en scène des personnages plus populaires. Des danses, en général en rapport avec l'intrigue, sont insérées dans le spectacle pour créer un élément de variété. A noter cependant une longue pièce dansée (« henge-mono ») qui s'étend sur plusieurs scènes — 5, 7 ou 9 — souvent sans lien avec l'argument et qui est destinée à mettre en valeur un danseur de marque. Celui-ci exécute un rôle différent dans chaque scène. Citons l'exemple de *Osotezakura - tenihano - nanamoji* (1811), où le danseur Nakamura Utaemon III fut successivement une courtisane, un masseur aveugle, un pleutre, un jeune garçon, Shoki, dieu chinois, et une funambule.

La musique K. varie selon qu'elle accompagne la danse, la pantomime, ou les dialogues et les monologues. Elle utilise 4 genres principaux de musique pour → « shamisen » : 1° le « gidayû », mus. vocale narrative employée dans le théâtre de marionnettes Bunraku ; 2° le « tokiwazu » et le « kiyomoto », autres types de mus. vocales narratives, originaires d'Edo ; 3° le « nagauta » ou chant lyrique qui accompagne surtout les drames dansés et utilise l'ensemble « hayashi » du « nô » (une flûte, « nô-kan » ou « shinobue », et différents tambours, « ko-tsuzumi », « ô-tsuzumi » et « taïko ») ; 4° le « kagebayashi », musique de fond exécutée par un ensemble formé de percussions et d'instr. à vent (nombreux tambours dont l'énorme « taïko », gongs, cloches, claquettes, raclettes, flûtes de bambou, etc.) ainsi que par les musiciens « nagauta ». Particulièrement remarquable, il consiste en pièces courtes pour la plupart, destinées à créer l'atmosphère d'un décor (palais, sanctuaire, boutique, vallée profonde, montagne, etc.). Les timbres sont utilisés avec art pour évoquer les phénomènes physiques : rafales de vent, pluie, tonnerre, vagues. Un effet particulièrement saisissant est celui qui évoque la chute silencieuse de la neige par un battement calme et sourd sur le « taïko ». La musique provient de deux points différents : de la scène (musique « debayashi ») et d'une pièce fermée par un mur de bois à l'extrémité gauche de la scène (musique « kagebayashi »). Sur scène, les musiciens se présentent en deux lignes droites : au fond, les exécutants « nagauta », placés sur une estrade recouverte d'un tapis rouge ; devant eux, l'ensemble « hayashi ». Cette disposition est très spectaculaire. Les musiciens « gidayû », en nombre beaucoup plus réduit, sont assis sur une haute plate-forme à droite de la scène, alors que les musiciens « tokiwazu » et « kiyomoto » sont sur le côté gauche ou au centre, derrière les danseurs.

Bibliographie — R. MAYBON, Le théâtre japonais, Paris 1925 ; Y. YOSHIKAWA, Japanese Drama, Tokyo 1935 ; F. BOWER, Japanese Theatre, New York, Hermitage House, 1952 ; E. ERNST, The K. Theatre, Londres, Oxford Univ. Press, 1956 ; T. KOMIYA, Japanese Music and Drama in the Meiji Era, Tokyo, Obunsha 1956 ;

P. Arnold, Le théâtre japonais, Paris, Éd. de l'Arche, 1957 ; A.S. et G.M. Halford, The K. Handbook, Tokyo, Tuttle, 1961 ; W.P. Malm, Nagauta, the Heart of K. Music, Tokyo et Rutland (Vermont), Tuttle, 1963 ; B. Ortolani, Das K. Theater, Tokyo 1964 ; Y. Toïta, K., Tokyo, Weatherhill, 1971.

S. Kishibe

KAMANTCHEH (persan), instr. iranien à cordes et à archet. Il possède une caisse de résonance de forme presque sphérique, en bois de mûrier, dont la face antérieure est recouverte d'une membrane servant de table d'harmonie. Le chevalet se place légèrement en biais et dans la partie supérieure de la membrane. Le manche est cylindrique. Dans son axe, et dépassant la caisse de résonance, est fixée une pique d'appui qui permet de tenir l'instrument verticalement. Autrefois le k. était tendu de 3 cordes, les deux premières en soie, la 3e en laiton. A l'exemple du violon, on a ajouté récemment une 4e corde. Les cordes métalliques sont actuellement préférées et sont accordées comme celles du violon. On les frotte avec un archet souple dont on tend le crins avec les doigts tout en jouant. La sonorité du k. est douce et nasillarde. Chez les Arabes, le « kamangâ » a été remplacé depuis le XVIIIe s. par le violon qui a pris le même nom et dont les 4 cordes sont accordées en sol^2-$ré^3$-sol^3-$ré^4$. On retrouve encore des vestiges du k. dans l'orchestre irakien « djalghi », où on le nomme « djozé » en raison de sa forme qui rappelle la noix (« djoz »). Sous son nom on le trouve en Azerbaïdjan et en Uzbekistan. Il existe également en Extrême-Orient avec des variantes et sous des noms divers. En Turquie, le « kamençe » était un instrument de la mus. classique au corps étroit et allongé (appelé « kiamani » en Arménie). Appelé anciennement « ıklığ », il subsiste dans la mus. populaire sous le nom de « kabak kamençe ». Dans le « kamençe rumi », le manche et le corps se confondent, donnant à l'instrument l'aspect d'une demi-poire. Tenu verticalement sur le genou, on le joue en touchant ses 3 cordes de côté avec l'ongle.

KANGEN (japonais), voir Gagaku.

KANOUN, voir Qânûn.

KANSAS CITY JAZZ, voir Jazz.

KANTELE (estonien Kannel), instrument national de la Finlande, rappelant le psaltérion, commun aussi dans les pays Baltes. On en jouait encore en Carélie jusque dans un passé récent. Utilisé dans le chant du « runo » et pour accompagner les danses et les improvisations libres, il était muni de 5 cordes de crin (sol, la, si ♭, do, ré) ; par la suite, il comporta jusqu'à 30 cordes, ordinairement en métal. La caisse de résonance, en bois, est de forme triangulaire. On le joue avec les doigts, appuyé contre le corps ou posé sur une table.

Bibliographie — T. Norlind, Systematik der Saiteninstrumente, I Gesch. der Zither, Stockholm 1936, 2/Hanovre 1941 ; Fr. Bose, Die finnische K., die älteste Zither Europas, in Atlantis XXIV, 1952.

KANTOR (all.), voir Cantor.

KANTOREI (all., = chantrerie). Depuis la Réforme et dans les pays germaniques, le terme sert à désigner des chœurs d'église formés d'élèves doués pour la musique auxquels s'adjoignaient librement des représentants de la bourgeoisie. Si l'on considère que les chœurs protestants ont eu des prédécesseurs dans les fraternités médiévales, l'emploi de ce terme n'a pas dû être rare au cours de la période précédente. Une « Musica Canterey » apparaît dans le *Triomphe de l'empereur Maximilien Ier* de Hans Burgkmair (v. 1515). Les actes d'inspection de Torgau, qui, sur les lieux d'activité de J. Walter, constatent l'existence d'une musique et d'une K. excellentes (« herrliche Musica und Cantorey »), semblent en avoir déterminé l'usage. Toujours est-il que la K. de Torgau a été le modèle des nombreux chœurs de cette espèce. Fondés en grand nombre aux XVIe et XVIIe s., particulièrement en Saxe et en Thuringe, ils possédaient des statuts strictement observés qui déterminaient les obligations des membres volontaires, notamment celle de participer au chant du chœur au cours des cultes. Mais les K. ne négligeaient ni les relations sociales ni les occasions de divertissement (« Convivium »). Les termes synonymes d'« Adjuvantenchor » et d'« Adstanten », qui soulignent le volontariat des adultes, étaient principalement employés dans les petites villes et les villages de Thuringe. La floraison des K. en Allemagne centrale est attestée par la demande de congé de Bach adressée à Mühlhausen le 25 juin 1708 ; il y parle de la musique d'église « qui se développe dans presque tous les villages ». Avec le déclin de la mus. religieuse à partir de la 2de moitié du XVIIIe s., les K. perdirent de leur importance lorsqu'elles parvinrent à se maintenir. Seules les plus renommées réussirent à sauvegarder les anciennes traditions, les « Kruzianer » à Dresde et les « Thomaner » à Leipzig. Au XIXe s., la plupart d'entre elles furent remplacées par des chœurs d'adultes organisés en sociétés. Le renouvellement de la mus. d'église depuis 1925 environ a amené la reprise du terme, qui désigne fréquemment de bonnes chorales urbaines liées à une église ou non. Parmi ces dernières, il faut mentionner les Gächinger, Hessische, Spandauer et Westfälische K. ainsi que la Pfälzische Jugendkantorei. C'est à la Westfälische K., dirigée par W. Ehmann (*Evangelisches Kantoreibuch*, Gütersloh, Rufer-Verlag, 1954, 3/1957), que revient le mérite d'avoir donné vie à une pratique (« Kantoreipraxis ») qui dépasse le chant « a cappella » pour unir les voix aux instruments selon les préceptes de M. Practorius, et pour laquelle le compositeur Helmut Bornefeld a écrit de nombreuses pièces (*Kantoreisätze*, 6 cahiers, Kassel, BV, 1949 et suiv.).

Bibliographie — A. Werner, Gesch. der K. - Gesellschaften in... Sachsen, Leipzig 1902 ; J. Rautenstrauch, Luther u. die Pflege der kirchlichen Musik in Sachsen..., Leipzig 1907 ; P. Graff, Gesch. der Auflösung der alten gottesdienstlichen Formen in der ev. Kirche Deutschlands, 2 vol., Göttingen 1937-39 ; W. Ehmann, Das Musizierbild der deutschen K. im 16. Jh., in Musik u. Bild. Fs. M. Seiffert, Kassel 1938 ; W. Blankenburg, art. Chor in MGG II, 1959.

KAPELLMEISTER (all.), voir Maître de chapelle et Chef d'orchestre.

KASSEL (Cassel).

Bibliographie (éd. à Kassel, sauf mention spéciale) — **1. Vie musicale et ouvr. généraux :** J.D. von Apell, Gallerie der vorzüglichsten Tonkünstler u. merkwürdigen Musik-Dilettanten in Cassel, K. 1806; E. ZULAUF, Beitr. zur Gesch. der Landgräflich-Hessischen Hofkapelle zu Cassel, K. 1902; H. BRUNNER, Gesch. der Residenzstadt Cassel, 913-1913, K. 1913; G. HEINRICHS, Beitr. zur Gesch. der Musik in Kurhessen, besonders am Lehrerseminar Cassel-Homberg, 4 vol., Homberg 1921-25; H. KUMMER, Beitr. zur Gesch. des... Hoforchesters, der Hofoper u. der Musik zu K. 1760-1822 (diss. Francfort/M. 1922); FR. BLUME, Geistliche Musik am Hofe des Landgrafen Moritz von Hessen, K. 1931; CHR. ENGEL-BRECHT, Die Hofkapelle des Landgrafen von Hessen-K., 1677-1730, in Zs. des Vereins für Hessische Gesch. ... LXVIII, 1957; P. HEIDELBACH, K. Ein Jahrtausend hessischer Stadtkultur, K., BV, 1957; E. WOLFF VON GUDENBERG, Beitr. zur Musikgesch. der Stadt K. ... 1822-66 (diss. Göttingen 1958); F. CARSPECKEN, 500 Jahre K.er Orgeln, K., BV, 1968. — 2. Les théâtres lyriques : W. LYNCKER, Gesch. des Theaters u. der Musik in K., K. 1865, 2/1886 sous le titre Das Theater in K.; W. BENNECKE, Das Hof-theater in K. von 1814 bis zur Gegenwart, K. 1906; W. VOLL, Die K.er Oper des 18. Jh. u. die zeitgenössische Opernpflege in Deutschland, in Hessenland XLVIII, 1937; Das neue Staats-theater K., K. 1959; Theater in K., K., BV, 1959; R. LEBE, Ein deutsches Hoftheater in Romantik u. Biedermeier, K., Röth, 1964. — 3. Orchestres et chœurs : G. STRUCK, K.er Chorentwicklung, in Programmheft des 2. Mitteldeutschen Sängerbundesfestes, K. 1930; Jubiläum der Hessischen Staatskapelle K. 1502-1952, K. 1952; 75 Jahre K.er Lehrergesangverein, K., Schneider & Weber, 1958; H. HOMBURG, L. Spohrs erste Aufführung der Matthäus-Passion in K. von 1814 bis zur Gegenwart, K., in MuK XXVIII, 1958. — 4. Les bibliothèques : C. ISRAËL, Übersichtlicher Katal. der Musikalien der Ständischen Landesbibl. zu Cassel, K. 1881; CHR. ENGELBRECHT, Die K.er Hofkapelle u. ihre anonymen Musikhss. aus der Kasseler Landesbibl., K., BV, 1958. — 5. Les éditeurs : Bärenreiter, Gesch. u. Aufgabe, K., BV, 1958; K. VÖTTERLE, Haus unterm Stern, K., BV, 3/1963.

KÉRAS (grec), corne de génisse fabriquée ensuite en métal. Dans la Grèce antique, il s'agissait à la fois d'un instrument d'appel et d'un vase à boire à la régalade. Selon la tradition, Alexandre en fit cons-truire un de 2,40 m de diamètre qui portait à 18 km.

KÉRAULOPHONE, jeu d'orgue à bouche ouvert, analogue au → principal, à peine plus incisif. Il a été introduit d'Angleterre en France au XIXᵉ s. pour doter d'un nom sonore l'enrichissement en nombre des fonds de 8'.

KINNOR, voir ISRAËL, § Les instr. de mus. dans la Bible.

KLANGFARBENMELODIE (all., = mélodie de timbres), mot créé par A. Schönberg à la fin de son *Traité d'harmonie* (1911). La hauteur du son ne représente qu'une des dimensions de sa couleur. Si la mélodie traditionnelle forme une suite de hauteurs différentes, « il devrait être également possible », d'après Schönberg, « de produire des suites sem-blables à partir de l'autre dimension de la couleur sonore, de ce que nous nommons en général timbre, des suites dont les rapports sonores agiraient selon une certaine logique, équivalente à la logique qui nous suffit en écoutant une mélodie de sons de hau-teurs différentes ». Avant même d'avoir formulé cette idée, Schönberg l'avait mise en pratique dans la troisième des *5 Pièces pour orchestre* op. 16, inti-tulée à l'origine *L'Accord changeant* (*couleurs*) et composée en 1909. Cette pièce consiste principale-ment en un seul accord de 5 sons, répété et constam-ment varié par l'instrumentation. C'est la libération complète du timbre, préparée dès l'*Orfeo* de Monteverdi et par toute une évolution qui passe par Rameau et Berlioz jusqu'à Debussy, et qui trouve son analogie dans l'indépendance de la couleur de tout objet dans la peinture abstraite. Un certain aspect de la mus.

contemporaine — mus. sérielle, électronique et aléa-toire — a fait largement usage des possibilités offertes par la « Klangfarbenmelodie ».

KOBZA (ukr.), voir BANDOURA.

KÖNIGSBERG (Kaliningrad).

Bibliographie (éd. à Königsberg, sauf mention spéciale) — **1. Vie musicale et ouvr. généraux :** G. DÖRING, Zur Gesch. der Musik in Preussen, Elbing 1852; F. ZIMMER, K.er Kirchenliederdichter u. Kirchenkomponisten, K. 1885; A. MAYERREINACH, Zur Gesch. der K.er Hofkapelle 1578-1720, in SIMG VI, 1904-05; G. KÜSEL, Beitr. zur Musikgesch. der Stadt K., K. 1923; B. ROTTLUFF, Die Entwicklung des öffentlichen Musiklebens der Stadt K. im Licht der Presse (diss. Königsberg 1924); H. GÜTTLER, K.s Musikkultur im 18. Jh., K. 1925; E. MASCHKE, K.er Musikleben in Vergangenheit u. Gegenwart, in Signale für die musikalische Welt 88, 1930; J. MÜLLER-BLATTAU, Gesch. der Musik in Ost- u. Westpreussen..., K. 1931; M. FEDERMANN, Musik u. Musikpflege zur Zeit Herzog Albrechts, Kassel 1932; W. ZENTNER, J.Fr. Reichardt. Eine Musiker-jugend im 18. Jh., Regensburg 1940; W. SALMEN, Die Schichtung der mittelalterlichen Musikkultur in der ostdeutschen Grenzlage, Kassel, Hinnenthal, 1954; G. SCHMIDT, Die Musik am Hofe der Markgrafen von Brandenburg-Ansbach vom ausgehenden Mittelalter bis 1806, Kassel, BV, 1956; H.J. MOSER, Die Musik der deutschen Stämme, Vienne et Stuttgart, Wancura 1957; L. FINSCHER, Beitr. zur Gesch. der K.er Hofkapelle, in Musik des Ostens I, 1962; W. BRAUN, J. Sebastiani (1622-83) u. die Musik in K., in Nord-deutsche u. nordeuropäische Musik, Kassel, BV, 1965; E. KROLL, Musikstadt K., Zurich et Fribourg-en-Br., Atlantis-Verlag, 1966. — **2. Les théâtres lyriques :** E.A. HAGEN, Gesch. des Theaters in Preussen, K. 1854; A. GOLDBERG, Vergangenheit, Gegenwart u. Zukunft des K.er Stadttheaters, K. 1881; E. MOSER, K.er Theater-gesch., K. 1902; K.er Stadttheater. Fs. zur Wiedereröffnung 1918, K. 1918; I. PEPER, Das Theater in K. 1750-1811 (diss. Königsberg 1928); E. ROSS, Gesch. des K.er Theaters 1811-1834 (diss. Königs-berg 1935). — **3. Orchestres et chœurs :** C.H. SAEMANN, Über die Entwicklung u. den Fortgang des im Jahre 1820 zu K. gestifteten Singvereins, K. 1845; F. SCHULZ, Gesch. des Philharmonischen Vereins zu K. 1838-1888, K. 1888; B. BEHREND, Bericht über die Gesch. des K.er Sängervereins E.V. in den ersten 75 Jahren seines Bestehens, K. 1922. — **4. L'enseignement :** E. MOSER, K.er Kons. für Musik, K. 1906. — **5. Les bibliothèques :** J. MÜLLER, Die musikalischen Schätze der Königlichen u. Univ. Bibl. zu K., Bonn 1870; J. MÜLLER-BLATTAU, Die musikalischen Schätze der Staats- u. Universitätsbibl. zu K., in ZfMw VI, 1923-24; E. LOGE, Eine Messen- u. Motettenhs. des Kantors M. Krüger aus der Musikbibl. Herzog Albrechts von Preussen, Kassel 1931; Die zwei ältesten K.er Gesangbücher von 1527, éd. par J.M. MÜLLER-BLATTAU, Kassel 1933.

KÖTHEN (Cöthen).

Bibliographie — R. BUNGE, J.S. Bachs Kapelle zu C. u. deren nachgelassene Instr., in Bach-Jb. II, 1905; H. WÄSCHKE, Die Hofkapelle in C. unter J.S. Bach, in Zerbster Jb. III, 1907; W. VET-TER, Der Kapellmeister Bach, Potsdam, Athenaion, 1950; FR. SMEND, Bach in K., Berlin, Christlicher Zeitschriften-Verlag, 1951; CH. SCHUBART, J.S. Bachs Wohnung in K., in Bach-Jb. XLI, 1954; E. KÖNIG, Neuerkenntnisse zu J.S. Bachs Köthener Zeit, ibid. XLIV, 1957; du même, Die Hofkapelle des Fürsten Leopold zu Anhalt-K., ibid. XLVI, 1959.

KOLO (serbo-croate, = roue), nom commun aux diverses danses populaires — instrumentales ou vocales — des peuples yougoslaves. Les danseurs forment un cercle en se tenant par la main. Les tempi (lents, modérés ou vifs, uniformes ou de plus en plus rapides) comme les pas sont très variés : danses mar-chées ou courues, petits bonds ou grands sauts. Le corps des danseurs peut être soit immobile, soit animé d'un balancement des hanches ou des épaules. Les k. portent un nom différent selon la région d'ori-gine, selon le sexe ou la profession des danseurs, selon les pas et les figures utilisés.

KONTAKION (grec ; sens probable = petit bâton), l'une des formes les plus importantes de l'hymnographie et de la mus. byzantines. Le k. s'est développé à partir de l'homélie poétique, sorte de prédication solennelle à caractère récitatif qui suivait, à l'origine, la lecture de l'Évangile dans l'office du matin. Il comprend une série de 20 à 30 strophes appelées « oïkoï » (= maisons). Les différents « oïkoï » ont une structure identique ; chantés sur la même mélodie, ils présentent le même nombre de syllabes, la même accentuation et la même disposition syntaxique. L'ensemble des « oïkoï » est précédé d'une strophe allométrique plus courte, le « prooïmion » ou « koukoulion ». « Prooïmion » et « oïkoï » sont reliés par le même refrain. La reprise du refrain à la fin de chaque strophe permet de conclure à un mode d'exécution responsorial : les strophes étaient chantées par un soliste, le refrain par le chœur. L'acrostiche est un autre caractère distinctif du kontakion. Trois formes poétiques syriaques des IVe et Ve s., la « memra », la « madraša » et la « sogitha », semblent être à l'origine du k., qui fleurit une première fois au VIe s. Le plus grand représentant du genre fut le Syrien Romanos († peu ap. 555), auquel on attribue avec certitude un minimum de 85 kontakia. Se sont également illustrés dans ce genre : Anastasios, Kyriakos, Georgios, Dometios et Elias. Une seconde période de floraison se situe au début du IXe s., au couvent de Studios à Constantinople. Les plus anciennes sources de mélodies de k., en notation médio-byzantine, se trouvent dans des manuscrits des XIIe et XIIIe s. qui ne renferment normalement que le « prooïmion » et le premier « oïkos ». Les mélodies attestent le style hautement mélismatique du « psaltikon ».

Éditions — J.B. PITRA, Analecta sacra spicilegio Solesmensi parata I, Paris 1876 ; Romanou tou Melodou Hymnoï ekdidomenoï ek patmiakon kodikon (« Hymnes de Romanos le Mélode éd. d'après le Ms. de Patmos »), éd. par N. TOMADAKES et N.A. LIBADARAS, 4 vol., Athènes 1952-57 ; Blagoveščenskij Kondakař. Fotovosproizvedenie rukopisi, éd. par M.V. BRAŽNIKOV, Leningrad 1955 ; Contacarium ashburnhamense (= Cod. Laur. Ashb. 64), éd. par C. HØEG, in Monumenta Musicae Byzantinae, Série principale IV, Copenhague 1956 ; Contacarium palaeoslavicum mosquense (= Uspenskij Kondakař), éd. par A. BUGGE, ibid., VI, Copenhague 1960 ; C. FLOROS, Das mittelbyzantinische Kontakienrepertoire. Untersuchungen u. kritische Edition, 3 vol. (diss. Hambourg 1961).

Bibliographie — P. MAAS, Das K., in Byzantinische Zs. XIX, 1910 ; C. FLOROS, Das K., in Deutsche Vierteljahrsschrift für Literaturwiss. u. Geistesgesch. XXXIV, 1960 ; du même, Fragen zum musikalischen u. metrischen Aufbau der K., in Actes du XIIe Congrès intern. des Études byzantines II, Belgrade 1964.

KONZERTMEISTER (all., = maître de concert ; fr., violon solo ; angl., leader ; amér., concertmaster ; ital., violino primo ; esp., concertino), titre donné, du XVIIe au XIXe s., au premier violon des chapelles princières, qui occupait également les fonctions de chef d'orchestre. De 1714 à 1717, J.S. Bach fut k. à la chapelle de la cour de Weimar. Dans l'orchestre moderne, le k. est chargé de l'accord des cordes, des attaques, des passages à exécuter en solo et, en l'absence du chef d'orchestre, de la direction du travail de pupitre.

KONZERTSTÜCK ou CONCERTSTÜCK (all., = pièce de concert), désigne un certain nombre de formes musicales, concertantes à l'origine, caracté-

risées par leur haut degré de virtuosité et l'emploi du style descriptif : fantaisies ou divertissements sur des thèmes divers, paraphrases, souvenirs ou réminiscences d'œuvres lyriques, concerts-fantaisies, soli de concert... Issu du « concerto brillant » pratiqué par les contemporains et les successeurs de Mozart, le k. se présente soit comme une pièce de forme sonate plus ou moins stricte (R. Schumann, Concertstück en fa maj., op. 86, pour 4 cors et orch. ; Concertstück, Introduction et Allegro appassionato, op. 92, pour p. et orch.), soit comme une succession de mouvements enchaînés soumise à un programme (C. M. von Weber, Konzertstück en fa maj., op. 79, pour p. et orch.) ou à un ordre qui s'écarte délibérément de la forme sonate (F. Liszt, Danse macabre, paraphrase sur le Dies Irae, pour p. et orch.). En ce sens le k. diffère du → concertino, dont le plan en 3 parties, enchaînées ou non, reprend celui du → concerto.

KOTO (japonais). Ce terme désigne un certain nombre d'instr. à cordes pincées, en particulier une cithare longue (183 cm) dont chacune des 13 cordes de soie repose sur un chevalet en forme de A. Le corps est fait de bois de paulownia. Les cordes sont grattées au moyen de trois becs fixés par des rubans au pouce, à l'index et au majeur de la main droite, tandis que les doigts de la main gauche pressent sur la corde pour hausser le ton ou la tirent pour obtenir des agréments microtoniques. Le « wagon », utilisé dans la mus. rituelle de → « gagaku », en est le type le plus ancien ; il mesure 190 cm de long et comporte 6 cordes, grattées par un plectre en forme de spatule. Le « kin » (en chinois « ch'in »), très apprécié dans l'Antiquité et à l'époque Edo, était une cithare plus petite (120 cm env.) à 7 cordes sans chevalet.

KRAKOWIAK (pol.), voir CRACOVIENNE.

KUHREIGEN (all.), voir RANZ DES VACHES.

KUJAWIAK (pol.), voir MAZURKA.

KURRENDE (du lat. currere, = courir). Ce terme a désigné en Allemagne, du XVe au XVIIIe s., des chœurs formés d'étudiants pauvres qui chantaient dans les rues en échange de dons en nature (nourriture) ou en espèces. Leur répertoire comprenait essentiellement des chorals et des chants spirituels. D'abord peu organisés, ces chœurs furent progressivement placés sous le contrôle des municipalités ou des écoles, qui les dotèrent de règlements précis : conditions d'admission, costume, lieux et jours de sortie, partage des bénéfices, etc. Cette pratique permettait à certains enfants impécunieux de trouver les sommes nécessaires à la fréquentation d'une école.

Bibliographie — G. SCHÜNEMANN, Gesch. der deutschen Schulmusik, 2 vol., Leipzig 1928-32 ; P. EPSTEIN, Der Schulchor vom 16. Jh. bis zur Gegenwart, Leipzig 1929.

KYRIALE. Appelé aussi → ordinaire de la messe, ce recueil contient les mélodies des pièces suivantes : → Kyrie, → Gloria, → Credo, → Sanctus, → Agnus Dei, → Ite, missa est, dont le texte littéraire fixe compose l'« ordinarium ». On le trouve édité à part ou incorporé au → graduel et aux → paroissiens notés, qui n'en donnent qu'un choix restreint. A l'origine, les pièces étaient groupées par genres. Le chantre choisissait celles qu'il désirait faire exécuter. Les recueils sont d'importance diverse. Il existe des pièces communes à tous les recueils et d'autres propres à certaines régions. Les mélodies sont très variées, certaines extrêmement riches. Le talent des compositeurs ne pouvant s'exercer sur les pièces du → propre, dont les mélodies étaient fixées définitivement, se rabattit sur celles du Kyriale. Beaucoup d'entre elles ont été tropées, un texte littéraire remplaçant la longue vocalise du *Kyrie* et s'adaptant aussi à la structure des autres pièces. Vers le XIIe s., on prit l'habitude de grouper les pièces par messes. Ce souci de codification apparaît d'abord dans les ordres religieux. Les cisterciens eurent, dès l'origine, un K. très restreint ne comprenant que 3 messes. L'Édition Vaticane possède 18 messes complètes, 4 *Credo* et 14 pièces « ad libitum ». Sauf pour les messes XVI (de la férie) et XVIII (des vigiles), ce classement n'est pas impératif et le chantre peut choisir librement les pièces qui lui conviennent.

KYRIE, ELEISON (grec, = Seigneur, aie pitié), le premier des 5 chants de l'ordinaire (voir l'art. KYRIALE). Il s'exécute après l' → introït et il est suivi du → *Gloria in excelsis*. A Rome, l'usage du K. est attesté au VIe s. par St Grégoire lui-même : « a clericis dicitur et a populo respondetur » (lettre à Jean de Syracuse sur le K. et sur l'alleluia). Le sacramentaire grégorien prescrit simplement qu'il se chante après l'introït. En fait, l'invocation *Kyrie, eleison* [ymas] est d'origine grecque et elle appartient à la → litanie : pendant très longtemps, lorsque la messe était précédée d'une procession comportant le chant des litanies, on ne reprenait pas le K. après l'introït. Enfin, à la messe de la vigile pascale, le dernier K. de la litanie dite au retour des fonts constitue le premier K. de la messe de la Résurrection. Par ailleurs, nous savons que le pape Gélase imposa des prières litaniques, terminées par *Domine miserere*, dites après l'évangile. En 590, à Rome, une grande procession pénitentielle fut organisée par St Grégoire : la foule répondait par le K. aux invocations de la litanie dite par le clergé. En somme, le K. de la messe est issu de la litanie de procession qui précédait la messe, non seulement les jours de pénitence (en Carême notamment), mais aussi les jours où il y avait collecte, c.-à-d. réunion des fidèles dans une église voisine de l'église stationale où la messe avait lieu.

On pourrait penser « a priori » que, du fait de ses origines, la mélodie du K. devrait être syllabique et non ornée, comme une → acclamation : or, si la réponse de certaines litanies (litanies des saints p. ex.) se chante sur une mélodie syllabique, d'autres, au contraire (*Domine miserere* de la litanie ambrosienne p. ex.), sont adaptées à des mélodies mélismatiques. Le K. férial (n° XVI de l'Éd. Vaticane) ou d'autres K. syllabiques inédits ont donc autant de titres que les mélodies plus développées pour prétendre au rang de mélodie primitive de la « supplicatio litaniae ». D'autre part, il est certain que des mélodies mélismatiques du K. ont été composées à l'occasion de l'addition de tropes en prose ou en vers faite à la brève invocation K. (tropes édités in G.M. DREVES, Analecta hymnica XLVII, pp. 43-216). On a dénombré plus de 220 mélodies composées pour le K., dont 26 ont connu une diffusion internationale (M. Melnicki, Br. Stäblein, voir Bibliogr.). C'est dans le groupe des mélodies universelles que la commission du Graduel réunie par Pie X a fait un choix qui permet de varier l'ordinaire : K. I du Temps pascal (Melnicki 39), II (48), III (142), IV (18), VI (47), IX et X (fêtes de la Vierge : Melnicki 171), XI (16), XIV (68), XVI (217). Un supplément « ad libitum » contient deux mélodies très répandues : V ad lib. (Melnicki 70) et X ad lib. (16). Le K. V et le VIII ad lib. n'ont connu de diffusion qu'en Suisse et en Allemagne ; le K. VII, attribué à St Dunstan († 988), est d'origine anglaise et ne fut connu dans l'Est que tardivement ; le K. des Anges (VIII de l'Éd. Vaticane), dont les plus anciens témoins sont normands, n'a pas davantage pénétré les régions germaniques. Inversement, le K. XII, originaire de l'Est, est venu tardivement dans les régions de langue romane. Les K. I et III ad lib. sont d'origine aquitaine. — Le K. V a souvent été « organisé », c.-à-d. chanté à deux voix, dans les pays de l'Est (voir A. GEERING, Die Organa u. mehrstimmigen Conductus..., Berne, Haupt, 1952, p. 24). On a relevé 18 K. à plusieurs voix composés entre la fin du XIe s. et le début du XIVe s. A partir de cette époque, et jusqu'à nos jours, le K. est traité en même temps que les autres pièces de l'ordinaire par les compositeurs de messes polyphoniques. En raison des répétitions (3 × 3), ce texte se prête admirablement aux variations de thème et offre aux compositeurs un choix très vaste de combinaisons.

Bibliographie — 1. **Liturgie** : B. CAPELLE, Le K. de la messe et le pape Gélase, in Revue bénédictine XLVI, 1934 ; C. CALLEWAERT, Les étapes de l'hist. du K., in Revue d'Hist. ecclés. XXXVIII, 1942 ; J.A. JUNGMANN, Missarum sollemnia, Paris, Aubier, 1952 ; P. DE CLERCK, La prière universelle dans les liturgies latines (diss. Paris, Institut Catholique, 1970), Münster, Aschendorff (en prép.). — 2. **Musique** : M. MELNICKI, Das einstimmige K. des lateinischen Mittelalters, Regensburg, Bosse, 1954, 2/1971 ; BR. STÄBLEIN, art. K. in MGG VII, 1958 ; M. HUGLO, Origine et diffusion des K., in Rev. Grég. XXXVII, 1958 ; H. STÄBLEIN-HARDER, 14th Cent. Mass Music in France, in CMM 29, et in MSD 7, Amer. Inst. of Musicology, 1962; ; M. LÜTOLF, Die mehrstimmigen Ordinarium Missae Sätze..., Berne, Haupt, 1970.

M. HUGLO

Pages de garde. — En tête : Joseph Haydn, Sonate en la majeur. Marburg, Westdeutsche Bibliothek. En fin : Chopin, Valse opus 64 n° 2. Manuscrit 114. Paris, Bibliothèque Nationale. Ph. © B.N. - Photeb.
Plat de la couverture : Ange musicien de Tilman Riemenschneider, Allemagne, XVᵉ s.

TABLE DES ILLUSTRATIONS
en noir et blanc
Tome I : A à K

TABLE DES ILLUSTRATIONS COULEURS
Le Concert à travers les âges
Tome I : De l'Antiquité à la Renaissance

Printed in France.

Valse

Dal Segno.